TIMES-CHAMBERS

LEARNERS' DICTIONARY

English-Thai

พจนานุกรม

อังกฤษ-ไทย

ภาษาไทยโดย

รศ. กนิษฐา นาวารัตน์

และคณะ

THE AUTHORITY ON ENGLISH TODAY

พจนานุกรม อังกฤษ - ไทย

TIMES-CHAMBERS LEARNERS' DICTIONARY (English-Thai)

พิมพ์ครั้งแรก มิถุนายน พ.ศ. 2540

This edition first published 1997

ISBN 974-603-704-8

ราคา **350** บาท

จัดพิมพ์โดย

สำนักพิมพ์ดอกหญ้า

457/99-100 ถนนสมเด็จพระปิ่นเกล้า แขวงอรุณอมรินทร์

เขตบางกอกน้อย กรุงเทพฯ 10700 โทรศัพท์ 434-0235 โทรสาร 433-9114

ร่วมจัดพิมพ์โดย

Federal Publications (S) Pte. Ltd.

Times Centre, 1 New Industrial Road, Singapore 536196 and

Chambers Harrap Publishers Ltd.,

7 Hopetown Crescent, Edinburgh EH7 4AY, Scotland

จัดจำหน่ายโดย

บริษัทสามัคคีสาร (ดอกหญ้า) จำกัด (มหาชน)

71/12-19 ถนนเทศบาลสาย 2 แขวงวัดกัลยาณ์

เขตธนบุรี กรุงเทพฯ 10600 โทรศัพท์ 466-0519 โทรสาร 465-1391

พิมพ์ที่ **โรงพิมพ์สามัคคีสาร (ดอกหญ้า) จำกัด (มหาชน)**

โทรศัพท์ 392-1569, 392-3115

คำนำ

พจนานุกรมเล่มนี้จัดทำขึ้นสำหรับนักเรียนนักศึกษาและผู้สนใจ ซึ่งเริ่มเรียนภาษาอังกฤษและต้องการขยายความรู้ศัพท์และการเรียนรู้ว่าจะใช้ภาษาอังกฤษอย่างไรให้แตกฉานออกไป ศัพท์และวลีต่าง ๆ ที่บรรจุอยู่ในพจนานุกรมเล่มนี้ได้รับการคัดเลือกให้สอดคล้องกับจุดประสงค์ของการเรียนรู้ และคณะผู้รวบรวมได้มีความเอาใจใส่เป็นอย่างยิ่งที่จะอธิบายความหมายของคำเหล่านี้ในแบบธรรมดา ๆ

เป้าหมายของพจนานุกรมเล่มนี้ก็เพื่อสอนเรียนรู้ด้วยตนเองและใช้อ้างอิงได้อย่างถูกต้องในเรื่องของคำศัพท์และความหมายต่าง ๆ

คำศัพท์และวลีส่วนมากจะตามมาด้วยตัวอย่างหลากหลาย เข้าใจได้ง่ายสำหรับการใช้ในชีวิตประจำวัน ผู้ใช้ไม่เพียงแต่จะได้รับความช่วยเหลือและการสอนแนะนำเท่านั้น แต่จะรู้สึกสนุกไปด้วยกับการอ่านตัวอย่างต่าง ๆ เหล่านี้

ความช่วยเหลือเป็นพิเศษในการหลีกเลี่ยงความผิดพลาดโดยทั่ว ๆ ไป หรือคำศัพท์ที่มักใช้ผิดนั้นจัดพิมพ์เอาไว้ใน 'ตาราง' ซึ่งจะพบได้ในหลาย ๆ แห่งของพจนานุกรมเล่มนี้ ซึ่งได้สอดอยู่หลังคำศัพท์ที่จะสามารถทำความยุ่งยากให้เราได้ สิ่งเหล่านี้จะบรรจุคำเตือนและข้อควรจำซึ่งมีประโยชน์ ตัวอย่างเช่นเกี่ยวกับส่วนของคำกริยาสามช่อง คำที่สะกดและออกเสียงยาก และการใช้คำศัพท์ที่ถูกและผิด 'ตาราง' อีกแบบหนึ่งนั้นคือการให้ข่าวสารเป็นพิเศษเกี่ยวกับศัพท์คำนั้น ๆ ตัวอย่างเช่น คำศัพท์ที่แสดงเพศผู้ เพศเมีย และวัยเยาว์ ตามมาด้วยรายละเอียดอื่น ๆ จะมีการพิมพ์ไว้ข้างล่างของศัพท์ คำนั้นสำหรับสัตว์บางชนิด

นอกจากนี้เรายังมีภาพประกอบอยู่ตลอดหนังสือเล่มนี้ เพื่อช่วยให้ผู้อ่านสามารถมองเห็นสิ่งนั้น ๆ และเข้าใจในความหมายที่อธิบายไว้ในพจนานุกรมที่เป็นประโยชน์อย่างยิ่งก็คือภาพที่แสดงให้เห็นถึงความแตกต่างเช่นระหว่าง 'foot' 'hoof' 'paw' 'trotter' และการกระทำอย่างเช่น 'bring' 'fetch' และ 'take'

กฎของเครื่องหมายวรรคตอน การสะกดคำ และหัวข้ออื่น ๆ อีกหลายอย่างรวบรวมเอาไว้ในตอนท้ายของหนังสืออย่างชัดแจ้ง

ต่อไปนี้เป็นการแสดงให้เห็นว่าพจนานุกรมเล่มนี้จัดรูปแบบอย่างไร

การอ่านคำ

'cat·e·go·ry *n* a class or type of things or people: *Story-books come under the category of fiction.*

'ca·ter (*'kā-tər*) *v* **1** to produce food etc.: This hotel caters for wedding-parties. **2** to supply what is needed: *We cater for all educational needs.*

'ca·ter·er, 'ca·ter·ing *ns*

'cat·er·pil·lar *n* a worm-like creature that is the larva of a butterfly or moth.

co'los·sal *adj* very big; enormous: *a colossal increase in the price of books.*

คำศัพท์ในพจนานุกรมเล่มนี้ถูกแบ่งโดยการใช้จุดออกเป็น **พยางค์** (ส่วนที่เราออกเสียงแยกกัน) เพื่อให้เราพูดมันออกมาได้ง่ายขึ้น

ส่วนที่ลงเสียง 'หนัก' หรือออก 'สำเนียง' จะมีเครื่องหมาย ' อยู่ข้างหน้า

คำที่สะกดยาก	**'asth·ma** (*'as-mə*) *n* an illness which causes difficulty in breathing out. **asth'mat·ic** (*əs'mat-ik*) *adj.* **cha'me·le·on** (*kə'mē-li-ən*) *n* a small lizard which is able to change color. **cham'pagne** (*sham'pān*) *n* a white sparkling wine. **yacht** (*yot*) *n* a boat or small ship built and used for racing or cruising: *We spent our holidays on a friend's yacht.*	คำแนะนำในการอ่านออกเสียงคำคำนี้ ตัวอักษรและเครื่องหมายที่ใช้ในคำแนะนำนี้จะมีอธิบายอยู่ในตารางการสะกดคำ
	'ei·ther (*'ī-dhər* or *'ē-dhər*) *pron* the one or the other of two: *You may borrow either of these books; I offered him coffee or tea, but he didn't want either.*	ศัพท์บางคำสามารถอ่านออกเสียงได้ต่างกันสองแบบ
การอ่านออกเสียง	**con'vict** *v* to prove or declare someone guity: She was convicted of theft. — n **('con·vict)** a person who is in prison for a crime: Two convicts have escaped from prison.	ศัพท์บางคำอ่านออกเสียงต่างกันไป ที่เปลี่ยนรูปแบบขึ้นอยู่กับว่าเป็นส่วนไหนของคำพูด จากที่นี่จะเห็นได้ว่า **convict** นั้นออกเสียงเน้นที่พยางค์ตัวที่สองเมื่อเป็นคำกริยา และเน้นเสียงที่พยางค์ตัวที่หนึ่งเมื่อเป็นคำนาม
การสะกดที่ต่างกัน	**jail, gaol** (*jāl*) *n* prison: *You ought to be sent to jail for doing that.* — *v* to put someone in prison: *He was jailed for two years.*	ถ้าคำบางคำสามารถสะกดได้แตกต่างกันก็จะมีคำสะกดของอีกคำหนึ่งให้
พหูพจน์	**child** (*chīld*), *plural* **'chil·dren** (*'chil-drən*), n **1** a baby or young person. **2** a son or daughter: *Her youngest child is five years old.* **sheep**, *plural* **sheep**, n a kind of animal related to the goat, whose flesh is used as food and from whose wool clothing is made: *a flock of sheep.* **'dom·i·no**, *plural* **'dom·i·noes**, *n* a small piece of wood *etc.* marked with spots, with which the game of **'dom·i·noes** is played. **o'a·sis** (*ō'ā-sis*), *plural* **o'a·ses** (*ō'ā-sez*), *n*	พหูพจน์ของคำนี้ซึ่งเป็นแบบที่ไม่ปกติหรือจำได้ยาก ก็จะมีแสดงให้ดู

an area in a desert where water is found: *The travellers stopped at an oasis.*

การใช้ทางไวยากรณ์

crate *n* a container for carrying and transporting goods: *a crate of oranges.*

jot *n* a small amount: *I haven't a jot of patience left.* — *v* to write something quickly: *He jotted down the telephone number in his notebook.*

fast[1] (*făst*) *adj* **1** quick-moving: *a fast car.* **2** quick: *a fast worker.* **3** showing a time later than the correct time: *My watch is five minutes fast.* — *adv* quickly: *She speaks so fast I cant understand her.*

อักษรถัดมาหรือ 'อักษรย่อ' จะบอกว่าศัพท์คำนี้ใช้เป็นส่วนใดในทางไวยากรณ์ของประโยค ดูคำย่อทั้งหมดเหล่านี้ในส่วนท้ายของคำแนะนำเพื่อให้แน่ใจได้ว่าความหมายทั้งหมดของมันคืออะไร

ตรงนี้จะเห็นคำว่า **crate** เป็นคำนาม **jot** เป็นคำนามหรือคำกริยาก็ได้ และจะเห็นว่า **fast** เป็นคำคุณศัพท์และคำกริยาวิเศษณ์

ความหมายหรือ 'คำจำกัดความ'

clique (*klēk*) *n* a group of people who are friendly with each other but keep others out of the group: *She had a special clique of school friends.*

mar'quee (*mär′kē*) *n* a very large tent used for circuses, parties *etc.*

me'an·der (*mē′an-dər*) *v* to flow slowly along with many bends and curves: *The stream meandered through the meadows.*

ความหมายของคำศัพท์นั้นจะถูกอธิบายไว้

หลายความหมาย

odd *adj* **1** unusual; strange: *He's wearing very odd clothes; an odd young man.* **2** not able to be divided exactly by 2: *5 and 7 are odd numbers.* **3** not one of a pair, set etc.: *an odd shoe*

ถ้าคำศัพท์นั้นมีหลายความหมายจะถูกกำหนดด้วยหมายเลขเพื่อแบ่งแยกออกให้เห็นชัด

ตัวอย่าง

keen *adj* **1** eager: He is a keen collector of stamps; I'm keen to succeed. **2** sharp: The teacher may be a lot older than you are, but her eyesight is as keen as ever.

'chi·na (*'chī-nə*) n a hard white material used for making cups, plates *etc.*; articles made from this: *Wash the china carefully.* — *adj*: *a china vase.*

rain *n* water falling from the clouds in drops: We've had a lot of rain today; I enjoy

เพื่อให้ความหมายกระจ่างขึ้นก็จะมีตัวอย่างอยู่บ่อย ๆ เพื่อให้เห็นว่าศัพท์คำนั้นถูกใช้อย่างไร

ในบางกรณีอาจจะมีตัวอย่างให้ดูโดยไม่มี 'คำจำกัดความ' ถ้าความหมายของมันแจ้งชัดอยู่แล้ว

walking in the rain. — *v* : *I think it will rain today; Is it raining?*

อธิบายคำศัพท์ที่ถูกใช้ในไวยากรณ์

con'junc·tion *n* a word that connects sentences or parts of sentenced: *John sang and Mary danced*; *I'll do it if you want.*

'ad·verb *n* a word used to describe a verb or an adjective: *He looked carefully in the box, and found a very small key.*

ศัพท์ที่ถูกใช้ในไวยากรณ์ (ศัพท์ไวยากรณ์) มักจะอธิบายโดยการขีดเส้นใต้ตัวที่มันทำหน้าที่นั้น ๆ ตรงนี้มีคำว่า 'and' และ 'if' ถูกขีดเส้นใต้เอาไว้เพื่อแสดงว่าพวกมันเป็นคำสันธาน และคำว่า 'carefully' กับ 'very' ถูกขีดเส้นใต้เพื่อแสดงให้เห็นว่ามันเป็นคำกริยาวิเศษณ์

การจัดเรียงคำศัพท์

boil[2] v **1** to bubble and turn from liquid to vapour when heated; to heat a liquid till it does this: *The water's boiling; Boil the water.* **2** to cook by boiling in water etc.: *I've boiled the potatoes.*
'boil·er *n* a container in which water is heated.
'boil·ing-point *n* the temperature at which something boils.
boil over to boil and overflow: *The pan of milk boiled over and spilt on the floor.*

มีอยู่หลายครั้งที่คำศัพท์นั้นถูกตามด้วยกลุ่มคำและวลีซึ่งเชื่อมต่อเข้ามา

bold (*bōld*) *adj* **1** daring: *a bold plan of attack.* **2** bright and clear: *a bold design.*
'bold·ly *adv.* **'bold·ness** *n.*
bold as brass very cheeky: *She walked in late as bold as brass.*

ศัพท์บางตัวแสดงให้ดูโดยไม่บอกคำจำกัดความหรือตัวอย่าง ถ้าความหมายชัดแจ้งอยู่แล้ว

'lim·ber: **limber up** to do some exercises before you start training properly.

'lime·light: **In the limelight** attracting the public's attention.

ศัพท์บางคำอย่างเช่น **limber** และ **limelight** จะนำมาแสดงโดยเฉพาะวลีที่แปลก ๆ เท่านั้น เพราะว่านี่คือวิถีทางที่ถูกใช้ตามปกติ

calf[1] (*käf*), *plural* **calves** (*kävz*), *n* **1** the baby of a cow, elephant *etc.* **2** leather made from the skin of a calf.
calf[2] (*käf*), *plural* **calves** (*kävz*), *n* the back part of the leg below the knee.

เมื่อมีศัพท์สองคำหรือมากกว่านั้นขึ้นไปมีตัวสะกดเหมือนกัน จะมีหมายเลขกำกับไว้

พจนานุกรมเล่มนี้ช่วยอธิบายในเรื่องของคำศัพท์ที่ยากเป็นพิเศษ จะพบคำเตือนที่เป็นประโยชน์อยู่ใน 'ตาราง' ตัวอย่างเช่น:

กริยา 'สามช่อง' อย่างเช่นคำว่า **spring** :	**spring; sprang; sprung**: *He sprang out of the chair, New buildings have sprung up since I was last here.*	ตัวอย่างของกริยาในรูปของ 'อดีต' และ 'อดีตสมบูรณ์'
คำคุณศัพท์อย่างเช่นคำว่า **bad** :	**bad; worse; worst**: *My eyesight is bad, but my mother's is worse, and my father's worst of all.*	ตัวอย่างของคำเปรียบเทียบ
	well; better; best: *My aunt knows me well, my sister knows me better, but my mother knows me best.*	
คำศัพท์ซึ่งมักจะใช้ผิดเสมอ ๆ เช่น **dessert** :	to eat a **dessert** (not **desert**).	ตัวอย่างที่มักทำให้เกิดความสับสนในการสะกด
คำว่า **dairy** :	You buy milk in a **dairy** (not **diary**).	
และคำว่า **diary** :	You make a note in your **diary** (not **dairy**)	
และคำว่า **barbecue** :	**barbecue** ends in **-cue-** (not **-que**).	
คำซึ่งออกเสียงยากอย่างเช่น **coup** :	**coup** is pronounced *koo*, to rhyme with **too**.	มีหมายเหตุเป็นพิเศษสำหรับคำที่มีการออกเสียงไม่เหมือนธรรมดาซึ่งบางทีก็อาจจะมีคำที่จังหวะคล้องจองกันเป็นตัวชี้นำให้
และ **medicine** :	The pronounciation of **medicine** is *'med-sin*.	
คำซึ่งมีความหมายสับสน อย่างเช่น **incredible** และ **incredulous** :	**incredible** means hard to believe: *What incredible luck!* **incredulous** means hardly believing: *He was incredulous when he heard about his luck.*	ตัวอย่างที่แสดงให้เห็นถึงความหมายที่แตกต่างกันระหว่างคำซึ่งดูคล้าย ๆ กัน
คำซึ่งถูกใช้เป็นเอกพจน์เท่านั้น อย่างเช่น **baggage** :	**baggage** is not used in the plural: *How many pieces of baggage have you brought?*	ตัวอย่างที่แสดงให้เห็นถึงวิธีการใช้ศัพท์ธรรมดา ๆ อย่างนี้
หรือใช้เป็นพหูพจน์เท่านั้น อย่างเช่น **pants**	**pants** takes a plural verb, but **a pair of pants** is singular: *Where are my pants?; Here is a clean pair of pants.*	

และคำอื่น ๆ อีกมากมายซึ่งทำให้ความยากลำบาก อย่างเช่น **until** กับ **by** :

> **until** means up till: *He will be here until one o'clock.*
> **by** means at or just before a particular time: *He will be here by one o'clock.*

เครื่องช่วยจำอันมีประโยชน์ที่ช่วยให้คุณหลีกเลี่ยงความผิดพลาด ซึ่งตามปกติแล้วมักจะเกิดขึ้นจากคำเหล่านี้

close กับ **closed** :

> **close**[1] means near: *A sister is a close relation.*
> **closed** means shut: *The door is closed.*

for กับ **since** :

> I've lived here **for** a year (a period of time).
> I've lived here **since** last year (a point in time).

บาง 'ตาราง' ก็ให้ข้อความพิเศษ ตัวอย่าง เช่น **discourage** :

> The opposite of **discourage** is **encourage**.

คำตรงกันข้ามของคำศัพท์นี้

และ **ancient** :

> The opposite of **ancient** is **modern**.

กับคำว่า **horse** :

> A horse **neighs** or **whinnies**.
> A baby horse is a **foal**.
> A male horse is a **stallion**.
> A female horse is a **mare**.
> A horse lives in a **stable**.

รายการข้อเท็จจริงที่เป็นประโยชน์ซึ่งต้องจำ

กับคำว่า **rain** :

> **drizzle** is very fine,light rain: *continuous drizzle*; it is used as a verb: *You don't need an umbrella — it's only drizzling.*
> A **shower** is a short period of rain: *a light shower*, *a heavy shower.*
> A **rainstorm** or **downpour** is a period of very heavy rain.
> A **thunderstorm** is a storm with thunder and lightning and usually heavy rain.

เอ่ยถึงหลาย ๆ อย่างซึ่งเกี่ยวข้องกับ **rain**

คำพูดที่ว่า 'ดู' (see) และ 'ดูด้วย' (see also) บอกให้คุณดูที่คำอื่นในพจนานุกรม ตัวอย่างเช่น

กับคำว่า ate :	**ate** *see* **eat**.	เป็นตัวชี้แนะให้รู้ว่า **ate** เป็นส่วนหนึ่งของคำกริยา **eat**
กับคำว่า **breeze** :	See **wind**.	เป็นตัวชี้แนะที่บอกให้ไปดูตารางข้อความของ **wind**
กับคำว่า **valley** :	See **mountain**.	เป็นตัวชี้แนะที่บอกให้ไปดูภาพของภูเขา ซึ่งจะพบภาพของ 'valley' แสดงเอาไว้

การอ่านออกเสียงตามตัวอักษรที่ใช้ในการแนะนำการออกเสียง

พยัญชนะ			ตัวอย่าง	คำแนะนำในการออกเสียง
a	ออกเสียงคล้าย **เอ** เช่นในคำว่า	**hat**	**ration**	**(แร้ช-เชิ่น)**
ä	ออกเสียงคล้าย **อา** เช่นในคำว่า	**path**	**calm**	**(คาม)**
ā	ออกเสียงคล้าย **เอ** เช่นในคำว่า	**face**	**weigh**	**(เว)**
			matron	**(เม-เทริ่น)**
e	ออกเสียงคล้าย **เอ** เช่นในคำว่า	**bed**	**head**	**(เฮ็ด)**
ē	ออกเสียงคล้าย **อี** เช่นในคำว่า	**queen**	**chief**	**(ชีฟ)**
			lever	**(ลี-เวอร์)**
i	ออกเสียงคล้าย **อิ** เช่นในคำว่า	**stick**	**women**	**(วิม-เมน)**
ī	ออกเสียงคล้าย **ไ** เช่นในคำว่า	**side**	**fight**	**(ไฟท์)**
			climate	**(ไคล-เมท)**
o	ออกเสียงคล้าย **อ้อ** เช่นในคำว่า	**hot**	**cough**	**(ค้อฟ)**
ö	ออกเสียงคล้าย **ออ** เช่นในคำว่า	**fall**	**caught**	**(คอท)**
ō	ออกเสียงคล้าย **โอ** เช่นในคำว่า	**hole**	**know**	**(โน)**
o͝o	ออกเสียงคล้าย **อุ** เช่นในคำว่า	**book**	**sugar**	**(ชุก-เก้อร์)**
o͞o	ออกเสียงคล้าย **อู** เช่นในคำว่า	**moon**	**group**	**(กรู๊พ)**
oi	ออกเสียงคล้าย **ออ** เช่นในคำว่า	**soil**	**buoy**	**(บอย)**
ow	ออกเสียงคล้าย **อาว** เช่นในคำว่า	**how**	**bough**	**(บาว)**
u	ออกเสียงคล้าย **อัน** เช่นในคำว่า	**run**	**rough**	**(รัฟ)**
ū	ออกเสียงคล้าย **อู** เช่นในคำว่า	**tune**	**queue**	**(คูว)**
			futile	**(ฟู-ทิ่ล)**
ə	แทนเสียงของสระหนึ่งตัวหรือกลุ่มของสระที่มีอยู่ในพยางค์ซึ่งตัวมันไม่ออกสำเนียง		**cassette**	**(เคอเซท)**
			demon	**(ดี-เมิ่น)**
			precious	**(เพรช-เชิซ)**
			station	**(ซเท-เชิ่น)**
			picture	**(พิค-เช่อร์)**
			liar	**(ไล-เออร์)**
ər	ออกเสียงคล้าย **เออ** เช่นในคำว่า	**girl**	**learn**	**(เลอร์น)**

การอ่านออกเสียงตามตัวอักษรที่ใช้ในการแนะนำการออกเสียง

พยัญชนะ			ตัวอย่าง	คำแนะนำในการออกเสียง
ch	ออกเสียงคล้าย **ช** เช่นในคำว่า	cheese	nature	(เน-เช่อร์)
g	ออกเสียงคล้าย **ก** เช่นในคำว่า	go	guess	(เกส)
j	ออกเสียงคล้าย **จ** เช่นในคำว่า	jam	region	(รี-เจิน)
th	ออกเสียงคล้าย **ท** เช่นในคำว่า	thin	thorough	(เทอ-โร)
dh	ออกเสียงคล้าย **ด** เช่นในคำว่า	this	though	(โด)
sh	ออกเสียงคล้าย **ช** เช่นในคำว่า	ship	pressure	(เพรช-เช่อร์)
zh	ออกเสียงคล้าย **ช** เช่นในคำว่า	pleasure	leisure	(เล-เช่อร์)
ŋ	ออกเสียงคล้าย **ง** เช่นในคำว่า	sing	tongue	(ทัง)
			hanger	(แฮง-เงอ)
			anger	(แอง-เกอร์)

หมายเหตุการออกเสียง

1 ที่ซึ่งไม่มีคำแนะนำในการออกเสียงสำหรับคำที่สะกดด้วย **-ea-, -ew-, -oo-, -ou-** และ **-ow-** ใช้การออกเสียงดังต่อไปนี้ :
ea (อี) เหมือนอย่างในคำว่า **heat; ew** (ยู) เหมือนอย่างในคำว่า **new;**
oo (อู) เหมือนอย่างในคำว่า **soon; ou** (เอา) เหมือนอย่างในคำว่า **shout;**
ow (อาว) เหมือนอย่างในคำว่า **how**

2 **c** นั้นตามปกติจะออกเสียงเป็น ส ก่อน **e, i,** และ **y** (อย่างเช่นในคำว่า **centre, acid, bicycle**); ถ้าเป็นอื่นให้อ่านออกเสียง ค (อย่างเช่น **cat**)
g นั้นตามปกติจะออกเสียงเป็น จ ก่อน **e, i,** และ **y** (อย่างเช่นในคำว่า **gentle, magic, gym**); ถ้าเป็นอื่นให้อ่านออกเสียง ก (อย่างเช่น **go**)

อักษรย่อที่ใช้ในพจนานุกรม

adj = adjective
prep = preposition
adv = adverb
pron = pronoun
n = noun
v = verb
ns = nouns
etc = et cetera, meaning 'and so on'

A or **a**, plural **A's** or **a's**, *n* the best grade that can be given for an essay or exam (คะแนนยอดเยี่ยม): She got three As in history last term.

a or **an** *adj* **1** one (หนึ่ง): *a cup of coffee and two teas, please*; *a million dollars*. **2** any; every (ทุก ๆ): *An owl can see in the dark.* **3** one of a group or class of people or things (กลุ่มคนหรือสิ่งของ): *She wants to be a doctor.* **4** for each (แต่ละ): *We earn $6 an hour.*

> **an** is used before words beginning with **a, e, i, o, u**: *an apron*; *an officer*; also before **h** when **h** is not sounded: *an hour.*
> **a** is used before all other letters: *a book*; *a house*; also before **u** when its sound is **ū**: *a union.*

a'back: **taken aback** (ตกใจ, ตกตะลึง) surprised and rather upset.

'ab·a·cus, *plural* **'ab·a·cus·es**, *n* a frame with rows of sliding beads that are used for counting (ลูกคิด): *The teacher is showing the children how to count with an abacus.*

a'ban·don *v* **1** to leave something behind on purpose (ละทิ้ง): *They abandoned the stolen car.* **2** *to give up an idea etc* (เลิกคิด): *They abandoned the plan.*
a'ban·don·ment *n.* (การละทิ้ง การยกเลิก การจากไป)

a'bashed *adj* shy (ขี้อาย) embarrassed (ทำให้ยุ่งใจ).

a'bate *v* to become less (ลดน้อยลง): *The storm abated.*

'ab·at·toir (*'ab-ə-twär*) *n* a place where animals are killed for food (โรงฆ่าสัตว์).

'ab·bess *n* the female head of an abbey (แม่อธิการ).

'ab·bey *n* **1** the building in which a Christian group of monks or nuns lives (อาคารที่อยู่ของพระหรือแม่ชี). **2** the church belonging to it (วัด).

'ab·bot *n* the male head of an abbey (เจ้าอาวาส).

ab'bre·vi·ate (*ə'brē-vi-āt*) *v* to shorten a word, name *etc.* (ทำคำย่อ).
ab·bre·vi'a·tion *n* a shortened form of a word *etc.* (รูปแบบของคำย่อ): *Maths is an abbreviation of mathematics.*

'ab·di·cate *v* to give up the position of king or queen (สละราชสมบัติ): *The king abdicated (the throne) in favour of his son.*
ab·di'ca·tion *n* (การสละราชสมบัติ).

'ab·do·men *n* the part of the body between the chest and the hips (ท้อง).
ab'dom·i·nal *adj* (ช่องท้อง).

ab'duct *v* to take someone away against their will by trickery or violence (ล่อลวง).
ab'duc·tion *n* (การลักพาตัว).

ab'hor *v* to hate very much (เกลียดเข้ากระดูก).
ab'hor·rence *n* (ความเกลียดชัง).
ab'hor·rent *adj* horrible (ขยะแขยง).

a'bide *v* to put up with; to bear (อดทน): *I can't abide noise.*
abide by to obey (เชื่อฟัง): *You must abide by the rules.*

a'bil·i·ty *n* **1** the power, strength or knowledge to do something (ความสามารถ): *Small babies don't have the ability to walk.* **2** a skill or talent (ความสามารถ ทักษะ): *She showed remarkable ability as an organizer. a person of unusual abilities.*

a'blaze *adj* on fire (ลุกเป็นไฟ): *The building was ablaze.*

'a·ble (*'ā-bəl*) *adj* **1** having enough strength or knowledge or time to do something (มีกำลังความสามารถหรือมีเวลา): *He was able to open the door*; *He will come if he is able.* **2** clever and skilful; good at your job (ฉลาดและเชี่ยวชาญ): *a very able government minister.* **'a·bly** *adv* (มีความสามารถ).

ab'nor·mal *adj* strange; not normal (แปลกแยก, ไม่ธรรมดา ไม่ปกติ): *A temperature below 20 ° is abnormal for Singapore.*
ab·nor'mal·i·ty *n* (ความผิดปกติ).
ab'nor·mal·ly *adv* (อย่างผิดปกติ).

a'board *adv, prep* on or on to, in or in to a ship, train, bus or aircraft (อยู่หรือขึ้นไปบนเรือ รถไฟ รถเมล์ หรือเครื่องบิน): *He went aboard* *the aeroplane ; We remained aboard after the ship docked.*

a'bode *n* an old word for a house or the place where someone lives (บ้าน): *The poor old man had no fixed abode and lived on the streets.*

a'bol·ish *v* to put an end to a custom, law *etc.* (ยกเลิก ล้มล้าง).

ab·o'li·tion *n* (การยกเลิก การล้มล้าง).

ab·o'rig·i·ne (*ab-ə'rij-i-ni*) *n a native of a country, especially of Australia* (คนพื้นเมือง).

ab·o'rig·inal *adj* (มีอยู่มาแต่เดิม).

a'bort *v* to lose a baby before birth, or stop a baby being born (แท้ง).

a'bor·tion *n* the loss of a baby before birth (การแท้ง).

a'bor·tive *adj* unsuccessful (ไม่สำเร็จ).

a'bound *v* to be very plentiful (มากล้น อุดม).

a'bout *prep* **1** on the subject of (เกี่ยวกับ): *We talked about our plans*; *What is the book about?* **2** around; in (กระจัดกระจาย เกลื่อนกลาด แถว ๆ นั้น): *Toys were lying about the room*; *She is somewhere about the house.* — *adv* **1** nearly; roughly; around (ใกล้เคียง โดยประมาณ): *about five miles away*; *about six o'clock*; *just about big enough.* **2** in different directions; here and there (ตรงนี้ตรงนั้น): *The children ran about. Clothes were scattered about.*

about to going to (กำลังจะ): *I am about to leave.*

about turn or **about face** a command to turn to face in the opposite direction (คำสั่งให้กลับหลังหัน).

a'bove (*ə'buv*) *prep* **1** over; higher up than (เหนือ): *a picture above the fireplace.* **2** greater than (มากกว่า สูงกว่า): *The rainfall is above average.* — *adv* higher up (ในที่สูง): *People look small when seen from above.*

See **over**.

above all most importantly (ที่สำคัญที่สุด): *He is strong, brave and, above all, honest.*

above-'board open and honest (เปิดเผยและซื่อสัตย์).

a'bra·sion (*ə'brā-zhən*) *n* a scrape or scratch, especially on the skin (รอยขีดข่วน).

a'bra·sive *adj* **1** very unpleasant and annoying (กวนใจและน่ารำคาญมาก ๆ): *I don't like the way he talks to me — he is always so abrasive.* **2** making surfaces rough when rubbed on them (ทำให้สึก, ถลอก, ขูด): *An abrasive cleaner will damage the polished table top.*

a'breast (*ə'brest*) *adv* side by side (เรียงหน้ากระดาน): *They walked along the road three abreast.*

keep abreast of to keep up with (เคียงบ่าเคียงไหล่, ทันสมัย).

a'bridge *v* to make a book *etc.* shorter (บทคัดย่อ). **a'bridged** *adj* (คัดย่อ).

a'bridge·ment *n* (การคัดย่อ).

a'broad (*ə'bröd*) *adv* in or to another country (อยู่ในหรือไปยังต่างประเทศ): *He lived abroad for many years.*

a'brupt *adj* **1** sudden; unexpected (ทันทีทันใดไม่คาดฝัน): *The arrival of the police brought the party to an abrupt end.* **2** rude or sharp in the way you speak (พูดจาสามหาว เผ็ดร้อน): *an abrupt manner.*

a'brupt·ly *adv* (ทันทีทันใด อย่างเผ็ดร้อน).

a'bruptness *n* (ความไม่คาดฝัน ความเผ็ดร้อน).

'ab·scess (*'ab-ses*) *n* a painful swelling, containing pus (เป็นฝี).

ab'scond *v* to escape or run away (หลบหนี): *He absconded from police custody.*

'ab·sent *adj* away; not present (ขาด ไม่อยู่): *Johnny was absent from school with a cold.*

'ab·sence *n* being away (จากไป): *He returned home after an absence of two years.*

ab·sen'tee *n* a person who is absent (ผู้ที่ไม่อยู่).

ab·sent-'mind·ed *adj* forgetful (ขี้หลงขี้ลืม): *an absent-minded professor.*

'ab·so·lute (*ab'sə-lōōt*) *adj* complete (ครบถ้วนสมบูรณ์): *absolute honesty.*

'ab·so·lute·ly *adv* completely (อย่างเต็มที่): *It is absolutely impossible for me to go.*

ab·so'lu·tion *n* forgiveness (การให้อภัย).

ab'solve *v* to forgive; to pardon (ให้อภัย).

ab'sorb *v* **1** to soak up (ซึมซับ): *The earth absorbs the rain.* **2** to take up a person's attention (หมกมุ่น).

ab'sorb·ent *adj* able to soak up (ซึมซับได้): *absorbent paper.*

ab'sorp.tion *n* (การหมกมุ่น ซึมซับ).

The noun **absorption** is spelt with a **p**.

ab'stain *v* to keep away from, or not do something, especially something you want to do (อดใจไว้ได้).

ab'sten·tion *n* (การสละสิทธิ์).

'ab·stract *adj* existing only as an idea, not as a real thing (นามธรรม). — *n* a summary of a book *etc.* (เรื่องย่อ บทคัดย่อ).

in the abstract in theory and not in practice (ทางทฤษฎีไม่ใช่ทางปฏิบัติ): She understands how to drive a car in the abstract but still needs lots of practice before she takes her test

ab'surd *adj* very silly (เหลวไหลมาก ไม่สมเหตุสมผล).

ab'surd·i·ty (ความไร้สาระ)

ab'surdness *ns* (ความเหลวไหล).

a'bun·dance *n* a large amount (ความอุดมสมบูรณ์): *an abundance of food*; *There was food in abundance.*

a'bun·dant *adj* plentiful (มากมาย อุดมสมบูรณ์).

a'buse (*ə'būz*) *v* **1** to use wrongly (ใช้อย่างผิด ๆ). **2** to insult or speak roughly to (มีปากเสียง). **3** to treat cruelly (ทำทารุณ). — *n* (*e'bus*) **1** insults (กล่าวร้าย). **2** cruelty (ความโหดร้าย). **3** the wrong use of something (ใช้ในทางที่ผิดหรือผิดวัตถุประสงค์).

a'bu·sive *adj* using insulting words (ใช้คำพูดให้ร้าย, หยาบคาย).

a'byss *n* a very deep or bottomless hole (เหว).

a'cad·e·my *n* a college for special study (วิทยาลัยเพื่อการศึกษาเฉพาะเรื่อง).

ac·a'dem·ic *adj* having to do with study especially in schools, colleges *etc.* (เกี่ยวกับวิชาการ): *academic work* (ผลงานทางด้านวิชาการ).

ac'cede (*ək'sēd*) (ยอม ตกลง): **accede to** to agree to.

accede to the throne to become king or queen (ขึ้นครองราชย์): *She acceded to the throne in 1952.*

ac'cel·er·ate (*ək'sel-ər-āt*) *v* to increase speed (เร่งความเร็ว). **ac·ce'·e'ra·tion** *n* (การเร่งความเร็ว).

ac'cel·er·a·tor *n* a pedal, lever *etc.* by which speed is increased (คันเร่ง).

'ac·cent (*'ak-sent*) *n* **1** the sounding of part of a word extra strongly (เน้นเสียงพยางค์): *In 'banana', the accent is on the second syllable.* **2** a mark used to show the pronunciation of a letter (เครื่องหมายที่ใช้แสดงการออกเสียงคำ): *You can put an accent on the e in début.* **3** a special way of pronouncing words in a particular area *etc.* (สำเนียง): *an American accent.* — *v* (*ək'sent*) to pronounce with stress or emphasis. (ออกเสียงเน้น)

ac'cen·tu·ate (*ək'sen-choo-āt*) *v* to emphasize (เน้น): *This colour accentuates her blue eyes.* **ac·cen·tu'a·tion** *n* (การเน้น).

ac'cept (*ək'sept*) *v* **1** to take something offered (รับของที่เสนอให้): *He accepted the gift.* **2** to believe in or agree to (เชื่อหรือเห็นพ้อง): *We accept your explanation of what happened; Their proposal was accepted.* **3** to say 'yes' to an invitation (ตอบรับคำเชิญ): *She invited me to tea and I accepted.*

Please **accept** (not **except**) this gift.

ac'cept·a·ble *adj* **1** satisfactory (อย่างพอใจ). **2** pleasing (อย่างยินดี).

ac'cept·ance *n* (การยอมรับ การตกลง).

'ac·cess (*'ak-ses*) *n* way of entry (ทางเข้า): *We gained access to the house through a window.*

ac'ces·si·ble *adj* able to be reached easily (สามารถเข้าถึงได้ง่าย).

ac'ces·sion *n* coming to the position of king or queen (การเสด็จเถลิงถวัลย์ราชสมบัติ): *the Queen's accession to the throne.*

ac'ces·so·ry (*ək'ses-ə-ri*) *n* something additional

or extra (สิ่งเพิ่มเติม หรืออุปกรณ์).

'ac·ci·dent (*'ak-si-dənt*) *n* **1** an unexpected happening, especially an unpleasant one in which people are hurt (อุบัติเหตุ): *There has been a road accident.* **2** chance (โอกาส): *I met her by accident.* (โดยบังเอิญ)

ac·ci'den·tal *adj* happening by chance (เกิดขึ้นโดยบังเอิญ).

ac·ci'den·tal·ly *adv* (โดยบังเอิญ).

ac'claim *v* to praise or welcome (ยกย่องหรือต้อนรับ): *The footballer was acclaimed by the fans.* — *n* praise (ยกย่อง ชมเชย).

ac·cla'ma·tion *n* noisy agreement or praise (การโห่ร้องแสดงความยินดี).

ac'cli·ma·tize *v* to make or become accustomed to a place or thing (เกิดความคุ้นเคยกับสถานที่หรือชินอากาศ): *You'll be able to find your way around once you've acclimatized.*

ac'com·mo·date *v* to be big enough for (ใหญ่พอ): *The house will accommodate two families.*

accommodate has two **c**s and two **m**s.

ac'com·mo·da·ting *adj* helpful (ให้ความช่วยเหลือ).

ac·com·mo'da·tion *n* rooms in a house or hotel in which to stay (ห้องพักในบ้านหรือในโรงแรม).

accommodation has no plural.

ac'com·pa·ny (*ə'kum-pə-ni*) *v* **1** to go with someone or something (ไปเป็นเพื่อน): *He accompanied her to school.* **2** to play the piano for someone to sing to *etc.* (เล่นเปียโนประกอบการร้องเพลง คลอเพลง): *He accompanied her on the piano.*

ac'com·pan·i·ment *n* (การไปเป็นเพื่อน ไปด้วยกัน).

ac'com·plice (*ə'kump-plis*) *n* a person who helps another, especially in crime (ผู้สมรู้ร่วมคิด).

ac'com·plish (*ə'kump-lish*) *v* to complete something successfully (ทำสำเร็จ): *Have you accomplished your task?*

ac'com·plished *adj* good at something (ประสบความสำเร็จ): *an accomplished singer.*

ac'com·plish·ment *n* **1** completing; finishing (ความสำเร็จ). **2** a special skill (ความชำนาญพิเศษ).

ac'cord *v* **1** to agree with (เห็นพ้อง). **2** to give (ให้).

ac'cord·ance: *n* **in accordance with** in agreement with; according to (ตามที่ได้ตกลงกับ).

ac'cord·ing·ly *adv* **1** in a suitable way (ในทางที่เหมาะสม). **2** therefore (ดังนั้น).

according to **1** as said or told by someone (ตามที่ได้แจ้งไว้หรือกล่าวไว้): *According to John, the bank closes at 3 p.m.* **2** in agreement with something (ตามข้อตกลง): *He acted according to his promise.* **3** in the order of (เรียงตาม): *books arranged according to their subjects.* **4** as is right for (ตามสิทธิ์): *You will be paid according to the amount of work you have done.*

of your own accord of your own free will (ด้วยความสมัครใจ): *He did it of his own accord, without being forced to.*

ac'cor·di·on *n* a musical instrument with keys like a piano, that you play by squeezing (หีบเพลง).

ac'cost *v* to stop someone and speak to them (ทัก): *He accosted me in the street.*

ac'count *n* **1** a statement of money that is owed; a bill (บัญชีหนี้). **2** an arrangement by which a person keeps his money in a bank; the amount of money he has in the bank (บัญชีเงินฝากในธนาคาร): *She has only 50 dollars left in her account.* **3** an arrangement with a shop *etc.* by which a person can pay at the end of each month for all the things he buys during the month (ทำบัญชีไว้). **4** a description or explanation of something that has happened (เรื่อง): *He wrote an* *interesting account of his holiday in New Zealand.*

ac'count·an·cy *n* the work of an accountant (งานบัญชี).

ac'count·ant *n* someone whose job is to look after money accounts (นักบัญชี).

ac'counts *n* money received and spent (รายรับ รายจ่าย) .

account for to give a reason for; to explain (ให้เหตุผล อธิบาย): *I cannot account for the mistake.*

on account of because of (เพราะว่า): *She stayed indoors on account of the bad weather.*

ac'cu·mu·late (*ə'kū-mū-lāt*) *v* to gather or be gathered together in a large quantity (สะสม เพิ่มพูน): *Rubbish accumulates very quickly in our house.*

ac'cu·mu·la·tion *n* (การสะสม การเพิ่มพูน).

'ac·cu·rate (*'ak-ū-rət*) *adj* **1** exactly right (ถูกต้อง แม่นยำ): *an accurate drawing.* **2** making no mistakes (ไม่ผิดพลาด): *an accurate memory.*

'ac·cu·ra·cy *n* (ความถูกต้อง ความแม่นยำ).

ac'cuse (*ə'kūz*) *v* to tell someone that you know or think they have done something wrong (กล่าวหา): *They accused him of stealing the car.*

ac·cu'sa·tion *n* (การกล่าวหา).

the accused the person accused in a court of law (จำเลย).

ac'cus·tom *v* to make someone used to something (คุ้นเคย): *He soon accustomed himself to his new life.*

ac'cus·tomed *adj* usual (ตามปกติ ประจำ): *his accustomed seat.*

accustomed to used to (ชิน): *I am not accustomed to being treated like this.*

ace *n* **1** the one in playing-cards (แต้มหนึ่งเอี่ยว): *the ace of spades.* **2** a person who is expert at anything (คนที่เชี่ยวชาญ ตัวยง): *He's an ace at shooting with a rifle.*

ache (*āk*) *n* a continuous pain (อาการปวด): *I have an ache in my stomach.* — *v* to be in continuous pain (ปวดอย่างต่อเนื่อง): *My tooth aches.*

a'chieve (*ə'chēv*) *v* to gain (บรรลุผล); to reach successfully : *He has achieved his ambition.*

a'chieve·ment *n* (ความสำเร็จ).

'ac·id *adj* **1** sharp or sour in taste (กรด เปรี้ยว รุนแรง): *Lemons and limes are acid fruits.* **2** rather sharp or unkind in the way you speak (พูดค่อนข้างแรง). — *n* a sour substance that can burn the skin (กรด).

acid house a style of dance music with a repetitive beat (เพลงเต้นรำที่ใช้กลองรัวจังหวะประกอบ).

acid rain rain that contains harmful acids released into the air by cars and factories (ฝนกรด): *Acid rain is responsible for the destruction of many acres of forest land.*

a'cid·i·ty *n* sourness (ความเปรี้ยว ความฉุนเฉียว ความเป็นกรด).

ac'knowl·edge (*ək'nol-ij*) *v* **1** to admit (ยอมรับ); to agree that something is true: *He acknowledged that I was right.* **2** to say thank-you to someone for something, or to let them know you have received it (กล่าวขอบคุณหรือตอบรับ): *He acknowledged my letter.*

ac'knowl·edge·ment *n* (การรับรู้).

'ac·ne (*'ak-ni*) *n* a skin disease with spots and pimples on the face, chest and back (สิว): *Acne is common among teenagers.*

a'cous·tics *n* plural the qualities of a room or hall that make hearing in it good or bad (ประสิทธิภาพของห้องที่มีต่อเสียง): *The acoustics of the new concert hall are very good.*

a'cous·tic *adj* (การควบคุมเสียง).

ac'quaint *v* to make someone know something well (ทำความคุ้นเคย): *to acquaint yourself with the rules.*

ac'quaint·ance *n* **1** a person whom you know (คนรู้จัก). **2** knowledge (การตระหนัก). **3** a friendship (มิตรภาพ).

acquainted with friendly or familiar with (เป็นมิตรกับ คุ้นเคยกับ): *I'm not acquainted with her father.*

ac'quire *v* to get (ได้มา): *He acquired a knowledge of English.*

ac·qui'si·tion *n* **1** getting (การได้มา): Some people are only interested in the acquisition of wealth. **2** something got (เป็นเจ้าของ); a new possession.

ac'quit *v* to declare innocent (ยกฟ้อง): *The judge acquitted her of murder.*

ac'quit·tal *n* (การตัดสินให้พ้นโทษ).

acquitting and **acquitted** are spelt with two **t**s.

'a·cre (*'ā-kər*) *n* a measure of land equal to 4840 square yards or 4047 square metres (เอเคอร์ 2 ไร่ครึ่ง): *24 acres of forest.*

'ac·ro·bat *n* a person in a circus *etc* who performs gymnastics (นักกายกรรม).

ac·ro'bat·ic *adj* (โลดโผน).

ac·ro'bat·ics *n* gymnastics (กายกรรม).

a'cross *prep* **1** to the other side of something (ข้าม); from one side to the other side of something: *He took her across the road.* **2** at the other side of something (อยู่ตรงข้าม): *The butcher's shop is across the street.* — *adv* to the other side (ข้ามฝั่งตรงกันข้าม): *If the road is busy, don't run across.*

act *v* **1** to do something (กระทำ): *Don't wait — act now!* **2** to behave (ประพฤติ): *He acted foolishly.* **3** to perform a part in a play (เล่นละคร): *Would you like to act the part of the witch?* — *n* **1** something done (การกระทำ): *Running away is a cowardly act.* **2** a section of a play (องก์): *a play with two acts.* **3** an entertainment (การแสดง): *a comedy act.*

act as to do the work or duties of (ทำหน้าที่เป็น): *Mrs Brown will act as headmistress till I return.*

act for to take the place of someone else and do their duties (ทำหน้าที่แทน): *She is acting for the headmaster in his absence.*

act on 1 to obey (เชื่อฟัง): *I acted on his instructions.* **2** to have an effect on something (ก่อให้เกิดผล).

in the act at the exact moment of doing something (คาหนังคาเขา): *He was caught in the act of stealing my car.*

put on an act to pretend (แกล้งทำ): *I thought she had hurt herself but she was only putting on an act.*

'ac·tion *n* **1** something done (การกระทำ): *a foolish action*; Take action immediately; *The firemen are ready to go into action.* **2** movement (เคลื่อนไหว): *Tennis needs a good wrist action.* **3** a battle; fighting (การสู้รบ การต่อสู้): *He was killed in action.*

in action working (ใช้การได้): *Is your machine still in action?*

out of action not working (เสีย): *My car's out of action this week.*

'ac·tive *adj* **1** lively; able to work *etc.* (ว่องไว สามารถทำงานได้): *At seventy, he's no longer very active.* **2** busy (กระตือรือร้น): *She is an active member of the club.* **3** causing an effect (ทำให้เกิดผล): *an active force.* **4** likely to erupt (ยังคุกรุ่นอยู่): *active volcanoes.* **5** a verb is called **active** when its subject performs the action of the verb (คำกริยาที่บอกการกระทำ): *The dog bit the man.*

'ac·ti·vate *v* to make something start working (กระตุ้น): *The smoke activated the fire alarm.*

ac'tiv·i·ty *n* **1** the state of being active or lively (คล่องแคล่วหรือมีชีวิตชีวา): *The school is full of activity this morning.* **2** something you do as a hobby or as part of your job (งานอดิเรก หรือกิจกรรม): *His activities include fishing and golf.*

'ac·tor *n* a performer in a play or film (นักแสดง): *He wanted to go on the stage, so he joined a troupe of actors.*

'ac·tress *n* a female performer in a play or film (นักแสดงหญิง).

'ac·tu·al (*'ak-choo͞-əl*) *adj* real (ตามความเป็นจริง): *In actual fact he is not as stupid as you think.*

ac·tu'al·i·ty *n* reality (ความเป็นจริง).

'ac·tu·al·ly *adv* **1** really (จริง ๆ): *She actually saw the accident happen.* **2** in fact (ที่จริง): *Actually, I'm doing something else this evening.*

'ac·u·punc·ture *n* a method of treating illnesses or pain by sticking needles into the patient's skin at certain points (การฝังเข็ม).

a'cute (*ə'kūt*) *adj* **1** very bad but not lasting very long (รุนแรงแต่ไม่นาน): *an acute pain.* **2** very great (อย่างยิ่ง): *There is an acute shortage of teachers.* **3** quick at understanding (หัวไว). **4** less than a right angle (มุมแหลม): *An angle of 45° is an acute angle.*

a'cute·ness *n* (ความแหลม ความรุนแรง).

ad short for **advertisement** (เป็นคำย่อของสื่อโฆษณา).

a'dapt *v* to change or alter so as to fit a different situation *etc.* (ปรับตัว ปรับให้เหมาะ): She has adapted the play for television; Children adapt quickly to new surroundings.

ad·ap'ta·tion *n* (การปรับตัว การดัดแปลงแก้ไข).

a'dapt·a·ble *adj* willing or able to change to fit in with different circumstances (ปรับตัวได้ ดัดแปลงแก้ไขได้).

a'dap·tor *n* a kind of electrical plug for connecting a plug of one type to a socket of a different type, or several plugs to one socket (ปลั๊กเสียบที่ใช้ต่อกับปลั๊กชนิดต่าง ๆ กัน).

add *v* **1** to put one thing with another (เพิ่มเติม): *He added water to his drink.* **2** to find the total of various numbers (บวก): *Add 7, 9 and 21 together; Add 124 to 356; He added up the figures.* **3** to say something extra (กล่าวเสริม): *He added that he was sorry.*

add to to increase (เพิ่มขึ้น): *Don't add to our difficulties by misbehaving.*

'ad·dict *n* a person who has become dependent on something, especially drugs (คนติดยา).

ad'dic·ted *adj* dependent on a drug *etc.* (ติดสิ่งเสพย์ติด): *He is addicted to alcohol.*

ad'dic·tion *n* (การติดสิ่งเสพย์ติดหรืออื่น ๆ).

ad'di·tion *n* **1** the process of adding (การบวก). **2** something added (สิ่งเพิ่มเติม): *A baby is a welcome addition to a family.*

ad'di·tion·al *adj* extra (เพิ่มพิเศษ).

'ad·di·tive *n* a substance that is added in small amounts, especially to food to improve it or to make it keep fresh longer (สารรักษาความสดในอาหาร): *This natural yoghurt is free from additives.*

ad'dress *v* **1** to put a name and address on a letter *etc* (ใส่ จ่าหน้าที่อยู่): *Address the parcel clearly.* **2** to speak to someone (พูดกับใครบางคน): *to address someone politely.* — *n* **1** the name of the house, street, town *etc.* where a person lives (ที่อยู่): *His address is 30 Main St, Edinburgh.* **2** a speech (สุนทรพจน์).

a'dept *adj* very clever (เก่งมาก ชำนาญ): *He's adept at keeping his balance.*

'ad·e·quate *adj* sufficient; enough (พอเพียง).

ad'here *v* to stick (ติด): *This stamp won't adhere to the envelope.*

ad'he·sion (*əd'hē-zhən*) *n* sticking; adhering (การติด).

ad'he·sive *adj* able to adhere; sticky (เหนียว): *adhesive tape.* — *n* something that makes things stick (กาว): *Use a strong adhesive to mend the plate.*

ad'ja·cent (*ə'jā-sənt*) *adj* side by side; next to (อยู่ติดกัน): *We had adjacent rooms in the hotel; Their house is adjacent to ours.*

'ad·jec·tive *n* a word which describes something (คำคุณศัพท์): *a red flower, air which is cool.*

ad'join *v* to be next to or joined to something (เชื่อมโยง).

ad'journ *v* to stop a meeting or conference, intending to continue it at another time or place (เลื่อนไป): *The meeting was adjourned until Tuesday.*

ad'journ·ment *n* (การเลื่อนหรือระยะเวลาที่เลื่อน)

ad'just *v* **1** to get used to (ปรับตัว): *He soon adjusted to his new way of life.* **2** to correct or alter a piece of machinery *etc.* (ปรับหรือดัดแปลง): *He adjusted the hands of the clock.*

ad'just·a·ble *adj* able to be adjusted (สามารถปรับได้).

ad'just·ment *n* (การปรับ การดัดแปลง)

ad-'lib *v* to say something not prepared in advance (พูดสด ๆ): *She had to ad-lib when she forgot her lines in the play.*

ad'min·is·ter *v* **1** to govern or manage

(บริหารหรือจัดการ). **2** to carry out a law *etc.* (ดำเนินการตามกฎหมาย). **3** to give medicine, help *etc.* (ให้ยา ช่วย).

ad·min·i'stra·tion *n* **1** management (การจัดการ การบริหาร): *the administration of the hospital.* **2** the government of a country *etc.* (การบริหารประเทศ).

ad'min·is·tra·tive *adj* (เกี่ยวกับการจัดการ).

ad'min·is·tra·tor *n* (ผู้บริหาร ผู้จัดการ).

'ad·mi·ra·ble *adj* extremely good (น่าชื่นชมอย่างยิ่ง).

'ad·mirably *adv* (น่าชมเชย).

'ad·mi·ral *n* the commander of a navy (แม่ทัพเรือ).

ad'mire *v* **1** to look at something with great pleasure; to say that you like something very much (ชื่นชมยินดี): *They were all admiring his new car.* **2** to have a very high opinion of something or someone (นิยม นับถือ): *I admire John's courage*; *I admire him for being so brave.*

ad·mi'ra·tion *n* (ความนิยมชมชอบ): *They were filled with admiration at the team's performance.*

ad'mi·rer *n* a person who admires someone or something (ผู้นิยมนับถือ).

ad'mis·sion *n* **1** being allowed to go in (การอนุญาตให้เข้า): *We paid one dollar for admission to the football ground.* **2** agreeing that something is true; owning up (การรับสารภาพ): *an admission of guilt.*

admission and **admittance** both mean permission to enter, but you pay for **admission** to a public place such as a cinema, and you gain **admittance** to a private place such as a house.

ad'mit *v* **1** to allow to enter (ยอมให้เข้า). *This ticket admits one person.* **2** to agree that something is true (รับสารภาพ); to own up: *He admitted that he had told a lie.*

admitting and **admitted** are spelt with two ts

ad'mit·tance *n* permission to enter (อนุญาตให้เข้า): *The notice said 'No admittance'.*

See **admission**.

ad·o'les·cent (*ad-ə'les-ənt*) *adj* in the part of your life between childhood and adulthood (วัยหนุ่มสาว).— *n* a person at this stage of life (คนหนุ่มสาว).

ad·o'lescence *n* (ความหนุ่มความสาว).

a'dopt *v* **1** to take a child of other parents as your own (เอามาเลี้ยง): *They decided to adopt a baby girl.* **2** to take and use something as your own (ปรับมาใช้เป็นของตัวเอง): *He adopted his friend's ideas.*

a'dop·tion *n* (การรับเลี้ยง การนำมาไว้ใช้).

a'dore *v* **1** to love or like very much (รัก ชอบมาก ๆ): *He adores his children.* **2** to worship (บูชา).

a'do·ra·ble *adj* (น่ารัก): *an adorable little baby.*

ad·o'ra·tion *n* worship or great love (การบูชาหรือความรักที่สูงค่า).

a'dorn *v* to make beautiful, with decorations or with jewellery (ตกแต่ง ประดับประดาให้สวย): *The statue was adorned with gold rings and bracelets.*

a'dorn·ment *n* (การตกแต่งด้วยเครื่องประดับหรือเพชรพลอย).

a'dren·a·lin *n* a substance that is made inside your body, and that makes your heart beat faster and gives you more energy (ฮอร์โมนอะดรีนาลิน): *Your body produces adrenalin when you are frightened or excited.*

a'drift *adj, adv* drifting; floating (ล่องลอย): *He untied the rope and set the boat adrift.*

'ad·ult *adj* **1** fully grown (โตเต็มที่): *an adult gorilla.* **2** sensible; grown-up (รู้จักผิดชอบ): *adult behaviour.* — *n* a fully grown human being (ผู้ใหญ่): *That film is suitable only for adults.*

a'dul·ter·y *n* being unfaithful to your wife or husband (การคบชู้).

ad'vance (*əd'väns*) *v* **1** to move forward (เคลื่อนไปข้างหน้า); to progress: *The army advanced towards the town*; *Our plans are advancing well.* **2** to supply someone with money that they need, which they will be able to pay back later (ให้ยืมเงิน): *The bank will* *advance you $500.* — *n* **1** movement forward; progress (ความก้าวหน้า). **2** a payment made before the normal time (เงินสำรองจ่าย). — *adj* **1** made *etc.* before the usual time: *an advance payment* (จ่ายล่วงหน้า). **2** made beforehand (ทำล่วงหน้า): *an advance booking for two theatre seats.*

advanced *adj* having made a lot of progress; at a high level (ก้าวหน้าไปมาก ในระดับสูง): *She teaches the advanced students; an advanced computer course.*

in advance beforehand; earlier (ล่วงหน้า): *Can you pay me in advance?*

ad'van·tage (*əd'vän-tij*) *n* a gain or benefit (ข้อได้เปรียบ): *What are the advantages of air travel?*

ad·van'ta·geous (*ad-vən|tā-jəs*) *adj* giving an advantage; good; useful (ดี มีประโยชน์).

have an advantage over (มีประโยชน์เหนือ): *As she could already speak French, she had an advantage over the others in the French class.*

take advantage of 1 to make the best use of something, such as a chance or opportunity (เอาเปรียบ ฉวยโอกาส). **2** to use unfairly (ใช้อย่างไม่ยุติธรรม).

ad'ven·ture (*əd'ven-chər*) *n* something exciting that you do or that happens to you; a great experience (การผจญภัย): *He wrote a book about his adventures in the Antarctic.*

ad'ven·tur·er *n* a person who is always looking for adventures (นักผจญภัย).

ad'ven·tur·ous *adj* liking adventures (ชอบการผจญภัย).

ad'ven·tur·ous·ly *adv* (อย่างเสี่ยงภัย).

'ad·verb *n* a word used to describe a verb or an adjective (กริยาวิเศษณ์): *He looked carefully in the box, and found a very small key.*

ad'ver·bi·al *adj* (ทำหน้าที่เป็นกริยาวิเศษณ์).

'ad·ver·sar·y *n* an opponent (คู่ปรปักษ์): *The adversaries fought with swords; Mr Jones was my adversary in the chess match.*

'ad·verse *adj* bad (เป็นปฏิปักษ์ ไม่ดี): *Smoking by parents could have an adverse effect on their children's health.*

ad'ver·si·ty *n* trouble; bad luck; something that causes difficulty (ความยุ่งยาก โชคร้าย): *He always remains cheerful in spite of adversity; The athlete injured her ankle while training for the race and had various other adversities to overcome.*

'ad·vert short for **advertisement** (คำย่อของคำว่า โฆษณา).

'ad·ver·tise *v* to make something known to a lot of people (โฆษณา): *The time and place for the meeting will be advertised in the newspaper.*

ad'ver·tise·ment (*əd'vär-tis-mənt*) *n* a short film, newspaper announcement, poster *etc* making something known, especially in order to persuade people to buy it (การโฆษณา): an advertisement for toothpaste on television; *She replied to my advertisement for a secretary.*

ad'vice *n* helpful suggestions to a person about what he should do (คำแนะนำ): *Let me give you a piece of advice.*

ad'vise (*əd'vīz*) *v* **1** to give advice to someone (ให้คำแนะนำ): *My teacher advises me to work harder.* **2** to inform; to tell (บอกกล่าว).

ad'vi·sa·ble *adj* wise; sensible (มีเหตุผลดี): *It is not advisable to swim after a meal.*

ad'vi·ser, **ad'vi·sor** *n* a person who advises (ผู้ให้คำแนะนำ ที่ปรึกษา).

ad'vi·so·ry *adj* giving advice (การให้คำแนะนำ).

> **advice** is a noun and never used in the plural: *a piece of advice; some advice.*
> **advise** is a verb: *He advises us not to go.*

'ad·vo·cate (*'ad-və-kāt*) *v* to speak in favour of something; to recommend (สนับสนุน): *He advocated the provision of more sports centres.* — (*'ad-və-kət*) *n* **1** someone who supports a plan, an idea *etc.* (ผู้สนับสนุน): *She has always been an advocate of changes to English spelling, to make it easier to learn.* **2** a lawyer who speaks in defence of a person who is being tried in court (ทนายแก้ต่าง).

'aer·i·al (*'ār-i-əl*) *n* a construction of metal rods

that can send or receive radio waves *etc.* (สายอากาศ): *a television aerial.* — *adj* in or from the air (อยู่ในอากาศ มาจากอากาศ): *aerial photographs.*

aer·o·bat·ics (*ār-ə'bat-iks*) *n plural* difficult and dangerous movements made in an aeroplane, such as flying upside down. (การบินยาดโผน)

aer'o·bics (*ār'ō-biks*) *n* exercises that you do usually to music, to make yourself fit (การออกกำลังตามจังหวะเสียงเพลง): *Mrs Smith does aerobics in a gymnasium twice a week; an aerobics class.*

'aer·o·drome (*'ār-ə-drōm*) *n* an airport, especially one for private aircraft (สนามบิน).

ae·ro·dy'nam·ics (*ā-rō-dī'na-miks*) *n* the study of how objects move through the air (วิชาว่าด้วยการเคลื่อนที่ของวัสดุผ่านอากาศ).

aerodynamic *adj* (การเคลื่อนที่ของวัสดุผ่านอากาศ).

aer·o'naut·ics (*ār-ə'nöt-iks*) *n* the study of the design and flight of aircraft. (วิชาการออกแบบและการบิน)

'aer·o·plane (*'ār-ə-plān*) *n* a machine for flying which is heavier than air and has wings (เครื่องบิน).

See **in**.

'aer·o·sol (*'ār-ə-sol*) *n* a metal container in which a liquid, such as a perfume, is kept under pressure and released as a fine spray (กระป๋องอัดของเหลวสำหรับฉีด): *An aerosol can explode if it gets too hot.*

'ae·ro·space (*'ā-rō-spās*) *n* the earth's atmosphere and outer space beyond it (บรรยากาศของโลกและอวกาศ).

a'far *adv* from, at or to a distance away (ห่างไกล): *They travelled from afar; We heard a noise afar off.*

af'fair *n* **1** happenings which are connected with a particular person or thing (เหตุการณ์ เรื่อง): *the affair of the missing schoolboy; a sad affair.* **2** business; concern (เรื่อง ธุรกิจ): *financial affairs; What I spend my money on is my own affair.* **3** a love relationship between two people who are not husband and wife (เรื่องรัก ๆ ใคร่ ๆ ของผู้ที่ไม่ได้เป็นสามีภรรยากัน เรื่องชู้สาว).

af'fect *v* to have an effect on something, or change it in some way (มีผลต่อ): *What you eat affects your health.*

affect, *verb: How will this drug affect me?*
effect, *noun: What effect will this drug have on me?*

af'fec·tion *n* liking; fondness (ความชอบพอ ความรัก): *I have great affection for her.*

af'fectionate *adj* having or showing affection (เมตตา รักใคร่): *an affectionate daughter.*

af'fix *v* to attach one thing to another (ติดเข้ากับ): *Affix the stamp to the envelope.*

af'flict *v* to cause someone a lot of pain or suffering (เจ็บปวด ทรมาน): *She is often afflicted with headaches; afflicted by grief.*

af'flic·tion *n* suffering; something that causes suffering (สภาพเจ็บปวด สภาพทรมาน): *Is blindness a worse affliction than deafness?*

'af·flu·ent *adj* rich; wealthy (ร่ำรวย มั่งคั่ง): *He comes from an affluent family and does not have to work.*

'af·flu·ence *n* (ความร่ำรวย ความมั่งคั่ง)

af'ford *v* **1** to be able to spend money, time *etc.* on or for something (มีเงิน เวลา ฯลฯ เพียงพอ): *I can't afford to buy a new car.* **2** to be able to do something without trouble, difficulty *etc.* (สามารถทำอะไรบางอย่างได้โดยไม่ติดขัด อย่างเต็มที่): *Shopkeepers can't afford to be unfriendly to customers.*

a'float *adj* floating (ลอย).

a'fraid *adj* **1** frightened of a person, thing *etc.* (กลัว): *The child is not afraid of the dark; She was afraid to go.* **2** sorry (เกรงว่า): *I'm afraid I don't agree with you.*

a'fresh *adj* again and usually in a different way (ใหม่): *I need to make so many changes it would be better to start afresh.*

Afro- *prefix* African: *Afro-American.*

'af·ter (*'äf-tər*) *prep* **1** later in time or place than something else (ภายหลัง): *She arrived after me.* **2** following something (หลังจาก): *one thing after another; night after night.*

3 behind (ข้างหลัง): *Shut the door after you!* 4 in pursuit of something (ตามติด): *He ran after the bus.* 5 considering (ตรึกตรอง): *After all I've done you'd think he'd thank me.* 6 looking for something or someone (เสาะแสวง ควานหาตัว): *What are you after?; The police are after him.* — *adv* later in time or place (หลังจาก ภายหลัง): *They arrived soon after.* — *conjunction* later than some happening (คำสันธานหลังจากเหตุการณ์): *After she left we moved house.*

after all 1 considering everything (สรุปแล้ว): *I won't invite him. After all, I don't really know him.* 2 in spite of everything that has happened or been said before (ในที่สุด): *It turned out he went by plane after all.*

'af·ter-ef·fects *n* the usually bad or harmful effects of some action or event (ผลกระทบ): *The after-effects of the war could last for several years.*

af·ter'noon *n* the time between morning and evening (ตอนบ่าย): *Come this afternoon; tomorrow afternoon.*

'af·ter·taste *n* a taste remaining in your mouth after eating and drinking (รสชาติที่ยังติดปาก).

af·ter·thought *n* a later thought (ความคิดที่เกิดขึ้นภายหลัง).

'af·ter·wards *adv* later (ต่อมาภายหลัง): *He told me afterwards that he had not enjoyed the film.*

a'gain (*ə'gen*) *adv* once more (อีกครั้งหนึ่ง): *He never saw her again; Don't do that again!*

a'gainst (*ə'genst*) *prep* 1 opposed to something (ต่อต้าน): *They fought against the enemy; Dropping litter is against the law.* 2 touching something (พิง ติด): *He stood with his back against the wall; The rain beat against the window.* 3 to protect against something (ป้องกัน): *vaccination against tuberculosis.*

age *n* 1 the number of years you have lived (อายุ): *He went to school at the age of six; What age is she?* 2 a particular period of time (ยุค สมัย): *the last Ice Age.* 3 a very long time (นานมาก ๆ): *We've been waiting for ages for a bus.* — *v* to grow old or look old (แก่ลง): *He has aged a lot since I last saw him.*

aged *adj* 1 (*'ā-jid*) old: *an aged man* (คนมีอายุ). 2 (*ājd*) of a certain age (อายุในช่วงหนึ่ง): *a child aged five.*

the a·ged (*'ā-jid*) old people (คนแก่).

'a·gen·cy (*'ā-jən-si*) *n* the office or business of an agent (บริษัทตัวแทน): *an advertising agency.*

a'gen·da *n* a list of things that have to be done or discussed, especially at a meeting (วาระการประชุม): *the first item on the agenda; What's on the agenda today?*

'a·gent (*'ā-jənt*) *n* 1 a thing that can do something (ตัวกระทำ): *detergents and other cleaning agents.* 2 a person who acts for someone in business *etc.* (ตัวแทน). 3 a spy (สายลับ): *a secret agent.*

'ag·gra·vate *v* 1 to make something worse (ทำให้เลวลง): *His rudeness aggravated the situation.* 2 to make someone angry (ทำให้โกรธ): *She was aggravated by his stupid questions.*

ag·gra'va·tion *n* (การทำให้เลวลง).

ag'gres·sive *adj* always wanting to attack or quarrel with someone (ก้าวร้าว).

ag'gres·sive·ly *adv* (อย่างก้าวร้าว).

ag'gres·sive·ness *n* (ความก้าวร้าว).

ag'gres·sion *n* actions that start a quarrel, fight or war (การรุกราน): *Attacking someone without a reason is an act of aggression.*

a'ghast (*ə'gäst*) *adj* shocked; horrified (ตระหนกตกใจ อกสั่นขวัญแขวน).

'ag·ile *adj* able to move quickly and easily (คล่องแคล่ว ว่องไว ปราดเปรียว): *The antelope is very agile.*

a'gil·i·ty *n* (ความคล่องแคล่ว่องไว ปราดเปรียว).

'ag·i·tate *v* 1 to make someone excited and anxious (เร่าร้อนใจ): *The little girl was so agitated that she couldn't answer the headmaster's question.* 2 to try to stir up people's feelings for or against something (พยายามปลุกระดมผู้คนให้สนับสนุนหรือต่อต้าน): *Many people are agitating for a ban on the* *ivory trade.* **3** to shake or stir (เขย่า ปั่นป่วน): *The trees were violently agitated by the storm.*

ag·i'ta·tion *n* (การทำให้ปั่นป่วน การเขย่า).

a'go *adv* in the past (ในอดีต ผ่านไปแล้ว): *two years ago; How long ago did he leave?*

See **since**.

'ag·o·ny *n* great pain (ความทุกข์ทรมานแสนสาหัส): *The dying man was in agony.*

a'gree *v* **1** to think or say the same as someone (เห็นด้วย ยินยอม): *I agreed with them that we should try again.* **2** to say that you will do or allow something (ตกลง): *He agreed to go; He agreed to our request.* **3** to be good for your health (ถูกกัน): *Cheese does not agree with me.*

You **agree with** a person, but **agree to** a thing: *I agree with Jenny; I agreed to the plan.*

a'gree·a·ble *adj* pleasant (น่าคบ น่าพอใจ): *She is a most agreeable person.*

a'gree·a·bly *adv* (อย่างน่าคบ อย่างน่าพอใจ).

a'gree·ment *n* **1** thinking or saying the same (ความเห็นตรงกัน): *We are all in agreement.* **2** an arrangement or promise between people in business *etc.* (ข้อตกลง สัญญา): *You have broken our agreement.*

'ag·ri·cul·ture (*'ag-ri-kul-chər*) *n* growing crops and rearing farm animals; farming (กสิกรรม).

ag·ri'cul·tur·al *adj* (การทำการเกษตร).

a'ground *adv* stuck on the bottom of the sea *etc.* in shallow water (เกยตื้น): *The ship ran aground on a sandbank.*

a'head (*ə'hed*) *adv* in front (นำหน้า): *He went on ahead of me; We are well ahead of the others.*

aid *n* help (การช่วยเหลือ): *Rich countries give aid to developing countries; He came to my aid when my car broke down.* — *v* to help (ให้ความช่วยเหลือ): *The blind man was aided by his dog.*

in aid of as a help to a charity *etc.* (เพื่อช่วยเหลือการกุศล): *Money was collected in aid of the blind.*

AIDS *n* short for **acquired immune deficiency syndrome**, an illness which destroys the body's natural ability to fight disease (โรคภูมิคุ้มกันบกพร่อง เอดส์).

'ail·ment *n* an illness, usually not serious or dangerous (ความเจ็บป่วย).

aim *v* **1** to point or direct at something (เล็ง): *He aimed his gun at the thief.* **2** to intend to do something (ตั้งใจ): *He aims at finishing his painting tomorrow; We aim to please our customers.* — *n* what a person intends to do (ปณิธาน): *My aim is to become prime minister.*

'aim·less *adj* without aim or purpose (ไม่มีเป้าหมาย เลื่อนลอย).

air *n* **1** the mixture of gases we breathe (อากาศ): *He went outside to get some fresh air.* **2** the space above the ground; the sky (ท้องฟ้า): *Birds fly through the air.* **3** an appearance (ลักษณะ ท่าทาง): *The house had an air of neglect.* — *v* **1** to bring something out into the air to dry or freshen *etc.* (ผึ่งตาก): *to air sheets.* **2** to tell everyone (เผยบอกกล่าว): *He loved to air his opinions.*

'air·borne *adj* in the air or flying (อยู่ในอากาศ กำลังบิน).

air-con'di·tioned *adj* having air-conditioning (ปรับอากาศ): *an air-conditioned building.*

air-con'di·tion·ing *n* a method of controlling the temperature of the air in a room or building (วิธีการควบคุมอุณหภูมิของอากาศภายในห้องหรืออาคาร).

'air·craft *n* a machine for flying in the air (เครื่องบิน).

aircraft carrier a ship which carries aircraft and which aircraft can use for landing and taking off (เรือบรรทุกเครื่องบิน).

'air·field *n* an area of ground where military and private aircraft are kept and where they take off and land (สนามบินขนาดเล็ก): *An airfield is smaller than an airport.*

air force the part of the armed services which uses aircraft.

air hostess a woman who looks after passengers in an aircraft (พนักงานต้อนรับหญิงบนเครื่องบิน).

'air·less *adj* without fresh air (ไม่มีอากาศบริสุทธิ์): *an airless room.*

air·letter a letter sent by airmail (จดหมายเมล์อากาศ).

'air·line *n* a company that owns a regular air transport service (สายการบิน): *Which airline are you travelling by?*

'air·li·ner *n* a large passenger aircraft (เครื่องบินพาณิชย์).

'air·mail *n* a system of sending mail by air (การส่งของทางอากาศ): *Send this parcel by airmail.* — *adj*: *an airmail letter* (จดหมายส่งทางเมล์อากาศ).

'air·plane *n* an aeroplane (เครื่องบิน).

'air·port *n* a place where passenger aircraft arrive and depart (สนามบิน).

'air-raid *n* a bombing attack on a town *etc.* (การโจมตีทางอากาศ).

'air·ship *n* a large balloon which can be steered or driven (เรือเหาะ).

'air·strip *n* a cleared area where aircraft can take off and land (ทางวิ่งของเครื่องบิน): *The small aeroplane landed on an airstrip in the jungle.*

'air·tight *adj* made so that air cannot get in or out (ผนึกแน่นไม่ให้อากาศเข้า): *Food keeps fresh in an airtight container.*

'air·y *adj* **1** with plenty of fresh air (อากาศถ่ายเทได้สะดวก): *an airy room.* **2** light-hearted; not serious (เบิกบาน ไม่เครียด).

on the air broadcasting on radio or television (ออกอากาศ).

aisle (*īl*) *n* a passage between seats *etc.* in a church, cinema *etc.* (ทางเดินระหว่างที่นั่ง): *The bride walked up the aisle.*

a'jar *adj* partly open (แง้ม): *He left the door ajar.*

a'larm *n* **1** sudden fear (ตื่นตระหนก). **2** something that gives warning of danger, attracts attention *etc.* (ให้สัญญาณเตือนภัย): *Sound the alarm!; a fire-alarm.* — *v* to make someone afraid (ทำให้กลัว): *Every little sound alarms the old lady.*

a'larm·ing *adj* causing fear or worry (น่าหวั่นเกรง น่าวิตก): *alarming news.*

a'larm·ing·ly *adv* (น่าวิตกกังวล น่ากลัว).

alarm clock a clock that can be set to sound an alarm at a chosen time, especially to wake you up (นาฬิกาปลุก).

a'las! a cry of sorrow (อุทานด้วยความเศร้า อนิจจาเอ๋ย).

'al·bum *n* **1** a book for holding photographs, stamps *etc.* (สมุดเก็บภาพถ่าย แสตมป์). **2** a long-playing record (แผ่นเสียง): *I've got the group's latest album.*

'al·co·hol *n* a liquid which makes you drunk if you drink too much of it (แอลกอฮอล์).

'al·co'hol·ic *adj* **1** containing alcohol (มีแอลกอฮอล์). **2** having to do with alcohol (เกี่ยวกับแอลกอฮอล์).— *n* a person who has become too dependent on alcoholic drinks (คนติดเครื่องดื่มที่มีแอลกอฮอล์ คนติดเหล้า).

'al·co·hol·ism *n* dependence on alcoholic drinks (ติดเครื่องดื่มที่มีแอลกอฮอล์ โรคติดเหล้า).

'al·cove *n* a small part of a room where the wall is set back; a recess (ที่เว้าเข้าไปในบริเวณผนังห้อง): *His bed was in an alcove on one side of the room.*

ale *n* the name for certain kinds of beer (เอลเบียร์ชนิดหนึ่ง).

a'lert *adj* **1** quick-thinking (สมองไว คล่อง): *She's old but still very alert.* **2** watchful and aware: *You must be alert to danger.* — *n* a signal to be ready for action (สัญญาณเตรียมพร้อมเพื่อลงมือ). — *v* to make someone alert; to warn (เตือน): *The alarm alerted us to the fire.*

a'lert·ly *adv* (อย่างเตรียมพร้อม).

a'lert·ness *n* (ความเตรียมพร้อม).

on the alert watchful (ระมัดระวัง จับจ้อง): *He was on the alert for any strange sound.*

'al·gae (*'al-jē*) *n* a group of simple plants which includes seaweed (เห็ดรา สาหร่ายทะเล).

'al·ge·bra *n* a method of calculating using letters and signs for numbers (พีชคณิต).

'a·li·as (*'ā-li-əs*) *n* a false name — *adv* otherwise known as (ชื่อปลอม): *John Smith, alias Peter Jones.*

'al·i·bi (*'al-i-bī*) *n* a fact that proves that a person who is suspected of a crime was somewhere else when the crime was committed (การอ้างสถานที่อยู่ของจำเลย): *He has an alibi for the night of the robbery — he was at his aunt's house all evening.*

'a·li·en ('ā-li-ən) *adj* foreign (ต่างด้าว ต่างแดน): *alien customs.* — *n* a foreigner (คนต่างด้าว): *Aliens are not welcome there.*

'a·li·e·nate *v* to make someone dislike you (ทำให้คนไม่ชอบ): *She alienated her friends and family by her rude and selfish behaviour towards them.*

a·li·e'na·tion *n* (การทำให้ห่างเหิน การทำให้บาดหมาง).

a'light[1] (ə'līt) *v* **1** to get down from or out of a vehicle (ลง ออกจาก): *to alight from a bus.* **2** to settle or land (ลง เกาะ): *The bird alighted on a branch.*

See **disembark**.

a'light[2] *adj* burning; on fire (ลุกเป็นไฟ): *The bonfire was still alight; He set the house alight.*

a'lign (ə'līn) *v* to put in a straight line (จัดเป็นแถวเดียวกัน): *Make sure the chairs are carefully aligned.*

aligned *adj.*

be aligned with to form an alliance with another party or country (เข้าเป็นพันธมิตร).

a'like *adj* like one another; similar (เหมือนกัน): *Twins are often very alike.* — *adv* in the same way (อย่างเดียวกัน คล้ายกัน): *He treated all his children alike.*

'al·i·mo·ny *n* the money that a court of law orders a husband to pay regularly to his wife, or a wife to pay regularly to her husband, when they are separated or divorced (ค่าครองชีพ ค่าเลี้ยงดูซึ่งศาลสั่งให้สามีจ่ายแก่ภรรยาหรือให้ภรรยาจ่ายแก่สามีเมื่อแยกกันอยู่หรือหย่าร้าง).

a'live *adj* **1** living (มีชีวิตอยู่): *The cat was still alive after the accident.* **2** full of activity (มีชีวิตชีวา): *The streets were alive with tourists.*

alive to aware of something (ระแวดระวัง): *alive to danger.*

'al·ka·line *adj* containing a substance able to neutralize acid (ซึ่งประกอบด้วยสารที่สามารถทำกรดให้เป็นกลาง).

all (ö') *adj, pron* **1** the whole (ทั้งหมด): *He ate all the cake; Did you eat all of it?* **2** everyone (ทุก ๆ): *They were all present; All men are equal.* — *adv* **1** completely (โดยแท้ ล้วน): *all alone; dressed all in white.* **2** much; even (ดีกว่ากันมาก): *I feel all the better for a shower.*

all-'clear *n* a signal that some danger *etc* is over (สัญญาณพ้นอันตราย): *They sounded the all-clear after the attack.*

all along the whole time (ตลอดมา): *I knew the answer all along.*

all at once 1 all at the same time (ทั้งหมดในทันทีทันใด): *Don't eat those cakes all at once!* **2** suddenly (ทันใดนั้น): *All at once the light went out.*

all over 1 over the whole of a person, thing *etc.* (ไปทั่ว): *My car is dirty all over.* **2** finished (จบลงแล้ว): *It's all over now.* **3** everywhere (ทุก ๆ แห่ง): *We've been looking all over for you!*

all right 1 fine or well (สบายดี): *You look ill. Are you all right?* **2** used to say yes (แน่นอน): *'Will you come?' 'Oh, all right'.*

Write **all right** (not **alright**).

in all when everything is added up (รวมทั้งหมด): *It took me five hours in all.*

al'lege (ə'lej) *v* to say something without proof (กล่าวหา): *The lady alleged that he had stolen her handbag.*

al·le'ga·tion (al-ə'gā-shən) *n* (การกล่าวหา).

al'le·giance (ə'lē-jəns) *n* loyalty to a person, group, idea *etc.* (ความจงรักภักดี ความซื่อสัตย์): *The knights swore allegiance to their king.*

'al·ler·gy something in your body or skin that makes certain foods or materials disagree with you (อาการแพ้ เช่นอาหาร แมลงต่อย): *She has an allergy to fish.*

al'ler·gic *adj* affected in a bad way by certain things (มีผลที่ไม่ดีเกิดขึ้นโดยของบางอย่าง): *He is allergic to milk.*

'al·ley *n* a narrow street (ตรอก ซอก).

al'li·ance (*ə'lī-əns*) *n* an agreement that joins two countries *etc.* together as allies (พันธมิตร ข้อตกลงที่เชื่อมสองประเทศเข้าด้วยกันเป็นสมาพันธ์).

'al·lied (*'al-īd*) *adj* joined by a special agreement (ร่วมมือ เกี่ยวพัน): *The allied forces entered the country.*

'al·li·ga·tor *n* a large reptile similar to a crocodile (จระเข้ตีนเป็ด).

'al·lo·cate *v* to give each person a share (จัดสันปันส่วนให้): *He allocated a room to each student.*

al·lo'cation *n* (การแบ่งสัน).

al'lot *v* to give to each person a share of something; to distribute (แบ่งสัน แจกจ่าย): *They allotted the money to the winners.*

al'lot·ment *n* **1** a share, as of money or space **2** one of the sections into which a large piece of public land is divided, that a person rents to grow vegetables *etc.* on (การแบ่งสัน การแจกจ่าย).

'all-out *adj* using the greatest effort possible (เต็มกำลัง): *an all-out attempt.*

al'low *v* **1** to let someone do something (อนุญาต ยอม): *He allowed me to enter; Playing football in the street is not allowed.* **2** to take into consideration in sums, plans *etc.* (นำเข้าสู่การพิจารณา): *These figures allow for price rises.* **3** to give, especially regularly (ให้): *His father allows him $5 a week.*

al'low·ance *n* a fixed sum or amount given regularly (เงินเป็นงวด ๆ)

'al·loy (*'al-oi*) *n* a mixture of two or more metals (โลหะที่มีส่วนผสมสองอย่างหรือมากกว่า).

al'ly (*ə'lī*) *v* to join countries or people together as partners in war, for business *etc.* (รวมกันเป็นพันธมิตรเพื่อทำสงครามหรือทำธุรกิจ). — *n* (*'al-ī*) *n* a state, person etc. allied with another. (พันธมิตร)

al'might·y (*ōl'mī-ti*) *adj* having complete power (ทรงพลังอำนาจโดยสมบูรณ์ พระเจ้า): *almighty God.*

'al·mond (*'ä-mənd*) *n* a long narrow nut with a hard shell (เมล็ดผลไม้เปลือกแข็งชนิดหนึ่งมีรูปร่างเรียวยาว อัลมอนด์).

'al·most (*'ōl-mōst*) *adv* very nearly (เกือบ): *She is almost five years old.*

alms (*ämz*) *n* money *etc.* given to the poor (เงินให้ทานกับคนจน).

a'loft *adv* in the air; high up (เบื้องสูง สูงขึ้นไป): *He held the flag aloft.*

a'lone *adv* **1** with no-one else (โดดเดี่ยว): *He lived alone.* **2** only: *He alone can remember.*

a'long *prep* **1** from one end to the other (ตาม): *He walked along the street.* **2** on the length of (ตามความยาว): *There's a post-box somewhere along this street.* — *adv* **1** onwards (เคียงข้าง ด้วยกัน): *He ran along beside me; Come along, please!* **2** to a place mentioned (มาด้วย): *I'll come along in five minutes.* **3** together (ไปด้วย): *I took a friend along with me.*

along'side *prep, adv* beside (ใกล้ชิด).

a'loud *adv* so that you can hear it (มีเสียงดัง): *He read the letter aloud.*

'al·pha·bet *n* the letters of a language arranged in order (อักขระของภาษา เรียงกันตามลำดับ).

to learn the **letters of the alphabet** (not **alphabets**).

al·pha'bet·i·cal *adj.* **al·pha'bet·i·cal·ly** *adv* (ตามลำดับอักษร).

'al·pine *adj* having to do with, or belonging to, the high parts of mountains (เกี่ยวกับภูเขาแอลป์ ยอดภูเขา): *alpine skiing; alpine flowers.*

al'read·y (*ōl'red-i*) *adv* **1** before a particular time (แล้ว): *I had already gone when Tom arrived; I don't want that book — I've read it already* **2** before the expected time (ก่อนกำหนด): *Are you leaving already?*

'al·so (*'ōl-sō*) *adv* in addition; too (ด้วย): *He speaks English and he also speaks Chinese; They know him and I know him also.*

See **either**.

'al·tar (*'ōl-tər*) *n* a table in a church or temple for offerings to God (ที่บูชา).

'al·ter (*'ōl-tər*) *v* to change (เปลี่ยนแปลง): *Will*

you alter this dress to fit me?; The town has altered a lot in the last two years. **al·te'ra·tion** *n* (การเปลี่ยนแปลง).

al·ter'ca·tion *n* an argument (การพิพาท): *a noisy altercation in the street.*

al'ter·nate (*öl'tər-nət*) *adj* coming, happening *etc.* in turns; first one and then the other (สลับกัน): *alternate stripes of red and green.* — *v* (*'öl-tər-nāt*) to come or happen in turns (เกิดขึ้นสลับกันไป): *Rain and sun alternated throughout the day.*

al'ter·nate·ly *adv* (โดยสลับกัน).

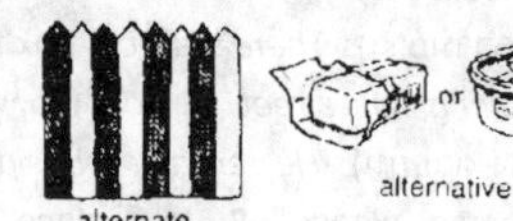

al'ter·na·tive *adj* giving another choice or a second possibility (ทางเลือก): *An alternative day can be found if you can't come on Tuesday.* — *n* a choice between two possibilities (ทางเลือกระหว่างสองสิ่ง): *I don't like fish. Is there an alternative on the menu?*

al'ter·na·tive·ly *adv* (ไม่อย่างใดก็อย่างหนึ่ง).

alternative medicine the treatment of disease using acupuncture, homeopathy, etc. rather than drugs and surgery (รักษาแบบใดแบบหนึ่ง).

al'though (*öl'dhō*) *conj* in spite of the fact that (แม้ว่า): *Although he hurried, the shop was closed when he got there.*

although should not be followed by **but**: *Although he is poor, he is honest* (not *Although he is poor but he is honest*).

'al·ti·tude (*'al-ti-tūd*) *n* height above sea-level (ความสูงเหนือระดับน้ำทะเล).

'al·to *n* the deepest singing voice for a woman (เสียงต่ำสุดของผู้หญิงในการร้องเพลง).

al·to'geth·er (*öl-tə'gedh-ər*) *adv* **1** completely (โดยสิ้นเชิง): *I'm not altogether satisfied.* **2** considering everything (ด้วยประการทั้งปวง): *I'm tired and I'm cold. Altogether I'm not feeling very cheerful.*

a·lu'min·i·um (*al-ū'min-yəm*) *n* a light silver-coloured metal (อะลูมิเนียม).

'al·ways (*öl-wāz*) *adv* **1** at all times (เสมอ): *I always work hard* (เสมอ); *I'll always remember her.* **2** continually (อยู่เรื่อย): *He is always making mistakes.*

am *see* **be** (เป็น อยู่).

a'mal·ga·mate *v* to join together with another organization (รวม): *The small firm amalgamated with a big company.*

a·mal·ga'ma·tion *n* (การรวมบริษัทเข้าด้วยกัน).

'am·a·teur (*'am-ə-tər*) *n* **1** a person who takes part in a sport *etc.* without being paid for it (มือสมัครเล่น). **2** someone who does something for the love of it and not for money (ผู้ที่ทำอะไรบางอย่างด้วยความสมัครใจ): *For an amateur, he was quite a good photographer.* — *adj*: *an amateur golfer* (นักตีกอล์ฟสมัครเล่น).

a'maze *v* to surprise greatly (แปลกใจอย่างยิ่ง สนเท่ห์อย่างยิ่ง): *I was amazed at his stupidity.*

a'maze·ment *n* great surprise (ความแปลกใจอย่างยิ่ง ความพิศวง): *To my amazement he suddenly stood on his head.*

a'ma·zing *adj*: *an amazing sight* (น่าแปลกใจ น่าสนเท่ห์).

am'bas·sa·dor *n* the minister appointed to act for his government in another country (เอกอัครราชทูต): *the British Ambassador to Italy.*

'am·ber *n* a hard yellow substance used in jewellery *etc.* (อำพัน).

am'big·u·ous (*am'big-ū-əs*) *adj* having more than one possible meaning (กำกวม); not clear in meaning.

am'big·u·ous·ly *adv* (คลุมเครือ).

am·bi'gui·ty *n* (ความคลุมเครือ).

am'bi·tion *n* the desire for success, fame, power *etc.* (ความทะเยอทะยาน); the desire to do something special: *His ambition is to be Prime Minister.*

am'bi·tious *adj* wanting fame or success (ทะเยอทะยาน ต้องการชื่อเสียงหรือความสำเร็จ).

'am·ble *v* to walk without hurrying; to stroll (เดินช้า ๆ ไม่รีบร้อน): *The boys were ambling home talking about football.*

'am·bu·lance (*'am-bū-ləns*) *n* a vehicle for carrying the sick and injured to hospital *etc.*

(รถพยาบาล).

ambulance ends in **-ance** (not **-ence**).

'am·bush ('am-bo͝osh) *v* to wait in hiding for someone and make a surprise attack on them (ซุ่มโจมตี): *The soldiers were ambushed in the woods.* — *n* an attack made in this way (การจู่โจมในแบบนี้).

a'mend *v* to correct or improve a piece of writing (แก้ตัวหรือแก้ไข).

make amends to make up for having done something wrong (ทำดีเป็นการแก้ตัว): *You must make amends to Jenny for breaking her doll.*

a'me·ni·ty (ə'mē-ni-ti) *n* something that makes life more pleasant or convenient (สิ่งที่ทำให้เจริญตาเจริญใจ): *This part of town has a swimming pool, a library, a shopping centre and many other amenities.*

'a·mi·a·ble ('ā-mi-ə-bəl) *adj* likeable; friendly (มีอัธยาศัย).

'am·i·ca·ble *adj* friendly (เป็นมิตร).

amiable is used about people, but **amicable** is not: *an amiable man; an amicable agreement.*

a'mid, a'midst *prep* in the middle of; among (ระหว่าง ท่ามกลาง): *amid all the confusion; amidst the shadows.*

am'mo·ni·a *n* a strong-smelling gas (แอมโมเนีย).

am·mu'ni·tion (am-ū'nish-ən) *n* bullets, gunpowder or shells used in the firing of a gun *etc.* (กระสุนปืน ดินดำ หรือปลอกกระสุนที่ใช้ปืนยิง).

'am·nes·ty *n* a pardon given by the state to people who have done wrong especially against the government (นิรโทษกรรม): *All political prisoners were released under the amnesty declared by the new president.*

a'mok, a'muck: **run amok, amuck** to rush about madly, attacking everybody and everything (วิ่งพล่านจู่โจมสิ่งที่ขวางหน้า อาละวาด).

a'mong (ə'muŋ), **a'mongst** (ə'muŋst) *prep* **1** in the middle of (ท่ามกลาง): *a house among the trees.* **2** in shares to each person (ระหว่าง): *Divide the chocolate amongst you.*

among is used for more than two: *She divided the work among the pupils.*
between is used for two: *The twins divided the chocolate between them.*
See **between**.

a'mount *v* to add up to (รวมราคา จำนวน): *The bill amounted to $15.* — *n* a total; a sum (ผลรวม): *a large amount of money.*

am'phib·i·an *n* **1** any animal that lives both on land and in water (สัตว์สะเทินน้ำสะเทินบก): *Frogs are amphibians.* **2** a vehicle for use on land or in the water (ยานสะเทินน้ำสะเทินบก).

am'phib·i·ous *adj* (ครึ่งบกครึ่งน้ำ).

'am·ple *adj* enough; plenty (จำนวนมาก): *There is ample space for four people.*

'am·ply *adv* (อย่างอุดมสมบูรณ์).

'am·pli·fy ('am-pli-fī) *v* **1** to make large (ทำให้ใหญ่ขึ้น). **2** to make the sound from a radio, record-player *etc.* louder (ทำให้ดังขึ้น).

amp·li·fi'ca·tion *n* (การขยายให้โตขึ้น).

'am·pli·fi·er ('am-pli-fī-ər) *n* a piece of electrical equipment for increasing the sound of a record-player *etc.* (เครื่องขยายเสียง).

'am·pu·tate ('am-pū-tāt) *v* to cut off an arm or leg *etc.* (ตัดแขนหรือขาออก).

am·pu'ta·tion *n* (การตัดแขนหรือขา).

a'muse (ə'mūz) *v* **1** to make someone laugh (ทำให้ขำ): *I was amused at the clowns.* **2** to keep someone happy or interested (ทำให้เพลิดเพลินหรือมีความสุข): *They amused themselves playing cards.*

a'muse·ment *n* **1** being amused (มีความสนุก): *a smile of amusement.* **2** an entertainment; an activity (ความเพลิดเพลิน): *surfing and other holiday amusements.*

amusement arcade a public building containing machines for gambling and video games (อาคารที่มีเครื่องเล่นการพนันและวิดีโอเกมส์).

a'mu·sing *adj* rather funny (ขบขัน สนุก): *an amusing story.*

an *see* **a** (หนึ่ง).

a'nae·mi·a (ə'nē-mi-ə) *n* a kind of illness that makes you feel tired and look very pale because your blood cannot carry enough oxygen around your body (โรคโลหิตจาง): *Anaemia is often caused by a lack of iron in your body.*

an·aes'thet·ic (*an-əs'thet-ik*) *n* a substance, used by doctors *etc.* that causes lack of feeling in a part of the body, or unconsciousness (ยาชาหรือทำให้หมดสติ ยาสลบ).

'an·a·gram *n* a word or phrase containing letters which can be rearranged to form another word or phrase (การสร้างคำใหม่โดยการสลับที่อักษรของคำเดิม, การแปลงคำ): *'Pale' is an anagram of 'leap'.*

'an·a·lyse (*'an-ə-līz*) *v* to examine something carefully (วิเคราะห์): *The doctor analysed the blood sample.*

analyse is spelt **-lyse** (not **-lyze**).

a'nal·y·sis (*ə'nal-i-sis*) *plural* **a'nal·y·ses** (*ə'nal-i-sēz*) *n* a detailed examination of something (การวิเคราะห์โดยละเอียด): *The chemist is making an analysis of the poison.*

'an·a·lyst (*'an-ə-list*) *n* **1** a person who analyses (นักวิเคราะห์).

an·a'lyt·i·cal *adj* (แห่งการวิเคราะห์).

'an·ar·chist (*'an-ər-kist*) *n* **1** a person who believes that it is necessary to have any sort of government in a country (ผู้ไม่นิยมการมีรัฐบาลหรือกฎหมาย). **2** a person who tries to destroy the government (กบฏ).

'an·ar·chy *n* **1** a situation where there is no government and people do not obey any laws (อนาธิปไตย): *There was total anarchy after the defeat of the government.* **2** disorder (การขาดระเบียบ): *Anarchy reigned in the classroom after the teacher went out.*

a'nat·o·my *n* the study of the parts of the body (กายวิภาคศาสตร์).

an·a'tom·i·cal *adj* (แห่งกายวิภาคศาสตร์ แห่งร่างกาย).

'an·ces·tor (*'an-səs-tər*) *n* a person who was a member of your family a long time ago and from whom you are descended (บรรพบุรุษ).

an'ces·tral *adj* (แห่งบรรพบุรุษ).

'an·ces·try *n* a person's ancestors (บรรพชน).

'an·chor (*'aŋ-kər*) *n* a heavy piece of metal with points which dig into the sea-bed, for holding a boat in one position (สมอเรือ).— *v* to hold a boat *etc.* steady with an anchor (ทอดสมอ).

'an·chor·age *n* a place for anchoring boats (ที่ทอดสมอ).

at anchor anchored (ทอดสมออยู่): *The ship is at anchor in the bay.*

'an·cient (*'ān-shənt*) *adj* **1** of times long ago (โบราณ): *ancient history.* **2** very old (เก่าแก่มาก ๆ): *an ancient shirt.*

The opposite of **ancient** is **modern**.

and *conjunction* **1** a word used to join two things, statements *etc.* (และ คำที่ใช้เชื่อมสองสิ่งหรือสองข้อความเข้าด้วยกัน): *I opened the door and went inside* (และ); *a mother and child.* **2** added to (บวก): *2 and 2 makes 4.*

a'nem·o·ne (*ə'nem-ə-ni*) *n* a plant that has white, red or purple flowers with black centres. (พันธุ์ไม้ดอกชนิดหนึ่ง)

anesthetic another spelling of **anaesthetic** (ยาระงับความรู้สึก ยาสลบ).

'an·gel (*'ān-jəl*) *n* **1** a messenger of God (เทวทูต, เทวดา): *The angels announced the birth of Christ.* **2** a very good person (คนดีเลิศ): *She was an angel to help us.*

'an·ger (*'aŋ-gər*) *n* a violent feeling against someone or something (ความโกรธ): *He was filled with anger at the way he had been treated.* — *v* to make someone angry (ทำให้โกรธ): *His rudeness angered her.*

'an·gle[1] (*'aŋ-gəl*) *n* **1** the space between two lines that meet (มุม): *an angle of 90°.* **2** a point of view (ความคิดเห็น): *from a journalist's angle.* **3** a corner (มุม).

'an·gle[2] (*'aŋ-gəl*) *v* to use a rod and line to try to catch fish (ตกเบ็ด): *angling for trout.*

'an·gler *n* a person who goes angling (คนตกเบ็ด).

'an·gling *n* (การตกเบ็ด).

'An·glo- (*'aŋ-glō*) English (อังกฤษ): *Anglo-American.*

'an·gry (*'aŋ-gri*) *adj* full of anger (โกรธ ยัวะ): *He was angry about the broken window; angry words* (โกรธ); *Are you angry with me?*

'an·gri·ly *adv* (อย่างโกรธเคือง).

angry at something: *We were angry at the delay.*
angry with someone: *He is angry with his sister.*

'an·guish (*'aŋ-gwish*) *n* very great pain or sorrow (ความเจ็บปวด).

'an·i·mal *n* a living being which can feel things and move freely (สัตว์). — *adj*: *animal behaviour* (พฤติกรรมเยี่ยงสัตว์).

'an·i·mate *v* to make lively (ทำให้มีชีวิต).

'an·i·mat·ed *adj* **1** lively (ร่าเริง): *an animated discussion.* **2** made to move in a life-like way (ทำให้เคลื่อนไหวได้เหมือนสิ่งมีชีวิต): *animated cartoons.*

an·i'ma·tion *n* (ความมีชีวิตชีวา ความแจ่มใสร่าเริง การทำการ์ตูน).

'an·kle (*'aŋ-kəl*) *n* the joint connecting the foot and leg (ข้อเท้า).

'an·nex, **'an·nexe** *n* a building that is added to a main building to make it larger (อาคารเสริม อาคารต่อเติม): *The new annexe contains extra classrooms and a gymnasium.*

an'ni·hi·late (*ə'nī-ə-lāt*) *v* to destroy completely (ทำลายล้าง): *The terrible disease almost annihilated the population of the town.*

an·ni·hi·'la·tion *n* (การทำลายล้าง).

an·ni'ver·sa·ry *n* a particular day in each year when some event is remembered (การครบรอบปี): *We celebrated our fifth wedding anniversary.*

'ann·o·tate *v* to add notes and explanations to a book, etc. (บันทึกประกอบ): *Many students annotate their copies of novels they are studying.*

ann·o'tation *n* (หมายเหตุ การต่อท้าย).

an'nounce *v* **1** to make something known publicly (ประกาศ): *Mary and John have announced their engagement.* **2** to introduce someone to an audience *etc.* (แนะนำ): *He announced the next singer in the show.*

an'nounce·ment *n* (การประกาศ).

an'nounc·er *n* a person who introduces programmes or reads the news on radio or television (ผู้ประกาศ โฆษก).

an'noy *v* to make someone rather angry (รำคาญ รบกวน): *His laziness annoyed his teacher.*

an'noy·ance *n* **1** something which annoys you (บางอย่างที่ทำให้รำคาญ สิ่งรบกวน). **2** a feeling of being annoyed (ความรู้สึกรำคาญ ถูกรบกวน).

an'noyed *adj* made angry (โกรธ รำคาญ): *My mother is annoyed with me; He was annoyed at her untidiness.*

annoyed at something: *I was annoyed at the delay.*
annoyed with someone: *The teacher was annoyed with me for being late.*

an'noy·ing *adj*: *annoying habits* (น่ารำคาญ).

'an·nu·al (*'an-ū-əl*) *adj* **1** happening every year (ซึ่งเกิดขึ้นเป็นประจำปี): *an annual event.* **2** of one year (ในหนึ่งปี): *What is his annual salary?* — *n* **1** a book of which a new edition is published every year (ในรอบปี). **2** a plant that lives for only one year (ปีเดียว).

'an·nual·ly *adv* (ทุก ๆ ปี).

a'non·y·mous *adj* without the name of the author, giver *etc.* being mentioned; not named (นิรนาม ปิดบังชื่อ): *The writer of this letter wishes to remain anonymous; an anonymous gift.*

a'non·y·mous·ly *adv* (ไม่บอกนาม).

'a·no·rak *n* a warm, waterproof jacket usually with a hood (เสื้อชั้นนอกที่ให้ความอบอุ่นและกันน้ำมักจะมีหมวกคลุม): *In cool parts of the world most children wear anoraks in the winter.*

an·or'exia *n* an illness in which the sufferer refuses to eat and loses so much weight their life may be in danger (การไม่อยากอาหาร การเบื่ออาหาร).

a'noth·er (*ə'nudh-ər*) *pron* **1** a different one (อื่น): *I don't like this book — can you lend me another?* **2** one more (อีกหนึ่ง): *I'll have another of those nice biscuits.* — *adj* **1** different (อื่น): *They're moving to another house.* **2** one more (อีกหนึ่ง): *Have another piece of cake.*

'an·swer (*'än-sər*) *n* **1** something said, written or done in reply to a question *etc.* (คำตอบ):

She refused to give an answer to his questions. **2** The way of solving a problem; a solution (**คำตอบ**): *The answers to the puzzles will be found on page 98.* — *v* **1** to give an answer to a question, problem *etc.* (**ตอบคำถาม ตอบ**): *Answer my questions, please; Why don't you answer the letter?* **2** to open the door when there is a knock or ring, or lift up the telephone when it rings (**เปิดประตูรับ**): *He answered the telephone as soon as it rang; Could you answer the door, please?*

answering machine or **'an·swer·phone** a machine which records telephone messages when no one is able to answer the telephone (**เครื่องตอบรับข้อความทางโทรศัพท์**): *There were three messages on my answering machine when I got back from lunch.*

answer for to be punished for something (**รับผิดชอบ**): *You'll answer for your rudeness one day!*

ant *n* a type of small insect, thought of as hard-working (**มด**).

Ants build **nests**.

an'tag·o·nism *n* feelings of anger or dislike between people (**ความเป็นปฏิปักษ์**): *There was a lot of antagonism between the two brothers.*

an'tag·o·nist *n* someone who fights with you; an opponent (**ปรปักษ์ คู่ต่อสู้**): *His antagonist was too strong for him.*

an·tag·o'nis·tic *adj* (**รู้สึกเป็นปรปักษ์กัน**): *antagonistic feelings.*

an'tag·o·nize *v* to make someone dislike you (**ทำให้เป็นปรปักษ์**): *She antagonized her neighbours by playing loud music at night.*

Ant'arc·tic *n* the area round the South Pole (**บริเวณขั้วโลกใต้**). — *adj* belonging to that area (**เกี่ยวกับขั้วโลกใต้**).

'ant-eat·er *n* any of several toothless animals with long snouts, that eat ants (**ตัวกินมด**).

'an·te·lope *n* a kind of quick-moving, graceful animal similar to a deer (**ละมั่ง**).

an'ten·na *n* **1** (*plural* **an'ten·nae** *ən'ten-i*) a feeler of an insect (**หนวดหรือขนบนหัวแมลง**). **2** (*plural* **an'ten·nas**) an aerial for a radio *etc.* (**สายอากาศ**).

'an·them *n* a song of praise (**เพลงอวยชัย**): *a national anthem.*

'ant-hill *n* a heap of earth, leaves *etc.* that ants form when they build their nest. (**รังมด จอมปลวก**)

an'thol·o·gy *n* a collection of poems, stories *etc.* by various writers (**กวีนิพนธ์รวมเล่ม**): *an anthology of Chinese poetry.*

an·thro'pol·o·gy *n* the study of different races of people and of their origins, customs, beliefs *etc.* (**มานุษยวิทยา**).

an·thro·po'log·i·cal *adj* (**เกี่ยวกับมานุษยวิทยา**).

an·thro'pol·o·gist *n* (**นักมานุษยวิทยา**).

an·ti- **1** against (**ต่อต้าน**), as in **anti-aircraft** **2** the opposite of (**ตรงข้าม**), as in **anti-clockwise**. (**ทวนเข็มนาฬิกา**)

an·ti-'air·craft *adj* used against enemy aircraft (**ต่อต้านอากาศยาน**).

'an·ti·bi'ot·ic (*an-ti-bī'ot-ik*) *n* a medicine which is used to kill the germs that cause disease (**ยาปฏิชีวนะ**).

an'ti·ci·pate *v* **1** to expect something (**คาดการณ์ ประมาณการณ์**): *I'm not anticipating any trouble.* **2** to realise beforehand; to be prepared for something (**เตรียมพร้อม**): *to anticipate someone's needs.*

an·ti·ci'pa·tion *n* (**ความคาดหมาย การเตรียมตัวไว้ให้พร้อม**).

an·ti'cli·max (**an-ti'klī-maks**) *n* a dull or disappointing ending (**จุดสุดท้ายที่จบลงโดยไม่มีความเข้มข้น**).

an·ti'clock·wise *adv, adj* moving in the opposite direction to the hands of a clock (**ทวนเข็มนาฬิกา**).

'an·tics *n* odd or amusing behaviour (**พฤติกรรมแปลก ๆ หรือน่าขัน**): *The children laughed at the monkey's antics.*

'an·ti·dote *n* **1** a kind of medicine that is given to cure the effects of poison or stop it working (**ยาแก้พิษ**): *The doctor gave the man an antidote after he was bitten by a cobra.* **2** anything that prevents something bad or difficult (การแก้): *Laughter is a good antidote to embarrassment.*

an'tique (*an'tēk*) *adj* old and valuable (เก่าและมีค่า): *an antique chair.* — *n* something made long ago which is valuable or interesting (โบราณวัตถุ): *He collects antiques.*

an·ti'sep·tic *n* a substance that destroys germs (ยาฆ่าเชื้อโรค). — *adj* (โดยการฆ่าเชื้อ): *antiseptic ointment.*

'ant'ler *n* a deer's horn (เขากวาง).

antlers

'an·to·nym *n* a word opposite in meaning to another word (คำที่มีความหมายตรงข้ามกัน): *Big and small are antonyms.*

'an·vil *n* a metal block on which metal objects are hammered into shape (ทั่ง): *the blacksmith's anvil.*

anx'i·e·ty (**aŋ'zī-ə-ti**) *n* the feeling of being anxious (ความกระวนกระวาย): *Her son's illness caused her great anxiety.*

'anx·ious (*'aŋk-shəs*) *adj* **1** worried (กังวล): *She is anxious about her father's health.* **2** eager; wanting very much (ปรารถนาอย่างยิ่ง): *He's very anxious to help.*

'anx·ious·ly *adv* (อย่างกังวล).

'an·y (*'en-i*) *pron* **1** it doesn't matter which (ใด ๆ): *'Which dress shall I wear?' 'Any will do'.* **2** one, some (หนึ่ง บ้าง): *John ate all the sweets, so I didn't get any.* — *adj* **1** it doesn't matter which (ใด ๆ): *Take any book you want.* **2** some (บ้าง): *Have you been to any interesting places?; We have hardly any coffee left.* **3** every (แต่ละ): *Any schoolboy could tell you the answer.* — *adv* at all; by a small amount (บ้าง): *Is this book any better than the last one?; His writing hasn't improved any.*

See **some**.

'an·y·bod·y, **'an·y·one** *pron* **1** some person (ใคร): *Is anybody there?* **2** any person, no matter which (ใครก็ได้): *Get someone to help — anyone will do.* **3** everyone (แต่ละคน): *Anyone could tell you the answer to that.*

'an·y·how *adv* **1** anyway (อย่างไรก็ตาม): Anyhow, even if I run, I will miss the train. **2** in a careless way (ไม่มีระเบียบ เละเทะ): *books piled anyhow on shelves.*

'an·y·thing *pron* **1** some thing (สิ่งใด): *Can you see anything?; I can't see anything.* **2** a thing of any kind (ชนิดใด ๆ): *You can buy anything you like.*

'an·y·way *adv* nevertheless; in spite of what has been said, done *etc.* (อย่างไรก็ตาม): *My mother says I musn't go, but I'm going anyway; Anyway, she can't stop you.*

'an·y·where *adv* in any place (ที่ใด ๆ): *Have you seen my gloves anywhere?*

at any rate at least (ถึงอย่างไร): *It will be fine tomorrow — at any rate, that's what the weather forecast says.*

in any case nevertheless (แต่กระนั้น ถึงอย่างไร): *I don't believe the story but I'll check it in any case.*

a'part *adv* separated by a certain distance (ห่างจากกัน แยกจากกัน): *trees planted three metres apart; Stand with feet apart; She sat apart from the other people.*

apart from except for (นอกจาก): *I can't think of anything I need, apart from a car.*

come apart to break into pieces (แยกออกเป็นชิ้นเล็กชิ้นน้อย): *The book came apart in my hands.*

take apart to separate something into the pieces from which it is made (ถอดออกเป็นชิ้น ๆ): *He took the engine apart.*

a'part·heid (*ə'pärt-hāt*) *n* the system of making people of different races live apart by law, used for many years in South Africa (การแบ่งแยกสีผิว).

a'part·ment *n* **1** a room (ห้องเดี่ยว). **2** a flat; a set of rooms for living in (ที่พักอาศัย).

'ap·a·thy *n* a lack of interest and enthusiasm (ขาดความสนใจ ขาดความกระตือรือร้น): *The teacher was worried by the students' apathy towards their work.*

ap·a'thet·ic *adj.* (ไม่สนใจ เฉยเมย)

ape *n* a large monkey with little or no tail (ลิงขนาดใหญ่ไม่มีหาง).

An ape **gibbers**.

'a·pex (*'ā-peks*), *plural* **'a·pex·es** or **'a·pi·ces** (*'ā-pi-sēz*) *n* the highest point (จุดสุดยอด): *the apex of his political career.*

'a·pi·ar·y (*'ā-pi-ə-ri*) *n* a place where bees are kept, usually in several beehives. (สถานที่เพาะเลี้ยงผึ้ง)

a·pol·o'get·ic *adj* sorry for having done something wrong or silly (เป็นการขอโทษ).
a·pol·o'get·i·cal·ly *adv* (เป็นการขอโทษ).

a'pol·o·gize *v* to say that you are sorry for having done something wrong *etc.* (ขอโทษ): *I must apologize to her for my rudeness.*
a'pol·o·gy *n* (คำขอโทษ): *He made an apology for being late.*

a'pos·tle (*ə'pos-əl*) *n* a man sent out to preach the gospel, especially one of the twelve disciples of Christ (สาวกของพระเยซูคริสต์): *Matthew and Mark were apostles.*

a'pos·tro·phe (*ə'pos-trə-fi*) *n* a mark (') to show that letters have been missed out (เครื่องหมาย (') เพื่อแสดงว่าตัวอักษรขาดหายไป): *can't* (cannot), *don't* (do not); or to show possession (หรือแสดงความเป็นเจ้าของ): *the boy's coat; the boys' coats.*

ap'pal (*ə'pöl*) *v* to horrify or shock (ทำให้หวาดหวั่น ทำให้ตกใจ): *We were appalled by the dirtiness of the house.*
ap'palling *adj* (น่าหวาดหวั่น น่าตกใจ).

ap·pa'ra·tus (*ap-ə'rā'təs*) *n* machinery, tools or equipment (เครื่องมือ อุปกรณ์): *chemical apparatus; gymnastic apparatus.*

ap'par·ent *adj* **1** easy to see; evident (เห็นได้ชัด ปรากฏ): *The mistake was quite apparent to all of us.* **2** seeming but perhaps not real (ดูเหมือนว่า): *his apparent unwillingness.*
ap'par·ent·ly *adv* it seems that; I hear that (ดูเหมือนว่า ว่ากันว่า): *Apparently he is not feeling well.*

ap'peal *v* **1** to ask earnestly for something (อุทธรณ์ วิงวอน ร้องเรียน): *She appealed to him for help.* **2** to take a case you have lost to a higher court to ask a judge for a new decision (อุทธรณ์): *He appealed against a three-year prison sentence.* **3** to be pleasing (ประทับใจ): *This place appeals to me.* — *n* **1** a request for help *etc.* (อุทธรณ์): *a last appeal for help; The judge rejected his appeal.* **2** attraction (ดึงดูดความสนใจ เสน่ห์): *Pop music has no appeal for me.*
ap'peal·ing *adj* pleasing (น่าประทับใจ): *an appealing smile.*

ap'pear *v* **1** to come into view (ปรากฏ): *A man suddenly appeared round the corner.* **2** to arrive (มาถึง): *He appeared in time for dinner.* **3** to be seen by the public (ปรากฏต่อหน้าสาธารณชน): *He is appearing on television today.* **4** to seem (ดูเหมือนว่า): *It appears that he is wrong; He appears to be wrong.*
ap'pear·ance *n* **1** what can be seen of a person, thing *etc.* (รูปร่าง สิ่งที่ปรากฏ): *From his appearance he seemed very wealthy.* **2** the act of coming into view (การปรากฏ): *The thieves ran off at the appearance of two policemen.* **3** being seen by the public (ปรากฏต่อสาธารณชน): *his first appearance on the stage.*

ap·pen·di'ci·tis (*ə-pend-i'sī-tis*) *n* a painful infection of the appendix in the body (ไส้ติ่งอักเสบ).

ap'pen·dix *n* **1** (*plural* sometimes **ap'pendi·ces** *ə'pen·di·sēz*) a section added at the end of a book *etc.* (ภาคผนวก). **2** a small worm-shaped part of the bowels (ไส้ติ่ง).

'ap·pe·tite *n* a desire for food (เจริญอาหาร): *Exercise gives you a good appetite.*
'ap·pe·ti·zing *adj* increasing the appetite (น่ารับประทาน): *an appetizing smell.*

ap'plaud *v* to show approval by clapping the hands *etc.* (ปรบมือชอบใจ): *to applaud a speech.*
ap'plause *n* approval expressed by clapping (ปรบมือชมเชย): *The singer received great applause.*

ap·ple *n* a round fruit, usually with a green or red skin (ผลแอปเปิล).

ap'ply (*ə'plī*) *v* **1** to put or spread something on something (ใส่หรือทา): *to apply ointment to* *a cut.* **2** to use something **(ใช้)**: *He applied his brains to planning their escape.* **3** to ask for a job **(สมัครงาน)**: *He applied to the headmaster for the post of art-teacher.* **4** to ask for money *etc.* **(ขอ)**: *You can apply to the government for a grant to repair your house.* **5** to affect; to concern **(มีผล เกี่ยวข้อง)**: *This rule does not apply to him.*

ap'pli·ance (*ə'plī-əns*) *n* an instrument or tool **(เครื่องมือ เครื่องใช้ไฟฟ้า)**: *washing-machines and other electrical appliances.*

'ap·pli·ca·ble *adj* able to be applied in a particular case; relevant **(ใช้เป็นประโยชน์ได้)**: *This rule is not applicable to him as he is not a club member.*

'ap·pli·cant *n* a person who applies for a job *etc.* **(ผู้สมัครงาน)**.

ap·pli'ca'tion *n* **1** applying **(การสมัครงาน)**. **2** hard work; great effort **(พยายามอย่างยิ่ง)**.

ap'plied *adj* put to practical use rather than theoretical **(ประยุกต์ ใช้เป็นประโยชน์ได้)**: *She is studying applied science at university.*

ap'point *v* to give a person a job **(แต่งตั้ง)**: *They appointed him manager.*

ap'point·ment *n* an arrangement to meet someone **(การนัด)**: *I made an appointment to see him.*

ap'pre·ci·ate (*ə'prē-shi-āt*) *v* **1** to be grateful for something **(รู้สึกขอบคุณต่อ)**: *I appreciate the help you have given me.* **2** to realise how important or precious someone or something is **(รู้ถึงคุณค่าและความสำคัญ)**: *Mothers sometimes complain that their children don't appreciate them enough.* **3** to understand **(เข้าใจ)**: *I appreciate your difficulties but I cannot help.*

ap·pre·ci'a·tion *n* **(ความซาบซึ้ง)**.

ap'pre·ci·a·tive *adj* **(ซึ่งรู้สำนึกในพระคุณ ซึ่งรู้คุณค่า)**.

ap'pre·ci·at·ive·ly *adv* **(อย่างสำนึกในพระคุณ อย่างรู้คุณค่า)**.

I'd appreciate it (not **I'd appreciate**) if you could help me.

ap·pre'hen·sion *n* fear; anxiety **(ความกลัว ความกระวนกระวาย)**: *She was filled with apprehension for her child's safety.*

ap·pre'hen·sive *adj* anxious; worried **(กระวนกระวาย วิตกกังวล)**: *The students were rather apprehensive about their final exams; She had an apprehensive expression on her face.*

ap'pren·tice (*ə'pren-tis*) *n* a person who is being trained to do a job **(ผู้ฝึกงาน)**.

ap'pren·tice·ship *n* the time during which a person is an apprentice **(การฝึกงาน)**: *He is serving his apprenticeship as a mechanic.*

ap'proach *v* to come near **(เข้ามาใกล้)**: *She approached me and asked what the time was; Christmas is approaching.* — *n* coming near **(ใกล้เข้ามา)**: *The boys ran off at the approach of a policeman.*

ap'proach·a·ble *adj* **1** friendly **(เป็นกันเอง)** **2** able to be reached **(สามารถเข้าถึงได้)**: *The village is not approachable by road.*

ap'pro·pri·ate *adj* suitable; right **(เหมาะสม ถูกต้อง)**: *Wear appropriate clothes for the picnic.*

ap'pro·pri·ate·ly *adv* suitably **(อย่างเหมาะสม)**: *appropriately dressed for the occasion.*

ap'prov·al (*ə'proo-vəl*) *n* agreeing to something; being pleased with a person, thing *etc.* **(การเห็นพ้อง การยินยอม)**. *Their plan met with her approval; She was full of approval for his new appartment.*

on approval able to be given back to a shop *etc.* if not satisfactory **(สามารถคืนได้ถ้าไม่พอใจ)**: *She bought some shoes on approval.*

ap'prove (*ə'proov*) *v* **1** to be pleased with a person, thing *etc.* **(พอใจ ยินดี)**: *I approve of your decision; I don't approve of my son's girl-friend.* **2** to agree to something **(ยอมรับ)**: *The committee approved the plan.*

ap'prox·i·mate *adj* not exactly right, but nearly correct **(ประมาณ ใกล้เคียง)**: *What is the approximate price of a good freezer?*

ap'prox·i·mate·ly *adv* nearly; about **(อย่างใกล้เคียง โดยประมาณ)**: *approximately 550.*

'a·pri·cot (*'ā-pri-kot*) *n* an orange-coloured fruit like a small peach **(ผลแอปปริคอต)**.

'A·pril (*'ā-pril*) *n* the fourth month of the year **(เดือนเมษายน)**.

'a·pron (*'ā-prən*) *n* a garment worn to protect the front of the clothes (ผ้ากันเปื้อน): *She tied on her apron before preparing the dinner.*

apt *adj* **1** likely (น่าจะ): *He is apt to get angry if you ask a lot of questions.* **2** suitable (เหมาะ): *an apt remark.* **3** clever; quick to learn (ฉลาด): *an apt student.*

'apt·ly *adv* (น่าจะเหมาะ น่าจะฉลาด).

'apt·ness *n* (ความเหมาะ ความฉลาด).

'ap·ti·tude (*'ap-ti-tūd*) *n* a talent or ability (ความสามารถ): *an aptitude for mathematics.*

a'quar·i·um (*ə'kwār-i-əm*) *n* a glass tank, for keeping fish and other water animals (ตู้ปลาและสัตว์น้ำอื่น ๆ).

a'quat·ic *adj* living, growing, or taking place in water (อยู่ในน้ำ โตในน้ำ เกิดขึ้นในน้ำ): *aquatic plants; aquatic sports.*

'aq·ue·duct (*'ak-wi-dukt*) *n* a bridge with many arches that is used to carry water across a valley or river (ท่อน้ำ).

aqueduct

'Ar·a·bic: **Arabic numerals** 1, 2, 3, 4 *etc.* (ของชาวอาหรับ ตัวเลขอารบิค).

'ar·a·ble *adj* being used, or suitable, for growing crops (เหมาะแก่การเพาะปลูก): arable land; *This land is too sandy to be arable.*

'ar·bi·trar·y *adj* not decided by rules or laws but by a person's own opinion (ตามอำเภอใจ): *an arbitrary dismissal.*

'ar·bi·trate *v* to be a judge or referee in a disagreement (ตัดสิน ชี้ขาด).

ar·bi'tra·tion *n* (การตัดสิน การชี้ขาด).

arc *n* a part of the line which forms a circle or other curve (ส่วนโค้งของวงกลมหรือส่วนโค้งของสิ่งต่าง ๆ).

ar'cade *n* a covered passage or area with shops, stalls *etc.* (ทางเดินที่มีหลังคาหรือบริเวณที่มีร้านค้าและแผงต่าง ๆ): *a shopping arcade.*

arch *n* a doorway or other opening with a curved top (ทางเข้าหรือโครงสร้างเป็นรูปโค้ง): *He steered the boat through one of the arches of the bridge.* — *v* to bend into the shape of an arch (งอให้เป็นรูปโค้ง): *The cat arched its back.*

arch- *prefix* most important or chief (ผู้ที่สำคัญที่สุดหรือหัวหน้า หัวโจก): *his arch-rival for the job of President.*

ar·chae'ol·o·gy (*är-ki'ol-ə-ji*) *n* the studying of people of ancient times by examining the remains of their buildings, tools, pottery *etc.* (โบราณคดี).

ar·chae·o·'log·i·cal *adj* (แห่งโบราณคดี).

ar·chae'ologist *n* (นักโบราณคดี).

'arch·an·gel (*'ärk-ān-jəl*) *n* a chief angel (หัวหน้าเทวดา เทเวศร์).

arch'bish·op *n* a chief bishop (หัวหน้าบาทหลวงมหาสังฆนายก).

arched *adj*: (ทางเข้าที่โค้ง) *an arched doorway.*

'arch·er *n* a person who shoots with a bow and arrows (นักยิงธนู).

'arch·er·y *n* the sport of shooting with a bow (กีฬายิงธนู).

ar·chi'pel·a·go (*är-ki'pel-ə-gō*) *n* a group of islands (หมู่เกาะ).

'ar·chi·tect (*'är-ki-tekt*) *n* a person who designs buildings *etc.* (สถาปนิก).

'ar·chi·tec·ture (*'är-ki-tek-chər*) *n* the art of designing buildings (สถาปัตยกรรม).

ar·chi'tec·tur·al *adj* (แห่งสถาปัตยกรรม).

'arch·way *n* an arched passageway or entrance (ทางเข้าที่ทำเป็นรูปโค้ง).

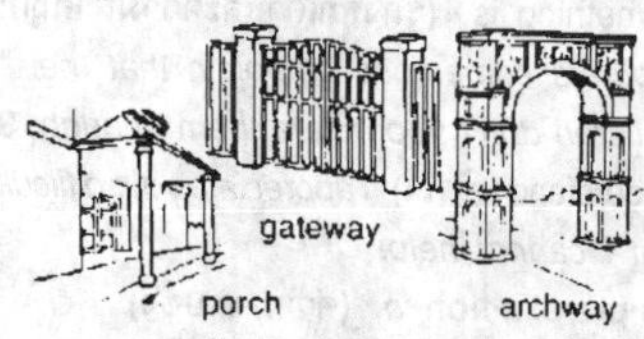
gateway
porch
archway

'Arc·tic *n* the area round the North Pole (บริเวณขั้วโลกเหนือ). — *adj* belonging to this area (เป็นของบริเวณนี้).

'arc·tic *adj* very cold (หนาวมาก).

'ar·du·ous (*'ä-dū-əs*) *adj* very difficult or tiring (ยากเย็นแสนเข็ญ): *an arduous task.*

are *see* **be** (เป็น อยู่).

'ar·e·a (*'ār-i-ə*) *n* **1** the extent of a flat surface

(พื้นที่ บริเวณ): *This garden is twelve square metres in area.* **2** a place; part of a town *etc.* (สถานที่ เขต): *Do you live in this area?*

a're·na (*ə'rē-nə*) *n* any place for a public show, contest *etc.* (สถานที่แสดง แข่งขัน ต่อสาธารณะ): *a sports arena.*

aren't short for **are not** and **am not** (ไม่เป็น ไม่อยู่).

'ar·gue (*'är-gū*) *v* to quarrel with a person (โต้แย้ง ถกเถียง): *Will you children stop arguing with each other about whose toy that is!* **2** to give reasons for or for not doing something (ให้เหตุผลบ่ายเบี่ยง): *I argued against accepting the plan.* **3** to discuss (โต้แย้ง): *She argued very cleverly.*

'ar·gu·ment *n* **1** a quarrel (การทะเลาะ การโต้เถียง): *They are having an argument about whose turn it is to wash the dishes.* **2** reasoning for or against something (ยกเหตุผลขึ้นมาอ้าง).

ar·gu'men·ta·tive *adj* fond of arguing (ชอบโต้แย้ง).

'ar·id *adj* dry (แห้งแล้ง); having very little water: *The land is so arid that only cactuses can grow on it.*

a'rid·i·ty *n* (ความแห้งแล้ง).

a'rise (*ə'rīz*) *v* **1** to come into being (เกิดขึ้น): *Another difficulty has arisen.* **2** to get up (ลุกขึ้น).

> **arise**; **a'rose**; **a'ris·en**: *A storm arose; A problem has arisen.*

ar·i'stoc·ra·cy *n* the nobility and others of the highest social class (พวกขุนนางหรือคนอื่น ๆ ในสังคมชั้นสูง).

'a·ris·to·crat *n* a member of the aristocracy (ขุนนาง).

a'rith·me·tic *n* a way of counting using numbers (เลขคณิต). **ar·ith'met·ic·al** *adj.*

arm[1] *n* **1** the part of the body between the shoulder and the hand (แขน). **2** anything similar to this (อะไรก็ได้ที่คล้ายแขน): *the arm of a chair.*

with open arms with a very friendly welcome (ด้วยอัธยาศัยไมตรี): *He greeted them with open arms.*

arm[2] *v* **1** to supply someone with a gun or other weapons (จัดหาปืนหรืออาวุธมาให้): *to arm the police force.* **2** to prepare for battle, war *etc.* (เตรียมต่อสู้): *They armed for battle.*

arms *n* **1** weapons (อาวุธ): *Does the police force carry arms?* **2** a design *etc.* which is used as the symbol of the town, family *etc.* (ตราประจำเมือง ตราประจำตระกูล).

take up arms to begin fighting (เริ่มต่อสู้): *The peasants took up arms against the dictator.*

ar·ma'dil·lo, *plural* **ar·ma'dil·los**, *n* a South American animal with a covering of strong bony scales over its body, that lives in a burrow and eats insects (ตัวนิ่มเปลือกแข็ง ขุดรูอยู่และกินแมลง).

'ar·ma·ments *n* equipment for war (อาวุธยุทโธปกรณ์ที่ใช้ในการสงคราม).

'arm·chair *n* a chair with arms at each side (เก้าอี้มีเท้าแขน).

armed *adj* carrying a gun or other weapons (ถือปืนหรืออาวุธอื่น ๆ): *An armed man robbed the bank; armed forces.*

'arm·ful *n* as much as a person can hold in one or both arms (เต็มอ้อมแขน): *an armful of clothes.*

arm-in-'arm *adv* with arms linked together (คล้องแขน): *They walked along arm-in-arm.*

'ar·mi·stice (*'är-mis-tis*) *n* an agreement to stop fighting in a war, battle *etc.* (การสงบศึก): *An armistice was declared.*

'ar·mour (*'är-mər*) *n* a protective suit of metal worn by knights (เกราะเหล็ก).

'ar·moured *adj* protected by a specially strong metal covering (หุ้มเกราะ): *armoured vehicles.*

'ar·mour·y *n* the place where weapons are kept (คลังแสง คลังสรรพาวุธ).

'arm·pit *n* the hollow under the arm (รักแร้).

'ar·my *n* **1** a large number of men armed and organized for war (กองทัพ): *The army advanced into enemy territory; He served for two years in the army.* **2** a large number of people, insects *etc.* (คน แมลง จำนวนมาก ฝูง ขบวน): *an army of ants.*

a'ro·ma *n* a pleasant smell (กลิ่นหอม): *the aroma of coffee.*

ar·o'ma·tic *adj* (หอม มีกลิ่นหอม กลิ่นเครื่องเทศ): *aromatic herbs.*

arose *see* **arise** (ดู **arise**).

a'round *prep* **1** on all sides of something or in a circle about something (รอบ ๆ): *Flowers grew around the tree; They danced around the fire.* **2** here and there in a place (เกลื่อน): *Clothes had been left lying around the house.* — *adv* **1** near to a time, place *etc.* (จวนเวลา ใกล้สถานที่): *around three o'clock.* **2** in the opposite direction (ทิศทางตรงกันข้าม): *Turn around!* **3** nearby (ใกล้ ๆ): *If you need me, I'll be somewhere around.* **4** on all sides (รอบ ๆ): *He looked around for a way of escape.* **5** here and there (เรื่อย ๆ โต๋เต๋): *to wander around.*

a'rouse (ə'rowz) *v* to cause or start a feeling *etc.* (ก่อให้เกิด): *His strange behaviour aroused my suspicions.*

ar'range (ə'rānj) *v* **1** to put in order (จัดให้เป็นระเบียบ): *Arrange these books in alphabetical order; She arranged the flowers in a vase.* **2** to plan or fix (วางแผนหรือเตรียมการ): *We have arranged a meeting for next week; I have arranged to meet him tomorrow.*

ar'range·ment *n* **1** the result of arranging (การเตรียมการ): *flower-arrangements.* **2** an agreement (การตกลง): *They've finally come to an arrangement about sharing the money.* **3** a plan or preparation (เตรียมการ): *Have you made any arrangements for a meeting with him?*

ar'ray *n* a large collection of things, laid out in front of you (สิ่งของจำนวนมากวางอยู่ตรงหน้า): *There was a fine array of cakes and buns in the shop window.*

ar'rears (ə-'rērz) (หนี้ค้างชำระ): **in arrears** late in paying money that you owe: *He is in arrears with his rent.*

ar'rest *v* **1** to capture or take hold of a person because he or she has broken the law (จับกุม): *The police arrested the thief.* **2** to stop (ทำให้หยุด). — *n* the arresting of someone; being arrested (การจับกุม): *The police made several arrests; He was questioned after his arrest.*

under arrest having been arrested (ถูกจับกุม): *The thief is under arrest.*

ar'rive *v* to reach a place, the end of a journey *etc.* (มาถึง): *They arrived home last night; The parcel arrived yesterday.*

> You **arrive at** the station, bus stop, beach, but you **arrive in** countries and cities: *to arrive at the airport; to arrive in London, Singapore, Japan.*
> See also **reach**.

ar'ri·val *n* **1** the act of arriving (การมาถึง): *I was greeted by my sister on my arrival.* **2** a person, thing *etc.* that has arrived (บุคคล สิ่งของ ฯลฯ ที่มาถึง).

arrive at to reach (ลงเอย สรุปได้): *Finally, they arrived at a decision.*

'ar·ro·gant *adj* extremely proud; thinking that you are much more important than other people (หยิ่ง คิดว่าตัวเองมีความสำคัญกว่าคนอื่นมาก): *an arrogant person; arrogant behaviour.* **'ar·ro·gance** *n.*

'arrow ('ar-ō) *n* **1** a thin, straight stick with a point, which is shot from a bow (ลูกศร). **2** a sign shaped like an arrow showing direction (ลูกศรชี้ทิศทาง): *You can't get lost — just follow the arrows.*

'ar·se·nal *n* a factory or store for weapons, ammunition *etc.* (โรงงานหรือคลังสรรพาวุธ).

'ar·se·nic *n* a strong poison (สารหนู).

'ar·son *n* the crime of setting fire to a building *etc.* on purpose (การวางเพลิง).

art *n* **1** painting, drawing and sculpture (ศิลปะ): *I'm studying art at school.* **2** a skill (ชำนาญ): *the art of embroidery.*

arts *n* languages, literature, history, rather than scientific subjects (ศิลปศาสตร์ วรรณคดี ประวัติศาสตร์ มากกว่าที่จะเป็นเรื่องของวิทยาศาสตร์).

'ar·ter·y *n* a tube that carries blood from the heart through the body (เส้นโลหิตแดงใหญ่). **2** a main route of travel and transport (เส้นทางสายหลักในการเดินทางและการขนส่ง).

ar'te·ri·al (*är'tēr-i-əl*) *adj* (แห่งเส้นโลหิตแดงใหญ่ เกี่ยวกับเส้นทางหลัก).

ar'thri·tis (*är'thrī-tis*) *n* a kind of disease that causes pain and stiffness in a joint (โรคข้ออักเสบ): *He suffers from arthritis in his hands.*

'ar·ti·cle *n* **1** a thing; an object (สิ่งของ): *This shop sells articles of all kinds.* **2** a piece of writing in a newspaper or magazine (บทความที่เขียนลงในหนังสือพิมพ์หรือนิตยสาร): *He has written an article on the new sports centre for a local magazine.* **3** the name of the words 'the', 'a', 'an' (คำนำหน้านาม **'the', 'a', 'an'**).

ar'tic·u·late *adj* (*är'tik-ū-lət*) *able to express your thoughts clearly* (สามารถสื่อความคิดออกมาได้อย่างแจ่มแจ้ง): *I enjoy listening to her speaking — she is so articulate.* — *v* (*är'tikū-lāt*) *to speak or pronounce something very clearly* (พูดหรือออกเสียงอย่างแจ่มชัด): *The teacher articulated the difficult words very carefully.*

ar·ti'fi·cial *adj* made by man; not natural (ทำขึ้นโดยมนุษย์ ไม่ใช่เป็นธรรมชาติ ของเทียม): *artifical flowers.*

ar·ti'fi·cial·ly *adv* (อย่างเทียม ๆ).

artificial intelligence the study of how to build computers which can learn, understand and make judgements like human beings (การศึกษาเพื่อสร้างคอมพิวเตอร์ซึ่งสามารถเรียนรู้ เข้าใจและวินิจฉัยได้อย่างมนุษย์ ปัญญาประดิษฐ์).

artificial respiration forcing air into and out of the lungs of a person who has stopped breathing (การบังคับลมเข้าออกปอดของคนที่หยุดหายใจ เครื่องช่วยหายใจ).

ar'til·ler·y *n* **1** large guns (ปืนใหญ่). **2** the part of an army which uses large guns (ทหารปืนใหญ่).

'ar·tist *n* **1** a person who draws or paints pictures or is a sculptor (ศิลปิน). **2** a singer, dancer, actor *etc.* (นักร้อง นักแสดง).

ar'tis·tic *adj* **1** good at painting, music *etc.* (วาดได้งดงาม เล่นดนตรีได้ไพเราะ): *She draws and paints — she's very artistic.* **2** beautifully done (ทำได้อย่างงดงาม): *an artistic flower arrangement.*

ar'tist·i·cal·ly *adv* (อย่างงดงาม).

'art·ist·ry *n* skill (ความชำนาญในงานศิลป์).

ar'tiste (*'är-tist*) *n* a person who performs in a theatre, circus *etc.* (นักแสดง): *a troupe of circus artistes.*

as (*az*) **1** when; while (เมื่อ ขณะที่): *I met John as I was coming home; We'll be able to talk as we go.* **2** because (เพราะว่า): *As I am leaving tomorrow, I've bought you a present.* **3** in the same way that (เหมือนอย่าง): *Always do as I do.* **4** used in comparisons (เหมือนกับ): *The bread was as hard as a brick.* **5** like (เหมือน): *He was dressed as a woman.*

as for with regard to; concerning (สำหรับ): *The girls are well-behaved, but as for John — he's the naughtiest boy I know.*

as if (เหมือนกับว่า): *You look as if you had seen a ghost!*

as though (ราวกับว่า): *Behave as though nothing was wrong.*

as'bes·tos *n* a grey, poisonous substance that will not burn and that is used to make clothing, mats *etc.* which give protection against fire (สารชนิดหนึ่งมีสีเทาไม่ไหม้ไฟ ใช้ทำผ้า พรม ฯลฯ เพื่อป้องกันไฟ): *an asbestos suit.*

a'scend (*ə'send*) *v* to climb or go up (ขึ้นไป): *The smoke ascended into the air.*

a'scent (*ə'sent*) *n* **1** the act of climbing or going up (การขึ้นสู่เบื้องสูง): *the ascent of Mount Everest.* **2** a slope upwards (ทางลาดชันขึ้นเนิน): *a steep ascent.*

ascend the throne to be crowned king or queen (เสด็จขึ้นเถลิงถวัลย์ราชสมบัติ).

ash *n* the dust *etc.* that remains after anything is burnt (ขี้เถ้า): *cigarette ash; the ashes of the bonfire.*

'ash·es *n* the remains of a human body after cremation (อัฐิ อังคาร).

a'shamed *adj* feeling shame (ละอายใจ): *He was ashamed of his bad work; ashamed to admit his mistake* (ละอายใจที่จะยอมรับ); *Aren't you ashamed of yourself for telling a lie?*

'ash·en *adj* very pale with shock *etc* (ซีดเผือด): *Her face was ashen.*

a'shore *adv* on or on to the shore (ขึ้นฝั่ง ขึ้นบก): *The sailor went ashore.*

a'sh·tray *n* a dish for cigarette ash (ที่เขี่ยบุหรี่).

a'side *adv* on or to one side (อยู่ข้าง ๆ หลีกทาง กันเอาไว้): *They stood aside to let her pass; I've put aside two tickets for you to collect.*

ask *v* **1** to question someone (ถาม): *He asked me what the time was; Ask her where to go; If you don't know the way, ask a policeman; Have you asked the teacher about the dancing class?* **2** to say to someone that you want them to do something or give you something; to request (ขอ ขอร้อง): *I'm going to ask my father for more pocket-money; I asked her to help me.* **3** to invite (เชิญชวน): *He asked her to his house for lunch.*

See **call**.

ask after to ask how someone is (ถามถึง): *He always asks after my mother when I see him.*

ask for to express a wish to see or speak to someone (ถามหา): *When he telephoned he asked for you.*

a'sleep *adj* **1** sleeping (นอนหลับ): *The baby is asleep; He fell asleep as soon as his head touched the pillow.* **2** numb (เหน็บ ชา): *My foot's asleep.*

'as·pect *n* a part of something to be thought about (แง่ ประเด็น ลักษณะ หน้าตา): *We must consider every aspect of the problem.*

'as·phalt *n* a black substance that contains tar and is used to make roads, pavements *etc.* (ยางแอสฟัลต์ ยางมะตอย ลาดด้วยยางแอสฟัลต์): *The workmen are laying asphalt.* — *adj: an asphalt courtyard.*

a'spire *v* to try very hard to reach something difficult, ambitious *etc.* (ปรารถนา อยากได้): *to aspire to greatness.*

as·pi'ra·tion *n* an ambition (ความทะเยอทะยาน).

'as·pi·rin *n* a pain-killing drug (ยาแก้ปวดศีรษะ).

ass *n* **1** a donkey (ลา โง่). **2** a stupid person.

An ass **brays**.
A male ass is a **jackass**.

as'sas·si·nate *v* to murder someone very important (ลอบสังหาร): *The president was assassinated by terrorists.*

as·sas·si'na·tion *n* (การลอบสังหาร).

as'sas·sin *n* a person who assassinates someone (ผู้ลอบสังหาร).

as'sault *v* to attack suddenly (การจู่โจม การโจมตี). — *n* a sudden attack.

as'sem·ble *v* **1** to come together; to meet (ร่วมชุมนุม): *The crowd assembled in the hall.* **2** to bring together (รวบรวม): *He assembled his family and told them of his plan.* **3** to put together a machine *etc.* (ประกอบชิ้นส่วน): *Before you assemble the model aeroplane, read the instructions.*

assembly line in a factory, a line of workers or machines that a product is passed along until it is finished (ฝ่ายประกอบชิ้นส่วน): *the latest model of sports car to come off the assembly line.*

as'sembly *n* **1** a gathering of people for a particular purpose (การชุมนุม): *The school meets for morning assembly at 8.30.* **2** putting together; constructing (ประกอบ).

as'sent *n* agreement. — *v* to agree (เห็นด้วย อนุมัติ): *They assented to the proposal.*

as'sert *v* **1** to say definitely (ยืนยัน บอกกล่าว): *She asserted that she had not borrowed his book.* **2** to insist on (อ้างสิทธิ์): *A teacher has to assert her authority over the class.*

as'ser·tion *n*.

as'ser·tive *adj* speaking and acting in a confident and forceful way (มั่นใจ): *He needs to be more assertive if he wants to do well as a politician.*

as'sess *v* to judge the quantity or quality of something; to estimate the value or cost of something (ประเมินค่า ประเมินผล): *The damage done by the fire was assessed at 100,000 dollars.*

as'sessment *n* (การประเมินราคา).

'as·set *n* anything useful or valuable; an advantage (คุณสมบัติใด ๆ อันเป็นประโยชน์): *Good pupils are a great asset to the school.*

'as·sets *n* the total property, money *etc.* of a person, company *etc.* (ทรัพย์สมบัติ เงิน

ทั้งหมดของบุคคลคนหนึ่งหรือบริษัทหนึ่ง ๆ).

as'sign (*ə'sin*) *v* **1** to give to someone as his share or duty (มอบหมายหน้าที่): *They assigned the task to us.* **2** to appoint (กำหนด): *He assigned three men to the job.*

as'sign•ment *n* a task given to someone (งานหรือหน้าที่ที่ได้รับมอบ): *You must complete this assignment by tomorrow.*

as'sist *v* to help (ช่วยเหลือ): *The junior doctor assisted the surgeon at the operation.*

as'sis•tance *n* help (ความช่วยเหลือ): *Do you need assistance?*

as'sis•tant *n* **1** a person who assists (ผู้ช่วย): *a laboratory assistant.* **2** a person who serves in a shop (พนักงานในร้าน). — *adj* helping; deputy (ผู้ช่วย): *an assistant headmaster.*

as'so•ci•ate *v* **1** to connect something with something else in your mind (เกี่ยวเนื่อง): *He always associated the smell of tobacco with his father.* **2** to join with someone in friendship *etc.* (สังสรรค์): *After school the pupils have time to associate with each other.* — *adj* joined or connected (ร่วมคณะ ร่วมสถาบัน): *associate organizations.* — *n* a colleague or partner.

as•so•ci'a•tion *n* **1** a club, society *etc.* (สมาคม): *She joined the Drama Association.* **2** a friendship or partnership (มิตรภาพหรือเป็นหุ้นส่วนกัน): *a long-lasting association.* **3** a connection in the mind (สัมพันธ์ทางใจ).

in association with together with (ร่วมกับ): *We are organizing a competition in association with the Sports Council.*

as'sort•ed *adj* mixed; of various kinds (ผสมกันมีหลายชนิด): *assorted colours; assorted sweets.*

as'sort•ment *n* a mixture or variety (หลายชนิดคละกัน): *an assortment of chocolates.*

as'sume (*ə'sūm*) *v* **1** to believe that something must be true; to presume (สันนิษฐาน เชื่อว่า): *I assume that you can all spell your names correctly.* **2** to take upon yourself (เข้าทำหน้าที่): *He assumed the duties of leader.* **3** to put on a particular appearance *etc.* (ทำท่า): *He assumed a look of horror.*

to **assume** is to suppose that something is true for the sake of making plans *etc.* (สมมติว่าบางอย่างเป็นจริงเพื่อจะได้วางแผน): *Let's assume* (or *assuming*) *that we can hold the meeting on 8 May—what shall we discuss at it?* to **presume** is to believe that something is true though you have no proof (เชื่อว่าบางอย่างเป็นจริงถึงแม้จะไม่มีข้อพิสูจน์ทักท้ก): *Your coat was not on your peg, so I presumed you had left.*

as'sump•tion *n* something assumed (ข้อสันนิษฐาน).

as'sure (*ə'shōōr*) *v* **1** to tell someone something positively (รับรอง แน่ใจ): *I assured him that the house was empty.* **2** to make someone sure (ให้คำรับรอง ให้ความมั่นใจ): *He assured her of his faith in her.*

as'sur•ance *n* **1** confidence (เชื่อมั่น). **2** a promise (สัญญา). **3** insurance (การประกันภัย): *life assurance.*

'as•ter•isk *n* a star-shaped mark (*) (เครื่องหมายดอกจัน).

'as•ter•oid *n* any one of the thousands of very small rocky planets that move around the sun, most of them between Mars and Jupiter (ดาวเคราะห์น้อยที่โคจรอยู่รอบดวงอาทิตย์ ส่วนมากอยู่ระหว่างดาวอังคารกับดาวพฤหัสบดี).

'asth•ma (*'as-mə*) *n* an illness which causes difficulty in breathing out (โรคหืด).

asth'mat•ic (*əs'mat-ik*) *adj* (เป็นหืด).

a'ston•ish *v* to surprise greatly (พิศวงอย่างมาก): *I was astonished at her rudeness.*

a'ston•ish•ing *adj* (น่าพิศวง).

a'ston•ish•ment *n* (ความพิศวง).

a'stound *v* to surprise very much (แปลกใจมาก ๆ): *He was astounded by the news.*

a'stound•ing *adj* (น่าแปลกใจ).

a'stray *adv* away from the right direction; missing, lost (ผิดทาง นอกลู่นอกทาง หลง): *The letter has gone astray; We were led astray by the old, out-of-date map.*

a'stride *prep* with legs on each side of something (ถ่างขาออก): *She sat astride the horse.* — *adv* apart (แยกออกจากกัน): *He stood with* *legs astride.*

a'strol·o·gy *n* the study of the stars and their influence on people's lives (โหราศาสตร์). **a'strolo·ger** *n* (นักโหราศาสตร์).

astrologer

astronomer

'as·tro·naut *n* a person who travels in space (มนุษย์อวกาศ).

a'stron·o·my *n* the study of the stars and their movements (ดาราศาสตร์). **a'stron·o·mer** *n* (นักดาราศาสตร์).

See **astrologer**.

as·tro'nom·i·cal *adj* **1** of astronomy (เกี่ยวกับดาราศาสตร์): *the local astronomical society.* **2** very large (ใหญ่มาก แพงมาก): *These prices are really astronomical.*

a'sy·lum (*ə'sī-ləm*) *n* a place of safety; protection (ที่หลบภัย คุ้มครอง): *He was granted political asylum.*

at *prep* showing **1** position (ที่): *They are not at home; She lives at 33 Forest Road.* **2** direction (ไปที่): *He looked at her; She shouted at the boys.* **3** time (เวลา): *He arrived at ten o'clock.* **4** occupation (อาชีพ งาน): *She is at work.* **5** speed (ความเร็ว): *He drove at 120 kilometres per hour.* **6** cost (ราคา): *bread at $1.20 a loaf.*

You use **in** when speaking of the area within which someone or something is: *I live in Malaysia; I work in Singapore; My house is in Rose Street.*
You use **at** when describing an exact position: *I live at 32 Rose Street; I work at Brown's Book Shop.*

at all in any way (ไม่ว่าจะอย่างไรก็ตาม): *I don't like it at all.*

ate *see* **eat** (ดู **eat**).

'a·the·ist (*'ā-thē-ist*) *n* a person who does not believe in God (ผู้ไม่เชื่อในพระเจ้า).

'ath·lete *n* a person who is good at sport, *esp.* running, jumping *etc.* (นักกรีฑา).

ath'let·ic *adj* **1** of athletics (เกี่ยวกับกรีฑา): *He is taking part in the athletic events.* **2** good at athletics; strong and able to move easily and quickly (เก่งทางกรีฑา แข็งแรงและสามารถเคลื่อนไหวได้อย่างรวดเร็วแคล่วคล่อง): *He looks very athletic.*

ath'let·ics *n* the sports of running, jumping *etc.* (การกรีฑา): *Athletics was my favourite activity at school.*

'at·las *n* a book of maps (หนังสือแผนที่).

'at·mo·sphere *n* **1** the air surrounding the earth (บรรยากาศ). **2** any surrounding feeling (ความรู้สึกที่ล้อมรอบตัว): *There was a friendly atmosphere in the village.*

'at·om *n* the smallest part of an element (อะตอม).

a'tom·ic *adj* (เล็กมาก ๆ).

atomic bomb a bomb using atomic energy (ระเบิดปรมาณู).

atomic energy very great energy obtained by breaking up the atoms of some substances (พลังงานปรมาณู).

a'tro·cious (*ə'trō-shəs*) *adj* **1** very bad (ร้ายมาก ร้ายกาจ): *Your behaviour was atrocious.* **2** extremely cruel (โหดร้ายอย่างยิ่ง): *an atrocious punishment.*

a'troc·i·ty (*ə'tros-i-ti*) *n* an extremely cruel and wicked act (ความโหดร้าย ความร้ายกาจ): *The invading army committed many atrocities.*

at'tach *v* to fasten or join something to something else (ทำให้ติดแน่น): *I attached a label to my bag.*

at'tached *adj* fond of (ผูกพัน): *I'm very attached to my brother.*

at'tach·ment *n* **1** something attached (ติดเข้าด้วยกัน): *My camera has a flash and several other attachments.* **2** liking or affection (ความผูกพันหรือความรัก): *There was a strong attachment between the two cousins.*

at'tack *v* **1** to make a sudden, violent attempt to hurt or damage (การเข้าจู่โจมอย่างฉับพลันด้วยความรุนแรงเพื่อให้บาดเจ็บหรือถูกทำลาย): *The village was attacked from the air.* **2** to speak or write against someone *etc.* (โจมตี): *The minister's decision was attacked in the newspapers.* **3** to attempt to score a goal in football *etc.* (พยายามยิงประตู). — *n*

1 an act of attacking (การกระทำที่จู่โจม): *They made an air attack on the town.* **2** a sudden occurrence of illness (เกิดอาการเจ็บป่วยอย่างกะทันหัน): *a heart attack; an attack of 'flu*

at'tain *v* to gain; to achieve (ได้มา สำเร็จ).

at'tempt *v* to try (พยายาม): *He attempted to climb up the cliff but he did not succeed; He did not attempt the last question in the exam.* — *n* **1** a try (ความพยายาม): *She made no attempt to run away.* **2** an attack (การปองร้าย): *There has been an attempt on the President's life.*

at'tend *v* **1** to go to; to be present at (เข้าร่วม): *He attended the meeting; He will attend school till he is sixteen.* **2** to give attention to something; to listen (ฟัง). *Attend carefully to what the teacher is saying!* **3** to deal with something (จัดการ): *I'll attend to that problem tomorrow.* **4** to look after someone (ดูแล): *Two doctors attended her.*

at'tendance *n* being present (การเข้าร่วม การปรนนิบัติ): *His attendance at school was poor because he was often ill; There was a doctor in attendance at the road accident.*

attendance ends in **-ance** (not **-ence**).

at'tend·ant *n* a person whose job is to look after something (พนักงาน): *a car-park attendant.*

in attendance: *There was a doctor in attendance at the road accident* (คอยปรนนิบัติ).

at'ten·tion *n* **1** notice (ความสนใจ): *He tried to attract my attention; Pay attention to your teacher!* **2** care (ความเอาใจใส่ การรักษา): *That broken leg needs urgent attention.* **3** concentration (สมาธิ): *His attention wanders.* **4** a position in which you stand very straight with hands by the sides and feet together (ยืนตรง): *He stood to attention.*

at'ten·tive *adj* giving attention: *The children were very attentive when the teacher was speaking* (เอาใจใส่ ตั้งใจ).

at'ten·tive·ly *adv* (อย่างตั้งใจ เอาใจใส่).

'at·tic *n* a room at the top of the house under the roof (ห้องเล็กใต้หลังคาบ้าน).

at'tire *n* clothing. — *v* to dress (แต่งกาย).

'at·ti·tude (*'at-i-tūd*) *n* a way of thinking or acting *etc.* (ทัศนคติ): *What is your attitude to politics?*

at'tor·ney (*ə'tər-ni*) *n* a person who has the legal power to act for another person (ทนาย).

at'tract *v* **1** to cause something to come towards something or someone else (ดึงดูด ล่อใจ): *A magnet attracts iron; I tried to attract her attention.* **2** to arouse someone's liking or interest (เกิดความสนใจ): I was attracted by her nice smile.

at'trac·tion *n* **1** the power of attracting (พลังดึงดูด). **2** Something pleasant, that attracts people (สิ่งดึงดูด): *The attractions of the hotel include a swimming-pool.*

at'trac·tive *adj* pleasant; good-looking (ที่ดึงดูด ที่สวยงาม มีเสน่ห์): *an attractive house; an attractive girl.*

at'trib·ute (*ə'trib-ūt*) *v* to think that something has been done or caused by something else (อ้างเหตุ): *He attributed his illness to the cold weather.*

'auc·tion *n* a public sale in which each thing is sold to the person who offers the highest price (การขายทอดตลาด).

'auc·tio'neer *n* a person who sells things at an auction (ผู้ขายทอดตลาด ขายเลหลัง).

'au·di·ble *adj* able to be heard (สามารถได้ยินได้). **au·di'bil·i·ty** *n* (การได้ยิน).

'au·di·ence *n* a group of people watching or listening to a performance *etc.* (ผู้ฟัง ผู้ชม): *the audience at the concert.*

audience ends in **-ence** (not **-ance**).

An **audience** attends a play, show, performance, concert *etc.*, and both listens and watches: *There was a large audience at the concert.*

spectators attend a match, game, sports event *etc.*, and watch only: *There weren't many spectators at the match.*

au·di·o- having to do with sound or hearing (เกี่ยวกับเสียงหรือการได้ยิน).

au·di·o-'vis·u·al (*ö-di-ō'vizh-o͞o-əl*) (เกี่ยวกับเสียงและภาพ):

audiovisual aids films, recordings *etc.* used in teaching. **(โสตทัศนูปกรณ์)**

au'di·tion (*ö'dish-ən*) *n* a test for an actor, singer, musician *etc.* to see if they are good enough to take part in a show *etc.* **(การทดสอบความสามารถของนักแสดง นักร้อง นักดนตรี)**.

au·di'to·ri·um *n* the part of a theatre *etc.* where the audience sits **(โรงละคร ห้องประชุม)**.

'Au·gust *n* the eighth month of the year **(เดือนสิงหาคม)**.

aunt (*änt*) *n* the sister of your father or mother or the wife of your uncle **(ป้า น้า อาผู้หญิง)**.

'aun·tie, **'aun·ty** (*än-ti*) *n* a name that children use for an aunt **(ชื่อที่เด็กใช้เรียกป้าหรือน้า อาผู้หญิง)**.

au'stere *adj* very simple and plain; without luxuries **(อดออม เคร่งครัด)**. **au'ster·i·ty** *n* **(ความเป็นอยู่กระเบียดกระเสียร)**.

au'then·tic *adj* true, real or genuine **(เชื่อถือได้ น่าไว้วางใจ แท้)**.

au·then'tic·i·ty (*ö-thən'tis-i-ti*) *n*.

'au·thor *n* the writer of a book, article, play *etc* **(นักประพันธ์)**.

au'thor·i·ty *n* **1** the power or right to do something **(อำนาจหน้าที่)**: *He gave me authority to collect his money.* **2** a person who is an expert on a particular subject **(ผู้ชำนาญเป็นพิเศษในเรื่องหนึ่งเรื่องใด)**: *He is an authority on Chinese history.* **3** the person or people who have power in a city *etc.* **(บุคคลหรือคณะบุคคลที่มีอำนาจในเมือง)**: *The authorities do not allow public meetings.*

au'thor·i·ta·tive *adj* said or written by an expert **(พูดหรือเขียนโดยผู้เชี่ยวชาญ)**.

'au·thor·ize *v* to give the power or right to do something **(ให้อำนาจ)**: *I authorized him to sign the documents.*

au·thor·i'za·tion *n* **(การให้อำนาจ การอนุญาต)**.

'au·to short for **automobile** or **automatic** **(คำย่อของ)** automobile **หรือ** automatic.

au·to·bi'og·ra·phy (*ö-tō-bī'og-rə-fi*) *n* the story of a person's life written by himself **(อัตชีวประวัติ)**.

au·tobi·o'graph·i·cal *adj* **(เกี่ยวกับอัตชีวประวัติ)**.

'au·to·graph *n* a person's signature, especially one that is collected as a souvenir **(ลายเซ็นโดยเฉพาะลายเซ็นที่เก็บไว้เป็นที่ระลึก)**.

au·to'mat·ic *adj* **1** working by itself **(เป็นไปได้เอง อัตโนมัติ)**: *an automatic washing-machine.* **2** done without thinking **(ทำโดยไม่ต้องคิด)**: *an automatic action.*

'au·to·ma·ted *adj* working by automation **(โดยอัตโนมัติ)**.

au·to'mat·i·cal·ly *adv* **(อย่างเป็นไปได้เอง อย่างอัตโนมัติ)**: *This machine works automatically.*

au·to'ma·tion *n* the use of machines, especially ones that work other machines **(การใช้เครื่องจักร)**.

'au·to·mo·bile (*'ö-tə-mə-bēl*) *n* a motor-car **(รถยนต์)**.

au'ton·o·my *n* the power or right of a country *etc.* to govern itself **(ปกครองตนเอง)**.

au'ton·o·mous *adj* self-governing **(การปกครองตนเอง)**.

'au·tumn (*'ö-təm*) *n* the season of the year in cool parts of the world when leaves change colour and fall and fruits ripen **(ฤดูใบไม้ร่วง)**.

au'xil·ia·ry (*ög'zil-yə-ri*) *adj* helping; additional **(ช่วย สนับสนุน)**: *auxiliary forces; an auxiliary nurse.*

a'vail: **of no avail**, **to no avail** of no use or effect **(ไม่ให้ประโยชน์ ไม่มีคุณค่า)**: *His efforts were of no avail.*

a'vail·a·ble *adj* able or ready to be used **(สามารถหาหรือหาได้)**: *The hall is available on Saturday night; All the available money has been used.*

a·vaila'bil·i·ty *n* **(การหามาได้)**.

'av·a·lanche (*'av-ə-länsh*) *n* a fall of large masses of snow and ice down a mountain **(หิมะถล่ม)**: *Six houses were buried by the avalanche.*

'av·a·rice *n* a great desire for money **(ความงกเงิน)**: *He is well known for his avarice.*

a'venge (*ə'venj*) *v* to take revenge for something wrong that someone has done to one of your friends or relations (แก้แค้น ลงโทษ): *to avenge a murder.*

You **avenge** a wrong done to someone else: *He avenged his father's murder.*
You **revenge yourself**, or **take revenge** for a wrong done to you: *He revenged himself on his enemies for the harm they had done him.*

'av·e·nue (*'av-ə-nū*) *n* a road, often with trees along either side (ถนนที่มีต้นไม้อยู่สองข้าง).

'av·er·age *n* the result of adding several amounts together and dividing the total by the number of amounts (การเฉลี่ย): *The average of 3, 1, 4 and 8 is 4.* — *adj* **1** obtained by finding the average of amounts *etc.* (หาได้โดยค่าเฉลี่ย): *the average temperature for the week.* **2** ordinary; not exceptional (โดยทั่ว ๆ ไป): *The average person is not wealthy; His work is average.* — *v* to form an average (มีค่าเฉลี่ย): *The money he spent averaged 15 dollars a day.*

a'ver·sion *n* a feeling of dislike (ความรู้สึกรังเกียจ).

a'vert *v* **1** to turn away, especially your eyes (เหลียว เบือน): *She averted her eyes from the sun.* **2** to prevent (ป้องกัน หลีกเลี่ยง): *to avert trouble.*

'a·vi·a·ry (*'ā-vi-ə-ri*) *n* a place in which birds are kept (ที่เลี้ยงนกเป็นจำนวนมาก กรงนกขนาดใหญ่).

a·vi'a·tion (*ā-vi'ā-shən*) *n* the art of flying aeroplanes (การบิน).

'a·vi·a·tor (*'ā-vi-ā-tər*) *n* an old word for the pilot of a plane (นักบิน).

'av·id *adj* eager (กระหายอยากได้).

av·o'ca·do (*av-ə'kä-dō*) *n* a green, pear-shaped fruit (ผลอะโวคาโดรูปร่างคล้ายลูกแพร์).

a'void *v* to keep away from a place, person or thing (หลีกเลี่ยง หลบหลีก): *He drove carefully to avoid the holes in the road; Avoid the subject of money.*

a'wait *v* to wait for: *to await someone's arrival* (รอคอย).

a'wake *v* to wake from sleep (ตื่น): *He was awoken by a noise; I awoke suddenly.* — *adj* not asleep (ตื่นอยู่): *Is he awake?*

awake; **a'woke**; **a'wo·ken**: *The noise awoke me; I was awoken by the birds.*

a'wa·ken *v* to wake or arouse someone or something (ปลุกให้ตื่น).

a'ward (*ə'wörd*) *v* to give someone something that he has won or deserved (ให้รางวัล): *They awarded her first prize.* — *n* a prize *etc.* awarded (รางวัล).

You win an **award** for merit: *He won an award for his design.*
You get a **reward** for a service you have done: *The owner gave a reward to the boy who found her dog.*

a'ware *adj* knowing something (รู้ รู้ตัว): *Is he aware of the problem?; Are they aware that I'm coming?*

a'ware·ness *n* (ความรู้ตัว).

a'way *adv* **1** to or at a distance from someone or somewhere (ไกลออกไป ไปให้พ้น): *He lives three miles away from the town; Go away!; Take it away!* **2** in the opposite direction (ในทางตรงข้าม): *She turned away so that he would not see her crying.* **3** gradually into nothing (ค่อย ๆ หายไปจนหมด): *The noise died away.* **4** continuously (ต่อเนื่องกันไป): *They worked away until dark.*

awe (*ö*) *n* wonder and fear (เกรงกลัว ขนลุก): *The child looked in awe at the king.* — *v* to fill with awe (เต็มไปด้วยความกลัว): *He was awed by his new school.*

'aw·ful *adj* **1** very great (เหลือเกิน): *an awful rush.* **2** very bad (แย่มาก): *This book is awful; an awful headache.*

'aw·ful·ly *adv* very (อย่างมาก): *awfully silly.*

'aw·fulness *n* (ความน่ากลัว ความน่าเกรง).

a'while (*ə'wīl*) *adv* for a short time (ชั่วขณะ): *Wait awhile.*

'awk·ward *adj* **1** not graceful or elegant (เคอะเขิน ไม่เหมาะ เทอะทะ): *an awkward movement.* **2** difficult or causing difficulty *etc.* (ยากลำบากหรือก่อให้เกิดความยากลำบาก): *an awkward question.*

'awkward·ly *adv* (อย่างเงื่อน ๆ).

'awk·ward·ness *n* (ความรู้สึกเก้อ).

awoke, **awoken** *see* **awake** (**ดู awake**).

axe *n* a tool with a handle and a metal blade for cutting down trees and cutting wood into pieces (**ขวาน**). — *v* **1** to reduce the money spent on something (**ตัดทอนค่าใช้จ่าย**). **2** to cancel (**ยกเลิก**): *The whole plan has been axed.*

'ax·is, *plural* **'ax·es** (*'ak-sēz*) *n* the imaginary line from North Pole to South Pole, around which the earth turns (**แกนของโลก**).

'ax·le (*'ak-səl*) *n* the rod on which the wheels of a car *etc.* turn (**แกนลูกล้อ**).

'az·ure (*'az-ūr*) *adj* having a bright blue colour (**มีสีน้ำเงินสดใส**): *the azure sky.*

'bab·ble *v* to chatter (พูดฉอด ๆ): *The baby was babbling away to himself.* - *n* a chattering noise (เสียงพูดดังฉอด ๆ).

babe *n* a baby (ทารก): *a babe in arms.*

ba'boon *n* a kind of large monkey with a dog-like face (ลิงบาบูน).

'ba·by (*'bā-bi*) *n* a very young child or animal (เด็กอ่อนหรือลูกอ่อนมาก ๆ). - *adj* (เกี่ยวกับเด็กอ่อนหรือลูกอ่อน): *a baby boy; a baby bird.*

'ba·by-sit *v* to remain in a house to look after a child while its parents are out (รับจ้างเลี้ยงเด็ก): *She baby-sits for the neighbours every Saturday.*

'ba·by-sit·ter, **'ba·by-sit·ting** *ns* (คนเลี้ยงเด็กตอนที่พ่อแม่ไม่อยู่).

bach·e·lor *n* an unmarried man (ชายโสด).

back *n* **1** the part of a human's or animal's body from the neck to the lower end of the spine (หลัง): *She lay on her back; She put the saddle on the horse's back.* **2** the part of something that is opposite to or furthest from the front (ส่วนที่อยู่ตรงข้ามกับด้านหน้า): *the back of the house; She sat at the back of the hall.* **3** in football *etc.* (กองหลัง) a player who plays behind the forwards. - *adj* of or at the back (อยู่ข้างหลัง): *the back door.* - *adv* **1** to the same place or person again (กลับไปที่เดิม กลับคืน): *I went back to the shop; He gave the car back to its owner.* **2** away from something; not near something (ถอยห่าง): *Move back - let the ambulance through!* **3** towards the back of something, or on to your back (ติดอยู่กับที่): *Sit back in your chair; He lay back on the bed.* **4** in return (ตอบโต้): *When the teacher is scolding you, don't answer back.* **5** in the past (ในอดีต): *It happened back in 1980.* - *v* **1** to move backwards (ถอยหลัง): *He backed his car out of the garage; He backed away from the fierce dog.* **2** to help (ช่วย): *Will you back me against the others?* **3** to bet on a horse *etc.* (พนันด้วยม้าหนึ่งตัว): *I backed your horse to win.*

'back·ache *n* a pain in the back (ปวดหลัง).

'back·bone *n* the spine: (กระดูกสันหลัง). *the backbone of a fish.*

'back·break·ing *adj* very difficult or requiring very hard work (ยากมากหรืองานหนักมาก): *Digging the garden is a backbreaking job.*

back'date *v* to put back to an earlier date (ย้อนหลัง).

'back·ground *n* **1** the space behind the most a important figures or objects in a picture *etc* (ฉากหลัง): *There are trees in the background of the picture.* **2** happenings that go before an event *etc.* and help to explain it (สิ่งที่เกิดขึ้นก่อนซึ่งอธิบายเหตุการณ์นี้): *the background to a situation.* **3** a person's family, home and education (ประวัติของครอบครัว บ้านและการศึกษาของคน ๆ หนึ่ง ภูมิหลัง): *The manager asked about her background.*

'back·hand *n* in tennis *etc.*, a stroke or shot with the back of your hand turned towards the ball (การตีด้วยหลังมือ).

'back·lash *n* a sudden strong feeling or reaction against something (ความรู้สึกอย่างรุนแรงที่เกิดขึ้นในทันทีทันใดหรือปฏิกิริยาตอบโต้): *There has been a backlash against the big industries that use up the world's resources.*

'back·log *n* a pile of uncompleted work *etc.* which has collected (งานที่ยังตกค้าง).

'back·side *n* your bottom: *He sits on his backside all day long* (ก้น).

'back·stroke *n* a stroke used when swimming on your back (ว่ายน้ำแบบตีกรรเชียง).

'back·up *n* a spare copy of computer files on disc or tape (ทำสำเนาแฟ้มคอมพิวเตอร์ไว้บนแผ่นจานแม่เหล็กหรือเทป สำรองข้อมูล): *She makes a backup of her files every evening before going home.*

back away to move away from a place, person or situation (ถอยออกมา): *He backed away from the argument.*

back down to give way to the other person in an argument *etc.* (ยอมแพ้ต่อผู้อื่นในการถกเถียงกัน).

back out 1 to move out backwards (ถอย

หลังออกมา): *He opened the garage door and backed his car out.* **2** to take back a promise *etc.* (ถอนคำสัญญา): *You promised to help - you mustn't back out now!*

back up 1 to help or encourage or agree with (ส่งเสริม เห็นด้วย): *my sister backed me up in my quarrel with my brother.* **2** to make a spare copy of computer files on a disc or tape (ทำสำเนาแฟ้มคอมพิวเตอร์ไว้บนจานแม่เหล็กหรือบนเทป สำรองข้อมูล): *If you back up your work regularly you won't lose it if the computer breaks down.*

'back·ward *adj* **1** aimed backwards (ไปทางหลัง): *A backward glance.* **2** slow in growing up or learning (เรียนรู้ช้า): *Backward children sometimes need extra teaching.*

'back·ward·ness *n* (ความล้าหลัง).

'back·wards *adv* **1** towards the back (ไปทางหลัง): *He glanced backwards.* **2** with your back facing the direction you are going in (เดินกลับหลัง): *The boy walked backwards into a lamp-post.* **3** in the opposite way to that which is usual (นับย้อนหลัง): *Can you count from 1 to 10 backwards?* (starting at 10 and counting back to 1).

backwards and forwards in one direction and then in the opposite direction (ย้อนไปย้อนมา กลับไปกลับมา): *The dog ran backwards and forwards across the grass.*

back'yard *n* a garden or yard at the back of a house *etc.* (สวนหลังบ้าน).

'ba·con (*'bā-kən*) *n* the meat of the back and sides of a pig, salted and dried (เนื้อหมูด้านหลังและด้านข้างที่ใส่เกลือและทำให้แห้ง).

bac'te·ri·a (*bak'tēr-i-ə*) *n* very tiny creatures, too small to be seen, that live in air, in soil and in living bodies (บักเตรี เชื้อโรค). Some are the germs of disease.

bad *adj* **1** not good (ไม่ดี เลว): *He is a bad driver; His eyesight is bad; I am bad at arithmetic.* **2** wicked; naughty (ชั่วร้าย ซุกซน): *You're a bad boy; He has done some bad things.* **3** sad; upsetting (เศร้า ทำให้ว้าวุ่น): *bad news.* **4** rotten (เน่าเสีย): *This meat is bad.* **5** causing harm (เป็นอันตราย): *Smoking is bad for your health.* **6** painful or weak (เจ็บปวดหรืออ่อนแอ): *She has a bad heart; I have a bad leg.* **7** ill (ป่วย): *I feel bad today.* **8** sad or sorry (เศร้าหรือเสียใจ): *I feel bad about losing your book.* **9** serious (ร้ายแรง): *a bad accident; a bad mistake.*

'bad·ness *n* (เลว ไม่ดี เน่า เสีย ป่วย ชั่วร้าย).

> **bad**; **worse**; **worst**: *My eyesight is bad, but my mother's is worse, and my father's is worst of all.*
> See also **weak**.

not bad quite good (ดีทีเดียว): *'Is she a good swimmer?' 'She's not bad'.*

too bad unfortunate (โชคไม่ดี): *It's too bad that she lost her purse.*

bade *see* **bid** (ดู **bid**).

badge *n* a brooch or a special design worn to show that you are a member of a team, club, school, *etc.* (ตราหรือเครื่องหมายพิเศษที่ใส่เพื่อแสดงว่าเป็นสมาชิกของทีม สโมสร โรงเรียน ฯลฯ): *a school badge on a blazer.*

'badg·er *n* a burrowing animal with a black-and-white-striped head (สัตว์ชนิดหนึ่งมีลายดำขาวอยู่บนหัว).

'bad·ly *adv* **1** not well (ไม่ดี): *He plays tennis very badly.* **2** seriously (หนัก): *He is badly hurt.* **3** very much (มาก ๆ): *I badly need some help.*

> **badly**; **worse**; **worst**: *She behaved badly, but you behaved worse, and John behaved worst of all.*

badly off not having much money (ยากไร้ ขัดสน).

'bad·min·ton *n* a game played on a court with a shuttlecock and rackets (กีฬาแบดมินตัน).

bad-'tem·pered *adj* rude and angry in the way you speak and act (อารมณ์เสีย).

'baf·fle *v* to puzzle (ฉงน): *I was baffled by the teacher's question.*

baf·fling *adj* mysterious; puzzling (ลึกลับ ยุ่งเหยิง): *a baffling crime.*

bag *n* something made of paper, plastic, cloth, leather *etc.*, for carrying things in (ถุง ย่าม).

'bag·gy *adj* loose, like an empty bag (ห้อยเหมือนกับถุงเปล่า ๆ): *baggy trousers.*

'bag·gage *n* bags and cases; luggage (ถุง กระเป๋า หีบห่อ): *Let me carry some of your baggage.*

baggage is not used in the plural: *How many pieces of baggage have you brought?*

'bag·pipes *n* a musical instrument made of a bag fitted with pipes, played in Scotland (ปี่สก๊อต).

bail[1] *n* a sum of money which is paid to get a prisoner out of prison until his trial (เงินประกันตัว).

bail out to set someone free by giving this money to a court of law (อนุญาตให้ประกันตัว).

bail[2] *n* one of the cross-pieces laid on the top of the wicket in cricket (กากบาทที่วางอยู่บนประตูสามเสาของกีฬาคริกเก็ต).

bait *n* food that you use to catch animals, fish *etc.* with, such as a worm attached to a fish-hook (เหยื่อ). - *v* to put bait on or in a hook, trap *etc.* (เอาเหยื่อเกี่ยวเบ็ด เอาเหยื่อใส่กับดัก): *He baited the mousetrap with cheese.*

bake *v* **1** to cook in an oven (อบ): *I baked some bread today.* **2** to dry or harden by heat (ทำให้แห้งหรือแข็งด้วยความร้อน): *The clay pots were put in the sun to bake.*

'ba·ker *n* a person who bakes or sells bread and cakes (คนทำหรือขายขนมปัง): *My mother is a good baker; Get me a loaf at the baker's shop.*

'ba·ker·y *n* a place where bread and cakes are made or sold (ร้านทำหรือขายขนมปัง).

'ba·king *n* the art of cooking bread, cakes *etc.* (การอบ).

'baking powder a powder used in cakes to make them rise (ผงฟู).

'bal·ance *n* **1** a machine for weighing (เครื่องชั่ง). **2** steadiness (การทรงตัว): *The boy was walking along the wall when he lost his balance and fell.* **3** The amount of money left out of a particular quantity after certain sums have been taken away and certain sums have been added (ทำให้สมดุล). - *v* **1** to make or keep steady (ทำให้อยู่นิ่ง ๆ): *She balanced the jug of water on her head; The girl balanced on her toes.* **2** to make something equal on both sides. (ทำให้เท่ากันทั้งสองข้าง)

off balance not steady (เสียหลัก): *He hit me while I was off balance.*

'bal·co·ny *n* **1** a platform built out from the wall of a building (เฉลียงหรือมุขที่ยื่นออกนอกตัวอาคาร): *Many hotel rooms have balconies.* **2** the highest floor of seats in a cinema or theatre (ชั้นสูงสุดในโรงภาพยนตร์หรือโรงละคร).

See **veranda**.

bald (*böld*) *adj* having no hair, or not very much hair (ศีรษะล้านหรือไม่ค่อยมีผมมาก มีจุดด่างขาว): *a bald man; a bald head; He is going bald; a bald patch on the dog's back.*

'bald·ness *n* (ล้าน โล่งแจ้ง).

'bald·ing *adj* becoming bald (กำลังจะล้าน).

bale[1] *n* a large bundle of cloth, hay *etc.* tied together (ผูกมัดผ้าจำนวนมาก ๆ หญ้าฟาง): *a bale of cotton* (ฝ้ายหนึ่งมัด).

bale[2] *v* to clear water out of a boat with buckets *etc.* (วิดออก).

bale out to jump from a plane with a parachute in an emergency (กระโดดร่มออกมา).

ball[1] (*böl*) *n* **1** a round object used for games (ลูกกลม ๆ ใช้สำหรับเล่นกีฬา). **2** something else that has a round shape (บางอย่างที่มีลักษณะกลม ๆ): *a ball of wool.*

ball[2] (*böl*) *n* a dance (งานลีลาศ): *A ball was held at the palace.*

'bal·lad *n* **1** a long, simple poem or song that tells a story (บทกลอนที่ยาว ๆ หรือเพลงที่บรรยายเรื่องราว). **2** a slow, romantic, popular song. (เพลงช้า ๆ แสดงความรักใคร่ และเป็นที่นิยม)

ball-'bear·ings *n* in machinery *etc.* small steel balls that help one part to move over another (ลูกเหล็กกลม ๆ เล็ก ๆ ช่วยทำให้ส่วนหนึ่งเคลื่อนที่เหนืออีกส่วนหนึ่งได้ ตลับลูกปืน).

bal·le'ri·na (*bal-ə'rē-nə*) *n* a female ballet-dancer (นักเต้นบัลเลต์หญิง).

'bal·let (*'bal-ā*) *n* **1** a performance of dancing, often telling a story (การเต้นระบำซึ่งมักจะเป็นการเล่าเรื่อง). **2** the art of dancing in this way (ศิลปะในการเต้นระบำชนิดนี้): *She is taking lessons in ballet.* - *adj*: *a ballet class* (ชั้นเรียนการเต้นบัลเลต์).

'bal·let-danc·er *n* (นักเต้นบัลเลต์).

bal'loon *n* **1** a brightly-coloured object like a very light ball, made of thin rubber or plastic, and filled with air (ลูกโป่ง). **2** a much larger object filled with gas *etc.* for carrying passengers through the air (บอลลูน).

balloon is spelt with **-ll-** and **-oo-**.

'bal·lot *n* a method of voting in secret by marking a paper and putting it into a box (การลงคะแนนเสียงลับโดยเขียนบนกระดาษแล้วหย่อนใส่กล่อง ลงคะแนนเลือกตั้ง): *The government is elected by ballot.*

'ball·point *n* a pen that has a tiny ball as the writing point (ปากกาลูกลื่น).

'ball·room *n* a large room in which dances can be held (ห้องเต้นรำ).

bam'boo *n* a kind of plant with a hollow stem that is hard and strong like wood (ต้นไผ่).

ban *n* an order that a certain thing may not be done (คำสั่งห้ามทำอะไรบางอย่าง): *a ban on smoking.* - *v* to forbid (สั่งห้าม): *He has been banned from driving for a year.*

ba'na·na (*bə'nä-nə*) *n* the long, curved, yellow-skinned fruit, of a very large tropical tree (กล้วย): *What does this bunch of bananas cost?*

band[1] *n* **1** a strip of material to put round something (แถบ แผ่นคาด รัด): *a rubber band.* **2** a stripe of a colour *etc.* (แถบสี): *a skirt with a band of red round it* (ลาย). **3** in radio *etc.*, a group of wavelengths (ความยาวคลื่น).

band[2] *n* **1** a group (พวก): *a band of robbers.* **2** a group of musicians (วงดนตรี): *a brass band; a dance band.* - *v* to join together for a purpose (รวมกลุ่มเพื่อจุดประสงค์อย่างหนึ่ง): *They banded together to form a pop group.*

'ban·dage *n* a piece of cloth *etc.* for tying round an injured part of the body or covering up a wound (ผ้าพันแผล). - *v* to cover with a bandage (พันแผล): *The doctor bandaged the boy's foot.*

'ban·dit *n* a robber, especially a member of a gang (โจร): *They were attacked by bandits in the mountains.*

'band·wag·on (รถดนตรีในขบวนแห่): **jump on the bandwagon** to do something only because it is fashionable or because it seems to be successful (ทำอะไรบางอย่างเพียงเพราะว่ามันเป็นที่นิยมหรือดูเหมือนว่าจะเป็นความสำเร็จเห่อเป็นพัก ๆ): *He jumped on the bandwagon and joined the Green Party.*

bang *n* **1** a sudden loud noise (เสียงดังปัง): *The door shut with a bang.* **2** a blow or knock (กระแทก): *He got a bang on the head when he fell off his bicycle.* - *v* **1** to close with a sudden loud noise (ปิดด้วยเสียงอันดังอย่างคาดไม่ถึง): *He banged the door; The door banged.* **2** to hit, often making a loud noise (ตีทำให้เกิดเสียงดัง): *The child banged his drum.* **3** to make a sudden loud noise (เกิดเสียงดัง): *We could hear the fireworks banging in the distance.*

go with a bang to be very successful (ความสำเร็จเป็นอย่างมาก): *The party went with a bang.*

'ban·gle (*'baŋ-gəl*) *n* a bracelet worn on the arm or leg (กำไลสวมที่มือหรือเท้า).

'ban·ish *v* to send away as a punishment (เนรเทศ): *He was banished from the country for betraying secrets.*

'ban·ish·ment *n* (การเนรเทศ).

'ban·is·ters *n plural* the rail that is supported by posts and fixed to the side of a staircase (ราวบันได): *The little boy loves sliding down the banisters.*

'ban·jo, *plural* **'ban·jos**, *n* a stringed musical instrument similar to the guitar (พิณชนิดหนึ่งเหมือนกับกีตาร์).

bank[1] *n* **1** a mound or ridge (เนินหรือส่วนที่นูน): *The ship got struck on a sandbank.* **2** the ground at the edge of ariver, lake *etc.*

(พื้นดินริมฝั่งแม่น้ำ ทะเลสาบ ฝั่ง): *The river overflowed its banks.*

bank[2] *n* a place where money is lent or exchanged, or put for safety (ธนาคาร): *He has a savings account with the bank.* - *v* to put money into a bank (ฝากเงินไว้ที่).

'bank·er *n* a person who owns or manages a bank (นายธนาคาร).

bank book a book showing you how much money you have put into and taken out of the bank (สมุดบัญชีฝาก).

'bank·note *n* a piece of paper worth a certain amount of money, printed by a bank (ธนบัตร).

bank on to depend on (ไว้ใจ): *Don't bank on getting any extra pocket-money from me!*

'bank·rupt *adj* having lost all your money; unable to pay your debts (ล้มละลาย). - *n* someone who is unable to pay their debts (ผู้ล้มละลาย).

'bankrupt·cy *n* (การล้มละลาย).

'ban·ner *n* **1** a military flag (ธง). **2** a large strip of cloth carried in a procession *etc.*, on which something is written (ผ้าผืนใหญ่เขียนอะไรบางอย่างเอาไว้ ใช้ในขบวน): *Many of the demonstrators were carrying banners.*

'ban·quet (*'baŋ-kwət*) *n* a dinner for many people, held to celebrate something special (เลี้ยงอาหารเพื่อการฉลองอะไรบางอย่างเป็นพิเศษ).

bap'tize *v* to sprinkle someone with water to show that they have been received into the Christian church, usually giving them a name at the same time (รับศีลล้างบาป): *She was baptized Mary.*

'bap·tism (*'bap-tiz-əm*) n baptizing (พิธีรับศีลล้างบาปที่ทำให้แก่เด็กเมื่อเกิดใหม่ ๆ): *the baptism of the baby.*

bar *n* **1** a rod (ลูกกรง แท่ง): *There were iron bars across the window; They fastened the door by pushing a bar across it.* **2** an oblong piece (แท่งยาว ๆ): *a bar of chocolate; a bar of soap.* **3** a counter at which articles of a particular kind are sold (สถานที่จำหน่ายสินค้าบางอย่างโดยเฉพาะ): *a snack bar.* **4** a public house serving alcoholic drinks. (บาร์) **5** a measured division in music (ท่อน): *Sing the first ten bars.* - *v* **1** to fasten with a bar (ใส่สลัก): *Bar the door.* **2** to prevent from entering (ห้ามเข้า): *He's been barred from the club.*

bar code a group of thin and thick black lines printed on a product giving its price, etc., which can be read by a computer (กลุ่มเส้นสีดำหนา ๆ ที่พิมพ์ลงบนสินค้าเพื่อบอกราคา ซึ่งอ่านได้โดยคอมพิวเตอร์).

barb *n* a backward-facing point on a fishing-hook etc. (เงี่ยงตรงปลายเบ็ด).

'bar·bar·ous *adj* **1** wild, uncivilized (ป่าเถื่อน). **2** savage (โหดร้าย): *a barbarous attack.*

bar'bar·i·an (*bär'bār-i-ən*) *n* an uncivilized person (คนป่า อนารยชน). - *adj*: *barbarian customs* (ประเพณีป่าเถื่อน).

'bar·be·cue (*'bär-bi-kū*) *n* **1** a frame with bars across it for grilling meat *etc.* over a charcoal fire (เตาสำหรับย่างเนื้อด้วยถ่าน): *We cooked the steak on a barbecue.* **2** a party in the open air, at which food is barbecued. - *v* to cook on a barbecue (ปรุงโดยการย่าง): *to barbecue a chicken.*

barbecue ends in **-cue** (not **-que**).

barbed wire wire with sharp points, used for fences *etc.* (ลวดหนาม).

'bar·ber *n* a person who cuts men's hair, shaves their beards *etc.* (ช่างตัดผม).

barber

hairdresser

bare *adj* **1** naked (ไม่มีสิ่งใดปกปิด เปลือย): *bare skin; bare bodies.* **2** uncovered (ไม่มีสิ่งใดปู): *bare floors.* **3** empty (ว่างเปล่า): *bare shelves.* **4** basic, without anything extra (ธรรมดา ไม่มีสิ่งพิเศษใด ๆ): *He only had enough money to buy the bare necessities of life.* - *v* to uncover (แยกเขี้ยว): *The dog bared its teeth in anger.*

'bare·ness *n* (ความไม่มีอะไร ความว่างเปล่า).

'bare·back *adv* without a saddle (ไม่มีอาน): *The girl often rides her pony bareback.*

'bare·foot *adj, adv* not wearing shoes or socks *etc.* (เท้าเปล่า): *The children go barefoot on the beach.*

'bare·ly *adv* scarcely or only just (เกือบไม่มีเลย): *We have barely enough food.*

'bar·gain (*'bär-gən*) *n* **1** something bought cheaply and giving good value for money (ซื้อมาอย่างถูก ๆ แต่คุ้มค่าเงิน): *This carpet was a real bargain.* **2** an agreement made between people (การตกลงระหว่างกัน): *I'll make a bargain with you.* - *v* to argue about or discuss a price *etc.* (การต่อรองราคา): *I bargained with him over the price.*

bargain for to be prepared for something (พร้อมที่จะ): *They had not bargained for bad weather.*

barge *n* **1** a flat-bottomed boat for carrying goods *etc.* (เรือท้องแบน). **2** a large power-driven boat (เรือขนาดใหญ่เดินโดยเครื่องยนต์). - *v* **1** to move clumsily (เคลื่อนไหวอย่างงุ่มง่าม): *He barged about the room.* **2** to bump into someone (ชน): *He barged into me.* **3** to push your way rudely (เข้ามาอย่างไม่มีมารยาท): *She barged in without knocking.*

'bar·i·tone *n* a man's singing voice, quite deep, but not as deep as a bass. (นักร้องชายที่ร้องเสียงต่ำมากแต่ไม่ต่ำเท่ากับเสียง **bass**)

bark[1] *n* the short, sharp cry of a dog. - *v* to make this sound (เห่า): *The dog barked at the stranger.*

bark[2] *n* the covering of the trunk and branches of a tree (เปลือกไม้): *He stripped the bark off the branch.*

'bar·ley *n* a type of grain used for food and for making beer and whisky (ข้าวบาร์เลย์).

barn *n* a building in which grain, hay *etc.* are stored (ยุ้ง ยุ้งข้าว).

'bar·na·cle *n* a kind of small shellfish that sticks to rocks and the bottoms of ships (เพรียง).

bar'om·e·ter *n* an instrument which indicates changes of weather (ปรอทวัดความกดของอากาศ).

'bar·racks *n* a building in which soldiers live (โรงทหาร ค่ายทหาร).

'bar·rage (*'bar-äzh*) *n* **1** heavy gunfire that keeps back an enemy (การยิงอย่างหนักเพื่อกั้นข้าศึกเอาไว้). **2** a very large number (จำนวนมากมาย): *After his adventure, he had to answer a barrage of questions from his friends.*

'bar·rel *n* **1** a container made of curved pieces of wood or of metal (ถัง): *The barrels contain beer.* **2** a long, tube-shaped part of a gun (กระบอกปืน).

'bar·ren *adj* not fertile; not able to produce crops, fruit, babies *etc.* (แห้งแล้ง ไม่สามารถปลูกพืช ไม่สามารถมีลูก).

'bar·ren·ness *n* (ความแห้งแล้ง ความเป็นหมัน).

'bar·ri·cade *n* a barrier put up to block a street *etc.* (เครื่องกีดขวางถนน). - *v* to block a street *etc.* with a barricade (กีดขวางถนน).

'bar·ri·er *n* **1** something put up as a protection (เครื่องกั้น): *a barrier between the playground and the busy road.* **2** something that causes difficulty (อุปสรรค): *Deafness can be a barrier to learning.*

'bar·ris·ter *n* a lawyer who speaks in defence of a person who is being tried in court (ทนายผู้ว่าความให้กับผู้ที่ถูกขึ้นศาล).

'bar·row (*'bar-ō*) *n* **1** a wheelbarrow (สาลี่หรือรถเข็นล้อเดียว). **2** a small cart (รถเข็นคันเล็ก ๆ).

'bar·ter *v* to trade by giving one thing in exchange for another (แลกเปลี่ยนสินค้า): *The bandits bartered gold for guns.* - *n* exchange of goods (การแลกเปลี่ยนสินค้า).

base *n* **1** the foundation, support, or lowest part of something, or the surface on which something is standing (ฐาน): *the base of the statue.* **2** the main ingredient of a mixture (ตัวหลักในการผสม): *This paint has oil as a base.* **3** headquarters (กองบัญชาการ): *an army base.* - *v* **1** to have headquarters in a particular place (สำนักงานใหญ่): *Our group was based in Paris.* **2** to make something rest or depend on something (มีรากฐาน): *An opinion should be based on facts, not* *guesses.*

based (not **basing**) on the facts collected.

'base·ball *n* an American game played with bat and ball (**กีฬาเบสบอล**).

'base·ment *n* the lowest floor of a building, usually below ground level (**ชั้นต่ำสุดของอาคารหรือใต้ถุน**).

bash *v* to beat or smash (**ตีหรือฟาด**): *The soldiers bashed the door down.* - *n* a heavy blow (**ตีเต็มแรง**): *a bash on the head.*

'bash·ful *adj* shy (**ขี้อาย**).

'bash·ful·ly *adv* (**อย่างอาย ๆ**).

'bash·fulness *n* (**ความขี้อาย**).

'ba·sic (*'bā-sik*) *adj* **1** forming a basis; being the main thing on which something depends (**มูลฐาน**): *Your basic theory is wrong.* **2** elementary; only as much as necessary (**ขั้นต้น**): *a basic knowledge of French.*

'ba·si·cal·ly *adv* (**เป็นมูลฐาน**).

'ba·sin (*'bā-sin*) *n* **1** a bowl for washing yourself (**อ่าง**): *a wash-hand basin.* **2** a wide dish for making food in (**ชามกว้างใช้ทำอาหาร**). **3** the low, flat area beside a river (**ลุ่มน้ำ**): *the basin of the Nile.*

'ba·sis (*'bā-sis*), *plural* **'ba·ses** (*'bā-sēz*), *n* something on which a thing rests or depends (**มูลฐาน**): *This idea is the basis of my argument.*

bask (*bäsk*) *v* to lie in warmth or sunshine (**นอนอาบความอบอุ่นหรืออาบแดด**): *The seals basked in the warm sun.*

'bas·ket (*'bäs-kət*) *n* an object for holding and carrying things, made of strips of wood, rushes *etc.* woven together (**ตะกร้า**).

'bas·ket·ball *n* a game in which goals are scored by throwing a ball into a net on a high post (**กีฬาบาสเกตบอล**).

'bas·ket·ry *n* basketwork (**การสานตะกร้า**).

'bas·ket·work *n* articles made of plaited rushes *etc.* (**งานสาน**): The stall sold only basketwork. - *adj*: *a basketwork chair.*

bass (*bās*) *n* **1** the low notes of a piano *etc.* (**เสียงระดับต่ำของเปียโน**). **2** the lowest male voice (**เสียงต่ำสุดของเพศชาย**).

bas'soon *n* a wind instrument which gives a very low sound (**เครื่องเป่าซึ่งให้เสียงต่ำมาก**).

'bas·tard *n* a child born of parents not married to each other (**ลูกนอกสมรส**).

bat[1] *n* a piece of wood *etc.* specially shaped for striking the ball in cricket, baseball, table tennis *etc.* (**ไม้ตีลูกคริกเก็ต เบสบอล ปิงปอง**). - *v* to strike the ball with a bat (**การใช้ไม้ตีลูกบอล**): *He batted the ball; It's your turn to bat.*

bat[2] *n* a mouse-like animal which flies, usually at night (**ค้างคาว**).

batch *n* a number of things made or sent all at one time (**จำนวนของสิ่งต่าง ๆ ที่ส่งไปเป็นชุด ๆ**): *She baked a fresh batch of bread; The letters were sent out in batches.*

bath (*bäth*), *plural* **baths** (*bädhz*), *n* **1** a long deep container for water in which to wash the whole body (**ที่บรรจุน้ำสำหรับชำระร่างกาย**). **2** getting washed in a bath (**อ่างอาบน้ำ**): *I had a bath last night* (**อาบน้ำ**). - *v* to wash in a bath (**อาบน้ำให้**): *She bathed the baby.*

bath means to wash the whole body in a bath: *I'll bath the baby; I bath every morning.*
bathe means to wash a part of the body, especially if it is hurt *etc*: *Go and bathe your cut finger.*
bathe also means to go swimming: *I bathe in the sea every day.*

baths *n* a swimming-pool (**สระว่ายน้ำ**).

bathe (*bādh*) *v* **1** to clean with water (**ทำความสะอาดด้วยน้ำ**): *I'll bathe that cut on your head.* **2** to go swimming (**ไปว่ายน้ำ**): *She bathes in the sea every day.* - *n* a swim (**ว่ายน้ำ**): *We went for a bathe in the river.* **'ba·ther**, **'ba·thing** *ns* (**คนอาบน้ำ ล้างชำระ**).

See **bath**.

'bath·room *n* **1** a room which contains a bath (**ห้องอาบน้ำ**). **2** a lavatory (**ห้องน้ำ**).

'bath·tub *n* a bath (**อ่างอาบน้ำ**).

'bat·ik *n* a method of dyeing patterns on cloth by waxing certain areas so that they remain uncoloured (**วิธีพิมพ์ลายบนเนื้อผ้าโดยฉาบขี้ผึ้งตรงส่วนที่จะไม่พิมพ์**).

'bat·on *n* **1** a short, heavy stick, carried by a policeman as a weapon (**ตะบองสั้นของตำรวจ**).

2 a light stick used by the conductor of an orchestra or choir (ไม้สำหรับหัวหน้าวงดนตรีถือเพื่อบอกจังหวะ).

bat'tal·ion *n* a large group of soldiers that forms part of a brigade. (กองพัน)

'bat·ter *v* to hit something very hard, many times (กระหน่ำทุบ): *They battered the door down.* - *n* a mixture of flour, eggs, milk and salt that is used to make pancakes or to coat food before frying it (เครื่องปรุงอาหารที่ผสมกันหรือเครื่องปรุงที่ใช้ชุบอาหารก่อนทำการทอด).

'bat·ter·y *n* **1** an object that is fitted inside a clock, watch, radio, flashlight *etc* to supply it with electricity (แบตเตอรี). **2** a set of cages in which hens are kept to lay eggs (กรงที่ใช้เป็นรังให้แม่ไก่ออกไข่).

'bat·tle *n* a fight between armies (สงคราม การรบ): *Which side won the battle?; Where was the battle fought?* - *v* to fight (ต่อสู้).

> A **battle** is a fight between armies, lasting a short time.
> A **war** is a period of armed fighting between nations, that can last several years.

'bat·tle·field *n* the place where a battle is fought (สนามรบ).

'bat·tle·ship *n* a very large ship fitted with guns (เรือรบ).

bawl *v* to shout or cry very loudly (ตะโกนหรือร้องออกมาด้วยเสียงอันดัง).

bay[1] *n* a wide inward bend in the coast (อ่าว): *Ships were anchored in the bay.*

bay[2] *v* to bark or howl like a dog (เห่าหรือร้องเหมือนสุนัข).

'bay·o·net *n* a knife-like instrument of steel fixed to the end of a rifle barrel (ดาบปลายปืน).

> See **gun**.

ba'zaar (*bə'zär*) *n* **1** a market place (ตลาด). **2** a sale of home-made or second-hand goods (ขายของที่ทำขึ้นเองหรือสินค้ามือสอง).

be (*bē*) *v* **1** used in describing and giving information about people, things *etc.* (เป็น อยู่ คือ): *I am tall; It is a beautiful day; Are you a teacher? Tom wants to be a doctor.* **2** used to help other verbs to form tenses (ใช้ช่วยคำกริยาอื่นเพื่อบอกกาล): *Bob is leaving; They were beaten.*

> **I am** or **I'm** (*īm*);
> **you are** (*är*) or **you're** (*yör*);
> **he is** (*iz*) or **he's** (*hēz*);
> **she is** or **she's** (*shēz*);
> **it is** or **it's** (*its*); **'s**;
> **we are** or **we're** (*wēr*);
> **they are** or **they're** (*dhār*);
>
> **are not** or **aren't** (*öärnt*);
> **is not** or **'is·n't** (*'iz-ənt*):
> *I am Peter Brown; I'm clever, aren't I?; I am not a fool, am I?; Are you going to tell me or aren't you?; Bill's a doctor, isn't he?; It's time to go, isn't it?; You aren't getting tired, are you?; We're to leave at 10.00 a.m., aren't we?; They're leaving tomorrow, aren't they?* (ใช่หรือไม่ ไม่ใช่หรือ)
>
> **I was** (*woz*); **you were** (*wər*);
> **he was**; **she was**; **it was**;
> **we were**; **they were**;
>
> **was not** or **'was·n't** (*'woz-ənt*);
> **were not** or **weren't** (*wärnt*):
> *I was the fastest, wasn't I?; You were taught English at school, weren't you?; It was fun, wasn't it?; Was he guilty or wasn't he?; We were just going to have tea; You were not telling the truth, were you?*
>
> **been**: *I have been rather stupid; She has been going to school since August; Have you been told the news?; We have been to the zoo today.*
>
> **'be·ing** (*'bē-iŋ*): *You are being very brave; She is being trained as a dancer; We were being given a history lesson.*

beach *n* the sandy or stony shore of a sea or lake (หาดทราย ชายหาด): *Children love playing on the beach.* - *v* to pull a boat up on to a beach (ลากเรือขึ้นสู่ชายหาด).

'bea·con *n* a bonfire or a light that acts as a

signal or warning (กองไฟ หรือแสงไฟให้สัญญาณหรือเตือน).

bead *n* a little ball of glass *etc* strung with others in a necklace *etc.* (ลูกปัด): *She wore a string of beads.*

'bead·y *adj* small, round and bright (เล็ก ๆ กลมและสดใส): *the beady eyes of the blackbird.*

'bea·gle *n* a small hunting-dog with short, smooth, brown and white fur, short legs and long ears (สุนัขล่าสัตว์ขนาดเล็กมีขาสั้น หูยาว ขนสีน้ำตาลและขาว).

beak *n* the hard, pointed part of a bird's mouth (จะงอย ปากนก): *The bird had a worm in its beak.*

'beak·er *n* a drinking-glass or tall cup, without a handle (ถ้วยแก้วหรือถ้วยสูง ๆ ไม่มีมือถือ).

beam *n* **1** a long straight piece of wood, used in ceilings (คาน). **2** a ray or shaft of light *etc.* (ลำแสง): *a beam of sunlight.* - *v* **1** to smile (ยิ้มแย้มแจ่มใส): *She beamed with delight.* **2** to send out rays of light, radio waves *etc.* (ส่งลำแสง คลื่นวิทยุ): *This transmitter beams radio waves all over the country.*

bean *n* **1** any of several kinds of vegetable that grow in pods (ถั่ว): *mung beans* (ถั่วที่ใช้ทำถั่วงอก). **2** the bean-like seed of other plants (เมล็ดของพืชอย่างอื่นที่เหมือนถั่ว): *coffee beans.*

bear[1] (*bār*) *v* **1** to put up with something; to stand something (ทนต่อ): *She can't bear that television programme; I couldn't bear to touch the snake; She bore the pain bravely.* **2** to be able to support (ทนได้): *Will the chair bear my weight?* **3** to have a baby (คลอด): *to bear a child; I was born on 7 July.* **4** to produce fruit (มีผล): *This tree hasn't borne any fruit this year.* **5** to carry (ถือ แบก): *He bore the banner proudly in the procession.*

> **bear**; **bore**; **born** or **borne**: *He bore his disappointment well; I was born on 21 December; She has borne three children.*

'bear·able *adj* able to be endured (ทนได้): *This cold weather is just bearable.*

bear with to be patient with someone (ทนกับ): *Bear with him, even if he is a nuisance.*

bear[2] (*bār*) *n* a large heavy animal with thick fur and hooked claws (หมี).

> A bear **growls**.
> A baby bear is a **cub**.

beard *n* the hair that grows on the chin (เครา): *a man's beard; a goat's beard.*

'beard·ed *adj* having a beard (มีเครา): *a bearded man.*

> See **whiskers**

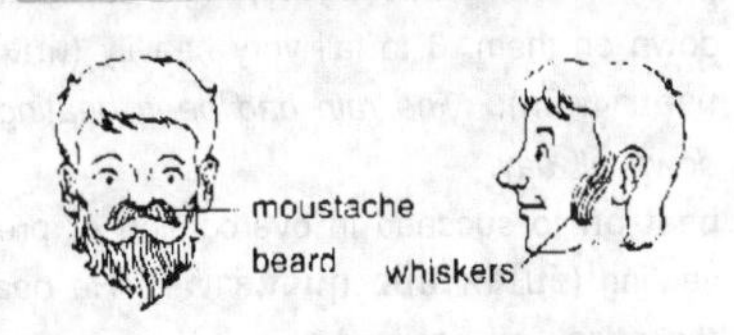

'bear·er *n* a person who carries something (ผู้ถือ ผู้แบก ผู้หาม).

'bear·ing *n* a person's way of standing or walking (อากัปกิริยา).

get your bearings to find your way; to find where you are (หาทิศทาง).

lose your bearings to lose your way; not to know where you are (หลงทาง).

beast *n* **1** an animal (สัตว์): *beasts of the jungle.* **2** a cruel person (คนที่ดุร้าย). **3** a nasty person (คนที่เลวร้าย): *Arthur is a beast for refusing to come!*

'beast·ly *adj* **1** like a beast (เยี่ยงสัตว์). **2** nasty (สิ่งที่เลวร้าย): *What a beastly thing to do!*

'beast·li·ness *n* (ความมีลักษณะเยี่ยงสัตว์ป่า).

beat *v* **1** to hit (ทุบ ตี): *Beat the drum.* **2** to win against (ชนะ): *She beat me in the competition.* **3** to stir very strongly and quickly (ตีอย่างแรงและรวดเร็ว): *to beat an egg.* **4** to make a regular sound or movement (ดังเป็นจังหวะ): *My heart is beating faster than usual.* **5** to mark time in music (จังหวะ): *A conductor beats time for an orchestra.* - *n* a regular stroke or its sound (จังหวะตามปกติ): *heart-beats.*

> **beat**; **beat**; **'beat·en**; *I was top in English, but he beat me in geography; Our team was badly beaten.*
> See also **win**.

'beat·er *n* a machine for beating eggs *etc.*

(เครื่องตีไข่ ๆลๆ).

beat about the bush to avoid making up your mind (อ้อมค้อม ชักแม่น้ำทั้งห้า).

beat down 1 to force a person selling something to accept less money for it (ต่อราคาลงมา): *I beat him down from five pounds to three.* **2** to be very hot and shining brightly (ร้อนมากและส่องแสงสว่างจ้า): The sun beat down on them. **3** to fall very heavily (ตกลงมาอย่างหนัก): *The rain had been beating down all day.*

beat off to succeed in overcoming or preventing (ขับไล่หรือป้องกันจนสำเร็จ): *He beat the attack off easily.*

beat up to punch, kick or hit a person (ต่อย เตะ หรือตี): *He was beaten up by a crowd of boys.*

'beau·ty (*'bū-ti*) *n* **1** loveliness in appearance (ความงาม): *the beauty of the mountains; the young woman's beauty.* **2** a woman who is lovely (คนสวย): *His daughter is a great beauty.* **3** something very fine (ประณีตอย่างยิ่ง): *His new car is a beauty!*

beau'ti·cian (*bū'tish-ən*) *n* a person who works in a beauty salon where women go to have their skin cared for, their nails cut and polished *etc.* (ช่างเสริมสวย).

'beau·ti·ful *adj* full of beauty (เต็มไปด้วยความงาม): *a beautiful woman; What a beautiful dress!; The flowers are beautiful.*

'beautifully *adv* (อย่างสวยงาม).

'beau·ti·fy (*'bū-ti-fi*) *v* to make something more beautiful (ทำให้สวยงาม).

beauty queen a woman who wins a competition to find out which woman is the most beautiful (นางงาม).

beauty spot a place of natural beauty (สถานที่สวยงามตามธรรมชาติ): *We visited several beauty spots.*

'bea·ver *n* a brown furry animal with strong front teeth and a broad flat tail that helps it to swim (ตัวบีเวอร์ มีฟันหน้าที่แข็งแรงและหางแบนกว้างช่วยในการว่ายน้ำ).

became *see* **become** (ดู **become**).

be'cause (*bi'koz*) *conjunction* for the reason that (เพราะว่า): *I can't go because I am ill.*

because of on account of (เป็นเพราะ): *I can't walk because of my broken leg.*

'beck·on *v* to make a sign to someone to come (กวักมือหรือพยักหน้าเรียก): *He beckoned the waiter over to his table.*

be'come (*bi'kum*) *v* **1** to grow to be (กลายเป็น): *She has become very tall.* **2** to train for or take up a particular job (เข้าทำงานเป็น): *She became a doctor.* **3** to happen to someone or something (เกิดขึ้น): *What became of her son?*

become; **be'came**; **be'come**: *She became a dancer; You have become very thin.*

bed *n* **1** a flat, oblong object on which to sleep (เตียง): *It's time to go to bed; I put the baby to bed; She got ready for bed; You must make your bed neatly in the mornings.* **2** the bottom of a river, lake or sea (ก้นแม่น้ำ ก้นทะเล). **3** a space specially dug for flowers *etc.* in a garden (แปลงดอกไม้ในสวน ร่องดอกไม้): *a bed of flowers.*

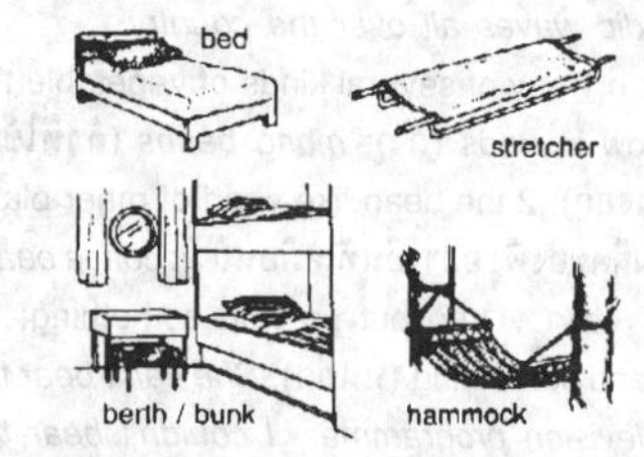

'bed·clothes *n plural* sheets, blankets *etc.* (ผ้าปูที่นอน ผ้าห่ม): *He pulled the bedclothes up over his head.*

'bed·cov·er *n* a top cover for a bed (ผ้าคลุมเตียง).

'bed·ding *n* mattress, bedclothes *etc* (ผ้าปูที่นอน ผ้าห่ม).

be'drag·gled *adj* wet and untidy (เปียกปอนและไม่สะอาด): *The boys looked bedraggled after their game of football in the rain.*

'bed·rid·den *adj* in bed for a long period because of age or sickness (นอนอยู่ในเตียงเป็นเวลานานเพราะความชราหรือป่วย): *She has been bedridden since the car accident.*

'bed·room *n* a room for sleeping in (ห้องนอน).

'bed·side *n* the place or position next to a person's bed (ข้างเตียง): *He was at her bedside when she woke up.* - *adj* (อยู่ข้าง ๆ): *a bedside lamp.*

'bed·spread *n* a top cover for a bed (ผ้าคลุมเตียง).

'bed·time *n* the time when you usually go to bed (ถึงเวลานอน): *Seven o'clock is the children's bedtime.* - *adj* (เมื่อถึงเวลานอน): *I'll read you a bedtime story.*

bee *n* a four-winged insect that makes honey (ผึ้ง): *A swarm of bees had settled on the branch.*

Bees live in a **hive**.
Bees **buzz** or **hum**.

beech *n* a tree with smooth silvery bark (ต้นบีช).

beef *n* the meat of a bull, cow or ox: (เนื้อวัว) *roast beef.*

'beef·bur·ger (*'bēf-bər-gər*) *n* a round, flat piece of minced beef that is fried and then put in a bread roll with slices of onion *etc.* (เนื้อสับแผ่นกลม ๆ แบน ๆ ที่ทอดแล้วใส่เข้าไปในขนมปังมีหอมใหญ่หั่นเป็นชิ้น ๆ): *I had a beefburger for lunch.*

'beef·eat·er *n* one of the guards at the Tower of London, who wear a uniform in the style of the 16th century (ทหารรักษาพระองค์ของอังกฤษซึ่งสวมเครื่องแบบศตวรรษที่ 16).

beefeater

'beef·y *adj* big, strong and fat (ใหญ่ แข็งแรง และอ้วน): *a beefy man.*

'bee·hive *n* a container in which bees are kept (รังผึ้ง).

been *see* **be** (ดู **be**).

beer *n* a type of alcoholic drink made from barley (เครื่องดื่มมึนเมาชนิดหนึ่งซึ่งทำจากข้าวบาร์เลย์ เบียร์).

'beet·le *n* an insect with four wings (แมลงปีกแข็งมีสี่ปีก เต่าทอง).

be'fall (bi'föl) *v* to happen to someone (เกิดขึ้น): *She's very late - perhaps some accident has befallen her.*

befall; **be'fell**; **be'fall·en**: *An accident befell him; What has befallen them?*

be'fore *prep* **1** earlier than (ก่อน): *Food was cheaper before the war.* **2** in front of (ข้างหน้า): *She was before me in the queue.* - *adv* earlier (ก่อนหน้า): *I've seen you before.* - *conjunction* earlier than some action or event (เกิดขึ้นก่อนการกระทำหรือเหตุการณ์): *Before I go, I must phone my parents.*

be'fore·hand *adv* before the time when something else is done (ล่วงหน้า): *If you're coming, let me know beforehand.*

before long soon (อีกไม่นาน): *He'll be here before long.*

be'friend (*bi'frend*) *v* to be a friend to someone and treat them kindly (เป็นเพื่อน): *The lonely girl was befriended by a kind old lady.*

beg *v* **1** to ask someone for money, food *etc.* (ขอเงิน อาหาร ฯลฯ): *The old man was so poor that he had to beg in the street; He begged me for money.* **2** to ask very eagerly or desperately (ขอร้อง วิงวอน): *She begged him not to leave her.*

began *see* **begin** (ดู **begin**).

'beg·gar *n* a person who lives by begging (ขอทาน): *The beggar asked for money to buy food.*

be'gin (*bi-'gin*) *v* to start (เริ่ม): *He began to talk; The lesson begins at 10.30.*

begin; **be'gan**; **be'gun**: *She began to sing; Have you begun your essay?*

be'gin·ner *n* someone who is just learning how to do something (ผู้เริ่มต้น): *an English class for beginners.*

be'gin·ning *n* the start of something (การเริ่มต้น): *at the beginning of term.*

to begin with 1 at first (ตอนแรก): *I didn't like him to begin with, but now he's my best friend.* **2** first (ประการแรก): *There are many reasons why I don't like her - to begin with, she tells lies.*

be'grudge (*bē'gruj*) *v* to be jealous of someone

because of something (อิจฉา): *I don't begrudge him his success.*

begun *see* **begin (ดู begin)**.

be'half: **on behalf of someone** for someone (ในนามของใครบางคน เพื่อใครบางคน): *On behalf of all the pupils, Jane thanked the teacher for taking them to the movie.*

be'have (*bi'hāv*) *v* **1** to act properly; to be good (ประพฤติดี): *If you come, you must behave yourself; He always behaves when he's at his grandmother's.* **2** to act in a particular way (ปฏิบัติ มีอาการ): *You are behaving stupidly; Metals behave in different ways when heated.*

be'ha•viour (*bi'hāv-yər*) *n* way of behaving (ความประพฤติ): *The headmistress praised the good behaviour of the pupils.*

well-be'haved *adj* having good manners; behaving well; polite (สุภาพ): *Well-behaved children.*

be'head (*bi'hed*) *v* to cut off someone's head (ตัดศีรษะ): *King Henry VIII of England had two of his wives beheaded.*

be'hind (*bi'hīnd*) *prep* **1** at the back of something (อยู่ข้างหลัง): *He hid behind the door.* **2** remaining after (ทิ้งเอาไว้ข้างหลัง): *Visitors to the park are asked not to leave any litter behind them.* **3** helping; supporting (ช่วยเหลือ สนับสนุน): *It's good to have friends behind you when you're in* trouble. - *adv* **1** at the back (ทางด้านหลัง): *A car has two wheels in front and two behind.* **2** not keeping up (ล่าช้า): *You are behind with your reading - try to catch up with the other children.* **3** remaining after someone has gone (ทิ้งเอาไว้ยังอยู่): *He left his book behind; We stayed behind after the party.* - *n the bottom* (ก้น): *a spank on the behind.*

behind someone's back without someone's knowledge or permission (ลับหลัง): *He sometimes bullies his sister behind his mother's back.*

beige (*bāzh*) n a pale brown colour. - *adj* (สีเนื้อ): *a beige hat.*

'be•ing *n* any living person or thing (ความมีชีวิตอยู่ สิ่งมีชีวิต): *a human being; strange beings from outer space.*

See also **be (ดู be)**.

belch *v* to make an explosive noise in your throat, especially after eating (เรอ).

be'lief (**bi'lēf**) *n* **1** faith or trust (ความเชื่อ): *I have no belief in his ability to save us; belief in God.* **2** something you believe (ความเชื่อของเรา): *It's my belief that she will win; Christian beliefs.*

be'lieve (*bi'lēv*) *v* **1** to feel that something is true; to feel that someone is telling the truth (เชื่อว่าเป็นจริง เชื่อว่าใครบางคนบอกความจริง): *I believe his explanation; He told me she was ill and I believed him.* **2** to think (คิดว่า): *I believe he's ill.*

be'liev•a•ble *adj* (น่าเชื่อถือ).

be'liev•er *n* a person who believes in something (ผู้เชื่อถือ).

believe in **1** to accept the existence of something (ยอมรับว่ามี): *Do you believe in ghosts?* **2** to think that something is right (เชื่อว่าถูกต้อง): *I don't believe in spanking children when they are naughty.*

be'lit•tle *v* to talk about something in a way that makes it seem small or unimportant (พูดจาลบหลู่).

bell *n* **1** a hollow metal object that gives a ringing sound when it is shaken or swung (ระฆัง): *church bells.* **2** any other device for giving a ringing sound (เครื่องมือใด ๆ ที่ให้เสียงระฆัง): *He rang the doorbell.* **3** a flower shaped like a hollow bell (ดอกไม้ที่มีรูปร่างเหมือนระฆัง).

'bel•low (*'bel-ō*) *v* to roar like a bull; to shout loudly (ร้องเหมือนวัว ตะโกนเสียงดัง). - *n* a roar (เสียงคำราม).

'bel•lows (*'bel-ōz*) *n* an instrument for making a current of air (เครื่องสูบลม).

'bel•ly *n* the part of the body between the chest and the legs (ท้อง): *a swollen belly.*

be'long *v* **1** to be owned by someone (เป็นของ): *This book belongs to me.* **2** to be a member etc. of (เป็นสมาชิก): *Which swimming club do you belong to?* **3** to go together with something else (ใช้ร่วมกับอย่างอื่น): *Does this shoe belong with that shoe?* **4** to stay somewhere, or have somewhere as your home (เป็นส่วน มีภูมิลำเนา): *That clock belongs on the mantel-piece; Singapore is where I belong.*

be'long·ings *n* possessions (สมบัติ ข้าวของ): *She can't have gone away - all her belongings are still here.*

be'lov·ed (*bi'luv-id*) *adj* much loved (อันเป็นที่รักมาก): *my beloved country.*

be'low (*bi'lō*) *prep* lower than something (ข้างล่าง ต่ำกว่า): *Your foot is below your knee; The plane flew below the clouds; A captain is below a major in the army.* - *adv* in a lower place (อยู่ในข้างล่าง): We climbed up the tower and looked at the houses down below.

See **under**.

belt *n* **1** a long piece of leather, cloth, plastic *etc.* worn round the waist (เข็มขัด): *a trouser-belt; He tightened his belt.* **2** a long narrow strip (ทางยาวแคบ ๆ): *a belt of trees.* **3** a rubber ring used in a machine *etc.* (สายพาน).

bench *n* **1** a long seat (ม้านั่งยาว): *They sat on a bench in the park.* **2** a table for a carpenter *etc.* to work at (โต๊ะทำงานของช่างไม้): *He laid out his tools on the workbench.*

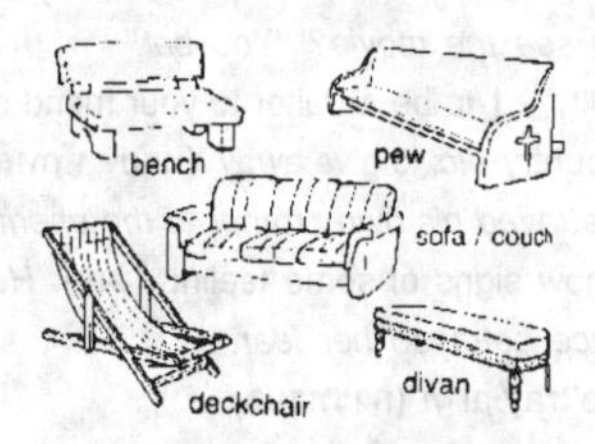

bend *v* **1** to curve (โค้ง งอ): *Bend your arm; The road bends to the right; He can bend an iron bar.* **2** to crouch (ย่อตัวลง): *She bent down to pick up the coin.* - *n* a curve or angle (โค้ง มุม): *a bend in the road.*

bend; **bent**; **bent**: *He bent down; He has bent the spoon.*

'ben·ded (งอ): **on bended knee** kneeling (คุกเข่า): *He begged her forgiveness on bended knee.*

be'neath *prep* **1** lower than something; under; below (ข้างใต้): *The cat crouched beneath the chair.* **2** not worthy of someone (ไม่คู่ควร): *It is beneath him to cheat.* - *adv* below or underneath (ข้างล่าง): *Who lives in the apartment beneath?*

'ben·e·fac·tor *n* a person who gives friendly help, usually money (ผู้เกื้อกูล).

ben·e'fi·cial *adj* having good effects (เป็นคุณประโยชน์): *Swimming is beneficial to your health.*

'ben·e·fit *n* something good to receive, an advantage (คุณประโยชน์ ให้คุณประโยชน์): *the benefits of taking exercise.* - *v* **1** to gain advantage (ได้ประโยชน์): *He benefited from her advice.* **2** to do good to (ให้ผลดีกับ): *The long rest benefited her.*

benefited and **benefiting** have one **t**.

give someone the benefit of the doubt to believe someone when you don't know for certain that they are telling the truth (ยกประโยชน์ให้กับใครบางคนซึ่งเราไม่แน่ใจว่าเขาพูดความจริงหรือเปล่า).

be'nev·o·lence *n* generosity; kindness (ความใจดี ความกรุณา).

be'nev·o·lent *adj* kind (ใจดี): *a benevolent father.*

be'nev·o·len·ly *adv* (อย่างใจดี อย่างใจบุญ).

be'nign (*bi-'nīn*) *adj* **1** kind and gentle (กรุณาและอ่อนโยน): *a benign smile.* **2** not likely to cause death (ไม่ร้ายแรง): *The tumour on her lung is benign.*

bent *adj* crooked (โค้งงอ): *a bent stick.*

See also **bend** (ดู **bend**).

bent on determined to do something (ตั้งใจที่จะทำอะไรสักอย่าง): *He's bent on winning.*

be'queath (*bi'kwēdh*) *v* to leave money or property to someone when you die (ทำพินัยกรรมให้): *The old lady bequeathed $200,000 to her niece.*

be'reaved *adj* having lost, through death, someone dear (สูญเสียผู้เป็นที่รักเพราะความตายมาพราก): *a bereaved mother.*

be'reave·ment *n* (การสูญเสียครั้งสำคัญ).

be'reft *adj* not having something any longer;

without (ไม่เหลืออะไรอีกแล้ว): *He was bereft of hope; The shock left her quite bereft of speech.*

'ber·et (*'ber-ā*) *n* a round flat hat that has no brim and is made of soft material (หมวกกลม ๆ ไม่มีปีก ทำด้วยวัสดุนิ่ม ๆ).

'ber·ry *n* a kind of small fruit (ผลไม้เล็ก ๆ): *ripe strawberries; Those berries are poisonous.*

ber'serk (*bər'zërk*) *adj* crazy and violent in a dangerous way (บ้าและมีความรุนแรงในทางที่เป็นอันตราย): *A man went berserk and shot a lot of people in the street.*

berth *n* **1** a sleeping-place in a ship *etc.* (ที่นอนในเรือ). **2** a place in a harbour where a ship can be anchored (ท่าเรือซึ่งเรือสามารถทอดสมอได้). - *v* to anchor in a harbour (การทอดสมอเรือในท่าเรือ): *The ship berthed last night.*

See **bed** (ดู **bed**).

be'side *prep* **1** by the side of or near (ข้างหรือใกล้): *The lamp is beside the bed; She sat beside her sister.* **2** compared with (เทียบกับ): *She looks small beside her brother.*

be'sides *prep* in addition to; as well as (นอกจาก): *Is anyone coming besides John?* - *adv* also (นอกเหนือจากนี้): *These shoes are expensive - besides, they're too small.*

beside the point not important; off the point (ไม่สำคัญ นอกเรื่อง): *All this discussion is beside the point.*

be'siege (*bi'sēj*) *v* **1** to surround a town with an army and wait for the people in it to surrender (ล้อมเมืองและรอให้ยอมแพ้). **2** to pursue and overwhelm (ห้อมล้อม): *The reporters besieged me with questions about the plane crash.*

besiege is spelt with **-ie-**.

best *adj* better than all the others (ดีที่สุด): *Which is the best team?; She is my best friend.* - *pron* something that is better than everything else (เยี่ยมสุด): *Whose essay was the best?; I want to look my best for the party.* - *adv* better than all the others (ดีที่สุด ยอดเยี่ยม): *Who can sing best?; Who did best in the English exam?*

best man the bridegroom's attendant at a wedding (เพื่อนเจ้าบ่าว).

do your best to try as hard as possible (ทำให้ดีที่สุด): *I'll do my best to pass the exam.*

make the best of to use well (ใช้ให้คุ้มค่า): *You don't make the best of all your talents; They made the best of the rain by catching up on their reading indoors.*

be'stow (*bi'stō*) *v* to give an honour to someone (ให้เกียรติแก่): *The President bestowed an award on her for bravery.*

be'stow·al *n* (การให้).

best'sell·er *n* a book which sells very well (หนังสือที่ขายดีติดตลาด).

bet *v* **1** to gamble money on a racehorse *etc.* (พนัน): *She bet 6 dollars on that horse.* **2** to be very certain (แน่ใจมาก): *I bet I can run faster than you.* - *n* **1** an act of betting (การพนัน): *I won the bet I made with my father that it would rain today; I'll take a bet that he wins.* **2** a sum of money betted (เงินที่พนัน).

bet; **bet** or **'bet·ted**; **bet** or **'bet·ted**: *She bet all her money on one horse; Have you betted on a horse before?*

you bet of course (แน่นอน): *'Do you want to see the movie?' 'You bet!'.*

be'tray *v* **1** to be a traitor to your friend or your country *etc*; to give away (ทรยศ หักหลัง): *He betrayed his own brother to the enemy.* **2** to show signs of some feeling (เผย): *Her pale face betrayed her fear.*

be'tray·al *n* (การทรยศ).

be'tray·er *n* (ผู้ทรยศ).

be'trothed (*bi'trōdhd*) *adj* engaged to be married to someone (คู่หมั้น).

be'troth·al *n* (การหมั้น).

'bet·ter *adj* **1** superior (เหนือกว่า): *Our new car is better than our old one; She's better at running than I am.* **2** improved in health; recovered from an illness (สุขภาพดีขึ้น หายจากอาการเจ็บป่วย): *I feel better today; She had a headache but it's better now.* **3** preferable (ดีกว่า): *It would be better to do it now* than later. - *adv* in a superior way (**ในทางดีกว่า**): *You will learn to speak English better as you grow older.* **2** preferably (**น่าจะดีกว่า**): *You had better write to her.* - *pron* someone or something which is superior to another (**บางคนหรือบางสิ่งซึ่งดีกว่าอย่างอื่น**): *This book is the better of the two.*

He is better today (not *He is more better*). *He is much better* is correct.
You had better come or *You'd better come* (not *You better come*).

better off richer; happier in some way (**มีฐานะดีขึ้น ดีขึ้น**): *When I'm better off I'll buy a car; You'd be better off if you cycled to work instead of driving.*

get the better of to be defeated or conquered by (**ถูกทำให้แพ้หรือถูกพิชิตโดย**): *He got the better of me in the discussion; Her curiosity got the better of her.*

be'tween *prep* **1** in the space dividing two things (**ระหว่าง**): *between the car and the pavement; between 2 o'clock and 2.30; between meals.* **2** concerning two things or people (**เกี่ยวกับสองสิ่งหรือคน**): *There was a disagreement between them; the difference between right and wrong.* **3** working together (**ร่วมกัน**): *They managed it between them.* **4** giving some to one person and some to the other (**แจกจ่ายไประหว่างพวกคุณ**): *Divide the chocolate between you.*

between fifty **and** (not **to**) sixty people; the difference between reptiles **and** (not **as well as**) mammals.
You always say between **you and me** (not **you and I**).
See also **among**.

bev·er·age *n* a drink such as tea or coffee (**เครื่องดื่ม**).

be'ware a cry meaning 'look out!', 'be careful!' (**ระวัง**): *Beware of the dog!*

be'wil·der (*bi'wil-dər*) *v* to puzzle (**ทำให้ฉงน**): *She was bewildered by the difficult instructions.*

be'wil·der·ment *n* (**ความฉงน**).

be'witch *v* to cast a spell on; to charm (**สะกดด้วยมนตร์ ทำเสน่ห์**): *She bewitched us with her smile.*

be'yond *prep* **1** on the farther side of something (**พ้นจาก ข้างโน้น**): *My house is beyond those trees.* **2** unable to be affected by (**อยู่นอกเหนือ**): *The doctor saw that she was beyond his help.* **3** more than (**ยิ่งไปกว่า**): *He succeeded beyond all his hopes.*

beyond your means **1** too expensive (**แพงเกินไป**): *A video recorder is beyond my means.* **2** spending too much money (**ใช้เงินมากเกินไป**): *He lives beyond his means.*

'bi·as (*'bī-əs*) *n* an unfair feeling for or against something (**ความลำเอียง ความมีอคติ**): *The teacher liked the girls but seemed to have a bias against the boys.*

'bi·ased *adj* (**ลำเอียง**): *The old lady was biased against teenagers; a biased opinion.*

bib *n* a piece of cloth or plastic tied under a baby's chin to catch spilt food *etc.* (**ผ้าหรือพลาสติกที่วางไว้ใต้คางของเด็กเล็ก ๆ เพื่อกันเปื้อน**).

'Bi·ble (*'bī-bəl*) *n* the book containing the holy writings of the Christian Church (**คัมภีร์ในคริสต์ศาสนา**).

'bib·li·cal *adj* (**แห่งคัมภีร์ในคริสต์ศาสนา**).

bib·li'og·ra·phy (*bib-li'og-rə-fi*) *n* a list of books on a particular subject, by a particular author, or used by you for your own piece of work (**บรรณานุกรม**): *He forgot to put his bibliography at the end of his essay.*

bi·cen'te·na·ry (*bī-sen'tē-nə-ri*) *n* a day or year when you celebrate an event which happened exactly two hundred years earlier (**ระยะเวลา 200 ปี**): *a concert to celebrate the bicentenary of the composer's birth.*

bi·cen'tenn·i·al (*bī-sen'ten-i-əl*) *n* a bicentenary (**ทุก 200 ปี**). - *adj* held to celebrate a bicentenary (**ระยะเวลา 200 ปี**): *bicentennial celebrations.*

'bick·er *v* to quarrel, usually about something that is not important (**ทะเลาะกันเรื่องไร้สาระ**): *The children bickered over whose turn it was to ride the bicycle.*

'bi·cy·cle (*'bī-si-kəl*) *n* a pedal-driven vehicle with two wheels and a seat (**จักรยาน**). - *v* to ride a bicycle (ขี่จักรยาน): *He bicycled slowly up the hill.*

bid (*bid*) *v* **1** to offer an amount of money for something at an auction (ประมูล): *John bid $1000 for the painting.* **2** to offer to do work for a particular price (ประมูลราคา): *My firm is bidding for the contract for the new road.* **3** to tell someone to do something (กล่าว บอก): *Bid him come in.* **4** to greet someone (ทักทาย): *to bid someone good morning.* - *n* **1** an offer (เสนอ): *He made a bid of $20.* **2** an attempt to obtain something (พยายามให้ได้บางอย่างมา): *The prisoner made a bid for freedom.*

'bid·der *n* (ผู้เสนอราคา)

'bid·ding *n* (การเสนอราคา).

bid; **bid** or **bade** (**bad**); **'bid·den**: *He bid 55 dollars for the picture; She bade him good-bye; Do as you are bidden.*

bide: **bide your time** to wait for a good opportunity (รอเวลา รอโอกาส): *I'm just biding my time until he makes a mistake.*

bi'en·ni·al (*bī'en-i-əl*) *adj* **1** for two years (เป็นเวลาสองปี). **2** happening every two years (เกิดขึ้นทุก ๆ สองปี): *a biennial tournament.*

big *adj* **1** large in size (ขนาดใหญ่): *a big car.* **2** important (สำคัญ): *a big event.*

'big·a·my *n* marriage to two wives or two husbands at the same time (การมีภรรยาหรือสามีสองคนในคราวเดียวกัน).

'bi·go·ted *adj* not prepared to tolerate or understand the opinions and beliefs of other people (ไม่ยอมทนหรือเข้าใจความเห็นของผู้อื่น ดันทุรัง): *a bigoted religious fanatic.*

bike *n* short for **bicycle** (จักรยาน): *He got a new bike for his birthday.*

bi'ki·ni (*bi'kē-ni*) *n* a two-piece swimming costume for women (ชุดว่ายน้ำสองชิ้นสำหรับผู้หญิง).

bi'ling·ual (*bī'liŋ-gwəl*) *adj* **1** written or spoken in two languages (เขียนหรือพูดสองภาษา): *a bilingual dictionary.* **2** speaking two languages equally well (พูดสองภาษาได้เป็นอย่างดี): *bilingual children.*

bill[1] *n* a bird's beak (จะงอยปากของนก).

bill[2] *n* **1** a note showing how much money is owed for goods *etc* (ใบเสร็จ): *an electricity bill.* **2** a banknote (ธนบัตร): *a five-dollar bill.* **3** a poster used for advertising (ใบโฆษณา). - *v* to send a bill to someone (ส่งใบเสร็จไปให้): *You will be billed next month.*

'bil·liards *n* a game played on a table with long thin sticks called cues, and balls (การเล่นเกมบนโต๊ะด้วยไม้ยาวที่เรียกว่าไม้คิว และลูกกลม ๆ).

'bil·lion *n* and *adj* **1** especially in Britain, one million millions (1,000,000,000,000) (ล้านล้านในอังกฤษ). **2** especially in America, one thousand millions (1000,000,000) (พันล้านในอเมริกา).

'bil·low (*'bil-lō*) *n* a large wave (คลื่นใหญ่). - *v* to move like a wave (เป็นลูกคลื่น): *The clothes billowed on the washing-line; Smoke was billowing from the burning factory.*

'bil·low·y *adj* (อย่างเป็นลูกคลื่น).

bin *n* a holder for rubbish or for storing something in (ถัง): *a waste-paper bin; a flour-bin.*

'bi·na·ry (*'bī-nə-ri*) *adj* consisting of two (ประกอบด้วยสองอย่าง): *The binary system uses only the digits 0 and 1.*

bind (*bīnd*) *v* **1** to tie or wrap (ผูกหรือมัด): *The doctor bound up the patient's injured leg with a bandage; The robbers bound the bank manager with a rope.* **2** to fasten together the pages of a book and put the cover on it (เย็บหนังสือแล้วใส่ปก): *He is learning how to bind books.*

bind; **bound**; **bound**: *She bound up the parcel; This book has been nicely bound.*

'bind·ing *n* the covering in which the pages of a book are fixed (การหุ้มปก): *a leather binding.* - *adj* that must be done or obeyed (ผูกมัด): *This agreement is binding.*

'bin·go *n* a gambling game in which each player has a card with numbers printed on it, and covers the numbers as they are called out; the winner is the first to cover all his or her numbers (เกมชนิดหนึ่ง): *The old lady goes to play bingo every night; a bingo-hall* (โรงเล่นบิงโก).

bin'oc·u·lars (*bi'nok-ū-lərz*) *n* an instrument that you hold up to your eyes to make distant objects look nearer (กล้องส่องทางไกล): *He looked at the ship through his binoculars.*

bi·o·de'grad·able (*bī-ō-di'grād-a-bəl*) *adj* able to be decomposed by bacteria or other living organisms (สามารถจะสลายตัวได้โดยบักเตรีหรือสิ่งมีชีวิตอื่น ๆ ได้): *Most types of plastic are not biodegradable.*

bi'og·ra·phy (*bī'og-rə-fi*) *n* the story of someone's life (ประวัติบุคคล).

bi·o'graph·i·cal *adj* (เกี่ยวกับประวัติบุคคล).

bi'ol·o·gy (*bī'ol-ə-ji*) *n* the science of living things (ชีววิทยา).

bi·o'log·i·cal *adj* (แห่งชีววิทยา).

bi·o'log·i·cal·ly *adv* (อย่างชีววิทยา).

bi'ol·o·gist *n* (นักชีววิทยา).

biological warfare the use of germs as a weapon (สงครามชีววิทยา).

bi'on·ic (*bī'on-ik*) *adj* having extraordinary powers, such as being very, very strong or being able to fly (มีพลังพิเศษ เช่นแข็งแรงมาก ๆ หรือสามารถเหาะได้): *a bionic man.*

bird *n* a feathered creature, with a beak, two legs and two wings, that is usually able to fly (นก): *A flock of birds flew across the sky.*

Birds live in **nests**.
Small birds **chirp**.

bird's-eye view a view from above (มองจากเบื้องบน): *a bird's-eye view of the town from an aeroplane.*

birth *n* **1** coming into the world, being born (การเกิด): *the birth of her son.* **2** the beginning (การเริ่มต้น): *the birth of civilization.*

birth control the limiting of the number of children that are born (การคุมกำเนิด).

'birth·day *n* the anniversary of the day on which you were born (วันคล้ายวันเกิด): *Today is his birthday.* - *adj: a birthday party* (งานเลี้ยงวันเกิด).

'birth·mark *n* a mark on the skin that has been there since birth (ปานหรือจุดบนผิวหนังที่มีมาตั้งแต่เกิด).

'birth·place *n* the place where you were born (สถานที่เกิด).

'birth·rate *n* the number of children born in a particular place during a particular time (อัตราการเกิด).

give birth to to produce a baby (คลอด): *She has given birth to twins.*

'bis·cuit (*'bis-kit*) *n* a crisp, thin, flat cake; a cracker or a cookie (ขนมปังกรอบ).

bi'sect (*bī'sekt*) *v* to cut a line *etc* into two equal parts (แบ่งครึ่ง).

bish·op *n* **1** a Christian clergyman in charge of all the churches in a city *etc.* (สังฆนายกที่ดูแลวัดทั้งหมดในเมืองเมืองหนึ่ง). **2** one of the pieces in chess (ตัวโคนในหมากรุก).

'bi·son (*'bī-sən*) *n* a wild ox (วัวป่า).

bit[1] *n* **1** a small piece (ชิ้นเล็ก ๆ เล็กน้อย): *a bit of bread; a bit of advice.* 2 a short time (เวลาสั้น ๆ): *Wait a bit longer.*

bit by bit gradually (ทีละเล็กละน้อย): *Move the pile of rocks bit by bit.*

do your bit to share in the work (ส่วนของเรา): *We must all do our bit to help.*

in bits, to bits in or into small pieces (เป็นชิ้นเล็กชิ้นน้อย): *The broken mirror lay in bits on the floor; He tore the letter to bits.*

bit[2] *see* **bite** (ดู **bite**).

bitch *n* the female of the dog, wolf or fox (สุนัขเพศเมีย สุนัขป่าหรือสุนัขจิ้งจอก).

bite *v* to cut through or injure something with the teeth or jaws (กัด): *I bit the apple; She bit off a piece of chocolate; The dog bit my leg; He was bitten by a mosquito.* - *n* biting, or the piece or place bitten (การกัด ให้รับประทานคำหนึ่ง รอยกัด): *The dog gave him a bite; I took a bite of the cake; He has a mosquito bite on his arm.*

bite; **bit**; **'bit·ten**: *That animal bit me; I have been bitten by a flea.*

'bi·ting *adj* **1** very cold (หนาวเหน็บ): *a biting wind.* **2** unkind (เจ็บ แสบ): *a biting remark.*

'bit·ter *adj* **1** having a sharp taste like lemons

(มีรสขม): *This juice tastes bitter.* **2** very unpleasant and hard to bear (ไม่ชอบใจอย่างมาก ยากที่จะทน): *bitter disappointment.* **3** full of hatred (เต็มไปด้วยความเกลียด): *bitter enemies.* **4** very cold (หนาวเหน็บ): *a bitter wind.*

'bit·ter·ness *n* (ความขม ความขมขื่น).

'bit·ter·ly *adv* (อย่างขมขื่น): *bitterly disappointed.*

'bit·u·men (*'bich-ə-mən*) *n* a black sticky substance obtained from petroleum (สารสีดำและเหนียวเหนอะหนะได้จากน้ำมันปิโตรเลียม ยางมะตอย).

bi'zarre (*bi'zär*) *adj* very strange (แปลกประหลาดมาก พิสดาร): *a bizarre happening.*

black *adj* **1** the colour in which these words are printed (สีที่ใช้พิมพ์ตัวอักษรเหล่านี้): *The photographs are not coloured - they're black and white.* **2** dark (มืด): *as black as night.* **3** dirty (สกปรก): *Your hands are black!* **4** without milk (ไม่ใส่นม): *black coffee.* **5** evil, wicked (ชั่วร้าย): *black magic.* **6** dark-skinned or black-skinned (ผิวมืด ผิวดำ): *the black peoples of Africa.* - *n* **1** the colour of the print in this book (สีของตัวพิมพ์ในหนังสือเล่มนี้): *Black and white are opposites.* **2** a darkskinned or black-skinned person (คนผิวมืดหรือคนผิวดำ): *The blacks were unfairly blamed for the violence.*

'black·ness *n* (ความมืด ความดำ).

'black·ber·ry *n* a small, soft, black fruit that grows on a bush (ผลไม้ลูกเล็ก ๆ นิ่ม ๆ ขึ้นอยู่ตามพุ่มไม้).

'black·bird *n* a dark-coloured bird that sings sweetly (นกดุเหว่า).

'black·board *n* a dark-coloured board used in schools *etc.*, for writing on in chalk (กระดานดำ).

'black·en *v* **1** to become black (กลายเป็นสีดำ กลายเป็นมืด): *The sky blackened before the storm.* **2** to criticise something unfairly (ใส่ความ): *She blackened his character.*

black eye an eye with bad bruising around it from being hit *etc.* (ตาช้ำเนื่องจากโดนต่อย): *George gave me a black eye.*

'black·mail *v* to get money wrongly from someone by threatening to tell people about some bad secret event in their past unless they pay a large sum of money *etc.* for keeping the secret (ขู่กรรโชก): *It is a crime to blackmail someone.* - *n* getting money in this way (หาเงินมาได้โดยแบบนี้): *He was imprisoned for blackmail.*

'black·mail·er *n* (ผู้ขู่กรรโชก).

black market dishonest trading in goods that are either against the law, or cannot be obtained by the general public (ตลาดมืด): *He sold the diamonds on the black market.*

'black·out *n* **1** a period of darkness produced by putting out all lights (ดับไฟ): *Accidents increase during a blackout.* **2** a stopping of news broadcasting (หยุดการประกาศข่าว): *There is a complete blackout of news about the fall of the government.*

black sheep someone who brings shame on his family because of his wicked behaviour *etc.* (แกะดำ): *My brother is the black sheep of the family.*

'black·smith *n* a person who makes things out of iron by hand (ช่างเหล็ก): *The blacksmith made a new shoe for the horse.*

black and blue badly bruised (รอยฟกช้ำดำเขียว): *After the fight the boy was black and blue all over.*

black out to become unconscious for a moment; to faint (หมดสติ): *He blacked out for almost a minute.*

'blad·der *n* the bag-like part of the body in which the urine collects (กระเพาะปัสสาวะ).

blade *n* **1** the cutting part of a knife *etc.* (ใบมีด): *His penknife has several different blades.* **2** a long flat leaf or piece of grass (ใบหญ้าที่ยาวและแบน): *a blade of grass.*

blame *v* **1** to consider that someone is the cause of something bad (ตำหนิ ติเตียน): *I blame the cyclist for the accident; I didn't break the window - you can't blame it on me!* **2** to think someone is wrong to do something (ไม่โทษ): *I don't blame you for getting angry.* - *n* saying that something is someone's fault

(การตำหนิ): *He always takes the blame when things go wrong.*

'blame·less *adj* innocent (ไม่มีที่ติ): *a blameless life.*

to blame being the cause of something bad (ต้นเหตุ): *You are not to blame for the accident.*

bland *adj* **1** almost without taste (แทบไม่มีรสชาติ จืดชืด): *This fish is very bland.* **2** dull and boring (น่าเบื่อ): *a very bland piece of music.* **3** mild and gentle in manner (กิริยาสุภาพอ่อนโยน): *a bland person who does not show his emotions.*

blank *adj* **1** without writing or marks (ว่างเปล่า): *a blank sheet of paper.* **2** puzzled; not understanding (ฉงน ไม่เข้าใจ): *She gave me a blank look when I asked her the question.* **3** bored; uninterested (เฉย ๆ): *blank faces.* **4** having no door, window *etc.* (ไม่มีประตูหน้าต่าง): *a blank wall.* - *n* **1** a space left to be filled up with words, on a printed sheet of paper *etc* (เติมช่องว่าง): *Fill in all the blanks.* 2 a cartridge without a bullet (ไม่มีหัวกระสุน): *The soldier fired a blank.*

'blank·ly *adv* (อย่างว่างเปล่า).

'blank·ness *n* (ความว่างเปล่า).

draw a blank to get no results or to fail (ไม่ได้ผลหรือล้มเหลว): *All her attempts to find the stolen jewellery have drawn a blank.*

go blank to become empty (ว่างเปล่า): *My mind went blank when the teacher questioned me.*

'blank·et *n* **1** a warm covering made of wool *etc* (ผ้าห่ม): *a blanket on the bed.* **2** something which covers like a blanket (ครอบคลุม): *a blanket of mist.* - *v* to cover something as if with a blanket (ปกคลุม): *The hills were blanketed in mist.*

blare *v* to make a harsh sound (เสียงดัง ประโคม): *The radio blared out music.* - *n*: *the blare of trumpets.*

blas'pheme (*blas'fēm*) *v* **1** to speak about God or religion without respect (กล่าวลบหลู่พระเจ้าหรือศาสนา). **2** to swear, using the name of God (สาบานโดยอ้างนามของพระเจ้า).

'blas·phe·mous ('blas-fə-məs) *adj* showing disrespect for God (แสดงความไม่เคารพต่อพระเจ้า).

'blas·phe·my (*'blas-fə-mi*) *n* the saying or writing of something that shows disrespect for God (พูดหรือเขียนลบหลู่พระเจ้า).

blast (*bläst*) *n* **1** a strong, sudden stream of air *etc* (พัดกระโชก ฯลฯ): *a blast of cold air.* **2** a loud sound (เสียงดัง): *He heard a blast from a car's horn as he stepped into the road.* **3** an explosion (แรงระเบิด): *the blast from a bomb.* - *v* **1** to tear by an explosion (ฉีกออกโดยระเบิด): *The door was blasted off its hinges*; They had to blast the rock to make way for the new road. **2** to make a loud noise (ทำให้เกิดเสียงดังมาก): *Music was blasting out of the radio.*

blast off to take off and start to rise (ปล่อย เริ่มจะขึ้น): *The spacecraft will blast off at 11 a.m.* **'blast-off** *n* (ระเบิดพุ่งออกไป).

'bla·tant (*'blā-tənt*) *adj* done openly and without shame or disguise (กระทำอย่างไร้ยางอาย): *a blatant lie.*

blaze *n* **1** a bright light or fire (แสงโชติช่วงหรือไฟ): *A neighbour rescued her from the blaze.* **2** a violent fit of anger *etc.* (โกรธอย่างรุนแรง): *a blaze of fury.* **3** a bright display (สีสดใส): *The flower-beds were a blaze of colour.* - *v* to burn or shine brightly (ลุกหรือฉายแสงโชติช่วง): *A fire was blazing in the hearth; The sun blazed down.*

'bla·zer (*'blā-zər*) *n* a type of jacket worn as part of a school uniform *etc.* (เสื้อสามารถ).

bleach *n* liquid *etc* used for whitening clothes *etc.* (ของเหลว ฯลฯ ใช้ในการฟอกขาว). - *v* to fade; to become lighter or paler in colour (สีซีดลง): *The sun has bleached his red shirt; His hair bleached in the sun.*

bleak *adj* **1** cold and bare, with very few trees (เยือกเย็นและมีต้นไม้น้อย): *a bleak landscape.* **2** not hopeful (ไม่มีหวัง): *The future looks bleak.*

'blear·y *adj* red and watery; not seeing clearly (เห็นไม่ชัด มืดมัว): *Her eyes were bleary and she had a headache.*

'blear·i·ly *adv* (อย่างมืดมัว): *He looked blearily out of the window.*

bleary-eyed *adj* (ตาปรือ): *He was bleary-eyed the morning after the party.*

bleat *v* to make the noise of a sheep, lamb or goat (เสียงร้องของแกะหรือแพะ): *The lamb bleated for its mother.*

bleed *v* to pour out blood (เลือดออก): *Her nose was bleeding.*

bleed; **bled**; **bled**: *Her finger bled; How long has it bled?*

bleep *n* a short, high sound made, for instance, by an electronic machine (เสียงสูงสั้น ๆ ที่เกิดขึ้น ตัวอย่างเช่นจากเครื่องอิเล็กทรอนิกส์). - *v* to make a short, high sound: *Satellites bleep as they circle the earth.*

'blem·ish *n* a mark that spoils something (ทำให้เปื้อน): *a blemish on an apple.*

blend *v* to mix together (ผสมเข้าด้วยกัน): *Blend the eggs and milk together; These two colours blend well.* - *n* a mixture (ผสมกัน): *a blend of eggs and cheese.*

'blend·er *n* a machine for mixing things together, especially in cooking (เครื่องผสมสิ่งต่าง ๆ เข้าด้วยกัน).

bless *v* to ask God to look after something (ให้พร): *The priest blessed the children.*

'bles·sed (*'bles-əd*) *adj* holy (ได้รับพร บุญราศี): *the Blessed Virgin Mary.* **'bles·sed·ness** *n* (การให้พร).

'bles·sing *n* **1** a prayer for happiness or success (คำภาวนาขอให้มีความสุขหรือความสำเร็จ): *The priest gave them his blessing.* **2** any cause of happiness (เหตุจากความสุขใด ๆ ก็ตาม): *Her son was a great blessing to her.*

a blessing in disguise something that seems bad but turns out to be lucky after all (ต้นร้ายปลายดี).

blew *see* **blow**² (ดู **blow**).

blind (*blīnd*) *adj* **1** not able to see (ตาบอด): *a blind man.* **2** not wanting to realise something (ไม่ต้องการรับรู้): *She is blind to his faults.* **3** not able to be seen properly; not giving a clear view of the road *etc.* (มุมอับ): *Take care as you approach a blind corner.* - *n* a screen to prevent light coming through a window *etc.* (ม่าน): *The sunlight is too bright - pull down the blinds!* - *v* to make blind (ทำให้ตาบอด): *He was blinded in the war.*

'blind·ly *adv* (อย่างตาบอด อย่างไม่รับรู้).

'blind·ness *n* (ความตาบอด ความไม่รับรู้).

'blind·fold (*'blīnd-fōld*) *n* a piece of cloth *etc.* that is tied round your head and over your eyes to prevent you from seeing (ใช้ผ้าปิดตาเพื่อป้องกันไม่ให้เห็น). - *v* to put a blindfold on someone (ปิดตา): *They blindfolded her with a scarf.* - *adj* with the eyes covered by a cloth *etc.* (การใช้ผ้าปิดตา): *The prisoner was kept blindfold in a locked room.*

'blind·ing *adj* very bright, making you unable to see for a moment (แสงจ้ามากจนตามืดไปชั่วขณะ): *a blinding flash of light.*

blink *v* to shut and open your eyes very quickly (กะพริบตา): *It is impossible to stare for a long time without blinking.* - *n* a quick shutting and opening of the eyes (การกะพริบตา).

bliss *n* very great happiness (ความสุขอย่างยิ่ง): *the bliss of a young married couple.*

'bliss·ful *adj* (ความสุข).

'blissful·ly *adv* (อย่างมีความสุข).

blister *n* **1** a thin bubble on the skin, containing liquid (ตุ่มพุพอง): *My feet are covered with blisters after walking so far.* **2** a similar bubble on any surface (ตุ่มแบบเดียวกันนี้บนพื้นผิวใด ๆ): *blisters on the paintwork.* - *v* to cause or get blisters (ทำให้เกิดหรือเป็นตุ่ม): *The sun has blistered the paint on the door; Her skin blistered when she got burnt.*

blitz *n* a sudden bombing attack by a large number of enemy aeroplanes. - *v* to attack a city *etc.* with bombs (การทิ้งลูกระเบิดโจมตีโดยเครื่องบินฝูงใหญ่ของข้าศึก): *London was blitzed during the Second World War.*

'bliz·zard *n* a very bad snow-storm (พายุหิมะ).

'bloa·ted *adj* swollen and puffed up (บวมและโตขึ้น): *He felt bloated after eating so much.*

blob *n* a small shapeless mass of liquid *etc.* (ของเหลวรวมตัวกันเป็นหยดเล็ก ๆ): *a blob of paint; a blob of wax.*

block *n* **1** a square or oblong piece of wood or

stone *etc.* (ท่อนไม้สี่เหลี่ยมยาว ๆ หรือก้อนหิน): *blocks of stone.* **2** a piece of wood used for certain purposes (ไม้ที่ใช้เพื่อจุดประสงค์บางอย่าง): *a chopping-block.* **3** a connected group of houses, offices *etc.* (กลุ่มของบ้านหรือสำนักงาน): *a block of flats; an office block* (กลุ่มห้องชุด กลุ่มห้องทำงาน). **4** a barrier (เครื่องกั้น): *a road block.* - *v* to close up; to make progress difficult or impossible (ปิดกั้น): *The crashed cars blocked the road; He had a bad cold, so his nose was blocked.*

block'ade *n* the surrounding of a place with ships, troops *etc.*, so that nothing can get in or out (การล้อมพื้นที่โดยใช้เรือ กำลังทหาร เพื่อไม่ให้สิ่งใดสามารถเข้าไปหรือออกมาได้ กักด่าน).

'block·age *n* something that blocks an opening *etc.* (สิ่งอุดตัน): *a blockage in the pipe.*

block capital, **block letter** a printed capital letter (ตัวใหญ่): NAME *is written in block capitals.*

blond or **blonde** (*blond*) *adj* having yellow or fair hair (มีผมสีทองหรือผมสีอ่อน): *a blond child.*

blonde *n* a woman with fair hair (ผมสีอ่อน).

blood (*blud*) *n* **1** the red liquid pumped through the body by the heart (โลหิต): *Blood poured from the wound in his leg.* **2** family or ancestors (ตระกูล): *He is of royal blood.*

'blood·curd·ling *adj* frightening (น่ากลัว ขนพองสยองเกล้า): *a bloodcurdling scream.*

blood donor a person who gives blood to be put into the body of a person who hasn't enough blood (ผู้บริจาคโลหิต).

'blood·hound *n* a large dog with loose wrinkled skin on its head, that has a very good sense of smell and that is used for finding things by smelling them out (สุนัขไล่เนื้อ).

'blood·less *adj* very pale (ซีดมาก): *bloodless lips.*

'blood·shed *n* death and wounding (ตายและบาดเจ็บ): *There was much bloodshed in the battle.*

'blood·shot *adj* very red and sore-looking (แดงช้ำ): *bloodshot eyes.*

'blood·stained *adj* covered with blood (เปื้อนเลือด): *a bloodstained bandage.*

'blood·stream *n* the blood flowing through the body (กระแสโลหิต): *The poison entered her bloodstream.*

'blood·thirst·y *adj* **1** eager to kill people (กระหายเลือด): *a bloodthirsty warrior.* **2** full of killing (นองเลือด): *a bloodthirsty story.*

'blood-ves·sel *n* the veins and arteries in the body, through which the blood flows (เส้นเลือด).

'blood·y *adj* **1** bleeding, or covered with blood (เลือดออกหรือเปื้อนเลือด): *a bloody wound; a bloody shirt.* **2** causing a lot of wounds or deaths (ทำให้เกิดมีผู้บาดเจ็บและล้มตายจำนวนมาก): *a bloody battle.*

in cold blood deliberately and cruelly and without emotion (เลือดเย็น): *He was killed in cold blood.*

bloom *n* **1** a flower (ดอกไม้บาน): *These blooms are withering now.* **2** the time when a plant produces flowers (เวลาที่ต้นไม้ออกดอก): *The roses are in full bloom just now.* - *v* to grow or flower (ออกดอก): *Daffodils bloomed along the river's edge.*

'blos·som *n* flowers, especially those of a fruit tree (ไม้ผลออกดอก): *cherry blossom.* - *v* **1** to develop flowers (ออกดอก): *The apple tree has blossomed.* **2** to grow up (แตกเนื้อหนุ่มสาว): *She blossomed into a beautiful woman.*

blot *n* **1** a spot of spilt ink on a written page *etc.* (หมึกหกเปื้อนเป็นจุด): *an ink-blot.* **2** something ugly (จุดด่างพร้อย): *That building is a blot on the landscape.* - *v* **1** to spill a drop of ink *etc.* on something (หยดน้ำหมึกลง). **2** to soak up (ทำให้ชุ่ม): *She tried to blot the coffee-stain with a tissue.*

'blot·ting-pa·per *n* soft paper used for soaking up ink (กระดาษซับ).

blot out to hide (ซ่อน ปิดบัง): *The rain blotted out the view.*

blotch *n* a round mark especially on the skin

(ตุ่ม): *The insect-bite left a red blotch on her leg.*

blouse (*blowz*) *n* a woman's loose garment for the upper half of the body (เสื้อผู้หญิง): *She wore a skirt and blouse.*

blow[1] (*blō*) *n* **1** a hit or knock (ตี ทุบ): *a blow on the head.* **2** a sudden misfortune (โชคร้าย): *Her husband's death was a terrible blow to her.*

blow[2] (*blō*) *v* **1** to move along as the wind does (ลมพัด): *The wind blew more strongly.* **2** to make something move, as the wind does (ไปตามลม): *The wind blew his hat of; The explosion blew off the lid.* **3** to be moved by the wind *etc* (ถูกลมพัด): *The door must have blown shut; The washing blew about on the line.* **4** to breathe hard (เป่าลมแรง ๆ): *Please blow into this tube; He blew the balloon up; She blew out the candles.* **5** to make a sound on a wind instrument (เป่าให้เกิดเสียง): *She blew the trumpet.*

blow; **blew** (*bloo*); **blown**: *My hat blew off; The washing has blown away.*

'blow·pipe *n* a tube from which a poisonous dart is blown (หลอดเป่าลูกดอกอาบยาพิษ).

blow over to pass or come to an end without having a bad effect (พัดผ่านเลยไป หมดไป): *The storm blew over; She hopes her problems at work will soon blow over.*

blow up to break into pieces, or be broken into pieces, by an explosion (การระเบิด): *The bridge was blown up; The factory blew up.*

blue (*bloo*) *adj* **1** of the colour of a cloudless sky (สีน้ำเงิน สีแบบท้องฟ้าที่ไม่มีเมฆปกคลุม): *blue paint; Her eyes are blue.* **2** sad (เศร้า): *I'm feeling blue today.* - *n* **1** the colour of a cloudless sky (สีของท้องฟ้าที่ไม่มีเมฆปกคลุม): *a beautiful shade of blue.* **2** the sky (ท้องฟ้า): *The balloon floated off into the blue.*

'blue·col·lar *adj* working in a factory rather than at a desk (พวกใช้แรงงาน): *bluecollar workers.*

'blue·print *n* a photographic plan of something that is to be made (แผนแบบรูปถ่ายของสิ่งที่จะทำ พิมพ์เขียว): *the blueprints for a new aircraft.*

once in a blue moon hardly ever (แทบจะไม่เคยมี นานทีปีหน): *He takes a holiday once in a blue moon.*

out of the blue without warning (ปุบปับ ไม่บอกล่วงหน้า): *He arrived out of the blue, without phoning first.*

the blues a feeling of sadness (ความรู้สึกเศร้า): *He's got the blues today.*

bluff *v* **1** to deceive; to trick (การพูดลวง): *He bluffed them into lending him 100 dollars.* **2** to lie or pretend (การโกหกหรือแกล้งทำ): *He bluffed his way into the palace by pretending to be a policeman.* - *n* a trick; a pretence (การแกล้งทำ).

'blun·der *v* to make a mistake (ทำผิดพลาด): *There's a mistake on the school time-table - someone has blundered.* - *n* a mistake (ความผิดพลาด): *He made a bad blunder in his exam.*

blunt *adj* **1** having a point or edge that is no longer sharp (ทื่อ ไม่คม): *a blunt knife.* **2** a bit too honest, or rather rude, in the way you speak to people (คำพูดที่ตรงเกินไปหรือขวานผ่าซาก): *She was very blunt, and said that she did not like him.* - *v* to make less sharp (ทำให้แหลมคมน้อยลง): *The knife has been blunted by years of use.*

'blunt·ly *adv* (ออกจะเปิดเผยเกินไป).

'blunt·ness *n* (ความเปิดเผยจนเกินไป).

blur *n* a shape that is not clear; a fuzzy image (รูปร่างที่ไม่ชัดเจน ภาพเลอะเลือน): *Everything becomes a blur when I take my glasses off.* - *v* to make or become unclear (ทำให้เห็นไม่ชัด): *The rain blurred the view out of the window.*

blurt: **blurt out** to pour out words suddenly (พูดพรั่งพรู พูดโพล่ง): *He blurted out the whole story.*

blush *n* a red colour on the skin caused by shame, shyness *etc.* (ผิวสีแดงเรื่อเนื่องจากความอาย ความอาย). - *v* to show shame, shyness *etc.* by growing red in the face (หน้าแดงเรื่อ): *That girl blushes easily.*

'blus·ter *v* to speak loudly and angrily without being able to do anything (ขู่ ตะคอก): *He is only blustering - he can't really carry out his threats.*

'bo·a *n* (usually **'bo·a con'stric·tor**) a very large snake that kills animals and birds by winding itself round them (งูเหลือม).

boar *n* a male pig (หมูตัวผู้).

board *n* **1** a flat piece of wood (แผ่นไม้แบน ๆ): *The floorboards of the old house were rotten.* **2** a flat piece of wood *etc.* for a special purpose (แผ่นกระดาน): *a notice-board; a chess-board.* **3** meals (อาหาร): *The inn provided board and lodging.* **4** a group of people who direct an organization *etc.* (คณะกรรมการ): *the board of directors.* - *v* **1** to get on to a vehicle, ship, plane *etc.* (การขึ้นไปบนยานพาหนะ เรือ เครื่องบิน): *This is where we board the bus.* **2** to stay, and have your meals, in someone else's house (การพักและกินอาหารที่บ้านของคนอื่น): *He boards at Mrs Smith's during the week.*

'board·er *n* (คนเช่าห้องและซื้ออาหารด้วย).

See **disembark**.

above board open, honest and legal (ซื่อสัตย์และถูกกฎหมาย): *The elections were open and above board.*

'board-game *n* a game you play by moving objects on a board, such as chess (แผ่นกระดานเล่นเกม เช่นหมากรุก).

'board·ing-house *n* a private house where people stay and have meals as paying guests (บ้านให้เช่าพักและมีอาหารให้พร้อม).

'board·ing-school *n* a school at which you sleep and eat as well as have lessons (โรงเรียนประจำ): *He was sent to boarding-school in England.*

'board·room *n* a room in which the directors of a company meet (ห้องประชุมของบรรดาผู้อำนวยการ).

board up to close a hole or entrance *etc.* with boards (ปิดช่องหรือทางเข้า): *The broken window was boarded up.*

boast *v* **1** to talk too proudly (โอ้อวด โม้): *He was always boasting about how clever his son was.* **2** to own proudly (เชิดหน้าชูตา): *The school boasts a fine swimming-pool.* - *n* a claim (คุยอ้าง): *His boast is that he has never yet lost a match.*

'boast·ful *adj* (ชอบคุยโต).

'boast·ful·ly *adv* (อย่างคุยโต).

'boast·ful·ness, **'boasting** *ns* (การคุยโต).

boat *n* **1** a small vessel for travelling over water (เรือเล็ก ๆ): *We'll cross the stream by boat.* **2** a larger vessel; a ship (เรือใหญ่ ๆ): *to cross the Atlantic in a passenger boat.* - *v* to sail about in a small boat (แล่นเรือเล็กไปเรื่อย ๆ): *They are boating on the river.*

See **in**.

'boat·man *n* a man in charge of a boat carrying passengers (คนดูแลเรือที่มีผู้โดยสาร).

in the same boat suffering in the same way (ตกอยู่ในสภาพเดียวกัน ตกอยู่ในเรือลำเดียวกัน): *Don't be so sorry for yourself - we're all in the same boat!*

'boat·swain (*'bō-sən*) *n* an officer who looks after a ship's boats, ropes, sails *etc.* (สรั่งเรือ).

bob *v* to move up and down (ขึ้น ๆ ลง ๆ): *The cork was bobbing about in the water.*

'bod·i·ly *adj* of your body (แห่งร่างกาย): *You must eat enough food for your bodily needs.* - *adv* by the whole body (ทั้งกาย): *They lifted him bodily and carried him off.*

'bod·y *n* **1** the whole of a man or animal (ร่างกาย ตัว): *Athletes have to look after their bodies.* **2** a dead person (ศพ): *The battlefield was covered with bodies.* **3** the main or central part of something (ส่วนที่เป็นหลักหรือส่วนที่เป็นศูนย์กลาง): *a car-body.* **4** a group of people acting together (กลุ่มคนที่ทำอย่างเดียวกัน): *They went in a body to complain to the head-teacher.*

'bod·y-build·ing *n* physical exercise which makes your muscles bigger and stronger (การเพาะกาย).

'bod·y-build·er *n* (นักกล้าม).

'bod·y·guard *n* a guard or guards to protect an important person (ผู้คุ้มกัน): *the president's bodyguard.*

bog *n* very wet ground; marsh (บึง หนอง).
'bog·gy *adj*: boggy ground (พื้นที่ซึ่งแฉะมาก ๆ).
bogged down prevented from making progress (ขัดขวางความเจริญ).

'bo·gus *adj* false (ปลอม): *She was fooled by his bogus police uniform.*

boil[1] *n* a red, painful swelling on the skin (ฝี): *His neck is covered with boils.*

boil[2] *v* **1** to bubble and turn from liquid to vapour when heated; to heat a liquid till it does this (จุดเดือด): *The water's boiling; Boil the water.* **2** to cook by boiling in water *etc.* (ต้ม): *I've boiled the potatoes.*
'boil·er *n* a container in which water is heated (หม้อต้มน้ำ).
'boil·ing-point *n* the temperature at which something boils (จุดเดือด).
boil over to boil and overflow (เดือดจนล้นออกมา): *The pan of milk boiled over and spilt on the floor.*

'bois·ter·ous adj lively and noisy (มีชีวิตชีวาและอึกทึก): *a boisterous little boy.*

bold (bōld) adj **1** daring (กล้า): *a bold plan of attack.* **2** bright and clear (สดใสกระจ่างชัด): *a bold design.*
'bold·ly *adv* (อย่างกล้า อย่างทะลึ่ง).
'bold·ness *n* (ความกล้า ความทะลึ่ง).
bold as brass very cheeky (ไร้ยางอาย): *She walked in late as bold as brass.*

'bol·lard *n* **1** one of a number of short, thick posts that are placed round part of a road to keep traffic away from it (เสากั้นรถตามโค้งถนน). **2** a short, strong post in a harbour *etc.* that is used for fastening boats to (เสาผูกโยงเรือ).

'bol·ster ('bōl-stər) *n* a long pillow for a double bed (หมอนหนุนยาวสำหรับเตียงคู่).

bolt (*bōlt*) *n* **1** a small metal bar that slides across to fasten a door *etc.* (สลักกลอน): *We have a bolt as well as a lock on the door.* **2** a type of screw (ตะปูควง): *nuts and bolts.* **3** a flash of lightning (ฟ้าแลบ). - *v* **1** to fasten with a bolt (ใส่สลัก): *He bolted the door.* **2** to go away very fast (ไปอย่างเร็ว): *The horse bolted in terror.*
a bolt from the blue a sudden, unexpected happening (ทันทีทันใด เกิดขึ้นอย่างไม่คาดคิด): *His departure was a bolt from the blue.*

bomb (*bom*) *n* a hollow case containing explosives *etc.* (ลูกระเบิด): *The enemy dropped a bomb on the factory and blew it up.* - *v* to drop bombs on (ทิ้งระเบิด): *London was bombed several times.*

bom'bard *v* **1** to attack with big guns (ระดมยิงด้วยปืนใหญ่): *They bombarded the town.* **2** to shoot questions *etc.* at (ระดมคำถาม): *The reporters bombarded the film star with questions.*
bom'bard·ment *n* (การระดมยิง).

'bomb·er (*'bom-ər*) *n* an aeroplane built for bombing (เครื่องบินทิ้งระเบิด).

'bomb·shell *n* a piece of amazing news (ข่าวที่น่าประหลาดใจ): *What a bombshell the President's announcement was!*

bond *n* **1** something used for tying someone up (เครื่องผูกมัด): *They released the prisoner from his bonds.* **2** something that unites or joins people together (ความผูกพัน): *a bond of friendship.*

'bond·age *n* slavery (ความเป็นทาส).

bone *n* **1** the hard substance that forms the skeleton (กระดูก): *Bone lasts longer than flesh.* **2** a part of the skeleton (ส่วนหนึ่งของโครงกระดูก): *She broke two bones in her foot.* - *v* to take the bones out of a fish *etc.*, to cook it (แกะกระดูกออก): *She boned the fish.*
have a bone to pick with someone to have something that you want to complain about to a particular person (ต่อว่า): *I've got a bone to pick with you - why did you take my umbrella?*

'bon·fire *n* a large fire in the open air, often built to celebrate something (กองไฟ).

'bon·net *n* **1** a hat, especially one for a baby, fastened under the chin (หมวกมีที่ผูกใต้คาง ฝาครอบเครื่องรถยนต์). **2** the cover of a motor-car engine.

'bon·sai (*'bon-sī*) *n* a small tree grown in a pot

(ต้นไม้แคระปลูกอยู่ในกระถาง).

'bo·nus *n* something extra given in addition to the usual amount **(ของที่เพิ่มเป็นพิเศษนอกเหนือจากจำนวนปกติ)**: *At Christmas the employees received a bonus of 50 dollars in addition to their wages; We were given two extra days' holiday as a bonus.*

'bo·ny *adj* **1** full of bones **(เต็มไปด้วยก้าง)**: *This fish is very bony.* **2** thin **(ผอม บาง)**: *bony fingers.*

boo *n* a word shouted rudely by a disappointed audience, football crowd *etc.* **(เสียงแสดงความไม่พอใจ)**: *the boos of the crowd.* - *v* to shout 'boo' at a person *etc.* **(โห่)**: *The crowd booed him.*

'boo·by *n* a stupid person **(คนโง่)**.

booby prize a prize for the lowest score *etc.* **(รางวัลสำหรับแต้มที่ต่ำสุด)**: *John came last and got the booby prize.*

book (*bo͝ok*) *n* **1** a number of printed or blank sheets of paper bound together **(หนังสือ สมุด)**: *an exercise book.* **2** a long piece of writing, printed and made into a book **(ข้อเขียนยาว ๆ ที่พิมพ์เป็นเล่ม)**: *She has written a book about dancing.* - *v* to reserve or pay for in advance **(จองหรือจ่ายล่วงหน้า)**: *I've booked four seats for Friday's concert; Please book a table at the restaurant for this evening.*

'book·bind·ing (*'bo͝ok-bind-iŋ*) *n* putting the covers on books **(หุ้มปกหนังสือ)**. **'book·bind·er** *n* **(คนหุ้มปกหนังสือ)**.

'book·case *n* a set of shelves for books **(หิ้งวางหนังสือ)**.

'book·ing *n* the reserving of a travel ticket, theatre seat *etc.* **(การจอง)**.

'book·ing-of·fice *n* an office where travel tickets *etc* are sold **(ที่ขายตั๋ว)**: *There was a queue at the station booking-office.*

'book·let *n* a small, thin book **(หนังสือเล่มเล็ก ๆ)**: *a booklet about the history of the town.*

'book-ma·ker *n* a person whose job is to take people's money when they want to bet, and pay them if they win the bet **(เจ้ามือรับพนัน)**.

'book·mark *n* something put in a book to mark a particular page **(ที่คั่นหนังสือ)**.

'book·shelf *n* a shelf on which books are kept **(หิ้งเก็บหนังสือ)**.

'book·worm (*'bo͝ok-wərm*) *n* a person who reads a lot **(หนอนหนังสือ)**.

book in to sign your name on the list of guests at an hotel *etc.* **(เซ็นชื่อลงในสมุดรายชื่อผู้พักของโรงแรม เซ็นสมุดเข้าพัก)**: *We have booked in at the Royal Hotel.*

boom[1] *n* a sudden increase in a business *etc.* **(ธุรกิจเติบโตอย่างรวดเร็ว)**: *a boom in the sales of TV sets.* - *v* to increase suddenly **(การเพิ่มขึ้นอย่างทันทีทันใด)**: *Business is booming this week.*

boom[2] *v* to make a hollow sound, like a large drum or gun **(เสียงดังเหมือนกับกลองใหญ่ ๆ หรือปืน)**: *His voice boomed out over the loudspeaker.* - *n* a sound like this **(เสียงเหมือนแบบนี้)**: *the boom of the guns.*

'boom·er·ang *n* a curved piece of wood used by Australian aborigines which, when thrown, returns to the thrower **(ท่อนไม้โค้งที่ขว้างไปแล้ววนกลับมาหาคนขว้างได้)**.

boost *v* to improve **(ทำให้ดีขึ้น)**. - *n* help; encouragement **(ช่วยเหลือ ให้กำลังใจ)**.

'boost·er *n* something that helps to increase or improve something else, for instance, a television mast for improving television reception **(สิ่งที่ช่วยให้ดีขึ้น)**.

boot *n* **1** a covering for the foot and lower part of the leg, made of leather *etc.* **(รองเท้า)**: *a pair of suede boots.* **2** a place for luggage in a motor-car *etc.* **(ที่เก็บกระเป๋าในรถ)**. - *v* to kick **(เตะ)**: *He booted the ball out of the goal.*

booth (*bo͞odh*) *n* **1** a stall selling goods *etc.*, especially at a fair **(กระโจมในงานออกร้านแผง)**. **2** a small compartment for a special purpose **(ห้องเล็ก ๆ เพื่อจุดประสงค์พิเศษ)**: *a telephone booth.*

'boo·ty *n* property taken from an enemy by force during a war **(ของที่ยึดได้จากศัตรูในระหว่างการรบ)**: *The soldiers shared the booty among themselves.*

'bor·der *n* **1** something that forms an edge

(กรอบ อาณาเขต): *the border of a picture* (กรอบ). **2** the boundary of a country (ชายแดน): *They'll ask for your passport at the border.* **3** a flower-bed round the edge of a lawn *etc.* (ร่องต้นไม้รอบ ๆ สนาม): *a flower border.* - *v* to lie next to (อยู่ติดกับ): *Germany borders on France.*

'bord·er·line *n* the border or division between two things (เส้นแบ่งเขตแดนหรือการแบ่งแยกระหว่างสองสิ่ง): *His exam marks were just on the borderline between passing and failing.*

bore[1] *see* **bear**[1] (ดู **bear**[1]).

bore[2] *v* to make a hole through something (เจาะ คว้าน): *They bored a tunnel under the sea.* - *n* the size of the barrel of a gun (ขนาดลำกล้องปืน).

bore[3] *v* to make someone feel tired and uninterested, by being dull *etc.* (รู้สึกเหนื่อยหน่ายและไม่สนใจ): *He bores everyone with stories about his travels.* - *n* a dull person or thing (คนหรือสิ่งของที่น่าเบื่อ): *He's a bore.*

bored *adj* (เบื่อหน่าย เซ็ง): *You get bored when you have nothing to do.*

'bore dom *n* being bored (ความเบื่อหน่าย): *the boredom of waiting.*

'bor·ing *adj* (น่าเบื่อหน่าย): *a boring book.*

born, borne *see* **bear**[1] ดู **bear**[1].

'bor·row ('bor-ō) *v* to take something away for a while, intending to return it (ขอยืม): *He borrowed a book from the library.*

'borrow·er, 'bor·row·ing *ns* (ผู้ขอยืม การขอยืม).

> **borrow from**: *I borrow money from a friend.*
> **lend to**: *My friend lends money to me; My friend lends me money.*

'bo·som (*'bōō-zəm*) *n* the breast; the chest (หน้าอก): *She held him close to her bosom.* - *adj* close (ใกล้ชิด สนิท): *a bosom friend.*

boss *n* the person in charge (บุคคลที่มีอำนาจบังคับบัญชา เจ้านาย): *the boss of the factory.* - *v* to order (สั่ง บอกให้ทำ): *Stop bossing everyone about!*

'bos·sy *adj* liking to order others about (ชอบสั่ง ชอบบอกให้ทำ).

'bot·a·ny *n* the scientific study of plants (พฤกษศาสตร์).

bo'tan·i·cal *adj* (แห่งพฤกษศาสตร์).

'bot·a·nist *n* a person who studies botany (นักพฤกษศาสตร์).

botanical gardens a public park for the growing of plants (สวนพฤกษศาสตร์).

both (*bōth*) *adj, pron* the two; the one and the other (ทั้งคู่): *We both went; Both men are dead; Both the men are dead; The men are both dead; Both are dead.*

> He is both rich **and** (not **as well as**) handsome. See also **neither**.

'both·er ('bodh-ər) *v* **1** to annoy or worry or disturb (ทำให้รำคาญ รบกวน): *Don't bother me now - I'm busy.* **2** to make an effort (พยายามทำ): *Don't bother to write - it isn't necessary.* - *n* **1** trouble (ความยุ่งยาก): *I don't want to cause any bother.* **2** something that causes trouble; a nuisance (ทำให้เกิดความรำคาญ): *These flies are such a bother.*

'bot·tle *n* a hollow narrow-necked container for holding liquids *etc* (ขวด): *a lemonade bottle.* - *v* to put into bottles (ใส่ขวด).

'bot·tle·neck *n* a part of a road where traffic is held up (คอขวด ส่วนของถนนที่รถติด).

bottle up to keep your feelings hidden inside yourself (เก็บความรู้สึก): *She always bottles up her anger.*

'bot·tom *n* **1** the lowest part of anything (ส่วนล่างสุด): *the bottom of the sea.* **2** the part of your body on which you sit (ก้น).

'bot·tom·less *adj* very deep (ลึกมาก): *a bottomless pit.*

get to the bottom of something to find out the reason or explanation for something (การค้นหาสาเหตุ).

bou·gain'vil·lae·a (*bōō-gən'vil-i-ə*) *n* a vine with small flowers and purple or red leaves (ต้นเฟื่องฟ้า).

bough (**bow**) n a branch of a tree (กิ่งไม้): *The bough of the apple tree was weighed down with fruit.*

> See **branch**.

bought *see* **buy** (ดู **buy**).

'boul·der (*'bōl-dər*) *n* a large rock or stone

(หินก้อนใหญ่).

bounce *v* to spring back from the ground, or make something do this (กระเด้ง): *The ball bounced; I can bounce a ball.* - *n* **1** this action (การกระทำแบบนี้): *With one bounce the ball went over the net.* **2** energy (แข็งขัน มีพลัง): *She has a lot of bounce.*

'bounc·ing *adj* strong and lively (แข็งแรงและมีชีวิตชีวา): *a bouncing baby.*

bound[1] *see* **bind** (ดู **bind**).

bound[2] (ไปทาง): **-bound** going in a particular direction (ไปทาง): *westbound traffic.*

bound for on the way to (มุ่งไป): *The ship is bound for Taiwan.*

bound to certain to (แน่นอนว่า): *He's bound to notice your mistake.*

bound[3] *n* a limit (จำกัด): *His story is beyond the bounds of probability.* - *v* to enclose (ล้อมรอบด้วย): *The country is bounded on the west by a range of hills.*

out of bounds outside the allowed area or limits (นอกขอบเขตที่กำหนด): *The cinema was out of bounds for the schoolchildren.*

bound[4] *n* a big jump (กระโดดก้าวใหญ่): *He reached me in one bound.* - *v* to jump, leap (กระโดด): *The dog bounded over to me.*

'boun·da·ry *n* a division or borderline between two things (เส้นแบ่งขอบเขต): *the boundary between two towns.*

'bound·less *adj* having no limit (ไม่จำกัด): *boundless generosity.*

'boun·ty *n* generosity in giving (ความอารีในการให้): *God's bounty to mankind.*

bou'quet (*bo͞o'kā*) *n* a bunch of flowers (ช่อดอกไม้): *The bride carried a bouquet of roses.*

bout *n* **1** a fit (จับไข้): *a bout of coughing.* **2** a contest (การแข่งขัน): *The boxing-match will consist of a bout of fifteen five-minute rounds.*

bou'tique (*bo͞o'tēk*) *n* a small shop, especially one selling clothes (ร้านเล็ก ๆ ขายเสื้อผ้า).

bow[1] (*bō*) *n* **1** a curved rod bent by a string, with which arrows are shot (ธนู). **2** a rod with horsehair stretched along it, with which to play a violin (คันชักไวโอลิน). **3** a looped knot tied with ribbon, or in shoe-laces *etc.* (ผูกเป็นโบ): *Have you learnt how to tie a bow yet?*

bow[2] *v* to bend your head and the upper part of your body forwards in greeting a person (โค้งศีรษะ): *He bowed to the ladies; They bowed their heads in prayer.* - *n* a bowing movement (โค้งคำนับ): *He made a bow to the ladies.*

bow[3], or **bows** *n* the front of a ship or boat (หัวเรือ): *The waves broke over the bows.*

'bow·el or **'bow·els** *n* a very long twisted and folded tube in the lower part of your body, through which food goes; the intestines (ลำไส้).

bowl[1] (**bōl**) *n* a round, deep dish for holding or mixing food *etc.* (ชาม): *a soup bowl; a baking-bowl.*

bowl[2] (bōl) **n** a wooden ball rolled along the ground in playing bowls (การกลิ้งลูกไม้กลม ๆ ไปตามพื้นในการเล่นโบว์). - *v* to deliver or send a ball towards the batsman in cricket (การส่งลูกบอลไปยังคนตีลูกในการเล่นคริกเก็ต).

'bowl·er *n* (คนขว้าง).

'bowling *n* the game of bowls (โบว์ลิ่ง เกมชนิดหนึ่งของการเล่นโบว์).

bowls *n* a game played on a square patch of smooth grass (เกมซึ่งเล่นบนสนามหญ้าเรียบ ๆ รูปสี่เหลี่ยม).

'bowl·ing-al·ley *n* a room containing long narrow wooden boards along which you roll bowls at skittles (รางเหวี่ยงลูกโบว์ลิ่ง).

box[1] *n* **1** a case for holding something (กล่อง): *a wooden box; a matchbox.* **2** in a theatre *etc.*, a group of seats separated from the rest of the audience (ที่นั่งในโรงมหรสพซึ่งแยกจากคนดูอื่น ๆ).

box office a ticket office in a theatre, concert-hall *etc.* (ที่ขายตั๋วในโรงมหรสพ).

box[2] *v* to fight someone with your fists (ชกต่อย): *Years ago, fighters used to box without wearing padded gloves.* - *n* a blow; a hit (ทุบ ตี): *She gave him a box on the ear.*

'box·er *n* (นักมวย).
'box·ing *n* (การชกมวย).
'box·ing-glove *n* a boxer's padded glove.
'box·ing-match *n* (นวมชกมวย).

boy *n* **1** a male child (เด็กผู้ชาย): *She has three girls and one boy.* **2** a man or boy who does a certain job (ผู้ชายหรือเด็กชายซึ่งทำหน้าที่ใดโดยเฉพาะ): *a cowboy; a newspaper-boy.*
'boy·friend *n* a girl's favourite male friend (เพื่อนชาย แฟน).
'boy·hood *n* the time of being a boy (วัยเด็กชาย): *He had a happy boyhood.*

'boy·cott *v* to refuse to have anything to do with something (คว่ำบาตร). - *n* a refusal of this sort (การปฏิเสธในแบบนี้).

bra (brä) short for **brassie`re** (คำย่อของเสื้อยกทรงสตรี).

brace *n* something that holds something firmly in the right position (ค้ำ ยัน เครื่องดัดฟันให้เข้ารูป): *He wears a brace to straighten his teeth.* - *v* to make yourself firm or steady (ทำใจให้กล้า): *He braced himself for the fight.*
'braces *n* straps over the shoulders for holding up the trousers (สายโยงกางเกง).

'brace·let *n* an ornament worn round the wrist or arm (กำไลมือ): *a gold bracelet.*

'brack·et *n* a sign written in pairs like this: ( ) or like this: [ ] or a single sign like this: {, used for grouping together one or more words *etc.* (เครื่องหมายวงเล็บ). - *v* to enclose words *etc.* in brackets (ใส่วงเล็บ): *He bracketed the last part of the sentence.*

brag *v* to boast (คุยโต).

braid *n* thick, heavy ornamental ribbon that is used as decoration on uniforms *etc.* (ด้ายหรือแพรควั่นเป็นเกลียวใช้ประดับบนเครื่องแบบ): *gold braid on the admiral's uniform.*

braille (brāl) *n* a system of printing books for blind people, using raised dots (การพิมพ์หนังสือสำหรับคนตาบอดเป็นปุ่มนูน ๆ).

brain *n* **1** the part of you that is inside your head and makes you think and move (สมอง). **2** cleverness (ความฉลาด): *She has a good brain; He has plenty of brains.*
'brain·wave *n* a sudden good idea (ความคิดที่ดี): *Your suggestion was a brainwave!*
'brain·y *adj* clever; intelligent (ฉลาด หลักแหลม): *She's very brainy - she always does well in her exams.*
pick someone's brains to ask someone who knows more about a subject than you do for help or information (ถามใครบางคนซึ่งรู้เรื่องมากกว่า): *I'll come and pick your brains if I have any problems.*

brake *n* the instrument with which you slow down or stop a car, bicycle *etc.* (ห้ามล้อ): *He put on his brakes.* - *v* to slow down or stop (ช้าลงหรือหยุด): *He braked suddenly.*

'bram·ble *n* a wild, prickly blackberry bush (พุ่มไม้ป่ามีหนาม): *The boy was badly scratched when he fell into the brambles.*

branch (bränch) *n* **1** an arm-like part of a tree (กิ่งไม้): *He cut some branches off the tree.* **2** one of the stores or businesses that are all run by one big firm *etc.* (สาขา): *This store has many branches in different towns.* - *v* to separate into different parts like branches (แยกสาขาออกไป): *The road to the coast branches off here.*

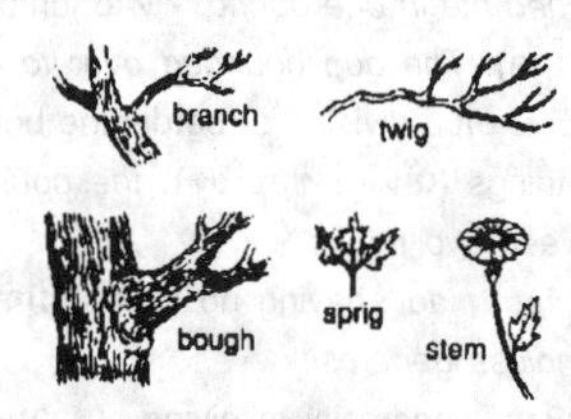

brand *n* a name given by a manufacturer to a particular kind of goods that he makes (ยี่ห้อ): *This is a new brand of coffee.* - *v* to make a special mark on cattle *etc.* with a hot iron (ตีตราด้วยเหล็กเผาไฟ).
brand-'new *adj* completely new (ใหม่เอี่ยม): *a brandnew dress.*

'brandish *v* to wave something about (กวัดแกว่ง): *He brandished the sword above his head.*

'bran·dy *n* a type of very strong alcoholic drink, drunk after a meal (เครื่องดื่มมีแอลกอฮอล์แรงมาก ใช้ดื่มหลังอาหาร เหล้าบรั่นดี).

brass (bräss) *n* **1** a mixture of copper and zinc (**ทองเหลือง**): *This door-handle is made of brass.* **2** wind musical instruments which are made of brass (**ทำด้วยทองเหลือง**). - *adj* made of brass (**ซึ่งทำด้วยทองเหลือง**): *a brass doorknocker.*

brass band a band of players of brass wind instruments (**กองแตรวง**).

'bras·si·e`re (*'bras-i-ār*) *n* a woman's undergarment supporting the breasts (**เสื้อยกทรง**).

brave *adj* able to face danger without fear, or to suffer pain without complaining (**กล้าหาญ**): *a brave soldier; Be brave - don't cry!; It was brave of him to go into the burning house; a brave action.* - *v* to face boldly (**เผชิญอย่างกล้าหาญ**): *They braved the cold weather.*

'brave·ly *adv* (**อย่างกล้าหาญ**).

'bra·ver·y *n* (**ความกล้าหาญ**).

bra'vo (*brä'vō*) a shout from an audience *etc.* meaning 'well done!' (**เสียงตะโกนจากผู้ชม ไชโย**)

brawl *n* a noisy quarrel or fight (**ทะเลาะกันดังลั่น**): *The police were called out to deal with a brawl in the street.* - *v* to fight noisily (**ต่อสู้กันมีเสียงดัง**).

brawn *n* strong muscles; physical strength (**แข็งแรง มีกำลังมาก**): *He is all brawn and no brain.*

'brawn·y *adj* with big strong muscles (**แข็งแรง**): *brawny arms.*

bray *n* the cry of a donkey (**เสียงลาร้อง**). - *v* to make this cry (**เสียงร้องอย่างนี้**).

'bra·zen *adj* bold in a rude way (**ไม่มียางอาย**): *She was brazen enough to tell the teacher that she hadn't done the work because she didn't want to.*

'bra·zen·ly *adv* (**อย่างไม่มียางอาย**).

'bra·zi·er *n* a metal container in which coal can be burnt, used for keeping people warm outside in cold weather (**ที่ใส่ถ่านซึ่งเป็นโลหะ ใช้ในการให้ความอบอุ่นแก่ผู้คนยามอากาศหนาว**): *The builders warmed themselves at the brazier.*

breach *n* **1** the breaking of a promise (**ละเมิด**): *a breach of our agreement.* **2** a gap, break or hole (**รอยแตก รอยแยก**): *a breach in the castle wall.* **3** a quarrel causing unfriendliness between two people (**การวิวาทซึ่งทำให้เกิดความไม่เป็นมิตรขึ้นระหว่างคนสองคน**). - *v* to break or make a hole in a wall *etc.* (**ทำเป็นช่องหรือทำเป็นรู**).

bread (*bred*) *n* **1** a food made mainly of flour, baked in the oven (**ขนมปัง**): *I'll bake another batch of bread today.* **2** enough money to live on (**มีเงินพอที่จะอยู่ได้**): *You must work to earn your daily bread.*

'bread·crumbs *n* very tiny pieces of bread (**เศษขนมปัง**): *The table was covered with breadcrumbs.*

bread and butter a way of earning enough money to live on (**การหาเลี้ยงชีพ**): *Writing books is my bread and butter.*

breadth (*bredth*) *n* width; size from side to side (**ความกว้าง**): *the breadth of a table.*

'bread·win·ner *n* a person who earns money to keep a family (**คนที่หาเลี้ยงครอบครัว**): *When her husband died she had to become the breadwinner.*

break (*brāk*) *v* **1** to divide into two or more pieces, especially with force (**แตก หัก**): *He broke the pencil in two; She broke a piece off the chocolate bar; The mirror dropped and broke.* **2** to damage something or be damaged; not to work any more (**ทำให้เสีย**): *I've broken my hair-dryer; The fridge has broken.* **3** to disobey (**ไม่เชื่อฟัง**): *You have broken the law.* **4** to fail to keep (**รักษาไว้ไม่ได้**): *He broke his appointment at the dentist's.* **5** to do better than a previous record (**ทำลายสถิติ**): *He broke the record for the high jump.* **6** to end or interrupt (**ทำลายหรือขัดจังหวะ**): *She broke the silence.* **7** to tell bad news (**บอกข่าวร้าย**): *She had to break the news of his death to his wife.* **8** to get lower (**แตกพาน**): *The boy's voice broke when he was 13.* **9** to burst out (**เกิดขึ้นอย่างฉับพลัน**): *The storm broke before they reached shelter.* - *n* **1** a pause (**หยุดพัก**): *Let's stop work and have a break for coffee.* **2** a change (**เปลี่ยนไป**): *a break in the weather.* **3** an opening (**เปิด แยกออก**):

a break in the clouds.

break; **broke**; **broken**: *He broke my watch; The mirror is broken.*

'break·a·ble *adj* likely to break (แตกหักได้): *breakable toys.*

'break·age *n* the breaking of something (การทำแตก): *Be careful with the dishes - we have had too many breakages.*

'break·er *n* a large wave which breaks on the shore (คลื่นซัดแตกซ่าที่ชายฝั่ง).

'break-in *n* a burglary (การลักขโมย): *The Smiths have had two break-ins recently.*

break away to escape from control (หนีไป): *The dog broke away from its owner.*

break down 1 to stop working properly (เสีย พัง): *My car has broken down.* **2** to become very upset (เสียใจ): *She broke down and wept.* **'breakdown** *n* (การเสียใจ การเจ็บป่วย).

break in, **break into 1** to force a way into a house *etc.* (บุกรุก): *Thieves broke in and stole the computer.* **2** to interrupt (ขัดจังหวะ): *You shouldn't break in on a private conversation.*

break loose to escape from control (หลบหนีไป หลุด): *The dog has broken loose.*

break off 1 to stop; to end (หยุด เลิก): *John and Mary have broken off their engagement.* **2** to stop speaking suddenly (หยุดพูดในทันทีทันใด): *She broke off in the middle of a sentence.*

break out 1 to happen suddenly (เกิดขึ้นอย่างกะทันหัน): *War has broken out.* **2** to escape from prison *etc.* (หลบหนี): *A prisoner has broken out.* **'break·out** *n* (การหลบหนี).

break the ice to start becoming friendly (เริ่มกลายเป็นมิตร).

break up to finish or end: *School will break up on 20 December.*

'break·through n an important development or discovery (การพัฒนาที่สำคัญการค้นพบ): *There has been a breakthrough in the search for a cure for this disease.*

'break·wa·ter *n* a very large wall that is built out into the sea to protect a shore or harbour from strong waves (เขื่อนกั้นคลื่น).

'break·fast (*'brek-fəst*) *n* the first meal of the day (อาหารมื้อเช้า): *I had coffee and toast for breakfast.* - *v* to have breakfast (กินอาหารเช้า): *They breakfasted on the train.*

breast (*brest*) *n* **1** one of a woman's two milk-producing organs on the front of the chest (เต้านม). **2** the front of your body between your neck and waist (หน้าอก): *He held the child against his breast.*

'breast·feed *v* to feed a baby with milk from the breasts (เลี้ยงลูกด้วยนมแม่).

'breast·fed *adj* (การให้ดูดนมแม่).

'breast·stroke *n* a style of swimming in which the arms are pushed out in front and then swept backwards (การว่ายน้ำแบบกบ).

breath (*breth*) *n* **1** the air drawn into, and then sent out from, the lungs (ลมหายใจ): *Your breath smells of peppermint.* **2** the action of breathing (การหายใจ): *Take a deep breath.*

'breath·a·lyze (*'breth-ə-līz*) *v* to ask the driver of a car to breathe into a special kind of plastic bag, called a **'breath·a·ly·zer**, that is used by the police to see if the driver has drunk too much alcohol (การตรวจว่าผู้ขับขี่ดื่มเหล้ามากเกินไปหรือไม่ โดยการหายใจเข้าในถุงพลาสติกชนิดพิเศษ).

'breath·ta·king *adj* very exciting or beautiful (น่าตื่นเต้น สวยงามมาก): *The view from the top of the mountain was breathtaking.*

breath is a noun: *He held his breath.* **breathe** is a verb: *He found it difficult to breathe.*

hold your breath to stop breathing for a moment (กลั้นหายใจไปชั่วขณะ): *He held his breath as he watched the acrobat flying through the air.*

out of breath breathless from running *etc.* (หายใจไม่ออกเพราะเหนื่อย): *I'm out of breath after climbing all these stairs.*

breathe (*brēdh*) *v* to take air into the lungs and let it out (หายใจ): *He couldn't breathe because of the smoke.*

See **breath**.

'breath·less *adj* unable to breathe easily; short of breath (หายใจไม่สะดวก หอบ): *He was* *breathless after climbing the hill.*

'breath·less·ly *adv* (อาการหอบฮัก ๆ).

'breath·less·ness *n* (การหอบ).

bred *see* **breed** (ดู **breed**).

breed *v* **1** to produce babies (ออกลูก): *Rabbits breed often.* **2** to keep and sell animals (เลี้ยงและขาย): *I breed dogs and sell them as pets.* - *n* a type of animal (ชนิดของสัตว์): *There are many breeds of dogs.*

breed; **bred**; **bred**: *Who bred this racehorse?; She has bred horses for many years.*

'breed·ing *n* education and upbringing; good manners (การศึกษาและเลี้ยงดู มารยาทดี): *a man of good breeding.*

breeze *n* a gentle wind (ลมอ่อน ๆ ลมระริน): *There's a lovely cool breeze today.*

See **wind**.

'breez·y *adj* **1** windy (ลมโชย): *a breezy day.* **2** cheerful, lively (ร่าเริง มีชีวิตชีวา): *She had a breezy manner of speaking.*

'brev·i·ty *n* shortness (ความย่นย่อ ความสั้น): *Aim at clearness and brevity when you speak or write.*

brew (*broo*) *v* **1** to make beer *etc.* (ทำเบียร์). **2** to make tea *etc.* (ต้มชา): *She brewed another pot of tea.* **3** to be coming; to be on the way (กำลังมา): *There's a storm brewing.*

'brew·er *n* (คนทำเบียร์).

'brew·e·ry *n* a place where beer is brewed (โรงทำเบียร์).

'bri·ar,'bri·er (**brī-ər**) *n* a wild rose bush or some other kind of prickly bush. (กุหลาบป่าหรือพุ่มไม้หนามชนิดอื่น ๆ)

bribe *n* a gift offered to someone to persuade them to do something for you (สินบน): *Policemen are not allowed to accept bribes.* - *v* to give someone a bribe (ให้สินบน): *He bribed the guards to let him out of prison.*

'bri·bery *n* (การให้สินบน).

brick *n* a block of baked clay used for building (อิฐ): *a pile of bricks.* - *adj* made out of bricks (ทำด้วยอิฐ): *a brick wall.*

'brick·lay·er *n* a person who builds houses *etc.* with bricks (คนก่อตึก คนปูอิฐ).

bride *n* a woman who is getting married (เจ้าสาว): *The bride wore a white dress.* **'bri·dal** *adj* (แห่งเจ้าสาว).

'bride·groom *n* a man who is getting married (เจ้าบ่าว).

brides·maid *n* an unmarried girl who looks after the bride at a wedding (เพื่อนเจ้าสาว).

bridge *n* **1** a construction that takes a road or railway over a river *etc.* (สะพาน): *The bridge collapsed in the storm.* **2** the narrow raised platform on a ship, from which the captain directs the ship (ดาดฟ้าบนเรือ). **3** the bony part of the nose (สันจมูก). - *v* to build a bridge over a river *etc.* (สร้างสะพานข้ามแม่น้ำ): *They bridged the stream.*

'bri·dle (*'brī-dəl*) *n* the harness on a horse's head to which the reins are attached (บังเหียน).

brief (*brēf*) *adj* short (สั้น ๆ): *a brief visit; a brief letter.* - *v* to give instructions to someone about a task they have to do (คำบอกเกี่ยวกับภารกิจที่ต้องทำ): *The astronauts were briefed before the space mission.*

'brief·case *n* a light flat case for papers used by businessmen *etc.* (กระเป๋าใส่เอกสาร).

'brief·ing *n* instructions and information (การบรรยายสรุป): *The policemen were given a briefing before they left.*

'brief·ly *adv* (อย่างสั้น ๆ): *He told me briefly what he knew.*

briefs *n* women's or men's pants (กางเกงชั้นใน): *a pair of briefs.*

brier *see* **briar** (ดู **briar**).

bri'gade *n* **1** a body of troops (กองพลน้อย). **2** a group of people with a special job (กลุ่มคนที่ทำหน้าที่พิเศษ): *the fire brigade.*

brig·a'dier (*brig-ə-dēr*) *n* the commander of a brigade in the army (พลจัตวา).

'brig·and *n* an old word for a robber, especially one of a gang moving round the countryside (โจร): *They were attacked by brigands in the mountains.*

bright (*brīt*) *adj* **1** shining with light (สดใสสว่าง): *bright sunshine.* **2** strong and clear (เห็นได้อย่างแจ่มชัด): *bright red; bright blue.*

3 cheerful **(ร่าเริง)**: *a bright smile.* **4** clever **(ฉลาด)**: *bright children.*

'bright·ly *adv* **(อย่างสว่าง อย่างฉลาด).**

'bright·ness *n* **(ความสว่าง ความฉลาด).**

'bright·en *v* to make or become brighter **(ทำให้สว่างขึ้น)**: *The new yellow paint brightens up the room.*

'bril·liant (*'bril-yənt*) **adj 1** bright and colourful **(สดใส มีสีสัน)**: *the bird's brilliant feathers.* **2** very clever **(ฉลาดมาก)**: *a brilliant scholar.*

'bril·liance *n* **(ความสุกใส ความฉลาด).**

'bril·liant·ly *adv* **(อย่างสุกใส อย่างฉลาด).**

brim *n* **1** the top edge of a cup, glass *etc.* **(ขอบถ้วย ขอบแก้ว)**: *The jug was filled to the brim.* **2** the edge of a hat **(ขอบหมวก)**: *She pulled the brim of her hat down over her eyes.* - *v* to be full to the brim **(ปริ่ม ๆ)**: *Her eyes were brimming with tears.*

bring *v* **1** to carry something, or make someone come with you **(ถือหรือนำมาด้วย)**: *I'll bring plenty of food with me*; *Bring him to me!*; *You may borrow my umbrella, but please bring it back!* **2** to cause, give or provide **(ทำให้เกิดให้หรือนำมาซึ่ง)**: *The news brought him happiness.*

> **bring**; **brought**; **brought**: *She brought him his tea; Have you brought my book back?*
> **bring** towards me **(นำมาให้)**: *Mary, bring me some coffee.*
> **take** away from me: *Take these cups away.*
> **fetch** from somewhere else and bring to me: *Fetch me my book from the bedroom.*

bring about to cause **(ก่อให้เกิดขึ้น)**: *His carelessness brought about his failure in the exam.*

bring back to cause something to return **(ทำให้บางอย่างกลับคืนมา)**: *Hearing that song again brought back a lot of memories; Parliament may vote to bring hanging back.*

bring down to cause someone to lose their power or important position **(ทำให้สูญเสียอำนาจหรือตำแหน่งที่สำคัญ)**: *The scandal brought the government down; It brought down the president.*

bring off to do something successfully **(กระทำเป็นผลสำเร็จ)**: *They brought off their plan.*

bring round to bring back from unconsciousness **(ทำให้ฟื้นขึ้นมาจากการหมดสติ)**: *Fresh air brought him round.*

bring up to train and teach children **(การเลี้ยงดู)**: *Her parents brought her up to be polite.*

'brin·jal ('brin-jäl) n the green or purple fruit of the egg-plant used as a vegetable **(มะเขือ).**

brink *n* the edge of a river *etc.* **(ริม ขอบ)**: *He stood on the brink of the river.*

brisk *adj* fast and lively **(รวดเร็วและมีชีวิตชีวา)**: *a brisk walk; Business was brisk today.*

'brisk·ly *adv* **(อย่างรวดเร็วและมีชีวิตชีวา).**

'bris·tle (*'bris-əl*) *n* a short, stiff hair on an animal or brush **(ขนสั้นแข็งของสัตว์หรือแปรง)**: *This brush has plastic bristles.* **'bris·tly** *adj* **(มีขนสั้นและแข็ง).**

'brit·tle *adj* easily broken **(เปราะ)**: *Eggshells are brittle.* **'brit·tle·ness** *n* **(ความเปราะ ความแตกหักง่าย).**

broad (*bröd*) *adj* **1** wide **(กว้าง)**: *a broad street.* **2** from side to side **(จากด้านหนึ่งไปยังอีกด้านหนึ่ง)**: *two metres broad.* **3** general; without the details **(อย่างกว้าง ๆ)**: *What is the broad plan?*; **4** not stern and strict **(ไม่เข้มงวดและเคร่งครัด)**: *He has broad views on bringing up children.*

'broad·ly *adv* **(อย่างกว้าง ๆ อย่างเปิดเผย).**

broad daylight the daytime **(กลางวันแสก ๆ)**: *The thieves broke into the house in broad daylight.*

'broad·en *v* to make broader; to widen **(ทำให้กว้างขึ้น).**

broad-'mind·ed *adj* allowing people to think and act freely; not strict **(ใจกว้าง)**: *a broad-minded headmaster.*

'broad·cast *v* to send out radio and TV programmes *etc.* (กระจายเสียง กระจายข่าว): *Have they broadcast the interview with the headmistress yet?* - *n* a television or radio programme (โปรแกรมโทรทัศน์หรือรายการวิทยุ): *I heard his broadcast last night.*

'broad·cast·er *n* (ผู้ประกาศข่าว).

'broad·cast·ing *n* (การประกาศข่าว).

broadcast; **broadcast**; **broadcast**: *They broadcast the programme last night; Has the president's speech been broadcast yet?*

'broc·co·li (*'bro-kə-li*) *n* a vegetable with green or purple flower-like buds growing on thick green stalks (ผักมีดอกตูมสีเขียวหรือสีม่วงอยู่บนลำต้นสีเขียวใหญ่ ๆ).

'bro·chure (*'brō-sho͝or*) *n* a booklet giving information about something, for example, holidays (แผ่นพับที่ให้ข่าวสารเกี่ยวกับอะไรบางอย่าง): *travel brochures.*

broil *v* to grill food (ย่าง ปิ้ง): *She broiled the chicken.*

broke *adj* having no money (ไม่มีเงิน ถังแตก): *I can't afford new jeans - I'm broke!* See also **break** (ดู **break**).

'bro·ken *adj* damaged; not working any more (เสียหาย ใช้การไม่ได้): *a broken window; My watch is broken.* See also **break** (ดู **break**).

'bro·ken-'heart·ed *adj* very unhappy (โศกเศร้า): *She was broken-hearted when she heard the sad news.*

'bro·ker n a person who is employed to buy and sell goods, shares, foreign money *etc.* for other people (นายหน้า ตัวแทน): *He is an insurance broker.*

bron'chi·tis (*broŋ'kī-tis*) *n* an illness that affects your lungs, making you cough a lot and making it difficult to breathe (หลอดลมอักเสบ).

bronze *n* a mixture of copper and tin (ทองสัมฤทธิ์): *The medal is made of bronze.* - *adj* made of bronze, or golden-brown in colour like bronze (ทำด้วยทองสัมฤทธิ์ มีสีน้ำตาลทองเหมือนอย่างทองสัมฤทธิ์): *a bronze statue; bronze skin.*

bronze medal a medal given as third prize (เหรียญทองแดง).

brooch (*brōch*) *n* an ornament like a badge, especially for a woman, fastened by a pin (เข็มกลัด): *She wore a brooch on her dress.*

brood *v* to worry over something (ครุ่นคิดด้วยความวิตกกังวล): *It's silly to go on brooding about what happened.* - *n* a number of baby birds all hatched at one time (ฝูง ครอก).

brook (*bro͝ok*) *n* a small stream (ลำธารเล็ก ๆ).

broom *n* a long-handled brush for sweeping the floor (ไม้กวาด).

broth *n* a kind of soup containing vegetables and barley or rice (ซุปที่ใส่ผักและข้าวบาร์เลย์หรือข้าว).

'broth·er ('brudh-ər) *n* **1** a male person who has the same parents as you do (พี่ชายหรือน้องชาย): *I have a sister and two brothers.* **2** a member of a monastery *etc.*; a monk (ภารดา นักบวช): *The brothers prayed together.*

'broth·er·hood *n* (ความเป็นพี่น้องกัน คณะนักบวช).

'broth·er-in-law, *plural* **'brothers-in-law**, *n* **1** the brother of your husband or wife (น้องเขย น้องเมีย). **2** the husband of your sister (น้องเขย พี่เขย).

brought *see* **bring** (ดู **bring**).

brow *n* **1** an eyebrow (ขนคิ้ว): *thick black brows.* **2** your forehead (หน้าผาก): *The doctor felt her brow.*

brown *n* a dark colour between black, red and yellow (สีน้ำตาล). - *adj* **1** having this colour (มีสีอย่างนี้): *Her eyes are brown; Soil is brown.* **2** suntanned (โดนแดดเผาจนเป็นสีน้ำตาล): *She was very brown after her holiday.*

'Brown·ie *n* a junior Girl Guide (ลูกเสือหญิงอายุยังน้อย).

browse (browz) *v* to look through a book without reading it (กวาดตาดูโดยไม่อ่าน): *to browse through a book.*

bruise (brooz) *n* an injury caused by a hit, turning the skin a dark colour (ฟกช้ำ ตำหนิบนผลไม้): *bruises all over his legs; apples covered in bruises.* - *v* to cause a bruise on the skin (ทำให้ฟกช้ำ): *When she walked into the lamp-post she bruised her forehead.*

bru'nette *n* a woman or girl with dark brown hair (หญิงผมสีน้ำตาลเข้ม).

brunt: **bear the brunt** to receive the main force of something (ทนรับหรือรับการจู่โจมของอะไรบางอย่าง): *She bore the brunt of his anger.*

brush *n* **1** an object with bristles, for cleaning scrubbing *etc.* (แปรง): *a toothbrush; a hairbrush; a sweeping brush.* **2** a brushing (การแปรง): *Give your hair a brush.* **3** the bushy tail of a fox (หางเป็นพุ่มของสุนัขจิ้งจอก). - *v* **1** to use a brush on something (ใช้แปรง): *He brushed his teeth; Brush the floor, please; Brush your hair before you come in to a meal.* **2** to touch lightly (ถูกเบา ๆ): *The leaves brushed her face.*

brush aside to take no notice of (ไม่ยอมฟัง): *She brushed aside my questions.*

brush away to wipe off (เช็ดออก): *She brushed away her tears.*

brush up to improve (ฝึกให้ดีขึ้น): *You'd better brush up your English if you want to pass that exam.*

Brus•sels sprout *n* a green vegetable that looks like a tiny cabbage (ผักชนิดหนึ่งคล้ายกะหล่ำปลีเล็ก ๆ): *In Britain most people eat Brussels sprouts with their Christmas turkey.*

brute (*broot*) *n* **1** an animal other than man (สัตว์ร้าย): *What a big brute their dog is!* **2** a cruel person (คนโหดร้าย): *Stop hurting me, you brute!*

'bru•tal *adj* very cruel and violent (โหดร้ายและรุนแรงมาก): *He gave the boy a brutal beating.* **'bru•tal•ly** *adv.* (อย่างโหดร้าย) **bru'tal•i•ty** *n* (ความโหดร้าย).

'bub•ble *n* a floating ball containing air or gas (ฟองอากาศ ฟองแก๊ส): *bubbles in lemonade; soap bubbles.* - *v* to be full of bubbles (เดือดเป็นฟอง): *The water will bubble when it boils.* **'bub•bly** *adj* (เต็มไปด้วยฟอง).

bubble over to be very cheerful and noisy (อย่างร่าเริงและมีเสียงดัง): *The children were bubbling over with excitement.*

buck *n* the male of the deer, hare, rabbit *etc.* (กวางตัวผู้ กระต่ายป่า กระต่าย): *a buck and a doe.* - *v* to kick and jump back (ชะงักและกระโดดถอยหลัง): *The horse bucked when it came to the fence.*

buck up to hurry (รีบ): *You'd better buck up if you want to catch the bus.*

'buck•et *n* a container for holding water *etc.* (ถังน้ำ): *We carried water in buckets.*

'buck•le *n* a fastening for a strap, belt *etc.* (เครื่องผูกรัดสายคาด หัวเข็มขัด ฯลฯ): *a belt with a silver buckle.* - *v* to fasten with a buckle (ผูกด้วยสายคาด): *He buckled his sword on.*

bud *n* a shoot of a tree or plant, from which leaves or flowers will burst out (หน่อ ดอกตูม): *Are there buds on the trees yet?; a rosebud.* - *v* to begin to grow (เริ่มเจริญเติบโต): *The trees are budding.*

'Buddh•ism ('bo͝od-iz-əm) *n* the religion founded by Gautama or Buddha (พุทธศาสนา).

'Buddh•ist *n* a believer in Buddhism (พุทธศาสนิกชน).

'bud•ding *adj* just beginning to develop (เพิ่งเริ่มจะพัฒนาขึ้นมา): *I want you to write a poem for your homework - I'm sure we shall find some budding poets in the class.*

budge *v* to move slightly (เขยื้อน): *I can't budge this heavy chest; It won't budge!*

'budg•e•ri•gar (*'buj-ə-ri-gär*) *n* a small brightly-coloured bird, kept as a pet (นกตัวเล็กสีสดใสใช้เป็นสัตว์เลี้ยง).

'budg•et *n* a plan showing how money is to be spent (งบประมาณ): *Here is my budget for the month.* - *v* to plan carefully how to spend your money (วางแผนอย่างรอบคอบว่าจะใช้เงินอย่างไร): *We must try to budget or we shall be in debt.*

budgeted and **budgeting** have one **t**.

'budg•ie short for **budgerigar** (คำย่อที่ใช้เรียกนกตัวเล็กสีสดใส).

'buf•fa•lo, *plural* **buffalos** or **buffaloes**, *n* a large kind of ox (ควาย).

'buf•fer *n* a device at a railway station for lessening the force with which a train meets the wall at the end of the track (เครื่องกัน

กระแทกที่สุดรางรถไฟ).

'buf·fet (*'boo-fā*) *n* **1** a refreshment bar, for example in a railway station or on a train *etc.* (บาร์เครื่องดื่ม เช่นที่สถานีรถไฟหรือบนรถไฟ): *We'll get some coffee at the buffet.* **2** a cold meal set out on tables from which people help themselves (อาหารที่จัดไว้บนโต๊ะให้ตักด้วยตัวเอง).

buffet is pronounced *'boo-fā*; the **t** is silent.

bug *n* **1** an insect that lives in dirty houses and beds (แมลงซึ่งอยู่ในบ้านหรือเตียงนอนที่สกปรก): *a bedbug.* **2** an insect (แมลง): *There's a bug crawling up your arm.* - *v* **1** to hide tiny microphones in a room *etc.* in order to be able to listen to what people are saying (ซ่อนเครื่องดักฟัง): *The spy's bedroom was bugged.* **2** to annoy; to worry (ทำให้รำคาญหรือวิตกกังวล): *He's always bugging me; What's bugging you?*

'bu·gle (*'bū-gəl*) *n* a musical instrument that is played by blowing, and is used especially to give signals in the army (แตรสั้น).

'bu·gler *n* (คนเป่าแตร).

build (*bild*) *v* to form or construct something (สร้าง): *They have built a new school, house, bridge, railway.* - *n* shape and size of body (รูปร่างและขนาดของร่างกาย): *a man of broad, heavy build.*

'build·er *n* (ผู้สร้าง ช่างก่อสร้าง).

build; **built** (*bilt*); **built**: *He built a wall; The new house is built at last.*

'build·ing *n* **1** the construction of houses *etc.* (การก่อสร้าง): *He wants to make building his career.* **2** anything built (สิ่งก่อสร้าง): *The new supermarket is a very ugly building.*

build up to increase the size or extent of something (พัฒนา): *His father built up that grocery business from nothing.*

built-'in *adj* forming a permanent part of the building *etc.* (เป็นส่วนหนึ่งซึ่งติดอยู่อย่างถาวรในตัวอาคาร): *Built-in cupboards save space.*

built-'up *adj* covered with buildings (เต็มไปด้วยอาคาร): *a heavily built-up area.*

bulb *n* **1** the ball-shaped part of the stem of certain plants, for example onions, from which their roots grow (กระเปาะหัว). **2** a pear-shaped glass globe surrounding the element of an electric light (หลอดไฟ).

'bul·bous *adj* round; swollen (กลม ๆ บวมโต).

'bul·bul (*'bool-bool*) *n* a bird of Asia and Africa that sings sweetly (นกชนิดหนึ่งของเอเชียและแอฟริกา มีเสียงร้องที่ไพเราะ นกปรอด).

bulge *n* a swelling (นูนออกมา): *The apple made a bulge in his pocket.* - *v* to swell out (ตุงขึ้นเป็นมัด ๆ): *His muscles bulged.*

bulk *n* most (ส่วนมาก ก้อนใหญ่): *The bulk of his money was spent on food.*

bulk·y *adj* large in size and difficult to carry *etc.* (ขนาดใหญ่และยากที่จะนำไป): *This parcel is too bulky to send by post.*

in bulk in large quantities (จำนวนมาก): *They like to buy household goods in bulk from the supermarket.*

bull (*bool*) *n* the male of the ox family and of the whale, walrus, elephant *etc.* (วัวตัวผู้ ปลาวาฬตัวผู้ ช้างน้ำตัวผู้ ช้างตัวผู้ ฯลฯ).

A baby bull is a **calf**.
Bulls and cows are **cattle**.

'bull·do·zer (*'bool-dō-zər*) a large heavy vehicle for clearing ground for building *etc.* (รถขนาดใหญ่และหนักใช้เกลี่ยดินเพื่อการก่อสร้าง ฯลฯ).

'bul·let (*'bool-ət*) *n* a piece of metal *etc.* fired from a gun (ลูกปืน): *He was wounded by machinegun bullets.*

'bullet-proof *adj* strong enough to stop bullets passing through it (กันกระสุน): *bullet-proof glass.*

'bul·le·tin (*'bool-ə-tēn*) *n* **1** an official announcement giving news (ประกาศข่าว): *A bulletin about the Queen's illness was broadcast on the radio.* **2** a printed information-sheet (แถลงการณ์): *a monthly bulletin of school news.*

'bull·fight *n* a fight between a bull and men on horseback and on foot (การต่อสู้ระหว่างคนกับวัว). **'bull·fight·er** *n* (นักสู้วัว).

bullion (*'bool-yən*) *n* gold or silver in lumps or bars *etc.*, not made into coins (แท่งทอง

หรือเงิน).

'bul·lock (*bŏŏl-ək*) *n* a young bull (**วัวหนุ่ม**).

'bull's-eye *n* the centre of a target used for shooting, or for darts *etc.* (**ใจกลางเป้า**).

'bul·ly (*bŏŏl-i*) *n* a person who hurts or frightens other, weaker people (**คนทำร้ายหรือขู่คนอื่น คนที่อ่อนแอกว่า**): *Bullies are often cowards.* - *v* to behave like a bully; to hurt and frighten someone (**ทำร้ายและขู่ผู้อื่นให้ตกใจกลัว**): *He bullies his younger brother.*

bump *v* to knock something (**ชน กระแทก**): *She bumped into me; I bumped my head against the ceiling.* - *n* **1** a blow or knock (**การชน การกระแทก**): *We heard a loud bump.* **2** a swelling or bruise; an uneven part (**บวมหรือฟกช้ำ ส่วนที่ไม่เสมอกัน**): *a bump on the head; This road is full of bumps.*

'bump·y *adj* (**ขรุขระ เป็นหลุมเป็นบ่อ**).

'bump·er *n* a bar on a motor vehicle to lessen damage when it collides with anything (**กันชน**).

bump into to meet someone by chance (**พบโดยบังเอิญ**): *I bumped into him in the street.*

'bump·kin *n* a clumsy or stupid person (**คนที่งุ่มง่ามหรือคนโง่**).

bun *n* a kind of sweet cake (**ขนมปังหวานชนิดหนึ่ง**): *a currant bun.*

bunch *n* a number of things fastened or growing together (**ของต่าง ๆ ที่รวมกันเป็นกระจุก**): *a bunch of bananas.*

'bun·dle *n* a number of things tied together (**ห่อ มัด**): *a bundle of letters.* - *v* **1** to make into bundles (**ทำเป็นห่อ**): *Bundle up all these old magazines.* **2** to push roughly (**ยัด**): *She bundled her clothes into the drawer.*

'bun·ga·low (*'buŋ-gə-lō*) *n* a small house of one storey (**บ้านชั้นเดียวหลังเล็ก ๆ**).

'bun·gle (*'buŋ-gəl*) *v* to do something badly; to make a mistake (**ทำผิดพลาด**).

bunk *n* **1** a bed fixed to the wall, on board a ship; a sleeping-berth (**ที่นอนในเรือ**). **2** one of a pair of beds fixed one over the other (**เตียงสองชั้น**).

See **bed**.

'bun·ker *n* **1** an underground shelter built with strong walls to protect people against bombs and heavy gunfire (**หลุมหลบภัย**). **2** a large container for storing coal (**ที่เก็บถ่านหิน**).

'bun·ny *n* a child's name for a rabbit (**ชื่อเรียกลูกกระต่าย**).

'bun·ting *n* flags for use in celebrations (**ธงใช้สำหรับการเฉลิมฉลอง**).

buoy (*boi*) *n* a large floating ball anchored in the sea as a guide or warning to ships (**ทุ่นลอย**).

'buoy·ant *adj* able to float (**สามารถลอยได้**): *Corks are buoyant.*

'bur·den *n* **1** something heavy that has to be carried (**น้ำหนักที่บรรทุก**): *The donkey carried its burden up the hill.* **2** something difficult (**ภาระ**): *Buying school-books is an extra burden for parents.* - v to give someone a load to carry (**ให้ขนหีบห่อ**): *He was burdened with luggage.*

'bu·reau (*'bū-rō*), *plural* **bureaux** (*'bū·rōz*) or **bureaus**, *n* **1** a writing-desk with drawers (**โต๊ะเขียนหนังสือมีลิ้นชัก**). **2** an office supplying information *etc.* (**สำนักงานให้ข่าวสาร**): *a travel bureau.*

bu'reauc·ra·cy (*bū-'rok-rə-si*) *n* **1** a system of government by officials who are not elected (**ระบบอมาตยาธิปไตย ระบบการปกครองโดยเจ้าหน้าที่ซึ่งไม่ได้ผ่านการเลือกตั้ง**). **2** all the rules and formal stages followed by office and administrative sfaff, resulting in delays and a loss of money (**ระเบียบและขั้นตอนอย่างเป็นทางการของเจ้าหน้าที่บริหารซึ่งก่อให้เกิดความล่าช้าและสิ้นเปลืองเงิน**).

'bu·reau·crat *n* **1** an official in a bureaucracy (**เจ้าหน้าที่ในระบบอมาตยาธิปไตย**). **2** an official who follows the rules rigidly, causing delays and a loss of money (**เจ้าหน้าที่ซึ่งทำตามกฎทำให้เสียเวลาและเงินทอง**).

'bur·ger (*'bər-gə*) *n* **1** a round, flat piece of minced beef that is fried and then put into a bread roll (**เนื้อสับแผ่นกลม ๆ ทอดแล้วสอดใส่ในขนมปัง**). **2** any item of food made in the same shape but from different ingredients, and eaten in a bread roll (**อาหารซึ่งมีรูปร่าง**

อย่างเดียวกัน แต่มีส่วนผสมอย่างอื่นแล้วกินโดยการสอดเข้าในขนมปัง): *a nutburger.*

'bur·glar *n* a person who breaks into a house *etc.* to steal **(ขโมย)**: *The burglar stole her jewellery.*

'bur·glar·y *n* **(การย่องเบา).**

'bur·gle *v* **(ย่องเบา)**: *Our house has been burgled.*

'bur·i·al (*'ber-i-əl*) *n* the burying of someone **(การฝังศพ)**: *My grandfather's burial was on Tuesday.*

'bur·ly *adj* big, strong and heavy **(ใหญ่และแข็งแรง)**: *a big, burly farmer.*

burn *v* **1** to destroy, damage or injure, or be destroyed, damaged or injured, by fire, heat, acid *etc.* **(ทำลาย เสียหายหรือบาดเจ็บ หรือถูกทำลาย ถูกทำให้เสียหายหรือบาดเจ็บโดยไฟ ความร้อน กรด)**: *The factory has burnt down; Take care not to burn the meat!; I've burnt my finger on the iron; The acid burned a hole in my dress.* **2** to catch fire **(ติดไฟ)**: *Paper burns easily.* - *n* an injury or mark caused by fire *etc* **(อาการบาดเจ็บหรือรอยที่เกิดจากไฟ)**: *His burns will take a long time to heal; a burn in the carpet.*

burn; **burnt** or **burned**; **burnt** or **burned**: *He burnt the meat; She has burnt her dress.*

'burn·er *n* the part of a gas cooker *etc.* from which the flame rises **(หัวเตาแก๊ส).**

'burn·ing *adj* **1** on fire **(ลุกเป็นไฟ)**: *The house is burning.* **2** very hot **(ร้อนมาก)**: *the burning sun.* **3** very strong or intense **(ความต้องการที่เร่าร้อนรุนแรง)**: *a burning desire.* **4** very important or urgent **(สำคัญมากหรือเร่งด่วน)**: *a burning issue.*

burp *v* to make an explosive noise in your throat, usually after eating or drinking; to belch **(เรอ).**

'bur·row (*'bur-ō*) *n* a hole dug for shelter **(ขุดรูเพื่ออยู่อาศัย)**: *a rabbit burrow.* - *v* **1** to make holes underground **(ขุดรูใต้พื้นดิน)**: *Rabbits are burrowing under our garden.*

burst *v* **1** to break suddenly, especially with a bang **(แตกออกในทันใด)**: *The balloon burst.* **2** to come violently **(ผลุนผลัน)**: *He burst into the room without knocking.* **3** to overflow **(ล้น)**: *The river has burst its banks.* - *n* **1** a break **(รอยแตก)**: *a burst in the pipes.* **2** a sudden fit or outbreak **(ตบมือลั่น พุ่งไปอย่างรวดเร็ว)**: *a burst of clapping; The horse put on a burst of speed.*

burst; **burst**; **burst**: *She burst the balloon; The pipe has burst.*
See also **explode (ดู explode).**

burst into tears to start crying **(น้ำตาไหลพราก).**

'burst·ing *adj* **1** very eager **(อยากมาก)**: *I'm bursting to tell you my news!* **2** very full of **(เต็มไปด้วย)**: *His mother is bursting with pride now he has qualified as a doctor.*

'bur·y (*'ber-i*) *v* **1** to put a dead body in a grave **(ฝังศพ)**: *My grandfather was buried in the cemetery.* **2** to hide something underground etc. **(ฝังไว้ใต้ดิน)**: *They buried the treasure.*

bus *n* a large vehicle for carrying passengers by road **(รถขนาดใหญ่บรรทุกผู้โดยสาร)**: *He goes to school by bus.*

See **in.**

bus stop a place where buses stop to let passengers on or off **(ป้ายรถเมล์).**

bush (*bŏŏsh*) *n* a small, low tree **(พุ่มไม้)**: *a rose bush.*

'bush·y *adj* thick **(ดกหนา)**: *bushy eyebrows.*

'busi·ness (*'biz-nəs*) *n* **1** trade; buying and selling **(ธุรกิจ)**: *Business was good at the shop today.* **2** a job, occupation **(หน้าที่การงาน)**: *Book-selling is my business.* **3** a shop; a firm **(ร้าน บริษัท)**: *He runs a hairdressing business.* **4** concern; interest **(เรื่องส่วนตัว)**: *How I spend my money is my business, not yours.* **5** work **(ทำงาน)**: *Let's get down to business.*

'busi·ness·man, **'busi·ness·wo·man** *n* a person who makes a living from trade, not a doctor, teacher *etc.* **(นักธุรกิจ ฯลฯ).**

bust *n* **1** a woman's chest **(ทรวงอกของสตรี).** **2** a sculpture of a person's head and shoulders **(รูปปั้นครึ่งท่อนตัวบน)**: *a bust of the president.*

'bust·le (*'bus-əl*) *v* to rush, hurry or be very busy (รีบร้อนหรือยุ่งมาก): *She bustled round the kitchen.* - *n* hurry; rush (รีบ วิ่ง): *I lost my umbrella in the bustle.*

'bus·y (*'biz-i*) *adj* **1** having a lot of work to do (ยุ่ง): *The headmaster is too busy to see you just now.* **2** full of traffic, people *etc.* (เต็มไปด้วยยวดยาน ผู้คน): *The roads are busy; a busy shop.*

'bus·i·ly *adv* (มีธุระมาก).

but *conjunction* a word used to join two statements *etc.*, and show that there is a difference between them (แต่ เว้นแต่): *John was there but Peter was not.* - *prep* except (เว้นแต่): *There was none there but Jane; I live in the next street but one.*

'but·cher (*'bo͝och-ər*) *n* a person who sells meat (คนขายเนื้อ): *Get me four steaks at the butcher's shop.*

butt *v* to hit someone with your head (หัวชน): *He fell over when the goat butted him.* - *n* **1** the thick, heavy end of a rifle or pistol (ด้ามปืน). **2** the end of a finished cigarette or cigar (ก้นบุหรี่หรือซิการ์): *cigarette butts.* **3** someone whom others criticize or tell jokes about (คนที่เป็นเป้าโดนตำหนิหรือเห็นเป็นตัวตลกของผู้อื่น): *He's the butt of all their jokes.*

'but·ter *n* a substance made from cream for spreading on bread *etc.* - *v* to spread with butter (เนย ทาเนย): *She buttered the bread.*

'but·ter·fing·ers *n* a person who keeps dropping things by mistake (คนสะเพร่า).

'but·ter·fly (*'but-ər-flī*), *plural* **'but·ter·flies**, *n* an insect with large coloured wings (ผีเสื้อ).

'but·tocks *n* the part of the body on which you sit (ก้น).

'but·ton *n* **1** a small, usually round, object, used as a fastening (กระดุม): *I lost a button off my coat.* **2** a small knob that you press to switch something on *etc.* (ปุ่มเล็ก ๆ ใช้เปิดอะไรบางอย่าง ฯลฯ): *This button turns the radio on.* - *v* to fasten with buttons (กลัดดุม): *Button up your jacket.*

'but·ton·hole *n* the hole through which you put a button to fasten it (รูกระดุม).

'but·tress *n* a support built on to the outside of the wall of a church, castle *etc.* - *v* to support (ค้ำ ยัน): *These planks of wood buttress the collapsing wall.*

buy (*bī*) *v* to get something by paying for it with money (ซื้อ): *He has bought a car.*

> **buy**; **bought**; **bought**: *She bought a book; I've bought a dress.*

buzz *v* to make the noise that some insects make (เสียงหึ่ง ๆ ของแมลง): *Bees, wasps and flies buzz.* - *n* a sound that reminds you of bees buzzing, for example the sound of a lot of people talking (เสียงกระหึ่มของผู้คน): *a buzz of conversation.*

'buzz·er *n* an electrical device which makes a buzzing sound, such as an alarm or bell (สัญญาณไฟฟ้าซึ่งส่งเสียงหึ่ง): *The doctor pressed the buzzer when she was ready for the next patient.*

by (*bī*) *prep* **1** next to; near (ถัดไป ใกล้กับ): *He sat by his sister.* **2** along (ตาม): *We came by the main road.* **3** used to show who or what does or causes something (ด้วย โดย): *He was hit by a stone; This story was written by me; I met her by chance.* **4** using something (ทาง): *He'll let us know the news by tele-phone; The letter came by post; We travelled by train.* **5** not later than (ไม่ช้ากว่า): *Be home by 6 o'clock.* **6** used to show a difference (แสดงถึงความแตกต่าง): *She is taller than he is by ten centimetres.* **7** used to give measurements (มีขนาด): *The table is 4 metres by 2 metres.* **8** in particular quantities (จำนวนนับ): *Fruit is sold by the kilo.* - *adv* **1** near (ใกล้ ๆ): *They stood by and watched.* **2** past (ผ่านไป): *A dog ran by.* **3** aside; away (เก็บเอาไว้): *I have put by some money for an emergency.*

> **by** is used for forms of transport: *by train; by aeroplane; by land; by sea.*
> See also **until** (ดู **until**).

by and by after a short time (หลังจากนั้นอีกครู่หนึ่ง): *By and by, everyone went home.*

by yourself 1 alone (โดดเดี่ยว): *He was standing by himself at the bus stop.* **2** without anyone else's help (โดยลำพัง): *She did the job all by herself.*

by the way words used in mentioning another subject (อ้อ อนึ่ง): *By the way, have you posted that letter?*

bye or **bye-'bye** an expression you use when leaving someone, instead of 'goodbye' (ลาก่อน).

'by·e·lec·tion *n* a special election that is held to elect a new member of parliament for a particular place when the previous member has resigned or died (เลือกตั้งซ่อม).

'by·pass *n* a road which avoids a busy area (ถนนซึ่งอ้อมบริเวณที่รถแน่น): *Take the bypass round the city.* - *v* : *This road bypasses the town.*

'by-prod·uct *n* something that is formed during the making of something else (ผลพลอยได้): *When lead is manufactured, silver is sometimes obtained as a by-product.*

'by·stand·er *n* someone who watches something happening but does not take part (ผู้ดูสิ่งที่เกิดขึ้นแต่ไม่เข้าไปมีส่วนด้วย): *There were several bystanders present when the accident happened.*

byte (*bīt*) *n* a group of eight binary digits used as a unit for measuring computer memory (กลุ่มเลขที่ใช้เป็นหน่วยวัดในส่วนความจำของคอมพิวเตอร์).

Cc

cab *n* a taxi (รถแท็กซี่): *Could you call a cab for me?*

'cab·a·ret (*'kab-ə-rā*) *n* an entertainment such as singing or dancing that is given in a restaurant or nightclub (ความบันเทิงเช่นการร้องเพลงหรือการเต้นรำซึ่งมีอยู่ตามภัตตาคารหรือสถานที่เต้นรำในตอนกลางคืน): *She is a singer in a cabaret.*

'cab·bage *n* a vegetable with thick green leaves (ผักกะหล่ำ).

'cab·in *n* **1** a small house or hut (บ้านเล็ก ๆ หรือกระท่อม): *They built a log cabin.* **2** a small room in a ship for sleeping in (ห้องเล็ก ๆ สำหรับใช้นอนบนเรือ).

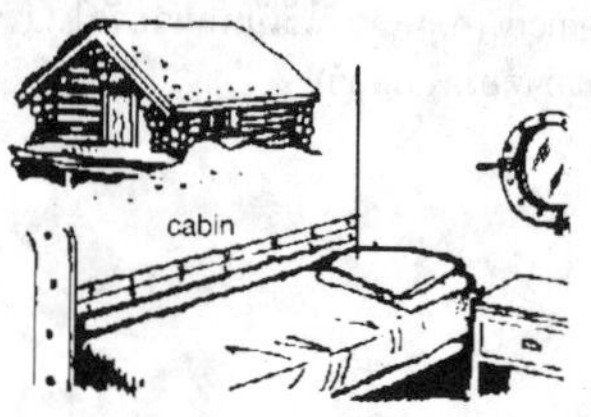

'cab·i·net *n* **1** a piece of furniture with shelves and doors or drawers (ตู้ใส่ของ). **2** the group of senior ministers who govern a country (คณะรัฐมนตรี): *The Prime Minister has chosen a new Cabinet.*

'ca·ble (*'kā-bəl*) *n* **1** a thick, strong rope (สายเคเบิล): *The truck towed the car with a cable.* **2** a set of wires for carrying electric current or signals (สายลวดที่นำไฟฟ้า): *They are laying a new cable.* **3** a telegram sent by cable. - *v* to telegraph by cable (ส่งโทรเลข): *I cabled the news to my aunt.*

cable television a service by which television programmes are transmitted along wires rather than by radio waves (รายการโทรทัศน์ที่ส่งตามสายมากกว่าที่จะส่งโดยคลื่นวิทยุ).

ca'ca·o (*kə'kä-ō*) *n* the tropical tree from whose seeds cocoa and chocolate are made (เมล็ดพืชที่ใช้ทำเป็นโกโก้และช็อกโกแลต).

'cack·le *n* **1** the sound made by a hen or goose (เสียงร้องของไก่หรือห่าน). **2** a laugh which sounds like this (หัวเราะด้วยเสียงแบบนี้): *an evil cackle.* - *v* to make this sound (การทำให้เกิดเสียงแบบนี้).

'cac·tus *n* a prickly plant which grows in dry climates (ต้นกระบองเพชร).

ca'dav·e·rous *adj* like a dead person, especially in being very thin and pale (เหมือนซากศพ): *pale, cadaverous cheeks.*

'cad·die or **'cad·dy** *n* a person who carries golf-clubs for a golfer (คนแบกถุงไม้กอล์ฟ).

'cad·dy *n* a small box for keeping tea leaves in (กล่องเล็ก ๆ ใช้เก็บใบชา): *a tea-caddy.*

ca'det *n* **1** a student in a military or police school (นักเรียนนายร้อย นักเรียนเตรียมทหาร). **2** a schoolboy taking military training (นักเรียนรับการฝึกแบบทหาร).

'ca·fe (*'kaf-ā*) *n* a small restaurant where coffee, tea, snacks *etc.* are served (ภัตตาคารเล็ก ๆ มีกาแฟ ชา และของขบเคี้ยวไว้บริการ).

caf·e'te·ri·a (*kaf-ə'tē-ri-ə*) *n* a self-service restaurant (ห้องอาหารแบบบริการตนเอง): *This school has a cafeteria.*

'caff·eine (*'kaf-ēn*) *n* a substance which keeps you awake, found in tea and coffee (สารซึ่งทำให้เราตื่น พบในชาและกาแฟ): *The doctor told her to cut down on caffeine by drinking less coffee.*

cage *n* a box of wood, wire *etc.* for holding birds or animals (กรงขังนกหรือสัตว์): *The lion has escaped from its cage; a bird-cage.* - *v* to put in a cage (ใส่กรง).

cake *n* **1** a food made by baking a mixture of flour, fat, eggs, sugar *etc.* (ขนม ทำโดยการผสมแป้ง ไขมัน ไข่ น้ำตาล): *Have a piece of cake; She made another batch of cream-cakes.* **2** something pressed into a flat, regular shape (ก้อนแบน): *fishcakes; a cake of soap.* - *v* to cover in a dried mass (แห้งกรัง): *His shoes were caked with mud.*

ca'lam·i·ty *n* a great misfortune or disaster (ภัยพิบัติครั้งใหญ่หรือความหายนะ).

'cal·ci·um (*'kal-si-əm*) *n* a substance that is in teeth, bones and chalk (ธาตุปูนขาว).

'cal·cu·late (*'kal-kū-lāt*) *v* to count (คำนวณ): *Calculate the number of days in a century.*

'cal·cula·ble *adj* (สามารถคำนวณได้).

cal·cu'la·tion *n*: *We shall have $55 to spend, according to my calculations* (การคำนวณ).

'cal·cu·la·tor *n* a machine for calculating (เครื่องคิดเลข): *She used a calculator to add up the numbers.*

'cal·en·dar *n* a table showing the months and days of the year (ปฏิทิน): *Have you a calendar for 1988?*

calendar ends in **-ar** (not **-er**).

calf[1] (*käf*), *plural* **calves** (*kävz*), *n* **1** the baby of a cow, elephant *etc.* (ลูกวัว ลูกช้าง). **2** leather made from the skin of a calf (หนังทำจากลูกวัว).

calf[2] (*käf*), *plural* **calves** (*kävz*), *n* the back part of the leg below the knee (น่อง).

'cal·i·bre (*'kal-i-bər*) *n* a person's usually high quality or ability (คุณภาพสูงหรือมีความสามารถ): *The company needs employees of your calibre.*

call (*köl*) *v* **1** to give a name to someone or something (ตั้งชื่อ): *My name is Alexander but I'm called Sandy by my friends; 'What do you call a baby cat?' 'A kitten.'* **2** to shout to someone to get them to come to you (เรียก): *Call everyone over here.* **3** to telephone someone; to ask someone to come, by telephone (เรียกทางโทรศัพท์): *I'll call you this evening; He called me up from the airport; He called a doctor.* **4** to visit (ไปเยี่ยม): *He called on his friend; I shall call at your house this evening.* - *n* **1** a shout or cry (ตะโกนหรือร้อง): *a call for help.* **2** a short visit (ไปเยี่ยมเดี๋ยวเดียว): *The teacher made a call at the boy's home.* **3** calling on the telephone (เรียกทางโทรศัพท์): *I've just had a call from the police; I'll give you a call tomorrow.* **4** the song of a bird *etc.* (เสียงนกร้องเพลง): *the call of a blackbird.*

to **ask** (not **call**) a friend to go out with you (ขอให้ไปด้วย).

to **ask** (not **call**) someone to be quiet (ขอให้เงียบ).
call on a person: *I'll go and call on Mrs Jones.*
call at a place: *I'll call at the post office on my way home.*

'call-box *n* a telephone box (ตู้โทรศัพท์).

'call·er *n* **1** a visitor (ผู้มาเยือน). **2** a person making a telephone call (ผู้เรียกทางโทรศัพท์).

call for 1 to need (เรียกร้อง ต้องการ): *This calls for quick action.* **2** to collect (มาหา): *I'll call for you at eight o'clock.*

call off to cancel (ยกเลิก): *The party's been called off.*

call on or **call upon 1** to visit someone (ไปเยี่ยม): *I'll try and call on him tomorrow.* **2** to appeal to someone (ขอร้อง): *They called on me for help.*

call out 1 to shout (ตะโกน): *She called out that she was upstairs.* **2** to ask for help from an organization (ร้องขอความช่วยเหลือจากองค์กรหนึ่ง): *He called out the fire brigade when a fire started in his house.*

on call ready to come out to an emergency (อยู่เวร): *Which of the doctors is on call tonight?*

cal'lig·ra·phy *n* the art of beautiful handwriting (การเขียนประดิดประดอย).

'call·ous (*'kal-əs*) *adj* showing no concern for other people, cruel and insensitive (คนไม่คิดถึงผู้อื่น โหดร้ายและไร้เหตุผล): *a callous act.*

calm (*käm*) *adj* **1** still; quiet (สงบ): *a calm sea; The weather was calm.* **2** not anxious or excited (สุขุม): *a calm person; Please keep calm!* - *n* a time when everything is peaceful and quiet (เวลาปกติสุข ยามสงบ): *He enjoyed the calm of the library.* - *v* to make someone calm (ปลอบประโลมให้สงบ): *He tried to calm his mother down; Please calm yourself!*

'calm·ly *adv* (อย่างสงบ).

'calm·ness *n* (ความสงบ).

'cal·o·rie (*'kal-ə-ri*) *n* a unit of energy given by food (หน่วยกำลังงานที่ได้จากอาหาร): *My diet allows me 1200 calories per day.*

calves *see* **calf**[1], **calf**[2] (ดู **calf**[1], **calf**[2]).

'cam·cor·der *n* a small video recorder that can be held in one hand (เครื่องบันทึกวิดีโอที่สามารถถือด้วยมือข้างเดียวได้): *She used her* *camcorder to film the children playing.*

came *see* **come** (ดู **come**).

'cam·el *n* a desert animal with one or two large humps on its back, that carries goods and people (อูฐ).

'cam·e·o (*'kam-i-ō*) *n* **1** a piece of stone with a raised design of a different colour on one side (จี้ที่มีภาพจารึกอยู่บนด้านด้านหนึ่ง). **2** a small part in a play or film performed by a well-known actor (บทในละครหรือภาพยนตร์ที่แสดงโดยนักแสดงซึ่งเป็นที่รู้จักกันอย่างดี).

'cam·er·a *n* a device for taking still or moving photographs (กล้องถ่ายรูป): *He bought a new film for his camera.*

'cam·ou·flage (*'kam-ə-fläzh*) *n* something that makes an animal, person, building *etc.* difficult for enemies to see against the background (การพราง): *The soldiers put leaves round their helmets as camouflage.* - *v* to hide by camouflage (ซ่อนโดยการพราง): *They camouflaged their tent.*

camp *n* a group of tents, huts *etc.* in which people stay for a short time (ตั้งค่าย): *a holiday camp; The soldiers left their camp.* - *v* to put up, and live in, a tent (ตั้งและอยู่ในค่าย): *We camped on the beach; We go camping every year.*

'camp·er *n* (ผู้ตั้งค่าย).

'camp·ing *n* (การตั้งค่าย).

cam'paign (*kam'pān*) n **1** organized actions in support of a cause (การต่อต้าน การรณรงค์): *a campaign against smoking.* **2** military operations with one purpose (การขับเคี่ยวทางทหารเพื่อจุดประสงค์เดียว): *Napoleon's Russian campaign.* - *v* to take part in a campaign (มีส่วนร่วมในการรณรงค์): *He has campaigned against smoking for years.*

cam'paign·er *n* (ผู้ขับเคี่ยว ผู้รณรงค์).

camp-fire *n* the fire on which campers cook, and round which they sit in the evening (ไฟค่ายสำหรับหุงต้มและการเล่นรอบกองไฟ).

'camp·site *n* a piece of land on which holidaymakers may put up a tent *etc.* (ที่ตั้งแคมป์).

'cam·pus *n* the grounds of a university or college (บริเวณมหาวิทยาลัยหรือวิทยาลัย): *Most students live on the campus.*

can[1] *v* **1** to be able to do something (สามารถ): *You can do it if you try hard.* **2** to know how to do something (ทำได้): *She can drive a car, can't she?; He can't swim; I cannot ride a bicycle.* **3** to have permission to do something (อนุญาต): *You can go if you behave yourself.*

> **can**; **'can·not** or **can't** (*känt*): *She can speak Japanese, can't she?; You cannot swim yet, can you?*
> See also **could** and **may**.

can[2] *n* a metal container for liquids *etc.* (กระป๋องน้ำมันกระป๋องเบียร์เบียร์ห่อเป็นหกกระป๋อง): *oilcans; beer-cans; six cans of beer.* - *v* to put food *etc.* into cans (อาหารกระป๋อง): *a factory for canning raspberries.*

ca'nal *n* a channel cut through land for ships or boats, or to carry water to fields (คลอง): *the Panama Canal.*

ca'nar·y (*kə'nār-i*) *n* a small, yellow, singing bird, kept as a pet (นกคีรีบูน).

'can·cel *v* **1** to decide that something already arranged will not happen (เลิก ยกเลิก): *He cancelled his appointment.* **2** to mark stamps with a postmark (การตีตราที่แสตมป์).

can·cel'la·tion *n* (การยกเลิก).

> **cancelled** and **cancelling** have two **l**s.

cancel out to undo the effect of something (ตัดทอน): *Our profits will be cancelled out by extra expenses.*

'can·cer *n* a disease in which cells in a part of the body grow out of control (มะเร็ง): *Smoking can cause lung cancer.*

'can·cer·ous *adj* (เหมือนโรคมะเร็ง เป็นโรคมะเร็ง).

'can·did *adj* open and honest (เปิดเผย ไม่มีอคติ): *Give me your candid opinion.*

'can·di·date *n* a person who takes part in a competition or examination for a job, prize *etc.* (ผู้สมัครรับเลือก ผู้เข้าสอบแข่งขันเพื่อทำงาน): *a candidate for the job of manager.*

'can·dle *n* a stick of wax with a thread in the centre, that you burn to give light (เทียน): *We* *had to use candles when the electric lights went out.*

'can·dle·stick *n* a holder for a candle (เชิงเทียน).

'can·dour *n* open and honest behaviour (พฤติกรรมที่เปิดเผยและซื่อสัตย์): *She discussed the subject with great candour.*

'can·dy *n* a sweet; sweets (ลูกอม ขนมหวาน): *That child eats too much candy; Have a candy!*

can·dy floss a sweet that looks like cotton wool and is held on a stick (ขนมปุยฝ้าย).

cane *n* **1** the stem of certain types of plant (ต้นไม้ที่มีลำต้นเป็นปล้อง): *Sugar is made from sugar-cane.* **2** a stick used to help you walk, or to beat schoolchildren with, as a punishment (ไม้เท้า): *The teacher kept a cane in his cupboard.* - *v* to beat with a cane (ตีด้วยไม้): *The schoolmaster caned the boy.*

'ca·nine (*'kā-nīn*) *adj* like a dog; having to do with dogs (เหมือนสุนัข แห่งสุนัข): *canine characteristics.*

canine tooth one of the four pointed teeth near the front of your mouth.

'can·na·bis *n* a drug made from Indian hemp that some people smoke to make them feel relaxed (กัญชา): *Cannabis is illegal in many countries.*

canned *adj* put in cans (บรรจุในกระป๋อง): *canned peas.*

'can·ner·y *n* a factory where goods are canned (โรงงานทำอาหารกระป๋อง).

'can·ni·bal *n* a person who eats human flesh (มนุษย์กินคน).

'can·non *n* a large heavy gun on wheels, used in earlier times (ปืนใหญ่มีล้อเข็นในสมัยก่อน).

'can·non·ball *n* a ball of iron, shot from a cannon (กระสุนปืนใหญ่).

cannot *see* **can**[1] (ดู **can**[1]).

ca'noe (*kə'noo*) *n* a light narrow boat moved by a paddle or paddles (เรือพาย). - *v* to travel by canoe (เดินทางโดยใช้เรือพาย): *He canoed on the river.* **ca'noe·ist** *n* (เรือบด เรือพายเดี่ยว).

'can·o·py *n* a covering that is hung over a throne, bed *etc.* as a decoration; a covering that is placed on poles as a shelter (เบญจา เครื่องปกปิดที่ตั้งอยู่บนเสา เพื่อกันแดด): *A canopy was put up to protect the president and his party from the strong sun.*

can't short for **cannot** (**คำย่อสำหรับ**) **cannot**.

can'teen *n* a place in a factory, office *etc.* where meals can be bought and eaten (ที่จำหน่ายและที่รับประทานอาหารในโรงงานหรือที่ทำงาน โรงอาหาร).

'can·ter *v* to gallop at an easy pace (วิ่งเรียบ): *The horse cantered across the meadow.*

'can·vas *n* a strong, coarse cloth used for sails, tents *etc.*, and for painting on (ผ้าใบ). - *adj* (ทำด้วยผ้าใบ): *canvas sails.*

'can·vass (*'kan-vəs*) *v* to go round asking people for votes *etc.* (ขอคะแนนเสียง).

'can·vass·er *n* (หัวคะแนน).

'can·yon (*'kan-yən*) *n* a deep, steep-sided valley, usually containing a river (หุบผา โดยปกติจะมีแม่น้ำอยู่ข้างล่าง): *the Grand Canyon.*

See **mountain**

cap *n* **1** a flat hat with a piece at the front to shade the eyes (หมวกแก๊ป): *a chauffeur's cap.* **2** a covering for the head (หมวก): *a swimming cap; a nurse's cap.* **3** a cover or top of a bottle, pen *etc.* (ฝา ปลอก): *Replace the cap after you've finished with the pen.*

'ca·pa·ble (*'kā-pə-bəl*) *adj* **1** clever and sensible (ฉลาดและมีเหตุผล): *She'll manage somehow - she's so capable!* **2** able to do something (มีความสามารถ): *He is capable of doing better.*

'ca·pa·bly *adv* (ด้วยความสามารถ).

ca·pa'bil·i·ty *n* (ความสามารถ).

ca'pac·i·ty *n* **1** ability to hold, contain *etc* (ความจุ): *This tank has a capacity of 300 gallons.* **2** ability (ความสามารถ): *Children have a capacity for remembering facts.*

cape[1] *n* a loose garment without sleeves

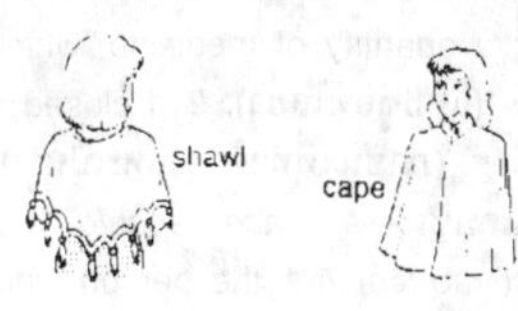

hanging from the shoulders (เสื้อหลวม ๆ ไม่มีแขน): *a cycling cape.*

cape[2] *n* a high point of land sticking out into the sea (แหลม): *The fishing-boat sailed round the cape.*

'cap·i·tal *n* **1** the chief city of a country (เมืองหลวง): *London is the capital of Great Britain.* **2** a large letter found at the beginning of sentences, names *etc.* (อักษรตัวใหญ่): *THESE ARE CAPITALS.* **3** money saved for a particular purpose *etc.* (ทุนทรัพย์): *You need capital to start a new business.* - *adj* **1** leading to punishment by death (นำไปสู่การลงโทษด้วยความตาย): *a capital crime* (อาชญากรรมขั้นอุกฤษฏ์). **2** excellent (ยอดเยี่ยม): *a capital idea.*

capital city a capital (เมืองหลวง): *Paris is a capital city.*

capital letter a capital (อักษรตัวใหญ่): *Write your name in capital letters.*

capital punishment punishment of a crime by death (โทษประหารชีวิต): *Britain no longer has capital punishment.*

'cap·i·tal·ism *n* a system of government under which business and industry are controlled by individual people, and not by the state (ลัทธินายทุน ทุนนิยม).

'cap·i·tal·ist *adj* having to do with capitalism (แห่งลัทธินายทุน): *a capitalist society.* - *n* a person who believes in capitalism (นายทุน).

ca'pit·u·late (*kə'pit-ū-lāt*) *v* to surrender usually on agreed conditions (ยอมจำนน โดยปกติแล้วมีเงื่อนไขตามที่ตกลงกัน): *We capitulated to the enemy.*

ca·pit·u'la·tion *n* (การยอมจำนน).

capped *adj* having a cap or covering (มีสิ่งปกคลุม): *snowcapped mountains.*

cap'size *v* to overturn (ล่ม พลิกคว่ำ): *The boat capsized and we all fell into the water.*

'cap·sule (*'kap-sūl*) *n* **1** a small edible container holding a quantity of medicine, which you swallow (แคปซูลที่ใส่ยา). **2** a closed metal container (ภาชนะที่ทำด้วยโลหะเป็นรูปยาวรีเหมือนแคปซูล): *a space capsule.*

'cap·tain (*'kap-tən*) *n* **1** the person who commands a ship, an aircraft, or a group of soldiers (นายเรือ ผู้บังคับบัญชาหรือกลุ่มทหาร). **2** the leader of a team or club (หัวหน้าทีมหรือชมรม). - *v* to be captain of something (หัวหน้าทีม): *John captained the football team last year.*

'cap·tion *n* the words that are written underneath a picture to explain it (คำบรรยายภาพ): *In the newspaper there was a photograph of the girl, with the caption 'Susan Lee, the girl who saved her brother'.*

'cap·ti·va·ting *adj* interesting, attractive or charming (น่าสนใจ เป็นที่ดึงดูดสายตาหรือมีเสน่ห์): *a captivating story; a captivating personality.*

'cap·tive *n* a prisoner (นักโทษ): *Two of the captives escaped.* - *adj* kept as a prisoner (ที่ถูกขังไว้ราวกับนักโทษ): *The soldiers were taken captive.*

cap'tiv·i·ty *n* being a prisoner or kept in a cage (การต้องโทษหรือขังไว้ในกรง): *Is it right to keep animals in captivity in a zoo?*

'cap·tor *n* a person who captures someone (ผู้จับ): *He managed to escape from his captors.*

'cap·ture (*'kap-chər*) *v* to take by force (จับโดยใช้กำลัง): *The soldiers captured the castle; Several animals were captured with a large net.* - *n* **1** capturing (การจับ): *the capture of the criminal.* **2** something caught (สิ่งที่ถูกจับได้): *A kangaroo was his most recent capture.*

car *n* **1** a motor vehicle on wheels for carrying people (รถยนต์): *What kind of car do you have?; Did you go by car?; A fleet of cars accompanied the president's vehicle* (ขบวนรถติดตาม). **2** a railway carriage for goods or people (ตู้รถไฟ): *a freight-car; a dining car.*

See **in**.

car park a piece of land or a building where cars may be parked (ที่จอดรถ).

'car·at (*'kar-ət*) *n* **1** a unit for measuring how much pure gold there is in a gold object (หน่วยวัดปริมาณทองบริสุทธิ์ในวัตถุที่ทำด้วย

ทอง): *an 18-carat gold ring.* **2** a measure of weight for diamonds and other precious stones that is equal to 0.2 grams (หน่วยวัดน้ำหนักของเพชรหรืออัญมณีต่าง ๆ).

'car·a·van *n* **1** a vehicle on wheels for living in, pulled by a car (รถพ่วงซึ่งใช้เป็นที่อยู่อาศัยโดยใช้รถยนต์ลากไปตามที่ต่าง ๆ ได้): *a holiday caravan.* **2** a group of people travelling together for safety especially across a desert on camels (กลุ่มคนที่เดินทางด้วยกันไปถิ่นทุรกันดารเพื่อความปลอดภัย).

car·bo'hy·drate (*kär-bə'hi-drāt*) *n* substances found in food, especially sugar and starch (คาร์โบไฮเดรท สสารที่พบในน้ำตาลและข้าว): *Rice is full of carbohydrate.*

'car·bon *n* a substance that is found in coal *etc.* (คาร์บอน สสารที่พบในถ่าน).

carbon di'ox·ide (*di'oks-īd*) a gas present in the air, breathed out by man and animals (ก๊าซที่อยู่ในอากาศมนุษย์และสัตว์หายใจออกมา).

carbon paper a paper coated with carbon, which is placed between two sheets of paper for making copies (กระดาษอัดสำเนา).

'car·case or **'car·cass** (*'kär-kəs*) *n* the body of a dead animal (ซากสัตว์).

card *n* **1** thick paper or thin cardboard (บัตรกระดาษหนาหรือกระดาษแข็งขนาดบาง ๆ): *shapes cut out from card* (รูปร่างที่ตัดออกมาจากกระดาษหนา). **2** a small piece of thick paper with designs, used in playing certain games (ไพ่): *a pack of cards* (ไพ่สำรับหนึ่ง). **3** a piece of thick paper, plastic *etc.* used for sending greetings, storing information *etc.* (บัตรที่ใช้สำหรับส่งคำอวยพร เก็บข่าวสาร): *a birthday card; a bank card.*

cards *n* the games played with a pack of cards (การเล่นไพ่): *Do you like playing cards?*

'card·board *n* a stiff kind of paper often made up of several layers (กระดาษแข็งมักจะมีหลายชั้น). *adj* (กระดาษแข็ง): *a cardboard box.*

'car·di·gan *n* a knitted jacket that fastens up the front (เสื้อถักที่รัดหรือติดกระดุมด้านหน้า).

cardigan

jumper / pullover / sweater / jersey

'car·di·nal *n* in the Catholic Church, one of the men next in rank to the Pope (คนที่มีตำแหน่งรองจากสันตปาปา).

cardinal number a number that is used for counting (เลขจำนวนนับ): *'One', 'two' and 'three' are all cardinal numbers.*

care *n* **1** attention; concentration (การระวัง การเอาใจใส่): *Carry these cups with care.* **2** protection (การป้องกัน): *Your belongings will be safe in my care.* **3** worry (วิตกกังวล): *His mind was full of cares; It's nice to be free from care.* - *v* **1** to be anxious or concerned (กระวนกระวายหรือเป็นห่วง): *Don't you care if you fail your exam?; She really cares about her children.* **2** to want to do something (ต้องการทำบางสิ่งบางอย่าง): *Would you care to have tea with me?*

'care for 1 to look after someone (ดูแล): *The nurse will care for you.* **2** to like or love (ชอบหรือรัก): *Do you really care for him enough to marry him?*

take care to be careful or thorough *etc.* (ระมัดระวังหรือรอบคอบ): *Take care or you will fall!*

take care of to look after someone or something (ดูแล): *Their aunt took care of them while their parents were abroad.*

ca'reer *n* a way of making a living (อาชีพ): *the teaching career; I would like to make nursing my career.*

'care·free *adj* having no worries (ไม่มีกังวล): *carefree schoolchildren.*

'care·ful *adj* **1** taking care (ระมัดระวัง): *Be careful when you cross the street; a careful driver.* **2** thorough (ถี่ถ้วน รอบคอบ): *a careful search.*

'care·ful·ly *adv* (อย่างระมัดระวัง).

'care·ful·ness *n* (ความระมัดระวัง).

'care·less *adj* not careful (สะเพร่า ไม่เอาใจใส่): *This work is careless; a careless student.*

'care·less·ly *adv* (อย่างสะเพร่า อย่างไม่เอาใจใส่). **'care·less·ness** *n* (ความสะเพร่า ความไม่เอาใจใส่).

ca'ress *v* to touch gently and lovingly (ลูบไล้):

She caressed the horse's neck. - *n* a loving, gentle touch (การประเล้าประโลม): *a loving caress.*

'care·ta·ker *n* a person who looks after a building *etc.* (ผู้ดูแลตัวอาคาร).

'car·go, *plural* **'car·goes**, *n* a load of goods carried by a ship *etc.* (สินค้าที่บรรทุกโดยเรือ เครื่องบิน หรือรถไฟ): *a cargo of cotton.*

'car·i·ca·ture (*'kar-i-kə-choor*) *n* an unkind drawing of someone which is very easy to recognise (ภาพล้อ): *Caricatures of politicians appear in the newspapers every day.*

'car·ing *adj* kind, helpful and sympathetic (ใจดี คอยช่วยเหลือและเห็นอกเห็นใจ): *a caring person.*

'car·ni·val *n* a public entertainment, often with processions of people in fancy dress *etc.* (งานรื่นเริง มักมีผู้คนแต่งตัวแปลก ๆ).

'car·ni·vore *n* a flesh-eating animal (สัตว์กินเนื้อเป็นอาหาร): *The lion is a carnivore.*

car'niv·o·rous *adj* (กินเนื้อเป็นอาหาร).

'car·ol *n* a song of joy, especially for Christmas (เพลงรื่นเริง โดยเฉพาะอย่างยิ่งในวันคริสต์มาส).

carp, *plural* **carp**, *n* a freshwater fish found in ponds and rivers (ปลาน้ำจืดชนิดหนึ่ง).

'car·pen·ter *n* a workman who makes and repairs wooden objects (ช่างไม้).

'car·pen·try *n* (งานช่างไม้).

'car·pet *n* a thick piece of material for covering the floor or stairs *etc.* (พรมปูพื้น). - *v* to cover with a carpet (ปูพรม): *They haven't carpeted the floor yet.*

'car·riage (*'kar-ij*) *n* **1** a vehicle for carrying railway passengers (ตู้โดยสารรถไฟ): *the carriage nearest the engine.* **2** a passenger vehicle drawn by horses (รถม้า). **3** the sending or delivery of goods (ส่งหรือรับสินค้า): *She had to pay 10 dollars for the carriage of the books.*

'car·riage·way *n* the part of a road used by cars *etc.* (ทางถนน): *The overturned truck blocked the whole carriageway.*

'car·rier *n* **1** a container or frame used for carrying things (ที่บรรจุหรือกล่องใช้สำหรับใส่ของ): *He had a luggage carrier fixed to his bicycle.* **2** (also **carrier bag**) a bag made of plastic or paper for carrying shopping *etc.* in (ถุงทำด้วยพลาสติกหรือกระดาษที่ใช้ใส่ของ). **3** a person who is infected with a disease and can pass it on to other people (คนที่เป็นพาหะนำเชื้อโรคติดต่อกับผู้อื่นได้).

'car·rot *n* a long orange-coloured root vegetable (หัวผักกาดแดง).

'car·ry *v* **1** to take from one place to another (แบก นำไป ถือไป): *She carried the baby into the house; Flies carry disease.* **2** to go from one place to another (เดินทางจากที่หนึ่งไปยังอีกที่หนึ่ง): *Sound carries better over water.* **3** to support (ค้ำจุนรับน้ำหนัก): *These stone pillars carry the weight of the whole building.*

get carried away to lose control of your feelings (ลืมตัว ควบคุมความรู้สึกไม่อยู่): *She got carried away with excitement.*

carry on 1 to continue (ดำเนินต่อไป): *You must carry on working; Carry on with your work.* **2** to manage (จัดการ): *He carries on a business as a grocer.*

carry out to finish something successfully (ปฏิบัติได้เป็นผลสำเร็จ): *He carried out the plan.*

'car·ry·cot *n* a light cot with handles for carrying a small baby (รถที่ใช้เข็นเด็กเล็ก ๆ).

cart *n* a two-wheeled vehicle pulled by a horse, used for carrying loads (เกวียน): *a farm cart.* - *v* **1** to carry in a cart (ลากด้วยเกวียน): *He carted the potatoes home.* **2** to carry (ลาก): *I don't want to cart this luggage around all day.*

cart·ti·lage (*'kar-ti-ləj*) *n* a strong rubbery substance that forms your ears, the tip of your nose and the front part of your ribs (กระดูกอ่อน).

'car·ton *n* a cardboard or plastic container (กล่องกระดาษหรือกล่องพลาสติก): *Orange juice is sold in cartons.*

car'toon *n* **1** a drawing making fun of someone or something (ภาพล้อ): *a cartoon of the Prime Minister in the newspaper.* **2** a film consisting of a series of drawings in which the people and animals give the impression of movement (ภาพยนตร์ที่ประกอบด้วยภาพวาดเป็นคนหรือสัตว์เคลื่อนไหวได้): *a Walt Disney cartoon.*

car'toon·ist *n* a person who draws cartoons (ผู้วาดภาพล้อ ผู้วาดภาพการ์ตูน).

'car·tridge *n* **1** a case containing gunpowder, and a bullet, for a gun (ซองดินปืน ซองกระสุน). **2** a tube containing ink for loading a pen (หลอดที่ใส่หมึกเพื่อบรรจุในปากกา).

'cart·wheel *n* **1** a wheel of a cart (กงล้อเกวียน). **2** an acrobatic movement in which you turn your body sideways in the air with the action of a wheel, putting your weight on each hand and each foot in turn (การเล่นกายกรรมซึ่งหมุนร่างกลางอากาศเหมือนกับกงล้อ น้ำหนักตัวอยู่ที่มือและขาสลับกันไป): *The gymnast turned a cartwheel* (นักยิมนาสติกหมุนตัวตีลังกา). - *v* (ตีลังกา): *She cartwheeled across the gymnasium.*

carve *v* **1** to cut designs, shapes *etc.* out of a piece of wood, stone *etc.* (แกะสลัก): *The statue was carved out of wood.* **2** to cut up meat into slices (ตัดเป็นแผ่นบาง ๆ): *Father carved the joint.*

'carv·ing *n* a design, figure *etc.* carved from wood, stone *etc.* (การแกะสลัก).

cas'cade *n* a big waterfall (น้ำตกขนาดใหญ่): *a magnificent cascade.* - *v* to pour very fast (ไหลอย่างรวดเร็ว): *The water cascaded over the rocks.*

case[1] *n* **1** an example of something **(กรณีศึกษา)**: *There have been two cases of cheating this week; This is a bad case of measles.* **2** a particular situation (สถานการณ์เฉพาะ): *It's different in my case.* **3** a legal trial (คดี): *The judge in this case is very fair.* **4** a fact; the truth (เรื่องจริง): *I don't think that's really the case.*

in case in order to guard against a possibility (ในกรณี): *I'll take an umbrella in case it rains.*

in case of if a particular thing happens (ในกรณีที่มีเหตุการณ์เฉพาะหน้าอย่างใดอย่างหนึ่ง): *In case of fire, telephone the fire brigade.*

in that case if that is happening (ถ้าอย่างนั้น): *You're going to the shop? In that case, get me a box of matches.*

case[2] *n* **1** a container (หีบ): *a case of medical instruments; a suitcase.* **2** a crate or box (กล่อง): *six cases of oranges.* **3** a piece of furniture for displaying or containing things (ตู้โชว์): *a glass case full of china; a book-case.*

cash *n* coins or paper money, not cheques *etc.* (เงินสด): *Do you wish to pay cash?* - *v* to give or get cash for a cheque (จ่ายหรือขึ้นเงินสดจากเช็ค): *Can you cash a cheque for me?*

cash register the machine in a shop *etc* into which cash is put (เครื่องเก็บเงินสดที่มีตามร้าน).

'cash·ew (*'kash-oo*) *n* a small curved nut (เม็ดมะม่วงหิมพานต์).

ca'shier (*ka'shēr*) *n* a person who receives and pays out money, for example in a bank (เจ้าหน้าที่รับจ่ายเงิน).

'cash·mere (*'kash-mēr*) *n* a very fine, soft wool (ผ้าขนสัตว์ที่ประณีตอ่อนนุ่มมาก).

ca'si·no (*kə'sē-nō*), *plural* **ca'si·nos**, *n* a building in which people gamble (สถานเล่นการพนัน).

cask (*käsk*) *n* a barrel, usually for wine (ถังซึ่งมักใช้สำหรับใส่ไวน์).

'cas·ket (*'käs-kət*) *n* a small case for holding jewels *etc.* (กล่องเล็ก ๆ สำหรับใส่ของประเภทเพชรพลอย).

'cass·e·role (*'kas-ə-r*) *n* **1** a dish with a lid used for cooking food slowly in an oven (จานมีฝาซึ่งใช้สำหรับอบอาหาร). **2** the food cooked in such a dish (อาหารที่อบโดยใช้จานชนิดดังกล่าว): *a chicken casserole.*

cas'sette (*kə'set*) *n* a container for photographic film or magnetic tape (ตลับเทป): *I bought a cassette of jazz music.*

cassette player, **cassette recorder** a machine that plays, or makes, recordings on magnetic tape (เครื่องเล่นเทป เครื่องอัดเทป).

cast (*käst*) *v* **1** to throw or direct (ขว้าง เหวี่ยง ทอด): *The fisherman cast his line into the river; The moon cast a pale light over the garden.* **2** to drop or shed (ลอกคราบ): *Some* *snakes cast their skins.* **3** to pour liquid metal *etc.* into a container to get a desired shape (หล่อ): *The statue was cast in bronze.* **4** to give a part in a play *etc.* to someone (กำหนดบทบาทให้ตัวละคร): *She was cast as a fairy.* **5** to give a vote (ลงคะแนนเสียง): *Who will you cast your vote for?* - *n* **1** a throw (การขว้าง). **2** a mould in which something is shaped and hardened (แม่พิมพ์): *The hot metal was poured into a cast.* **3** all the actors in a play *etc.* (คณะนักแสดงละคร).

cast; **cast**; **cast**: *He cast a glance at me; Have you cast your vote?*

'cast·a·way *n* a shipwrecked person (คนเรือแตก).

cast aside, **cast away**, **cast off** to throw away (ทิ้งไป ละทิ้ง).

cas·ta'nets *n plural* a pair of musical instruments used in Spanish dancing, consisting of two small hollow pieces of wood or plastic that you hold between your fingers and thumb and strike together to make a rhythm (เครื่องดนตรีชนิดหนึ่งของสเปนใช้ในการประกอบจังหวะ คล้ายเครื่องประกอบจังหวะของไทยที่เรียกว่า กรับ).

caste (*käst*) *n* a social class especially in India (ระดับทางสังคม วรรณะ).

caster *see* **castor** (ดู **castor**).

'cas·tle (*'kä-səl*) *n* **1** a large building strengthened against attack (ปราสาท): *The castle was built on top of a mountain.* **2** a piece in chess (ตัวเรือในหมากรุก).

'cast-off *adj* no longer needed (ไม่เป็นที่ต้องการอีกต่อไป ไม่ใช้แล้ว): *cast-off clothes.*

'cas·tor or **'cas·ter** *n* a small wheel fixed under the leg of a chair, table or bed, that makes it easier to move (ลูกล้อเลื่อน).

'cas·u·al (*'kazh-o͞o-əl*) *adj* **1** not careful (ไม่เอาใจใส่): *I took a casual glance at the book.* **2** not smart or formal (ลำลอง): *casual clothes.* **3** happening by chance (เกิดขึ้นโดยความบังเอิญ): *a casual meeting with a friend.*

'cas·u·al·ly *adv* (อย่างไม่สนใจ อย่างลำลอง อย่างบังเอิญ).

'cas·u·al·ness *n* (ความไม่สนใจ ความลำลอง ความบังเอิญ).

'cas·u·al·ty (*'kazh-o͞o-əl-ti*) *n* a person who is wounded or killed in a battle, accident *etc.* (คนที่ได้รับบาดเจ็บหรือตายเช่นในการรบหรืออุบัติเหตุ): *There were many casualties when the factory went on fire.*

cas·u·a'ri·na (*kazh-o͞o-ə-'rē-nə*) *n* a tall, feathery tree with drooping, green branches (ต้นไม้สูงใบหนามีกิ่งห้อยลงมา).

cat *n* a small, four-legged, fur-covered animal, often kept as a pet (แมว).

A cat **purrs** or **mews**.
A baby cat is a **kitten**.
A male cat is a **tom**.

let the cat out of the bag to let a secret become known without meaning to (เผยความลับออกมาโดยไม่ได้ตั้งใจ).

'cat·a·combs (*'kat-ə-koomz*) *n plural* a series of underground tunnels containing burial places (อุโมงค์ใต้ดินมีที่ฝังศพอยู่): *When she was in Rome she visited the catacombs.*

'cat·a·logue (*'kat-ə-log*) *n* a list of names, goods, books *etc.* arranged in a particular order (สมุดรวบรวมรายชื่อคน สินค้า เรียงลำดับกันตามรายการเช่นรายชื่อ รายการสินค้า รายชื่อหนังสือ ซึ่งมีการจัดลำดับตามจุดประสงค์เฉพาะ): *a library catalogue.* - *v* to list things in order (เรียงลำดับสิ่งต่าง ๆ ให้เรียบร้อย): *She catalogued the books.*

'cat·a·lyst (*'kat-ə-list*) *n* **1** a substance that causes or assists a chemical change in other substances without itself changing (สสารที่ทำให้เกิดหรือช่วยให้เกิดการเปลี่ยนแปลงทางเคมีในสสารตัวอื่นโดยไม่เกิดการเปลี่ยนแปลงในตัวเอง หรือตัวเร่งปฏิกิริยาเคมี). **2** something that causes a change in a situation, or makes something happen (บางสิ่งที่ทำให้สถานการณ์เปลี่ยนไปหรือทำให้บางอย่างเกิดขึ้น).

cat·a'ly·tic con·ver·ter (*kat-ə'li-tik kən-ver-tər*) a device which reduces the amount of poisonous gas given off by a motor car (เครื่องมือที่ลดปริมาณของก๊าซพิษซึ่งเกิดจากรถยนต์).

cat·a·ma'ran *n* a sailing-boat that looks like two boats side by side, joined together by a deck

(เรือใบสมัยใหม่ มีลำคู่).

'cat·a·pult *n* a Y-shaped stick with an elastic string for shooting small stones *etc.* (ไม้ยิงหนังสติ๊กใช้ก้อนหินเป็นกระสุน) - *v* to throw violently (เหวี่ยงไปอย่างแรง): *His bicycle hit a stone, and he was catapulted over the handlebars.*

ca'tas·tro·phe (*kə'tas-trə-fi*) *n* a sudden great disaster (ความหายนะ): *earthquakes and other catastrophes.*

cat·a'stroph·ic *adj* (อย่างหายนะ).

catch *v* **1** to stop and hold something which is moving; to capture (จับ): *He caught the ball; Did you catch any fish?; I tried to catch his attention.* **2** to be in time for, or get on, a train, bus *etc.* (ทันเวลาจับรถไฟ รถเมล์): *I'll have to catch the train to London.* **3** to surprise someone while they are doing something wrong (**ดักจับขณะทำผิด**): *I caught him stealing my vegetables.* **4** to become infected with a disease (ติดเชื้อ): *He caught flu.* **5** to get attached or held by accident (ติดหรือถูกหนีบอยู่เพราะอุบัติเหตุ): *The child caught her fingers in the car door.* **6** to hit (ตี, กระทบโดน): *The punch caught him on the chin.* **7** to manage to hear (ได้ยิน): *Did you catch what she said?* **8** to start burning (เริ่มลุกไหม้): *The dry grass caught fire.* - *n* **1** catching something, especially a ball (รับได้): *She made a good catch.* **2** a total amount of fish *etc.* caught (จำนวนทั้งหมดที่จับได้): *The fishermen made a big catch.* **3** a trick (ลวดลาย กลลวง): *There's a catch in this question.* **4** a device for holding something closed (ตัวหนีบหรือที่เกี่ยว): *The catch on my necklace is broken.*

catch; **caught** (*köt*); **caught**: *He caught a fish; The thief was caught at last.*

'catch-phrase *n* a popular, fashionable saying; something that everyone is repeating (คำพูดซึ่งเป็นที่นิยม ใคร ๆ ก็มักจะกล่าวย้ำคำพูดนี้). **'catch·y** *adj* attractive and easily remembered (ดึงดูดใจ จำได้ง่าย): *a catchy tune.*

catch someone's eye to attract someone's attention (ดึงดูดความสนใจ): *The advertisement caught my eye.*

catch on to become popular (กลายเป็นที่นิยม): *The fashion caught on.*

catch out to trick someone into making a mistake (หลอกให้ทำผิด): *The question caught them all out.*

catch up 1 to reach or pass someone or something, after following (ตามทัน): *We caught him up at the corner; We waited for him to catch up.* **2** to do all the work that you have not yet done (ทำให้ทัน): *She had a lot of schoolwork to catch up on after her illness.*

'cat·e·go·ry *n* a class or type of things or people (การจัดหมวดหมู่หรือประเภทของ สิ่งของหรือคน): *Story-books come under the category of fiction.*

'ca·ter (*'kā-tər*) *v* **1** to provide food *etc.* (จัดหาอาหาร): *This hotel caters for wedding-parties.* **2** to supply what is needed (จัดหาสิ่งที่จำเป็น): *We cater for all educational needs.*

'ca·ter·er, **'ca·ter·ing** *ns* (ผู้จัดหาอาหาร).

'cat·er·pil·lar *n* a worm-like creature that is the larva of a butterfly or moth (ตัวอ่อนของผีเสื้อ ตัวแก้ว).

'cat·fish *n* a fish with long whiskers round its mouth (ปลาดุก).

ca'the·dral (*kə'thē-drəl*) *n* the principal church of a district under a bishop (โบสถ์).

'Cath·o·lic *adj* of the Roman Catholic Church (แห่งลัทธิคาทอลิก). - *n* a member of the Roman Catholic Church (ชาวคาทอลิก).

'Cat's-eye *n* a small thick piece of glass fixed into the road to reflect a car's headlights and so guide the driver (วัตถุขนาดเล็กทำด้วยแก้วหรือกระจกสำหรับติดพื้นถนนเพื่อสะท้อนแสงไฟจากหน้ารถทำให้ผู้ขับขี่มองเห็นเส้นถนนให้ชัดเจน).

'cat·tle *n* grass-eating animals, especially cows, bulls and oxen (สัตว์กินหญ้า วัว ควาย): *He owns a herd of cattle.*

cattle takes a plural verb: *The cattle were in the field.*

caught *see* **catch** (ดู **catch**).

'caul·dron *n* a large deep pot for boiling things in (หม้อชนิดหนึ่งใช้สำหรับต้มมีขนาดใหญ่และลึก).

'cau·li·flow·er (*'kol-i-flow-ər*) *n* a vegetable with a large white head (ดอกกะหล่ำ).

cause (*köz*) *n* **1** something or someone that produces an effect or result (ต้นเหตุหรือผู้ก่อเหตุ): *Lack of money is the cause of all my misery.* **2** a reason for an action (เหตุผลในการทางทำอย่างใดอย่างหนึ่ง): *You had no cause to treat your dog so badly.* **3** an aim for which one person or a group works (เป้าหมาย): *He has worked hard in the cause of peace.* - *v* to make something happen (เป็นสาเหตุ): *What caused the accident?; Her son's illness caused her a lot of worry.*

See **reason**.

'cause·way (*'köz-wā*) *n* a raised road *etc.* over wet ground or shallow water (ถนนที่ยกสูงเพื่อให้พ้นจากพื้นที่แฉะหรือน้ำตื้น ๆ).

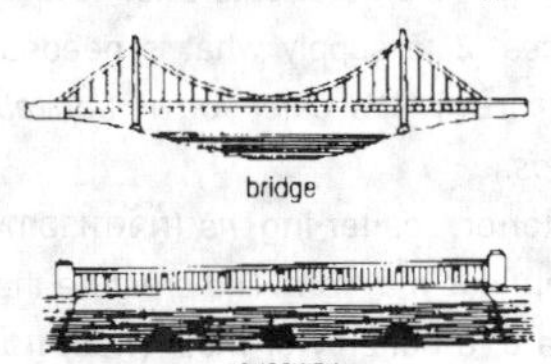

'cau·tion *n* **1** carefulness because of possible danger *etc.* (ความระมัดระวังเนื่องจากอาจจะมีอันตรายได้): *You should always cross the street with caution.* **2** a warning (การเตือน): *The policeman gave him a caution for speeding.* - *v* to give a warning to someone (ถูกเตือน): *He was cautioned for careless driving.*

'cau·tion·ar·y *adj* (เป็นการเตือนให้ระวัง).

'cau·tious *adj* careful (ระมัดระวัง): *She used to trust everyone but she's more cautious now; a cautious driver.* **'cau·tious·ly** *adv* (อย่างระมัดระวัง).

cav·a'lier (*kav-ə'lēr*) *n* in former times, a horseman or knight (ทหารม้าหรืออัศวินในสมัยโบราณ).

'cav·al·ry *n* the part of an army consisting of soldiers who ride on horses (เหล่าทหารม้า).

cave *n* a large natural hollow in rock or in the earth (ถ้ำ): *The children explored the cave.*

'cave·man *n* a person who lived in a cave thousands of years ago (มนุษย์ถ้ำ).

cave in to collapse: *The wall caved in* (ถล่ม).

'cav·ern *n* a large cave (ถ้ำขนาดใหญ่).

'cav·i·ty *n* a hollow place; a hole (โพรง รู): *The dentist said she had three cavities in her teeth.*

cease (*sēs*) *v* to stop or end (หยุด): *They were ordered to cease firing; The noise ceased at last.*

'cease·fire *n* an agreement to stop fighting (ข้อตกลงในการหยุดการต่อสู้): *Both countries signed the ceasefire which brought the war to an end.*

'cease·less *adj* continuous (ไม่หยุดหย่อน): *ceaseless noise.* **'cease·less·ly** *adv* (อย่างไม่หยุดหย่อน).

'ce·dar (*'sē-dər*) *n* a large tree with needle-like leaves and hard, sweet-smelling wood (ต้นซีดาร์).

'ceil·ing (*'sē-liŋ*) *n* the inner roof of a room *etc.* (เพดานห้อง): *If I stand on a chair I can touch the ceiling.*

'cel·e·brate *v* to have a party *etc.* in honour of a happy or important event (ฉลอง): *I'm celebrating my birthday today.*

cel·e'bra·tion *n* (การฉลอง).

'cel·e·brat·ed *adj* famous (มีชื่อเสียง): *a celebrated actress.*

ce'leb·ri·ty *n* a famous person (คนที่มีชื่อเสียง).

'cel·er·y *n* a vegetable whose long juicy stalks are used in salads (ผักเซลเลอรี่ คล้ายขึ้นฉ่าย).

ce'les·ti·al *adj* of heaven or the sky (แห่งสวรรค์ แห่งท้องฟ้า): *Stars are celestial bodies.*

cell *n* **1** a small room especially in a prison (ห้องขัง). **2** a very small piece of the substance of which all living things are made (เซล): *The human body is made up of cells.* **3** a small compartment or division (ห้องเล็ก ๆ): *the cells of a honeycomb.*

'cel·lar *n* an underground room, usually used for storing coal, wine *etc.* (ห้องใต้ดิน).

'cel·lo (*'chel-ō*) *n* a musical instrument similar

to, but much larger than, a violin (เครื่องมือดนตรีคล้ายกับไวโอลินแต่ใหญ่กว่ามาก). **'cel·list** *n* (ผู้เล่นไวโอลินชนิดนี้).

The pronunciation of **cello** is *'chel-ō*.

'Cel·si·us *adj* measured on the temperature scale where water freezes at 0° and boils at 100° (เซลเซียส หน่วยวัดอุณหภูมิ): *twenty degrees Celsius; 20°C.*

Celsius ends in **-sius** (not **-cius**).

ce'ment *n* **1** a grey powder which you mix with sand and water and use for sticking bricks *etc* together and for making concrete (ปูนซีเมนต์). **2** a strong glue (กาวที่ติดแน่นมาก). - *v* to join firmly with cement.

'cem·e·tery (*'sem-ə-tri*) *n* a place where people are buried (ป่าช้า).

'cen·sor *v* to remove from books, films *etc.* anything which might offend people (การตรวจและตัดข้อความเนื้อเรื่องที่ไม่เหมาะสมออกจากหนังสือหรือภาพยนตร์). - *n* a person who censors (ผู้เซนเซอร์).

'cen·sor·ship *n* the censoring of books, films *etc.* (การเซนเซอร์).

'cen·sure (*'sen-shər*) *v* to criticize or blame (ติเตียน กล่าวโทษ): *He was censured for staying away from work.* - *n* criticism or blame (การติเตียนหรือกล่าวโทษ).

'cen·sus *n* an official counting especially of a country's inhabitants (การสำรวจประชากร).

cent *n* a coin equal to the hundredth part of a dollar, rupee *etc.* (เหรียญซึ่งมีค่าเท่ากับเศษหนึ่งส่วนร้อยของเงินดอลลาร์ เงินรูปี).

cen'te·nar·y (*sen'tē-nər-i*) *n* a hundredth anniversary (ครบรอบปีที่หนึ่งร้อย).

cen·te'nar·i·an (*sen-tə'nār-i-ən*) *n* a person who is a hundred or more years old (คนที่มีอายุหนึ่งร้อยปีหรือมากกว่านั้น).

'cen·ti·grade *adj* another name for Celsius (เซนติเกรด).

'cen·ti·me·tre (*'sen-ti-mē-tər*) *n* a hundredth part of a metre (เซนติเมตร): *cm is short for centimetre.*

'cen·ti·pede *n* a small crawling creature with many legs (ตะขาบ).

'cen·tral *adj* **1** belonging to, or near, the centre (ส่วนกลาง): *His flat is in the central part of the town.* **2** important (สำคัญ): *He plays a central part in the story.*

'cen·tral·ly *adv* (อย่างเป็นศูนย์กลาง).

'cen·tral·ize *v* to bring under one control (โยงอำนาจมาสู่ศูนย์กลาง)

cen·tral·i'za·tion *n* (การโยงอำนาจมาสู่ศูนย์กลาง).

'cen·tre (*'sen-tər*) *n* **1** the middle point or part (จุดกึ่งกลาง ใจกลาง): *the centre of a circle; the city centre.* **2** a place for an activity of a particular sort (ศูนย์กลางซึ่งจัดไว้สำหรับกิจกรรมเฉพาะอย่าง): *a shopping-centre; a sports-centre.* **3** the main point of interest *etc.* (จุดสนใจ): *He likes to be the centre of attention.* - *v* **1** to place, or to be, at the centre (ตั้งหรือจัดวางไว้ตรงกลาง). **2** to concentrate on (มุ่งมั่นอยู่กับ): *Her plans always centre on her child.*

'cen·tu·ry (*'sen-choo͝-ri*) *n* a period of a hundred years (ศตวรรษ): *the 19th century; for more than a century.*

See **year**.

ce'ram·ic (*si'ram-ik*) *adj* made of baked clay (เครื่องปั้นดินเผา): *a ceramic vase.* - *n* something made of baked clay (สิ่งที่ทำจากดินเผา): *She sells ceramics and woodcarvings.*

'ce·re·al (*'sē-ri-əl*) *n* **1** a grain used as food (ธัญพืช): *Wheat and barley are cereals.* **2** a breakfast food prepared from grain (อาหารมื้อเช้าที่ทำจากธัญพืช).

'cer·e·mo·ny *n* a formal event such as a wedding, funeral *etc.* (พิธี พิธีการ): *a marriage ceremony.*

cer·e'mo·ni·al (*ser-ə'mō-ni-əl*) *adj* formal or official (ที่เกี่ยวกับพิธีการ เป็นทางการ): *a ceremonial occasion such as the opening of parliament.*

cer·e'mo·ni·al·ly *adv* (อย่างเป็นพิธีการ).

'cer·tain (*'sər-tən*) *adj* **1** true or without doubt (ถูกต้องโดยปราศจากข้อสงสัย แน่นอน): *It's certain that the world is round.* **2** sure (แน่ใจ): *I'm certain he'll come; He is certain to forget; Being late is a certain way of losing your job.* **3** one; some (คนหนึ่ง

บางคน): *certain doctors; a certain Mrs Smith.* **4** slight; some (จำนวนนิดหน่อย จำนวนหนึ่ง): *a certain amount.* - *pron* some (บางคน): *certain of his friends.*

'cer·tain·ly *adv* **1** definitely (อย่างแน่นอน): *I can't come today, but I'll certainly come tomorrow.* **2** of course (แน่นอน): *You may certainly have a chocolate.*

'cer·tain·ty *n* (ความแน่นอน): *We can try, but there is no certainty of success.*

for certain definitely (แน่ ๆ): *She may come but she can't say for certain.*

make certain to act so that, or check that, something is sure (ยืนยัน ตรวจสอบให้แน่ใจ): *Make certain you arrive early; I think he's gone home but you'd better make certain.*

cer'tif·i·cate *n* a written official statement of some fact (ประกาศนียบัตร ใบทะเบียน ใบรับรอง): *a marriage certificate.*

'cer·ti·fy (*'sər-ti-fi*) *v* to put something down in writing as an official promise, statement *etc.* (รับรองอย่างเป็นทางการโดยเขียนเป็นลายลักษณ์อักษร): *Here is a document certifying that I was born in Singapore.*

cer·ti·fi'ca·tion *n* (การรับรอง).

chain *n* **1** a number of metal rings passing through one another (โซ่ สร้อย): *The dog was fastened by a chain; She wore a silver chain round her neck.* **2** a series (เป็นชุด ๆ): *a chain of events.* - *v* to fasten with chains (ล่ามโซ่): *The prisoner was chained to the wall.*

chain store one of a series of shops owned by the same company (ร้านค้าในเครือเดียวกัน).

chair *n* a seat for one person, with a back to it (เก้าอี้มีพนักพิง): *a table and four chairs.* - *v* to be chairman at a meeting *etc.* (เป็นประธานในการประชุม).

'chair·man *n* a person who takes charge of or directs a meeting (ประธาน).

'cha·let (*'sha-lā*) *n* a small wooden house used by holidaymakers *etc.* (บ้านไม้หลังเล็ก ๆ สำหรับนักท่องเที่ยวในวันหยุด).

chalk (*chök*) *n* **1** a soft white kind of stone (หินชนิดหนึ่งมีสีขาวและมีลักษณะอ่อนนิ่ม). **2** a piece of a substance like this, used for writing on blackboards (ชอล์กสำหรับใช้เขียนบนกระดานดำ).

'chalk·y *adj* (ที่มีสีขาวคล้ายมีส่วนประกอบหรือถูกปกคลุมด้วยชอล์ก).

'chalk·board *n* a smooth green board for writing on with chalk (กระดานดำ [ปกติสีเขียวอ่อน] ที่ใช้สำหรับเขียนด้วยชอล์ก).

'chal·lenge (*chal-ənj*) *v* **1** to ask someone to take part in a contest (ท้าทาย ท้าประลองฝีมือ): *He challenged his brother to a game of golf.* **2** to say that you doubt whether something is true, right *etc.* (ท้วงติง ร้องถามสิทธิหรือความชอบธรรม): *She challenged his right to keep the money.* - *n* **1** an invitation to a contest (การท้าทายให้สู้หรือประลองฝีมือ): *a challenge to fight.* **2** a situation, career *etc.* which requires a lot of effort and ability (สถานการณ์หรืออาชีพที่ต้องใช้ความพยายามและความสามารถมาก): *His new job is a challenge for him.*

'chal·leng·er *n* (ผู้ท้าทาย).

'chal·leng·ing *adj* (ที่ท้าทาย ที่ต้องใช้ความพยายามอย่างมาก).

'cham·ber (*'chām-bər*) *n* **1** a room (ห้อง). **2** the place where an assembly such as Parliament meets (ห้องหรือสถานที่ขนาดใหญ่ที่ใช้ประชุมเช่นรัฐสภา): *There were few members left in the chamber.*

'cham·ber·maid *n* a female hotel worker in charge of bedrooms (พนักงานหญิงของโรงแรมที่ดูแลความสะอาดเรียบร้อยในห้องพัก).

chamber music classical music composed for a small group of instruments rather than an orchestra (เพลงคลาสสิกที่เขียนเพื่อใช้สำหรับวงที่มีเครื่องดนตรีประกอบน้อยชิ้นกว่าวงออเคสตร้า).

cha'me·le·on (*kə'mē-li-ən*) *n* a small lizard which is able to change colour (กิ้งก่า).

cham'pagne (*sham'pān*) *n* a white sparkling wine (เหล้าแชมเปญ ไวน์ขาวที่ถูกอัดแก๊สเพื่อให้มีฟอง).

'cham·pi·on *n* **1** in games, competitions *etc.*, a person who has defeated all others (ผู้ชนะเลิศ): *this year's golf champion.* **2** a person who strongly supports a cause (ผู้สนับสนุน):

a champion of human rights. - *adj* being a champion (เป็นผู้ชนะเลิศ): *a champion boxer.* - *v* to defend or support (ปกป้องหรือสนับสนุน).

'cham·pi·on·ship *n* a contest held to decide who is the champion (การแข่งขันที่จัดขึ้นเพื่อหาผู้ชนะเลิศ): *a tennis championship.*

chance (*chäns*) *n* **1** luck or fortune; something you didn't plan (โชคชะตา, สิ่งที่เกิดโดยบังเอิญ): *She never left things to chance; Card games are games of chance.* **2** an opportunity (โอกาส): *Now you have a chance to do well.* **3** a possibility (ความเป็นไปได้): *He has no chance of winning.* - *adj* unexpected (อย่างไม่คาดคิด): *a chance meeting.* - *v* to happen (เกิดขึ้นโดยบังเอิญ): *I chanced to meet her yesterday.*

by any chance perhaps (ความเป็นไปได้): *Are you by any chance free tonight?*

by chance by accident; not planned or on purpose (โดยบังเอิญ): *They met by chance.*

the chances are it is likely that (น่าจะเป็นไปได้ว่า): *The chances are he can't come tomorrow.*

'chan·cel·lor *n* **1** the head of the government in some European countries, such as West Germany (หัวหน้ารัฐบาลในยุโรปบางประเทศเช่นเยอรมันนีตะวันตก). **2** the head of a university (อธิการบดี).

chan·de'lier (*shan-də'lēr*) *n* a frame with many holders for lights, which hangs from the ceiling (โคมไฟระย้า).

change (*chānj*) *v* **1** to make or become different (เปลี่ยนหรือทำให้เปลี่ยน): *They have changed the time of the train; He has changed since I saw him last.* **2** to exchange (แลกเปลี่ยน): *She changed my library books for me.* **3** to remove clothes *etc.* and replace them by clean or different ones (เปลี่ยนเสื้อผ้า): *I'm just going to change my shirt; I'll change into an old pair of trousers.* **4** to make into or become something different (เปลี่ยนแปลง): *The prince changed into a frog.* **5** to give or receive one kind of money for another (แลกเงิน): *Could you change this banknote for cash?* — *n* **1** an alteration (การเปลี่ยนแปลง): *There is no change in the patient's condition; There will be a change in the programme.* **2** changing one thing for another (การสับเปลี่ยน): *a change of clothes.* **3** coins rather than paper money (เงินเหรียญ): *I'll have to give you a note — I have no change.* **4** money left over or given back from the amount given in payment (เงินทอน): *He paid with a dollar and got 20 cents change.* **5** a holiday, rest *etc.* (การเปลี่ยนบรรยากาศ การพักผ่อน): *He has been ill — the change will do him good.*

'change·a·ble *adj* changing often (เปลี่ยนแปลงอยู่เสมอ): *In Britain the weather is very changeable.*

change hands to pass from one owner to another (เปลี่ยนมือ): *This car has changed hands three times.*

change your mind to alter your intention or opinion about something (เปลี่ยนใจ): *At first he wanted to go to China but he changed his mind.*

for a change to be different; for variety (เพื่อการเปลี่ยนแปลง เพื่อความหลากหลาย): *I usually go by bus but today I'll walk for a change.*

'chan·nel *n* **1** the hollow in which a river or stream flows (ร่องน้ำ, ช่องแคบที่มีแม่น้ำหรือลำธารไหลผ่าน). **2** a narrow sea (ช่องแคบ): *the English Channel.* **3** a band of frequencies for radio or television signals (ช่วงแถบคลื่นความถี่วิทยุหรือโทรทัศน์): *BBC Television now has two channels.* — *v* **1** to make a channel (ทำให้เกิดช่อง). **2** to direct into a course (ทุ่มเท): *He channelled all his energies into the project.*

chant (*chänt*) *v* to repeat something over and over out loud (ตะโกน ร้องเสียงดังซ้ำไปซ้ำมา): *The crowd was chanting 'We want* *more!'* — *n* **1** a song used in religion, in magic spells *etc.* **(บทสวด, บทเพลงทางศาสนา). 2** a sentence or phrase that is constantly repeated (ประโยคหรือวลีที่ร้องซ้ำ ๆ กัน).

'cha·os (*'kā-os*) *n* complete disorder or confusion **(ความสับสนอลหม่าน)**: *The place was in chaos after the burglary.*

cha'ot·ic *adj* (ยุ่งเหยิง สับสน).

cha'ot·i·cal·ly *adv* (อย่างยุ่งเหยิง อย่างสับสน).

chap *n* a man or boy: *He's a nice chap* (ผู้ชายหรือเด็กชาย).

'chap·el *n* **1** a small church (โบสถ์เล็ก ๆ). **2** a small apartment for private services *etc.*, that is part of a larger church (ห้องเล็ก ๆ ใช้เป็นที่บูชาส่วนตัว ซึ่งเป็นส่วนหนึ่งของโบสถ์ที่ใหญ่กว่า).

'chap·lain (*'chap-lin*) *n* a member of the Christian clergy who works in a hospital, school, prison or the army (พระ อนุศาสนาจารย์).

chapped *adj* cracked and sore (รอยแตก รอยปริ): *chapped lips.*

'chap·ter *n* a division of a book (บท): *The book is divided into 12 chapters; Read Chapter 5.*

char *v* to burn or turn black by fire or heat (ไหม้หรือกลายเป็นสีดำด้วยไฟหรือความร้อน): *The wood was charred by the heat.*

'char·ac·ter (*'kar-ək-tər*) *n* **1** the qualities that make someone or something different from others (ลักษณะ อุปนิสัย): *He never shows his true character in public.* **2** qualities that are considered admirable in some way (ลักษณะที่ดี): *He showed great character in dealing with the danger.* **3** a person in a play, novel *etc* (ตัวละคร): *There are six characters in the play.* **4** a letter, sign *etc.* used in writing or printing (ตัวอักษร): *Chinese characters.*

char·ac·ter'is·tic *adj* typical of a person *etc.* (เอกลักษณ์): *That kind of behaviour is characteristic of him.* — *n* a typical quality (ลักษณะพิเศษ): *A strong smell is one of the characteristics of oranges.*

char·ac·te'ris·ti·cal·ly *adv* (โดยมีลักษณะพิเศษ).

'char·ac·ter·ize *v* **1** to mark in a special way (มีลักษณะ): *The giraffe is characterized by its long neck.* **2** to describe; to say what the qualities of something are (มีลักษณะ มีนิสัย).

char·ac·ter·i'za·tion *n* (การบรรยายลักษณะนิสัย).

cha'rades (*shə-'rädz*) *n* a game in which each syllable of a word, and then the whole word, is acted, and the audience has to guess the word (การเล่นทายคำโดยผู้เล่นฝ่ายหนึ่งทำท่าทางให้อีกฝ่ายหนึ่งทายคำ).

'char·coal *n* the black part of partly burned wood used as fuel and for drawing (ถ่านไม้).

charge *v* **1** to ask as the price for something (คิดราคา): *They charge 50 cents for a pint of milk.* **2** to accuse someone (กล่าวหา): *He was charged with theft.* **3** to rush forward and attack (โจมตี): *We charged towards the enemy on horseback.* **4** to rush (พุ่ง): *The children charged down the hill.* **5** to fill with electricity (บรรจุไฟฟ้า): *Please charge my car battery.* **6** to load a gun *etc.* (บรรจุปืน). — *n* **1** a price (ราคา): *What is the charge for a telephone call?* **2** something with which a person is accused (ข้อกล่าวหา): *He faces three charges of murder.* **3** an attack (การโจมตี): *The soldiers made a charge.* **4** the electricity in something (ประจุไฟฟ้า): *a positive or negative charge.* **5** a quantity of gunpowder (ปริมาณดินปืน).

in charge of looking after someone or something (รับผิดชอบ): *The teacher is in charge of the pupils.*

take charge to look after or organize (เข้าดูแล): *Who will take charge of the school while the headmaster is away?*

char·i·ot *n* a vehicle with two wheels, used in ancient times in fighting and racing (รถม้าในสมัยโบราณใช้ในการต่อสู้และการแข่ง).

cha'ris·ma (kə'riz-mə) *n* the power to make people like and respect you, and do what you want (ความสามารถพิเศษที่ทำให้คนชอบเชื่อถือและทำตามที่เราต้องการ): *A good leader must have charisma.*

char·is'mat·ic (*kar-iz'mat-ik*) *adj* (มีพลังโน้มน้าว): *a charismatic leader.*

'char·i·ty *n* **1** kindness especially in giving

money to poor people (ความมีใจบุญ). **2** an organization set up to collect money for poor people, for medical research *etc.* (องค์กรการกุศล): *Many charities sent money to help the victims of the disaster.*

'char·i·ta·ble *adj* (มีใจเป็นกุศล).

'char·i·ta·bly *adv* (อย่างมีใจเป็นกุศล).

charm *n* **1** pleasantness of character (ความมีเสน่ห์): *Her charm won her many friends.* **2** a magic spell (เวทมนตร์ คำสาป): *The witch recited a charm.* **3** something believed to bring good luck (เครื่องราง ของขลัง): *She wore a lucky charm.* — *v* **1** to delight (ทำให้ดีใจ): *The storyteller charmed all the children.* **2** to influence by magic (ใช้เวทมนตร์ดลใจ): *He charmed the snake from its basket.*

'charm·ing *adj* very attractive (มีเสน่ห์มาก): *a charming smile.* **'charm·ing·ly** *adv* (อย่างมีเสน่ห์).

chart *n* **1** a map, especially of seas or lakes (แผนที่). **2** a diagram giving information (แผนภูมิ): *a weather chart.* — *v* to make a chart of something (ทำแผนภาพ): *We charted their journey on our map.*

'char·ter *n* a written statement of rights or permission to do something (กฎบัตร ใบอนุญาต). — *v* to hire an aircraft *etc.* (เช่าเครื่องบิน): *The travel company had chartered three aircraft for their holiday flights.* — *adj* (เช่า): *a charter flight.*

chase *v* **1** to run after someone or something (วิ่งไล่): *He chased after them but did not catch them: We chased them by car.* **2** to cause to run away (ขับไล่): *I often have to chase the boys away from my fruit trees.* — *n* **1** the chasing of someone or something (การวิ่งไล่): *We caught him after a long chase.* **2** the hunting of animals (การไล่ล่าสัตว์).

give chase to chase (ไล่ตาม): *The thieves ran off and the policeman gave chase.*

'chasm (*'kaz-əm*) *n* a deep opening between high rocks *etc.* (เหว ช่องลึก ๆ ระหว่างหินใหญ่ ๆ).

chat *v* to talk in a friendly and easy way (คุยกันอย่างฉันท์มิตร): *They chatted about the weather.* — *n* a friendly talk (การคุยกันอย่างฉันท์มิตร): *We had a chat over coffee.*

chat up to talk to someone in a friendly way, usually because you would like them as your boyfriend or girlfriend (พูดเกี้ยวพาราสี): *He has chatted up all the girls in his class.*

'chat·eau (*'sha-tō*), *plural* **'chat·eaux** (*'shatōz*), *n* a castle or large country house in France (ปราสาทหรือบ้านใหญ่ ๆ ในชนบทของฝรั่งเศส).

'chat·ter *v* **1** to talk noisily about unimportant things (พูดพล่าม): *The children chattered among themselves.* **2** to knock together because of cold or fear (สั่นกระทบกัน): *Her teeth were chattering with the cold.* — *n* rapid, noisy talk (พูดเร็ว ๆ พูดเสียงดัง): *childish chatter.*

'chat·ter·box *n* a person who chatters a lot (คนพูดมาก).

'chat·ty *adj* talkative (ช่างพูด): *a chatty old lady.*

'chauf·feur (*'shō-fər*) *n* a person employed as a car-driver for someone important *etc.* (คนขับรถ).

'chau·vin·ism (*'shō-vi-ni-zəm*) *n* a silly belief that your own country, party, group *etc.* is much better than any other (ความเชื่ออย่างโง่ ๆ ว่าประเทศ หรือกลุ่มของตนเหนือกว่าผู้อื่นมาก).

'chau·vin·ist *n* a person who has this kind of belief (คนที่มีความเชื่อแบบนี้): *A male chauvinist believes that men are superior to women.*

chau·vi'nis·tic *adj* (อยากให้ประเทศหรือกลุ่มของตนดีกว่าผู้อื่นมาก ๆ ถือพวก).

cheap *adj* **1** low in price; not expensive (ถูก ไม่แพง): *Eggs are cheap just now.* **2** of bad quality or little value (คุณภาพเลวหรือมีค่าน้อย): *cheap jewellery.*

'cheap·ly *adv* (อย่างเลว ๆ).

'cheap·ness *n* (ราคาถูก ความมีค่าต่ำ).

cheat *v* to act dishonestly to gain an advantage (โกง): *He cheated in the exam; He was cheated out of ten dollars.* — *n* **1** a person who cheats (คนโกง). **2** a dishonest trick (เล่ห์ลวง).

'cheat·ing *n* (การโกง): *He was accused of*

cheating in the examination.

check *v* **1** to see if something is correct (ตรวจสอบว่าถูกหรือไม่): *Will you check my addition?* **2** to see if a machine *etc.* is in good condition or working properly (ตรวจสภาพเครื่องยนต์): *Have you checked the engine?* **3** to stop (ควบคุมไว้): *We've checked the flow of water from the burst pipe.* — *n* **1** the checking of something (การตรวจดู): *Give these sums a check.* **2** the reducing of something (ลดอะไรบางอย่างลง): *Keep a check on your spending.* **3** in chess, a position in which the king is attacked (การรุกในเกมของหมากรุก). **4** a pattern of squares on material *etc.* (ลายรูปกระดานหมากรุก). **5** a ticket received in return for handing in baggage *etc.* (ตั๋วที่ใช้เป็นหลักฐานรับของฝากคืน). **6** a bill (ใบเสร็จ). **7** a cheque (เช็ค).

checked *adj* having a pattern of check (ลายหมากรุก): *She wore a checked skirt.*

'check•mate *n* in chess, a position from which the king cannot escape (รุกฆาต).

'check•point *n* a place where cars, passports *etc.* are inspected (จุดตรวจ).

'check-up *n* an examination by a doctor to make sure you are healthy.

check in to arrive at a hotel and sign the register (มาถึงโรงแรมและลงชื่อในสมุดพัก): *We checked in last night.*

check out to leave a hotel *etc.* and pay your bill (การจ่ายเงินและออกจากโรงแรมไป).

'check•out *n* a place in a supermarket where you pay for goods (ที่จ่ายเงินในซูเปอร์มาร์เก็ต).

check up to make sure of something: *Please check up on the time of the train* (ตรวจดูให้แน่ใจ).

cheek *n* **1** the side of your face; the part below your eye (แก้ม): *pink cheeks.* **2** rudeness (ความทะลึ่ง ความหยาบคาย): *He had the cheek to make fun of his teacher.*

'cheek•y *adj* rude; impolite (อย่างหยาบคายอย่างไม่สุภาพ): *a cheeky remark.* **'cheek•i•ness** *n* (ความหยาบคาย ความไม่สุภาพ).

cheer *n* a shout of joy, encouragement or welcome (ตะโกนด้วยความยินดี ให้กำลังใจหรือต้อนรับ): *Three cheers for the winner!* — *v* to give a shout of joy *etc.* (โห่ร้องด้วยความยินดี): *The crowd cheered the new champion.*

'cheer•ful *adj* full of, or causing, happiness (ร่าเริงมีความสุข): *a cheerful smile; cheerful news.*

'cheer•ful•ly *adv* (อย่างมีความสุข).

'cheer•ful•ness *n* (การมีความสุข).

cheer up to make or become more cheerful (เบิกบาน): *He stopped crying and cheered up; The flowers will cheer her up.*

cheer•i'o! a word for goodbye (คำอำลา).

cheers! **1** a word you say when you drink someone's health *etc.* (คำพูดที่ใช้เมื่อดื่มเพื่อสุขภาพของใครสักคน). **2** another word for goodbye or thanks (ลาก่อนหรือขอบคุณ).

'cheer•y *adj* lively and happy (มีชีวิตชีวาและมีความสุข). **'cheer•i•ly** *adv* (อย่างมีชีวิตชีวา).

cheese (*chēz*) *n* a solid food made from milk (เนยแข็ง).

cheesed off bored: *I'm cheesed off with all this rain* (เบื่อหน่าย).

'chee•tah *n* a very swift-running animal of the cat family (สัตว์ที่วิ่งเร็วมาก อยู่ในตระกูลเดียวกับแมว เสือดาว).

chef (*shef*) *n* a head cook in a hotel *etc.* (หัวหน้าพ่อครัวในโรงแรม).

'chem•i•cal (*'kem-i-kəl*) *adj* having to do with chemistry (แห่งเคมี): *a chemical reaction.* — *n* a substance which is formed by or used in a chemical process (สารเคมี).

'chem•ist (*'kem-ist*) *n* **1** a scientist who studies or works in chemistry (นักเคมี). **2** a person who prepares and sells medicines (คนขายยา).

'chem•is•try (*'kem-is-tri*) *n* the science that deals with the nature of substances and the ways in which they act on, or combine with, each other (วิชาเคมี): *Chemistry was his favourite subject.*

cheque (*chek*) *n* a written order telling a bank to pay money to the person named (เช็ค): *I'll pay for the meal by cheque.*

'cheque•book *n* a book containing cheques

(สมุดเช็ค).

'cheq·uered (*'chek-ərd*) *adj* partly good and partly bad (กึ่งดีกึ่งเลว): *a chequered career; a chequered past.*

'cher·ish *v* **1** to protect and love a person (ทะนุถนอม): *She cherishes that child.* **2** to keep a hope, idea *etc.* in the mind (มีความหวังอยู่ในใจ): *She cherishes the hope that he will return.*

'cher·ry *n* a small red fruit with a stone (ผลเชอร์รี่).

chess *n* a game for two played with thirty-two pieces **'chess·men** on a board **'chess- board** with sixty-four black and white squares (หมากรุก).

chest[1] *n* the part of the body between the neck and waist (หน้าอก).

chest[2] *n* **1** a large, strong wooden or metal box (หีบขนาดใหญ่ทำด้วยไม้ที่แข็งแรงหรือเหล็ก). **2** a piece of furniture with drawers, for keeping clothes in *etc.* (เครื่องเรือนชิ้นหนึ่งที่มีลิ้นชักสำหรับใส่เสื้อผ้า ฯลฯ).

chest of drawers a piece of furniture fitted with several drawers (ตู้มีหลายลิ้นชัก).

'chest·nut (*'ches-nut*) *n* **1** a tree with red-brown nuts (ต้นเกาลัด). **2** the nut of this tree (ผลเกาลัด). **3** a red-brown colour (สีน้ำตาลแดง). — *adj* (ผมสีน้ำตาลแดง): *chestnut hair.*

chew *v* to break food *etc.* with the teeth (เคี้ยว): *You have to chew meat before swallowing it.*

'chew·ing-gum *n* a sweet and sticky substance that you chew (หมากฝรั่ง).

'chew·y *adj* needing a lot of chewing (ต้องเคี้ยวมาก ๆ): *a chewy piece of meat.*

chic (shēk) *adj* smart; pretty (ทันสมัย สวยเก๋): *She looks very chic in that hat.*

chick *n* a baby bird (ลูกนก).

'chick·en *n* **1** a young bird, especially a young hen (ไก่): *She keeps chickens.* **2** its flesh used as food (เนื้อไก่): *a plate of fried chicken.*

'chick·en-pox *n* an infectious disease with fever and red itchy spots (อีสุกอีใส).

chicken out to avoid doing something because you are afraid (ขี้ขลาด): *He chickened out of swimming in the river.*

chief (*chēf*) *adj* most important *etc.* (ที่สำคัญที่สุด): *Lack of hygiene is the chief cause of disease.* — *n* a person who is the head of a tribe or a business *etc.* (หัวหน้าเผ่า หัวหน้าในการทำธุรกิจ).

'chief·ly *adv* mainly (ส่วนใหญ่): *She became ill chiefly because she did not eat enough.*

'chief·tain (*'chēf-tən*) *n* the head of a tribe *etc.* (หัวหน้าเผ่า).

chi'hua·hua (*chi'wä-wä*) *n* a tiny dog with short hair that originally comes from Mexico. (สุนัขเล็ก ๆ มีขนสั้น แหล่งกำเนิดอยู่ที่เม็กซิโก)

child (*chīld*), *plural* **'chil·dren** (*'chil-drən*), *n* **1** a baby or young person (เด็กอ่อน เด็ก ๆ). **2** a son or daughter (บุตรชายหรือบุตรสาว): *Her youngest child is five years old.*

'child·birth *n* having a baby (คลอดบุตร).

'child·hood *n* the time during which you are a child (วัยเด็ก): *Did you have a happy childhood?*

'child·ish *adj* like a child; silly (เป็นเด็ก ๆ): *a childish remark.*

'child·ish·ly *adv* (อย่างเด็ก ๆ).

'child·ish·ness *n* (ความเป็นเด็ก).

'child·less *adj* having no children (ไม่มีลูก).

'child·like *adj* innocent (ไร้เดียงสา, เหมือนเด็ก): *trustful and childlike.*

> **childish** means silly: *a childish joke.*
> **childlike** means innocent; full of trust: *childlike obedience.*

chill *n* **1** coldness (ความหนาวเย็น): *There's a chill in the air.* **2** an illness which causes shivering (ความเจ็บป่วยซึ่งทำให้หนาวสั่น): *I think I've caught a chill.* — *adj* cold (หนาวเย็น): *a chill wind.* — *v* to make something cool or cold (แช่ให้เย็น): *Have you chilled the wine?*

'chil·ly *adj* cold (หนาวเย็น): *a chilly day.*

'chil·li·ness *n* (ความหนาวเย็น).

'chil·li *n* the hot-tasting pod of a type of pepper, often dried and made into a powder (พริก).

chime *n* a ringing sound, usually like a little tune, made by a large clock to tell the time (เสียงระฆัง). — *v* to make this sound (การ

ทำเสียงแบบนี้): *The church clock chimed 9 o'clock.*

'chim•ney *n* a structure that contains a passage for the escape of smoke *etc.* from a fire (ปล่องไฟ): *a factory chimney.*

chim•pan'zee *n* a small African ape (ลิงแอฟริกันชนิดหนึ่ง).

chin *n* the part of your face below your mouth (คาง): *His beard completely covers his chin.*

'chi•na (*'chī-nə*) *n* a hard white material used for making cups, plates *etc.*; articles made from this (เครื่องเคลือบ): *Wash the china carefully.* — *adj* (เครื่องลายคราม): *a china vase.*

chip *v* to knock a small piece off something (แตกออกมาเป็นชิ้นเล็ก ๆ): *This glass was chipped when I knocked it over.* — *n* **1** a small piece cut or broken off from glass, stone, wood *etc.* (ตัดหรือแตกออกมาจากแก้ว อัญมณีหรือไม้ ฯลฯ). **2** a place from which a small piece is broken (รอยหลุด): *There's a chip in the cup.* **3** a long thin piece of potato fried in deep fat (มันฝรั่งทอดชิ้นยาว ๆ): *steak and chips.* **4** a small piece of plastic used in place of cash in gambling (เบี้ยในการเล่นพนัน). **5** a microchip (ชิ้นซิลิกอนบรรจุทรานซิสเตอร์).

'chip•munk *n* a type of North American squirrel with a bushy tail and black-and-white-striped back (กระรอกลาย).

chirp, **'chir•rup** (*chir-əp*) *ns* the singing sound made by certain birds and insects (เสียงร้องเป็นเสียงเดียวของนกหรือแมลงบางชนิด). — *v* to make this sound (ทำเสียงร้องแบบนี้).

'chis•el (*'chiz-əl*) *n* a tool with a cutting edge at the end (สิ่ว). — *v* to cut or shape wood *etc.* with a chisel (ตัดหรือสลักไม้ ฯลฯ ด้วยสิ่ว).

'chiv•al•ry (*'shiv-əl-ri*) *n* kindness of men towards women; care for people weaker than yourself (ความใจดีที่ชายมีต่อหญิง การดูแลผู้คนที่อ่อนแอกว่า).

'chiv•al•rous *adj* (มีใจอารี ความกล้าหาญ).

'choc•o•late *n* **1** a substance made from the seeds of the cacao tree (สารที่ได้จากเมล็ดของต้นโกโก้ ช็อกโกแลต). **2** a sweet or drink made from it (ขนมหรือเครื่องดื่มที่ทำจากสิ่งนี้): *a bar of chocolate; a cup of chocolate.* — *adj* (ช็อกโกแลต): *chocolate ice-cream; chocolate biscuits.*

choice *n* choosing or the possibility of choosing (การเลือก ทางเลือก): *He had to make a difficult choice between the two cars; Here is some money to buy a book of your choice; You have no choice — you must do it.*

choir (*kwīr*) *n* a group of singers (คณะนักร้อง): *He used to sing in the church choir.*

choke *v* **1** to stop or partly stop breathing (สำลัก): *The gas choked him; He choked to death.* **2** to block (กีดขวาง): *This pipe was choked with dirt.*

'chol•er•a (*'kol-ə-rə*) *n* a very infectious and serious illness with diarrhoea and vomiting, that can cause death (อหิวาตกโรค).

choose (*chooz*) *v* **1** to take one thing rather than another from a number of things; to select (เลือก): *Always choose a book carefully.* **2** to decide (ตัดสินใจ): *If he chooses to stay at home, let him do so.*

choose; **chose** (*chōz*); **'cho•sen**: *She chose a new book; Have you chosen a partner?*

chop *v* to cut something into small pieces (ตัด สับ): *He chopped up the vegetables.* — *n* a slice of pork *etc.* containing a rib (เนื้อซี่โครง).

chop down to cut down a tree *etc.* with an axe (โค่นด้วยขวาน): *He chopped down the fir tree.*

'chop•per *n* **1** a knife *etc.* for chopping (มีดหั่นเนื้อ). **2** a helicopter (เฮลิคอปเตอร์).

'chop•py *adj* rather rough (ค่อนข้างกระเพื่อม ค่อนข้างเป็นคลื่น): *The ferry crossing was unpleasant because the sea was so choppy.*

'chop•pi•ness *n* (ความกระเพื่อม ทะเลมีคลื่นเล็กน้อย)

'chop•sticks *n* two thin sticks used to eat with (ตะเกียบ).

'cho•ral (*'kör-əl*) *adj* sung by a choir (ร้องประสานเสียง): *choral music.*

chord (*körd*) *n* a musical sound made by playing a number of notes together (เสียงดนตรีที่เกิดจากการเล่นโน้ตหลาย ๆ ตัวพร้อม ๆ

กัน).

chore *n* a piece of housework or any hard or dull job (งานจุกจิก งานที่ยากหรือน่าเบื่อ).

'cho·rus (*'kö-rəs*) *n* **1** a large group of singers (นักร้องกลุ่มใหญ่). **2** a group of singers and dancers in a musical show (กลุ่มนักร้องหรือนักเต้นในการแสดงดนตรี). **3** part of a song repeated after each verse (เพลงที่ร้องเป็นลูกคู่). **4** something said or shouted by a number of people together (พูดหรือตะโกนโดยคนหลายคนพร้อมกัน): *a chorus of cheers.*

chose, chosen *see* **choose** ดู **choose**.

Christ (*krīst*) *n* Jesus (พระเยซูคริสต์).

'chris·ten (*'kris-ən*) *v* to baptize and give a name to someone (การทำพิธีเป็นคริสต์ศาสนิกชนและการตั้งชื่อให้): *She was christened Joanna.*

'Chris·tian (*'kris-chən*) *n* a believer in Christ (ผู้เชื่อถือในพระเยซูคริสต์). — *adj* (แห่งความเป็นคริสต์): *the Christian religion.*

Chris·ti'an·i·ty (*kris-ti'an-i-ti*) *n* the religion based on the teaching of Christ.

Christian name the name you are given in addition to your surname: *Peter is his Christian name.*

'Christ·mas (*'kris-məs*) *n* an annual festival in memory of the birth of Christ, held on December 25, Christmas Day (การฉลองประจำปีในการรำลึกถึงวันเกิดของพระเยซูคริสต์มีขึ้นในวันที่ 25 ธันวาคม).

Christmas Eve December 24.

'Christ·mas-tree *n* an evergreen tree on which decorations and gifts are hung (ต้นไม้เขียวชอุ่มที่ติดเครื่องประดับและแขวนของขวัญเอาไว้).

chrome (*krōm*) *n* a hard, silver-coloured, shiny metal (โครเมี่ยม): *The bumpers of the car are made of chrome.* — *adj* covered with chrome (ชุบโครเมี่ยม): *chrome taps.*

'chron·ic (*'kron-ik*) *adj* never getting better; permanent (เป็นอยู่นาน เรื้อรัง): *a chronic illness.* **'chron·ic·al·ly** *adv* (นาน เสมอ).

'chron·i·cle (*'kron-i-kəl*) *n* a record of events, described or listed in the order in which they happened (บันทึกเหตุการณ์ จดหมายเหตุ). — *v* to make this kind of record of events: *He chronicled the progress of the war.*

chron·o'log·i·cal (*kron-ə'loj-i-kəl*) *adj* in order of happening (เรียงตามลำดับเวลา): *a chronological list of events.*

chron·o'log·i·cal·ly *adv* (อย่างเรียงตามลำดับ).

chry'san·the·mum (*kri'san-thə-məm*) *n* a garden flower with a large, bushy head (ดอกเบญจมาศ).

'chub·by *adj* plump (อ้วน ฉุ): *a baby's chubby face.*

chuck *v* to throw (ขว้าง): *Chuck this rubbish away.*

'chuck·le *v* to laugh quietly (หัวเราะหึ ๆ): *He sat chuckling over a funny book.* — *n* a quiet laugh (หัวเราะไม่มีเสียง): *He gave a chuckle.*

chug *v* to move along with the engine making a gentle noise (เสียงเครื่องยนต์ดังเบา ๆ): *I could hear the boat chugging along the river; The old car chugged up the hill.*

chum *n* a close friend (เพื่อนสนิท): *a school chum.*

chunk *n* a thick piece (ชิ้นใหญ่): *a chunk of bread.*

'chunk·y *adj* (เป็นชิ้นใหญ่).

church *n* a building where Christians meet to pray together (โบสถ์).

See **go**.

'church·yard *n* the ground round a church where dead people are buried (ป่าช้า).

churn *v* **1** to stir milk hard to produce butter (ทำนมให้เป็นเนย). **2** to move or turn about violently (เคลื่อนตัวหรือหันอย่างแรง).

churn out to keep on producing ideas, work *etc.* (มีความคิดหรือผลงานออกมาเรื่อย ๆ ฯลฯ).

chute (*shoot*) *n* **1** a steep, narrow slope for sending water, rubbish *etc.* down (ท่อเอียงเล็ก ๆ สำหรับส่งน้ำหรือขยะ). **2** a similar structure in a playground, for children to slide down (กระดานลื่นในสนามเด็กเล่น).

ci'ca·da (*si'kä-də*) *n* an insect that makes a chirping noise (จักจั่น).

'ci·der (*'sī-dər*) *n* an alcoholic drink made from apples (เครื่องดื่มมีแอลกอฮอล์ทำจากแอปเปิล).

ci'gar *n* a roll of tobacco leaves for smoking

(ซิการ์).

cig·a'rette (*sig-ər'et*) *n* a tube of paper containing finely cut tobacco for smoking (**บุหรี่**).

'cin·der *n* a piece of burnt coal, wood *etc.* (**เศษขี้เถ้าของถ่าน ไม้ ฯลฯ**).

'cin·e cam·er·a (*'sin-i-kam-ə-rə*) *n* a camera for taking moving pictures (**กล้องถ่ายภาพยนตร์**): *She used her new cine camera to film her son taking his first steps.*

'cin·e·ma *n* a building in which films are shown (**โรงภาพยนตร์**).

See **go**.

'cin·na·mon *n* a yellowish-brown spice used in baking and cooking (**อบเชย**).

'ci·pher (*'sī-fər*) *n* secret writing; a code (**เขียนเป็นรหัส**).

'cir·cle *n* **1** a round shape; a ring (**รูปวงกลม**): *They stood in a circle.* **2** a group of people (**กลุ่มคน**): *a circle of close friends.* **3** an upper floor of seats in a theatre *etc.* (**ที่นั่งชั้นบนในโรงมหรสพ**): *We sat in the circle at the opera.* — *v* **1** to move in a circle (**เคลื่อนที่ไปเป็นวง**): *The dancers circled round and round.* **2** to draw a circle round a word, number *etc.* (**กาเครื่องหมายรอบ ๆ คำ ตัวเลข ฯลฯ**): *Circle the word you think is wrong.*

'cir·cuit (*'sər-kit*) n **1** a journey round something (**โคจร วงจร**): *the earth's circuit round the sun; three circuits of the race-track.* **2** a race-track, running-track *etc.* (**สนามวิ่งแข่ง สนามวิ่ง**). **3** the path of an electric current (**ทางเดินของกระแสไฟฟ้า**).

'cir·cu·lar (*'sər-kū-lər*) *adj* **1** having the form of a circle; round (**เป็นวงกลม กลม**): *Plates are usually circular.* **2** leading back to the point from which it started (**กลับมายังจุดเริ่มต้นใหม่**): *a circular road.* — *n* a notice *etc.*, especially advertising something, sent to many people (**ใบปลิว หนังสือเวียน**): *We often get circulars advertising holidays.*

cir·cu'lar·i·ty *n* (**รูปวงกลม**).

'cir·cu·late (*'sər-kū-lāt*) *v* **1** to go round in a fixed path coming back to a starting-point (**หมุนเวียน**): *Blood circulates through the body.* **2** to spread around from person to person (**มีข่าวลือ**): *There's a story circulating that the art teacher is getting married.*

cir·cu'la·tion *n* **1** the action or movement of circulating; the circulation of the blood (**การหมุนเวียนของโลหิต**). **2** the number of people who buy a particular newspaper *etc.* (**จำนวนสมาชิก, ลูกค้า**): *This paper has a circulation of 1.5 million.*

cir'cum·fer·ence *n* the line which marks out a circle; the edge of anything circular in shape; the length of this line (**เส้นรอบวง**): *the circumference of a wheel.*

'cir·cum·stance *n* **1** a fact; a happening (**พฤติการณ์ เหตุการณ์**): *What were the circumstances that led you to telephone the police?* **2** (circumstances) conditions; surroundings (**สภาพ สิ่งแวดล้อม**): *They live in poor circumstances.*

'cir·cus *n* a travelling show with performances by acrobats, clowns, animals *etc.* (**ละครสัตว์**).

'cis·tern *n* a tank for storing water (**ถังเก็บน้ำ**).

'cit·i·zen *n* **1** a person who lives in a city or town (**ประชาชน**): *a citizen of London.* **2** a member of a state (**ประชากร**): *a British citizen; a citizen of the USA.*

'cit·i·zen·ship *n* the rights and duties of a citizen, especially of a particular country (**สิทธิและหน้าที่ของประชาชนคนหนึ่ง**).

'cit·rus fruit a type of juicy fruit with thick skin and a sharp taste, such as the lemon, orange, lime *etc.* (**ผลไม้จำพวกส้ม**).

'cit·y *n* a very large town (**เมืองใหญ่**).

'civ·ic *adj* having to do with a city or citizen (**แห่งพลเมือง**): *The offices of the city council are in the civic centre; It is our civic duty to keep the city tidy.*

'civ·il *adj* **1** polite, courteous (**สุภาพ มีอัธยาศัย**). **2** having to do with the state or community (**เกี่ยวกับรัฐหรือชุมชน**): *civil rights.* **3** ordinary; not military or religious (**ปกติธรรมดา ไม่ใช่ทางทหารหรือทางศาสนา**): *civil life.*

ci'vil·ian *n* a person who has a civil job, not in the armed forces (**พลเรือน**).

ci'vil·i·ty *n* politeness (**ความสุภาพ**): *Treat*

strangers with civility.

'civ·il·ly *adv* politely (อย่างสุภาพ).

civil servant a member of the civil service (ข้าราชการพลเรือน).

civil service the organization which runs the administration of a state (องค์การซึ่งทำงานบริหารกิจการของรัฐ ก.พ.).

civil war a war between citizens of the same state (สงครามกลางเมือง): *the American Civil War.*

'civ·i·lize *v* to change the ways of a primitive people to those found in a more advanced society (ทำให้เจริญ): *The Romans tried to civilize the ancient Britons.*

civ·i·li'za·tion *n* **1** civilizing or being civilized (การทำให้เจริญ): *the present state of civilization in the world.* **2** the way of life of a particular people (อารยธรรม): *the ancient Chinese civilization.*

clad *adj* clothed (สวม ห่ม แต่งตัว): *clad in silk.*

claim *v* **1** to say that something is a fact (อ้างว่าเป็นความจริง): *He claims to be the best runner in the class.* **2** to demand as a right (เรียกร้องคืน): *You must claim your money back if the goods are damaged.* **3** to say that you own something (อ้างสิทธิ์): *Does anyone claim this book?* — *n* **1** a statement that something is a fact (คำกล่าว): *His claim was false.* **2** a demand for something which you say you own or have a right to (อ้างเป็นเจ้าของ): *a rightful claim to the money.*

'claim·ant *n* a person who makes a claim (ผู้อ้างสิทธิ์ โจทก์).

clam *n* a large shellfish with two shells joined together (หอยกาบ).

'clam·ber *v* to climb using hands and feet (ตะกาย ไต่): *They clambered over the rocks.*

'clam·my *adj* damp and sticky (เย็นชื้นและเหนียวเหนอะหนะ): *clammy hands; clammy weather.*

'clam·our (*'klam-ər*) *n* a loud, continuous noise, especially of voices (โห้ร้อง). — *v* to make a noise like this (ทำเสียงดัง): *They're all clamouring to get their money back.*

clamp *n* a device for holding things together tightly (คีมใช้จับของต่าง ๆ เข้าด้วยกันให้แน่น). — *v* to hold things together with a clamp (การจับของไว้ด้วยคีม).

clan *n* a tribe or group of related families (เผ่าหรือเชื้อสายเดียวกัน).

clan'des·tine *adj* kept hidden or secret (ซ่อนเร้นหรือเป็นความลับ): *a clandestine meeting.*

clang *v* to make a loud, ringing sound (ทำเสียงดังก้อง): *The heavy gate clanged shut.* — *n* a ringing sound (เสียงดังก้อง).

clank *v* to produce a sound like that made by metal hitting metal (ทำให้เกิดเสียงแบบโลหะกระทบกัน): *The chains clanked.* — *n* a noise like this (เสียงโลหะกระทบกัน).

clap *v* **1** to strike your hands together (ตบมือ): *When the singer appeared, the audience clapped; They clapped the song; Clap your hands to the music.* **2** to put your hand suddenly over something (เอามือปิดในทันใด): *He clapped his hand over his mouth.* — *n* **1** a sudden noise of thunder (เสียงฟ้าร้องที่ดังขึ้นในทันใด). **2** the action of clapping (การตบมือ): *They gave the performer a clap.*

'clar·i·fy (*'klar-i-fi*) *v* to make clear in meaning etc (ทำให้กระจ่าง): *Please clarify your last statement.*

clar·i·fi'ca·tion *n* (การทำให้กระจ่าง ชัดแจ้ง).

clar·i'net *n* a musical instrument played by blowing, made of wood (เครื่องดนตรีที่ใช้เป่าทำจากไม้ ปี่ชวา): *He plays the clarinet in the school orchestra.*

clar·i·'net·tist *n* (นักเป่าปี่ชวา).

'clar·i·ty *n* **1** being easy to see, hear or understand (ง่ายต่อการเห็น ได้ยิน หรือเข้าใจ ความชัดแจ้ง): *She spoke with great clarity.* **2** clearness (ใส): *the clarity of the water.*

clash *n* **1** a loud noise of metal things striking together (เสียงกระทบอันดังของโลหะ): *the clash of swords.* **2** a quarrel or fight (ทะเลาะหรือต่อสู้กัน): *a clash between the two armies.* — *v* **1** to strike together noisily (ตีเข้าด้วยกันเสียงดัง): *The cymbals clashed.* **2** to disagree, quarrel or fight (ขัดแย้ง ทะเลาะหรือต่อสู้): *The workers clashed with their employer.* **3** not to go well together (สีไม่เข้า

กัน): *These two colours clash.*

the **clash** (not **crash**) of swords (การปะทะดาบกัน).

clasp (*kläsp*) *n* a hook *etc.* used for holding things together (ขอเกี่ยว): *the clasp of a necklace.* — *v* to grasp, hold tightly (จับหรือยึดไว้แน่น): *She clasped the money in her hand.*

class (*kläs*) *n* **1** a group of people or things that are alike in some way (ประเภท ชั้น): *The dog won first prize in its class in the dog show.* **2** one of a number of social groups (ชั้นในสังคม): *the upper class; the middle class; the working class.* **3** a particular grade or level (ชั้นหรือระดับผลงาน): *work of a very high class.* **4** a number of pupils or students taught together (ชั้นเรียน): *John and I are in the same class.* **5** a school lesson or college lecture *etc.* (ห้องเรียน): *a French class.*

'class•mate *n* a pupil in the same class as you (เพื่อนร่วมชั้นเรียน): *He invited some of his classmates to his party.*

'class•room *n* a room in a school where a class is taught (ห้องเรียน).

'clas•sic *n* a book or musical work that is generally considered very good and important. — *adj* **1** known by everyone to be very good, or the best (หนังสือหรือดนตรีที่ทุก ๆ คนรู้ว่าดี): *This is one of the classic textbooks on English grammar.* **2** simple, neat and smart (ธรรมดา ประณีต และสวยงาม): *a classic black dress.*

'clas•si•cal *adj* (ไพเราะเพราะพริ้ง): *classical music.*

'clas•si•fy (*klas-i-fi*) *v* to put into a particular class or group (จัดจำพวก): *The books are classified according to subject.*

clas•si•fi'ca•tion *n* (การจัดจำพวก).

classified advertisements small advertisements in a newspaper that are put in by people who want to buy or sell something (โฆษณาแยกประเภท).

'clat•ter *n* a loud noise like hard objects falling, striking against each other *etc.* (เสียงดังเหมือนกับวัตถุแข็ง ๆ ตกลงบนพื้นหรือกระทบกัน): *the clatter of pots and pans.* — *v* to make a noise like this (ทำให้เกิดเสียงดังแบบนี้): *She clattered the dishes in the sink.*

clause (*klöz*) *n* **1** a part of a sentence, such as either of the two parts of this sentence (อนุประโยค): *John has a friend who is rich.* **2** a part of an official or legal agreement (มาตรา).

claus•tro'pho•bi•a (*klos-trə'fō-bi-ə*) *n* a feeling of fear and nervousness caused by being in a small, confined space (ความรู้สึกกลัวที่จะต้องอยู่ในที่คับแคบ): *He dislikes travelling in cars because he suffers from claustrophobia.*

claw *n* **1** one of the hooked nails of an animal or bird (กรงเล็บ): *The cat sharpened its claws on the tree-trunk.* **2** the foot of an animal or bird with hooked nails (เท้าของสัตว์หรือนกที่มีเล็บโค้งงอ). **3** the leg of a crab *etc.* (ตีนปู). — *v* to scratch or tear at something with claws or nails (ใช้กรงเล็บหรือเล็บข่วนหรือฉีก): *The two cats clawed at each other.*

clay *n* a soft, sticky type of earth which is often baked into pottery, china, bricks *etc.* (ดินเหนียว).

clean *adj* **1** free from dirt (สะอาด): *a clean dress.* **2** neat and tidy (เรียบร้อยและสะอาด): *Cats are very clean animals.* **3** not yet used (ใหม่): *a clean sheet of paper.* — *v* to make or become free from dirt *etc.* (ทำความสะอาด): *Will you clean the windows?*

'clean•ly *adv* (อย่างสะอาด).

'clean- ness *n* (ความสะอาด).

'clean•er *n* **1** a person whose job it is to clean (คนทำความสะอาด). **2** something which cleans (สิ่งที่ใช้ทำความสะอาด).

'clean•li•ness (*'klen-li-nəs*) *n* cleanness, especially in personal habits (ความสะอาด).

clean up to clean a place thoroughly (ทำความสะอาดอย่างหมดจด): *She cleaned the room up after they went home.*

a clean slate a fresh start (เริ่มต้นใหม่): *After being in prison he started his new job with a clean slate.*

make a clean sweep to get rid of everything unnecessary or unwanted (ขจัดของที่ไม่จำ

เป็นหรือไม่ต้องการออกไป).

cleanse (*klenz*) *v* to make something clean (ทำให้สะอาด): *She cleansed her skin with soap and water.*

'cleans•er *n* (เครื่องทำให้สะอาด).

clear *adj* 1 easy to see through (ใส): *clear glass.* **2** free from cloud (กระจ่าง): *a clear sky.* **3** easy to see, hear or understand (แจ่มชัด): *a clear explanation; The photograph is very clear.* **4** free from difficulty or dangers (ไม่ยากลำบาก ไม่เป็นอันตราย): *a clear road.* **5** free from doubt *etc.* (ไม่ติดใจสงสัย): *Are you quite clear about what I mean?* — *v* **1** to take something away which is in your way (เก็บกวาด): *She cleared the floor of toys; He cleared the table.* **2** to declare someone innocent (พ้น): *He was cleared of the murder.* **3** to become bright, free from cloud (กระจ่างแจ้งและไม่มีเมฆ): *The sky cleared.*

'clear•ly *adv* (อย่างกระจ่างแจ้ง).

'clear•ness *n* (ความกระจ่างแจ้ง).

'clear•ance *n* the removal of something (การเอาไปให้พ้น): *clearance of trees.*

'clear•ing *n* a piece of land cleared of trees *etc.* (ที่โล่ง): *a clearing in the forest.*

clear-'cut *adj* clear and definite (แจ่มแจ้ง ตรงไปตรงมา): *clear-cut plans.*

clear away to return things to their proper place after use (เก็บให้เรียบร้อย): *He cleared away the breakfast things; Remember to clear away when you've finished.*

clear off to go away (จากไป): *He cleared off without saying a word.*

clear out 1 to get rid of something (ขจัดไป): *He cleared the rubbish out of the attic.* **2** to empty (ทำให้หมดจด): *He has cleared out the attic.*

clear up 1 to tidy (เก็บกวาด): *Clear up this mess!* **2** to become better *etc.* (ดีขึ้น): *If the weather clears up, we'll go for a picnic.*

cleave *v* to split (แตก แยก). **'cleav•age** *n* (รอยแยก รอยแตก).

> **cleave**; **cleft** or **clove**; **cleft** or **'clo•ven**: *He cleft (or clove) the rock in two; The rock was cleft (or cloven) in two by the blow.*

clef *n* a symbol at the beginning of a piece of music, showing the pitch of the notes (เครื่องหมายเริ่มเล่นดนตรีแสดงเสียงของตัวโน้ต).

cleft[1] *n* an opening; a split (รอยแตก): *a cleft in the rocks.*

cleft[2] *see* **cleave** ดู **cleave**.

clem•en•cy *n* mercy (เมตตาปรานี): *He appealed for clemency.*

clench *v* to close tightly together (ปิดปากมิด กำมือแน่น): *He clenched his fist.*

'cler•gy (*'klər-ji*) *n* the ministers, priests *etc.* of the Christian religion (ผู้รับใช้ พระ).

'cler•gy•man *n* a priest, minister *etc.* (พระ เสมียน).

'cler•i•cal[1] *adj* having to do with the clergy (ของพระ ของเสมียน).

cler•i•cal[2] *adj* having to do with a clerk or with his work (เกี่ยวกับเสมียนหรืองานของเขา): *a clerical error.*

clerk (*klärk*) *n* a person who deals with letters, accounts *etc.* in an office (เสมียน).

'clev•er *adj* **1** quick to learn and understand (ฉลาด): *a clever child.* **2** skilful (ชำนาญ): *a clever carpenter.*

'clev•er•ly *adv* (อย่างฉลาด อย่างชำนาญ).

'clev•er•ness *n* (ความฉลาด ความชำนาญ).

> He is **cleverer** (not **more cleverer**) than I am.
> See also **wise**.

'cli•chee (*'klē-shā*) *n* something that is said which everyone copies, so that it soon becomes boring (สำนวนที่ใช้ซ้ำซาก): *Try not to use clicheés when you're writing an essay.*

click *n* a short, sharp sound (เสียงคลิก): *the click of the camera.* — *v* to make this sound (ทำให้เกิดเสียงดังเช่นนี้): *The gate clicked.*

'cli•ent (*'klī-ənt*) *n* **1** a person who receives advice from a lawyer, accountant *etc.* (ลูกความ). **2** a customer (ลูกค้า).

cli•en'tele (*kli-on'tel*) *n* customers or clients (กลุ่มลูกค้า): *The shop has an extensive clientele.*

cliff *n* a high steep rock, especially one facing the sea (หน้าผาสูงชัน).

'cliff-hanger *n* an exciting story or situation in which the conclusion is left in doubt until the very end (เรื่องที่น่าตื่นเต้นซึ่งจะสรุปในตอนจบ): *The chess match was a real cliff-hanger.*

'cli·mate (*'klī-mət*) *n* **1** the weather conditions of a region (สภาพอากาศ). **2** a region with certain weather conditions (สภาพอากาศในบริเวณหนึ่ง): *They moved to a warmer and drier climate.* **cli'mat·ic** *adj* (แห่งอากาศ).

climate means the general weather conditions, temperature, dryness or dampness *etc.* of a country: *a tropical climate.*
weather means the changing conditions from day to day: *windy weather; wet weather; What lovely weather, today!*

'cli·max (*'klī-maks*) *n* the event or point of greatest interest or importance (ตอนสำคัญที่สุด จุดที่น่าสนใจที่สุด).

climb (*klīm*) *v* to go up or towards the top of a mountain, wall, ladder *etc.* (ปีน): *He climbed up the ladder; The child climbed the tree.* — *n* (การปีน): *It was a long climb to the top of the hill.*

'climb·er *n* (ผู้ปีน).

clinch *v* to settle or come to an agreement about an argument, bargain *etc.* (ตกลงกันได้เกี่ยวกับเรื่องที่ถกเถียงกันหรือต่อราคากัน): *The two companies clinched a deal which would mean greater profits for them both.*

cling *v* to stick; to grip tightly (ติดแน่น เกาะแน่น): *The mud was clinging to her shoes; She clung to her husband as he said goodbye.*

cling; **clung**; **clung**: *He clung to the rope; They have always clung to the old customs.*

'clin·ic *n* a hospital where a particular kind of medical treatment or advice is given (คลินิก): *the skin clinic.*

'clin·i·cal *adj* (แห่งโรงพยาบาล).

clink *n* a ringing sound (เสียงกระทบดังกรุ๋งกริ๋ง): *the clink of coins.* — *v* to make this sound (การทำเสียงแบบนี้): *They clinked their glasses together.*

clip[1] *v* to fasten with a clip (กลัดติดกัน): *Clip these papers together.* — *n* something for holding things together or in position (ของที่ใช้ในการทำให้สิ่งต่าง ๆ อยู่ติดกันหรืออยู่กับที่): *a paper-clip; a hair-clip.*

clip[2] *v* **1** to cut with scissors or shears (การตัดด้วยกรรไกรหรือเครื่องตัด): *The shepherd clipped the sheep; The hedge was clipped.* **2** to hit sharply (ตบอย่างแรง): *She clipped him over the ear.* — *n* **1** a cutting or clipping (ตัดหรือขลิบ). **2** a sharp blow (ตีอย่างแรง): *a clip on the ear.*

'clip·pers *n* a tool for clipping (เครื่องมือที่ใช้ตัด): *hedgeclippers; a pair of nail-clippers.*

'clip·ping *n* something cut out of a newspaper (สิ่งที่ตัดออกมาจากหนังสือพิมพ์).

clique (*klēk*) *n* a group of people who are friendly with each other but keep others out of the group (คณะ พวก หมู่): *She had a special clique of school friends.*

cloak *n* **1** a loose outer garment without sleeves, covering most of the body (เสื้อคลุม). **2** something that hides (ปกคลุม): *They arrived under cloak of darkness.* — *v* to hide (ปกปิด): *He used a false name to cloak his activities.*

clock *n* an instrument for measuring time, but not worn on the wrist like a watch (นาฬิกาตั้ง): *an alarm clock.*

'clock·wise *adv* in the direction of the movement of the hands of a clock (หมุนตามเข็มนาฬิกา).

'clock·work *n* the machinery of a clock or similar machinery (ลานนาฬิกา).

round the clock all day and all night (ทั้งวันทั้งคืน).

turn or **put the clock back** to return to the old-fashioned ideas or conditions of an earlier period (กลับคืนสภาพหรือความคิดมาเป็นแบบเก่า): *The government were accused of wanting to put the clock back.*

clod *n* a lump of earth (ก้อนดิน).

clog[1] *n* a shoe with a wooden sole (เกี๊ยะ).

clog[2] *v* to block (ปิดกั้น อุดตัน): *The drain is clogged with hair.*

'clois·ter *n* a covered passageway round an open courtyard or garden in a monastery, cathedral or college (ระเบียงโบสถ์หรือวิทยาลัย).

'clois·tered *adj* quiet and safe; away from the normal busy life of the world (เงียบและปลอดภัย อยู่ห่างจากทางโลก): *a cloistered life.*

close[1] (*klōs*) *adv* **1** near in time, place *etc.* (ใกล้ชิด ใกล้เคียง): *He stood close to his mother; Follow close behind.* **2** tightly; neatly (รัดรูป): *a close-fitting dress.* — *adj* **1** near in relationship; very dear (สนิทชิดเชื้อ): *a close friend.* **2** almost equal (แทบจะเท่ากัน): *a close contest; The result was close.* **3** thorough (อย่างใกล้ชิด): *Keep a close watch on him.* **4** tight (รัดแน่น): *a close fit.* **5** without fresh air (ไม่มีอากาศบริสุทธิ์): *There was a close atmosphere in the room.*

'close·ly *adv* (อย่างใกล้ชิด อย่างใกล้เคียง).

'close·ness *n* (ความใกล้ชิด ความใกล้เคียง).

close[1] means near: *A sister is a close relation.*
closed means shut: *The door is closed.*

close call, close shave a narrow escape (หนีได้อย่างหวุดหวิด).

'close-up *n* a photograph or film taken near the subject (ภาพถ่ายในระยะใกล้).

close at hand nearby; not far off (อยู่ใกล้ ๆ): *My mother lives close at hand.*

close on almost; nearly (เกือบ ใกล้): *She's close on sixty.*

close to 1 near in time, place, relationship *etc.* (ใกล้ถึงเวลา สถานที่ ฯลฯ): *It's close to 3 o'clock; Our house is close to the hospital; He's very close to his mother.* **2** almost; nearly (เกือบจะ ใกล้จะ): *close to fifty years of age.*

close[2] (*klōz*) *v* **1** to make or become shut (หลับตา ปิด): *The baby closed his eyes; Close the door; The shops close on Sundays.* **2** to finish (จบลง): *The meeting closed with everyone in agreement.* — *n* the end (การจบลง): *the close of day.*

open

closed

closed *adj* shut (ที่ปิด): *a closed door.*

See **close**[1].

close down to close permanently (ปิดอย่างถาวร): *The new supermarket has caused many small shops to close down.*

'close·down *n* the end of TV or radio programmes at night (จบรายการ).

close in to get gradually nearer to and surround a person or place (ตีวงล้อม โอบล้อม): *The enemy forces were beginning to close in on the town.*

close up 1 to come or bring closer (เข้ามาใกล้ ๆ): *Close up your letters — they're too spread out.* **2** to shut completely (ปิดหมด): *He closed up the house when he went on holiday.*

'clos·et (*'kloz-ət*) *n* a cupboard (ตู้): *a clothes closet.*

'clo·sure (*'klō-zhər*) *n* closing (การปิด): *the closure of a factory.*

clot *n* soft or fluid matter formed into a solid mass (ก้อนอ่อน ๆ หรือก้อนของเหลว): *a clot of blood.* — *v* to form into clots (กลายเป็นก้อน).

cloth *n* woven material from which clothes and many other things are made (ผ้า).

clothe (*klōdh*) *v* **1** to provide with clothes (หาเสื้อผ้าให้): *The widow did not have enough money to clothe her children.* **2** to dress (แต่งตัว): *She was clothed in silk.*

clothes (*klōdhz*) *n* things you wear, such as a shirt, trousers, dress *etc.* (เครื่องแต่งตัว): *Her clothes are always smart and clean.*

There is no singular form for **clothes**.

'clo·thing *n* clothes (เสื้อผ้า): *warm clothing.*

clothing is never used in the plural.

cloud *n* **1** a mass of tiny drops of water floating in the sky (เมฆ): *white clouds in a blue sky.* **2** a great number or quantity of anything small moving together (กลุ่มของเล็ก ๆ เคลื่อนที่ไปด้วยกัน): *a cloud of flies.* — *v* to become cloudy (เมฆหนาแน่น): *The sky clouded over and it began to rain.*

'cloud·less *adj* clear and bright (กระจ่างสดใส): *a cloudless sky.*

'cloud·y *adj* **1** full of clouds (มีเมฆมาก): *The weather was cloudy today.* **2** not clear (ไม่ชัด): *a cloudy photograph.*

clove[1] *n* the flower bud of a tropical tree dried for use as a spice (ดอกตูมของต้นไม้ในเขตร้อนตากแห้งใช้เป็นเครื่องเทศ).

clove[2], **cloven** *see* **cleave** ดู **cleave**.

clown *n* a person who works in a circus, performing funny acts (ตัวตลกในละครสัตว์).

club *n* **1** a heavy stick *etc.* used as a weapon (ไม้พลอง ติ้ว). **2** a stick used in certain games, especially golf (ไม้กอล์ฟ). **3** a number of people meeting for study, pleasure, games *etc.* (สโมสรเพื่อการศึกษา บันเทิง เล่นกีฬา): *He joined the tennis club.* **4** the place where these people meet (สโมสร): *He goes to the club every Friday.* **5** one of the playing-cards of the suit clubs, which have black shapes on them like this, ♣ (ดอกจิก): *the four of clubs.* — *v* to beat with a stick *etc.* (ตีด้วยไม้): *They clubbed him with a heavy stick.*

cluck *n* the sound made by a hen (เสียงแม่ไก่). — *v* to make this sound (การทำเสียงแบบนี้): *The hen was clucking in the yard.*

clue (*kloo*) *n* anything that helps to solve a mystery, problem *etc.* (ร่องรอย เงื่อนงำ): *After she had given me a clue, I knew the answers at once.*

clued-up *adj* well-informed (ได้รับการบอกเป็นอย่างดี): *He's not at all clued-up about computers.*

not have a clue not to know at all (ไม่รู้เรื่องเลย): *'How does that work?' 'I haven't a clue.'*

clump[1] *n* a group (กลุ่ม หมู่): *a clump of trees.*

clump[2] *v* to walk heavily and noisily (เดินหนัก ๆ และมีเสียงดัง).

'clum·sy (*'klum-zi*) *adj* awkward in movement *etc.* (งุ่มง่าม): *He's very clumsy — he's always dropping things.* **'clum·si·ly** *adv* (อย่างงุ่มง่าม). **'clum·si·ness** *n* (ความงุ่มง่าม).

clung *see* **cling** ดู **cling**.

'clus·ter *n* a group of people or things close together (กลุ่มของผู้คนหรือสิ่งของ): *a cluster of berries; They stood in a cluster.* — *v* to gather in clusters (รวมกันเป็นกระจุก): *The children clustered round the door.*

clutch *v* **1** to take hold of something (คว้า): *I clutched at a floating piece of wood to save myself from drowning.* **2** to hold tightly in your hands (จับแน่น): *She was clutching a 50-cent piece.* — *n* **1** control or power (ควบคุมหรือมีอำนาจ): *He fell into the clutches of his enemy.* **2** a part of a motor-car engine used in changing the gears (คลัตช์).

'clut·ter *v* to fill or cover in an untidy way (ใส่หรือคลุมอย่างยุ่งเหยิง): *He cluttered up his desk; The room was cluttered with furniture.* — *n* a lot of useless things that take up too much space and look untidy (ของที่รก รุงรัง): *His desk is full of clutter.*

co- doing something together, as in the words **co-author**, **co-exist** (ร่วมกัน อยู่ร่วมกัน).

coach *n* **1** a bus for travelling long distances (รถโดยสารใช้เดินทางไกล ๆ). **2** a large four-wheeled carriage pulled by horses (รถม้ามีสี่ล้อ). **3** a railway carriage for passengers (ตู้โดยสารรถไฟ). **4** a person who trains sportsmen (โค้ชกีฬา): *the tennis coach.* **5** a private teacher who prepares students for examinations (ครูสอนพิเศษ). — *v* to prepare a person for an examination, contest *etc.* (สอนเพื่อเตรียมสอบ เพื่อการแข่งขัน): *He coached his friend for the Latin exam.*

coal *n* a black substance burned as fuel for heating (ถ่านหิน).

'coal·mine *n* a mine from which coal is dug (เหมืองถ่านหิน).

co·a'li·tion *n* a temporary agreement to work together for the same cause, usually between political parties with different opinions (รัฐบาลผสม): *The government will never be beaten unless the other parties form a coalition.*

coarse *adj* **1** rough; not fine (หยาบ ๆ): *This coat is made of coarse material.* **2** rude; impolite (หยาบคาย ไม่สุภาพ): *coarse jokes.*

'coarse·ly *adv* (อย่างหยาบ ๆ).

'coarse·ness *n* (ความหยาบ).

coast *n* the side or border of land next to the sea (ฝั่งทะเล): *The coast was very rocky.* — *v* to travel downhill in a vehicle, on a bicycle *etc.* without the use of any power (แล่น).

'coast·al *adj* near the coast (ใกล้ชายฝั่ง): *a coastal town.*

'coast·er *n* a small mat for putting under a drinking-glass *etc.* (ที่รองแก้วเครื่องดื่ม).

'coast·guard *n* a person or group of people, employed as guards along the coast to help those in danger in boats and to prevent smuggling (เจ้าหน้าที่ยามฝั่ง).

coat *n* **1** an outdoor garment with sleeves (เสื้อนอก). **2** the hair or wool of an animal (ขนของสัตว์): *Some dogs have smooth coats.* **3** a covering of paint *etc.* (ฉาบ): *This wall will need two coats of paint.* — *v* to cover (เคลือบ): *She coated the biscuits with chocolate.*

'coat-hang·er *n* a curved piece of wood, plastic *etc.* with a hook for hanging up your clothes (ไม้แขวนเสื้อผ้า).

'coat·ing *n* a covering (ฉาบด้วย): *chocolate coating.*

coat of arms a family badge (โล่ที่มีเครื่องหมายประจำตระกูล).

coax *v* to persuade someone by kindness or flattery (ชักชวนด้วยคำหวาน): *He coaxed her into going to the dance by saying she was the best dancer he knew; He coaxed some money out of his mother.*

'cob·ble[1] *n* a rounded stone used for making the surface of a street (หินกลม ๆ ใช้ทำผิวถนน).

'cob·ble[2] *v* to mend shoes (ซ่อมรองเท้า).

'cob·bler *n* a person who mends shoes (ช่างซ่อมรองเท้า).

'co·bra *n* a poisonous snake found in India and Africa (งูเห่า).

'cob·web *n* a spider's web (ใยแมงมุม).

co'caine *n* a drug that is used to stop pain, but is also used by drug-addicts (ยาเสพย์ติดชนิดหนึ่ง).

cock[1] *v* **1** to set upright; to lift (ตั้งตรง ยกขึ้น): *The dog cocked its ears.* **2** to tilt to one side (เอียงไปข้างหนึ่ง): *He cocked his hat.*

cock[2] *n* a male bird, especially of domestic poultry (สัตว์ปีกตัวผู้ ไก่ตัวผู้): *a cock and three hens.*

A cock **crows**.

cock-and-'bull story an unbelievable story (เรื่องเหลวไหล).

cock·a'too *n* a parrot with a large crest (นกกระตั้ว).

'cock-crow *n* early morning (เช้าตรู่): *He gets up at cock-crow.*

'cock·er·el *n* a young farmyard cock (ลูกไก่ตัวผู้).

'cock-eyed *adj* ridiculous (เหลวไหล): *a cock-eyed idea.*

'cock·le *n* a small shellfish that has a round, flat shell divided into two halves. (หอยมีฝาสองฝา)

'cock·pit *n* a compartment in which the pilot of an aeroplane or the driver of a racing car *etc.* sits (ที่นั่งของคนขับเครื่องบินหรือรถแข่ง).

'cock·roach *n* an insect like a beetle that comes out at night in kitchens (แมลงสาบ).

'cock·tail *n* **1** a mixed alcoholic drink (เหล้าค็อกเทล). **2** a mixed dish (ผลไม้หลาย ๆ อย่างผสมกัน): *a fruit cocktail.*

'cock·y *adj* cheeky; conceited (หน้าด้าน ความหยิ่งทะนง).

'co·coa (*'kō-kō*) *n* **1** a powder made from the crushed seeds of the cacao tree, used in making chocolate (ผงโกโก้). **2** a drink made from the powder (เครื่องดื่มทำจากผงชนิดนี้): *a cup of cocoa.*

'co·co·nut *n* a very large nut containing a white solid lining and a clear liquid (มะพร้าว).

co'coon *n* a silk covering which the larvae of certain insects spin round themselves (รังไหม).

cod, *plural* **cod**, *n* a large edible fish found in northern seas (ปลาค็อด).

code *n* **1** a set of laws or rules (ประมวลกฎหมายหรือกฎข้อบังคับ): *a code of behaviour.* **2** a set of letters or signs used for writing or signalling (รหัส): *The message was in a* *secret code; the Morse Code.* — *v* to put into a code (ตั้งรหัส): *Have you coded the material for the computer?*

co-ed·u'ca·tion *n* the education of boys and girls in the same school or college (สหศึกษา).

coed·u'ca·tion·al *adj* (เกี่ยวกับสหศึกษา).

co'erce (*kō'ärs*) *v* to force a person into doing something (ใช้อำนาจบังคับ).

co'er·cion *n* (การใช้อำนาจบังคับ).

co-ex'ist *v* to exist side by side, especially peacefully (อยู่ด้วยกัน).

co-ex'ist·ence *n* (การอยู่ด้วยกัน).

'cof·fee *n* a drink made from the beans of a plant that grows, for instance, in Brazil (กาแฟ).

'cof·fee-pot *n* a jug in which coffee is served (หม้อกาแฟ).

'cof·fee shop *n* a café serving coffee *etc* (ร้านขายกาแฟ).

coffee table a small low table (โต๊ะเล็ก ๆ เตี้ย ๆ).

'cof·fin *n* a box for a dead body to be buried in (โลงศพ).

cog *n* a point like a tooth at the edge of a gearwheel (a kind of wheel used inside an engine *etc.*) (ซี่ฟันเฟือง).

co'he·rent (*kō'hēr-ənt*) *adj* clear and sensible (ชัดเจนและมีเหตุผล): *He was able to give a coherent account of what had happened.*

co'he·rent·ly *adv* (อย่างชัดเจน). **co'he·rence** *n* (ความชัดเจน).

coil *v* to twist into rings (ขดเป็นวง): *The snake coiled round the tree.* — *n* a length of something which has been coiled (อะไรบางอย่างที่ยาว ๆ ขดอยู่เป็นวง): *a coil of rope; a coil of hair.*

coin *n* a piece of metal used as money (เหรียญ). — *v* **1** to make metal into money (สร้างเป็นเงินเหรียญ): *When was that dollar coined?* **2** to invent a word, phrase *etc.* (สร้างศัพท์ ฯลฯ): *Scientists often coin new words.*

co·in'cide (*kō-'in'sīd*) *v* **1** to happen at the same time (เกิดขึ้นในเวลาเดียวกัน): *Her arrival coincided with his departure.* **2** to be like or the same as something (ชอบบางอย่างเหมือนกัน): *Their tastes in music coincide.*

co'in·ci·dence (*kō'in-si-dəns*) *n* an unlikely happening that comes about by chance (เกิดขึ้นโดยบังเอิญ): *By a strange coincidence we were both on the same train.*

co·in·ci'dent·al *adj* (อย่างบังเอิญ).

coke *n* a fuel made from coal (เชื้อเพลิงที่ทำมาจากถ่านหิน).

'col·an·der *n* a metal or plastic bowl with a lot of small holes in it for draining water off vegetables *etc.* (กระชอน).

cold (*kōld*) *adj* **1** low in temperature (อุณหภูมิต่ำ เย็น): *cold water, cold meat and salad.* **2** lower in temperature than is comfortable (หนาวเย็น): *I feel cold.* **3** unfriendly (เย็นชา): *His manner was cold.* — *n* **1** cold weather (อากาศเย็น): *She cannot bear the cold in Britain.* **2** being or feeling cold (รู้สึกหนาว): *He was blue with cold.* **3** an illness with sneezing, coughing *etc.* (เป็นหวัด): *She has caught a bad cold; Don't catch cold!*

'cold·ly *adv* (อย่างเย็นชา).

'cold·ness *n* (ความเย็นชา).

cold-'blood·ed *adj* **1** having blood like that of a fish, which becomes the same temperature as the surroundings of the body (สัตว์เลือดเย็น). **2** cruel and deliberate (โหดร้ายโดยจงใจ): *cold-blooded murder.*

get cold feet to lose courage (ขลาดกลัว ไม่กล้า): *I was going to apply for the job but I got cold feet.*

give someone the cold shoulder to show that you don't want to be friendly with a person (เมิน): *All the neighbours gave her the cold shoulder.*

'cole·slaw (*'kōl-slö*) *n* a salad made of chopped raw cabbage, carrots and onions in mayonnaise (สลัดปรุงด้วยกะหล่ำปลีหั่นเป็นชิ้นเล็ก ๆ หัวผักกาดแดง หอมหัวใหญ่ แล้วราดด้วยน้ำสลัด).

col'lab·o·rate *v* **1** to work together with someone on a piece of work (ทำงานร่วมกัน): *He and his brother collaborated on a book about aeroplanes.* **2** to give help to enemies who are occupying your country (ร่วมมือกับข้าศึกซึ่งเข้าครองประเทศของเรา).

col·lab·o'ra·tion *n* (ความร่วมมือ การร่วมมือกับข้าศึก).

col'lab·o·ra·tor *n* (ผู้ร่วมมือ).

col'lage (*ko'läzh*) *n* a picture made by sticking pieces of paper, cloth *etc.* on to a surface (เทคนิคการปะติดปะต่อกระดาษ ผ้า เข้าด้วยกัน).

col'lapse *v* **1** to fall down and break into pieces (พังทลายลงมาแตกเป็นชิ้น ๆ): *The bridge collapsed under the weight of the traffic.* **2** to fall down because of illness, shock *etc.* (ล้มคว่ำลงไปเพราะความเจ็บป่วย ตกใจมาก ฯลฯ): *She collapsed with a heart attack.* **3** to break down; to fail (ล้มเหลว): *The talks between the two countries have collapsed.* **4** to fold up (พับได้): *Do these chairs collapse?*

col'lap·si·ble *adj* (สามารถพับได้).

'col·lar *n* **1** the part of a shirt, jacket *etc.* which goes round your neck (ปก คอเสื้อ): *This collar is too tight.* **2** a strap *etc.* fastened round the neck (ปลอกคอ): *The dog's name was on its collar.*

'col·lar·bone *n* either one of two long bones joining the shoulder-blade to the base of the neck (ไหปลาร้า).

'col·league (*'kol-ēg*) *n* a person who works with you, or who does the same kind of work as you do (ผู้ร่วมงาน): *He gets on well with his colleagues.*

col'lect *v* **1** to bring together; to gather (สะสม รวบรวม): *I collect stamps*; *I'm collecting money for cancer research*; He's trying to collect his thoughts. **2** to fetch (ไปรับ): *She collects the children from school each day.*

col'lec·tion *n* **1** the collecting of something (การรับ การเก็บรวบรวม): *This parcel is waiting for collection.* **2** a set of objects collected (ของสะสม): *a stamp collection.*

col'lec·tive *adj* of a group of people *etc* (เป็นหมู่คณะ): *This success was the result of collective effort.* — *n* a farm or organization run by a group of workers for the good of all of them (กลุ่มผู้รักษาผลประโยชน์).

col'lec·tive·ly *adv* (ทั้งหมด).

col'lec·tor *n* a person who collects (ผู้เก็บ ผู้รวบรวม): *a ticket-collector, a stamp-collector.*

'col·lege (*'kol-əj*) *n* a school for higher education (วิทยาลัย): *She went to college after she had finished school.*

col'lide *v* to strike together with great force (ชนอย่างรุนแรง): *The cars collided in the fog*; *The van collided with a lorry.*

See **knock**.

col'li·sion (*kə'lizh-ən*) *n* a crash; a violent striking together (การชนกัน): *Ten people were injured in the collision between the bus and the car.*

col'lo·qui·al (*kə'lō-kwi-əl*) *adj* used in everyday conversation; not formal (ถ้อยคำสนทนา ไม่เป็นทางการ): *"Cheerio" is a colloquial expression for goodbye.*

col'loqui·al·ly *adv* (ใช้ในการพูดเป็นประจำวัน).

'co·lon *n* the punctuation mark (:) (เครื่องหมาย :).

'colo·nel (*'kär-nəl*) *n* an army officer in charge of a regiment (พันเอก).

co'lo·ni·al *adj* having to do with a country's colonies abroad (อาณานิคม): *Britain's former colonial territories.*

co'lo·ni·al·ism *n* (ลัทธิล่า อาณานิคม).

'col·o·nize *v* to establish a colony in a place (ตั้งอาณานิคม): *The settlers colonized the newly-discovered land.*

'col·o·nist *n* (ผู้ตั้งถิ่นฐานในอาณานิคม).

col·o·ni'za·tion *n* (การตั้งอาณานิคม).

'col·o·ny *n* **1** a settlement of people living in a foreign country but governed by their own native country (อาณานิคม): *Hong Kong will soon no longer be a British colony.* **2** a group of animals, birds *etc*, of the same type, living together (หมู่คณะของสัตว์ นก ฯลฯ ชนิดเดียวกันที่อาศัยอยู่ด้วยกัน): *a colony of gulls.*

co'los·sal *adj* very big; enormous (ใหญ่มาก มหึมา): *a colossal increase in the price of books.*

'col·our (*'kul-ər*) *n* **1** a quality which objects show when light falls on them (สี สิ่งที่ปรา-

กฎออกมาเมื่อถูกแสงส่อง): *What colour is her dress?*; *Red, blue and yellow are colours.* **2** the shade of a person's skin — white, brown, black *etc.* (สีผิว): *People of all colours.* — *adj* in colour, not black and white (มีสี ไม่ใช่ขาวดำ): *a colour film*; *colour television.* — *v* to put colour on a picture *etc.* (ระบาย สีภาพ, เติมสี): *Colour the sea green.*

I bought a **red** (not **red colour**) jacket.

'col·oured *adj* **1** having colour (มีสี): *The garden is full of brightly coloured flowers.* **2** belonging to a dark-skinned race (คนผิวดำ).

You say **colour** photographs, a **colour** film, **colour** television, but **coloured** pencils, an orange-**coloured** cat.

'col·our·ful *adj* **1** full of colour (มีสีสัน): *a colourful pattern.* **2** full of interesting details (เต็มไปด้วยรายละเอียดที่น่าสนใจ): *a colourful description.*

'col·our·ing *n* **1** something used to give colour (สิ่งที่ให้สี): *She put pink colouring in the icing.* **2** the colour of a person's skin and hair (สีผิวและผม): *She has fair colouring.*

'col·our-blind *adj* unable to tell the difference between certain colours (บอดสี).

show yourself in your true colours to do something that shows the faults in your character (แสดงให้เห็นถึงข้อเสียของตัวเอง).

with flying colours with great success (ประสบความสำเร็จสูง, คะแนนเยี่ยม): *He passed his exam with flying colours.*

colt (*kōlt*) *n* a young horse (ลูกม้า).

'col·umn (*'kol-əm*) *n* **1** a stone or wooden pillar used to support a building (เสาใหญ่). **2** something similar in shape (บางอย่างที่มีรูปร่างเหมือนกัน): *a column of smoke.* **3** a line of numbers, print *etc.* stretching from top to bottom of a page (ตัวเลขเป็นแถวยาวจากบนลงล่าง ช่องแบ่งในหน้าหนังสือพิมพ์): *a column of figures*; *a newspaper column.* **4** a section in a newspaper, often written regularly by a particular person (บทความประจำฉบับ): *He writes a daily column about sport.* **5** a long line of vehicles *etc.*, one behind the other (รถต่อกันเป็นแถวยาว).

'co·ma *n* a long-lasting unconscious state (หลับลึก ตรีทูต อาการหนักมาก).

comb (*kōm*) *n* **1** an object with a row of teeth for making your hair tidy (หวี). **2** a crest that sticks up on the head of some birds (หงอน). — *v* **1** to tidy your hair with a comb (หวีผม): *Wash your hands and comb your hair before coming to lunch.* **2** to search a place thoroughly (ค้นหา): *They combed the hills for the missing climber.*

'com·bat *n* a fight or struggle (การต่อสู้ ดิ้นรน). — *v* to fight or struggle against something (ต่อต้าน): *doing everything possible to combat the government's plans to build a motorway.*

'com·bat·ant *n* a person who is fighting (นักต่อสู้ นักรบ).

com·bi'na·tion *n* **1** the combining of two or more things (การรวมกัน): *The colour orange is a combination of yellow and red.* **2** a set of numbers used to open certain types of lock (รหัสกุญแจ): *You need the combination to open the safe.*

com'bine *v* to join or mix together (รวมหรือผสมเข้าด้วยกัน): *They combined forces to fight the enemy*; *You can produce green by combining blue with yellow.* — *n* (**'com·bine**) a group of businesses that have joined together (กลุ่มธุรกิจที่รวมตัวกัน).

com'bus·ti·ble *adj* capable of catching fire and burning (สามารถลุกเป็นไฟและเผาไหม้ได้): *combustible materials.*

com'bus·tion (*kəm'bus-chən*) *n* burning (การเผาไหม้): *the combustion of gases.*

come (*kum*) *v* **1** to move *etc.* towards a place or person (มา เยี่ยม): *I'm coming to your house tomorrow*; *Come here!*; *John came to see me*; *Have any letters come for me?* **2** to draw near (ใกล้เข้ามา): *Christmas is coming soon.* **3** to happen or be placed (เกิดขึ้นหรืออยู่ที่): *The letter 'd' comes between 'c' and 'e' in the alphabet.* **4** to happen (เกิดขึ้น): *How did you come to break your leg?* **5** to arrive at a certain state *etc.* (ถึง): *What are things coming to?*; *We have come* *to an agreement.* **6** to add up to a certain number (รวมเป็น): *The total comes to 51.*

come; came; come: *He came into the room; A letter has come for you.*

'come·back *n* a return, especially to show business (การกลับมา): *The actress made a comeback.*

come about to happen (เกิดขึ้น): *How did that come about?*

come across to meet by chance (พบโดยบังเอิญ): *He came across some old friends.*

come along 1 to go with; to accompany (ไปด้วยกัน): *Come along with me!* **2** to progress (ก้าวหน้า): *How are things coming along?*

come at to attack (จู่โจม): *He came at me with a knife.*

come back 1 to return (กลับมา): *You must come back again soon.* **2** to be remembered (กลับคืนมา): *The horror of the accident came back to her gradually.* **3** to become popular again (เป็นที่นิยมอีกครั้งหนึ่ง): *Trousers with flared bottoms are coming back.*

come by to get (ได้รับ): *How did you come by that black eye?*

come down to decrease; to become less (ลดน้อยลง): *Tea has come down in price.*

come forward to offer or present oneself, usually to help in some way (อาสา): *Several people came forward when he asked for volunteers.*

come from to be born or live in (เกิดหรืออยู่ใน): *She comes from Paris.*

come off 1 to fall off (หลุดออก): *Her shoe came off.* **2** to turn out well; to succeed (บังเกิดผลดี): *Our plan didn't come off.*

come on 1 to appear on stage or the screen (ปรากฏขึ้นบนเวทีหรือจอภาพ): *They waited for the comedian to come on.* **2** hurry up! (เร็วเข้า): *Come on — we'll be late for the party!* **3** don't be ridiculous! (อย่าเหลวไหล): *Come on, you don't really expect me to believe that!*

come out 1 to become known (เปิดเผย): *The truth finally came out.* **2** to be published (พิมพ์ออกมา): *This newspaper comes out once a week.* **3** to be developed (ออกมา): *This photograph has come out well.* **4** to be removed (เอาออก): *This dirty mark won't come out.*

come round, come to to become conscious again (ฟื้นจากการหมดสติ): *He came to several hours after the accident.*

come through to survive or recover from (รอดมาได้ ผ่านพ้น): *He came through the ordeal well; The doctors expect him to come through the operation without any problems.*

come to light to be discovered (เปิดเผยออกมา): *The theft only came to light when the owners returned from holiday.*

come upon to find by chance (พบโดยบังเอิญ): *She came upon a solution to the problem.*

come up with to think of (นึกออก): *He has come up with a great idea.*

comings and goings movements to and fro (สัญจรอยู่ไปมา): *the comings and goings of people in the street.*

to come in the future (จะมาถึงในอนาคต): *in the days to come.*

co'me·di·an (*kə'mē-di-ən*) *n* a performer who tells jokes or acts in comedies (นักแสดงผู้เล่าเรื่องตลกหรือแสดงละครตลก).

'com·e·dy *n* a funny play (ละครตลก): *We went to see a comedy last night.*

the opposite of **comedy** is **tragedy** (ตรงกันข้ามกับเรื่องตลกก็คือเรื่องโศกเศร้า).

'com·et *n* a sort of star that travels across the sky with a trail of light behind it (ดาวหาง).

'com·fort ('kum-fərt) *v* to calm or console someone (ทำให้สงบหรือปลอบ): *The mother comforted the weeping child.* — *n* **1** a pleasant condition of being relaxed, happy, warm *etc.* (ความสุขกายสบายใจ): *He enjoys the comfort of home life.* **2** something that makes you happier when you are sad (สิ่งปลอบใจ): *The children were a great comfort to her when her husband died.* **3** a luxury (ความหรูหรา): *the comforts of the hotel.*

'com·fort·a·ble *adj* **1** in comfort (เป็นสุข): *He looked very comfortable in his chair.*

2 giving comfort (ให้ความสุขสบาย): *a comfortable chair.*

'com·fort·a·bly *adv* (อย่างเป็นสุข อย่างสบาย).

'com·ic *adj* **1** having to do with comedy (เกี่ยวกับเรื่องตลก): *a comic actor, a comic opera.* **2** funny (ตลก ๆ): *comic remarks.* — *n* **1** an amusing person, especially a comedian (ตัวตลก). **2** a children's magazine with funny stories, adventures *etc.* in the form of comic strips (ภาพการ์ตูน).

'com·i·cal *adj* funny (ขบขัน น่าหัวเราะ): *It was comical to see the chimpanzee pouring out a cup of tea.*

'com·ic strip a series of small pictures showing stages in an adventure (ภาพการ์ตูน).

'com·ma *n* the punctuation mark (,) [เครื่องหมายจุลภาค (,)].

com'mand (*kə'mänd*) *v* **1** to order (สั่ง): *I command you to leave the room immediately!* **2** to be in control of something (ควบคุมบังคับบัญชา): *He commanded a regiment of soldiers.* — *n* **1** an order (ออกคำสั่ง): *They obeyed his commands.* **2** control (ควบคุม): *He was in command of the operation.*

com·man'dant *n* an officer who has the command of a place or of troops (ผู้บังคับการ).

com'mand·er *n* a person who commands (ผู้บัญชาการ): *He was the commander of the expedition.*

com·mand·er-in-'chief *n* the most senior officer in command of an army, or of the entire forces of the state (ผู้บัญชาการกองทัพบกหรือผู้บัญชาการทหารสูงสุด).

com'mand·ing *adj* **1** in a position of power, control or leadership (อยู่ในตำแหน่งที่มีอำนาจควบคุมหรือมีความเป็นผู้นำ ผู้บังคับบัญชา): *a country with a commanding position in world affairs; his commanding officer.* **2** powerful and confident (เต็มไปด้วยพลังอำนาจและความเชื่อมั่น): *She is a strong, commanding woman who isn't afraid of arguing with her opponents.* **3** giving good views all round (มองเห็นทิวทัศน์สวยงามได้โดยรอบ): *The house is in a commanding position on a hill.*

com'mand·ment *n* a command given by God, especially one of the ten given to Moses (บัญญัติของพระเจ้า โดยเฉพาะอย่างยิ่งหนึ่งในสิบข้อที่ให้ไว้กับโมเสส).

com'man·do (*kə'män-dō*), *plural* **com'mandos**, *n* a soldier trained for tasks requiring special courage and skill (ทหารที่ได้รับการฝึกให้ปฏิบัติภารกิจซึ่งต้องการความกล้าและความชำนาญเป็นพิเศษ).

com'mem·o·rate *v* to remember someone or something by holding a ceremony or putting up a monument (เป็นอนุสรณ์ ระลึกถึง): *His death is commemorated every year; This monument commemorates those who died in the war.*

com·mem·o'ra·tion *n* (อนุสรณ์).

com'mence *v* to begin (เริ่มต้น): *When does the school term commence?*

com'mence·ment *n* (การเริ่มต้น).

You commence **working** or **writing** (not **to work** or **to write**).

com'mend *v* to praise (ชมเชย สรรเสริญ): *His ability was commended.*

com'mend·a·ble *adj* worthy of praise (มีค่าควรแก่การชมเชย สรรเสริญ).

com·men'da·tion *n* praise (การชมเชย การสรรเสริญ).

'com·ment *n* a remark (ข้อสังเกต): *He made several comments about her untidy appearance.* — *v* to make a remark (วิจารณ์): *He commented on her appearance.*

'com·men·tar·y *n* the comments of a reporter at a sports event *etc.*, broadcast on radio or television (คำบรรยายของนักข่าวกีฬา ฯลฯ กระจายข่าวทางวิทยุหรือโทรทัศน์).

'com·men·tate *v* to give a commentary (วิจารณ์ บรรยาย).

'com·men·ta·tor *n* someone whose job is to broadcast a commentary at a sports event *etc.* (ผู้วิจารณ์ ผู้บรรยาย).

'com·merce *n* the buying and selling of goods between nations or people; trade (การพาณิชย์ การค้า).

com'mer·cial *adj* **1** connected with commerce (เกี่ยวกับการพาณิชย์): *a commercial agreement.* **2** paid for by advertisements (การโฆษณา):

commercial television. — *n* a TV or radio advertisement (โฆษณาทางทีวีหรือวิทยุ).

com'mis·sion *n* **1** money earned by a person who sells things for someone else (ค่านายหน้า). **2** an order for a work of art (ให้ทำงานที่มีศิลปะ): *He was given a commission to paint the president's portrait.* **3** a paper giving authority to an officer in the army *etc.* (ใบมอบอำนาจให้นายทหาร). **4** a group of people appointed to find out about something and make a report (คณะกรรมการ): *a commission on education.* — *v* to give a commission or power to someone (ได้รับการมอบหมาย): *He was commissioned to paint the president's portrait.*

> **commission** is spelt with **-mm-** and **-ss-**.

com'mis·sion·er *n* a representative of the government in a district *etc.* (ข้าหลวง ตัวแทนของรัฐบาลในเขตนั้น ฯลฯ).

com'mit *v* **1** to do something illegal (กระทำผิด): *He committed the crime when he was drunk.* **2** to make a definite promise or decision (ผูกมัด): *Think carefully before committing yourself.* **3** to give something or someone to be looked after by someone else (ฝากให้อยู่ในความดูแล): *She was committed to their care.*

> **committing** and **committed** are spelt with two **t**s.

com'mit·ment *n* a task that must be done (ภารกิจ).

> **commitment** is spelt with one **t**.

com'mit·tee *n* a number of people selected from a larger group to deal with some special business (คณะกรรมาธิการ): *The committee meets today.* — *adj* (โดยคณะกรรมาธิการ): *a committee meeting.*

> **committee** is spelt with **-mm-**, **-tt-**, **-ee**.

com'mod·i·ty *n* an article which is bought or sold (สินค้า): *tea, rice and other commodities.*

'com·mon *adj* **1** seen or happening often; quite normal or usual (เกิดขึ้นบ่อย เห็นอยู่บ่อย ๆ ธรรมดามาก): *These birds are not common here.* **2** shared by everyone (ส่วนรวม): *We use English as a common language.* **3** of ordinary, not high, social rank (คนธรรมดา สามัญชน): *the common people.*

'com·mon·place *adj* very ordinary and uninteresting (เรื่องธรรมดามากและไม่น่าสนใจ): *a commonplace happening.*

'com·mon-room *n* a sitting-room for students or teachers in a college *etc.* (ห้องนั่งเล่นในโรงเรียนที่ใช้ในการพบปะกันระหว่างครูและนักเรียน).

common sense practical good sense (สามัญสำนึก): *If he has any common sense he'll change jobs.*

in common shared; similar (ร่วมกัน เหมือนกัน): *He and his girlfriend have a lot of interests in common.*

'com·mon·wealth (*'kom-ən-welth*) *n* an association of states that have joined together for their common good (รัฐที่รวมกันเข้าเพื่อผลประโยชน์ที่ดีร่วมกัน เครือจักรภพอังกฤษ **British Commonwealth**).

com'mo·tion *n* noise and confusion (เสียงเอะอะและสับสนอลหม่าน): *He was woken by a commotion in the streets.*

'com·mu·nal *adj* shared with others (ใช้ร่วมกับผู้อื่น): a communal kitchen.

'com·mune (*'kom-ūn*) *n* a group of people living together and sharing everything they own (กลุ่มผู้คนที่อาศัยอยู่ด้วยกันและใช้ของทุก ๆ อย่างร่วมกัน).

com'mu·ni·cate (kə'mū-ni-kāt) *v* **1** to give someone information *etc.* (สื่อสาร): *She communicated the facts to him.* **2** to speak or write to someone (เจรจาหรือเขียนถึงใครบางคน ติดต่อ): *We can communicate with each other by telephone.*

com·mu·ni'ca·tion *n* **1** sending messages by letter, telephone *etc.* (การคมนาคม การติดต่อ การสื่อสาร): *The telephone is the quickest means of communication.* **2** a means of getting messages and supplies to an army (วิธีการสื่อสารและการส่งกำลังบำรุงให้กับกองทัพ): *Their line of communications was cut off.* **3** a message (ข่าวสาร).

com'mu·nion (*kə'mū-ni-ən*) *n* the sharing of

thoughts and feelings; fellowship (การมีความคิดและความรู้สึกร่วมกัน ความมีรสนิยมเดียวกัน).

'com·mu·nism (*'kom-ū-niz-əm*) *n* a system of government under which there is no private industry and very little private property, most things being owned by the state (ลัทธิคอมมิวนิสต์).

'com·mu·nist *n* a person who believes in communism (คนที่เชื่อในลัทธิคอมมิวนิสต์).

com'mu·ni·ty (*kə'mū-ni-ti*) *n* **1** the people who live in a certain area (แหล่งชุมชน): *It's time this community had a swimming-pool.* **2** the public in general (สาธารณะ): *He did it for the good of the community.*

com'mute (*kə'mūt*) *v* to travel regularly between two places, especially between home in the suburbs and work in the city (การเดินทางไปทำงานระหว่างสองที่ เช่นจากบ้านนอกเมืองกับที่ทำงานในเมือง).

com'mu·ter *n* a person who commutes (ผู้เดินทางไปทำงาน).

com'pact *adj* fitted neatly in a small space (กะทัดรัด): *a nice compact kitchen.* — *n* a small flat container for women's face powder (ตลับแป้งของผู้หญิง).

compact disc a disc with high-quality sound recorded on it, played on a machine with a laser beam (a **compact-disc player**) (แผ่นบันทึกเสียงที่มีคุณภาพสูง ใช้เล่นกับเครื่องซึ่งมีแสงเลเซอร์).

com'pact·ly *adv* (อย่างรวบรัด อย่างประหยัด).

com'pan·ion *n* **1** a person *etc.* who accompanies another person as a friend (เพื่อนร่วมทาง): *a travelling companion.* **2** a helpful handbook on a particular subject (หนังสือคู่มือ): *The Gardening Companion.*

com'pan·ion·ship *n* friendship; being with someone (ความเป็นเพื่อน): *She enjoys the companionship of young people.*

'com·pa·ny (*'kum-pə-ni*) *n* **1** a number of people joined together for trade *etc.*; a business firm (บริษัท): *a glass-manufacturing company.* **2** companionship (ความเป็นเพื่อน): *I was grateful for her company; She's always good company.* **3** a group of companions (กลุ่มของเพื่อน): *He got into bad company.* **4** a large group of soldiers (ทหารกลุ่มใหญ่).

keep someone company to go, stay *etc.* with someone (เป็นเพื่อน): *I'll keep you company.*

'com·par·a·ble *adj* similar (ใกล้เคียงกัน): *These two materials are comparable in thickness.*

com'par·a·tive *adj* **1** judged by comparing with something else; moderate or reasonable (เปรียบเทียบกับสิ่งอื่น ปานกลางหรือสมเหตุสมผล): *the comparative quiet of the suburbs.* **2** 'comparative' is used to describe adjectives and adverbs used in comparisons, like these underlined words (ใช้ในการอธิบายถึงคำคุณศัพท์และคำกริยาวิเศษณ์ที่ใช้ในการเปรียบเทียบอย่างเช่นคำที่ขีดเส้นใต้เหล่านี้): *I'm younger than you; You look better today.*

com'par·a·tive·ly *adv* moderately; fairly (ปานกลาง พอใช้): *This house was comparatively cheap.*

com'pare *v* **1** to put things side by side to see how far they are alike, or which is better (เปรียบเทียบ): *If you compare his work with hers, you will find hers more accurate; This is a good essay compared with your last one.* **2** to describe as being similar to (เหมือน ๆ กับ บรรยายเปรียบเปรย): *She compared him to a monkey.*

compare with is used to bring out similarities and differences between two things of the same type: *He compared his pen with mine and decided mine was better* (เปรียบเทียบสิ่งของประเภทเดียวกัน).

compare to is used when pointing out a similarity between two different things (เปรียบเทียบสิ่งของต่างประเภท): *Stars are often compared to diamonds.*

com'par·i·son *n* (การเปรียบเทียบ): *Living here is cheap in comparison with London.*

com'part·ment *n* **1** a separate enclosed part (ตอน ห้อง ช่อง): *The drawer was divided into compartments.* **2** a closed-in section of seats in a railway carriage (ตู้โดยสารในรถไฟ).

'com·pass (*'kum-pəs*) *n* an instrument with a

magnetized needle, used to find directions (เข็มทิศ).

'com·pas·ses *n* an instrument with two movable legs, for drawing circles *etc*., also called **a pair of compasses** (วงเวียน): *My compasses have broken — lend me your pair of compasses.*

com'pas·sion *n* pity for the sufferings of another person (ความเวทนา ความสงสาร).

com'pas·sion·ate *adj* (มีความเวทนา มีความสงสาร).

com'pat·ible *adj* able to exist or work well together (เข้ากันได้หรือไปด้วยกันได้): *I don't know why they got married — they are not compatible at all.*

com'pel *v* to force (บีบบังคับ): *She compelled me to tell her the truth.*

'com·pen·sate *v* to make up for loss or wrong especially by giving money (ชดเชย จ่ายเงินทดแทน): *This payment will compensate her for the loss of her job.*

com·pen'sa·tion *n* money *etc* given for loss or injury (การชดเชย เงินทดแทน).

'com·pere (*'kom-pār*) *n* a person who introduces the different acts in an entertainment (พิธีกร).

com'pete *v* to try to beat others in a contest *etc* (แข่งขัน): *We are competing against the Hong Kong team in the next round of the competition; The two boys will be competing with each other for the scholarship.*

'com·pe·tent *adj* **1** skilled (ชำนาญ): *a competent pianist.* **2** able; capable (มีความสามารถ): *You are not competent to drive a car.*

'com·pe·tent·ly *adv* (อย่างชำนาญ อย่างมีความสามารถ). **'com·pe·tence** *n* (ความชำนาญ ความสามารถ).

com·pe'ti·tion *n* **1** competing; rivalry (การแข่งขัน การต่อสู้). **2** a contest for a prize (การประกวดชิงรางวัล): *Have you entered the drawing competition?*

com'pet·i·tive *adj* **1** liking to compete with others (ชอบแข่งขันกับผู้อื่น): *Most children are competitive.* **2** organized as a competition (จัดการแข่งขัน): *tennis, football and other competitive sports.*

com'pet·i·tor *n* a person who takes part in a competition (ผู้เข้าแข่งขัน): *All 200 competitors finished the race.*

com'pile *v* to make a book, list *etc.* from information that you have collected (ทำหนังสือหรือรายการต่าง ๆ โดยการเรียบเรียงข้อมูลที่ได้มา): *He compiled a French dictionary.*

com·pi'la·tion *n* (การเรียบเรียง).

com'pi·ler *n* (ผู้เรียบเรียง).

com'plain *v* **1** to express your dissatisfaction *etc.* (ร้องทุกข์ กล่าวแสดงความไม่พอใจ): *I'm going to complain to the police about the noise.* **2** to say that you have a pain *etc.* (บ่น): *He's complaining of a pain in his chest.*

com'plaint *n* **1** something you say to show that you are dissatisfied (การต่อว่า การบ่น การกล่าวแสดงความไม่พอใจ): *The customer made a complaint about the dirt in the food shop.* **2** a sickness *etc.* (ความเจ็บป่วย โรคภัยไข้เจ็บ): *A cold is not a serious complaint.*

'com·ple·ment *n* something that is added to something else to make it complete (สิ่งที่มาช่วยทำให้สมบูรณ์): *In the sentence 'I am a doctor', 'a doctor' is the complement of 'I am'.*

the **complement** (not **compliment**) of a verb (คำที่ช่วยทำให้คำกริยาในประโยคสมบูรณ์).

com·ple'men·tary *adj* combining well to form a complete, single or balanced whole (เป็นสิ่งที่ช่วยให้สมบูรณ์ขึ้น): *two complementary approaches to the same problem.*

com'plete *adj* **1** whole; with nothing missing (สมบูรณ์): *a complete set of stamps.* **2** thorough; absolute (สิ้นเชิง): *a complete surprise.* **3** finished (สำเร็จ เสร็จ): *My picture will soon be complete.* — *v* to finish: *When will he complete the job?* **com'plete·ly** *adv* (อย่างสิ้นเชิง อย่างสมบูรณ์): *I am completely satisfied.*

com'plete·ness *n* (ความสมบูรณ์ การทำสำเร็จ).

com'ple·tion (*kəm'plē-shən*) *n* finishing (การทำให้เสร็จสมบูรณ์): *You will be paid on completion of the work.*

'com·plex *adj* **1** composed of many parts

(ประกอบด้วยส่วนต่าง ๆ): *a complex piece of machinery.* **2** complicated or difficult (ซับซ้อนหรือยุ่งยาก): *a complex problem.* — *n* something made up of many different pieces (สิ่งที่ประกอบขึ้นด้วยส่วนต่าง ๆ): *a sports complex.*

com'plex·ion (*kəm'plek-shən*) *n* the colour or appearance of the skin of the face (สีและลักษณะผิวของใบหน้า): *She has a pale complexion.*

com'pli·ance (*kəm'plī-əns*) *n* agreement; obedience (การยอมตาม การเชื่อฟัง).

com'pli·ant *adj* willing to comply (ยินดีที่จะทำตาม พร้อมที่จะยินยอม).

'com·pli·cate *v* to make something more difficult (ทำให้ยุ่งยากมากขึ้น): *These extra lessons will complicate the timetable.*

'com·pli·ca·ted *adj* difficult to understand (ยากที่จะเข้าใจ): *complicated instructions.*

com·pli'ca·tion *n* **1** something making a situation more difficult (สิ่งที่ทำให้สถานการณ์ยุ่งยากมากขึ้น). **2** a development in an illness *etc.* which makes it worse (โรคแทรกซ้อน).

'com·pli·ment *n* something that is said in praise or flattery (คำสรรเสริญชมเชยหรือคำเยินยอ): *He's always paying her compliments.* — *v* to praise (ยกย่อง ชมเชย สรรเสริญ): *He complimented her on her cooking.*

to pay a **compliment** (not **complement**).

com·pli'men·ta·ry *adj* **1** flattering or praising (เยินยอหรือชมเชย): *complimentary remarks.* **2** given free (อภินันทนาการ): *a complimentary ticket to the circus.*

with compliments with good wishes, used when sending a gift *etc.* (ด้วยความปรารถนาดี ใช้เมื่อส่งของขวัญให้ ฯลฯ): *'sent with the compliments of the manager'.*

com'ply (*kəm'plī*) *v* to obey (เชื่อฟัง): *You must comply with the teacher's instructions.*

com'po·nent *n* one of the pieces that are put together to make a machine *etc.* (ส่วนประกอบ).

com'pose (*kəm'pōz*) *v* **1** to form by putting parts together (ประกอบขึ้น): *A word is composed of several letters.* **2** to write music, poetry *etc.* (แต่งเพลง แต่งกลอน): *Mozart began to compose when he was six years old.*

com'po·ser *n* a writer of music (ผู้แต่งดนตรี คีตกวี).

com·po'si·tion *n* **1** something that has been composed (บทเพลง บทประพันธ์): *a musical composition.* **2** an essay written as a school exercise (เรียงความ): *The children had to write a composition about their holiday.*

'com·post *n* rotting plants and manure that are added to the soil to make it better and richer for growing things (ปุ๋ยหมัก): *He uses compost on his garden; a compost heap.*

'com·pound[1] *adj* made up of a number of parts (ประกอบขึ้นด้วยหลาย ๆ ส่วน). — *n* a substance, word *etc.* formed from two or more parts or words (ส่วนประกอบ สารประกอบ): *The word 'racetrack' is a compound; chemical compounds.*

'com·pound[2] *n* a fenced or walled-in area, for example round a factory, school *etc.* (บริเวณพื้นที่ที่มีรั้วกั้นขอบเขต).

com·pre'hend *v* **1** to understand (เข้าใจ). **2** to include (รวมถึง, ครอบคลุม).

com·pre'hen·si·ble *adj* understandable (สามารถเข้าใจได้): *The words were too difficult to be comprehensible to the children.*

com·pre'hen·sion *n* understanding: *The teacher asked the children questions to test their comprehension of the story she had just read to them* (ความเข้าใจ).

com·pre'hen·sive *adj* including many things (กว้างขวาง ครอบคลุมถึงสิ่งต่าง ๆ): *The school curriculum is very comprehensive.*

com'press *v* to press or squash together very tightly (บีบ รัด อัด).

com'pres·sion *n.* (การบีบ การรัด การอัด)

com'prise (*kəm'prīz*) *v* to contain (ประกอบด้วย): *The team comprises five members.*

The book **comprises** (not **comprises of**) ten chapters.
'The book **consists of** ten chapters' is correct.

'com·pro·mise (*'kom-prə-mīz*) *n* an agreement in which each side gives up something it has previously demanded (การประนีประนอม การรอมชอม): *We argued for a long time but finally arrived at a compromise.*

com'pul·sion *n* force that makes you do something (การบังคับ ภาวะที่ถูกบังคับ): *You are not under any compulsion to go to the disco if you don't want to.*

com'pul·sive *adj* **1** very interesting; fascinating (น่าสนใจมาก จับใจ): *a compulsive book.* **2** unable to stop doing something (ยั้งใจไว้ไม่ได้): *She is a compulsive shopper.*

com'pul·sive·ly *adv* (เหมือนจะยับยั้งใจไม่ได้).

com'pul·so·ry *adj* having to be done; completely necessary (ละเว้นเสียมิได้ บังคับ): *Is it compulsory for me to attend the class?; a compulsory examination.*

com'pute (*kəm'pūt*) *v* to calculate (คำนวณ).

com·pu'tation *n* (การคำนวณ).

com'pu·ter *n* an electronic machine capable of storing and processing large amounts of information and of performing calculations (เครื่องจักรสมองกล, เครื่องคอมพิวเตอร์).

com'pu·ter·ize *v* to organize some process or system so that it is dealt with by computer (การจัดกระบวนการหรือระบบบางอย่างเพื่อใช้งานกับคอมพิวเตอร์ นำมาใช้กับระบบคอมพิวเตอร์).

'com·rade *n* a close companion (เพื่อนสนิท): *his comrades at school.*

'com·rade·ship *n* friendship (ความเป็นเพื่อน).

con *v* to trick (หลอกลวง โกง): *He conned her into giving him money.* — *n* a dishonest trick (การเล่นไม่ซื่อ).

con'cave *adj* curved inwards (โค้งเข้า เว้าเข้า): *Spoons are concave.*

con'ceal *v* to hide (ซ่อน ปิดบัง): *He concealed the letter under his pillow.*

con'ceal·ment *n* (การซ่อน การปิดบัง).

con'cede *v* **1** to admit (ยอมรับ): *He conceded that he had been wrong.* **2** to allow someone to have something (ยอมให้): *to concede a privilege to someone.*

con'ceit (*kən'sēt*) *n* much pride in yourself (ความอวดดี ความทะนงตัว).

conceit is spelt with **-ei-**.

con'ceit·ed *adj* having too much pride in yourself (อวดดี ทระนง): *She's very conceited about her good looks.*

con'ceive (*kən'sēv*) *v* **1** to form an idea *etc.* in your mind (เกิดความคิดขึ้นในใจ). **2** to imagine (จินตนาการ): *I can't conceive why you did that.* **3** to become pregnant (ตั้งครรภ์).

con'ceiv·a·ble *adj* (ที่อาจคิดได้ ที่อาจเข้าใจได้).

conceive is spelt with **-ei-**.

'con·cen·trate *v* **1** to give all your attention to one thing (ตั้งใจ ทำสมาธิ): *I wish you'd concentrate on what I'm saying.* **2** to make a liquid *etc.* thicker or purer (ทำของเหลว ฯลฯ ให้เข้มข้นหรือบริสุทธิ์ขึ้น). **3** to bring or come together in one place (มารวมตัวกันอยู่ในที่เดียวกัน): *He concentrated his troops on the shore.*

con·cen'tra·tion *n* (ความตั้งใจ มีสมาธิ).

'con·cen·tra·ted *adj* very strong; not diluted (เข้มข้นมาก ไม่เจือจาง): *concentrated orange juice.*

'con·cept *n* an idea of something that you have in your mind (แนวความคิด): *the concept of freedom.*

con'cep·tion *n* **1** conceiving (การตั้งครรภ์). **2** understanding (ความเข้าใจ): *We can have no conception of the size of the universe.*

con'cern *v* **1** to have to do with someone or something (เกี่ยวข้อง): *That new rule doesn't concern us; So far as I'm concerned, you can do what you like.* **2** to worry (กังวล): *Don't concern yourself about my safety; You needn't concern yourself with make-up at your age.* — *n* **1** someone's business (ธุระ): *This is not your concern.* **2** worry (เป็นห่วง): *The lack of rain is causing concern.* **3** a business; a firm (ธุรกิจ บริษัท): *a big textile concern.*

con'cern·ing *prep* about (เกี่ยวกับ): *He wrote to me concerning a business arrangement.*

'con·cert *n* a musical entertainment (การแสดงดนตรี).

con·cer'ti·na (*kon-sər'tē-nə*) *n* a musical instrument like a small accordion, played by pulling the sides apart and squeezing them together again (**หีบเพลงชักขนาดเล็ก**): *The clown played the concertina.*

con'cer·to (*kən'chər-tō*), *plural* **con'cer·tos**, *n* a piece of music that is written for one or more solo instruments and an orchestra (**บทประพันธ์ดนตรีสำหรับการเดี่ยวโดยใช้เครื่องดนตรีหนึ่งชิ้นหรือมากกว่านั้นและบรรเลงคลอกับวงดนตรี**): *a piano concerto.*

con'ces·sion *n* something that has been allowed (**สิ่งที่ยินยอมให้**): *As a concession, he was allowed a day off school to go to his sister's wedding.*

con'cil·i·ate *v* to win over someone previously unfriendly or angry (**ชนะใจ ประนีประนอม ปรองดอง**).

con·cil·i'a·tion *n* (**การประนีประนอม การปรองดอง**).

con'cise *adj* short and accurate (**สั้นและรัดกุม**): *a concise statement.*

con'cise·ly *adv* (**อย่างสั้น ๆ และรัดกุม**).

con'clude (kən'klood) *v* **1** o finish; to bring to an end (**จบ ลงเอย สรุป**): *to conclude a meeting; He concluded by thanking everyone.* **2** to think, as a result of something (**คิด สรุปความ**): *I concluded from the silence that the children were asleep.*

con'clu·sion *n* **1** an end (**การจบลง**): *the conclusion of his speech.* **2** a judgement (**การลงความเห็น**): *I came to the conclusion that the house was empty.*

con'clu·sive *adj* convincing (**ที่เชื่อได้**): *conclusive proof.*

'con·cord *n* peace and agreement between people (**ข้อตกลง**).

'con·crete *n* a mixture of cement with sand *etc.* used in building (**คอนกรีต**). — *adj* **1** made of concrete (**ทำด้วยคอนกรีต**): *a concrete path.* **2** real; able to be seen and touched (**สิ่งที่เป็นรูปธรรม**): *Safety is an abstract idea but a safety-pin is a concrete object.*

con'cus·sion (*kən'kush-ən*) *n* harm to the brain caused by a heavy blow on the head, making the person feel sick, or become unconscious (**การที่สมองได้รับความกระทบกระเทือนเนื่องจากศีรษะถูกกระทบกระเทือนอย่างแรง จนคนผู้นั้นบาดเจ็บหรือหมดสติไป**): *He banged his head when he fell, and suffered slight concussion.*

con'demn (*kən'dem*) *v* **1** to say that something or someone is wrong or evil (**ประณาม ตำหนิ**): *Everyone condemned her for being cruel to her child.* **2** to sentence someone to a punishment (**ตัดสินลงโทษ**): *She was condemned to death.*

con·dem-'na·tion *n* (**การประณาม การตำหนิ**).

con'dense *v* **1** to shorten (**ย่อ**): *to condense a book.* **2** to turn to liquid (**กลั่นตัว**): *Steam condensed on the kitchen windows.*

con·den'sa·tion *n* (**การกลั่น การกรอง การทำให้ข้น**).

'con·di·ment *n* anything added to food to give it flavour, such as salt or pepper (**เครื่องปรุงรส**).

con'di·tion *n* **1** the state in which a person or thing is (**สภาพ**): *The house is in poor condition; He is in no condition to leave hospital.* **2** something that has been agreed or that has to happen before something else does (**เงื่อนไข**): *It was a condition of his going on the trip that he should pay his own fare.*

con'di·tion·al *adj* depending on certain things happening (**มีเงื่อนไข**): *a conditional offer of a university place.*

con'di·tion·al·ly *adv* (**อย่างมีเงื่อนไข**).

con'di·tion·er *n* something that improves the condition of something (**ปรับสภาพให้ดีขึ้น**): *hair conditioner.*

on condition that only if something is done (**โดยมีเงื่อนไขว่า**): *You will be paid tomorrow on condition that the work is finished.*

con'do·lence *n* sympathy (**การแสดงความเสียใจ**): *a letter of condolence.*

con'duct (*kən'dukt*) *v* **1** to guide (**นำ**): *We were conducted down a narrow path; a conducted tour.* **2** to direct an orchestra, choir *etc.* (**กำกับ**). **3** to behave yourself (**ประพฤติ**): *He conducted himself well.* **4** to manage, organize or control (**ดำเนินการ**): *to conduct a meeting.* **5** to transmit heat or electricity (**ส่งความร้อนหรือไฟฟ้า**). — *n* ('**con·duct**) behaviour (ความประพฤติ): *His conduct at school was disgraceful.*

con'duc·tor *n* **1** a director of an orchestra, choir *etc.* (วาทยกร). **2** a person who collects fares on a bus *etc.* (คนเก็บค่าโดยสาร กระเป๋ารถ): *a bus conductor.* **3** a substance that transmits heat or electricity (ตัวนำความร้อนและไฟฟ้า).

con'duct·ress *n* a female conductor on a bus (คนเก็บค่าโดยสารหญิง).

cone *n* **1** a solid shape with a point and a round base (รูปทรงกรวย). **2** the fruit of the pine, fir *etc.* (ลูกสน ฯลฯ): *fir-cones.* **3** a pointed wafer holder for ice-cream (ที่ใส่ไอศกรีมทรงกรวย): *an ice-cream cone.*

con'fec·tion·er *n* a person who makes or sells sweets or cakes (คนทำหรือขายขนม).

con'fec·tion·er·y *n* sweets, chocolates, ice-cream *etc.* (ขนมหวาน ช็อกโกแลต ไอศกรีม).

con'fer *v* **1** to talk together (ปรึกษาหารือ): *The teachers conferred about the new timetable.* **2** to give an honour *etc.* to someone (มอบให้): *The university conferred degrees on two famous scientists.*

'**con·fer·ence** *n* a meeting for discussion (การประชุม): *The conference was held in New York.*

con'fess *v* to say that you are guilty, wrong *etc.*; to admit (สารภาพ): *He confessed to the crime; He confessed that he had broken the vase.*

con'fes·sion *n* **1** admitting that you are guilty, wrong *etc.* (การสารภาพ): *The boy made a confession to the police officer.* **2** confessing your sins to a priest (การสารภาพบาป).

con'fet·ti *n* small pieces of coloured paper thrown at weddings *etc.* (กระดาษสีเป็นชิ้นเล็ก ๆ สำหรับขว้างปาในงานแต่งงาน).

con'fide *v* to tell your secrets *etc.* to someone (ไว้วางใจ ปรับทุกข์): *He confided in his brother; He confided his fears to his brother.*

You confide **in** someone, but you confide your secrets *etc.* **to** someone.

'**con·fi·dence** *n* **1** trust or belief in someone (ความไว้วางใจ ความมั่นใจ): *I have great confidence in you.* **2** belief in your own ability (เชื่อมั่นในความสามารถของตนเอง): *She shows a great deal of confidence for her age.*

'**con·fi·dent** *adj* having a great deal of trust, especially in yourself (มีความเชื่อมั่น): *She is confident that she will win; a confident boy.*

con·fi'den·tial *adj* not to be told to others (เป็นความลับสุดยอด): *confidential information.*

con·fi'den·tial·ly *adv* secretly (อย่างเป็นความลับ).

con'fine *v* **1** to keep within limits (จำกัดขอบเขต): *They confined the fire to a small area.* **2** to shut up or keep in one place (กักขัง): *He was confined in a prison cell for two years; She was confined to bed with a cold.*

con'fined *adj* small; narrow (เล็ก คับแคบ): *a confined space.*

con'fine·ment *n* being shut up or imprisoned (เก็บตัวหรือถูกขัง): *solitary confinement.*

'**con·fines** *n* boundary (ขอบเขต): *within the confines of the city.*

con'firm *v* **1** to make something certain (ยืนยัน): *They confirmed their hotel booking by letter.* **2** to admit someone to full membership of a Christian church (ยอมรับให้เป็นสมาชิกเข้าศาสนาคริสต์เต็มตัว).

con·fir'ma·tion *n* (การยืนยัน การยอมรับ).

con'firmed *adj* settled in a way of life (แน่นอน ไม่เปลี่ยนแปลง): *a confirmed bachelor.*

'**con·fis·cate** *v* to take something away, as a punishment (ริบ ยึดทรัพย์): *The teacher confiscated the boy's comic.*

con·fis'ca·tion *n* (การริบ การยึดทรัพย์).

'**con·flict** *n* **1** disagreement (ความขัดแย้ง): *There is often conflict between brothers and sisters.* **2** a fight or battle (การต่อสู้หรือการรบ). — *v* (**con'flict**) to say something different; to disagree (ขัดแย้งกัน): *The two accounts of the accident conflicted with each other.*

con'form *v* **1** to behave, dress *etc.* in the way that most other people do (คล้อยตาม). **2** to follow or obey (ทำตามหรือเชื่อฟัง): *You must* *conform to the school rules.*

con'form·i·ty *n* (การปฏิบัติตาม การคล้อยตาม).

con'found *v* **1** to puzzle or surprise (พิศวงหรือประหลาดใจ): *He was confounded by the decision.* **2** to succeed in doing something other people have tried to stop you from doing (ทำสิ่งที่ผู้อื่นขัดขวางให้สำเร็จ เอาชนะหรือผ่านพ้นอุปสรรค): *She confounded all their attempts to have her dismissed from her job.*

con'front (*kən'frunt*) *v* **1** to face or meet an enemy, difficulty *etc.* (เผชิญหน้าหรือพบกับศัตรู). **2** to bring someone face to face with something (แสดงต่อหน้า): *He was confronted with the evidence.*

con·fron'ta·tion *n* (การเผชิญหน้า).

con'fuse (*kən'fūz*) *v* **1** to put in disorder (ทำให้เกิดความยุ่งเหยิง): *He confused the arrangements by arriving late.* **2** to mix up in your mind (ใจสับสน): *always confuse John and his twin brother.* **3** to puzzle (พิศวง): *He confused me by his questions.*

con'fused *adj* **1** mixed up (สับสน): *The message was rather confused.* **2** puzzled (พิศวง).

con'fu·sion *n* (ความยุ่งเหยิง ความสับสน ความพิศวง).

con'geal *v* to become or make thicker and more solid (ทำให้ข้นและแข็งตัวขึ้น): *The blood had congealed round the wound.*

con'gest·ed *adj* very crowded; very full (คับคั่ง แออัด).

con'ges·tion (kən-jes-chən) n (ความคับคั่ง ความแออัด).

con'grat·u·late (*kən'grat-ū-lāt*) *v* to tell someone how glad you are about something good that has happened to them (แสดงความยินดี): *She congratulated him on passing his driving test.*

con·grat·u'la·tions *n* (การแสดงความยินดี): *Warmest congratulations on the birth of your baby.*

There is no singular of **congratulations**.

'con·gre·gate (*'koŋ-gri-gāt*) *v* to come together (ร่วมชุมนุม): *A large crowd congregated in the street.*

con·gre'ga·tion *n* a group gathered together, especially people in a church (การร่วมชุมนุม การร่วมประชุมกัน).

'con·gress (*'koŋ-gres*) *n* **1** a large meeting of people who have gathered for talks and discussions (การร่วมสังสรรค์). **2** the parliament of the United States (รัฐสภาอเมริกัน): *He has been elected to Congress.*

con'gres·sion·al *adj* (แห่งรัฐสภาที่มาชุมนุมกัน).

'con·i·cal *adj* cone-shaped (รูปทรงกรวย): *A witch wears a conical hat.*

'con·i·fer *n* any tree that has cones and evergreen leaves (ต้นสน): *Pines, firs and cedars are conifers.*

co'nif·er·ous *adj* having cones (มีรูปเป็นทรงกรวย).

'con·ju̧·gal (*'kon-jū-gəl*) *adj* relating to marriage and the relationship between a husband and wife (เกี่ยวกับการสมรส มีความเกี่ยวพันกันฉันสามีภรรยา): *conjugal happiness.*

con'junc·tion *n* a word that connects sentences or parts of sentences (คำสันธาน): *John sang and Mary danced; I'll do it if you want.*

in conjunction with together with (ร่วมกับ).

'con·jure (*'kun-jər*) *v* to do tricks that seem magical (เล่นกล). **'con·ju·ror** *n* (นักเล่นกล).

'con-man *n* someone who cheats people by tricking them (พวกสิบแปดมงกุฎ).

con'nect *v* **1** to join or fasten together (ติดต่อ เชื่อมโยง): *How do you connect the printer to the computer?; This road connects the two farms; This telephone line connects with the President.* **2** to bring together in the mind (เชื่อมโยงเข้าไว้ในใจ): *People connect money with happiness.*

con'nec·tion *n* **1** something that connects (การเชื่อมโยง): *a faulty electrical connection.* **2** being connected; a relationship (ติดต่อเกี่ยวพัน): *I have no connection with their family.* **3** a train, bus *etc.* which you take on the next part of your journey (การต่อรถไฟหรือรถยนต์ในการเดินทางต่อไป): *As the* *local train was late, I missed the connection to London.*

in connection with about **(เชื่อมโยงกับ)**: *He wrote to me in connection with his son's school report.*

'con·quer (*'koŋ-kər*) *v* to defeat **(มีชัย ได้ชัยชนะ)**: *The Normans conquered England in the eleventh century; You must conquer your fear of the dark.*

'con·quer·or *n* **(ผู้มีชัย)**.

'con·quest (*'koŋ-kwest*) *n* something that has been won by force or effort; conquering **(พิชิต ครอง)**: *The conquest of Mount Everest.*

'con·science (*'kon-shəns*) *n* your sense of right and wrong **(ความรู้สึกผิดชอบชั่วดี)**: *She had a bad conscience because she had lied; He had no conscience about telling a lie.*

con·sci'en·tious (*kon-shi'en-shəs*) *adj* careful and hard-working **(รอบคอบและขยัน)**: *a conscientious pupil.*

'con·scious (*'kon-shəs*) *adj* **1** fully awake; knowing what is happening around you **(รู้สึกตัว)**: *The patient was conscious.* **2** realising something **(รู้สึกถึงอะไรบางอย่าง)**: *The children were conscious of their mother's unhappiness.*

'con·scious·ly *adv* **(อย่างแจ่มแจ้ง อย่างออกหน้าออกตา)**.

'con·scious·ness *n* **(สติ)**: *The patient soon regained consciousness.*

'con·script *n* a person ordered to serve in the armed forces **(เกณฑ์ทหาร)**.

con'scrip·tion *n* **(การเกณฑ์ทหาร)**.

'con·se·crate (*'kon-sə-krāt*) *v* **1** to set aside for religious or holy use **(สำรองไว้เพื่อศาสนาหรือเพื่อใช้กับสิ่งศักดิ์สิทธิ์)**: *The church was consecrated in 1966.* **2** to devote or dedicate to some special purpose **(ถวายหรืออุทิศตนโดยมีจุดประสงค์พิเศษ)**: *She consecrated her life to God; consecrate your life to helping others.*

con'sec·u·tive (*kən'sek-ū-tiv*) *adj* following one after the other **(ตามลำดับ ติดต่อกัน)**: *He visited us on two consecutive days, Thursday and Friday.*

con'sec·u·tive·ly *adv* **(อย่างต่อเนื่อง)**.

con'sen·sus *n* the feeling of most people **(ความรู้สึกของคนส่วนมาก)**: *The consensus of opinion is that we should do this.*

con'sent *v* to give permission or agree to something **(อนุญาตหรือยินยอม)**: *I consent to that plan.* — *n* agreement; permission **(ตกลง อนุญาต)**: *You have my consent to leave.*

'con·se·quence *n* **1** a result **(เป็นผล)**: *This decision will have important consequences.* **2** importance **(สำคัญ)**: *A small error is of no consequence.*

'con·se·quent·ly *adv* therefore **(ดังนั้น)**.

con'serve *v* to keep from being damaged or lost **(สงวน)**: *This old building should be conserved.*

con·ser'va·tion *n* conserving wildlife, the countryside, old buildings *etc.* **(การสงวนเอาไว้)**.

con'serv·a·tive *adj* **1** not liking changes **(อนุรักษ์นิยม)**: *Older people are often conservative in their opinions.* **2** in politics, wanting to avoid major changes and to keep business and industry in private hands **(ในทางการเมือง ต้องการหลีกเลี่ยงการเปลี่ยนแปลงที่ใหญ่ ๆ และรักษาธุรกิจกับอุตสาหกรรมไว้ในครอบครองของเอกชน)**.

con'sid·er *v* **1** to have an opinion about someone or something **(พิจารณา คิดว่า)**: *I consider him a very clever pupil.* **2** to think about carefully **(ใคร่ครวญ)**: *I'll consider your suggestion; Always consider other people's feelings.*

con'sid·er·a·ble *adj* great **(มากมาย)**: *a considerable amount.*

con'sid·er·a·bly *adv* quite a lot **(มากทีเดียว)**: *Considerably fewer people came than I expected.*

con'sid·er·ate *adj* thoughtful about others **(คิดถึงผู้อื่น)**: *He is always considerate to elderly people.*

con·sid·er'a·tion *n* **1** thinking about something **(การใคร่ครวญ)**: *She took the job after careful consideration.* **2** something that must be thought about (พิจารณา): *The cost of the journey is our main consideration.* **3** thoughtfulness for other people (การคำนึงถึงผู้อื่น): *He stayed at home out of consideration for his sick mother.*

con'sid·er·ing *prep* in spite of (แม้นว่า): *Considering his deafness he manages to understand very well.*

con'sign·ment (*kən'sīn-mənt*) *n* a load of goods *etc.* (การส่งสินค้า): *a consignment of books.*

con'sist *v* to be made up of something (ประกอบด้วย): *The house consists of six rooms.*

See **comprise**.

con'sist·ent *adj* **1** in agreement with something (ตรงกับ): *The second statement is not consistent with the first.* **2** not changing (ไม่เปลี่ยนแปลง): *He was consistent in his attitude; a consistent style of writing.*

con'sist·en·cy *n* (ความสม่ำเสมอ).

con'sist·ent·ly *adv* (อย่างสม่ำเสมอ).

con·so'la·tion *n* **1** the consoling of someone (การปลอบใจ). **2** something that consoles (สิ่งปลอบใจ): *Her children were a great consolation to her after her husband died.*

con'sole *v* to comfort; to cheer up (ปลอบประโลม): *She could not console the weeping child.*

con'sol·i·date *v* to make or become solid; to strengthen (ทำให้แข็งแรง). **con·sol·i'da·tion** *n* (การทำให้แข็งแรง).

'con·so·nant *n* any letter of the alphabet except *a, e, i, o, u* (พยัญชนะ).

'con·sort *n* a wife or husband, especially of someone royal (สวามีหรือชายา).

con'spic·u·ous (*kən'spik-ū-əs*) *adj* very noticeable (เด่น สะดุดตา): *Her blond hair made her conspicuous in the crowd.*

con'spire *v* to plan a crime *etc* together in secret (คิดร้าย คบคิดกัน): *They conspired to overthrow the government.*

con'spir·a·cy *n* (การคิดร้าย).

con'spir·a·tor *n* a person who conspires (ผู้คิดแผนการร้าย).

'con·sta·ble (*'kun-stə-bəl*) *n* a policeman (ตำรวจ).

'con·stant *adj* **1** never stopping (ไม่หยุดหย่อน): *a constant noise.* **2** not changing (คงที่): *These eggs must be kept at a constant temperature.* **3** faithful (ซื่อสัตย์ เคร่งครัด): *He remained constant.*

'con·stant·ly *adv* (เรื่อยไป เป็นนิจ).

con·stel'la·tion *n* a group of stars (กลุ่มดาว).

'con·sti·pate *v* to make someone constipated (ท้องผูก).

'con·sti·pa·ted *adj* finding it difficult to empty your bowels (มีอาการท้องผูก).

con·sti'pa·tion *n* (อาการท้องผูก).

con'stit·u·en·cy *n* a town or an area that has its own member of parliament (เขตที่มีสมาชิกสภาเป็นของตนเอง): *Our member of parliament spends a lot of time meeting and talking to people in the constituency.*

'con·sti·tute (*'kon-sti-tūt*) *v* to form; to be (เกิดขึ้น เป็น): *Nuclear waste constitutes a serious danger.*

con·sti'tu·tion *n* **1** a set of rules, laws *etc.* by which a country or group of people is governed (รัฐธรรมนูญ): *the constitution of our country.* **2** the health and strength of a person's body (สุขภาพและร่างกายแข็งแรง): *He has a strong constitution — he's never ill.*

con·sti'tu·tion·al *adj* (ที่ถูกต้องตามรัฐธรรมนูญ).

con'straint *n* a limit or restriction (ข้อจำกัดหรือการบีบบังคับ): *There are no constraints on the amount of money you may spend.*

con'strict *v* to squeeze too tightly (รัดจนแน่นเกินไป): *Don't wear shoes that constrict your toes.*

con'struct *v* to build (ก่อสร้าง): *They are planning to construct a new supermarket.*

con'struc·tion *n* **1** the process of building (การก่อสร้าง): *A new bridge is under construction.* **2** something built (สิ่งก่อสร้าง): *That construction won't last long.*

con'struc·tive *adj* helpful (เพื่อก่อ เพื่อความเจริญ): *Constructive criticism tells you both what is wrong and also what to do about it.*

'con·sul *n* a person who represents his own government in a foreign country and looks after the people from his own country who live there (กงสุล).

'con·su·lar (*'kon-sū-lər*) *adj* (ทางกงสุล).

'con·su·late (*'kon-sū-lət*) *n* the place where the consul lives (สถานกงสุล).

con'sult *v* **1** to ask advice from someone or get information from something (ปรึกษา ขอคำแนะนำ ดู): *Consult your doctor about your illness; He consulted his watch and found that it was 8.00 a.m.* **2** to give professional advice (ให้คำปรึกษา): *My doctor consults on Mondays and Fridays.*

con·sul'ta·tion *n* (การปรึกษา).

con'sul·tant *n* a person who gives professional advice (ที่ปรึกษา).

consulting room a room in which a doctor sees patients (ห้องตรวจโรค).

con'sume (*kən'sūm*) *v* **1** to eat or drink (บริโภค): *He consumes a huge amount of food.* **2** to use (ใช้): *How much electricity do you consume per month?* **3** to destroy (ทำลาย): *The entire building was consumed by fire.*

con'su·mer *n* a person who eats, uses, buys things *etc.* (ผู้บริโภค ผู้ซื้อสินค้า): *The average consumer spends 12 dollars per year on toothpaste.*

consumer goods goods which can be used by the consumer, such as clothing, food, TV sets *etc.* (เครื่องอุปโภคบริโภค).

con'sump·tion *n* **1** the consuming of something (การบริโภค). **2** the amount consumed (ปริมาณที่บริโภค): *The consumption of coffee has increased.*

consumption is spelt with a **p**.

'con·tact *n* **1** touch or nearness (สัมผัสหรือความใกล้): *Her hands came into contact with the acid.* **2** communication (การติดต่อ): *I've lost contact with all my old friends; How can I get in contact with him?* **3** a person you know (คนที่เรารู้จัก): *I have some useful contacts in London.* **4** a wire *etc.* carrying an electric current (ลวด ฯลฯ ที่นำกระแสไฟฟ้า): *the contacts on the battery.* **5** a means of communication (เครื่องมือในการติดต่อ): *His radio is his only contact with the outside world.* — *v* to get in touch with someone (ติดต่อ): *I'll contact you by telephone.*

contact lens a small plastic lens which is worn on the surface of the eye to improve its sight (เลนส์พลาสติกเล็ก ๆ ที่ใส่บนผิวของตาเพื่อทำให้ดูได้ชัดขึ้น).

con'ta·gious (*kən'tā-jəs*) *adj* spreading from one person to another by touch (ติดต่อโดยการสัมผัส): *Is that skin disease contagious?*

con'ta·gion *n* (การติดต่อโดยการสัมผัส).

con'tain *v* **1** to have something inside (บรรจุ): *This box contains a pair of shoes.* **2** to control (ควบคุม): *He could hardly contain his excitement.*

con'tain·er *n* **1** something made to contain things (กล่อง): *He brought his lunch in a plastic container.* **2** a very large metal box for carrying goods on a truck, ship *etc.* (ตู้สินค้า). — *adj* (รถบรรทุกตู้สินค้า): *a container truck.*

con'tam·i·nate *v* to dirty something (สกปรกปนเปื้อน): *The water has been contaminated by chemicals.*

con·tam·i'na·tion *n* (ความแปดเปื้อน ความสกปรก).

'con·tem·plate *v* to think about something or look at something for a long time (พิจารณาไตร่ตรอง): *She contemplated her future gloomily; He contemplated his face in the mirror.*

contem'pla·tion *n* (การพิจารณา).

con'temp·la·tive *adj* (อย่างใช้ความคิด).

con'tem·po·rar·y *adj* of the present time; modern (สมัยเดียวกัน ร่วมสมัย): *contemporary art.* — *n* a person living at the same time (คนในสมัยเดียวกัน): *She was one of my contemporaries at school.*

con'tempt *n* very low opinion; scorn (ดูถูก ดูหมิ่น): *She spoke with contempt of his bad behaviour.*

con'tempt·i·ble *adj* very bad; deserving scorn (เลวมาก สมควรถูกดูหมิ่น): *a contemptible lie.*

con'temp·tu·ous (*kən'temp-tū-əs*) *adj* scornful

(**แสดงอาการดูหมิ่น**): *He was very contemptuous of my drawing.*

con'tend *v* **1** to struggle against something (**ดิ้นรน ต่อสู้**): *He has many problems to contend with.* **2** to say something firmly (**ยืนยัน**): *He contended that he was right.*

con'tend·er *n* a person who has entered a competition (**ผู้เข้าแข่งขัน**).

con'tent[1] *adj* satisfied; happy (**พอใจ มีความสุข**): *He doesn't want more money — he's content with what he has.* — *n* happiness; satisfaction (**ความสุข ความพอใจ**): *When we go on holiday we can swim to our hearts' content.* — *v* to satisfy (**พอใจ**): *As the TV's broken, you'll have to content yourself with listening to the radio.*

'con·tent[2] *n* the amount of something contained (**เนื้อ, สาระ**): *Oranges have a high vitamin C content.*

con'ten·ted *adj* happy; satisfied (**มีความสุข พอใจ**).

con'ten-tedly *adv* (**อย่างมีความสุข อย่างพอใจ**).

con'ten·tion *n* disagreement or quarrelling (**การโต้แย้งหรือวิวาท**).

con'tent·ment *n* happiness; satisfaction (**ความพอใจ**).

'con·tents *n* **1** the things contained in something (**ของที่บรรจุอยู่**): *He drank the contents of the bottle.* **2** a list of the things contained in a book (**สารบาญ**): *Look up the contents at the beginning of the book.*

'con·test *n* a struggle, competition *etc.* (**การต่อสู้ แข่งขัน**): *a sporting contest.*

con'test·ant *n* a person who takes part in a contest (**ผู้เข้าแข่งขัน**).

'con·text *n* the parts before and after a word or sentence that help to make its meaning clear (**คำอธิบายที่อยู่หน้าหรือหลังคำในประโยคเพื่อทำให้ความหมายกระจ่างชัด**): *If you hear the sentence "She drove the kids to school", you know from the context that "kids" means children, not baby goats.*

'con·ti·nent *n* **1** one of the five great divisions of the earth's land surface — Europe, America, Australia, Asia or Africa (**ทวีป**). **2** Europe excluding Britain.

con·ti'nen·tal *adj* (**แห่งทวีป**).

continental breakfast a light breakfast of rolls and coffee (**อาหารเบา ๆ มื้อเช้า ประกอบด้วยขนมปังและกาแฟ**).

con'tin·gent (*kən'tin-jent*) *n* a group, especially of soldiers (**จำนวนบุคคล กองทหาร**).

con'tin·u·al (*kən'tin-ū-əl*) *adj* going on all the time; happening again and again (**เป็นอยู่ตลอดเวลา เกิดขึ้นแล้วเกิดขึ้นอีก**): *continual interruptions.*

con'tin·u·al·ly *adv* (**เสมอ ๆ**).

See **continuous**.

con'tin·ue (*kən'tin-ū*) *v* **1** to keep on doing something (**ทำต่อไป**): *She continued to run; They continued running; He will continue in his present job; The noise continued for several hours.* **2** to go on with something (**ทำต่อไป**): *He continued his talk after the break; This story is continued on p. 53.*

con·tin·u'a·tion *n* (**ความต่อเนื่อง**).

con·ti'nu·i·ty *n* being without breaks or stops (**ความต่อเนื่อง**): *These interruptions break the continuity of the lesson.*

con'tin·u·ous *adj* put together, or going on, without breaks or stops (**ต่อเนื่องกันไป**): *continuous rain; continuous movement.*

con'tin·u·ous·ly *adv* (**อย่างต่อเนื่อง**).

continual means frequent, again and again: *continual complaints.*

continuous means never stopping, going on all the time: *a continuous noise.*

con'tort *v* to twist or turn violently or into an unnatural shape (**บิดหรือหมุนอย่างแรงหรือทำให้รูปร่างผิดธรรมชาติ**): *His face contorted with pain.*

con'tor·tion *n* (**อาการบิดเบี้ยว**).

'con·tour (*'kon-tŏŏr*) *n* **1** (often **contours**) the shape of something seen in outline (**โครงร่าง**): *From the deck of the ship the captain could see the familiar contours of the island.* **2** (also **contour line**) a line drawn on a map showing where the land reaches a certain height (**เส้นชั้นความสูง**): *the 500-metre contour.*

'con·tra·band *n* goods which you are not allowed to bring into a country **(สินค้าที่ห้ามนำเข้าประเทศ)**. — *adj* **(สินค้าต้องห้าม)**: *contraband goods.*

con·tra'cep·tion *n* the prevention of pregnancy; birth control **(การคุมกำเนิด)**: *reliable methods of contraception.*

con·tra'cep·tive *n* a pill or some other device that a woman uses to prevent her becoming pregnant **(ยาหรือเครื่องมืออย่างอื่นที่ใช้คุมกำเนิด)**: *Many women use contraceptives; a contraceptive pill.*

con'tract *v* **1** to make smaller or become smaller **(หด ทำให้สั้นลง)**: *"I am" is often contracted to "I'm"; Your muscles contract to make your body move.* **2** to catch a disease **(ติดโรค)**: *He contracted malaria.* **3** to make a business agreement **(ทำสัญญาทางธุรกิจ)**: *The builders contracted to finish the house by December.* — *n* **('con·tract)** a written agreement **(สัญญา)**: *He has a four-year contract of employment with us.*

con'trac·tion *n* **1** the contracting of a muscle **(การหดตัว, การบีบรัด)**. **2** a short form **(แบบสั้น ๆ)**: *"He's" is a contraction of "he is".*

con'trac·tor *n* a person or firm that promises to do work or supply goods at a fixed rate **(ผู้รับเหมา)**: *a building contractor.*

con·tra'dict *v* to say the opposite to something; to argue or disagree with someone **(ปฏิเสธ ขัดแย้ง)**: *It's foolish to contradict your boss.*

contra'dic·tion *n* **(การปฏิเสธ การขัดแย้ง)**.

con·tra'dic·to·ry *adj* **(แย้งกัน)**.

con'trap·tion *n* a strange machine or apparatus **(เครื่องจักรหรือสิ่งประดิษฐ์ที่แปลกพิสดาร)**: *What's this new contraption for?*

'con·tra·ry *adj* opposite to something **(ตรงกันข้าม)**: *That decision was contrary to my wishes.* — *n* the opposite **(สิ่งที่ตรงข้าม)**.

on the contrary just the opposite **(ในทางตรงกันข้าม)**: *"Are you busy?" "No, on the contrary, I'm out of work."*

con'trast (*kən'träst*) *v* **1** to be very different from something else **(แตกต่างจากอย่างอื่นมาก)**: *His words contrast with his actions.* **2** to compare two things **(การเปรียบเทียบของสองสิ่ง)**: *Contrast fresh and frozen vegetables and you'll find the fresh ones taste better.* — *n* **('con·trast) 1** the difference between things **(ความแตกต่าง)**: *There is often a great contrast between a book and the film made from it.* **2** a thing or person that is very different from another **(สิ่งของหรือคนที่แตกต่างกันมากกับสิ่งอื่นหรือผู้อื่น)**: *She's a complete contrast to her sister.*

con·tra'vene (*kon-trə-'vēn*) *v* to break or disobey **(ขัดแย้ง ละเมิด)**: *This advertisement contravenes the regulations on the advertising of tobacco.*

con'tri·bute (*kən'trib-ūt*) *v* **1** to give money, help *etc.* together with others **(บริจาค)**: *Have you contributed any money to this charity?* **2** to help to cause something **(นำไปสู่)**: *His laziness contributed to his failure.*

con·tri'bu·tion *n* **1** contributing **(การบริจาค)**. **2** something contributed, especially money **(สิ่งที่บริจาค)**.

con'trib·u·tor *n* **(ผู้บริจาค)**.

con'trive (*kon'triiv*) *v* to manage or succeed **(กระทำหรือทำได้สำเร็จ)**: *She contrived to live well on a very small income.*

con'trived *adj* false or unnatural **(ผิดไปหรือไม่เป็นธรรมชาติ)**: *The play had a complicated plot but a contrived ending.*

con'trol (*kən'trōl*) *n* **1** power or authority over something or someone **(การควบคุม)**: *She has no control over that dog; He lost control of himself and shouted very loudly.* **2** the inspecting or checking of something **(การตรวจหรือเช็ค)**: *price controls.* **3** a switch *etc.* which operates a car, aircraft *etc.* **(สวิตช์ที่ให้รถยนต์ เครื่องบิน ทำงาน)**. — *v* **1** to have power or authority over something or someone **(มีอำนาจบังคับ)**: *The captain controls the whole ship; Control your dog!* **2** to check or regulate something **(เช็คหรือควบคุม)**: *A policeman controlled the traffic.*

con'trol·ler *n* a person or thing that controls **(บุคคลหรือสิ่งของที่ควบคุม)**.

con'trol-tow·er *n* a building at an airport from which take-off and landing instructions are given (หอควบคุมการบิน).

in control in charge (ควบคุมสถานการณ์): *Don't worry — the headmaster is in control of the situation.*

out of control not under the power of someone (ไม่อยู่ในการควบคุม ควบคุมไม่ได้): *The brakes failed and the car went out of control.*

under control: *Everything's under control now* (อยู่ภายใต้การควบคุม).

con'tro·ver·sy *n* an argument; a dispute (การโต้แย้ง ข้อโต้แย้ง): *There is a controversy over the rules of the game.*

con·tro'ver·sial *adj* (ซึ่งขัดแย้งกัน).

con·va'lesce (*kon-və'les*) *v* to rest and become well again after an illness or operation (พักฟื้น): *She has left hospital and is convalescing at home.*

con·va'les·cence *n* (การพักฟื้น).

con·va'les·cent *n* a person who is convalescing (ผู้ซึ่งกำลังฟื้นจากอาการเจ็บป่วย): *Convalescents often need a special diet.* — *adj* **1** becoming well again after an illness or operation (ฟื้นจากการเจ็บป่วยหรือการผ่าตัด): *He is convalescent now.* **2** for convalescents (บ้านพักฟื้น): *a convalescent home in the country.*

con'vene *v* to bring together; to assemble (มารวมกัน มาชุมนุม): *to convene a meeting.*

con've·ni·ent (*kən'vē-ni-ənt*) *adj* **1** suitable (สะดวก เหมาะสม): *When would it be convenient for me to come?* **2** easy to use or reach; handy (ใกล้เอื้อม): *Keep this in a convenient place.*

con've·ni·ent·ly *adv* (อย่างสะดวก).

con've·ni·ence *n* **1** being convenient (ความสะดวก): *the convenience of living near the office.* **2** a useful thing that makes life easy, or comfortable, for example, a washing machine (เครื่องทุ่นแรง).

convenience food food in cans or frozen in packets which has been prepared or partly prepared before you buy it so that it can be cooked and eaten immediately or very quickly (อาหารกระป๋องหรืออาหารสูตรสำเร็จ): *He always buys a lot of convenience food.*

'con·vent *n* a building in which nuns live (สำนักแม่ชี).

convent school a school in which the teachers are nuns (โรงเรียนซึ่งสอนโดยแม่ชี).

con'ven·tion *n* **1** a way of behaving that has become usual (ประเพณีนิยม): *Shaking hands when meeting people is a convention in many countries.* **2** a big meeting of a political party *etc.* (การประชุมของพรรคการเมือง).

con'ven·tion·al *adj* normal; not unusual (ตามปกติ ตามประเพณีนิยม): *His clothes are quite conventional.*

con'verge *v* to come together or meet at one point (บรรจบกัน): *The roads converge in the centre of town.*

con'ver·gence *n* (การบรรจบกัน).

con'ver·gent *adj* (รวมกันที่จุดเดียว).

con·ver'sa·tion *n* talk (การสนทนา): *We had a long conversation about our plans.*

con·ver'sa·tion·al *adj* **1** informal (แห่งการสนทนา): *conversational English.* **2** fond of talking (ชอบสนทนา).

con'verse[1] *v* to talk (สนทนา): *They conversed in Chinese.*

'con·verse[2] *n* the opposite (ตรงข้าม): *The converse of "good" is "bad".* **con'verse·ly** *adv* (โดยกลับกัน).

con'ver·sion *n* **1** the converting of someone (การเปลี่ยนความเชื่อ): *His conversion to Christianity.* **2** alteration (การเปลี่ยนแปลง): *the conversion of the house into a hotel.*

con'vert *v* **1** to change from one thing into another (แปลง, ปรับเปลี่ยน): *He has converted his house into four apartments.* **2** to change from one religion *etc.* to another (เปลี่ยนจากการนับถือศาสนาหนึ่งไปเป็นอีกศาสนาหนึ่ง): *He was converted to Christianity.* — *n* (**'con·vert**) a person who has been converted to a religion etc. (คนที่เปลี่ยนศาสนา): *a convert to Buddhism.*

con'vert·i·ble *adj* able to be converted (สามารถเปลี่ยนแปลงได้): *a convertible sofa.* — *n* a car with a folding roof (รถเปิดประทุน).

'con·vex *adj* curved outwards, like the surface of your eye (**นูน**): *a convex lens* (**เลนส์นูน**).

con'vey (*kən'vā*) *v* to carry or transport (**แบกหามหรือขนส่ง**): *The goods were conveyed by sea to Hong Kong.*

con'vey·ance *n* **1** the conveying of something (**การส่งไปยังอีกแห่งหนึ่ง**). **2** a vehicle of any kind (**ยานพาหนะชนิดใด ๆ**): *A bus is a public conveyance.*

conveyor belt an endless, moving belt transporting things in a factory *etc.* (**สายพานที่ส่งวัตถุในโรงงาน**).

con'vict *v* to prove or declare someone guilty (**ตัดสินลงโทษ**): *She was convicted of theft.* — *n* (**'con·vict**) a person who is in prison for a crime (**นักโทษ**): *Two convicts have escaped from prison.*

con'vic·tion *n* a strong belief (**ความเชื่อมั่น**): *It's my conviction that he's right.*

con'vince *v* to make someone believe that something is true (**ทำให้เชื่อ**): *Her smile convinced me that she was happy; She is convinced of his innocence.*

con'vin·cing *adj* likely to be believed (**น่าเชื่อ**): *a convincing argument.*

'con·voy *n* a group of ships, lorries, cars *etc.* travelling together (**กองเรือ ขบวนรถบรรทุก ขบวนรถยนต์ที่เดินทางไปด้วยกัน**): *an army convoy.*

con'vul·sion *n* a sudden jerking movement caused by a muscle movement that you cannot control (**อาการชัก**): *He needed drugs to help control the convulsions.*

coo *n* the sound that a pigeon makes (**เสียงร้องของนกพิราบ**). — *v* (**นกพิราบร้อง**): *The pigeons cooed softly.*

cook (*ko͝ok*) *v* to prepare food or become ready by heating (**ทำอาหาร**): *She cooked the chicken; The chicken is cooking in the oven.* — *n* a person who cooks, especially as a job (**พ่อครัว แม่ครัว**).

'cook·er *n* an apparatus for cooking food (**ภาชนะที่ใช้หุงต้ม**): *She has an electric cooker.*

'cook·er·y *n* the art of cooking food (**ศิลปการปรุงอาหาร**): *She was taught cookery at school.*

cook up to make up a false story *etc.* (**กุเรื่อง**): *He cooked up a story about his car having broken down.*

'cook·ie (*ko͝ok-i*) *n* a flat, hard, sweet cake; a biscuit (**ขนมปังกรอบ**).

cool *adj* **1** slightly cold (**เย็นเล็กน้อย**): *cool weather.* **2** calm (**สงบ**): *He kept cool in spite of his danger.* **3** not very friendly (**เย็นชา**): *He was very cool towards me.* — *v* **1** to make or become less warm (**ทำให้เย็น**): *She cooled her hands in the stream.* **2** to become less strong (**คลายลง**): *Her anger cooled.*

'cool·ly *adv* (**อย่างเย็น ๆ อย่างไม่ลงรอยกัน**).

'cool·ness *n* (**ความเย็น ความไม่ลงรอยกัน**).

cool-'head·ed *adj* able to act calmly (**สามารถกระทำได้อย่างสงบ**).

cool down 1 to make or become less warm (**เย็นลง**): *Let your food cool down a bit!* **2** to make or become less excited (**สงบลง**): *Stop shouting — cool down!*

'coo·lie *n* an Indian or Chinese labourer (**กุลีคนงาน**).

coop *n* a cage for hens *etc.* (**กรงไก่**).

co-'op·er·ate (*kō'op-ər-āt*) *v* to work together (**ร่วมมือกัน**): *We must all co-operate to make the school run smoothly.*

co-op·er'a·tion *n* (**การร่วมมือกัน**).

co'op·er·a·tive *adj* (**ร่วมมือกัน**).

co-'or·di·nate (*kō'ör-di-nāt*) *v* to make one action *etc.* fit in smoothly with another (**ผสมกลมกลืน สอดคล้อง**): *In swimming, the movement of your arms and legs must be co-ordinated.*

co-or·di'na·tion *n* (**การประสานกัน**).

cop *n* a slang shortening of **copper**[2] (**คำสแลงที่ใช้เป็นคำย่อของ copper**[2])

cope *v* to manage; to deal with something successfully (**จัดการได้อย่างดี**): *I can't cope with all this work.*

'cop·i·er *n* a machine that makes copies; a photocopier (**เครื่องอัดสำเนา**).

'cop·per[1] *n* **1** a metal of a brown-red colour (**ทองแดง**). **2** a coin made of copper (**เหรียญ**

ทำด้วยทองแดง). — *adj* **1** made of copper (ทำด้วยทองแดง). **2** having the colour of copper (มีสีเหมือนทองแดง).

'cop·per[2] *n* a British nickname for a policeman (ตำรวจ).

'cop·ra *n* the dried middle part of the coconut, which gives coconut oil (เนื้อมะพร้าวแห้ง).

'cop·y *n* **1** an imitation or reproduction (ลอกเลียนแบบหรือผลิตขึ้นมาใหม่ สำเนา): *a copy of a painting; He made two copies of the text on the copying machine.* **2** a single book, newspaper *etc.* (หนังสือหนึ่งเล่ม หนังสือพิมพ์หนึ่งฉบับ ฯลฯ): *May I have six copies of this dictionary, please?* — *v* to imitate or make a reproduction of something (เลียนแบบหรือทำขึ้นมาใหม่): *Copy the way I speak; Copy this passage into your notebook; His secretary copied his letter.*

'cop·y·right *n* the right that only you have to reproduce, record, film or translate a piece of music or book (ลิขสิทธิ์): *She owns the copyright on her father's novels.*

'cor·al *n* a hard pink substance made up of the skeletons of tiny sea animals (ปะการัง): *a necklace made of coral.* — *adj* (แบบปะการัง): *a coral reef* (แนวปะการัง).

cord *n* **1** thin rope or thick string (เชือก). **2** an electric cable or a flex (สายไฟฟ้า): *the cord of his electric razor.*

'cor·di·al *adj* friendly (อย่างเป็นมิตร): *a cordial welcome.* — *n* a refreshing drink (เครื่องดื่มที่ทำให้สดชื่น): *lime-juice cordial.* **'cor·dial·ly** *adv* (อย่างเป็นมิตร).

core *n* the inner part of something (แกน ไส้): *an applecore; the core of the earth.* — *v* to take out the core of fruit (เอาไส้ผลไม้ออก).

cork *n* **1** the outer bark of the cork tree (เปลือกต้นคอร์ก): *Cork floats well.* **2** a stopper for a bottle *etc.* made of cork (จุกขวด): *Put the cork back in the bottle.* — *adj* made of cork (ทำด้วยคอร์ก): *cork tiles.* — *v* to put a cork into something (ปิดจุก): *I've corked the bottle.*

'cork·screw *n* a tool for taking out corks (ที่เปิดจุกขวด).

corn[1] *n* **1** wheat, oats or maize (ข้าวสาลี ข้าวโอ๊ต ข้าวโพด). **2** the seeds of these crops.

corn[2] *n* a little lump of hard skin, usually on a toe (ตาปลา ตุ่มหนังบนนิ้วเท้า).

'cor·ne·a (*'kör-ni-ə*) *n* the transparent covering of the eyeball (กระจกตา).

corned beef salted beef usually sold in cans (เนื้อเค็ม ตามปกติขายเป็นกระป๋อง).

'cor·ner *n* **1** a point where two lines, walls, roads *etc.* meet (หัวมุม): *The chair stood in a corner of the room; I met him on the street corner.* **2** a small quiet place (ที่เล็ก ๆ เงียบ ๆ): *He found a corner where he could read quietly.* **3** in football, a free kick from the corner of the field (มุมสนาม). — *v* o force a person or animal into a place from which it is difficult to escape (ต้อนเข้ามุม): *The thief was cornered in an alley.*

'corn·flakes *n plural* a light, crunchy breakfast food that is made from maize and eaten with milk (อาหารเช้ากรอบ ๆ ทำจากข้าวโพด): *a bowl of cornflakes.*

'corn·flour *n* fine flour made from maize (แป้งข้าวโพด).

'cor·o·nar·y *n* a heart attack, in which the blood supply to the heart is cut off (หัวใจวาย).

cor·o'na·tion *n* the ceremony of crowning a king or queen (พิธีบรมราชาภิเษก).

'cor·o·ner *n* a person whose job is to inquire into the causes of accidental or sudden deaths (เจ้าพนักงานชันสูตรศพ).

'cor·o·net *n* a small crown (มงกุฎเล็ก ๆ รัดเกล้า).

'cor·po·ral[1] *n* a soldier of the rank below sergeant (นายสิบ).

'cor·po·ral[2] *adj* having to do with the body (แห่งร่างกาย): *The head-teacher forbids caning or any other kind of corporal punishment.*

'cor·po·rate *adj* united (ร่วมกัน): *corporate effort.*

cor·po'ra·tion *n* an organization or business (องค์กรหรือบริษัท): *the British Broadcasting Corporation.*

corps (*kör*) *n* **1** a division of an army (กองทัพน้อย): *The Royal Medical Corps.* **2** a group

(กลุ่ม): *a corps of dancers.*

The pronunciation of **corps** is *kör*, rhyming with **more**.

corpse *n* a dead body (ศพ).

'cor·puscle (*'kör-pus-əl*) *n* a red or white cell in the blood (เม็ดโลหิต).

cor'rect *v* **1** to make something free from faults and errors (แก้ไขให้ถูกต้อง): *You must correct this sentence.* **2** to mark errors in something (ตรวจแก้): *The teacher corrected our exercises.* — *adj* **1** free from faults or errors (ถูกต้อง): *This sum is correct.* **2** right; not wrong (ถูกต้อง): *You are quite correct.*

cor'rec·tion *n* (ความถูกต้อง).

cor'rect·ly *adv* (อย่างถูกต้อง).

cor'rec·tive *adj* putting something right (แก้ไข): *corrective treatment.*

cor·re'spond *v* **1** to be similar (คล้าย): *A bird's wing corresponds to the arm and hand in humans.* **2** to be in agreement with something (สอดคล้องกับ): *Her opinion corresponds with what I said.* **3** to write letters to someone (เขียนจดหมายถึง): *Do they often correspond with each other?*

cor·re'spond·ence *n* **1** agreement; similarity (ความสอดคล้อง ความเหมือนกัน). **2** letters (จดหมาย).

cor·re'spond·ent *n* **1** a person who writes letters (ผู้เขียนจดหมาย). **2** a person who writes reports for a newspaper *etc.* (ผู้เขียนข่าว).

cor·re'spond·ing *adj* similar; matching (คล้ายคลึงกัน เข้าคู่กัน): *The word "gobble" means to eat greedily — is there a corresponding word in Chinese?*

'cor·ri·dor *n* a passageway (ทางเดิน).

cor'rode *v* to destroy or eat away as rust, chemicals *etc.* do (ขึ้นสนิม ทำลายโดยสารเคมี).

cor'ro·sion *n* (การสึกกร่อน).

cor'ro·sive *adj* likely to corrode (มีแนวโน้มจะสึกกร่อน).

'cor·ru·gated *adj* shaped into regular narrow folds or ridges (ทำเป็นลอน): *Corrugated paper is used for packing breakable objects; The hut has a corrugated-iron roof.*

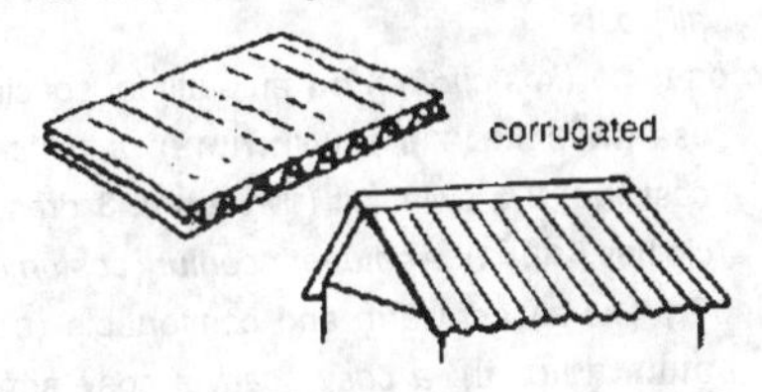

cor'rupt *v* **1** to make someone or something evil or bad (ชั่ว เสีย): *He was corrupted by the bad influence of his companions.* **2** to bribe (ติดสินบน). — *adj* **1** bad or evil (เลวหรือชั่วร้าย): *The government is corrupt.* **2** willing to accept bribes (ยินดีที่จะรับสินบน): *a corrupt police officer.*

cor'rup·ti·ble *adj* (ซึ่งเสื่อมสลายได้ ซึ่งเสื่อมเสียได้).

cor'rup·tion *n* (ความเสื่อมเสีย).

cor'tege (*kör'tezh*) *n* a funeral procession (ขบวนแห่ศพ).

cos'met·ic (*koz'met-ik*) *n* something that can make your face look more beautiful, such as lipstick, eye-shadow *etc.* (เครื่องสำอาง).

'cos·mic (*'koz-mik*) *adj* having to do with the universe or outer space (แห่งจักรวาล): *cosmic rays.*

'cos·mo·naut (*'koz-mə-nöt*) *n* an astronaut (นักบินอวกาศ).

cos·mo'pol·i·tan (*koz-mə'pol-i-tən*) *adj* belonging to all parts of the world (เป็นทุกส่วนของโลก): *The population of London is very cosmopolitan.*

'cos·mos (*'koz-mos*) *n* the universe (จักรวาล).

cost *v* to have a certain price (ราคา): *This jacket costs 75 dollars.* — *n* **1** the money paid for something (ค่าใช้จ่าย): *What was the cost of the meal?* **2** something given in return for something (สิ่งตอบแทน, การสูญเสีย): *The victory was won at the cost of 650 lives.*

cost; cost ; cost: *The book cost $5; The repairs have cost more than $5000.*
to ask the **price** (not **cost**) of a dress.
to ask what something **costs**.

'cost·ly *adj* expensive (แพง): *a costly dress.*

at all costs no matter what the cost may

be (ทุกวิถีทาง): *We must prevent disaster at all costs.*

'cos·tume (*kos-choom*) *n* **1** an outfit for special use (เครื่องแต่งกายใช้ในงานพิเศษ): *a dance costume.* **2** a swimsuit (ชุดว่ายน้ำ). **3** dress; clothes (เสื้อผ้า): *eighteenth-century costume.*

'co·sy (*'kō-zi*) *adj* warm and comfortable (อบอุ่นและสุขสบาย): *a cosy scarf*; a cosy armchair. — *n* a covering for keeping a teapot or an egg warm (หุ้มด้วยนวมเพื่อทำให้กาน้ำชาหรือไข่ร้อนอยู่เสมอ).

'co·si·ly *adv* (อย่างสบาย).

'co·si·ness *n* (ความสบาย).

cot *n* **1** a small bed with high sides for a baby (เตียงเด็กมีลูกกรงกั้น). **2** a folding bed (เตียงพับได้).

'cot·tage *n* a small house, especially in the country or in a village (กระท่อม).

'cot·ton *n* **1** a soft fluffy substance obtained from the seeds of a plant, which is used for making thread or cloth (ฝ้าย). **2** a cloth or thread made from cotton (ผ้าฝ้าย): *a reel of cotton; This shirt is made of cotton.* — *adj* made of cotton (ทำด้วยฝ้าย): *a cotton shirt.*

cot·ton-'wool *n* loose white fluffy cotton for absorbing liquids, wiping or protecting an injury *etc.* (สำลี).

cotton on to realize or understand (รู้สำนึกหรือเข้าใจ): *He still hasn't cottoned on to the fact he is unpopular at school.*

couch *n* a sofa for sitting or lying on (เก้าอี้ใช้นั่งหรือนอน).

See **bench**.

cough (*kof*) *v* to make a noise in your throat as you breathe out suddenly (ไอ): *He's coughing badly because he has a cold.* — *n* **1** an illness causing coughing (ความเจ็บป่วยที่ทำให้เกิดอาการไอ): *He has a bad cough.* **2** an act of coughing (การกระแอมไอ): *She gave a little cough.*

cough up 1 to bring up from the lungs or stomach by coughing (การไอ): *She's been coughing up blood.* **2** to give especially money or information (ยอมจ่ายเงินหรือข่าวสาร): *I persuaded her to cough up $20 towards his present; He owes me $20 but he just won't cough up.*

could (*kood*) *v* **1** past tense of **can** (เป็นอดีตกาลของ **can**): *They asked if I could drive a car; I said I couldn't.* **2** used to express a possibility (เป็นไปได้ สามารถทำได้): *I could go but I'm not going to; Could you give me a lift in your car?*

could; could not or **'couldn't** (*'kood-ənt*): *I could help you to pack, couldn't I?; You couldn't lend me a dollar, could you?*

could have used to express a possibility in the past (ใช้แสดงความเป็นไปได้ในอดีต): *We could have gone, but we didn't.*

'coun·cil *n* a group of people who meet to discuss or give advice (คณะที่ปรึกษา): *The town council are discussing the new road.*

'coun·cil·lor *n* an elected member of a council (กรรมการ).

'coun·sel *n* **1** advice (คำแนะนำ): *You must seek counsel from a good lawyer.* **2** a lawyer at a trial (ทนายความ): *the counsel for the defence.* — *v* to advise (แนะนำ): *The lawyer counselled him to pay the money back.*

'coun·sell·ing *n* the act of giving specialist advice to people (การให้คำแนะนำ คำปรึกษา): *The university provides a counselling service for students with problems.*

'coun·sel·lor *n* a person who gives advice (ผู้ให้คำปรึกษา ผู้ให้คำแนะนำ).

count *v* **1** to say the numbers (นับเลข): *Count up to ten.* **2** to add up (นับจำนวน): *Count up the number of people in the room.* **3** to be important (มีความสำคัญ): *What he says doesn't count.* **4** to have a value; to be added to a score *etc.* (มีค่า เพิ่มคะแนนให้): *You must write the essay without your parents' help, or your mark won't count.* **5** to consider (พิจารณา): *Count yourself lucky to be in the team.* — *n* the counting of something (การนับ): *They took a count of the people at the meeting.*

'count·a·ble *adj* **1** able to be numbered (สามารถนับได้). **2** able to have a plural (สามารถเป็นพหูพจน์ได้): *Table is a countable* *noun, but water is an uncountable noun.*

'count•down *n* a counting backwards to the exact moment at which to start something, especially a rocket **(การนับถอยหลัง)**.

count on to depend on someone or something **(ไว้ใจ หวัง)**: *I'm counting on you to help me.*

'coun•te•nance (*'kown-ti-nəns*) *n* a rather old word for the face **(หน้าตา เป็นคำค่อนข้างเก่า)**: *a gloomy countenance.*

'coun•ter- against or opposite **(ขัดกันหรือตรงกันข้าม)**: *to move counterclockwise; They listened to the arguments and counter-arguments.*

'coun•ter *n* a place in a bank or post-office where you are served; a table or surface in a shop where you pay **(สถานที่ในธนาคารหรือไปรษณีย์ซึ่งให้บริการกับเรา โต๊ะที่เราจ่ายเงินในร้าน)**.

coun•ter'act *v* to prevent the effect of something **(ป้องกัน ถอนพิษ)**: *How can you counteract this poison?*

'coun•ter-at•tack *n* an attack in reply to an attack **(การตอบโต้)**. — *v* **(ต่อต้านการโจมตี)**: *Our troops counter-attacked.*

'coun•ter•feit (*'kown-tər-fit*) *adj* **1** copied or made in imitation **(สำเนาหรือทำเลียนแบบ)**: *counterfeit money.* **2** not real **(ปลอม)**. — *v* to make a copy of something **(ทำสำเนาของอะไรบางอย่าง)**: *to counterfeit banknotes.*

'coun•ter•foil *n* part of a cheque, ticket or receipt which you keep as a record **(ต้นขั้วเช็ค ต้นขั้วใบเสร็จ ต้นขั้วตั๋ว)**: *She always keeps the counterfoil from her theatre ticket as a souvenir.*

'coun•ter•mand *v* to cancel an order or command, usually by giving a different one **(ยกเลิกคำสั่ง)**: *The sergeant's order was countermanded by his captain.*

'count•less *adj* very many **(มีมากจนนับไม่ถ้วน)**: *countless stars.*

'coun•try (*'kun-tri*) *n* **1** any of the nations of the world; the land occupied by a nation **(ประเทศ)**: *Canada is a larger country than Spain.* **2** the part of the land which is away from the town **(ชนบท)**: *a quiet holiday in the country.* **3** an area or stretch of land **(พื้นที่หนึ่ง ๆ)**: *hilly country.* **4** the people of a land **(ประชาชน)**: *The whole country supported the president.*

'coun•try•side *n* an area away from the town **(ชนบท)**: *They cycled out into the countryside.*

'coun•ty *n* one of several divisions of a country or state with its own local government **(อาณาเขตซึ่งแบ่งเป็นเขตการปกครอง มีรัฐบาลของท้องถิ่นเป็นของตนเอง อำเภอ)**: *She works for the county council.*

coup (*koo*) *n* **1** a very successful gain **(การกระทำที่ได้ผลสำเร็จมาก)**. **2** a sudden and violent change in government **(รัฐประหาร)**: *The president was killed during the coup.*

coup is pronounced *koo*, to rhyme with **too**.

'cou•ple (*'kup-əl*) *n* **1** two; a few **(คู่ เล็กน้อย)**: *May I borrow a couple of chairs?* **2** a man and wife, or a boyfriend and girlfriend **(สามีและภรรยา หรือคู่รัก)**: *a married couple; The young couple have a child.*

'coup•let (*'kup-lət*) *n* two lines of verse, one following the other, which usually rhyme **[คำประพันธ์สองบรรทัดติดต่อกัน(1บท)]** : *Shakespeare's plays are full of rhyming couplets.*

'cou•pon (*'koo-pon*) *n* a piece of paper *etc* which gives you something, for example a gift or discount price **(ตั๋ว)**: *This coupon gives 50 cents off your next purchase.*

'cour•age (*'kur-əj*) *n* the ability to do something dangerous in spite of fear; bravery **(ความกล้าหาญ)**: *He was praised for his courage in saving the children from the fire.*

cou'ra•geous (*kə'rā-jəs*) *adj* **(กล้าหาญ)**.

cou'ra-geous•ly *adv* **(อย่างกล้าหาญ)**.

'cou•ri•er (*'ko͞o-ri-ər*) *n* **1** a guide who travels with, and looks after, parties of tourists **(มัคคุเทศก์)**. **2** a messenger **(คนเดินสาร)**.

course (*kōrs*) *n* **1** something planned in stages **(หลักสูตร บางอย่างที่วางเอาไว้เป็นขั้น ๆ)**: *He's doing a course in French; She's having a course of treatment for her cough.* **2** a part of a meal **(ส่วนหนึ่งของอาหารหนึ่งชุด)**: *Now we've had the soup, what's the next course?* **3** the ground over which a race is run or a game is played (ทางวิ่งแข่ง หรือที่เล่นเกม): *a racecourse; a golf-course*. **4** the direction in which something or someone moves (เส้นทาง): *the course of the River Nile; the course of his journey.*

in the course of during (ในระหว่าง): *In the course of our talk, he told me about the accident.*

in due course at the proper time (เมื่อถึงเวลาอันควร): *In due course, this seed will grow into a tree.*

of course naturally (แน่นอน เป็นธรรมดาอยู่แล้ว): *Of course, he didn't tell me any secrets; Of course I can swim.*

court (*kört*) *n* **1** a place where legal cases are heard (ศาล): *The accused man is to appear in court on Friday.* **2** a space for certain games (สนามกีฬาบางชนิด): *a tennis-court; a squash court.* **3** the people who look after a king or queen (มหาดเล็กหรือนางกำนัล ราชสำนัก): *the court of King James.* — *v* to try to win the love of a woman (พยายามเพื่อให้ชนะใจผู้หญิง, ตามจีบ): *He courted her for several years.*

'cour·te·ous (*'kər-ti-əs*) *adj* polite (สุภาพ): *He wrote a courteous letter of thanks.*

'cour·te·ous·ly *adv* (อย่างสุภาพ).

'cour·te·sy (*'kər-tə-si*) *n* politeness (ความสุภาพ).

'cour·ti·er (*'kör-ti-ər*) *n* a member of the court of a king or queen (ข้าราชสำนัก).

'court·ship *n* trying to win the love of someone (เกี้ยวพาราสี).

'court·house *n* a building where legal cases are tried (อาคารที่ทำการศาล).

court-'mar·tial, *plural* **courts-'mar·tial**, *n* a court held by officers of the armed forces to try their members for breaking rules (ศาลทหาร).

'court·yard *n* an open area surrounded by walls or buildings (สนามล้อมรอบด้วยกำแพงหรืออาคาร).

'cous·in (*'kuz-ən*) *n* a son or daughter of your uncle or aunt (ญาติ ลูกพี่ลูกน้อง).

cove *n* a small bay, especially a sheltered one surrounded by cliffs (อ่าวเล็ก ๆ): *They swam in a quiet cove.*

'cov·er (*'kuv-ər*) *v* **1** to put or spread something over something (ปู คลุม เปื้อน): *Have you a cloth to cover the table with?; My shoes are covered in paint.* **2** to be enough to pay for something (มีเงินพอ): *Will 10 dollars cover your expenses?* **3** to travel (ท่องไป): *We covered forty miles in one day.* **4** to stretch over a length of time *etc.* (ครอบคลุมระยะเวลา): *His diary covered three years.* **5** to protect (ครอบคลุมถึง): *Are we covered by your car insurance?* **6** to report on something (ครอบคลุมเรื่อง): *I'm covering the race for the newspaper.* — *n* **1** something which covers, especially a cloth over a table, bed *etc.* (ผ้าคลุม): *a table-cover; a bed-cover.* **2** something that gives protection (ที่กำบัง สิ่งที่ให้ความคุ้มครอง): *The soldiers took cover from the enemy gunfire; insurance cover.* **3** something that hides (บางอย่างที่ซ่อนพรางได้): *He escaped under cover of darkness.*

'cov·er·age *n* the extent of news covered by a newspaper *etc.* (เนื้อหาของข่าว, ขอบเขตของข่าว ฯลฯ): *The TV coverage of the Olympic Games was extensive.*

'cov·er·ing *n*: *My car has a covering of dirt* (สิ่งปกคลุม).

'cov·er-up *n* an attempt to hide something illegal or dishonest (พยายามปกปิดบางอย่างซึ่งผิดกฎหมายหรือไม่ซื่อสัตย์).

'cov·et (*'kuv-ət*) *v* to want something that belongs to another person (อยากได้ของของผู้อื่น โลภ): *I coveted her fur coat.*

'cov·et·ous *adj* (โลภ).

'cov·et·ous·ly *adv* (อย่างโลภ ๆ).

cow *n* the female form of cattle, used for giving milk (แม่วัว).

> Cows **moo** or **low**.
> A baby cow is a **calf**.
> Cows and bulls are **cattle**.

'cow·ard *n* a person who is easily frightened (คนขี้ขลาด): *I am such a coward — I hate going to the dentist.* **'cow·ard·ly** *adj* (ขี้ขลาด).

'cow·ard·ice *n* (ความขี้ขลาด).

'cow·boy *n* a man who looks after cattle, especially in the United States (โคบาล).

'cow·hide *n* the skin of a cow made into leather (หนังวัว).

coy *adj* shy (ขี้อาย): *a coy smile.*

'coy·ly *adv* (อย่างอาย ๆ).

crab *n* an edible sea animal with a shell and five pairs of legs, the first pair having claws (ปู).

crack *v* **1** to break partially, but not into pieces (แตกเป็นบางส่วน รอยร้าว): *The stone hit the window and cracked it.* **2** to make a sudden sharp sound (เสียงดังแหลม): *The whip cracked.* **3** to make a joke (พูดตลก): *He's always cracking jokes.* — *n* **1** a split or break (ร้าวหรือแตก): *There's a crack in this cup.* **2** a sudden sharp sound (เสียงดังแหลม): *the crack of a whip.* **3** a blow (ตี ทุบ): *a crack on the jaw.*

cracked *adj* damaged by cracks (ร้าว): *a cracked cup.*

'crack·er *n* **1** a thin crisp biscuit (ขนมปังกรอบบาง ๆ). **2** a small exploding firework (ประทัด): *fire crackers.* **3** a hollow paper object containing a small gift *etc.*, used at parties, that gives a loud bang when pulled apart (กล่องกระดาษใส่ของขวัญชิ้นเล็ก ๆ ฯลฯ ใช้ในงานเลี้ยง เมื่อดึงออกจากกันจะเกิดเสียงดังปัง).

crack down on to take strong action against (ใช้วิธีรุนแรงต่อ): *The police are cracking down on speeding.* **'crack·down** *n* (บุกเข้าทำลาย).

crack up to become mentally or physically ill, usually because of stress or strain (ทุกข์และล้าเพราะความเครียด): *She'll crack up if she doesn't stop working so hard.*

'crack-up *n* (การถดถอยของจิตใจและร่างกาย).

get cracking to move quickly (เคลื่อนไหวอย่างรวดเร็ว).

'crack·le *v* to make a continuous cracking noise (ทำเสียงดังอย่างต่อเนื่อง): *The dry branches crackled under my feet.*

'cra·dle (*'krā-dəl*) *n* a child's bed, especially one in which it can be rocked (เปลเด็ก).

craft (*kräft*) *n* **1** a skill (ความชำนาญ): *the craft of woodcarving.* **2** (*plural* **craft**) a boat or ship (เรือ): *a sailing craft.* **3** trickery (เล่ห์กระเท่).

'crafts·man *n* a person who is skilled at making things (ช่างที่ชำนาญ).

'crafts·man·ship *n* (ความชำนาญในทางช่าง).

'craft·y *adj* cunning and sly (มีเล่ห์เหลี่ยม).

'craft·i·ly *adv* (อย่างมีเล่ห์เหลี่ยม).

crag *n* a rough, steep mountain or rock (ภูเขาหรือหินผาที่สูงชัน): *Salisbury Crags.*

cram *v* **1** to fill very full (ใส่จนแน่นมาก ๆ): *The drawer was crammed with papers.* **2** to push or force (กินหรือยัดเข้าไป): *He crammed food into his mouth.*

cramp *n* a painful stiffening of the muscles (ตะคริว): *The swimmer got cramp in his leg.* — *v* to put into too small a space (อัดหรือยัดเข้าไปในที่เล็ก ๆ): *We were all cramped together in a tiny room.*

crane *n* a machine used on building sites *etc.* with a long arm and a chain, for raising heavy weights (ปั้นจั่น). — *v* to stretch out or twist round (ยืดหรือบิดไปรอบ ๆ): *He craned his neck in order to see round the corner.*

crash *n* **1** a noise of something heavy falling and breaking (เสียงของหนัก ๆ ตกลงมาแตก): *There was an awful crash when he dropped all the plates.* **2** a collision; an accident (ตก ชน): *an air-crash; He was hurt in a car-crash.* — *v* **1** to fall with a loud noise (ตกลงมาด้วยเสียงอันดัง): *The plate crashed to the floor.* **2** to drive or move with great force against or into something (ปะทะหรือชนอย่างแรง): *He crashed his car; His plane crashed in the mountains.*

to **crash** (not **clash**) a car.

'crash-hel·met *n* a very strong protective hat worn by motor-cyclists *etc.* (หมวกกันน็อก).

'crash-land·ing *n* a landing made quickly in an emergency, that causes some damage to the aircraft (การลงจอดฉุกเฉิน): *Nobody was seriously injured in the crash-landing.*

crate *n* a container for carrying and transporting goods (ลังไม้ใช้ส่งสินค้า): *a crate of oranges.*

'cra·ter (*'krā-tər*) *n* **1** the bowl-shaped opening

of a volcano (ปากภูเขาไฟ). **2** a hollow made in the ground by a bomb *etc.* (หลุมระเบิด).

crave *v* **1** to beg for (ขออย่างอ่อนน้อม). **2** to long for; to desire extremely (อยากได้ ปรารถนาอย่างแรงกล้า).

'cra·ving *n* a longing (ความอยากได้ ความปรารถนา): *a craving for adventure.*

crawl *v* **1** to move on hands and knees or with the front of the body on the ground (คลานบนพื้น): *The baby can't walk yet, but she crawls everywhere.* **2** to move slowly (เคลื่อนไปอย่างช้า ๆ): *The traffic was crawling along at ten kilometres per hour.* — *n* **1** a very slow movement or speed (การเคลื่อนที่อย่างช้า ๆ): *We drove along at a crawl.* **2** a swimming-stroke used for swimming on your front (การว่ายน้ำ).

'cray·fish *n* a type of edible shellfish (กั้ง).

'cray·on *n* a coloured pencil for drawing with (ดินสอสี).

craze *n* a very popular fashion that lasts only a short time (แบบซึ่งเป็นที่นิยมกันเป็นเวลาสั้น ๆ): *There is a craze for wearing black clothes.*

'cra·zy *adj* **1** mad (วิกลจริต บ้า): *He must be going crazy; a crazy idea.* **2** liking something very much (ลุ่มหลง): *She's crazy about her boyfriend.*

creak *v* to make a sharp grating sound (เสียงเอี๊ยดอ๊าด): *That chair is creaking beneath your weight.* — *n* a sound like this (เสียงแบบนี้): *The door opened with a creak.* **'creak·y** *adj* (ดังเอี๊ยดอ๊าด).

cream *n* **1** the yellowish-white fatty substance that forms on the top of milk, and from which butter and cheese are made (หัวน้ำนมที่ใช้ทำเนย). **2** anything like cream (สิ่งที่มีลักษณะที่เป็นครีม): *ice-cream; face-cream.* **3** a yellowish-white colour (สีครีม). — *v* to make into a cream-like mixture (ทำส่วนผสมให้เป็นครีม): *Cream the eggs, butter and sugar together.*

'cream·y *adj* full of, or like, cream: *creamy milk* (เต็มไปด้วยครีม เหมือนครีม).

crease *n* a mark made by folding or pressing (รอยพับ รอยรีด): *There was a smart crease in his trousers; My dress was full of creases after being in my suitcase.* — *v* to make or become creased (ทำหรือเกิดรอยพับ รอยรีด): *You've creased my newspaper; This fabric creases easily.*

cre'ate (*kri'āt*) *v* to cause; to make (ก่อให้เกิด สร้าง): *How was the earth created?; The sculptor created a beautiful statue; The circus created great excitement.*

cre'a·tion *n* **1** creating (การสร้าง): *the creation of the world.* **2** something designed or made by an artist *etc.* (การประดิษฐ์): *The dress designer is showing his latest creations.*

cre'a·tive *adj* clever at making things; imaginative (สร้างสรรค์ได้อย่างฉลาดมีจินตนาการ).

cre·a'tiv·i·ty *n* (การสร้างสรรค์).

cre'a·tor *n* a person who creates (ผู้สร้าง).

'crea·ture (*'krē-chər*) *n* an animal or human being (สัตว์หรือมนุษย์): *all God's creatures.*

creche (*kresh*) *n* a nursery for babies whose mothers are at work *etc.* (สถานเลี้ยงเด็กซึ่งแม่ไปทำงาน).

cre'den·tials (*krə'den-shəls*) *n* **1** the qualifications and achievements which are evidence of your ability or authority (คุณสมบัติ): *They were impressed with her credentials as an organizer.* **2** the documents or certificates which are proof of these (ใบรับรองหรือประกาศนียบัตร): *She asked the policeman to show her his credentials.*

'cred·i·ble *adj* likely to be believed (เชื่อได้ น่าเชื่อ): *The story he told was hardly credible.*

'cred·i·bly *adv* (อย่างน่าเชื่อ).

cred·i'bil·i·ty *n* (ความน่าเชื่อ).

'cred·it *n* **1** time allowed for payment of goods *etc.* after they have been received (ระยะเวลาในการซื้อเชื่อ): *We don't give credit at this shop.* **2** money lent by a bank (เงินกู้จากธนาคาร): *His bank will no longer give him credit.* **3** praise; approval (สรรเสริญ ยอมรับ): *He got all the credit for the work, although I had done most of it.* **4** the sum of money which someone has in an account at a bank (เงินในบัญชี เงินฝาก): *Your credit amounts to 2014 dollars.* **5** belief (ความเชื่อ

ถือ): *The story is gaining credit.* — to think someone has done something (การเชื่อถือ): *He was credited with having discovered the island.*

'cred·it·a·ble *adj* worthy of praise (มีค่าควรแก่การสรรเสริญยกย่อง).

'cred·it·or *n* a person to whom money is owed (เจ้าหนี้).

'credit card a card with which you can buy goods *etc.* on credit (บัตรเครดิต): *I pay by credit card.*

give someone credit for something to give someone praise for good work *etc.* (ยอมรับผลงาน, ยอมรับฝีมือ): *He was given credit for finishing the work so quickly.*

on credit payment being made after the date of sale (การซื้อเชื่อ): *Do you sell goods on credit?*

'cred·u·lous ('kred-ū-ləs) *adj* believing too easily (เชื่อง่าย).

cre'du·li·ty *n* (ความเชื่อง่าย).

creed *n* **1** a statement of your religious beliefs (คำประกาศของศาสนาที่เราเชื่อ). **2** something that you firmly believe in (บางสิ่งที่เรามีความเชื่อมั่น).

creek *n* **1** a small bay on the sea coast (อ่าวเล็ก ๆ ตามชายฝั่ง). **2** a small river (ลำธาร).

creep *v* **1** to move slowly, quietly or secretly (เคลื่อนที่อย่างช้า ๆ และเงียบ ๆ): *He crept into the bedroom.* **2** to move on hands or knees or with the body close to the ground (คลานเลื้อย): *The cat crept towards the bird.* — *n* a nasty word for an unpleasant person (คำพูดหยาบ ๆ ที่ใช้เรียกคนที่ไม่ดี): *He's always trying to flatter the teacher — he's a real creep.*

creep; crept; crept: *He crept forward; The water had crept higher.*

'creep·er *n* a plant growing along the ground or up a wall (ไม้เลื้อย).

'creep·y *adj* causing a feeling of fear (ทำให้เกิดรู้สึกกลัว): *It was very creepy in the old castle at night; a creepy film about giant spiders.*

'creep·y-craw·ly, *plural* **'creep·y-craw·lies**, *n* a small creeping insect (แมลงตัวเล็ก ๆ ที่คอยไต่ตอม): *She hates slugs and snails and all other creepy-crawlies.*

cre'mate *v* to burn dead bodies (เผาศพ).

cre'ma·tion *n* (การเผาศพ, การประชุมเพลิง).

crem·a'to·ri·um *n* a place where cremation is carried out (ฌาปนสถาน).

crept *see* **creep** (ดู **creep**).

cre'scen·do (*crə'shen-dō*), *plural* **cre'scen·dos**, *n* a gradual increase in loudness, such as in a piece of music (เสียงดนตรีที่ค่อย ๆ กระหึ่มขึ้น): *The noise grew to a crescendo; The last twelve bars form a crescendo.*

'cres·cent (*'kres-ənt*) *n* **1** the curved shape of the growing moon (พระจันทร์เสี้ยว). **2** a curved street (ถนนเลี้ยวโค้ง).

crest *n* **1** the comb or tuft on the head of a cock or other bird (หงอน ปอยขนนก). **2** the highest part (ส่วนที่เป็นยอด): *the crest of a wave.*

crew[1] see **crow** (ดู **crow**).

crew[2] (*kroo*) *n* **1** the people who work on a ship, aeroplane, bus *etc.* (คนที่ทำงานบนเรือ เครื่องบิน รถโดยสาร). **2** a group of workmen operating machinery *etc.* (กลุ่มคนงานที่ใช้เครื่องยนต์): *a television crew.*

'crew·cut *n* a very short hairstyle (ทรงผมที่ตัดสั้นมาก ๆ ผมเกรียน).

crib *v* to copy someone else's work (คัดลอกงานของผู้อื่น): *She cribbed the answers from her friend's exercise book.* — *n* a cradle or cot for a baby (เปลเด็ก): *The baby was asleep in her crib.*

'crick·et[1] *n* an outdoor game played with bats, a ball and wickets, between two teams of eleven players (เกมคริกเก็ต).

'crick·et·er *n* (คนเล่นคริกเก็ต).

'crick·et[2] *n* an insect similar to a grasshopper; the male cricket can make a chirping sound (จิ้งหรีด).

crime *n* **1** an action which is against the law (กระทำผิดกฎหมาย อาชญากรรม): *Murder is a crime.* **2** something wrong though not against the law (การกระทำที่ผิดแต่ไม่เกี่ยวกับกฎหมาย): *What a crime to cut down those* trees!

'crim·i·nal *adj* **1** against the law (ผิดกฎหมาย): *Theft is a criminal offence.* **2** very wrong; wicked (ผิดมาก ๆ): *a criminal waste of food.* — *n* a person who is guilty of a crime (ผู้กระทำผิดกฎหมาย).

'crim·son (*krim-zən*) *n, adj* a deep red colour (สีแดงจัด): *He blushed crimson.*

cringe (*krinj*) *v* to back away in fear, as a dog does when it is about to be hit (ถอยออกไปด้วยความกลัว).

'crin·kle *v* to make or become creased or wrinkled (เป็นรอยพับหรือยับ): *The paper crinkled in the heat.*

'crip·ple *v* **1** to make someone lame or disabled (พิการ): *He was crippled by a fall from a horse.* **2** to make weaker (ทำให้อ่อนแอลง): *The war has crippled the country.* — *n* a lame or disabled person (**คนพิการ**): *He has been a cripple since his car accident.*

'cri·sis (*'krī-sis*), *plural* **'cri·ses** (*'krī-sēz*), *n* **1** a deciding moment or a worst point, especially of an illness (วิกฤตการณ์): *Although she is still very ill, she has passed the crisis.* **2** a time of great danger or difficulty (เวลาฉุกเฉินหรือยุ่งยาก): *The government is good at dealing with a crisis such as the recent flooding.*

crisp *adj* **1** stiff and dry enough to break easily (กรอบ): *crisp biscuits.* **2** firm and fresh (แน่นและสด): *a crisp lettuce.* **3** firm and clear in the way you say or write something (มั่นคงและแจ่มชัด): *a crisp voice.* — *n* short for **potato crisp** (คำย่อของ **potato crisp**).
'crisp·ness *n* (ความกรอบ). **'crisp·y** *adj* (กรอบ).

'criss-cross *adj* made of lines which cross each other repeatedly (ลากเส้นสลับกันไปมา): *a criss-cross pattern.*

cri'te·ri·on (*krī'tēr-i-ən*), *plural* **cri'te·ri·a**, *n* a standard used in judging something (มาตรฐาน): *What are your criteria for deciding which words to include in this dictionary?*

'crit·ic *n* **1** a person who writes or talks about new books, plays, films, paintings *etc.* and says if they are good or not (นักวิจารณ์). **2** a person who finds fault (ผู้วิจารณ์ในทางลบ): *Most people praise the president, but he does have a few critics.*

'crit·i·cal *adj* **1** fault-finding (หาข้อผิดพลาด): *He is too critical of his children.* **2** dangerous; very serious (อย่างยิ่ง อย่างหนัก): *a critical shortage of food; After the accident, his condition was critical.*

'crit·i·cal·ly *adv* (อย่างหนัก อย่างยิ่ง).

'crit·i·cize *v* **1** to find fault with someone (วิจารณ์): *He's always criticizing her.* **2** to give an opinion of a book *etc.* (วิจารณ์หนังสือ).

'crit·i·cism *n* (การวิจารณ์).

croak *v* to make a low hoarse sound like the noise a frog makes (เสียงร้องของกบ). — *n* this noise (การทำเสียงแบบนี้).

'cro·chet (*'krō-shā*) *v* to knit using a single small needle with a hooked end, called a **crochet hook** (เข็มที่ใช้ถักไหมพรม). — *n* work done in this way (งานถักไหมพรม).

'crock·er·y *n* dishes, such as plates, cups *etc.* (ถ้วยชามต่าง ๆ): *a sink full of dirty crockery.*

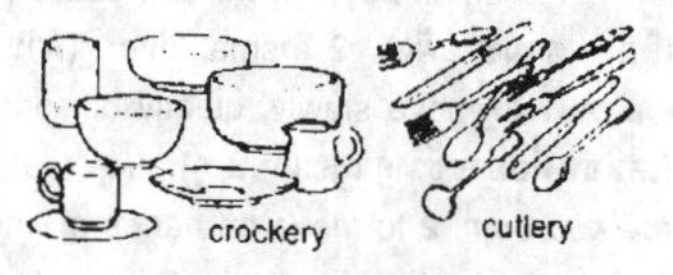

'croc·o·dile *n* a large tropical reptile found in rivers (จระเข้).

crocodile tears false tears (แกล้งร้องไห้).

'cro·cus (*'krō-kəs*) *n* a spring plant that grows from a bulb and has bright yellow, white or purple flowers (ดอกดิน).

crook *n* **1** a shepherd's or bishop's stick, bent at the end (ไม้เท้าปลายงอของคนเลี้ยงแกะหรือสังฆราช). **2** a criminal (อาชญากร): *The two crooks stole the old woman's jewels.*

'crook·ed (*'kro͝ok-əd*) *adj* **1** bent (โค้ง งอ): *The man was crooked with age.* **2** not straight (ตั้งไม่ตรง): That picture is crooked. **3** not honest (ไม่ซื่อสัตย์): *a crooked car-salesman.*

'crook·ed·ness *n* (ความโค้งงอความไม่ซื่อสัตย์).

croon *v* to sing or speak in a soft low voice (เสียงกล่อม): *She crooned a lullaby to her baby.*

crop *n* **1** the produce of plants; a plant which is grown by farmers (พืชพันธุ์): *a fine crop of rice; We grow a variety of crops, including cabbages, wheat and barley.* **2** a short whip used when horse-riding (ลงแส้ม้า). — *v* to cut or nibble (ตัด แทะ เล็ม): *The sheep cropped the grass.*

crop up to happen unexpectedly (เกิดขึ้นโดยไม่คาดคิด): *Something important cropped up — that's why I'm late.*

'cro·quet (*'krō-kā*) n a game in which players, using wooden hammers, try to hit wooden balls through hoops in the ground (การเล่นชนิดหนึ่งซึ่งผู้เล่นใช้ค้อนไม้พยายามตีให้โดนลูกบอลไม้ผ่านห่วงที่อยู่บนพื้นดิน).

cross[1] *adj* angry (โกรธ). **'cross·ly** *adv* (อย่างโกรธ ๆ).

cross[2] *n* **1** a mark or shape formed by two lines placed across each other, like this + or x (**เครื่องหมายกากบาทหรือคูณ): 2** a cross like this (**กากบาทอย่างนี้: + หรือ x**); it is a sign used in the Christian religion. **3** a mixture of two things (**ผสมกันระหว่างสองสิ่ง**): *A tangelo is a cross between a tangerine and a pomelo.* — *v* **1** to go from one side to the other (**ข้าม**): *Let's cross the street; This bridge crosses the river.* **2** to place two things across each other (**ไขว่ห้าง**): *He sat down and crossed his legs.* **3** to go across each other (**ไขว้สลับกัน**): *The roads cross in the centre of town.* **4** to pass each other (**สวนทางกัน**): *Our letters must have crossed in the post.* **5** to put a line across (**ตีเส้น**): *Remember to cross your t's.*

'cross·bar *n* **1** the horizontal metal bar between the handlebars and the saddle on a boy's or man's bicycle (**เหล็กซึ่งขวางอยู่ระหว่างแฮนด์จักรยาน). 2** the horizontal bar across a pair of goalposts (**ไม้ขวางระหว่างเสา**).

'cross·bow *n* bow fixed to a shaft with a device for pulling back and releasing the string with the arrow (**หน้าไม้**).

'cross-breed *n* an animal bred from two different breeds (**สัตว์ที่เกิดจากการผสมข้ามพันธุ์**).

'cross-bred *adj* (**ลูกผสม**).

cross-'coun·try *adj* across fields *etc.*, not on roads (**ข้ามทุ่ง**): *a cross-country run.*

'cross-fire *n* the crossing of lines of gunfire from two or more points (**การยิงประสาน**).

cross-ex'am·ine *v* to test the evidence of a witness during a trial *etc.* by asking them a lot of questions (**ซักค้านพยาน**): *The lawyer cross-examined the witness.*

cross-ex·am·i'na·tion *n* (**การซักค้าน**).

'cross·ing *n* **1** a place where a road *etc* may be crossed (**ที่ซึ่งจะข้ามได้**): *a pedestrian crossing.* **2** a journey over the sea (**การเดินทางข้ามทะเล**): *It was a very rough crossing.*

See **zebra crossing**.

cross-'legg·ed *adj* with both legs bent at the knee and with the one ankle crossed over the other (**ขัดสมาธิ**): *All the children sat cross-legged on the floor.*

'cross·roads *n* a place where roads cross or meet (**สี่แยก**): *At the crossroads we'll have to decide which road to take.*

cross-'sec·tion *n* **1** The flat part you can see when you cut straight through something (**ภาคตัดขวาง**): *a cross-section of an apple.* **2** a sample as representative of the whole (**ตัวแทนของทั้งหมด**): *He interviewed a cross-section of the audience to get their opinion of the play.*

crossword puzzle a word-puzzle where small squares have to be filled with letters (**ปริศนาอักษรไขว้**).

cross your fingers to place a finger across the one next to it, for good luck (**ไขว้นิ้วกันเพื่อให้โชคดี**).

cross out to draw a line through (**ขีดฆ่า**): *He crossed out all her mistakes.*

crouch *v* to get down low, with your knees well bent; to squat down (**ย่อตัวต่ำลง หมอบตัวลง**): *He crouched behind the bush; The tiger was crouching ready to spring.*

crow (*krō*) *n* **1** a large black bird (นกกา). **2** the cry of a cock (เสียงไก่ตัวผู้ร้อง). — *v* **1** to cry like a cock (ร้องเหมือนไก่). **2** to make happy sounds (ทำเสียงอย่างมีความสุข): *The baby crowed with happiness.*

crow; crew; crowed: *The cock crew; Has the cock crowed yet?*

as the crow flies in a straight line (ไปในแนวตรง).

'crow·bar (*'krō-bär*) *n* a large iron rod, used to lift heavy stones *etc.* (ชะแลง).

crowd *n* a large number of people or things gathered together (ฝูงชน): *A crowd of people gathered in the street.* — *v* **1** to gather in a large group (รวมกันเป็นกลุ่มใหญ่): *They crowded round the pop star.* **2** to fill something too full (เข้าจนเต็มเกินไป): *Sightseers crowded the building.*

'crowd·ed *adj* having or containing a lot of people or things (มีคนหรือสิ่งของแน่น): *crowded buses.*

crown *n* **1** a circular head-dress usually made of gold or silver, with jewels, worn by a king or a queen (มงกุฎ). **2** the top of a head, hat, hill *etc.* (ส่วนบนสุดของศีรษะ หมวก ยอด): *We reached the crown of the hill.* — *v* **1** to make someone king or queen by placing a crown on their head (สถาปนาขึ้นเป็นกษัตริย์หรือราชินี): *She was crowned queen in 1953.* **2** to form a top to something (ติดตรงยอด): *The wedding cake was crowned with a red rose.*

crown prince the heir to the throne (มกุฎราชกุมาร).

crown princess 1 the wife of a crown prince (ชายามกุฎราชกุมาร). **2** the female heir to the throne (มกุฎราชกุมารี).

'cru·cial (*'kroo-shəl*) *adj* very important (สำคัญมาก เข้าด้ายเข้าเข็ม): *The next game is crucial — if we lose it, we lose the match.*

'cru·ci·fy (*'kroo-si-fī*) *v* to put a person to death by fixing his hands and feet to a cross (ตรึงกางเขน): *Christ was crucified.*

cru·ci'fix·ion *n.*

'cru·ci·fix *n* a model of Christ on the cross (ไม้กางเขนที่มีรูปพระเยซูคริสต์ตรึงอยู่).

crude (*krood*) *adj* **1** not treated; not refined (ยังไม่ได้กลั่น ดิบ): *crude oil.* **2** rough (หยาบ ๆ): *a crude drawing of a house.* **3** impolite (ไม่สุภาพ): *His manners are rather crude.*

'crude·ness *n* (ยังเป็นธรรมชาติ ความหยาบ).

'cru·el (*'kroo-əl*) *adj* **1** wanting to cause pain unnecessarily (ดุร้าย): *The man was very cruel to his dog — he starved and beat it.* **2** sad; painful (เศร้า เจ็บปวด): *a cruel disappointment.*

'cru·el·ly *adv* (อย่างดุร้าย อย่างเจ็บปวด).

'cru·el·ty *n* (ความดุร้าย).

cruise (*krooz*) *v* **1** to sail for pleasure (แล่นเรือไปเพื่อความสนุก): *We're going cruising in the Mediterranean.* **2** to travel by car, plane *etc.* at a steady speed (เดินทางโดยรถยนต์ เครื่องบิน ฯลฯ ด้วยความเร็วสม่ำเสมอ): *cruising at 100 kph.* — *n* a voyage made for pleasure (การเดินทางเพื่อความสุข): *They went on a cruise.*

'cruis·er *n* a high-speed battleship (เรือลาดตระเวน).

crumb (*krum*) *n* a very small piece of bread, cake *etc.* (เศษชิ้นเล็กชิ้นน้อยของขนมปัง ขนมเค้ก): **She swept the crumbs off the table**.

'crum·ble *v* to break into crumbs or small pieces (ทำให้เป็นเศษเล็กเศษน้อย): *She crumbled the bread; The building had crumbled into ruins.* **'crum·bly** *adj* (แตกง่าย).

'crum·ple *v* to make or become creased (ทำให้ยับ ขยำ): *This material crumples easily; She crumpled up the piece of paper.*

crunch *v* to crush noisily, with the teeth, feet *etc.* (เสียงดังที่เกิดจากใช้ฟันกัด หรือใช้เท้า): *She crunched sweets all through the film.* — *n* the noise made by crunching (เสียงที่เกิดดังกร้วม ๆ).

'crunch·y *adj* (กรอบ): *crunchy biscuits.*

cru'sade (*kroo'sād*) *n* a struggle or campaign in support of a good cause (ดิ้นรนหรือต่อสู้เพื่อเหตุผลที่ดี การรณรงค์): *the crusade against cigarette advertising.* — *v* to take part in a crusade (มีส่วนร่วมในการรณรงค์): *to crusade for women's rights.*

cru'sa·der *n* (ผู้รณรงค์).

crush *v* **1** to press or squeeze together (กดหรือบีบเข้าด้วยกัน): *The car was crushed between the two trucks; We were all crushed into the small room.* **2** to crease (ยับยู่ยี่): *That material crushes easily.* **3** to defeat (ปราบ): *He crushed all his enemies.* — *n* crowding (ผู้คนแออัด): *There's always a crush in the supermarket on Saturdays.*

'crush·ing *adj* very great (ครั้งใหญ่): *a crushing defeat.*

crust *n* **1** the hard outside surface of a loaf of bread (เปลือกขนมปัง): *Eat up your crusts.* **2** a hard surface (เปลือกแข็ง): *the Earth's crust.*

'crust·y *adj* (แข็งเหมือนเปลือก).

crus'ta·cean (*krus'ta-shən*) *n* an animal that is covered by a hard shell and lives in water (สัตว์น้ำที่มีเปลือกแข็งห่อหุ้ม): *Crabs, lobsters, shrimps and barnacles are crustaceans.*

crutch *n* a stick with a bar at the top to support a lame person (ไม้สำหรับคนเท้าพิการ): *He can walk only by using crutches.*

crux *n* the difficult part of something (ประเด็นที่ยุ่งยาก): *This is the crux of the matter.*

cry (*krī*) *v* **1** to let tears come from your eyes; to weep (ร้องไห้): *The boy cried because he was very sad.* **2** to shout out (ตะโกน): *She cried out for help.* — *n* **1** a shout (ร้องออกมาด้วยความเจ็บปวด): *a cry of pain.* **2** a time of weeping (มักจะร้อง): *The baby had a little cry before he went to sleep.* **3** the sound made by some animals (เสียงร้องของสัตว์บางชนิด): *the cry of a wolf.*

cry; 'cry·ing; cried; cried: *What are you crying about?; The baby cried for a while.*

a far cry a long way from or very different to (ไกลจากหรือแตกต่างกันมาก): *These gentle hills are a far cry from the mountains around my home.*

crypt (*kript*) *n* an underground room, especially one under a church used for burials (ห้องใต้ดิน): *Visitors to the cathedral are not allowed into the crypt.*

'crys·tal (*'kris-təl*) *n* **1** a small regularly shaped part of a solid substance such as salt or ice (ผลึก). **2** a special kind of very clear glass (แก้วที่ใสมากชนิดหนึ่ง แก้วเจียระไน).

'crys·tal·lize *v* **1** to form into crystals (ทำให้เป็นผลึก): *He crystallized salt from sea water.* **2** to organize properly (จัดให้ถูกต้อง): *He tried to crystallize his ideas.*

crys·tal·li'za·tion *n* (ความใสเหมือนผลึก การทำให้แจ่มแจ้ง).

crystal ball a glass ball used in fortune telling (ลูกกลมแก้วใช้ในการทำนายโชคชะตา).

cub *n* **1** the baby of certain animals such as foxes, lions *etc.* (ลูกสัตว์ เช่นลูกสุนัขจิ้งจอก ลูกสิงโต ฯลฯ): *a litter of cubs.* **2** a young boy scout (ลูกเสือสำรอง).

cube (*kūb*) *n* **1** a solid object with six equal square sides (ลูกบาศก์มีด้านสี่เหลี่ยมเท่ากันหกด้าน). **2** the result of multiplying a number by itself twice (ผลของการคูณตัวเลขด้วยตัวของมันเองอีกสองครั้ง): *The cube of 4=4x4x4 =4^3=64.* — *v* to calculate the cube of a number (การคำนวณยกกำลังสาม).

'cu·bic *adj* shaped like a cube (รูปร่างเหมือนลูกบาศก์).

'cu·bi·cle *n* a very small room for changing your clothes in *etc.* (ห้องเล็ก ๆ ใช้เปลี่ยนเสื้อผ้า): *There was a row of cubicles at the side of the swimming-pool for changing in.*

'cuck·oo (*'ko͝ok-oo*) *n* a bird, named after its call, which lays eggs in the nests of other birds (นกดุเหว่า).

'cu·cum·ber (*'kū-kum-bər*) *n* a long green vegetable (แตงกวา).

cud: chew the cud to chew food again after bringing it back up from the stomach into the mouth (การเคี้ยวอาหารซึ่งคายจากกระเพาะออกมาที่ปาก): *Cows, sheep, goats and deer chew the cud.*

'cud·dle *v* to hold someone lovingly in your arms (กอดอย่างรักใคร่): *The mother cuddled the child until he fell asleep.* — *n* (การกอดอย่างรักใคร่): *She gave the baby a cuddle.*

'cud·dly *adj* (น่ากอด): *a cuddly teddy-bear.*

cue[1] (*kū*) *n* in a play *etc.*, something that tells you when to speak or do something (ถึง

เวลาพูดหรือทำบางสิ่งบางอย่าง).

cue[2] (*kū*) *n* the stick that you use in billiards for hitting the ball (ไม้แทงบิลเลียด).

cuff[1] *n* the tight part of a sleeve at the wrist (ขอบปลายแขนเสื้อ): *I've lost a button off one of my shirt cuffs.*

cuff[2] *v* to hit with a half-open hand or with a paw (ตบโดยแบมือออกกึ่งหนึ่งหรือโดยใช้อุ้งเท้า): *He cuffed the boy on the side of the head; The mother bear cuffed her cub.*

cui'sine (*kwi'zēn*) *n* a style of cookery (แบบของการปรุงอาหาร): *French cuisine.*

'cul-de-sac (*'kul-di-sak*) *n* a street that is closed at one end (ทางตัน).

'cul·i·nar·y *adj* used in the kitchen or in cookery (เกี่ยวกับของที่ใช้ในครัวหรือปรุงอาหาร): *culinary herbs.*

cull *v* **1** to gather or collect (รวบรวม). **2** to kill a number of animals of a certain type when there are thought to be too many of them (การฆ่าสัตว์เมื่อมีจำนวนมากเกินไป).

'cul·mi·nate *v* to reach the highest or most important point (ถึงขีดสูงสุดหรือสำคัญที่สุด): *The celebrations culminated in a firework display.*

cul·mi'na·tion *n* (การถึงขีดสูงสุด).

'cul·prit *n* a person who has done something wrong (ผู้กระทำผิด): *I don't know yet which of you broke the window, but I shall find the culprit.*

cult *n* a religious belief or worship (ลัทธิศาสนาหรือการบูชา).

'cul·ti·vate *v* **1** to prepare land for growing crops (เตรียมพื้นดินไว้เพาะปลูก). **2** to grow (เพาะปลูก): *He cultivates tomatoes in his garden.*

cul·ti'va·tion *n* (การเพาะปลูก).

'cul·ti·va·ted *adj* having good manners; educated (มีมารยาทดี มีการศึกษา): *a cultivated young lady.*

'cul·ti·va·tor *n* a machine for breaking up ground and removing weeds (เครื่องมือพลิกผืนดินและขจัดวัชพืช).

'cul·ture (*'kul-chər*) *n* **1** the civilization and customs of a certain race or nation (วัฒนธรรม): *the Chinese culture.* **2** improvement of the mind *etc.* by education *etc.* (การทำจิตใจให้ดีขึ้น ฯลฯ โดยการศึกษา ฯลฯ). **3** a liking for art, literature, music *etc.* (ชอบศิลปะ วรรณคดี ดนตรี).

'cul·tu·ral *adj* (เกี่ยวกับวัฒนธรรมประเพณี).

'cul·tured *adj* well educated (ได้รับการศึกษามาอย่างดี).

'cum·ber·some (*'kum-bər-səm*) *adj* heavy and clumsy (หนักและเทอะทะ): *a cumbersome piece of furniture.*

'cun·ning *adj* **1** sly; clever at deceiving (ฉลาดแกมโกง): *cunning tricks.* **2** clever; very skilful (ฉลาด ชำนาญมาก): *cunning workmanship.* — *n* slyness; cleverness (ความมีเลห์เหลี่ยม ความฉลาด).

cup *n* **1** a small bowl, often with a handle (ถ้วยเล็ก ๆ): *a teacup; a cup of tea.* **2** a gold or silver bowl given as a prize in sports events *etc.* (ถ้วยรางวัล): *They won the Football League Cup.* — *v* to put your hands into the shape of a cup (เอามือทำเป็นถ้วย): *He cupped his hands.*

'cup·board (*'kub-ərd*) *n* a piece of furniture with shelves and doors for storing anything (ตู้): *Put the food in the cupboard; a shoe cupboard.*

'cup·ful *n* the amount a cup will hold (เต็มถ้วย): *three cupfuls of water.*

cup of tea the sort of thing you like or prefer (สิ่งซึ่งเราชอบหรือชอบมากกว่า): *Pop music is not my cup of tea.*

'cu·ra·ble (*kūr-ə-bəl*) *adj* able to be cured (สามารถรักษาได้): *a curable disease.*

cu'ra·tor (*kū'rā-tər*) *n* a person in charge of a museum *etc.* (ภัณฑารักษ์ ผู้มีหน้าที่ดูและพิพิธภัณฑ์ ฯลฯ).

curb *n* **1** something which stops or controls something (การหยุดหรือควบคุม): *He should try to put a curb on his gambling.* **2** a kerb (ขอบหินของถนน). — *v* to control (ควบคุม): *You must curb your spending.*

curd *n* the solid substance formed when milk turns sour, used in making cheese (ส่วนที่แข็งและแยกตัวออกเมื่อน้ำนมเปรี้ยว ใช้ในการ

ทำเนย).

'cur·dle *v* to turn into curd (ทำให้แข็ง): *This milk has curdled.*

cure (*kūr*) *v* **1** to make better (ทำให้ดีขึ้น): *That medicine cured me; That pill cured my headache.* **2** to get rid of a bad habit *etc.* (ขจัดนิสัยไม่ดี): *How can I be cured of biting my nails?* **3** to preserve food with salt (ถนอมอาหารด้วยเกลือ). — *n* something which cures (รักษาให้หาย): *They're trying to find a cure for cancer.*

'cur·few *n* an order forbidding people to be in the streets after a certain hour (ห้ามผู้คนออกนอกบ้านในเวลาที่กำหนด).

cu·ri'os·i·ty (*kū-ri'os-i-ti*) *n* **1** eagerness to find out about something (ความอยากรู้อยากเห็น): *He couldn't bear the curiosity of the neighbours.* **2** something interesting and unusual (น่าสนใจและแปลก): *a shop full of old curiosities.*

'cu·ri·ous (*'kū-ri-əs*) *adj* **1** strange; odd (แปลกชอบกล): *a curious habit.* **2** eager to know something (อยากรู้): *I'm curious to find out whether he passed his exams.* **3** having too much interest in other people's affairs (สอดรู้สอดเห็น): *Our neighbours are very curious.*

'cu·ri·ous·ly *adv* (อย่างอยากรู้อยากเห็น).

curl *v* **1** to twist hair into small coils or rolls (ม้วนผม). **2** to move in curves; to bend (ม้วน โค้งงอ): *The paper curled up at the edges.* — *n* a coil of hair *etc.* (เป็นลอน ฯลฯ): *She combed her blonde curls.*

'curl·y *adj* (โค้ง มีผมเป็นลอน).

'curl·i·ness *n* (ความโค้ง ความเป็นลอน).

curly

frizzy

wavy

'curl·er *n* an object round which hair is rolled to make it curl (ที่ม้วนผม).

curl up to roll your body into the shape of a ball (ขดตัว): *He curled up and went to sleep.*

'cur·rant *n* **1** a small, sweet, dried grape used in cakes *etc.* (ลูกเกด). **2** a small red or black juicy fruit (ผลไม้ลูกแดง ๆ เล็ก ๆ มีน้ำสีดำ).

> a packet of **currants** (not **currents**).

'cur·ren·cy *n* the money of a country (เงินตรา): *foreign currencies.*

'cur·rent *adj* belonging to the present (ปัจจุบัน): *current affairs; the current month.* — *n* **1** a stream of air (สายลม): *air currents.* **2** the direction a river is flowing in (สายน้ำ): *Don't swim here — the current is too powerful.* **3** a flow of electricity (กระแสไฟฟ้า): *an electric current.*

> electric **current** (not **currant**); **current** (not **currant**) affairs.

'cur·rent·ly *adv* at the present time (ในปัจจุบัน): *John is currently working as a bus-driver.*

current account a bank account from which money may be withdrawn by cheque (บัญชีเดินสะพัด).

current affairs important political events happening at the present time (เหตุการณ์สำคัญทางการเมืองที่เกิดขึ้นในปัจจุบัน): *He always watches the current affairs programmes on the television.*

cur'ric·u·lum (*kə'rik-ū-ləm*), *plural* **cur'ricu·la**, *n* a course of study at school or university (หลักสูตร).

> **curriculum** is spelt with **-rr-** and **-c-**.

cur'ric·u·lum vi·tae (*vē-tiə*) a written account of your personal details, education, qualifications and the jobs you have done, often sent when applying for a new job (เขียนรายละเอียดการศึกษา คุณสมบัติ และการผ่านงานส่วนตัวของเรา มักจะใช้ในการหางานใหม่): *Your curriculum vitae should say what your hobbies are.*

'cur·ry *n* meat, vegetables *etc.* cooked with spices (แกง): *chicken curry.* — *v* to cook meat *etc.* in this way (เอาเนื้อมาแกงแบบนี้).

curry powder a mixture of spices ground together and used in making a curry (เครื่องแกง).

curry favour to seek favour by flattery (ประจบ): *She's currying favour with the boss.*

curse *v* **1** to wish evil on something or someone (แช่ง): *The witch cursed him.* **2** to use bad words; to swear (สบถ สาบาน): *He cursed when he dropped the hammer on his toe.* — *n* **1** cursing, or the words used (คำสาปแช่ง): *the witch's curse.* **2** something that is the cause of trouble (เป็นปัญหา): *Her shyness is a curse to her.*

'cur·so·ry *adj* done in a hurry and not thoroughly (ทำอย่างรีบ ๆ และไม่เรียบร้อย): *The committee only had a cursory look at his report.*

curt *adj* short and sharp (สั้นและห้วน): *a curt reply.* **'curt·ly** *adv* (อย่างห้วน ๆ).

cur'tail *v* to make less, shorter *etc.* than was at first planned (ตัดทอนให้น้อยลงจากที่วางแผนไว้แต่แรก): *I've had to curtail my visit.* **cur'tail·ment** *n* (การตัดทอนให้น้อยลง).

'cur·tain (*'kəər-tən*) *n* a piece of material hung up at a window, on a theatre stage *etc.* (ม่าน มู่ลี่): *In the evening he drew the curtains; The curtain came down at the end of the play.*

'curt·sy *n* a polite movement that women make when meeting a royal person, by bending the knees slightly (การย่อเข่าลงเล็กน้อยเมื่อสตรีเหล่านั้นพบกับบุคคลที่เป็นเชื้อพระวงศ์). — *v* : *The lady curtsied to the queen.*

curve *n* a rounded line (เส้นโค้ง): *a curve in the road.* — *v* to bend in a curve (โค้ง): *The road curves east.* **curved** *adj* (อย่างโค้ง ๆ). **'curv·y** *adj* (ถอนสายบัว).

'cush·ion (*'ko͝osh-ən*) *n* a bag filled with feathers *etc.*, to make a seat more comfortable (เบาะ). — *v* to lessen the force of a blow *etc.* (ทำให้แรงน้อยลง): *The soft sand cushioned his fall.*

'cus·tard *n* a sauce made of milk, sugar and eggs or cornflour for sweet dishes (ขนมที่ทำจากนม น้ำตาล และไข่หรือแป้งข้าวโพด สังขยา).

'cus·to·dy *n* **1** the duty of caring for children (การดูแลปกครอง). **2** imprisonment (การคุมขัง): *The police took the thief into custody; The accused man is in custody.*

'cus·tom *n* something you do from habit, or because it is usual (ทำเป็นกิจวัตร): *It's my custom to go for a walk on Sundays; religious customs.*

'cus·tom·ar·y *adj* usually done (อันเป็นกิจวัตร ประเพณีนิยม): *It is customary to clap at the end of a concert.*

'cus·tom·er *n* a person who buys from a shop *etc* (ลูกค้า): *our regular customers.*

'cus·tom·ize to make or alter to fit a particular client's needs (ทำหรือดัดแปลงตามความต้องการของลูกค้า): *The company customizes cars for disabled drivers.*

'cus·toms *n* **1** taxes paid on goods being brought into a country (ภาษีศุลกากร). **2** the place at an airport *etc.* where these taxes are collected (สถานที่ตรงสนามบิน ฯลฯ ใช้เป็นที่เก็บภาษี).

cut *v* **1** to make an opening in something, with something sharp, such as a knife or a pair of scissors (ตัด เปิด): *to cut paper.* **2** to divide by cutting (ตัดแบ่ง): *She cut a slice of bread; The child cut out the pictures.* **3** to shorten by cutting; to trim (ตัดเล็ม): *to cut hair; I'll cut the grass.* **4** to reduce (ตัดเงินเดือน): *They cut my wages by ten per cent.* **5** to remove (ตัดออก): *They cut several bits out of the film.* **6** to wound or hurt (บาด): *I cut my hand on a piece of glass.* **7** to take a short way (ทางลัด): *He cut through the park on his way to the office.* **8** to stay away from a class, lecture *etc.* (หนีโรงเรียน): *He cut school and went to the cinema.* **9** to divide a pack of cards into two (ตัดไพ่). — *n* **1** the result of cutting (ผลจากการตัด): *a cut on the head; a haircut; a cut in prices.* **2** the shape and style of clothes (รูปทรงของเสื้อผ้า). **3** a piece of meat cut from an animal (ชิ้นเนื้อที่แล่ออกมา).

cut; cut; cut: *He cut his toe; Has she cut herself?*

cut back to reduce (ตัดลง): *The school cut back its spending on books.* **'cut-back** *n* (การตัดลง).

cut down **1** to cause to fall by cutting

(โค่น): *He has cut down the apple tree.* **2** to reduce in quantity *etc.* (ลดจำนวนลง): *I haven't given up smoking but I'm cutting down.*

cut in to interrupt (สอดแทรก): *She cut in with a remark.*

cut off **1** to remove by cutting (ตัดขาด): *She cut off a long piece of thread.* **2** to interrupt a telephone conversation (ขัดจังหวะการสนทนาทางโทรศัพท์). **3** to separate (แยก): *The farm was cut off from the village by the snow.*

cut out 1 to stop working (หยุดทำงาน): *The engine cut out.* **2** to stop (หยุด): *I've cut out smoking.*

cut short to make something shorter than intended (ทำให้สั้นลงกว่าที่ตั้งใจไว้): *He cut short his holiday.*

cute *adj* attractive or pleasing (สวยหรือน่ารัก): *a cute baby.*

'cut·ler·y *n* knives, forks and spoons (มีด ส้อม และช้อน).

See **crockery**.

'cut·let *n* a slice of meat (ชิ้นเนื้อที่ฝานบาง ๆ).

cut-'price *adj* reduced in price (ลดราคา): *The shop sells everything cut-price during the sale.*

'cut·ter *n* **1** a person or thing that cuts (ผู้ตัดหรือสิ่งที่ใช้ตัด): *a woodcutter; a glass-cutter.* **2** a type of small sailing ship (เรือใบเล็ก ๆ).

'cut-throat *n* a murderer (ฆาตกร). — *adj* fierce (ดุร้าย): *cutthroat rivalry.*

'cut·ting *n* **1** a piece cut from a plant to be grown separately (กิ่งตอน). **2** a piece cut out of a newspaper (ข้อความที่ตัดมาจากหนังสือพิมพ์).

'cut·tle·fish *n* an edible sea-creature like an octopus, that squirts a black liquid (ปลาหมึก).

'cy·a·nide (*'sī-ə-nīd*) *n* a deadly poison (ยาพิษร้ายแรงชนิดหนึ่งเรียกว่าไซยาไนด์).

'cy·cle[1] (*'sī-kəl*) *v* to go by bicycle (ขี่จักรยาน): *He cycles to work every day.* — *n* short for **bicycle** (คำย่อสำหรับ **bicycle**).

'cy·cle[2] (*'sī-kəl*) *n* a number of events happening one after the other in a certain order (วงจรวัฏจักร): *the cycle of the seasons.*

'cy·clic *adj* (เป็นวงกลม).

'cy·clist (*'sī-klist*) *n* a person who rides a bicycle (คนขี่จักรยาน).

'cy·clone (*'sī-klōn*) *n* a violent storm of wind (พายุไซโคลน).

See **hurricane**.

'cyg·net (*'sig-nət*) *n* a young swan (ลูกห่าน).

'cyl·in·der (*'sil-in-dər*) *n* **1** an object with a round base and top and straight sides (รูปทรงกระบอก). **2** a piece of machinery of this shape (ชิ้นส่วนของเครื่องจักรที่มีลักษณะทรงกระบอก).

cy'lin·drical *adj* (มีลักษณะทรงกระบอก).

'cym·bal (*'sim-bəl*) *n* a brass musical instrument like a plate, two of which are struck together to make a clashing sound (ฉิ่ง ฉาบ).

'cyn·ic (*'sin-ik*) *n* a person who believes the worst about everyone (คนที่มองโลกในแง่ร้าย มีทัศนคติกับสิ่งต่าง ๆ ในทางลบ).

'cyn·i·cal *adj* (เยาะเย้ย).

Dd

dab *v* to touch gently (สัมผัสอย่างนิ่มนวล): *He dabbed the wound with cotton-wool.* — *n* **1** a small lump of anything soft or moist (ลักษณะก้อนเล็กของสิ่งที่มีความนุ่มหรือชุ่มชื้น): *a dab of butter.* **2** a gentle touch (แตะอย่างนุ่มนวล).

'dab·ble *v* to move about or splash in water (เคลื่อนไหวหรือตีน้ำ): *He dabbled his feet in the river.*

'dachs·hund (*'daks-hŏŏnd*) *n* a small dog with a long body and short legs (สุนัขพันธุ์หนึ่งเรียกว่าพันธุ์ดัชชุนหรือพันธุ์ไส้กรอก).

dad, 'dad·dy *n* children's words for father (คำที่เด็ก ๆ ใช้เรียกพ่อ).

'daf·fo·dil *n* a yellow flower which grows from a bulb (ดอกแดฟโฟดิล).

daft *adj* stupid or silly (โง่ เขลา): *That's a daft idea.*

'dag·ger *n* a knife for stabbing (กริช มีดใช้สำหรับแทง).

'dai·ly *adj* happening every day (เกิดขึ้นประจำวัน): *a daily walk; Brushing our teeth is part of our daily lives.* — *adv* every day (ทุกวัน): *We see each other daily.* — *n* a newspaper published every day (ทุก ๆ วัน).

a **daily** (not ไม่ใช่ **dairy**) walk.

'dain·ty *adj* delicate and pretty (นุ่มนวล บอบบาง น่ารัก): *a dainty little dancer.*

'dain·ti·ly *adv* (อย่างน่ารัก).

'dain·ti·ness *n* (ความนุ่มนวลบอบบาง ความน่ารัก อาหารที่มีรสเลิศ).

'dair·y *n* **1** a shop supplying milk, butter, cheese *etc.* (ร้านจำหน่ายนม เนย): *We bought milk at the dairy.* **2** the place on a farm *etc.* where milk is kept and butter and cheese are made (ที่เก็บนม และทำเนย).

You buy milk in a **dairy** (not **diary**).

dais (*dāis*) *n* a raised platform in a hall, for people to stand on when speaking to an audience (แท่นยกพื้น เวที).

'dai·sy *n* a small common flower with a yellow centre and white petals (ดอกเดซี).

dam *n* **1** a bank or wall of earth, concrete *etc.* to keep back water (เขื่อน). **2** the water kept back. — *v* to hold back by means of a dam (กักน้ำไว้ในเขื่อน): *The river has been dammed up.*

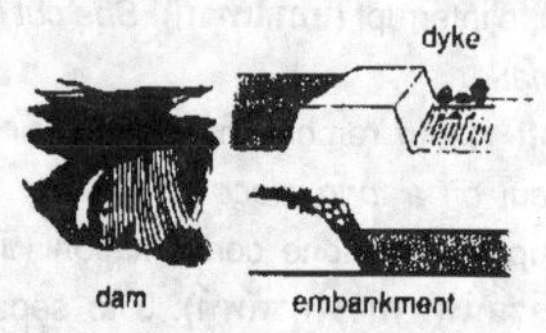

'dam·age *n* injury or harm, especially to a thing (ความเสียหาย): *The storm caused a lot of damage; She suffered brain-damage as a result of the accident.* — *v* to cause harm to something; to spoil (ทำให้เสียหาย): *The fire damaged several buildings; The book was damaged in the post.*

'dam·a·ges *n* payment for loss or injury suffered by someone (ค่าเสียหาย ค่าทำขวัญ): *The court awarded him $5000 damages.*

damn (*dam*) *v* to condemn someone or something; to say or show that they are wrong, bad, guilty *etc.* (แช่งด่า ประณามหรือประจาน): *He said he was innocent of the crime, but the evidence damned him.*

damp *adj* slightly wet (ชื้น): *This towel is still damp.* — *n* slight wetness, especially in the air (ความชื้น เช่น อากาศชื้น): *The walls were brown with the damp.*

'damp·en *v* **1** to make something damp (ทำให้ชื้น). **2** to make or become less strong (ทำให้อ่อนลง): *The bad news dampened everyone's enthusiasm.*

'damp·ness *n* (ความชื้น).

dance (*däns*) *v* to move in time to music (เต้นรำ): *She began to dance; Can you dance the waltz?* — *n* **1** a series of steps made in time to music (การขยับเท้าเข้ากับจังหวะเพลง): *Have you done this dance before?* **2** a party at which people dance (งานเลี้ยงซึ่งมีการเต้นรำ): *We're going to a dance next Saturday.* — *adj* *dance music* : (เพลงเต้นรำ).

'danc·er *n* someone who dances, especially as a job (นักเต้นรำ): *She joined a troupe of dancers.*

'danc·ing *n* (การเต้นรำ).

'dan·de·li·on (*'dan-di-lī-ən*) *n* a common wild plant with a yellow flower (ไม้ป่าชนิดหนึ่งมีดอกสีเหลือง).

'dan·druff *n* dead skin under the hair which falls off in small pieces (รังแค).

'dan·ger (*'dān-jər*) *n* **1** something that may cause harm or injury (สิ่งที่เป็นอันตราย): *The cliff is a danger to children.* **2** a situation in which a person or thing may be harmed (สถานการณ์ซึ่งคนหรือสิ่งของอาจจะได้รับอันตราย): *He is in danger; The bridge is in danger of collapsing.*

'dan·ger·ous *adj* very unsafe and likely to be a cause of harm (เป็นอันตราย): *a dangerous road.*

'dan·gle (*'daŋ-gəl*) *v* to hang loosely (ห้อย): *Her legs dangled over the wall.*

dank *adj* unpleasantly damp and cold (อับชื้นและเย็น): *a dark, dank cellar.*

'dap·pled *adj* having patches of a different colour (มีจุดเป็นสีต่าง ๆ กัน): *a dappled horse.*

dare *v* **1** to be brave enough to do something (กล้า): *I daren't go; He wouldn't dare do a thing like that; Don't you dare say such a thing again!* **2** to tell a person to do something as proof of courage (ท้าทาย): *I dare you to jump off the wall.*

> **dare** can be used with or without **to**: *I dare do anything; He dares to jump; How dare he hit me!* **dare not** and **daren't** (*dārnt*) are used without **to**: *I dare not tell* (not *to tell*) *the truth; He daren't tell the truth.*

'dare·dev·il *n* a very bold person (คนบ้าบิน).

'dar·ing *adj* bold; courageous (กล้าหาญ): *a daring pilot; She made a daring attempt to rescue the climber.* — *n* boldness (ความกล้าหาญ).

I dare say I suppose: *I dare say you're right.*

dark *adj* **1** without light (มืด): *a dark room; It's getting dark.* **2** not pale; not fair (ไม่ซีด เข้ม): *a dark red colour; Her hair is dark.* **3** evil (ชั่วร้าย): *dark deeds.* — *n* absence of light (ไม่มีแสงสว่าง): *in the dark; He never goes out after dark.* **'dark·ness** *n* (ความมืด).

'dark·en *v* to make or become dark (ทำให้มืด): *The sky darkened.*

'dark·room *n* a room which gets no natural light, used for developing photographs (ห้องมืด).

'dar·ling *n* a dearly loved person (คนที่รักมาก): *Is that you, darling?* — *adj* much loved (รักมาก ๆ): *My darling child!*

darn *v* to mend a hole in a sock *etc.* with rows of stiches that cross one another. (ชุน)

dart *n* **1** a pointed arrow-like weapon for throwing or shooting (หอกซัด ลูกดอก). **2** a sudden and quick movement (การเคลื่อนไหวอย่างรวดเร็วกะทันหัน). — *v* to move suddenly and quickly (เคลื่อนไหวอย่างกะทันหันและรวดเร็ว): *The mouse darted into a hole.*

darts *n* a game in which small darts are thrown at a target called a **'dart·board** (เกมปาลูกดอก).

dash *v* **1** to move hastily; to rush (วิ่ง พุ่ง): *The man dashed into a shop; I have to dash off to catch the bus.* **2** to knock, throw *etc.* violently (ทุบ เหวี่ยงอย่างรุนแรง): *He dashed the bottle against the wall.* **3** to destroy (ทำลาย): *Our hopes were dashed.* — *n* **1** a sudden rush (วิ่งโดยทันทีทันใด): *The child made a dash for the door.* **2** a small amount of something (จำนวนเล็กน้อย): *coffee with a dash of milk.* **3** a short line (—) to show a break in a sentence *etc.* (เครื่องหมายวรรคตอนที่มีลักษณะเป็นเส้นสั้น ๆ ขีดในประโยคเพื่อแบ่งข้อความ).

'dash·board *n* the board with dials, switches *etc.* in front of the driver's seat in a car or other vehicle (แผงหน้าปัด).

'dash·ing *adj* smart and lively (เก๋และมีชีวิตชีวา): *She looks very dashing in her new clothes.*

'da·ta (*'dā-tə*) *n* facts or information (ข้อมูล): *All the data has* (or *have*) *been fed into the computer.*

'da·ta-bank *n* a large amount of information which is stored in a computer (ข้อมูลจำนวนมากที่เก็บไว้ในคอมพิวเตอร์).

'da·ta·base *n* a large amount of information stored in a computer in a way which lets you use that information quickly (ฐานข้อมูล, ข้อมูลจำนวนมากที่เก็บอย่างเป็นระบบด้วยคอมพิวเตอร์ทำให้สามารถดึงมาใช้ได้อย่างรวดเร็ว): *The school keeps all the pupils' marks in a database.*

da·ta-'pro·ces·sing *n* the handling and processing of information by computer (กรรมวิธีประมวลผลข้อมูล).

date[1] *n* the brown, sticky fruit of the **date palm**, a tree growing in the tropics (อินทผลัม).

date[2] *n* **1** the day of the month, the month and year (วันเดือนปี): *I can't read the date on this letter.* **2** the time at which something happened or is going to happen (วันที่เกิด วันที่จะเกิด): *What is your date of birth?* **3** an appointment, especially to go out with a boyfriend or girlfriend (คู่นัด): *He asked her for a date.* — *v* to put a date on a letter *etc.* (ลงวันที่): *This letter is dated 21 June.*

'da·ted *adj* old-fashioned (ล้าสมัย): *Her clothes looked very dated.*

out of date 1 old-fashioned (ล้าสมัย): *This coat is out of date.* **2** no longer used; no longer valid (ใช้ไม่ได้แล้ว): *Your ticket is out of date; an out-of-date telephone directory.*

up to date 1 completed up to the present time (ทันจนถึงเวลาปัจจุบัน): *Is the catalogue up to date?* **2** modern; new (ทันสมัย ใหม่): *This method is very up-to-date; an up-to-date method.*

'daugh·ter ('dö-tər) *n* a female child (ลูกสาว).

'daugh·ter-in-law, *plural* **'daugh·ters-in-law**, *n* a son's wife (ลูกสะใภ้).

'daw·dle *v* to waste time by moving slowly (เสียเวลา ลอยชาย): *Hurry up, don't dawdle!*

dawn *v* to begin to appear (เริ่มปรากฏขึ้น): *A new day has dawned.* — *n* **1** the beginning of a day; very early morning (รุ่งเช้า เช้าตรู่): *We must get up at dawn.* **2** the beginning of something (เริ่มต้น): *the dawn of civilization.*

dawn on to become suddenly clear to a person (กระจ่างชัดขึ้นในทันทีทันใดสำหรับคนหนึ่ง): *It suddenly dawned on me what he meant.*

day *n* **1** the time from sunrise to sunset (กลางวัน): *She worked all day; They worked day and night to finish the job.* **2** the time or hours usually spent at work (ชั่วโมงทำงาน): *How long is your working day?* **3** twenty-four hours from one midnight to the next (ยี่สิบสี่ชั่วโมงจากเที่ยงคืนของวันหนึ่งถึงวันถัดไป): *How many days are in the month of September?* **4** a particular time or period (ยุค): *in my grandfather's day.*

'day·break *n* dawn (รุ่งอรุณ): *We left at daybreak.*

'day-dream *n* a dreaming or imagining of pleasant events while awake. — *v* (ฝันกลางวัน): *She often day-dreams.*

'day·light *n* **1** the light given by the sun (แสงแดด): *I hope we shall reach home in daylight.* **2** dawn (ยามรุ่งอรุณ).

day school a school whose pupils attend only during the day and live at home (โรงเรียนสอนแต่กลางวันและนักเรียนไปกลับ).

'day·time *n* the time between sunrise and sunset (กลางวัน).

call it a day to stop working (เลิกทำงาน): *I'm so tired that I'll have to call it a day.*

day by day every day (ทุก ๆ วัน): *He's getting better day by day.*

day-to-'day *adj* happening every day as part of the usual routine (วันต่อวัน): *She never has enough money for her day-to-day expenses.*

one day, some day at some time in the future (สักวันหนึ่ง สักวันหนึ่งในอนาคต): *He hopes to go to America one day; I hope to see her again some day.*

the other day not long ago (เมื่อวันก่อน): *I saw Mr Smith the other day.*

daze *v* to confuse someone, for instance because of a blow, a shock *etc.* (ทำให้งง): *She was dazed by the news.* — *n* a state of confusion (สภาพความสับสนงุนงง): *She's been going around in a daze all day.*

'daz·zle *v* **1** to blind for a short time with very bright light (แสงพร่านัยน์ตา): *I was dazzled by the car's headlights.* **2** to impress deeply (ประทับใจอย่างยิ่ง): *She was dazzled by his charm.*

'daz·zling *adj* **1** extremely bright (สว่างจ้า): *a dazzling light.* **2** impressive (น่าประทับใจ): *a dazzling display of wit.*

dead (*ded*) *adj* **1** without life; not living (ตาย): *a dead body.* **2** not working (ไม่ทำงาน): *The engine is dead.* **3** complete (เงียบกริบ หยุดนิ่ง): *There was dead silence at his words; He came to a dead stop.*

'dead·en *v* to make less sharp *etc.* (ทำให้หย่อนลง ทำให้มึนชา): *This pill will deaden the pain.*

dead end a road closed off at one end (ทางตัน).

dead heat a race in which two or more runners cross the finishing line together (การวิ่งแข่งซึ่งมีผู้เข้าเส้นชัยพร้อมกันสองคนหรือมากกว่านั้น).

'dead·line *n* a time by which something must be finished (เวลาที่กำหนดหรือจำกัดไว้สำหรับที่จะต้องทำอะไรบางอย่างให้เสร็จ): *Monday is the deadline for handing in this essay.*

to set a **deadline** (not ไม่ใช่ **dateline**) for finishing a job.

'dead·lock *n* a situation in which no further progress towards an agreement is possible (การหยุดชะงัก): *Talks between the two sides ended in deadlock.*

'dead·ly *adj* causing death (ที่ทำให้ตายได้): *a deadly poison.*

deaf (*def*) *adj* **1** unable to hear (หูหนวก): *She has been deaf since birth.* **2** refusing to understand or to listen (ไม่ยอมเข้าใจหรือไม่ฟัง): *He was deaf to all arguments.* **'deaf·ness** *n* (ความหูหนวก).

'deaf·en *v* to damage someone's hearing; to make more noise than someone can bear (เสียงดังกว่าจนทำให้ไม่ได้ยินเสียงอื่น): *I was deafened by the music at the disco.*

deal *n* **1** a bargain or agreement (ต่อรองหรือตกลง): *a business deal.* **2** dividing cards among players in a card game (แจกไพ่). — *v* **1** to do business (ทำการค้า): *I think he deals in stocks and shares.* **2** to distribute playing cards (การแจกไพ่).

deal; dealt (*delt*); **dealt**: *She dealt the cards; We have dealt with the problem.*

'deal·er *n* **1** a person who buys and sells (พ่อค้า): *a dealer in antiques.* **2** the person who distributes the cards in a card game (คนแจกไพ่).

'deal·ings *n* contact (ติดต่อ): *I will have no dealings with dishonest people.*

deal with 1 to be concerned with something (เกี่ยวข้องกับ): *This book deals with methods of teaching English.* **2** to take action about something (จัดการกับ): *She deals with all the difficult problems.*

a good deal, a great deal much; a lot (มาก จำนวนมาก): *They made a good deal of noise; She spent a great deal of money on the necklace.*

dear *adj* **1** high in price (แพง): *Cabbages are very dear this week.* **2** very lovable (น่ารักมาก): *He is such a dear little boy.* **3** much loved (รักมาก ๆ): *She is very dear to me.* **4** used at the beginning of a letter (ใช้ขึ้นต้นจดหมาย): *Dear Peter; Dear Sir.* — *n* a person who is loved or liked (บุคคลที่รักใคร่หรือชอบ): *Come in, dear.*

'dear·ly *adv* very much (มาก ๆ): *She loved him dearly.*

dear, dear!, oh dear!, dear me! expressions of regret, sorrow *etc.* (ระบายถึงความเศร้าโศกเสียใจ ฯลฯ): *Oh dear! I've forgotten my key!*

dearth (*dəəth*) *n* the state of not having something that is needed, a lack (ความขาดแคลน): *There is a dearth of good actresses in this country.*

death (*deth*) *n* **1** being dead or dying (ความตายหรือนำความตายมาให้): *Most people fear death.* **2** something which causes a person to die (สิ่งที่ทำให้คนตายได้): *Smoking was the death of him.*

'death·ly *adj, adv* as if caused by death (เหมือนตาย): *a deathly silence.*

put to death to kill someone, especially a criminal **(ประหารชีวิต)**: *The criminal was put to death by hanging.*

de'bate *n* a discussion, especially a formal one in front of an audience **(การถกเถียง)**: *a debate in Parliament.* — *v* to hold a formal discussion about something **(อภิปรายอย่างเป็นทางการ)**: *Parliament will debate the question tomorrow.*

de'brief *v* to question a soldier, diplomat or astronaut *etc.* after a battle, event or mission to gain information about it **(สอบถามรายละเอียดหลังจากเสร็จภารกิจแล้ว)**: *The spy was debriefed when he returned to his own country.*

'de•bris (*'dā-brē*) *n* **1** the remains of something broken, destroyed *etc.* **(เศษที่เหลือจากการแตกหักหรือโดนทำลาย)**: *The fireman found a dog among the debris of the house.* **2** rubbish **(ขยะ)**: *There was a lot of debris in the house after the builder had left.*

debt (*det*) *n* what one person owes to another **(หนี้สิน)**: *His debts amount to over $3,000.*

'debt•or *n* a person who owes a debt **(ลูกหนี้)**.

in debt owing money **(เป็นหนี้)**.

'de•but (*'dā-bū*) *n* a first public appearance on the stage *etc.* **(การปรากฏตัวขึ้นบนเวทีเป็นครั้งแรกสู่สาธารณชน)**: *She made her stage debut at the age of eight.*

'dec•ade *n* a period of ten years **(ระยะเวลา 10 ปี ทศวรรษ)**: *the first decade of this century.*

See **year**.

'dec•a•dence *n* a falling from high to low standards, especially moral standards or in art or literature **(ความเสื่อมโทรม การตกต่ำ)**: *Many people think taking drugs is a sign of decadence.*

'dec•a•dent *adj* having or showing low moral standards **(เสื่อมโทรม ตกต่ำ)**: *He was accused of having decadent values.*

de'caffe•i•na•ted (*dē'kaf-i-nātid*) *adj* having had the caffeine removed **(เอาคาเฟอีนออกไปแล้ว)**: *She only drinks decaffeinated coffee.*

de'cap•i•tate *v* to cut off someone's head **(ตัดศีรษะ)**: *His body was decapitated after his death.*

de'cath•lon *n* a contest for men in which each athlete competes in ten different sporting events. **(ทศกรีฑา)**

de'cay *v* to become rotten or ruined **(เน่า ผุ เสีย)**: *Sugar makes your teeth decay.* — *n* **(ทำให้ผุ)**: *Sugar causes tooth decay.*

de'ceased *adj* dead **(ตาย)**: *His deceased parents had been very wealthy.*

de'ceit (*di'sēt*) *n* deceiving **(ความหลอกลวง)**: *She was too honest to be capable of deceit.*

de'ceit•ful *adj* **(ที่หลอกลวง)**.

deceit is spelt with **-ei-**.

de'ceive (*di'sēv*) *v* to make someone believe something that is not true **(หลอกลวง หลง)**: *She told her father a lie, but he was not deceived by it; He was deceived by her innocent appearance.*

deceive is spelt with **-ei-**.

De'cem•ber *n* the twelfth month of the year **(ธันวาคม เดือนที่สิบสองของปี)**.

'de•cen•cy (*'dē-sən-si*) *n* right, proper and respectable behaviour **(ความประพฤติที่ถูกต้องเหมาะสม และน่านับถือ)**: *In the interests of decency, those using this swimming-pool must not bathe naked; He had the decency to admit that it was his fault.*

'de•cent (*'dē-sənt*) *adj* **1** respectable; good **(น่านับถือ ดี)**: *a decent man.* **2** modest; not causing shock or embarrassment **(สุภาพ ไม่ก่อให้เกิดการตกใจหรือกระอักกระอ่วนขึ้น)**: *Keep your language decent!*

'de•cent•ly *adv* **(อย่างเหมาะสม อย่างสุภาพ)**.

de'cep•tion *n* an act of deceiving; a trick or lie **(ความหลอกลวง)**: *His clever deception fooled the enemy into thinking he was on their side.*

de'ceptive *adj* **(ซึ่งหลอกลวง)**.

de'cide (*di'sīd*) *v* **1** to make up your mind **(ตัดสินใจ)**: *I have decided to learn Chinese; What made you decide not to go?* **2** to make the result of something certain **(ผลการตัดสิน)**: *The last goal decided the match.*

de'cid•u•ous *adj* having leaves that fall off in autumn **(สลัดใบ)**: *Oaks and chestnuts are deciduous trees.*

'dec·i·li·tre (*des'i-lē-tər*) *n* one-tenth of a litre (**เศษหนึ่งส่วนสิบของหนึ่งลิตร**).

'dec·i·mal *adj* numbered by tens (**ทศนิยม**): *the decimal system* (**ระบบทศนิยม**). — *n* a fraction expressed as a decimal number, with amounts less than 1 placed after a point (**เศษซึ่งมีค่าน้อยกว่า 1 เขียนตามหลังจุด**) : *In decimal figures, is 0.1.*

de'ci·pher (*di'sī-fər*) *v* to find the meaning of something which is difficult to read or written in code (**ถอดรหัส**): *I can't decipher his handwriting; They deciphered the spy's letter.*

de'ci·sion (*di'si-zhən*) *n* deciding; a judgement (**การตัดสินใจ**): *You will soon have to make a decision whether or not to leave school; I think you made the wrong decision.*

de'ci·sive (*di'sī-ziv*) *adj* **1** final; putting an end to a contest *etc.* (**อย่างเด็ดขาด ฯลฯ**): *The battle was decisive.* **2** firm (**มั่นคง**): *a decisive person.*

de'ci·sive·ly *adv* (**อย่างเด็ดขาด**).

de'ci·sive·ness *n* (**ความเด็ดขาด**).

deck *n* **1** a platform extending from one side of a ship to the other and forming the floor (**ดาดฟ้าเรือ**): *The cars are on the lower deck.* **2** a floor in a bus (**พื้นในรถโดยสาร**): *Let's go on the top deck.* **3** a pack of playing-cards (**ไพ่หนึ่งสำรับ**).

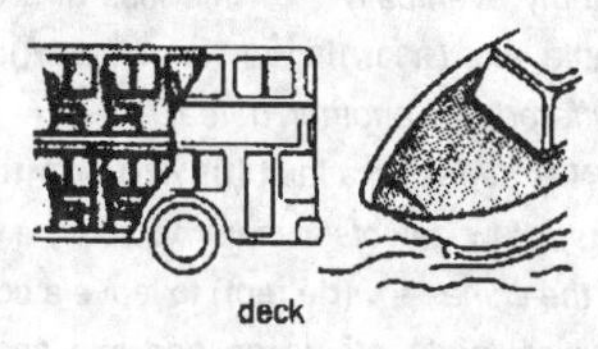

deck

'deck-chair *n* a light chair that can be folded up (**เก้าอี้พับได้**): *They were sitting in deckchairs on the beach.*

See **bench**.

de'clare *v* **1** to say firmly (**บอกกล่าว**): *"I don't like him at all," she declared.* **2** to announce publicly (**ประกาศ**): *They declared war on their enemies.* **3** to tell the people in authority that you have goods on which duty must be paid, income on which tax should be paid *etc* (**แจ้ง**): *Do you have anything to declare?*

de·cla'ra·tion *n* (**การประกาศ การแจ้งต่อเจ้าหน้าที่ว่ามีรายการที่จะต้องเสียภาษี**).

de'cline *v* **1** to say "no" to an invitation *etc.*; to refuse (**ปฏิเสธ**): *We declined his offer of a lift in his car.* **2** to become less strong or less good *etc.* (**เสื่อมถอย**): His health has declined recently. — *n* becoming less or worse (**ลดลง**): *There has been a decline in the number of students.*

de'code (*dē'kōd*) *v* to translate a coded message into ordinary language (**ถอดรหัส**).

de·com'pose (*dē-kəm'pōz*) *v* to rot or decay (**เน่าเปื่อย แยกสลาย**): *The dead leaves decomposed quickly.* **decom·po'si·tion** *n* (**การแยกธาตุ ความเน่าเปื่อย**).

'de·cor (*'dā-kö*) *n* the style of furniture and decoration in a room (**ชนิดของเฟอร์นิเจอร์และการตกแต่งห้อง**): *She often changes the decor in her bedroom.*

'dec·o·rate *v* **1** to add some kind of ornament *etc.* to something to make it more beautiful *etc.* (**ตกแต่ง ประดับ**): *We decorated the Christmas tree with glass balls.* **2** to put paint, paper *etc.* on the walls of a room (**ทาสี ติดกระดาษบนผนังห้อง**): *He spent a week decorating the living-room.* **3** to give a medal to someone as a mark of honour (**มอบเหรียญตรา**): *He was decorated for bravery.*

dec·o'ra·tion *n* something used to decorate (**การตกแต่ง การประดับ**): *Christmas decorations.*

'dec·o·ra·tive *adj* ornamental or beautiful (**เกี่ยวกับการตกแต่ง**).

'dec·o·ra·tor *n* a person who paints rooms, houses *etc.* (**ผู้ตกแต่ง**).

'de·coy (*'dē-koi*) *n* anything intended to lead someone or something into a trap (**หลุมพรางสิ่งที่ล่อให้ติดกับ**): *The policewoman acted as a decoy when the police were trying to catch the murderer.*

de'crease *v* to make or become less (**ลดน้อยลง**): *The number of pupils has decreased.* — *n* (*'dē-krēs*) a growing less (**ลดลง**): *a decrease of fifty per cent; a gradual decrease in un-*

employment.

The opposite of **decrease** is **increase**.

de'cree(*di'krē*) *n* an order or law (คำสั่ง กฤษฎีกา): *a decree forbidding the killing of certain wild animals.* — *v* to order (สั่ง): *The court decreed that he should pay a fine of $800.*

de'crep·it *adj* worn out with age; broken down (เสื่อมโทรมลงด้วยวัย): *a decrepit building; Grandfather says he's getting old and decrepit.*

'ded·i·cate *v* **1** to give up or devote your time, life *etc* to something (อุทิศให้ อุทิศเวลา อุทิศตน): *He dedicated his life to helping those who had been crippled in the war.* **2** to state that a book *etc.* is written in honour of someone (หนังสือที่ระลึก): *The author dedicated the book to his father; He dedicated that song to her.*

de·di'ca·tion *n* (การอุทิศ).

de'duce (*di'dūs*) *v* to work out something from facts you know or guess (อนุมาน): *From the height of the sun I deduced that it was about ten o'clock.* **de'duc·tion**[1] *n* (การอนุมาน).

de'duct *v* to take away (หักออก): *They deducted the expenses from his salary.*

de'duc·tion[2] *n* something that has been deducted (การหักออก): *A deduction had been made from his pay.*

deed *n* something done; an act (การกระทำ): *a good deed.*

deep *adj* **1** going far down: *a deep lake; a deep wound* (ลึก). **2** very much occupied in something (หมกมุ่นมาก): *He was deep in a book.* **3** strong; dark (สีเข้ม): *The sea is a deep blue colour.* **4** low (เสียงต่ำ): *His voice is very deep.* **5** sound (หลับสนิท): *They are in a deep sleep.* — *adv* far down or into something (เข้าไปลึก): *They wandered deep into the wood.*

'deep·ness *n* (ความลึก).

'deep·en *v* to make or become deeper (ทำให้ลึก ลึกมากขึ้น): *He deepened the hole.*

deep-'freeze *n* a kind of refrigerator which freezes food quickly and can keep it for a long time (ตู้แช่แข็ง). — *v* to freeze food in this (แช่แข็งอาหารในตู้นี้).

deep-'fried *adj* fried in enough fat to be completely covered by it (ทอดอย่างท่วมน้ำมัน): *He does not like deep-fried chicken.*

'deep·ly *adv* very (อย่างมาก): *We are deeply grateful to you.*

deep-'root·ed or **deep-'seat·ed** *adj* firmly fixed and not easily changed (ฝังแน่น แก้ได้ยาก): *deep-rooted prejudices.*

in deep water in difficulties or trouble (ตกอยู่ในความยากลำบากหรือมีปัญหา): *You will get into deep water if you start borrowing money.*

deer (*dēr*), *plural* **deer**, *n* a large, grass-eating animal, the male of which has antlers (กวาง).

A deer **bells** or **bellows**.
A baby deer is a **fawn**.
A female deer is a **doe**.
A male deer is a **stag**.

de'face *v* to spoil the appearance of something (ทำให้เสียโฉม): *The statue had been defaced with red paint.*

de'face·ment *n* (การทำให้เสียโฉม).

de'feat *v* to beat; to win a victory over someone or something (เอาชนะได้): *They defeated our team by three goals; We will defeat the enemy eventually.* — *n* the loss of a game, battle *etc.* (ความปราชัย ความพ่ายแพ้): *We suffered yet another defeat.*

'de·fect (*'dē-fekt*) *n* a fault (บกพร่อง ตำหนิ): *She has a few defects in her character; a defect in the china.* — *v* (**de'fect**) to leave a country, political party *etc.* to go and join another (แปรพักตร์): *He defected to the Liberal Party.*

de'fection *n* (ความบกพร่อง การทรยศ).

de'fec·tive *adj* having a fault (มีความบกพร่อง): *a defective machine.*

de'fence *n* **1** the defending of something or someone against attack (การป้องกันการจู่โจม): *the defence of Rome; He spoke in defence of the government's plans.* **2** the method or equipment used to guard or protect (วิธีการหรือเครื่องมือที่ใช้ในการป้องกัน ป้อมปราการ): *The walls were built as a defence against* *flooding.* **3** a person's answer to an accusation, especially in a lawcourt **(การแก้ตัวในศาล)**: *What is your defence?*

de'fence·less *adj* without protection **(ไม่มีเครื่องป้องกัน ไม่มีที่พึ่ง)**.

de'fend *v* to guard or protect someone or something against attack **(ป้องกันการจู่โจม)**: *The soldiers defended the castle.*

de'fend·er *n* **(ผู้ป้องกัน)**.

de'fend·ant *n* an accused person in a lawcourt **(จำเลย)**.

de'fen·sive *adj* protective; resisting attack **(ตั้งรับ ต่อต้านการโจมตี)**: *They had to take defensive action against their attackers.*

de'fer *v* to put off to another time **(ผลัดไป เลื่อนไป)**: *They can defer their departure.*

deferred and **deferring** have two **rs**.

de'fi·ance (*di'fī-əns*) *n* openly refusing to obey; opposition **(ท้าทาย)**: *He went swimming in defiance of my orders.*

de'fi·ant *adj* **(แสดงกิริยาท้าทาย)**.

de'fi·cient *adj* not having enough of something **(ขาด บกพร่อง)**: *Their food is deficient in vitamins.*

de'fi·cien·cy *n* **(ความบกพร่อง)**.

'def·i·cit *n* the amount by which a sum of money *etc.* is too little **(จำนวนที่น้อยเกินไป จำนวนที่ยังขาดอยู่)**: *The total should have been $500, but there was a deficit of $49.*

The opposite of **deficit** is **surplus**.

de'file *v* to make something dirty; to spoil or destroy the purity of something **(ทำให้มีมลทิน ทำให้สกปรก ทำให้แปดเปื้อน)**: *Some video films are so horrible that they defile the minds of the people who watch them.*

de'fine *v* to state the exact meaning of a word *etc.***(ให้คำจำกัดความหรืออธิบายความหมาย)**: *Words are defined in a dictionary.*

def·i'ni·tion *n* **(คำจำกัดความ)**.

'def·i·nite (*'def-i-nit*) *adj* clear; fixed or certain **(ชัดเจน แน่นอน ไม่คลุมเครือ)**: *I'll give you a definite answer later.*

'def·i·nite·ly *adv* clearly; certainly **(อย่างชัดแจ้ง อย่างแน่นอน)**: *She definitely said that she'd arrive at 9.00 a.m; Her dress is definitely red.*

definite article the name of the word **the** **(คำนำหน้านามที่ใช้ในการชี้เฉพาะเจาะจง the)**.

de'flate *v* to let air out of a tyre *etc* **(ปล่อยลมออกทำให้แฟบ)**.

de'flation *n* **(การปล่อยลมออก การลดภาวะเงินเฟ้อ)**.

The opposite of **deflate** is **inflate**.

de'flect *v* **1** to make something turn away from the direction it is going in **(ทำให้เบี่ยงเบน ทำให้หันเหไป)**: *He deflected the blow with his arm.* **2** to stop someone doing what they intend **(หยุดยั้งไม่ให้ทำดังที่ตั้งใจเอาไว้)**: *Don't try do deflect me from my purpose!*

de'flec·tion *n* **(การเบี่ยงเบน การหันเห)**.

de'formed *adj* twisted out of the right shape **(ทำให้พิการ ทำให้เสียรูปร่าง)**: *His foot was deformed.*

de'form·i·ty *n* **(ความพิการ รูปร่างไม่สมประกอบ)**.

de'frost (*dē'frost*) *v* **1** to remove frost or ice from a refrigerator *etc.* **(ละลายน้ำแข็ง)**: *I keep forgetting to defrost the freezer.* **2** to thaw **(ทำให้น้ำแข็งละลาย)**: *Make sure you defrost the chicken thoroughly.*

deft *adj* quick, neat and skilful in movement **(คล่องแคล่ว ชำนาญ)**: *He was very deft with his fingers and was always making things.*

'deft·ly *adv* **(อย่างคล่องแคล่ว อย่างชำนาญ)**.

'deftness *n* **(ความคล่องแคล่ว ความชำนาญ)**.

de'fuse (*dē'fūz*) *v* to remove the fuse from a bomb *etc.* **(ถอดชนวนลูกระเบิด)**.

de'fy (*di'fī*) *v* to disobey openly **(ไม่เชื่อฟังอย่างเปิดเผย ท้าทาย)**: *He defied the headmaster's authority.*

de'gen·er·ate *v* to become worse in some way, such as in health **(เสื่อม แย่ลง ดำเนินไปในทางที่เลวลง)**: *His behaviour has been degenerating ever since he left school.*

de'grade *v* to take dignity and pride away from someone **(ทำให้เสียเกียรติหรือด้อยคุณค่า)**: *He felt degraded by having to beg for food.*

deg·ra'da·tion (*deg-rə'dāshən*) *n* **(การเสียเกียรติ การลดคุณค่า)**.

de'gra·ding *adj* **(ที่ทำให้เสียเกียรติหรือด้อย**

คุณค่า): *Cleaning the public toilets shouldn't be considered a degrading job.*

de'gree *n* **1** an amount or extent (**ปริมาณหรือระดับ**): *Children will need some degree of skill to answer the third question.* **2** a unit of temperature (**หน่วยวัดอุณหภูมิ**): *twenty degrees* (usually written *20°Celsius*). **3** a unit by which angles are measured (**หน่วยที่ใช้วัดมุม**): *an angle of ninety degrees* (usually written *90°*). **4** an award given by a university to a person who has passed their final examinations (**ปริญญา**): *He has a degree in chemistry.*

by degrees gradually; step by step; little by little (**อย่างค่อยเป็นค่อยไป ทีละขั้นทีละตอน ทีละเล็กทีละน้อย**): *We are achieving our aim by degrees.*

de·hy'drate (*dē-hī'drāt*) *v* to remove water from something; to dry (**นำน้ำออกหรือทำให้แห้ง**): *Vegetables can be dehydrated so that they keep for a long time.*

de·hy'dra·tion *n* (**การสูญเสียน้ำหรือความชื้น**).

de·hy'dra·ted *adj* having lost too much water from the body (**สูญเสียน้ำจากร่างกายมากเกินไป**): *Babies can easily become dehydrated in hot weather.*

'de·i·ty (*'dā-ə-ti*) *n* a god or goddess (**พระเจ้า เทพเจ้าหรือเทพธิดา**): *Apollo was one of the Greek deities.*

de'ject·ed *adj* sad; miserable (**เศร้า หดหู่ใจ**): *His defeat made him very dejected.*

de'jec·tion *n* (**สภาพความเศร้า ความหดหู่ใจ**)

de'lay *v* **1** to put off to a later time (**เลื่อนไป**): *We delayed our holiday for a week.* **2** to hold up; to make late (**ถ่วงเวลา ทำให้ช้า**): *The bus was delayed ten minutes; We were delayed by the traffic.* — *n* lateness; a hold-up (**ความล่าช้า การถ่วงเวลา**): *He came without delay.*

'del·e·gate *v* to give a piece of work, power *etc.* to someone else (**มอบหมายงานหรืออำนาจให้คนอื่น**): *He delegates a great deal of work to his assistant.* — *n* (*'del-i-gət*) a person chosen to act for or represent others at a conference, meeting *etc.* (**คนที่ได้รับเลือกเพื่อทำหน้าที่หรือเป็นตัวแทน**).

del·e'ga·tion *n* a group of delegates (**กลุ่มผู้ทำหน้าที่ กลุ่มตัวแทน**).

de'lete *v* to remove or cross out a word *etc.* (**ลบออก ขีดฆ่า**): *Delete his name from the list.*

de'le·tion *n* (**การลบออก การขีดฆ่า**).

de'lib·er·ate *adj* **1** intentional; not by accident (**โดยเจตนา โดยตั้งใจ**): *That was a deliberate insult.* **2** slow and careful (**ช้าและรอบคอบ**): *He had a very deliberate way of talking.*

de'lib·er·ate·ly *adv* (**อย่างตั้งใจ อย่างรอบคอบ**).

'del·i·ca·cy *n* **1** the quality of being delicate (**ความประณีต ความนุ่มนวล**). **2** something delicious and special to eat (**อร่อยและน่ากินเป็นพิเศษ รสเลิศ**).

'del·i·cate *adj* **1** requiring special treatment or careful handling (**ต้องการความประณีตหรือการทนุถนอมเป็นพิเศษ**): *delicate china; a delicate situation.* **2** fine; done with skill (**ละเอียด ทำอย่างประณีต**): *The ring had a very delicate design.* **3** able to do fine, accurate work (**สามารถที่จะทำงานที่ละเอียดและแม่นยำได้**): *a delicate instrument.* **4** not strong or bright (**อ่อนหรือสดใส**): *a delicate shade of blue.* **5** soft; fine (**อ่อนหรือสดใส**): *the delicate skin of a child.*

'del·i·cate·ly *adv* (**อย่างประณีต อย่างละเอียด**).

del·i·ca'tes·sen *n* a shop selling unusual and foreign foods (**ร้านขายอาหารจากต่างประเทศหรืออาหารที่หาไม่ได้ทั่ว ๆ ไป**): *I bought some smoked sausage at the delicatessen.*

de'li·cious *adj* very nice to eat or smell (**อร่อยหรือหอมน่ากิน**): *a delicious meal; The food smells delicious.*

de'li·cious·ly *adv* (**อย่างอร่อย อย่างหอมน่ากิน**).

de'light (*di'līt*) *v* **1** to please greatly (**พอใจอย่างยิ่ง**): *I was delighted by the news.* **2** to enjoy something very much (**ชอบอย่างมาก**): *He delights in teasing me.* — *n* pleasure (**ความพอใจ**).

de'light·ful *adj* causing delight (**ทำให้เกิดความพอใจ ทำให้เกิดความยินดี**): *a delightful* *surprise.*

de'light·ful·ly *adv* (อย่างพอใจ อย่างยินดี).

de'lin·quent *n* someone who breaks the law; someone who commits a crime (ผู้ผิดกฎหมาย ผู้ก่ออาชญากรรม).

de'linquen·cy *n* (การกระทำผิด).

de'lir·i·ous *adj* confused and talking nonsense usually because of high fever (สับสนและเพ้อเนื่องจากพิษไข้).

de'liv·er *v* **1** to take goods, letters *etc.* to the person for whom they are intended (ส่งให้ ส่ง): *The postman delivers letters.* **2** to make a speech *etc.* (กล่าวสุนทรพจน์): *He delivered a long speech.* **3** to assist a woman at the birth of her child (ช่วยในการคลอดบุตร): *The doctor delivered the twins safely.*

de'liv·er·y *n* **1** delivering goods, letters *etc.* (การส่งสินค้า จดหมาย ฯลฯ). **2** giving birth to a child (การคลอดบุตร).

'del·ta *n* a triangular area of land formed at the mouth of a river which reaches the sea in two or more branches (สันดอนเป็นรูปสามเหลี่ยมปากแม่น้ำ): *the Nile Delta.*

de'lude (*diə'lood*) *v* to deceive (หลอกลวง ทำให้เข้าใจผิด): *He is deluding himself if he thinks she is going to marry him.*

'del·uge (*'del-ūj*) *n* **1** a great flood of water; very heavy rain (น้ำท่วมใหญ่ ฝนตกหนัก). **2** a great number (จำนวนมาก): *a deluge of questions.* — *v* to flood; to overwhelm (น้ำท่วม ท่วมท้น).

de'lu·sion (*di'loo-zhən*) *n* a false belief (ความเชื่อที่ผิด).

de luxe(*də'luks*) *adj* very luxurious or elegant (หรูหรา): *a de luxe model of a car.*

de'mand (*də'mänd*) *v* **1** to ask firmly for something (เรียกร้อง ทวงถาม): *I demanded an explanation.* **2** to require; to need (ต้องการ): *This demands careful thought.* — *n* **1** a request made very firmly (ข้อเรียกร้องที่มีการยืนยันอย่างหนักแน่น): *The employees made a demand for higher wages.* **2** a need felt by the public for certain goods *etc.* (ความต้องการหรืออุปสงค์ ฯลฯ): *There's no demand for books of this kind.*

de'mand·ing *adj* requiring a lot of effort, ability *etc.* (ต้องใช้ความพยายาม ใช้ความสามารถมาก): *a demanding job.*

de'mean·our *n* a person's way of behaving, especially towards others (ความประพฤติที่แสดงออกต่อผู้อื่น): *Her demeanour is always polite.*

de'moc·ra·cy *n* a form of government in which the people freely elect representatives to govern them (ประชาธิปไตย).

'dem·o·crat *n* a person who believes in democracy (ผู้ที่เชื่อในการปกครองแบบประชาธิปไตย).

dem·o'crat·ic *adj* (อย่างเป็นประชาธิปไตย).

de'mol·ish *v* to pull down; to tear down (รื้อ โค่น): *They're demolishing the old buildings in the centre of town.*

dem·o'li·tion *n* (การทำลาย การรื้อ).

'de·mon (*'dē-mən*) *n* an evil spirit; a devil (วิญญาณชั่วร้าย ปิศาจ).

'dem·on·strate *v* **1** to show clearly (แสดงให้เห็นอย่างชัดเจน): *That silly answer he made demonstrates how stupid he is.* **2** to show how something works (สาธิต): *He demonstrated the new vacuum cleaner.* **3** to express an opinion by marching, carrying banners *etc.* in public (แสดงความคิดเห็นโดยการเดินขบวน): *A crowd collected to demonstrate against the new taxes.*

dem·on'stra·tion *n* **1** a showing of how something works *etc.* (การสาธิต): *The salesman gave me a demonstration of all the things the dishwasher could do.* **2** a public protest or expression of opinion, especially in the form of a big meeting or a procession with banners *etc.* (การประท้วงหรือแสดงความคิดเห็นในรูปของการชุมนุมหรือเดินขบวน).

'dem·on·stra·tor *n* (ผู้สาธิต ผู้ร่วมเดินขบวน).

de'mor·a·lize *v* to take away a person's confidence and enthusiasm (ทำให้หมดความเชื่อมั่นและความกระตือรือร้น): *His failure to pass* *his final examination has completely demoralized him.*

de'mote *v* to reduce someone to a lower rank **(ลดชั้น ยศหรือตำแหน่ง)**: *He was demoted for misconduct.*

de'motion *n* **(การลดตำแหน่ง).**

The opposite of **demote** is **promote**.

de'mure (*di'mūr*) *adj* quiet and well-behaved **(เงียบขรึมและวางตัวดี)**: *a very demure young woman.*

den *n* **1** the home of a wild animal **(ที่อยู่ของสัตว์ป่า)**: *a lion's den.* **2** a private room for working in *etc.* **(ห้องส่วนตัวใช้ทำงาน).**

de'ni·al (*di'nī-əl*) *n* **1** a statement that something that has been said is not true **(ข้อความที่ปฏิเสธว่าบางอย่างที่ได้พูดนั้นไม่เป็นความจริง)**: *She made a complete denial of the accusation.* **2** a refusal **(การปฏิเสธ, การไม่ยอมรับ)**: *Come on — play the piano — we'll take no denial!*

'den·im *n* a cotton cloth, often blue, used for making jeans, overalls *etc.* **(ผ้าฝ้ายหนา มักหมายถึงชนิดที่มีสีน้ำเงินประเภทผ้ายีนส์).**

'den·ims *n* jeans made of denim **(ยีนส์ที่ทำด้วยผ้าฝ้ายหนา).**

de'nom·i·na·tor *n* the number that stands under the line in a fraction **(ตัวเลขที่อยู่ใต้บรรทัดในเศษส่วน ตัวหาร)**: *The denominator in the fraction ¾ is 4.*

de'note *v* to mean **(ให้ความหมาย ใช้แทน)**: *The symbol £ denotes pounds sterling.*

de·no'ta·tion *n* **(การบ่งชี้ การแสดงความหมาย).**

de'nounce *v* to accuse someone publicly of a crime *etc.* **(ประณาม)**: *He was denounced as a murderer.*

dense *adj* closely packed together **(หนาแน่นทึบ)**: *a dense forest.* **2** thick **(หนา)**: *The fog was so dense that we could not see anything.*

'dense·ly *adv* **(อย่างหนาแน่น อย่างทึบ).**

'den·si·ty *n* the number of things, people *etc.* found in a particular area, compared with other areas **(ความหนาแน่น)**: *the density of the population.*

dent *n* a small hollow made by a blow **(รอยบุบหรือบุ๋ม)**: *My car has a dent where it hit a tree.*

— *v* to make a dent in something **(ทำให้บุบทำให้ยุบ)**: *The car was dented when it hit a wall.*

'den·tal *adj* having to do with the teeth **(เกี่ยวกับฟัน)**: *Regular dental care is essential for healthy teeth.*

'den·tist *n* a person who cares for diseases *etc.* of the teeth, by filling or removing them *etc.* **(ทันตแพทย์)**:*I hate going to the dentist.*

'den·tis·try *n* a dentist's work **(การทำฟัน).**

'den·tures (*'den-chərz*) *n* a set of artificial teeth **(ฟันปลอม).**

de'ny (*di'nī*) *v* **1** to say that something that has been said is not true **(ปฏิเสธ)**: *He denied the charge of murder.* **2** to refuse to give someone something; to say "no" to a request **(ปฏิเสธไม่ยอมรับ)**: *He was denied admittance to the house.*

de'o·do·rant (*dē'ō-də-rənt*) *n* a pleasant-smelling substance that people put on their bodies to prevent, or hide the smell of, sweat. **(ยาระงับกลิ่นตัว)**

de'part *v* **1** to go away; to leave **(จากไป ออกจาก)**: *The train departed from the station at 9 a.m.* **2** to turn away from what you had planned **(เปลี่ยนแผน, ทำสิ่งที่ต่างไปจากแผนที่กำหนดไว้)**: *We departed from our original plan.*

de'part·ment *n* a part or section of a government, university, office or shop **(กรม ภาควิชา แผนก ฝ่าย)**: *the Department of Justice; the sales department.*

de·part'men·tal *adj* **(เกี่ยวกับกรม ภาควิชาแผนกหรือฝ่าย).**

department store a large shop with different departments selling many kinds of goods **(ห้างสรรพสินค้า).**

a **department** (not **ไม่ใช่ departmental**) store.

de'par·ture (*di'pār-chər*) *n* departing **(การจากไปการออกเดินทาง)**: *The departure of the train was delayed.*

de'pend *v* **1** to rely on something or someone **(ขึ้นอยู่กับ, อาศัย, พึ่งพา)**: *You can't depend on your parents to keep giving you money; You can depend on Jack — he's very* *reliable; If I were you, I wouldn't depend on getting a day off school.* **2** to be decided by something (**เป็นผลมาจาก ขึ้นอยู่กับการตัดสินใจของ**): *Our success depends on everyone working hard.*

de'pend·a·ble *adj* able to be trusted (**สามารถไว้ใจได้ เป็นที่พึ่งได้**): *I know he'll remember to buy the drinks — he's very dependable.*

de'pend·ant *n* a person who is supported by another (**คนที่พึ่งพาผู้อื่น ผู้ที่อยู่ในความอุปถัมภ์**): *He has five dependants to support — a wife and four children.*

de'pend·ent *adj* relying on someone for support (**ต้องพึ่งพาอาศัย**): *A child is dependent on his parents.*

The opposite of **dependent** is **independent**; dependent on but **independent of**.

it depends it is uncertain until something else is known (**ไม่แน่ ขึ้นอยู่กับสถานการณ์ที่จะเกิดขึ้น**): *I don't know whether we'll have a picnic — it depends on the weather.*

de'pict *v* **1** to draw or paint someone or something (**วาดภาพ**): *The artist depicted the king on horseback.* **2** to describe (**บรรยาย พรรณนา**): *Her book depicts the life of a policewoman.*

de'pic·tion *n* (**การวาดภาพ การพรรณนา**).

de'plo·ra·ble *adj* very bad (**เลวมาก**): *deplorable behaviour.*

de'plore *v* to say that something is wrong or very bad (**การพูดว่าอะไรบางอย่างผิดหรือเลวร้ายมาก**): *We all deplore the waste of food in rich countries when there is so much hunger in poor countries.*

de'port *v* to send a person out of the country (**เนรเทศ**): *Some immigrants had entered the country illegally, and were deported.*

de·por'ta·tion *n* (**การเนรเทศ**).

de'pose (*di'pōz*) *v* to remove someone from a high position, for example, a king from his throne (**ปลดจากตำแหน่ง เช่นถอดจากราชบัลลังก์**).

de'pos·it (*di'poz-it*) *v* **1** to put down (**วาง**): *She deposited her shopping-basket in the kitchen.* **2** to put something somewhere for safe keeping (**เก็บ ฝากไว้ในที่ปลอดภัย**): *He deposited the money in the bank.* — *n* **1** the money you pay as part of the payment for something which you intend to buy (**เงินมัดจำ**): *We decided we could not afford to go on holiday and managed to get back the deposit we had paid.* **2** the money you put into a bank (**เงินฝากในธนาคาร**). **3** solid matter that has settled at the bottom of a liquid (**ตะกอนที่นอนก้น**): *There was a white deposit in the bottle.* **4** a layer of coal, iron *etc.* occurring naturally in rock (**ชั้นของถ่าน เหล็ก ฯลฯ ที่เกิดขึ้นในหินตามธรรมชาติ**).

deposit account a bank account which pays you interest on money that you save in it (**บัญชีเงินฝาก**): *She used money from her deposit account to pay for her holiday.*

de'pos·i·tor *n* a person who deposits money in a bank (**ผู้ฝากเงินในธนาคาร**).

'dep·ot (*'dep-ō*) *n* **1** the place where railway engines, buses *etc.* are kept and repaired (**อู่ที่เก็บและซ่อมรถไฟ รถยนต์ ฯลฯ**): *a bus depot.* **2** a storehouse (**คลังพัสดุ**).

de'press *v* to make someone sad (**ทำให้หดหู่ใจ, ไม่สบายใจ**): *Wet weather depresses me.*

de'pressed *adj* sad; unhappy (**เศร้า ไม่มีความสุข**): *The news made me very depressed.*

de'press·ing *adj* (**น่าหดหู่**): *What depressing news!*

de'pres·sion *n* sadness and low spirits (**ความเศร้าและความท้อแท้หดหู่ใจ**): *She was treated by the doctor for depression.*

de'prive *v* to take something away from someone (**ทำให้ไม่มี ตัดสิทธิ์**): *They deprived him of food and drink.*

dep·ri'va·tion *n* (**การสูญเสีย การขาดเสียซึ่ง**).

de'prived *adj* not having the advantages in life that most people have (**ไม่มีข้อได้เปรียบในชีวิตเหมือนกับผู้อื่น**): *deprived children.*

depth *n* the distance from the top downwards; deepness (**ความลึก**): *The submarine travelled at a depth of 200 m.*

in depth thoroughly (**อย่างลึกซึ้ง**): *I have studied the subject in depth.*

dep·u'ta·tion (*dep-ū'tā-shən*) *n* a group of people

chosen to speak or act for others (คณะผู้แทน): *They sent a deputation to the President.*

'dep·u·tize *v* to act as a deputy (ทำหน้าที่เป็นผู้แทน): *She deputized for her father at the meeting.*

'dep·u·ty *n* someone chosen to help a person and take over some of his jobs if necessary (ผู้ช่วย ผู้ปฏิบัติหน้าที่แทน): *While the boss was ill, his deputy ran the office.*

'der·e·lict *adj* abandoned and left to fall to pieces (ถูกละทิ้งและปล่อยให้ทรุดโทรมหักพัง): *a derelict building.*

de'ride *v* to laugh scornfully at someone (หัวเราะเยาะ เย้ยหยัน).

de'ri·sion (*di'rizh-ən*) *n* scornful laughter (การหัวเราะแบบเย้ยหยัน).

de'rive *v* to come or develop from something (เกิดขึ้นหรือพัฒนามาจาก): *The word caterpillar derives from an old French word.*

der·i'va·tion *n* (ที่มาของคำ).

'der·rick *n* a device like a crane, for lifting weights (เครื่องมือแบบปั้นจั่นสำหรับยกของหนัก): *Derricks were used to unload the ship.*

de'scend (*di'send*) *v* **1** to go down or climb down from a higher place or position (ลงหรือปีนลงมาจากที่สูงกว่าหรือตำแหน่งสูงกว่า): *He descended the staircase.* **2** to slope downwards (ลาดลง): *The hills descend to the sea.* **3** to be passed down from parent to child (สืบต่อ ตกทอด): *The business descended to his son.*

de'scend·ant *n* your child, grandchild *etc* (ลูกหลาน ผู้สืบสกุล): *This is a photograph of my grandmother with her descendants.*

de'scent *n* **1** the action of descending (การลง): *The descent of the hill was easy.* **2** a slope (ทางลาด): *a steep descent.* **3** family (ตระกูล): *She is of royal descent.*

> The noun **descendant** ends in **-ant** (not **-ent**).

de'scribe *v* to say what happened or what something or someone is like (บรรยาย พรรณนา อธิบายลักษณะ): *He described what happened; He described her as tall and dark, with glasses; Describe your brother to me.*

de'scrip·tion *n* the describing of something (การบรรยาย การพรรณนา การอธิบาย): *I recognized him from your description; He gave a description of his holiday.*

> to **describe** (not ไม่ใช่ **describe about**) a scene.

'des·ert[1] (*'dez-ərt*) *n* a region where almost no plants can grow, because there is very little rain (ทะเลทราย): *the Gobi Desert.*

> the Sahara **desert** (not ไม่ใช่ **dessert**).

de'sert[2] (*di'zärt*) *v* **1** to leave or abandon someone (ทอดทิ้ง): *Why did you desert us?* **2** to run away from the army (หนีทหาร): *The soldier was shot for trying to desert.*

de'sert·ed *adj* **1** with no people *etc.* (ร้างไม่มีคน): *The streets are completely deserted.* **2** abandoned (ถูกทอดทิ้ง): *his deserted wife and children.*

de'sert·er *n* (ผู้หนีทหาร ผู้ละทิ้งงาน).

de'ser·tion *n* (การทอดทิ้ง การหนีทหาร).

de'serve (*di'zärv*) *v* to have earned something by what you have done (สมควรจะได้รับ): *She deserves to be called the best pupil in the class; He deserves a good mark.*

'des·ic·ca·ted *adj* dried (แห้ง): *desiccated coconut.*

de'sign (*di'zīn*) *v* to invent and prepare a plan of something before it is built or made (ออกแบบ): *A famous architect designed this building.* — *n* **1** a sketch or plan produced for something that is to be made (โครงร่างแบบแปลนของสิ่งที่จะจัดทำ): *a design for a dress.* **2** style; appearance (แบบ รูปลักษณ์ รูปโฉม): *The car is very modern in design; I don't like the design of that building.* **3** a pattern *etc.* (ลวดลาย ฯลฯ): *The curtains have a flower design on them.*

de'sign·er *n* (ผู้ออกแบบ).

'des·ig·nate (*'dez-ig-nāt*) *v* to choose someone or something for a special purpose *etc.* (แต่งตั้งบุคคลเพื่อจุดประสงค์พิเศษ): *The forest was designated a conservation area; He has been designated as successor to the President.* — (*'dez-ig-nit*) *adj* chosen to do a particular job but not yet having started it

(ได้รับแต่งตั้งให้ทำงานบางอย่างโดยเฉพาะ แต่ยังไม่ได้เริ่มทำ): *the ambassador designate.*

des·ig'na·tion *n* a name; a title (**ชื่อ ตำแหน่ง**).

de'sire (*di'zīr*) *n* a wish (**ความปรารถนา**): *I have a sudden desire for a bar of chocolate; I have no desire to see him again.* — *v* to want something very much (**ต้องการอย่างมาก**): *After a day's work, all I desire is a hot bath.*

de'si·ra·ble *adj* pleasing or worth having (**เป็นสิ่งที่พึงปรารถนา**): *a desirable house.*

de·si·ra'bil·i·ty *n* (**ความน่าปรารถนา**).

desk *n* a table for writing, reading *etc.* (**โต๊ะทำงาน**): *He was sitting at his desk.*

'desk·top *adj* small enough to be used on a desk or table (**เล็กพอที่จะใช้บนโต๊ะทำงานหรือโต๊ะ**): *a desktop computer.*

'des·o·late *adj* **1** very lonely (**โดดเดี่ยว ทุรกันดาร**): a *desolate landscape.* **2** very sad, lonely and unhappy (**เศร้า เปล่าเปลี่ยวและไม่มีความสุขอย่างมาก**): *He is desolate because his wife has died.*

des·o·'la·tion *n* (**ความเศร้า ความเปล่าเปลี่ยวและความอ้างว้าง**).

de'spair *v* to give up hope (**หมดหวัง สิ้นหวัง**): *He despaired of ever seeing his son again.* — *n* **1** the giving up of hope (**ความหมดหวัง**): *He was filled with despair at the news.* **2** something which causes someone to despair (**สิ่งที่ทำให้ผิดหวัง**): *He is the despair of his mother.*

despatch *see* **dispatch** (**ดู dispatch**).

'des·per·ate *adj* **1** ready to do anything violent; not caring what you do (**บ้าระห่ำ สิ้นคิด**): *a desperate criminal.* **2** very eager indeed (**กระตือรือร้น อยากได้อย่างมาก**): *She was desperate to get into university.* **3** very bad; almost hopeless (**เลวร้ายมาก แทบจะไม่มีหวัง**): *We are in a desperate situation.* **4** urgent (**รีบ**): *He made a desperate appeal for help.*

'des·per·ate·ly *adv* (**อย่างหมดหวัง อย่างสิ้นคิด**).

despe'ra·tion *n* (**ความหมดหวัง ความสิ้นคิด**).

de'spic·a·ble *adj* very bad; wicked; deserving to be despised (**เลวมาก ชั่วร้าย สมควรได้รับการดูถูกเหยียดหยาม**): *His behaviour was despicable.*

de'spise (*di'spīz*) *v* to look upon someone or something with scorn and contempt (**ดูถูกเหยียดหยาม**): *He despised her for being stupid.*

de'spite *prep* in spite of something (**ถึงแม้ว่า**): *He didn't get the job despite all his qualifications.*

> to go **despite** (not **ไม่ใช่ despite of**) the warnings.

de'spond·ent *adj* feeling miserable, unhappy, *etc.* (**รู้สึกเป็นทุกข์ ไม่มีความสุข**): *She was despondent at her failure.*

'des·pot *n* a person with very great or complete power which they use cruelly and unjustly (**ผู้ที่มีอำนาจอย่างเต็มที่และใช้อำนาจนั้นอย่างโหดร้ายและไม่ยุติธรรม**): *The country is being ruled by a despot.*

des'sert (*di'zërt*) *n* the sweet course of a meal; pudding (**ขนมหวาน**): *We had ice-cream for dessert.*

> to eat a **dessert** (not **ไม่ใช่ desert**).

des·ti'na·tion *n* the place to which you are going (**จุดหมายปลายทาง**): *We've arrived at our destination at last.*

'des·tined (*'des-tind*) *adj* **1** decided in advance by fate (**กำหนดไว้ล่วงหน้าโดยโชคชะตา**): *She was destined for success.* **2** on the way to a place (**อยู่ในระหว่างการเดินทาง ส่งไปยัง**): *a packet of mail destined for Singapore.*

'des·ti·ny *n* the power which is thought to control events; fate (**โชคชะตา พรหมลิขิต ชะตากรรม**).

'des·ti·tute (*'des-ti-tūt*) *adj* having no money or home (**สิ้นเนื้อประดาตัว**): *Many people have been made destitute by the war.*

de'stroy *v* **1** to knock something to pieces; to make something useless; to ruin (**พังเป็นชิ้น ๆ ทำให้เสียหาย ทำลาย**): *The building was destroyed by fire.* **2** to kill animals (**ฆ่าสัตว์**): *The horse broke its leg and had to be destroyed.*

de'stroy·er *n* a small fast warship (**เรือพิฆาต**).

de'struc·tion *n* the destroying of something

(การทำลาย): *the destruction of the city.*

de'struc·tive *adj* causing destruction (ก่อให้เกิดการทำลาย): *Small children can be very destructive.*

de'tach *v* to remove (แยกออก): *I detached the lower part of the form and sent it back.*

de'tached *adj* standing apart or by itself (แยกตัวออกจากสิ่งอื่น): *a detached house.*

de'tach·ment *n* a group of soldiers *etc.*, sent to do a particular job (ส่วนแยกสมทบของทหาร ฯลฯ ส่งไปทำงานพิเศษ).

'de·tail (*'dē-tāl*) *n* a small point in a story *etc.*, or something small shown in a picture *etc* (รายละเอียด): *She paid close attention to the details.*

'de·tailed *adj* with nothing left out (อย่างละเอียด): *His instructions were very detailed.*

in detail giving attention to the details (ในรายละเอียด): *I'll tell you the story in detail.*

to describe the accident **in detail** (not ไม่ใช่ **in details**).

de'tain *v* **1** to hold back; to delay (หน่วงเหนี่ยว): *I won't detain you — I can see you're in a hurry.* **2** to keep under guard (กักตัว): *Three suspects were detained at the police station.*

de'tect *v* to notice (สังเกตุ ตรวจ): *She detected a slight smell of gas as she opened the door.*

de'tec·tive *n* a person who tries to find criminals or watches suspected persons (นักสืบ): *She was questioned by detectives.*

de'ten·tion *n* imprisonment (การคุมขัง).

de'ter *v* to make someone less willing to do something; to frighten someone out of doing something (ทำให้ท้อใจ ทำให้รั้งรอ): *She was not deterred by his threats.*

deterred and **deterring** have two **r**s.

de'ter·gent *n* a substance used for cleaning (ผงซักฟอก): *She poured detergent into the washing-machine.*

de'te·ri·or·ate (*di'tē-ri-ö-rāt*) *v* to become worse (เลวลง): *Her health began to deteriorate after her husband's death.*

de·ter·mi'na·tion *n* firmness of character (ตั้งใจแน่วแน่): *She showed her determination by refusing to give way.*

de'ter·mine *v* **1** to fix (ตกลง): *Together they determined the rules of the game.* **2** to find out exactly (ตัดสิน): *He tried to determine what had gone wrong.*

de'ter·mined *adj* having firmly made up your mind (ตั้งใจอย่างแน่วแน่): *She is determined to win the prize.*

de'ter·rent *n* something that stops people doing something, especially by frightening them (หยุดยั้ง): *Imprisonment punishes the criminal and is a deterrent to other people with criminal intentions.*

de'test *v* to hate (เกลียด): *I detest cruelty.*

de'test·a·ble *adj* (น่าชิงชัง).

'det·o·nate *v* to cause a bomb *etc.* to explode (ทำให้ลูกระเบิด ฯลฯ ระเบิดออก): *The bomb was detonated.*

det·o'na·tion *n* an explosion (การระเบิด).

'de·tour (*'dē-tōōr*) *n* part of a journey where you leave the direct route and travel by a longer route (ทางอ้อม): *We made a detour through the mountains in order to look at the beautiful scenery.*

'de·tri'men·tal *adj* harmful or damaging (เป็นอันตราย): *Smoking is detrimental to health.*

'dev·as·tate *v* to ruin (ทำลาย): *The fire devastated the countryside.*

de'vel·op *v* **1** to grow bigger or to a more advanced state (ใหญ่ขึ้นหรือพัฒนาขึ้น): *The plan developed slowly in his mind; The village developed into a very large city.* **2** to use chemicals to make a photograph visible (ล้างฟิล์ม): *My brother develops all his own films.* **3** to get; to have or show (มีหรือแสดงขึ้น): *She developed a high fever; A rash developed on her face.*

de'vel·op·ment *n* **1** developing (การพัฒนา): *Learning to share is an important stage in the development of a child.* **2** a new process or discovery (กระบวนการใหม่หรือการค้นพบ): *the latest developments in science.*

de'vice *n* something made for a purpose, such as a tool or instrument (สิ่งประดิษฐ์ เครื่องมือ): *This is a new device for opening cans.*

device, unlike **advice**, can be used in the

plural: *mechanical devices.*
devise is a verb: *to devise a scheme.*

'dev·il *n* **1** the spirit of evil (**ใจชั่วร้าย**): *The Devil rules in Hell.* **2** any wicked or mischievous being (**ตัวชั่วร้าย ตัวสร้างความเดือดร้อน**).

de'vise *v* to invent; to think out something (**ประดิษฐ์คิดอะไรออกมาบางอย่าง**): *She devised a new method of doing the work faster.*

See **device**.

de'vote *v* to give up your time, money *etc.* to something (**อุทิศตน**): *She devotes her life to music.*

de'vo·ted *adj* **1** loving and loyal (**จงรักภักดี**): *a devoted friend; I am devoted to him.* **2** very keen (**กระตือรือร้นมาก**): *He is devoted to his work.*

'dev·o·tee *n* someone who is very keen on something (**ผู้อุทิศตน ผู้จงรักภักดี**): *a devotee of football.*

de'vo·tion *n* **1** great love (**ความรักที่ยิ่งใหญ่**). **2** devoting or being devoted (**การอุทิศตนหรือผู้อุทิศตน**): *a soldier's devotion to duty.*

de'vour *v* to eat up greedily (**กินอย่างตะกละ**): *She devoured the chocolates.*

de'vout *adj* very sincere, especially in religion (**จริงใจมาก เคร่งต่อศาสนา**): *a devout Muslim.*

dew *n* tiny drops of water coming from the air as it cools at night (**น้ำค้าง**): *The grass is wet with dew.*

di·a'be·tes (*dī-ə'bē-tēz*) *n* a disease in which there is too much sugar in the blood (**โรคเบาหวาน**).

di·a'bol·i·cal (*dī-ə'bol-i-kəl*) *adj* very, very bad; very unpleasant (**เลวมาก ๆ ร้ายกาจมาก**): *His behaviour is diabolical; We had diabolical weather yesterday with a lot of wind and rain.*

di·a'bol·i·cal·ly *adv* (**อย่างเลวร้าย อย่างร้ายกาจ**).

di·ag'nose (*dī-əg'nōz*) *v* to say what is wrong with a sick person after making an examination (**ตรวจโรค พิเคราะห์**): *The doctor diagnosed her illness as flu.*

di·ag'no·sis, *plural* **di·ag'no·ses** (*dī-əg'nō-sēz*), *n* (**การตรวจโรค**).

di'ag·o·nal (*dī'ag-ə-nəl*) *n* a line going from one corner to the opposite corner (**เส้นทแยงมุม**). — *adj* (**เหมือนเส้นทแยงมุม**): *a diagonal line.*

di'ag·on·al·ly *adv* (**ทแยงกัน**).

'di·a·gram (*'dī-ə-gram*) *n* a drawing that explains something that is difficult to understand (**แผนภาพ**): *This book has diagrams showing the parts of a car engine.*

'di·al (*'dī-əl*) *n* **1** the face of a watch or clock (**หน้าปัดนาฬิกา**): *My watch has a dial you can see in the dark.* **2** the turning disc over the numbers on a telephone. — *v* to turn a telephone dial to get a number (**หมุนโทรศัพท์**): *She dialled the wrong number.*

'di·a·lect (*'dī-ə-lekt*) *n* a form of a language spoken in one part of a country (**ภาษาถิ่น**).

'di·a·logue (*'dī-ə-log*) *n* talk between two or more people especially in a play, film, *etc.* (**บทสนทนาในละคร ภาพยนตร์**).

di'am·e·ter (*dī'am-i-tər*) *n* a straight line drawn from side to side of a circle, passing through its centre (**เส้นผ่าศูนย์กลาง**): *Measure the diameter of this circle.*

'di·a·mond (*'dī-ə-mənd*) *n* **1** a very hard, colourless precious stone (**เพชร**): *Her brooch had three diamonds in it.* **2** a four-sided figure or shape like this, ♦ (**รูปสี่ด้านหรือที่มีรูปทรงอย่างนี้**): *There was a pattern of diamonds on the floor.* **3** one of the playing cards of the suit diamonds, with red shapes like this on them (**ข้าวหลามตัดในไพ่**).

di·ar'rhoe·a (*dī-ə'rē-ə*) *n* a disease or disorder of the bowels which makes you empty your bowels too often and makes your excretions too liquid (**ท้องร่วง**).

'di·a·ry (*'dī-ə-ri*) *n* a small book in which you write your appointments or what has happened each day (**สมุดบันทึกประจำวัน**): *The explorer kept a diary of his adventures.*

You make a note in your **diary** (not **dairy**).

dice, *plural* **dice**, *n* a small cube, with numbered sides, used in certain games (**ลูกเต๋า**): *It is your turn to throw the dice.*

dic'tate *v* **1** to say or read out something for someone else to write down (**บอกหรืออ่านให้เขียนตาม**): *The boss dictated his letters to* *his secretary.* **2** to give orders to someone; to command (ออกคำสั่ง): *I won't be dictated to by you.* **dic'ta·tion** *n* (การบอกให้เขียน คำสั่ง).

dic'ta·tor *n* an all-powerful ruler (ผู้เผด็จการ): *The dictator governed the country as he liked.* **dic'tator·ship** *n* (อำนาจเผด็จการ).

'dic·tion·ar·y *n* a book having the words of a language in alphabetical order along with their meanings *etc.* (พจนานุกรม): *an English dictionary.*

did *see* **do** (ดู **do**).

didn't short for (คำสั้น ๆ ของ **did not**).

die (*dī*) *v* **1** to stop living; to become dead (ตาย): *Those flowers are dying; She died of old age.* **2** to want something very much (อยากมาก): *I'm dying for a drink; I'm dying to see her.*

die; **'dy·ing**; **died**; **died**: *This plant is dying; Mine died last week; It seems to have died already.*

die away to become gradually quieter, fainter or less (ค่อย ๆ เงียบหายไป จางหายไป): *The storm died away.*

die down to lose strength or power (สูญเสียกำลังหรืออำนาจ): *I think the wind has died down a bit.*

die out to exist no longer anywhere (ไม่มีในที่ใด ๆ อีกแล้ว): *All dinosaurs died out when it became too cold for them.*

'die·sel oil (*'dē-zəl oil*) *n* a heavy oil used as fuel (น้ำมันดีเซล).

'di·et (*'dī-ət*) *n* special food, usually for losing weight or as treatment for an illness *etc.* (อาหารพิเศษ ใช้สำหรับลดน้ำหนักหรือการรักษาโรค): *a diet of fish and vegetables; She went on a diet to lose weight.* — *v* to eat only certain kinds of food so as to lose weight (กินอาหารบางชนิดเพื่อให้น้ำหนักลด): *She has to diet to stay slim.*

'dif·fer *v* **1** to be not alike (แตกต่างกัน): *Our opinions always differed; Her house differs from mine.* **2** to disagree (ไม่เห็นพ้อง): *She differed from me on that question.*

differed and **differing** have one **r**.

'dif·fer·ence *n* **1** the quality of being not the same; a variation (ความแตกต่าง): *I can't see any difference between these two pictures.* **2** a disagreement (ความไม่ลงรอย, ความขัดแย้ง): *We had a difference of opinion.* **3** the amount by which one number is greater than another (ข้อแตกต่าง): *The difference between 7 and 3 is 4.*

'dif·fer·ent *adj* not the same (ไม่เหมือนกัน): *These gloves are not a pair — they're different; My ideas are different from his.*

different is followed by **from** (not **than**).

'dif·fi·cult *adj* **1** hard to do or understand; not easy (ยากที่จะทำหรือยากที่จะเข้าใจ): *difficult sums; a difficult task; It is difficult to know what to do for the best.* **2** hard to deal with (ยากที่จะจัดการด้วย): *a difficult child.*

'dif·fi·cul·ty *n* **1** the quality of being difficult (ความยาก ความลำบาก): *I have difficulty in understanding him.* **2** anything difficult (สิ่งที่ยากลำบาก ปัญหา): *There are so many difficulties in English that you wonder why people want to learn it.* **3** trouble, especially money trouble (มีปัญหาเรื่องเงิน): *The firm was in difficulties.*

dif'fuse (*di'fūz*) *v* to spread in all directions (แผ่ออกไปในทุกทิศทาง): *The perfume of the roses diffused through the room.*

dif'fu·sion (*di'fū-zhən*) *n* (การแผ่ออกไป).

dig *v* to turn up earth *etc.* with a spade *etc.* (ขุดดิน ขุดถนน ขุดอุโมงค์): *to dig the garden; We had to dig the car out of the mud; They are digging up the road yet again; The child dug a tunnel in the sand.*

dig; **dug**; **dug**: *The dog dug a hole; A hole has been dug in the road.*

di'gest (*dī'jest*) *v* to break up food in your stomach and turn it into a form that your body can use (ย่อยอาหาร): *Your body digests some foods more easily than others.*

di'gest·i·ble *adj* (สามารถจะย่อยได้).

di'ges·tion (*dī'jest-chən*) *n* (การย่อยอาหาร).

'dig·it *n* **1** any of the figures 0 to 9 (ตัวเลข): *105 is a number with three digits.* **2** a finger or toe (นิ้วมือหรือหัวแม่มือ).

'dig·i·tal *adj* using the numbers 0–9 (ใช้ตัวเลข

0 ถึง **9)**: *a digital computer.*

digital watch a watch which shows the time in numbers instead of on a dial **(นาฬิกาที่มีหน้าปัดเป็นตัวเลข).**

'dig·ni·fied *adj* showing dignity **(ดูสง่างาม)**: *She decided that it would not be dignified to run for the bus.*

'dig·ni·tary *n* a person with an important position or rank **(ผู้สูงศักดิ์)**: *A bishop is a church dignitary.*

'dig·ni·ty *n* **1** a serious and calm manner **(ความมีศักดิ์ศรี)**: *Holding her head high, she retreated with dignity.* **2** importance and seriousness **(มีความสำคัญและเป็นเรื่องจริงจัง)**: *The Queen's coronation was an occasion of great dignity.* **3** your personal pride **(ศักดิ์ศรี)**: *His rude remarks wounded her dignity.*

dike *see* **dyke (ดู dyke).**

di'lap·i·da·ted (*di'lap-i-dā-tid*) *adj* falling to pieces; needing repair **(แตกออกเป็นชิ้น ๆ ทรุดโทรม)**: a dilapidated old house.

di·lap·i'da·tion *n* **(สภาพแตกเป็นชิ้น ๆ สภาพทรุดโทรม).**

di'lem·ma *n* a situation in which you have to make a difficult choice between two courses of action **(สภาพกลืนไม่เข้าคายไม่ออกว่าจะเลือกอย่างไหนดี)**: *He was faced with a dilemma: should he leave the party early in order to get a lift home in his friend's car, or stay at the party and have to walk four miles home?*

'dil·i·gent *adj* hardworking **(ขยัน ทำงานหนัก)**: *a diligent student.*

'dil·i·gent·ly *adv* **(อย่างขยัน).**

'dil·i·gence *n* **(ความขยัน).**

'dil·ly-dal·ly *v* to waste time **(เสียเวลา)**: *Hurry up — don't dilly-dally!*

di'lute (*dī'lūt*) *v* to lessen the strength of a liquid by mixing with water **(ลดความเข้มข้นของของเหลวโดยการเติมน้ำ)**: *You should dilute that lime juice with water.* — *adj* reduced in strength; weak **(ลดความเข้มข้น ทำให้เจือจางลง)**: *dilute acid.* **di'lution** *n.*

dim *adj* not bright; not clear **(มัว รางเลือน)**: *a dim light in the distance; a dim memory.* — *v* to make or become dim **(ทำให้มัว)**: *Her eyes were dimmed with tears; The theatre lights dimmed.*

'dim·ly *adv* **(อย่างสลัว ๆ).**

'dim·ness *n* **(ความมืดสลัว ๆ ความมัว).**

di'men·sion *n* a measurement of height, length, breadth, thickness *etc.* **(การวัดความสูง ความยาว ความกว้าง ความหนา ฯลฯ)**: *The dimensions of the box are 20 cm by 10 cm by 4 cm.* **di'men·sion·al** *adj* **(อย่างมีมิติ).**

di'min·ish *v* to make or become less **(ทำให้น้อยลง น้อยลง)**: *Our supplies are diminishing rapidly.*

dim·i-'nution (*dim-i'nū-shən*) *n* **(การทำให้น้อยลง).**

'dim·ple *n* a small hollow, especially on the cheek or chin **(ลักยิ้ม)**: *She has a dimple in her cheek when she smiles.*

din *n* a loud continuous noise **(เสียงดังอย่างต่อเนื่อง)**: *What a terrible din that machine makes!*

dine *v* to have dinner **(กินอาหารมื้อเย็น)**: *We shall dine at half past eight; They dined on chicken and rice.*

'di·ner *n* **1** a restaurant **(ร้านอาหาร). 2** someone having dinner **(คนกินอาหารเย็น).**

'di·ning-room *n* a room used for eating in **(ห้องอาหาร).**

'di·ning-ta·ble *n* a table round which people sit to eat **(โต๊ะที่ผู้คนนั่งกินอาหาร).**

'din·ghy (*'diŋ-i*) *n* a small sailing boat or rowing boat **(เรือใบเล็ก ๆ หรือเรือพาย)**: *The boy rowed his rubber dinghy across the lake.*

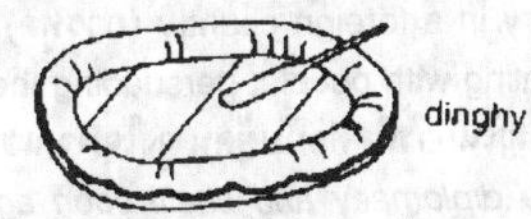

'din·gy (*'din-ji*) *adj* **1** dull, drab and depressing **(ทึบ โทรม และน่าหดหู่)**: *The old man's room is dark and dingy.* **2** dirty; faded **(สกปรก สีซีด ๆ)**: *The beggar wore a dingy grey coat.*

'din·ner *n* **1** the main meal of the day eaten usually in the evening **(อาหารเย็น)**: *Is it time for dinner yet?* **2** a party in the evening, when dinner is eaten **(งานเลี้ยงในตอนหัวค่ำซึ่งกิน**

อาหารไปด้วย): *They asked me to dinner.* — *adj* (งานเลี้ยงอาหารค่ำ): *a dinner party.*

dinner jacket a man's smart, usually black, jacket worn at formal events (ชุดที่ผู้ชายใส่อย่างเป็นทางการ โดยปกติเป็นสีดำ): *You must wear a dinner jacket when you dine with the queen.*

'di·no·saur (*'dī-nə-sör*) *n* any of several types of large reptile which no longer exist (ไดโนเสาร์).

dint *n* a hollow made by a blow; a dent (รอยบุบ).

by dint of by means of (โดยวิธี): *He succeeded by dint of hard work.*

dip *v* **1** to put something into any liquid for a moment (จุ่ม): *He dipped his bread in the soup.* **2** to go downwards (ลับไป): *The sun dipped below the horizon.* **3** to lower the beam of car headlights (ลดแสงไฟส่องของรถ): *He dipped his lights as the other car approached.* — *n* **1** a hollow in a road *etc.* (ลาดเขา): *The car was hidden by a dip in the road.* **2** a soft, savoury mixture in which a biscuit *etc.* can be dipped (เครื่องผสมนิ่ม ๆ ใช้จิ้มขนมปังกรอบ): *a cheese dip.* **3** a short swim (การจุ่มลงในน้ำ): *a dip in the sea.*

di'plo·ma *n* a written statement saying that you have passed an examination *etc.* (ปริญญาบัตร อนุปริญญา): *She has a diploma in teaching.*

di'plo·ma·cy *n* **1** the business of making agreements, treaties *etc.* between countries; the business of looking after the affairs of your country in a foreign country (การทูต). **2** skill in dealing with people, persuading them *etc.* (ชำนาญในการติดต่อกับผู้คน จูงใจพวกเขา): *Use a little diplomacy and she'll soon agree to help.*

'dip·lo·mat *n* a person who works for his country in diplomacy (นักการทูต): *He is a diplomat at the American embassy.*

dip·lo'ma·tic *adj* having to do with diplomacy (เกี่ยวกับการทูต): **a diplomatic mission**.

dire *adj* terrible; urgent (มหันต์ รีบด่วน): *She is in dire need of help.*

di'rect *adj* **1** straight; shortest (ตรง สั้นที่สุด): *Is this the most direct route?* **2** honest (ตรง ๆ): *a direct answer.* **3** immediate (โดยตรง): *His dismissal was a direct result of his rudeness to the manager.* **4** exact; complete (โดยสิ้นเชิง): *Her opinions are the direct opposite of his.* — *adv* **1** straight (ตรงไป): *I drove direct to the office.* **2** face to face with someone (โดยตรง): *I won't write her a note — I'd rather speak to her direct.* — *v* **1** to point or turn in a particular direction (ชี้หรือหันไปทางหนึ่งทางใดโดยเฉพาะ): *He directed my attention towards the notice.* **2** to show the way (บอกทิศทาง): *She directed him to the station.* **3** to order (สั่ง): *We shall do as you direct.* **4** to control (ควบคุม): *A policeman was directing the traffic.*

> **direct** means straight: *This bus goes direct to the town centre.*
>
> **directly** is used to mean immediately: *Go home directly!*

di'rec·tion *n* **1** the place or point to which you move, look *etc.* (ทิศทางที่เราไปหรือมองดู): *What direction did he go in?; He looked in my direction.* **2** (usually **di'rec·tions**) instructions, such as how to get somewhere, use something *etc.* (คำแนะนำว่าจะไปทางไหน การใช้สิ่งของบางอย่าง ฯลฯ): *We asked the policeman for directions; I have lost the directions for using my washing-machine.*

di'rect·ly *adv* immediately; almost at once (โดยทันที แทบจะในทันใด): *He will be here directly.* **di'rect·ness** *n* (ความตรง).

di'rec·tor *n* **1** a person who directs, especially one of a group of people who manage the affairs of a business (ผู้อำนวยการ กรรมการบริษัท). **2** a person who is in charge of the making of a film, play *etc.* (ผู้อำนวยการภาพยนตร์ ละคร): *He is on the board of directors of our firm.*

di'rec·to·ry *n* a book giving names, addresses, telephone numbers *etc.* (สมุดโทรศัพท์): *a telephone directory.*

direct speech the words that are actually said by someone (พูดโดยตรง): *He said 'I will* *come'*.

dirt *n* any unclean substance, such as mud, dust *etc.* (ของสกปรกเช่นฝุ่น ดินเหนียว): *His shoes are covered in dirt.*

dirt is never used in the plural: *The workmen left a lot of dirt behind.*

'dirt·y *adj* **1** not clean (ไม่สะอาด): *dirty clothes.* **2** nasty; unfair (น่ารังเกียจ ไม่ยุติธรรม): *a dirty trick.* — *v* to make something dirty (ทำให้สกปรก): *He dirtied his hands.*

'dirt·i·ness *n* (ความสกปรก).

dis'a·ble (*dis'ā-bəl*) *v* to harm or injure someone so badly as to take away their ability to use their arms or legs *etc.* in the normal way (ทำให้ไร้ความสามารถ): *He was disabled during the war.*

dis'a·blement *n* (การไร้ความสามารถ ความพิการ).

dis·a'bil·i·ty *n* an injury *etc.* which disables (ความพิการ): *He has a disability which prevents him from walking very far.*

dis·ad'van·tage *n* something which is not helpful (ข้อเสียเปรียบ): *There are several disadvantages to this plan.*

dis·ad·van'ta·geous (*disadvən'tā-jəs*) *adj* (เสียเปรียบ).

dis·ad'van·taged *adj* in a bad position, especially not having the social and educational opportunities that people usually have (อยู่ในฐานะที่เสียเปรียบ): *Unemployment is leading to more and more people becoming disadvantaged.*

dis·a'gree *v* **1** to have different opinions *etc.* (ไม่ลงรอยกัน ไม่เห็นด้วย): *We disagree about everything; I disagree with you on that point.* **2** to quarrel (ทะเลาะกัน): *We never meet without disagreeing.* **3** to be bad for someone and cause pain (ไม่ดีและก่อให้เกิดความทุกข์ทรมาน): *Onions disagree with me*

dis·a'gree·a·ble *adj* unpleasant (ไม่ชอบ ไม่เป็นที่ถูกใจ): *a disagreeable task; a most disagreeable person.*

'dis·a'gree·ment *n* **1** disagreeing (ความไม่ลงรอยกัน ความแตกร้าวกัน). **2** a quarrel: *a violent disagreement.*

dis·ap'pear *v* **1** to go out of sight (หายไป): *The sun disappeared behind the clouds.* **2** to exist no longer (ไม่มีอีกต่อไป): *This custom had disappeared by the end of the century.* **3** to go away so that other people do not know where you are (ไปให้พ้นเพื่อที่คนอื่นจะได้ไม่รู้ว่าเราอยู่ที่ใด): *A little boy disappeared from his home on Monday.*

dis·ap'pear·ance *n* (การหายไป).

dis·ap'point *v* to fail to be what you had hoped or expected (ผิดหวัง): *London disappointed her after all she had heard about it.*

dis·ap'point·ed *adj* (ผิดหวัง): *I was disappointed to hear that the party had been cancelled; You shouldn't have told a lie — I'm disappointed in you; The teacher was a bit disappointed with Tom's work.*

dis·ap'point·ing *adj* (น่าผิดหวัง): *disappointing results.*

dis·ap'point·ment *n* (ความผิดหวัง): *His bad exam results were a great disappointment to his parents.*

dis·ap'prove (*dis-ə'proov*) *v* to think that something is bad, wrong *etc.* (ไม่เห็นด้วย): *Her mother disapproved of her behaviour.*

dis·ap-'prov·al *n* (ความไม่เห็นด้วย).

dis·ap'prov·ing *adj* (ไม่น่าดู): *a disapproving look.*

dis'arm *v* **1** to take away weapons from someone (ปลดอาวุธ). **2** to get rid of weapons of war (ขจัดอาวุธสงครามไปเสีย): *Not until peace was made did the victors consider it safe to disarm.*

dis'arm·a·ment *n* getting rid of war weapons (การขจัดอาวุธสงคราม).

dis·ar'range (*dis-ə'rānj*) *v* to make untidy (ทำให้ไม่เป็นระเบียบ): *The strong wind had disarranged her hair.*

dis·ar'range·ment *n* (ความไม่เป็นระเบียบ).

di'sas·ter (*di'zäs-tər*) *n* a terrible event, especially one that causes great damage, loss *etc.* (ความหายนะ): *The earthquake was the greatest disaster the country had ever experienced.*

di'sas·trous *adj* (ซึ่งหายนะ).

dis•be'lieve *v* not to believe; to doubt (ไม่เชื่อ สงสัย): *He disbelieved her story.*

dis•be'lief *n* the state of not believing (ความไม่เชื่อ): *She stared at him in disbelief.*

disc *n* **1** a flat, thin, round object (วัตถุกลมบาง): *The full moon looks like a silver disc.* **2** a gramophone record (แผ่นเสียง). **3** a circular piece of plastic with a magnetic coating, used in a computer to store information (แผ่นจานแม่เหล็กใช้เก็บข้อมูล).

disc jockey a person who introduces and plays recorded pop-music for radio programmes *etc.* (คนที่แนะนำและเล่นเพลงที่นิยมทางรายการวิทยุ ดีเจ).

dis'card *v* to throw something away (ทิ้ง): *They discarded the empty bottles.*

dis'charge (*dis'chärj*) *v* **1** to allow someone to leave (ปล่อย): *The prisoner was at last discharged; She was discharged from hospital.* **2** to fire a gun (ยิงปืน): *He discharged his gun at the policeman.* **3** to perform a task *etc.* (ปฏิบัติหน้าที่): *He discharges his duties well.* **4** to let something out (ปล่อยของอะไรบางอย่างออกมา): *The chimney was discharging clouds of smoke; The drain discharged into the street.* — *n* **'dis•charge** the discharging of someone or something (การปล่อยคนหรือของ การปลด): *He was given his discharge from the army; the discharge of your duties.*

dis'ci•ple (*di'sī-pəl*) *n* a person who believes in the teaching of another, especially one of the first followers of Christ (คนที่เชื่อในการสอนผู้อื่น สาวก): *Jesus and his twelve disciples.*

'dis•ci•pline (*'dis-i-plin*) *n* **1** training in an orderly way of life (การฝึกวิถีชีวิตไปตามปกติ): *All children need discipline* (ระเบียบวินัย). **2** strict self-control (ควบคุมตัวเองอย่างเคร่งครัด). — *v* to control (การควบคุม): *You must discipline yourself so that you do not waste time.*

'dis•ci•plin•ar•y *adj* (ทางวินัย อย่างมีระเบียบวินัย).

dis'close (*dis'klōz*) *v* to make known (เปิดเผย): *He refused to disclose his identity.*

dis'clo•sure (*dis'klō-zhər*) *n* (การเปิดเผย).

'dis•co short for **discotheque** (เป็นคำย่อของ **discotheque**).

dis'com•fort (*dis'kum-fərt*) *n* **1** lack of comfort; pain (ไม่สะดวกสบาย เจ็บปวด): *Her broken leg caused her great discomfort.* **2** something that causes lack of comfort (สิ่งที่ทำให้ขาดความสะดวกสบาย): *the discomforts of living in a tent.*

dis•con'nect *v* to separate; to break the connection between things (ตัดการติดต่อ): *Our phone has been disconnected.*

dis•con'nec•tion *n* (การขาดการติดต่อ).

dis•con'tent *n* not being contented (ความไม่พอใจ): *There is a lot of discontent among young people.*

dis•con'tent•ed *adj* not satisfied; not happy (ไม่พอใจ ไม่มีความสุข): *She's discontented with her life.* **dis•con'tent•ment** *n* (ความไม่พอใจ).

'dis•cord *n* **1** disagreement or quarrelling (การไม่ลงรอยหรือทะเลาะกัน). **2** in music, a group of notes played together which give an unpleasant sound (เสียงดนตรีที่ไม่กลมกลืนกัน).

'dis•co•theque (*'dis-kə-tek*) *n* a place at which recorded music is played for dancing (สถานที่ซึ่งเล่นเครื่องบันทึกเสียงให้เต้นรำกัน).

'dis•count (*'dis-kownt*) *n* a sum taken off the price of something (ส่วนลด): *The shopkeeper gave me a discount of 20%.*

dis'cour•age (*dis'kur-əj*) *v* **1** to take away the confidence, hope *etc.* of someone (ทำให้ท้อใจ): *His lack of success discouraged him.* **2** to prevent (กีดกัน): *The rain discouraged him from going camping.*

dis'cour•age•ment *n* (การทำให้ท้อใจ).

The opposite of **discourage** is **encourage**.

dis'cour•te•ous (*dis'kər-ti-əs*) *adj* not polite; rude (ไม่สุภาพ หยาบ): *It was very discourteous of him not to thank her for the present; a discourteous shop assistant.*

dis'cour•te•sy *n* (ความไม่สุภาพ).

dis'cov•er (*dis'kuv'ər*) *v* **1** to be the first person who finds something (ค้นพบอะไรบางอย่างเป็นคนแรก): *Columbus discovered America.* **2** to find out (เปิดเผยออกมา): *Try to discover* *what's going on!*

dis'cov·er·y *n* **(การเปิดเผย การค้นพบ)**: *a voyage of discovery; She made several important discoveries in medicine.*

We **discover** something that existed but was not yet known: *He discovered a cave.*
We **invent** something that was not in existence: *They invented a new machine.*

dis'creet *adj* careful not to say anything which might cause trouble or embarrassment **(ระมัดระวังคำพูด)**: *He made some discreet enquiries about the company before he started to work there.*

dis'creet·ly *adj* **(อย่างสุขุม)**.

dis'crim·i·nate *v* **1** to see a difference **(เห็นความแตกต่าง)**: *Some people find it hard to discriminate between good books and bad ones.* **2** to treat a certain person or group of people differently from others **(มีอคติ)**: *He was accused of discriminating against female employees.*

dis·crimi'na·tion *n* **(การเห็นความแตกต่าง)**.

'dis·cus *n* a heavy disc of metal *etc.* used in a throwing competition **(จาน ใช้ในการกีฬา)**.

dis'cuss *v* to talk about something **(ปรึกษา)**: *We had a meeting to discuss our plans for the future.*

dis'cus·sion *n* talking about something **(การปรึกษา)**: *I think there has been too much discussion of this subject; His parents had a discussion with his teacher about his work.*

to **discuss** (not **ไม่ใช่ discuss about**) a problem.

di'sease (*di'zēz*) *n* an illness **(โรค)**: *She's suffering from a disease of the heart.*

dis·em'bark *v* to go from a ship on to land **(ขึ้นจากเรือมาบนฝั่ง)**.

dis·em·bar'ka·tion *n* **(การขึ้นบก การขนสินค้าขึ้นบก)**.

dis·en'tan·gle *v* to free something from a tangle **(ทำให้หลุดจากเชือกที่พันกันยุ่ง)**: *The bird could not disentangle itself from the net.*

dis·en'tan·gle·ment *n* **(การทำให้หายติดกันยุ่ง)**.

dis'grace *n* **1** being out of favour **(เสียหน้า)**: *He is in disgrace because of his bad behaviour.* **2** shame **(อับอาย)**: *He brought disgrace on his family.* **3** something to be ashamed of **(น่าขายหน้า)**: *Your clothes are a disgrace!* — *v* to bring shame upon someone or something **(ทำให้เสียหน้า)**: *The pupils who had been caught stealing disgraced the whole school.*

dis'grace·ful *adj* very bad or shameful **(เลวมากหรือน่าละอาย)**: *disgraceful behaviour.*

dis'grace·ful·ly *adv* **(อย่างน่าอับอาย)**.

dis'guise (*dis'gīz*) *v* **1** to change someone's appearance so that they won't be recognized **(ปลอมตัว)**: *He disguised himself as a policeman.* **2** to hide your feelings *etc.* **(ซ่อนความรู้สึก)**: *He tried to disguise his real intentions.* — *n* a disguised appearance **(ปลอมแปลง)**: *He was in disguise; He was wearing a false beard as a disguise.*

dis'gust *v* to cause strong feelings of dislike **(รู้สึกรังเกียจอย่างยิ่ง)**: *The smell of that soup disgusts me; She was disgusted by the mess.* — *n* a strong feeling of dislike **(รู้สึกไม่ชอบอย่างยิ่ง)**: *She left the room in disgust.*

dis'gust·ing *adj* **(น่ารังเกียจ)**: *What a disgusting smell!*

dish *n* **1** a plate, bowl *etc* in which food is brought to the table **(จาน)**. **2** food prepared for the table **(เตรียมอาหารขึ้นโต๊ะ)**: *She cooked a dish containing chicken and almonds.*

'dish·wash·er *n* a machine for washing dishes **(เครื่องล้างจาน)**.

dish out to serve to people **(บริการผู้คน)**: *He dished out the potatoes.*

dis'heart·en (*dis'härt-ən*) *v* to take courage or hope away from someone **(ทำให้ท้อใจ)**: *The failure of her first attempt disheartened her.*

dis'hon·est (*dis'on-əst*) *adj* not honest; deceitful **(ไม่ซื่อสัตย์ หลอกลวง)**: *She was dishonest about her age when she applied for the job.*

dis'hon·est·ly *adv* **(อย่างไม่ซื่อตรง)**.

dis'hon·es·ty *n* **(ความไม่ซื่อตรง)**.

dis'hon·our (*dis'on-ər*) *n* disgrace; shame **(ความเสื่อมเกียรติ)**. — *v* to cause shame to someone **(ทำให้เกิดความอับอาย)**: *You have dishonoured your family by your wicked act.*

dis'hon·our·a·ble *adj* (อย่างเสื่อมเกียรติ): *a dishonourable action.*

dis·il'lu·sioned *adj* sad or disappointed at having discovered that something or someone is not as good as you thought they were (ความผิดหวังหรือเสียความรู้สึก, วิกฤติศรัทธา): *She is very disillusioned with her job.*

dis·in'fect *v* to rid a place of germs (ฆ่าเชื้อโรค): *The washbasins should be disinfected regularly.*

dis·in'fect·ant *n* a substance that destroys germs (น้ำยาฆ่าเชื้อโรค).

dis'in·te·grate *v* to fall to pieces (แยกออกเป็นชิ้น ๆ): *The paper bag was so wet that the bottom disintegrated and all the groceries fell out.*

dis·in·te·'gration *n* (การแยกออกเป็นชิ้น ๆ).

dis'in·ter·est·ed *adj* not influenced by private or selfish feelings; fair (ไม่มีความรู้สึกเข้าข้างฝ่ายใด ยุติธรรม): *a disinterested judgement.*

See **uninterested**.

disk another spelling of **disc** (การสะกดอีกแบบของคำว่า **disc**).

dis'like *v* not to like (ไม่ชอบ): *I dislike lazy people.* — *n* a strong feeling against someone or something (ความรู้สึกไม่ชอบบางคนหรือบางอย่าง): *He has a strong dislike of* (or *for*) *crowds.*

'dis·lo·cate *v* to cause a bone to slip out of its joint (ทำให้กระดูกเคลื่อนจากข้อต่อ): *The old lady dislocated her hip when she fell; You'll dislocate your jaw if you yawn like that!*

dis·lo'ca·tion *n* (การเคลื่อนจากข้อต่อหรือจากที่เดิม).

dis'lodge *v* to make something move out of its position (เคลื่อนย้ายออกจากที่): *A few tiles have been dislodged from the roof by the wind.*

dis'loy·al *adj* not loyal (ไม่จงรักภักดี): *He was disloyal to his country.*

dis'loy·al·ty *n* (ความไม่จงรักภักดี ความไม่ซื่อสัตย์).

'dis·mal (*'diz-məl*) *adj* sad (เศร้า): *dismal news; Don't look so dismal!*

'dis·mal·ly *adv* (อย่างเศร้า ๆ).

dis'man·tle *v* to take to pieces (ถอดออกเป็นชิ้น ๆ): *The wardrobe was so large we had to dismantle it to get it down the stairs.*

dis'may *v* to shock or upset (ตกใจหรือท้อแท้): *We were dismayed by the bad news.* — *n* shock and worry (ความตกใจและกังวลใจ): *a shout of dismay.*

dis'miss *v* **1** to send away (ปล่อยไป): *The pupils will be dismissed at 12.30 p.m.* **2** to remove someone from their job; to sack (ไล่ออก): *He was dismissed from his post for being lazy.*

dis'mis·sal *n* (การไล่ออก).

dis·o'bey (*dis-ə'bā*) *v* to fail to obey (ไม่เชื่อฟัง): *He disobeyed his mother.*

dis·o'be·di·ence (*dis-ə'bē-di-əns*) *n* (การไม่อยู่ในโอวาท).

dis·o'be·di·ent *adj* (อย่างไม่เชื่อฟัง).

dis'or·der *n* **1** lack of order; confusion (ขาดระเบียบสับสนวุ่นวาย): *The strike has thrown the whole country into disorder.* **2** a disease (เชื้อโรค): *a disorder of the lungs.*

dis'or·der·ly *adj* **1** in confusion (อย่างยุ่งเหยิง): *His clothes lay in a disorderly heap.* **2** causing trouble (ทำให้เกิดปัญหา): *a disorderly group of people.*

dis'or·gan·ized *adj* in confusion; not organized (ไม่เป็นระเบียบ): *The meeting was very disorganized.*

dis·or·gan·i'za·tion *n* (ความไม่เป็นระเบียบ).

dis'own (*dis'ōn*) *v* to refuse to admit that something belongs to you (ปฏิเสธไม่ยอมรับว่าเป็นของตน): *He's disowned his son.*

dis'patch *v* to send off (ส่ง ปล่อยไป): *He dispatched several letters.*

dis'pen·sa·ry *n* a place in a hospital where medicines are given out (แผนกจ่ายยา).

dis'pense *v* **1** to give or deal out (แจกจ่าย). **2** to prepare medicines for giving out (เตรียมยาไว้แจก).

dispense with to get rid of (ขจัด): *We could save money by dispensing with two assistants.*

dis'perse *v* **1** to scatter in all directions (กระจายไปทั่ว): *Some seeds are dispersed by the wind.* **2** to spread news etc. (แพร่ข่าว): *News is dispersed by newspapers.*

dis'per·sal *n* (การทำให้กระจายออกไป).

dis'place *v* **1** to put something out of place (วางผิดที่). **2** to take the place of someone or something (เข้ามาแทนที่): *There was a revolution and the government was displaced by a group of army officers.*

dis'place·ment *n* (การเอาออก การเอาเข้ามาแทน).

dis'play *v* **1** to set out for show (แสดง): *The china was displayed in a special glass cabinet.* **2** to show (แสดงให้เห็น): *She displayed a talent for painting.* — *n* **1** the showing of something (แสดงพลัง): *a display of military strength.* **2** a show; an entertainment (การแสดง ความบันเทิง): *a dancing display.*

dis'please to offend or annoy someone (ทำให้ไม่พอใจ): *The children's behaviour displeased their father.*

dis'pleas·ure (*dis'plezh-ər*) *n* the feeling of being displeased (ความรู้สึกไม่พอใจ): *She showed her displeasure by leaving at once.*

dis'pose (*di'spōz*) *v* to get rid of something (กำจัด): *I have disposed of your old coat.*

dis'po·sal *n* (การกำจัด).

dis'po·sa·ble *adj* intended to be thrown away or destroyed after use (ทิ้งหรือกำจัดได้): *disposable cups.*

dis·po'si·tion (*dis-pə'zish-ən*) *n* a person's nature or character (นิสัยตามธรรมชาติของคน สันดาน): *He has a calm disposition.*

dis'prove (*dis'proov*) *v* to prove something to be false or wrong (พิสูจน์ว่าไม่จริง): *His theories have been disproved.*

dis'pute (*di'spūt*) *v* **1** to say that something is not true (การกล่าวว่าบางอย่างไม่เป็นความจริง): *I'm not disputing what you say.* **2** to argue or quarrel about something (โต้เถียงหรือขัดแย้ง): *They disputed the ownership of the land.* — *n* an argument or quarrel (ถกเถียงหรือโต้แย้ง): *a dispute over wages.*

dis'qual·i·fy (*dis'kwol-i-fī*) *v* to put someone out of a competition *etc.* for breaking rules *etc.* (ออกจากการแข่งขันเพราะทำผิดกฎ): *She was disqualified because she was too young.*

dis·qual·i·fi'ca·tion *n* (การขาดคุณสมบัติ).

dis·re'gard *v* to pay no attention to something (ไม่เอาใจใส่): He disregarded my warnings. — *n* lack of attention (ขาดการเอาใจใส่): *He has a complete disregard for his own safety.*

dis·re'spect *n* rudeness; lack of respect (หยาบคาย ขาดความนับถือ): *He spoke of his parents with disrespect.*

dis·re'spect·ful *adj* showing disrespect (แสดงความไม่นับถือ): *Never be disrespectful to older people.*

dis'rupt *v* to break up or put into disorder (ทำให้แตก ทำให้ยุ่งเหยิง ก่อกวน): *Some noisy people disrupted the meeting; Traffic was disrupted by floods.*

dis'ruption *n* (การแตกแยก การก่อกวน).

dis'rup·tive *adj* causing disorder (ทำให้เกิดความแตกแยก ทำให้เกิดความยุ่งเหยิง).

dis'sat·is·fy (*dis'sat-is-fī*) *v* to fail to satisfy (ไม่พอใจ): *The teacher was dissatisfied with the pupil's work.*

dis·sat·is'fac·tion *n* (ความไม่พอใจ).

dis'sat·is·fied *adj* (รู้สึกไม่พอใจ).

dissatisfied means not pleased: *I'm dissatisfied with this hotel.*
unsatisfactory means not good enough: *This hotel is unsatisfactory.*

dis'sect (*di'sekt*) *v* to cut the body of a dead person or animal into parts for examination (ตัดออกเป็นชิ้น ๆ เพื่อทำการตรวจ): *The biology students dissected frogs and tadpoles.*

dis'sec·tion *n* (การตัดชิ้นเนื้อของสัตว์เพื่อทำการตรวจ)

dis'sent *n* disagreement (ความไม่เห็นด้วย). — *v* to have a different opinion; to disagree (มีความเห็นขัดแย้งกัน ไม่เห็นด้วย): *I dissent from the general opinion.*

dis'sen·sion *n* (ความขัดแย้ง ความไม่ลงรอยกัน).

dis'solve (*di'zolv*) *v* **1** to melt something, especially by putting in a liquid (ละลาย): *He dissolved the pills in water; The pills dissolved easily in water.* **2** to put an end to a parliament, a marriage *etc.* (ยุบสภา เลิกการ

สมรส).

dis'suade (*di'swād*) *v* to persuade someone not to do something (**ชักชวน ชักนำ**): *I tried to dissuade him from his foolish intention.*

dis'sua·sion *n* (**การชักชวน**).

'dis·tance *n* **1** the space between things, places etc. (**ระยะทาง**): *Some of the children have to walk long distances to school; It is quite a distance to the bus stop; It is difficult to judge distance when driving at night; What's the distance from here to London?* **2** a far-off place or point (**สถานที่หรือจุดซึ่งอยู่ไกลออกไป**): *We could see the town in the distance; The picture looks better at a distance.*

'dis·tant *adj* **1** far away or far apart, in place or time (**ไกลออกไป อยู่ห่างจากกันในเรื่องสถานที่หรือเวลา**): *the distant past; a distant country; Our house is two kilometres distant from the school.* **2** not close (**ห่าง ๆ**): *He is a distant cousin of mine.* **3** not friendly (**ไม่เป็นมิตร**): *Her manner was rather distant.*

dis'ten·ded *adj* swollen or stretched (**โป่งออกหรือยืดออก**): *His stomach was distended after a large meal.*

dis'til *v* to get a liquid in a pure state by heating it till it becomes steam, then cooling it again (**กลั่น**).

distil has one **l**.

dis'tinct *adj* **1** easily seen, heard or noticed (**เห็นได้ชัด ได้ยินชัดเจน สังเกตเห็นได้ง่าย**): *Her voice is very distinct.* **2** different (**แตกต่าง**): *You would never mistake one of those twins for the other — they're quite distinct.*

dis'tinct·ly *adv* (**อย่างเห็นได้ชัด**).

dis'tinct·ness *n* (**ความแตกต่าง ความเห็นได้ชัด**).

dis'tinc·tion *n* **1** a difference (**ความแตกต่าง**): *The teacher seemed to make no distinction between the slow pupils and the lazy ones.* **2** a grade awarded to an excellent pupil, student etc. (**คะแนนยอดเยี่ยม ฯลฯ**): *She passed her exams with distinction.*

dis'tinc·tive *adj* different from others; easy to distinguish and recognize (**แตกต่างจากอย่างอื่น แยกแยะและจำได้ง่าย**): *The distinctive pink colour of the flamingo makes it easy to recognize.*

dis'tinc·tive·ly *adv* (**อย่างแจ่มแจ้ง**).

dis'tinctive·ness *n* (**ความแจ่มแจ้ง**).

dis'tin·guish (*dis'tiŋ-gwish*) *v* **1** to make something different from others (**ทำให้แตกต่างจากสิ่งอื่น**): *What distinguishes this school from all the others?* **2** to see; to recognize (**เห็น จำได้**): *He could just distinguish his friend in the crowd.* **3** to recognize a difference (**เห็นความแตกต่างได้**): *I can't distinguish between the two types of cheese — they both taste the same to me.* **4** to make yourself noticed through your achievements (**ทำให้เด่นโดยแสดงความสามารถ**): *He distinguished himself at school by winning a prize in every subject.*

dis'tin·guish·a·ble *adj* (**ซึ่งสามารถเห็นความแตกต่างได้**).

dis'tin·guished *adj* famous or excellent (**มีชื่อเสียงหรือดีเยี่ยม**): *a distinguished scientist.*

dis'tort *v* to twist out of shape (**บิดเบี้ยวจนผิดรูปร่างไป**): *The heat distorted the metal.* **2** to change a voice *etc*, so that it sounds wrong (**เสียงเปลี่ยนไป ฯลฯ ฟังเหมือนผิดเสียง**): *Her voice was distorted by the recording.*

dis'tor·tion *n* (**การบิดเบี้ยว เสียงไม่ชัดอันเนื่องมาจากการรบกวน**).

dis'tract *v* to draw aside someone's attention (**ดึงความสนใจให้หันเห**): *He was constantly being distracted from his work by the noisy conversation of his colleagues.*

dis'trac·tion *n* (**การดึงความสนใจให้หันเห**).

dis'traught *adj* very upset or worried (**กระวนกระวายอย่างมากหรือวิตกกังวล**): *She looks very distraught.*

dis'tress *n* great sorrow, trouble or pain (**เสียใจมาก เดือดร้อนหรือทุกข์ทรมาน**): *She was in great distress over her son's disappearance; Is the cut on your leg causing you any distress?; The loss of all their money left the family in distress.* — *v* to cause pain or sorrow to someone (**ทำให้เกิดความเจ็บปวดหรือโศกเศร้า**): *Her husband's lies distressed her.* **dis'tress·ing** *adj*.

dis'trib·ute (*dis'trib-ūt*) *v* **1** to divide something among several people (แจกจ่าย): *He distributed sweets to all the children in the class.* **2** to spread out widely (แผ่กระจายออกไปอย่างกว้างขวาง): *Branches of this shop are distributed throughout the city.*

dis'tri-'bution *n* (การแผ่กระจาย การแจกจ่าย).

dis'trib·u·tor *n* a person or company that supplies goods, especially to shops (ผู้หาสินค้ามาให้): *an electrical goods distributor.*

'dis·trict *n* a part of a country, town *etc.* (เขต ตำบล): *He lives in a poor district of London.*

dis'trust *n* suspicion; lack of trust (สงสัย ขาดความเชื่อถือ): *He has always had a distrust of politicians.* — *v* to have no trust in someone or something (ไม่ไว้วางใจในสิ่งใด): *He distrusts even his friends.*

dis'trust·ful *adj* (ไม่น่าไว้วางใจ).

dis'turb *v* **1** to interrupt someone when they are busy *etc.* (เข้ามาขัดจังหวะในขณะที่พวกเขายังยุ่งอยู่ รบกวน): *I'm sorry, am I disturbing you?* **2** to worry someone or make them anxious (ทำให้ใครกังวลหรือร้อนใจ): *The news has disturbed me very much.* **3** to stir up or throw into confusion (กวนให้ขุ่นหรือทำให้ปนเปกันยุ่ง): *A violent storm disturbed the surface of the lake.*

dis'turb·ance *n* **1** a noisy or disorderly happening (เสียงดังและขัดต่อความสงบ): *He was thrown out of the meeting for causing a disturbance.* **2** an interruption (ขัดจังหวะ): *I want no more disturbances during this lesson!*

dis'used (*dis'ūzd*) *adj* not being used (ไม่ถูกใช้): *a disused warehouse.*

ditch *n* a long narrow hollow dug in the ground especially one to drain water from a field, road *etc.* (คูน้ำ).

di'van *n* a long, low seat without a back which can be used as a bed (เก้าอี้ยาวไม่มีที่พิงหลังซึ่งใช้เป็นที่นอนได้).

See **bench**.

dive *v* **1** to go headfirst into water; to plunge (พุ่งลงน้ำโดยศีรษะนำไปก่อน ขว้าง): *He dived off a rock into the sea.* **2** to go under water (ดำน้ำ): *The submarine dived.* **3** to go quickly and suddenly out of sight (หายไปจากสายตาอย่างรวดเร็วและทันทีทันใด): *She suddenly dived into a shop.* — *n* (การกระโดดน้ำ): *She did a beautiful dive into the pool.*

'di·ver *n* a person who dives, especially one who works under water (นักดำน้ำ).

'di·ving-board *n* a platform from which to dive, built beside a swimming-pool (กระดานสำหรับกระโดดน้ำ).

di'verge (*dī'vərj*) *v* to separate and go in different directions (แยกออกไปในทางอื่น): *The roads diverge three kilometres further on.*

di'verse (*dī'vərs*) *adj* different from each other; various (ต่างกัน หลากหลาย): *There were diverse activities to choose from at the holiday camp — swimming, cycling, horse-riding and many others.*

di'verse·ly *adv* (อย่างหลากหลาย).

di'ver·sion (*dī'vər-shən*) *n* **1** a change to the usual route of traffic (เปลี่ยนเข้าสู่เส้นทางที่มียวดยานตามปกติ): *There's a diversion at the end of the road.* **2** an amusement; something interesting that makes the time pass quickly (ความเพลิดเพลิน สิ่งน่าสนใจทำให้เวลาผ่านไปอย่างรวดเร็ว).

di'ver·si·ty *n* the state of being different; variety (ความแตกต่าง ความหลากหลาย): *There is a great diversity of food to be had in Singapore — Chinese, Indian, Malaysian and so on.*

di'vert (*dī'vərt*) *v* to make traffic *etc* turn aside or change direction (การละทิ้งหรือเปลี่ยนทิศทางของยวดยาน ฯลฯ): *Traffic had to be diverted because of the accident.*

di'vide *v* **1** to separate into parts or groups (แบ่งส่วนหรือแบ่งกลุ่ม): *The wall divided the garden in two; The children are divided into 12 classes according to age and ability.* **2** to share(แบ่งปัน): *We divided the sweets between us.* **3** to find out how many times one number contains another (หาร): *6 divided by 2 equals 3.*

You divide a cake **in two** or **in half**, but you divide it **into three parts, five parts, eight**

parts *etc.*

di'vine *adj* belonging to God (**เป็นของพระเจ้า**): *divine mercy.*

di'vin·i·ty (*di'vin-i-ti*) *n* **1** the study of religion (**ศาสนศาสตร์**): *She is doing divinity at university.* **2** the state of being a god (**ความเป็นพระเจ้า**): *Muslims believe in the divinity of Allah.* **3** a god (**พระเจ้า**): *Vishnu is one of many Hindu divinities.*

di'vis·i·ble (*di'viz-ə-bəl*) *adj* able to be divided (**สามารถหารได้**): *100 is divisible by 4.*

di'vi·sion *n* **1** the dividing of something (**การแบ่ง การหาร**). **2** something that separates; a dividing line (**เส้นแบ่ง**): *A ditch formed the division between their two fields.* **3** a part or section of an army *etc.* (**กองทหาร กองพล**): *He belongs to B division of the local police force.* **4** the finding of how many times one number is contained in another (**การหาร**).

di'vorce *n* the legal ending of a marriage (**การหย่าร้าง**). — *v* : *The girl was very sad when her parents got divorced.*

di'vulge (*dī'vulj*) *v* to make known (**เปิดเผย**): *Doctors shouldn't divulge information about their patients.*

'diz·zy *adj* **1** confused; giddy (**สับสน วิงเวียน**): *If you spin round and round like that, you'll make yourself dizzy.* **2** causing a dizzy feeling (**ทำให้เกิดความรู้สึกวิงเวียน**): *dizzy heights.*

'diz·zi·ly *adv* (**น่าวิงเวียน**).

'diz·zi·ness n (**ความวิงเวียน**).

do (*doo*) *v* **1** to carry out something (**ทำ**): *What shall I do?; That was a terrible thing to do; She does the cooking and I do the washing up.* **2** to act or behave (**ประพฤติ**): *Do as you please.* **3** to get on (**ก้าวหน้า**): *He is doing well.* **4** to be enough (**พอเพียง**): *One dollar will do.* **5** to study or work at something (**ศึกษาหรือทำงาน**): *He is at university doing mathematics; She is doing sums.* **6** to put something in order (**ทำให้เรียบร้อย**): *Have you done your hair?* **7** to cause (**ก่อให้เกิด**): *The storm did a lot of damage.* **8** used with a more important verb in questions, in sentences with **not** or to emphasize something (**ใช้ย้ำคำกริยาที่สำคัญกว่าในประโยคคำถามหรือใช้เน้นอะไรบางอย่าง**): *Do you speak English?; "Do you have the time, please?" "No, I don't have a watch"; You don't speak Chinese, do you?; I do not smoke; He doesn't try hard enough; I do think you should apologize to the teacher; I thought she wouldn't come, but she did.* — *n* an affair or a party (**มีกิจกรรมหรืองานเลี้ยง**): *The school is having a do for Christmas.*

do; he, she, it **does** (*duz*); **did**; **done** (*dun*): *Do your homework!; Does he swim every day?; He did his sums; I've done the dishes.*

do not or **don't** (*dōnt*); **does not** or **'does·n't** (*'duz-ənt*); **did not** or **'did·n't** (*'did-ənt*): *I don't care; It doesn't take long; You saw her, didn't you?*

do-it-your'self *n* doing your own decorating, repairs *etc.* (**ทำด้วยตัวเอง**): *I've just bought a book on do-it-yourself so I can try to tile the* bathroom. — *adj* (**หนังสือทำด้วยตัวเอง**): *a do-it-yourself book.*

I could do with used to express a wish or need: *I could do with a cup of coffee.*

do away with to get rid of something (**เลิกล้ม**): *They did away with uniforms at that school years ago.*

do without to manage without something (**ขาด**): *We'll just have to do without a phone; If you're too lazy to fetch the ice-cream you can just do without.*

to do with connected with something; about something (**เกี่ยวข้อง**): *Is this decision anything to do with what I said yesterday?; This letter is to do with Bill's plans for the summer.*

'do·cile (*'dō-sīl*) *adj* quiet and easy to manage or control (**ฝึกง่าย ว่านอนสอนง่าย**): *Many types of dog make docile pets.*

dock *n* **1** a deepened part of a harbour *etc.* where ships go for loading, unloading, repair *etc* (**อู่เรือเพื่อขนของขึ้น ขนของลง ซ่อมแซม**): *The ship was in dock for three weeks.* **2** the area surrounding this (**บริเวณที่อยู่รอบ ๆ อู่นี้**): *He works down at the docks.* **3** the place in a law court where the accused person sits or stands (คอกจำเลย). — *v* to enter a dock and tie up alongside a quay (นำเรือเข้าอู่): *The ship docked in Southampton this morning.*

'dock·er *n* a person who works in the docks (กรรมกรท่าเรือ).

'dock·yard *n* a harbour with docks, stores *etc.* (ท่าเรือที่มีอู่ ร้านขายของ).

'doc·tor (written **Dr** before names) *n* **1** a person who is trained to treat ill people (หมอรักษาคนป่วย): *You should call the doctor if you are ill; I'll have to go to Dr Smith.* **2** a person who has gained the highest university degree in any subject (คนที่จบปริญญาดุษฎีบัณฑิต).

'doc·trine (*'dok-trin*) *n* a belief which is taught (คำสอน): *religious doctrines.*

'doc·u·ment (*'dok-ū-mənt*) *n* a written statement giving information, proof, evidence *etc.* (เอกสาร): *She signed several documents concerned with the sale of her house.*

doc·u'men·ta·ry *n* a film, programme *etc.* giving information on a certain subject (ภาพยนตร์ รายการ ฯลฯ ที่ให้ข่าวสารในเรื่องนั้น ๆ).

dodge *v* to avoid something by a sudden or clever movement (หลบหลีกอย่างทันทีทันใดหรือว่องไว): *She dodged the blow; He dodged round the corner out of sight.*

doe (*dō*) *n* the female of certain animals, such as the deer, the rabbit and the hare (สัตว์ตัวเมีย อย่างเช่นกวาง กระต่าย และกระต่ายป่า).

does *see* **do** (ดู **do**).

doesn't short for **does not** (คำย่อของ **does not**).

dog *n* a meat-eating animal often kept as a pet (สุนัข).

A dog **barks** or **growls**.
A baby dog is a **puppy**.
A female dog is a **bitch**.
A dog lives in a **kennel**.

'dog-eared *adj* having the pages turned down at the corner (หน้าที่พับมุมเอาไว้): *a dog-eared book; Several pages were dog-eared.*

'dog·ged (*'dog-id*) *adj* keeping on doing something in a determined way (ทำอย่างไม่ลดละ): *By dogged perseverance she managed to learn the work well enough to pass her exam.*

'dog·ged·ness *n* (ความพยายามอย่างไม่ลดละ).

'dog·ged·ly *adv* (อย่างไม่ลดละ อย่างมุ่งมั่น): *He doggedly went on with his work despite the loud noise.*

dog'ma·tic *adj* arrogantly forcing one's opinions on others (เอาความคิดของตนยัดเยียดให้กับผู้อื่น): *You should try to be less dogmatic.*

dole *v* to give out small shares of something (ให้ของอย่างน้อย ๆ): *She doled out the food.*

'dole·ful *adj* sad; unhappy (เศร้า ไม่มีความสุข): *a doleful expression.*

'dole·ful·ly *adv* (อย่างเศร้า ๆ).

'dole·ful·ness *n* (ความเศร้าใจ).

doll *n* a toy in the shape of a small human being (ตุ๊กตา): *Little girls like to play with dolls.*

'dol·lar *n* the main unit of money in the USA, Canada, Australia, Singapore and other countries, often written $ (เงินดอลลาร์): *It costs ten dollars* (or *$10*).

'dol·phin *n* a sea-animal about three metres long, closely related to the porpoise (ปลาโลมา).

do'main *n* land that someone owns or controls (ที่ดินซึ่งตัวเองเป็นเจ้าของหรือมีอำนาจเหนือ): *The travellers were now entering the domain of King Zog of the West.*

dome *n* a roof shaped like half a ball (หลังคากลม หลังคารูปโดม): *the dome of the cathedral.*

do'mes·tic *adj* **1** used in the house or home (ใช้ในบ้าน): *washing-machines and other domestic equipment.* **2** concerning your private life or family (เกี่ยวข้องกับชีวิตส่วนตัวหรือครอบครัว): *domestic problems.* **3** tame and living with or used by people (ทำให้เชื่องและอยู่ด้วยหรือถูกใช้โดยคน): *domestic animals.*

'dom·i·nate *v* **1** to have command over someone (มีอำนาจเหนือ): *The stronger man dominates the weaker.* **2** to be most important or most noticeable *etc.* (สำคัญที่สุดหรือเด่นชัดที่สุด): *The skyline is dominated by the castle.*

'dom·i·nant *adj* (ซึ่งมีอำนาจเหนือ เด่น).

dom·i'na·tion *n* (การมีอำนาจเหนือ).

dom·i'neer·ing (*dom-i'nēr-iŋ*) *adj* arrogantly trying to control what other people do (ยกตนข่มท่าน): *Her elder brother is a domineering bully.*

do'min·ion (*də'min-yən*) *n* **1** control or power (การควบคุมหรืออำนาจปกครอง): *The general seized power in the country and nobody dared to challenge his dominion.* **2** a country or territory ruled over by someone, especially a foreign power (ประเทศหรือเขตแดนถูกปกครองโดยกองกำลังต่างชาติ): *Britain used to have many overseas dominions.*

'dom·i·no, *plural* **'dom·i·noes**, *n* a small piece of wood *etc.* marked with spots with which the game of **'dom·i·noes** is played (เกมโดมิโน).

do'nate *v* to give money to a charity *etc* (บริจาคเงินให้การกุศล): *He donated $100 to the fund.*

do'na·tion *n* a gift of money or goods (ของบริจาค): *All donations are welcome.*

done (*dun*) *adj* **1** finished or complete (เสร็จแล้วหรือทำไปแล้ว): *That job is done at last.* **2** completely cooked and ready to eat (ปรุงสุกแล้วและพร้อมที่จะกินได้): *I don't think the meat is quite done yet.*

See also **do** (ดู **do**).

'don·key *n* **1** an animal with long ears related to the horse but smaller (ลา). **2** a stupid person (คนโง่): *Don't be such a donkey!*

A donkey **brays**.

'do·nor *n* **1** a person who gives something, especially a gift to a charity (ผู้บริจาค). **2** someone who gives a part of their body to replace the same part in the body of an ill person (ผู้บริจาคอวัยวะ): a *kidney-donor*, *a blood-donor*.

don't (*dōnt*) short for **do not** (คำย่อของ **do not**).

'doo·dle *v* to scribble, or make meaningless drawings (เขียนหรือวาดรูปอย่างไร้ความหมาย).

doom *n* a person's fate; something terrible and final which you can't stop happening to you (เคราะห์กรรม): *He could not escape his doom.* — *v* to condemn; to make something certain to fail *etc.* (สาปแช่ง ล้มเหลวแน่ ๆ): *The plan was doomed to failure; He was doomed from the moment he first took drugs.*

door (*dör*) *n* a large flat piece of wood that closes the entrance of a room, house *etc* (ประตู).

'door·knob *n* a round handle for opening and closing a door (ลูกบิดประตู).

'door·mat *n* a mat kept in front of the door for people to wipe their feet on (พรมหน้าประตู).

'door·step *n* a raised step just outside the door of a house (บันไดขึ้นประตูบ้าน).

'door·way *n* the space usually filled by a door (ทางเข้าประตู): *He was standing in the doorway.*

dope *v* to drug (มอมเมาด้วยยาเสพย์ติด): *The race-horse had been doped.*

'dor·mi·to·ry *n* a room used for sleeping in, with many beds, in a boarding-school *etc.* (ห้องนอนในโรงเรียนประจำ หอพัก).

dose (*dōs*) *n* the quantity of medicine *etc.* to be taken at one time (ขนาดยาที่กินในครั้งหนึ่ง ๆ): *It's time you had a dose of your medicine.*

dot *n* a small, round mark (เครื่องหมายจุดกลม ๆ เล็ก ๆ).

'dot·ted *adj* **1** made of dots (ทำด้วยจุดกลม ๆ): *a dotted line* (เส้นเป็นจุด). **2** having dots (เป็นจุด): *dotted material.*

on the dot exactly on time (ตรงเวลาเผง): *The meeting started at ten o'clock on the dot.*

'dou·ble (*'dub-əl*) *adj* **1** twice the weight, size *etc.* (น้ำหนัก ขนาด จำนวน เป็นสองเท่า): *We shall need a double quantity of milk today.* **2** two of a sort together or occurring in pairs (สอง, เป็นคู่): *double doors.* **3** consisting of two parts or layers (สองชั้น): *a double thickness of paper.* **4** for two people (สำหรับสองคน): *a double bed.* — *adv* **1** twice (สองเท่า): *I gave her double the usual quantity.* **2** in two (พับสอง): *The coat had been folded double.* — *n* **1** a double quantity (เป็นสองเท่า): *Whatever the women earn, the men earn double.* **2** someone who is exactly like another (เหมือนกันอย่างกับแกะ): *My uncle* *is my father's double.* — v **1** to make or become twice as much (ทำให้มากขึ้นหรือกลายเป็นสองเท่า): *He doubled his income in three years; Road accidents have doubled since 1960* (เพิ่มขึ้นเป็นสองเท่า). **2** to fold in two (พับสอง): *She doubled the blanket.*

dou·ble-'cross *v* to cheat the person you are supposed to be helping (หักหลัง): *I paid him to lose the fight but he double-crossed me and tried to win.*

dou·ble-'deck·er *n* a bus with two floors for passengers. — *adj* (รถเมล์สองชั้น): *a double-decker bus.*

dou·ble fig·ures the numbers between 10 and 99 (เลขสองตำแหน่ง).

dou·ble stan·dard a rule applied more strictly to some people than to others, especially yourself (การปฏิบัติที่ไม่ยุติธรรม): *It's clear you have a double standard if you let your daughter stay out until midnight but expect her twin brother to return home two hours earlier.*

'dou·bles *n* a tennis match *etc.* in which there are two players on each side (การแข่งขันเทนนิส ฯลฯ โดยการเล่นเป็นคู่).

doubt (*dowt*) *v* **1** to be unsure about something (สงสัย): *I doubt if he'll come now; He might have an iron, but I doubt it.* **2** not to trust something (ไม่เชื่อ): *Sometimes I doubt your intelligence!* — *n* a feeling of not being sure and sometimes of being suspicious (ความรู้สึกไม่แน่ใจหรือบางครั้งรู้สึกสงสัย): *There is some doubt as to what happened; I have my doubts about his explanation.*

See **suspect** .

'doubt·ful *adj* **1** feeling doubt (รู้สึกไม่แน่ใจ): *The headmaster is doubtful about the future of the school.* **2** not clear (ไม่ชัดเจน): *The meaning is doubtful; a doubtful result.* **3** unlikely (ไม่น่าจะ): *It is doubtful whether this will work.* **4** suspicious (ไม่แน่ใจ): *He's rather a doubtful character.*

'doubt·ful·ly *adv* (อย่างไม่แน่ใจ อย่างสงสัย).

'doubt·ful·ness *n* (ความไม่แน่ใจ ความสงสัย).

'doubt·less *adv* probably (น่าจะเป็นไปได้): *John has doubtless told you about me.*

beyond doubt certainly (แน่ใจ ไม่ต้องสงสัย): *Beyond doubt, they will arrive tomorrow.*

in doubt uncertain (ไม่แน่นอน): *The result of the election is still in doubt.*

no doubt surely; probably (แน่นอน): *No doubt you would like to see your bedroom; He will come back again tomorrow, no doubt.*

dough (*dō*) *n* a mixture of flour and water *etc.* used for making bread, cakes *etc.* (แป้งนวด).

'dough·nut *n* a small, round cake fried and covered with sugar (ขนมเค้กกลม ๆ ฉาบด้วยน้ำตาล ขนมโดนัท).

dove (*duv*) *n* a kind of pigeon (นกเขา).

down[1] *n* small, soft feathers (ขนอ่อน): *a quilt filled with down.*

'down·y *adj* (อย่างนุ่ม).

down[2] *adv* **1** towards or in a lower place or position (ต่ำ ลงต่ำ): *He climbed down to the bottom of the ladder.* **2** to the ground (ลงบนพื้น): *The little boy fell down and cut his knee.* **3** from a greater to a smaller size, amount *etc.* (ทำให้เล็กลง ลดลง): *Prices have been going down steadily.* — *prep* **1** in a lower position in or on something (อยู่ในตำแหน่งที่ต่ำกว่า): *Their house is halfway down the hill.* **2** to a lower position in or on something (ลงต่ำ): *Water poured down the wall.* **3** along (ดูลงไป): *The teacher looked down the line of children.*

'down·cast *adj* sad; depressed (เศร้าใจ): *a downcast expression.*

'down·fall *n* a final failure or ruin (ล้มเหลวในที่สุด ความพินาศ): *It was his own foolishness that caused his downfall.*

down'grade *v* to reduce to a lower grade (ลดชั้น): *His job was downgraded.*

down'heart·ed *adj* depressed and in low spirits (หดหู่ใจ ท้อใจ): *Don't be downhearted! — we may win after all.*

down'hill *adv* **1** down a slope (ลงเนิน ลงเขา): *The road goes downhill all the way from our house to yours.* **2** towards a worse state (สภาพเลวลง): *His work has been going downhill since he became ill.*

'down•pour *n* a very heavy fall of rain (**ฝนตกหนัก**).

See **rain**.

'down•stairs *adj*, **down'stairs** *adv* on or towards a lower floor (**ชั้นล่างหรือลงมาชั้นล่าง**): *He walked downstairs; I left my book downstairs; a downstairs flat.*

'down•ward *adj* leading, moving *etc.* down (**มุ่งลงไปหรือเคลื่อนที่ลงข้างล่าง**): *a downward curve.*

'down•wards *adv* towards a lower position (**ลงข้างล่าง**): *The path led downwards towards the sea.*

down with a cry meaning get rid of someone or something (**คำสั่งฆ่า, สั่งกำจัด**): *Down with the dictator!*

get down to to begin working seriously on something (**เริ่มต้นทำอย่างจริงจัง**): *I must get down to some letters!*

'dow•ry *n* money and property brought by a woman to her husband when they marry (**เงินหรือทรัพย์สินที่ฝ่ายหญิงนำมาด้วยเมื่อแต่งงาน สินเดิม**).

doze *v* to sleep lightly (**เคลิ้มหลับ สัปหงก**): *The old lady dozed in her chair.* — *n* a short, light sleep (**การหลับไปงีบหนึ่ง**).

'doz•en (*'duz-ən*) *n* a group of twelve (**หนึ่งโหล**): *There are two dozen (24) children in the class; Half-a-dozen (6) of them speak Chinese.*

dozens very many (**หลายครั้งมาก ๆ**): *I've been there dozens of times.*

several dozen (not **ไม่ใช่ dozens**)(**หลายโหล**): *two dozen red roses.*

drab *adj* dull, especially in colour (**สีหม่น**): *drab clothes.*

draft (*dräft*) *n* **1** a rough outline of something such as a speech (**ต้นร่าง**) **2** an order to someone to serve in the army *etc.* (**เกณฑ์ทหาร**). — *v* **1** to make a rough outline of a speech *etc.* (**ร่างสุนทรพจน์ ร่างคำพูด**): *Could you draft a report on this meeting?* **2** to order someone to serve in the army *etc.* (**เกณฑ์ทหาร**): *He was drafted into the Navy.*

draftsman another spelling of **draughtsman** (**ความหมายเหมือนกับ**) **draughtsman**.

drag *v* **1** to pull, especially by force, or roughly (**ดึง ลาก**): *She was dragged to safety from the burning car.* **2** to pull something slowly (**ลากอย่างช้า ๆ**): *He dragged the heavy table across the floor.* **3** to move along the ground (**ลากไปกับพื้น**): *His coat was so long it dragged on the ground.* — *n* **1** something that slows you down (**ตัวถ่วง สิ่งที่ขัดขวางความเจริญก้าวหน้า**): *His lack of education was a drag on his career.* **2** someone or something that is dull and boring (**คนหรือสิ่งของที่จืดชืดและน่าเบื่อ**): *He's such a drag — he won't come to the football match with me; It's a drag to have to do the washing-up every day.* **3** women's clothes when worn by a man (**เสื้อผ้าผู้หญิงที่ผู้ชายนำไปใส่**): *a male dancer in drag.* **4** an act of drawing in smoke from a cigarette *etc.* (**สูบเอาควันบุหรี่เข้าไป อัดควันบุหรี่**): *He took a long drag on his cigar.*

drag on to continue longer than necessary and leave you feeling bored and tired (**ดำเนินต่อไปนานเกินความจำเป็นทำให้เรารู้สึกเบื่อหน่าย**): *The meeting dragged on for hours.*

drag out to make something last as long as possible (**ถ่วงเวลา**): *She dragged out her lunch to avoid doing her work.*

'drag•on *n* a creature you find in stories and pictures; it usually breathes fire, its body is covered with scales, and it has wings, claws and a long tail (**มังกร**).

'drag•on•fly *n* an insect with a long body and double wings (**แมลงปอ**).

drain *v* **1** to flow away (**ไหลไป**): *The water drained away into the ditch.* **2** to remove liquid from something (**เอาของเหลวออก**): *Would you drain the vegetables?; He drained the petrol tank.* **3** to empty your cup *etc.* by finishing your drink (**ดื่มจนหมด**): *He drained his glass.* **4** to use up completely (**ใช้จนหมด**): *The effort drained all his energy.* — *n* a ditch, trench, waterpipe *etc.* that carries away water (**คู คูระบาย ท่อน้ำ ฯลฯ**): *The heavy rain has caused several* *drains to overflow.*

'drain-age *n* **(การระบายน้ำ).**

'drain·pipe *n* a pipe which carries water from the roof of a building to the ground **(ท่อระบายน้ำจากหลังคาลงมาสู่ดิน).**

drake *n* a male duck **(เป็ดตัวผู้).**

'dra·ma (*'drä-mə*) *n* **1** a play for acting on the stage **(ละครที่แสดงบนเวที). 2** the art of acting in plays **(ศิลปะการแสดง):** *He studied drama at college.* **3** exciting events **(เหตุการณ์ที่น่าตื่นเต้น):** *Life here is full of drama.*

dra'mat·ic *adj* **1** having to do with plays or acting; put into the form of a play **(เกี่ยวกับการแสดง):** *a dramatic entertainment.* **2** sudden or exciting **(กะทันหันหรือน่าตื่นเต้น):** *a dramatic improvement.*

dra'mat·i·cal·ly *adv* **(เหมือนละคร อย่างเร้าใจ).**

'dram·a·tist *n* a writer of plays **(ผู้เขียนบทละคร).**

'dram·a·tize *v* to turn a story into a play **(ทำเป็นบทละคร):** *She dramatized the novel for television.*

dram·a·ti'za·tion *n* **(การทำเป็นบทละคร การแสดงออกแบบละคร).**

drank *see* **drink (ดู drink).**

drape *v* to hang or arrange cloth, especially in loose folds **(แขวน จัดผ้า ปูผ้า):** *She draped sheets over the furniture to protect it from dust.*

'dras·tic (*dräs-tik*) *adj* very great or severe **(มากหรือรุนแรง):** *There has been a drastic reduction in the number of teachers at this school.*

'dras·tical·ly *adv* **(อย่างรุนแรง).**

draught (*dräft*) *n* a movement of air **(กระแสลม):** *He closed the window, because he didn't like sitting in the draught.*

draughts (*dräfts*) *n* a game for two people, played with small discs on a board **(เกมหมากฮอร์ส).**

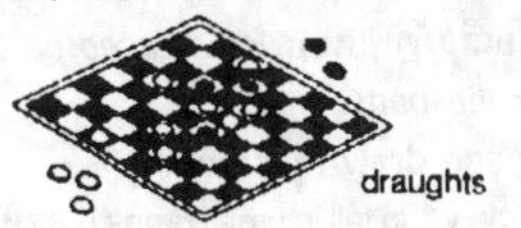
draughts

'draughts·man, 'drafts·man (*dräfts-mən*) *n* a person who is employed in making drawings **(คนเขียนแบบ):** *This firm of engineers employs three draughtsmen.*

'draught·y (*'dräf-ti*) *adj* full of draughts **(มีลมโกรก):** *a draughty room.*

draw *v* **1** to make a picture with a pencil, crayons *etc.* **(วาดรูป):** *Shall I draw a cow?* **2** to pull something out or along **(ดึงออกมา เอามาจาก ลาก):** *He drew a gun and fired; All water had to be drawn from a well; The cart was drawn by a pony.* **3** to move; to come **(เคลื่อนที่ ใกล้เข้ามา):** *The car drew away from the kerb; Christmas is drawing closer.* **4** to play a game in which neither side wins **(เสมอกัน):** *The match was drawn; The two sides drew at 1-1.* **5** to get money from a bank *etc.* **(ถอนเงินจากธนาคาร ฯลฯ):** *to draw a pension.* **6** to open or close curtains **(เปิดหรือปิดม่าน). 7** to attract **(ดึงดูดความสนใจ):** *She was trying to draw my attention to something.* — *n* **1** a drawn game **(เกมที่เสมอกัน):** *The match ended in a draw.* **2** the selecting of winning tickets in a lottery *etc.* **(จับสลากรางวัล):** *a prize draw.*

draw; drew; drawn: *He drew a picture; The curtains were drawn.*

draw a blank to fail to find what you wanted **(ไม่ได้ในสิ่งที่ต้องการ).**

draw a conclusion to come to a conclusion after thinking about what you have learned **(สรุปผล):** *Don't draw the wrong conclusion from what I've said!*

draw in to come to a halt at the side of the road **(ขึ้นมาเคียงข้าง):** *A car drew in beside me.*

draw lots to decide who is going to do something by drawing names out of a box *etc.* **(จับฉลาก):** *Five of us drew lots for the two popconcert tickets.*

draw out to take money from a bank (ถอนเงิน): *I drew out $40 yesterday.*

draw up to stop your car **(หยุดรถ):** *We drew up outside their house.*

'draw·back *n* a disadvantage **(ข้อเสียเปรียบ):**

There are several drawbacks to his plan.

'draw·bridge *n* a bridge that goes across the moat of a castle to its entrance, which can be lifted up to stop enemies getting into the castle (**สะพานชักปิดเปิดได้ซึ่งป้องกันไม่ให้ข้าศึกเข้ามาในปราสาท**): *They raised the drawbridge when they saw the strange horsemen approaching.*

draw·er *n* (*drör*) a sliding box without a lid which fits into a chest, table *etc.* (**ลิ้นชัก**): *The letter is in the bottom drawer of my desk; She put the pullover away in the chest of drawers.*

'draw·ing *n* **1** making pictures with a pencil *etc.* (**วาดภาพโดยใช้ดินสอ**): *Are you good at drawing?* **2** a picture made with a pencil *etc.* (**ภาพที่วาดโดยใช้ดินสอ**): *She made a drawing of a house.*

'draw·ing-pin *n* a pin with a broad, flat head used for fastening paper to a board *etc.* (**เข็มหมุดมีหัวแบนกว้างใช้ติดกระดาษบนแผ่นประกาศ**).

'draw·ing-room *n* a sitting-room (**ห้องรับแขก**).

drawl *v* to speak in a slow, lazy manner (**พูดลากเสียงอย่างขี้เกียจ**).

drawn *see* **draw** (**ดู draw**).

dread (*dred*) *n* great fear (**ความกลัวมาก**): *The thief lived in dread of being found out.* — *v* to fear greatly (**กลัวเป็นอย่างมาก**): *We were dreading having to see the headmaster.*

'dread·ful *adj* **1** terrible (**น่ากลัว**): *a dreadful accident.* **2** very bad (**เลวมาก**): *What dreadful weather!* **'dread·ful·ness** *n* (**ความน่ากลัว**). **'dread·ful·ly** *adv* (**อย่างน่ากลัว**).

dream *n* **1** thoughts and pictures in the mind that come mostly during sleep (**ความฝัน**): *I had a terrible dream last night.* **2** the state of being occupied with your own thoughts (**คิดฝัน**): *Don't sit there in a dream!* **3** an ambition or hope (**ความทะเยอทะยานหรือความหวัง**): *It's my dream to win a Nobel Prize.* — *v* to see pictures in your mind, especially when asleep (**ฝัน**): *She often dreams of being a great artist; I dreamt last night that the house had burnt down.*

dream; dreamt (*dremt*) or **dreamed; dreamt** or **dreamed**: *She dreamt about her grandmother; I would never have dreamt that this could happen.*

dream up to invent (**จินตนาการ คิดไป นึกไป**): *However did you dream up such a strange idea?*

'drear·y *adj* making you miserable; dull (**ทำให้หดหู่ จืดชืด**): *What dreary weather!; I've got lots of dreary sums to do.*

'drear·i·ly *adv* (**อย่างหดหู่**).

'drear·i·ness *n* (**ความหดหู่**).

drench *v* to soak completely (**เปียกโชก**): *They went out in the rain and were drenched to the skin.*

dress *v* **1** to put clothes on (**ใส่เสื้อผ้า**): *We dressed in a hurry and my wife dressed the children; Get dressed!; She was dressed in white.* **2** to treat and bandage wounds (**ทำแผล ตกแต่งบาดแผล**): *He was sent home from hospital after his burns had been dressed.* — *n* **1** what you are wearing (**เสื้อผ้า**): *His dress was always rather strange.* **2** a piece of women's clothing with the top and skirt in one piece (**กระโปรงชุดติดกัน**): *Shall I wear a dress or a blouse and skirt?*

'dress·ing *n* **1** a sauce added especially to salads (**น้ำปรุงสลัด**): *oil and vinegar dressing.* **2** a bandage *etc.* used to dress a wound (**ผ้าพันแผล**): *He changed the patient's dressing.*

'dress·ing-gown *n* a loose garment worn over pyjamas *etc.* (**เสื้อคลุมหลวม ๆ ใช้สวมทับชุดนอน**).

'dress·ing-ta·ble *n* a table in a bedroom with a mirror and drawers (**โต๊ะในห้องนอนมีกระจกและลิ้นชัก**).

'dress·mak·er *n* a person who makes clothes for women (**ช่างตัดเสื้อผ้าสำหรับผู้หญิง**).

dress rehearsal a full performance of a play *etc.* done for practice but with costumes *etc.* (**การซ้อมละครโดยใช้เครื่องแต่งกายจริง ๆ**).

dress up to put on special clothes (**แต่งตัวด้วยเสื้อผ้าพิเศษ**): *He dressed up as a clown for the party.*

drew *see* **draw** (**ดู draw**).

'drib·ble *v* **1** to fall in small drops (**ไหลหยด**): *Water* *dribbled out of the tap.* **2** to let liquid trickle from your mouth (**น้ำลายหยด**): *Babies often dribble.* **3** in football, hockey *etc.* to kick or hit the ball along little by little (**เลี้ยงลูกฟุตบอล**): *He dribbled the ball up the field.*

drier another spelling of **dryer** (**คำสะกดอีกคำหนึ่งของ dryer**).

drift *n* snow that has been driven into a heap by the wind (**หิมะที่ถูกลมพัดสุมเป็นกอง**): *His car stuck in a snowdrift.* — *v* to float or be blown along (**ลอยหรือถูกพัดไป**): *Sand drifted across the road; The boat drifted down the river.*

'drift·wood *n* wood that is floating on the sea, or down a river; wood that has been cast up from the water on to the shore (**ไม้ที่ลอยอยู่ในน้ำ ไม้ที่ถูกน้ำพัดขึ้นมาบนฝั่ง**): *The children made a fire with dry driftwood that they found on the beach.*

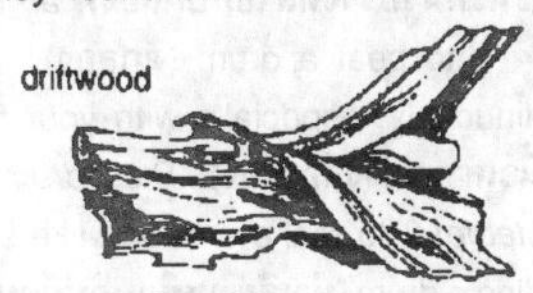

drill *v* **1** to make a hole with a drill (**เจาะด้วยสว่าน**): *He drilled holes in the wood; to drill for oil.* **2** to exercise or be exercised (**ฝึกหรือโดนฝึก**): *The soldiers drilled every morning.* — *n* **1** a tool for making holes (**สว่าน**): *an electric drill.* **2** exercise or practice, especially in the army (**ออกกำลังกาย**): *The soldiers have an hour of drill after breakfast.*

drink *v* **1** to swallow a liquid (**ดื่ม**): *Drink plenty of water; She drank a glass of lemonade.* **2** to take alcohol (**ดื่มแอลกอฮอล์**): *I never drink.* — *n* **1** a liquid for drinking (**เครื่องดื่ม**): *He had a drink of water; Lemonade is a refreshing drink.* **2** alcoholic liquor (**เครื่องดื่มที่เป็นแอลกอฮอล์**): *He had a drink with his friends.*

drink; drank; drunk: *The cat drank the milk; He has drunk his tea.*

drink to someone, drink to someone's health to offer good wishes to someone while drinking (**ดื่มอวยพร**); to drink a toast to someone.

drip *v* to fall in single drops (**หยด**): *Rain dripped off the roof.* — *n* a small quantity of liquid falling in drops (**หยดน้ำ**): *A drip of water ran down her arm.*

drive *v* **1** to control or guide a car *etc.* (**ขับรถ**): *Can you drive a car?; Do you want to drive, or shall I?* **2** to bring or take someone in a car (**ขับรถไปให้**): *My mother is driving me to the airport.* **3** to force along (**ไล่ต้อน**): *Two men and a dog were driving a herd of cattle across the road.* **4** to hit hard (**ตอก**): *He drove a nail into the door.* — *n* **1** a journey in a car, especially for pleasure (**การเดินทางโดยรถยนต์เพื่อความเพลิดเพลิน**): *We decided to go for a drive.* **2** a private road leading from a gate to a house *etc.* (**ถนนส่วนตัวจากประตูใหญ่ถึงตัวบ้าน**): *There were trees growing along the drive.* **3** a name used for other roads (**ชื่อหนึ่งที่ใช้เรียกถนน**): *They live in Cherrytree Drive.*

drive; drove; 'driv·en (*driv-ən*): *He drove a truck; He had driven for many miles.*

'drive-in *n* a cinema, restaurant *etc.* for people who stay in their cars while watching a film, eating *etc.* (**โรงหนังกลางแปลงที่ผู้คนดูภาพยนตร์ขณะอยู่ในรถยนต์**). — *adj* (**ร้านขายกาแฟและเครื่องดื่มที่ลูกค้าไม่ต้องลงจากรถ**): *a drive-in café.*

'dri·ver *n* a person who drives a car *etc.* (**คนขับรถ**): *a bus-driver.*

be driving at to mean (**หมายถึง**): *What are you driving at?*

drive mad to annoy and upset (**ทำให้รำคาญและกวนใจ**): *The noise is driving me mad.*

drive off to keep something away (**ปัดออกไป**): *He used his handkerchief to drive off the flies.*

drive on to push forward (**กระตุ้น**): *His eagerness to win drove him on.*

'driz·zle *v* to rain in small drops (**ฝนตกปรอย ๆ**): *It drizzled all morning.* — *n* fine, light rain (**ฝนตกปรอย ๆ**).

See **rain**.

drone *n* a deep, humming sound (เสียงหึ่ง ๆ): *the distant drone of traffic.* — *v* to make a low, humming sound (ทำเสียงหึ่ง ๆ): *An aeroplane droned overhead.*

droop *v* to hang down (ห้อยลงมา): *The willows drooped over the pond.*

drop *n* **1** a small round or pear-shaped blob of liquid (หยดน้ำ): *a drop of rain.* **2** a small quantity of liquid (ของเหลวปริมาณน้อย): *If you want more wine, there's a drop left.* **3** a fall (ต่ำลง ลดลง): *a drop in temperature; From the top of the mountain there was a drop of a thousand feet.* — *v* **1** to let something fall, usually by accident (ปล่อยให้ของตกโดยอุบัติเหตุ): *She dropped a box of pins all over the floor.* **2** to fall (ตกลงมา): *The coin dropped through the hole; The cat dropped on to its paws* (ทิ้งตัวลงมา). **3** to give up something (ล้มเลิก): *I think she's dropped the idea of going to London.* **4** to let someone get out of a car *etc.* (จอดให้ผู้โดยสารลงจากรถ): *The bus dropped me at the end of the road.* **5** to say or write in a casual manner (พูดหรือเขียนอย่างไม่เป็นทางการ): *I'll drop her a note.*

drop by, drop in to visit someone casually (แวะ มาหา): *Do drop in if you happen to be passing!; I'll drop by at your house on my way home.*

drop off to get separated; to fall off (แยกออกจากกัน หลุดออก): *The door-handle dropped off; This button dropped off your coat.*

drought (*drowt*) *n* a long period without rain (ฤดูแล้ง): *The reservoir dried up completely during the drought.*

The opposite of a **drought** is a **flood**.

drown *v* **1** to sink in water and so die; to cause someone to do this (จมน้ำ ทำให้จมน้ำ): *He drowned in the river; He fell off the ship and was drowned.* **2** to cause a sound not to be heard by making a louder sound (กลบเสียง): *His voice was drowned by the roar of the traffic.*

'drows·y (*'drow-zi*) *adj* sleepy (ง่วงเหงาหาวนอน): *drowsy children.*

'drows·i·ly *adv* (อย่างง่วงเหงา).

'drows·i·ness *n* (ความง่วงเหงา).

drug *n* **1** any substance used in medicine (ยา): *She has been prescribed a new drug for her stomach-pains.* **2** a substance taken by some people to get a certain effect, such as happiness or excitement (ยาที่บางคนกินให้เกิดผลบางอย่างเช่นความสุขหรือความตื่นเต้น): *It is very dangerous to take drugs.* — *v* to make someone become unconscious by giving them a drug (มอมยา): *She drugged him and tied him up.*

'drug addict *n* a person who has become dependent on drugs (ติดยา).

drum *n* **1** a musical instrument made of skin stretched on a round frame, played by beating (กลอง): *He plays the drums.* **2** something shaped like a drum, especially a container (ภาชนะที่มีรูปร่างคล้ายกับกลอง): *an oil-drum.* — *v* **1** to beat a drum (ตีกลอง). **2** to tap continuously, especially with your fingers (ใช้นิ้วเคาะอย่างต่อเนื่อง): *Stop drumming on the table!* **3** to make a sound like someone beating a drum (ทำเสียงเหมือนกับมีคนตีกลอง): *The rain drummed on the metal roof.*

'drum·mer *n* a person who plays the drums (คนตีกลอง).

'drum·stick *n* **1** a stick used for beating a drum (ไม้ตีกลอง). **2** the lower part of the leg of a cooked chicken *etc.* (ขาไก่ส่วนล่างที่ปรุงเป็นอาหารแล้ว).

drunk *adj* not able to think, talk or walk properly, after drinking too much alcohol (เมาเหล้า): *A drunk man fell into the river.*

'drunk·ard *n* a person who is often drunk (คนขี้เมา): *I'm afraid he's turning into a drunkard.*

'drunk·en *adj* drunk (เมาเหล้า): *drunken soldiers.*

'drunk·en·ness *n* (การเมาเหล้า).

dry (*drī*) *adj* **1** not moist or wet (แห้ง แห้งแล้ง): *The ground is very dry; The leaves are dry and withered.* **2** uninteresting (ไม่น่าสนใจ): *a very dry book.* **3** not sweet (ไม่หวาน): *dry wine.* — *v* to make or become dry (ทำให้แห้ง):

I prefer drying dishes to washing them; The clothes dried quickly in the sun.

'dry-ness *n* **(ความแห้ง).**

dry; 'dry·ing; dried; dried: *I'm drying my hair; She dried the dishes; dried peas.*

dry-'clean *v* to clean clothes *etc.* with chemicals, not with water **(ซักแห้ง).**

'dry·er, 'dri·er *n* a machine *etc.* that dries **(เครื่องอบแห้ง เครื่องที่ทำให้แห้ง)**: *a spin-drier; a hair-dryer.*

dry up to become or make completely dry **(แห้งผาก แห้งขอด)**: *All the rivers dried up in the heat; The sun dried up the puddles in the road.*

'du·al (*dū-əl*) *adj* double **(คู่)**: *The driving instructor's car has dual controls.*

a car with **dual** (not **ไม่ใช่ duel**) controls.

dub *v* **1** to put new voices into a film, especially in a different language **(อัดเสียงอีกภาษาหนึ่งลงในฟิล์ม). 2** to add sound effects or music to a film *etc.* **(อัดเสียงที่บันทึกเอาไว้ลงไปหรือใส่ดนตรีลงไปในฟิล์ม). 'dub·bing** *n* **(การพากย์หรืออัดเสียงลงในฟิล์ม).**

'du·bi·ous (*'dū-bi-əs*) *adj* doubtful **(สงสัย)**: *I am dubious about his ability to drive.*

'du·bi-ousness *n* **(ความน่าสงสัย).**

'duch·ess *n* **1** the wife of a duke **(ภรรยาของท่านดยุก). 2** a woman of the same rank as a duke **(ผู้หญิงซึ่งอยู่ในฐานะเทียบเท่ากับท่านดยุก).**

duck[1] *v* **1** to push someone under water for a moment **(จับกดน้ำชั่วครู่)**: *They splashed about, ducking each other.* **2** to lower your head suddenly to avoid a blow *etc.* **(ก้มศีรษะหลบ)**: *He ducked as the ball came at him.*

duck[2] *n* a water-bird with short legs and a broad flat beak **(เป็ด).**

'duck·ling *n* a baby duck **(ลูกเป็ด).**

A duck **quacks**.
A baby duck is a **duckling**.
A male duck is a **drake**.

duct *n* a tube or pipe that carries a liquid or gas **(ท่อที่ใส่ของเหลวหรือก๊าซ)**: *a ventilation duct; Your tear ducts drain water from your eyes.*

due (*dū*) *adj* **1** owed **(เป็นหนี้)**: *90 dollars are still due to us for the parcel of books we sent you.* **2** expected to be ready, to arrive *etc.* **(ถึงกำหนด คาดว่าจะมาถึง)**: *The bus is due in three minutes.*

due to caused by something **(เนื่องจาก)**: *His success was due to hard work.*

The accident **was due to** (not **happened due to**) his carelessness.
See also **owing to**.

'du·el (*'dū-əl*) *n* a fight with swords or pistols between two people **(การต่อสู้ด้วยดาบหรือปืนระหว่างคนสองคน).**

to fight a **duel** (not **ไม่ใช่ dual**).

du'et (*dū'et*) *n* a piece of music for two singers or two players **(ดนตรีที่มีผู้ร้องคู่)**: *The two sisters played a piano duet.*

dug *see* **dig (ดู dig).**

duke *n* a nobleman of the highest rank **(ขุนนางชั้นสูงที่สุด).**

The wife of a **duke**, or a woman of the same rank, is a **duchess**.

dull *adj* **1** slow to learn or to understand **(โง่ทึ่ม)**: *The clever children help the dull ones.* **2** not bright, shining or clear **(ไม่สดใส แสงแดดไม่ส่อง)**: *a dull day.* **3** not exciting or interesting **(ไม่น่าตื่นเต้นหรือน่าสนใจ)**: *a very dull book.*

'dull·ness *n* **(ความโง่ ความไม่สดใส).**

'du·ly (*'dū-li*) *adv* properly; as expected **(อย่างเหมาะสม อย่างที่คาด)**: *He was duly punished.*

dumb (*dum*) *adj* not able to speak **(เป็นใบ้)**: *She was born deaf and dumb; He was struck dumb with fear.* **(โดยไม่ปริปาก).**

'dumb·ness *n* **(การเป็นใบ้).**

'dumb·ly *adv* **(โดยไม่ปริปาก).**

dumb'found·ed (*dum'fown-dəd*) *adj* too surprised to say anything **(ตกตะลึงจนพูดไม่ออก).**

'dum·my *n* **1** something which looks real but is not **(สิ่งลวงตา)**: *The boxes of chocolates in the shopwindow were dummies.* **2** an object that you put in a baby's mouth to comfort it **(หัวนมหลอก).**

dump *v* **1** to put down heavily **(วางลงอย่างแรง):**

She dumped the heavy shopping-bag on the table. **2** to get rid of rubbish *etc.* **(ทิ้งขยะ)**: *Some people just dump their rubbish in the countryside.* — *n* a place for leaving unwanted things **(ถังขยะ)**: *a rubbish dump.*

'dump·ling *n* **1** a steamed pudding **(ขนมพุดดิ้งนึ่ง)**. **2** a ball of dough served with meat **(แป้งปั้นเป็นก้อนกลมกินกับเนื้อ)**.

'dump·y *adj* small and fat **(อ้วนเตี้ย)**.

'dump·i·ness *n* **(ความอ้วนเตี้ย)**.

dunce *n* a person who is slow at learning or stupid **(คนปัญญาทึบ)**: *I was a dunce at school.*

dune (*dūn*) *n* a low hill or bank of sand **(เนินทรายต่ำ ๆ)**: *There were lots of sand dunes between the beach and the road.*

dung *n* the excretion of horses and cattle, used as a soil fertilizer **(ปุ๋ยคอก)**.

dun·ga'rees (*duŋ-gə'rēz*) *n plural* trousers with a top part that covers your chest and has straps going over your shoulders **(กางเกงซึ่งส่วนบนปิดหน้าอกและมีสายโยงไหล่)**: *He bought two pairs of dungarees; Your dungarees are lying on the chair.*

'dun·geon (*'dun-jən*) *n* a dark underground prison **(ห้องขังมืด ๆ ใต้ดิน)**.

dupe (*dūp*) *v* to trick **(หลอกลวง)**: *He duped me into paying twice for the ticket.*

'du·pli·cate (*'dū-pli-kət*) *adj* exactly the same **(เหมือนกัน)**: *a duplicate key.* — *n* **1** another thing of exactly the same kind **(ของอื่นที่เหมือนกันราวกับเป็นสิ่งเดียวกัน)**: *He bought her a duplicate of the ring she had lost.* **2** a copy **(สำเนา)**: *She gave her boss a duplicate of her report.* — *v* (*'du-pli-kāt*) to make a copy of something **(ทำสำเนา)**: *He duplicated the letter.*

du·pli'ca·tion *n* **(การทำสำเนา)**.

'du·ra·ble (*'dū-rə-bəl*) *adj* lasting well **(ทนทาน)**: *durable cloth.*

du·ra'bil·i·ty *n* **(ความคงทน)**.

du'ra·tion (*dū'rā-shən*) *n* the length of time something continues **(ระยะเวลา)**: *Everybody stayed indoors for the duration of the hurricane; a training course of three months' duration.*

'dur·ing (*'dūr-iŋ*) *prep* **1** all through the time that something lasts **(ระหว่างเวลา)**: *We couldn't get enough food during the war.* **2** at a particular time while something is happening **(ระหว่างเวลาที่สิ่งใดสิ่งหนึ่งเกิดขึ้น)**: *He died during the war.*

dusk *n* the time of evening when the light is disappearing, after the sun sets **(เวลาโพล้เพล้หลังจากดวงอาทิตย์ตก)**.

'dusk·y *adj* dark-coloured **(สีขมุกขมัว)**.

'dusk·i·ness *n* **(ความขมุกขมัว)**.

dust *n* **1** powdery dirt **(ฝุ่น)**: *The furniture was covered in dust.* **2** any fine powder **(ฝุ่นละเอียด)**: *golddust; sawdust.* — *v* to wipe the dust off furniture **(ปัดฝุ่น)**: *She dusts the house once a week.*

'dust·y *adj* **(เปื้อนฝุ่น)**.

'dust·i·ness *n* **(สภาพที่เต็มไปด้วยฝุ่น)**.

dust is never used in the plural.

'dust·bin *n* a container for rubbish **(ถังขยะ)**.

'dust·er *n* a cloth for removing dust **(ผ้าปัดฝุ่น)**.

'dust·man *n* a person who collects the rubbish from houses **(คนเก็บขยะ)**.

'dust·pan *n* a flat container for sweeping dust into **(ที่ตักฝุ่น)**.

throw dust in someone's eyes to try to deceive someone **(พยายามหลอกลวงใครบางคน)**.

'du·ti·ful (*'dū-tī-ful*) *adj* careful to do what you should **(ทำด้วยความเอาใจใส่)**: *a dutiful daughter.*

'du·ty (*'dū-ti*) *n* **1** something you ought to do **(หน้าที่)**: *It is your duty to share in the housework.* **2** a task that you do as part of your job *etc.* **(หน้าที่ซึ่งจะต้องทำ)**: *What are your duties as a school prefect?* **3** a tax on goods **(ภาษีอากร)**: *You must pay duty when you bring wine into the country.*

off duty not working **(ไม่ทำงาน)**: *The doctor is off duty this weekend.*

on duty working **(ทำงาน)**: *Which nurses are on duty this evening?*

dwarf (*dwörf*), *plural* **dwarfs or dwarves**, *n* in fairy tales *etc.*, a creature like a tiny man, with magic powers (**คนแคระ**): *Snow White and the seven dwarfs.*

The opposite of a **dwarf** is a **giant**.

dwell *v* to live in a place (**อาศัยอยู่**).

dwell; dwelt; dwelt: *The witch dwelt in a dark wood; She had dwelt there for a hundred years.*

'dwell·ing *n* a house, flat *etc.* (**บ้าน แฟลต ฯลฯ**).

dwell on to think or worry for too long about something (**คิดหรือวิตกกังวลนานเกินไป**): *Don't dwell on your troubles.*

'dwin·dle *v* to grow less (**ลดน้อยลง**): *His money dwindled away.*

dye *v* to give a permanent colour to clothes, cloth or hair (**ย้อมสีผ้าหรือผม**): *I've just dyed my coat green; I'm sure she dyes her hair.* — *n* a powder or liquid for colouring (**น้ำยาย้อมสี**): *a bottle of green dye.*

dye; dyeing; dyed; dyed: *I'm dyeing this blouse; She dyed her hair green.*

dying see **die** (**ดู die**).

dyke or **dike** (*dīk*) *n* a thick wall that is built to prevent water flooding on to land from the sea or a river (**เขื่อนกั้นน้ำ**).

dy'nam·ic (*dī'nam-ik*) *adj* full of energy; having a lot of new ideas (**เต็มไปด้วยพลัง มีความคิดใหม่ ๆ มากมาย**): *A dynamic teacher can make even the most uninterested pupils enthusiastic.*

dy'nam·i·cal·ly *adv* (**อย่างคล่องแคล่ว มีการเปลี่ยนแปลงอยู่เสมอ**).

'dy·na·mite (*'dī-nə-mīt*) *n* a powerful explosive (**ระเบิดชนิดแรง**).

'dy·na·mo (*'dī-nə-mō*), *plural* **'dy·na·mos**, *n* a device that produces electricity, for example from the movement of wheels (**เครื่องกำเนิดไฟฟ้า ไดนาโม**): *A small dynamo on a bicycle produces power for its lights.*

'dyn·as·ty (*'din-əs-ti*) *n* a series of rulers of the same family (**ราชวงศ์**): *the Ming dynasty.*

dy-'nas·tic *adj.*

each *adj* every person or thing (ทุกสิ่ง ทุกคน): *Each house in this street has a garden; The boys each have 50 cents; I gave them each an apple.* — *pron* every one (แต่ละ): *She called at each of the houses.* — *adv* to every one (คนละ): *I gave them a dollar each.*

Each girl **has** a book.
They each **have** a book.
Each of the boys **has** a book in his hand.
See also **every**.

each other used as the object when an action takes place between two or more people *etc.* (ซึ่งกันและกัน): *They wounded each other.*

You can use **each other** of two people: *The twins used to fight each other.*
You can use **one another** of several people: *The children helped one another.*

'ea·ger *adj* keen; wanting something very much (กระหาย อยากได้มาก): *They are eager for success; He is eager to win.*

'ea·ger·ness *n* (ความกระหาย ความอยากได้).

'ea·ger·ly *adv* (อย่างกระหาย อย่างอยากได้).

'ea·gle *n* a large bird that attacks smaller creatures and has very good eyesight (นกอินทรี).

ear *n* the part of you that you hear with (หู): *You must have sharp ears to hear a bat squeaking.*

be all ears to listen keenly (ตั้งใจฟัง): *The children were all ears when the headmaster told them about the competition.*

go in one ear and out the other not to be heard (เข้าหูซ้ายทะลุหูขวา): *I keep telling the children to be quiet, but my words go in one ear and out the other.*

up to your ears very busy with something (มีธุระยุ่งมากอยู่กับอะไรบางอย่าง): *I'm up to my ears in work.*

'ear·ache (*'ēr-āk*) *n* pain inside your ear (ความปวดหู).

'ear·lobe *n* the soft lower part of your ear (ติ่งหู): *You have to have your earlobes pierced in order to be able to wear earrings.*

'ear·ly (*'ər-li*) *adv* **1** near the beginning (แต่แรก แรกเริ่ม): *I started writing poems early in my life; The accident happened early in the afternoon.* **2** before other people; sooner than usual; sooner than expected (ก่อนคนอื่น เร็วกว่าปกติ เร็วกว่าที่คาดเอาไว้): *He arrived early; She came an hour early.* — *adj* **1** near the beginning of something (ใกล้จะเริ่ม ช่วงต้นของศตวรรษ): *in the early morning; in the early part of the century.* **2** belonging to the first, or primitive, stages (อยู่ในระยะเริ่มแรก ยุคต้น): *early musical instruments.* **3** before the usual time (ก่อนถึงเวลาอันควร): *He died an early death; It's too early to get up yet.*

'ear·li·ness *n* (การมาแต่เช้า การมาก่อนเวลา).

'ear·mark *v* to set something aside for a particular purpose (เก็บเอาไว้เพื่อจุดประสงค์โดยเฉพาะ ตีเครื่องหมายเอาไว้): *This money has been earmarked for our holiday in New Zealand.*

earn (*ərn*) *v* **1** to get money for work (ได้ค่าจ้าง): *He earns $200 a week; He earns his living by cleaning shoes.* **2** to deserve (สมควรได้รับ): *I've earned a rest.*

'earn·ings *n* money *etc.* earned (เงิน ฯลฯ ที่หามาได้): *His earnings are not sufficient to support his family.*

'ear·nest (*ər-nəst*) *adj* **1** serious (จริงจัง): *an earnest student.* **2** determined; sincere (ตั้งใจจริง): *He made an earnest attempt to improve his work.*

'ear·nest·ness *n* (ความตั้งใจจริง).

'ear·nest·ly *adv* (อย่างตั้งใจจริง).

in earnest 1 not joking (ไม่พูดเล่น): *I am in earnest when I say this.* **2** determination (ความตั้งใจ): *He set to work in earnest.*

'ear·phones *n plural* a pair of receivers connected to a radio, cassette recorder *etc.*, that you wear over your ears in order to listen to music *etc.* without other people hearing it (หูฟังซึ่งต่อเข้ากับวิทยุ เครื่องบันทึกเสียง ฯลฯ เพื่อฟังดนตรี ฯลฯ โดยคนอื่นไม่ได้ยิน).

'ear·ring *n* a piece of jewellery that you attach to your ear (ต่างหู).

an (not **a**) earring.

'**ear·shot** *n* the distance at which you can hear a sound (ระยะที่พอได้ยิน): *He was out of earshot, so he couldn't hear what she was saying.*

earth (*ărth*) *n* **1** the planet on which we live (ดาวโลก): *Is Earth nearer the Sun than Mars is?; the geography of the earth.* **2** the world (โลก): *heaven and earth.* **3** soil (ดิน): *Fill the plant-pot with earth.* **4** dry land; the ground (พื้นดิน): *the earth, sea and sky.* **5** the hole of a fox. (รูของสุนัขจิ้งจอก)

on earth used for emphasis (ใช้เป็นคำย้ำ): *What on earth are you doing?; the stupidest man on earth.*

'**earth·en·ware** (*'ăr-thən-wār*) *n* pots, bowls *etc.* made of baked clay; pottery (เครื่องปั้นดินเผา): *She collects earthenware.* — *adj: an earthenware dish* (จานที่เป็นเครื่องปั้นดินเผา).

'**earth·ly** *adj* belonging to this world, not to heaven (เป็นของโลกนี้): *We cannot take our earthly possessions with us when we die.*

'**earth·quake** *n* a shaking of the earth's surface (แผ่นดินไหว): *The village was destroyed by an earthquake.*

'**earth·worm** *n* a worm (ไส้เดือน).

ease (*ēz*) *n* **1** freedom from pain or from worry or hard work (ความเป็นอิสระจากการเจ็บปวด หรือความวิตกกังวล หรือจากงานหนัก): *He led a life of ease.* **2** freedom from difficulty (ไม่ยาก): *He passed his exam with ease.* — *v* **1** to make or become better (ทำให้ดีขึ้น): The pill eased his headache; *The pain has eased a bit now.* **2** to move something heavy or awkward gently or gradually (เคลื่อนย้ายของที่หนักหรือเทอะทะไปทีละนิดหรืออย่างนุ่มนวล): *They eased the wardrobe carefully up the narrow staircase.*

at ease not shy or anxious (ไม่อายหรือไม่กระวนกระวาย): *He is completely at ease among strangers.*

stand at ease to stand with legs apart and hands clasped behind the back (ยืนพัก).

take your ease to make yourself comfortable; to relax (พักผ่อน): *There he was — taking his ease in his father's chair!*

'**eas·el** (*'ē-zəl*) *n* a stand for supporting a blackboard or an artist's picture (ขาตั้งกระดานดำหรือตั้งกรอบรูปของจิตรกร).

'**eas·i·ly** *adv* **1** without difficulty (อย่างไม่ยาก): *She won the race easily.* **2** by far (เท่าที่ผ่านมา เท่าที่ได้เห็นมา): *This is easily the best book I've read; He is easily the cleverest pupil in the class.*

east *n* **1** the direction from which the sun rises, or any part of the earth lying in that direction (ทิศตะวันออกหรือส่วนใดของโลกที่อยู่ในทิศทางนั้น): *The wind is blowing from the east; Taiwan lies to the east of China; in the east of England.* **2** (often written **E**) one of the four main points of the compass (ทิศหนึ่งในสี่ทิศที่สำคัญของเข็มทิศ). — *adj* **1** in the east (ตะวันออก): *the east coast.* **2** from the direction of the east (ทางตะวันออก): *an east wind.* — *adv* towards the east: *The house faces east.*

east and west is always said in this order.

the East 1 the countries east of Europe (ประเทศทางตะวันออกของยุโรป): *the Middle East; the Far East.* **2** the USSR, the countries of Eastern Europe, and the People's Republic of China (สหพันธรัฐรัสเซีย ประเทศยุโรปตะวันออก และสาธารณรัฐประชาชนจีน).

'**East·er** *n* a Christian festival held in the spring, to celebrate Christ's coming back to life after the Crucifixion (วันฉลองการคืนชีพของพระเยซูคริสต์หลังจากถูกตรึงไม้กางเขน).

Easter egg a decorated egg, usually made of chocolate, eaten at Easter.

'**east·er·ly** *adj* **1** coming from the east (มาจากทางตะวันออก): *an easterly wind.* **2** towards the east (มุ่งไปทางตะวันออก): *We are travelling in an easterly direction.*

'**east·ern** *adj* belonging to the east (แห่งตะวันออก): *an eastern custom.*

'**east·ward** *adj, adv* towards the east (ไปทางตะวันออก): *in an eastward direction; moving eastward.*

'**east·wards** *adv* towards the east (มุ่งไปทางตะวันออก): *They are travelling eastwards.*

'**eas·y** *adj* **1** not difficult (ง่าย ไม่ยาก): *This is* *an easy job to do.* **2** free from pain, trouble, anxiety *etc.* (ไม่เจ็บปวด ไม่มีความยุ่งยาก ไม่มีความกระวนกระวายใจ): *He had an easy day at the office.* **3** friendly; relaxed (เป็นมิตร ผ่อนคลาย): *an easy manner; an easy smile.*

'eas·i·ness *n* (ความง่าย ความสะดวก).

easy chair a chair that is soft and comfortable, for example, an armchair (เก้าอี้ที่อ่อนนุ่มและนั่งสบาย ตัวอย่างเช่นเก้าอี้มีที่เท้าแขน).

eas·y-'go·ing *adj* not inclined to worry (ไม่อนาทรร้อนใจ สบายอกสบายใจ).

easier said than done more difficult than it at first seems (พูดง่ายกว่าทำ): *Getting tickets for the match is easier said than done.*

go easy on to be careful with (ระวังหน่อย เบา ๆ หน่อย): *Go easy on the sandwiches — there won't be enough for the rest of the guests.*

take it easy not to work hard (ตามสบาย อย่าทำงานหนัก): *The doctor told him to take it easy.*

eat *v* to chew and swallow; to take food (กิน): *They are forbidden to eat meat; They ate up all the cakes; We must eat to live.*

eat; ate (*et*); **'eat·en**: *She ate up all her pudding; You haven't eaten your dinner yet.*

'eat·a·ble *adj* able to be eaten (กินได้): *The meal was scarcely eatable.*

eat into to destroy or waste gradually (ทำลายหรือกัดกร่อนไปทีละนิด): *Acid eats into metal.*

eat your words to admit that you were mistaken in saying something (ถอนคำพูด).

'eaves·drop *v* to listen secretly to a private conversation (แอบฟัง): *He eavesdropped on my discussion with his parents.*

ebb *v* **1** the word used to describe the tide going out from the land (น้ำลด): *The tide began to ebb.* **2** to become less (ลดลง): *His strength was ebbing fast.*

ec'cen·tric (*ek'sen-trik*) *adj* odd; unusual (พิกล ไม่ปกติ): *He had an eccentric habit of writing notes on his shirt-sleeve; The old man is growing more eccentric every day.* — *n* an eccentric person: *She has always been an eccentric.*

ec'cen·tri·cal·ly *adv* (อย่างพิกล).

ec·cen'tri·ci·ty *n* (ความพิกล).

'ech·o (*'ek-ō*), *plural* **'ech·oes**, *n* the repeating of a sound caused by its striking a surface and coming back (เสียงสะท้อน): *The children shouted loudly in the cave so that they could hear the echoes.* — *v* **1** to send back an echo (ส่งเสียงสะท้อนกลับมา): *The hills echoed his shout.* **2** to repeat; to copy (ย้ำ เลียน): *She echoed her sister's words.*

é'clair *n* a long, narrow cake made of very light pastry, that is usually filled with cream and has chocolate icing (ขนมไส้ครีม).

e'clipse (*i'klips*) *n* the disappearance of the whole or part of the sun when the moon comes between it and the earth, or of the moon when the earth's shadow falls across it (สุริยุปราคาหรือจันทรุปราคา).

e'col·o·gy *n* **1** the relationships between living things and their surroundings (นิเวศน์วิทยา วิชาที่บอกถึงความเกี่ยวพันธ์กันระหว่างสิ่งมีชีวิตกับสิ่งแวดล้อม): *He is very interested in the ecology of the desert.* **2** the study of these relationships (การศึกษาเรื่องเหล่านี้).

e'col·o·gist *n* (นักนิเวศน์วิทยา).

e·co'log·i·cal *adj* **1** relating to the relationships between living things and their surroundings (เกี่ยวกับความสัมพันธ์ของสิ่งมีชีวิตกับสิ่งแวดล้อม): *She is studying the ecological problems of the area.* **2** interested in preserving animals and plants and the environment in which they live (สนใจในการอนุรักษ์สัตว์และพืชและสิ่งแวดล้อมที่อยู่รอบ ๆ ตัว): *He belongs to an ecological group which is fighting to stop pollution.*

e·co'nom·ic *adj* **1** having to do with economy (เกี่ยวกับทางเศรษฐศาสตร์).
2 economical (ประหยัด).

e·co'nom·i·cal *adj* good at saving; not using up a lot of money *etc.* (ประหยัด ราคาประหยัด): *an economical housewife; his car is very economical to run.*

e·co'nom·i·cal·ly *adv* (อย่างประหยัด).

e·co'nom·ics *n* the study of the management

of money and goods (เศรษฐศาสตร์).

e'con·o·mist *n* a person who is an expert in economics (นักเศรษฐศาสตร์).

e'con·o·mize *v* to spend money or use goods carefully (ใช้อย่างประหยัด): *We must economize on fuel.*

e'con·o·my *n* **1** the careful management of money and materials to avoid waste (การใช้เงินหรือวัสดุอย่างระมัดระวังเพื่อหลีกเลี่ยงการสูญเปล่า): *Please use the water with economy.* **2** a saving (ประหยัด): *We must make economies in household spending.* **3** organization of money earned and spent (การจัดการเรื่องเงินที่ได้รับมาและใช้จ่ายไป): *the country's economy; household economy* (เศรษฐกิจในบ้าน).

'ec·sta·sy (*'ek-stə-si*) *n* very great joy (ความปลาบปลื้มยินดี).

ec'stat·ic *adj* (ปลาบปลื้มยินดี).

ec'stat·ic·al·ly *adv* (อย่างปลาบปลื้มยินดี).

edge *n* **1** the part farthest from the middle of something; a border (ริม ขอบ): *Don't put that cup so near the edge of the table — it will fall off; the edge of the lake; He stood at the water's edge.* **2** the cutting side of something sharp, for example a knife or weapon (ด้านที่คมของวัตถุเช่นมีดหรืออาวุธ): *the edge of the sword.* — *v* to move little by little (เคลื่อนไปทีละน้อย): *She edged her way through the crowd.*

edged *adj* having a border (มีขอบ มีชาย): *a handkerchief edged with lace.*

'edg·ing *n* a border (ขอบ): *a jacket with gold edging.*

'edg·y *adj* nervous and a bit bad-tempered (หงุดหงิดและค่อนข้างฉุนเฉียว).

'edg·i·ly *adv* (อย่างหงุดหงิด). **'edg·i·ness** *n* (ความหงุดหงิด).

on edge nervous (หงุดหงิด): *She was on edge when she was waiting for her exam results.*

'ed·i·ble *adj* able to be eaten (สามารถกินได้): *Are these berries edible?*

ed·i'bil·i·ty *n* (การกินได้).

'ed·i·fice *n* a large, important-looking building (ตึกใหญ่ดูมีความสำคัญ): *The new bank is a magnificent edifice.*

'ed·it *v* to prepare a book, film *etc.* for publication or for showing to the public, by correcting, altering, shortening *etc.* (การแก้ไข เปลี่ยนแปลงหนังสือ ภาพยนตร์ ให้เหมาะสมหรือทำให้สั้นลงเพื่อการนำไปพิมพ์หรือนำออกฉายต่อสาธารณชน).

e'di·tion (*i'di-shən*) *n* **1** a number of copies of a book, magazine or newspaper printed at one time (จำนวนที่พิมพ์หนังสือ นิตยสารหรือหนังสือพิมพ์ในครั้งหนึ่ง ๆ): *There is going to be a new edition of this dictionary.* **2** one copy of a particular edition (แบบหนึ่งของการพิมพ์หนังสือนั้น): *a paperback edition of the novel.* **3** a television or radio programme that is part of a series (รายการโทรทัศน์หรือรายการวิทยุที่เป็นตอน ๆ): *Don't forget to watch next week's edition.*

'ed·i·tor *n* **1** a person who edits books *etc.* (ผู้พิมพ์). **2** a person who is in charge of a newspaper, journal *etc.* or a part of it (บรรณาธิการ): *the editor of The Times; She has been appointed sports editor.*

ed·i'to·ri·al *adj* (แห่งบรรณาธิการ): *She does editorial work for a publisher.* — *n* an article in a newspaper that gives the opinion of the editor or the publishers (บทบรรณาธิการ): *The editorial criticized the education minister's decision.*

'ed·u·cate *v* to teach, especially at a school or college (สอน ให้การศึกษา): *He was educated at an American school.*

ed·u'ca·tion *n* the teaching of children and young people in schools, universities *etc.* (การสอน การให้การศึกษาเด็ก ๆ และคนหนุ่มสาวในโรงเรียน มหาวิทยาลัย): *He received a good education.*

ed·u'cation·al *adj* (แห่งการ ศึกษา).

eel *n* a kind of fish like a big long worm (ปลาไหล).

'ee·rie *adj* very strange and a bit frightening

(พิกลมาก ๆ และน่ากลัวนิด ๆ): *There was an eerie silence in the dark woods.*

'ee·ri·ly *adv* (อย่างน่ากลัว).

'ee·ri·ness *n* (ความน่ากลัว).

ef'fect *n* **1** a result (ผลลัพธ์): *Getting too fat is one of the effects of eating too much.* **2** an impression made by something (ผลกระทบ): *The television programme had a strong effect on her.* — *v* to make something happen (ทำให้เกิดผล): *The new headmistress effected several changes at the school.*

to have a bad **effect** (not ไม่ใช่ **affect**). See also **affect**.

ef'fec·tive *adj* **1** producing the result that is wanted (เกิดผลที่ต้องการ): *These new teaching methods have proved very effective.* **2** pleasing (น่าพอใจ): *an effective display of flowers.* **3** in use (มีผลบังคับใช้): *The new law becomes effective next week.*

ef'fec·tive·ly *adv* (อย่างมีผล).

ef'fects *n* in drama *etc.*, devices for producing suitable sounds, lighting *etc.* to accompany a play *etc.* (เครื่องมือซึ่งใช้ในการสร้างแสงและเสียงเพื่อใช้ประกอบในการแสดงฯลฯ): *sound effects.*

come into effect to come into use (เริ่มใช้): *The law came into effect last month.*

in effect in use (ใช้อยู่): *That rule is no longer in effect.*

put into effect to carry out a plan *etc.* (ทำตามแผน): *I'll put my plan into effect tomorrow.*

take effect to begin to work (เริ่มมีผล): *When will the drug take effect?*

ef'fem·i·nate (*i'fem-i-nət*) *adj* not manly; like a woman or girl (คล้ายผู้หญิง): *He behaves in a very effeminate way.*

ef·fer'vesce (*ef-ər'ves*) *v* to give off bubbles; to fizz (เกิดฟอง): *The drink effervesced in the glass.*

ef·fer'ves·cence *n* (สภาพความเป็นฟอง).

ef·fer'ves·cent *adj* (เป็นฟอง).

ef'fi·cient *adj* **1** capable; skilful (สามารถ ชำนาญ): *a very efficient secretary.* **2** producing satisfactory results (มีประสิทธิภาพ): *The new bread knife is much more efficient than the old one.*

ef'fi·cient·ly *adv* (อย่างมีประสิทธิภาพ).

ef'fi·cien·cy *n* (ความมีประสิทธิภาพ).

'ef·fort *n* **1** hard work; energy (งานหนัก พลังงาน): *Learning a foreign language requires effort; The effort of climbing the hill made the old man very tired.* **2** an attempt; a struggle (ความพยายาม ดิ้นรน): *He made a big effort to improve his work.* **3** a try (พยายาม): *Your drawing was a good effort.*

'ef·fort·less *adj* done very easily (ทำอย่างง่าย ๆ): *The dancer's movements looked effortless.*

'effortless·ly *adv* (อย่างง่าย ๆ).

egg[1]: **egg on** to encourage someone (คะยั้นคะยอ): *He egged his friend on to steal the radio.*

egg[2] *n* **1** an object covered with shell, laid by a bird, snake *etc.*, from which a young one is hatched (ไข่): *The female bird is sitting on the eggs in the nest.* **2** one of these laid by a hen and used as food (ไข่ไก่): *Would you like boiled, fried or scrambled eggs?* **3** in a female animal, the cell from which the baby is formed (เซลล์ภายในของสัตว์เพศเมียซึ่งทำให้เกิดทารก ไข่).

'egg-cup *n* a small cup-shaped container for holding a boiled egg while it is being eaten (ถ้วยเล็ก ๆ สำหรับใส่ไข่ลวกเวลากิน).

'egg-plant *n* a dark purple fruit used as a vegetable (มะเขือ).

egg plant

'egg·shell *n* the shell of an egg (เปลือกไข่).

'e·go (*'ē-gō*), *plural* **egos**, *n* your opinion of how important you are, personal pride (การเห็นในความสำคัญของตนเอง เห็นแก่ตัว): *He has an enormous ego* (= he thinks he is very important indeed).

eight (*āt*) *n* **1** the number 8 (เลข **8**): *Four and four are eight.* **2** the age of 8 (อายุ **8** ขวบ): *children of eight and over.* — *adj* **1** 8 in number

(จำนวนเป็นแปด): *eight people; He is eight years old.* **2** aged 8: **He is eight today**.

eighth (*ātth*) *n* one of eight equal parts (เศษหนึ่งส่วนแปด): *They each received an eighth of the money.* — *n adj* the next after the seventh in order (**ตำแหน่งถัดจากที่เจ็ด**): *His horse was eighth in the race; Is it the eighth of November today?; This is the eighth interruption this morning.*

eigh'teen *n* **1** the number 18 (**เลข 18**). **2** the age of 18: *a girl of eighteen.* — *adj* **1** 18 in number (**จำนวนเป็น 18**): *eighteen horses.* **2** aged 18: *He is eighteen now.*

'eigh·ty *n* **1** the number 80 (**เลข 80**); **2** the age of 80 (อายุแปดสิบ). — *adj* **1** 80 in number (จำนวนเป็นแปดสิบ). **2** aged 80.

'ei·ther (*'ī-dhər* or *'ē-dhər*) *pron* the one or the other of two (**สิ่งของอย่างใดอย่างหนึ่ง**): *You may borrow either of these books; I offered him coffee or tea, but he didn't want either.* — *adj* **1** the one or the other (**อย่างใดอย่างหนึ่ง**): *He can write with either hand.* **2** the one and the other; both (**ทั้งสอง**): *at either side of the garden.* — *adv* also (**ด้วย เหมือนกัน**): *If you don't go, I won't either.*

I have not been to Japan **either** (not **also**).

either...or used to introduce two things you must choose between (**เลือกเอาอย่างใดอย่างหนึ่ง...หรือไม่ก็...**): *Either go and make a noise outside, or stay here and keep quiet.*

Either John or Mary **is** telling a lie.
Either Michael or his parents **are** going to see the headmaster.

e'jac·u·late (*i'jak-ū-lāt*) *v* **1** to discharge semen from the penis (**ปล่อยน้ำเชื้อออกมาจากลึงค์**). **2** a rather old word for exclaim (การอุทานค่อนข้างเก่าแล้ว): *"Goodness!" she ejaculated.*

e·jac·u'la·tion *n* (อาการที่ปล่อยพุ่งออกมา).

e'ject *v* **1** to force someone to leave a house (ขับไล่ให้ออกจากบ้าน): *They were ejected from their house for not paying the rent.* **2** to leave an aircraft in an emergency, causing your seat to be ejected (การดีดเก้าอี้ที่เรานั่งออกจากเครื่องบิน): *The pilot had to eject when his plane caught fire.*

e'jec·tion *n* (การขับไล่ การดีดตัวออกจากเครื่องบิน).

e'lab·o·rate *adj* very detailed or complicated (อย่างละเอียด อย่างรอบคอบ): *The brooch had an elaborate design.*

e'lab·o·rate·ly *adv* (**ทำอย่างละเอียด**): *an elaborately embroidered blouse.*

e'lapse *v* to pass (**ผ่านไป**): *Many years have elapsed since we met.*

e'las·tic *adj* able to return to its proper shape or size after being pulled or pressed out of shape (**ยืดหดได้**): *Rubber is an elastic substance.* — *n* a type of cord containing strands of rubber (**แผ่นยาง**): *Her hat was held on with a piece of elastic.*

e·las'ti·ci·ty *n* (**ความยืดหยุ่น**).

elastic band a small thin ring of rubber for holding things together (**หนังรัด หนังสติ๊ก**): *He put an elastic band round the papers.*

e'la·ted (*i'lā-təd*) *adj* very cheerful (**ปีติยินดีมาก**): *She felt elated after winning.*

e'la·tion *n* (ความปีติยินดี).

'el·bow (*'el-bō*) *n* the joint where your arm bends (**ข้อศอก**): *He leant on his elbows.* — *v* to push with your elbow (**ใช้ข้อศอกดัน**): *He elbowed his way through the crowd.*

'el·bow-room *n* space enough for doing something (**ที่กว้างพอที่จะทำอะไรได้**): *Get out of my way and give me some elbow-room!*

at your elbow close to you (**อยู่ใกล้ตัว**): *When you are reading, always keep a dictionary at your elbow.*

'el·der *adj* older (**แก่กว่า เป็นผู้ใหญ่กว่า**): *He has three elder sisters; He is the elder of the two.* — *n* a person who is older: *Take the advice of your elders.*

'el·der·ly *adj* rather old (**ค่อนข้างแก่**): *an elderly lady.*

'el·dest *adj* oldest (**แก่ที่สุด**): *She is the eldest of the three children.*

elder and **eldest** can be used instead of **older** and **oldest** when you are talking about members of a family: *my elder sisters; my eldest sister;* **but** *My sister is older than me.*

e'lect *v* to choose by vote (**เลือกโดยการลงคะ-**

แนนเสียง): *He was elected chairman.*

e'lec·tion *n* the choosing of someone by vote (การลงคะแนนเสียง): *When does the election take place?; He is standing for election as president again* (ลงเลือกตั้ง).

e'lec·tor *n* a person who has the right to vote at an election (ผู้มีสิทธิ์ลงคะแนน).

e'lec·tric *adj* produced by or worked by electricity (ไฟฟ้า): *electric light.*

e'lec·tri·cal *adj* having to do with electricity (เกี่ยวกับไฟฟ้า): *electrical goods; an electrical fault.* **e'lec·tri·cal·ly** *adv* (โดยไฟฟ้า).

el·ec'tri·cian *n* a person whose job is to make, fit and repair electrical equipment (ช่างไฟฟ้า): *The electrician mended the electric fan.*

el·ec'tri·ci·ty *n* a form of energy used to give heat, light, power *etc.* (ไฟฟ้า): *This machine is worked by electricity; Don't waste electricity.*

e'lec·tri·fy (*i'lek-tri-fī*) *v* to equip something, such as railway lines, with electric power (ใส่ประจุไฟฟ้าเข้าไป).

e'lec·tro·cute (*i'lek-trə-kūt*) *v* to kill accidentally by electricity (ตายด้วยอุบัติเหตุจากไฟฟ้า ไฟฟ้าช็อตตาย).

e'lec·tron *n* a very small particle within an atom (อนุภาคเล็ก ๆ อยู่ภายในอะตอม ประจุไฟฟ้าลบ).

el·ec'tron·ic *adj* **1** worked by, or produced by, the action of electrons (เกี่ยวกับประจุไฟฟ้า): *an electronic calculator.* **2** having to do with electronics (เกี่ยวกับเครื่องอิเล็กทรอนิกส์): *an electronic engineer.*

el·ec'tron·ic·al·ly *adv* (อย่างอิเล็กทรอนิกส์).

el·ec'tron·ics *n* the science that deals with the study of electrons and their use in machines *etc.* (วิทยาศาสตร์ที่เกี่ยวกับการศึกษาเรื่องของประจุไฟฟ้าและการใช้มันในเครื่องจักร).

'el·e·gant *adj* smart; stylish (สวย ทันสมัย): *elegant clothes.*

'el·e·gance *n* (การรักสวยรักงาม).

'el·e·gy *n* a sad poem or song, often on the subject of death or a dead person (โคลงหรือเพลงที่พรรณาถึงความตายหรือคนที่ตายไปแล้ว): *an elegy for their dead king.*

'el·e·ment *n* **1** a substance that cannot be split by chemical means into simpler substances (ธาตุซึ่งไม่สามารถแบ่งทางเคมีได้อีกแล้ว): Hydrogen, chlorine, iron and uranium are elements. **2** surroundings necessary for life (สภาวะหรือส่วนสำคัญที่จำเป็นต่อชีวิต): *Water is a fish's natural element.* **3** a slight amount (จำนวนนิดหน่อย): *an element of doubt.* **4** the heating part in an electric kettle *etc.* (ส่วนทำความร้อนในเตาไฟฟ้า).

el·e'men·ta·ry *adj* very simple (เบื้องต้น): *elementary mathematics.*

'el·e·ments *n* the first things to be learned in any subject (สิ่งแรกที่จะต้องเรียนในวิชาใด ๆ ก็ตาม): *the elements of musical theory.*

'el·e·phant *n* a very large animal with thick skin, a trunk and two tusks (ช้าง).

An elephant **trumpets**.

'el·e·vate *v* to raise (ยกขึ้น): *The mechanics had to elevate the car so that they could look underneath it.*

el·e'va·tion *n* (การยกขึ้นสูง).

'el·e·va·tor *n* a lift for taking people, goods *etc.* to a higher or lower floor (ลิฟท์).

e'lev·en *n* **1** the number 11 (เลข 11). **2** the age of 11 (มีอายุ 11). **3** in football *etc.*, a team of eleven players (ทีมฟุตบอลซึ่งมีอยู่สิบเอ็ดคน): *He plays for the school's first eleven.* — *adj* **1** 11 in number (เป็นตัวเลข 11). **2** aged 11 (อายุ 11).

e'lev·enth *n* one of eleven equal parts (ส่วนหนึ่งในสิบเอ็ดส่วน). — *n adj* the next after the tenth (ถัดจากที่สิบ).

at the eleventh hour just in time (ทันเวลาพอดี): *She sent in her entry for the competition at the eleventh hour.*

elf *plural* **elves**, *n* a tiny mischievous fairy (เทวดาตัวเล็ก ๆ ที่ซุกซน).

'el·i·gi·ble *adj* **1** suitable to be chosen (เหมาะสมที่จะได้รับเลือก): *the most eligible candidate.* **2** being the right age *etc.* for something (อายุถึงพอดีที่จะทำอะไรบางอย่าง ฯลฯ): *Is he eligible to join the Scouts?*

el·i·gi'bil·i·ty *n* (การมีคุณสมบัติที่สมควรได้รับเลือก).

e'lim·i·nate *v* **1** to put someone out of a competition *etc.*; to exclude (**ตัดออกจากการแข่งขัน**): *He was eliminated from the tennis tournament in the first round.* **2** to get rid of something (**ขจัดทิ้งไป**).

e·lim·i'nation *n* (**การตัดทิ้ง การกำจัด**).

el'lipse *n* an oval.

el'lip·ti·cal *adj* (**รูปไข่**): *an elliptical shape.*

e'lite *n* the best, most important or powerful people in a society or group (**บุคคลที่ดีที่สุด สำคัญที่สุด หรือมีอำนาจมากที่สุดในสังคมหรือกลุ่มคน**): *He is a member of the scientific elite.* — *adj* of or belonging to these people (**แห่งหรือเป็นของคนเหล่านี้**): *an elite school.*

el·o'cu·tion *n* the art of speaking clearly and effectively (**ศิลปะแห่งการพูดให้ชัดเจนและได้ผล**): *Actors must study elocution as part of their training.*

'e·lon·ga·ted (*'ē-loŋ-gā-tid*) *adj* long and narrow; stretched out (**ยาวและแคบ ถูกยืดให้ยาวออกไป**): *elongated leaves; An ellipse looks like an elongated circle.*

e·lon-'ga·tion *n* (**การขยายให้ยาว**).

e'lope (*i'lōp*) *v* to run away secretly with another person to marry them (**หนีไปอย่างลับ ๆ กับคู่รัก หนีตาม**): *Her parents would never agree to her marriage so she decided to elope with her fiancé.*

'el·o·quence *n* the ability to speak so well that you deeply affect people's feelings (**สามารถพูดได้อย่างดีจนมีผลต่อความรู้สึกของผู้อื่น**): *a speaker of great eloquence.*

'el·o·quent *adj* (**โวหารดี**).

'el·o·quent·ly *adv* (**อย่างมีโวหาร**).

else *adj, adv* besides; other than yourself; other than the thing or person already named (**อื่น นอกจากตัวเราแล้ว นอกจาก สิ่งอื่นหรือคนอื่นที่ได้เอ่ยมาแล้ว**): *I know it's wrong to tell a lie, but if I have to keep the secret what else can I do?; Can we go anywhere else?; He took someone else's pencil.*

else'where *adv* in, or to, another place; somewhere or anywhere else (**ที่อื่น ที่ใด ๆ**): *You must try elsewhere if you want a less tiring job.*

or else otherwise (**ไม่อย่างนั้น**): *He must have missed the train — or else he's ill.*

e'lude (*i'lood*) *v* to escape or avoid by quickness or cleverness (**หลบหนีอย่างรวดเร็วและฉลาด**): *He eluded his pursuers.*

e'lu·sive *adj* escaping or vanishing, often or cleverly (**การหลบหนีหรือหายตัวไปบ่อย ๆ หรืออย่างฉลาด**): *an elusive criminal.*

elves plural of **elf** (**พหูพจน์ของ elf**).

e'ma·ci·a·ted (*i'mā-sē-ā-tid*) *adj* very thin and weak, usually because of illness or starvation (**ผอมและอ่อนแอมาก ๆ โดยมากมักจะเกิดจากความเจ็บป่วยหรืออดอาหาร**): *She looked pale and emaciated when she left hospital.*

e'man·ci·pate *v* to set someone free from slavery *etc.* (**ปล่อยเป็นอิสระจากความเป็นทาส เลิกทาส**).

e·man·ci'pa·tion *n* (**การปล่อยเป็นอิสระจากความเป็นทาส การเลิกทาส**).

em'bank·ment *n* a bank made to keep back water or to carry a railway over low-lying places *etc.* (**เขื่อนกั้นน้ำ**).

em'bar·go, *plural* **embargoes**, *n* an official order by a government stopping trade with another country (**คำสั่งเป็นทางการให้หยุดค้าขายกับประเทศอื่น**): *The government ordered an embargo on the sale of weapons.*

em'bark *v* to go on board ship (**ลงเรือ**): *Passengers should embark early.*

em·bar'ka·tion *n* (**การลงเรือ**).

embark on to start (**เริ่ม**): *She embarked on a new career.*

See **disembark**.

em'bar·rass *v* to make someone feel shy and uneasy (**ทำให้อายและกระอักกระอ่วนใจ**): *She was embarrassed by his praise.*

em'bar·rass·ment *n* (**ความอายและกระอักกระอ่วนใจ**).

embarrass is spelt with two **r**s and two **s**s.

em'bar·ras·sing *adj*: an embarrassing question (**คำถามที่ก่อให้เกิดอาการอึดอัด**).

'em·bas·sy, *plural* **'em·bas·sies**, *n* an ambassador and his staff or the house where he lives (**คณะทูต สถานเอกอัครราชทูต**): *the Ameri-*

can embassy in London.

em'bed·ded *adj* deeply fixed (ติดแน่น ฝังอยู่): *The bullet was embedded in the wall.*

em'bel·lish *v* **1** to increase the interest of a story *etc.* by adding details, especially untrue ones (แต่งเติมเสริมเรื่องให้เกินกว่าความเป็นจริง): *The soldier embellished the story of his escape.* **2** to decorate *etc.* (ประดับตกแต่ง): *a uniform embellished with gold braid.*

em'bel·lishment *n* (การตกแต่งให้งาม).

'em·bers *n* the sparking or glowing remains of a fire (เศษเชื้อเพลิงที่ยังติดไฟหรือปะทุไฟ).

em'bez·zle *v* to steal money that has been given to you to look after, especially money belonging to a firm *etc.* (ยักยอกเงินที่ตนเองเป็นผู้ดูแล).

em'bez·zle·ment *n* (การยักยอก).

em'bez·zler *n* (ผู้ยักยอก).

'em·blem *n* an object chosen to represent something such as an idea, a quality, a country *etc.* (วัตถุอย่างหนึ่งที่ถูกเลือกเป็นสัญลักษณ์ขึ้นมาแทนแนวความคิด คุณภาพ ประเทศชาติ ฯลฯ): *The dove is the emblem of peace.*

em'brace *v* to hug (กอด): *She embraced her brother warmly.* — *n* a hug (การกอด): *a loving embrace.*

em'broi·der *v* to decorate with designs in needlework (ตกแต่งด้วยฝีมือการเย็บปักถักร้อย): *She embroidered her name on her handkerchief.*

em'broi·der·y *n* (การเย็บปักถักร้อย).

'em·bry·o (*'em-bri-ō*), *plural* **'em·bry·os**, *n* a young animal or plant in its earliest stages in seed, egg or womb (ตัวอ่อนของสัตว์หรือต้นไม้ที่อยู่ในเมล็ด รังไข่หรือมดลูก): *An egg contains the embryo of a chicken.*

'em·er·ald *n* **1** a precious green stone (มรกต). **2** its colour. — *adj* (สีเขียวมรกต): *She wore an emerald dress.*

e'merge *v* to come out; to come into view (โผล่ออกมา โผล่ให้เห็น): *The swimmer emerged from the water.*

e'mer·gen·cy *n* an unexpected happening, especially a dangerous one (เหตุฉุกเฉิน สิ่งที่เกิดขึ้นโดยไม่คาดคิด): *Call the doctor — it's an emergency; You must save some money for emergencies.* — *adj* (อย่างฉุกเฉิน): *an emergency exit.*

'em·i·grate *v* to leave your country and settle in another (อพยพไปอยู่อีกประเทศหนึ่ง): *Many doctors emigrate to America.*

em·i'gra·tion *n* (การอพยพออกนอกประเทศ).

The opposite of **emigrate** is **immigrate**.

'em·i·grant *n* someone who emigrates (ผู้อพยพออกนอกประเทศ).

'em·i·nent *adj* famous and clever (มีชื่อเสียงและฉลาด): *an eminent lawyer.*

'em·i·nence *n* (ความมีชื่อเสียง ความโดดเด่น).

'em·i·nent·ly *adv* (อย่างมีชื่อเสียง อย่างฉลาด).

e'mit *v* to give out light, heat, a sound, a smell *etc.* (ส่องแสง ส่งความร้อน ส่งกลิ่น ฯลฯ).

e'mis·sion *n* (การส่งออกของแสง ความร้อน กลิ่น ฯลฯ).

e'mo·tion *n* a strong feeling of any kind (อารมณ์): *Fear, joy, anger, love, jealousy are all emotions.*

e'mo·tion·al *adj* (มีอารมณ์ ตื่นเต้นง่าย).

e'mo·tion·al·ly *adv* (อย่างมีอารมณ์).

'em·per·or *n* the head of an empire (จักรพรรดิ): *the Emperor Napoleon.*

'em·pha·sis *n* **1** stress put on certain words in speaking *etc.*; greater force of voice used in words or parts of words to make them more noticeable (การย้ำ การเน้นเสียงให้เห็นได้ชัดขึ้น): *In writing we sometimes underline words to show emphasis.* **2** importance given to something (การเน้นความสำคัญ): *At this school the emphasis is on hard work.*

'em·pha·size *v* to put emphasis on something (เน้น): *You emphasize the word "too" in the sentence "Are you going too?"*

to **emphasize** (not ไม่ใช่ **emphasize on**) a point.

em'phat·ic *adj* firm and definite (หนักแน่นและแน่นอน): *an emphatic refusal.*

em'phat·i·cal·ly *adv* (อย่างหนักแน่น).

'em·pire *n* a group of states *etc.* under a single ruler or ruling power (จักรวรรดิ): *the Roman empire.*

em'ploy *v* **1** to pay someone to do some work (จ้าง): *He employs three typists; She is employed as a teacher.* **2** to keep someone busy; to occupy someone (ใช้ให้ยุ่ง ครอบงำใครบางคน): *She was employed in writing letters.* **3** to use (ใช้): *You should employ your time better.*

em'ployed *adj* having a job (มีงานทำ).

em'ploy•ee *n* a person employed by a firm *etc.* (ลูกจ้าง ฯลฯ): *That firm has fifty employees.*

em'ploy•er *n* the person who employs you (นายจ้าง): *His employer dismissed him.*

em'ploy•ment *n* being employed (การจ้างงาน): *They came to the town to search for employment.*

em'po•ri•um *n* a large, usually rather grand shop that sells many kinds of goods. (ศูนย์การค้า ร้านขายของใหญ่ ๆ)

'em•press *n* **1** a female head of an empire (จักรพรรดินี). **2** the wife of an emperor (มเหสีขององค์จักรพรรดิ).

'emp•ty *adj* having nothing or no-one inside (ว่างเปล่า): *an empty box; an empty cup; an empty room; That house is empty now.* — *v* **1** to make or become empty (ทำให้ว่างเปล่า): *He emptied the jug; The classroom emptied quickly at lunch-time; He emptied out his pockets.* **2** to tip, pour, or fall out of a container *etc* (หล่น หก ตกลงมาจากภาชนะที่ใส่): *She emptied the milk into a pan; The rubbish emptied out on to the ground.*

'emp•ti•ness *n* (ความว่างเปล่า).

emp•ty-'hand•ed *adj* without the thing you wanted, or should have (มือเปล่า ๆ): *I went to buy my sister a present but returned empty-handed.*

'e•mu (*'ē-mū*) *n* an Australian bird that cannot fly (นกอีมู).

en'a•ble (*en'ā-bəl*) *v* to make someone able to do something (ทำให้สามารถ): *The money I inherited enabled me to go on a world cruise.*

e'nam•el *n* **1** a kind of hard covering for metal dishes and pans *etc.*, made of glass (วัดถุที่ใช้เคลือบจานโลหะและหม้อ). **2** the hard covering of the teeth (เคลือบฟัน). **3** a glossy paint (สีเป็นมัน).

e'nam•elled *adj* covered with enamel (เคลือบด้วยวัดถุที่เป็นเงามัน).

en'camp *v* to set up a camp (ตั้งค่าย): *The soldiers encamped in a field.*

en'camp•ment *n* a place where troops *etc.* have made their camp (ที่ตั้งค่ายกองทหาร).

en'chant (*en'chänt*) *v* **1** to delight (เบิกบาน): *was enchanted by the children's concert.* **2** to put a magic spell on someone (สาป): *A wizard had enchanted her.*

en'chant•ment *n* (การสาป การทำให้เบิกบาน).

en'chant•er *n* a person who enchants (หมอทำเสน่ห์).

en'chant•ress *n* a female who enchants (หมอทำเสน่ห์ที่เป็นผู้หญิง).

en'cir•cle *v* to surround (ล้อมรอบ): *The town was encircled by hills.*

en'close (*en'klōz*) *v* **1** to put something inside a letter or its envelope (ใส่บางอย่างเข้าไปในจดหมายหรือซองจดหมาย): *I enclose a cheque for $4.00.* **2** to shut in (ปิดล้อม): *The garden was enclosed by a high wall.*

en'clo•sure (*en'klō-zhər*) *n* a piece of land surrounded by a fence or wall (ที่ดินซึ่งถูกปิดล้อมด้วยรั้วหรือกำแพง): *He keeps a donkey in that enclosure.*

'en•core (*'oŋ-kör*) a call from an audience for a performer to sing or play something more (การร้องขอจากผู้ดูให้นักแสดงร้องเพลงหรือแสดงซ้ำอีกครั้งหนึ่ง).

en'coun•ter *v* to meet someone or something, especially unexpectedly (การเผชิญ การพบอย่างไม่คาดฝัน): *She encountered the headmistress in the street; We've encountered a problem in our computer programme.* — *n* **1** a meeting with someone that happens by chance (การพบโดยบังเอิญ): *a brief encounter with a friend.* **2** a fight (การต่อสู้): *a fierce encounter between two armies.*

en'cour•age (*en'kur-əj*) *v* **1** to make someone feel confident and hopeful (ทำให้มีความเชื่อมั่นและมีความหวัง): *The general tried to encourage the troops.* **2** to urge someone to do something (กระตุ้น): *You must encourage* *him to try again.*

en'cour·a·ging *adj* (มีความกล้า).

en'cour·a·ging·ly *adv* (อย่างกล้า ๆ).

en'cour·agement *n* (ความกล้า).

The opposite of **encourage** is **discourage**.

en'croach *v* to take up more and more of something you have no right to (ละเมิด ล่วงล้ำ): *His work is beginning to encroach on his weekends.*

en·cy·clo·pae·di·a (*en-sī-klō'pē-di-ə*) *n* a large book, or a book in several volumes, containing information on all subjects, or a lot of information on one particular subject (หนังสือเล่มใหญ่ ๆ หรือมีอยู่หลายเล่มซึ่งมีข้อมูลในทุก ๆ เรื่อง หรือมีข้อมูลมากมายในเรื่องหนึ่ง ๆ สารานุกรม).

end *n* **1** the last or furthest part (ปลายสุด): *the house at the end of the road; both ends of the room.* **2** the finish (สิ้นสุด จบลง หมดแรง): *the end of the week; The talks have come to an end; The war is at an end; He is at the end of his strength.* **3** death (ความตาย): *How did he meet his end?* **4** a small piece left over (ก้น): *cigarette ends.* — *adj* at the end of a street *etc.* (ตรงสุดถนน): *We live at the end house.* — *v* to bring or come to an end (จบลง): *How does the play end?; The plan ended in failure; How should I end this letter?*

end up to reach or come to an end, usually unpleasant (จบลงอย่างไม่ดีนัก): *I knew that he would end up in prison.*

in the end finally (ในที่สุด): *He had to work very hard but he passed his exam in the end.*

make ends meet not to get into debt (ไม่เป็นหนี้): *The widow and her four children found it difficult to make ends meet.*

put an end to to stop (หยุด): *The doctor put an end to her fears about her son's health.*

en'dan·ger (*en'dān-jər*) *v* to put something in danger (ทำให้เป็นอันตราย): *Drunk drivers endanger the lives of others.*

en'deav·our (*en'dev-ər*) *v* to try to do something (พยายามทำอะไรบางอย่าง): *He endeavoured to teach the children some grammar.* — *n* an attempt (ความพยายาม): *He succeeded in his endeavour to climb Everest.*

'end·ing *n* the end, especially of a story, poem *etc.* (ตอนจบ): *Fairy stories have happy endings.*

'end·less *adj* **1** going on for ever (ไม่มีที่สิ้นสุด): *endless arguments.* **2** continuous (ต่อเนื่องกัน): *an endless chain.*

en'dure (*en'dūr*) *v* **1** to bear (ทนทาน): *She endures her troubles bravely; I can endure her rudeness no longer.* **2** to last (คงอยู่): *The actress died many years ago, but the memory of her great acting has endured.*

en'du·ra·ble *adj* (สามารถทนทานได้).

en'du·rance *n* (ความทนทาน).

'en·e·my *n* **1** a person who hates you and wants to harm you (ศัตรู): *She is so good and kind that she has no enemies.* **2** a member of a country that is fighting your country (สมาชิกของอีกประเทศหนึ่งซึ่งต่อสู้อยู่กับประเทศของเรา): *The Germans were the enemies of the British in the two world wars; The French and British were enemies in the Napoleonic wars.* — *adj*: *enemy troops* (กองกำลังของข้าศึก).

the enemy your enemies in war (ข้าศึกในสงคราม): *The enemy marched on the city and captured it.*

en·er'get·ic *adj* **1** strong and active (แข็งแรง): *an energetic child.* **2** requiring energy (ต้องใช้แรง): *an energetic walk.*

en·er'get·i·cal·ly *adv* (อย่างแข็งแรง).

'en·er·gy *n* **1** strength and vigour (กำลังและความกระฉับกระเฉง): *The old man has amazing energy for his age.* **2** the power, of electricity *etc*, of doing work (พลังไฟฟ้า ฯลฯ): *electrical energy; nuclear energy.*

en'force *v* to make sure that a law or command is carried out (บังคับให้กระทำตามกฎหมายหรือคำสั่ง): *It is the job of the police to enforce the law.*

en'force·ment *n* (การบังคับให้กระทำ).

en'gage *v* **1** to appoint someone to work for you (มอบงานให้ แต่งตั้งให้): *She engaged a woman to clean the house.* **2** to catch and hold someone's attention (ดึงดูดความสนใจ): *The toy engaged the baby's attention for a moment.* **3** to fit into one another (ประกบกัน เชื่อมติดกัน): *The gears failed to engage.* **4** to start using a particular gear (เข้าเกียร์): *Engage second gear.*

en'gaged *adj* **1** having given a promise to marry someone (หมั้น): *She became engaged to John.* **2** occupied (หมกมุ่น): *She is engaged in writing children's books.* **3** busy; not free (ยุ่ง ไม่ว่าง): *Please come if you are not already engaged for that evening.* **4** being used by someone else (ถูกคนอื่นใช้อยู่): *The telephone line is engaged.*

en'gage·ment *n* **1** a promise to get married (การหมั้น): *When shall we announce our engagement?* **2** an appointment (การนัดหมาย): *Have you any engagements tomorrow?* **3** a battle (การรบ): *a naval engagement.*

'en·gine (*'en-jin*) *n* **1** a machine in which heat *etc.* is used to produce motion (เครื่องยนต์): *The car has a new engine.* **2** a railway engine (เครื่องจักรรถไฟ): *He likes to sit in a seat facing the engine.*

'en·gine-dri·ver *n* a person who drives a railway engine (คนขับรถไฟ).

en·gi'neer *n* **1** a person who designs, makes, or works with machinery (วิศวกร): *an electrical engineer.* **2** a person who designs and constructs roads, railways, bridges *etc.* (วิศวกรโยธา).

en·gi'neer·ing *n* the job of an engineer (วิศวกรรม): *He is studying engineering at university.*

'Eng·lish (*'iŋ-glish*) *adj* belonging to England (เป็นของประเทศอังกฤษ). — *n* the main language of England and the rest of Britain, North America, a great part of the British Commonwealth and some other countries (ภาษาอังกฤษ).

'Eng·lish·man, **'Eng·lish·wom·an** *n* a man or woman born in England (ชายหรือหญิงที่เกิดในอังกฤษ).

en'grave *v* to cut letters or designs on stone, wood, metal *etc.* (แกะสลักลงบนก้อนหิน ไม้ โลหะ ฯลฯ): *His initials were engraved on the silver cup.*

en'grossed (*en'grōst*) *adj* giving all your attention to something (ใจจดจ่อ): *He is completely engrossed in his book.*

en'gulf *v* to close around; to cover completely (ปิดล้อม ปิดจนมิด): *The house was already engulfed in flames when the fire brigade arrived; The enormous waves seemed to engulf the little boat.*

en'hance (*en'häns*) *v* to increase or improve something (การเพิ่มหรือทำอะไรให้ดีขึ้น): *Working harder will enhance his chances of passing the examination.*

en·ig'ma·tic (*en-ig'ma-tik*) *adj* mysterious or puzzling (เป็นปริศนา): *an enigmatic smile.*

en'joy *v* to get pleasure from something (ได้รับความเพลิดเพลิน): *Did you enjoy your meal?; I enjoy walking, running and swimming.*

en'joy·a·ble *adj* (น่าเพลิดเพลิน).

en'joy·ment *n* (ความเพลิดเพลิน).

enjoy needs an object: *to enjoy a book; to enjoy yourself* (not *to enjoy very much*).

enjoy yourself to have a good time; to feel happy (มีความสนุกสนาน รู้สึกมีความสุข): *She enjoyed herself at the party.*

en'large *v* to make something larger (ขยายให้ใหญ่ขึ้น): *They enlarged their house; She had the photograph enlarged.*

en'large·ment *n* (การขยายให้ใหญ่ขึ้น).

en'ligh·ten *v* to give more information about something (ทำให้กระจ่าง สอน): *If you need to know anything about gardening, this book will enlighten you.*

en'list *v* **1** to join an army *etc.* (เข้ารับราชการทหาร): *He enlisted in the British army.* **2** to get help from someone (ได้รับความช่วยเหลือจากใครบางคน): *They enlisted the support of five hundred people for their campaign.*

en'li·ven (*en'lī-vən*) *v* to make more lively or cheerful (ทำให้มีชีวิตชีวามากขึ้นหรือสดชื่นขึ้น): *The funny games enlivened the party.*

'en·mi·ty *n* a strong feeling of dislike between people; hatred (ความรู้สึกไม่ชอบหรือเกลียดกันระหว่างผู้คน ความเกลียด): *There is still* *too much enmity between the nations of the world; The two men never overcame their enmity towards each other.*

e'norm·i·ty *n* **1** wickedness or great crime or sin (**ความชั่วหรืออาชญากรรมหรือความผิดบาป**): *The programme discussed the enormities committed during the war.* **2** *great size or importance* (**ขนาดใหญ่หรือมีความสำคัญ**): The enormity of the task worried her.

e'nor·mous *adj* very large (**ใหญ่มาก มากมาย**): *The new building is enormous; We had an enormous lunch.*

e'nor·mous·ly *adv* (**อย่างมากมาย**).

e'nough (*i'nuf*) *adj* **1** as much as you need (**พอเพียง**): *Have you enough money to pay for the books?; There is enough food for everyone.* **2** as much as you can bear (**เท่าที่ทนได้**): *That's enough cheek from you!* — *pron* **1** as much as you need (**สิ่งที่เพียงพอ**): *He has had enough to eat.* **2** as much as you can bear (**เท่าที่ทนได้**): *I've had enough of her rudeness.* — *adv* as much *etc.* as necessary (**เท่าที่จำเป็น**): *Is it hot enough?; He swam well enough to pass the test.*

en'quire, en'qui·ry a different way of spelling **inquire** and **inquiry**. See **inquire** (**ดู inquire**).

en'rage *v* to make someone very angry (**ทำให้โกรธอย่างมาก**): *His son's rudeness enraged him.*

en'rich *v* to improve something (**ทำให้ดีขึ้น**): *Fertilizers enrich the soil; Reading enriches your mind.*

en'rol (*en'rōl*) *v* o make someone a member of, or become a member of, a school, class, club *etc.* (**สมัคร ลงทะเบียน**): *We enrolled for the gym class; You must enrol your child before the start of the school term.*

en'rol·ment *n* (**การสมัคร การลงทะเบียน**).

enrolment is spelt with one **l**.

en'sem·ble (*on'som-bəl*) *n* **1** all the clothes that someone is wearing (**เสื้อผ้าที่สวมใส่ทั้งหมด**): *She was wearing a matching pink ensemble.* **2** a small group of musicians who regularly perform together (**ดนตรีกลุ่มเล็ก ๆ ซึ่งแสดงด้วยกันเป็นประจำ**).

en'slave *v* to make someone a slave (**ทำให้ตกเป็นทาส**): *The land was conquered and the people were enslaved.*

en'slave·ment *n* (**การทำให้เป็นทาส**).

en'sue (*en'sū*) *v* to come after, especially as a result (**เกิดผลตามมา**): *The meeting broke up in confusion and fighting ensued.*

en'su·ing *adj* coming after; happening as a result (**ซึ่งเกิดตามมา**): *She was hurt in the ensuing riots; He met her on holiday and wrote to her often during the ensuing months.*

en'sure (en'sho͝or) *v* to make sure (**ทำให้แน่ใจ**): *Ensure that your television set is switched off at night.*

en'tail *v* to cause; to require (**ทำให้เกิด จำเป็นต้องมี**): *These alterations will entail great expense.*

en'tan·gle *v* to tangle something with something else (**พันสิ่งหนึ่งเข้ากับสิ่งอื่น**): *Her long scarf entangled itself in the bicycle wheel.*

en'tan·gle·ment *n* (**การติดบ่วง การพัวพัน**).

'en·ter *v* **1** to go or come into a place (**เข้าไปหรือเข้ามา**): *Enter by this door; He entered the room.* **2** to give your own or someone else's name for a competition *etc.* (**ลงชื่อสมัคร**): *He entered for the race; I entered my pupils for the examination.* **3** to write something in a particular place (**การเขียนลงในที่เฉพาะ**): *Please enter your choice in the space below.* **4** to start in a particular place (**เริ่มต้น**): *She entered the school last term.*

to **enter** (not **ไม่ใช่ enter into**) a room.

'en·ter·prise (*'en-tər-prīz*) *n* **1** a scheme or plan; a business (**กิจการหรือแผนงาน ธุรกิจ**): *We wish him success in his enterprise.* **2** willingness to try out something new (**ความยินยอมที่จะลองของใหม่**): *We need someone with enterprise for this job.*

'en·ter·pri·sing *adj* keen to try new things, and willing to take risks (**ชอบที่จะลองของใหม่และยอมเสี่ยง**).

en·ter'tain *v* **1** to give a meal *etc.* to guests (**เลี้ยงดูแขก**): *They entertained us to dinner.* **2** to amuse (**ทำให้สนุกสนาน**): *His stories* *entertained us for hours.*

en·ter'tain·er *n* someone who gives amusing performances as a job **(นักแสดง)**.

en·ter'tain·ing *adj* amusing **(ขบขัน)**: *entertaining stories.*

en·ter'tain·ment *n* **1** a theatrical show *etc.* **(การแสดง)**: *The school is staging a Christmas entertainment.* **2** amusement; interest **(สนุกสนาน น่าสนใจ)**: *There is always plenty of entertainment in a big city.*

en'thral (*en'thröl*) *v* to delight or thrill someone **(ทำให้ดีใจหรือตื่นเต้น)**: *His stories enthralled the children.* **en'thral·ling** *adj* **(ตรึงตาตรึงใจ)**.

en'throne *v* to place someone on a throne; to crown someone as a king, queen *etc.* **(ราชาภิเษก ให้เป็นพระเจ้าแผ่นดิน พระราชินี)**: *The queen was enthroned with great ceremony.*

en'throne·ment *n* **(การเถลิงถวัลย์ราชสมบัติ)**.

en'thu·si·asm (*en'thū-zi-az-əm*) *n* great liking and interest; keenness **(ความชอบอย่างยิ่ง ความสนใจ ความกระตือรือร้น)**: *He has a great enthusiasm for travelling.*

en'thu·si·ast *n* a person who is very keen on something **(คนที่กระตือรือร้น)**: *a computer enthusiast.*

enthusi'as·tic *adj* **(กระตือรือล้น)**.

en·thu·si'as·tic·al·ly *adv* **(อย่างกระตือรือร้น)**.

en'ti·cing (*en'ti-siŋ*) *adj* very tempting and attractive **(ยั่วยวนและมีเสน่ห์)**: *That meal looks very enticing.*

en'tire *adj* whole **(ทั้งหมด)**: *I spent the entire day on the beach.*

en'tire·ly *adv* completely **(โดยสิ้นเชิง)**: *The house is entirely hidden by trees; This arrangement is not entirely satisfactory; he twins look entirely different.*

en'ti·re·ty (*en'tīr-ə-ti*) *n* completeness **(ความบริบูรณ์)**.

en'ti·tle *v* **1** to give someone a right to, or to do, something **(ให้อำนาจ สิทธิ์)**: *You are not entitled to free school lunches; He was not entitled to borrow money from the cash box.* **2** to give a title to a book *etc.* **(ตั้งชื่อหนังสือ)**: *a story entitled "The White Horse".*

en'ti·tle·ment *n* **(การให้อำนาจ)**.

'en·trance[1] *n* **1** a place where you enter, for example, an opening, a door *etc.* **(ทางเข้า)**: *the entrance to the tunnel; The church has a very fine entrance.* **2** the action of entering, for instance on to a stage **(ขึ้นไปบน)**: *Cinderella at last made her entrance.* **3** the right to enter **(สิทธิ์ที่จะเข้า)**: *He has applied for entrance to university.* — *adj* **(การสอบเข้า)**: *an entrance exam.*

The opposite of **entrance**[1] is **exit**.

en'trance[2] (*en'träns*) *v* to delight someone very much **(ทำให้เคลิบเคลิ้ม)**: *The audience were entranced by her singing.*

'en·trant *n* someone who enters a competition *etc.* **(ผู้เข้าแข่งขัน)**: *There were sixty entrants for the musical competition.*

en'treat *v* to ask someone earnestly; to beg or implore **(อ้อนวอน ขอร้อง)**: *He entreated her to help him.*

en'trea·ty *n* **(การอ้อนวอน การขอร้อง)**: *She refused to listen to his entreaties.*

en'trench·ed *adj* firmly fixed and not easy to change **(มั่นคงแข็งแรงและไม่เปลี่ยนแปลงง่าย)**: *His conservative views are well entrenched.*

en'trust *v* to trust somebody with something **(ไว้ใจ มอบหมาย)**: *I entrusted this secret to her; I entrusted her with the duty of locking up.*

'en·try *n* **1** coming in or going in **(การเข้ามา การเข้าไป)**: *They were silenced by the entry of the headmaster.* **2** the right to enter **(มีสิทธิ์ที่จะเข้าไป)**: *We can't go in — the sign says "No Entry".* **3** a passage or small entrance hall **(ทางเดินหรือโถงทางเดินเล็ก ๆ)**: *Don't bring your bike in here — leave it in the entry.* **4** a person or thing entered for a competition **(ผู้เข้าแข่งขัน สิ่งที่ส่งเข้าแข่งขัน)**: *There are forty five entries for the painting competition.*

en'twine *v* to wind something round and round **(พันรอบ ๆ)**.

en'vel·op (*en'vel-əp*) *v* to cover by wrapping; to surround completely **(ห่อหุ้ม ปกคลุม)**: *She* *enveloped herself in a long cloak.*

envelop, without an **-e**, is a verb.
envelope, with an **-e**, is a noun.

'en·ve·lope *n* a paper cover for a letter (ซองจดหมาย): *Don't forget to put a stamp on the envelope.*

'en·vi·ous *adj* feeling or showing envy (รู้สึกหรือแสดงอาการอิจฉา): *He is envious of my new car.*

en'vi·ron·ment (*en'vī-rən-mənt*) *n* surroundings or conditions in which a person or animal lives (สิ่งแวดล้อม): *An unhappy home environment may drive a teenager to crime; We should protect the environment.*

en·vi·ron'men·tal *adj* (เกี่ยวกับสิ่งแวดล้อม).

en·vi·ron'men·ta·list *n* a person who wants to protect the natural environment from the bad effects of pollution and industry *etc.* (นักสิ่งแวดล้อม): *Environmentalists are very worried about the dangers of nuclear energy.*

'en·voy *n* a messenger (ทูต ผู้ส่งข่าว): *He was sent to France as the king's envoy.*

'en·vy *v* to look greedily at someone and wish that you had what they have (อิจฉา): *He envied me; She envied him his money; I've always envied that house of yours.* — *n* the feeling you have when you envy someone (ความรู้สึกอิจฉา): *She was filled with envy at his wealth.*

'ep·ic *n* a long story, film *etc.* about great events and deeds in history *etc.* (เรื่องยาว ภาพยนตร์ ฯลฯ เกี่ยวกับเหตุการณ์ใหญ่ ๆ และการกระทำในประวัติศาสตร์).

ep·i'dem·ic *n* an outbreak of a disease that affects many people (โรคระบาด): *an epidemic of influenza.*

'ep·i·lep·sy (*'ep-i-lep-si*) *n* a medical condition which causes a person to become unconscious and suffer convulsions (ลมบ้าหมู): *He has suffered from epilepsy ever since his accident.*

ep·i'lep·tic *adj* of, for or suffering from epilepsy (เป็นลมบ้าหมู): *an epileptic fit.* — *n* a person suffering from epilepsy (คนเป็นลมบ้าหมู): *He has been diagnosed as an epileptic.*

'ep·i·sode *n* **1** an event that is part of a longer story *etc* (เหตุการณ์ตอนหนึ่งในเรื่องยาว): *The episode concerning the donkeys is in Chapter 3.* **2** a part of a radio or television serial (เหตุการณ์เป็นตอน ๆ ในวิทยุหรือโทรทัศน์): *This is the last episode of the serial.*

e'pis·tle (*e'pis-əl*) *n* a letter, especially in the Bible from an apostle (จดหมาย สาสน์): *The Epistles of St Paul.*

'ep·i·taph (*'ep-i-täf*) *n* something written on a gravestone in memory of the dead person (คำจารึกบนหลุมฝังศพ).

e'pi·to·mize *v* to be a perfect example of (เป็นตัวอย่างที่ดีเยี่ยม): *She epitomizes the modern businesswoman.*

'e·poch (*'ē-pok*) *n* a particular period in the history or development of the world (ยุค สมัย): *With the collapse of communism, we are entering a new epoch.*

'e·qual (*'ē-kwəl*) *adj* the same in size, amount, value *etc.* (เท่ากันในขนาด, จำนวนและคุณค่า): *four equal slices; coins of equal value; Are these pieces equal in size?; Women want equal wages with men.* — *n* someone of the same age, rank, ability *etc.* (ผู้ที่มีอายุเท่ากัน ระดับเดียวกัน ความสามารถเท่ากัน): *I am not his equal at running.* — *v* to be the same in amount, value, size *etc.* (มีจำนวน มีคุณค่า มีขนาด ฯลฯ อย่างเดียวกัน): *I cannot hope to equal him; She equalled his score of twenty points*; Five and five equals ten.

'e·qual·ly *adv* (โดยเท่าเทียมกัน).

e'qual·i·ty (*i'kwol-i-ti*) *n* being equal (ความเท่าเทียมกัน): *Women want equality of opportunity with men.*

'e·qual·ize *v* to make or become equal (ทำให้เท่ากัน): *Our team was winning by one goal — but the other side soon equalized.*

equal to fit or ready for something (เหมาะสมหรือพร้อม): *I didn't feel equal to telling him the truth.*

e'qua·tion (*i'kwā-shən*) *n* a statement, especially in mathematics, that two things are equal or the same (สมการ): *2+3=5 is an equation.*

e'qua·tor (*i'kwā-tər*) *n* the imagined line that

circles the earth, lying at an equal distance from the North and South Poles (เส้นศูนย์สูตร): *Singapore is almost on the equator.*

eq·ua'to·ri·al *adj* (แห่งเส้นศูนย์สูตร).

e·qui'lat·er·al (*ē-kwi'lat-ə-rəl*) *adj* having all sides equal (มีด้านทุกด้านเท่ากัน): *an equilateral triangle.*

e'quip *v* to provide someone or something with everything needed (จัดเตรียมของไว้ให้): *He was fully equipped for the journey; The school is equipped with four computers.*

e'quip·ment *n* the clothes, machines, tools *etc.* necessary for a particular kind of work, activity *etc.* (เสื้อผ้า เครื่องจักรกล เครื่องมือ ฯลฯ ที่จำเป็นสำหรับงานชนิดหนึ่ง): *Without the right equipment the mechanic could not repair the car.*

equipment is never used in the plural.

e'quiv·a·lent *adj* **1** equal (เท่ากัน): *A metre is not quite equivalent to a yard.* **2** the same in meaning (ความหมายเหมือนกัน): *Would you say that "brave" and "courageous" are exactly equivalent?* — *n* something or someone that is equivalent to something or someone else (สิ่งของหรือคนที่เหมือนกันหรือมีค่าเท่ากันกับสิ่งอื่นหรือคนอื่น): *This word has no equivalent in Chinese.*

'e·ra (*'ē-rə*) *n* a particular period in history or in the development of man (ยุค สมัย ในประวัติศาสตร์หรือในการพัฒนาของมนุษย์): *This is the era of the motor-car.*

e'rad·i·cate *v* to get rid of something completely (ขจัดไปอย่างถอนรากถอนโคน): *Smallpox is a disease that has almost been eradicated.*

e·rad·i'ca·tion *n* (การถอนรากถอนโคน การทำลายอย่างสิ้นซาก).

e'rase (*i'rāz*) *v* to rub out pencil marks *etc.* (ลบรอยเช่นรอยดินสอ): *The pupil tried to erase the mistake.*

e'ra·ser *n* a piece of rubber *etc.* for rubbing out pencil marks (ยางลบ).

e'rect *adj* upright: *He held his head erect.* — *v* **1** to put up or to build something (ตั้งตรง สร้าง): *They erected a statue in the hero's memory; They plan to erect an office block there.* **2** to set upright (ตั้งขึ้นให้ตรง): *to erect a mast.*

e'rec·tion *n* (ความตั้งตรง การสร้าง).

e'rode *v* to wear away or destroy gradually (กัดกร่อนหรือทำลายไปทีละน้อย): *Acids erode certain metals.*

e'ro·sion *n* (การกัดกร่อน).

e'ro·tic *adj* arousing feelings of sexual desire or pleasure (กระตุ้นความต้องการทางเพศหรือความสุขใจ): *an erotic dance.*

err (*ər*) *v* to make a mistake (ทำผิด).

'er·rand *n* a short journey to get or do something for someone else (การเดินทางสั้น ๆ เพื่อทำอะไรให้ใครบางคน การไปทำธุระ): *He sent the child on an errand; The boy will run errands for you.*

er'rat·ic *adj* not regular; not dependable (ไม่เป็นปกติ พึ่งไม่ได้): *His work is erratic.*

er'rat·i·cal·ly *adv* (อย่างไม่คงเส้นคงวา).

er'ro·ne·ous *adj* wrong (ผิดพลาด): *an erroneous statement.*

'er·ror *n* a mistake (ข้อผิดพลาด): *His composition is full of errors.*

'e·ru·dite (*'e-ro͞o-dīt*) *adj* showing or having a lot of knowledge (คงแก่เรียน): *an erudite professor.*

e'rupt *v* **1** used to describe the action of a volcano — to burst and throw out lava *etc.* (ภูเขาไฟระเบิด ฯลฯ): *When did this volcano last erupt?* **2** to burst out (ระเบิดออกมา): *The demonstration started quietly but suddenly violence erupted.*

e'rup·tion *n* (การพลุ่ง การระเบิด).

See **explode**.

'es·ca·late *v* to increase more and more quickly (เพิ่มขึ้นอย่างรวดเร็ว): *The argument escalated into a fight; Prices are escalating.*

es·ca'la·tion *n* (การเพิ่มขึ้นอย่างรวดเร็ว).

'es·ca·la·tor *n* a moving staircase in a big shop, underground railway *etc.* (บันไดเลื่อน).

es'cape *v* **1** to get away free or safe (หลบหนีหรือหลบเลี่ยง): *He escaped from prison; She escaped the infection.* **2** to slip from the memory *etc.* (หายไปจากความทรงจำ): *His name escapes me.* **3** to leak; to find a way out (รั่ว หาทางออก): *Gas was escaping from a hole in the pipe.* — *n* an act of escaping (การหลบหนี): *Make your escape while the guard is away; There have been several escapes from that prison.*

'es·cort *n* **1** one or more people accompanying others to protect or guide them (คนหนึ่งคนหรือมากกว่านั้นที่ตามไปด้วยเพื่อให้ความคุ้มกันหรือนำทาง): *He offered to be my escort round the city.* **2** one or more cars, ships *etc.* accompanying a ship, vehicle *etc.* for protection or courtesy (รถหรือเรือที่ติดตามยานพาหนะเพื่อคุ้มกันหรือเพื่ออำนวยความสะดวก): *The truck carrying the dangerous chemical was under police escort.* — *v* (**es'cort**) to accompany someone as escort (ไปเป็นเพื่อน): *He offered to escort her to the dance.*

es'pe·cial·ly (*əs'pe-shə-li*) *adv* particularly (โดยเฉพาะอย่างยิ่ง): *These insects are quite common, especially in hot countries.*

See **specially**.

'es·pi·o·nage (*'es-pi-ə-näzh*) *n* **1** the use of spies to get secret information about an enemy or rival (การจารกรรม): *Spying on rival firms is called industrial espionage.* **2** the activity of spying (ทำจารกรรม): *He was arrested for espionage.*

es·pla'nade *n* a level space for walking or driving, especially at the seaside (ทางเดินหรือทางรถ โดยเฉพาะอย่างยิ่งที่ชายทะเล).

'es·say *n* a written composition (เรียงความ): *Write an essay on your holiday.*

'es·sence *n* **1** the most important part or quality (ส่วนที่สำคัญที่สุดหรือมีคุณภาพที่สุด): *his is the essence of what he said.* **2** a substance obtained from a plant *etc.* (สารซึ่งได้มาจากพืช): *vanilla essence.*

es'sen·tial *adj* absolutely necessary (จำเป็นอย่างที่สุด): *It is essential that you arrive punctually.* — *n* a thing that is essential (ความจำเป็น): *Is a television set an essential?*

es'sen·tial·ly *adv* (โดยจำเป็น).

es'tab·lish *v* **1** to settle someone firmly in a job, business *etc.* (ตั้งตัวอย่างมั่นคงในงานธุรกิจ): *He established himself as a jeweller in the city.* **2** to set up a university, a business *etc.* (การจัดตั้งมหาวิทยาลัย บริษัทธุรกิจ): *How long has the firm been established?* **3** to show that something is true (แสดงว่าอะไรบางอย่างเป็นจริง): *The police have established that he was guilty.*

es'tab·lish·ment *n* **1** the establishing of something (การจัดตั้งอะไรบางอย่าง). **2** a firm, shop, hotel *etc.*: *I want to speak to the manager of this establishment* (บริษัท ร้านค้า โรงแรม ฯลฯ).

es'tate *n* **1** a large piece of land, especially in the country, owned by someone (อสังหาริมทรัพย์). **2** a piece of land for building *etc.* (ที่ดินเพื่อการก่อสร้าง): *a housing estate.*

es'teem *v* to respect greatly (นับถืออย่างยิ่ง). — *n* respect (ความนับถือ): *His foolish behaviour lowered him in my esteem.*

'es·ti·mate *v* to judge size, amount, value *etc.*, especially without measuring or calculating exactly (ประมาณการ): *He estimated that the journey would take two hours.* — *n* (*'es-ti-mət*) an approximate calculation (ประเมินค่า): *He gave us an estimate of the cost of repairing the car; a rough estimate.*

es·ti'ma·tion *n* opinion (การประเมิน): *In my estimation, he is the better pupil of the two.*

et 'cet·er·a (*ət'set-ə-rə*) and so on, usually shortened to **etc.** (และอื่น ๆ เขียนสั้น ๆ ว่า ฯลฯ).

etch *v* **1** to make designs on metal, glass *etc.* by using an acid to cut out the lines (ออกแบบบนโลหะหรือแก้วโดยใช้กรดกัดลายต่าง ๆ): *The artist made a drawing and then etched it on to copper.* **2** to fix something firmly in your memory as if by printing it there (จำอะไรบางอย่างฝังใจ): *The scene he saw in that room remained etched on his mind.*

'etch·ing *n* a picture printed from etched metal, glass *etc.* (รูปภาพจากการพิมพ์โดยวิธีนี้).

e'ter·nal *adj* **1** without end; lasting for ever (ไม่มีที่สิ้นสุด นิรันดร): *God is eternal; eternal life.* **2** never stopping (ไม่เคยหยุด): *I am* *tired of your eternal complaints.*

e'ter·nal·ly *adv* (อย่างไม่มีที่สิ้นสุด).

e'ter·ni·ty *n* **1** time without end (นิรันดร). **2** the state or time after death (สภาวะหรือเวลาหลังความตาย).

'eth·ics *n* a set of moral principles and beliefs about right and wrong (จรรยาบรรณ จริยธรรม): *The law may be effective but there are several questions about its ethics.*

'eth·nic *adj* having to do with nations or races or their customs, dress, food *etc.* (เกี่ยวกับชาติหรือเผ่าพันธ์หรือขนบธรรมเนียม การแต่งกาย อาหาร ฯลฯ): *ethnic groups; ethnic dances.*

'et·i·quette (*'et-i-ket*) *n* rules for correct or polite behaviour between people (กฎที่ตั้งขึ้นเพื่อแก้ไขหรือพฤติกรรมที่สุภาพระหว่างผู้คน มารยาท).

eu·ca'lyp·tus (*ū-kə'lip-təs*) *n* a large Australian evergreen tree, giving timber, gum and an oil that is used for treating colds (ต้นยูคาลิปตัส).

'eu·phe·mism (*'ū-fə-miz-əm*) *n* a pleasant name for something that is unpleasant (คำที่น่าฟัง ที่ใช้แทนคำที่ไม่น่าฟัง): *"Pass on" is a euphemism for "die".*

euphe'mis·tic *adj* (ใช้คำอ่อนแทนคำรุนแรง).

eu·tha'na·si·a (*ū-thə'nā-zi-ə*) *n* the painless killing of someone who is suffering from a painful illness that cannot be cured (การฆ่าอย่างไม่เจ็บปวดของใครบางคนที่ทนทุกข์ทรมานกับความเจ็บป่วยและไม่มีทางรักษาให้หายได้): *Doctors are not allowed to practise euthanasia.*

e'vac·u·ate (*i'vak-ū-āt*) *v* to leave a place, or make someone leave a place, especially because of danger (ย้ายออกหรือทำให้ใครย้ายออกไป): *Children were evacuated from the city to the country during the war.*

e·vac·u'a·tion *n* (การเคลื่อนย้าย).

e'vade *v* **1** to avoid something (หลบเลี่ยง หลบหลีก): *He tried to evade paying his taxes.* **2** to avoid answering (เลี่ยงไม่ตอบคำถาม): *She evaded his question by talking about the weather.*

e'val·u·ate (*i'val-ū-āt*) *v* to find out the value of someone or something (คำนวณราคา ประเมินผล): *It is difficult to evaluate his work.*

e·val·u'a·tion *n* (การคำนวณราคา).

e'van·ge·list (*i'van-jə-list*) *n* someone who tries to convert other people, especially to Christianity, usually by preaching at large public meetings (ผู้สอนศาสนา): *Billy Graham is a wellknown American evangelist.*

e'vap·o·rate *v* to change into vapour and disappear (ระเหยกลายเป็นไอหายไป): *The small pool of water evaporated in the sunshine.*

e·vap·o'ra·tion *n* (การระเหยกลายเป็นไอ).

e'vap·o·ra·ted *adj* having had some liquid removed by evaporation (การเอาของเหลวออกโดยการระเหย): *evaporated milk.*

e'va·sive (*i'vā-siv*) *adj* not open and honest (ไม่เปิดเผย เลี่ยง ๆ): *Her answer was evasive.*

take evasive action to act to avoid trouble or problems, especially a collision (การกระทำเพื่อหลีกเลี่ยงความยุ่งยากหรือปัญหา): *The driver had to take evasive action to avoid crashing.*

eve *n* **1** the day or evening before a festival (วันหรือตอนเย็นของวันก่อนวันฉลอง): *Christmas Eve; New Year's Eve.* **2** the time just before an event (เวลาก่อนที่จะเกิดเหตุการณ์หนึ่ง): *on the eve of the battle.*

'e·ven[1] (*'ē-vən*) *adj* **1** the same in height, amount *etc.* (สูงเท่ากัน ปริมาณเท่ากัน): *Are the table-legs even?; an even temperature.* **2** smooth (ราบเรียบ): *Make the path more even.* **3** regular (สม่ำเสมอ): *He has a strong, even pulse.* **4** able to be divided by 2 (หารด้วยสองได้ เลขคู่): *2, 4, 6, 8, 10 etc. are even numbers.* **5** equal in number, amount *etc.* (จำนวนเท่ากัน เสมอกัน): *The teams have scored one goal each and so they are even now.* **6** calm (สงบ): *She has a very even temper.* — *v* to make even or equal (ทำให้เสมอกันหรือเท่ากัน): *to even the score.*

'e·ven·ly *adv* (โดยสม่ำเสมอ โดยเท่าเทียมกัน).

'e·ven·ness *n* (ความสม่ำเสมอ ความเท่าเทียมกัน).

get even with to harm someone who has harmed you (แก้แค้น): *He tricked me, but I'll get even with him.*

even out to become or make even (ทำให้ราบเรียบ): *The road rose steeply and then evened out; He raked the soil to even it out.*

'e·vens[2] (*'ē-vən*) *adv* **1** used to point out something unexpected in what you are saying (ใช้เพื่อชี้ให้เห็นบางอย่างที่คาดไม่ถึงในสิ่งที่พูด): *"Have you finished yet?" "No, I haven't even started."; Even the winner got no prize.* **2** yet; still (ยังคง แม้กระนั้น): *My boots were dirty, but his were even dirtier.*

even if no matter whether (ถึงแม้ว่า): *Even if I leave now, I'll be too late.*

even so in spite of that (ถึงจะเป็นอย่างนั้น): *It rained, but even so we enjoyed the day.*

even though in spite of the fact that (ถึงแม้ความจริง): *I like the job even though it's badly paid.*

'eve·ning (*'ēv-niŋ*) *n* the part of the day between the afternoon and the night (เวลาเย็น): *in the evening; summer evenings; tomorrow evening; on Tuesday evening.*

evening dress clothes worn for formal occasions in the evening (ชุดราตรีสโมสร).

e'vent *n* something, especially something important, that happens (เหตุการณ์): *That night a terrible event occurred.*

e'vent·ful *adj* full of events; exciting (เต็มไปด้วยเหตุการณ์มากมาย น่าตื่นเต้น): *We had an eventful day.*

at all events, at any event in any case (ไม่ว่ากรณีใด ๆ ไม่ว่าจะเป็นอย่างไร): *At all events, we can't make things worse than they already are.*

e'ven·tu·al (*i'ven-chōō-əl*) *adj* happening in the end (ซึ่งเกิดขึ้นในที่สุด): *Her eventual return caused great joy.*

e'ven·tu·al·ly *adv* finally; in the end (ในที่สุด): *We thought he wasn't going to come but eventually he arrived.*

'ev·er *adv* **1** at any time (เคย): *Nobody ever visits us; She hardly ever writes to her mother; Have you ever ridden on an elephant?; Her dancing is better than ever; the brightest star they had ever seen.* **2** always; continually (เสมอ ตลอดไป ตั้งแต่): *They lived happily ever after; He said he would love her for ever; I've known her ever since she was a baby.*

'ev·er·green *adj* having green leaves all the year round (มีใบเขียวตลอดปี): *Holly is evergreen.* — *n* an evergreen tree (ต้นไม้ใบเขียวตลอดปี): *Firs and pines are evergreens.*

ev·er'last·ing *adj* **1** not changing; not dying (ไม่เปลี่ยนแปลง ไม่ตาย): *everlasting flowers; everlasting life.* **2** endless; continual (ไม่สิ้นสุด เป็นอยู่อย่างนี้): *I'm tired of your everlasting grumbles.*

ev·er'more *adv* for ever (เป็นคำกริยาวิเศษณ์ของ **ever**).

for ever *adv* for all time (ตลอดเวลา): *I'll love you for ever (and ever).*

'ev·e·ry (*'ev-ri*) *adj* each one; all (แต่ละ ทั้งหมด): *Every room is painted white; Not every family has a car.*

> **each** can be used rather than **every** when you are talking about members of a group: *Every house needs a roof; Each pupil in the class has a copy of the book.*

'ev·e·ry·bod·y, 'ev·e·ry·one *prons* every person (ทุก ๆ คน แต่ละคน): *Everyone thinks I'm mad.*

> **everybody** and **everyone** are singular: *Everybody is (not are) tired; Is everyone leaving already?*

'ev·e·ry·day *adj* **1** happening or done every day (ทุก ๆ วัน): *her everyday duties.* **2** common; usual (ธรรมดา ปกติ): *an everyday event.*

'ev·e·ry·thing *pron* all things (ทุก ๆ อย่าง ทั้งหมด): *Have you everything you want?*

'ev·e·ry·where *adv* in or to every place (ทุกแห่งหน): *The flies are everywhere; Everywhere I go, he follows me.*

every now and then, every so often occasionally (บ่อย ๆ บางครั้งบางคราว): *We get a letter from him every now and then.*

every other day *etc.*, **every second day** *etc.*: on the first, third, fifth day *etc.*; on alternate days (วันเว้นวัน): *I visit my mother every other day; We go to the supermarket every* *second week.*

every time 1 always (เสมอ ๆ): *We use this method every time.* **2** whenever (เมื่อใดก็ตาม): *Every time he comes, we quarrel.*

e'vict *v* to force someone by law to move out of a house or leave a piece of land, for instance because they haven't paid the rent (ขับไล่ให้ออกจากบ้านหรือที่ดินเพราะไม่ได้จ่ายค่าเช่า): *The man was evicted from his flat as he hadn't paid his rent for six months.*

e'viction *n* (การฟ้องขับไล่).

'ev·i·dence *n* **1** proof used in a law case *etc.* (หลักฐาน): *Have you enough evidence of his guilt to arrest him?* **2** a sign (เครื่องหมาย): *Her bag on the table was the only evidence of her presence.*

'ev·i·dent *adj* clearly to be seen or understood (เห็นได้ชัดแจ้งหรือเข้าใจได้): *his evident satisfaction; It is evident that you have been telling lies.*

'ev·i·dent·ly *adv* (อย่างชัดแจ้ง).

'e·vil (*'ē-vil*) *adj* very bad; wicked (ชั่วร้าย): *an evil man; He looks evil; evil deeds.* — *n* **1** harm or wickedness (ความชั่วร้าย): *He tries to ignore all the evil in the world.* **2** anything evil, such as crime, misfortune *etc.* (สิ่งใดที่ชั่วร้าย เช่นอาชญากรรม โชคไม่ดี): *The evils of war.* **3** harmful words (คำพูดที่ชั่วร้าย): *Never speak evil of anyone.*

'e·vil·ly *adv* (อย่างชั่วร้าย).

'e·vil·ness *n* (ความชั่วร้าย).

e'voke *v* **1** to cause or produce a response, reaction *etc* (ทำให้เกิดการตอบสนอง ปฏิกิริยา): *His letter in the newspaper evoked a storm of protest.* **2** to cause to be remembered or recalled (ทำให้ระลึกถึงความหลัง): *The photographs evoked her memories of the past.*

e·vo'lu·tion (*ē-və'loo-shən*) *n* **1** gradual development (เปลี่ยนแปลงไปทีละน้อย): *the evolution of our form of government.* **2** the development of the higher kinds of animals, plants *etc.*, from the lower kinds (วิวัฒนาการของสัตว์ชั้นสูง พืชชั้นสูง ฯลฯ จากชนิดที่ต่ำกว่า).

e·vo'lu·tion·ar·y *adj* (การวิวัฒนาการ).

e'volve *v* to develop (พัฒนา): *Man evolved from the apes.*

ewe (*ū*) *n* a female sheep (แกะตัวเมีย): *The ewe had two lambs.*

ex'act (*eg'zakt*) *adj* accurate or correct in every detail (ความแม่นยำหรือความถูกต้องในทุก ๆ ส่วน): *What are the exact measurements of the room?; an exact copy; What is the exact time?*

ex'act·ly *adv* **1** just; quite (พอดี พอเหมาะ): *He's exactly the right man for the job.* **2** in accurate detail (รายละเอียดที่ถูกต้อง): *Work out the prices exactly; What exactly did you say?* **3** used as a reply meaning "I quite agree" (ใช้เป็นคำตอบมีความหมายว่าฉันค่อนข้างจะเห็นด้วยทีเดียว).

ex'act·ness *n* (ความแน่นอน).

ex'ag·ger·ate (*eg'zaj-ər-āt*) *v* to make something seem larger, greater *etc.* than it really is (ทำให้มากเกินความจริง ใหญ่เกินตัว): *You are exaggerating his faults; That dress exaggerates her thinness; You can't trust her — she always exaggerates.*

ex·agge'ra·tion *n* (การพูดเกินความจริง).

ex'al·ted (*ig'zöl-təd*) *adj* **1** high in rank, position *etc.*; very important (ยศสูง ตำแหน่งสูง ฯลฯ สำคัญมาก): *He hoped one day to reach the exalted position of prime minister.* **2** very happy and triumphant (เบิกบานใจและรู้สึกว่าได้รับชัยชนะ): *She felt exalted when she reached the summit of the mountain.*

ex·am·i'na·tion *n* **1** a test of knowledge or ability (shortened to **ex'am**)(การทดสอบความรู้ความสามารถ): *school examinations; He passed the English exam.* **2** looking at something closely; inspection (ตรวจตราอย่างใกล้ชิด): *The doctor gave him a thorough examination.* **3** the questioning of a witness *etc.* in a law court (การซักถามพยานในศาล).

ex'am·ine (*eg'zam-in*) *v* **1** to look at something closely (ตรวจ): *They examined the animal tracks and decided that they were those of a fox.* **2** to inspect someone thoroughly to check for disease *etc* (ตรวจโรค): *The doc-*

tor examined the child and said she was healthy. **3** to test the knowledge or ability of students *etc.* **(ตรวจสอบความรู้หรือความสามารถของนักเรียน)**: *She examines pupils in mathematics.* **4** to question **(ซักถาม)**: *The lawyer examined the witness in the court case.*

ex'am·i·ner *n* a person who examines **(ผู้ตรวจ)**.

ex'am·ple (*eg'zäm-pəl*) *n* **1** something that shows what other things of the same kind are like **(ตัวอย่าง)**: *This poem is a good example of the poet's work.* **2** something that shows clearly a fact *etc.* **(แสดงความจริงอย่างแจ่มแจ้ง)**: *Can you give me an example of how this word is used?* **3** a person or thing that is a pattern to be copied **(บุคคลหรือของที่เป็นตัวอย่าง)**: *She was an example to the rest of the class.* **4** a warning **(คำเตือน)**: *Let this be an example to you, and never do it again!*

for example *as an example; such as.*

set an example to act in such a way that other people will copy your behaviour **(ทำตนเป็นตัวอย่าง)**: *Teachers must set a good example to their pupils.*

ex'as·per·ate (*eg'zäs-pər-āt*) *v* to make someone very angry **(ทำให้โกรธมาก)**: *He was exasperated by their stupid questions.*

ex·as·pe'ra·tion n **(การทำให้โกรธมาก)**.

'ex·ca·vate *v* to dig up a piece of ground *etc.*; to uncover by digging **(ขุดดินขึ้นมา เปิดออกโดยการขุด)**: *The archaeologist excavated an ancient fortress.*

ex·ca'va·tion *n* **(การขุด)**.

'ex·ca·va·tor *n* a machine or person that excavates **(เครื่องจักรหรือคนที่ขุด)**.

ex'ceed (*ek'sēd*) *v* **1** to be greater than something **(เกินกว่า ใหญ่กว่า)**: *His expenditure exceeds his income.* **2** to go beyond something **(เกินกำหนด)**: *He exceeded the speed limit on the motorway.*

ex'ceed·ing·ly *adv* very **(เกินไป)**: *exceedingly nervous.*

ex'cel (*ek'sel*) *v* **1** to do very well **(ทำได้ดีมาก)**: *He excelled in mathematics; His friend excelled at football.* **2** to be better than others **(เก่งกว่าคนอื่น)**: *She excels them all at swimming.*

'ex·cel·lence *n* **(ความดีเลิศ)**.

'ex·cel·lent *adj* unusually or extremely good **(ไม่ปกติหรือดีอย่างยิ่ง)**: *She is an excellent pupil.*

'ex·cellently *adv* **(อย่างดีเยี่ยม)**.

ex'cept (*ek'sept*) *prep* leaving out; not including **(ยกเว้น ไม่รวมเข้ามาด้วย)**: *They're all here except him; Your essay was good except that it was too long.* — *v* to leave out; to exclude **(ยกเว้น แยกออกไป)**.

to work every day **except** (not ไม่ใช่ **accept**) **Sunday** (not ไม่ใช่ **Sunday only**).

ex'cep·tion *n* **1** something or someone not included **(ไม่รวมอยู่ด้วย)**: *With the exception of Jim we all went home early.* **2** something unusual **(ข้อยกเว้น)**: *We normally eat very little at lunchtime, but Sunday is an exception.*

ex'cep·tion·al *adj* unusual; remarkable **(ผิดปกติ)**: *His ability is exceptional.*

ex'cep·tional·ly *adv* **(อย่างผิดปกติ)**.

except for except **(เว้นเสียแต่)**: *Except for John, they all arrived punctually.*

take exception to to object to something **(คัดค้าน โต้แย้ง)**: *The old lady took exception to the bad behaviour of the children.*

ex'cess (*ek'ses*) *n* **1** going beyond what is usual or proper **(เกินกว่าปกติหรือเกินความเหมาะสม)**: *He ate well, but not to excess.* **2** an amount by which something is greater than something else **(จำนวนที่จ่ายเกิน)**: *He found he had paid an excess of $5 over what was actually on the bill.* — *adj* extra; additional **(เกิน เพิ่มเข้ามา)**: *He had to pay extra for his excess baggage.*

ex'ces·sive *adj* too much, too great *etc.* **(มากเกินไป ใหญ่เกินไป ฯลฯ)**.

ex'change (*eks'chānj*) *v* **1** to give in return for something else **(แลกเปลี่ยน)**: *Can you exchange a dollar note for two 50-cent pieces?* **2** to give and receive in return **(การตอบโต้)**: *They exchanged a few remarks.* — *n* **1** the giving and taking of one thing for another

(แลกเปลี่ยน): *He gave me a pencil in exchange for the marble; An exchange of opinions is helpful.* **2** the exchanging of the money of one country for that of another (แลกเปลี่ยนเงินตรา). **3** a place where business shares are bought and sold (ที่ซื้อและขายหุ้น). **4** a central telephone system where lines are connected (ชุมสายโทรศัพท์).

ex'cite (*ek'sīt*) *v* to cause strong feelings of expectation, happiness *etc.* in someone (ตื่นเต้น): *The children were excited about the party.*

ex'cite•ment *n* (ความตื่นเต้น).

ex'ci•ting *adj* (น่าตื่นเต้น): *an exciting adventure.*

ex'claim *v* to call out, or say, suddenly and loudly (อุทาน): *"Good!" he exclaimed.*

ex•cla'mation *n* (การอุทาน).

ex•cla'ma•tion mark the mark (!) used after an exclamation (เครื่องหมายอัศเจรีย์).

ex'clude (*eks'klood*) *v* **1** to prevent someone from sharing or taking part in something (กันไม่ให้เข้าร่วม): *They excluded her from the meeting.* **2** to shut out; to keep out (กันออกไป): *Fill the bottle to the top so as to exclude all air.* **3** to leave out of consideration (ไม่คำนึงถึง): *We cannot exclude the possibility that he was lying.*

ex'clu•sion *n* (การกีดกัน การยกเว้น).

The opposite of **exclude** is **include**.

ex'clu•ding *prep* not counting (ไม่นับ): *The bill came to $20, excluding the wine.*

ex'clu•sive *adj* **1** given to only one person or group *etc.* (จัดให้กับคน ๆ เดียวหรือกลุ่มเดียวโดยเฉพาะ): *The story is exclusive to this newspaper.* **2** fashionable and expensive (ทันสมัยและแพง): *exclusive shops.*

ex'clu•sive•ly *adv* (อย่างทันสมัย).

ex'clu•sive•ness *n* (ความทันสมัย).

exclusive of not including (ไม่รวม).

ex'crete *v* to get rid of the waste from your bowels (ถ่ายของเสีย).

ex'cre•tion n (การถ่ายของเสีย).

ex'cur•sion *n* a trip; an outing (การเดินทาง การออกไปข้างนอก): *an excursion to the seaside.*

ex'cuse (*ek'skūz*) *v* **1** to forgive (ให้อภัย ขอโทษ): *Excuse me — can you tell me the time?; I'll excuse your being late this time.* **2** to free someone from a task, duty *etc.* (ปล่อยให้เป็นอิสระจากภาระหน้าที่ ฯลฯ): *May I be excused from writing this essay?* — *n* (*ek'skūs*) a reason for being excused, or a reason for excusing (ข้อแก้ตัว): *He has no excuse for being so late.*

ex'cu•sa•ble *adj* pardonable (สมควรจะให้อภัย).

'ex•e•cute (*'ek-si-kūt*) *v* **1** to put someone to death by order of the law (ประหารชีวิต). **2** to carry out instructions *etc.* (การทำตามคำสั่ง): *He executed an order.*

ex•e'cu•tion *n* **1** killing by law (การประหารโดยกฎหมาย): *The judge ordered the execution of the murderer.* **2** the carrying out of orders *etc.* (การปฏิบัติตามคำสั่งนั้น ฯลฯ).

ex'ec•u•tive *n* **1** the branch of the government that puts the laws into effect (หน่วยงานของทางการที่ทำให้กฎหมายนั้นมีผลขึ้นมา). **2** a person in an organization *etc.* who has power to direct or manage (ผู้บริหาร): *He is an executive in an insurance company.*

ex'empt (*eg'zemt*) *v* to free a person from a duty, task, tax *etc.* (ยกเว้น): *He was exempted from military service.* — *adj* free from a duty, tax *etc.* (ได้รับการยกเว้น): *If your income is below $14,000, you are exempt from this tax.*

ex'emp•tion *n* (การยกเว้น).

'ex•er•cise (*'ek-ər-sīz*) *n* **1** training through action or effort (การออกกำลัง): *Swimming is one of the healthiest forms of exercise; Take more exercise.* **2** an activity intended as training (การฝึก): *ballet exercises; spelling exercises.* — *v* to train; to give exercise to (ฝึกฝน ให้การฝึกฝน): *Dogs should be exercised frequently; I exercise every morning; You should exercise every part of your body.*

ex'ert (*eg'zərt*) *v* **1** to bring into use or action (นำมาใช้ ลงมือ): *He likes to exert his authority.* **2** to make yourself make an effort (พยายาม): *It's time you exerted yourselves a bit.*

ex'er·tion *n* (การใช้ ความพยายาม).

ex'hale *v* to breathe out (หายใจออก).

The opposite of **exhale** is **inhale**.

ex'haust (*eg'zöst*) *v* **1** to make someone very tired (ทำให้เหนื่อยมาก): *She was exhausted by her long walk.* **2** to use all of something (ใช้หมดไป): *We have exhausted our supplies.* **3** to say all that can be said about a subject *etc.* (พูดเรื่องนั้นหมดแล้ว): *We've exhausted that subject.* — *n* the set of metal pipes that takes away the fumes *etc.* from the engine of a car, motorcycle *etc.* (ท่อไอเสีย).

ex'haus·tion (*eg'zöst-chən*) *n* extreme tiredness (ความเหนื่อยอย่างยิ่ง).

ex'hib·it (*eg'zib-it*) *v* **1** to show in public (นำออกแสดงในที่สาธารณะ แสดงนิทรรศการ): *My picture is to be exhibited in the art gallery.* **2** to show a quality *etc.* (แสดงให้เห็นถึงคุณสมบัติ): He exhibited a complete lack of concern for others. — n an object displayed in a museum *etc.* (ของที่แสดงในพิพิธภัณฑ์): *One of the exhibits is missing.*

ex·hi'bi·tion *n* a public display of works of art, industrial goods *etc.* (นิทรรศการ การแสดงในที่สาธารณะถึงผลงานทางด้านศิลปะ สินค้าอุตสาหกรรม ฯลฯ): *an exhibition of children's books.*

ex'hil·a·rate *v* to fill with a lively cheerfulness or excitement (เต็มไปด้วยความร่าเริงหรือตื่นเต้น): *She was exhilarated by the news.*

ex·hil·a'ra·tion *n* (ความร่าเริง).

'ex·ile *n* **1** a long stay in a foreign land, usually as a punishment (เนรเทศ): *He was sent into exile.* **2** a person who lives outside his own country, either by choice or because he is forced to do so (คนที่อาศัยอยู่นอกประเทศของตัว จะโดยการเลือกหรือถูกบีบบังคับก็ตาม). — *v* to send a person away from his own country (เนรเทศคนออกจากประเทศ).

ex'ist (*eg'zist*) *v* **1** to be real (มีอยู่ มีจริง): *Do ghosts really exist?* **2** to stay alive; to live (มีชีวิตอยู่): *It is possible to exist on bread and water.* **ex'istence** *n* (การอยู่ มีชีวิต).

ex'ist·ent *adj* (ที่มีอยู่ ที่เป็นอยู่ในปัจจุบัน).

'ex·it *n* **1** a way out of a building *etc.* (ทางออกนอกอาคาร): *the emergency exit.* **2** going out; departure (การจากไป): *She made a noisy exit.*

The opposite of **exit** is **entrance**.

'ex·or·cize *v* to get rid of an evil spirit by means of prayers and ceremonies (ทำพิธีขับไล่ผี): *They asked a priest to exorcize the evil spirits from the house; The priest exorcized the haunted house.*

'ex·or·cism *n* (การทำพิธีขับไล่ผี).

'ex·or·cist *n* a person who exorcizes (ผู้ทำพิธีขับไล่ผี หมอผี).

ex'ot·ic (*eg'zot-ik*) *adj* **1** coming from a foreign country, especially from the tropics (นำเข้ามาจากต่างประเทศ โดยเฉพาะอย่างยิ่งประเทศในแถบร้อน): *exotic plants.* **2** unusual or strange (ไม่ธรรมดาหรือแปลก): *exotic clothes.*

ex'pand *v* to make or grow larger; to spread out wider (ขยายให้ใหญ่ออก ขยายให้กว้างออก): *Metals expand when heated; They expanded their business.*

ex'panse *n* a wide area (พื้นที่กว้างใหญ่): *an expanse of water.*

ex'pan·sion *n* expanding (การขยายตัว): *the expansion of metals.*

ex'pect *v* **1** to think that something or someone is likely to happen or come (คาดหวังว่าใครจะมาหรือจะเกิดอะไรขึ้น): *I'm expecting a letter today; We expect her on tomorrow's train.* **2** to think or suppose (คิดหรือหวัง): *I expect that he will go; "Will she go too?" "I expect so"; I expect you're tired.* **3** to require (คาดว่าจะต้องทำ): *You are expected to tidy your own room.* **4** to believe or hope that you will do something (เชื่อหรือหวังว่าคุณจะทำอะไรบางอย่าง): *He expects to be home tomorrow.*

ex'pec·tant *adj* **1** full of hope or expectation (เต็มไปด้วยความหวัง ที่คาดหวังเอาไว้): *the expectant faces of the audience.* **2** expecting a baby (มีครรภ์): *an expectant mother.*

ex'pec·tan·cy *n* (ความหวัง)

ex'pec·tant·ly adv (อย่างมีความหวัง).

ex·pec'ta·tion *n* the state of expecting

(การรอคอย การคาดหวัง): *In expectation of a wage increase, he bought a washing-machine; In spite of the teacher's expectations, the boy failed the exam.*

ex·pe'di·tion *n* **1** a journey with a purpose (การเดินทางด้วยความมุ่งหมาย): *an expedition to the South Pole.* **2** a group making an expedition (กลุ่มคนที่เดินทางเช่นนี้): *He was a member of the expedition that climbed Mount Everest.*

ex'pel *v* **1** to send someone away for ever, from a school *etc.*, because they have done something wrong (ไล่ออก): *The child was expelled from school for stealing.* **2** to get rid of something (ขจัดออกไป): *an electric fan for expelling kitchen smells.*

ex'pend *v* to use or spend supplies, money *etc.* (ใช้จ่าย).

ex'pend·i·ture (*ek'spen-di-chər*) *n* spending (ค่าใช้จ่าย): *His expenditure amounted to $500.*

ex'pense *n* **1** the spending of money *etc.*; cost (ใช้จ่ายเงิน ราคา): *I've gone to a lot of expense to educate you well.* **2** a cause of spending (เหตุที่ทำให้เกิดการใช้จ่าย): *What an expense clothes are!*

ex'pen·ses *n* money spent in carrying out a job *etc.* (เบี้ยเลี้ยง): *His firm paid his travelling expenses.*

ex'pen·sive *adj* costing much money (แพง): *expensive clothes.*

ex'pe·ri·ence (*ek'spē-ri-əns*) *n* **1** knowledge or skill gained through the doing of something (ประสบการณ์): *Learn by experience — don't make the same mistake again; Has she had experience in teaching?* **2** an event that affects or involves you (เหตุการณ์ที่เราได้ประสบ): *The big fire was a terrible experience.* — *v* to have experience of something; to feel (มีประสบการณ์ รู้สึก): *I have never before experienced such pain.*

ex'pe·ri·enced *adj* having gained knowledge from experience; skilled (เชี่ยวชาญ): *an experienced teacher.*

ex'per·i·ment *n* a test done in order to find out something (การทดลอง): *He performs chemical experiments; We shall find out by experiment.* — *v* to try to find out something by making tests (พยายามหาอะไรบางอย่างออกมาโดยการทดลอง): *The doctor experimented with various medicines; Some people think it's wrong to experiment on animals.*

ex·peri'men·tal *adj* (ซึ่งเกี่ยวกับการทดลอง).

'ex·pert *adj* skilled through training or practice (เชี่ยวชาญ): *I'm expert at map-reading; Get expert advice on repainting your car.* — *n* a person who is an expert (ผู้เชี่ยวชาญ): *He is an expert on computers.*

'ex·pert·ly *adv* (อย่างเชี่ยวชาญ).

'ex·pert·ness *n* (ความเชี่ยวชาญ).

ex·per'tise (*eks-per'tēz*) *n* special skill or knowledge (ความเชี่ยวชาญ): *a lawyer's expertise.*

ex'pire *v* **1** to come to an end (หมดอายุ): *His membership expires at the end of the year; Your ticket expired last month.* **2** to die.

ex'pi·ry *n.*

ex'plain *v* **1** to make something clear or easy to understand (อธิบาย): *Can you explain to me how this machine works?; Did she explain why she was late?* **2** to give, or be, a reason for something (ให้เหตุผลหรือเป็นเหตุผล): *I cannot explain his failure; That explains his silence.*

ex·pla'na·tion *n* (การอธิบาย).

ex'plan·a·to·ry *adj* (เป็นเครื่องอธิบาย).

ex'plic·a·ble *adj* able to be explained (สามารถอธิบายได้).

ex'plic·it *adj* stated, or stating, fully and clearly (บอกอย่างแจ่มแจ้ง): *explicit instructions; Can you be more explicit?*

ex'plic·it·ly *adv* (อย่างแจ่มแจ้ง).

ex'plode *v* **1** to blow up with a loud noise (ระเบิด): *The bomb exploded.* **2** to show

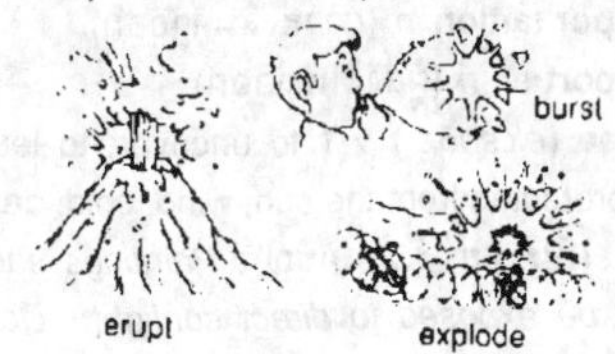

strong feelings suddenly (**ความรู้สึกรุนแรงที่มีขึ้นในทันใด**): *The teacher exploded with anger; The children exploded into laughter.*

'ex·ploit *n* a brave deed or action (**การกระทำอย่างกล้าหาญ**): *stories of his military exploits.* — *v* (**ex'ploit**) **1** to make good use of something (**การใช้ประโยชน์**): *to exploit the country's natural resources.* **2** to use a person unfairly for your own advantage (**แสวงหาผลประโยชน์ใส่ตัว**).

ex·ploi'ta·tion *n* (**การกระทำอย่างกล้าหาญ การแสวงหาผลประโยชน์ใส่ตัว**).

ex'plore *v* **1** to search or travel through a place for the purpose of discovery (**บุกเบิก สำรวจ**): *The oceans have not yet been fully explored; Let's go exploring in the caves.* **2** to investigate carefully (**ตรวจสอบอย่างถี่ถ้วน**): *I'll explore the possibilities of getting a job here.*

ex·plo'ra·tion *n* (**การบุกเบิก การสำรวจ**).

ex'plo·rer *n* a person who explores unknown regions (**นักบุกเบิก นักสำรวจ**): *explorers in space.*

ex'plo·sion (*eks'plō-zhən*) *n* **1** the blowing up of something; the noise caused by this (**เสียงระเบิด**): *a gas explosion; The explosion could be heard a long way off.* **2** the exploding of something (**การระเบิด**): *the explosion of the atom bomb.* **3** a sudden great increase (**เพิ่มขึ้นสูงอย่างทันทีทันใด**): *an explosion in food prices.*

ex'plo·sive *adj* likely to explode (**น่าจะระเบิด**): *a dangerously explosive gas.* — *n* a material that is likely to explode (**วัตถุที่น่าจะระเบิด**).

ex'port *v* to send goods to another country for sale (**ส่งสินค้าออก**): *Jamaica exports bananas to Britain.* — *n* (**'ex·port**) **1** exporting (**การส่งออก**): *the export of rubber.* **2** something that is exported (**ของที่ส่งออก**): *Rubber is an important Malaysian export.*

ex·por'ta·tion *n* (**การส่งสินค้าออก**).

ex'port·er *n* (**ผู้ส่งสินค้าออก**).

ex'pose (*ek'spōz*) *v* **1** to uncover; to leave unprotected from the sun, wind, cold, danger *etc.* (**เปิดเผย ผึ่ง เผชิญ**): *Paintings should not be exposed to direct sunlight; Don't expose children to danger.* **2** to discover and make known a hidden evil, crime *etc.* (**เปิดเผยออกมาให้เป็นที่รู้กันถึงความชั่วร้ายที่ซ่อนอยู่**): *His secret life was at last exposed.* **3** to allow light to fall on a photographic film as you take a photograph (**ปล่อยให้แสงตกลงบนแผ่นฟิล์มในการถ่ายรูป**).

ex'po·sure (*ek'spō-zhər*) *n* (**การปล่อยไว้ให้ถูกแดดถูกลมหรือเป็นอันตราย การปล่อยให้แสงถูกแผ่นฟิล์ม**).

ex·po'si·tion (*ek-pə'zish-ən*) *n* an exhibition (**การแสดงสินค้า**).

ex'pound *v* to explain something in detail (**อธิบายอย่างละเอียด**).

ex'press *v* **1** to put into words (**แสดงออกด้วยคำพูด**): *He expressed his ideas very clearly.* **2** to put your own thoughts into words (**พูดแสดงความคิดออกมา**): *You haven't expressed yourself clearly.* **3** to show by looks, actions *etc.* (**แสดงให้เห็นด้วยการมองหรือการกระทำ**): *She nodded to express her agreement.* — *adj* **1** travelling, carrying goods *etc.*, especially fast (**การเดินทาง การส่งสินค้า ฯลฯ ด้วยความรวดเร็ว**): *an express train; express delivery.* **2** clearly stated (**บอกอย่างชัดเจน**): *You have disobeyed my express wishes.* — *adv* by express train or fast delivery service (**โดยรถด่วนหรือบริการส่งที่รวดเร็ว**): *Send your letter express.* — *n* an express train (**รถด่วน**): *the London to Cardiff express.*

ex'pres·sion *n* **1** a look on your face which shows your feelings (**ความรู้สึกที่แสดงออกทางสีหน้า**): *He always has a bored expression.* **2** a word or phrase (**คำหรือวลี**): *"Dough" is a slang expression for "money".* **3** a showing of thoughts or feelings by words, actions *etc.* (**การแสดงความคิดหรือความรู้สึกด้วยคำพูดหรือการกระทำ**): *A smile is an expression of happiness.*

ex'press·ive *adj* lively; showing or expressing feelings well (**มีชีวิตชีวา แสดงหรือมีสีหน้าที่มีความรู้สึกดี**): *She has an expressive face; an expressive voice.*

ex'press·way *n* a motorway (**ทางด่วน**).

ex'pul·sion *n* the expelling of someone; getting rid of something (การขับไล่หรือขจัดออกไป): *Expulsion is the usual punishment for anyone caught stealing at this school.*

'ex·quis·ite (*'eks-kwiz-it*) *adj* very beautiful or skilful (สวยงามมากหรือเชี่ยวชาญมาก): *exquisite jewellery.*

ex'tend *v* **1** to make something longer or larger (ยืดออก ขยายออก): *He extended his vegetable garden.* **2** to reach or stretch (ยืดไปถึง): *The school grounds extend as far as this fence.* **3** to hold out or stretch out a limb *etc.* (ยื่นหรือเหยียดแขนขาออกไป): *He extended his hand to her.* **4** to offer (เสนอ): *May I extend a welcome to you all?*

ex'ten·sion *n* **1** the extending of something (การขยายอะไรบางอย่าง). **2** an added part (ส่วนที่เพิ่มเข้าไป): *He built an extension to his house.* **3** a telephone line from a central switchboard to a room or office (เบอร์ต่อ): *Could I have extension 281, please.*

ex'ten·sive *adj* large in area or amount (กว้างขวาง ใหญ่โต ใช้กับพื้นที่หรือจำนวน): *extensive plantations; He suffered extensive injuries in the accident.*

ex'tent *n* **1** the area or length to which something extends (ขอบเขต): *The garden is nearly a kilometre in extent.* **2** amount (จำนวน ขนาด): *What is the extent of the damage?; To what extent can we trust him?*

to a certain extent, to some extent partly but not completely.

ex'te·ri·or (*ek'stē-ri-ər*) *adj* on or from the outside; outer (ซึ่งอยู่ด้านนอก): *an exterior wall of a house.* — *n* the outside of something (ด้านนอกของอะไรบางอย่าง): *the grey stone exterior of the hospital.*

ex'ter·mi·nate *v* to destroy completely (ทำลายจนสิ้น): *Rats must be exterminated from a building or they will cause disease.*

ex·ter·mi'na·tion *n* (การทำลายจนสิ้น).

ex'ter·nal *adj* **1** outside or on the outside (ด้านนอกหรืออยู่ด้านนอก). **2** on your skin (ใช้กับผิวของเรา): *The liquid in that medicine bottle is for external use only.*

ex'ternal·ly *adv* (ภายนอก).

ex'tinct *adj* **1** no longer in existence (สูญพันธ์ ดับสูญ): *Dinosaurs became extinct in prehistoric times.* **2** no longer active (ดับ): *That volcano was thought to be extinct until it suddenly erupted ten years ago.*

ex'tinc·tion *n* (การดับ การสูญพันธ์).

ex'tin·guish (*ek'stiŋ-gwish*) *v* to put out a fire *etc.* (ดับไฟ): *Please extinguish your cigarettes.*

ex'tin·guish·er *n* a spraying device containing chemicals for putting out fire (เครื่องดับเพลิง).

ex'tort *v* to obtain something from someone by threats or violence (ขู่ กรรโชก): *He extorted money from the old lady.*

ex'tor·tion·ate *adj* unfairly high or great (มากหรือสูงอย่างไม่เป็นธรรม): *The prices in that shop are extortionate.*

'ex·tra *adj* additional; more than is usual or necessary (สิ่งที่เพิ่มเติม มากกว่าปกติหรือความจำเป็น): *They demanded an extra $10 a week; We need extra men for this job.* — *adv* unusually (อย่างไม่ปกติ): *an extra-large box of chocolates.* — *n* **1** something extra (ส่วนเพิ่มเติม): *His parents bought him a bicycle, but he had to buy the lamp and pump and other extras himself.* **2** a person employed to be one of a crowd in a film (บุคคลที่ถูกจ้างเข้ามาเป็นตัวประกอบฉากในภาพยนตร์).

ex'tract *v* **1** to pull out (ถอน ดึงออก): *I had to have a tooth extracted.* **2** to obtain a substance from something by crushing *etc.* (สะกัด): *Oil is extracted from sunflower seeds.* — *n* (**'ex·tract**) **1** a passage selected from a book *etc.* (ตอนหนึ่งของข้อเขียนซึ่งเลือกมาจากหนังสือ): *a short extract from his play.* **2** a substance extracted from something (สารซึ่งได้มาจากการสะกัดจากสิ่งอื่น): *beef extract; extract of malt.*

ex'trac·tion *n* (การแยกออก การสะกัด).

ex'tra·or·di·nar·y (*ek'strör-di-nə-ri*) *adj* surprising; unusual (น่าแปลกใจ ผิดปกติ): *What an extraordinary thing to say!; She wears extraordinary clothes.*

ex'tra·or·di·nar·i·ly adv (อย่างผิดปกติ).

ex'trav·a·gant *adj* using or spending too much;

wasteful (ใช้จ่ายมากเกินไป สิ้นเปลือง สุรุ่ยสุร่าย): *He's extravagant with money.*

ex'trav·a·gance *n* (ความฟุ่มเฟือย).

ex'treme *adj* **1** very great; much more than usual (มากอย่างยิ่ง มากกว่าปกติ): *extreme pleasure; He is in extreme pain.* **2** very far from the centre (ห่างไกลจากจุดศูนย์กลางมาก): *the extreme south-western tip of England.* **3** very strong; not ordinary; not usual (หนักแน่นมาก ไม่ธรรมดา ไม่ปกติ): *He holds extreme views on education.* — *n* something as far, or as different, as possible from something else (บางอย่างซึ่งแตกต่างจากบางอย่างหรือไกลที่สุดเท่าที่จะเป็นได้): *the extremes of sadness and joy.*

ex'treme·ly *adv* very (อย่างมาก): *extremely kind.*

ex'trem·i·ties *n* hands and feet (แขนและขา).

in the extreme very (มาก): *dangerous in the extreme.*

'ex·tro·vert *n* a friendly and sociable person (คนที่มีมิตรภาพและชอบสมาคม): *He is getting to be more of an extrovert.*

ex'u·ber·ant (*ig'zū-bə-rənt*) *adj* cheerful and excited; full of energy (เต็มไปด้วยความร่าเริงและพลกำลัง): *She was exuberant about passing her exams; He was in an exuberant mood.*

ex'u·ber·ance *n* (ความร่าเริง ความเบิกบานอย่างล้นเหลือ).

eye (*ī*) *n* **1** the part of the body with which you see (ตา): *She has blue eyes.* **2** anything like or suggesting an eye, such as the hole in a needle (สิ่งที่เหมือนกับตา เช่นรูเข็ม). **3** a talent for noticing and judging (มีพรสวรรค์ในการสังเกตและตัดสิน): *She has an eye for a good horse.* — *v* to look at someone or something (มอง): *The dog eyed the bone; The thief eyed the policeman nervously.*

'eye·ball *n* the whole rounded part of the eye (ลูกตา).

'eye·brow *n* the curved line of hair above each eye (คิ้ว).

'eye-catch·ing *adj* noticeable, especially if attractive (น่ามอง โดดเด่นโดยเฉพาะอย่างยิ่งถ้ามีเสน่ห์): *an eye-catching advertisement.*

'eye·lash *n* one of the hairs that grow on the edge of the eyelids (ขนตา).

'eye·lid *n* the piece of skin that covers or uncovers the eye when you shut or open it (หนังตา).

'eye·sight *n* the ability to see (สายตา): *I have good eyesight.*

'eye·sore *n* something, especially a building, that is ugly to look at (สิ่งซึ่งไม่น่าดู).

'eye-wit·ness *n* a person who sees something happen (ประจักษ์พยาน): *Eye-witnesses were questioned by the police after the accident.*

be up to the eyes to be very busy (ยุ่งมาก): *She's up to the eyes in work.*

close your eyes to to take no notice of something wrong (ไม่สังเกตเห็นว่ามีอะไรผิด): *She closed her eyes to the children's misbehaviour.*

keep an eye on 1 to watch someone or something closely (จับตาดู เฝ้าดูอย่างใกล้ชิด): *Keep an eye on the patient's temperature.* **2** to look after (ดูแล): *Keep an eye on the baby while I am out!*

'fa·ble (*'fā-bəl*) *n* a story, usually about animals, that teaches a lesson about human behaviour (นิยาย โดยปกติเกี่ยวกับสัตว์ซึ่งสอนบทเรียนเกี่ยวกับพฤติกรรมของมนุษย์).

'fab·ric *n* cloth or material (ผ้าหรือสิ่งทอ): *Nylon is a man-made fabric.*

'fab·ri·cate *v* to make up something that is not true (กุเรื่องไม่จริงขึ้น): *to fabricate an excuse.*

fab·ri'ca·tion *n* a lie (การโกหก).

'fab·u·lous (*'fab-ū-ləs*) *adj* **1** wonderful (ประหลาด น่าอัศจรรย์): *This is a fabulous idea!* **2** existing only in old stories *etc.* (มีอยู่แต่ในเรื่องเก่า ๆ): *A dragon is a fabulous beast.*

fa'cade (*fə'säd*) *n* **1** the front of a building (ส่วนหน้าของอาคาร): *The bank's facade needs painting.* **2** a false appearance that hides the truth (ลักษณะภายนอกที่ซ่อนบังความจริงเอาไว้): *There is a very bad-tempered person behind that smiling facade.*

face *n* **1** the front part of the head, where your eyes, nose *etc.* are (ใบหน้า): *a beautiful face.* **2** a front surface (ผิวหน้า หน้าปัด): *the face of a clock; a rock face.* — *v* **1** to be opposite to something (อยู่ตรงข้าม): *My house faces the park.* **2** to look, turn *etc.* in the direction of someone (การมอง การหัน ฯลฯ ไปที่ใครบางคน): *She faced him across the desk.* **3** to bear bravely (เผชิญหน้า อดทนอย่างกล้าหาญ): *She faced many difficulties.*

'face-pow·der *n* make-up in the form of fine powder for putting on your face (แป้งผัดหน้า).

face the music to bear punishment bravely (ทนรับโทษอย่างกล้าหาญ).

face to face in person; in the actual presence of one another (การเผชิญหน้ากัน ตัวต่อตัว): *I'd like to meet him face to face some day — I've heard so much about him.*

face up to meet and bear bravely (เผชิญและอดทนอย่างกล้าหาญ): *He faced up to his difficult situation.*

in the face of in spite of something (ถึงแม้ทั้ง ๆ ที่): *He succeeded in the face of great difficulties.*

lose face to suffer shame (อับอาย เสียหน้า): *You will really lose face if you are defeated.*

make a face, pull a face to twist your face into a strange expression (ทำหน้าบิดเบี้ยว): *He pulled faces at the baby to make it laugh.*

save your face to avoid shame; to avoid seeming silly or wrong (การหลีกเลี่ยงสิ่งที่ดูเหมือนว่าจะโง่เขลาหรือผิด รักษาหน้า).

'face-saving *n* (การรักษาหน้า), *adj* (รักษาหน้า).

'fac·et (*'fas-it*) *n* **1** a side of a many-sided object (ด้านหนึ่งของวัตถุที่มีหลายด้าน): *the facets of a diamond.* **2** an aspect of a subject (แง่มุมหนึ่ง ๆ ของเรื่องใดเรื่องหนึ่ง): *There are several facets to this problem.*

fa'ce·tious (*fə'sē-shəs*) *adj* funny, not serious; intended to be humorous (ติดตลก ไม่เครียด ตั้งใจให้สนุก): *a facetious remark; Don't be facetious about serious matters.*

fa'ce·tious·ly *adv* (อย่างติดตลก).

fa'ce·tious·ness *n* (ความติดตลก).

'fa·cial (*'fā-shəl*) *adj* having to do with your face (เกี่ยวกับใบหน้า): *A smile is a facial expression.*

fa'cil·i·ty (*fə'sil-i-ti*) *n* **1** ease (ง่าย สะดวก): *She speaks English with great facility.* **2** a talent (พรสวรรค์): *He has a facility for solving problems.*

fa'cilities *n* the means to do something (เครื่องมือใช้ทำอะไรบางอย่าง): *There are facilities for cooking meals in the hostel.*

'fa·cing *prep* opposite (ตรงข้าม): *The hotel is facing the church.*

fact *n* **1** something known to be true (ข้อเท็จจริง): *It is a fact that smoking is a danger to health.* **2** reality (ความเป็นจริง): *He sometimes can't distinguish fact from fiction.*

The opposite of **fact** is **fiction**.

as a matter of fact, in fact actually; really (อันที่จริง): *She doesn't like him much — in fact, I think she hates him!*

'fac·tor *n* **1** a fact, circumstance *etc.* that has to be remembered or considered (ข้อเท็จจริง องค์ประกอบ ฯลฯ ซึ่งจะต้องจดจำหรือนำมาพิ-

จารณา): *There are various factors to be considered before you decide where to go for your holiday.* **2** a number which exactly divides into another (เลขซึ่งหารตัวอื่นได้ลงตัว): 3 is a factor of 6.

'fac·to·ry *n* a workshop where goods are made in large numbers (โรงงาน): *a car factory.* — *adj* (แห่งโรงงาน): *a factory worker.*

'fac·tu·al (*'fak-choo-əl*) *adj* containing facts (มีความจริงอยู่): *a factual account.*

'fac·ul·ty *n* **1** a power of the mind (พลังความคิด): *the faculty of reason.* **2** a natural power of the body (พลังตามธรรมชาติของร่างกาย): *the faculty of hearing.* **3** an ability or skill (ความสามารถหรือเชี่ยวชาญ): *He has a faculty for saying the right thing.* **4** a department of a university (คณะในมหาวิทยาลัย): *the Faculty of Mathematics.*

fad *n* **1** a strong liking for something; something that people are keen on for a short time (ความนิยมอย่างมากชั่วขณะ): *He's no longer keen on roller-skating — it was only a passing fad.* **2** a dislike, especially for some kind of food (ความไม่ชอบอาหารบางชนิด): *It's difficult to cook for someone who has a lot of fads.*

fade *v* to lose strength, colour, loudness *etc.* (หมดกำลัง จางหายไป): *The noise gradually faded away; The colours faded in the sun.*

'fae·ces or **'fe·ces** (*'fē-sēz*) *n plural* solid waste matter from the bowels of people and animals (อุจจาระของคนและสัตว์): *Animal faeces on city streets are a danger to health as well as a nuisance.*

'Fahr·en·heit (*'far-ən-hīt*) *adj* measured on a Fahrenheit thermometer, which shows the temperature at which water freezes as 32 °, and that at which it boils as 212 ° (หน่วยวัดอุณหภูมิเป็นฟาเรนไฮต์): *fifty degrees Fahrenheit* (*50 ° F*).

fail *v* **1** to be unsuccessful; not to manage to do something (ล้มเหลว ไม่สำเร็จ): *They failed in their attempt; I failed my exam; I failed to post the letter.* **2** to break down or stop working (เสียหรือหยุดทำงาน): *The brakes failed.* **3** to be not enough (ไม่พอเพียง): *His courage failed him.* **4** to reject a candidate (ไม่ให้ผ่านการคัดเลือก ไม่รับพิจารณา): *The examiner failed half the class.* **5** to disappoint (ทำให้ผิดหวัง): *She promised to send him a present, and she did not fail him.*

The opposite of **fail** is **succeed**.

'fail·ing *n* a fault; a weakness (ความล้มเหลว ความอ่อนแอ): *You should try to forgive people's failings.*

'fail·ure (*'fāl-yər*) *n* **1** failing (ความล้มเหลว ความผิดพลาด): *She was upset by her failure in the exam; There was a failure in the electricity supply.* **2** an unsuccessful person or thing (บุคคลหรือสิ่งของที่ล้มเหลว): *He felt he was a failure.* **3** not being able or willing to do something (ไม่สามารถหรือไม่ยอม): *I was surprised by his failure to reply.*

The opposite of **failure** is **success**.

without fail definitely; certainly (อย่างแน่นอน): *I shall do it tomorrow without fail.*

faint *adj* **1** dim; not clear (สลัว ไม่ชัดเจน): *The sound grew faint; a faint light.* **2** weak and about to lose consciousness (กำลังจะหมดสติเป็นลม): *Suddenly he felt faint.* — *v* to lose consciousness (หมดสติ): *She fainted on hearing the bad news.* — *n* loss of consciousness (การหมดสติ): *She fell down in a faint.*

'faint·ly *adv* (อย่างหมดสติ อย่างจาง ๆ).

fair[1] *adj* **1** light-coloured; with light-coloured hair and skin (ผมและผิวสีจาง): *fair hair; Many Scandinavian people are fair.* **2** just; not favouring one side (ยุติธรรม): *a fair test.* **3** fine; without rain (แจ่มใส ไม่มีฝน): *fair weather.* **4** quite good; neither bad nor good (ดีทีเดียว พอใช้): *His work is only fair.* **5** quite big, long *etc.* (ค่อนข้างใหญ่ ยาว ฯลฯ): *a fair size.*

'fair·ness *n* (ความยุติธรรม)

'fair·ly *adv* **1** justly; honestly (อย่างยุติธรรม อย่างซื่อสัตย์): *The competition was fairly judged.* **2** quite; rather (มากทีเดียว ค่อนข้างจะ): *The work was fairly hard.*

fair play honest and equal treatment (การ

แข่งขันที่เป็นไปตามกติกา เล่นโดยปฏิบัติตามระเบียบข้อบังคับ).

fair[2] *n* **1** a collection of movable stalls and entertainments that travels from town to town (งานรื่นเริง): *She won a doll at the fair.* **2** a large market held at fixed times (ตลาดนัด). **3** an exhibition of goods from different countries, firms *etc.* (การแสดงสินค้าจากประเทศต่าง ๆ บริษัทต่าง ๆ): *a trade fair.*

'fair·y *n* a small creature in a story *etc.* that looks like a human being and has magical powers (นางฟ้า): *Many children believe in fairies.*

fairy story *n* **1** an old story of fairies, magic *etc.* (เทพนิยาย): *a book of fairy stories.* **2** a lie (โกหก): *I don't want to hear any fairy stories!*

fairy tale *n* a fairy story.

faith *n* **1** trust (ความเชื่อถือ): *He had faith in his ability.* **2** religious belief (ความเชื่อในศาสนา): *She has a strong faith in God.* **3** loyalty to someone or to a promise (จงรักภักดีหรือรักษาสัญญา): We kept faith with our friends.

'faith·ful *adj* **1** loyal and true; not changing (ซื่อสัตย์และจริงใจ ไม่เปลี่ยนแปลง): *a faithful friend; He was faithful to his promise.* **2** true; exact (เป็นความจริง ถูกต้อง): *Give me a faithful account of what happened.*

'faith·ful·ly *adv* (อย่างซื่อสัตย์และจริงใจ).

'faith·ful·ness *n* (ความซื่อสัตย์และจริงใจ).

'faith·less *adj* (ไม่ซื่อสัตย์).

'faithless·ness *n* (ความไม่ซื่อสัตย์).

faithfully has two **l**s;
faithfulness has one **l**.

fake *n* **1** a worthless imitation, especially one which is intended to deceive (ของปลอม): *That picture is a fake.* **2** a person who pretends to be something they are not: *He pretended to be a doctor, but he was a fake* (คนหลอกลวง). — *adj* **1** made in imitation of something more valuable (ทำเลียนแบบ): *fake diamonds.* **2** pretending to be something you are not (ปลอม ไม่เป็นเช่นนั้นจริง): *a fake policeman.* — *v* to pretend or imitate in order to deceive (แกล้งหรือเลียนแบบเพื่อหลอกลวง): *He tried to fake his father's signature.*

'fal·con (*'föl-kən*) *n* a bird of prey sometimes used for hunting (เหยี่ยวนกเขา).

fall (föl) *v* **1** to drop down (ตกลงมา ล้ม): *The apple fell from the tree; The leaves of many trees fall in autumn; She fell over.* **2** to become lower or less (ต่ำลงหรือน้อยลง): *The temperature is falling.* **3** to enter a certain state or condition (ตกอยู่ในสภาพหรือสถานการณ์บางอย่าง): *He had fallen asleep by the time I came back; They fell in love.* — *n* **1** a tumble; a drop (การลดลง การหกล้ม): *He had a fall on the icy path and hurt his leg; a fall in the price of oil.* **2** something that has fallen (สิ่งที่ตกลงมา): *a fall of snow.* **3** capture or defeat (การยึดหรือมีชัยเหนือ): *the fall of Rome.* **4** autumn (ฤดูใบไม้ร่วง): *Leaves change colour in the fall.*

fall; fell; 'fall·en: *She fell off her chair; He has just fallen downstairs.*

fall away **1** to become less in number (จำนวนน้อยลงไป): *The crowd began to fall away.* **2** to slope downwards (ลาดลงข้างล่าง): *The ground fell away steeply.*

fall back on to use in an emergency (ใช้ในกรณีฉุกเฉิน): *Whatever happens, you have your father's money to fall back on.*

fall behind **1** to be slower than someone else (ล้าหลัง): *Hurry up! You're falling behind the others; He is falling behind in his school work.* **2** to become late in regular payment, letter-writing *etc.* (ล่าช้า): *Don't fall behind with the rent!*

fall in with to agree with a plan, idea *etc.* (เห็นด้วยกับแผนการ ความคิด): *They fell in with our suggestion.*

fall off to become smaller in number or amount (จำนวนลดน้อยลง): *The number of guests at the hotel falls off in the winter.*

fall on, fall upon to attack (จู่โจม): *He fell on me and started to hit me.*

fall out to quarrel (ทะเลาะ): *I have fallen out with my brother.*

fall short to be not enough or not good

enough *etc.* (มีไม่พอหรือไม่ดีพอ): *The money we have falls short of what we need.*

fall through to fail (ไม่สำเร็จ): *Our plans fell through.*

fal'la·cious (*fə'lā-shəs*) *adj* wrong because of being based on wrong information (ผิดเพราะไปยึดอยู่กับข่าวสารที่ผิด): *a fallacious argument.*

'fal·la·cy *n* a wrong idea, usually one that many people believe to be true (ความคิดที่ผิดซึ่งหลาย ๆคนเชื่อว่าเป็นความจริง): *The belief that girls are less intelligent than boys is a fallacy.*

'fall·out *n* radioactive dust from a nuclear explosion *etc.* (ฝุ่นผงกัมมันตภาพรังสีจากการระเบิดของนิวเคลียร์).

'fal·low *adj* left to lie after being ploughed, without being planted with seeds, so that the soil can improve (ไถคราดที่ดินและทิ้งเอาไว้โดยไม่ปลูกพืชพันธุ์เพื่อทำให้ดินดีขึ้น): *The farmer let several fields lie fallow for a year.*

falls *n* a waterfall (น้ำตก): *the Niagara Falls.*

false (föls) *adj* **1** not true; not correct (ไม่จริง ไม่ถูกต้อง): He made a false statement to the police. **2** intended to deceive (ซึ่งถูกปลอมแปลงโดยเจตนา ตั้งใจที่จะหลอก): *He has a false passport.* **3** not natural; artificial (ไม่เป็นธรรมชาติ เป็นของเทียม): *false teeth.* **4** not loyal (ไม่ซื่อสัตย์): *false friends.*

'false·hood *n* a lie (การโกหก).

'fal·si·fy (*'föl-si-fī*) *v* to change dishonestly (ปลอมแปลง):*He falsified the firm's accounts.*

fal·si·fi'cation *n* (การปลอม).

false alarm a warning of something which in fact does not happen (สัญญาณลวง).

'fal·ter (*'föl-tər*) *v* to stumble or hesitate (เคลื่อนไหวอย่างรี ๆรอ ๆ พูดตะกุกตะกัก): *The blind girl walked across the room without faltering; His voice faltered.*

'fal·ter·ing *adj* (อย่างตะกุกตะกัก).

fame *n* being known to many people (ชื่อเสียง): *His novels brought him fame.*

fa'mil·i·ar (*fə'mil-yər*) *adj* **1** already well known (คุ้นเคย): *The house was familiar to him; His face looks familiar to me.* **2** knowing about something (รู้จัก): *I am not familiar with that custom.*

fa·mil·i'ar·i·ty *n* (ความคุ้นเคย).

fa'mil·iar·ize *v* to make something well known to someone (ทำให้คุ้นเคย): *You must familiarize yourself with the rules.*

'fam·i·ly *n* **1** parents and their children (ครอบครัว). **2** a group of people related to each other, including cousins, grandchildren *etc.* (กลุ่มคนที่เกี่ยวพันกันรวมไปถึงญาติ,เหลน ฯลฯ): *He comes from a wealthy family.* **3** a group of plants, animals, languages *etc.* that are connected in some way (กลุ่มของพืช สัตว์ ภาษา ซึ่งเกี่ยวข้องกันอย่างใดอย่างหนึ่ง): *The lion is a member of the cat family.*

> **family** can be used with a singular or plural verb: *Are your family all well?; My family has owned this house for a long time.*

family tree a plan showing a person's ancestors and relations (แผนผังแสดงให้เห็นถึงบรรพบุรุษและความเกี่ยวพัน).

'fam·ine (*'fam-in*) *n* a great lack or shortage especially of food (ความอดอยาก ความขาดแคลน ทุพภิกขภัย): *Some parts of the world suffer frequently from famine.*

'fam·ished *adj* very hungry (อดอยาก).

'fa·mous (*'fā-məs*) *adj* known to many people for a good or worthy reason (มีชื่อเสียงดี): *She is a famous actress; Scotland is famous for its whisky.*

> See **notorious**.

fan[1] *n* **1** a thin flat object that you wave in front of your face to keep cool in hot weather (พัด). **2** a mechanical instrument causing a current of air (เครื่องพัดลม): *an electric fan.* — *v* **1** to cool yourself with a fan *etc.* (พัดให้กับตัวเอง): *She fanned herself with her newspaper.* **2** to make a fire burn more strongly by waving a flat object in front of it (กระพือไฟ โหมไฟ): *to fan the flames.*

fan[2] *n* an admirer of an actor, singer, football team *etc.* (ผู้ชื่นชมนักแสดง นักร้อง ทีมฟุตบอล ฯลฯ): *I'm going to see him in his new play — I'm a great fan of his; football fans.*

fa'nat·ic *n* a person who is too enthusiastic about something (ผู้ที่คลั่งไคล้): *a religious* fanatic.

fa'nati·cal *adj* (คลั่งไคล้).

fa'nat·i·cal·ly *adv* (อย่างคลั่งไคล้).

fa'nat·icism n (ความคลั่งไคล้).

'fan·ci·ful *adj* **1** inclined to have strange ideas (มีความคิดประหลาด ๆ): *She's a very fanciful girl.* **2** unlikely; unrealistic (ไม่น่าจะเป็น ไม่เป็นจริง): *That idea is rather fanciful.*

'fan·ciful·ly *adv* (อย่างประหลาด ๆ).

'fan·cy *n* **1** a liking or desire (ความชอบหรือความอยากได้): *I used to have quite a fancy for pickled onions.* **2** something imagined (ความคิดฝัน): *I was sure I saw her in the crowd, but it was just my fancy.* — *adj* decorated; not plain (ประดับ ไม่ธรรมดา): *fancy cakes.* — *v* **1** to like the idea of having or doing something (ต้องการหรือมีความคิดที่จะมีหรือทำอะไรบางอย่าง): *I fancy a cup of tea; Do you fancy going for a swim?* **2** to think or imagine (คิดว่าหรือจินตนาการว่า): *I fancied you were angry.*

fancy dress unusual clothes for disguising yourself, often representing a famous character (เครื่องแต่งกายแฟนซี): *He went to the party in fancy dress.* — *adj* (ซึ่งเป็นแฟนซี): *a fancy-dress party.*

take a fancy to to become fond of someone or something (ชอบบางคนหรือบางสิ่ง): *He bought that house because his wife took a fancy to it.*

take someone's fancy to attract someone; to appeal to someone (ดึงดูดใจ ยั่วยวนใจ): *None of these pictures takes my fancy.*

'fan·fare *n* a short tune played loudly on trumpets *etc.* (การประโคมแตร): *The king's entry was signalled by a fanfare.*

fang *n* **1** a long, sharp tooth of a fierce animal (เขี้ยว): *The wolf bared its fangs.* **2** the poison-tooth of a snake (เขี้ยวของงูพิษ).

'fan·ta·size *v* to dream about doing something impossible or very unlikely (เพ้อฝันว่าจะทำอะไรบางอย่างซึ่งเป็นไปไม่ได้): *She fantasizes about becoming a famous model.*

fan'tas·tic *adj* **1** strange or like a fantasy (แปลกประหลาด เพ้อฝัน): *She told me some fantastic story about her father being a prince.* **2** wonderful; very good (ยอดเยี่ยม ดีมาก): *You look fantastic!*

'fan·ta·sy *n* something imagined; an impossible dream (บางอย่างที่นึกคิดขึ้นมา ความเพ้อฝัน): *She was always having fantasies about becoming rich and famous.*

far *adv* **1** a long way away (ไกลออกไป): *He went far away.* **2** very much (มากทีเดียว): *He was a far better swimmer than his friend.* — *adj* **1** distant; a long way away (ระยะไกล): *a far country.* **2** more distant, usually of two things (ระยะทางที่ห่างกว่า): *He lives on the far side of the lake.*

> **far; 'fur·ther** or **'far·ther; 'fur·thest** or **'far·thest**: *adv* : *I live far from school. Jane lives further away but the teacher lives the furthest away.*
> *adj* : *The earth is far from the sun, Mars is further and Jupiter is the furthest of the three.*
> The forms **farther** and **farthest** are used only for distance. See **farther** and **further**.

'far·a·way *adj* distant (ระยะห่าง): *faraway places.*

as far as 1 to a particular place (ไปจนถึง): *We walked as far as the lake.* **2** as great a distance as (ระยะทางมากเท่ากับ): *He did not walk as far as his friends did.* **3** according to what (เท่าที่): *As far as I know, he is well.*

by far by a large amount (มากมาย): *They have by far the largest house in the village.*

so far until now (จนกระทั่งถึงบัดนี้): *So far we have been quite successful.*

farce (*färs*) *n* **1** a comic play in which the characters and the events are ridiculous and unlikely (ละครตลก). **2** a funny or stupid situation (สถานการณ์ที่ตลก ๆ หรือโง่เง่า): *The meeting was a farce — only five people were present.* **'far·ci·cal** *adj* (เหมือนกับเรื่องตลก).

fare *n* the price of a journey on a train, bus,

ship *etc.* (ค่าโดยสาร): *He hadn't enough money to pay the bus fare.* — *v* to do; to get on (ทำสำเร็จ ผล): *How did you fare in the examination?; The team from the other school fared badly against our team.*

fare'well an expression meaning goodbye (ลาก่อน).

far-'fetched *adj* very unlikely (ไม่น่าจะเป็น): *a far-fetched story.*

farm *n* **1** a piece of land, used for growing crops, and keeping cows, sheep, pigs *etc.* (ที่ดินซึ่งใช้ปลูกพืช เลี้ยงสัตว์ ฯลฯ): *Much of England is good agricultural land and there are many farms.* **2** the farmer's house and the buildings near it (บ้านชาวไร่และสิ่งปลูกสร้างใกล้ ๆ): *She lives at the farm.* — *v* to work on the land in order to grow crops, and keep animals *etc.* (การทำงานในพื้นที่นั้นเพื่อปลูกพืชและเลี้ยงสัตว์): *He farms 5000 acres.*

'farm·er *n* a person who owns or looks after a farm and works on the land *etc.* (ชาวไร่ ชาวนา). **'farm·ing** *n* (การทำไร่).

'farm·house *n* the house in which a farmer lives (บ้านชาวไร่).

'farm·yard *n* the open area surrounded by the farm buildings (ที่ว่างรอบ ๆ สิ่งปลูกสร้างในฟาร์ม).

far-'sight·ed *adj* able to guess what will happen in the future and make sensible plans (มองเห็นการณ์ไกล): *Politicians need to be far-sighted to plan properly for the country's future.*

'far·ther (*'fär-dhər*) *adv, adj* can be used instead of **further** when you talk about distance (ไกลกว่านี้ สามารถใช้) **far·ther** (ได้เมื่อพูดถึงระยะทาง): *I can't walk any farther.*

'far·thest *adv, adj* can be used instead of **furthest** when you talk about distance (สามารถใช้)

far·thest (ได้เมื่อพูดถึงระยะทาง): *40 kilometres is the farthest I've ever walked.*

'fas·ci·nate (*'fas-i-nāt*) *v* to attract or interest someone very strongly (ทำให้หลงใหล ทำให้สนใจ): *The children were fascinated by the monkeys in the zoo.*

fas·ci'na·tion *n* (ความตรึงใจ ความสนใจ).

'fas·ci·nat·ing *adj* very attractive or interesting (น่าหลงใหล): *a fascinating story.*

'fash·ion (*'fash-ən*) *n* **1** the style and design of clothes (การออกแบบเสื้อผ้า): *Are you interested in fashion?* **2** the way of behaving, dressing *etc.* that is popular at a certain time (การประพฤติตน แต่งตัว ฯลฯ ซึ่งเป็นที่นิยมอยู่ในเวลาหนึ่ง): *Fashions in music and art are always changing.* **3** a way of doing something (ท่าทาง): *She spoke in a very strange fashion.*

'fash·ion·a·ble *adj* following the newest style of dress, newest ideas and likings (ทันสมัย): *a fashionable woman; a fashionable café.*

'fash·ion·a·bly *adv* (อย่างทันสมัย).

in fashion fashionable (กำลังนิยม): *Long skirts are in fashion.*

out of fashion not fashionable (เลิกนิยมแล้ว).

fast[1] (*fäst*) *adj* **1** quick-moving (การเคลื่อนไหวอย่างรวดเร็ว): *a fast car.* **2** quick (เร็ว): *a fast worker.* **3** showing a time later than the correct time (เร็วกว่าเวลาปกติ): *My watch is five minutes fast.* — *adv* quickly (อย่างเร็ว): *She speaks so fast I can't understand her.*

fast food food that can be quickly prepared, such as hamburgers (อาหารที่เตรียมได้อย่างรวดเร็ว).

fast[2] (*fäst*) *v* to go without food, especially for religious or medical reasons (อดอาหาร): *Muslims fast during Ramadan.* — *n* a time of fasting.

fast[3] (*fäst*) *adj* **1** firm, fixed (ติดแน่น อยู่กับที่): *He made his end of the rope fast to a tree.* **2** that will not come out of a fabric when it is washed (จะไม่หลุดออกเมื่อล้าง): *fast colours.*

fast asleep deeply asleep (หลับสนิท): *The baby fell fast asleep in my arms.*

'fas·ten (*'fäs-ən*) *v* **1** to fix; to attach (ผูก มัด): *She fastened a flower to her dress.* **2** to close firmly (ปิดให้สนิท): *Please fasten the gate.*

'fas·ten·er *n* something that fastens things (สิ่งที่ใช้ผูก สลัก กลอน): *a zip-fastener.*

fas'ti·di·ous *adj* fussy about details and

about being tidy and clean (จู้จี้): *She is very fastidious about her clothes.*

fat *n* an oily substance found in the bodies of animals and some plants (ไขมัน): *This meat has got a lot of fat on it.* — *adj* **1** containing fat (ติดไขมัน): *fat meat.* **2** large, heavy and round in shape (รูปร่างกลม ๆ ใหญ่และหนักอ้วน): *He was a very fat child.*

'fat·ness *n* (ความอ้วน).

'fa·tal (*'fā-təl*) *adj* causing death or disaster (ทำให้ตายหรือหายนะ): *a fatal accident; She made a fatal mistake.*

'fa·tal·ly *adv* (อย่างเป็นอันตรายถึงชีวิต).

fa'tal·i·ty *n* death (ความตาย): *There are far too many fatalities on the roads.*

fate *n* **1** a power that seems to control events (พรหมลิขิต เคราะห์กรรม): *She blamed fate for everything that went wrong.* **2** a final result, death, or an end (ผลบั้นปลาย ความตาย หรือตอนจบ): *A terrible fate awaited her.*

'fa·ther (*'fā-dhər*) *n* **1** a male parent (พ่อ): *The eldest child looked like his father.* **2** the title of a priest (ชื่อเรียกบาทหลวง): *I met Father Sullivan this morning.* **3** a person who invents or first makes something (ผู้ประดิษฐ์คิดค้นอะไรขึ้นมาเป็นคนแรก บิดา): *Thomas Edison was the father of electric light.*

'fa·ther-in-law, *plural* **fathers-in-law**, *n* the father of your wife or husband (พ่อตา พ่อสามี).

'fa·ther·ly *adj* like a father; kind (เหมือนกับเป็นพ่อ ใจดี): *He showed a fatherly interest in his friend's child.*

'fath·om (*'fadh-əm*) *v* to understand something after thinking about it; to work something out (เข้าใจหลังจากได้คิดดูแล้ว): *I cannot fathom why he should have left home without telling anyone.* — *n* a measure of depth of water, equal to 6 feet or 1.8 metres (หน่วยวัดความลึกของน้ำ): *The water is 3 fathoms deep.*

fa'tigue (*fə'tēg*) *n* **1** great tiredness (ความเหนื่อย): *He was suffering from fatigue after walking 40 kilometres.* **2** weakness caused by continual use (ความล้าหลังจากใช้มาอย่างต่อเนื่อง): *mental fatigue.*

fa'tigued *adj* tired (เหนื่อยอ่อน): *They were fatigued by the journey.*

'fat·ten *v* to give a bird or animal a lot of food so that it becomes very fat, especially to make it ready for eating (เลี้ยงให้อ้วน).

'fat·ty *adj* containing a lot of fat (มีไขมันอยู่มาก): *This pork is very fatty.*

fault *n* **1** a mistake; something for which you are to blame (ความผิด): *The accident was your fault.* **2** something wrong (บางอย่างผิดปกติ): *There is a fault in this machine.* **3** a crack in the rock surface of the earth (รอยแตกในหินที่ผิวของโลก).

'fault·less *adj* without fault; perfect (ไม่ผิดพลาด สมบูรณ์แบบ): a faultless performance.

'fault·less·ly *adv* (อย่างสมบูรณ์แบบ).

'faul·ty *adj* not made correctly; not working correctly (สร้างมาไม่ถูก ทำงานไม่ถูก): *a faulty machine.*

at fault wrong; deserving blame (ผิด สมควรโดนตำหนิ): *Which side is at fault in this dispute?*

find fault with to complain about someone or something (หาข้อผิดพลาด): *She is always finding fault with the way he eats.*

'fau·na *n* the animals of a district or country as a whole (สัตว์ต่าง ๆ ในบริเวณหรือประเทศนั้น).

'fa·vour (*'fā-vər*) *n* **1** a kind action (การกระทำดี): *Will you do me a favour and lend me your bicycle?* **2** kindness; approval (ความกรุณา การยอมรับ เห็นดีด้วย): *Any teacher looks with favour on a pupil who tries hard.* **3** unfair preference (ความไม่ยุติธรรม ความลำเอียง): *The teacher was inclined to show favour to the girls.* — *v* to support or show preference for someone or something (ชอบมากกว่า): *Which side do you favour?*

fa·vour·a·ble *adj* **1** showing approval (น่าเห็นดีด้วย): *Was his answer favourable or unfavourable?* **2** helpful (ช่วยเหลือ): *a favourable wind.*

'fa·vour·a·bly *adv* (อย่างเห็นดีด้วย).

'fa·vour·ite (*'fā-vər-it*) *adj* best-liked; preferred (ซึ่งชอบมากที่สุด): *his favourite city.* — *n* a person or thing that you like best (คนหรือ

สิ่งของซึ่งเราชอบมากที่สุด คนโปรด ของโปรด): *Of all his paintings that is my favourite.*

favour, favourable and **favourite** are spelt with **-our-**.

'fa·vour·i·tism *n* the fault of unfairly preferring one person or group to the others (ความลำเอียง): *Why did you give Jill more sweets than me? That's favouritism!*

in favour of in support of something (สนับสนุนอะไรบางอย่าง): *I am in favour of higher pay for nurses.*

in someone's favour giving an advantage to someone (ให้บางคนได้เปรียบ): *The wind was in our favour.*

fawn *n* **1** a baby deer (ลูกกวาง). **2** its colour, a light yellowish brown.

fax *n* **1** (also **fax machine**) a machine that sends a copy of a document along a telephone line (เครื่องโทรสาร): *We need a new fax for the office.* **2** a copy of a document sent in this way (สำเนาส่งโดยแฟกซ์): *Send me a fax of the agreement.* — *v* to send someone a copy of a document using a fax machine (ส่งสำเนาเอกสารโดยใช้เครื่องแฟกซ์): *She faxed me a copy of the picture; Fax the letter to me.*

fear *n* a feeling of great worry or anxiety; being afraid (ความกลัว): *The soldier tried not to show his fear; He can't learn to swim because of his fear of water; The people lived in fear of another earthquake.* — *v* **1** to feel fear because of something (รู้สึกกลัวเพราะอะไรบางอย่าง): *She feared her father when he was angry; I fear for my father's safety.* **2** to regret (เสียใจ): *I fear that the doctor is too busy to see you today.*

'fear·ful *adj* **1** afraid (น่ากลัว): *a fearful look.* **2** terrible (น่าเกลียด): *The lion gave a fearful roar.* **3** very bad (เลวมาก): *a fearful mistake.*

'fear·ful·ly *adv* (อย่างกลัว ๆ).

'fear·less *adj* without fear; brave (ปราศจากความกลัว กล้าหาญ).

'fearlessly *adv* (อย่างกล้าหาญ).

'feas·i·ble *adj* able to be done or achieved, possible (สามารถกระทำได้): *There is only one feasible solution to the problem.*

feast *n* **1** a large and rich meal (งานเลี้ยง): *The king invited them to a feast in the palace.* **2** an annual religious celebration (งานฉลองประจำปีทางศาสนา): *Easter and Christmas are important feasts.* — *v* to eat rich food, especially at a feast (กินอาหารดี ๆ): *We feasted all day.*

feat *n* something that is a difficult thing to do (สิ่งซึ่งยากที่จะกระทำ): *She could perform some extraordinary feats of gymnastics; It was quite a feat to built a viaduct across the deep valley.*

'feath·er (*'fedh-ər*) *n* one of the objects that grow from a bird's skin and form a soft covering over its body (ขนนก): *We found a seagull's feather; They cleaned the oil off the bird's feathers.*

'feath·ered *adj* (มีขน).

'feath·er·y *adj* (แห่งขนนก).

'fea·ture (*'fē-chər*) *n* **1** one of the parts of your face, such as your eyes, nose *etc.* (ส่วนหนึ่งบนใบหน้า เช่นตา จมูก ฯลฯ). **2** a special quality (มีคุณภาพพิเศษ): *Sport is a strong feature of life at this school.* **3** a piece of writing in a newspaper (ข้อเขียนในหนังสือพิมพ์). **4** the main film in a cinema programme (ภาพยนตร์หลักในรายการภาพยนตร์).

'Feb·ru·ar·y (*'feb-ro͞o-ər-i*) *n* the second month of the year (เดือนที่สองของปี เดือนกุมภาพันธ์).

feces *see* **faeces** (ดู **faeces**).

fed *see* **feed** (ดู **feed**).

'fed·er·al *adj* having to do with a form of government or a country where there is one central and several regional governments (เกี่ยวกับรูปแบบของรัฐบาลที่มีศูนย์รวมหนึ่งแห่งและรัฐบาลย่อย ๆ หลายแห่ง แห่งสหพันธ์): *the Federal Republic of Germany; the federal government of the United States.*

fed·er'a·tion *n* a group of states or organizations which act together (การรวมกันของรัฐหรือองค์กรซึ่งทำงานร่วมกัน สหพันธ์): *The banks formed a federation.*

fee *n* the price paid for work done by a doctor, lawyer *etc.* or for some special service or right (ค่าจ้างจ่ายให้หมอ นักกฎหมาย ฯลฯ เพื่อเป็นค่าบริการหรือได้สิทธิ์): *an entrance fee; university fees.*

'fee·ble *adj* weak (อ่อนเปลี้ย): *The old lady has been rather feeble since her illness.*

'fee·ble·ness *n* (อาการอ่อนเปลี้ย).

'fee·bly *adv* (อย่างอ่อนเปลี้ย).

feed *v* **1** to give food to animals, babies *etc.* (ให้อาหารแก่สัตว์ เด็ก ฯลฯ): *He fed the child with a spoon.* **2** to eat (กิน): *Cows feed on grass.* — *n* food for a baby or animals (อาหารสำหรับเด็กหรือสัตว์): Have you given the baby his feed?; *cattle feed.*

feed; fed; fed: *She fed the baby; Have you fed the cat today?*

'feed·back *n* comments that you collect from people about something you are involved in, that are useful in organizing or improving it (คำวิจารณ์ที่เรารับกลับมาจากผู้คนในสิ่งซึ่งเราเข้าไปเกี่ยวข้องอยู่ด้วย มีประโยชน์ในการจัดระเบียบหรือปรับปรุงให้ดีขึ้น): *We are waiting for feed-back from the students' parents on the new scheme for buying school-books.*

fed up bored and annoyed (เบื่อและรำคาญ): *I'm fed up with all this work!*

feel *v* **1** to become aware of something through touch (รู้สึกโดยการสัมผัส): *She felt his hand on her shoulder.* **2** to find out the shape, size *etc.* of something by touching it with your hands (หารูปร่าง ขนาด ของอะไรบางอย่างโดยการเอามือสัมผัส): *The blind man felt the object carefully.* **3** to experience an emotion, sensation *etc.* (มีอารมณ์ ความรู้สึก): *She felt horribly jealous; He felt very unhappy; She feels sick.* **4** to think (คิดว่า): *She feels that the firm treated her badly.*

feel; felt; felt: *She felt happy; He had never felt so ill before.*

'feel·er *n* one of the two long thin parts on the heads of certain creatures such as insects or snails, that are used to feel things; an antenna (หนวดของแมลงหรือหอยทากที่ใช้สัมผัสสิ่งของ เสาอากาศ).

'feel·ing *n* **1** ability to feel (ความสามารถรับสัมผัสได้): *I have no feeling in my little finger.* **2** something that you feel (ความรู้สึกที่เรามี): *a painful feeling; a feeling of happiness.* **3** a belief (ความเชื่อ): *I have a feeling that this plan won't work.* **4** emotion; passion (อารมณ์ กิเลส): *He spoke with great feeling.*

'feel·ings *n* your own pride and dignity (ความภูมิใจและศักดิ์ศรี): *His rudeness hurt my feelings.*

feel for 1 to feel sympathy for (รู้สึกเห็นอกเห็นใจ): *I really feel for her now that she has lost her job.* **2** to try to find by feeling (พยายามหาโดยการคลำดู): *She felt for her key in the dark.*

feel like 1 to have the feelings that you would have if you were someone else (รู้สึกเหมือนเป็น): *I feel like a princess in this beautiful dress.* **2** to feel that you would like to have, do *etc.* something (ความรู้สึกว่าเราอยากมี อยากทำ ฯลฯ อะไรบางอย่าง): *I feel like a drink; Do you feel like going to the cinema?*

feel your way to find your way by feeling (คลำหาทาง): *I had to feel my way to the door in the dark.*

feet, *plural of* **foot** (พหูพจน์ของ **foot**).

feign (*fān*) *v* to pretend (แกล้งทำ): *His feigned illness.*

'fe·line (*'fē-līn*) *adj* of or like a cat (เกี่ยวกับแมวหรือเหมือนแมว): *a vet specializing in feline problems.*

fell[1] *see* **fall** (ดู **fall**).

fell[2] *v* to cut down or knock down (ตัดลงมาหรือโค่นลงมา): *They are felling all the trees in this area.*

fell; felled; felled: *He felled the tree; Many trees have been felled.* See also **fall**.

'fel·low (*'fel-ō*) *n* **1** a man or boy (ผู้ชายหรือเด็กชาย): *He's quite a nice fellow.* **2** a companion (เพื่อน). — *adj* belonging to the same group, country *etc.* (เป็นของกลุ่มเดียวกัน ประเทศเดียวกัน ฯลฯ): *a fellow student; a fellow countryman.*

'fel·low·ship *n* **1** an association, club or society (สมาคม สโมสร). **2** friendliness between people who work or live together *etc.*

(ความเป็นเพื่อนของคนที่ทำงานหรืออยู่ด้วยกัน).

felt[1] *see* **feel (ดู feel)**.

felt[2] *n* a cloth made of wool that has been pressed together, not woven (ผ้าซึ่งทำจากขนสัตว์ที่อัดแน่นเข้าด้วยกันไม่ใช่ทอ). — *adj* : *a felt hat.*

'fe·male (*'fē-māl*) *n* **1** the sex that gives birth to children, produces eggs *etc.* (เพศเมีย เพศซึ่งให้กำเนิดลูก ออกไข่ ฯลฯ). **2** a person or animal of this sex. — *adj* (คนหรือสัตว์ที่มีเพศนี้): *a female blackbird.*

The opposite of **female** is **male**.

'fem·i·nine (*'fem-i-nin*) *adj* **1** having to do with women; typical of women (เกี่ยวกับเพศหญิง): *feminine beauty.* **2** belonging to the female class of nouns in some languages (เป็นคำนามของเพศหญิงในบางภาษา): *Is this noun masculine or feminine?*

fem·i'nin·i·ty *n* (ลักษณะเพศหญิง).

The opposite of **feminine** is **masculine**.

fence[1] *n* a line of wooden or metal posts joined by wood, wire *etc.* to stop people, animals *etc.* moving on to or off a piece of land (รั้วกั้น): *The garden was surrounded by a wooden fence.* — *v* to put a fence round an area of land.

fence[2] *v* to fight with swords as a sport (ฟันดาบ).

'fenc·ing *n* the sport of fighting with swords (เกี่ยวกับกีฬาฟันดาบ).

fend: **fend for yourself** to look after yourself (ดูแล ป้องกัน): *He is old enough to fend for himself.*

fer'ment *v* **1** to change chemically, as dough does when yeast is added to it (หมักเชื้อ): *Grape juice ferments to become wine.* **2** to encourage bad feeling between people, so that they quarrel or rebel (ยุให้เกิดความรู้สึกที่ไม่ดีระหว่างผู้คน เพื่อที่พวกเขาจะได้ทะเลาะวิวาทและก่อจลาจล): *He tried to ferment discontent among his fellow-workers.*

fern *n* a plant with feather-like leaves (ต้นเฟิร์น ต้นไม้ที่มีใบเหมือนขนนก).

fe'ro·cious (*fə'rō-shəs*) *adj* fierce or savage (ดุร้ายหรือรุนแรง): *a ferocious animal.*

fe'roc·i·ty (*fə'ros-i-ti*) *n* (ความดุร้าย).

'fer·ry *n* a boat that carries people, cars *etc.* from one place to another (แพขนานยนต์): *We went by ferry from Dover to Calais.* — *v* to carry people *etc.* in a boat (บรรทุกคน ฯลฯ ไปทางเรือ): *They were ferried across the river in a motor-boat.*

'fer·tile (*'fər-til*) *adj* **1** producing a lot (อุดมสมบูรณ์): *fertile fields.* **2** able to produce fruit, children, young animals *etc.* (สามารถผลิตผลไม้ เด็ก สัตว์อ่อน ๆ).

fer'til·i·ty *n* (ความอุดมสมบูรณ์).

'fer·ti·lize *v* to make fertile (ทำให้อุดมสมบูรณ์ ใส่ปุ๋ย): *He fertilized his fields with manure; An egg must be fertilized before it can develop.*

'fer·ti·li·zer *n* a substance used to make land more fertile (ปุ๋ย).

'fer·vent *adj* keen and very sincere (จริงใจมาก): *fervent hope.*

'fer·vent·ly *adv* (อย่างจริงใจ)

'fer·vour *n* (ความจริงใจ).

'fes·ti·val *n* **1** a celebration, especially a public one (งานเทศกาล): *Christmas is a Christian festival.* **2** a season of musical or theatrical performances (ฤดูกาลของการเล่นดนตรีหรือการแสดงละครเวที): *a music festival*; *a drama festival.*

'fes·tive *adj* having to do with celebrations; joyful (เกี่ยวกับเทศกาล): *Christmas is a festive occasion; a festive atmosphere.*

fes'tiv·i·ty *n* a celebration (งานรื่นเริง งานฉลอง).

fes'toon *v* to decorate something with ribbons, strings of flowers *etc.* (ประดับด้วยริบบิ้น ดอกไม้เป็นสาย ฯลฯ): *The streets were festooned with flags.*

fetch *v* **1** to go and get something or someone and bring it (เอามา นำมา): *Fetch me some bread.* **2** to be sold for a certain price (ขายในราคาหนึ่ง): *The picture fetched $100.*

See **bring**.

fête (*fāt*) *n* an event held outdoors, with stalls, games and amusements, usually to raise money for charity (งานรื่นเริงมักจัดขึ้น

เพื่อการกุศล): *The school holds a fête each summer.*

'**fet·ters** *n* chains that hold the feet of a prisoner, animal *etc.* (โซ่ตรวน).

fetus another spelling of **foetus** (คำสะกดอีกอย่างหนึ่งของ **foetus**).

feud (*fūd*) *n* a long-lasting quarrel or war between families, tribes *etc.* (การทะเลาะวิวาทที่ยาวนานหรือสงครามระหว่างตระกูล เผ่าพันธุ์ ฯลฯ).

'**feu·dal** (*'fū-dəl*) *adj* having to do with the old system by which people served a more powerful man in return for land and protection (แห่งการปกครองระบบขุนนาง).

'**feu·dal·ism** *n* (การปกครองระบบขุนนาง).

'**fe·ver** (*'fē-vər*) *n* **1** a high body temperature and quick heart-beat, usually caused by illness (อาการไข้): *She is in bed with a fever.* **2** an illness causing fever (ความเจ็บป่วยที่ก่อให้เกิดอาการเป็นไข้).

'**fe·ver·ish** *adj* **1** having a slight fever (มีไข้เล็กน้อย): *She seems a bit feverish tonight.* **2** very excited (ตื่นเต้นมาก): feverish activity.

'**fe·ver·ish·ly** *adv* (อย่างตื่นเต้น).

few (*fū*) *adj* not many (น้อย): *Few people visit me nowadays; He asked me questions every few minutes.* — *pron* : *Few of you are old enough to remember the disaster.*

a few a small number (จำนวนน้อย): *There are a few books in this library about geography; We have only a few left.*

few and far between very few (น้อยมาก): *Interesting jobs are few and far between.*

few means "not many".
a few means "some".
See also **less** and **little**.

fi'an·ce (*fi'oŋ-sā*) *n* the man to whom a woman is engaged to be married (คู่หมั้นชาย).

fi'an·cee *n* the woman to whom a man is engaged to be married (คู่หมั้นหญิง).

fi'as·co, *plural* **fiascos**, *n* a complete failure (ความล้มเหลวอย่างสิ้นเชิง).

fib *n* a harmless lie (การพูดปดที่ไม่เป็นอันตราย): *to tell fibs.* — *v* to tell a fib (พูดปด): *She fibbed about her age.*

'**fi·bre** (*'fī-bər*) *n* **1** a fine thread or something like a thread (เส้นด้าย เส้นใย): *a nerve fibre.* **2** a material made up of fibres (วัสดุที่ทำขึ้นจากเส้นใย): *coconut fibre.*

'**fi·brous** *adj* (ทำด้วยเส้นใย).

'**fi·bre·glass** *n* a material made of very fine threadlike pieces of glass, used for many purposes, for instance building boats (ใยแก้ว).

'**fick·le** *adj* always changing your mind (กลับกลอก เปลี่ยนใจอยู่เสมอ): *You can't rely on him — he's so fickle.*

'**fick·leness** *n* (ความรวนเร).

'**fic·tion** *n* stories which tell of imagined, not real, characters and events (นิยาย).

'**fic·tion·al** *adj* (เหมือนนิยาย).

The opposite of **fiction** is **fact**.

fic'ti·tious (*fik'ti-shəs*) *adj* **1** not true (ไม่จริง): *a fictitious account.* **2** not real (ไม่ใช่ของจริง): *All the characters in the book are fictitious.*

'**fid·dle** *n* a violin (ไวโอลิน): *He played the fiddle.* — *v* **1** to play a violin (เล่นไวโอลิน): *He fiddled a little tune.* **2** to play with something or interfere with something (ทำเล่น ๆ): *Stop fiddling with your pencil!; Who's been fiddling with the television?*

'**fid·dler** *n* (ผู้สีไวโอลิน).

'**fidd·ly** *adj* difficult to do because needing careful or delicate handling (ยากที่จะทำได้เพราะต้องใช้ความระมัดระวังและความประณีตในการทำ): *Building model ships out of matchsticks is very fiddly.*

fi'del·i·ty *n* **1** loyalty (ความจงรักภักดี): *his fidelity to his wife; fidelity to a promise.* **2** exactness in recording or reproducing something (ความชัดเจนอย่างยิ่งในการบันทึกเสียงหรือผลิตอะไรขึ้นมาใหม่): *high fidelity.*

'**fidg·et** *v* to move your hands, feet *etc.* restlessly (หยุกหยิก อยู่ไม่สุข ขยับมือ เท้า อย่างกระวนกระวายใจ): *Stop fidgeting while I'm talking to you!*

field (*fēld*) *n* **1** a piece of land used for growing crops, keeping animals *etc.* (ท้องทุ่ง): *Our house is surrounded by fields.* **2** a wide area for games, sports *etc.* (ที่กว้าง ๆ สำ-

หรับเล่นเกมส์ กีฬา): *a football field.* **3** a piece of land where minerals *etc.* are found **(ที่ดินซึ่งพบแร่ธาตุ)**: *an oilfield; a coalfield.* **4** an area of knowledge, interest, study *etc.* **(สาขาวิชา ขอบเขตความรู้)**: *There has been a great deal of progress this century in the field of medicine.* — *v* in some games, such as cricket, to catch or fetch the ball and return it.

'field·er *n* **(คนรับลูกในการเล่นบาสเกตบอล คริกเกต)**.

'field-glass·es *n* a small double telescope **(กล้องสองตาสำหรับส่องทางไกล)**.

fiend (*fēnd*) *n* **1** a devil **(ปิศาจ)**. **2** a very evil or cruel person **(คนชั่วร้ายมากหรือคนที่โหดร้าย)**.

'fiend·ish *adj* **(เหมือนปิศาจ)**.

fierce (*fērs*) *adj* **1** very angry and likely to attack **(ดุร้าย)**: *a fierce dog; a fierce expression.* **2** intense or strong **(เข้มข้นและรุนแรง)**: *fierce heat.*

'fierce·ly *adv* **(อย่างดุร้าย)**.

'fi·er·y (*'fī-ər-i*) *adj* **1** like fire **(เหมือนไฟ)**: *a fiery light.* **2** easily made angry **(ทำให้โมโหได้ง่าย)**: *a fiery temper.*

fi'es·ta *n* a holiday to celebrate a religious festival, especially in Spain and South America **(วันหยุดเพื่อฉลองเทศกาลทางศาสนา)**.

fif'teen *n* the number 15 **(หมายเลข 15)**. — *adj* **1** 15 in number **(15 หมายเลข)**. **2** aged 15 **(อายุ 15)**: *Are you fifteen yet?*

fifth *n* one of five equal parts **(ส่วนหนึ่งในห้าส่วน)**. — *n, adj* the next one after the fourth **(ตัวที่อยู่ถัดจากที่สี่)**.

'fif·ty *n* the number 50 **(หมายเลข 50)**. — *adj* **1** 50 in number **(50 หมายเลข)**. **2** aged 50 **(อายุ 50)**.

fifty-'fifty *adv* in half **(ครึ่งหนึ่ง)**: *We'll divide the money fifty-fifty.* — *adj* equal **(เท่า ๆ กัน)**: *a fifty-fifty chance.*

fig *n* a soft pear-shaped fruit that can be dried and kept **(ผลมะเดื่อ)**.

fight (*fīt*) *v* **1** to struggle against someone with your hands or weapons **(ต่อสู้)**: *The two boys are fighting over some money they found.* **2** to take strong action against something or for something **(กระทำการต่อต้านอย่างแข็งขัน)**: *to fight a fire; We must fight for our freedom.* **3** to quarrel **(ทะเลาะวิวาท)**: *His parents were always fighting.* **4** to make your way with difficulty **(ฝ่ามาด้วยความยากลำบาก)**: *He fought his way through the crowd.* — *n* **1** a struggle or battle **(การดิ้นรนหรือการรบ)**: *There was a fight going on in the street.* **2** strong action for or against something **(การกระทำอย่างรุนแรงเพื่อหรือต่อต้านอะไรบางอย่าง)**: *the fight for freedom of speech; the fight against disease.*

fight; fought (*föt*); **fought**: *He fought with his brother; She had fought for freedom all her life.*

'fight·er *n* **1** a person who fights **(ผู้ต่อสู้)**. **2** a fast aircraft designed to shoot down other aircraft **(เครื่องบินขับไล่)**.

fight back to defend yourself against an attack **(การป้องกันตนเองจากการจู่โจม)**.

fight it out to fight or argue till one person wins **(ต่อสู้หรือโต้เถียงจนอีกฝ่ายหนึ่งแพ้)**: *Fight it out between yourselves.*

fight off to drive away by fighting **(ขับไล่ไปโดยการต่อสู้)**: *He managed to fight off his attacker.*

'fig·ure (*'fig-ər*) *n* **1** a symbol for a number **(ตัวเลข)**: *"240" has three figures.* **2** an amount; a sum **(จำนวน)**: *a figure of $1000 was paid.* **3** the form or shape of a person **(รูปร่างของคน)**: *That girl has a good figure.* **4** a shape **(รูปร่าง)**: *Triangles, squares and circles are geometrical figures.* **5** a drawing to explain something **(ภาพวาดที่อธิบายอะไรบางอย่าง)**: *The parts of a flower are shown in figure 3.* **6** a picture, model or small statue **(รูปภาพ แบบหรือรูปปั้นเล็ก ๆ)**: *There was a wooden figure of Buddha on the table.* — *v* to think; to guess **(เดา)**: *I figured that you would arrive before half past eight.*

'fig·ure·head *n* a person who is officially leader but has little power **(คนที่เป็นหัวหน้าอย่างเป็นทางการแต่มีอำนาจน้อย)**.

figure out to understand **(เข้าใจ)**: *I can't figure*

out why he said that.

good at figures good at arithmetic (เก่งคณิตศาสตร์): *Are you good at figures?*

'fil·a·ment *n* the very thin, fine wire in an electric light bulb, or some other very fine thread-like object. (**ขดลวดในหลอดไฟฟ้าหรือเส้นใยเล็ก ๆ ที่ละเอียดมาก**).

file[1] *n* a line of people walking one behind the other (**คนเดินเรียงกันเป็นแถว**). — *v* to walk in a file (**เดินเป็นแถว**): *The children filed into the school hall.*

in single file one behind the other (**แถวเดี่ยว**): *They went along the passage in single file.*

file[2] *n* **1** something for keeping papers together and in order (**แฟ้ม**). **2** a collection of papers on a particular subject (**การรวบรวมเอกสารเรื่องใดเรื่องหนึ่ง**). **3** in computing, a collection of data (**ในทางคอมพิวเตอร์ก็คือการเก็บข้อมูล**). — *v* to put papers *etc.* in a file (**เอาเอกสาร ฯลฯ เข้าแฟ้ม**): *He filed the letter under P.*

file[3] *n* a steel tool with a rough surface for smoothing or rubbing away wood, metal *etc.* (**ตะไบ**). — v to shape or make something smooth with a file (**ตะไบให้เรียบ**): *She filed her nails.*

'fil·i·al *adj* suitable for a son or daughter (**เหมาะสมสำหรับบุตร**): *filial obedience* (**ความเชื่อฟังของบุตร**).

filing cabinet a piece of office furniture with drawers which can be locked, for storing documents *etc.* (**ตู้เก็บเอกสาร**): *She keeps all the letters she receives in a filing cabinet.*

'fi·lings (*'fi-liŋs*) *n* pieces of wood, metal *etc.* rubbed off with a file (**เศษวัตถุที่ถูกตะไบถูออก**): *iron filings.*

fill *v* **1** to make or become full (**ทำให้เต็ม**): *to fill a cupboard with books; Her eyes filled with tears.* **2** to put something in a hole to stop it up (**เติมอะไรบางอย่าง อุดรู**): *They've filled up that hole in the road; The dentist filled two of my teeth yesterday.* **3** to find someone for a job; to occupy a job (**หาคนมาทำ**): *They couldn't find anybody to fill the job.* — *n* as much as it fills or satisfies you (**จำนวนมากเท่าที่จะเติมได้หรือที่เราพอใจ**): *He ate his fill.*

'fill·ing *n* anything used to fill something (**สิ่งที่ใช้อุดหรือเติมอะไรบางอย่าง**): *The filling has come out of my tooth; She put an orange filling in the cake.*

filling station *n* a place where petrol is sold (**ที่ขายน้ำมัน ปั๊มน้ำมัน**).

fill in 1 to add or put in whatever is needed to make something complete (**ทำให้สมบูรณ์**): *to fill in the details; Have you filled in your tax form yet?* **2** to do another person's job while they are away (**ทำแทน**): *I'm filling in for his secretary.*

fill out 1 to write the information asked for in the blank spaces on a form (**เติมข้อมูลตามที่ถามลงในช่องว่างของแบบฟอร์ม**): *She filled out her application for a bank loan.* **2** to become fatter (**อ้วนขึ้น**): *He used to be very thin but he has filled out a bit recently.*

fill up to make or become completely full (**เติมให้เต็มเปี่ยม**): *Fill up the petrol tank, please.*

'fil·let *n* a piece of meat or fish without bones (**เนื้อหรือปลาที่เอากระดูกออกแล้ว**): *fillet of veal; cod fillet.*

The pronunciation of **fillet** is *'fil-it.*

'fil·ly *n* a young female horse (**ลูกม้าตัวเมีย**).

film *n* **1** a thin strip of material on which photographs are taken (**ฟิล์ม**): *photographic film.* **2** a story, play *etc.* shown as a motion picture in a cinema, on television *etc.* (**เรื่อง ละคร ฯลฯ ที่ฉายเป็นภาพยนตร์ในโรงมหรสพ ทางโทรทัศน์**): *to make a film.* **3** a thin skin or covering (**ชั้นบาง ๆ ที่ปกคลุม**): *a film of oil.* — *v* to make a motion picture (**การทำภาพยนตร์**): *They are going to film the race.*

'film·star *n* a famous actor or actress in films (**ดาราหญิงหรือชายที่มีชื่อเสียงในวงการภาพยนตร์**).

'fil·ter *n* a device through which liquid, gas, smoke *etc.* can pass, but not solid material (**เครื่องกรอง**): *A filter is used to make sure that the oil is clean.* — *v* **1** to make or become clean by passing through a filter (**ทำให้สะอาดโดยผ่านเครื่องกรอง**): *The rainwater* *filtered into a tank.* **2** to come bit by bit or gradually (มาทีละนิดอยู่เรื่อย ๆ): *The news filtered out.*

filth *n* anything very dirty (สิ่งสกปรก): *Look at that filth on your boots!*

'filth·y *adj* very dirty (สกปรกมาก): *The whole house is absolutely filthy.*

fin *n* a thin movable part on a fish's body by which it balances and swims (ครีบปลา).

'fi·nal (*'fī-nəl*) *adj* **1** the very last (สุดท้าย): *the final chapter of the book.* **2** decided and not to be changed (ตัดสินใจแล้วและจะไม่เปลี่ยน): *The judge's decision is final.* — *n* (often **finals**) the last part of a competition (รอบสุดท้ายของการแข่งขัน): *the tennis finals.*

fi'na·le (*fi'nä-li*) *n* a grand final scene or ending to a performance (ฉากสุดท้ายหรือตอนจบของการแสดง).

final is an adjective meaning last, or a noun meaning the last round of a competition.
finale is a grand final scene.

'fi·nal·ist *n* a person who reaches the final stage in a competition (ผู้เข้าแข่งขันรอบสุดท้าย).

'fi·nal·ize *v* to make a final decision about plans, arrangements *etc.* (ทำการตัดสินขั้นสุดท้ายเกี่ยวกับแผนการ การจัด ฯลฯ): *We must finalize the arrangements by Friday.*

'fi·nal·ly *adv* **1** last (สุดท้าย): *The soldiers rode past, then came the Royal visitors, and finally the Queen.* **2** at last, after a long time (ในที่สุด): The train finally arrived.

'fi·nals *n* the last examinations for a university degree *etc.* (การสอบไล่ครั้งสุดท้ายเพื่อเอาปริญญาของนักศึกษาในมหาวิทยาลัย): *I am taking my finals in June.*

fi·nance (*'fī-nans* or *fi'nans*) *n* money affairs (เรื่องของเงิน): *He is an expert in finance; The government is worried about the state of the country's finances.* — *v* to give money for a plan, business *etc.* (ให้เงินไปทำแผนการ ทำการค้า): *Will the company finance your trip abroad?*

fi'nan·cial *adj* concerning money (เกี่ยวกับเงิน): *financial affairs.*

fi'nan·cial·ly *adv* (โดยทางการเงิน).

finch *n* a kind of small bird (นกเล็ก ๆ ชนิดหนึ่ง): *a greenfinch.*

find (*find*) *v* **1** to come upon or meet with accidentally, or after searching (พบ หาพบ): *Look what I've found!* **2** to discover (ค้นพบ): *I found that I couldn't unlock the door.* **3** to form an idea or opinion of something (เกิดความคิดหรือมีความเห็นในบางอย่าง): *I find the British weather very cold.* — *n* something found, especially something of value or interest (การค้นพบอะไรที่มีค่าหรือน่าสนใจ): *That old book is quite a find!*

find; found; found: *She found some beautiful shells; He has just found the missing piece.*
See also **search**.

'find·ings *n* the information or conclusions that you have after a period of study or inquiry (ข่าวสารหรือข้อสรุปหลังจากที่ได้ศึกษาและการสอบถาม): *He presents his findings in a report.*

find out 1 to discover (ค้นพบ): *I found out what was worrying her.* **2** to discover the truth about someone, usually that they have done wrong (ค้นพบความจริงของใครบางคน): *He had been stealing for years, but eventually they found him out.*

fine[1] *adj* **1** very good; excellent (ดีมาก ยอดเยี่ยม): *fine paintings; a fine performance.* **2** bright; not raining (สดใส ฝนไม่ตก): *a fine day.* **3** well; healthy (สบาย สุขภาพดี): *I was ill yesterday but I am feeling fine today.* **4** thin or delicate (บอบบางหรือประณีต): *a fine material; fine hair.* **5** enjoyable (สนุกสนาน): *We had a fine time.* **6** made of small pieces, grains *etc* (ประกอบด้วยเมล็ดเล็ก ๆ เมล็ดพืช): *fine sand; fine rain.* **7** good (ดี): *There's nothing wrong with your work — it's fine.* — *adv* well (อย่างดี): *This table will do fine.*

'fine·ly *adv* (อย่างดี).

fine[2] *n* money that must be paid as a punishment (เงินค่าปรับ): *I had to pay a 2-dollar fine.* — *v* to make someone pay a fine (จ่ายเงินค่าปรับ): *He was fined $10.*

'fi·ner·y *n* beautiful clothes, jewellery *etc.* (เสื้อผ้าที่สวยงาม เพชรพลอย ฯลฯ): *She arrived in* all her finery.

'fin·ger (*'fiŋ-gər*) *n* **1** one of the five end parts of the hand (**นิ้ว**): *She pointed her finger at the thief.* **2** anything shaped *etc.* like a finger (**สิ่งที่มีรูปร่างเหมือนนิ้ว**): *a fish finger.* — *v* to touch or feel with your fingers (**ใช้นิ้วสัมผัส**): *She fingered the material.*

'fin·ger·nail *n* the nail at the tip of the finger (**เล็บ**).

'fin·ger·print *n* the mark made by the tip of the finger (**รอยนิ้วมือ**): *The thief wiped his fingerprints off the safe.*

'fin·ger·tip *n* the very end of a finger (**ปลายนิ้ว**): *She burnt her fingertips on the stove.*

have something at your fingertips (**มีข้อเท็จจริงทั้งหมดพร้อม**): *You must have all the facts at your fingertips.*

put your finger on to point out or describe exactly (**แสดงความเห็นหรือบรรยายอย่างตรงไปตรงมา**): *He put his finger on the cause of our problem.*

'fin·ish *v* **1** to bring or come to an end (**จบเสร็จสิ้น**): *She has finished her work; The music finished.* **2** to use, eat, drink *etc.* the last of something (**บริโภคจนหมด**): *Have you finished your tea?* — n **1** the last touch of paint, polish *etc.* that makes the work perfect (**การทาสีครั้งสุดท้าย การขัดเงา ฯลฯ ซึ่งทำให้งานสมบูรณ์แบบ**): *The wood has a beautiful finish.* **2** the last part of a race *etc.* (**เส้นชัย**): *It was a close finish.*

'fin·ished *adj* **1** done; completed (**ทำแล้วเสร็จแล้ว**): *Is the job finished?; a finished product.* **2** having been completely used, eaten *etc.* (**หมดเกลี้ยง**): *The food is finished.* **3** ruined (**ทำลาย**): *He's finished!*

finish off 1 to complete (**เสร็จสมบูรณ์**): *She finished off the painting yesterday.* **2** to eat, drink or use the last part of (**กิน ดื่ม ใช้ ส่วนสุดท้ายของ**): *Who would like to finish off the cake?* **3** to kill a person who is usually already ill or injured (**ฆ่าคนที่ป่วยอยู่แล้วหรือได้รับบาดเจ็บ**): *He'd been ill for years and the pneumonia finally finished him off.*

finish up 1 to use, eat *etc.* the last of something (**ใช้ กิน ฯลฯ ส่วนสุดท้ายที่เหลือ**): *Finish up your meal as quickly as possible.* **2** to end (**จบลง**): *It was no surprise to me when he finished up in jail.*

'fi·nite (*'fi-nit*) having an end or limit (**มีจุดจบหรือข้อจำกัด**).

fiord or **fjord** (*fyörd*) *n* a long narrow stretch of sea between high cliffs or mountains (**อ่าวแคบ ๆ ที่อยู่ระหว่างหน้าผาหรือภูเขา**): *Norway is famous for its fiords.*

fir *n* an evergreen tree that bears cones (**ต้นสน**).

fire *n* **1** a pile of wood, coal *etc.* that is burning to give heat (**ไฟ**): *to sit by a warm fire.* **2** something that is burning by accident (**ไฟไหม้**): *Several houses were destroyed in the fire.* **3** a device for heating (**เครื่องช่วยทำให้ร้อน**): *an electric fire.* **4** attack by guns (**จู่โจมด้วยปืน**): *The soldiers were under fire.* — *v* **1** to heat pottery *etc.* in an oven in order to harden and strengthen it (**เผาเครื่องปั้นในเตาเพื่อทำให้มันแข็งขึ้น**): *The pots must be fired.* **2** to make someone enthusiastic (**ยั่วให้เกิดความกระตือรือร้น**): *The story fired his imagination.* **3** to use a gun *etc.*; to shoot (**ยิง**): *He fired his revolver three times; He fired three bullets at the target; They suddenly fired at us.* **4** to dismiss someone from a job (**ไล่ออก**): *He was fired for being late.*

fire alarm a bell *etc.* that gives warning of a fire (**สัญญาณไฟไหม้**).

'fire·arm *n* any type of gun (**ปืน**).

fire brigade a company of firemen (**หน่วยดับเพลิง**).

fire engine a vehicle carrying firemen and their equipment (**รถดับเพลิง**).

fire escape a means of escape, especially an outside metal staircase that people can use to leave a burning building (**ทางหนีไฟ**).

'fire·ex·tin·guish·er *n* a device containing chemicals for putting out fires (**เครื่องดับเพลิง**).

'fire·man *n* a man whose job is to put out

fires (พนักงานดับเพลิง).

'fire·place *n* a space in a wall of a room with a chimney above, for a fire (เตาตรงผนังห้องมีปล่องควัน เตาผิง).

fire station a building for firemen and their equipment (อาคารที่อยู่ของพนักงานดับเพลิงและอุปกรณ์ สถานีดับเพลิง).

'fire·work *n* a small exploding device giving off a colourful display of lights (ดอกไม้ไฟ). — *adj* (การแสดงดอกไม้ไฟ): *a firework display.*

catch fire to begin to burn (ติดไฟ): *Dry wood catches fire easily.*

on fire burning (ไฟลุก): *The building is on fire!*

open fire to begin shooting at someone (เริ่มยิง): *The enemy opened fire on us.*

set fire to something, **set something on fire** to cause something to begin burning (เผา): *They set fire to the school; He has set the house on fire.*

firing squad a group of soldiers ordered to shoot a person sentenced to death (หมู่ทหารยิงเป้า): *He was executed by firing squad.*

firm[1] *adj* **1** strong and steady (มั่นคง แข็งแรง): *The castle was built on firm ground; a firm handshake.* **2** not changing your mind (ไม่เปลี่ยนใจ): *a firm decision.*

'firm·ly *adv* (อย่างแน่วแน่).

firm[2] *n* a business company (บริษัทธุรกิจ): *an engineering firm.*

first *adj* before all others (ลำดับแรก): *the first person to arrive.* — *adv* **1** before all others (ก่อนสิ่งอื่นทั้งหมด): *The boy spoke first; Who came first in the race?.* **2** before doing anything else (ก่อนทำอะไรทั้งหมด): *"Shall we eat now?" "Wash your hands first!'* — *n* the person, animal *etc.* that does something before any other person, animal *etc.* (คน สัตว์ ฯลฯ ที่ทำอะไรบางอย่างก่อนผู้อื่น): *the first to arrive.*

first aid treatment of a wounded or sick person before the doctor's arrival (ปฐมพยาบาล).

first-'class *adj* **1** being of the best quality (คุณภาพดีที่สุด): *a first-class hotel.* **2** very good (ดีมาก): *This food is first-class!* **3** for travelling in the best and most expensive part of the train, plane, ship *etc.* (ผู้โดยสารชั้นที่หนึ่ง): *a first-class passenger ticket.* — *adv* (อย่างดีเยี่ยม): *He always travels first-class.*

'first·ly *adv* in the first place (ประการแรก): *I have two reasons for not going — firstly, it's cold, and secondly, I'm tired!*

first-'rate *adj* very good (เก่งมาก): *He is a first-rate doctor.*

at first at the beginning (ในตอนแรก): *At first I didn't like him.*

first of all to begin with; the most important thing is (ก่อนอื่น): *First of all, let's clear up the mess; First of all, the plan is impossible — secondly, we can't afford it.*

fish *n* **1** a creature that lives in water and breathes through gills (ปลา): *There are plenty of fish around the coast.* **2** its flesh eaten as food (เนื้อปลา): *Do you prefer meat or fish?* — *v* **1** to catch fish (จับปลา ตกปลา): *He likes fishing.* **2** to search for something (ค้นหา): *She fished around in her desk for a pencil.*

The plural **fish** is never wrong, but sometimes **fishes** is used in talking about different kinds: *How many fish did you catch?; the fishes of the Indian Ocean.*

fish as a food is usually singular: *Fish is good for you*; but: *The fish were jumping about in the net.*

'fish·ball, 'fish·cake *n* mashed fish shaped into a ball and fried (ลูกชิ้นปลา).

'fish·er·man *n* a man who fishes as a job or as a hobby (ชาวประมง).

'fish·ing-line *n* a fine strong thread made of nylon, used with a rod *etc.* for catching fish (สายเบ็ด).

'fish·ing-rod *n* a long thin rod used with a fishing-line and hooks *etc.* for catching fish (คันเบ็ด).

'fish·mon·ger *n* **1** a person who sells fish (คนขายปลา). **2** a shop that sells fish (ร้านขายปลา).

'fish·y *adj* **1** like a fish (เหมือนปลา): *a fishy smell.* **2** suspicious (น่าสงสัย): *There's something fishy about that man.*

fist *n* a tightly closed hand (หมัด กำปั้น): He shook his fist at me in anger.

fit[1] *adj* **1** in good health (มีสุขภาพดี): *I am feeling very fit.* **2** suitable (เหมาะสม): *a dinner fit for a king.* — *n* the right size or shape for a particular person, purpose *etc.* (ขนาดหรือรูปร่างที่เหมาะสมกับคน ๆ หนึ่ง): *Your dress is a very good fit.* — *v* **1** to be the right size or shape for someone or something (ขนาดหรือรูปร่างพอดีสำหรับคนบางคนหรืออะไรบางอย่าง): *The coat fits very well; This dress won't fit me any more.* **2** to be suitable for a particular purpose (ความเหมาะสมในจุดประสงค์อะไรบางอย่าง): *His speech fitted the occasion.* **3** to fix something (ซ่อม): *You must fit a new lock on the door.* **4** to equip with something (ประกอบ): *He fitted the cupboard with shelves.*

fit in to be able to live peacefully with others (อยู่ได้อย่างสงบสุขกับคนอื่น): *She doesn't fit in with the other children.*

fit out to provide someone with everything necessary (จัดหาให้อย่างครบถ้วน): *The shop fitted them out with everything they needed for their journey.*

fit[2] *n* a sudden occurrence; a sudden attack (การเกิดขึ้นโดยทันทีทันใด จู่โจมอย่างกะทันหัน): *a fit of laughter; a fit of coughing; He hit her in a fit of anger.*

in fits and starts often stopping and starting again (เป็นพัก ๆ): *We progressed in fits and starts.*

five *n* the number 5 (เลข 5). — *adj* **1** 5 in number (จำนวน 5). **2** aged 5 (อายุ 5 ขวบ): *He is five today.*

fix *v* **1** to make or keep something firm or steady (ทำให้ติดแน่นหรือมั่นคง): *He fixed the post firmly in the ground.* **2** to attach (ติด): *He fixed the shelf to the wall.* **3** to mend; to repair (ซ่อม): *He has fixed my watch.* **4** to direct attention, a look *etc.* at someone or something (จ้องดู): *She fixed all her attention on me; He fixed his eyes on the door.* **5** to arrange (จัดการ): *to fix a price; We fixed up a meeting.* **6** to prepare something; to get something ready (เตรียมการ): *I'll fix dinner tonight.* — *n* trouble; a difficulty (ความยุ่งยาก): *I'm in a terrible fix!*

fixed *adj* not changing; not movable; steady (ไม่เปลี่ยนแปลง เคลื่อนไหวไม่ได้ อยู่กับที่).

'fix·ture *n* a fixed piece of furniture *etc.* (เฟอร์นิเจอร์ซึ่งติดอยู่กับที่): *We can't move the cupboard — it's a fixture.*

fix on to decide on something, choose (ตัดสินใจ เลือก): *Have you fixed on a date for the wedding?*

fix someone up with something to provide someone with something (จัดหาให้): *Can you fix me up with a car for tomorrow?*

fizz *v* to give off many small bubbles (ปล่อยฟองเล็ก ๆ ออกมามากมาย): *I like the way lemonade fizzes.* — *n* the sound or feeling of something fizzing (เสียงหรือความรู้สึกว่ามีอะไรบางอย่างกำลังเป็นอย่างนี้อยู่).

'fizz·y *adj* (เป็นฟอง เดือดปุด ๆ).

fizzle out to end in a weak and disappointing way (จบลงอย่างน่าผิดหวัง): *The party fizzled out well before midnight.*

fjord. See **fiord** (ดู **fiord**).

'flab·ber·gast·ed (*'flab-ər-gäs-təd*) *adj* very surprised (แปลกใจอย่างมาก).

'flab·by *adj* fat, but not firm and healthy (อ้วนแต่เนื้อไม่แน่นและไม่แข็งแรง): *flabby cheeks.*

flag[1] *n* a piece of cloth with a particular design representing a country *etc.*, or used for signalling messages (ธง): *The ship was flying a British flag.*

'flag-pole *n* the pole on which a flag is hung (เสาธง).

'flag·ship *n* **1** the ship that flies the flag of the commander of the fleet (เรือธง): *Nelson's flagship was the 'Victory'.* **2** the most important ship in a fleet (เรือที่สำคัญที่สุดในกองเรือ): *The QE2 is the flagship of the Cunard shipping line.* **3** a company's most important product (สินค้าที่สำคัญที่สุดของบริษัท): *That particular car is the maker's flagship.*

flag[2] *v* to become tired or weak (**เหนื่อยหรืออ่อนล้า**): *Halfway through the race he began to flag.*

flair *n* a natural ability for doing something (**ความสามารถตามธรรมชาติในการทำสิ่งหนึ่งสิ่งใด เชาวน์**): *She has a flair for drawing.*

flake *n* a small piece (**ชิ้นเล็ก ๆ**): *a snowflake.* — *v* to come off in flakes off the walls *etc.* (**หลุดออกจากกำแพงเป็นชิ้นเล็ก ๆ**): *The paint is flaking.*

'fla·ky *adj* (**เป็นชิ้นเล็ก ๆ เป็นสะเก็ด**).

flam'boy·ant *adj* **1** very confident, lively and excited (**เชื่อมั่นในตนเองมาก มีชีวิตชีวาและเร้าใจ**): *a very flamboyant actor.* **2** bright, colourful and attracting attention or notice (**สดใสและหลากสีซึ่งดึงดูดความสนใจหรือการสังเกต**): *flamboyant clothes.*

flame *n* the bright light of something burning (**เปลวไฟ**): *A small flame burned in the lamp.* — *v* to burn with flames (**เผาไหม้ด้วยเปลวไฟ**): *The fire flamed up.* **'fla·ming** *adj* (**กำลังลุกเป็นเปลว**).

fla'min·go (*flə'miŋ-gō*), *plural* **fla'min·gos**, *n* a large bird with pink and red feathers and long legs (**นกกระเรียน**).

flam·ma·ble *adj* able or likely to burn (**ไวไฟ**): *flammable material.*

See **inflammable**.

flank *n* **1** the side of an animal's body, especially a horse's (**ด้านข้างของลำตัวสัตว์**). **2** the side of an army arranged for battle (**ด้านปีกของกองทหารในสงคราม**): *They marched around the enemy's flank.* — *v* to be at the side of someone or something (**ขนาบข้าง**): *The prisoner appeared, flanked by two policemen.*

'flan·nel *n* loosely woven woollen cloth (**ผ้าขนสัตว์ถักหลวม ๆ**).

flap *v* to wave about; to flutter (**แกว่งไกวไปมากระพือ**): *The curtains were flapping in the breeze; The bird flapped its wings.* — *n* **1** this movement (**การเคลื่อนไหวในลักษณะนี้**): *a flap of wings.* **2** anything broad or wide that hangs loosely (**สิ่งที่ใหญ่และกว้างแขวนไว้อย่างหลวม ๆ**): *a flap of canvas.*

flare *v* to burn with a bright unsteady light (**ลุกไหม้ ไม่สม่ำเสมอ**): *The firelight flared.*

flared *adj* widening; spreading out (**การขยายออก การแผ่ออก บาน**): *a flared skirt.*

flare up 1 to burn strongly suddenly (**ลุกไหม้อย่างรุนแรงและรวดเร็ว**): *The fire flared up.* **2** to become very angry suddenly (**โกรธขึ้นมาในทันใด**): *He flared up at me because I told him to leave.*

flash *n* **1** a sudden bright light (**แสงจ้าที่แลบขึ้นมา**): *a flash of lightning.* **2** a moment; a very short time (**เดี๋ยวหนึ่ง เวลาสั้นมาก ๆ**): *He was with her in a flash.* — *v* **1** to shine quickly (**ส่องแสงอย่างรวดเร็ว**): *A blue light flashed across the window; He flashed a torch.* **2** to pass quickly (**ผ่านไปอย่างรวดเร็ว**): *The days flashed by; The cars flashed past.*

'flash·back *n* a scene from the past in a film, play *etc.* (**ฉากที่ผ่านไปแล้วในภาพยนตร์หรือละคร**): *As the hero is sleeping, there is a flashback to his childhood.*

'flash·ing *adj* (**ไฟกะพริบ**): *flashing lights.*

'flash·light *n* **1** a torch (**ไฟฉาย**). **2** a device that flashes, to give a bright light for taking photographs (**ไฟแฟลช**).

flask (*fläsk*) *n* **1** a bottle (**ขวด**). **2** a special container for keeping drinks *etc.* hot (**กระติกน้ำ**): *a flask of tea.*

flat *adj* **1** level (**ราบ แบน**): *a flat surface; flat shoes.* **2** having lost most of its air (**ยางแบน**): *His car had a flat tyre.* **3** used up; having no power left (**ใช้ไปจนหมด ไม่มีไฟฟ้าเหลือ**): *a flat battery.* — *adv* stretched out (**เหยียดกาย**): *She was lying flat on her back.* — *n* **1** an apartment on one floor, with kitchen and bathroom, in a larger building (**ที่พักบนชั้นหนึ่ง ๆ ในตึกใหญ่ มีห้องครัวและห้องน้ำ**): *Do you live in a house or a flat?* **2** a sign (b) in music, that makes a note lower by another half note (**ตัวโน้ต (b) ในดนตรี**). **3** a level, even part (**แบนราบ เท่ากัน**): *the flat of her hand.*

'flat·ten *v* to make or become flat (**ทำให้แบนแบน**): *He flattened himself against the wall.*

flat out as fast as possible, with as much

effort as possible (เร็วเท่าที่จะทำได้ ด้วยความพยายามเท่าที่มี): *He was running flat out.*

'flat·ter *v* **1** to praise someone too much, or not sincerely (ยกยอหรือไม่จริงใจ): *She flattered him by complimenting him on his singing.* **2** to make someone seem better than they really are (ทำให้รู้สึกดีขึ้นกว่าที่เป็น): *The photograph flatters him.*

'flat·ter·er *n* (คนประจบ).

'flat·ter·y *n* praise that is not sincere (คำเยินยอที่ไม่จริงใจ).

'fla·vour (*'flā-vər*) *n* **1** taste (รสชาติ): *The tea has a wonderful flavour.* **2** atmosphere; quality (บรรยากาศ): *The story has a flavour of mystery.* — *v* to give a flavour to something (ใส่รสชาติ): *She flavoured the cake with lemon.*

'fla·vour·ing *n* anything used to give a particular taste (สิ่งที่ใช้เพิ่มรสชาติ): *lemon flavouring.*

flaw *n* a fault; something that spoils a thing slightly (รอยตำหนิ รอยร้าว): *There is a flaw in this material.*

flea *n* a small insect that jumps instead of flying and lives on the blood of animals or people (ตัวหมัด).

fleck *n* a spot (จุด): *a fleck of dust.*

fled *see* **flee** (ดู **flee**).

'fledg·ling (*'flej-ling*) *n* a young bird ready to fly (ลูกนกพร้อมที่จะบิน).

flee *v* to run away from danger (หนีจากอันตราย): *He fled from the burning house.*

flee; fled; fled: *She fled when she saw us coming; He had fled by the time his enemies arrived.*

fleece (*flēs*) *n* a sheep's wool (ขนแกะ).

'flee·cy *adj* (เหมือนขนแกะ).

fleet *n* **1** a number of ships or boats under one command or sailing together (กองเรือ): *a fleet of fishing boats.* **2** the entire navy of a country (กองเรือรบทั้งหมดของชาติหนึ่ง): *the British fleet.*

'fleet·ing *adj* passing quickly (ผ่านไปอย่างรวดเร็ว): *She caught a fleeting glimpse of the deer through the trees.*

flesh *n* **1** the muscles and fat that cover the bones of animals (เนื้อสัตว์). **2** the soft part of fruit (เนื้อผลไม้): *the flesh of a peach.*

'flesh·y *adj* fat (อ้วน): *a fleshy face.*

flew *see* **fly**[2] (ดู **fly**[2]).

flex *n* a covered wire for carrying electricity attached to an electrical device (สายไฟ): *Don't trip over the flex!* — *v* to bend; to contract (โค้ง งอ เบ่ง): *She slowly flexed her arm to find out if it was still painful; He flexed his muscles to show how strong he was.*

'flex·i·ble *adj* **1** able to be bent easily (งอได้ง่าย): *Wire is flexible.* **2** able to be altered (เปลี่ยนแปลงได้): *My holiday plans are very flexible.*

flex·i'bil·i·ty *n* (การบิดงอได้).

flick *n* a quick, sharp movement (การเคลื่อนไหวอย่างรวดเร็ว): *a flick of the wrist.* — *v* to make this kind of movement (ทำการเคลื่อนไหวแบบนี้): *He flicked some dust from his jacket.*

flick through to look quickly through (มองผ่านอย่างเร็ว ๆ): *He flicked through the magazine.*

'flick·er *v* **1** to burn unsteadily (การลุกไหม้อย่างไม่สม่ำเสมอ): *the candle flickered.* **2** to move quickly (เคลื่อนไหวอย่างรวดเร็ว): *A smile flickered across her face.* — *n* an unsteady light or flame (แสงไฟหรือเปลวไฟที่ลุกไม่สม่ำเสมอ).

flight[1] (*flīt*) *n* **1** the action of flying (การบิน): *the flight of a bird; Have you seen geese in flight?* **2** a journey in a plane (การเดินทางโดยเครื่องบิน): *How long is the flight to New York?* **3** a set of steps or stairs (ขั้นบันได): *A flight of steps.*

flight[2] (*flīt*) *n* the act of running away from an enemy or from danger; fleeing (หนีจากข้าศึกหรือภัยอันตราย การหนี).

put to flight to make someone flee or run away (ทำให้หนีไป): The army put the rebels to flight.

'flim·sy *adj* **1** made of thin material (ทำด้วยวัสดุบาง ๆ): *You'll be cold in that flimsy dress.* **2** badly made; likely to break (สร้างไม่ดี น่า

จะพัง): *His boat is far too flimsy to take out to sea.* **3** not very convincing (ไม่น่าเชื่อนัก): *The teacher will never believe that flimsy excuse.*

flinch *v* to make a sudden movement in fear, pain *etc.* (ขยับในทันทีทันใดด้วยความกลัว ความเจ็บปวด ฯลฯ): *She flinched when he shook his fist at her.*

fling *v* to throw with great force (ขว้าง): *He flung a brick through the window.*

fling; flung; flung: *She flung herself into a chair; Clothes had been flung all over the floor.*

flint *n* a very hard kind of stone (หินเหล็กไฟ).

flip *v* **1** to toss something lightly so that it turns in the air (โยนอะไรขึ้นไปกลางอากาศเพื่อให้มันกลับตัว): *They flipped a coin to see which side it landed on.* **2** to turn over quickly (พลิกอย่างรวดเร็ว): *She flipped over the pages of the book.* — *n* the action of flipping (การกลับตัว การพลิก).

'flip·per *n* **1** one of the two short arm-like limbs of a seal, walrus *etc.*, that it uses for swimming (ครีบของแมวน้ำ). **2** a large flat rubber shoe that helps you swim underwater (รองเท้ายางแบนใหญ่ใช้ช่วยในการว่ายน้ำ ตีนกบ).

flirt *v* to behave as though you were in love but without being serious (ทำตนเหมือนกับว่ารักแต่ไม่จริงจัง): *She flirts with every man she meets.*

flir'ta·tion *n* (การเกี้ยวเล่น).

flit *v* to move quickly and lightly from place to place (ย้ายจากที่หนึ่งไปยังอีกที่หนึ่งอย่างค่อย ๆ และรวดเร็ว โผ แวบ): *Butterflies flitted around in the garden.*

float *v* to stay on the surface of a liquid (ลอย): *A piece of wood was floating in the stream.* — *n* a floating ball on a fishing-line (ลูกลอย): *If the float moves, there is probably a fish on the hook.*

flock *n* a group of animals or birds (ฝูง กลุ่มสัตว์หรือนก): *a flock of sheep; a flock of geese.* — *v* to go somewhere in a crowd (ไปเป็นฝูง ยกขบวน): *People flocked to the cinema.*

flog *v* to beat; to whip (ตี เฆี่ยน): *You will be flogged for stealing the money.*

'flog·ging *n* (การเฆี่ยน): *I gave the boy a good flogging.*

flood (*flud*) *n* **1** a great quantity of water lying on the land, after very heavy rain *etc.* (น้ำท่วม): *If it goes on raining like this we shall have floods.* **2** any great quantity (จำนวนมาก ๆ): *There is always a flood of letters at Christmas.* — *v* to overflow over land *etc.*; to cause an overflow of water (น้ำล้น): *The river burst its banks and flooded the fields; She left the tap running and flooded the bathroom.*

The opposite of a **flood** is a **drought**.

'flood·light *n* a very strong light used to light up the outside of buildings *etc.* (ไฟฉายใช้ในการส่องนอกตัวอาคาร): *There were floodlights in the sports stadium.*

'flood·light·ing *n* (การใช้ไฟส่อง).

'flood·lit *adj* (อาบไปด้วยแสงไฟ).

floor (*flör*) *n* **1** the surface in a room *etc.* on which you stand and walk (พื้น). **2** all the rooms on the same level in a building (ชั้น): *My office is on the third floor.* — *v* **1** to make a floor for a room (ปูพื้น): *We've floored the kitchen with tiles.* **2** to knock down (ล้มลงไปกับพื้น): *He floored him with one blow.*

flop *v* to fall heavily (ทิ้งตัวลงอย่างหนัก ๆ): *She flopped into an armchair; Her hair flopped over her face.* **'flop·py** *adj* (อ่อนปวกเปียก): *a floppy hat.*

floppy disk a flexible magnetic disc used to store information from a computer (แผ่นจานแม่เหล็กอ่อน ๆ ใช้สำหรับเก็บข้อมูลจากคอมพิวเตอร์ แผ่นดิสก์): *She keeps copies of all her computer files on floppy disks.*

'flo·ra *n* the plants of a district or country as a whole (พันธุ์ไม้ในเขตหนึ่งหรือประเทศหนึ่ง).

'flo·ral *adj* having to do with flowers; made of flowers (เกี่ยวกับดอกไม้ ทำด้วยดอกไม้): *floral decorations.*

See **flowery**.

'flor·ist *n* a person who grows or sells flowers

(คนปลูกหรือขายดอกไม้).

flour *n* wheat, or other cereal, ground into powder and used for baking *etc.* (แป้ง บดเป็นแป้ง).

flour is never used in the plural.

'flour·ish (*'flur-ish*) *v* **1** to be healthy; to grow well (แข็งแรง เติบโตได้ดี): *My plants are flourishing.* **2** to be successful (มีความสำเร็จ): *His business is flourishing.* **3** to wave something as a show, threat *etc.* (กวัดแกว่ง คุกคาม): *He flourished his sword.*

flout *v* to disobey an order deliberately (ตั้งใจไม่เชื่อฟังคำสั่ง): *Too many drivers flout the law on speeding.*

flow (*flō*) *v* to move along in the way that water does (ไหล): *The river flowed into the sea.* — *n* the action of flowing; something that flows (การไหล): *a flow of blood; the flow of traffic.*

'flow·er *n* **1** a bloom or blossom on a plant (ดอกไม้). **2** a plant that has blooms: *We grow roses, carnations and other flowers.* — *v* to produce flowers (ออกดอก): *This plant flowers in early May.*

'flow·er·y *adj* full of flowers or decorated with flowers (ประดับประดาด้วยดอกไม้): *a flowery hat.*

flowery floral

'flow·er·bed *n* a piece of land prepared and used for the growing of flowers (ที่เตรียมไว้สำหรับปลูกดอกไม้ แปลงดอกไม้).

in flower having flowers in bloom (ออกดอก): *These trees are in flower in May.*

flown *see* **fly (ดู fly)**.

flu (*floo*) short for (คำย่อสำหรับ) **influenza**.

'fluc·tu·ate *v* to change often (เปลี่ยนแปลงบ่อย ขึ้น ๆ ลง ๆ): *The price of petrol continually fluctuates; He fluctuates between loving school and hating it.*

fluc·tu·'a·tion *n* (การเปลี่ยนแปลงบ่อย ๆ ความขึ้น ๆ ลง ๆ).

'flu·ent (*'floo-ənt*) *adj* able to speak or write quickly, easily and well, especially in a foreign language (พูดหรือเขียนได้อย่างคล่องแคล่ว): *She is fluent in English.*

'flu·en·cy *n* (ความคล่องแคล่ว).

'flu·ent·ly *adv* (อย่างคล่องแคล่ว).

fluff *n* small pieces of soft, wool-like material from blankets *etc.* (เศษเล็ก ๆ ของขนสัตว์จากผ้าห่ม).

'fluff·y *adj* soft and furry, or woolly (อ่อนนุ่มและเป็นปุย): *a fluffy kitten; fluffy chickens.*

'flu·id (*'floo-id*) *n* any liquid substance (ของเหลว): *cleaning fluid.* — *adj* **1** liquid; able to flow like a liquid (สามารถไหลได้เหมือนของเหลว): *Blood is a fluid substance.* **2** able to be changed easily (สามารถเปลี่ยนแปลงได้ง่าย): *My plans are fluid.*

fluke *n* a success that has happened by chance (ทำได้สำเร็จด้วยความบังเอิญ).

flung *see* **fling (ดู fling)**.

fluo'res·cent (*flo͞o'res-ənt*) *adj* **1** giving out radiation in the form of light (ส่งรังสีออกมาในรูปของแสง): *Many sea creatures are fluorescent at night.* **2** very bright (สว่างมาก): *She marked the spelling mistakes using a fluorescent yellow pen.*

fluorescent lamp or **light** a type of electric lamp or light using tubes filled with gas (หลอดฟลูออเรสเซน): *Fluorescent lights are often used in bathrooms.*

'flur·ry *n* **1** a sudden rush of wind *etc.* (ลมวูบหนึ่ง). **2** a confused rush (รีบอย่างสับสน): *a flurry of activity.*

flush *n* redness of the face; a blush (หน้าแดง). — *v* **1** to become red in the face (ใบหน้ากลายเป็นสีแดง): *She flushed with excitement.* **2** to clean by a rush of water (ชักโครก): *to flush a toilet.*

flushed *adj* covered with a red flush (เป็นสีแดง เต็มไปด้วยสีแดง): *Your face gets flushed when you run hard.*

'flus·ter *v* to make someone confused or nervous (ทำให้ปั่นป่วนหรือสับสน): *Don't fluster me!*

flute (*floot*) *n* a musical wind instrument in the

form of a metal pipe with holes (ขลุ่ย).

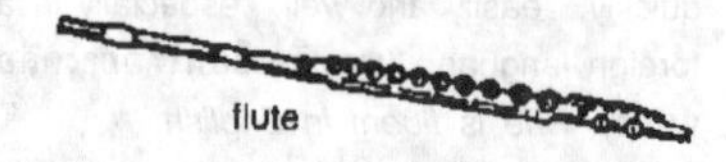

'flut·ter *v* **1** to move the wings quickly (กระพือปีก): *The bird fluttered in its cage.* **2** to move in a quick or irregular way (เคลื่อนไหวอย่างรวดเร็วหรือมีท่าทางไม่ปกติ): *A leaf fluttered to the ground; The flags fluttered in the wind.* — *n* (การกระพือปีก): *They could hear the flutter of bats' wings in the dark.*

fly[1] (*flī*) *n* **1** a small insect with wings (แมลงวัน). **2** a fish hook made to look like a fly (เบ็ดที่ทำให้ดูเหมือนกับแมลงวัน). **3** a piece of material with buttons or a zip, especially at the front of trousers (ซิปกางเกง).

fly[2] (*flī*) *v* **1** to go through the air on wings *etc.* or in an aeroplane; to pilot an aeroplane (บินไปในอากาศ): *The pilot flew over the sea; to fly a plane* (ขับเครื่องบิน). **2** to move or pass quickly (เคลื่อนที่หรือผ่านไปอย่างรวดเร็ว): *She flew along the road to catch the bus; The days flew past.* **3** to run away; to flee (วิ่งออกไป วิ่งหนีไป): *Fly, before it's too late!*

fly; flew (*floo*); **flown** (*flōn*): *The bird flew away; Has he ever flown a helicopter?*

flying visit a very short visit (การมาเยี่ยมระยะสั้นมาก).

fly sheet *n* the outer covering of a tent (ที่คลุมชั้นนอกของเต็นท์).

'fly·o·ver *n* a road *etc.* that is built on pillars so as to cross over another (ถนน ฯลฯ ที่สร้างขึ้นเพื่อข้ามอีกถนนหนึ่ง สะพานลอย).

fly into to get into a sudden rage, temper *etc.* (มีอารมณ์โกรธแค้นในทันทีทันใด): *He flew into a rage when she spoke rudely to him.*

fly off the handle to lose your temper; to get angry (อารมณ์เสีย โมโห).

send flying to knock someone or something over, with great force (กระแทกเข้าด้วยกำลังแรง): *She hit him and sent him flying.*

foal *n* a baby horse (ลูกม้า).

foam *n* a mass of small bubbles on the surface of liquids *etc.* (ฟอง). — *v* to produce foam (ทำให้เกิดฟอง).

foam rubber a form of rubber which looks like a sponge and is used for stuffing chairs *etc* (ยางโปร่งใช้ยัดเบาะเก้าอี้).

'fo·cus *n* **1** the point at which rays of light meet after passing through a lens (จุดรวมแสง). **2** a point to which light, a look, attention *etc.* is directed (จุดรวมความสนใจ): She was the focus of everyone's attention. — *v* **1** to adjust a camera *etc.* in order to get a clear picture (ปรับกล้องถ่ายรูปเพื่อให้ได้ภาพชัด). **2** to direct attention *etc.* to one point (ทำให้ความสนใจไปรวมกันอยู่ที่จุด ๆ หนึ่ง): *The children's attention was focused on the stage.*

in focus, out of focus giving, or not giving, a clear picture (ทำให้เห็นชัดหรือทำให้เห็นไม่ชัด): *This photograph is out of focus.*

'fod·der *n* food for farm animals (อาหารสำหรับสัตว์เลี้ยง).

foe (*fō*) *n* an enemy (ศัตรู).

'foe·tus or **fe·tus** (*'fē-təs*) *n* the fully developed embryo of a human being or animal before it is born (ทารกในครรภ์).

'foe·tal or **'fe·tal** *adj* (แห่งทารกในครรภ์แก่).

fog *n* a thick cloud of moisture in the air that makes it difficult to see (หมอก). — *v* to cover with fog (ปกคลุมด้วยหมอก): *Her glasses were fogged up with steam.* **'fog·gy** *adj* (หมอกหนา): *foggy weather.*

'fog-horn *n* a device that makes a loud booming or whining noise, used as a warning to, or by, ships in fog (เครื่องมือที่ทำให้เกิดเสียงดังหรือเสียงร้องครวญครางใช้ในการเตือนเรือลำอื่น ๆ ที่อยู่ในหมอก).

foil[1] *v* to defeat; to disappoint (พ่ายแพ้ ผิดหวัง): *They were foiled in their attempt to overthrow the President.*

foil[2] *n* very thin sheets of metal that resemble paper (แผ่นโลหะที่บางมาก ๆ ซึ่งเหมือนกับกระดาษ): *silver foil.*

fold[1] (*fōld*) *v* **1** to double over material, paper *etc.* (พับ): *She folded the paper in half.* **2** to tuck one arm or hand under the other (กอดอก): She folded her arms. — *n* **1** a folded part in material *etc.* (ส่วนที่ถูกพับในวัสดุ): *Her dress hung in folds.* **2** a mark made especially on paper by folding (เครื่องหมายที่เกิดจากการพับกระดาษ): *There was a fold in the page.*

'fold·er *n* a cover for keeping loose papers together (แฟ้ม).

'fold·ing *adj* able to be folded (สามารถพับได้): *a folding chair.*

fold[2] (*fōld*) *n* a place surrounded by a fence or wall, in which sheep are kept (คอกแกะ).

'fo·li·age *n* leaves (ใบไม้): *This plant has dark foliage.*

folk (*fōk*) *n* people (ผู้คน): *The folk in this town are very friendly.* — *adj* belonging to the people of a country (เป็นของผู้คนของเมืองหนึ่ง): *a folk dance; folk music.*

folk takes a plural verb.

'folk·lore *n* the customs, beliefs and stories of a particular people (ประเพณี ความเชื่อและเรื่องราวของคนกลุ่มหนึ่ง).

folks *n* family (ครอบครัว ญาติ): *I spent my holiday with my folks.*

'fol·low (*'fol-ō*) *v* **1** to go or come after someone (ตาม ติดตาม): *I will follow you.* **2** to go along a road, river *etc.* (ไปตามถนน แม่น้ำ ฯลฯ): *Follow this road.* **3** to understand (เข้าใจ): *Do you follow me?* **4** to act according to something (ทำตาม): *I followed his advice.*

I'll **go with** or **come with** you; I'll **go** or **come shopping with** you (not I'll **follow** you).

'fol·low·er *n* a person who follows, especially someone who supports the ideas *etc.* of another person (ผู้ติดตาม บริวาร สาวก): *the followers of Jesus.*

'fol·low·ing *adj* **1** coming after (ต่อมา ตามมาข้างหลัง): *the following day.* **2** about to be mentioned (ดังต่อไปนี้): *You will need the following things: paper, pencil and scissors.*

follow up to investigate further; to find out more about something (สอบสวนต่อไป ติดตามผล): *The police are following up a clue.*

'fol·ly *n* foolishness; stupidity (ความเขลา ความโง่).

fond *adj* **1** loving; affectionate (ซึ่งแสดงความรัก): *a fond mother; She gave him a fond look.* **2** liking something or someone (ชอบ): *She is very fond of her children; I'm fond of swimming.*

'fond·ly *adv* (อย่างชอบ).

'fond·ness *n* (ความชอบ).

fond is followed by **of**.

'fon·dle *v* to touch or stroke affectionately (แตะหรือเคล้าคลึงอย่างรักใคร่).

food *n* what living things eat (อาหาร): *Horses and cows eat different food from dogs.*

'food·stuff *n* food (พวกอาหาร): *frozen foodstuffs.*

fool *n* a stupid, silly person — *v* **1** to deceive (คนโง่ คนเขลา หลอกลวง): *She completely fooled me with her story.* **2** to act like a fool (ทำตัวอย่างคนโง่): *Stop fooling about!*

'fool·ish *adj* stupid; silly (โง่ เขลา).

'fool·ish·ly *adv* (อย่างโง่ ๆ).

'fool·ish·ness *n* (ความโง่).

'fool·hard·y *adj* taking foolish risks (ทำการเสี่ยงอย่างโง่ ๆ).

'fool·proof *adj* unable to go wrong (ไม่มีทางผิดไปได้): *His new plan seems completely foolproof.*

make a fool of someone to make someone appear stupid (ทำให้ใครบางคนดูโง่ หลอกเล่น).

foot (*fo͝ot*), *plural* **feet**, *n* **1** the part of your leg on which you stand or walk (เท้า). **2** the lower part of anything (ส่วนล่างของสิ่งใด ๆ): *at the foot of the hill.* **3** a measure of length equal to 30.48 cm (หน่วยวัดความยาว): *She is five feet* (or *five foot*) *tall.*

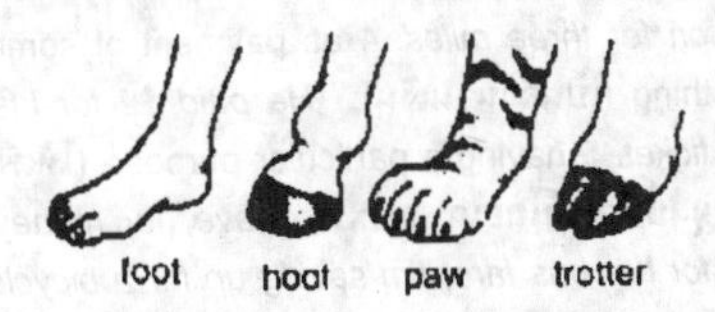

'foot·ball *n* **1** a game played by kicking a large ball (กีฬาฟุตบอล). **2** the ball used in this game (ลูกบอลที่ใช้ในการเล่นชนิดนี้).

'foot·hill *n* a small hill at the foot of a range

of mountains (เนินเขาเล็ก ๆ ที่เชิงเทือกเขา): *the foothills of the Alps.*

See **mountain**.

'foot·hold *n* a place to put your foot when climbing (ที่วางเท้าเมื่อเวลาปีน): *He lost his foothold and fell onto the ledge below.*

'foot·ing *n* **1** balance (สมดุลย์): *It was difficult to keep his footing on the slippery path.* **2** foundation (รากฐาน): *The business is now on a firm footing.*

'foot·mark *n* a footprint (รอยเท้า).

'foot·note *n* a note at the bottom of a page (หมายเหตุตอนล่างของหน้ากระดาษ).

'foot·path *n* a path or way for walking, not for cars, bicycles *etc.* (ทางเท้า).

'foot·print *n* the mark of a foot (รอยเท้า): *She followed his footprints through the snow.*

'foot·step *n* the sound made by walking (เสียงเดิน): *She heard his footsteps on the stairs.*

'foot·wear *n* boots, shoes, slippers *etc* (รองเท้า ถุงเท้า ฯลฯ).

follow in someone's footsteps to do the same as someone has done before you (เดินตามรอยเท้า).

on foot walking (เดิน): *She came on foot.*

put your foot down to be firm about something (ยืนกราน): *I put my foot down and refused.*

for *prep* **1** intended to be given or sent to someone (เพื่อ สำหรับ): *This letter is for you.* **2** towards; in the direction of somewhere (มุ่งไป): *We set off for London.* **3** through a certain time or distance (เป็นเวลาหรือระยะทาง): *He worked hard for three hours; They drove on for three miles.* **4** as payment of something (เป็นจำนวนเงิน): *He paid $2 for his ticket.* **5** having a particular purpose (ให้เพื่อจุดประสงค์โดยเฉพาะ): *He gave her money for her bus fare; I'm saving up for a bicycle.* **6** in order to help; on behalf of (เพื่อที่จะช่วย): *Please do this for me; He works for a building firm.* **7** supporting; in favour of (สนับสนุน): *Are you for or against this plan?* **8** because of (เป็นเพราะ): *for this reason.* **9** considering that it is (พิจารณาดูแล้วเห็นว่า): *It's very cold for August.* **10** used in several other ways (ใช้ในทางอื่น ๆ อีกหลายอย่าง): *He asked his father for money; I'll go for a walk; Are you coming for a swim?* — *conjunction* because (เพราะว่า): *I stopped to rest, for I was very tired.*

I've lived here **for** a year (a period of time). I've lived here **since** last year (a point in time).

for'bid *v* to tell someone not to do something (ห้าม): *She forbade him to go.*

for'bid; for'bade (*fər'bad*); **for'bidden**: *Her mother forbade her to shout; His father had forbidden him to smoke, but he did it nevertheless.*

for'bid·den *adj* not allowed (ไม่อนุญาต).

for'bid·ding *adj* rather frightening (ค่อนข้างน่ากลัว): *a forbidding face.*

force *n* **1** strength; power (กำลัง อำนาจ): *the force of the wind.* **2** violence (ความรุนแรง): *They used force to make him do what they wanted.* **3** a group of people organized for police or military duties (กำลังพล): *the police force; the Royal Air Force.* — *v* **1** to make someone do something against their will, by using violence or threats (บีบบังคับ): *He forced me to give him money.* **2** to push with violence; to break (พัง งัด): *They forced the door open.*

'force·ful *adj* powerful (เข้มแข็ง เต็มไปด้วยกำลัง): *a forceful argument.*

'Forc·es *n* the army, navy and air force of a country (กองทัพบก เรือ และอากาศของประเทศหนึ่ง ๆ).

in force, into force in or into operation (ได้รับการปฏิบัติแล้ว): *The new law is now in force.*

ford *n* a shallow place in a river, where you can cross (ตอนตื้นของลำน้ำที่เราข้ามได้).

'fore·arm *n* the lower part of your arm, between your wrist and elbow (แขนช่วงล่าง).

'fore·cast *v* to tell about something before it happens (ทำนาย): *He forecast good weather for the next three days.* — *n* a statement about what is going to happen (คำทำนาย คำกล่าวถึงสิ่งที่จะเกิดขึ้น): *the weather forecast.*

forecast; forecast; forecast: *She forecast trouble; A week of rain had been forecast.*

'fore·fa·thers *n* ancestors (บรรพบุรุษ).

'fore·fin·ger *n* the finger next to the thumb (นิ้วชี้).

'fore·ground *n* the part of a view or picture nearest to the person looking at it (พื้นหน้าของวิวหรือภาพที่อยู่ใกล้ที่สุดกับคนที่มอง): *He painted a picture of hills and fields, with two horses in the foreground.*

'fore·head (*'for-id*) *n* the part of the face above the eyebrows (หน้าผาก): *Her hair covers her forehead.*

'for·eign ('for-ən) *adj* belonging to a country other than your own (เป็นของต่างชาติ): *a foreign passport.*

'foreigner *n* a person from another country (ชาวต่างชาติ).

'fore·leg *n* an animal's front leg (ขาหน้าของสัตว์).

'fore·man, *plural* **'foremen**, *n* the leader of a group, especially of workmen (หัวหน้าคนงาน).

'fore·most *adj* first in time or place; most famous or important (แรกสุด มีชื่อเสียงที่สุดหรือสำคัญ): *the foremost modern artist.*

fore'see *v* to see or know about something before it happens (เห็นหรือรู้ล่วงหน้า): *He could foresee the difficulties.*

fore'see·a·ble *adj* (สามารถเห็นล่วงหน้าได้).

fore'see; fore'saw; fore'seen: *He foresaw what would happen; She had foreseen the delay.*

'fore·sight *n* the ability to see in advance what may happen and to plan for it (ความสามารถคาดการณ์ล่วงหน้าว่าอะไรจะเกิดขึ้นและวางแผนรับเอาไว้).

'for·est (*'for-əst*) *n* a large piece of land covered with trees (ป่า).

'for·est·ry *n* the science of growing and looking after forests (วนศาสตร์).

'fore·taste *n* a small sample or experience of something before it happens (การชิมลางหรือมีประสบการณ์ก่อนที่มันจะเกิดขึ้น): *This cold weather is just a foretaste of winter.*

fore'tell *v* to tell about something before it happens (บอกล่วงหน้า): *to foretell the future from the stars.*

fore'tell; fore'told; fore'told: *The prophet foretold Christ's birth; The birth of Christ had been foretold.*

for'ev·er *adj* **1** for ever (ตลอดไป): *I'll love you forever.* **2** always (เสมอ ๆ): *You're forever asking silly questions.*

'fore·word (*'för-wərd*) *n* an introduction at the beginning of a book (คำนำ).

'for·feit (*'för-fit*) *n* something you must give up because you have done something wrong, especially in a game (ค่าปรับ): *to pay a forfeit.* — *v* to lose (สูญเสีย): *He forfeited our respect by telling lies.*

forgave *see* **forgive** (ดู **forgive**).

forge[1] n a place where metal is heated and hammered into shape (เตาเผาโลหะ). — *v* to shape metal by heating and hammering (ตีเหล็ก): *He forged a horseshoe out of an iron bar.*

forge[2] *v* **1** to copy a letter, a signature *etc*, for a dishonest purpose (การปลอมจดหมายหรือลายเซ็น): *He forged my signature on the cheque.* **2** to paint a picture *etc.* and say it is by another more important artist, in order to make money dishonestly (การปลอมภาพ ฯลฯ ของคนอื่นที่มีชื่อเสียง).

'for·ger·y n (การปลอมแปลง).

forge[3] *v* to move steadily (เคลื่อนไปอย่างมั่นคง): *They forged ahead with their plans.*

for'get *v* **1** to fail to remember (ลืม): *He has forgotten my name.* **2** to leave something behind accidentally (ทิ้งบางอย่างเอาไว้โดยบังเอิญ): *She has forgotten her handbag.*

for'get; for'got; for'got·ten: *He forgot her telephone number; She had forgotten to ring him.*

for'get·ful *adj* often forgetting things (ขี้ลืม): *She is a very forgetful person.*

for'get·ful·ly *adv* (อย่างลืม ๆ).

for'give (*fər'giv*) *v* to stop being angry with someone who has done something wrong (ให้อภัย ยกโทษ): *He forgave her for breaking* *his watch.*

for'give; for'gave; for'giv·en: *She forgave him for telling lies; She has forgiven his bad behaviour.*

for'give·ness *n* the forgiving of something (การให้อภัย): *He asked God for forgiveness for all the bad things he had done.*

for'giv·ing *adj* willing to forgive (ไม่ผูกพยาบาท ยินดีที่จะลืม): *She's a very forgiving wife.*

forgot, forgotten see **forget** (ดู **forget**).

fork *n* **1** an eating tool or a farming tool with several points for piercing and lifting things (ส้อม): *We eat with a knife, fork and spoon.* **2** the point at which a road *etc.* divides into two or more branches (ทางแยก): *They came to a fork in the road.* **3** one of the branches into which a road divides (ทางแยกทางหนึ่งบนถนนนั้น): *Take the left fork.* — *v* **1** to divide into branches (แยกออกไปเป็นสาขา): The main road forks here. **2** to lift or move with a fork (ยกหรือเคลื่อนย้ายด้วยคราด): *The farmer forked the hay into the truck.*

fork-lift truck *n* a small vehicle with two steel prongs on the front that can lift and carry heavy loads (รถฟอร์คลิฟท์ รถยก).

for'lorn *adj* lonely and unhappy (โดดเดี่ยวและไม่มีความสุข).

form[1] *n* **1** a shape; an appearance (รูปร่าง สิ่งที่ปรากฏ): *He thought he saw the form of a man in the darkness.* **2** a kind; a type (แบบ ชนิด): *There are many different forms of religion.* **3** a paper containing certain questions, the answers to which must be written on it (กระดาษคำถามซึ่งจะต้องเขียนคำตอบลงบนนั้น): *If you would like to apply for the job, please fill in this application form.* **4** a school class (ชั้นเรียน): *He is in the sixth form.* — *v* **1** to make a shape *etc.* (ทำเป็นรูปร่าง): *The children formed a circle and held hands; Form yourselves into three groups.* **2** to grow (เกิดขึ้น): *An idea slowly formed in his mind.* **3** to organize (จัดตั้ง): *They formed a drama club.* **4** to be (เป็น): *These exercises form part of the lesson.*

form[2] *n* a long seat without a back; a bench (ม้านั่งยาว).

'for·mal *adj* **1** done according to certain rules, especially the rules of politeness (ตามระเบียบกฎเกณฑ์โดยเฉพาะอย่างยิ่งเรื่องความสุภาพ): *a formal letter.* **2** suitable for important occasions and ceremonies (เหมาะสำหรับโอกาสสำคัญและงานฉลอง): *You must wear formal dress for weddings and funerals.* **3** polite but not very friendly (สุภาพแต่ไม่เป็นมิตรนัก): *formal behaviour.*

'for·mal·ly *adv* (อย่างเป็นทางการ).

for'mal·i·ty *n* (ระเบียบวิธี).

'for·mat *n* something's size, shape or style (ขนาด รูปร่าง หรือแบบ): *Her novel was published in a paperback format.*

for'ma·tion *n* **1** the forming of something (การรวมตัวของอะไรบางอย่าง). **2** a shape made by a group *etc.* (รูปร่างที่เกิดขึ้นโดยการทำของกลุ่ม): *The planes flew in an arrow-shaped formation.*

'for·mer *adj* belonging to an earlier time (เมื่อก่อน แต่ก่อน): *In former times people did not travel so much.*

'for·mer·ly *adv* in earlier times (เมื่อก่อนนี้): *Formerly, this large town was a small village.*

the former the first of two things mentioned (สิ่งที่กล่าวก่อน): *We visited America and Australia, staying longer in the former than in the latter.*

'for·mi·da·ble *adj* **1** rather frightening (ค่อนข้างน่ากลัว): *He looked formidable in his black uniform.* **2** very difficult to deal with (จัดการยากมาก): *They were faced with formidable problems.* **'for·mi·da·bly** *adv* (อย่างน่ากลัว).

'for·mu·la (*'för-mū-lə*), *plural* **formulas** or **formulae** (*'för-mū-lē*), *n* **1** a set of signs or letters used in chemistry, arithmetic *etc.* to express an idea briefly (สูตร): *The formula for water is H_2O.* **2** a special way of making something, and the special substances used to make it (สูตรผสม): *The shampoo was made to a new formula.*

for'sake *v* to leave someone or something for ever (จากไปตลอดกาล): *He was forsaken by* *his friends.*

for'sake; for'sook; for'sa·ken: *She forsook her children; She was forsaken by her husband.*

fort *n* a place of defence against an enemy (ป้อม ค่าย).

forth *adv* forward; onward (ไปข้างหน้า): *They went forth into the desert.*

back and forth first in one direction and then in the other (ไป ๆ มา ๆ): *We had to go back and forth many times before we moved all our furniture to the new house.*

forth'com·ing *adj* happening soon (กำลังจะเกิดขึ้นในไม่ช้า): *forthcoming events.*

'forth·right *adj* openly saying what you think, frank (พูดอย่างเปิดเผย ตรงไปตรงมา): *She was forthright in her criticism of the plan.*

'for·ti·fy (*'för-ti-fī*) *v* to strengthen (ทำให้แข็งแรง): *The king fortified his castle against attack; Some hot soup will fortify you for the walk.*

for·ti·fi'cation *n* (การทำให้แข็งแรง).

'fort·night (*'fört-nīt*) *n* two weeks (สองสัปดาห์): *It's a fortnight since I last saw her.*

'fort·night·ly *adj* every fortnight (ทุก ๆ สองสัปดาห์ รายปักษ์): *a fortnightly visit* — *adv* (การมาเยือนทุก ๆ สองสัปดาห์): *He is paid fortnightly.*

'for·tress *n* a fort; a castle; a fortified town (ป้อม ปราสาท เมืองที่มีป้อมล้อมรอบ).

'for·tu·nate (*'för-chə-nət*) *adj* lucky (โชคดี): *It was fortunate that nobody was hurt in the accident.*

'for·tu·nate·ly *adv* (อย่างโชคดี).

'for·tune (*'för-cho͞on*) *n* **1** good or bad luck (โชคดีหรือโชคร้าย): *We have to go on, whatever fortune may bring.* **2** a large amount of money (เงินจำนวนมาก): *That ring must be worth a fortune!*

'for·tune-teller *n* someone who tells fortunes (หมอดู).

tell someone's fortune to foretell what will happen to someone in the future (ทำนายว่าอะไรจะเกิดขึ้นในอนาคต): *The gypsy told my fortune.*

'for·ty *n* the number 40 (เลข **40**). — *adj* **1** 40 in number (จำนวน **40**). **2** aged 40 (อายุ **40** ปี): *Her father is forty.*

forty (not **fourty**).

'fo·rum *n* a place for public discussion and argument (สถานที่สำหรับการปรึกษาหารือและถกเถียงกันอย่างสาธารณะ).

'for·ward (*'för-wərd*) *adj* **1** advancing (เคลื่อนไปข้างหน้า): *a forward movement.* **2** at or near the front (อยู่ที่หรือใกล้ข้างหน้า): *The forward part of a ship is called the "bows".* — *adv* in a forward direction (ไปในทิศทางข้างหน้า): *They pushed the car forward.* — *v* to send letters *etc.* on to another address (ส่งต่อ ส่งจดหมาย ฯลฯ ไปยังที่อื่น): *I have asked the post office to forward my mail.*

'for·wards *adv* forward (ข้างหน้า): *The rope swung backwards and forwards.*

'fos·sil *n* the hardened remains of an animal or vegetable, found in rock (ซากแข็งของสัตว์หรือพืชพบในหิน).

'fos·sil·ize *v* to change into a fossil (เปลี่ยนไปเป็นซากแข็ง).

'fos·ter *v* **1** to bring up a child that is not your own (เลี้ยงเด็กที่ไม่ใช่ลูกของเราเอง). **2** to encourage ideas *etc.* (สนับสนุนแนวความคิด): *She fostered the child's talents.*

'fos·ter-child *n* a child fostered by a family (ลูกเลี้ยง).

'fos·ter-fa·ther, fos·ter-moth·er *n* s a man or woman who looks after a child who is not his or her own child (พ่อเลี้ยงแม่เลี้ยง).

fought *see* **fight** (ดู **fight**).

foul *adj* **1** smelling or tasting very bad (กลิ่นเหม็นหรือรสแย่มาก ๆ): *This food is foul.* **2** very dirty (สกปรกมาก): *a foul place.* **3** very unpleasant (ไม่ชอบใจ): *foul weather.* — *n* an action *etc.* which breaks the rules of a game (การกระทำที่ฝืนกฎของเกม): *The other team committed a foul.*

found[1] *see* **find** (ดู **find**).

found[2] *n* **1** to start or set up something (เริ่มก่อตั้ง): *The school was founded by the President.* **2** to base on something (ตั้งอยู่บนรากฐาน): *The story was founded upon fact.*

foun'da·tion *n* **1** the founding of something (ก่อตั้ง): *the foundation of a new university.* **2** the base on which something is built (ฐานราก): *First they laid the foundations, then they built the walls.*

'found·er *n* a person who founds a school, college, organization *etc.* (ผู้ก่อตั้ง).

'foun·tain *n* a device that produces a spring of water that rises into the air (น้ำพุ): *In the middle of the garden was a carved fountain in the shape of a fish.*

'fountain pen a pen with a supply of ink inside (ปากกาหมึกซึม).

four (*för*) *n* the number 4 (เลข 4). — *adj* **1** 4 in number (จำนวน 4). **2** aged 4 (อายุ 4 ขวบ): *My sister is four.*

fourth *n* one of four equal parts (หนึ่งในสี่ส่วน). — *n, adj* the next one after the third (ถัดจากที่สาม).

on all fours on hands and knees (คลาน): *He climbed the steep path on all fours.*

four'teen (*för'tēn*) *n* the number 14 (เลข 14). — *adj* **1** 14 in number (จำนวน 14). **2** aged 14 (อายุ 14 ขวบ): *Her brother is fourteen.*

fowl *n* a bird, especially a hen, duck, goose *etc.* (สัตว์ปีก เช่นไก่ เป็ด ห่าน ฯลฯ): *He keeps fowls and a few pigs.*

fox *n* a wild animal like a small dog, with red fur and a long bushy tail (สุนัขจิ้งจอก).

> A fox **barks**.
> A baby fox is a **cub**.
> A female fox is a **vixen**.
> A fox lives in an **earth**.

'foy·er (*'foi-ā*) *n* a large entrance hall to a theatre, hotel *etc.* (ทางเข้าเป็นห้องโถงใหญ่ตามโรงมหรสพ โรงแรม ฯลฯ).

> See **lobby**.

'frac·tion *n* a part; an amount that is not a whole number, for example, ½, ⅜, ¾, *etc* (เศษส่วน).

'frac·tion·al *adj* (เป็นเศษส่วน).

'frac·ture (*'frak-chər*) *n* a break in a hard substance, especially a bone (กระดูกแตก). — *v* to break (แตก): *He fractured his leg in the accident.*

'fra·gile (*'fraj-īl*) *adj* easily broken (เปราะ แตกง่าย): *a fragile glass vase.*

fra'gil·i·ty *n* (ความเปราะ).

'frag·ment *n* **1** a broken piece; a bit (เศษ ชิ้น): *The floor was covered with fragments of glass.* **2** something that is not complete (บางอย่างที่ยังทำไม่เสร็จ): *a fragment of poetry.*

'frag·men·tar·y *adj* (เป็นชิ้น ๆ).

'fra·grant (*'frā-grənt*) *adj* having a sweet smell (มีกลิ่นหอม): *fragrant flowers.*

'fra·grance *n* (กลิ่นหอม).

frail *adj* weak, especially in health (อ่อนแอ): *a frail old lady.* **'frail·ty** n (ความอ่อนแอ).

frame *n* **1** a hard main structure round which something is built or made (โครงสร้างหลัก): *the steel frame of the aircraft.* **2** something that forms a border or edge (กรอบ): *a picture-frame; a windowframe.* **3** the body (รูปร่าง): *He has a small frame.* — *v* **1** to put a frame around something (ใส่กรอบ): *to frame a picture.* **2** to act as a frame for something (ทำหน้าที่เป็นกรอบ): *Her hair framed her face.*

'frame·work *n* the basic supporting structure of anything (โครง): *The building will be made of concrete on a steel framework.*

frame of mind a state of mind; a mood (ภาวะของจิตใจ อารมณ์): *He is in a strange frame of mind.*

frank *adj* saying or showing openly what is in your mind; honest (เปิดเผย ซื่อสัตย์): *a frank person; a frank reply.* — *v* to mark a letter by machine to show that postage has been paid (ตีตราไปรษณีย์).

'frank·ly *adv* (อย่างเปิดเผย).

'fran·tic *adj* very upset or excited, because of worry, pain *etc.* (ว้าวุ่นหรือตื่นเต้นเพราะความวิตกกังวล เจ็บปวด): *His mother became frantic when he did not return home.*

fra'ter·ni·ty *n* **1** brotherhood; a community or society of men, for example monks (ความเป็นพี่น้อง ชุมชนหรือสังคมของพวกผู้ชาย ตัวอย่างเช่นพวกพระ). **2** people with the same job *etc.* (คนที่มีหน้าที่อย่างเดียวกัน): *the medical fraternity.*

'frat·er·nize *v* to meet together as friends (คบหากันฉันเพื่อน): *The townspeople did not fraternize with the soldiers living on the nearby army base.*

fraud (*fröd*) *n* **1** dishonest behaviour, especially in business (พฤติกรรมที่ไม่ซื่อสัตย์): *He was sent to prison for fraud.* **2** a person who pretends to be something that they are not (หลอกลวง): *He said he was a famous doctor, but he was just a fraud.*

'fraud·u·lent (*'fröd-ū-lənt*) *adj* (อย่างหลอกลวง).

'fraud·ulence *n* (การหลอกลวง).

fray *v* to become worn at the ends or edges, so that the threads or strands come loose (ลุ่ยที่ขอบหรือปลายจนเส้นด้ายหรือสายใยหลุดออกมา): *If you don't sew a hem on this cloth, it will fray; The rope frayed and broke where it had been rubbing against the rock; When you get angry and lose your temper, people say that your temper is fraying.*

frayed *adj* : *He was wearing a pair of frayed old jeans* (เก่าหลุดลุ่ย).

freak *n* a very unusual event, person or thing (เหตุการณ์ คนหรือสิ่งของที่ผิดปกติมาก ๆ): *A storm as bad as that one is a freak of nature.*

'freck·le *n* a small brown spot on the skin (กระที่ผิว): *In summer her face was always covered with freckles.* **'freck·led** *adj* (เป็นกระ).

free *adj* **1** allowed to move where you want; not shut in, tied, fastened *etc.* (มีอิสระ ยอมให้ไปได้ตามที่ต้องการ ไม่กักขัง ผูกมัด ฯลฯ): *The prison door opened, and out he went — a free man at last; One end of the string was tied to the handle — the other end was left free.* **2** not forced or persuaded to act, speak *etc.* in a particular way (ไม่บังคับหรือชักจูงให้กระทำ พูด ฯลฯ ในลักษณะใด ๆ): *You are free to do what you like.* **3** generous (ใจกว้างเผื่อแผ่): *He is always free with his money.* **4** frank, open, saying what you really think (เปิดเผย พูดในสิ่งที่ตัวเองคิด): *a frank and free discussion; free speech.* **5** costing nothing (ไม่เสียอะไรเลย): *a free gift.* **6** not working; not busy (ไม่ทำงาน ไม่ยุ่ง): *I shall be free at five o'clock.* **7** not occupied; not engaged (ไม่มีเจ้าของ ไม่ได้จองเอาไว้): *Is this seat free?* **8** without (ปราศจาก): *She is free from pain now.* — *adv* without payment (ไม่ต้องจ่ายเงิน): *We were allowed into the circus free; We shall mend the tyre free of charge.* — *v* to set someone free (ปล่อยให้เป็นอิสระ): *He freed all the prisoners.*

'free·dom *n* not being under control; being able to do whatever you want (อิสรเสรี): *The prisoner was given his freedom.*

'free·lance *adj* working on your own; not employed by a firm *etc.* (ทำงานอิสระ): *He is a freelance journalist.*

'free·ly *adv* **1** generously (อย่างเอื้อเฟื้อเผื่อแผ่ มีใจเมตตา): *Give freely to charity.* **2** openly, frankly (เปิดเผย ตรงไปตรงมา): *You can speak freely to a friend.* **3** willingly (อย่างเต็มใจ): *I freely admit I was wrong.*

free speech the right to express an opinion freely (การออกความคิดเห็นได้อย่างอิสระ): *All citizens should have a right to free speech.*

free will the ability to choose and act freely (ตามอำเภอใจ): *He did it of his own free will.*

-free *suffix* free from, not having or troubled by (ต่อท้ายด้วยคำนี้มีความหมายว่า เป็นอิสระจาก ไม่ได้รับความยุ่งยากจาก): *You can buy duty-free goods at the airport; tax-free.*

freeze *v* **1** to become ice (กลายเป็นน้ำแข็ง): *It's so cold that the river has frozen over.* **2** to be at or below freezing-point (อยู่ที่หรือต่ำกว่าจุดเยือกแข็ง): *If it freezes again tonight, all my plants will die.* **3** to make food very cold in order to preserve it (แช่แข็ง): *You can freeze the rest of that food and eat it later.* **4** to make or become stiff or unable to move with cold, fear *etc.* (ทำให้ไม่สามารถเคลื่อนไหวได้เพราะความหนาวเย็น ความกลัว): *She froze when she heard the strange noise.* **5** to fix prices, wages *etc.* at a certain level (หยุดราคา ค่าจ้าง ฯลฯ ไว้ที่ระดับหนึ่ง). — *n* a period of very cold weather when temperatures are below freezing-point (ช่วงที่อากาศหนาวมากจนต่ำกว่าจุดเยือกแข็ง): *How long do you think the freeze will last?*

freeze; froze; 'fro·zen: *The water froze in the tank; The lake has frozen over.*

'freez·er *n* a cabinet for freezing food or keeping it frozen **(ช่องแช่แข็ง)**.

'freez·ing *adj* very cold **(หนาวมาก)**: *This room's freezing.*

'freez·ing-point *n* the temperature at which water *etc.* becomes ice **(จุดเยือกแข็ง)**.

freight (*frāt*) *n* the transport of goods **(การขนส่งสินค้า)**: *airfreight.*

'freight·er *n* a ship that carries goods rather than passengers **(เรือที่บรรทุกสินค้ามากกว่าจะบรรทุกผู้โดยสาร)**.

French *adj* belonging to France **(แห่งฝรั่งเศส)**.
— *n* the language of France **(ภาษาฝรั่งเศส)**.

'fren·zy *n* great excitement or anxiety **(ความตื่นเต้นอย่างมากหรือกังวลใจ)**.

'frenzied *adj* **(ตื่นเต้น ตกอกตกใจ)**.

'fre·quen·cy (*'frē-kwən-si*) *n* **1** the occurrence of something often **(สิ่งที่เกิดขึ้นบ่อย ๆ)**: *The teacher was surprised at the frequency of this mistake in the children's work.* **2** the rate at which something happens or is repeated **(การเกิดขึ้นซ้ำแล้วซ้ำเล่า)**. **3** in radio *etc.*, the number of waves *etc.* occurring per second **(จำนวนความถี่ของคลื่น ฯลฯ เกิดขึ้นต่อวินาที)**. **4** the number of radio waves per second at which a radio station broadcasts **(จำนวนความถี่ของคลื่นวิทยุต่อวินาทีที่สถานีวิทยุนั้นออกอากาศ)**.

'fre·quent (*'frē-kwent*) *adj* happening often **(ซึ่งเกิดขึ้นบ่อย ๆ)**: *He makes frequent journeys to Britain.* — *v* (**fre'quent**) to visit a place often **(ไปเยือนยังสถานที่หนึ่งบ่อย ๆ)**: *This jungle used to be frequented by tigers.*

'fre·quent·ly *adv* often **(บ่อย ๆ)**: *He frequently arrived late.*

fresh *adj* **1** newly made, gathered *etc.* **(ใหม่ สด)**: *fresh bread; fresh fruit; fresh flowers.* **2** not tired **(สดชื่น)**: *You are looking very fresh this morning.* **3** new; not already used, worn, heard *etc.* **(ใหม่ ยังไม่ได้ใช้ ยังไม่ได้สวม ยังไม่ได้ยิน)**: *a fresh piece of paper; fresh news.* **4** cool; refreshing **(เย็น สดชื่น)**: *a fresh breeze; fresh air.* **5** without salt **(น้ำจืด)**: *The swimming-pool has fresh water in it, not sea water.*

'fresh·en *v* **1** to make or become fresh **(ทำให้สดชื่น)**: *A cool drink will freshen you up.* **2** to become strong **(แรงขึ้น)**: *The wind began to freshen.*

'fresh·ly *adv* newly; recently **(ใหม่ ๆ เร็ว ๆ นี้)**: *freshly gathered grapes.*

'fresh·wa·ter *adj* belonging to inland rivers or lakes, not to the sea **(น้ำจืด)**: *freshwater fish.*

fret *v* to worry or be unhappy **(วิตกกังวลหรือไม่มีความสุข)**: *The dog frets whenever its master goes away.*

'fret·ful *adj* **(หงุดหงิด มีทุกข์)**.

'fric·tion *n* **1** the rubbing together of two things **(การขัดสีของวัตถุสองอย่าง)**: *The friction between the head of the match and the matchbox causes a spark.* **2** quarrelling; disagreement **(การทะเลาะ การไม่ลงรอย)**: *There seems to be some friction between the workmen and their manager.*

'Fri·day (*'frī-di*) *n* the sixth day of the week; the day following Thursday **(วันศุกร์ วันที่หกของสัปดาห์ วันที่อยู่หลังวันพฤหัสบดี)**.

fridge short for **refrigerator** **(คำย่อของ refrigerator)**.

friend (*frend*) *n* someone you know well and like **(เพื่อน)**: *He is my best friend.*

'friend·ship *n* **(ความเป็นเพื่อน มิตรภาพ)**.

'friend·less *adj* without friends **(ไม่มีเพื่อน)**.

'friend·ly *adj* kind **(เป็นมิตร ใจดี)**: *She is very friendly to everybody.*

make friends with to become the friend of someone **(คบหาเป็นเพื่อน)**: *She tried to make friends with the new neighbours.*

frieze *n* a narrow strip with a decorative pattern, that is put round the wall of a room or building, usually near the top **(ลายสลักบนผนัง ตามปกติมักจะอยู่ข้างบน)**.

fright (*frīt*) *n* a sudden feeling of fear **(ความกลัว)**: *The noise gave me a terrible fright.*

'fright·en *v* to make someone afraid **(ทำให้กลัว)**: *The large dog frightened the boy.*

'fright·ened *adj* **(ซึ่งตกใจกลัว)**.

'fright·en·ing *adj* **(น่ากลัว).**

'fright·ful *adj* terrible; frightening **(น่ากลัว น่าขยะแขยง)**: *a frightful experience.*

take fright to become frightened **(ตกใจกลัว)**: *She took fright when she saw the lion, and ran away.*

frill *n* a narrow strip of cloth that has been pulled up into folds along one side and sewn on a dress, skirt *etc.* as a decoration **(ชายครุยหรือชายขอบกระโปรงเพื่อเป็นเครื่องประดับ).**

'frill·y *adj* decorated with frills **(ประดับด้วยครุยหรือชาย)**: *The little girl was wearing a frilly pink dress.*

fringe (*frinj*) *n* **1** a border of loose threads on a carpet, shawl *etc.* **(เส้นด้ายที่ประดับขอบพรมผ้าคลุมไหล่). 2** hair cut to hang over the forehead **(ผมม้า)**: *You should have your fringe cut before it covers your eyes.* **3** the outer area; the edge **(ขอบรอบนอก ชาน)**: *on the fringe of the city.* — *v* to make or be a border around something **(ทำเป็นเขตรอบ ๆ ของอะไรบางอย่าง)**: *Trees fringed the pond.*

See **plait**.

frisk *v* to jump about playfully **(กระโดดอย่างเริงร่า)**: *The lambs are frisking in the fields.*

'frisk·y *adj* **(ร่าเริง).**

'frit·ter: fritter away *v* to waste something gradually **(สูญเปล่าบางอย่างไปทีละนิด)**: *He frittered away his money on computer games; She frittered away her time watching television.*

'friv·o·lous *adj* not sensible; silly **(ไร้ค่า โง่เง่า ไม่มีเหตุผล)**: *Why don't you spend your money on serious things like books, instead of frivolous things like toys?*

'friz·zy *adj* in very small curls **(เป็นลอนเล็ก ๆ)**: *frizzy hair.*

frock *n* a woman's or girl's dress **(เสื้อผ้าของผู้หญิงหรือเด็กหญิง)**: *a cotton frock.*

frog *n* a small jumping animal, without a tail, that lives on land and in water **(กบ).**

A frog **croaks**.
A baby frog is a **tadpole**.

'frog·man *n* an underwater swimmer who uses breathing apparatus and flippers **(มนุษย์กบ).**

'frol·ic *v* to play happily **(เล่นอย่างสนุก)**: *The puppies frolicked in the garden.*

from *prep* **1** used in giving a starting-point **(เริ่มต้นจาก มาจาก)**: *to travel from Europe to Asia; The office is open from Monday to Friday; a letter from her father.* **2** used to show separation **(ใช้แสดงการแบ่งแยก)**: *Take it from him; She took a book from the shelf.* **3** used to show a cause or reason **(ใช้แสดงสาเหตุหรือเหตุผล)**: *He is suffering from a cold.*

front (*frunt*) *n* **1** the part of anything that you see first, or is most important **(ด้านหน้าหรือที่สำคัญที่สุด)**: *the front of the house.* **2** the part of a vehicle etc. that faces the direction in which it moves **(ด้านหน้าของรถยนต์)**: *the front of the ship.* **3** in a war *etc.*, the place where the fighting is **(แนวหน้า)**: *They are sending more soldiers to the front.* — *adj* at the front **(อยู่ด้านหน้า)**: *The front page of a book; the front seat of a bus.*

'front·al *adj* from the front **(จากด้านหน้า)**: *a frontal attack.*

at the front of in the front part of something **(อยู่ด้านหน้าของ)**: *They stood at the front of the crowd.*

in front of outside something on its front or forward-facing side **(อยู่ข้างหน้า)**: *There is a garden in front of the house.*

'fron·tier (*'frun-tēr*) *n* a boundary between countries **(ชายแดน)**: *We crossed the frontier between Germany and France.* — *adj* **(เมืองตามชายแดน)**: *a frontiertown.*

frost *n* **1** a thin, white layer of frozen dew, vapour etc. **(น้ำค้างแข็ง)**: *The ground was covered with frost this morning.* **2** the coldness of weather needed to form ice **(ความหนาวเย็นของอากาศที่จะเกิดน้ำแข็งขึ้น)**: *There'll be frost tomorrow.* — *v* to become covered with frost **(ปกคลุมไปด้วยน้ำค้างแข็ง)**: *The windscreen of my car frosted up last night.*

'frost·y *adj* **(เย็นจัด มีน้ำค้างแข็ง).**

'frost·bite *n* injury caused to the body by

freezing (หิมะกัด): *He was suffering from frostbite in his feet.*

'frost·bit·ten *adj* (เป็นโรคหิมะกัด).

froth *n* a mass of small bubbles on the top of a liquid *etc.* (**เป็นฟองอยู่บนของเหลว**): *Some types of beer have more froth than others.* — *v* to produce froth (**ทำให้เกิดฟอง**): *The sea frothed and foamed over the rocks.*

'froth·y *adj* (**มีฟอง**).

frown *v* to draw your eyebrows together and wrinkle your forehead, because of worry, anger, being puzzled *etc.* (**ขมวดคิ้ว**): *He frowned at her bad behaviour.* — *n* a frowning expression (**อาการขมวดคิ้ว**): *a frown of anger.*

froze *see* **freeze** (**ดู freeze**).

'fro·zen *adj* **1** below freezing point; turned to ice; covered with ice (**ต่ำกว่าจุดเยือกแข็ง กลายเป็นน้ำแข็ง ปกคลุมด้วยน้ำแข็ง**): *frozen foods; a frozen river.* **2** very cold (**หนาวมาก**): Your hands are frozen. See also the verb **freeze** (**ดูคำกริยา freeze**).

'fru·gal (*'froo-gəl*) *adj* **1** preferring to save money rather than spend it (**ประหยัด**): *Her parents taught her to be frugal with her money.* **2** not costing very much (**ราคาถูก**): *We had a frugal meal of bread and cheese.*

fru'gal·i·ty *n* (**การประหยัด**).

'fru·gal·ly *adv* (**อย่างประหยัด**).

fruit (*froot*) *n* the part of a plant that contains seeds, and can sometimes be eaten (**ผลไม้**): *Is the fruit of this tree safe to eat?; Apples, bananas and strawberries are my favourite fruits.*

> **fruit** is singular: *Fruit is good for you; The tree bears fruit* (not *fruits*).
> The plural **fruits** is used in talking about different types of fruit: *oranges, mangoes and other fruits.*

'fruit·ful *adj* producing good results (**มีผลดี**): *a fruitful discussion.*

'fruit·less *adj* useless; not successful (**ไม่มีประโยชน์ ไม่สำเร็จ**): *a fruitless attempt.*

'fruit·y *adj* like fruit (**เหมือนผลไม้**): *a fruity taste.*

fru'strate *v* to make someone or something fail (**ทำให้ล้มเหลว**): *His efforts were frustrated; We were frustrated in our attempt to swim across the river.*

fru'stra·tion *n* (**ความล้มเหลว**).

fru'stra·ted *adj* disappointed; not satisfied (**ผิดหวัง ไม่พอใจ**): *She is unhappy and frustrated in her job.*

fry (*frī*) *v* to cook in hot oil or fat (**ทอด**): *Shall I fry the eggs or boil them?*

> **fry; 'fry·ing; fried; fried**: *I'm frying an egg; He fried the fish; a plate of fried potatoes.*

'fry·ing-pan *n* a shallow pan, with a long handle, for frying food in (**กระทะ**).

fu·el (*fū-əl*) *n* any substance, such as petrol, oil, coal, by which a fire burns, or an engine *etc.* is made to work (**เชื้อเพลิง**): *The machine ran out of fuel.*

'fu·gi·tive (*'fū-ji-tiv*) *n* a person who is running away from danger, from an enemy, from the police *etc.* (**บุคคลซึ่งหนีจากอันตราย จากข้าศึก จากตำรวจ**).

ful'fil (*fool'fil*) *v* to carry out or perform a task, promise *etc.* (**ปฏิบัติให้ลุล่วง**): *He fulfilled his promises.*

ful'fil·ment *n* (**การทำให้สำเร็จ**).

> **fulfil** begins with **ful-** (not **full-**) and ends with **-fil** (not **-fill**); but note **fulfilled** and **fulfilling**.

full (*fool*) *adj* **1** holding or containing as much as possible (**เต็ม**): *My basket is full.* **2** complete (**ทั้งหมด ครบสมบูรณ์**): *a full year; a full account of what happened.* **3** having had enough to eat or drink (**ดื่มหรือกินพอแล้ว**): *I am full.* **4** rounded or plump (**กลม ๆ หรืออ้วน ๆ**): *a full face.* **5** containing a large amount of material (**ใช้วัสดุจำนวนมาก**): *a full skirt.* — *adv* **1** completely (**เต็มที่**): *Fill the petrol tank full.* **2** exactly; directly (**เต็มหน้า**): *She hit him full in the face.*

full moon the moon when it appears at its most complete (**พระจันทร์เต็มดวง**): *There is a full moon tonight.*

full stop a point (.) marking the end of a sentence (**จุด ๆ หนึ่งซึ่งเป็นตอนจบของประโยค**).

full-time *adj* occupying someone's working time completely (**ทำงานเต็มเวลา**): *a full-time job.* — *adv* (**เต็มเวลา**): *She works full-time now.*

'ful·ly *adv* **1** completely (**อย่างเต็มเปี่ยม อย่างเต็มที่**): *He was fully aware of what was happening; a fully-grown dog.* **2** at least (**อย่างน้อยที่สุด**): *It will take fully three days to finish the work.*

full of containing or holding a lot (**เต็มไปด้วย**): *The bus was full of people.*

in full completely (**อย่างเต็มที่ ไม่ตัดตอน**): *Write your name in full; He paid his bill in full.*

to the full as much as possible (**มากเท่าที่จะเป็นไปได้**): *to enjoy life to the full.*

'fum·ble *v* **1** to feel about clumsily with your hands (**ใช้มือคลำอย่างสะเปะสะปะ**): *She fumbled about in her bag for her key.* **2** to use your hands clumsily (**ใช้มืออย่างเงอะงะ**): *He fumbled with the key.*

fume *v* to be very angry (**โกรธมาก**): *He was fuming with rage.* **fumes** (*fūmz*) *n* smoke; vapour (**ควัน ละออง**): *He smelt the petrol fumes.*

fun *n* enjoyment; a good time (**สนุกสนาน**): *They had a lot of fun at the party; Isn't this fun!*

'fun·fair *n* a collection of amusements, stalls and roundabouts *etc.* (**ที่รวมของความบันเทิง ร้านค้า และม้าหมุน**): *They took their children to the funfair.*

for fun, in fun as a joke; for amusement (**เป็นเรื่องตลก เพื่อความสนุก**): *The children threw stones for fun; I said it in fun.*

make fun of to laugh at someone, usually unkindly (**ล้อเลียน ยั่วเย้า**): *They made fun of her strange clothes; They made fun of him for working so hard at school.*

'func·tion *n* a special job of a machine, part of the body *etc.* (**หน้าที่ของเครื่องจักร หน้าที่ส่วนหนึ่งของร่างกาย**): *The function of the brake is to stop the car.* — *v* to work (**ทำงาน**): *This typewriter isn't functioning very well.*

'function·al *adj* (**เกี่ยวกับหน้าที่ เกี่ยวกับการใช้งาน**).

fund *n* **1** a sum of money for a special purpose (**กองทุน**): *Have you given money to the repair fund for the school?* **2** a supply (**สะสม**): *He has a fund of funny stories.*

fun·da'men·tal *adj* very important; basic (**สำคัญมาก พื้นฐาน**): *Being interested in the subject is fundamental to learning it well.* — *n* a basic part of anything (**ส่วนพื้นฐานของสิ่งใด ๆ**): *Learning to read is one of the fundamentals of education.*

fun·da'mental·ly adv (**อย่างเป็นพื้นฐาน**).

'fu·ner·al (*'fū-nər-əl*) *n* the ceremony before the burying of a dead body (**พิธีฝังศพ**): *A large number of people attended the funeral.*

'fun·gus (*'fuŋ-gəs*), *plural* **'fun·gi** (*'fuŋ-gī*), *n* the class of plants to which mushrooms belong (**เห็ดรา**): *edible fungi; That tree has a fungus growing on it.*

'fun·nel *n* a tube with a wide opening through which liquid can be poured into a narrow bottle *etc.* (**กรวย**).

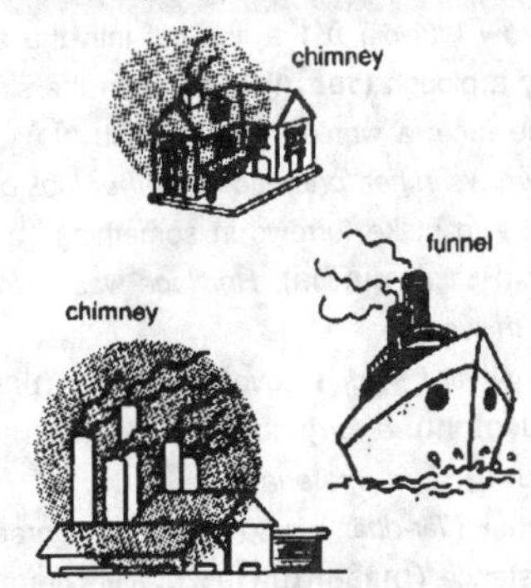

'fun·ny *adj* **1** amusing; making you laugh (**สนุก ทำให้หัวเราะ**): *a funny story.* **2** strange (**แปลก**): *I heard a funny noise.*

'fun·ni·ly *adv* (**น่าหัวเราะ**).

fur *n* **1** the short, fine hair of certain animals (**ขนสั้น ๆ ละเอียดของสัตว์บางชนิด**). **2** the skin of these animals, often used to make clothes *etc.* for people (**หนังสัตว์ชนิดนี้**): *a hat made of fur.* **3** a coat, cape *etc.* made of fur (**เสื้อ ผ้าคลุมไหล่ ฯลฯ ทำด้วยขนสัตว์**): *She was wearing her fur.* — *adj* (**เสื้อคลุมขนสัตว์**): *a* *fur jacket.*

'fu·ri·ous (*'fū-ri-əs*) *adj* **1** very angry (**โกรธมาก**): *She was furious with him.* **2** violent (**รุนแรง**): *a furious argument.*

furl *v* to roll up a flag, sail or umbrella (**พับ ม้วน หุบ**).

'fur·nace (*'fër-nis*) *n* a very hot oven or closed fireplace for melting metals, making steam for heating *etc.* (**เตาหลอม**).

'fur·nish *v* to provide a house *etc.* with furniture (**ตกแต่งบ้าน ฯลฯ ด้วยเฟอร์นิเจอร์**): *We spent a lot of money on furnishing our house.*

'fur·nished *adj* supplied with furniture (**จัดหาเฟอร์นิเจอร์ให้**).

'fur·nish·ings *n* furniture, equipment *etc* (**เฟอร์นิเจอร์ อุปกรณ์ ฯลฯ**): *The office had very expensive furnishings.*

'fur·ni·ture (*'fër-ni-chər*) *n* things in a house *etc.* such as tables, chairs, beds *etc.* (**เฟอร์นิเจอร์ สิ่งของภายในบ้าน เช่นโต๊ะ เก้าอี้ เตียง ฯลฯ**): *modern furniture.*

furniture is never used in the plural.

'fur·row (*'fur-ō*) *n* **1** a line cut into the earth by a plough (**รอยไถ**). **2** a line in the skin of the face; a wrinkle (**รอยย่นบนใบหน้า**): *The furrows in her forehead made her look older.* — *v* to make furrows in something (**ใบหน้าย่นเพราะความกังวล**): *Her face was furrowed with worry.*

'fur·ry (*'fër-i*) *adj* **1** covered with fur (**ปกคลุมไปด้วยขน**): *a furry animal.* **2** like fur (**เหมือนกับขน**): *furry material.*

'fur·ther (*'fër-dhər*) *adv* **1** at or to a greater distance (**ไกลออกไปหรือระยะทางห่างออกไปมากยิ่งขึ้น**): *I cannot go any further.* **2** more; in addition (**มากกว่านี้ เพิ่มมากกว่านี้**): *I cannot explain further.* — *adj* more (**มากกว่า**): *There is no further news.* — *v* to help something to go forward quickly (**ช่วยทำให้อะไรบางอย่างคืบหน้าอย่างไปรวดเร็ว**): *He furthered our plans.*

See **far**.

fur·ther'more *adv* in addition (**ยิ่งไปกว่านั้น**).

'fur·thest *adv* at or to the greatest distance or extent (**ระยะทางไกลที่สุด**): *Who lives furthest away?*

'fur·tive *adv* done secretly; avoiding attention (**ทำอย่างลับ ๆ หลีกเลี่ยงไม่ให้ใครรู้**): *a furtive action; a furtive look.*

'fu·ry (*'fū-ri*) *n* a very great anger; rage (**โกรธมาก**): *She was in a terrible fury.*

fuse[1] (*fūz*) *v* **1** to melt together as a result of a great heat (**หลอมเข้าด้วยกันด้วยความร้อนสูง**): *Copper and tin fuse together to make bronze.* **2** to stop working because of the melting of a fuse (**ฟิวส์ขาด**): *Suddenly all the lights fused.* — *n* a piece of easily-melted wire included in an electric circuit for safety (**ลวดที่ละลายได้ง่ายในวงจรไฟฟ้า ฟิวส์**).

fuse[2] (*fūz*) a device that makes a bomb *etc.* explode at a particular time (**ชนวนระเบิด**).

'fu·se·lage (*'fū-zə-larj*) *n* the main body of an aircraft (**ลำตัวของเครื่องบิน**): *The fuselage broke in two when the aircraft crashed.*

'fu·sion (*'fū-zhən*) *n* the uniting of different things into one (**การรวมตัวของสิ่งต่าง ๆ เข้าเป็นหนึ่งเดียว**): *fusion of metals.*

fuss *n* unnecessary excitement, worry or activity, often about something unimportant (**ความตื่นเต้นโดยไม่จำเป็น ความกังวลใจในสิ่งที่ไม่สำคัญ**): *Don't make such a fuss.* — *v* to worry too much (**กังวลใจมากเกินไป**): *She fusses over the children.*

'fuss·y *adj* too concerned with details; difficult to satisfy (**สนใจในรายละเอียดมากเกินไป ทำให้พอใจยาก จู้จี้**): *He'll make you do it all over again if you make a mistake – he's very fussy; She is very fussy about her food.*

kick up a fuss or **make a fuss** to complain (**บ่น**): *She kicked up a fuss when the airline lost her luggage during a flight.*

make a fuss of to pay a lot of attention to someone or something (**สนใจในบางคนหรือบางสิ่งมาก**): *He always makes a fuss of his grandchildren.*

'fu·tile (*'fū-til*) *adj* useless; having no effect (**ไม่มีประโยชน์ ไม่มีผล**): *a futile attempt.*

fu'til·i·ty *n* (**ความเปล่าประโยชน์**).

'fu·ture (*'fū-chər*) *n* **1** the time to come (**อนาคต**): *He was afraid of what the future might* *bring.* **2** the future tense **(อนาคตกาล)**: *"I shall go" is the future of "I go".* — *adj* happening *etc.* at a later time; belonging to a later time **(เกิดขึ้นในภายหลัง เป็นเรื่องของภายหน้า)**: *his future wife.*

in future *adv* from now on **(แต่นี้ไป)**: *Don't do that again in future.*

fuzz *n* a mass of soft, light material such as fine light hair *etc.* **(ของที่อ่อนนุ่มและเบาเช่นเส้นผม)**.

'fuzz·y *adj* **1** covered with fuzz **(ปกคลุมด้วยความมัว)**. **2** not clear **(ไม่ชัด)**: *The television picture was fuzzy.*

Gg

'gab·ble *v* to talk very quickly and not very clearly (พูดเร็วมากและไม่ชัดเจน). — *n* fast talk.

gad about to go from place to place looking for fun or entertainment (ไปเรื่อย ๆ เพื่อแสวงหาความสนุกสนานรื่นเริง): *He spends his weekends gadding about.*

'gadg·et (*'gaj-ət*) *n* a small tool, machine *etc.* (เครื่องมือเล็ก ๆ เครื่องจักรกล).

gag *v* to prevent someone from talking or making a noise by putting something in or over their mouth (อุดปากไว้ไม่ให้ส่งเสียง): *The guards tied up and gagged the prisoners.* — *n* something that is used to gag a person (ของที่ใช้อุดปาก).

'gai·e·ty (*'gā-ə-ti*) *n* the feeling of being gay and cheerful; merriment (ความรู้สึกเบิกบานและร่าเริง): *The New Year is a time of gaiety.*

'gai·ly *adv* in a gay, cheerful manner (ด้วยท่าทางเบิกบานและร่าเริง): *She walked gaily along; gaily decorated streets.*

gain *v* **1** to get something good by doing something (ได้รับสิ่งที่ดีจากการกระทำ): *What have I to gain by staying here?* **2** to have an increase in something (ได้เพิ่มขึ้น): *He gained strength after his illness.* **3** to go too fast (เดินเร็วเกินไป): *This clock gains four minutes a day.* — *n* **1** an increase in weight *etc.* (น้ำหนักเพิ่มขึ้น): *a gain of one kilo.* **2** advantage, wealth *etc.* (ข้อได้เปรียบ ความมั่งคั่ง): *His loss was my gain; He'd do anything for gain.*

gain ground to make progress (ก้าวไปข้างหน้า).

gain on to get or come closer to someone that you are pursuing (เข้าไปใกล้ขึ้น): *Drive faster — the police car is gaining on us.*

'ga·la (*'gä-lə*) *n* **1** an occasion of entertainment and enjoyment out of doors (งานรื่นเริงและสนุกสนานนอกบ้าน): *a children's gala.* **2** a meeting for certain sports (การพบกันของกีฬาบางชนิด): *a swimming gala.*

'gal·ax·y *n* a very large group of stars (จักรวาล หมู่ดาว กลุ่มดาว).

gale *n* a strong wind (ลมแรง): *Many trees were blown down in the gale.*

See **wind**.

'gal·lant brave (กล้าหาญ): *a gallant soldier.*

'gal·lant·ly *adv* (อย่างกล้าหาญ).

'gal·lant·ry *n* (ความกล้าหาญ).

'gal·ler·y *n* **1** a large room or building in which paintings, statues *etc.* are on show (ห้องใหญ่หรืออาคารที่ใช้แสดงภาพวาด รูปปั้น ฯลฯ): *an art gallery.* **2** the top floor of seats in a theatre (ที่นั่งชั้นบนสุดในโรงมหรสพ).

'gal·lon *n* a measure for liquids; eight pints (in Britain, 4.5 litres; in the US, 3.8 litres) (หน่วยวัดของเหลว แกลลอน).

'gal·lop *n* the fastest pace of a horse (การควบม้า): *The horse went off at a gallop.* — *v* **1** to move at a gallop (ควบไป): *The horse galloped round the field.* **2** to do something very quickly (ทำอย่างรวดเร็ว): *He galloped through the work.*

'gal·lows (*'gal-ōz*) *n* a wooden frame from which criminals were once hanged (ตะแลงแกง).

ga'lore *adv* in plenty (ปริมาณมากมาย): *food galore.*

'gam·ble *v* **1** to play games of chance for money (เล่นการพนัน): *He made a living by gambling.* **2** to risk money on the result of a game, race *etc.* (เอาเงินไปเสี่ยงกับผลของเกม การแข่งขัน ฯลฯ): *I like to gamble on a horse race occasionally.* — *n* something which involves a risk (สิ่งที่เกี่ยวข้องกับการเสี่ยง): *The plan was a bit of a gamble.*

'gam·bler *n* (นักการพนัน).

'gam·bling *n* (การพนัน).

take a gamble to do something risky in the hope that it will succeed (ลองเสี่ยงดู).

game (*gām*) *n* **1** an enjoyable activity, esp. one for children (การละเล่นที่สนุกสนาน): *a game of pretending.* **2** a competitive form of activity, with rules (การแข่งขันที่มีกฎต่าง ๆ): *Football, tennis and chess are games.* **3** a match or part of a match (เกมกีฬาหรือส่วนหนึ่งของเกมกีฬา): *a game of tennis; He won by three games to one.* **4** certain birds and animals that are hunted for sport (กีฬาล่าสัตว์). — *adj* willing; ready (เต็มใจ เตรียมพร้อม): *Those little kids are game for anything.*

'game·keep·er *n* a person who looks after wild birds and animals for the owner of the land on which they are kept for shooting or hunting (คนดูแลสัตว์ที่จัดไว้สำหรับล่า): *The gamekeeper caught the poacher who had been shooting the young pheasants.*

game reserve an area of land set aside for the protection of animals (พื้นที่ซึ่งจัดไว้เป็นที่คุ้มครองสัตว์).

games *n* an athletic competition (การแข่งขันกีฬา): *the Olympic Games.*

the game is up the plan or trick has failed or has been found out (แผนหรือเล่ห์กลล้มเหลวหรือถูกค้นพบ).

'gan·der *n* a male goose (ห่านตัวผู้).

gang *n* **1** a number of workmen *etc* working together (กลุ่มของคนงาน ฯลฯ ทำงานด้วยกัน). **2** a group of people, usually formed for a bad purpose (กลุ่มคนที่โดยมากมักตั้งขึ้นมาด้วยเจตนาไม่ดี): *a gang of jewel thieves.*

gang up on someone to join with others against someone (รุม): *He complained that the other children were always ganging up on him.*

'gan·gling (*'gaŋ-gliŋ*) *adj* very tall and thin (สูงมาก ๆ และผอม).

'gang·plank *n* a gangway for getting on to or off a ship (ทางขึ้นหรือลงเรือ).

'gan·grene (*'gan-grēn*) *n* the decay of tissue on part of the body caused by the blood not flowing to it (โรคเนื้อตาย): *If frostbite isn't treated, it can lead to gangrene.*

'gan·gren·ous (*'gan-gre-nəs*) *adj* (ซึ่งหมดความรู้สึก).

'gang·ster *n* a member of a gang of criminals (สมาชิกของกลุ่มอาชญากร).

'gang·way *n* **1** a passage between rows of seats (ทางเดินระหว่างที่นั่งเป็นแถว ๆ). **2** a movable bridge by which to get on or off a ship (สะพานที่ถอดออกได้ ใช้สำหรับขึ้นหรือลงเรือ).

gaol, gaoler different spellings of (การสะกดอีกอย่างหนึ่งของคำว่า) **jail, jailer**.

to put a criminal in **gaol** (not **goal**) (คุก).

gap *n* an open space (ช่องว่าง): *a gap between his teeth.*

gape (*gāp*) *v* to stare at something with your mouth open in wonder *etc.* (จ้องดูอย่างปากอ้าตาค้าง): *The children gaped at the monkeys.*

'ga·ping *adj* wide open (เปิดออกกว้าง): *a gaping hole.*

'gar·age (*'gar-äj*) *n* **1** a building in which a car *etc.* is kept: *a house with a garage* (โรงเก็บรถยนต์ ฯลฯ). **2** a building where cars are repaired, and petrol, oil *etc.* is sold (อู่ซ่อมรถยนต์ และขายน้ำมัน น้ำมันเครื่อง ฯลฯ): *He has taken his car to the garage to be repaired.*

'gar·bage *n* rubbish (ขยะ).

gar·bage can a dustbin (ถังขยะ).

'gar·den *n* a piece of ground on which flowers, vegetables *etc.* are grown (สวน): *a garden at the front of the house.* — *v* to work in a garden, usually as a hobby (ทำสวนเป็นงานอดิเรก): *The old lady does not garden much nowadays.*

'gar·den·er *n* a person who works in, and looks after, a garden (คนทำสวน).

'gar·den·ing *n* the work of looking after a garden (การทำสวน): *Gardening is his favourite hobby.*

'gar·dens *n* a park (สวน อุทยาน): *We went for a walk in the public gardens.*

garden party a large party held in the garden of a house *etc.* (งานเลี้ยงที่จัดขึ้นในสวน).

'gar·gle *v* to wash your throat with a soothing liquid without swallowing it, when you have a sore throat *etc.* (เอาน้ำกลั้วคอเมื่อรู้สึกเจ็บคอ).

'gar·land *n* flowers or leaves tied together so that they form a ring (พวงมาลัยดอกไม้): *She made a garland to go round his neck.*

'gar·lic *n* a plant with a bulb shaped like an onion, that has a strong taste and smell and is used in cooking (กระเทียม).

'gar·ment *n* any article of clothing (เสื้อผ้า):

pullovers, trousers and other garments.

'**gar·nish** *v* to decorate food (ตกแต่งอาหาร): *The cook garnished the fried fish with lemon slices and parsley.* — *n* something that is used to decorate food (สิ่งที่ใช้ประดับอาหาร): *She used tomato slices as a garnish for the chicken dish.*

'**gar·ri·son** *n* a number of soldiers guarding a fortress, town *etc.* (กองทหารรักษาการณ์ที่ป้อมเมือง).

gas *n* **1** a substance like air (ก๊าซ): *Oxygen is a gas.* **2** a substance of this sort used as a fuel for heating, cooking *etc.* or as a weapon (ก๊าซใช้เป็นเชื้อเพลิงสำหรับทำความร้อน ฯลฯ หรือใช้เป็นอาวุธ): *Do you cook by electricity or gas?; The police used tear gas to chase away the angry crowds.* **3** petrol (เชื้อเพลิง).

gas mask a device that covers your mouth and nose and prevents you breathing poisonous gas (หน้ากากป้องกันไอพิษ).

gas me·ter a device that measures the amount of gas that has been used as fuel (เครื่องมือที่ใช้วัดจำนวนก๊าซที่ใช้เป็นเชื้อเพลิง).

gash *n* a long deep cut (รอยบาดยาวและลึก): *The sword had made a gash in his leg.*

'**gas·o·line** (*'gas-ə-lēn*) *n* petrol (น้ำมันเบนซิน น้ำมันปิโตรเลียม).

gasp (*gäsp*) *n* the sound made by suddenly breathing in, because of surprise, sudden pain *etc.* (เสียงหายใจเข้าอย่างกะทันหันด้วยความตกใจหรือความเจ็บปวดอย่างกะทันหัน): *a gasp of fear.* — *v* to take a sudden sharp breath (หายใจหอบ): *He gasped with pain; He was gasping for breath after running so hard; The news left them gasping with astonishment.*

'**gas·tric** *adj* having to do with the stomach (เกี่ยวกับกระเพาะอาหาร).

'**gas·works** *n* a place where gas is made (โรงทำก๊าซ).

gate *n* a device like a door for closing the opening in a wall, fence etc. that people etc. go through (ประตู): *Close the gate after you, so that the cattle do not escape on to the road; The park gates were locked.*

'**gate-crash** *v* to go to a party *etc.* without being invited (ไปร่วมงานเลี้ยง ฯลฯ โดยไม่ได้รับเชิญ).

'**gate-crash·er** *n* (ผู้เข้าไปร่วมในงานเลี้ยงโดยไม่ได้รับเชิญ).

'**gate-post** *n* a post to which a gate is fixed (เสาประตู).

'**gate·way** *n* an opening that contains a gate; an entrance (ทางเข้า).

See **archway**.

'**gath·er** (*'gadh-ər*) *v* **1** to bring or come together in one place (รวมหรือมารวมกันอยู่ในที่แห่งเดียว): *A crowd of people gathered near the accident; Gather round and hear the news!; Gather your books together now, please.* **2** to learn from what you have seen, heard *etc.* (เรียนรู้จากสิ่งที่ได้เห็นหรือได้ยิน): *I gather you are leaving tomorrow.* **3** to collect; to pick (รวบรวม เก็บ): *She gathered flowers.*

'**gath·er·ing** *n* a meeting of people (การรวมตัวกันของผู้คน): *a family gathering.*

'**gaud·y** *adj* very bright; too bright (บาดตา ฉูดฉาด): *gaudy colours.*

'**gauge** (*gāj*) *v* **1** to measure something accurately (วัดอย่างแม่นยำ): *They gauged the hours of sunshine.* **2** to estimate, judge (ประเมิน ตัดสิน): *It is difficult to gauge how much wine we shall need.* — *n* an instrument for measuring amount, size, speed *etc.* (เครื่องมือวัดจำนวน ขนาด ความเร็ว ฯลฯ): *a petrol gauge.*

gaunt *adj* thin and bony in appearance (ผอมมีแต่กระดูก): *a gaunt old woman; He grew more and more gaunt as his illness got worse.*

'**gaunt·ness** n (ความผอมโซ).

gauze *n* a thin cloth, often used to cover wounds (ผ้าบาง ๆ ใช้พันแผล).

gave *see* **give** (ดู **give**).

gay *adj* **1** happy (มีความสุข): *The children were gay and cheerful; gay music.* **2** bright (สดใส): *gay colours.* **3** sexually attracted to people of the same sex as yourself; homosexual (ชอบเพศเดียวกัน ลักเพศ): *He is gay.* — *n* a person, especially a man, who is homosexual (คนลักเพศ).

The noun from **gay** is **gaiety**; the adverb is **gaily**.

gaze *v* to look steadily for some time (จ้องดูอยู่ระยะหนึ่ง): *She gazed at the strange animal in amazement.* — *n* a long steady look (การดูอย่างใจจดใจจ่อเป็นเวลานาน).

ga'zelle (*gə'zel*) *n* a nimble animal of the goat family (เลียงผา).

gear (*gēr*) *n* **1** a set of toothed wheels that make the connection between the engine and the wheels of a car *etc.* (เกียร์ในรถยนต์): *The car is in first gear.* **2** the things needed for a particular job, sport *etc.* (เครื่องมือสำหรับงานโดยเฉพาะ เช่น การกีฬา เป็นต้น): *sports gear.*

geese the plural of (พหูพจน์ของ) **goose**.

'gel·a·tine (*'jel-ə-tēn*) *n* a clear, tasteless substance that is made by boiling animal bones and skins and is used to make liquids become firm (สารใส ๆ ไร้รสชาติที่ทำขึ้นจากการต้มกระดูกและหนังสัตว์และทำให้ของเหลวนั้นแข็งขึ้นมา วุ้น): *The jelly wouldn't set as she hadn't used enough gelatine.*

gem *n* **1** a precious stone, especially one that is cut into a particular shape, for a ring, necklace *etc.* (เพชรพลอย). **2** anything or anyone that is especially good (สิ่งหนึ่งสิ่งใดหรือคนหนึ่งคนใดที่ดีเป็นพิเศษ): *This picture is the gem of my collection.*

'gen·der *n* either of the classes, masculine or feminine (เพศ ไม่เพศชายก็เพศหญิง).

gene (*jēn*) *n* a tiny part of a cell in a person, animal or plant that is responsible for the way they look, their growth or development, and is passed on from parents to their children (เซลสืบพันธุ์ที่ถ่ายทอดพันธุกรรม).

ge·ne'al·o·gy (*gē-nē'al-ə-ji*) *n* **1** the study of the history of families (การศึกษาเกี่ยวกับชาติพันธุ์ วงศ์วาน): *This book is an introduction to the subject of genealogy.* **2** the history of a particular family, usually shown by a diagram (ประวัติของตระกูล ตามปกติจะเป็นรูปแผนภูมิ): *She has been trying to trace her family's genealogy for years.*

gen·e'al·o·gist *n* (ผู้ศึกษาเกี่ยวกับชาติพันธุ์วงศ์วาน นักศึกษาชาติวงศ์วรรนา).

'gen·er·al *adj* **1** having to do with, or affecting all or most people *etc.* (เกี่ยวกับหรือเป็นผลกับคนโดยส่วนมาก ฯลฯ): *There was a general expectation among the pupils that Marion would win first prize.* **2** covering a large number of cases (ครอบคลุมไปกว้าง ๆ): *Children start school at the age of five, as a general rule.* **3** without details; rough (โดยไม่มีรายละเอียด หยาบ ๆ): *I'll just give you a general idea of the plan.* — *n* an army officer of a very high rank (นายพล).

'gen·er·al·ly *adv* usually (โดยปกติ): *He generally wins at chess.*

general election an election in which the voters in all parts of the country elect members of parliament (เลือกตั้งทั่วไป).

general knowledge knowledge about very many different subjects (ความรู้ทั่ว ๆ ไปในหลาย ๆ เรื่อง).

in general usually; in most cases (โดยปกติในกรณีส่วนมาก): *In general we found the people of Britain helpful and friendly when we went on holiday there.*

'gen·e·ra·lize *v* to talk in general terms and without details (กล่าวอย่างกว้าง ๆ): *It's time we stopped generalizing and discussed each case separately.*

gen·er·a·liz'a·tion *n* a statement or rule that is true in most cases (ข้อความหรือกฎที่เป็นจริงส่วนมาก): *This book is full of generalizations and very little detail.*

'gen·er·ate *v* to produce (ผลิต ก่อให้เกิด): *This machine generates electricity; His silly remarks generated a lot of trouble.*

gen·e'ra·tion *n* **1** the generating of something (การทำบางอย่างให้เกิดขึ้น): *the generation of electricity.* **2** one stage in the descent of a family (ชั่วอายุคนหนึ่ง): *All three generations — children, parents and grandparents — lived together quite happily.* **3** people who are about the same age (คนที่มีอายุเท่า ๆ กัน): *People of my generation all think the same way about this.*

'gen·er·a·tor *n* a machine that produces electricity, gas *etc* (เครื่องกำเนิดไฟฟ้า ก๊าซ ฯลฯ).

'gen·er·ous *adj* **1** giving willingly; kind (ให้อย่างเต็มใจ ใจดี): *It is very generous of you to pay for our holiday; He was given a bicycle by a generous uncle.* **2** large; larger than necessary (มาก มากเกินความจำเป็น): *a generous sum of money; a generous piece of cake.*

'gen·er·ous·ly *adv* (อย่างมีใจกรุณา).

gen·e'r·os·i·ty *n* (ความกรุณา).

ge'net·ic *adj* having to do with genes (เกี่ยวกับเรื่องกรรมพันธุ์).

ge'net·i·cal·ly *adv* (โดยทางกรรมพันธุ์): *Some diseases can be passed on genetically from parents to children.*

'ge·nial (*'jē-niəl*) *adj* friendly; goodnatured (เป็นมิตร นิสัยดี): *a genial person.*

'gen·i·tals *n* plural the organs of the body concerned with the production of babies. (อวัยวะซึ่งเกี่ยวกับการสืบพันธุ์)

'ge·ni·us (*'jē-ni-əs*) *n* a person who is very clever (อัจฉริยะ).

gents *n* short for (คำย่อของ) **gentlemen**, a public toilet for men (ห้องน้ำสาธารณะสำหรับผู้ชาย)

'gen·tle *adj* **1** behaving, talking *etc.* in a kind, pleasant way (อ่อนโยน ประพฤติตน พูดจา ฯลฯ ด้วยความเมตตา น่านิยม): *a gentle old lady; The doctor was very gentle.* **2** not strong or rough (ไม่แรงหรือหยาบ): *a gentle breeze.* **3** rising gradually (ก่อตัวขึ้นทีละนิด): *a gentle slope.*

'gen·tle·ness *n* (ความสุภาพ ความอ่อนโยน).

'gen·tly *adv* (อย่างสุภาพ อย่างอ่อนโยน).

'gen·tle·man, *plural* **'gen·tle·men**, *n* **1** a polite word for a man (สุภาพบุรุษ): *Two gentlemen arrived this morning.* **2** a polite, well-mannered man (ผู้ชายที่สุภาพ มีมารยาทดี): *He's a real gentleman.*

'gen·tle·man·ly *adj* (อย่างเป็นสุภาพบุรุษ).

'gen·u·ine (*'jen-ū-in*) *adj* **1** real; not fake (แท้ ไม่ปลอม): *a genuine pearl.* **2** honest; sincere (ซื่อสัตย์ จริงใจ): *She has a genuine concern for other people's happiness.*

'gen·u·ine·ly *adv* (อย่างแท้จริง).

ge'og·ra·phy (*ji'og-rə-fi*) *n* the science that describes the surface of the Earth and its inhabitants (ภูมิศาสตร์).

ge'og·ra·pher *n* (นักภูมิศาสตร์).

geo'graphic·al *adj* (เกี่ยวกับภูมิศาสตร์).

ge'ol·o·gy (*ji'ol-ə-ji*) *n* the study of the earth's structure and how it developed to what it is today (ธรณีวิทยา): *She is very interested in geology.*

geo'logical *adj* (แห่งธรณีวิทยา).

ge'ologist *n* (นักธรณีวิทยา).

ge'om·e·try (*ji'om-ə-tri*) *n* a branch of mathematics dealing with the study of lines, angles *etc.* (เรขาคณิต).

ge·o'met·ric·al *adj* made up of lines, circles *etc.*; having a regular shape (แห่งเรขาคณิต): *geometrical designs.*

germ *n* an extremely tiny living thing that causes diseases (เชื้อโรค): *You should stay at home when you have a cold, so that you don't pass your germs on to other people.*

'ger·mi·nate *v* to make seeds grow; to begin to grow (ทำให้เมล็ดงอก เริ่มงอก).

ger·mi'na·tion *n* (การทำให้งอกขึ้น).

'ges·ture (*'jes-chər*) *n* **1** a movement of your head, hand *etc.* to express an idea, *etc.* (การแสดงท่าทางแทนความรู้สึกหรือคำพูด): *The speaker emphasized his words with violent gestures.* **2** something you do to show your feelings (สิ่งที่เราทำเพื่อแสดงความรู้สึก): *He sent her a Christmas card as a gesture of friendship.*

get (*get*) *v* **1** to receive; to obtain (รับ ได้มา): *I got a letter this morning.* **2** to bring; to buy (นำมา ซื้อ): *Please get me some food.* **3** to move, go, take, put *etc.* (เคลื่อนที่ ไป เอา ใส่ ฯลฯ): *He couldn't get across the river; I got the book down from the shelf.* **4** to bring someone or something into a particular state (ทำให้ใครบางคนหรือสิ่งของบางอย่างอยู่ในสภาพโดยจำเพาะ): *I got the work finished; You'll get me into trouble.* **5** to become (กลายเป็น): *You're getting old;*

She got very wet in the rain. **6** to persuade or ask someone (ชักจูงหรือขอร้อง): *I'll try and get my aunt to lend us the money; Get an electrician to mend that lamp.* **7** to arrive (ไปถึง): *When did they get home?* **8** to catch a disease *etc.* (ติดเชื้อ): *She got measles last week.* **9** to catch someone (จับ): *The police will soon get the thief.* **10** to understand (เข้าใจ): *I didn't get the joke.* **11** used with the verb **have** to mean the same as **have** (ใช้กับคำกริยา **have** มีความหมายเหมือนกับ) **have**: *I've got blue eyes.*

get; got; got: *She got a new dress; He has got what he always wanted.*

get about, get around 1 to become well known (ลือกัน): *The story got about that she was leaving.* **2** to be able to move or travel about (สามารถเคลื่อนไหวหรือเดินทางไปได้): *The old lady doesn't get about much nowadays.*

get across to make something understood (ทำให้เข้าใจ): *The teacher is good at getting the subject across to the pupils.*

get ahead to be successful (ประสบความสำเร็จ): *If you want to get ahead, you must work hard.*

get along to be friendly with someone (เป็นมิตร): *I get along very well with him.*

get around *see* **get about** (ดู **get about**).

get at 1 to reach a place, thing *etc.* (เข้าถึงสถานที่ สิ่งของ): *The farm is very difficult to get at.* **2** to mean (หมายความ): *What are you getting at?* **3** to point out a person's faults (ชี้ความผิดของคน): *He's always getting at me.*

get away to escape (หนี): *The thieves got away in the stolen car.* **'get·a·way** *n* (การหนี).

get away with something to do something bad without being punished for it (รอดตัว).

get back 1 to move away (ถอยออกไป): *The policeman told the crowd to get back.* **2** to receive again (ได้รับกลับคืนมาอีกครั้ง): *She eventually got back the book she had lent him.*

get back to to return to a previous job or state *etc.* (กลับคืนไปสู่งานเดิม สภาพเดิม ฯลฯ): *She got back to work after lunch.*

get by to manage (อยู่ได้): *I can't get by on such a small salary.*

get down to something to concentrate on something (ลงมือทำอะไรบางอย่าง): *I must get down to work tonight.*

get in 1 to arrive (มาถึง): *What time does the train from Glasgow get in?* **2** to be elected (รับเลือก): *Which party do you think will get in at the next election?* **3** to bring in, collect or harvest (นำเข้ามา รวบรวมหรือเก็บ): *She got the washing in when it started to rain.* **4** to manage to say or do (พูดหรือทำอะไรออกมา): *They were arguing so loudly I couldn't get a word in.*

get into 1 to put on clothes or shoes (สวมเสื้อผ้าหรือรองเท้า): *Get into your pyjamas.* **2** to begin to be in a particular state or behave in a particular way (ตกอยู่ในสภาพบางอย่างหรือปฏิบัติตนบางอย่าง): *He got into a temper.*

get nowhere to make no progress (ไม่ก้าวหน้า): *You'll get nowhere if you don't try hard.*

get off 1 to take off clothes or shoes (ถอดเสื้อผ้าหรือรองเท้าออก): *I can't get my boots off.* **2** to remove stains *etc.* (ลบรอยเปื้อน): *I'll never get this mark off my dress.* **3** to step out of a vehicle (ก้าวออกมาจากยานพาหนะ): *He got off the train at George Town.*

get on 1 to progress; to be successful (ก้าวหน้า ได้ผลสำเร็จ): *How are you getting on in your new job?* **2** to work, live *etc.* in a friendly way (ทำงาน อาศัย ฯลฯ อยู่ด้วยกันอย่างเป็นมิตร): *We get on very well together; I get on well with him.* **3** to grow old (แก่ลง): *Our doctor is getting on a bit now.* **4** to put clothes *etc.* on (สวมเสื้อผ้า ฯลฯ): *Go and get your coat on.* **5** to continue doing something (ทำต่อไป): *I must get on with my work.*

get out 1 to escape (หนีออกมา): *No-one knows how the lion got out.* **2** to become known (เป็นที่รู้กัน): *News got out that she was leav-*

ing.

get out of 1 to avoid doing something (หลีกเลี่ยงจากการทำอะไรบางอย่าง): *You can't get out of washing the dishes.* 2 to take off clothes (ถอดเสื้อผ้า): *He got out of his school uniform and into his jeans.*

get over to recover from an illness, disappointment, surprise *etc.* (หายจากความเจ็บป่วย ความผิดหวัง ความแปลกใจ): *I've got over my cold now; He's very disappointed, but he'll get over it.*

get round to to manage to do something (จัดการทำอะไรบางอย่าง): *I don't know when I'll get round to painting the door.*

get there to succeed (สำเร็จ): *There have been a lot of problems but we're getting there.*

get through 1 to finish work *etc.* (ทำงานเสร็จ): *We got through a lot of jobs today.* 2 to pass a test *etc.* (ผ่านการทดสอบ): *He got through his exam easily.* 3 to contact someone (ติดต่อ): *I just can't get through to her on the telephone.*

get together to meet (พบปะกัน): *We get together once a week.* **'get-to·geth·er** *n* a meeting (การพบปะสังสรรค์).

get up 1 to get out of bed (ลุกขึ้นจากเตียง): *I got up at seven o'clock.* 2 to stand up (ยืนขึ้น): *He got up off the floor.*

get up to something to do something bad (ทำสิ่งที่ไม่ดี): *He's always getting up to mischief.*

'gey·ser (*'gē-zər*) *n* 1 an underground spring that produces hot water and steam (น้ำพุร้อน). 2 a small gas or electric water heater in a bathroom, kitchen *etc.* (เครื่องทำน้ำร้อนด้วยก๊าซหรือไฟฟ้าขนาดเล็ก ๆ ในห้องอาบน้ำ ห้องครัว).

'ghast·ly (*'gäst-li*) *adj* 1 very bad (แย่มาก ๆ): *a ghastly mistake.* 2 horrible; terrible (น่ากลัว น่าเกลียด): *a ghastly murder.*

ghast·li·ness *n* (ความน่ากลัว ความน่าเกลียด).

'ghet·to (*'get-ō*), *plural* **'ghet·to(e)s**, *n* a poor part of a city where a lot of people of a particular nationality or religion have come to live (ที่อยู่โทรม ๆ ในเมืองซึ่งมีคนเชื้อชาติหรือศาสนาเดียวกันมาอยู่ด้วยกัน): *A lot of big cities have ghettoes.*

ghost (*gōst*) *n* the spirit of a dead person (ผี): *Do you believe in ghosts?*

'ghost·ly *adj* like a ghost (เหมือนผี): *a ghostly figure.*

> **GI** (*jē'ī*) *n* a soldier in the US army: *This bar is popular with GIs.*

'gi·ant (*'jī-ənt*) *n* 1 a huge, frightening person in fairy tales *etc.* (ยักษ์). 2 a person or thing that is unusually large (คนหรือสิ่งของที่ใหญ่กว่าปกติ). — *adj* unusually large (ใหญ่กว่าปกติ): *He caught a giant fish.*

'gi·ant·ess *n* a female giant (ยักษี).

> The opposite of a **giant** is a **dwarf**.

'gib·ber *v* to make chattering noises (พูดฟังไม่ได้ศัพท์): *Monkeys and apes gibber.*

'gib·ber·ish *n* fast talk or chatter which does not make sense (พูดเร็ว ๆ ซึ่งฟังไม่รู้เรื่อง): *His speech sounded like gibberish to me.*

'gib·bon (*'gib-ən*) *n* an ape with long arms (ชะนี).

gibe another spelling of (การสะกดอีกแบบหนึ่งของ **jibe**).

'gib·lets *n* the eatable parts from inside a chicken *etc.* such as the heart and liver (เครื่องในไก่).

'gid·dy (*'gid-i*) *adj* dizzy (เวียนศีรษะ): *I was dancing round so fast that I felt giddy; a giddy feeling.*

'gid·di·ness *n* (การเวียนศีรษะ).

gift (*gift*) *n* 1 something given; a present (ของขวัญ): *a birthday gift.* 2 a natural ability (พรสวรรค์): *She has a gift for music.*

'gift·ed *adj* having great ability (มีพรสวรรค์): *a gifted musician.*

gi'gan·tic (*jī'gan-tik*) *adj* very large (ใหญ่มาก): *a gigantic wave.*

'gig·gle (*'gig-əl*) *n* to laugh in a silly way (หัวเราะคิกคัก): *They couldn't stop giggling at the joke.* — *n* a laugh of this kind (การหัวเราะในแบบนี้).

gill (*gil*) *n* one of the openings on the side of a fish's head through which it breathes

(เหงือก).

gilt (*gilt*) *n* a thin layer of gold used to decorate something (**ทองแผ่นบาง ๆ ซึ่งใช้ประดับ**): *The book's title was marked in gilt on the cover.* — *adj* decorated with gilt (**ประดับด้วยทอง**): *a mirror with a gilt frame.*

'gim·mick (*'gim-ik*) *n* something used to attract people's attention (**อะไรบางอย่างซึ่งใช้ดึงดูดความสนใจของผู้คน**): *The tyre manufacturers were using an air-ship as an advertising gimmick.*

'gim·mick·y *adj* (**ซึ่งดึงดูดใจ**).

gin *n* an alcoholic drink made from grain (**เหล้ายิน**).

'gin·ger *n* a hot-tasting root that is used as a spice (**ขิง**). — *adj* **1** flavoured with ginger (**รสขิง**): *a ginger biscuit.* **2** reddish-brown in colour (**สีน้ำตาลแดง**): *a ginger cat.*

gin·ger ale, gin·ger beer a non-alcoholic drink flavoured with ginger (**เครื่องดื่มที่มีรสขิง**).

'gin·ger·bread *n* a cake flavoured with ginger (**ขนมปังขิง**).

'gin·ger·ly *adv* very gently and carefully (**อย่างนิ่มนวลและระมัดระวังมาก**): *He gingerly stood on his injured foot.*

'gin·seng *n* the root of a plant from North America, China and Korea which is used in medicine in some countries (**โสม**): *She takes ginseng in tablet form.*

gipsy another spelling of (**การสะกดอีกแบบหนึ่งของคำว่า gypsy**).

gi'raffe (*ji-räf*) *n* an African animal with a very long neck, long legs and spots (**ยีราฟ**).

giraffe is spelt with one **r** and two **f** s.

'gir·der (*'gər-dər*) *n* a large beam of steel *etc.*, used in the construction of buildings, bridges *etc.* (**เหล็กท่อนใหญ่ ๆ ฯลฯ ใช้สร้างอาคาร สะพาน ฯลฯ**).

'gir·dle *n* **1** a narrow belt or cord for tying round the waist (**เข็มขัดหรือเชือกที่ผูกรอบเอว**). **2** an elastic, tight-fitting undergarment for women, worn round the waist, hips and bottom, to make them look slimmer (**ชุดชั้นในเป็นยางยืดและรัดแน่น สำหรับใส่รอบ ๆ เอว สะโพกและก้น เพื่อทำให้ดูผอมลง**).

girl (*gərl*) *n* **1** a female child (**เด็กหญิง**). **2** a young woman (**หญิงสาว**).

'girl-friend *n* a female friend, especially a close female friend of a man or boy (**เพื่อนผู้หญิง**): *I don't like my son's girl-friend.*

Girl Guide a member of the Girl Guide Association, an organization for girls.

gist the main points of a story *etc.* (**จุดสำคัญของเรื่อง**): *Just give me the gist of what he said.*

give (*giv*) *v* **1** to hand over; to present as a gift; to present freely; to offer (**มอบให้ ให้เป็นของขวัญ ให้เฉย ๆ เสนอให้**): *My aunt gave me a book for my birthday; They have given a lot of time and money to this project; Give me your opinion on this question.* **2** to produce something (**ให้ผลิตผลอะไรบางอย่าง**): *Cows give milk but horses do not.* **3** to do something for others to enjoy *etc.* (**ทำอะไรบางอย่างให้ผู้อื่นสนุก**): *He gave a talk on his travels; Won't you give us a performance on the piano?* **4** to pay (**จ่าย**): *I gave $200 for this bicycle.* **5** to bend; to break (**งอ หัก**): *We pushed hard against the door, and at last the lock gave.* **6** to organize some event *etc.* (**จัดทำอะไรขึ้นสักอย่าง**): *We're giving a party next week.* **7** to perform some action; to make some noise (**ทำอะไรบางอย่าง ทำเสียงบางอย่าง**): *She gave him a push; He gave a shout.*

give; gave; 'giv·en: She gave him the key; Has he given her back the key?

'giv·en *adj* **1** definitely stated (**กำหนดให้**): *to do a job in a given time.* **2** inclined to do something (**เลี่ยงที่จะทำอะไรบางอย่าง**): *He's given to making silly remarks.* **3** taking something as a fact (**ถือว่าเป็นจริง**): *Given that x equals three, x plus two equals five.*

give away **1** to give something to others free (**ให้ของแก่ผู้อื่นไปฟรี ๆ**): *I'm going to give some of my books away.* **2** to tell a secret (**บอกความลับ**): *He gave away our hiding-place.*

give back to return something (**ให้คืนมา**):

She gave me back the book that she borrowed last week.

give in 1 to stop fighting; to surrender (หยุดต่อสู้ ยอมแพ้): *The soldiers gave in to the enemy.* **2** to hand something to a person in charge (มอบให้): *Do we have to give in our books at the end of the lesson?*

give off to produce (ทำให้เกิด): *That fire is giving off a lot of smoke.*

give out 1 to give to several people; to distribute (แจกจ่าย): *The teacher gave out the exam papers; The headmaster's wife is going to give out the prizes.* **2** to come to an end (หมดลง): *They were planning to camp for another week, but their supplies of food gave out.*

give rise to to cause (ก่อให้เกิด): *This new situation gives rise to a large number of problems.*

give up 1 to stop (หยุด เลิก): *I must give up smoking; They gave up the search.* **2** to stop using or having something (หยุดใช้หรือมีอะไรบางอย่าง): *You'll have to give up cigarettes.* **3** to hand over something to someone else (มอบให้): *The police made him give up his gun.*

give way 1 to allow other people, drivers *etc.* to go before you do (ให้ทาง): *Give way to traffic coming from the right.* **2** to break, collapse *etc.* (หักพัง พังทลาย): *The bridge will give way soon.* **3** to agree against your will (ยอมตามโดยไม่เห็นด้วย): *She had to give way to the children's wishes.*

'glac·i·er (*'glas-i-ər*) *n* a slowly moving mass of ice that is formed from the snow on mountains (น้ำแข็งที่เกิดจากหิมะรวมตัวกันบนภูเขาเคลื่อนตัวลงมาอย่างช้า ๆ).

glad *adj* pleased; happy (พอใจ มีความสุข): *I'm very glad that you are here.*

'glad·ly *adv* (อย่างยินดี).

'glad·ness *n* (ความยินดี).

'glad·den *v* to make someone glad (ทำให้ใครบางคนดีใจ): *The news gladdened her.*

'glad·i·a·tor (*glad-i'ā-tər*) *n* in ancient Rome, a man trained to fight with other men or with animals for the amusement of spectators (นักกีฬาชาวโรมันในสมัยโบราณที่ต่อสู้กับคนหรือสัตว์เพื่อความสำราญของผู้ดู).

'glam·our *n* **1** beauty, especially if it is rather false (ความงาม). **2** excitement that comes from being rich, famous *etc.* (ความตื่นเต้นเนื่องจากความร่ำรวยหรือมีชื่อเสียง): *the glamour of a career in films.*

'glam·o·rous *adj* (งาม มีเสน่ห์).

glamour, noun, ends in **-our**.
glamorous, adjective is spelt with **-or**.

glance (*gläns*) *v* to look very quickly (ชำเลืองดูอย่างรวดเร็ว): *He glanced at the book; She glanced across the room at him.* — *n* a quick look (การมองอย่างรวดเร็ว): *He gave her a friendly glance.* — *v* to hit and bounce off (ตีโดนลูกบอลแล้วกระเด้งออก): *The ball glanced off the edge of his bat.*

at a glance at once (โดยทันที): *I could tell at a glance that something was wrong.*

gland *n* a kind of cell or organ in the body that stores substances for the body to use, or to get rid of (ต่อม).

glare *v* **1** to look angrily (มองอย่างโกรธ ๆ): *She glared at the cheeky boy.* **2** to shine with an unpleasantly bright light (แสงแดดส่องลงมาจ้าเกินไป): *The sun glared down on them as they crossed the desert.* — *n* **1** an angry look (การมองด้วยความโมโห). **2** unpleasantly bright light (แสงที่จ้าเกิดไป): *the glare of the sun.*

'gla·ring *adj* (พร่า บาดตา).

glass (*gläs*) *n* **1** a hard transparent substance (แก้ว): *This bottle is made of glass.* **2** a hollow object made of glass, used for drinking (แก้วน้ำ): *There are six glasses on the tray; sherryglasses.* **3** the contents of a glass (สิ่งที่บรรจุอยู่ในแก้ว): *She drank two glasses of water.* **4** a mirror (กระจก).

'glass·y *adj* (เรียบใสประดุจแก้ว).

'glass·es *n* spectacles (แว่นตา).

glasses, meaning spectacles, is plural: *His reading glasses are broken*; but **a pair of glasses** takes a singular verb: *A pair of glasses has been found.*

'glass•ful *n* the amount that a drinking glass will hold (เต็มแก้ว): *two glassfuls of water.*

glaze *v* **1** to fit glass into a window (ใส่กระจก): *The house has been built, but the windows are not glazed yet.* **2** to cover with a glaze (เคลือบด้วยวัตถุที่แววววาว): *The potter glazed the vase; She glazed the cake with icing.* — *n* a shiny coating (วัตถุเคลือบที่มีแสงแวววาว).

'gla•zi•er (*'glā-zi-ər*) *n* a person who puts glass in window frames *etc.* (ช่างใส่กระจกหน้าต่าง กรอบรูป): *The glazier fitted a new pane in the shop window.*

gleam *v* to shine faintly (ส่องแสงอ่อน ๆ): *a light gleaming in the distance.* — *n* **1** a glow; a sparkle (แสงวาบ): *There was a gleam in her eyes.* **2** a slight amount (จำนวนน้อย): *a gleam of hope.*

glean *v* to collect or pick up news, facts *etc.* (รวบรวมหรือเก็บข่าว ข้อเท็จจริง ฯลฯ).

glee *n* great joy (ความร่าเริงอย่างยิ่ง): *The children shouted with glee when they saw their presents.*

'glee•ful *adj* (เต็มไปด้วยความร่าเริง).

'glee•ful•ly *adv* (อย่างร่าเริง).

glib *adj* speaking or spoken quickly and easily, but not sincerely (พูดจาคล่องแคล่วแต่ไม่จริงใจ): *a glib talker; glib promises.*

'glib•ly *adv* (อย่างไม่จริงใจ).

glide *v* **1** to move smoothly and easily (ไถลร่อน): *The dancers glided across the floor.* **2** to fly a glider (ขับเครื่องร่อน). — a gliding movement.

'gli•der *n* a small, light aeroplane that has no engine (เครื่องร่อน). **'gli•ding** *n* (การร่อน).

'glim•mer *v* to shine faintly (ส่องแสงรำไร): *A single candle glimmered in the darkness.* — *n* **1** a faint light (แสงจาง ๆ). **2** a slight amount (จำนวนน้อย): *a glimmer of hope.*

glimpse *n* a very brief look (การมองผาด ๆ): *I caught only a glimpse of the Queen.* — *v* to see very briefly (เห็นแวบ ๆ): *He glimpsed her in the crowd.*

glint *v* to gleam or sparkle (แสงวูบหรือเป็นประกาย): *The windows glinted in the sunlight.* — *n* a gleam or sparkle (ความวูบวาบหรือเป็นประกาย): *the glint of steel.*

'glis•ten (*'glis-ən*) *v* to shine; to sparkle (ส่องแสงเป็นประกาย): *Her eyes glistened with tears.*

'glit•ter *v* to sparkle (ส่องประกาย): *Her diamonds glittered in the light.* — *n* (ความเป็นประกาย): *the glitter of her diamonds.*

'glit•ter•ing *adj* (การส่องประกาย).

gloat *v* to feel very pleased about your own success or about other people's failure (รู้สึกพอใจมากในความสำเร็จของตัวเองหรือเกี่ยวกับความล้มเหลวของผู้อื่น): *She is gloating because she passed the exam and you didn't.*

globe *n* **1** the Earth (โลก): *I've travelled to all parts of the globe.* **2** a ball with a map of the Earth on it (ลูกกลมเป็นแผนที่โลก). **3** a ball-shaped object (วัตถุที่มีลักษณะเป็นลูกกลม).

See **earth**.

'glo•bal *adj* affecting the whole world (ทั้งโลก): *a global problem.*

'glo•bal•ly *adv* (ทั่วทั้งโลก).

gloom (*gloom*) *n* **1** a state of not quite complete darkness (สลัว ๆ): *I could not tell the colour of the car in the gloom.* **2** sadness (ความเศร้าโศก): *The king's death cast a gloom over the whole country.*

'gloom•y *adj* sad (เศร้า): *Don't look so gloomy; gloomy news.* **2** dark (มืด): *gloomy rooms.*

'gloom•i•ness *n* (ความมืดครึ้ม).

'glo•ry (*'glö-ri*) *n* **1** fame; honour (ชื่อเสียงเกียรติยศ): *He took part in the competition for the glory of the school.* **2** beauty; splendour (ความสวยงาม ความสง่า): *The sun rose in all its glory.*

'glo•ri•fy (*'glö-ri-fī*) *v* **1** to make something seem better or more beautiful than it really is (ทำให้บางสิ่งดูดีขึ้นหรือสวยงามกว่าที่เป็นอยู่): *This book glorifies school life.* **2** to praise or

worship (ยกย่อง บูชา): *to glorify God.*
glo•ri•fi'ca•tion *n* (การยกย่อง การบูชา).
'glo•ri•ous *adj* **1** splendid; deserving great praise (งามสง่า สมควรได้รับการยกย่องอย่างยิ่ง): *a glorious victory.* **2** very pleasant; delightful (ความพอใจอย่างยิ่ง ความยินดี): *glorious weather.*

gloss *n* brightness on a surface (พื้นผิวเป็นมัน): *Her hair has a lovely gloss.*

'glos•sa•ry *n* a list of special words with their meanings (รายการอธิบายคำพิเศษ): *There is a glossary of technical terms at the back of the book.*

'gloss•y *adj* smooth and shining (ราบเรียบและมันเป็นเงา): *The dog has a glossy coat.*
'gloss•i•ness *n* (ความราบเรียบและสดใส).

glove (*gluv*) *n* a covering for the hand (ถุงมือ): *a pair of gloves.*

glow (*glō*) *v* **1** to give out heat or light without any flame (ส่งความร้อนหรือแสงสว่างออกมาโดยไม่มีเปลวไฟ): *The coal was glowing in the fire.* **2** to be rosy; to blush (แดงเป็นสีชมพูเรื่อ หน้าแดง): *Her cheeks were glowing after her brisk walk.* — *n* a gleam; a brightness (ความสดใส): *The glow of the sunset.*
'glow•ing *adj* (เป็นประกาย).

'glow•er *v* to stare angrily (จ้องมองอย่างโกรธ ๆ): *He glowered at me.*

'glu•cose (*'gloo-kōs*) *n* a kind of sugar found in the juice of fruit (น้ำตาลชนิดหนึ่งที่พบในน้ำผลไม้).

glue (*gloo*) *n* a substance used for sticking things together (กาว): *That glue will stick plastic to wood.* — *v* to join things with glue (ติดของด้วยกาว): *She glued the pieces together.*

glum *adj* gloomy; sad (มืดมัว เศร้าใจ).

glut *n* too great a supply (มีอยู่อย่างมาก): *There has been a glut of apples this year.*

'glu•ti•nous (*'gloo-ti-nəs*) *adj* sticky (เหนียว): *glutinous rice.*

'glut•ton *n* a person who eats too much (คนตะกละ): *You mustn't eat all the cake at once — don't be such as glutton!*
'glut•ton•y *n* greediness (ความโลภ).

gnarled (*närld*) *adj* **1** full of lumps and knots; twisted (เป็นตะปุ่มตะป่ำ): *The tree was gnarled with age.* **2** bony and twisted (ผอมและบิดเบี้ยว): *The old man had gnarled hands.*

gnash (*nash*) *v* to grind your top teeth and bottom teeth together, in anger *etc.* (กัดฟันด้วยความโมโห): *The dog growled and gnashed its teeth.*

gnat (*nat*) *n* a small fly that can bite you (ตัวริ้น).

gnaw (*nö*) *v* to bite or chew with a scraping action (แทะ): *The dog was gnawing a bone.*
gnome (*nōm*) *n* a small man who lives underground, sometimes guarding treasure (ปู่โสมเฝ้าทรัพย์ใต้ดิน): *Fairy stories are full of gnomes.*

go (*gō*) *v* **1** to walk, travel, move *etc.* (เดินท่องไป เคลื่อนที่ไป): *He is going across the field; Go straight ahead.* **2** to lead somewhere (มุ่งไป): *Where does this road go?* **3** to visit; to attend (ไปเยือน ไปโรงเรียน): *He goes to school every day; I decided not to go to the movie.* **4** to be removed, destroyed *etc.* (เอาออก ทำลาย): *This wall will have to go.* **5** to be done, carried out *etc.* (จบลง เสร็จสิ้น ดำเนินไป): *The meeting went very well.* **6** to leave (จากไป): *I think it is time we were going.* **7** to disappear (หายไป): *My purse has gone!* **8** to do some action or activity (กิจกรรมบางอย่าง): *I'm going for a walk; I'm going sailing next week-end.* **9** to be working *etc.* (ทำงาน ฯลฯ): *I don't think that clock is going.* **10** to become (กลับกลาย): *These apples have gone bad.* **11** to be (เป็น): *Many people in the world go hungry.* **12** to be put; to belong (ถูกเก็บไว้ เป็นของ): *Spoons go in that drawer.* **13** to pass(ผ่านไป): *Time goes quickly when you are enjoying yourself.* **14** to be spent; to be used (ถูกใช้): *All her pocket-money goes on sweets.* **15** to be given, sold *etc.* (ถูกให้ ถูกขาย): *The prize goes to the best pupil; The painting went for $1000.* **16** to make a particular noise (ทำเสียง): *Dogs go woof, not miaow.* **17** to have a particular tune *etc.* (ทำเสียงเพลง): *How* *does that song go?* — *n* **1** (*plural* **goes**) an attempt (ความพยายาม): *I'm not sure how to do it, but I'll have a go.* **2** energy (พลังงาน): *She's full of go.*

go, goes; went; gone (*gon*): *He goes to St Michael's School; She went home; He hasn't gone yet.*
to go **to the cinema** (not **for a show**).
to go **to the pictures** (not **ไม่ใช่ to see pictures**).
to **go to school** means to be a student; to **go to the school** means to visit the school.
to **go to church** means to attend a service or go and pray; to **go to the church** means to visit the church.

from the word go from the very beginning (ตั้งแต่เริ่มต้น).
get going to get started (เริ่ม): *If you want to finish that job you'd better get going.*
go about to work at something (ทำอะไรบางอย่าง): *I don't know the best way to go about this job.*
go after 1 to follow (ติดตาม): *Go after him and give him his book back.* **2** to try to get or win (พยายามเอามาหรือชนะมา): *to go after a job; to go after a prize.*
go against to oppose; to disagree with someone or something (ต่อต้าน ไม่เห็นด้วย): *I don't like to go against my parent's wishes.*
go ahead to start or continue (เริ่มหรือทำต่อไป): *We went ahead with the project after we were given permission.*
'go-a·head *n* permission (การอนุญาต). — *adj* ambitious; successful (ทะเยอทะยาน ได้รับประสบความสำเร็จ): *This is a very go-ahead firm.*
go along to progress (ก้าวไปข้างหน้า): *Check your work as you go along.*
go around to be passed from one person to another (ส่งต่อ ๆ กันไป): *There's a rumour going around that you are leaving.*
go around with to be friendly with someone (เป็นเพื่อนกับบางคน): *I don't like the people you're going around with.*
go at to attack (จู่โจม): *The little boys went at each other with their fists.*
go back to return (กลับไป): *Let's go back to what we were talking about yesterday.*
go back on to break a promise *etc* (ผิดคำสัญญา): *I never go back on a promise.*
go by to believe; to depend on (ชื่อถือ ขึ้นกับ): *You can't go by what Jeremy says — he doesn't really know.*
go down 1 to be received (รับทราบ): *The teacher suggested a walk, and the idea went down well with the children.* **2** to become lower (ต่ำกว่า): *The price has gone down.* **3** to set (กำลังตก): *The sun is going down.*
go far to be successful (ประสบผลสำเร็จ): *Try hard, and you'll go far.*
go for 1 to go to fetch (ไปนำมา): *He has just gone for a doctor.* **2** to attack (จู่โจม): *The two dogs went for each other.*
going to intending to, or about to do something (ตั้งใจจะ กำลังจะ): *I'm going to have a shower; It's going to rain soon.*
go into to examine carefully (ตรวจสอบอย่างรอบคอบ): *We must go into this plan in detail.*
go off 1 to explode (ระเบิด): *The firework went off.* **2** to ring (กระดิ่งดัง): *When the alarm went off the thieves ran away.* **3** to begin to dislike (เริ่มจะไม่ชอบ): *I've gone off chocolates.* **4** to become rotten (เน่าเสีย): *That meat has gone off.*
go on 1 to continue (ดำเนินต่อไป): *Go on reading — I won't disturb you.* **2** to talk too much (พูดมากเกินไป): *She goes on and on about her troubles.* **3** to happen (เกิดขึ้น): *What is going on here?*
go out 1 to stop burning *etc.* (ดับ): *The light suddenly went out.* **2** to meet and go about regularly with a particular girl-friend or boy-friend (เพื่อนหญิงหรือเพื่อนชายที่ไปไหนต่อไหนด้วยกันเป็นประจำ): *He has been going out with her for a year.*
go over 1 to read carefully; to examine (อ่านอย่างระมัดระวัง ตรวจตราดู): *I want to go over your work.* **2** to repeat; to list (ย้ำ): *Do you want me to go over the instructions*

again? **'go•ing-o•ver** *n* (การพูดใหม่ การทำใหม่).

go round to be enough for everyone (พอสำหรับทุก ๆ คน): *Is there enough food to go round?*

go through 1 to search (ค้นหา): *I've gone through all my pockets but I still can't find my key.* **2** to suffer (ลำบาก): *I went through a difficult time.* **3** to use up (ใช้หมดไป): *We went through a lot of money on holiday.*

go together to match; to look nice together (เข้ากัน ดูดีเมื่ออยู่ด้วยกัน): *Those two colours don't go together.*

go towards to help to buy *etc.* (มุ่งไปเพื่อการซื้อ): *The money we collect will go towards new computers for the school.*

go up 1 to increase (เพิ่มขึ้น): *The price had gone up.* **2** to be built (ถูกสร้างขึ้น): *There are office blocks going up all over town.*

go up in flames to be destroyed by fire (ถูกทำลายลงด้วยไฟ).

go with to match; to look right with something (เข้ากันกับ): *This tie goes with the shirt nicely.*

go without not to have (ไปโดยไม่): *I can't go without breakfast.*

on the go very busy (ยุ่งมาก): *He's always on the go, from morning to night.*

goad *v* to nag, annoy or tease someone till they react (ก่อกวนหรือแหย่จนเขามีปฏิกิริยา): *She goaded me into hitting her.*

goal *n* **1** in football, hockey *etc.*, the posts between which the ball is to be kicked, hit *etc.* (ประตูในฟุตบอลหรือฮอกกี้). **2** the point gained by doing this (แต้มที่ได้จากการยิงประตู): *He scored six goals.* **3** an aim or purpose (เป้าหมายหรือจุดประสงค์): *My goal in life is to write a book.*

> to score a **goal** (not ไม่ใช่ **gaol**).

'goal•keep•er *n* the player whose job is to defend the goal and keep the ball out of it (ผู้รักษาประตู).

'goal•post *n* one of the two upright posts which form the goal in football, rugby *etc.* (เสาประตู).

goat *n* an animal of the sheep family, with horns and a long-haired coat (แพะ).

> A goat **bleats**.
> A baby goat is a **kid**.
> A female goat is a **nanny-goat**

'gob•ble *v* to swallow food *etc.* quickly (กลืนอาหารอย่างรวดเร็ว เขมือบ): *It's bad for you to gobble your food.*

'gob•let *n* a glass or metal cup with a long stem but no handles (ถ้วยแก้วหรือถ้วยโลหะที่มีก้านยาวแต่ไม่มีมือถือ): *She was given six silver goblets as a present.*

'gob•lin *n* a small, ugly and evil creature that exists only in fairy tales *etc.* (ตัวเล็ก ๆ ที่น่าเกลียดและชั่วร้าย มีอยู่แต่ในเทพนิยาย).

god *n* **1** (with a capital letter) the creator and ruler of the world (ผู้สร้างและปกครองโลก): *He prayed to God for help.* **2** a being who is worshipped (ผู้ที่ได้รับการบูชา): *the gods of Greece and Rome; a river god.*

'god•dess *n* a female god (พระเจ้าเป็นผู้หญิง).

'god•fa•ther, 'god•moth•er, 'god•par•ent *ns* a person who, at a child's christening, promises to make sure that the child is brought up according to the beliefs of the Christian church; the child is called a **'god•child, 'god•daugh•ter** or **'god•son** (พ่อทูนหัว แม่ทูนหัว พ่อหรือแม่ทูนหัว เด็กของพ่อทูนหัว).

'go•down *n* a warehouse at a port (โรงเก็บของ โกดังที่ท่าเรือ).

'gog•gles *n* spectacles used to protect the eyes from dust, water *etc.* (แว่นตากันฝุ่น แว่นตากันน้ำ ฯลฯ): *Many swimmers wear goggles in the water.*

'go-kart *n* a frame with four wheels and an engine, used as a very simple kind of racing vehicle (โครงที่มีสี่ล้อและเครื่องยนต์ ใช้เป็นยานสำหรับการแข่งขันชนิดหนึ่ง).

gold (*gōld*) *n* a precious yellow metal used for making jewellery *etc.* (ทอง): *This watch is made of gold.* — *adj* made of gold (ทำด้วยทอง): *a gold coin.*

'gol•den *adj* **1** like gold; of the colour of gold (เหมือนทอง สีทอง): *golden hair.* **2** fiftieth (ที่ห้าสิบ): *a golden wedding anniversary.*

3 very good (ดีมาก): *a golden opportunity.*

golden usually means "like gold": *golden sunlight.*
gold means "made of gold": *gold coins.*

'gold·fish, *plural* **'gold·fish**, *n* a small golden-yellow fish that can be kept as a pet (ปลาทอง).

gold medal in competitions, the medal awarded as first prize (เหรียญทอง).

'gold-mine *n* a place where gold is mined (เหมืองทอง).

'gold·smith *n* a person who makes jewellery, ornaments *etc.* of gold (ช่างทอง).

as good as gold very well-behaved (ทำตัวดีมาก): *The baby was as good as gold during his christening.*

golden opportunity a very good opportunity (โอกาสดีมาก ๆ).

golf *n* a game in which a small white ball is hit across open ground and into small holes with golf-clubs (กีฬากอล์ฟ).

'golf-club *n* a long thin stick with a wooden or metal head, used to hit the ball in golf (ไม้ตีกอล์ฟ).

'golf·er *n* a person who plays golf (นักเล่นกอล์ฟ).

'gon·do·la *n* **1** a long, narrow boat that is used especially on the canals of Venice (เรือกอนโดลา เป็นเรือลำเรียวยาวใช้ในคลองของเมืองเวนิซ). **2** a cabin that hangs under an airship or balloon; a cabin that hangs from a cable across a valley *etc.* (กระเช้าที่แขวนอยู่ใต้ท้องพโยมยานหรือบอลลูน กระเช้าอยู่บนสายเคเบิลเดินไปมาระหว่างหุบเขา).

gone *see* **go** (ดู **go**).

gong *n* a metal disc hanging from a frame, which, when struck, gives a ringing sound (ฆ้อง ระฆังแขวน): *a dinner gong.*

good (*good*) *adj* **1** well-behaved; not causing trouble *etc.* (ประพฤติตัวดี ไม่ก่อปัญหา): *Be good!; She's a good baby.* **2** correct (ถูกต้อง): *good manner; good English.* **3** of high quality (คุณภาพสูง): *a good radio; good food.* **4** skilful; able to do something well (เชี่ยวชาญ สามารถทำบางอย่างได้ดี): *a good doctor; She's good at tennis.* **5** kind (ใจดี): *You've been very good to him; a good father.* **6** helpful; giving benefit (ช่วยเหลือ ให้ประโยชน์): *Vegetables are good for you.* **7** pleased, happy *etc.* (พอใจ มีความสุข): *She is in a good mood today.* **8** pleasant; enjoyable (ถูกใจ สนุกสนาน): *a good book; Ice-cream is good to eat.* **9** large (มาก): *a good salary; She talked a good deal of nonsense.* **10** suitable (เหมาะสม): *a good man for the job.* **11** sound; fit (ปกติ สมบูรณ์): *good health; good eyesight.* **12** showing approval (แสดงความยอมรับ): *We've had very good reports about you.*
— *n* **1** advantage or benefit (ข้อได้เปรียบหรือเป็นประโยชน์): *He worked for the good of the poor; The teacher told Peter she was punishing him for his own good; I'll take your advice, but what good will it do?; It won't do any good.* **2** goodness (ความดี): *I always try to see the good in people.* — an expression of gladness (คำอุทาน แสดงความดีใจ): *Good! I'm glad you've come!*

'good·ness *n* (ความดี).

good; 'bet·ter; best: *I am a good swimmer, my father is a better one, but my sister is the best.* See also **well**.
to be **good at** (not **in**) English.
See also **strong**.

good'bye an expression you use when leaving someone (ลาก่อน คำบอกลา).

good-for-'noth·ing *n* a person who is useless or lazy (คนที่ไม่มีประโยชน์หรือขี้เกียจ).

Good Friday the Friday before Easter Day: *Christ was crucified on Good Friday.*

good humour kindliness and cheerfulness (อารมณ์ดี ความร่าเริง).

good-'hu·moured *adj* cheerful (ร่าเริง): *She is always good-humoured.*

'good·ies *n* delicious food (อาหารอร่อย): *There were cakes, jellies, ice-cream and other goodies at the party.*

good-'looking *adj* handsome; pretty (หล่อ สวย): *a good-looking girl; He is very good-looking.*

good morning, good afternoon, good-

'day, good evening, good night** words you use when meeting or leaving someone (คำกล่าวสวัสดีเมื่อพบกันหรือจากกัน): *Good morning, Mrs Brown; Good night, everyone — I'm going to bed.*

good-'na·tured *adj* kindly; not easily made angry (มีอัธยาศัย ไม่โกรธง่าย): *He is very good-natured — he never loses his temper; a good-natured fellow.*

goods *n* **1** objects *etc.* for sale; products (สินค้า ผลิตภัณฑ์): *leather goods.* **2** articles sent by rail (ของส่งโดยทางรถไฟ): *This station is for passengers and goods.* — *adj* (รถซึ่งบรรทุกสินค้า): *a goods train.*

good'will *n* kind thoughts; friendliness (ความปรารถนาดี ความเป็นมิตร): *He has always shown a lot of goodwill towards us.*

as good as almost (เกือบจะ): *The job is as good as done.*

do someone good to bring benefit to someone (นำประโยชน์มาให้): *Drink this soup — it will do you good.*

for good for ever (ตลอดกาล): *He's not going to France for a holiday — he's going for good.*

good for you!, good for her! *etc.* an expression of pleasure or approval at someone's success *etc.* (ดีสำหรับคุณแล้ว การแสดงความยินดีและเห็นด้วยในความสำเร็จของเขา): *You did well in the race — good for you!*

goodness gracious, goodness me, my goodness expressions of surprise (คำอุทานแสดงความประหลาดใจ).

no good useless (ไร้ประโยชน์): *It's no good crying for help — no-one will hear you; This penknife is no good — the blade is blunt.*

thank goodness an expression you use when you are glad or relieved about something (ประโยคที่เราใช้เมื่อดีใจหรือโล่งใจ): *Thank goodness it isn't raining!*

up to no good *doing mischief* (ความร้ายกาจ): *Those children are a bit too quiet — I'm sure they're up to no good.*

goose, *plural* **geese** (*gēs*), *n* a bird like a duck, but larger (ห่าน).

A goose **cackles** or **hisses**.

A baby goose is a **gosling**.
A male goose is a **gander**.

'goose-flesh or **'goose·pim·ples** *n* small bumps on the skin caused by cold or fear (ขนลุกอันเกิดจากความเย็นหรือความกลัว).

'goose·ber·ry (*'gooz-bər-i*) *n* a round, edible green berry with a hairy skin, that grows on a prickly bush (ผลกู๊ซเบอร์รี่).

gore *n* blood (เลือด). — *v* to pierce with horns, tusks *etc.* (ขวิดด้วยเขา แทงด้วยงา ฯลฯ): *The bull gored the farmer.*

gorge *n* a deep narrow valley (หุบเขาที่ลึกและแคบ). — *v* to eat greedily until you are full (กินอย่างตะกละจนอิ่ม เขมือบ): *He gorged himself at the party.*

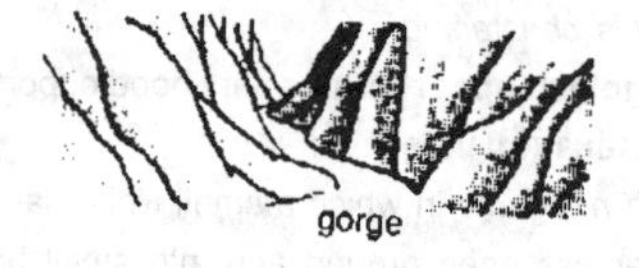
gorge

'gor·geous (*'gör-jəs*) adj beautiful; splendid (สวยงาม สง่างาม): *a gorgeous dress; These colours are gorgeous.*

go'ril·la *n* the largest kind of ape (ลิงกอริลล่า).

'go·ry *adj* bloody; violent (โชกเลือด รุนแรง): *a gory tale.*

gosh an expression of surprise (อุทานด้วยความแปลกใจ).

'gos·ling ('goz-liŋ) *n* a baby goose (ลูกห่าน).

go-'slow *n* a form of protest by workers in a factory *etc.* in which they work more slowly than usual (รูปแบบการประท้วงของคนงานในโรงงาน ฯลฯ ซึ่งพวกเขาจะพากันทำงานให้ช้าลง).

'gos·pel *n* the life and teaching of Christ; one of the four books in the Bible that describes these (ชีวิตและคำสอนของพระคริสต์ หนึ่งในสี่เล่มในคัมภีร์ไบเบิลที่อธิบายถึงเรื่องนี้): *the Gospel according to St Luke.*

'gos·sip *n* **1** talk or chatter that is about other people, and is sometimes unkind or untrue (การซุบซิบนินทา): *I never pay any attention to gossip.* **2** a person who listens to and passes on gossip (คนที่ซุบซิบนินทา): *She's a dreadful gossip.* — *v* (ซุบซิบนินทา): *Try never* to gossip about other people.

got *see* **get (ดู get)**.

gouge *v* to dig out, especially with a tool **(การเซาะร่องโดยใช้เครื่องมือ)**: *He gouged a hole in the wood.*

gourd (*gŏŏrd*) *n* a fruit whose dried shells can be used as bottles, bowls *etc.* **(น้ำเต้า)**.

'gour·met (*'gö-mā*) *n* a person who knows a lot about, and enjoys, good food and wine **(นักกิน นักดื่ม)**: *This restaurant is popular with local gourmets.*

'gov·ern (*'guv-ərn*) *v* **1** to rule **(ปกครอง)**: *The emperor governed the country wisely and well.* **2** to guide; to influence **(ชี้ทาง มีอิทธิพล)**: *Be governed by your head and not by your heart!*

'gov·ern·ment *n* **1** the people who rule a country or state **(รัฐบาล)**: *the British Government.* **2** the way in which a country or state is ruled **(วิถีทางการปกครองประเทศหรือรัฐ)**: *Democracy is one form of government.* **3** the job of governing **(หน้าที่ในการปกครอง)**.

'gov·ernmental *adj* **(แห่งการปกครอง)**.

gown *n* **1** a woman's dress, especially one for dances, parties *etc.* **(ชุดราตรี)**. **2** a loose robe worn by lawyers, teachers *etc.* **(เสื้อครุยที่ทนายสวม ครูสวม)**.

GP (*jē'pē*) *n* a doctor who works in a particular town or area and who treats all types of illness: *She went to see her GP when she thought she might be getting flu.*

grab *v* to seize or grasp suddenly **(จับหรือคว้าในทันที)**: *He grabbed a biscuit.* — *n* a sudden attempt to grasp or seize **(ความพยายามที่จะคว้าหรือจับในทันทีทันใด)**: *He made a grab at the bag of money.*

grace *n* **1** beauty in appearance or in movement **(งามชดช้อย)**: *A dancer needs grace.* **2** politeness **(ความสุภาพ)**: *He at least had the grace to thank her for her present.* **3** a short prayer of thanks for a meal **(การสวดมนต์สั้น ๆ ก่อนกินอาหาร)**. **4** favour; mercy **(ความกรุณา ความปรานี)**: *the grace of God.*

'grace·ful *adj* having a lovely shape, or moving beautifully **(รูปร่างน่ารักหรือเคลื่อนไหวอย่างสวยงาม)**: *a graceful dancer.*

'grace·ful·ly *adv* **(อย่างสวยงาม อย่างอ่อนช้อย)**.

'gra·cious *adj* kind; polite **(ใจดี สุภาพ)**: *a gracious smile.*

'gra·cious·ly *adv* **(อย่างใจดี อย่างสุภาพ)**.

grade *n* **1** one level in a scale of qualities, sizes *etc.* **(ระดับหนึ่งของคุณภาพ ขนาด ฯลฯ)**: *There are several grades of paper.* **2** a class or year at school **(ชั้นหรือปีที่โรงเรียน)**: *We're in the fifth grade now.* **3** a mark for an examination *etc* **(คะแนนในการสอบ)**: *He always got good grades at school.* — *v* to sort into grades **(แบ่งแยกออกเป็นระดับ)**: *to grade eggs.*

make the grade to do well **(ทำได้ดี)**.

'grad·u·al (*'grad-ū-əl*) *adj* happening slowly **(เกิดขึ้นอย่างช้า ๆ)**: *a gradual rise in temperature.* **'grad·u·al·ly** *adv* **(ทีละนิด อย่างช้า ๆ)**.

'grad·u·ate (*'grad-ū-āt*) *v* to receive a university degree, diploma *etc.* **(รับปริญญา ดีโพลม่า)**: *He graduated in German and French.* — *n* (*'grad-ū-ət*) a person who has got a university degree or diploma **(คนที่รับปริญญาหรือประกาศนียบัตร)**: *a graduate in mathematics.*

grad·u'a·tion *n* **(การสำเร็จการศึกษา)**.

graf'fi·ti (*grə'fē-tē*) *n plural* words or drawings that are scratched or painted on walls *etc.* **(คำพูดหรือภาพวาดที่ขีดเขียนหรือวาดลงบนกำแพง)**: *The bus shelter was covered with graffiti; Graffiti are difficult to remove.*

graft (*grắft*) *v* to move skin, bone *etc.* from one part of the body to a damaged part, to help it to heal **(การย้ายผิวหนัง กระดูก ฯลฯ จากส่วนหนึ่งของร่างกายไปยังส่วนที่เสียหาย เพื่อช่วยในการรักษาให้หาย)**. — *n* the piece of skin or bone that is moved **(ส่วนของผิวหนังหรือกระดูกที่ถูกเอาออกมา)**.

grain *n* **1** the seed of wheat, oats, maize *etc.* **(เมล็ดข้าวสาลี ข้าวโอ๊ต ข้าวโพด ธัญญพืช)**: *Grain is ground into flour.* **2** a very small, hard piece **(ชิ้นส่วนที่เล็กมาก ๆ ที่แข็ง)**: *a grain of sand.*

gram another spelling of **gramme (การสะกดอีกแบบหนึ่งของคำว่า gramme)**.

'gram·mar *n* the rules for forming words and for

combining words to form correct sentences (ไวยากรณ์). — *adj* (หนังสือไวยากรณ์): a grammar book.

grammar ends in **-ar** (not **-er**).

gram'mat·i·cal *adj* **1** having to do with grammar (แห่งไวยากรณ์). **2** correct according to the rules of grammar (ถูกต้องตามกฎของไวยากรณ์): *a grammatical sentence* (ประโยคตามไวยากรณ์).

gram'mat·i·cal·ly *adv* (ตามหลักไวยากรณ์).

gramme (*gram*) or **gram** *n* the basic unit of weight in the metric system (พื้นฐานของหน่วยน้ำหนักในระบบเมตริก): *1 kilogramme=1,000 grammes.*

'gram·o·phone *n* the old name for a record-player (ชื่อเก่าของเครื่องเล่นแผ่นเสียง).

gran short for (คำย่อของ) **granny**.

'gran·a·ry *n* a storehouse for grain (ยุ้ง ฉางข้าว).

grand *adj* **1** splendid; magnificent (ใหญ่โต งามสง่า): *a grand procession; It would be nice to live in a grand house.* **2** very pleasant (น่ายินดี): *a grand day at the seaside.* **3** liked and respected (น่านิยม น่านับถือ ชอบและนับถือ): *a grand old man.*

'grand·child *n* the child of your son or daughter (หลาน).

'grand·dad *n* a grandfather (ปู่ ตา).

'grand-daugh·ter *n* the daughter of your son or daughter (หลานสาว).

'gran·deur (*'gran-jər*) *n* greatness; magnificence (ความยิ่งใหญ่ ความโอ่อ่า): *the grandeur of the mountains.*

'grand·fa·ther *n* the father of your father or mother (ปู่ ตา).

grandfather clock a tall clock which stands on the floor (นาฬิกาสูงที่ตั้งบนพื้น).

'grand·ma (*'gran-mä*) *n* a grandmother (ย่า ยาย).

'grand·moth·er *n* the mother of your father or mother (ย่า ยาย).

'grand·pa *n* a grandfather (ปู่ ตา).

'grand·par·ent *n* a grandfather or grandmother (ปู่ ตา หรือ ย่า ยาย).

'grand·son *n* the son of your son or daughter (หลานชาย).

grand·stand *n* the rows of seats at a sports ground *etc.* (ที่นั่งเป็นแถวในสนามกีฬา).

'gran·ite *n* a very hard, usually pale grey rock that is used for building (หินแข็ง โดยปกติใช้สร้างอาคาร): *houses built of granite.*

'gran·ny or **'gran·nie** *n* a grandmother (ย่า ยาย).

grant (*gränt*) *v* **1** to give (ให้): *Would you grant me one favour?; The teacher granted the boy permission to leave.* **2** to admit (ยอมรับ): *I grant that I behaved wrongly.* — *n* money given for a particular purpose (เงินที่ให้เพื่อจุดประสงค์โดยเฉพาะ): *He was awarded a grant for studying abroad.*

take something for granted **1** to believe something without checking (เชื่ออะไรบางอย่างโดยไม่ตรวจดูเสียก่อน สันนิษฐานเอา): *I took it for granted that you had heard the story.* **2** not to worry about something (ไม่กังวลในสิ่งหนึ่ง): *People take electricity for granted until their supply is cut off.*

'gran·u·lat·ed *adj* coarsely ground (บดให้เป็นเม็ดหยาบ ๆ): *granulated sugar.*

grape *n* a green or black eatable berry from which wine is made (องุ่น): *She bought two bunches of grapes at the supermarket.*

'grape·vine *n* the vine on which grapes grow (เถาองุ่น).

sour grapes saying that something is not worth having, when you cannot get it (การกล่าวว่าไม่เห็นจะมีค่าอะไรในเมื่อเราไม่ได้สิ่งนั้นมา).

'grape·fruit *n* a large yellow fruit similar to an orange (ผลไม้ลูกใหญ่สีเหลืองเหมือนส้ม).

graph (*gräf*) *n* a diagram in which there is a line or lines drawn to show changes in some quantity (แผนผังซึ่งลากด้วยเส้นต่าง ๆ เพื่อแสดงให้เห็นถึงความเปลี่ยนแปลงไปในปริมาณ): *a graph of temperature changes.*

'graph·ic *adj* **1** very clear; told with many details (ชัดเจนมาก บอกพร้อมด้วยรายละเอียดต่าง ๆ): *She gave the police a graphic description of the robbery.* **2** having to do with drawing and designing, especially in a mathematical way (เกี่ยวกับการวาดและการออกแบบ): *a graphic artist.*

'graph·i·cal·ly *adv* (เหมือนกับภาพ อย่างแจ่มแจ้งชัดเจน).

'graph·ics 1 *n* the art of designing or drawing, especially in a mathematical way (วิชาการออกแบบหรือเขียนแบบ): *He's studying computer graphics.* 2 *n plural* designs and drawings (การออกแบบและเขียนแบบ): *The graphics in this book are good.*

graph paper paper ruled in little squares, for making graphs on (กระดาษกราฟ).

'grap·ple *v* to struggle (ดิ้นรน ต่อสู้): *to grapple with a problem.*

grasp (*gräsp*) *v* 1 to take hold of something very firmly (คว้า): *He grasped the rope; He grasped her by the arm.* 2 to understand (เข้าใจ): *I can't grasp the meaning of what you said.* — *n* 1 a grip with your hand *etc.* (จับไว้ด้วยมือ): *Have you got a good grasp of that rope?* 2 the ability to understand (ความสามารถที่จะเข้าใจได้): *His ideas are quite beyond my grasp.*

'grasp·ing *adj* greedy, especially for money (โลภ).

grass (*gräs*) *n* the green plant that covers fields, garden lawns *etc.* (หญ้า).

'grass·y *adj* (มีหญ้า).

'grass·hop·per *n* an insect that jumps and makes a noise by rubbing its wings (ตั๊กแตน).

grate *v* to rub cheese, vegetables *etc.* into small pieces with a grater (ขูด).

'grate·ful *adj* feeling thankful (รู้สึกขอบคุณ): *I am grateful to you for your help.*

'grate·ful·ly *adv* (อย่างขอบคุณ).

'gra·ter *n* a kitchen device with a rough surface for grating food (เครื่องขูด).

'gra·ting (*'grā-tŋ*) *n* a framework of bars (ลูกกรงเหล็ก): *a grating in the road.*

'grat·i·tude (*'grat-i-tūd*) *n* the feeling of being grateful to someone for something (ความกตัญญู): *She kissed her father to show her gratitude for his present.*

grave[1] *n* a hole in the ground, in which a dead person is buried (หลุมฝังศพ).

grave[2] *adj* 1 serious, sad (เคร่งเครียด เศร้า): *a grave expression.* 2 dangerous (อันตราย): *a grave situation.* 3 important (สำคัญ): *grave decisions.*

'grave·ly *adv* (อย่างหนัก อย่างเคร่งขรึม).

'grav·el *n* very small stones (ก้อนกรวด).

'grave·stone *n* a stone placed at a grave on which the dead person's name *etc.* is written (หินบนหลุมฝังศพ).

'grave·yard *n* a place where dead people are buried (ที่ฝังศพ).

'grav·i·ty[1] *n* the quality of being grave; sadness; seriousness; importance (ความเคร่งขรึม ความเศร้า ความสำคัญ).

'grav·i·ty[2] *n* the force which attracts things towards the earth and causes them to fall to the ground (แรงดึงดูด).

'gra·vy (*grā-vi*) *n* a sauce made from the juices of meat that is cooking (ซอสที่ทำจากน้ำของเนื้อที่กำลังปรุงอยู่).

gray another spelling of **grey** (คำสะกดอีกอย่างของ **grey**).

graze[1] *v* to eat grass that is growing (กินหญ้า): *Cows and sheep were grazing in the fields.*

graze[2] *v* to scrape skin from a part of your body (หนังถลอก): *I've grazed my hand on that stone wall.* — *n* the mark left by this (รอยที่เกิดจากการทำอย่างนี้): *I've got a graze on my knee.*

grease *n* 1 soft, thick, animal fat (นุ่ม หนา ไขมันสัตว์). 2 any thick, oily substance. — *v* to put grease on or in something (ใส่ไขมัน หรือใส่จาระบี). **'greas·y** *adj* (เต็มไปด้วยไขมัน).

great (grāt) *adj* 1 very important; remarkable (สำคัญมาก น่าทึ่ง): *a great writer; Napoleon was a great man.* 2 very large (ใหญ่มาก): *a great crowd of people.* 3 a lot of (มาก ๆ): *Take great care of that book.* 4 very good; very pleasant (ดีมาก ชอบมาก): *We had a great time at the party.*

'great·ly *adv* (อย่างมาก).

'greatness *n* (ความยิ่งใหญ่).

greed *n* too great a desire for food, money *etc.* (ความโลภ): *Eating five cakes one after the other is nothing but greed.*

'greed·y *adj* (ตะกละ).

'greed·i·ly *adv* (อย่างตะกละ).

'greed·i·ness *n* (ความตะกละ).

green *adj* **1** having the colour of growing grass (เขียวเหมือนกับมีหญ้าขึ้น). **2** not ripe (ไม่สุก): *green bananas.* **3** without experience (ไม่มีประสบการณ์): *Only someone as green as you would believe a story like that.* **4** pale; sicklooking (ซีดเซียว ดูเหมือนไม่สบาย). — *n* the colour of grass.

'green·er·y *n* leaves (ใบไม้): *Add some greenery to that vase of flowers.*

'green·gro·cer *n* a person who sells fruit and vegetables (คนขายผลไม้และผัก): *Fetch me a melon from the greengrocer's shop.*

'green·house *n* a building, usually made of glass, in which plants are grown (เรือนกระจก): *In Holland tomatoes are grown in huge greenhouses.*

greens *n* green vegetables (ผักใบเขียว).

green with envy very jealous (อิจฉามาก).

greet *v* to welcome (ต้อนรับ): *She greeted me when I arrived.*

'greet·ing *n* words of welcome; a kind message (คำพูดต้อนรับ ข่าวสารดี ๆ): *a friendly greeting; Christmas greetings.*

'grem·lin *n* an imaginary creature responsible for faults in machinery (ตัวที่จินตนาการขึ้นมาว่าต้องรับผิดชอบต่อความผิดพลาดของเครื่องจักร): *The computer failure was blamed on gremlins.*

gre'nade *n* a small bomb, especially one thrown by hand (ระเบิดมือ).

grew *see* **grow** (ดู **grow**).

grey (*grā*) or **gray** *n* a colour between black and white (สีเทา). — *adj* **1** having this colour (มีสีแบบนี้): *a grey donkey.* **2** having hair that is becoming white; grey-haired (ผมหงอก): *He's going grey.*

'grey·hound *n* a breed of dog that can run very fast and is used for racing (สุนัขพันธุ์หนึ่งซึ่งวิ่งเร็วมาก ใช้สำหรับวิ่งแข่ง).

grid *n* **1** a pattern of straight lines forming squares on a map, which help you find places on that map (เส้นตัดกันเป็นรูปสี่เหลี่ยมบนแผนที่): *She found the correct map reference using the grid.* **2** a system of wires and cables which carry electricity over a large area (ระบบของสายไฟและสายเคเบิลซึ่งนำไฟฟ้าไปในพื้นที่กว้าง ๆ): *the National Grid.*

grief (*grēf*) *n* great sorrow or unhappiness (ความเศร้าโศกยิ่งนัก การไม่มีความสุข): *She was filled with grief at the news of her sister's death.*

'griev·ance *n* a cause for complaining (ประเด็นการร้องทุกข์).

grieve *v* **1** to be very sad (เศร้ามาก ๆ): *She was grieving for her dead husband.* **2** to upset someone (ทำให้ว้าวุ่น): *Your bad behaviour grieves me.*

'griev·ous *adj* very bad; causing a lot of suffering (เลวมาก ทำให้เกิดความทุกข์ทรมานมากมาย): *a grievous illness.*

'griev·ous·ly *adv* (อย่างรุนแรง): *He was grievously injured.*

grill *v* to cook directly under heat (ย่าง): *to grill steaks.* — *n* **1** the part of a cooker used for grilling (ส่วนหนึ่งของเครื่องย่าง). **2** a frame of metal bars for grilling food on (ตะแกรงเหล็กที่ใช้ย่าง). **3** a dish of grilled food (อาหารที่ย่าง): *a mixed grill.*

grim *adj* **1** horrible (น่ากลัว): *a grim accident.* **2** angry; stern (โมโห เข้มงวด): *The boss looks a bit grim this morning.*

'grim·ly *adv* (อย่างเข้มงวด).

'grim·ness *n* (ความเข้มงวด).

grimace (*gri'mās, 'grim-əs*) *n* a twisted expression on the face, sometimes made from pain or disgust, sometimes as a joke (ใบหน้าบิดเบี้ยวด้วยความเจ็บปวดหรือด้วยความขยะแขยง บางครั้งก็เป็นการเล่นตลก): *He made a rude grimace behind the teacher's back.* — *v* to make a grimace (ทำใบหน้าบิดเบี้ยว): *He grimaced with pain as the doctor touched his wound.*

grime *n* dirt that is difficult to remove (ฝุ่นที่เอาออกยาก).

'gri·my *adj* (เปื้อนฝุ่น).

grin *v* to smile very cheerfully (ยิ้มอย่างเริงร่า). — *n* a wide smile.

grind (*grīnd*) *v* **1** to crush something into powder or small pieces (บด): *This machine* *grinds coffee.* **2** to rub two surfaces together (ขบ): *stop grinding your teeth!* — *n* boring hard work (งานหนักที่น่าเบื่อ): *Learning vocabulary is a bit of a grind.*

grind; ground; ground: *She ground the coffee; He has ground the spices.*

'grind·er *n* (เครื่องบด).

'grind·stone *n* a wheel-shaped stone against which knives are sharpened as it turns (หินลับมีด).

grip *v* to take a firm hold of something or someone (จับให้มั่น): *Grip my hand; He gripped his stick; The speaker gripped the attention of his audience.* — *n* **1** a firm hold (การจับอย่างแน่น): *He had a firm grip on the rope; He has a very strong grip; The land was in the grip of a terrible storm.* **2** a bag used by travellers (ถุงที่นักเดินทางใช้). **3** understanding (ความเข้าใจ): *He has a good grip of the subject.*

'grip·ping *adj* exciting (น่าตื่นเต้น): *a gripping story.*

lose your grip to lose control (สูญเสียการควบคุม).

'gris·ly (*'griz-li*) *adj* horrible; very nasty (น่ากลัวน่าเกลียดมาก ๆ): *a grisly sight.*

'gris·tle *n* a tough, rubbery substance found in meat (พังผืด): *There's too much gristle in this steak.*

grit *n* **1** very small pieces of stone (เศษหินก้อนเล็กมาก). **2** courage (ความกล้า): *He's got a lot of grit.* — *v* to keep your teeth tightly closed together (ขบฟันแน่น): *He gritted his teeth to stop himself crying out in pain.*

'griz·zly *n* or **griz·zly bear** a large bear of North America (หมีใหญ่แห่งอเมริกาเหนือ).

groan *v* to make a deep sound in your throat from pain, unhappiness *etc.* (ครวญคราง ไม่มีความสุข): *to groan with pain.* — *n: a groan of despair.*

groaning with loaded with something (บรรจุไว้ด้วย): *The table was groaning with food.*

'gro·cer *n* a person who sells food and household supplies (คนขายอาหารและเครื่องใช้ภายในบ้าน).

'gro·cer·ies *n* food *etc.* sold in a grocer's shop (อาหาร ฯลฯ ที่ขายในร้านแบบนี้).

groin *n* the part of the lower body where the abdomen and legs are joined (ต้นขา): *He pulled a muscle in his groin playing football.*

groom *n* **1** a person who looks after horses (คนเลี้ยงม้า). **2** a bridegroom (เจ้าบ่าว). — *v* to clean and brush a horse's coat (ทำความสะอาดและปัดผ้าคลุมม้า).

groove *n* a long, narrow cut made in a surface (ร่อง): *the groove in a record.*

grooved *adj* (เป็นร่อง).

grope *v* to search by feeling with your hands (คลำหาด้วยมือ): *He groped for the door.*

gross (*grōs*) *adj* **1** very bad (เลวมาก): *gross errors; gross behaviour.* **2** very fat indeed (อ้วนจริง ๆ): *He has become quite gross.* **3** total (น้ำหนักทั้งหมด): *gross weight.* — *n* the total made by several things added together (น้ำหนักรวมของหลาย ๆ สิ่ง).

'gross·ly *adv* (อย่างรวมกัน).

gro'tesque (*grō'tesk*) *adj* unnatural and strange-looking (ไม่เป็นธรรมชาติและดูแปลก ๆ): *a grotesque carving.*

grouch *v* to complain (บ่น). — *n* a complaint (การบ่น).

'grouch·y *adj* (ขี้บ่น).

ground[1] see **grind** (ดู **grind**).

ground[2] *n* **1** the solid surface of the earth (พื้นดิน): *lying on the ground; high ground.* **2** a piece of land used for some purpose (ที่ดินผืนหนึ่งใช้ทำอะไรบางอย่าง): *a football ground.* — *v* **1** to let a ship run against sand, rocks *etc.*, and become stuck (เกยตื้น): *The ship was grounded on rocks.* **2** to prevent an aeroplane or pilot from flying (ป้องกันไม่ให้เครื่องบินหรือนักบินบินขึ้น): *All planes have been grounded because of the fog.*

'ground·ing *n* the teaching of the basic facts of a subject (การสอนพื้นฐานความจริงของวิชานั้น): *a grounding in mathematics.*

'ground·less *adj* without reason (ไม่มีเหตุผล): *Your fears are groundless.*

ground floor the rooms of a building that are

at street level (ชั้นล่างระดับเดียวกับถนน).

'ground•nut *see* **peanut** (ดู **peanut**).

grounds *n* **1** the land round a large house *etc.* (พื้นดินรอบ ๆ บ้านใหญ่): *the castle grounds.* **2** good reasons (เหตุผลดี): *Have you any grounds for calling him a liar?*

'ground•sheet *n* a waterproof sheet that is spread on the ground in a tent *etc.* (แผ่นกันน้ำซึ่งใช้ปูบนพื้นของเต็นท์).

group (*groop*) *n* **1** a number of people or things together (กลุ่ม): *a group of boys.* **2** a group of people who play or sing together (กลุ่มคนที่เล่นหรือร้องเพลงด้วยกัน): *a pop group; a folk group.* — *v* to form into a group or groups (ตั้งเป็นกลุ่มขึ้น): *The children grouped round the teacher.*

grouse *v* to complain (บ่น): *He's always grousing about something or other.*

grove *n* a group of trees (กลุ่มต้นไม้).

'grov•el *v* to crawl; to go down on the floor, especially in fear or humbleness (คลาน ลดตัวลงกับพื้น ด้วยความกลัวหรือถ่อมตน).

grow (*grō*) *v* **1** to make a plant develop from a seed *etc.*; to develop in this way (ปลูกพืชขึ้นมาจากเมล็ด): *He grows roses; Carrots grow well in this soil.* **2** to increase (เพิ่มขึ้น): *Their friendship grew as time went on.* **3** to let hair get longer; to get longer (ปล่อยให้ยาวขึ้น): *Your hair has grown a lot; Are you growing a beard?* **4** to get bigger; to develop (ใหญ่ขึ้น พัฒนาขึ้นมา): *You've grown since I last saw you; She has grown into a lovely young woman.* **5** to become (กลายเป็น): *It's growing dark; He has grown old.*

grow; grew (*groo*); **grown**: *She grew flowers in her garden; He has grown tall.*

grow up to become an adult (เติบโตขึ้น): *My children are growing up fast; I want to be a doctor when I grow up.*

growl *v* to make a deep, rough sound in the throat (คำราม): *The dog growled angrily.* — *n* (คำรามด้วยความโกรธ): *a growl of anger.*

grown (*grōn*) *adj* adult (เป็นผู้ใหญ่): *My son is a grown man now; a fully grown dog.*

'grown-up *n* an adult (ผู้ใหญ่): *The grown-ups go to bed late.* — *adj* adult (อย่างผู้ใหญ่): *I'm pleased with you for behaving in such a grown-up way.*

growth (*grōth*) *n* **1** the process of growing (ความเจริญ ความเติบโต): *The growth of a plant.* **2** the amount grown (ปริมาณการเจริญเติบโต): *Can we measure the growth of a tree during the year?* **3** a patch of cancer in the body (ส่วนที่เป็นมะเร็งในร่างกาย).

grub *n* **1** the form of an insect after it hatches from its egg (สภาพของแมลงหลังจากฟักตัวออกจากไข่): *A caterpillar is a grub.* **2** a slang term for food (คำแสลงหมายถึงอาหาร): *Have we enough grub to eat?*

'grub•by *adj* dirty (สกปรก): *a grubby little boy.*

grudge (*gruj*) *v* **1** to be unwilling to do, give *etc.*; to do, give *etc.* unwillingly (ไม่ยอม ไม่เต็มใจ): *I grudge wasting time on this silly job; We shouldn't grudge help to those that need it.* **2** to be jealous of something (อิจฉา): *He grudges her the success she has had.* — *n* a feeling of anger *etc.* (รู้สึกโกรธ): *He has a grudge against me.*

'grudg•ing *adj* unwilling (ไม่เต็มใจ).

'grudg•ing•ly *adv* (อย่างไม่เต็มใจ).

'grue•some (*'groo-səm*) *adj* horrible (น่ากลัว).

gruff *adj* deep and rough; sounding a bit unfriendly: (ห้าว กระด้าง) *a gruff voice; He's a bit gruff, but really very kind.*

'gruff•ly *adv*. **'gruffness** *n*.

'grum•ble *v* **1** to complain in a bad-tempered way (พร่ำบ่นอย่างอารมณ์เสีย): *He grumbled at the way he had been treated.* **2** to make a low deep sound (ทำเสียงต่ำ ๆ ลึก ๆ): *Thunder grumbled in the distance.* — *n* **1** a complaint (บ่น): *I'm tired of your grumbles.* **2** a low, deep sound (เสียงต่ำๆ ลึก ๆ).

'grump•y *adj* bad-tempered (อารมณ์ร้าย).

'grump•i•ly *adv* (อย่างอารมณ์ร้าย).

'grump•i•ness *n* (ความมีอารมณ์ร้าย).

grunt *v* to make a low, rough sound (ทำเสียงฮึดฮัด): *The pigs grunted when the farmer brought their food.* — *n* this sound (เสียงแบบนี้): *a grunt of pleasure.*

guar•an'tee (*gar-ən'tē*) *n* a statement by the

maker of something that it will work well and a promise to repair it if it goes wrong within a certain period of time (การรับประกัน): *This guarantee is valid for one year.* — *v* **1** to give a guarantee (รับประกัน): *This watch is guaranteed for six months.* **2** to state that something is true, definite *etc.* (รับรอง): *I can't guarantee that what he told me is correct.*

guard (*gärd*) *v* **1** to protect someone or something from danger or attack (การรักษาความปลอดภัย การระวังระไว): *The soldiers were guarding the palace.* **2** to prevent a person from escaping (การเฝ้าคนไม่ให้หนี): *The soldiers guarded their prisoners.* **3** to prevent something from happening (การระวังไม่ให้บางอย่างเกิดขึ้น): *to guard against mistakes.* — *n* **1** someone, or a group, that protects (คนคุ้มกัน คนที่คอยระวังป้องกัน): *There was always a guard round the king.* **2** something that protects (เครื่องป้องกัน): *She put a guard in front of the fire.* **3** someone whose job is to prevent a person from escaping (ยามรักษาการณ์): *There was a guard with the prisoner every hour of the day.* **4** a person in charge of a train (พนักงานรักษารถบนขบวนรถไฟ). **5** the duty of guarding (หน้าที่ในการรักษาความปลอดภัย).

'guard·ed *adj* cautious (อย่างระมัดระวัง): *a guarded reply.*

keep guard (รักษาการณ์): *The soldiers kept guard over the prisoner.*

off guard unprepared (ไม่เตรียมตัว ไม่ทันรู้ตัว): *He hit me while I was off guard; to catch someone off guard.*

on guard prepared (เตรียมตัว): *Be on your guard against his tricks.*

stand guard (เฝ้ายาม): *The policeman stood guard at the gates.*

'guard·i·an (*'gärd-i-ən*) *n* **1** a person who takes care of a child, usually an orphan (ผู้ปกครอง). **2** a person who looks after something (ผู้ดูแล): *the guardian of the castle.*

'guard·i·an·ship *n* the duty of being a guardian (หน้าที่ของผู้ปกครอง).

'gua·va (*'gwä-və*) *n* a yellow fruit, shaped like a pear, that is grown in the tropics (ผลฝรั่ง).

guer'ril·la or **gue'ril·la** (*gə'ril-ə*) *n* a member of an armed group of fighters (สมาชิกในกลุ่มของกองโจร): *The guerrillas made an attack on the army base; guerrilla warfare.*

guess (*ges*) *v* **1** to say what you think is likely or probable (เดา): *I'm trying to guess the height of this building; If you don't know the answer, just guess.* **2** to think (คิดว่า): *I guess I'll have to leave now.* — *n* an answer that is guessed (คำตอบที่เป็นการเดา): *I didn't know her age, but I guessed that she was 26.*

'guess·work *n* guessing (การเดา): *I got the answer by guesswork.*

guest (*gest*) *n* a visitor received in a house, in a hotel *etc.* (แขก): *We are having guests for dinner.*

'guest·house *n* a small hotel (โรงแรมเล็ก ๆ).

guf'faw *v* to laugh loudly (หัวเราะเสียงดัง): *He guffawed loudly through the whole film.* — *n* a loud laugh (การหัวเราะเสียงดัง): *He let out a guffaw at the joke.*

'gui·dance (*'gī-dəns*) *n* **1** leadership, instruction (ความเป็นผู้นำ คำสั่ง): *work done under the guidance of the teacher.* **2** advice (คำแนะนำ).

guide (*gīd*) *v* to lead, direct or show someone the way (นำไป ชี้ทาง): *I don't know how to get to your house — I'll need someone to guide me; Should children always be guided by their parents?* — *n* **1** a person who shows the way to go, points out interesting things *etc.* (มัคคุเทศก์): *A guide will show you round the castle.* **2** a book that contains information for tourists (หนังสือเกี่ยวกับการท่องเที่ยว): *a guide to London.* **3** a Girl Guide (มัคคุเทศก์หญิง). **4** something you use to guide you (สิ่งที่เราใช้นำทาง): *I've drawn a diagram, which you can use as a guide.*

'guide·book *n* a book of information for tourists (หนังสือข่าวสารการท่องเที่ยว).

guide dog a dog which has been trained to lead blind people safely (หมานำทางสำหรับคนตาบอด).

'guide·lines *n* advice about how something should be done (คำแนะนำว่าควรจะทำอย่างไร).

guilt (*gilt*) *n* **1** a feeling of shame for having done wrong (ความรู้สึกละอายที่ทำผิด): *Do you feel no guilt after telling such a lie?* **2** being guilty of a crime or other wrong act (การกระทำความผิด): *The fingerprints on the gun proved the man's guilt.*

'guilt·y *adj* **1** having committed a crime or done some other wrong (มีความผิด): *The judge said the man was guilty of murder.* **2** feeling guilt (รู้สึกผิด): *I've got a guilty conscience.* **'guilt·i·ly** *adv* (อย่างมีผิด ส่อพิรุธ).

The opposite of **guilty** is **innocent**.

'guin·ea-pig (*'gin-i-pig*) *n* a small animal like a rabbit but with short ears, that can be kept as a pet (หนูตะเภา).

gui'tar (*gi'tär*) *n* a musical instrument with strings (กีตาร์). **gui'tar·ist** *n* (นักเล่นกีตาร์).

gulf *n* a large bay (อ่าวใหญ่ ๆ): *the Gulf of Mexico.*

gull *n* a large sea bird with grey and white, or black and white, feathers; a seagull (นกนางนวล).

'gul·let *n* the tube by which food passes from the mouth to the stomach (คอหอย).

'gull·i·ble *adj* easily tricked or fooled (ถูกลวงได้ง่าย): *He persuaded some gullible people to lend him money and then he left the country.*

'gull·y *n* a channel worn by running water, often on the side of a mountain (ร่องน้ำมักอยู่ตรงด้านข้างของภูเขา): *They looked down into the deep, snow-filled gully.*

gulp *v* to swallow eagerly or in large mouthfuls (กลืนอย่างกระหายหรือคำใหญ่ ๆ): *He gulped down the water.* — *n* the action of swallowing (การกลืน): *He drank the glass of water in one gulp; He took a large gulp of coffee.*

gum[1] *n* the firm flesh in which your teeth grow (เหงือก).

gum[2] *n* **1** a sticky juice got from some trees and plants (น้ำเหนียว ๆ ได้จากต้นไม้และพืชบางชนิด). **2** glue (กาว). **3** a kind of sweet (ขนมหวาน): *a fruit gum.* **4** chewing-gum (หมากฝรั่ง). — *v* to glue; to stick (ติด): *Gum the two bits of paper together.*

gun *n* a weapon that fires bullets, shells *etc.* (ปืน): *He fired a gun at the burglar.*

'gun·boat *n* a small warship with large guns (เรือรบลำเล็ก ๆ ที่มีปืนขนาดใหญ่).

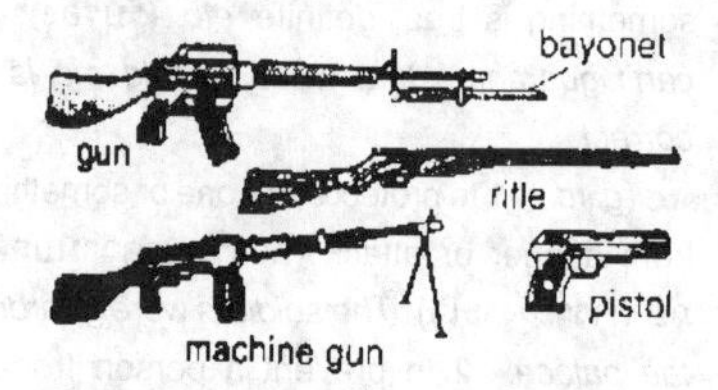

'gun·fire *n* the firing of guns (การยิงปืน): *I could hear the sound of gunfire.*

'gun·man *n* a criminal who uses a gun (อาชญากรผู้ใช้ปืน มือปืน).

'gun·pow·der *n* an explosive powder (ดินปืน).

'gun·shot *n* the sound of a gun firing (เสียงยิงปืน): *I heard a gunshot.*

'gup·py *n* a small brightly-coloured freshwater fish (ปลาน้ำจืดตัวเล็ก ๆ สีสดใส).

'gur·gle (*'gär-gəl*) *v* **1** to make a bubbling sound while flowing (ทำเสียงดังปุด ๆ ขณะที่ไหลไป): *They could hear a stream gurgling nearby.* **2** to make a bubbling sound in your throat (ทำเสียงน้ำกลั้วในลำคอ): *The baby gurgled with pleasure.* — *n* a gurgling sound (เสียงกลั้วคอ): *The baby gave a gurgle of delight.*

gush *v* to flow out suddenly and strongly (พุ่งออกมาอย่างรุนแรง): *Blood gushed from his wound.*

gust *n* a sudden blast of wind (ลมพัดรุนแรง).

'gus·to *n* enjoyment (ความสนุกสนาน): *He told the story with gusto.*

gut *n* **1** a very long coiled tube in the lower part of your body, through which food passes (ลำไส้). **2** a strong thread made from the gut of an animal, used for violin strings *etc.* (เส้นเอ็นที่ทำจากเครื่องในของสัตว์ ใช้เป็นสายของไวโอลิน ฯลฯ). — *v* **1** to take the guts out of fish *etc.* (เอาพุงปลาออก). **2** to destroy the inside of a building (ทำลายด้านในของตัวอาคาร): *The fire gutted the house.*

guts *n* **1** the gut, liver, kidneys *etc.* (**เครื่องใน ตับ ไต ฯลฯ**). **2** courage (**ความกล้า**): *He's got a lot of guts.*

'gut·ter *n* a channel for carrying away water, especially at the edge of a road (**ท่อระบายน้ำริมถนน**).

guy (*gī*) *n* a man (**ผู้ชาย**): *I don't know the guy you're talking about.*

gym (*jim*) short for **gymnasium** and **gymnastics** (**เป็นคำสั้น ๆ ของ gymnasium** and **gymnastics**).

gym'na·si·um (*jim'nā-zi-əm*) *n* a building or room with equipment for physical exercise (**อาคารหรือห้องที่มีเครื่องมือสำหรับออกกำลังกาย**).

'gym·nast (*'jim-nast*) *n* a person who does gymnastics (**นักยิมนาสติก**).

gym'nas·tic *adj* having to do with gymnastics (**แห่งยิมนาสติก**): *gymnastic exercises.*

gym'nas·tics *n* exercises to strengthen and train your body (**การออกกำลังกายเพื่อฝึกร่างกายและทำให้แข็งแรง**).

'gyp·sy or **'gip·sy** (*jip-si*) *n* a member of a race of wandering people (**ชาวยิปซี**)

ha! (*hä*) an expression of surprise, triumph *etc.* (การอุทานแสดงความประหลาดใจ ความมีชัย ฯลฯ): *Ha! I've found it!*

'hab·it *n* something that a person does usually or regularly (นิสัย): *He has the habit of going for a run before breakfast; She could not get out of the habit of smoking; I switched on the light from habit, forgetting it was broken.*

'hab·it·a·ble *adj* fit to be lived in (เหมาะที่จะอยู่อาศัย): *This old house is no longer habitable.*

'hab·i·tat *n* the natural home of an animal or plant (บ้านตามธรรมชาติของสัตว์หรือพืช แหล่งที่อยู่อาศัย).

ha'bit·u·al (*hə'bit-ū-əl*) *adj* **1** always doing something; constant (ทำจนเป็นนิสัย): *He's a habitual criminal.* **2** regular (โดยปกติ): *He took his habitual walk before bed.*

hack *v* to cut or chop up roughly (สับตัดหรือฟันอย่างแรง): *The butcher hacked the beef into large pieces.*

'hack·neyed (*'hak-nēd*) *adj* used too much and no longer meaning anything (ใช้บ่อยเกินไปจนไม่มีความหมาย): *a hackneyed expression of regret.*

'hack·saw *n* a saw for cutting metal (เลื่อยตัดโลหะ).

had *see* **have** (ดู **have**).

hadn't short for (คำย่อของ **had not**).

'haem·orr·hage (*'hem-ə-rij*) *n* very serious bleeding, either inside the body or from a wound (ตกเลือด): *He suffered a haemorrhage during the operation.*

hag *n* an ugly old woman (หญิงชราที่น่าเกลียด).

'hag·gard *adj* looking very tired and thinfaced (อ่อนระโหยและมีใบหน้าซูบซีด): *She was haggard after a sleepless night.*

'hagg·is *n* a Scottish dish made from the internal organs of sheep and calves mixed with finely ground oats (อาหารของชาวสก๊อตทำจากเครื่องในของแกะและลูกวัวผสมเข้ากับข้าวโอ๊ตที่บดแล้ว).

'hag·gle *v* to argue about the price of something (ต่อรองราคา).

hail[1] *n* small balls of ice falling from the clouds (น้ำแข็งลูกเล็ก ๆ ตกลงมาจากเมฆ): *There was some hail during the rainstorm last night.*

'hail·stone *n* a ball of hail (ลูกเห็บ).

hail[2] *v* **1** to call or shout to someone (เรียกหรือตะโกนเรียก): *He hailed me from across the street; We hailed a taxi.* **2** to greet; to welcome (ทักทาย ต้อนรับ): *The Queen was hailed by the crowd.*

hair *n* **1** one of the thread-like things that grow from your skin (ขน): *He brushed the dog's hairs off his jacket.* **2** the mass of these on your head (ผม): *He still has plenty of hair, but it's going grey.*

a piece of hair is a **lock** of hair (ปอยผม).

'hair·cut *n* the cutting of a person's hair, or the style in which it is cut (การตัดผม): *I like your new haircut; Go and get a haircut.*

'hair-do *n* a hairstyle (ทรงผม): *I like her new hair-do.*

'hair·dress·er *n* a person who washes, cuts, curls *etc.* people's hair (ช่างแต่งผม).

'hair·dress·ing *n* (การแต่งผม).

See **barber**

'hair-dri·er *n* an electrical device that dries your hair by blowing hot air over it (เครื่องเป่าผม).

-haired: *a fair-haired girl.*

'hair-rais·ing *adj* causing great fear (ทำให้เกิดความกลัวอย่างมาก กลัวจนขนหัวลุก): *a hair-raising adventure.*

'hair's-breadth *n* a very small distance (ระยะห่างนิดเดียว เฉียดนิดเดียว): *The bullet missed him by a hair's-breadth.*

'hair·style *n* the style or shape in which you have your hair cut and arranged (ทรงผม): *a simple hairstyle.*

'hair·y *adj* having a lot of hair (ปกคลุมด้วยผม ขน): *a hairy chest.*

make someone's hair stand on end to terrify someone (ทำให้หวาดกลัว ทำให้ขนลุก).

split hairs to worry about unimportant details (วิตกกังวลเกี่ยวกับรายละเอียดที่ไม่สำคัญ).

half (*häf*), *plural* **halves** (*hävz*), *n* one of two equal parts of anything (ครึ่ง): *He cut the* *apple into two halves and gave one half to me; half a kilo of sugar; a kilo and a half of sugar; one and a half kilos of sugar.* — *adj* being half the usual size or amount **(ครึ่งหนึ่งของขนาดหรือจำนวนปกติ)**: *The children were given half portions at the restaurant; a half-bottle of wine.* — *adv* **1** to the extent of one half **(ขนาดแค่ครึ่งเดียว)**: *This cup is only half full; It's half empty; They met a strange creature that was half man and half horse.* **2** almost; partly **(แทบจะ บางส่วน)**: *I'm half hoping he won't come; They were half dead from hunger.*

'half-broth·er, 'half-sis·ter *n* a brother or sister who is the child of only one of your parents **(พี่น้องซึ่งเป็นลูกของพ่อหรือแม่ของเราเพียงคนเดียว)**: *My father has been married twice, and I have two half-brothers.*

half-'heart·ed *adj* not eager; unwilling **(ไม่อยาก ไม่เต็มใจ)**: *a half-hearted attempt.*

half-'time *n* a short rest between two halves of a game of football *etc.* **(พักครึ่งเวลา)**.

'half-way *adj, adv* of or at a point equally far from the beginning and the end **(ครึ่งทาง ครึ่งหนึ่ง)**: *We are half-way through the work now; the half-way point.*

at half mast flying at a position half-way up a mast *etc.* to show that someone of importance has died **(ลดธงครึ่งเสา ฯลฯ เพื่อแสดงว่าคนสำคัญบางคนได้ตายลง)**: *The flags are at half mast.*

half past thirty minutes past the hour **(สามสิบนาทีผ่านไป)**: *He's arriving at half past two.*

in half in two equal parts **(สองส่วนเท่ากัน)**: *He cut the cake in half; The pencil broke in half.*

hall (*höl*) *n* **1** a room or passage at the entrance to a house **(ห้องโถงหรือทางเดินตรงประตูเข้าบ้าน)**: *We left our coats in the hall.* **2** a large public room, used for concerts, meetings *etc.* **(ห้องสาธารณะขนาดใหญ่ใช้สำหรับแสดงดนตรี ประชุม ฯลฯ)**. **3** a building with offices where the running of a town *etc.* is carried out **(ศาลากลาง)**: *a town hall.*

'hall·mark *n* **1** a mark on a silver or gold article which guarantees its quality **(เครื่องหมายรับรองคุณภาพ)**: *Don t buy a piece of gold jewellery unless it has a hallmark.* **2** a typical feature or quality **(ลักษณะพิเศษ หรือคุณภาพ)**: *Neatness is a hallmark of her work.*

hal'lo!, hel'lo!, hul'lo! a word used as a greeting, or to attract attention **(คำที่ใช้ทักทายหรือดึงดูดความสนใจ)**: *Hallo! How are you?; Say hallo to your aunt.*

hal·lu·ci'na·tion *n* the seeing of something that is not really there **(อาการเพ้อ การเห็นไปเอง สัญญาวิปลาส)**: *He had a very high fever which gave him hallucinations.*

halt (*hölt*) *v* to come or bring to a stop **(ทำให้หยุด)**: *The driver halted the train; The train halted at the signals.* — *n* a stop **(หยุด)**: *The train came to a halt.*

halve (*häv*) *v* **1** to divide something in two equal parts **(แบ่งออกเป็นสองส่วนเท่ากัน)**: *He halved the apple.* **2** to reduce something a lot **(ลดบางอย่างลงไปมาก)**: *This new device will halve your housework.*

halves the plural of **(พหูพจน์ของ half)**.

ham *n* the top of the back leg of a pig, salted and dried, used as meat **(แฮม เนื้อหมูเค็ม)**.

'ham·burg·er (*'ham-bər-gər*) *n* a round, flat piece of minced beef, that is fried and then put into a bread roll with slices of onion *etc.* **(เนื้อสับเป็นก้อนกลม ๆ แบน ๆ เอามาทอดแล้วใส่ในขนมปังซึ่งมีหอมใหญ่หั่นเป็นชิ้นบาง ๆ อยู่)**.

'ham·mer *n* **1** a tool with a heavy metal head, used for driving nails into wood *etc.* **(ฆ้อน)**. **2** a device inside a piano *etc.* that hits against some other part, so making a noise **(ฆ้อนในเปียโนที่เคาะกับส่วนอื่นทำให้เกิดเป็นเสียง)**. — *v* to hit something with a hammer **(ทุบด้วยฆ้อน)**: *He hammered the nail into the wall.*

'ham·mock *n* a long piece of material hung up by the corners and used as a bed **(เปลญวน)**.

See **bed**.

'ham·per[1] *v* to make it difficult for someone to do something **(กีดขวาง)**: *I tried to run but I was hampered by my long dress.*

'ham·per[2] *n* a large basket, especially for picnics (ตระกร้าใหญ่ ๆ).

'ham·ster *n* a small, light brown animal, rather like a big mouse with a tiny tail, that can be kept as a pet (หนูพันธุ์หนึ่ง).

hand *n* **1** the part of your body at the end of your arm (**มือ**). **2** a pointer on a clock, watch *etc.* (เข็มนาฬิกา): *Clocks usually have an hour hand and a minute hand.* **3** a person employed as a helper, crew member *etc.* (ลูกมือ): *a farm hand; All hands on deck!* **4** help; assistance (ช่วยเหลือ): *Can I lend a hand?; Give me a hand with this box, please.* **5** handwriting (ลายมือ): *a letter written in a neat hand.* — *v* to give; to pass (ให้ ส่งให้): *I handed him the book; He handed it back to me; I'll go up the ladder, and you can hand the tools up to me; That is the end of the news — I'll now hand you back to Jack Frost for the weather report.*

'hand·bag *n* a small bag carried by women, for personal belongings (กระเป๋าถือของผู้หญิง).

See **bag**

'hand·book *n* a small book giving information about something (หนังสือคู่มือ): *a handbook of European birds; a bicycle-repair handbook.*

'hand·brake *n* a brake operated by the driver's hand (เบรกมือ).

'hand·cuff *v* to put handcuffs on someone (ใส่กุญแจมือ): *The police handcuffed the criminal.*

'hand·cuffs *n* steel rings, joined by a short chain, put round the wrists of prisoners (กุญแจมือ): *a pair of handcuffs.*

'hand·ful *n* **1** as much as you can hold in your hand (เต็มมือ): *a handful of sweets.* **2** a small number (จำนวนน้อย): *Only a handful of people came to the meeting.*

at hand 1 near (ใกล้): *The bus station is close at hand.* **2** available (ใช้เป็นประโยชน์ได้): *Help is at hand.*

by hand 1 with your hands, or with tools that you hold in your hands, rather than with machinery (ทำด้วยมือ): *furniture made by hand.* **2** not by post but by a messenger *etc.* (ส่งด้วยมือ): *This parcel was delivered by hand.*

get your hands on 1 to catch (จับได้): *If I ever get my hands on him, I'll make him sorry for what he did!* **2** to obtain (ได้มา): *I'd love to get my hands on a car like that.*

give someone a hand to help someone (ช่วยเหลือ): *Give me a hand with these dishes.*

hand down to pass something on to your children (ส่งต่อลงมายังลูก ๆ): *These stories have been handed down from parents to children for many generations.*

hand in to give something to a person who is in charge (ส่ง): *The teacher told the children to hand in their exercise-books.*

hand in hand with one person holding the hand of another (จับมือกัน): *The boy and girl were walking along hand in hand.*

hand out to give something to several people; to distribute (แจกจ่าย): *The teacher handed out books to all the pupils.*

hand over to give up something to someone (มอบให้ ส่งมอบ): *We know you have the jewels, so hand them over; They handed the thief over to the police.*

hands off! do not touch!

hands up! raise your hands above your head (อย่าแตะ ยกมือขึ้นเหนือศีรษะ): *"Hands up!" shouted the gunman.*

have a hand in something to be one of the people who have taken part in some project *etc.* (มีส่วนร่วมในโครงการบางอย่าง): *Did you have a hand in writing this dictionary?*

have, get or gain the upper hand to win; to be in a position in which you can win (ชนะ อยู่ในตำแหน่งที่เราสามารถชนะได้).

in good hands receiving care and attention (รับการเอาใจใส่และดูแล): *The patient is in good hands.*

lend a hand to help (ช่วยเหลือ): *Lend a hand with this luggage, please!*

on hand near; present; ready for use *etc.* (ใกล้ ๆ มีเอาไว้ พร้อมที่จะใช้): *We always keep some candles on hand in case there's* *an electricity cut.*

on the one hand...on the other hand used to show two opposite sides of an argument (ในแง่หนึ่ง...ในอีกแง่หนึ่ง ใช้แสดงถึงแง่คิดที่ตรงข้ามกัน): *We could, on the one hand, wait for the rain to stop; on the other hand, it might be better to cancel the expedition.*

out of hand unable to be controlled (ไม่สามารถควบคุมได้): *The angry crowd was getting out of hand.*

shake hands with someone, shake someone's hand to grasp and shake a person's hand as a form of greeting or as a sign of agreement (จับมือเขย่าเป็นการทักทายหรือเป็นเครื่องหมายแสดงว่าเห็นด้วย).

'hand·shake *n* (การจับมือเขย่า).

'hand·i·cap *n* **1** something that makes doing something more difficult (บางอย่างที่ทำให้ทำอะไรบางอย่างได้ยากขึ้น): *The loss of a finger would be a handicap for a pianist.* **2** a disadvantage of some sort, for instance, having to run a greater distance, given to the best competitors in a race, competition *etc.*, so that others have a better chance of winning (ข้อเสียเปรียบ). — *v* to make something more difficult for someone (ทำบางอย่างให้ยากมากขึ้นสำหรับใครบางคน): *He wanted to be a pianist, but was handicapped by his deafness.*

'hand·i·capped *adj* disabled (พิการ): *He is physically handicapped and cannot walk; a handicapped child.*

'hand·i·craft *n* skilled work done by hand, such as knitting, pottery *etc.* (งานฝีมือ เช่นการถักการปั้นหม้อ).

'hand·i·work (*'hand-i-wərk*) *n* things made by hand (งานทำด้วยมือ): *Examples of the pupils' handiwork were on show for their parents to see.*

handiwork is never used in the plural.

'hand·ker·chief (*'haŋ-kər-chif*) *n* a small square piece of cloth or paper tissue used for wiping your nose (ผ้าเช็ดหน้า).

'han·dle *n* the part of an object that you hold (ด้าม หู ส่วนหนึ่งของวัตถุที่เราจับ): *I've broken the handle off this cup; You've got to turn the handle in order to open the door.* — *v* **1** to touch or hold in your hand (จับหรือถือไว้ในมือ): *Please wash your hands before handling food.* **2** to manage or deal with someone; to treat someone or something in a particular way (จัดการ ดูแล): *He'll never make a good teacher — he doesn't know how to handle children; Never handle animals roughly.*

'han·dle·bars *n* the curved bar at the front of a bicycle *etc.*, that the rider holds, and uses for steering (ที่มือจับตรงหน้าของจักรยานและใช้ในการบังคับ).

'hand·made *adj* made by hand, not machine (ทำด้วยมือ): *handmade furniture.*

'hand·some (*'han-səm*) *adj* **1** good-looking (น่าตาดี รูปทรงงาม): *a handsome man.* **2** generous (ใจดี): *He gave a handsome sum of money to charity.*

'hand-some·ly *adv* (อย่างมาก).

'hand·stand *n* the acrobatic act of balancing your body upside down on your hands (การเอามือยืนต่างเท้า): *We all had to do a handstand in our gymnastics lesson.*

'hand·wri·ting *n* the way you write (ลายมือ): *I can't read your handwriting.*

'hand·writ·ten *adj* written by hand, not typed or printed (เขียนด้วยมือ).

'hand·y *adj* **1** easy to reach; in a convenient place (เอาได้ง่าย สถานที่ที่สะดวก): *I like to keep my tools handy; This house is handy for the shops.* **2** easy to use; useful (ใช้ได้ง่าย เป็นประโยชน์): *a handy tool.*

'hand·i·ness *n* (ความสะดวก).

'hand·y·man *n* a man who does jobs, for himself or other people, especially around the house (คนที่ทำงานได้เบ็ดเตล็ด).

come in handy to be useful (เป็นประโยชน์): *I'll keep these bottles — they might come in handy.*

hang *v* **1** to fix or be fixed above the ground by a hook, cord, chain *etc.* (แขวน): *We'll hang the picture on that wall; The picture is hanging on the wall.* **2** to be drooping or falling downwards (ห้อยลงล่าง): *The dog's tongue was hanging out; Her hair was hanging* *down.* **3** to bend; to lower (ก้ม ต่ำลง): *He hung his head in shame.* **4** to kill someone by putting a rope round their neck and letting them drop (แขวนคอ): *Murderers used to be hanged in Britain.*

hang; hung; hung: *She hung up her coat; I've hung the laundry in the garden.* **But**: *He* **hanged** *himself; The murderer was* **hanged**.

hang about, hang around or **hang round** to stay in a place not doing anything, often because you are waiting for someone or have nothing else to do (เตร็ดเตร่โดยไม่ทำอะไร มักจะเป็นเพราะคอยใครอยู่หรือไม่มีอะไรทำ): *He hung round in the park with his friends.*

hang on 1 to wait (รอ): *Hang on a minute — I'm not quite ready.* **2** to hold (จับ): *Hang on to that rope.* **3** to keep (เก็บ): *He likes to hang on to his money.*

hang up to put the receiver back on the telephone (วางหูโทรศัพท์): *I tried to talk to her, but she hung up.*

'hang-up *n* something that always makes you feel anxious and nervous (อะไรบางอย่างที่ทำให้เราวิตกกังวลอยู่เสมอ): *I've got a hang-up about money matters.*

'hang·ar (*'haŋ-ər*) *n* a shed for aeroplanes (โรงเก็บเครื่องบิน).

'hang·er (*'haŋ-ər*) *n* a shaped wooden, plastic or metal object with a hook, for hanging jackets *etc.* on (เครื่องมือแขวน ที่แขวน).

'hang-gli·der *n* an aircraft with no engine that looks like a large kite, to which you can attach yourself, and fly from the top of a mountain *etc.* (เครื่องร่อน).

'hang-gli·ding *n* the activity of flying in a hang-glider (การร่อน): *They went up into the mountains to do some hang-gliding.*

'hang·ing *n* the killing of a criminal by hanging (การประหารชีวิตอาชญากรโดยการแขวนคอ).

'hang·ings *n* **1** curtains (ม่าน). **2** woven decorations hung on the wall (เครื่องถักที่ประดับบนกำแพง).

'hang·man *n* a man whose job is to hang criminals (เพชฌฆาต).

'hang·o·ver *n* the unpleasant effects of having had too much alcohol, such as a headache and feeling sick (อาการไม่สบายซึ่งเกิดจากการดื่มแอลกอฮอล์มาก): *On the morning after the party he woke up with a dreadful hangover.*

'hank·er *v* to want something very much (อยากได้อย่างมาก): *He was hankering after fame.*

'hank·ie, 'hank·y short for (คำย่อของ **handkerchief**).

hap'haz·ard *adj* not planned or organized; left to chance (เป็นไปโดยบังเอิญ): *Their plans for the holiday are rather haphazard; He put the books on the shelf in a haphazard way.*

hap'hazard·ly *adv* (อย่างบังเอิญ).

'hap·pen *v* **1** to occur (เกิดขึ้น): *What happened next?* **2** to befall; to affect someone or something (เกิดอะไรขึ้นกับ): *She's late — something must have happened to her; Something funny has happened to the television.* **3** to do or be by chance (บังเอิญ): *I happened to find him; He happens to be my friend; As it happens, I have the key in my pocket.*

'hap·pen·ing *n* an occurrence; an event (เหตุการณ์): *strange happenings.*

'hap·py *adj* **1** having or showing a feeling of pleasure (มีความสุข): *a happy smile; I feel happy today.* **2** willing (เต็มใจ): *I'd be happy to help you.* **3** lucky (โชคดี): *By a happy chance I have the key with me.*

'hap·pi·ness *n* (ความสุข).

'hap·pi·ly *adv* (อย่างมีความสุข).

hap·py-go-'luck·y *adj* not worrying about what might go wrong (ไม่กังวลว่าอะไรจะเกิดขึ้น).

'har·ass *v* **1** to annoy or trouble someone constantly (รบกวนอย่างสม่ำเสมอ): *The children have been harassing me all morning.* **2** to make frequent sudden attacks on an enemy (การโจมตีศัตรูบ่อยครั้ง).

'har·bour *n* a place of shelter for ships (ท่าเรือ): *All the ships stayed in the harbour during the storm.* — *v* to give shelter or a hiding-place to someone (ให้ที่กำบังหรือที่ซ่อน): *It is against* the law to harbour criminals.

'har•bour-mas•ter *n* the official in charge of a harbour (เจ้าหน้าที่การท่าเรือ).

hard *adj* **1** firm; solid; not easy to break, scratch *etc.* (แข็ง): *The ground is too hard to dig.* **2** not easy to do, learn, solve *etc.* (ยาก ไม่ง่ายที่จะทำ เรียน แก้): *Is English a hard language to learn?; He is a hard man to please.* **3** not feeling or showing kindness (ไม่มีความรู้สึกหรือแสดงความใจดี): *a hard master.* **4** severe (ร้ายแรง): *a hard winter.* **5** having or causing suffering (ทำให้เกิดความยากลำบาก): *a hard life; hard times.* — *adv* **1** with great effort (พยายามอย่างยิ่ง): *He works very hard; Think hard.* **2** with great force; heavily (แรงมาก อย่างหนัก): *Don't hit him too hard; It was raining hard.* **3** with great attention (ตั้งใจอย่างยิ่ง): *He stared hard at the man.*

'hard•ness *n* (ความแข็ง ความยาก).

hard-'boiled *adj* boiled until solid (ต้มจนแข็ง): *a hardboiled egg.*

hard disk the metal disc in a computer where information, files and software are stored (จานแม่เหล็กชนิดแข็งที่ใช้เก็บข้อมูล แฟ้มข้อมูล โปรแกรม).

'hard•en *v* to make or become hard (ทำให้แข็ง): *Wait for the cement to harden.*

'hard-earned *adj* earned by hard work (ได้มาด้วยการทำงานหนัก): *I deserve every cent of my hard-earned wages.*

hard-'heart•ed *adj* having no pity or kindness (ไม่มีใจเมตตาปรานี): *a hard-hearted employer.*

hard-'hitting *adj* openly and usually strongly critical (วิจารณ์อย่างหนักและเปิดเผย): *a hard-hitting report about the growing poverty in the country.*

hard lines, hard luck bad luck (โชคไม่ดี): *It's hard luck that he broke his leg just before his holiday.*

hard of hearing rather deaf (ค่อนข้างหูหนวก): *He is a bit hard of hearing nowadays.*

hard up not having much money (ขัดสน มีเงินไม่มาก): *I'm a bit hard up at the moment.*

'hard•ly *adv* **1** almost no, none, never *etc.* (แทบจะไม่มี ไม่มีเลย ไม่เคยมี): *There is hardly any rice left; I hardly ever go out.* **2** only just; almost not (เพียงแค่ แทบจะไม่): *My feet are so sore, I can hardly walk; I had hardly got on my bicycle when I got a puncture.*

See **rarely** and **scarcely**.

'hard•ship *n* **1** pain, suffering *etc.* (ความเจ็บปวด ความยากลำบาก): *a life full of hardship.* **2** something that causes suffering (สิ่งที่ก่อให้เกิดความยากลำบาก): *Hardships came one after another.*

'hard•ware *n* metal goods such as pans, tools *etc.* (สินค้าที่เป็นโลหะเช่นกระทะ เครื่องมือ ฯลฯ): *This shop sells hardware.* **2** the machines and electronic equipment used in computing (เครื่องจักรและอุปกรณ์อิเล็กทรอนิกส์ที่ใช้ในคอมพิวเตอร์): *A printer is an important part of the hardware of any computer.*

'hard-'wear•ing *adj* lasting a long time (คงทนอยู่นาน): *a hard-wearing material.*

'hard•y *adj* tough; strong; able to bear cold, tiredness *etc.* (ทน แข็งแรง สามารถทนความเย็น ความเหนื่อยอ่อน): *He's very hardy — he takes a cold shower every morning.*

'hard•i•ness *n* (ความแข็งแรง ความกล้าหาญ).

hare *n* an animal with long ears, like a rabbit but slightly larger (กระต่ายป่า).

'hare•brained *adj* silly, foolish (เขลา โง่): *His boss thought his ideas were harebrained.*

'har•em (*'hār-əm* or *'hä-ēm*) *n* **1** the part of a Muslim house occupied by the women (ส่วนหนึ่งของบ้านชาวมุสลิมซึ่งพวกผู้หญิงอยู่กัน). **2** the women who live in a harem (ผู้หญิงที่อยู่ในฮาเร็ม).

hark! listen! (จงฟัง)

harm *n* damage; injury (เสียหาย บาดเจ็บ): *I'll make sure you come to no harm; He meant no harm; It'll do you no harm to have some exercise.* — *v* to cause someone harm (ทำให้เกิดอันตราย): *There's no need to be frightened — he won't harm you.*

'harm•ful *adj* doing harm (เต็มไปด้วยอันตราย): *A medicine can be harmful if you take too much of it.*

'harm•less *adj* not dangerous (ไม่มีอันตราย): *Don't be frightened of that snake — it's harmless.*

'harm•less•ly *adv* (อย่างไม่มีอันตราย).

'harm•less•ness *n* (ความไม่มีอันตราย).

har'mon•ic *adj* having to do with harmony (เกี่ยวกับเสียงดนตรี).

har'mon•i•ca *n* a small musical instrument that you play with your mouth (หีบเพลงปาก).

har'mo•ni•ous *adj* **1** pleasant-sounding (เสียงไพเราะ): *a harmonious melody.* **2** pleasant to look at (น่าดู): *harmonious colours.* **3** without quarrels; peaceful (สงบสุข): *a harmonious relationship.*

har'mo•ni•ous•ly *adv* (อย่างสงบสุข).

har•mo•nize *v* **1** to go well with each other (กลมกลืน): *The colours in this room harmonize nicely.* **2** to sing or play musical instruments in harmony (ร้องเพลงหรือเล่นดนตรีอย่างไพเราะ).

har•mo•ni'za•tion *n.* (การทำให้กลมกลืน)

'har•mo•ny *n* **1** a pleasant combination of musical notes (ความกลมกลืนกันในทางดนตรี): *The singers sang in harmony.* **2** peace between people (ความสงบสุข): *Few married couples live in perfect harmony.*

'har•ness *n* the leather straps *etc.* by which a horse is attached to a cart *etc.* which it is pulling (สายบังเหียน). — *v* to put the harness on a horse (ใส่สายบังเหียน).

harp *n* a large musical instrument that is held upright, and that has many strings that you pluck with your fingers (พิณใหญ่).

'harp•ist *n* (ผู้เล่นพิณใหญ่).

harp on *v* to keep on talking about something (พูดอยู่เรื่อย ๆ): *He's forever harping on about his football team.*

har'poon *n* a spear fastened to a rope, used especially for killing whales (ฉมวก).

'har•row *n* a farm tool with a row of spikes fixed to a frame, that is used to break up big lumps of soil (คราด).

'har•row•ing (*'har-ō-iŋ*) *adj* terrible (น่ากลัวเลวร้าย): *a harrowing experience.*

harsh *adj* **1** very strict; cruel (เข้มงวด โหดร้าย): *a harsh punishment.* **2** rough and unpleasant to hear, see *etc.* (หยาบและไม่น่าฟัง ไม่น่าดู): *a harsh voice; harsh colours.*

'harsh•ly *adv* (อย่างหยาบคาย อย่างโหดร้าย).

'harsh•ness *n* (ความหยาบคาย ความโหดร้าย).

'har•vest *n* the gathering in of ripe crops (การเก็บเกี่ยว): *the rice harvest.* — *v* to gather in crops *etc.* (เก็บเกี่ยวพืชผล ฯลฯ): *We harvested the apples yesterday.*

See **mow**

'har•vest•er *n* a person or machine that harvests corn (คนหรือเครื่องจักรที่เก็บเกี่ยวข้าวโพด).

has *see* **have** (ดู **have**).

hasn't short for (คำย่อของ **has not**).

'has•sle *n* trouble; bother (ยุ่งยาก น่ารำคาญ): *It's such a hassle getting all this homework done.*

haste (*hāst*) *n* hurry; speed (ความเร่งรีบ ความรวดเร็ว): *He did his homework in great haste.*

'has•ten (*'hās-ən*) *v* to hurry (รีบ): *He hastened towards me; We must hasten the preparations.*

'has•ty (*hās-ti*) *adj* **1** done *etc.* in a hurry (ทำด้วยความรวดเร็ว): *a hasty snack.* **2** done without thinking carefully (โดยไม่คิดให้รอบคอบ): *a hasty decision.* **3** easily made angry (ทำให้โกรธได้ง่าย): *a hasty temper.*

'hast•i•ly *adv* (อย่างรีบเร่ง).

'hast•i•ness *n* (ความรีบเร่ง).

hat *n* a garment for the head (หมวก).

take your hat off to someone to admire someone (ชื่นชมคนบางคน).

talk through your hat to talk nonsense (พูดจาเหลวไหล).

hatch[1] *n* **1** an opening in a wall, floor, ship's deck *etc.* (รอยเปิดที่อยู่บนผนัง พื้น ดาดฟ้าเรือ). **2** the door or cover for this opening (ประตูที่ปิดรอยเปิดนี้).

hatch[2] *v* **1** to produce baby birds from eggs (ฟักไข่ กกไข่): *My hens have hatched ten chicks.* **2** to break out of an egg (ออกจากไข่ ฟักเป็นตัว): *These chicks hatched this morning.* **3** to plan something in secret (การวางแผนอย่างลับ ๆ): *to hatch a plot.*

'hatch•et *n* a small axe held in one hand (ขวานเล็ก).

'hatch•back *n* a car with a door at the back that opens upwards (รถที่มีประตูหลังเปิดขึ้น).

hate *v* to dislike very much (เกลียด): *I hate them for their cruelty; I hate getting up in the morning.* — *n* great dislike (ความเกลียด): *a look of hate.*

'hate•ful *adj* very bad; nasty (เลวมาก น่าเกลียด): *That was a cruel and hateful thing to say to her.*

'ha•tred *n* great dislike (ความเกลียด): *I have a hatred of liars.*

'haugh•ty (*'hö-ti*) *adj* very proud (หยิ่ง): *a haughty look.*

'haugh•ti•ly *adv* (อย่างหยิ่ง ๆ).

'haugh•ti•ness *n* (ความหยิ่งยโส).

haul *v* to pull something (ดึง ลาก): *Horses are used to haul barges along canals.* — *n* **1** a strong pull (การดึงอย่างแรง): *He gave the rope a haul.* **2** the amount of anything, especially fish, that is got at one time (จำนวนของโดยเฉพาะปลาที่เอามาได้ในครั้งหนึ่ง): *The fishermen had a good haul.*

haunt *v* **1** to visit a place as a ghost (ไปเยือนยังสถานที่หนึ่งในฐานะผีเข้าสิงสู่): *A ghost is said to haunt this house.* **2** to keep coming back into your mind (คอยคิดอยู่เรื่อย): *The terrible memory still haunts me.* — *n* a place you often visit (สถานที่ไปเยือนบ่อย ๆ): *This wood is one of my favourite haunts.*

'haunt•ed *adj* lived in by ghosts (มีผีสิง): *a haunted castle.*

have (*hav*) *v* **1** used with other verbs to show that an action is in the past, and has been completed (ใช้กับคำกริยาอื่นเพื่อแสดงว่าการกระทำนั้นเป็นอดีตและสำเร็จลงไปแล้ว): *I have just heard the news; I've read that book; He has gone home, hasn't he?* **2** to possess; to be keeping (เป็นเจ้าของ มี): *We have two cars; The teacher has your pencil; Do you have a cat?; Has she a video?* **3** to possess something as a part of you (มีอะไรอยู่ในตัว): *She has blue eyes.* **4** to feel something; to suffer something (รู้สึกบางอย่าง ทรมานเนื่องจากอะไรบางอย่าง): *I have a headache; I've no doubt you'll win the prize.* **5** to get; to receive (รับ): *I had some news from my brother yesterday; Thank you for lending me the book — you can have it back tomorrow.* **6** to produce a baby (คลอดบุตร): *She's had a baby girl.* **7** to enjoy; to pass (ร่าเริง ผ่านไป): *We had a lovely holiday; They had a terrible time in the war.* **8** to get something done (ทำอะไรให้เสร็จลงไป): *I'm having a tooth taken out.* **9** to think of something (คิดอะไรบางอย่าง): *I've had a good idea.* **10** to eat or drink something; to give yourself something (กินหรือดื่มอะไรบางอย่าง ทำอะไรบางอย่างให้กับตัวเอง): *Have a rest; Have a try; I've had supper; Will you have a drink?* **11 to allow** (ยอม อนุญาต): *I won't have you wearing such awful clothes!* **12** to ask someone to your house as a guest, or to do a job (เชิญใครมาเป็นแขกที่บ้าน หรือทำงานอย่างหนึ่ง): *She had a friend round to play with her; We're having the painters in next week.* **13** often used with **got** in meanings **2, 3** and **4** (มักใช้กับ **got** ในความหมายของ **2, 3** และ **4**): *The teacher has got your pencil; Have you got a cat?; She's got blue eyes, hasn't she?; I've got a pain.*

I have or **I've** (*īv*);
you have or **you've** (*ūv*);
he has or **he's** (*hēz*);
she has or **she's** (*shēz*);
it has or **it's** (*its*); **'s**;
we have or **we've** (*wēv*);
they have or **they've** (*dhāv*).

have not or **'have•n't** (*'hav-ənt*);
has not or **'has•n't** (*'haz-ənt*): *They've finished, haven't they?; She has long hair, hasn't she?; John's gone already, hasn't he?*

I had or **I'd** (*īd*);
you had or **you'd** (*ūd*);
he had or **he'd** (*hēd*);
she had or **she'd** (*shēd*);
it had or **it'd** (*'it-əd*);
we had or **we'd** (*wēd*);
they had or **they'd** (*dhād*);

had not or **'had•n't** (*'had-ənt*): *I'd better tell the teacher, hadn't I?; They hadn't finished, had they?*

had: *We've had enough English for today.*
I have (not **I'm having**) a bad cold.

have it in for someone to want to cause trouble for someone (ต้องการที่จะก่อให้เกิดความยุ่งยากขึ้นกับใครบางคน): *He's had it in for me ever since I got the job he applied for.*

have on to be wearing something (สวมอะไรบางอย่าง): *What a nice dress you have on today!*

have someone on to fool or tease someone (หยอกล้อ): *You're having me on — that's not really true, is it?*

have to or **have got to** not to be able to avoid doing something (ต้องทำ): *I don't want to punish you, but I have to; Do you have to go away so soon?; I've got to finish this homework.*

have to do with 1 to be about something; to concern something (เกี่ยวกับ): *The meeting had something to do with teachers' salaries; What has your remark to do with the present subject?* **2** to concern someone; to be someone's business (เกี่ยวกับคนบางคน เป็นเรื่องของคนบางคน): *This is a private letter to me — it has nothing to do with you.* **3** to have some responsibility for something (รับผิดชอบ): *Had she anything to do with this murder?* **4** to have a connection with someone or something (เกี่ยวกับบางคนหรือบางอย่าง): *Have nothing to do with liars! I have it! I know!*

'ha•ven (*'hā-vən*) *n* a harbour; a place of safety (ท่าเรือ สถานที่ปลอดภัย).

haven't short for (คำย่อของ) **have not**.

'hav•er•sack *n* a bag carried over one shoulder by a walker, for holding food *etc.* (เป้สะพายหลัง ใช้ใส่อาหาร ฯลฯ).

See **bag**

'hav•oc *n* great destruction or damage (การทำลายหรือการเสียหายครั้งใหญ่): *The storm created havoc along the coast.*

hawk *n* a bird of prey that hunts small animals *etc.* (เหยี่ยว).

hawk *v* to sell goods in the street or by carrying them around and showing them to people (เร่ขายของ): *The old man lives by hawking herbs and spices.*

'hawk•er *n* a person who sells goods in the street (คนขายของตามถนน).

hay *n* grass, cut and dried, used as food for cattle *etc.* (ฟาง).

hay-'fe•ver *n* an illness like a bad cold, caused by the pollen of flowers *etc.* (ไข้ละอองฟาง ไข้มีอาการเหมือนกับเป็นหวัด เกิดจากละอองเกสรดอกไม้).

'hay-stack *n* hay built up into a large pile (กองฟาง).

'hay•wire *adj, adv* wrong; crazy (ผิด บ้าคลั่ง): *Our computer has gone haywire.*

'haz•ard *n* a risk; a danger (การเสี่ยง อันตราย): *the hazards of mountain-climbing.* — *v* to risk something (เสี่ยง): *His mother hazarded her life to rescue him from the fire.*

'haz•ard•ous *adj* dangerous (มีอันตราย).

haze *n* a thin mist (หมอกจาง ๆ).

'ha•zy *adj* **1** misty (มีหมอก): *a hazy view of the mountains.* **2** not clear (ไม่กระจ่างชัด): *a hazy idea.* **'ha•zi•ness** n (ความไม่กระจ่างชัด).

'ha•zel (*'hā-zəl*) *n* a small tree on which nuts grow (ต้นไม้เล็ก ๆ ซึ่งมีลูกเป็นถั่ว). — *adj* light-brown in colour (มีสีน้ำตาลอ่อน): *hazel eyes.*

'ha•zel•nut *n* the edible round nut of the hazel (ถั่วเฮเซล).

he (*hē*) *pron* (used as the subject of a verb) a male person or animal (คำสรรพนามของบุรุษหรือสัตว์ตัวผู้): *When I spoke to John, he told me he had seen you.* — *n* a male person or animal (คนผู้ชายหรือสัตว์ตัวผู้): *Is a cow a he or a she?*

head (*hed*) *n* **1** the top part of the human body, containing the eyes, mouth, brain *etc.*; the same part of an animal's body (ศีรษะ หัวของสัตว์). **2** your mind (จิตใจ): *An idea came into my head last night.* **3** the chief or most important person of an organization, country *etc.* (หัวหน้าหรือคนสำคัญที่สุดขององค์กร ประเทศ): *Kings and presidents are heads of state.* **4** anything that is like a head in shape or position (สิ่งที่มีลักษณะเหมือนกับหัวหรืออยู่ในตำแหน่งหัว): *the head of a pin; The boy knocked the heads off the flowers.* **5** the top or front part of anything (ส่วนบนสุดหรือด้านหน้าของสิ่งหนึ่งสิ่งใด): *He walked at the head of the procession; His name was at the head of the list.* **6** the most important end (ปลายที่สำคัญที่สุด): *Father sat at the head of the table.* **7** a headmaster or headmistress (ครูใหญ่ผู้ชายหรือครูใหญ่ผู้หญิง): *You'd better ask the Head.* **8** one person (คนเดียว): *This dinner costs $10 a head.* — *v* **1** to go at the front of something, or at the top of something (นำหน้าหรืออยู่เหนือ): *The procession was headed by the band; Whose name headed the list?* **2** to be the leader of a group *etc.* (หัวหน้ากลุ่ม): *He heads a team of scientists.* **3** to move in a certain direction (มุ่งไปในทิศทางหนึ่ง): *The explorers headed south; The boys headed for home.* **4** to hit a ball with your head (โหม่ง): *He headed the ball into the goal.*

'head·ache *n* a pain in your head (อาการปวดศีรษะ): *Loud noise gives me a headache.*

'head·band *n* a strip of material worn round your head to keep your hair back (สายรัดศีรษะ).

'head-dress *n* something worn on your head, especially something decorative (เครื่องประดับศีรษะ): *The bridesmaids wore head-dresses of pink flowers.*

-'head·ed (ศีรษะ): *a two-headed monster; a bald-headed man.*

head'first *adv* with your head leading (ศีรษะนำไปก่อน): *He fell headfirst into the swimming-pool.*

'head·gear *n* anything that you wear on your head (เครื่องสวมศีรษะ): *Hats, caps and helmets are types of headgear.*

'head·ing *n* the title written at the beginning of a chapter, article, page *etc.* (หัวเรื่อง หัวข้อเรื่อง).

'head·land *n* a point of land that sticks out into the sea (แหลม).

'head·light *n* a powerful light at the front of a vehicle (ไฟหน้า): *As it was getting dark, the driver switched on his headlights.*

'head·line *n* the words written in large letters at the top of newspaper articles (ข่าวพาดหัว).

'head·lines *n* a brief statement of the most important items of news, on television or radio (หัวข้อข่าวทางโทรทัศน์หรือวิทยุ): *The news headlines come first.*

'head·long *adj, adv* **1** moving forwards or downwards, with your head in front (เคลื่อนหรือลงไปที่ข้างหน้าโดยศีรษะนำไปก่อน): *He fell headlong into the pit.* **2** without stopping to think properly (ไม่หยุดคิดให้ดีเสียก่อน): *He rushed headlong into disaster.*

head'mas·ter *n* a man who is in charge of a school (ครูใหญ่ผู้ชาย).

head'mis·tress *n* a woman who is in charge of a school (ครูใหญ่ผู้หญิง).

head-'on *adv, adj* with the front of one car *etc.* hitting the front of another (ประสานงา): *a head-on collision; The two cars crashed head on.*

'head·phones *n* a pair of receivers connected to a radio *etc.*, that you wear over your ears (หูฟัง).

head'quar·ters *n* the place from which the leaders of an organization direct and control its activities (กองบัญชาการ สำนักงานใหญ่).

heads *n, adv* the side of a coin with the head of a king, president *etc.* on it (ด้านของเหรียญที่เป็นหรือมีรูปหัว): *He tossed the penny and it came down heads.*

'head·strong *adj* wanting to do things your own way; difficult to control (ดื้อ หัวแข็ง

ยากที่จะควบคุม): *a headstrong, disobedient child.*

'head•way *n* progress (ความก้าวหน้า): *We've made headway today.*

head over heels 1 completely (โดยสิ้นเชิง): *He fell head over heels in love.* **2** turning over completely (หกล้มตีลังกา): *He fell head over heels into a pond.*

heads or tails? used when tossing a coin to decide which of two people does, gets *etc.* something (หัวหรือก้อย): *Heads or tails? Heads you do the dishes, tails I do them.*

keep your head to remain calm and sensible (สงบและมีเหตุผล).

lose your head to become excited or confused (ตื่นเต้นหรือสับสน).

make head or tail of something to understand (เข้าใจ): *I can't make head or tail of these instructions.*

heal *v* to make or become healthy (ทำให้อาการป่วยหายเป็นปกติ): *That scratch will heal up in a couple of days; This ointment will soon heal your cuts.*

'heal•er *n* (ผู้รักษา การรักษา).

health (*helth*) *n* the state of being well or ill (สุขภาพ): *He is in good health; The man was in poor health because he didn't have enough to eat.*

'health•y *adj* **1** having good health (สุขภาพดี): *I'm rarely ill — I'm a very healthy person.* **2** helping to produce good health (ช่วยทำให้มีสุขภาพดี): *a healthy climate.*

drink to someone's health to drink a toast to someone, wishing them good health (ดื่มให้กับสุขภาพของใครบางคน).

heap *n* a large pile (กองใหญ่): *a heap of sand.* — *v* **1** to pile things into a heap (ทำให้เป็นกอง): *I'll heap these stones in a corner of the garden.* **2** to cover something with a heap (โกยใส่): *He heaped his plate with food.*

heaped *adj* very full (เต็มมาก ๆ): *A heaped spoonful of sugar.*

hear *v* **1** to receive sounds by ear (ได้ยิน): *I don't hear very well; Speak louder — I can't hear you; I didn't hear you come in.* **2** to receive information, news *etc.*, not only by ear (ได้รับข่าวสาร ข่าว ฯลฯ ไม่เพียงแต่ทางหูเท่านั้น): *I hear that you're leaving; "Have you heard from your sister?" "Yes, I got a letter from her today."; I've never heard of him — who is he?*

hear; heard (*hărd*); **heard**: *He heard a strange noise; She has heard the news.*
to **hear** is to receive sounds with your ears; to **listen** is to pay attention to what you hear: *I heard him speaking, but I didn't listen to what he was saying.*

hear•ing *n* **1** the ability to hear (ความสามารถในการได้ยิน): *My hearing is not very good.* **2** the distance within which something can be heard by someone (ระยะห่างที่พอจะได้ยิน): *You mustn't use that word in the children's hearing; I think we're out of hearing now.* **3** a court case (การพิจารณาคดี): *The hearing is tomorrow.*

'hear•ing-aid *n* a small electronic device that helps deaf people to hear better by making sounds louder (เครื่องช่วยฟัง).

not hear of something not to allow (ไม่อนุญาต): *He would not hear of her going home alone in the dark.*

hearse (*hărs*) *n* a car used for carrying a dead body in a coffin to a cemetery *etc.* (รถบรรทุกศพ).

heart (*hărt*) *n* **1** the organ that pumps blood through your body (หัวใจ): *How fast does a person's heart beat?* **2** the central part (ส่วนที่เป็นศูนย์กลาง): *I live in the heart of the city; in the heart of the forest.* **3** your conscience; your feelings toward other people (ความรู้สึกที่มีต่อผู้อื่น): *She has a kind heart; You know in your heart that you shouldn't have told a lie; You're very cruel — you have no heart.* **4** courage; enthusiasm (ความกล้าหาญ ความกระตือรือร้น): *The soldiers were beginning to lose heart.* **5** a shape supposed to represent the heart, like this, ♥ (รูปร่างที่เหมือนกับหัวใจ): *a white dress with little pink hearts on it; heart-shaped.* **6** one of the playing-cards of the suit hearts, which have red symbols of this shape on them (โพแดง).

'heart•ache *n* great sadness (เศร้าใจอย่างยิ่ง).

heart attack a sudden failure of the heart to work properly, sometimes causing death (หัวใจล้มเหลว).

'heart•beat *n* the regular sound of the heart (หัวใจเต้น).

'heart•break *n* great sorrow (ความเศร้าโศก).

'heart•bro•ken *adj* very unhappy (ไม่มีความสุขมาก ๆ): *a heartbroken widow.*

-'heart•ed (ใจ): *kind-hearted; hard-hearted.*

'heart•en *v* to encourage (ทำให้มีกำลังใจ): *We were heartened by the good news.*

heart failure a condition in which the heart gradually stops working, often causing death (หัวใจล้มเหลว): *The doctor told her she is suffering from heart failure.*

'heart•felt *adj* sincere (จริงใจ): *heartfelt thanks.*

at heart really (จริง ๆ): *He seems rather stern but he is at heart a very kind man.*

break someone's heart to cause someone great sorrow (ทำให้เกิดความเศร้าอย่างยิ่ง): *It'll break her heart if you leave her.*

by heart from memory (ท่องจำ): *Actors must learn their speeches by heart.*

have a heart! show some pity! (มีน้ำใจ)

have at heart to have a concern for or interest in (เห็นใจ): *He has the interest of his workers at heart.*

heart and soul with all your attention and energy (ด้วยความตั้งใจและพลังงานทั้งหมด): *She devoted herself heart and soul to caring for her husband.*

lose heart to lose courage or interest (หมดกำลังใจ): *When he realized how much work there was to do, he lost heart.*

not have the heart to to be unwilling to do something that will hurt someone (ไม่เต็มใจที่จะทำร้ายใคร): *I hadn't the heart to tell him the bad news.*

with all my heart very sincerely (ด้วยความจริงใจอย่างยิ่ง): *I hope with all my heart that you will be happy.*

hearth (*härth*) *n* the floor of a fireplace (พื้นหน้าเตาผิง): *an armchair by the hearth.*

See **fireplace**

'heart•less *adj* cruel (โหดร้าย): a heartless remark.

'heart•less•ly *adv* (อย่างโหดร้าย).

'heart•less•ness *n* (ความโหดร้าย ความไม่มีน้ำใจ).

'heart•y *adj* **1** friendly; sincere (เป็นมิตร จริงใจ): *a hearty welcome; a hearty cheer.* **2** large (มาก): *He ate a hearty breakfast; She has a hearty appetite.*

'heart•i•ly *adv* (อย่างเต็มใจ เต็มที่).

heat *n* **1** how hot something is (ระดับความร้อน): *Test the heat of the water before you bath the baby.* **2** the warmth from something that is hot (ความอบอุ่นจากสิ่งที่ร้อน): *The heat from the fire will dry your coat; the heat of the sun.* **3** anger or excitement (ความโกรธหรือความตื่นเต้น): *He didn't mean to be rude — he just said that in the heat of the moment.* **4** a division or round in a competition (รอบของการแข่งขัน): *He won his heat, so he will run in the final.* — *v* to make or become hot or warm (ทำให้ร้อนหรืออุ่น): *I'll heat the soup; The day heats up quickly once the sun has risen.*

'heat•ed *adj* **1** having been made hot or warm (ซึ่งถูกทำให้ร้อนหรืออุ่น): *a heated swimming-pool.* **2** angry; excited (โกรธ ตื่นเต้น): *a heated argument.*

'heat•ed•ly *adv* (อย่างรุนแรง).

'heat•er *n* an apparatus that warms a room *etc.*, or heats water (เครื่องทำความร้อน).

'heat•ing *n* the system of heaters *etc.* that heat a room building *etc.* (ระบบทำความร้อน ฯลฯ ที่ให้ความร้อนในห้อง อาคาร ฯลฯ).

'heat•stroke *n* a serious condition caused by too much sun causing a feeling of faintness and fever (ลมแดด): *She got heatstroke from lying on the beach all day.*

heat wave a period of very hot weather (ช่วงที่อากาศร้อนมาก ๆ).

heave *v* **1** to lift or pull, with great effort (ยกหรือลากโดยใช้แรงมาก): *They heaved the wardrobe up into the truck.* **2** to throw something heavy (ทิ้งของหนัก): *He heaved a big stone into the river.* **3** to shift; to move violently (เลื่อน เคลื่อนที่อย่างรุนแรง): *The earthquake made the ground heave.* **4** to let out (ปล่อยออก ระบาย): *He heaved a sigh of relief.* — *n* the action of heaving (การยก): *He gave one heave and the rock moved.*

'heav·en (*'hev-ən*) *n* **1** the place where God lives and where good people are believed to go when they die **(สวรรค์). 2** (often **heavens**) the sky (ท้องฟ้า): *He raised his eyes to the heavens.*

'heav·en·ly *adj* **1** very pleasant (สบายตา สบายใจมาก ๆ): *What a heavenly colour!* **2** having to do with heaven (เกี่ยวกับท้องฟ้า).

heavenly body the sun, moon, a star or planet (ดวงอาทิตย์ ดวงจันทร์ ดวงดาวหรือดาวเคราะห์).

'heav·ens!, good heavens! expressions of surprise, dismay *etc.* (อุทานด้วยความประหลาดใจ ตกใจ): *Heavens! I forgot to buy your birthday present.*

heav·en-'sent *adj* very lucky (โชคดีมาก): *a heaven-sent opportunity.*

for heaven's sake! an expression used to show anger, surprise *etc.* (คำอุทานแสดงความโกรธ ประหลาดใจ): *For heaven's sake, stop making that noise!*

thank heavens! an expression used to show that you are glad something has or has not happened (คำอุทานที่แสดงว่าเราดีใจที่บางอย่างเกิดหรือไม่เกิดขึ้น): *Thank heavens you found the car-key!; Thank heavens for that!*

'heav·y (*'hev-i*) *adj* **1** having great weight (หนัก): *a heavy parcel.* **2** having a particular weight (น้ำหนักของอย่างหนึ่ง): *I wonder how heavy our little baby is.* **3** great in amount, force *etc.* (จำนวนมาก กำลัง): *heavy rain; He gave the burglar a heavy blow on the neck.* **4** doing something a lot (ทำอะไรบางอย่างมาก ชอบทำมาก): *He's a heavy smoker.* **5** sad (เศร้า): *He said goodbye to his son with a heavy heart.*

'heav·i·ly *adv* **(อย่างหนัก).**

'heav·iness *n* **(ความหนัก).**

heav·y-'du·ty *adj* made to stand up to very hard use (ทำเพื่อใช้งานได้อย่างหนัก ทนทาน): *heavy-duty tyres.*

heavy industry industries such as coalmining, ship-building *etc.* (อุตสาหกรรมหนัก).

'heav·y·weight *n* a boxer who is in the heaviest class, weighing more than 175 pounds (79 kg) (นักมวยซึ่งอยู่ในชั้นที่หนักที่สุด): *a heavyweight boxer; the world heavyweight boxing champion.*

'hec·tare (*'hek-tär*) *n* 10,000 square metres **(พื้นที่ 10,000 ตารางเมตร)**.

'hec·tic *adj* very busy; rushed (ยุ่งมาก เร่งรีบ): *Life is hectic these days.*

he'd short for (คำย่อของ) **he had** or **he would**.

hedge *n* a line of bushes *etc.* planted closely together forming a boundary for a garden, field *etc.* (รั้วพุ่มไม้กั้นเขตสวน สนาม).

'hedge·hog *n* a small animal with prickles all over its back (สัตว์มีขนแหลมคล้ายเม่น).

heed *v* to pay attention to something (เอาใจใส่ ใส่ใจ): *He refused to heed my warning.*

'heed·less *adj* careless; paying no attention (ไม่เอาใจใส่ ไม่ใส่ใจ): *Heedless of the danger, he ran into the burning building to rescue the girl.*

'heedless·ly *adv* (อย่างไม่เอาใจใส่ อย่างไม่ใส่ใจ).

heel *n* **1** the back part of your foot (ส้นเท้า): *I have a blister on my heel.* **2** the part of a sock *etc.* that covers this part of the foot (ส้นถุงเท้า): *I have a hole in the heel of my sock.* **3** the part of a shoe, boot *etc.* under the heel of the foot (ส้นรองเท้า): *The heel has come off this shoe.* — *v* to put a heel on a shoe *etc.* (ใส่ส้นรองเท้า).

-heeled (ส้นสูง): *high-heeled shoes.*

at or **on someone's heels** close behind (ตามมาติด ๆ): *The thief ran off with the policeman close on his heels.*

kick your heels to have to wait, with nothing to do (ต้องรอโดยไม่มีอะไรทำ).

take to your heels to run away (วิ่งหนี): *The thief took to his heels.*

'heft·y *adj* **1** big and strong (ใหญ่และแข็งแรง): *Her husband is pretty hefty.* **2** powerful (มีพลังมาก แรงมาก): *a hefty kick.*

height (*hīt*) *n* **1** the distance from the bottom to the top of something (ความสูง): *What is the height of this building?; He is 1.75 metres in height.* **2** the highest, greatest, strongest *etc.* point (จุดสูงที่สุด จุดใหญ่ที่สุด จุดแข็งแรงที่สุด ฯลฯ): *He is at the height of his career; The storm was at its height.* **3** the extreme (สุดขีด): *Your behaviour was the height of foolishness.* **4** (often **heights**) a high place (ที่สูง ๆ): *We looked down from the heights at the valley beneath us.*

'height·en *v* **1** to make higher (ทำให้สูง): *to heighten the garden wall.* **2** to increase (เพิ่มขึ้น).

heir (*ār*) *n* a person who by law receives wealth, property *etc.* when the owner dies (ผู้รับมรดก ทายาท): *A king's eldest son is the heir to the throne.*

> The **h** in **heir** is not sounded.
> an (not **a**) **heir** to the throne.

'heir·ess *n* a female heir (ผู้รับมรดกที่เป็นหญิง ทายาทผู้หญิง).

'heir·loom *n* something valuable that has been handed down in a family from parents to children (มรดกสืบต่อกันมา).

held *see* **hold** (ดู **hold**).

'hel·i·cop·ter *n* a flying-machine kept in the air by large propellers fixed on top of it which go round very fast (เครื่องบินปีกหมุน เฮลิคอปเตอร์).

hell *n* the place where the Devil is believed to live and where evil people are believed to be punished after death (นรก).

he'll short for (คำย่อของ) **he will**.

hello another spelling of (คำสะกดอีกแบบหนึ่งของ) **hallo**.

helm *n* the wheel or handle by which a ship is steered (พังงา): *to take the helm.*

'helms·man *n* the person who steers a ship (ผู้ถือท้ายเรือ นายท้ายเรือ).

'hel·met *n* a metal, plastic *etc.* covering to protect the head, worn by soldiers, firemen, motorbike riders *etc.* (หมวกเหล็ก หมวกกันน็อก).

help *v* **1** to do something necessary or useful for someone (ช่วยเหลือ): *Will you help me with my work?; My sister helped me to write the letter; Can I help?; He fell down and I helped him up.* **2** to improve (ทำให้ดีขึ้น): *Good exam results will help his chances of a job.* **3** to make less bad (ทำให้เลวน้อยลง): *An aspirin will help your headache.* **4** to avoid or prevent something (อดไม่ได้ ช่วยไม่ได้): *He looked so funny that I couldn't help laughing; Can I help it if it rains?* — *n* **1** the act of helping (การช่วยเหลือ): *Can you give me some help?; Your digging the garden was a big help.* **2** someone or something that is useful (มีประโยชน์): *You're a great help to me.*

'help·er *n* (ผู้ช่วย).

'help·ful *adj* useful; giving help (มีประโยชน์ ให้ความช่วยเหลือ): *You have been most helpful to me; She gave me some helpful advice.*

'help·ing *n* a share of food served at a meal (สิ่งที่ช่วย): *a large helping of pudding.*

'help·less *adj* unable to do anything for yourself (ช่วยตัวเองไม่ได้): *A baby is almost completely helpless.*

'help·less·ly *adv* (อย่างช่วยตัวเองไม่ได้).

'help·less·ness *n* (การช่วยตัวเองไม่ได้).

help yourself to serve yourself with food *etc* (ช่วยตัวเอง): *Help yourself to another cake; "Can I have a pencil?" "Certainly — help yourself".*

help out to help occasionally, when your help is needed (ช่วยทำ): *I help out in the shop from time to time; Could you help me out by looking after the baby?*

'hel·ter-'skel·ter *adv* in great hurry and confusion (ความรีบร้อนและไม่เป็นระเบียบ).

hem *n* the edge of a piece of clothing, folded over and sewn (ริมผ้าที่ขลิบ). — *v* to make a hem on a piece of clothing (ขลิบริมผ้า).

'hem·i·sphere *n* one half of the Earth (ครึ่งหนึ่งของโลก ซีกโลก): *Singapore and the British Isles are in the northern hemisphere.*

hemp *n* a plant from which is obtained a coarse fibre used to make rope *etc.* (พืชมีเส้นใย เช่น ป่าน ปอหรือกัญชา).

hen *n* **1** the female farmyard bird (ไก่ตัวเมีย):

Hens lay eggs. **2** the female of any bird (นกตัวเมีย).

A hen **clucks** or **cackles**.
The male of the hen is a **cock**.
A baby hen or cock is a **chicken** or **chick**.
A hen lives in a **hen-coop** or **henhouse**.

hence *adv* **1** for this reason (ด้วยเหตุนี้): *Hence, I shall have to stay.* **2** from this time (จากนี้ไป): *a year hence.* **3** away from this place (จากสถานที่นี้).

hence'forth *adv* from now on (นับแต่นี้ต่อไป): *Henceforth I shall refuse to work with him.*

'hen·pecked *adj* ruled over too much by your wife (ข่มสามี): *a henpecked husband.*

her *pron* (used as the object of a verb or preposition) a female person or animal (ผู้หญิงหรือสัตว์ตัวเมีย): *I'll ask my mother when I see her; He came with her.* — *adj* belonging to a female person or animal (เป็นของผู้หญิงหรือสัตว์ตัวเมีย): *My mother has her own car, a cat and her kittens.*

'her·ald *v* to be a sign of something that is about to happen (เป็นเครื่องหมายบอกว่าอะไรกำลังจะเกิดขึ้น): *The return of the swallows heralds the beginning of summer.*

herb *n* a plant used to flavour food or to make medicines (สมุนไพร): *herbs and spices.*

herd *n* a group of animals of one kind that stay, or are kept together (ฝูงสัตว์ชนิดเดียวกัน): *a herd of cattle; a herd of elephants.* — *v* to gather together in a group (รวมกันเป็นฝูง): *The dogs herded the sheep together; The tourists were herded into a tiny room.*

herd is used for a group of **sheep** or **cattle**; it is used for groups of other animals too, for instance **goats, deer, elephants, buffalos, antelopes**

-herd a person who looks after a herd of certain kinds of animals: *a goat-herd.*

here *adv* **1** at, in or to this place (ที่นี่): *He's here; Come here; He lives not far from here; Here they come; Here's your lost book.* **2** at this point (ที่จุดนี้): *Here she paused in her story to wipe away her tears.* — **1** a shout of surprise, disapproval *etc.* (ตะโกนออกมาด้วยความแปลกใจ ไม่เห็นด้วย): *Here! What do you think you're doing?* **2** a shout used to show that you are present (ตะโกนรับว่าอยู่): *Shout "Here!" when I call your name.*

here and there in, or to, various places (ที่นั่นที่นี่): *Books were scattered here and there.*

here's to words used when you wish someone success, or drink to their health (คำกล่าวที่เราใช้ในความปรารถนาให้ใครบางคนประสบผลสำเร็จหรือดื่มให้กับสุขภาพของเขา): *Here's to the success of the new company.*

here, there and everywhere everywhere (ทุกหนทุกแห่ง): *People were running around here, there and everywhere.*

here you are here is what you want *etc.* (นี่คือสิ่งที่คุณต้องการ): *"Can you lend me a pen?" "Yes, here you are."*

he'red·i·ta·ry *adj* able to be passed on from parents to children (เป็นกรรมพันธุ์): *Eye colour is hereditary.*

he'red·i·ty *n* the passing on of qualities such as appearance and intelligence from parents to children (กรรมพันธุ์).

'he·re·sy (*'he-rə-si*) *n* a belief which is contrary to the principles and beliefs of a particular religion (ความเชื่อซึ่งตรงกันข้ามกับหลักและความเชื่อในศาสนาหนึ่ง นอกรีตหรือผิดจารีตนอกศาสนา): *Many Christians believe that it is a heresy to ordain women.*

'he·re·tic *n* a person who holds a belief thought by many to be a heresy (คนนอกรีต คนนอกศาสนา): *He is thought by many Muslims to be a heretic.*

he'retical *adj* of heretics or heresy (แห่งคนนอกศาสนา).

'her·it·age *n* things which are passed on from one generation to another (มรดก): *We must all take care to preserve our national heritage.*

'her·mit *n* a person who lives alone, especially for religious reasons (ฤาษี).

'he·ro (*'hē-rō*), *plural* **'he·roes**, *n* **1** a person who is admired by many people for brave deeds (วีรบุรุษ): *The boy was regarded as a* *hero for saving his friend's life.* **2** the chief person in a story, play *etc.* (พระเอก): *The hero is a boy called Peter Pan.*

he'ro·ic *adj* **1** very brave (กล้าหาญมาก): *heroic deeds.* **2** having to do with heroes or heroines (เกี่ยวกับวีรบุรุษหรือวีรสตรี): *heroic tales.*

'her·o·in *n* a drug obtained from opium (ยาที่ได้มาจากฝิ่น เฮโรอีน).

to take **heroin** not heroine (ไม่ใช่ **heroine**).

'her·o·ine (*'her-ō-in*) *n* a female hero (วีรสตรี).

the **heroine** not heroin (ไม่ใช่ **heroin**) of a story.

'her·o·ism (*'her-ō-iz-əm*) *n* great bravery (ความกล้าหาญมาก): *He was awarded a medal for his heroism.*

'her·on *n* a large water-bird, with long legs and a long neck (นกกระสา).

'her·ring *n* a small, edible sea fish (ปลาเฮอริง).

hers (*härz*) *pron* something that belongs to a female (ของเธอ): *It's not my book — is it hers?; No, hers is on the shelf; Are you a friend of hers?*

her'self *pron* **1** used as the object of a verb or preposition when a female person or animal is both the subject and object (ตัวเธอเอง): *The cat licked herself; She looked at herself in the mirror.* **2** used to emphasize **she, her** or a name (ใช้เน้นคำว่าเธอหรือชื่อ): *She herself stayed behind; Mary answered the letter herself.* **3** without help (โดยไม่มีใครช่วย): *Did she do it all herself?*

he's short for (คำย่อของ) **he is** or (หรือ) **he has**.

'hes·i·tate (*'hez-i-tāt*) *v* to pause briefly because of uncertainty (ลังเล): *He hesitated before answering.*

hes·i·'ta·tion *n* (ความลังเล).

'hes·i·tant *adj* hesitating a lot, usually because you are not sure of what you are doing (ที่ลังเล): *He gave a hesitant speech.* **2** a bit unwilling to do something (ไม่ค่อยเต็มใจที่จะทำ): *He was rather hesitant about giving her advice.*

'hes·itantly *adv* (อย่างลังเล).

het·e·ro'sex·u·al (*het-ə-rō'seks-ū-əl*) *adj* sexually attracted to people of the opposite sex (มีลักษณะสนใจเพศตรงข้าม): *Most people are heterosexual.*

hew *v* to cut (ตัด ฟัน): *He hewed a path through the forest.*

hew; hewed; hewn: *He hewed down the tree; Several trees had been hewn down.*

'hex·a·gon *n* a six-sided figure (หกเหลี่ยมด้านเท่า).

hey! (*hā*) a shout used to attract attention (เสียงตะโกนเพื่อเรียกความสนใจ เฮ้ย): *Hey! What are you doing there?*

hi! (*hī*) a word of greeting (คำสวัสดี): *Hi! How are you?*

'hi·ber·nate (*'hī-bər-nāt*) *v* to pass the winter in a kind of sleep (จำศีล): *Hedgehogs hibernate.*

hi·ber'na·tion *n* (การจำศีล).

hi'bis·cus *n* a tropical plant with brightly-coloured flowers (ต้นไม้ตระกูลชบา เช่นชบา กระเจี๊ยบ).

'hic·cup, 'hic·cough (*'hik-up*) *n* a sudden and repeated jumping feeling in your throat, that makes you make a sharp noise (การสะอึก): *I got hiccups after drinking the lemonade so fast.* — *v* (สะอึก): *He hiccuped loudly.*

'hid·den *adj* difficult to see or find (ซ่อน ซ่อนอยู่): *a hidden door; a hidden meaning.*

hide[1] *v* to put or keep something or someone in a place where they cannot be seen or easily found; to go or be somewhere where you cannot be found (ซ่อน ซ่อนตัว): *I'll hide the children's presents; You hide, and I'll come and look for you; She was hiding in the cupboard; He tries to hide his feelings.*

hide; hid; 'hid·den: *She hid from her friends; He has hidden my book.*

hide[2] *n* the skin of an animal (หนังของสัตว์): *The bag was made of cow-hide.*

hide-and-'seek *n* a children's game in which one person searches for others who have hidden (เล่นซ่อนหา).

'hid·e·ous (*'hid-i-əs*) *adj* extremely ugly (น่าเกลียดอย่างยิ่ง): *a hideous face.*

'hid·e·ous·ly *adv* (อย่างน่าเกลียด).

'hid•e•ousness *n* (ความน่าเกลียด).

'hide-out *n* a hiding-place (สถานที่ซ่อน): *The gang used a cellar as a hide-out.*

'hi•ding[1] (*'hī-diŋ*) *n* the state of being hidden (ซ่อนตัว หลบซ่อน): *He went into hiding because his enemies were looking for him.*

'hi•ding[2] (*'hī-diŋ*) *n* a beating (การตีกัน): *He got a good hiding for breaking the window.*

hi•er•o'glyph•ics (*hī-ər-ə'glif-iks*) *n plural* a form of writing in which little pictures are used instead of words (อักษรภาพ): *Hieroglyphics were used in ancient Egypt.*

'hi-fi (*'hī-fī*) *n* **1** short for (คำย่อของ) **high fidelity.** **2** a very good stereo record-player *etc.* (เครื่องบันทึกเสียงสเตอริโอที่ดีมาก ๆ ให้เสียงชัดเจน).

high (*hī*) *adj* **1** rising a long way above the ground (สูง): *a high mountain*; *a high diving-board.* **2** having a particular height (สูงเป็นพิเศษ): *This building is about 20 metres high.* **3** great; large (ใหญ่ สูง สูงส่ง): *The car was travelling at high speed; He has a high opinion of her work; They charge high prices; The child has a high temperature.* **4** good (ดี): *The teacher sets high standards.* **5** very important (สำคัญมาก): *a high official.* **6** strong (แรง): *The wind is high tonight.* **7** not deep in sound; shrill (เสียงแหลม): *the high voices of children.* **8** near the top of the range of musical notes (ใกล้กับเสียงตัวโน้ตดนตรีแถวบนสุด): *What is the highest note you can sing?* — *adv* far above (สูงขึ้นไป): *The plane was flying high in the sky.*

See **tall**.

high-'class *adj* very good (ชั้นดี): *This is a high-class hotel.*

higher education education at a university, college *etc.* (การศึกษาขั้นมหาวิทยาลัย วิทยาลัย ฯลฯ).

high-fi'del•i•ty *adj* being of very good quality in the reproduction of sound (often shortened to **hi-fi** (ผลิตเสียงที่มีคุณภาพดีมากออกมา): *a high-fidelity tape recorder.*

high jump a sports contest in which people jump over a bar that is raised until no-one can jump over it (กระโดดสูง).

'high•lands *n* a mountainous part of a country (ส่วนที่เป็นภูเขา).

'high•light *n* the best part of something (ส่วนที่ดีที่สุดของอะไรบางอย่าง): *The highlight of my holiday was the trip in the helicopter.*

'high•ly *adv* **1** very; very much (สูง มาก): *She was highly delighted; I value the book highly.* **2** with approval (ด้วยความพอใจ): *He speaks very highly of you.*

'high•ness *n* a title of a prince, princess *etc.* (คำใช้เรียกเจ้าในราชวงศ์): *Your Highness; Her Highness.*

high-'pitched *adj* high, sharp (สูง ชัน): *a high-pitched voice.*

'high-pow•ered *adj* very powerful (มีกำลังสูง): *a highpowered motorbike.*

'high-rise *adj* with many storeys (สูงหลายชั้น): *She does not like living in a high-rise block.*

high school a secondary school (โรงเรียนมัธยม).

high-'spir•it•ed *adj* lively (มีชีวิตชีวา): *a high-spirited horse.*

high street the main shopping street in a town (แหล่งซื้อของในเมือง).

high tea *n* in Britain, a large meal, often with tea to drink, in the late afternoon (ในอังกฤษอาหารหนักในตอนเย็นพร้อมด้วยน้ำชา): *We have high tea at five o'clock and our parents have dinner at eight.*

high tide the time when the sea is at its highest level (น้ำขึ้นสูงสุด).

'high•way *n* a main road (ทางหลวง).

Highway Code a set of official rules for road-users.

hire wire a high tightrope for an acrobat to walk along (ลวดที่ขึงให้นักกายกรรมไต่).

high and low everywhere (ทุกหนทุกแห่ง): *I've searched high and low for that book.*

high and mighty behaving as if you think you are very important (สำคัญตัวผิด): *Don't be so high and mighty — you're no-one special.*

it is high time (used with the past tense of

the verb) it is time something was done (ถึงเวลาแล้ว): *It's high time somebody spanked that child!*

the high seas the open sea, far from land (ท้องทะเล ไกลจากผืนดิน).

'hi·jack (*'hī-jak*) *v* **1** to take control of an aeroplane while it is moving and force the pilot to fly to a particular place (**จี้เครื่องบิน**). **2** to stop and rob a vehicle (**หยุดและจี้ยานพาหนะนั้น ๆ**): *Thieves hijacked a lorry carrying $20,000 worth of whisky.* — *n* the hijacking of a plane or vehicle (**การจี้เครื่องบินหรือยานพาหนะ**): *a daring hijack.*

'hi·jack·er n (**คนจี้เครื่องบิน**).

hike *n* a long walk, especially in the country (**เดินทางไกล**). — *v* to go for a long walk in the country.

'hi·ker *n* (**นักเดินทางไกล**).

hi'lar·i·ous (*hi'lār-i-əs*) *adj* very funny (**สนุกสนาน**): *a hilarious play.*

hi'lar·i·ty (*hi'lar-i-ti*) *n* amusement; laughter (**ความสนุกสนาน เสียงหัวเราะ**).

hill *n* **1** a piece of high land, smaller than a mountain (**เนินเขา**): *We went for a walk in the hills yesterday.* **2** a slope on a road (**ทางลาดบนถนน**): *This car has difficulty going up steep hills.*

See **mountain**.

'hill·y *adj* having many hills (**มีเนินเขามาก**): hilly country.

'hill·side *n* the side or slope of a hill (**เชิงเขา**): *The hillside was covered with new houses.*

hilt *n* the handle of a sword, dagger *etc.* (**ด้ามดาบหรือกริช**).

him *pron* (used as the object of a verb or preposition) a male person or animal (**สรรพนามแทนคนผู้ชายหรือสัตว์ตัวผู้**): *I saw him yesterday; I gave him a book; I came with him.*

him'self *pron* **1** used as the object of a verb or preposition when a male person or animal is both the subject and the object (**ตัวของเขาเอง**): *He hurt himself; He looked at himself in the mirror.* **2** used to emphasize **he**, **him** or a name (**ใช้ย้ำคำว่า เขา หรือย้ำชื่อ**): *John's friends came, but John himself didn't.* **3** without help (**ไม่มีใครช่วย**): *He did it himself.*

hind[1] (*hīnd*) *n* a female deer (**กวางตัวเมีย**).

hind[2] (*hīnd*) *adj* back (**ด้านหลัง**): *The cat has hurt one of its hind legs.*

'hin·der *v* to delay someone or something (**ขัดขวาง กีดกั้น**): *All these interruptions are hindering my work; The noise hinders me from working.*

'hin·drance *n* a person, thing *etc.* that hinders (**อุปสรรคที่คอยกีดกั้น ขัดขวาง**): *I know you are trying to help but you're just being a hindrance.*

'hind·sight (*'hīnd-sīt*) *n* wisdom or knowledge about an event after it has happened (**ความฉลาดหรือความรู้หลังจากเหตุการณ์ได้เกิดขึ้นแล้ว**): *I thought I was doing the right thing, but with hindsight I can see that I made a mistake.*

Hin'du (*hin'doo*) *n* a person who believes in the religion of **'Hin·du·ism** (**ผู้นับถือศาสนาฮินดู**). — *adj* (**ศาสนาฮินดู**): *the Hindu religion.*

hinge (*hinj*) *n* the moving joint by which a door is fastened to the side of a doorway, or a lid is fastened to a box *etc.* (**บานพับ**): *I must oil the hinges of this door.*

hinge on to depend on (**ขึ้นอยู่กับ**): *The result of the whole competition hinges on this match.*

hint *n* **1** something that is said in a roundabout way, not stated clearly (**บอกทางอ้อม บอกเป็นนัย**): *He didn't actually say he wanted more money, but he dropped a hint.* **2** a helpful suggestion (**คำแนะนำที่มีประโยชน์**): *some useful gardening hints.* **3** a small amount that can only just be noticed (**จำนวนเล็กน้อยที่พอสังเกตเห็นได้เท่านั้น**): *There was a hint of fear in his voice.* — *v* to try to tell someone something in a roundabout way, without stating it clearly or directly (**บอกเป็นนัย ๆ**): *He hinted that he would like more money.*

hip *n* **1** the top part of either leg (**ต้นขา**): *She fell and broke her left hip.* **2** (**hips**) the part of your body around your bottom and the top of your legs (ตะโพก): *What do you measure round the hips?; This exercise is good for the hips.*

hip·po'pot·a·mus *n* a large African animal with very thick skin that lives near rivers (ช้างน้ำ).

hire *v* **1** to get the use of something by paying money (เช่า): *He's hiring a car from Dicksons for the week.* **2** to employ someone (จ้าง): *They have hired a team of labourers to dig the road.* — *n* money paid for hiring (เงินค่าเช่า): *How much is the hire of the hall?*

'hi·rer *n* (ผู้เช่า ผู้จ้าง).

See **let**[2].

hire-'pur·chase *n* a way of buying goods by paying the price in several weekly or monthly parts (การเช่าซื้อ): *He bought a video recorder on hire-purchase.*

for hire able to be hired (ให้เช่า): *Is this car for hire?*

on hire being borrowed for money (ถูกเช่ามา): *This crane is on hire from a building firm.*

his (*hiz*) *adj, pron* belonging to a male person (ของเขา): *John says it's his book; He says the book is his; No, his is on the table; I'm a friend of his.*

hiss *v* to make a sound like that of the letter *s*, especially to show anger or dislike (ทำเสียงซี้ด เสียงขู่ฟ่อ หรือเสียงโห่เพื่อแสดงความโกรธหรือไม่ชอบ): *The children hissed the witch when she came on stage; The geese hissed at the dog.* — *n* a sound like this (เสียงแบบนี้): *The speaker ignored the hisses of the audience.*

'his·to·ry *n* **1** the study of events *etc.* that happened in the past (ประวัติศาสตร์): *She is studying British history.* **2** a description of events connected with something (คำอธิบายถึงเหตุการณ์ที่เกี่ยวข้องกับอะไรบางอย่าง): *I'm writing a history of Singapore.* — *adj* (บทเรียนประวัติศาสตร์): *a history lesson.*

hi'sto·ri·an (*hi'stör-i-ən*) *n* a person who studies and writes about history (นักประวัติศาสตร์).

hi'stor·ic (*hi'stor-ik*) *adj* famous or important in history (ความสำคัญทางประวัติศาสตร์): *a historic battle; This is the historic spot where the explorer first landed.*

hi'stor·i·cal (*hi'stor-i-kəl*) *adj* having to do with history; having to do with people or events from history (เกี่ยวกับประวัติศาสตร์): *historical research; historical novels.*

hi'stor·i·cal·ly *adv* (อย่างเป็นประวัติศาสตร์).

hit *v* **1** to give someone or something a blow; to knock, or knock into something (ตี ทุบ กระแทก ชก): *The ball hit him on the head; He hit his head against a low branch; The car hit a lamp-post; Stop hitting me on the head!; He was hit by a bullet; That boxer certainly hits hard!* **2** to give something a blow that makes it move (ตี): *The golfer hit the ball over the wall.* **3** to reach (โดน): *His second arrow hit the bull's-eye.* **4** to happen to someone or something (เกิดขึ้น): *The city was hit by an earthquake.* — *n* **1** the hitting of something, such as a target (การตีอะไรบางอย่าง): *That was a good hit!* **2** something that is popular or successful (บางอย่างซึ่งเป็นที่นิยมหรือประสบความสำเร็จ): *The record is a hit.* — *adj* (เพลงที่ได้รับความนิยม เพลงฮิต): *a hit song.*

hit; hit; hit: *He hit the dog; The dog was hit by a car.*

hit-and-'run *adj* causing injury to a person and driving away without stopping (ชนแล้วหนี).

hit-or-'miss *adj* without planning; careless (โดยไม่วางแผน สะเพร่า): *hit-or-miss methods.*

hit back to hit someone who has hit you (ตอบโต้): *He hit me, so I hit him back.*

hit it off to become friendly (กลายเป็นมิตรกัน): *I hit it off with Paul as soon as I met him.*

hit on to find an answer *etc.* (พบคำตอบ): *We've hit on the solution at last.*

hit out at 1 to criticise strongly (วิจารณ์อย่างรุนแรง): *She hit out at the government.* **2** to fight against (ต่อสู้ ต่อต้าน): *He hit out* *at his attackers.*

hitch *v* **1** to fasten something to something (ผูกเกี่ยว): *He hitched his horse to the post.* **2** to hitch-hike (ขอโดยสาร): *I can't afford the train-fare — I'll have to hitch.* — *n* **1** a problem that holds you up (อุปสรรค): *The work-men have met a hitch.* **2** a kind of knot (ปม เงื่อน).

'hitch-hike *v* to travel by means of free rides in other people's cars (ขอโดยสาร): *He has hitch-hiked all over Britain.*

'hitch-hi·ker *n* (ผู้ขอโดยสาร).

hith·er'to *adv* up to this or that time (จนถึงเวลานี้หรือเวลานั้น): *She'd always been a happy child hitherto.*

HIV (*āch-ī'vē*) *n* the virus that causes AIDS: *There is no cure for HIV at this time.*

hive *n* **1** a box in which bees live and store up honey (รังผึ้ง): *He's building a hive so that he can keep bees.* **2** the bees that live in such a place (ผึ้งทั้งรัง): *The whole hive flew after the queen bee.*

hoard *n* a store of treasure, food *etc.* (การสะสม เช่นของมีค่าที่สะสมไว้อาหารที่สะสมไว้ฯลฯ): *She was on a diet but she kept a secret hoard of potato crisps in a cupboard.* — *v* to store up large quantities of something (สะสมของบางอย่างไว้เป็นจำนวนมาก): *His mother told him to stop hoarding old comics.*

'hoard·er *n* (ผู้สะสม ผู้กักตุน).

hoarse *adj* **1** rough; harsh (หยาบ ห้าว แหบ): *a hoarse cry.* **2** having a hoarse voice, because of a sore throat, or shouting too much (เสียงแหบเพราะเจ็บคอหรือตะโกนมากไป): *You sound hoarse — have you a cold?; The spectators shouted themselves hoarse.*

'hoarse·ness *n* (ความหยาบ ความห้าว).

hoax *n* a trick; a joke (ล้อเล่น เล่นตลก): *They were told there was a bomb in the school, but it was just a hoax.* — *v* to trick (ล้อเล่น): *They found that they had been hoaxed.*

hob *n* the flat cooking surface on top of a cooker (พื้นผิวที่แบนตรงด้านบนของเครื่องทำอาหาร).

'hob·ble *v* to walk with difficulty; to limp (เดินกะเผลก): *The old lady hobbled along with a stick.*

'hob·by *n* something you enjoy doing in your spare time (งานอดิเรก): *Stamp-collecting is a popular hobby.*

'hock·ey *n* a game for two teams of eleven players, played with sticks that are curved at one end, and a ball, or, in **ice hockey**, a round flat disc called a **puck** (กีฬาฮอกกี้).

hoe (*hō*) *n* a long-handled tool for removing weeds *etc.* (จอบ). — *v* to remove weeds with a hoe.

hog *n* a pig (หมู). — *v* to take or use more than your fair share of something (คนที่ใช้ของบางอย่างเสียคนเดียว): *She hogs the bathroom for at least an hour every morning, so that the rest of us can't use it.*

hoist *v* **1** to lift something heavy (ยกของหนัก กว้าน): *He hoisted the sack on to his back; He hoisted the child up on to his shoulders.* **2** to lift with a rope *etc.* (ใช้เชือกกว้าน ชักธง): *The cargo was hoisted on to the ship; They hoisted the flag.*

hold (*hōld*) *v* **1** to have in your hand (ถือ): *He was holding a knife; Hold that dish with both hands; He held the little boy by the hand; Hold my hand.* **2** to grip with something (จับไว้แน่นด้วยอะไรบางอย่าง): *He held the pencil in his teeth.* **3** to support something or keep it firmly in one position (ยึด): *The shelf was being held up by a pile of bricks; Hold your hands above your head; Hold his arms so that he can't struggle.* **4** to remain fixed (อยู่กับที่): *Will the anchor hold in a storm?* **5** to keep someone in your power (จับใครบางคนไว้ในอำนาจของเรา): *He was held by the police for questioning.* **6** to contain (บรรจุ): *This jug holds two pints.* **7** to make something take place; to organize (การจัด): *The meeting will be held next week; We'll hold the Christmas party in the hall.* **8** to have a festival *etc.* (จัดงานรื่นเริง): *The festival is held on 30 August.* **9** to have a job *etc.* (มีงานทำ): *He held the position of manager for five years.* **10** to believe in something (เชื่อในบางอย่าง): *He holds some* *very strange opinions.* **11** to defend (ป้องกัน): *They held the castle against the enemy.* **12** to keep a person's attention (จับความตั้งใจเอาไว้ให้อยู่): *A good teacher should always be able to hold the children's attention.* **13** to remain; to last (คงอยู่ ใช้ได้): *Our offer holds till 31 June ; I hope the weather holds until after the school sports.* **14** to wait on the telephone (รอสาย): *Mr Brown is busy at the moment — will you hold or would you like him to call you back?* — *n* **1** the holding of something; a grip (คว้า): *He got hold of her arm; Take hold of this rope; She caught hold of his coat; Keep hold of that rope.* **2** a way of holding your opponent in wrestling etc (ท่าจับในมวยปล้ำ ฯลฯ).

hold; held; held: *He held her hand; Has the meeting been held yet?*

'hold·er *n* a container (สิ่งที่ใช้บรรจุกล่อง): *a pencilholder.*

get hold of 1 to manage to speak to (หาทางที่จะพูด): *I've been trying to get hold of you by phone all morning.* **2** to find (หา): *I've been trying to get hold of a copy of that book for years.*

hold back to refuse to tell something, or show your feelings *etc.* (ไม่ยอมบอกอะไรบางอย่างหรือแสดงความรู้สึกของเราออกมาเก็บไว้): *Tell me everything — don't hold anything back; She managed to hold back her tears.*

hold good to be true; to remain firm (เป็นความจริง ยังคงใช้ได้อยู่): *Does that rule hold good in every case?*

hold it to wait (รอก่อน): *Hold it! Don't start till I tell you to.*

hold on 1 to keep holding (ยึด): *She held on to me to stop herself slipping.* **2** to wait (รอเดี๋ยว): *The telephonist asked the caller to hold on while she connected him.*

hold up 1 to delay (ล่าช้า หน่วงเหนี่ยว ชะงัก): *I'm sorry I'm late — I got held up at the office.* **2** to stop and rob (หยุดและปล้น): *The bandits held up the travellers.* **'hold-up** *n* (การปล้นการจี้).

hole *n* **1** an opening or gap in something (รูช่องโหว่): *a hole in the fence; There are big holes in my socks.* **2** a hollow (โพรง): *a hole in my tooth; Many animals live in holes in the ground.*

'hol·i·day *n* **1** a day when you do not have to work (วันหยุด): *Next Monday is a holiday.* **2** (often **holidays**) a period of time when you do not have to work (ช่วงระยะเวลาที่เราไม่ต้องทำงาน): *The summer holidays will soon be here; We're going to Bangkok for our holidays; I'm taking two weeks' holiday in June.*

on holiday not working; having a holiday (หยุดงาน มีวันหยุด): *Mrs Smith has gone on holiday; She is on holiday in France.*

'ho·li·ness *n* **1** the state of being holy (ความศักดิ์สิทธิ์). **2** a title of the Pope (ชื่อตำแหน่งของสันตะปาปา): *His Holiness.*

'hol·low (*'hol-ō*) *adj* having an empty space inside (เป็นโพรง กลวง): *a hollow tree; Bottles, pipes and tubes are hollow.* — *n* a hollow part; a dip (หุบเขา): *You can't see the farm from here because it's in a hollow.*

'hol·low·ness *n* (ความกลวง ความโพรง).

'hol·ly *n* a type of evergreen tree with prickly leaves and red berries (ต้นฮอลลี่).

'hol·o·caust *n* great destruction and loss of life, especially by fire or in war (การทำลายล้างและสูญเสียชีวิตโดยโดนไฟไหม้หรือสงคราม): *When the hotel burned down, a lot of people died in the holocaust.*

'hol·o·gram *n* a kind of photograph created with a laser beam which shows objects in three dimensions (ภาพสามมิติที่สร้างขึ้นจากแสงเลเซอร์): *Holograms are sometimes used on credit cards.*

'hol·ster (*'hōl-stər*) *n* the leather case for a pistol, worn on a belt (ซองปืน).

'ho·ly *adj* **1** belonging to or connected with God, Jesus, a saint *etc.*; sacred (ศักดิ์สิทธิ์): *the Holy Bible; holy ground.* **2** good; pure; following the rules of religion (ดี บริสุทธิ์ ทำตามกฎของศาสนา): *a holy life.*

'hom·age *n* great respect shown to someone in authority or to someone you admire

(การเคารพ การคารวะ): *All her children paid homage to the work she did during her life.*

home *n* **1** the house, town, country *etc.* where you live (บ้าน เมือง ประเทศ): *I work in the city, but my home is in the country; Singapore is my home; He invited me round to his home; Africa is the home of the lion.* **2** the place from which a person, thing *etc.* comes originally (แหล่งกำเนิดของคน สิ่งของ): *America is the home of jazz.* **3** a place where people who need to be looked after live (สถานเลี้ยงดู): *an old people's home.* — *adj* played on a team's own ground (เล่นที่บ้านของทีม): *a home game.* — *adv* to your home (ไปบ้าน): *I'm going home now.*

Your **home** is the place where you live or belong: *The fox trotted back to its home in the woods.*
A **house** is a building: *How many windows does your house have?*

'home·com·ing *n* a return home (คืนสู่เหย้า): *We had a party to celebrate his homecoming from America.*

'home-'grown *adj* grown in your own garden (ปลูกในสวนของเราเอง): *These tomatoes are home-grown.*

'home·land *n* your native land (บ้านเกิด).

'home·less *adj* without a place to live in (ไม่มีบ้านอยู่): *This charity was set up to help homeless people to find somewhere to live.*

home-'made *adj* made by a person at home (ทำที่บ้านของเราเอง พื้นเมือง): *home-made jam.*

'home·sick *adj* missing your home and family (คิดถึงบ้าน): *When the boy first went to boardingschool he was very homesick.*

'home·sickness *n* (ความคิดถึงบ้าน).

'home·work *n* work done at home, by a school pupil (การบ้าน): *Finish your homework!*

at home 1 in your house (อยู่ที่บ้าน): *I'm afraid he's not at home.* **2** playing on your own ground (เล่นที่บ้านของเราเอง): *The team is at home today.* **3** relaxed and at ease; accustomed to your surroundings or situation (ผ่อนคลายและตามสบาย คุ้นเคยกับสิ่งแวดล้อมหรือสถานการณ์): *He's quite at home with cows — he used to live on a farm.*

bring something home to someone to make someone realize something (ทำให้นึกขึ้นได้): *The talk by the doctor brought home to them the dangers of taking drugs.*

leave home 1 to leave your house (ออกจากบ้าน): *I usually leave home at 7.30 a.m.* **2** to leave your home to go and live somewhere else (จากบ้านไปที่แห่งอื่น): *He left home at the age of fifteen to get a job in Australia.*

make yourself at home to make yourself as comfortable and relaxed as you would be at home (ทำตัวตามสบายและผ่อนคลายเหมือนกับอยู่ที่บ้าน).

hom·e'op·a·thy or **hom·oe'op·a·thy** (*hōm-ē'op-ə-thi*) *n* the treating of diseases with medicines which give you a very mild form of the disease they are supposed to cure (การรักษาโรคด้วยยาซึ่งทำให้เราเกิดอาการเป็นโรคนิด ๆ เหมือนกับโรคที่ต้องการรักษา): *Many doctors now study homeopathy as part of their medical degree.*

'hom·e·o·path or **'hom·oe·o·path** *n* a person who treats diseases using homeopathy (ผู้รักษาโรคโดยใช้วิธีนี้): *She went to a homeopath about her skin problems.*

hom·e·o'path·ic or **hom·oe·o'path·ic** *adj* (ซึ่งเป็นการรักษาให้เกิดผลเช่นเดียวกับอาการของโรค): *homeopathic remedies.*

'hom·o·nym *n* a word having the same sound as another word, but a different meaning (คำที่ออกเสียงเหมือนกัน): *The words "there" and "their" are homonyms.*

hom·o'sex·u·al (*hom-ə'sek-shoo-əl*) *adj* sexually attracted to people of the same sex as yourself (ชอบมีความสัมพันธ์ทางเพศกับเพศเดียวกัน รักร่วมเพศ): *He is a homosexual.* — *n* a homosexual person (คนรักร่วมเพศ): *a meeting-place for homo-sexuals.*

hom·o·sex·u'al·i·ty n (การชอบคนเพศเดียวกัน).

'hon·est (*'on-əst*) *adj* truthful; not cheating, stealing *etc.* (ซื่อสัตย์ ซื่อตรง): *The servants are absolutely honest; Give me an honest opinion.*

'honest·y *n* (ความซื่อสัตย์).

an (not **a**) **honest** person.

'hon·est·ly *adv* **1** in an honest way (อย่างซื่อสัตย์): *He made his money honestly.* **2** used to stress the truth of what you are saying (ใช้ในการย้ำความจริงที่เราพูด): *I honestly don't think it's possible.*

honey (*'hun-i*) *n* a sweet, thick liquid made by bees from the nectar of flowers (น้ำผึ้ง).

'hon·ey·comb (*'hun-i-kōm*) *n* the mass formed by rows of wax cells in which bees store their honey (รวงผึ้ง).

'hon·ey·moon *n* a holiday spent immediately after your marriage (เวลาพักผ่อนของคู่บ่าวสาวที่เพิ่งแต่งงานใหม่ ช่วงดื่มน้ำผึ้งพระจันทร์): *We went to London for our honeymoon.*

'hon·or·ar·y (*'on-ə-rə-ri*) *adj* **1** not paid (กิตติมศักดิ์): *the honorary secretary of the club.* **2** given as an honour (ให้เป็นเกียรติ): *He has an honorary degree.*

honorary is spelt with **-or-** (not **-our-**).

'hon·our *n* **1** truthfulness; honesty; the ability to be trusted (ความจริง ความซื่อสัตย์ ไว้ใจได้): *He is a man of honour.* **2** pride; good reputation (มีชื่อเสียงดี): *We must fight for the honour of our country.* **3** fame; glory (ชื่อเสียง ความรุ่งโรจน์): *He won honour as a scholar.* **4** respect; memory (ความเคารพ ความทรงจำ): *This ceremony is being held in honour of those who died in the war.* **5** something to be proud of (เป็นเกียรติอย่างยิ่ง): *It is a great honour to be asked to give the prizes.* — *v* **1** to show great respect to a person, thing *etc.* (ให้เกียรติ): *We should honour the President.* **2** to make someone pleased and proud by doing something for them (ให้เกียรติโดยการทำบางอย่างให้): *Will you honour us by being the chairman of our meeting?* **3** to keep a promise *etc.* (รักษาคำสัญญา): *We'll honour our agreement.*

'hon·our·a·ble *adv* (อย่างมีเกียรติ).

honour and **honourable** are spelt with **-our-**.
You use **an** (not **a**) before **honorary, honour** and **honourable**.

'hon·ours *n* **1** a degree awarded by universities, colleges *etc* to students who achieve good results (เกียรตินิยม). **2** a ceremony performed as a mark of respect (ให้เกียรติแก่ผู้อื่น): *The dead soldiers were buried with full military honours.* — *adj* (เกียรตินิยม): *He got an honours degree in English.*

hood (*hŏŏd*) *n* **1** a loose covering for the whole head, usually attached to a coat, cloak *etc.* (ผ้าคลุมศีรษะ เสื้อที่มีผ้าคลุมศีรษะ). **2** a folding cover on a car, pram *etc.* (หลังคารถ ฝาครอบรถเข็นสำหรับเด็กอ่อน): *Put the hood of the pram up — the baby is getting wet.* **3** the cover over the engine of a car (ฝากระโปรงรถยนต์): *He raised the hood to look at the engine.*

'hood·ed *adj* with a hood (มีเสื้อคลุมศีรษะ มีฝาครอบ).

'hood·wink (*'hŏŏd-wiŋk*) *v* to trick (ตบตา หลอกลวง): *He was hoodwinked into giving his money to a thief.*

hoof, *plural* **hooves** or **hoofs**, *n* the hard part of the feet of horses, cows *etc.* (กีบเท้าของสัตว์).

See **foot**.

hook (*hŏŏk*) *n* **1** a small piece of metal shaped like a J, fixed at the end of a fishing-line to catch fish (เบ็ด): *a fish-hook.* **2** a bent piece of metal *etc.* used for hanging coats, cups *etc.* on, or a smaller one sewn on to a garment, for fastening it (ขอเกี่ยวหรือตะขอ): *Hang your jacket on that hook behind the door; hooks and eyes.* — *v* **1** to catch a fish with a hook (ตกปลา): *He hooked a large salmon.* **2** to fasten by a hook (เกี่ยวตะขอ): *He hooked the ladder on to the branch.*

hooked *adj* **1** curved like a hook (โค้งงอเหมือนตะขอ): *a hooked nose.* **2** very keen on something; addicted to something (เชี่ยวชาญอะไรบางอย่าง เสพย์ติด): *He's hooked on jazz.*

by hook or by crook by one means or another; in any way possible (ไม่ได้ด้วยเล่ห์ก็เอาด้วยกล): *I'll get her to marry me, by hook or by crook.*

'hoo·li·gan *n* a person who behaves violently or very badly (อันธพาล).

hoop *n* a ring of metal, wood *etc* (ห่วงโลหะหรือไม้ ฯลฯ): *At the circus we saw a dog jumping through a hoop.*

See **loop**

hoorah, hooray other spellings of (การสะกดอีกแบบหนึ่งของ) **hurrah**.

hoot *v* **1** to sound the horn of a car *etc.* (กดแตร): *The driver hooted at the old lady.* **2** to cry like an owl (เสียงร้องของนกเค้าแมว): *An owl hooted in the wood.* **3** to laugh or shout loudly (หัวเราะหรือตะโกนเสียงดัง): *The audience hooted with laughter.* — *n* **1** the sound of a car horn *etc.* (เสียงแตรรถยนต์). **2** the call of an owl (เสียงนกเค้าแมว).

See **horn**.

'hoot·er *n* an instrument that makes a hooting sound (เครื่องมือที่ทำเสียงหวูด): *The hooter goes off to mark the end of one shift and the beginning of the next.*

'Hoov·er's, *n* (trademark) a type of vacuum cleaner (เครื่องดูดฝุ่นชนิดหนึ่ง).

'hoov·er *v* to clean a floor, carpet *etc.* with a vacuum cleaner (ดูดฝุ่นพื้นหรือพรม): *She hoovers the sitting-room twice a week; He hoovered up the crumbs.*

hooves *plural of* (พหูพจน์ของ) **hoof**.

hop *v* **1** to jump on one leg (กระโดดขาเดียว): *The children had a competition to see who could hop the furthest; He hopped about shouting with pain when the hammer fell on his foot.* **2** to jump on both legs or all legs (กระโดดทั้งสองขา): *The sparrow hopped across the lawn; The frog hopped on to the stone.* **3** to jump (กระโดด): *He hopped out of bed; Hop into the car and I'll drive you home.* — *n* **1** a jump on one leg (การกระโดดขาเดียว). **2** a jump made by a bird or animal (นกหรือสัตว์กระโดด): *With a hop, the frog landed beside her.*

hope *v* to want something to happen and believe that it may happen; to expect (หวังคาดหวัง): *He's very late, but we are still hoping he will come; I hope to be in London next month; We're hoping for success; "Do you think it will be fine today?" "I hope so"; "Is it going to rain today?" "I hope not".* — *n* **1** the feeling that what you want may happen; expectation (ความหวัง การคาดหวัง): *He has lost all hope of winning the scholarship; He came to see me in the hope that I would help him; The rescuers said there was no hope of finding anyone else alive in the mine.* **2** someone or something that you depend on for help (ที่พึ่ง): *He's my last hope — there is no-one else I can ask.*

'hope·ful *adj* full of hope (เต็มไปด้วยความหวัง): *The police are hopeful that they will soon find the thief; The dog looked at the sausages with a hopeful expression; The future looks quite hopeful.*

'hope·ful·ness *n* (ความหวัง).

'hope·ful·ly *adv* (อย่างคาดหวัง).

'hope·less *adj* **1** without hope; not likely to succeed (หมดหวัง): *It's hopeless to try to persuade him to help us.* **2** very bad (เลวมาก): *I'm a hopeless dancer; He's hopeless at arithmetic.*

'hope·less·ly *adv* (อย่างหมดหวัง).

'hope·less·ness *n* (ความหมดหวัง).

hope for the best to hope that something will succeed or that nothing bad will happen (หวังในแง่ดีเอาไว้).

'hop·scotch *n* a game in which a stone is thrown on to a set of squares marked out on the ground, and you have to hop or jump from square to square to get it back (การเล่นตั้งเต): *Some children were playing hopscotch in the playground.*

horde *n* a moving crowd (คณะ พวก): *Hordes of tourists crowded the temple.*

ho'ri·zon (*hə'rī-zən*) *n* the line at which the earth and the sky seem to meet (ขอบฟ้า): *The sun went down below the horizon; A ship could be seen on the horizon.*

hor·i'zon·tal *adj* lying level or flat; not upright (แนวราบ แนวนอน): *The floor is horizontal and the walls are vertical.*

hor·i'zon·tal·ly *adv* (ตามแนวนอน).

'hor·mone *n* any of a number of chemicals produced in your body to perform a particular task (สารเคมีที่ผลิตขึ้นในร่างกายเพื่อทำงานบางอย่าง ฮอร์โมน): *Adrenalin is a hormone that makes your heart beat faster when you are frightened or excited.*

hor'mo·nal *adj* (เกี่ยวกับฮอร์โมน).

horn *n* **1** a hard pointed object that grows on the head of a cow, sheep *etc.* (เขาสัตว์): *A ram has horns.* **2** an animal's horn used as a material to make things from (เขาสัตว์ที่ใช้ทำสิ่งต่าง ๆ): *These spoons are made of horn.* **3** the device in a car *etc.* which gives a warning sound (แตรรถยนต์): *The driver sounded his horn.* **4** an instrument, made of brass, that is played by blowing (แตร): *a hunting-horn.* — *adj* made of an animal's horn (ทำด้วยเขาสัตว์): *a horn spoon.*

> **horn** is not used as a verb; say **sound, hoot, toot** or **blow** your horn.

horned *adj* having horns (มีเขา): *a horned animal; a four-horned sheep.*

'hor·net *n* a kind of large wasp (แตน).

'hor·o·scope *n* the telling of a person's future from the position of the stars and planets at the time of their birth (การผูกดวงชะตา).

hor'ren·dous *adj* very unpleasant and shocking (น่ากลัว): *a horrendous accident.*

'hor·ri·ble *adj* **1** causing horror; dreadful (น่าตื่นเต้น น่ากลัว): *a horrible sight.* **2** unpleasant (ไม่น่าดู): *What a horrible smell!*

'hor·ri·ble·ness *n* (น่าตื่นเต้น น่ากลัว น่าเบื่อ).

'hor·ri·bly *adv* (อย่างตื่นเต้น อย่างน่ากลัว).

'hor·rid *adj* **1** unpleasant (น่าเกลียด): *That was a horrid thing to say.* **2** dreadful (น่ากลัว): *a horrid shriek.*

hor'rif·ic *adj* terrible; terrifying (น่ากลัว น่าสยองขวัญ): *a horrific accident.*

'hor·ri·fy (*'hor-i-fī*) *v* to shock greatly (ตกใจอย่างยิ่ง): *Mrs Smith was horrified to find that her son had grown a beard.*

'hor·ri·fy·ing adj (น่าตกใจ).

'hor·ror *n* **1** great fear (น่ากลัวอย่างยิ่ง): *She has a horror of spiders.* **2** shock and dismay (ตกใจและกลัว): *She looked at me in horror when I told her the bad news.* **3** something horrific (บางอย่างที่น่ากลัว): the horrors of war.

hors d'oeuvre (*ör dəvr*), *plural* **hors d'oeuvres**, *n* a dish of food served before the main meal to give you an appetite (อาหารเรียกน้ำย่อย): *She served several different types of hors d'oeuvre.*

horse *n* **1** a large four-footed animal which is used to pull carts *etc.* or to carry people (ม้า): *The carriage was pulled by a team of horses.* **2** an object used for jumping, vaulting *etc.* in a gymnasium (ม้ากระโดด).

> A horse **neighs** or **whinnies**.
> A baby horse is a **foal**.
> A male horse is a **stallion**.
> A female horse is a **mare**.
> A horse lives in a **stable**.

'horse·man, 'horse·wom·an *n* someone who rides a horse (คนขี่ม้า): *She's a good horse-woman.*

'horse·man·ship *n* (ความชำนาญในการขี่ม้า).

'horse·pow·er *n* a unit for measuring the power of car-engines (shortened to **h.p.**) (หน่วยวัดกำลังของรถยนต์ แรงม้า).

on horseback riding on a horse (ขี่ม้า): *The soldiers rode through the town on horseback.*

'hor·ti·cul·ture *n* the science and art of gardening (ศิลปะในการตกแต่งสวน พืชสวน).

hor·ti'cul·tu·ral *adj* (แห่งการตกแต่งสวน).

hose (*hōz*) *n* a rubber or plastic tube which bends and which is used to spray water *etc.* (สายยางฉีดน้ำ ท่อฉีดน้ำ): *a garden hose; a fireman's hose.* — *v* to wash with a hose (ล้างด้วยท่อน้ำ): *I'll go and hose the car.*

'hose·pipe *n* a hose (ท่อฉีดน้ำ).

'hos·ie·ry (*'hōz-yə-ri*) *n* socks, tights and stockings (ถุงเท้า ถุงน่อง): *The shop has a big hosiery department.*

hos'pit·a·ble *adj* kind in inviting people to your house (เชื้อเชิญคนมาที่บ้านด้วยอัธยาศัยไมตรี): *It was very hospitable of you to invite us to your party.*

hos'pit·a·bly *adv* (อย่างมีอัธยาศัยไมตรี).

'hos·pi·tal *n* a building where people who are ill or injured are given treatment (โรงพยาบาล): *After the train crash, the injured people were taken to hospital.*

hos·pi'tal·i·ty *n* a friendly welcome in your home for guests or strangers (การต้อนรับแขกหรือคนแปลกหน้าในบ้านอย่างมีอัธยาศัยไมตรี).

host (*hōst*) *n* someone who invites guests to his house (เจ้าบ้าน): *The host must always make sure that the guests have enough food and drink.*

'hos·tage *n* a person who is taken prisoner by people who will not let him go till they get what they want (ตัวประกัน): *The terrorists were holding three people hostage.*

'hos·tel *n* **1** a building where people can stay the night when they are on a walking or cycling trip *etc.* (ที่พำนักของคนเดินทางหรือนักปั่นจักรยานท่องเที่ยว ฯลฯ ที่พักหอพัก): *a youth hostel.* **2** a building where students *etc.* live (ที่พำนักของนักเรียน ฯลฯ): *a nurses' hostel.*

'host·ess (*'hōst-ess*) *n* a female host (เจ้าบ้านที่เป็นหญิง).

'hos·tile (*'hos-til*) *adj* **1** not friendly; behaving like an enemy (ไม่เป็นมิตร ทำตนเหมือนเป็นศัตรู): *hostile tribes; a hostile army.*
2 showing dislike (แสดงความไม่ชอบ): *She gave him a hostile look.*

hos'til·i·ty *n* (ความไม่เป็นมิตร).

hot *adj* **1** full of heat; very warm (ร้อน): *a hot oven; That water is hot; a hot day; Running makes me feel hot.* **2** having a sharp, burning taste (เผ็ด): *a hot curry.* **3** easily made angry (โกรธง่าย): *He has a hot temper.*

'hot·bed *n* a place which allows something, especially something bad, to grow quickly (ที่ซึ่งเกิดอะไรบางอย่างที่ไม่ดีขึ้นได้ง่าย เกิดอย่างรวดเร็ว): *The universities are a hotbed of revolution.*

hot dog a sandwich containing a hot sausage (ขนมปังไส้กรอก).

hot'head·ed *adj* easily made angry; acting too quickly, without thinking first (โมโหง่าย ใจเร็ว ไม่คิดเสียก่อน).

'hot·ly *adv* **1** eagerly; quickly (อย่างรีบร้อน): *The thieves were hotly pursued by the police.* **2** angrily (อย่างโมโห): *He hotly denied the accusation that he had told a lie.*

'hot-plate *n* a flat, usually circular, metal surface on a cooker on which food is heated for cooking (แผ่นโลหะกลม ๆ ซึ่งอยู่ด้านบนของเครื่องหุงต้ม).

like hot cakes very quickly (เร็วมาก): *These toys are selling like hot cakes.*

ho'tel (*hō'tel*) *n* a large building where people can stay and have meals in return for payment (โรงแรม): *The new hotel has over 500 bedrooms.*

ho'tel·i·er *n* a person who owns or manages a hotel (ผู้เป็นเจ้าของหรือจัดการโรงแรม).

hound *n* a dog, especially one used for hunting foxes (หมาล่าเนื้อ). — to chase someone (การไล่ตาม): *The film star was hounded by newspaper reporters.*

hour (*owr*) *n* (sometimes shortened to **hr**) **1** a period of sixty minutes (ชั่วโมง): *There are 24 hours in a day; He spent an hour at the swimming-pool this morning; She'll be home in half an hour; a five-hour delay.* **2** the time at which a particular thing happens (เวลาที่บางสิ่งโดยเฉพาะเกิดขึ้น): *The dog stayed beside him until the hour of his death; This firm's business hours are from 9.00* to *16.00* hrs.

an (not **a**) **hour**.

'hour-glass *n* a device that measures hours, in which sand passes from one glass container through a narrow tube into a lower container (นาฬิกาทราย).

hour hand the smaller of the two hands of a watch or clock, which shows the time in hours (เข็มสั้นนาฬิกา).

'hour·ly *adj, adv* every hour (ทุก ๆ ชั่วโมง): *Take his temperature hourly; hourly reports.*

for hours for a very long time (เป็นเวลานาน): *We waited for hours for the train.*

house, *plural* **'hous·es** (*'how-zəz*), *n* **1** a building in which people, especially a single family, live (บ้าน). **2** a place or building used for a particular purpose (อาคารที่ใช้สำหรับจุดประสงค์บางอย่างโดยเฉพาะ): *a hen-house; a cowhouse.* **3** a theatre; an audience (โรงมหรสพ ผู้ชม): *There was a full house for the first night of the play.* **4** a family, usually important or noble, including its ancestors (ตระกูล โดยเฉพาะคนที่สำคัญหรือมีศักดิ์สูง รวมทั้งบรรพบุรุษ): *Jesus came from the house of David.* — *v* (*howz*) **1** to provide people *etc.* with somewhere to live (จัดหาให้ผู้คน ฯลฯ มีที่อยู่): *All these homeless people will have to be housed; The animals are housed in the barn.* **2** to keep somewhere (เก็บไว้ในที่บางแห่ง): *The gardening equipment is housed in the garage.*

See **home**.

'house·break·er *n* a burglar (ขโมย)
'house'breaking *n.*

'house-fly *n* the common fly, found throughout the world (แมลงวัน).

'house·hold *n* the people who live together in a house (ผู้คนที่อยู่รวมกันในบ้าน): *How many people are there in this household?*

'house·keep·er *n* a person, especially a woman, who is paid to look after a house (คนดูแลบ้าน).

'house·keep·ing *n* (การดูแลบ้าน).

'house-warm·ing *n* a party that you give after moving into a new house (งานเลี้ยงขึ้นบ้านใหม่).

'house·wife, *plural* **'house·wives**, *n* a woman who spends most of her time looking after her house, her husband and her family (แม่บ้าน).

'house·work *n* the work of keeping a house clean and tidy (งานบ้าน): *My mother has a woman to help her with the housework.*

'hous·ing (*'how-ziŋ*) *n* **1** houses (บ้าน): *The government will provide housing for the immigrants.* **2** the hard cover round a machine (ฝาปิดเครื่อง).

'hov·el *n* a small, dirty house (บ้านเล็ก ๆ ที่สกปรก เพิง กระท่อม).

'hov·er *v* to remain in the air without moving in any direction (ลอยตัวอยู่ในอากาศ): *The bird hovered over the rock.*

'hov·er·craft *n* a vehicle which is able to move over land or water, supported by a layer of air (พาหนะสะเทินน้ำสะเทินบก).

how *adv, conjunction* **1** in what way (อย่างไร): *How do you make bread?; I know how to do this sum.* **2** to what extent (ขนาดไหน): *How do you like my new dress?; How far is Paris from London?* **3** by what means (โดยวิธีใด): *I've no idea how he got out of the locked room.* **4** in what state (สภาพเป็นอย่างไร): *How are you today?; How do I look?* **5** why; for what reason (ด้วยเหตุอันใด): *How can you be so rude to your parents?*

how about *used for suggesting something, or asking what someone else thinks* (ใช้สำหรับเสนอความเห็นหรือถามความเห็นของผู้อื่น): *"Where shall we go tonight?" "How about the cinema?"; We're going to the cinema tonight. How about you?*

See **what about**.

how come why; for what reason (ด้วยเหตุผลอันใด): *How come I didn't get any cake?*

how do you do? words that you say when you meet someone for the first time (คำพูดที่เราใช้เมื่อพบกับผู้ใดเป็นครั้งแรก): *"How do you do? My name is William," he said, shaking her hand.*

how'ev·er *adv* **1** but (แต่): *She earns very little money — however, she manages with what she has.* **2** how (อย่างไร): *However did you get over such a high wall?* **3** no matter how (ไม่ว่าจะเป็นอย่างไร): *However hard I try, I still can't swim.*

howl *v* to make a long, loud noise (หอน ร้องโหยหวน): *The wolves howled; He howled with pain; The wind howled through the trees.* — *n* a sound like this (เสียงอย่างนี้): *a howl of pain.*

HQ (*āch'kū*) *n* headquarters: *The general returned to his HQ.*

hub *n* **1** the centre of a wheel (ดุมล้อรถ).

2 a centre of activity or business (ศูนย์กลางของความคึกคักหรือธุรกิจ).

'**hub·bub** *n* a confused noise containing many different sounds (เสียงอึกทึกครึกโครม): *He could hardly hear what she was saying above the hubbub of voices.*

'**hud·dle** *v* **1** to crowd closely together (รวมตัวกัน): *The cows huddled together in the corner of the field.* **2** to curl up in a sitting position (หดตัวอยู่ในท่านั่ง): *The old man was huddled near the fire to keep warm.*

hue[1] (*hū*) *n* colour (สี): *flowers of many hues.*

hue[2]: **hue and cry** a loud protest (ร้องต่อต้านด้วยเสียงอันดัง): *There will be a hue and cry over this unfair decision.*

huff *n* a period of being angry and not speaking to anyone (ช่วงที่โกรธและไม่พูดกับใคร): *He is in a huff because he wasn't invited to the disco.*

hug *v* to put your arms round someone and hold them tight (กอด): *The mother hugged her child.* — *n* a tight grasp with the arms (ใช้แขนกอดเอาไว้แน่น): *As they said good-bye she gave him a hug.*

huge (*hūj*) *adj* very large (ใหญ่มาก): *a huge dog; a huge sum of money; Their new house is huge.*

'**huge·ness** *n* (ความใหญ่โต).

'**hugely** *adv* (อย่างใหญ่โต).

hulk *n* **1** the body of an old ship from which everything has been taken away (เรือเก่าที่ถอดทุกอย่างออกไปหมดแล้ว โครงเรือ): *The hulk was towed away for scrap.* **2** a ship which is or looks difficult to steer (เรือที่ดูเหมือนว่ายากจะขับเคลื่อนได้): *You won't get very far in that old hulk.* **3** a large, awkward person or thing (คนหรือสิ่งที่ใหญ่และเทอะทะ): *The darkness made the castle ruins look like a hulk.*

hull *n* the frame or body of a ship (โครงหรือลำเรือ): *The hull of the ship was painted black.*

hullo another spelling of (อีกวิธีหนึ่งของการสะกดคำ) **hallo** .

hul·la·ba'loo *n* **1** a noise (เสียงอึกทึก): *The teacher told the pupils to stop making such a hullabaloo.* **2** a loud public protest (เสียงคัดค้านอันดังจากสาธารณชน).

hum *v* **1** to make a musical sound with closed lips (เสียงฮัมดนตรี): *He was humming a tune to himself.* **2** to make a sound like this (เสียงแบบนี้): *The bees were humming round the hive.* — *n* a humming sound (เสียงหึ่ง ๆ): *I could hear the hum of conversation in the room next door.*

'**hu·man** (*'hū-mən*) *adj* of, natural to, concerning, or belonging to, mankind (แห่งมนุษย์): *human nature; The dog was so clever that he seemed almost human.* — *n* a person (คน): *Humans are not as different from animals as we think.*

human being a human (มนุษย์).

hu'mane *adj* kind; not cruel (ใจดี ไม่ดุร้าย เมตตา).

hu'mane·ly *adv* (อย่างใจดี).

hu'man·i·ty *n* **1** kindness (ความกรุณา): *Prisoners must be treated with humanity.* **2** people (ผู้คน): *all humanity.*

hu·man·i'tar·i·an (*hū-man-i'tār-i-ən*) *n* a person who tries to make life better for everyone and tries to stop the suffering in the world (คนซึ่งพยายามทำให้ชีวิตของทุกผู้คนดีขึ้นและหยุดยั้งความลำเค็ญในโลก ผู้มีมนุษยธรรม). — *adj*: *humanitarian actions.*

'**hum·ble** *adj* **1** having a low opinion of yourself; not proud (ถ่อมตน): *You have plenty of ability, but you are too humble.* **2** not great and important (ไม่มากและไม่สำคัญ): *I do quite a humble job at the hospital.*

'**hum·bly** adv (อย่างถ่อมตน).

'**hum·ble·ness** *n* (ความถ่อมตน).

'**hum·bug** *n* **1** a person who pretends to be better than he or she is (คนซึ่งแกล้งทำว่าดีกว่าที่ตนเป็นอยู่ คนหลอกลวง): *Someone who drops litter and then complains about other people's dirtiness is a real humbug.* **2** talk or words that try to deceive you; nonsense (คำพูดที่เหลวไหล): *People talk a lot of humbug about today's children being lazy and selfish.* **3** in Britain, a hard sweet, usually flavoured with peppermint (ในอังกฤษ ลูก

กวาดรสเปปเปอร์มินท์).

'hum·drum *adj* dull or ordinary (น่าเบื่อหรือเป็นธรรมดา): *He'd climbed so many mountains that it had become humdrum.*

'hu·mid (*'hū-mid*) *adj* damp (ชื้น): *a humid climate.*

hu'mid·i·ty *n* (ความชื้น).

hu'mil·i·ate (*hū'mil-i-āt*) *v* to make someone feel ashamed (ทำให้ได้รับความอับอาย): *He was humiliated to find that his girl-friend could run faster than he could.*

hu'mil·i·a·ting *adj* (รับความอับอาย).

hu·mil·i'a·tion n (น่าอับอาย).

hu'mil·i·ty (*hū'mil-i-ti*) *n* modesty; humbleness (การถ่อมตน): *In spite of his important job, he was a man of great humility.*

'hum·ming-bird *n* a small brightly-coloured bird that makes a humming sound with its wings (นกฮัมมิงเบิร์ด).

'hu·mor·ous (*'hū-mər-əs*) *adj* funny; amusing (สนุกสนาน ตลก): *a humorous remark.*

'hu·mor·ous·ly *adv* (อย่างติดตลก).

'hu·mour (*'hū-mər*) *n* the ability to amuse people; quickness to see a joke (มีอารมณ์ขัน): *He has a great sense of humour.* — *v* to please someone by agreeing with them or doing as they wish, so as to avoid trouble (เอาอกเอาใจ): *Don't tell him he is wrong — just humour him instead.*

> **humour** ends in **-our**.
> **humorous** is spelt with **-or-**.

-hu·moured having, or showing, feelings or a personality of a particular sort (แสดงถึงความรู้สึกหรืออุปนิสัย): *a good-humoured person; an ill-humoured remark.*

hump *n* **1** a lump on the back of an animal, person *etc.* (หนอก): *a camel's hump.* **2** part of a road *etc.* which rises in the shape of a hump (ส่วนของถนน ฯลฯ ที่โก่งขึ้น).

'hu·mus (*'hū-məs*) *n* a dark brown mass of rotten plants that you dig into the soil to improve it (ซากต้นไม้เน่า ๆ สีน้ำตาลดำที่เราใส่ลงไปในดินเพื่อทำให้มันดีขึ้น ซากพืช).

hunch[1] (*hunsh*) *n* a feeling (ความรู้สึก): *I have a hunch that something is wrong.*

hunch[2] (*hunsh*) *v* to bring your shoulders upwards and forwards (ห่อไหล่): *He hunched his shoulders; She hunched herself up in front of the fire to keep warm.*

'hunch·back *n* a person with a hump on his back (คนหลังโกง).

'hun·dred, *plural* **'hun·dred**, *n* the number 100 (เลข 100): *Ten times ten is a hundred; more than one hundred; Three hundred of the children already speak some English.* — *adj* **1** 100 in number (จำนวน 100): *six hundred people; a few hundred pounds.* **2** aged 100 (อายุ 100 ปี): *He is a hundred today.*

> You use **hundred** (not **hundreds**) after a number: *nine hundred boxes.*

'hun·dred-: *a hundred-dollar bill* (ธนบัตรใบละร้อยดอลลาร์).

'hun·dredth *n* one of a hundred equal parts. — *n* (หนึ่งส่วนร้อย), *adj* the last of a hundred people, things *etc.* (คนหรือสิ่งสุดท้ายในร้อย).

hundreds of 1 several hundred (หลายร้อย): *He has hundreds of pounds in the bank.* **2** very many (มากมาย): I've got hundreds of things to do.

hung *see* **hang** (ดู **hang**).

'hun·ger (*'huŋ-gər*) *n* **1** the desire for food (ความหิว): *A cheese roll won't satisfy my hunger.* **2** not having enough food (ได้รับอาหารไม่พอ): *Poor people in many parts of the world are dying of hunger.* **3** eagerness (กระหาย กระตือรือร้น): *a hunger for success.* — *v* to want very much (ต้องการอย่างมาก): *The children hungered for love.*

'hun·gry (*'huŋ-gri*) *adj* wanting food *etc.* (หิว กระหาย): *a hungry baby; I'm hungry — I haven't eaten all day; He's hungry for adventure.*

'hungri·ly adv (อย่างหิว อย่างกระหาย).

hunger strike a refusal to eat (ประท้วงโดยอดอาหาร): *The prisoners went on hunger strike.*

hunk *n* a large piece (ชิ้นใหญ่): *a hunk of cheese.*

hunt *v* **1** to chase and catch animals *etc.* for food or for sport (ล่าสัตว์มาเป็นอาหาร): *He spent the whole day hunting deer.* **2** to search (ค้นหา): *She hunted for the lost book.*

— *n* **1** the act of hunting animals *etc.* (การล่าสัตว์): *a tiger hunt.* **2** a search (การค้นหา): *I'll have a hunt for that lost necklace.*

'hunt·er *n* a person who hunts animals (นายพราน นักล่าสัตว์).

'hunt·ing *n* (การล่าสัตว์).

hunt high and low to search everywhere (หาไปทุกแห่ง).

'hur·dle *n* **1** a frame to be jumped in a race (รั้วสำหรับกระโดดข้าม). **2** a difficulty; a difficult test (ความยากลำบาก การทดสอบที่ยากลำบาก): *We still have several hurdles to get over.*

'hur·dler *n* (คนวิ่งข้ามรั้ว).

'hur·dling n (การวิ่งข้ามรั้ว).

hurl *v* to throw violently (เหวี่ยง ขว้าง): *He hurled himself to the ground; They hurled rocks at their attackers.*

hur'rah, hoo'rah (*hōō'rä*), **hoo'ray, hur'ray** (*hōō'rā*) a shout of joy *etc.* (ตะโกนออกมาด้วยความดีใจ): *Hurrah! We're getting an extra day's holiday!; Hip, hip, hooray!*

'hur·ri·cane *n* a violent storm with winds blowing at over 120 kilometres per hour.

> A **hurricane** is a violent, destructive tropical wind, or a wind blowing at over 120 kilometres per hour (พายุเฮอร์ริเคน).
> A **cyclone** is a violent storm with winds blowing in a circle round a calm central area.
> A **tornado** is a violent storm with winds that whirl round in a circle.
> A **typhoon** is a violent tropical storm, especially in the seas east of China.
> A **whirlwind** is a wind with a violent circular motion, moving across the land or sea.

'hur·ry *v* **1** to be quick (รีบ): *You'd better hurry if you want to catch that bus.* **2** to make someone be quick (เร่ง): *If you hurry me, I'll make mistakes.* **3** to take quickly (เอาไปอย่างเร็ว): *After the accident, the injured man was hurried to the hospital.* — *n* quickness in doing something; a rush; haste (ทำอย่างรวดเร็ว รีบ): *In his hurry to leave, he fell over the dog.*

'hur·ried *adj* done too quickly (ทำเร็วเกินไป): *a hurried job.*

'hur·ried·ly *adv* (อย่างรวดเร็ว).

in a hurry 1 quickly; in a rush (เร็ว รีบ ๆ): *I did this in a hurry.* **2** wanting to be quick (อยากจะทำให้เร็ว): *Don't stop me now — I'm in a hurry; She was in a hurry to get home and cook the meal.*

hurry up to be quick, or make someone be quick (เร่ง): *Do hurry up!; Please hurry the children up — we're late!*

hurt *v* **1** to injure (บาดเจ็บ): *I hurt my hand when I fell over; Were you badly hurt?* **2** to be painful (เจ็บปวด): *My tooth hurts.* **3** to upset someone (ทำให้เจ็บปวด): *She was hurt by her friend's cruel words.*

> **hurt; hurt; hurt**: *He hurt his foot; I've hurt my toe.*

'hurt·ful *adj* cruel (โหดร้าย): *a hurtful remark.*

'hur·tle *v* to move very quickly (เคลื่อนที่ไปอย่างรวดเร็ว): *The car hurtled downhill.*

'hus·band (*'huz-bənd*) *n* a man to whom a woman is married (สามี): *Some husbands do the housework, while their wives go out to work.*

hush a warning to be quiet (เตือนให้เงียบเสียง): *Hush! Don't wake the baby.* — *n* silence (ความเงียบ): *A hush came over the room.*

hushed *adj* silent (เงียบ): *a hushed crowd.*

hush up to keep something secret (ปิดไว้เป็นความลับ): *The government want to hush the matter up.*

'husk·y[1] *adj* low and rough in sound (เสียงแหบเครือ เสียงแห้ง): *He had a husky voice.*

'husk·i·ness *n* (ความแหบแห้ง).

'husk·i·ly *adv* (อย่างแหบแห้ง).

'husk·y[2] *n* a dog used for pulling sledges (หมาที่ใช้ลากเลื่อน).

'hus·tle (*'hus-əl*) *v* to push quickly and roughly (ผลักอย่างรวดเร็วและหยาบ ๆ รุน เร่งรีบ): *The man was hustled out of the office and into the car.* — *n* hurry; rush (รีบเร่ง).

hut *n* a small house or shelter, made of wood *etc.* (กระท่อม).

hutch *n* a box with a wire front in which rabbits are kept (กรงขังกระต่าย).

'hy·a·cinth (*'hī-ə-sinth*) *n* a plant of the lily

family with a sweet-smelling flower, that grows from a bulb (พันธุ์ไม้ดอกชนิดหนึ่งมีกลิ่นหอมหวาน).

'**hy·brid** (*'hī-brid*) *n* an animal or plant that has been bred from two different kinds of animal or plant (ลูกผสม พันทาง): *A mule is a hybrid between a horse and a donkey; a hybrid rose.*

'**hy·drant** (*'hī-drənt*) *n* a pipe connected to the main water supply in a street (ท่อน้ำที่ต่อเข้ากับท่อประปาหลักตามถนน).

hy'drau·lic (*hī'drö-lik*) *adj* worked by water or some other fluid which is kept under pressure (ทำงานด้วยแรงดันของน้ำหรือของเหลว): *a hydraulic drill.*

hy·dro·el·ec'tric·i·ty *n* electricity produced by means of water-power (ไฟฟ้าจากกำลังน้ำ).

hy·dro·e'lec·tric *adj* (ไฟฟ้ากำลังน้ำ): *hydro-electric power stations.*

'**hy·dro·foil** (*'hī-drə-foil*) *n* a fast, light boat that rests on special supports and travels above the surface of the water (เรือที่เบาและเร็วซึ่งตั้งบนคานรับพิเศษและวิ่งเหนือผิวน้ำ).

'**hy·dro·gen** (*'hī-drə-jen*) *n* the lightest gas, which burns easily and which, when combined with oxygen, produces water (ก๊าซไฮโดรเจน).

hy'e·na (*hī'ē-nə*) *n* a dog-like animal with a howl which sounds like human laughter (หมาใน).

A hyena **laughs** or **screams**.

'**hy·giene** (*'hī-jēn*) *n* healthiness and cleanliness in the way we live and in our surroundings (สุขอนามัย).

hy'gie·nic *adj* (ถูกอนามัย).

hy'gie·nical·ly *adv* (อย่างถูกอนามัย).

hymn (*him*) *n* a religious song of praise (เพลงสวด).

hy·per'ac·tive *adj* more active than is normal (มีปฏิกิริยาเกินกว่าปกติ): *She is worried that her young son is hyperactive.*

'**hy·per·mar·ket** *n* a very large supermarket (ซูเปอร์มาร์เกตที่ใหญ่มาก ๆ): *A new hypermarket has just opened on the outskirts of the town.*

'**hy·phen** (*'hī-fən*) *n* a short stroke (-) which is used to join parts of a word *etc.*, as in (ขีดสั้น ๆ ซึ่งใช้เชื่อมคำ): *a sleeping-bag; a well-thought-out plan.*

hyp'no·sis (*hip'nō-sis*) *n* a sleep-like state into which you are put by the words of another person who can then make you obey his commands (การหลับด้วยการสะกดจิต).

hyp'not·ic *adj.*

'**hyp·no·tism** (*'hip-nə-tiz-əm*) *n* the practice or the skill of putting people under hypnosis (การสะกดจิต).

hy·po'chon·dri·ac (*hī-pō'kon-drē-ak*) *n* a person who worries a lot about their health even when there is nothing wrong with them (คนที่วิตกกังวลมากเกี่ยวกับสุขภาพทั้ง ๆ ที่ตัวเองยังไม่เป็นอะไร): *Hypochondriacs waste a lot of their time visiting the doctor.*

hy'poc·ri·sy (*hi'pok-rə-si*) *n* pretending to be better than you are (การแสร้งทำว่าตัวเองดีกว่าที่เป็น เสแสร้ง).

'**hyp·o·crite** (*'hip-ə-krit*) *n* someone who pretends they are better than they are (คนแสร้งทำว่าตัวเองดีกว่าที่เป็นอยู่ คนเสแสร้ง).

hyp·o'crit·i·cal *adj* (แสร้งทำ ไม่จริงใจ).

hyp·o'crit·i·cal·ly *adv* (อย่างแสร้งทำ อย่างไม่จริงใจ).

hy·po'der·mic (*hī-pə'dər-mik*) *n* a medical instrument with a thin hollow needle that is used for injecting a drug under the skin (เข็มฉีดยาเข้าใต้ผิวหนัง). — *adj* (หลอดฉีดยาเข้าใต้ผิวหนัง): *a hypodermic syringe.*

hy'poth·e·sis (*hī'poth-ə-sis*), *plural* **hy'potheses** (*hī'poth-ə-sēz*), *n* an idea or suggestion that you put forward, for instance about how something happened (สมมุติฐาน): *The most likely hypothesis was that the murderer had been hiding behind the door when his* victim *entered.*

hy·po'thet·i·cal *adj* (สมมุติ).

hy·po'thet·i·cal·ly *adv* (อย่างสมมุติ).

hys'te·ri·a (*hi'stē-ri-ə*) *n* **1** a bad nervous upset that makes you behave strangely, for instance crying or screaming or laughing a lot (โรคเส้นประสาทซึ่งทำให้เรามีพฤติกรรมแปลก ๆ อย่างเช่นร้องไห้หรือหวีดร้องหรือหัวเราะมาก ๆ).

2 a great deal of excitement and screaming among a crowd of people (**ความตื่นเต้นและหวีดร้องเป็นอย่างมากในหมู่ผู้คน ความบ้าคลั่งของฝูงชน**): *There was mass hysteria at the football match.*

hys'ter·i·cal *adj* (**บ้าคลั่ง**): *He became hysterical after the shock of the accident.*

hys'ter·i·cal·ly adv (**อย่างบ้าคลั่ง**).

Ii

I (*ī*) *pron* (used as the subject of a verb) the word you use when you are talking about yourself (**ใช้เป็นสรรพนามแทนตัวเอง ฉัน**): *I can't find my book; John and I have always been friends.*

ice *n* **1** frozen water (**น้ำแข็ง**): *The pond is covered with ice.* **2** an ice-cream (**ไอศกรีม**): *Three ices, please.* — *v* to cover a cake *etc.* with icing (**หยอดหน้าขนมเค้กด้วยครีม**): *She iced the birthday cake.*

'ice•berg *n* a huge mass of ice floating in the sea (**ภูเขาน้ำแข็ง**).

ice-'cream *n* a sweet, creamy, frozen food (**ไอศกรีม**).

'ice-cube *n* a small cube of ice used for cooling drinks *etc.* (**ก้อนน้ำแข็งเล็ก ๆ ใช้ใส่เครื่องดื่ม น้ำแข็งหลอด**).

ice rink a large room or building with a floor of ice for skating (**ลานสเกตน้ำแข็ง**).

ice tray a metal or plastic tray for making ice-cubes in a refrigerator (**ถาดทำน้ำแข็ง**).

'i•cing (*'ī-siŋ*) *n* a mixture of sugar, water *etc.*, used for covering and decorating cakes (**ครีมแต่งหน้าเค้ก**).

'i•con *n* **1** a picture of Jesus Christ or a saint painted on wood (**ภาพของพระเยซูคริสต์หรือนักบุญคนหนึ่งวาดลงบนไม้**): *He had an icon hanging above his bed.* **2** a symbol on a computer screen which represents a particular function (**สัญลักษณ์บนจอคอมพิวเตอร์ซึ่งใช้แทนคำสั่งหรือโปรแกรม**): *If you choose that icon, the computer will print the work you have done.*

'i•cy (*'ī-si*) *adj* **1** very cold (**หนาวมาก**): *icy winds.* **2** covered with ice (**ปกคลุมด้วยน้ำแข็ง**): *icy roads.* **3** unfriendly (**ไม่เป็นมิตร**): *She spoke in an icy voice.*

I'd short for (**คำย่อสำหรับ**) **I had, I should** or (**หรือ**) **I would**.

i'de•a (*ī'dē-ə*) *n* **1** opinion; belief (**ความคิด ความเชื่อ**): *I've an idea that he isn't telling the truth.* **2** a plan (**แผนการ**): *I've an idea for solving this problem.* **3** a picture in your mind (**มโนภาพ**): *This will give you an idea of what I mean.*

i'de•al (*ī'dē-əl*) *adj* perfect (**ดีเยี่ยม**): *This tool is ideal for the job I have in mind.* — *n* **1** a person, thing *etc.* that you believe is perfect (**อุดมคติ**): *She was clever and beautiful — in fact she was his ideal of what a wife should be.* **2** a person's standard of behaviour *etc.* (**มาตรฐานการประพฤติตนของคน ๆ หนึ่ง อุดมคติ**): *a man of high ideals.*

i'de•al•ly *adv* (**อย่างดีเยี่ยม**): *He is ideally suited to this job; Ideally, we should check this again, but we haven't enough time.*

an **ideal** (not **ไม่ใช่ quite** or **most ideal**) place for a holiday.

i'de•a•lize *v* to to think of as perfect or better than it really is (**คิดว่าดีกว่าที่มันเป็นจริง ๆ**): *She has a very idealized opinion of marriage.*

i'den•ti•cal (*ī'den-ti-kəl*) *adj* exactly the same (**เหมือนกันทุกประการ**): *His new car is identical to his old one; The twins wore identical dresses.*

i'den•ti•cal•ly *adv* (**อย่างเหมือนกันทุกประการ**).

i'den•ti•fy (*ī'den-ti-fī*) *v* to recognize (**จำได้ นึกได้**): *Would you be able to identify the man who robbed you?; He identified the coat as his brother's.*

i•den•ti•fi'ca•tion *n* (**การจำได้ หลักฐาน**).

i'den•ti•kit *n* a drawing of the face of a person whom the police want to find, made from a description of the face (**ภาพวาดใบหน้าของผู้ที่ตำรวจต้องการตัว วาดจากการบรรยายลักษณะของใบหน้า ภาพใบหน้าอาชญากร**): *An identi-kit picture of the bank robber was shown on television.*

i'den•ti•ty (*īden-ti-ti*) *n* who a person is (**การแสดงตัว หลักฐาน**): *The police still do not know the dead man's identity.*

i•de'ol•o•gy (*ī-di'ol-ə-ji*) *n* a set of beliefs and principles on which a faith, political ideas *etc* are based (**อุดมการ**): *He is very interested in Marxist ideology.*

i•de•o'log•i•cal *adj* (**ที่เป็นอุดมการ**).

'id•i•o•cy *n* stupidity; silliness (**ความโง่ ความ

เขลา).

'id·i·om *n* **1** an expression used in speaking; a special way of saying something (โวหาร สำนวน): *The idiom "drop in" means to visit someone.*

id·i·o'mat·ic *adj* (เป็นสำนวน).

id·i·o'mat·i·cal·ly *adv* (อย่างเป็นสำนวน).

'id·i·ot *n* a silly person; a fool (คนเขลา คนโง่): *She was an idiot to give up such a good job.*

id·i'ot·ic *adj* (โง่เง่า): *idiotic actions.*

'i·dle ('ī-dəl) *adj* **1** lazy (เกียจคร้าน): *He has work to do, but he's idle and just sits around.* **2** not being used (ไม่ได้ใช้): *Ships were lying idle in the harbour.* **3** not really meant (ไม่ได้หมายความตามนั้นจริง ๆ): *idle threats.* **4** unnecessary (ไม่จำเป็น): *idle fears.* — *v* to be idle or lazy (อยู่เฉย ๆ หรือขี้เกียจ): *He just idles from morning till night.*

'i·dle·ness *n* (ความขี้เกียจ).

'i·dly *adv* (อย่างขี้เกียจ).

idle away to spend time doing nothing (อยู่เปล่า ๆ โดยไม่ทำอะไร): *They idled the hours away on the beach.*

'i·dol (*'ī-dəl*) *n* **1** an image of a god that is worshipped (รูปบูชา): *The tribesmen bowed down before their idol.* **2** someone who is greatly admired (คนที่ได้รับการนิยมชมชอบอย่างล้นเหลือ): *The singer was the idol of thousands of teenagers.*

'i·do·lize *v* to love or admire too much (รักหรือชื่นชมมากเกินไป): *Many young people idolize pop stars.*

i'dyll·ic (*i'dil-ik*) *adj* very pleasant, peaceful and happy (น่าชื่นชมมาก สุขสงบและมีความสุข): *It was idyllic sitting in the sun by the river.*

if *conjunction* **1** used when you are talking about possibilities (ใช้เมื่อพูดถึงความเป็นไปได้ ถ้า): *He will have to go into hospital if his illness gets any worse; I'll only stay if you can stay too; If the head-teacher walked in now, and saw what we were doing, we would be in trouble.* **2** whenever (เมื่อใดก็ตาม): *If I sneeze, my nose bleeds.* **3** whether (ว่าจะ): *I don't know if I can come or not.*

if only I wish (ฉันปรารถนา): *If only I were rich!*

'ig·loo *n* an Eskimo hut, built of blocks of snow (กระท่อมน้ำแข็งของชาวเอสกิโม).

ig'nite *v* to catch fire; to make something catch fire (ติดไฟ ทำให้ติดไฟ): *Petrol is easily ignited; Petrol ignites easily.*

ig'ni·tion (*ig'nish-ən*) *n* **1** the device in a car *etc* which ignites the petrol in the engine (เครื่องในรถ ฯลฯ ที่ใช้จุดระเบิดน้ำมันในเครื่องยนต์ การติดเครื่องยนต์): *He switched on the car's ignition.* **2** the igniting of something (การจุดระเบิด).

'ig·no·rant *adj* **1** knowing very little (รู้น้อยมาก เขลามาก): *He's very ignorant — he ought to read more; I'm ignorant* about money matters. **2** not realizing something (ไม่รู้จักอะไรบางอย่าง): *He continued on his way, ignorant of the dangers that lay ahead.*

'ig·no·rant·ly *adv* (ด้วยความไม่รู้ ไม่ใส่ใจ).

'ig·no·rance *n* (ความโง่เขลา).

ig'nore *v* to take no notice of something or someone (เพิกเฉย ไม่เอาใจใส่): *He ignored all my warnings.*

i'gua·na (*i'gwä-nə*) *n* a tropical American lizard that lives in trees (สัตว์เลื้อยคลานประเภทหนึ่งคล้ายกิ้งก่า).

ill *adj* **1** not well; having a disease (ไม่สบาย เป็นโรค): *Jane is ill in bed — she has flu.* **2** bad (ไม่ดี): *ill health; These pills have no ill effects.* — *n* **1** bad luck (โชคร้าย): *I would never wish anyone il.* **2** a trouble (ยุ่งยาก): *all the ills of this world.*

> **ill** means not well: *He is very ill with a fever.*
> **sick** means vomiting or feeling that you want to vomit: *He was sick twice in the car; I feel sick; I want to be sick.*

ill- badly (แย่มาก): *ill-equipped.*

be taken ill to become ill (เกิดป่วยขึ้นมา): *He*

was taken ill at the party and was rushed to hospital.

I'll short for (คำย่อของ) **I will** or (หรือ) **I shall**.

il'le·gal (*i'lē-gəl*) *adj* not allowed by the law; not legal (ผิดกฎหมาย): *It is illegal to park a car here.*

il'le·gal·ly *adv* (อย่างผิดกฎหมาย).

il·le'gal·i·ty *n* (การผิดกฎหมาย).

il'leg·i·ble (*i'lej-i-bəl*) *adj* very difficult or impossible to read (อ่านไม่ออก): *His writing is illegible.*

il'leg·i·bly *adv* (อย่างอ่านไม่ออก).

il·leg·i'bil·i·ty *n* (การอ่านไม่ออก).

il·le'git·i·mate *adj* born of parents not married to each other (เกิดจากพ่อแม่ที่ไม่ได้แต่งงานกัน นอกสมรส).

il·le'git·i·mate·ly *adv* (อย่างไม่ถูกต้องตามกฎหมาย นอกกฎหมาย).

il·le'git·i·ma·cy *n* (ความไม่ถูกต้องตามกฎหมาย).

ill-'feel·ing *n* an unkind feeling towards another person (ความรู้สึกที่ไม่ดี): *The two men parted without any ill-feelings.*

il'li·cit *adj* not allowed by law or by the social customs of a country (ต้องห้าม): *an illicit trade in drugs.*

il'lit·er·ate *adj* **1** unable to read and write (อ่านไม่ออกเขียนไม่ได้). **2** having little education (มีการศึกษาน้อย การศึกษาต่ำ).

il'lit·er·a·cy *n* (การอ่านไม่ออกเขียนไม่ได้).

ill-'man·nered *adj* rude; having bad manners (หยาบคาย กิริยาไม่สุภาพ): *He's an ill-mannered young man.*

ill-'na·tured *adj* bad-tempered (อารมณ์ร้าย): *Just because you're tired, there's no need to be so ill-natured.*

'ill·ness *n* bad health; a disease (ความเจ็บป่วย): *There is a lot of illness amongst the pupils just now; the illnesses of childhood.*

ill-'treat *v* to treat badly (ปฏิบัติอย่างเลวต่อ รังแก): *She often ill-treated her children.*

ill-'treat·ment *n* (การปฏิบัติอย่างเลวต่อ).

il'lu·mi·nate (*i'loo-mi-nāt*) *v* to light up (ส่องสว่าง): *The gardens were illuminated by rows of lamps.*

il·lu·mi'na·tion *n* (การส่องสว่าง).

il·lu·mi'na·tions *n* coloured lights that are put up to decorate a street *etc.* (ประดับด้วยไฟสีต่าง ๆ).

il'lu·sion *n* **1** a false idea, belief or impression that you have (ความคิด ความเชื่อหรือความประทับใจที่ผิด ๆ ความหลงผิด): *The old man was under the illusion that he still looked young and handsome.* **2** a sight or appearance that cheats your eyes, so that you see something that isn't really there (ภาพลวงตา): *The men in the desert thought they saw a lake in the distance, but it was only an optical illusion.*

'il·lus·trate *v* **1** to put pictures into a book *etc.* (ภาพประกอบ): *The book is illustrated with drawings and photographs.* **2** to make what you are saying clearer by giving an example *etc.* (ยกตัวอย่าง): *Let me illustrate my point; This diagram will illustrate what I mean.*

'il·lus·tra·ted *adj* having pictures *etc.* (มีภาพประกอบ): *an illustrated catalogue.*

il·lu'stra·tion *n* **1** a picture (ภาพ): *coloured illustrations.* **2** an example (ตัวอย่าง).

'il·lus·tra·tor *n* (ผู้เขียนภาพ).

I'm short for (คำย่อของ) **I am**.

'im·age *n* **1** a copy or model of a person *etc.* made of wood, stone *etc.* (ภาพที่แกะสลักจากไม้ หิน ฯลฯ): *a carved image of Jesus.* **2** something that is like a copy of something else (เป็นภาพเหมือน): *She's the image of her sister.* **3** a reflection (ภาพสะท้อน): *She looked at her image in the mirror.* **4** a picture in your mind (ภาพในใจ): *I have an image of his face in my mind.*

i'mag·i·nar·y *adj* existing only in your mind; not real (จินตนาการ ไม่จริง): *A dragon is an imaginary beast, not a real one.*

i·mag·i'na·tion *n* **1** the part of your mind in which you see pictures (ส่วนหนึ่งในใจที่มองเห็นภาพ): *I could see the house in my imagination.* **2** the ability to think of ideas by yourself, and to describe things in your own words (จินตนาการ): *This composition shows a lot of imagination.* **3** the seeing *etc* of things which do not exist (ภาพลวงตา): There was no-one there — it was just your imagination.

i'mag·i·na·tive *adj* full of imagination (เต็มไปด้วยจินตนาการ): *an imaginative writer; This composition is interesting and imaginative.*

i'mag·ine (*i'maj-in*) *v* **1** to realize or understand (ตระหนักหรือเข้าใจ): *I can imagine how you felt.* **2** to believe that you can see or hear something which is not really there (นึกฝันเอาเอง): *Children often imagine that there are frightening animals under their beds; You're just imagining things!* **3** to think (คิด): *I imagine that he will be late.*

'im·be·cile (*'im-bə-sēl*) *n* an unkind word for someone who is stupid; an idiot (คนโง่): *Don't be such an imbecile!*

'im·i·tate *v* to do as someone else *etc.* does; to copy (เลียนแบบ): *Children imitate their friends rather than their parents; He could imitate the song of many different birds.*

im·i'ta·tion *n* imitating (การเลียนแบบ): *Children learn how to speak by imitation; He did a good imitation of the teacher's way of speaking.* — *adj* made to look like something else (ทำให้ดูเหมือนของอื่น เลียนแบบ ของเทียม): *imitation pearls.*

'im·i·ta·tive *adj* (เลียนแบบ).

'im·i·ta·tive·ness *n* (การเลียนแบบ).

'im·i·ta·tor *n* a person who imitates (ผู้เลียนแบบ).

im·ma'ture (*im-ə'cho͞or*) *adj* childish; behaving as if you are younger than you are (เหมือนเด็ก ไม่โตเต็มที่).

im·ma'tu·ri·ty *n* (ความยังไม่โตเต็มที่).

im'me·di·ate (*i'mē-di-ət*) *adj* **1** happening at once, without any delay (เกิดขึ้นในทันทีทันใด ไม่ล่าช้า): *I want an immediate reply to my question.* **2** without anything coming between (ไม่มีอะไรมาขวางกลาง): *in the immediate future.*

im'me·di·ate·ly *adv* at once (โดยทันที): *He answered immediately.*

im'mense *adj* very large (ใหญ่มาก): *an immense forest.* **im'mense·ly** *adv* (อย่างมหึมา).

im'men·si·ty *n* (ความมหึมา).

im'merse *v* to put something into a liquid (จุ่ม แช่ ลงไปในของเหลว): *She immersed the vegetables in boiling water.*

im'mer·sion *n* (การจุ่ม การแช่).

'im·mi·grant *n* a person who has come into a foreign country to live (คนเข้าเมือง). — *adj* (คนงานต่างชาติ): *immigrant workers.*

'im·mi·grate *v* to enter a country in order to live there (เข้าประเทศเพื่อที่จะอาศัยอยู่ที่นั่น).

The opposite of **immigrate** is **emigrate**.

im·mi'gra·tion *n* entering a country in order to live there (การเข้าประเทศเพื่อที่จะอาศัยอยู่ที่นั่น).

'im·mi·nent *adj* expected very soon (จะมาถึงในไม่ช้า): *A storm is imminent.*

'im·mi·nence *n* (เหตุการณ์ใกล้จะถึงอยู่แล้ว).

im'mo·bile *adj* not able to move or be moved; not moving (ไม่สามารถเคลื่อนที่หรือถูกเคลื่อนที่ได้ ไม่เคลื่อนที่): *His leg was put in plaster and he was immobile for several weeks; She sat immobile.*

im·mo'bil·i·ty *n* (การเคลื่อนที่ไม่ได้).

im'mor·al *adj* wrong; wicked (ผิด ชั่วร้าย ผิดศีลธรรม): *immoral behaviour.*

im'mor·al·ly *adv* (อย่างชั่วร้าย).

im·mo'ral·i·ty *n* (ความชั่วร้าย).

im'mor·tal *adj* living for ever; never dying (อมตะ ไม่มีวันตาย): *A person's soul is said to be immortal.*

im·mor'tal·i·ty *n* (ความเป็นอมตะ).

im'mor·ta·lize *v* to make famous forever or for a very long time (ทำให้มีชื่อเสียงตลอดไปหรือเป็นเวลานานมาก): *Her beauty was immortalized in the films she made.*

im'mov·a·ble (*i'moov-ə-bəl*) *adj* impossible to move (เคลื่อนที่ไม่ได้ ติดแน่น): *The rock was immovable.*

im'mune (*i'mūn*) *adj* protected against something (ป้องกันจากบางอย่าง): *immune to measles; immune to danger.*

im'mu·ni·ty *n* (การป้องกัน ภูมิคุ้มกัน).

'im·mu·nize *v* to prevent someone from getting a disease by giving them an injection, especially one that contains the germs of a weak form of the disease (ป้องกันไม่ให้เป็นโรค โดยการฉีดยาที่มีเชื้อโรคซึ่งอ่อนแอเข้าไป).

im·mu·ni'zation *n* (การสร้างภูมิคุ้มกันโรค).

imp *n* a mischievous little being, especially a child (ตัวน้อย ๆ ที่เกเร เด็กเกเร): *Her son is a little imp.*

'im·pact *n* **1** the force of one object *etc.* hitting another (แรงกระแทก): *The bomb exploded on impact.* **2** an effect (มีผล): *The film made quite an impact on the children.*

im'pair *v* to damage, weaken or make less good (เสียหาย อ่อนแอหรือทำให้ดีน้อยลง): *He was told that smoking would impair his health.* **im'pair·ment** *n* (การทำให้อ่อนแอ การทำให้เสียหาย).

im'part *v* to give information *etc.* (แจ้ง ให้ข่าวสาร): *She said she had information to impart.*

im'par·tial *adj* not favouring one person *etc.* more than another (ไม่ลำเอียง ปราศจากอคติ): *an impartial judge.*

im'par·tial·ly *adv* (อย่างปราศจากอคติ).

im·par·ti'al·i·ty *n* (ความไม่มีอคติ).

im'pa·tient (*im'pā-shənt*) *adj* not willing to wait; not patient (ไม่ยอมที่จะรอ ไม่อดทน): *Don't be so impatient — it will soon be your turn on the swing.*

im'pa·tience *n* (ความไม่อดทน).

im'pa·tient·ly *adv* (อย่างไม่อดทน).

im'pecc·a·ble *adj* without a fault, flaw or mistake (ปราศจากข้อเสีย ปราศจากความผิด ไม่มีที่ติ): *His clothes are always impeccable.*

im'pecc·a·bly *adv* (อย่างไม่มีที่ติ).

im'ped·i·ment *n* **1** a person or thing that makes development or progress difficult (อุปสรรค สิ่งกีดกั้น): *Are there any impediments to their marriage?* **2** a slight fault or problem when speaking (การติดอ่างหรือมีปัญหาเล็กน้อยเวลาพูด): A stammer is a common speech impediment.

im'per·a·tive *adj* very important; very urgent (สำคัญมาก รีบมาก): *It is imperative that you bring written permission from your parents for the school trip.* — *n* a verb used in the form of a command; a word that tells you to do something (คำกริยาที่ใช้ในรูปของคำสั่ง คำพูดซึ่งสั่งให้เราทำอะไรบางอย่าง): *Come here!; Listen!; Stop it!*

im'per·fect *adj* having a fault (มีข้อเสีย ไม่สมบูรณ์): *This coat is being sold cheap because it is imperfect.*

im'per·fect·ly *adv* (อย่างไม่สมบูรณ์).

im·per'fec·tion *n* (ความไม่สมบูรณ์).

im'pe·ri·al (*im'pēr-i-əl*) *adj* belonging to an empire or an emperor (แห่งจักรวรรดิหรือแห่งจักรพรรดิ): *the imperial crown.*

im'pe·ri·al·ism *n* the policy of trying to control other countries (นโยบายที่พยายามจะควบคุมประเทศอื่น ลัทธิจักรวรรดินิยม).

im'pe·ri·al·ist *n* (ผู้นิยมลัทธิจักรวรรดินิยม) *adj* (ที่นิยมจักรวรรดินิยม).

im'per·son·al *adj* not friendly (ไม่เป็นมิตร): *Her voice was cold and impersonal.*

im'per·son·ate *v* to copy the behaviour *etc* of someone else or pretend to be another person (แสดงเป็นคนอื่น): *An actor impersonated the prime minister.*

im·per·so'na·tion *n* (การแสดงเป็นคนอื่น).

im'per·ti·nent *adj* rude; not showing respect (หยาบคาย ไม่แสดงความนับถือ): *The headmaster punished the boy for being impertinent to his teacher.*

im'per·ti·nent·ly *adv* (อย่างไม่นับถือ).

im'per·ti·nence *n* (ความไม่นับถือ).

im'pet·u·ous *adj* acting or done very quickly and without thought (ทำอย่างรวดเร็วโดยไม่คิดไม่รอบคอบ หุนหัน): *She is a very impetuous person.*

'im·pe·tus *n* a force or energy which causes something to happen or progress (แรงกระตุ้น): *The discovery of a vaccine gave new impetus to the fight against the disease.*

im'plant (*im'plänt*) *v* **1** to put ideas *etc* into a person's mind (ปลูกฝังความคิด). **2** to put a replacement for a damaged part of someone's body permanently into their body (เปลี่ยนอวัยวะ).

im·plan'ta·tion *n* (การปลูก ฝังการเปลี่ยนอวัยวะ).

'im·ple·ment (*'im-plə-mənt*) *n* a tool, device or instrument (เครื่องมือ อุปกรณ์): *garden implements; Chopsticks are eating implements.*

im·pli'ca·tion *n* something that is suggested

or implied by an event or situation (ความนัย การส่อแสดง): *What are the implications of the President's speech?*

im'plore *v* to ask earnestly (อ้อนวอน ขอร้อง วิงวอน): *She implored her husband to give up smoking; She implored his forgiveness.*

im'plo·ring *adj* (อย่างวิงวอน).

im'ply (*im'plī*) *v* to suggest; to mean (ส่อให้เห็น หมายความ): *Are you implying that I am not telling the truth?*

im·po'lite *adj* not polite; rude (ไม่สุภาพ หยาบคาย): *You must not be impolite to the teacher.*

im·po'lite·ly *adv* (อย่างไม่สุภาพ).

im·po'lite·ness n (ความไม่สุภาพ).

im'port *v* to bring in goods from abroad to sell in your own country (นำสินค้าเข้าจากต่างประเทศ): *Britain imports wine from France.* — **('im·port)** *n* **1** something which is imported from abroad (สินค้านำเข้าจากต่างประเทศ): *Our imports are greater than our exports.* **2** the bringing of goods into your country from abroad (การนำสินค้าจากต่างประเทศเข้ามาในประเทศของเรา): *the import of wine.*

im·por'ta·tion *n* (การนำสินค้าเข้าประเทศ).

im'port·er *n* (ผู้นำสินค้าเข้าประเทศ).

im'por·tant *adj* **1** mattering a lot (สำคัญ มีความหมายมาก): *Your eighteenth birthday is an important occasion; It is important that you should all know the rules.* **2** powerful (มีอำนาจ): *He is an important man; She has an important job.*

im'por·tant·ly *adv* (อย่างสำคัญ อย่างมีอำนาจ).

im'por·tance *n* (ความสำคัญ): *matters of great importance.*

im'pose (*im'pōz*) *v* **1** to charge a tax, fine *etc.* (กำหนดภาษี ค่าปรับ): *The government have imposed a new tax on cigarettes.* **2** to give someone a task (มอบภาระให้ใครบางคน มอบหมายงาน): *You mustn't impose any extra tasks on him.*

im'pos·si·ble *adj* not able to be done; too difficult to do (ไม่สามารถทำได้ ยากเกินไปที่จะทำ เป็นไปไม่ได้): *It is impossible to sing and drink at the same time; an impossible task.*

im'pos·si·bly *adv* (อย่างเป็นไปไม่ได้).

im·pos·si'bil·i·ty *n* (ความเป็นไปไม่ได้).

im'pos·tor *n* a person who pretends to be someone else in order to deceive another person (คนหลอกลวง ตัวปลอม): *He called at her house saying he was a policeman — but he was just an impostor.*

impostor is spelt **-or**.

im'press *v* **1** to cause feelings of admiration *etc.* in someone (ประทับใจ): *I was impressed by his good behaviour; The children's concert greatly impressed her.* **2** to fix something in someone's mind (ทำให้รู้สึกอยู่ในใจ): *I must impress on you the need for hard work; Impress this date on your memory.* **3** to make a hollow mark by pressing (ทำรอยตื้น ๆ โดยการกดพิมพ์): *A footprint was impressed on the sand.*

im'pres·sion *n* **1** the effect produced in someone's mind by a person, experience *etc.* (ความประทับใจ): *The film made a great impression on me.* **2** an idea or opinion that you form about something (ความคิดเห็นที่เรามีต่ออะไรบางอย่าง): *I have the impression that he's not pleased.* **3** a hollow mark made by pressing (รอยตื้น ๆ ที่เกิดจากการกด): *an impression of a dog's paw in the cement.*

im'pres·sive *adj* making a great impression on your mind and feelings (ประทับใจ): *an impressive ceremony.*

im'pres·sive·ly *adv* (อย่างประทับใจ).

im'pressive·ness *n* (ความประทับใจ).

'im·print *n* a mark made by pressing (รอยที่เกิดขึ้นโดยการกด): *the imprint of a foot in the sand.* — *v* **(im'print)** (ประทับ): *The scene was imprinted on her memory.*

im'pris·on (*im'priz-ən*) *v* to put someone in prison; to take or keep someone prisoner (ขังคุก จองจำ): *He was imprisoned for twenty years for his crimes.*

im'pris·on·ment *n* (การขังคุก).

im'prob·a·ble *adj* **1** not likely to happen; not probable (ไม่น่าจะเกิดขึ้น ไม่น่าจะเป็นไปได้): *It* *is improbable that men will ever fly like birds.* **2** hard to believe (เหลือเชื่อ): *He told us an improbable story.*

im'prob·a·bly *adv* (ไม่น่าจะเป็นไปได้).

im·prob·a'bil·i·ty *n* (ความไม่น่าจะเป็นไปได้).

im'promp·tu (*im'promp-tū*) *adj, adv* without preparation (โดยไม่ได้เตรียมตัว): *an impromptu speech; He spoke impromptu.*

im'prop·er *adj* wrong (ผิด ไม่เหมาะ): *Reading comics in school is an improper use of your time.*

im'prop·er·ly *adv* (อย่างผิด ๆ อย่างไม่เหมาะ).

im·prop'ri·e·ty (*improp'rī-ə-ti*) *n* (ความไม่เหมาะสม).

improper fraction a fraction which is larger than 1 (เศษซึ่งมากกว่า 1): *⅞ is an improper fraction.*

im'prove (*im'proov*) *v* to make or become better: *His work has improved; They have recently improved the engine of that car.*

im'prove·ment *n* **1** the improving of something (การทำให้ดีขึ้น): *There has been a great improvement in her work.* **2** something that makes a thing better than it was (ทำให้ดูดีขึ้น): *I've made several improvements to the house.*

improve on to make something better than it is (ปรับปรุงให้ดีขึ้น): *Your performance was good, but I think you can still improve on it.*

'im·pro·vise (*'im-prə-vīz*) *v* **1** to make something quickly, from whatever you can find (ทำอะไรอย่างรวดเร็วจากสิ่งที่เราพอหาได้): *They improvised a shelter from branches and blankets.* **2** to make up music as you play it (แต่งเพลงขึ้นมาสด ๆ): *He improvised a tune on the piano.*

improv·i'sa·tion *n* (การทำขึ้นมาสด ๆ จากสิ่งที่เราพอหาได้).

'im·pu·dent (*'im-pū-dənt*) *adj* rude (หยาบคาย): *an impudent remark.*

'im·pu·dent·ly *adv* (อย่างหยาบคาย).

'im·pudence *n* (ความหยาบคาย).

'im·pulse *n* **1** a sudden force (แรงดัน): *an electrical impulse.* **2** a sudden desire (ความต้องการในทันทีทันใด): *I felt an impulse to hit him.*

im'pul·sive *adj* inclined to act suddenly, without careful thought (กระทำโดยทันทีทันใดโดยไม่ยั้งคิด หุนหัน): *She has an impulsive nature.*

im'pul·sive·ly *adv* (อย่างทันทีทันใด).

im'pulsive·ness *n* (ความใจร้อน).

im'pure *adj* dirty; mixed with other substances; not pure (สกปรก ผสมอยู่กับสารอื่น ไม่บริสุทธิ์): *impure air; The water is impure.*

im'pu·ri·ty *n* (ความไม่บริสุทธิ์).

in *prep* **1** inside; within (ข้างใน ภายใน): *My mother is in the house; The house is in London; I am in bed; He came in his car.* **2** into (เข้าใน): *He put his hand in his pocket.* **3** during a particular period (ในช่วง): *I'll come in the morning.* **4** at the end of a particular period (ตอนจบช่วง): *I'll be back in a week.* **5** used in many other kinds of expression (ใช้ในการตอกย้ำแบบอื่น ๆ อีกมากมาย): *She was dressed in a brown coat; They were walking in the rain; I'm in a hurry; The book is written in English; He is in the army; The letters were tied up in bundles; His daughter is in her teens; Pink shoes are in fashion.* — *adv* **1** at home; in your office *etc.* (ที่บ้าน อยู่ในที่ทำงาน ฯลฯ): *Is your mother in?; The boss won't be in today.* **2** arrived (มาถึง): *Is the train in yet?* **3** in fashion (เป็นที่นิยม): *Short skirts are in.*

You travel **in** or **on** a **bus, train, boat, ship** or **(aero) plane**; you travel **in** a **car**. See also **at**.

day in, day out day after day without a break (ทุก ๆ วันไม่มีการหยุด): *I do the same boring job day in, day out.*

in for going to have (กำลังจะมี): *We're in for some bad weather; You're in for trouble if you broke that window!*

in spite of *see* **spite**.

in that because (เพราะว่า): *This is not a good plant for your garden in that its seeds are poisonous.*

in·a'bil·i·ty *n* a lack of ability (ขาดความสามารถ): *my inability to remember people's names.*

in'ac·cu·rate (*in'ak-ū-rət*) *adj* not correct; not accurate (ไม่ถูกต้อง): *an inaccurate translation.*
in'accu·ra·cy *n* (ความไม่ถูกต้อง).

in'ac·tive *adj* **1** not taking much exercise (ไม่ได้ออกกำลังกายมาก): *You're fat because you're so inactive.* **2** not active; no longer active (อยู่เฉย ๆ): *an inactive volcano.*
in'ac·tion, in·ac'tiv·i·ty *n* s (ความเงื่องหงอย).
in'ad·e·quate *adj* not enough or suitable (ไม่เพียงพอหรือไม่เหมาะสม): *This house is inadequate for such a big family.*

in·ad'vi·sa·ble *adj* (ไม่ควร ไม่ขอแนะนำ): *It would be inadvisable for you to go alone.*

in·at'ten·tive *adj* not paying attention; not attentive (ไม่เอาใจใส่ ไม่สนใจ): *inattentive pupils.*
in·at'ten·tion, in·at'ten·tive·ness *n* s (ความไม่เอาใจใส่).

in'au·di·ble *adj* not loud or clear enough to be heard (เสียงไม่ดังหรือชัดเจนพอที่จะได้ยิน ไม่ได้ยิน): *Her voice was inaudible because of the noise.*
in'au·di·bly *adv* (ไม่ได้ยิน).
in·au·di'bil·i·ty *n* (ความไม่ได้ยิน).

in'born *adj* natural (ธรรมชาติ มีมาแต่กำเนิด): *an inborn ability to paint.*

in'ca·pa·ble (*in'kā-pə-bəl*) *adj* not able (ไม่สามารถ): *He seems to be incapable of learning anything.*
in·ca·pa'bil·i·ty *n* (ความไม่สามารถ).

See **unable**.

in'car·nate (*in'kär-nət*) *adj* in human form (ในรูปแบบของมนุษย์): *The dictator was so evil that the people called him the devil incarnate.*

'in·cense *n* a substance which is burned in religious services *etc.*, and which smells pleasant (ธูป กำยาน). — *v* to make someone very angry (ทำให้โกรธมาก): *The boy's rudeness incensed the teacher.*

in'cen·tive *n* something that encourages you (แรงจูงใจ): *The teacher always praised the children if they had done well, as an incentive to hard work.*

in'ces·sant (*in'ses-ənt*) *adj* going on and on without stopping; continual (ไม่หยุดหย่อนต่อไปเรื่อย ๆ): *The neighbours complained to the police about the incessant noise.*
in'ces·sant·ly *adv* (อย่างไม่หยุดหย่อน): *She talked incessantly so that no-one else could say anything.*

inch *n* **1** a measure of length, equal to 2.54 centimetres (หน่วยวัดความยาวเป็นนิ้ว). **2** a small amount (จำนวนน้อย): *There is not an inch of room to spare.* — *v* to move slowly and carefully (เคลื่อนที่ไปอย่างช้า ๆ และระมัดระวัง): *He inched along the narrow ledge.*

'in·ci·dent *n* an event or happening (เหตุการณ์หรือสิ่งที่เกิดขึ้น): *There was a strange incident in the supermarket today.*
in·ci'den·tal *adj* occurring *etc* by chance in connection with something else (เกิดขึ้นโดยบังเอิญ): *an incidental remark.*
in·ci'den·tal·ly *adv* by the way (เออ นี่แน่ะ อย่างไรก็ตาม): *Incidentally, where were you last night?*

in'cin·er·a·tor (*in'sin-ər-ā-tər*) *n* a container in which rubbish is burnt (เตาเผาขยะ).
in'ci·sion (*in'si-zhən*) *n* a cut, especially one made by a surgeon (การตัด รอยผ่าตัด): *The incision will not leave a very big scar.*

in'cite *v* to encourage someone to do something, especially something bad (ยุยง): *He incited the people to rebel against the king.*
in'citement *n* (การยุยง).

in'cline *v* to bow your head *etc.* (ก้มศีรษะ ฯลฯ): *He inclined his head in agreement.* — *n* (**'in·cline**) a slope (ทางลาด).
in·cli'na·tion *n* a slight desire or preference (ความโน้มเอียง แนวโน้ม): *I felt an inclination to hit him; Have you any inclinations towards teaching?*
in'clined *adj* **1** likely to behave in a particular way (โน้มเอียงที่จะประพฤติตนบางอย่าง): *He is inclined to be a bit lazy.* **2** having a slight wish or desire (มีความปรารถนาหรือต้องการอยู่เล็กน้อย): *I am inclined to accept their invitation.*

in'clude (*in'klood*) *v* to add someone or something into a group *etc.* (รวมเข้าเป็นกลุ่ม): *Am I included in the team?; Your duties include* *making the tea.*

The opposite of **include** is **exclude**.

in'clu·ding *prep* **(รวมทั้ง)**: *The whole family has been ill, including the baby.*

in'clu·sive *adj* including everything **(รวมทุกอย่าง)**: *The price of the holiday is fully inclusive; The meal cost $25, inclusive of drinks; May 4 to May 6 inclusive is a period of three days.*

in·cog'ni·to (*iŋ-kog'nē-tō*) *adv, adj* without letting people know who you are, for example by using a false name **(ใช้นามแฝง ไม่เปิดเผยตัว)**: *He travelled incognito to Paris.*

in·co'he·rent (*in-ko'hē-rənt*) *adj* difficult to understand or not clear **(ไม่ต่อเนื่อง ไม่กระจ่าง)**: *He made a rambling, incoherent speech.*

'in·come *n* money received by a person as wages *etc.* **(รายได้)**: He cannot support his family on his income.

income tax a tax paid on income that is more than a certain amount **(ภาษีรายได้)**.

'in·com·ing *adj* coming in **(กำลังมา กำลังเข้ามา)**: *the incoming tide; incoming telephone calls.*

in'com·par·a·ble *adj* extraordinary; exceptional **(หาที่เปรียบมิได้)**: incomparable skill.

in·com'pat·i·ble *adj* not able to work or live together **(เข้ากันไม่ได้)**: *The two computer systems are incompatible.*

in·com·pat·i'bil·i·ty *n* **(การอยู่ด้วยกันไม่ได้)**.

in'com·pe·tent *adj* not very good at doing a job *etc.* **(ไร้ความสามารถ)**: *a very incompetent teacher.*

in'compe·tence *n* **(การไร้ความสามารถ)**.

in'com·pe·tent·ly *adv* **(อย่างไร้ความสามารถ)**.

in·com'plete *adj* not finished; with some part missing **(ไม่สมบูรณ์)**: *His book was still incomplete when he died; an incomplete pack of cards.*

in·con'sid·er·ate *adj* not caring about the feelings or comfort of other people **(ไม่เกรงใจผู้อื่น เห็นแก่ตัว)**: *It was inconsiderate of you to borrow the car without asking first.*

in·con'sid·er·ate·ly *adv* **(อย่างเห็นแก่ตัว)**.

in·con'sid·er·ate·ness *n* **(ความเห็นแก่ตัว)**.

in·con'sis·tent *adj* **1** not in agreement **(ไม่สม่ำเสมอ)**: *What you're saying today is quite inconsistent with the statement you made yesterday.* **2** changeable; sometimes good and sometimes bad *etc.* **(เปลี่ยนแปลงได้ บางครั้งดีบางครั้งเลว)**: *His work is inconsistent.*

in·con'sis·ten·cy *n* **(ความไม่ลงรอย การขัดกันในตัวเอง)**.

in·con'sis·tent·ly *adv* **(อย่างไม่ลงรอย อย่างขัดกัน)**.

in·con've·ni·ent (*in-kən'vē-ni-ənt*) *adj* causing trouble or difficulty **(ทำให้เกิดความยุ่งยาก ไม่สะดวก)**: *He has come at a very inconvenient time.*

in·con've·ni·ence *n* something that causes difficulty; trouble **(สิ่งที่ทำให้ยุ่งยาก)**: *He apologized for the inconvenience caused by his late arrival.* — *v* to cause inconvenience to someone **(ทำให้เกิดความยุ่งยาก)**: *I hope I haven't inconvenienced you.*

in'cor·po·rate (*in'cör-pə-rāt*) *v* **1** to include something so that it forms part of the whole **(รวมเข้าด้วยกันเพื่อให้เป็นส่วนหนึ่งของทั้งหมด)**: *Most of the children's ideas were incorporated into the new school play.* **2** to contain something as part of the whole **(มีบางอย่างอยู่ด้วยซึ่งเป็นส่วนหนึ่งของทั้งหมด รวมประกอบด้วย)**: *The shopping centre also incorporates a restaurant and a bank.*

in·cor'rect *adj* not accurate; not correct; wrong **(ไม่แม่นยำ ไม่ถูก ผิด)**: *an incorrect translation of a word.*

in·cor'rect·ly *adv* **(อย่างผิด ๆ)**.

in·cor'rect·ness *n* **(ความไม่ถูก)**.

in'cor·ri·gi·ble*adj* too bad to be improved **(เลวเกินกว่าจะทำให้ดีขึ้น)**.

in'crease *v* **1** to grow in size, number *etc.* **(ใหญ่ขึ้น มากขึ้น เพิ่มขึ้น)**: *The number of children in this school has increased greatly in recent years.* **2** to make something more or bigger: *My father has increased my pocket money.* — *n* **('in·crease)** growth **(ความเจริญเติบโต)**: *The increase in the population of the city over the last ten years was*

20000.

The opposite of **increase** is **decrease**.

in'creas·ing·ly *adv* more and more (มากขึ้นเรื่อย ๆ): *They found it increasingly difficult to pay for their children's school-books*.

in'cred·i·ble *adj* hard to believe (เหลือเชื่อ): *She has an incredible memory; What an incredible story!*

in'cred·i·bly *adv* (อย่างเหลือเชื่อ).

in·cred·i'bil·i·ty *n* (ความเหลือเชื่อ).

in'cred·u·lous (*in'kred-ū-ləs*) *adj* hardly believing; amazed (ไม่น่าเชื่อ ประหลาดใจ).

in·cre'du·li·ty *n* (ความไม่น่าเชื่อ).

in'cred·ulous·ly *adv* (อย่างไม่น่าเชื่อ).

incredible means hard to believe: *What incredible luck!*
incredulous means hardly believing: *He was incredulous when he heard about his luck*.

'in·cre·ment *n* an increase in salary *etc.* (การขึ้นเงินเดือน).

'in·cu·bate (*'iŋ-kū-bāt*) *v* **1** to hatch eggs by keeping them warm, especially by sitting on them (ฟักไข่). **2** to develop in a person who has caught it (พัฒนาขึ้นในตัวคนที่ติด ฟักตัว): *How long does chickenpox take to incubate?*

in·cu'ba·tion *n* (การฟักตัว).

'in·cu·ba·tor *n* a heated container for hatching eggs; a special container in which babies who are born too early are kept and fed till they are strong and well (เครื่องฟัก ตู้อบเด็กที่คลอดก่อนกำหนด).

in'cur *v* **1** to bring something unpleasant on yourself (นำความไม่สบายใจมาสู่ตน): *to incur someone's displeasure*. **2** to cause yourself expense (ทำให้เกิดรายจ่าย): *to incur bills*.

incurred and **incurring** are spelt with two **r**s.

in'cu·ra·ble *adj* not able to be cured (ไม่สามารถรักษาได้): *an incurable disease; an incurable habit*.

in'debt·ed (*in'det-əd*) *adj* grateful (เป็นหนี้บุญคุณ): *I am indebted to you for your help*.

in'debt·edness *n* (ความเป็นหนี้บุญคุณ).

in'de·cent (*in'dē-sənt*) *adj* not decent; disgusting (หยาบ น่าเกลียด ไม่สุภาพ): *indecent behaviour; indecent clothing*.

in'de·cen·cy *n* (ความไม่สุภาพ ความหยาบคาย). **in'de·cent·ly** *adv* (อย่างไม่สุภาพ อย่างหยาบคาย).

in·de'ci·sion *n* not being able to decide; hesitation (ตัดสินใจไม่ได้ ลังเล).

in·de'ci·sive (*in-di'sī-ziv*) *adj* **1** not having a definite result (ไม่มีผลลัพธ์ที่เด็ดขาด): *an indecisive battle*. **2** unable to make firm decisions (ไม่สามารถตัดสินใจได้เด็ดขาด โลเล): *an indecisive person*.

in'deed *adv* **1** certainly; of course (แน่นอน จริงสิ): *"He's very clever, isn't he?" "He is indeed"; "Do you remember your grandmother?" "Indeed I do!"* **2** used for emphasis (ใช้เป็นคำย้ำ): *Thank you very much indeed; This is very good indeed*.

in'def·i·nite *adj* not fixed; not definite (ไม่แน่นอน ไม่จำกัด): *The road will be out of use for an indefinite length of time; His plans are indefinite at the moment*. **in'def·i·nite·ly** *adv* (อย่างไม่แน่นอน).

indefinite article the name given to the words **a** and **an** (คำนำหน้านาม).

in'del·i·ble *adj* making a mark that cannot be removed (ทำเครื่องหมายซึ่งไม่สามารถลบออกได้ ลบไม่ออก): *indelible ink; an indelible memory*.

in·de'pen·dent *adj* **1** not under the control of another country (ไม่เป็นเมืองขึ้นของประเทศอื่น): *Singapore is an independent republic; When did it become independent of Britain?* **2** not willing to accept help (ไม่เต็มใจรับความช่วยเหลือ): *an independent old lady*. **3** having enough money to support yourself (มีเงินพอที่จะช่วยเหลือตัวเอง): *She is completely independent and receives no money from her family*. **4** seeing for yourself, making up your own mind *etc.* (เห็นด้วยตัวเอง ตัดสินใจด้วยตัวเอง): *an independent observer; Would you like to hear my own independent* opinion?

in·de'pen·dence *n* (ความเป็นเอกราช ความเป็นอิสระ).

in·de'pen·dent·ly *adv* (อย่างเป็นเอกราช อย่างเป็นอิสระ).

The opposite of **independent** is **dependent**.

'in·dex *n* **1** an alphabetical list of names, subjects *etc.* at the end of a book, telling you the page on which you will find them in the book (สารบัญ).

2 *plural* **'in·di·ces** (*'in-di-sēz*) in mathematics, the figure which indicates the number of times a number must be multiplied by itself *etc.* (เลขดัชนี): *In* 6^3 *and* 7^5, *the figures 3 and 5 are the indices.*

index finger the finger next to the thumb (นิ้วชี้): *She pointed at the map with her index finger.*

'in·di·cate *v* to show (แสดง บอก ชี้): *We can paint an arrow here to indicate the right path.*

in·di'ca·tion *n* a sign (เครื่องหมาย): *There are indications that the weather is going to improve; He had given no indication that he was intending to leave the country.*

'in·di·ca·tor *n* a pointer, sign *etc.* that indicates something (เครื่องชี้ เครื่องหมาย ฯลฯ ที่บอกอะไรบางอย่าง): *The right indicator was flashing on the car in front.*

'in·di·ces plural of index (**พหูพจน์ของ index**).

in'dif·fer·ent *adj* **1** not caring about something (ไม่แยแสอะไร เฉยเมย): *She is indifferent to other people's suffering.* **2** not very good (ไม่ดีมากนัก): *He is an indifferent tennis-player.*

in'dif·fer·ence *n* (ความไม่แยแส ความไม่สนใจ).

in·di'gest·i·ble *adj* difficult to digest (ย่อยยาก ไม่ย่อย): *indigestible food.*

in·di·gest·i'bil·i·ty *n* (การย่อยยาก).

in·di'ges·tion *n* pain that is caused by difficulty in digesting food (ความเจ็บปวดซึ่งเกิดจากอาหารย่อยยาก อาหารไม่ย่อย): *She suffers from indigestion after eating fatty food.*

in'dig·nant *adj* angry, usually because of some wrong that has been done to you or someone else (โกรธ ขัดเคือง): *The indignant customer complained to the manager.*

in'dig·nant·ly *adv* (อย่างขัดเคือง).

indig'na·tion *n* (ความขัดเคือง).

'in·di·go (*'in-di-gō*) *n* a dark colour between blue and purple (สีคราม). — *adj* (กระโปรงสีคราม): *an indigo skirt.*

in·di'rect *adj* not leading straight to a place; not direct (ไม่ตรงไปยังสถานที่หนึ่ง ทางอ้อม): *We arrived late because we took an indirect route.*

indirect speech the form of speech you use when you are telling what someone has said (คำบอกเล่า): *He said that he would come is indirect speech for He said "I will come".*

in'dis·ci·pline (*in'dis-i-plin*) *n* bad behaviour; unwillingness to obey orders (ไม่ยอมเชื่อฟังคำสั่ง ไม่มีวินัย).

in·dis'pen·sa·ble *adj* necessary (จำเป็น): *A dictionary is an indispensable possession.*

in·dis'tinct *adj* not clear, confused (ไม่กระจ่าง สับสน): *They could just see the indistinct outline of a ship through the haze.*

in·dis'tinctly *adv* (อย่างไม่กระจ่างชัด).

in·dis'tinct·ness *n.*

in·di'vid·u·al (*in-di'vid-ū-əl*) *adj* **1** single; separate (เดี่ยว แยกจากกัน): *Put price labels on each individual item.* **2** for one person only (สำหรับคนเดียวเท่านั้น): *All the children have their own individual pegs to hang their coats on.* — *n* a single person (คน ๆ หนึ่ง): *Every individual has a right to justice.*

in·di·vid·u'al·i·ty *n* (บุคลิก เอกัตภาพ).

in·di'vid·u·al·ly *adv* each separately (แต่ละอันแยกกัน): *I'll deal with each question individually.*

in·di'vis·i·ble (*in-di'viz-i-bəl*) *adj* not able to be divided or separated (ไม่สามารถแบ่งหรือแยกได้).

in·di·vis·i'bil·i·ty *n* (ความไม่สามารถแบ่งหรือแยกได้).

in'doc·tri·nate *v* to fill people's minds with particular ideas or opinions until they accept them as the truth and think other ideas and opinions are wrong (ล้างสมอง): *The dictator tried to indoctrinate the people with his false ideals.*

in·doc·tri'na·tion n (การล้างสมอง).

'in·door *adj* inside a building (ข้างในอาคาร ในร่ม): *indoor games; an indoor swimming-pool.*

in'doors *adv* in or into a building (อยู่ข้างในหรือเข้าไปใน): *Stay indoors till you've finished your homework; He went indoors when the rain started.*

in'duce *v* **1** to persuade someone to do something (จูงใจ ชักจูง): *He induced her to tell him her secret by promising to buy her an ice-cream.* **2** to cause something (ก่อให้เกิด): *The doctor gave him some medicine that induced sleep.*

in'ducement n (การจูงใจ การชักจูง).

in'dulge *v* to let someone have what they want or do what they want (ตามใจ): *His mother indulges him too much; Life would be dull if you didn't indulge yourself sometimes.*

in'dul·gence *n* (การปล่อยตัว การตามใจตนเอง).

in'dul·gent *adj* very kind, especially too kind (ใจดีมาก ใจดีจนเกินไป): *an indulgent grandmother.*

in'dus·tri·al *adj* concerned with industry (เกี่ยวกับการอุตสาหกรรม): *an industrial town.*

industrial estate an area set aside for factories (พื้นที่ซึ่งเก็บไว้สำหรับโรงงาน).

in'dus·tri·al·ist *n* a person who owns or controls an industry (นักอุตสาหกรรม).

in'dus·tri·a·lize *v* to develop a country or an area so that lots of industries grow up in it (ส่งเสริมอุตสาหกรรม): *the industrialized countries of the world.*

in·dus·tri·a·li'za·tion *n* (การส่งเสริมอุตสาหกรรม).

in'dus·tri·ous *adj* hardworking (ทำงานหนัก ขยัน): *industrious pupils.*

'in·dus·try *n* **1** the manufacture of goods *etc.* (อุตสาหกรรม): *the ship-building industry; the rubber industry.* **2** hard work (ทำงานหนัก): *He owed his success to both ability and industry.*

in'ed·i·ble *adj* not fit to be eaten (ไม่เหมาะที่จะกิน กินไม่ได้): *The meal was inedible.*

in·ef'fect·ive *adj* useless (ไม่มีประโยชน์): *ineffective methods.*

in·ef'fi·cient *adj* not working in the best way and so wasting time *etc.* (ไร้ประสิทธิภาพ): an inefficient workman; *old-fashioned, inefficient machinery.*

in·ef'fi·cient·ly *adv* (อย่างไร้ประสิทธิภาพ).

in·ef'fi·cien·cy *n* (ความไร้ประสิทธิภาพ).

in·e'qual·i·ty (*in-i'kwol-i-ti*) *n* the difference in size, value *etc.* between two or more things (ต่างกันในขนาด คุณค่า ฯลฯ): *There is bound to be inequality between a manager's salary and a workman's wages.*

in'ert *adj* **1** not having the power to move (ไม่มีกำลังที่จะเคลื่อนที่): *A stone is inert.* **2** not wanting to move, act or think (ไม่ต้องการขยับ กระทำ หรือคิด): *He sits inert in his armchair watching television all day.*

in'ev·i·ta·ble *adj* certain to happen *etc.* (เกิดขึ้นแน่ ๆ เลี่ยงไม่ได้): *The Prime Minister said that war was inevitable.*

in·ev·it·a'bil·i·ty *n* (ความเลี่ยงไม่พ้น).

in'ev·i·ta·bly *adv* (อย่างเลี่ยงไม่พ้น).

in·ex'cu·sa·ble (*in-eks'kū-zə-bəl*) *adj* too bad *etc.* to be excused (ยกโทษให้ไม่ได้): *inexcusable rudeness.*

in·ex'cu·sa·bly *adv* (อย่างไม่ยกโทษให้).

in·ex'pen·sive *adj* not expensive; cheap (ไม่แพง ถูก): *inexpensive clothes.*

in·ex'pen·sive·ly *adv* (อย่างไม่แพง อย่างถูก ๆ).

in·ex'pe·ri·ence *n* lack of experience or knowledge (ขาดประสบการณ์หรือความรู้): *He failed to get the job because of inexperience.*

in·ex'pe·ri·enced *adj* lacking knowledge and experience (ขาดความรู้และประสบการณ์): *You are still too young and inexperienced to leave home.*

in'fal·li·ble *adj* **1** never wrong; never making a mistake (ไม่มีผิด ไม่เคยทำพลาด).

in·fal·li'bil·i·ty *n* (ความไม่ผิดพลาด).

in'fal·li·bly *adv* (อย่างไม่ผิดพลาด).

'in·fa·mous *adj* famous because of being very bad (มีชื่อเสียงในทางชั่ว): *an infamous criminal.* **'in·fa·my** *n* (ชื่อเสีย).

See **notorious**.

'in·fant *n* a baby; a very young child (เด็กอ่อนทารก).

'in·fan·cy *n* the time of being a baby (เวลา

ที่เป็นเด็กอ่อน): *He was very ill during infancy.*

'in·fan·try *n* soldiers who are on foot, not on horses (ทหารราบ): *The infantry marched behind the cavalry.*

in'fat·u·a·ted (*in'fat-ū-ā-tid*) *adj* having a strong, foolish and unreasonable love (หลงรัก): *She is infatuated with him.*

in'fect *v* to fill with germs that cause disease; to give a disease to someone (ติดเชื้อ ทำให้ติดเชื้อ): *You must wash that cut on your knee in case it becomes infected; She had a bad cold last week and has infected the rest of the class.*

in'fec·tion *n* **1** infecting or being infected (การติดเชื้อ): *You should wash your hands after handling raw meat to avoid infection.* **2** a disease (เชื้อโรค): *a throat infection.*

in'fec·tious *adj* likely to spread to others (กระจายไปสู่ผู้อื่น ติดต่อได้): *Measles is an infectious disease.*

in'fer *v* to judge from facts (ตัดสินจากข้อเท็จจริง อนุมาน สรุปความ วินิจฉัย): *I inferred from your silence that you were angry.*

'in·ference *n* (การลงความเห็น การอนุมาน ข้อสรุป).

in'fe·ri·or (*in'fēr-i-ər*) *adj* **1** less good than something else (ด้อยกว่า): *This carpet is inferior to that one.* **2** bad (เลว): *This is very inferior work, Paul.* **3** lower in rank (ยศต่ำกว่า): *Is a colonel inferior to a brigadier?*

in·fe·ri'or·i·ty *n* (ความด้อยกว่า ความต่ำกว่า).

The opposite of **inferior** is **superior**.
This carpet is **inferior** to (not **than**) that one.

in'fer·no (*in'fər-nō*), *plural* **in'fer·nos**, *n* a place of fire, horror and destruction (สถานที่ซึ่งมีไฟ ความหวาดหวั่นและการทำลายล้าง นรก): *The explosion turned the petrol station into a blazing inferno.*

in'fer·tile (*in'fər-tīl*) *adj* **1** not fertile; not producing good crops (ไม่สมบูรณ์ แพร่พันธุ์ไม่ได้ดี): *The land was stony and infertile.* **2** unable to have babies (ไม่สามารถมีลูก).

in·fer'til·i·ty *n* (ความไม่สมบูรณ์).

in'fest *v* to cover with insects or other pests (ชุกชุมด้วยแมลงหรือสัตว์อื่น): *The dog was infested with fleas; The house was infested with mice.* **in·fes'ta·tion** *n* (ความชุกชุม).

'in·fil·trate *v* **1** to get through enemy lines a few at a time (การแทรกซึม): *to infiltrate enemy territory.* **2** to enter an organization in small numbers so as to be able to influence decisions *etc.* (การเข้าไปในองค์กรด้วยจำนวนน้อย ๆ เพื่อที่จะสามารถมีอิทธิพลต่อการตัดสินใจ).

'in·fi·nite (*'in-fi-nit*) *adj* **1** without end or limits (โดยไม่มีการจบหรือจำกัด ไม่สิ้นสุด): *We believe that space is infinite.* **2** very great (ใหญ่มาก): *Infinite damage could be caused by such a mistake.*

'in·fi·nite·ly *adv* (อย่างมากมาย อย่างไม่มีที่สิ้นสุด).

in'fin·i·ty *n* space, time or quantity that is without limit (อวกาศ เวลา หรือจำนวนที่ไม่มีข้อจำกัด): *The night sky seemed to stretch away into infinity.*

in'firm *adj* weak or ill (อ่อนแอหรือเจ็บป่วย): *elderly and infirm people.*

in'flame *v* to make feelings become violent (ทำให้รู้สึกมีความรุนแรงขึ้น ยั่วยุ): *to inflame someone's anger.*

in'flamed *adj* hot, red and sore, usually because of infection (ร้อน แดงและปวด โดยปกติมักจะเกิดจากการติดเชื้อ อักเสบ): *Her throat was very inflamed.*

in'flam·ma·ble *adj* easily set on fire (ติดไฟง่าย): *Paper is highly inflammable.*

inflammable means the same as **flammable**: *a highly inflammable gas.*

in·flam'ma·tion *n* pain, redness and swelling in a part of the body (ปวด แดงช้ำ และบวมตรงส่วนหนึ่งส่วนใดของร่างกาย การอักเสบ): *inflammation of the throat.*

in'flate *v* to fill something with air; to blow something up (เก็บอากาศเอาไว้ สูบลม): *He used a bicycle pump to inflate the ball.*

in'fla·tion *n* (การสูบลม).

The opposite of **inflate** is **deflate**.

in'fla·ta·ble *adj* (พองลมได้): *an inflatable beach ball.*

in'fla·tion *n* **1** a general increase in prices

caused by an increase in the amount of money people are spending (เงินเฟ้อ): *The government has promised to bring down inflation.* **2** the act of blowing something up (การเป่าให้ใหญ่ขึ้น).

in'flict *v* to give something unpleasant to someone (นำเอาความเดือดร้อนไปให้): *Was it necessary to inflict such a punishment on him?*

in'flic·tion *n* (การนำเอาความเดือดร้อนไปให้).

'in·flu·ence (*'in-floo-əns*) *n* **1** the power to affect people, actions or events (อิทธิพล): *He used his influence as a friend of the headmaster to get his daughter into a higher class; Never drive a car while under the influence of alcohol.* **2** a person or thing that has this power (บุคคลหรือสิ่งของที่มีอิทธิพล): *She is a bad influence on him.* — *v* to have an effect on someone or something (มีผลต่อคนบางคนหรือของบางอย่าง): *The weather seems to influence her moods.*

in·flu'en·tial *adj* powerful; important (มีอำนาจ มีความสำคัญ): *He is in quite an influential job.*

in·flu'en·za *n* an infectious illness with a headache, fever *etc.* (ไข้หวัดใหญ่).

in'form *v* **1** to tell (บอก): *Please inform your teacher if you wish to go on the outing to the zoo; I was informed that you were absent from the office.* **2** to tell the police about a criminal *etc.* (แจ้งเกี่ยวกับเรื่องอาชญากรรม): *He informed against his fellow thieves.*

in'for·mal *adj* not formal; friendly and relaxed (ไม่เป็นทางการ เป็นมิตรและผ่อนคลาย): *The two prime ministers will meet for informal discussions today; Will the party be formal or informal?; friendly, informal manners.*

in·for'mal·i·ty *n* (ความไม่เป็นทางการ).

in'for·mal·ly adv (อย่างไม่เป็นทางการ).

in'form·ant *n* someone who informs (ผู้บอก ผู้แจ้ง): *He passed on the news to us, but would not say who his informant had been.*

in·for'ma·tion *n* facts told to you or knowledge gained or given (ข่าวสาร การบอก): *Can you give me any information about planes to Hong Kong?; He is full of interesting bits of information.*

information is not used in the plural: *some information; any information.*

in'form·a·tive *adj* giving useful information (บอกข่าวสารที่มีประโยชน์): *an informative book.*

in'form·er *n* a person who informs against a criminal (ผู้บอกข่าวเกี่ยวกับอาชญากรรม).

in'fringe (*in'frinj*) *v* to break a law *etc* or interfere with a person's freedom (ฝ่าฝืนกฎหมาย).

in'fringement *n* (การฝ่าฝืนกฎหมาย).

in'fur·i·ate (*in'fūr-i-āt*) *v* to make someone very angry (ทำให้โกรธมาก): *I was infuriated by his rudeness.*

in'fu·ri·a·ting *adj* (น่าโกรธมาก ๆ): *I find his silly jokes infuriating.*

in'fu·ri·a·ting·ly *adv* (อย่างน่าโกรธมาก ๆ).

in'ge·ni·ous (*in'jē-ni-əs*) *adj* clever (ฉลาด): *He was ingenious at making up new games for the children; an ingenious plan.*

in'ge·ni·ous·ly *adv* (อย่างชาญฉลาด).

in'ge·ni·ous·ness, in·ge'nu·i·ty (*in-jə'nū-i-ti*) *n* s (ความฉลาด).

'in·got (*'iŋ-got*) *n* a mass of metal, gold or silver cast in a mould (โลหะ ทองหรือเงินที่หล่อเป็นแท่ง).

in'grained *adj* fixed firmly; difficult to change or remove (ติดแน่น ยากที่จะเปลี่ยนหรือเคลื่อนย้าย): *The dirt was deeply ingrained in the carpet; ingrained stains; Selfishness was ingrained in his character.*

in'grat·i·tude *n* the state of not being grateful (ความไม่สำนึกในบุญคุณ): *After all the help I'd given him I expected something more than his ingratitude.*

in'gre·di·ent *n* one of the things that go into a mixture (ส่วนประกอบ): *Could you give me a list of the ingredients of the cake?*

in'hab·it *v* to live in a place (อาศัยอยู่): *Polar bears inhabit the Arctic region; That house is inhabited by an English family.*

in'hab·i·tant *n* a person or animal that lives permanently in a place (คนหรือสัตว์ที่อาศัยอยู่ในที่หนึ่งอย่างถาวร): *the inhabitants of the village; tigers, leopards and other inhabitants of the jungle.*

in'hale *v* to breathe in (หายใจเข้า): *It is very*

unpleasant to have to inhale the smoke from other people's cigarettes.

The opposite of **inhale** is **exhale**.

in'he·rent *adj* belonging naturally to someone or something (มีอยู่ในตัว แฝงอยู่): *The desire to win is inherent in us all.*

in'he·rent·ly *adv* (อย่างมีอยู่ในตัว): *She is inherently kind — she would never hurt anyone.*

in'her·it *v* **1** to receive property or money that belonged to someone who has died (รับมรดก): *He inherited the house from his father; She inherited $4000 from her father.* **2** to have qualities the same as your parents *etc.* (กรรมพันธุ์): *She inherits her quick temper from her mother.*

in'her·i·tance *n* (มรดก).

in'hib·it *v* to stop or hinder someone from doing something (หยุดหรือยับยั้ง).

in'hib·i·ted *adj* unable to relax and express your feelings (อาการอาย เคอะเขิน): *She was a bit inhibited about speaking in front of the class.*

in·hi'bi·tion *n* (อาการอาย): *Actors have few inhibitions.*

in'hu·man (*in'hū-mən*) *adj* not seeming to be human (ดูเหมือนจะไม่เป็นมนุษย์ อมนุษย์): *inhuman cruelty; inhuman strength.*

in·hu'mane (*in-hū'mān*) *adj* unkind; cruel (ไร้ความปรานี โหดร้าย).

in·hu'mane·ly *adv* (อย่างไร้ความปรานี อย่างโหดร้าย).

inhuman and **inhumane** both mean cruel, but **inhuman** also means "more than human": *He made an inhuman effort.*

i'ni·tial *n* the letter that begins a word, especially a name (อักษรย่อ): *The picture was signed with the initials J J B, standing for John James Brown.* — *adj* first; early; at the beginning (ขั้นแรก เริ่มแรก ขั้นต้น): *In the initial stage of the disease, the patient developed bright red spots on his face.*

i'ni·tial·ly adv (ในขั้นต้น).

i'ni·ti·ate[1] (*i'nish-i-āt*) *v* **1** to start (ริเริ่ม): *He initiated a scheme for helping old people with their shopping.* **2** to accept someone into a society *etc.*, especially with secret ceremonies (ทำพิธีรับเข้าเป็นพวก ฯลฯ รับน้องใหม่).

i'ni·ti·ate[2] (*i'nish-i-ət*) *n* a person who has been initiated (คนที่โดนรับเข้าเป็นพวก น้องใหม่).

i'ni·tia·tive (*i'nish-ə-tiv*) *n* **1** a first step or move that leads the way (ก้าวแรกหรือการเคลื่อนไหวซึ่งเป็นการนำทาง): *He took the initiative in making friends with the new neighbours.* **2** the ability to lead the way; the ability to make decisions for yourself (มีความสามารถในการนำทาง มีความสามารถในการตัดสินใจ): *He is quite good at his job, but lacks initiative.*

in'ject *v* to force a liquid into the body of a person using a needle and syringe (ฉีดยา): *The doctor injected the drug into her arm.*

in'jection *n* (การฉีดยา).

'in·jure (*'in-jər*) *v* to harm or damage (บาดเจ็บหรือเสียหาย): *He injured his arm when he fell; They were badly injured when the car crashed.*

See **wound**.

'in·jured *adj* hurt in body or feelings (เจ็บปวดตามร่างกายหรือความรู้สึก): *The injured people were taken to hospital after the accident; "There's no need to be so rude," he said in an injured voice.*

in'ju·ri·ous (*in'jŏŏr-i-əs*) *adj* harmful (เป็นอันตราย): *Smoking is injurious to your health.*

'in·ju·ry *n* harm or damage; a wound *etc.* (อันตรายหรือความเสียหาย บาดเจ็บ ฯลฯ): *Badly-made chairs can cause injury to your back; The motorcyclist received severe injuries in the crash.*

in'jus·tice *n* unfairness; lack of justice (ไม่ยุติธรรม ขาดความยุติธรรม): *He complained of injustice in the way he had been dismissed from his job.*

ink *n* a black or coloured liquid used for writing, printing *etc.* (หมึก): *Please sign your name in ink rather than pencil.*

'ink·ling *n* a slight idea (คิดออกบ้าง เฉลียว): *I*

had no inkling of what was going on.

'in·land *adj* not beside the sea (ไม่อยู่ใกล้ทะเล): *inland areas.* — *adv* **(in'land)** in, or towards, the parts of the land away from the sea (อยู่ข้างในหรือมุ่งไปทางพื้นดินที่อยู่ห่างจากทะเล): *These flowers grow best inland; He travelled inland for many miles.*

-in-'law related to you by marriage (เกี่ยวดองโดยการแต่งงาน): *The man my sister is married to is my brother-in-law; My mother is his mother-in-law.*

'in·let *n* a small bay (อ่าวเล็ก ๆ).

'in·mate *n* a person who lives in an institution, for instance a prison (คนที่อาศัยอยู่ด้วยกันในสถาบันหนึ่ง เพื่อนร่วมสถาบัน).

'in·most (*'in-mōst*) *adj* most secret (ลับที่สุด ซ่อนอยู่ภายใน): *her inmost desires.*

inn *n* a small hotel or public house, especially in the countryside; a house providing food and lodging for travellers (โรงแรมเล็ก ๆ).

'inn·keep·er *n* a person who runs an inn (เจ้าของโรงแรม).

'in·ner *adj* further inside (ลึกเข้าไปข้างใน): *The inner tube of his tyre was punctured; It's difficult to guess someone's inner thoughts.*

'in·ner·most *adj* **1** furthest from the edge or outside (ลึกเข้าไปข้างในสุด): *the innermost parts of the castle.* **2** most secret or hidden (ที่เป็นความลับที่สุดหรือซ่อนอยู่ภายใน): his innermost feelings.

'in·nings *n* a team's or player's turn at batting in a cricket match (การผลัดเปลี่ยนผู้ตีในการเล่นคริกเกต): *Pakistan need to score two hundred runs in their second innings if they are to win.*

'in·no·cent *adj* **1** not guilty of a crime; not guilty of doing any wrong (ไม่ได้ทำความผิด บริสุทธิ์): *He is innocent of the crime; They hanged an innocent man.* **2** harmless (ไม่มีอันตราย): *an innocent remark.* **3** free from evil *etc.* (ไม่มีความชั่วร้าย): *an innocent child.*

'in·no·cent·ly *adv* (อย่างบริสุทธิ์).

'in·no·cence *n* (ผู้บริสุทธิ์).

The opposite of **innocent** is **guilty**.

in'noc·u·ous *adj* harmless (ไม่มีอันตราย): *This drug is innocuous unless taken together with another one.*

in·no'va·tion *n* a change or a new arrangement *etc.* (เปลี่ยนแปลงหรือจัดใหม่): *The headmistress made some innovations.*

'in·no·va·tor *n* (ผู้เปลี่ยนแปลงใหม่).

in'nu·mer·a·ble (*i'nū-mər-ə-bəl*) *adj* too many to be counted (มากเกินกว่าจะนับได้): *innumerable difficulties.*

in'oc·u·late (*in'ok-ū-lāt*) *v* to protect someone against a serious disease with an injection (ป้องกันโรคร้ายด้วยการฉีดยา ฉีดวัคซีน): *Has she been inoculated against measles?*

in·of'fen·sive *adj* harmless (ไม่มีอันตราย): *an inoffensive remark.*

in'op·er·a·ble *adj* not able to be removed by an operation (ผ่าตัดออกไม่ได้): *inoperable cancer.*

'in-pa·tient (*'in-pā-shənt*) *n* a person who lives in a hospital while receiving treatment there (คนไข้ใน).

'in·put (*'in-po͝ot*) *n* **1** an amount of energy, labour *etc.* that is put into something (จำนวนพลังงาน แรงงาน ฯลฯ ที่ป้อนเข้าไปในอะไรบางอย่าง). **2** information put into a computer for processing (ข่าวสารที่ป้อนเข้าไปในคอมพิวเตอร์เพื่อดำเนินกรรมวิธี).

The opposite of **input** is **output**.

'in·quest *n* a legal inquiry into a case of sudden and unexpected death (การไต่สวนกรณีที่เกิดการตายอย่างปัจจุบันทันด่วนหรือการตายอย่างคาดไม่ถึง).

in'quire, en'quire (*in'kwīr*) *v* **1** to ask (ถาม): *He inquired the way to the art gallery; She inquired what time the bus left.* **2** to ask for information about something (ถามข่าวสารเกี่ยวกับอะไรบางอย่าง): *They inquired about trains to London.* **3** to ask about a person's health (ถามเกี่ยวกับสุขภาพ): *He inquired after her mother.* **4** to try to discover the truth about something (พยายามค้นพบความจริงเกี่ยวกับบางอย่าง): *The police are inquiring into the matter.*

to **inquire** means to ask for information (ถามข่าวสาร): *to inquire about lessons in Chinese.*

to **query** means to express doubt about something (แสดงความสงสัยเกี่ยวกับอะไรบางอย่าง): *to query a bill.*

in'qui·ry, en'qui·ry n **1** a question; a request for information (คำถาม ขอข่าวสาร): *Your inquiry is being dealt with.* **2** an investigation (สอบสวน): *An inquiry is being held into the disaster.*

an **inquiry** can be a request for information or an investigation (การหาข่าวสารหรือการสอบสวน): *a police inquiry.*
a **query** is a question (คำถาม): *to answer a query.*

make inquiries to ask for information (หาข่าวสาร).

in'quis·i·tive (*in'kwiz-i-tiv*) *adj* eager to find out about other people's affairs (อยากรู้อยากเห็น): *The neighbours are very inquisitive about us.*

'in·roads (การจู่โจม การรุกราน): **make inroads on 1** to use up large amounts of (ใช้ไปเป็นจำนวนมาก): *He has made inroads on his savings.* **2** to attack and begin to destroy (การโจมตีและเริ่มการทำลาย): *She hasn't finished the job but she has made inroads on it.*

in'sane *adj* **1** mad (บ้า). **2** extremely foolish (โง่อย่างยิ่ง): *It was insane to think he would give you the money.*

in'san·i·ty *n* (วิกลจริต).

in'scribe *v* to carve or write (จารึกหรือเขียน): *Several names were inscribed on the gravestone.*

in'scrip·tion *n* something written, for instance on a gravestone or on a coin (คำจารึก).

'in·sect *n* any small creature with six legs, wings and a body divided into sections (แมลง): *We were bothered by swarms of flies, wasps and other insects.*

in'sect·i·cide *n* a substance for killing insects (ยาฆ่าแมลง).

in·se'cure (*in-sə'kūr*) *adj* **1** afraid; not confident (กลัว ไม่มั่นใจ): *Whenever he was in a crowd of people he felt anxious and insecure.* **2** not safe; not firm (ไม่ปลอดภัย ไม่มั่นคง): *This chair-leg is insecure; an insecure lock.*

in·se'cu·ri·ty *n* (ความปลอดภัย).

She feels **insecure** (not **insecured**).

in'sens·i·ble *adj* unconscious (หมดสติ).

in'sen·si·tive *adj* not feeling or not reacting to touch, light, the feelings of other people *etc.* (ไม่รู้สึกหรือไม่มีปฏิกิริยาต่อการสัมผัส ปราศจากความรู้สึก): *The dentist's injection made the tooth insensitive to the drill; He was insensitive to her sorrow.*

in·sen·si'tiv·i·ty *n* (ความไม่ไว ความไม่รู้สึกถึงผู้อื่น).

in'sert *v* to put something into something else (สอด ใส่): *He inserted the money in the parking meter; An extra chapter has been inserted into the book.*

in'ser·tion *n* (การสอด การใส่).

'in·set *n* a small map, picture *etc.* that has been put in the corner of a larger one (แผนที่เล็ก ๆ รูปภาพ ฯลฯ ที่ใส่ตรงมุมของแผ่นใหญ่).

in'side *n* the inner side, or the part or space within (ภายใน ด้านใน): *The inside of this apple is rotten.* — *adv* **1** to, in, or on, the inside (อยู่ข้างในหรืออยู่ภายใน): *The door was open and he went inside; She shut the door but left her key inside by mistake.* **2** in a house or building (อยู่ในบ้านหรือตัวอาคาร): *You should stay inside in such bad weather.* — *adj* (**'in·side**) on or in the inside (ด้านในหรือภายใน): *The inside pages of the newspaper.* — *prep* **1** within; to or on the inside of something (ด้านในหรือภายในของอะไรบางอย่าง): *She is inside the house; He went inside the shop.*

inside out 1 with the inner side out (ด้านในออกนอก): *Haven't you got your shirt on inside out?* **2** very thoroughly (อย่างถี่ถ้วน): *He knows the book inside out.*

'in·sight (*'in-sīt*) *n* an understanding of something (การเข้าใจอะไรบางอย่าง): *He shows a lot of insight into children's problems.*

in'sig·ni·a *n* things worn or carried as a mark of high office (เครื่องหมายยศ): *The crown and sceptre are the insignia of a king.*

in·sig'nif·i·cant *adj* having little value or importance (มีค่าน้อยหรือมีความสำคัญน้อย): *They paid me an insignificant sum of money; an* *insignificant person.*

in·sig'nif·i·cance *n* (ความไม่สำคัญ).

in·sin'cere *adj* not sincere (ไม่จริงใจ): *His praise was insincere; insincere promises.*

in·sin'cer·i·ty *n* (ความไม่จริงใจ).

in'si·pid *adj* **1** dull and boring (ไม่มีชีวิตชีวาและน่าเบื่อ): *Many people find the president insipid.* **2** without taste or flavour (จืดชืดหรือไม่มีรสชาติ): *A lot of the food he cooks is insipid.*

in'sist *v* **1** to hold firmly to an opinion, plan *etc.* (ยืนยันความคิดอย่างมั่นใจ แผนการ ฯลฯ): *He insists that I was to blame for the accident; I insisted on driving him home.* **2** to demand; to urge (เรียกร้อง เร่งเร้า): *The teacher insists on good behaviour; She insisted on coming with me; He insisted that I should go.*

See **persist**.

in'sist·ence *n* (การย้ำ การร้องขอ): *She went to see the doctor at her husband's insistence.*

in'sist·ent *adj* (เป็นการย้ำ เป็นเชิงบังคับ).

'in·so·lent *adj* rude; insulting (หยาบคาย หมิ่นประมาท): *an insolent remark.*

'in·so·lent·ly *adv* (อย่างดูถูก).

'in·so·lence *n* (การดูถูก).

in'som·ni·a *n* the state of not being able to sleep (โรคนอนไม่หลับ): *He suffers from insomnia, so he takes sleeping-pills to help him to sleep.*

in'spect *v* **1** to examine carefully (ตรวจอย่างระมัดระวัง): *He inspected the bloodstains.* **2** to visit a restaurant or school officially, to make sure that it is properly run (การตรวจภัตตาคารหรือโรงเรียนอย่างเป็นทางการเพื่อให้แน่ใจว่าทำกันถูกต้องหรือไม่).

in'spec·tion *n* (การตรวจ).

in'spec·tor *n* **1** a person appointed to make an inspection (ผู้ตรวจ): *a school inspector.* **2** a police officer of senior rank (สารวัตร).

in'spire *v* to encourage someone by filling them with confidence, enthusiasm etc. (ดลใจ ให้กำลังใจ ฯลฯ): *The players were inspired by the loyalty of their supporters.*

in·spi'ra·tion *n* (แรงบันดาลใจ).

in'stall (*in'stöl*) *v* **1** to put equipment *etc.* in place ready for use (ติดตั้ง): *The engineer installed the telephone yesterday.* **2** to put a person in a place or position (เอาคนเข้าที่หรือประจำตำแหน่ง): *He was installed as president yesterday; They soon installed themselves in the new house.*

in·stal'la·tion *n* **1** the process of installing something (การติดตั้ง). **2** a piece of equipment that has been installed (อุปกรณ์ที่ติดตั้งแล้ว): *the cooker, fridge and other electrical installations.*

in'stal·ment (*in'stöl-mənt*) *n* **1** a small sum of money that you pay regularly instead of paying a large bill all at once (การผ่อนส่ง): *The new car is being paid for by monthly instalments.* **2** a part of a story that is printed one part at a time in a weekly magazine *etc.*, or read in parts on the radio *etc.* (นิทานเป็นตอน ๆ ในนิตยสาร ฯลฯ หรือออกอากาศทางวิทยุ): *Did you hear the final instalment last week?*

instalment has one **l**.

'in·stance *n* an example; a particular case (ตัวอย่าง กรณีพิเศษ): *As a social worker, he saw many instances of extreme poverty.*

for instance for example (ตัวอย่าง): *Some birds, penguins for instance, cannot fly at all.*

'in·stant *adj* **1** immediate (ทันที): *His latest play was an instant success.* **2** able to be prepared *etc.* almost immediately (สามารถเอามาทำได้แทบจะในทันที): *instant coffee.* — *n* **1** a point in time (เวลา ณ จุด ๆ หนึ่ง): *He climbed into bed and at that instant the telephone rang.* **2** a moment or very short time (ชั่วครู่หรือระยะเวลาสั้นมาก ๆ): *It all happened in an instant; I'll be there in an instant.*

in·stan'ta·ne·ous (*in-stən'tā-ni-əs*) *adj* happening at once, or very quickly (เกิดขึ้นในทันที หรืออย่างรวดเร็ว): *The effect of the injection was instantaneous.*

in·stan'ta·ne·ous·ly *adv* (อย่างทันที): *When you press the button, the television comes on almost instantaneously.*

'in·stant·ly *adv* immediately (โดยทันที): *He*

went to bed and instantly fell asleep.

in'stead (*in'sted*) *adv* in place of something or someone (**แทนที่**): *I don't like coffee. Could I please have tea instead?; Please take me instead of him; You should have been working instead of watching television.*

'in·step *n* **1** the middle, arched part of your foot (**หลังเท้า**). **2** the part of a sock, shoe etc. that covers this (**ส่วนของถุงเท้า รองเท้า ฯลฯ ที่ปิดส่วนนี้**).

'in·su·lin (*'in-sū-lin*) *n* a hormone which controls the amount of sugar in the blood (**ฮอร์โมนซึ่งควบคุมน้ำตาลในเลือด**): *If your body does not produce enough insulin, you may develop diabetes.*

'in·sti·gate *v* to suggest and encourage a wrong or criminal action (**ยุยงและส่งเสริมให้กระทำผิด**).

in'stil *v* to put ideas etc. into someone's mind by teaching or training (**ปลูกฝังความคิด ฯลฯ เข้าไปในใจของคนบางคน**): *The importance of working hard was instilled into me by my father.*

instil has one **l**.

'in·stinct *n* a natural habit of behaving in a particular way, without thinking and without having been taught (**สัญชาตญาณ**): *As winter approaches, swallows fly south from Britain by instinct; He has an instinct for saying the right thing.*

in'stinc·tive *adj* (**แห่งสัญชาตญาณ**).

in'stinctive·ly *adv* (**อย่างมีสัญชาตญาณ**).

'in·sti·tute (*'in-sti-tūt*) *n* a society or organization, or the building it uses (**สมาคมหรือองค์การหรืออาคารที่ใช้**). — *v* to start or establish (**เริ่มหรือก่อตั้ง**): *When was the Red Cross instituted?* **in·sti'tu·tion** *n* an organization, a society or a building that has a particular purpose, especially the care of people, or education (**องค์การ สมาคม หรืออาคารที่มีจุดประสงค์โดยเฉพาะทางด้านการดูแลผู้คนหรือการศึกษา**): *schools, hospitals, prisons and other institutions.*

in·sti'tu·tion·al *adj* (**แห่งสถาบัน**).

in'struct *v* **1** to teach or train a person in a subject or skill (**สอน**): *Girls as well as boys should be instructed in woodwork.* **2** to order or direct a person to do something (**สั่งหรือสอนให้คนทำอะไรบางอย่าง**): *He was instructed to come here at nine o'clock.*

in'struc·tion *n* **1** teaching (**การสอน**): *She sometimes gives instruction in gymnastics.* **2** an order or direction (**การสั่งหรือบอกทิศทาง**): *You must learn to obey instructions.*

in'struc·tor *n* a person who gives instruction in a skill *etc.* (**ครู ผู้สอน**): *a ski-instructor.*

'in·stru·ment (*'in-strə-mənt*) *n* **1** a tool, especially if used for delicate scientific or medical work (**เครื่องมือ**): *medical instruments.* **2** an object whose purpose is to produce musical sounds (**เครื่องดนตรี**): *He can play the piano, violin and several other instruments.*

in·stru'men·tal *adj* **1** performed on musical instruments, not by voices (**แห่งเครื่องดนตรี**): *instrumental music.* **2** helpful (**ช่วยเหลือ**): *She was instrumental in finding them a new home.*

in·suf'fi·cient *adj* not enough (**ไม่เพียงพอ**): *There is insufficient food to last the week.*

in·suf'fi·cient·ly *adv* (**อย่างไม่เพียงพอ**).

in·suf'fi·cien·cy *n* (**ความไม่พอเพียง**).

'in·su·late (*'in-sū-lāt*) *v* to cover something with a material that does not let electrical currents or heat *etc.* pass through it (**ปิดด้วยวัสดุซึ่งกันไฟฟ้าหรือความร้อน ปิดด้วยฉนวนไฟฟ้าหรือความร้อน**): *Rubber and plastic are used for insulating electric wires and cables.*

in·su'la·tion *n* (**การกันไฟฟ้าหรือความร้อน**).

in'sult *v* to treat someone rudely (**ดูถูก ดูหมิ่น**): *He insulted her by telling her she was not only ugly but stupid too.* — *n* (**'in·sult**) a remark or action that insults someone (**การพูดหรือการกระทำที่ดูถูกผู้คน**).

in'sult·ing *adj* (**คำพูดที่ดูถูก**): *insulting words.*

in'sur·ance (*in'shoor-əns*) *n* **1** an agreement made with a company, that if you pay them a regular sum, they will give you money if something of yours is lost, stolen, damaged *etc.* (**การประกันภัย**). **2** the payment made to or by an insurance company (**ค่าประกัน เบี้ย

ประกัน): *Have you paid the insurance on your camera?; He received $100 insurance.*

in'sure (*in'shoor*) *v* to arrange insurance for something (ประกัน): *Is your camera insured?; Employers have to insure employees against accident.*

in'tact *adj* whole; not damaged (ไม่เสียหาย): *The box was washed up on the beach with its contents still intact.*

'in·take *n* the thing or quantity taken in (สิ่งของหรือปริมาณที่รับเข้ามา): *This year's intake of students is smaller than last year's.*

'in·te·gral (*'in-tə-grəl*) *adj* absolutely necessary; essential (จำเป็นโดยสมบูรณ์ ขาดเสียมิได้): *Learning how to keep fit and healthy should be an integral part of our education.*

'in·te·grate *v* **1** to fit parts together to form a whole (รวมกันเป็นอันหนึ่งอันเดียว). **2** to mix with other groups in society *etc.* (รวมกับกลุ่มอื่นในสังคม): *The immigrants are not finding it easy to integrate into the life of our city.*

in·te'gration *n* (การรวมกันเป็นอันหนึ่งอันเดียว).

in'teg·ri·ty *n* honesty (ความซื่อสัตย์): *He is a man of absolute integrity.*

'in·tel·lect *n* the thinking power of your mind (พลังความคิด ปัญญา): *He was a person of great intellect.*

in·tel'lec·tu·al (*in-tə'lek-choo-əl*) *adj* having to do with your intellect (แห่งปัญญา): *He does not play football — his interests are mainly intellectual.*

in'tel·li·gence *n* the power of understanding (พลังความเข้าใจ ความฉลาด): *His job doesn't require much intelligence.*

in'tel·li·gent *adj* **1** clever and quick at understanding (ฉลาดและเข้าใจได้รวดเร็ว): *an intelligent child.* **2** showing intelligence (แสดงถึงความฉลาด): *an intelligent question.*

in'tel·li·gent·ly *adv* (อย่างฉลาด).

in'tel·li·gi·ble *adj* able to be understood (สามารถเข้าใจได้): *His answer was barely intelligible because he was speaking through a mouthful of food.*

in·telli·gi'bil·i·ty *n* (ความเข้าใจได้).

in'tel·li·gi·bly *adv* (อย่างเข้าใจได้).

in'tend *v* **1** to mean to do something; to plan that something should happen (ตั้งใจ วางแผนว่าบางอย่างควรจะเกิดขึ้น): *Do you still intend to go?; Do you intend them to go?; I didn't intend that this should happen!; Did you intend this to happen?* **2** to mean something to be understood in a particular way (มุ่งที่จะ): *His remarks were intended to be a compliment.* **3** to direct something towards someone (ตั้งใจให้กับ): *That letter was intended for me.*

in'tense *adj* very great (มากยิ่งนัก): *intense heat.*

in'tensi·ty n (ความเข้มข้น).

in'tense·ly *adv* very much (อย่างมาก): *I dislike that sort of behaviour intensely.*

in'ten·si·fy *v* to increase; to make or become greater (เพิ่มขึ้น ทำให้มากขึ้น): *The police are intensifying their efforts to find the murderer; She called a doctor when the pain intensified.*

in·ten·si·fi'ca·tion *n* (การทำให้เข้มข้นขึ้น).

in'ten·sive *adj* very thorough (โดยละเอียด): *The police began an intensive search for the murderer; The hospital has just opened a new intensivecare unit.*

in'ten·sive·ly *adv* (อย่างเข้มขึ้น).

in'tent *adj* **1** meaning, planning or wanting to do something (วางแผนหรือต้องการที่จะทำอะไรบางอย่าง): *He's intent on going.* **2** concentrating hard on something (หมกมุ่น): *He was intent on the job he was doing.* — *n* purpose; what a person means to do (วัตถุประสงค์ สิ่งที่ต้องการจะทำ): *He broke into the house with intent to steal.*

in'tent·ly *adv* with great attention (ด้วยความตั้งใจอย่างสูง): *He watched her intently.*

in'ten·tion *n* what a person plans or intends to do (สิ่งที่วางแผนหรือตั้งใจว่าจะทำ): *He has no intention of leaving; If I have offended you, it was quite without intention; good intentions.*

in'ten·tion·al *adj* done, said *etc.* on purpose and not by accident (เจตนา): *I'm sorry I offended you — it wasn't intentional; intentional cruelty.*

in'ten·tion·al·ly *adv* (อย่างเจตนา).

in·ter'act *v* to have some effect on one another (มีปฏิกิริยาต่อกัน).

in·ter'ac·tion *n* (การมีปฏิกิริยาต่อกัน).

in·ter'cept *v* to stop someone or something before they arrive at a particular place (หยุดหรือสกัดกั้น): *The police intercepted the bank robbers on their way to the airport; Jenny tried to pass a note to me but the teacher intercepted it.*

in·ter'cep·tion *n* (การสกัดกั้น).

'in·ter·change *n* **1** a place where two or more main roads or motorways at different levels are connected by means of several small roads, so allowing vehicles to move from one road to another (สี่แยกที่มีถนนหลายระดับเพื่อให้รถผ่านสะดวก). **2** an exchange (การแลกเปลี่ยน): *an interchange of ideas.*

in·ter'change·a·ble *adj* able to be put in the place of one another (สับเปลี่ยนกันได้): *a saw with interchangeable blades.*

'in·ter·com *n* a system of communication within an aeroplane, factory *etc.* by means of microphones and loudspeakers (การติดต่อภายในด้วยการใช้เครื่องขยายเสียง): *The pilot spoke to the passengers over the intercom.*

'in·ter·course *see* **sexual intercourse** (ดู **sexual intercourse**).

'in·ter·est *n* **1** curiosity; attention (ความอยากรู้ ความสนใจ): *That newspaper story is bound to arouse interest; He used to be very active in politics, but he has lost interest now.* **2** a matter, activity *etc.* that is of special concern to you (เรื่องราว การกระทำที่เราคิดถึงเป็นพิเศษ): *Gardening is one of my main interests.* **3** money paid in return for borrowing a sum of money (ดอกเบี้ย): *You will have to pay interest on this loan.* **4** a share in the ownership of a business firm *etc.* (มีผลประโยชน์). — *v* to hold the attention of someone; to be important to someone (ทำให้คนสนใจ เป็นสิ่งสำคัญสำหรับคน ๆ นั้น): *Sport doesn't interest him at all; The story interested her.*

'in·ter·est·ed *adj* **1** eager to know about something; curious (อยากรู้อะไรบางอย่าง อยากรู้อยากเห็น): *He's not interested in politics; Don't tell me any more — I'm not interested; I'll be interested to see what happens next week.* **2** keen to do something (อยากที่จะทำอะไรบางอย่าง): *Are you interested in buying a car?*

'in·ter·est·ing *adj* (น่าสนใจ): *an interesting book.*

lose interest to stop being interested (หมดความสนใจ): *He has lost interest in his work.*

take an interest to be interested (มีความสนใจ): *I take a great interest in everything they do.*

in·ter'fere *v* **1** to try to organize or change something that is not your business; to meddle (พยายามจัดหรือเปลี่ยนบางอย่างซึ่งไม่ใช่ธุระของเรา สอดแทรก): *I wish you would stop interfering with my plans; Don't interfere in other people's business!* **2** to prevent or hinder something (ป้องกันหรือขัดขวางบางอย่าง): *He doesn't let anything interfere with his game of golf on Saturday mornings.*

in·ter'fe·rence *n* (การสอดแทรก): *She was furious at his mother's interference in their holiday arrangements.*

in·ter'fe·ring *adj* (สอดแทรก).

interfered and **interfering** are spelt with one **r**.

in'te·ri·or (*in'tē-ri-ər*) *adj* belonging to, or on the inside of something (เป็นของหรืออยู่ด้านในของอะไรบางอย่าง): *the interior walls of a building.* — *n* **1** the inside of a building *etc.* (ด้านในของตัวอาคาร ฯลฯ): *The interior of the house was very attractive.* **2** the part of a country away from the coast (ส่วนของเมืองที่อยู่ห่างจากชายฝั่ง): *The explorers landed on the coast, and then travelled into the interior.*

in·ter'jec·tion *n* a word or words, or some noise, used to express surprise, pain or other feelings (คำอุทาน): *Oh dear! I've lost my key; Ouch! That hurts!*

in·ter'lock *v* to fit or fasten together (ต่อหรือผูกเข้าด้วยกัน): *The pieces of a jigsaw puzzle interlock.*

'in·ter·lude (*'in-tər-lood*) *n* a short period or gap, for instance between the acts of a play

(ระยะเวลาสั้น ๆ ช่องว่าง หรือการพักระหว่างฉาก).

in·ter'mar·ry *v* to marry one another (สมรสระหว่างคนต่างเผ่าหรือเชื้อชาติ): *Some of the soldiers stationed in the area intermarried with the local population.* **in·ter'marriage** *n* (การสมรสระหว่างคนต่างเผ่าหรือเชื้อชาติ).

in·ter'me·di·a·ry (*in-tə'mē-di-ā-ri*) *n* a person who takes messages from one person or group to another during negotiations (คนกลาง): *She acted as intermediary between the two families in their dispute over the garden.*

in·ter'me·di·ate (*in-tər'mē-di-ət*) *adj* in the middle; placed between two things, stages *etc.* (อยู่ตรงกลาง ขั้นกลาง): *an intermediate English course.*

in'ter·min·a·ble *adj* having or appearing to have no end (ไม่มีที่สิ้นสุด): *The meeting was interminable.*

in·ter'mis·sion *n* a pause or an interval during a film, concert *etc.* (การหยุดพักระหว่างดูภาพยนตร์ การแสดงดนตรี ฯลฯ).

in·ter'mit·tent *adj* stopping for a while and then starting again (หยุดสักพักหนึ่งแล้วก็เริ่มใหม่อีก): *Intermittent rain has been forecast for this morning; She was suffering from intermittent pain in her leg.*

in·ter'mit·tent·ly adv (อย่างหยุดเป็นพัก ๆ): *It rained intermittently.*

'in·tern *n* a junior doctor who works and sleeps at a hospital (แพทย์ฝึกหัด).

in'ter·nal *adj* on the inside of something, for instance a person's body (ภายใน): *The man suffered internal injuries in the accident.*

in'ter·nal·ly *adv* (อย่างภายใน).

in·ter'na·tion·al *adj* happening between nations (เกิดขึ้นระหว่างชาติ นานาชาติ): *international trade; an international football match.* — *n* a football match *etc.* played between teams from two countries (การแข่งขันฟุตบอลจากทีมของสองประเทศ).

in·ter'na·tion·al·ly adv (ระหว่างชาติ).

in'ter·pret *v* **1** to translate a speaker's words, while he is speaking, into the language of his hearers (แปลความหมาย): *He spoke to the audience in French and she interpreted.* **2** to show or explain the meaning of something (แสดงหรืออธิบายความหมายของอะไรบางอย่าง): *How do you interpret these lines of the poem?*

in·ter·pre'ta·tion *n* (การตีความ).

in'ter·pret·er *n* (ล่าม).

in'ter·ro·gate *v* to question a person thoroughly (สอบสวน): *The police spent five hours interrogating the prisoner.*

in·ter·ro'ga·tion *n* (การสอบสวน).

in'ter·ro·ga·tor *n* (ผู้สอบสวน).

in·ter'rupt *v* **1** to stop someone while they are saying or doing something (ขัดจังหวะ): *He interrupted her while she was speaking; He interrupted her speech; Listen to me and don't interrupt!* **2** to stop or make a break in an activity *etc.* (หยุดหรือพักการกระทำ): *He interrupted his work to eat his lunch.*

in·ter'rup·tion *n* (การขัดขวาง): *How can I work properly with so many interruptions?*

in·ter'sect *v* to cross; to meet each other (ตัดกัน พบกัน): *Where do the two roads intersect?*

in·ter'sec·tion *n* a place where roads or lines intersect (ที่ซึ่งถนนหรือเส้นทางตัดกัน สี่แยก): *The accident happened at the intersection.*

'in·ter·val *n* **1** a passing of time (เวลาที่ผ่านไป): *He returned home after an interval of two hours.* **2** a short break in a play, concert *etc.* (การหยุดพักเป็นเวลาสั้น ๆ ของการแสดงละคร แสดงดนตรี ฯลฯ): *We had ice-cream in the interval.*

at intervals here and there; now and then (ที่นั่นที่นี่ บางครั้งบางคราว เป็นระยะ ๆ): *Trees grew at intervals along the road.*

in·ter'vene *v* to try to stop a quarrel (พยายามหยุดการทะเลาะกัน ขัดขวาง): *He intervened in the dispute.*

in·ter'ven·tion *n* (การแทรกแซง).

'in·ter·view (*'in-tər-vū*) *n* **1** a meeting and discussion with someone applying for a job *etc.* (สัมภาษณ์ สมัครงาน). **2** a discussion in which a television or radio reporter asks a person questions that he thinks listeners would like to hear the answer to. — *v* to question a person in an interview (สัมภาษณ์ทางโทรทัศน์หรือวิทยุ): *They interviewed seven people for the job; He was interviewed by reporters about his policies.*

'in·ter·view·er *n* (ผู้สัมภาษณ์).

in'tes·tines (*in'tes-tinz*) *n* the lower parts of the food passage in man and animals (ลำไส้).

intes'ti·nal (*in-tes'tī-nəl*) adj (แห่งลำไส้).

'in·ti·mate *adj* **1** close and affectionate (ใกล้ชิดและรักใคร่): *intimate friends.* **2** private; personal (เป็นส่วนตัว): *the intimate details of his correspondence.* **3** deep and thorough (ลึกซึ้งและถี่ถ้วน): *an intimate knowledge of English grammar.* — *n* a close friend (เพื่อนสนิท).

'in·ti·ma·cy *n* (ความสนิทสนม).

'in·ti·mate·ly *adv* (อย่างสนิทสนม).

in'ti·mi·date *v* to frighten, especially by threatening violence (ขู่ขวัญ ทำให้กลัว).

in·ti·mi'da·tion *n* (การขู่ขวัญ ข่มขู่).

'in·to (*'in-too͞*) *prep* **1** to the inside of something (เข้าไปภายในของอะไรบางอย่าง): *The eggs were put into the box; They went into the house.* **2** against (ปะทะ): *The car ran into the wall.* **3** to a different state *etc.* (เปลี่ยนสภาพ เปลี่ยนเป็น): *A tadpole turns into a frog; She translated the book into Chinese.* **4** expressing the idea of division (ย้ำความคิดเรื่องการหาร): *Two into four goes twice.*

in'tol·er·a·ble *adj* not able to be endured (ไม่สามารถทนได้): *intolerable pain; This delay is intolerable.* **in'tol·er·a·bly** *adv* (โดยไม่อาจจะทนทานได้).

in'tol·er·ant *adj* unwilling to accept people whose ideas *etc.* are different from your own; not able to bear other people's weaknesses *etc.* (ไม่ผ่อนปรน): *an intolerant attitude; He is intolerant of others' faults.*

in'tol·er-ance *n* (การไม่ยอมให้ผู้อื่นมีความเห็นแตกต่างจากของเรา การดื้อดึง).

in·to'na·tion (*in-tə'nā-shən*) *n* the rise and fall of your voice when you speak (เสียงสูงต่ำเมื่อตอนเราพูด): *Radio newsreaders should have clear intonation.*

in'tox·i·cate *v* **1** to make someone drunk (ทำให้ใครบางคนเมา): *Two glasses of wine were enough to intoxicate her.* **2** to make someone very excited (ทำให้ใครตื่นเต้นมาก ๆ): *He was intoxicated by his success.*

in'tox·i·ca·ting *adj* (อย่างน่าตื่นเต้น).

in·tox·i·'ca·tion *n* (ความเมา ความน่าตื่นเต้น).

in'trans·i·gent *adj* unwilling to change your behaviour or opinions, stubborn (ไม่เต็มใจที่จะเปลี่ยนพฤติกรรมหรือความเห็นของเรา ดื้อดึง): *His intransigent attitude is a great problem.*

in·tra've·nous (*in-trə'vē-nəs*) *adj* in or into a vein (เข้าไปในเส้นเลือดดำ): *an intravenous drip.*

in'trep·id *adj* bold; brave; not easily frightened (กล้าหาญ ไม่กลัวอะไรง่าย ๆ): *The intrepid mountaineers climbed the steepest side of the mountain; an intrepid explorer.*

'in·tri·cate *adj* complicated (ยุ่ง ซับซ้อน): *an intricate knitting pattern.*

'in·tri·ca·cy *n* (ความสลับซับซ้อน).

'in·trigue (*'in-trēg*) *n* a secret plan; a plot (แผนลับ). — *v* **(in'trigue) 1** to make someone interested or curious (ทำให้สนใจหรืออยากรู้): *The book intrigued me.* **2** to make secret plots (ทำแผนลับ).

in'tri·guing *adj* (อย่างลับ ๆ).

in'trin·sic *adj* belonging to a thing as a basic and important part of it (แท้จริง ภายใน): *The painting has no intrinsic value.*

in'trin·si·cally *adv* (อย่างแท้จริง).

in·tro'duce (*in-trə'dūs*) *v* **1** to make people known by name to each other (แนะนำให้รู้จัก): *He introduced the guests to each other; Let me introduce you to my mother; May I introduce myself? I'm John Brown.* **2** to bring in something new (นำสิ่งใหม่ ๆ เข้ามา): *Grey squirrels were introduced into Britain from Canada.* **3** to start instructing someone in a particular subject *etc.* (เริ่มสอนบางคนในวิชาโดยเฉพาะ): *Children are introduced to algebra at about the age of eleven.*

in·tro'duc·tion *n* **1** the introducing of something (การแนะนำอะไรบางอย่าง): *the introduction of new methods.* **2** the introducing of one person to another (การแนะนำคนหนึ่งให้รู้จักกับอีกคนหนึ่ง): *The hostess made the introductions and everyone shook hands.* **3** something written at the beginning of a book explaining the contents (คำนำ).

in·tro'duc·to·ry *adj* (กล่าวนำ).

'in·tro·vert *n* a person who prefers to spend time on their own and does not enjoy social events (คนที่ใช้เวลาอยู่กับตัวเองและไม่ชอบสังคม คนเก็บตัว): *As an introvert, he really dislikes having to go to parties.*

in'trude (*in'trood*) *v* to come in when you are not wanted or invited; to take up someone's time (เสือก สอด เสียเวลาของคนอื่น): *I'm sorry to intrude on your time.*

in'tru·der *n* a person who intrudes, for example a burglar (ผู้บุกรุก).

in'tru·sion *n* an act of intruding (การเสือก การสอด): *She was angry at his intrusion into the meeting.*

in·tu'i·tion (*in-tū'ish-ən*) *n* the power of understanding or realizing something without thinking it out (การหยั่งรู้): *She knew by intuition that he was telling her the truth.*

'in·un·date *v* **1** to cover a place with water; to flood (น้ำท่วม): *The river burst its banks and inundated the fields.* **2** to heap or pile a great quantity of something on someone (กองสุมกันมาก ๆ ของอะไรบางอย่างสำหรับใครบางคน): *The students were inundated with work for their exams.*

in·un'da·tion *n* (น้ำท่วม การท่วม).

in'vade *v* to enter a country *etc.* with an army (รุกรานเข้าประเทศ): *Britain was twice invaded by the Romans.* **in'va·der** *n* (ผู้รุกราน).

in'val·id[1] *adj* not able to be used legally; not valid (ไม่สามารถใช้อย่างถูกกฎหมายได้ ใช้ไม่ได้): *Your passport is out of date and therefore invalid.*

'in·va·lid[2] *n* a person who is ill or disabled (คนที่ป่วยหรือทุพพลภาพ): *During the last few years of his life, he was a permanent invalid.*

in'val·u·a·ble (*in'val-ū-ə-bəl*) *adj* very precious; very useful (มีค่ามาก มีประโยชน์มาก): *Thank you for your invaluable help.*

invaluable means very valuable; it is not the opposite of **valuable**.

in'var·i·a·ble (*in'vār-i-ə-bəl*) *adj* not changing (ไม่เปลี่ยนแปลง): *an invariable habit.*

in'var·i·a·bly *adv* always (เสมอ ๆ).

in'va·sion (*in'vā-zhən*) *n* the invading of a country etc. (การรุกรานประเทศ).

in'vent *v* **1** to be the first person to make a machine, use a method *etc.* (ประดิษฐ์): *Who invented the microscope?; When was printing invented?* **2** to make up a story *etc.* (สร้างเรื่อง กุเรื่อง): *I'll have to invent some excuse for not going with him.*

See also **discover**.

in'ven·tion *n* something invented (สิ่งประดิษฐ์): *What a marvellous invention the sewing-machine was!*

in'ven·tor *n* a person who invents something (นักประดิษฐ์).

'inverse *n* the opposite (ตรงกันข้าม ผกผัน): *If 5 = 5/1, then its inverse is 1/5.*

in'vert *v* to turn something upside down (หกกลับ). **in'ver·sion** *n* (การกลับเอาข้างบนลงล่าง).

inverted commas commas, the first being turned upside down, used in writing to show where direct speech begins and ends; quotation marks (อัญประกาศ): *"It is a lovely day," she said.*

in'ver·te·brate *n* a creature that has no backbone, such as a worm, insect or shark (สัตว์ที่ไม่มีกระดูกสันหลัง).

in'vest *v* to put money into a business in order to make a profit (ลงทุน): *He invested in a building firm.*

in'ves·ti·gate *v* to examine carefully (สอบสวน): *The police are investigating the mystery.*

in·vesti'ga·tion *n* (การสอบสวน).

in'ves·ti·ga·tor *n* (ผู้สอบสวน).

in'vest·ment *n* the investing of money in a business *etc.*, or the money invested (การลงทุน เงินลงทุน). **in'vestor** *n* (นักลงทุน).

in'vig·i·late (*in'vij-i-lāt*) *v* to sit with students and be in charge of them while they are

doing an examination (ควบคุมการสอบไล่).
in·vig·i'la·tion *n* (การควบคุมการสอบไล่).
in'vig·i·la·tor *n* (ผู้ควบคุมการสอบไล่).

in'vig·o·rate *v* to make someone feel stronger or fresher; to strengthen and refresh (ทำให้รู้สึกแข็งแรงสดชื่นขึ้น): *Her walk in the cool air invigorated her.*
in'vig·o·ra·ting *adj* (อย่างสดชื่น): *an invigorating shower.*

in'vin·ci·ble *adj* not able to be defeated (ไม่สามารถจะเอาชนะได้): *an invincible army.*

in'vis·i·ble (*in'viz-i-bəl*) *adj* not able to be seen (ไม่สามารถจะมองเห็นได้ หายตัวได้): *Only in stories can people make themselves invisible.*
in·vis·i'bil·i·ty *n* (การมองไม่เห็นตัว).

in·vi'ta·tion *n* a request made to someone to go somewhere *etc* (คำเชิญ การเชื้อเชิญ): *Have you received an invitation to their party?*

in'vite *v* **1** to ask a person politely to come to your house, to a party *etc.* (เชื้อเชิญ): *They have invited us to dinner tomorrow.* **2** to ask a person politely to do something (ขอร้องอย่างสุภาพให้ทำอะไรบางอย่าง): *He was invited to speak at the meeting.* **3** to ask for suggestions *etc* (ขอการเสนอแนะ): *He invited suggestions for a project from the pupils.*
in'vi·ting *adj* attractive (อย่างน่ากิน): *There was an inviting smell coming from the kitchen.*

'in·voice *n* a list sent with goods giving details of price and quantity (ใบส่งสินค้า).

in'vol·un·tar·y *adj* not intentional; not done on purpose; happening too quickly to be controlled (อย่างไม่ตั้งใจ ไม่เจตนา): *She gave an involuntary cry when he stepped on her toe.*
in'vol·un·tar·i·ly *adv* (ไม่เจตนา).

in'volve *v* **1** to require (เรียกร้อง ประสงค์ ต้องการ): *His job involves a lot of travelling.* **2** to interest or concern someone (สนใจหรือกังวล): *He has always been involved in the theatre; Don't ask my advice — I don't want to get involved.* **in'volve·ment** *n* (ความพัวพัน การเกี่ยวข้อง).

'in·ward *adj* being inside or moving towards the inside (อยู่ข้างในหรือเคลื่อนเข้าข้างใน): *an inward curve; inward happiness.*
'in·ward, 'in·wards *adv* towards the inside or the centre (มุ่งเข้าข้างในหรือจุดศูนย์กลาง): *When one of your eyes turns inwards, we call the effect a squint.*
'in·ward·ly *adv* secretly (อย่างเงียบ ๆ): *She was laughing inwardly.*

'i·o·dine (*ī-ə-dēn*) *n* a black substance in the form of crystals or a liquid, used in medicine (ไอโอดีน).

i'rate (*ī'rāt*) *adj* angry (โกรธ).

'i·ris (*'ī-ris*) *n* **1** the coloured part of your eye (ม่านตา). **2** a brightly-coloured flower similar to a lily (พันธุ์ไม้ดอกชนิดหนึ่งมีสีสดใส).

'i·ron (*'ī-ərn*) *n* **1** the most common metal, which is very hard, and is used for making tools *etc* (เหล็ก): *Steel is made from iron; The ground is as hard as iron.* **2** a flat-bottomed instrument that is heated up and used for smoothing clothes *etc.* (เตารีด): *I've burnt a hole in my dress with the iron.* — *adj* made of iron (ทำด้วยเหล็ก): *iron tools.* — *v* to smooth clothes *etc.* with an iron (รีดผ้าให้เรียบด้วยเตารีด): *This dress needs to be ironed.*
'i·ron·ing *n* clothes waiting to be ironed, or just ironed (ผ้าที่กำลังจะรีดหรือเพิ่งรีดเสร็จ): *What a huge pile of ironing!*
'i·ron·ing-board *n* a padded board on which to iron clothes (ไม้รองรีด).
strike while the iron is hot to act while the situation is favourable (น้ำขึ้นให้รีบตัก).

i'ron·ic (*ī'ron-ik*) or **i'ron·i·cal** (*ī'ron-i-kəl*) *adj* **1** meaning the opposite of what you are saying; not serious (พูดประชด): *If you say "What a brilliant remark" to someone who has just said something stupid, you are being ironic.* **2** funny; strange (ตลก แปลก): *It's really ironic that now she's got a bicycle she prefers to walk.*
i'ron·i·cal·ly *adv* (อย่างแดก ดันอย่างประชด).

'i·ro·ny (*'i-rə-ni*) *n* **1** a way of speaking that shows other people that you really mean the opposite of what you are saying (การพูดแดกดัน): *"That was clever", she said with* *irony, when he sat on her glasses.* **2** a funny or strange side of a situation (สถานการณ์ด้านตลกหรือแปลก): *He cheated in the test by copying the answers from the teacher's answer-book, but the irony was that he copied the answers to the wrong test.*

ir'ra·tio·nal *adj* not the result of clear, logical thought (ไม่มีเหตุผล): *His decision was irrational.*

ir·reg·u·lar (*i'reg-ū-lər*) *adj* **1** not regular (ไม่ปกติ): *The bus-service is irregular.* **2** not even (ไม่สม่ำเสมอ): *His pulse was irregular.*

ir'reg·u·lar·ly *adv* (อย่างไม่ปกติ).

ir·reg·u'lar·i·ty *n* (ความไม่ปกติ).

ir'rel·e·vant *adj* not connected with the subject that is being discussed *etc.* (ไม่ตรงประเด็น นอกเรื่อง): *irrelevant remarks.*

ir'rel·e·vant·ly *adv* (อย่างนอกเรื่อง).

ir·re'sis·ti·ble *adj* too strong to be resisted (ต้านทานไม่อยู่): *He had an irresistible desire to hit her.*

ir·re'spec·tive: irrespective of without considering something (โดยไม่เลือก): *The pupils are taught together, irrespective of age or ability.*

ir·re'spon·si·ble *adj* not sensible (ไม่มีเหตุผล ไม่มีความรับผิดชอบ): *It was very irresponsible to leave the child alone outside the shop; irresponsible behaviour.*

ir·responsi'bil·i·ty *n* (ความไม่รับผิดชอบ).

'ir·ri·gate *v* to supply water to land by canals or other means (ทดน้ำ).

ir·ri'ga·tion *n* (การชลประทาน).

'ir·ri·tate *v* **1** to annoy someone; to make someone angry (ทำให้รำคาญ ทำให้โกรธ): *The children's chatter irritated him.* **2** to make a part of the body sore, red, itchy *etc.* (ทำให้ระคายเคือง): *Soap can irritate a baby's skin.*

ir·ri'ta·tion *n* (การทำให้ระคายเคือง).

'ir·ri·ta·ble *adj* easily annoyed; grumpy (รำคาญง่าย อารมณ์ไม่ดี): *He was in an irritable mood.*

'ir·ri·ta·bly *adv* (อย่างอารมณ์ไม่ดี).

ir·ri·ta'bil·i·ty *n* (ความมีอารมณ์ไม่ดี).

is *see* **be** (ดู **be**).

-ish *suffix* slightly, fairly (นิดหน่อย): *reddish hair.*

'Is·lam (*'iz-läm*) *n* the Muslim religion (ศาสนาอิสลาม).

Is'lam·ic *adj.*

'is·land (*'ī-lənd*) *n* **1** a piece of land surrounded by water (เกาะ): *The island lay a mile off the coast.* **2** a small section of pavement built in the middle of a street, for pedestrians to stand on (เกาะกลางถนน).

'is·land·er *n* someone living on an island (ชาวเกาะ).

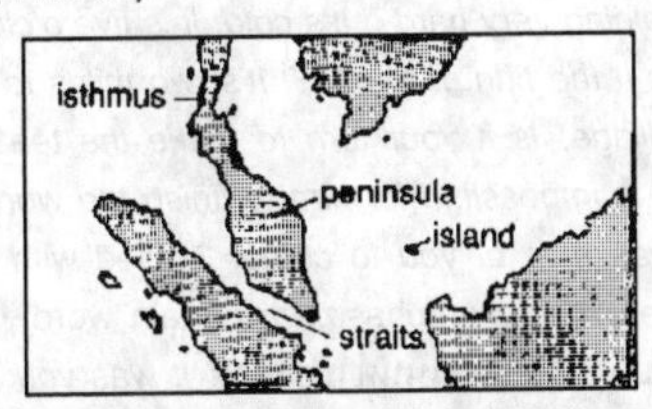

See **isthmus**.

isle (*īl*) *n* an island, used especially in names of islands (เกาะ ใช้กับชื่อของเกาะโดยเฉพาะ): *the Isle of Wight.*

isn't short for (คำย่อของ) **is not**.

'i·so·late (*'ī-sə-lāt*) *v* to separate, cut off or keep apart from others (แยกจากกัน โดดเดี่ยว): *Several houses have been isolated by the flood water; A child with an infectious disease should be isolated.*

i·so'la·tion *n* (การแยกจากกัน).

'is·sue (*'ish-oo*) *v* **1** to give out officially (ออกให้อย่างเป็นทางการ แจกจ่าย): *The police issued a description of the criminal; Rifles were issued to the troops.* **2** to come out from something (ออกมาจากอะไรบางอย่าง): *A strange noise issued from the room.* — *n* **1** the giving out of something (วันออก): *Stamp collectors like to buy new stamps on the day of issue.* **2** one number in the series of a newspaper, magazine *etc.* (ตัวเลขประจำฉบับของหนังสือพิมพ์ นิตยสาร): *Have you seen the latest issue of that magazine?*

'isth·mus (*'is-məs*) *n* a narrow strip of land joining two larger pieces (คอคอด): *the Isthmus of Panama.*

See **island**

it *pron* **1** (used as the subject of a verb or object of a verb or preposition) a thing, a fact *etc.*, also an animal or a baby **(มัน)**: *If you find my pencil, please give it to me; The dog is in the garden, isn't it?; I picked up the baby because it was crying; He said he could drive, but it wasn't true.* **2** used as a subject in certain kinds of sentences, for example, when you are talking about the weather, distance or time **(ใช้เป็นประธานในประโยคเมื่อพูดถึงดินฟ้าอากาศ ระยะทาง หรือเวลา)**: *Is it raining very hard?; It's cold; It is five o'clock; Is it the fifth of March?; It's two miles to the village; Is it your turn to make the tea?; It is impossible for him to finish the work; It was nice of you to come.* **3** used with the verb **be** to emphasize a certain word **(ใช้กับคำกริยาเพื่อเน้นคำบางคำ)**: *It was you that I wanted to see, not Mary.*

i'tal·ics (*i'tal-iks*) *n* letters or writing which slopes to the right **(อักษรตัวเอียงไปทางขวา พิมพ์ตัวเอน)**: *Examples are printed in italics in this dictionary.*

itch *n* a feeling in your skin that makes you want to scratch **(การคัน)**: *He had an itch in the middle of his back and could not scratch it easily.* — *v* to be itchy **(คัน)**: *Wool can make your skin itch.*

'itch·y *adj* itching **(ผื่นคัน)**: *an itchy rash; I feel itchy all over.*

'itch·i·ness n **(ความคัน)**.

it'd short for **(คำย่อของ) it had** or **(หรือ) it would**.

'i·tem (*'ī-təm*) *n* **1** an object or article that is one of several, for instance, in a list **(รายการของ)**: *He ticked the items as he read through the list.* **2** a piece of news in a newspaper *etc* **(ข่าวชิ้นหนึ่งในหนังสือพิมพ์)**: *Did you see the item about dogs in the newspaper?*

i'tin·er·ar·y (*ī'tin-ə-rə-ri*) *n* a route for a journey **(เส้นทางในการเดินทาง)**.

it'll short for **(คำย่อของ) it will**.

its *adj, pron* belonging to it **(เป็นของมัน)**: *The bird has hurt its wing.*

> **its** is an adjective or pronoun expressing possession: *a cat and its kittens.*
>
> **it's** is short for **it is** or **it has**: It's raining heavily.

it'self *pron* **1** used as the object of a verb or preposition when a thing, animal *etc.* is both the subject and the object **(ตัวของมันเอง)**: *The cat looked at itself in the mirror; The cat stretched itself by the fire.* **2** used to emphasize **it** or the name of an object, animal *etc.* **(ใช้ในการเน้น หรือชื่อของวัตถุ สัตว์ ฯลฯ)**: *The house itself is quite small, but the garden is big; I've met several French people — one day I'd like to visit France itself.* **3** without help **(ด้วยตัวของมันเอง)**: *"How did the dog get in?" "Oh, it can open the gate itself".*

it's short for **(คำย่อของ) it is** or **(หรือ) it has**.

I've short for **(คำย่อของ) I have**.

'i·vo·ry *n* the hard white substance of which the tusks of an elephant *etc* are formed **(งาช้าง)**: *Ivory was once used to make piano keys.* — *adj* **(ตัวหมากรุกทำด้วยงาช้าง)**: *ivory chessmen.*

'i·vy (*'ī-vi*) *n* a type of climbing evergreen plant with shiny leaves that grows up trees and walls **(ต้นไม้เลื้อย)**.

'ix·o·ra *n* a garden bush with large round clusters of red or yellow flowers **(ดอกเข็ม)**.

jab *v* to poke; to prod (**ทิ่ม แทง แยง เสือก แหย่**): *He jabbed me in the ribs with his elbow.* — *n* a sudden hard poke or prod (**แหย่แรง ๆ ทันทีทันใด**): *He gave me a jab with his finger.*

'jab·ber *v* to talk very quickly and not clearly (**พูดเร็วมากและไม่ชัดเจน**): *I can't understand you when you jabber like that.*

jack *n* **1** a device for raising part of a motor car *etc.* off the ground (**แม่แรง**). **2** the playing-card between the ten and queen (**ไพ่ที่อยู่ระหว่างแต้มสิบกับควีน**): *The jack, queen and king are the three face cards.*

jack up to raise a motor car *etc.* with a jack (**ยกรถขึ้นด้วยแม่แรง**): *They had to jack up the car in order to change the wheel.*

'jack·al *n* a wild animal similar to a dog or wolf (**หมาใน**).

'jack·ass *n* **1** a male ass (**ลาตัวผู้**). **2** a stupid person (**คนโง่**): *the silly jackass!*

'jack·et *n* **1** a short coat (**เสื้อสั้น ๆ ชั้นนอก**): *He wore brown trousers and a blue jacket.* **2** a loose paper cover for a book (**ปกนอกของหนังสือ**): *I like the design on this book-jacket.*

'jack·fruit *n* a large oval fruit with yellow flesh, that can be eaten (**ขนุน**).

'jack-in-the-box *n* a doll fixed to a spring inside a box, that jumps out when the lid is opened (**หีบตุ๊กตากล**).

'jack-knife *n* a large folding knife (**มีดพับขนาดใหญ่**).

'jack·pot *n* in card-games *etc.* that are played for money, a large amount of prize-money that keeps increasing till it is won (**เกมไพ่ซึ่งเงินกองกลางจะเพิ่มขึ้นเรื่อย ๆ จนกว่าจะมีผู้ชนะ**).

hit the jackpot to win, or suddenly earn, a large amount of money (**ชนะหรือได้เงินจำนวนมากมาโดยทันทีทันใด**).

jade *n* a type of hard stone, usually green in colour (**หยก**). — *adj* (**เครื่องประดับที่เป็นหยก**): *jade ornaments.*

'jag·ged (*'jag-əd*) *adj* having rough or sharp and uneven edges (**มีริมแหลมเป็นหยัก**): *jagged rocks.*

'jag·u·ar (*'jag-ū-ər*) *n* a South American animal of the cat family, similar to a leopard in appearance, with a spotted coat (**เสือดาวพันธุ์อเมริกาใต้**).

jail, gaol (*jāl*) *n* prison (**คุก**): *You ought to be sent to jail for doing that.* — *v* to put someone in prison (**ขังคุก**): *He was jailed for two years.*

> to put a criminal in **jail** or **gaol** (not **ไม่ใช่ goal**).

'jail·er, 'gaol·er *n* a person who is in charge of a jail or of prisoners (**ผู้คุม**): *The jailer was knocked unconscious in the riot.*

'jail·bird, 'gaol·bird *n* a person who is in jail, or has often been in jail (**นักโทษหรือเคยเข้าคุกบ่อย**).

jam[1] *n* a thick sticky substance made of fruit *etc.* boiled with sugar (**ผลไม้กวน แยม**): *raspberry jam.*

jam[2] *v* **1** to crowd (**แออัด**): *The gateway was jammed with angry people.* **2** to get stuck; to make something get stuck (**ติดขัด**): *This drawer has jammed; My door-key got jammed in the lock.* — *n* **1** a crowding together of vehicles *etc.* so that nothing can move (**จราจรติดขัด**): *a traffic jam.* **2** a difficult situation (**สถานการณ์ที่ยุ่งยาก**): *I'm in a jam — I haven't got enough money to pay for this meal — can you lend me some?*

jam on to put on suddenly and with force (**ใส่ทันทีด้วยกำลัง**): *When the dog ran in front of his car he jammed on his brakes.*

jam·bo'ree *n* a large gathering of people, especially Boy Scouts, Girl Guides *etc.* (**การชุมนุมใหญ่ของลูกเสือ**).

'jan·gle (*'jaŋ-gl*) *v* to make or cause to make a sound like metal objects hitting each other (**ทำเสียงหรือเกิดเสียงคล้ายโลหะกระทบกัน เสียงกรุ๋งกริ๋ง**): *Her earrings jangled as she ran.*

'jan·i·tor *n* **1** a caretaker (**ภารโรง**). **2** a man on duty at the door of a hotel *etc.* (**คนเฝ้าประตู ฯลฯ**).

'jan·i·tress *n* a female janitor (**ภารโรงหญิง**).

'Jan·u·ar·y (*'jan-ū-ə-ri*) *n* the first month of the year, the month following December (มกราคม เดือนแรกของปี).

jar[1] *n* a container made of glass or pottery with a wide neck (เหยือก): *a jar of honey; jam-jars.*

jar[2] *v* to have an unpleasant effect on someone (มีผลที่ไม่ดีต่อคนอื่น แสบ ชา): *Her sharp voice jarred on my ears; The car accident had jarred her nerves.*

'jar·gon *n* special words used by a particular group of people when they talk to each other, that are difficult for other people to understand (สำนวนที่ใช้พูดกันภายในกลุ่ม คนอื่นยากที่จะเข้าใจ): *criminals' jargon; doctors' jargon.*

'jar·ring *adj* startling; harsh (ไม่ประสานกัน แสบแก้วหู): *The orange curtains with the purple carpet had a jarring effect.*

'jaun·dice (*'jön-dis*) *n* an illness in which your skin and whites of your eyes become yellow (โรคดีซ่าน).

jaunt (*jönt*) *n* a journey made for pleasure; a trip (การเดินทางเพื่อความสนุก การเดินทาง): *Did you enjoy your jaunt to Penang?*

'jaun·ty (*'jön-ti*) *adj* cheerful; bright; lively (ร่าเริง สดใส มีชีวิตชีวา): *He walked along with a jaunty step.*

'jaunti·ly *adv* (อย่างร่าเริง อย่างสดใส อย่างมีชีวิตชีวา).

'jaun·ti·ness *n* (ความร่าเริง ความสดใส ความมีชีวิตชีวา).

'jav·e·lin *n* a light spear for throwing, especially in an athletic competition (แหลน).

jaw *n* either of the two bones of your mouth that hold your teeth (กราม): *the upper jaw; the lower jaw; His jaw was broken in the fight.*

jaws *n* an animal's mouth (ปากของสัตว์): *The crocodile opened its jaws wide.*

'jay·walk·er *n* a person who walks carelessly among traffic (คนที่ทำผิดกฎจราจรเช่นข้ามถนนในบริเวณที่ไม่มีทางม้าลาย).

'jay·walk·ing *n* (การเดินลอยชาย).

jazz *n* popular music that was first played and sung by American Negroes (ดนตรีแจ๊ส).

'jeal·ous (*'jel-əs*) *adj* **1** feeling envy; envious (รู้สึกอิจฉา): *She is jealous of her sister's beauty.* **2** having feelings of dislike for any possible rivals (ริษยา): *a jealous husband.*

'jealous·ly *adv* (อย่างริษยา).

'jealous·y *n* (ความอิจฉา).

jeans *n* trousers made of denim (กางเกงทำด้วยผ้าฝ้าย).

jeep *n* a small motor vehicle used, especially by the armed forces (รถจิ๊ป).

jeer *v* **1** to shout scornfully at someone (ตะโกนเย้ยหยัน): *He was jeered as he tried to speak to the crowd.* **2** to make fun of someone rudely (ตลกอย่างหยาบ ๆ): *He's always jeering at her stupidity.* — *n* a rude shout (ตะโกนอย่างหยาบคาย): *the jeers of the audience.*

'jeer·ing *adj* mocking (เย้ยหยัน ล้อเลียน แกล้งทำ): *a jeering tone.*

'jel·ly *n* **1** the juice of fruit boiled with sugar until it is firm, used like jam, or served with meat (วุ้น ใช้เหมือนแยมหรือเสิร์ฟกับเนื้อ). **2** a sweet, transparent food, usually with a flavour of fruit (ของหวานใส ๆ มักมีรสผลไม้ วุ้น): *I've made raspberry jelly for the party.* **3** any jelly-like substance (สิ่งที่เหมือนวุ้น): *Frogs' eggs are enclosed in a kind of jelly.*

'jel·ly·fish, *plural* **'jel·ly·fish** or **'jel·ly·fish·es**, *n* a kind of sea animal with a jelly-like body (แมงกะพรุน).

'jeo·par·dize (*'je-pə-dīz*) *v* to risk damaging or destroying (เสี่ยงต่อความเสียหายหรือถูกทำลาย): *Don't jeopardize your chances of promotion by arguing with your boss.*

'jeop·ar·dy (*'jep-ər-di*) *n* danger (อันตราย).

jerk *n* a short, sudden movement (กระตุก): *We felt a jerk as the train started.* — *v* to move with a jerk (การเคลื่อนไหวแบบกระตุก): *The car jerked to a halt.* **'jerk·y** *adj* (กระตุก).

'jerk·i·ly *adv* (อย่างกระตุก).

'jer·sey (*'jär-zi*) *n* a knitted garment for the top part of your body; a sweater (เสื้อยืด เสื้อสเวตเตอร์): *She put on a jersey over her blouse when it got colder.*

See cardigan

jest *n* a joke; something done or said to make people laugh (ตลก ทำหรือพูดให้ผู้คนหัวเราะ). — *v* to joke (พูดตลก).

'jest·er *n* in earlier times, a man employed in the courts of kings *etc.* to amuse them with jokes *etc.* (ตัวตลก ตัวจำอวด).

in jest jokingly (อย่างตลก ๆ): *speaking in jest.*

jet *n* **1** a strong stream of liquid, gas, flame or steam, forced through a narrow opening (ของเหลว ก๊าซ ไฟ หรือน้ำที่พุ่งออกมาอย่างแรงจากท่อเล็ก ๆ): *The firemen directed jets of water at the burning house.* **2** a narrow opening through which a jet of water, gas *etc.* comes (ท่อเปิดเล็ก ๆ ซึ่งน้ำ ก๊าซ ฯลฯ พุ่งออกมา): *This gas jet is blocked.* **3** an aeroplane driven by **jet engines** that work by sucking gas in and forcing it out behind (เครื่องบินที่ขับเคลื่อนด้วยการดูดก๊าซเข้ามาแล้วปล่อยออกไปทางด้านหลัง): *We flew by jet to America.*

'jet·lag *n* tiredness caused by travelling quickly from one time zone to another (ความเหนื่อยอ่อนที่เกิดจากการเดินทางอย่างรวดเร็วจากเขตเวลาหนึ่งไปยังอีกเขตเวลาหนึ่ง): *She always gets jetlag when she flies from Singapore to Britain.*

'jet·ti·son *v* to throw cargo *etc.* overboard to lighten a ship, aircraft *etc.* in times of danger (ทิ้งสินค้า ฯลฯ เพื่อทำให้เรือ อากาศยาน ฯลฯ เบาลงเมื่อเวลามีอันตราย).

'jet·ty *n* a small pier for use as a landing-place (เขื่อน ท่าเรือเล็ก ๆ ใช้เป็นที่ลงเรือ).

See **quay**.

'jew·el (*'joo-əl*) *n* a precious stone (อัญมณี): *rubies, emeralds and other jewels.*

'jew·elled *adj* covered with jewels (ตกแต่งด้วยอัญมณี): *a jewelled crown.*

'jew·el·ler *n* a person who makes, or sells, jewellery *etc.*, made of precious stones and metals (ช่างทำหรือขายอัญมณี).

'jew·el·ler·y (*'joo-əl-ri*) *n* articles that you wear to decorate your body, such as bracelets, necklaces, brooches, rings *etc.* (เครื่องอัญมณี).

jibe, gibe *n* a cruel remark (การเยาะเย้ย): *cruel jibes.* — *v* (หยอกล้อ): *He kept jibing at his wife.*

'jig·gle *v* to move jerkily (สั่น กระตุก เลื่อนขึ้น ๆ ลง ๆ): *The television picture kept jiggling up and down.*

'jig·saw *n* a puzzle made up of many pieces of various shapes that fit together to form a picture (ปริศนาซึ่งทำขึ้นมาเป็นหลาย ๆ รูปร่างที่เอามาต่อกันเข้าเป็นภาพ ภาพต่อ).

ji'had *n* a holy war fought by Muslims (สงครามศาสนาของพวกอิสลาม).

jilt *v* to reject someone with whom you have been in love (สลัดรัก).

'jin·gle (*'jiŋ-gəl*) *n* **1** a ringing sound made by coins, small bells *etc.* (เสียงกรุ๋งกริ๋งเกิดจากเหรียญหรือกระดิ่งเล็ก ๆ ฯลฯ): *the jingle of coins.* **2** a little rhyme (โคลงสั้น ๆ): *nursery rhymes and other jingles; advertising jingles.* — *v* to make a ringing sound (ทำให้เกิดเสียงดังกรุ๋งกริ๋ง): *He jingled the coins in his pocket.*

jinx *n* an evil spell or bad luck (คำสาป): *She believes there is a jinx on my car which makes it keep breaking down.*

job *n* **1** a person's daily work (การงาน): *She has a job as a bank-clerk.* **2** a piece of work; a task (งานชิ้นหนึ่ง ภารกิจอันหนึ่ง): *I have several jobs to do before going to bed.*

'jock·ey *n* a person employed to ride horses in races (นักขี่ม้าแข่ง).

jog *v* **1** to push, shake or knock gently (ผลัก เขย่า หรือทุบเบา ๆ): *He jogged my arm and I spilt my coffee; I have forgotten what I was going to say, but something may jog my memory later on.* **2** to travel slowly and jerkily (เดินทางไปอย่างช้า ๆ และกระตุก): *The cart jogged along the rough track.* **3** to take exercise by running at a gentle pace (ออกกำลังโดยการวิ่งเหยาะ ๆ): *She goes jogging round the park for half an hour every morning.*

join *v* **1** to put together; to connect (รวมกัน ต่อกัน): *The electrician joined the wires up wrongly; You must join this piece on to that piece; He joined the two pieces together; The island is joined to the mainland at low tide.* **2** to connect two points by a line (เส้นเชื่อม เส้นโยง): *Join point A to point B.*

3 to become a member of a group (กลายเป็นสมาชิกของกลุ่ม): *Join our club!* **4** to meet (ต่อเข้ากับ): *This lane joins the main road; Do you know where the two rivers join?; I'll join you later in the café.* — *n* a place where two things are joined (รอยต่อของสองสิ่ง): *You can hardly see the join in the material.*

join hands to hold one another's hands for dancing *etc.* (จับมือกันเพื่อการเต้นรำ ฯลฯ): *Join hands with your partner; They joined hands in a ring.*

join in to take part (มีส่วนร่วม): *We're playing a game — do join in!; He would not join in the game.*

joint *n* **1** the place where two or more things join (ข้อต่อ รอยต่อ): *The plumber tightened up all the joints in the pipes.* **2** a part of your body where two bones meet and are able to move like a hinge (ข้อพับ): *Your shoulders, elbows, wrists, hips, knees and ankles are joints.* **3** a piece of meat for cooking containing a bone (เนื้อติดกระดูก): *A leg of mutton is a large joint.* — *adj* **1** united; done together (ทำร่วมกัน): *the joint efforts of the whole team.* **2** shared (ร่วมกัน): *She and her husband have a joint bank account: a joint responsibility.*

'joint·ed *adj* having movable joints (มีข้อต่อ): *a jointed doll.*

'joint·ly *adv* together (ร่วมกัน): *They worked jointly on this book.*

joist *n* any of the beams supporting a floor or ceiling (คานที่ค้ำพื้นหรือเพดาน).

joke *n* **1** anything said or done to make people laugh (คำตลก พูดตลก เล่นตลก): *He told the old joke about the elephant in the refrigerator; He dressed up as a ghost for a joke; He played a joke on us — he pretended he was a ghost.* **2** something that makes people laugh (เรื่องตลก): *The children thought it a great joke when the cat stole the fish.* — *v* **1** to make a joke (เป็นเรื่องตลก): *They joked about my mistake.* **2** to tease; to say something as a joke (หยอกล้อ ล้อเล่น): *I hope you weren't upset when I said you looked like a monkey — I was only joking.*

'jo·ker *n* **1** in a pack of playing-cards, an extra card with a picture of a figure like a clown, used in some games (ไพ่พิเศษมีรูปตัวตลก). **2** a person who enjoys telling jokes, playing tricks *etc.* (คนที่ชอบเล่าเรื่องตลก เล่นกล ฯลฯ).

'jo·king·ly *adv* (อย่างติดตลก): *He looked out at the rain and jokingly suggested a walk.*

it's no joke it is a serious matter (เรื่องร้ายแรง): *It's no joke when water gets into the petrol tank.*

'jol·ly *adj* merry; cheerful (สนุกสนาน ร่าเริง): *He's in quite a jolly mood today.* — *adv* very (มาก): *Taste this — it's jolly good!*

'jol·li·ness, 'jol·li·ty *n* s (ความสนุกสนาน ความร่าเริง).

jolt (*jōlt*) *v* to move jerkily; to jerk (เคลื่อนที่อย่างกระตุก กระตุก): *The bus jolted along the road; The train jolted and began to move.* — *n* a sudden movement or shake (การเคลื่อนไหวหรือสั่นในทันใด): *The car gave a jolt and started.*

joss stick a stick of incense used to give a sweet smell to a room (ธูป).

'jos·tle (*'jos-əl*) *v* to push roughly (ผลักดัน): *We were jostled by the crowd; I felt people jostling against me in the dark.*

jot *n* a small amount (จำนวนน้อย): *I haven't a jot of patience left.* — *v* to write something quickly (จดอย่างรวดเร็ว): *He jotted down the telephone number in his notebook.*

'jot·ter *n* a notebook (สมุดบันทึก).

'jour·nal (*'jər-nəl*) *n* **1** a magazine, especially one that deals with a particular subject, and comes out regularly (นิตยสารซึ่งเกี่ยวกับเรื่องหนึ่งเรื่องใดโดยเฉพาะและออกเป็นประจำ): *the British Medical Journal.* **2** a diary giving an account of each day's activities (บันทึกเหตุการณ์ประจำวัน).

'jour·nal·ism *n* the business of running, or writing for, newspapers or magazines (ธุรกิจการทำหนังสือพิมพ์).

'jour·nal·ist *n* a writer for a newspaper, magazine *etc.* (นักหนังสือพิมพ์).

'jour·ney (*'jər-ni*) *n* a person's travels from one place to another, or the distance travelled, especially over land (การเดินทาง): *By train, it is a two-hour journey from here to the coast; I'm going on a long journey.* — *v* to travel (เดินทาง): *They journeyed to Kathmandu.*

'jo·vi·al *adj* cheerful (ร่าเริง).
jo·vi'al·i·ty *n* (ความร่าเริง).
'jo·vi·al·ly *adv* (อย่างร่าเริง).

joy *n* **1** great happiness (ความสุขอย่างยิ่ง): *The children jumped for joy when they saw their new toys.* **2** something that makes you happy (สิ่งซึ่งทำให้เรามีความสุข): *all the joys and sorrows of life.*
'joy·ful *adj* filled with, showing or causing joy (เต็มไปด้วย แสดงออกหรือก่อให้เกิดความสุข): *a joyful mood; joyful faces; joyful news.*
'joy·ful·ly *adv* (อย่างร่าเริง).
'joy·ful·ness *n* (ความร่าเริง).
'joy·ous *adj* joyful (เต็มไปด้วยความร่าเริง).
'joy·ous·ly *adv* (อย่างร่าเริง).

'ju·bil·ant (*'joo-bi-lənt*) *adj* triumphant (เกี่ยวกับความยินดีในชัยชนะ): *The team were jubilant after their victory.*
'ju·bilant·ly *adv* (อย่างมีชัยชนะ).
ju·bi'la·tion *n* rejoicing (การฉลองชัยชนะ): *There was great jubilation over the victory; The jubilations went on till midnight.*

'ju·bi·lee (*'joo-bi-lē*) *n* a celebration of a special anniversary of some event, for example, the beginning of the reign of a king or queen (งานรื่นเริงพิเศษประจำปี): *The king celebrated his golden jubilee* (50th anniversary of his coming to the throne) *last year.*

judge *v* **1** to hear and try cases in a court of law (ผู้พิพากษา): *Who will be judging this murder case?* **2** to decide which is the best in a competition *etc.* (กรรมการ): *She was asked to judge the singing in the music competition; to judge the entries for a painting competition; Who is judging at the horse show?* **3** to form an idea of something; to estimate (ประเมิน): *You can't judge a man by his appearance; Watch how a cat judges the distance before it jumps.* **4** to blame someone for doing wrong (กล่าวโทษ): *We have no right to judge him — we might have done the same thing ourselves.* — *n* **1** a person who hears and decides cases in a law-court (ผู้พิพากษา): *The judge asked if the jury had reached a verdict.* **2** a person who decides which is the best in a competition *etc.* (กรรมการ): *He was asked to be one of the judges at the beauty contest.* **3** a person who is skilful at deciding how good something is (เชี่ยวชาญ): *He's a good judge of horses.*
'judge·ment *n* **1** the decision of a judge in a court of law (การตัดสินในศาล). **2** the judging or estimating of something (ตัดสินหรือประเมิน): *Faulty judgement in overtaking is a common cause of traffic accidents.* **3** the ability to make right and sensible decisions (สามารถตัดสินใจได้ถูกต้องและมีเหตุผล): *You showed good judgement in buying this book for me.* **4** opinion (ความเห็น): *In my judgement, he is a very good actor.*

ju'di·cial (*jŏŏ'dish-əl*) *adj* having to do with judgement in a court of law (เกี่ยวกับการตัดสินในศาล): *judicial procedures.*
ju'di·cious (*jū'di-shəs*) *adj* sensible or wise (มีเหตุผลหรือฉลาด): *The portrait shows a judicious use of colour.*
ju'di·cious·ly *adv* (อย่างมีเหตุผล อย่างฉลาด).

'ju·do (*'joo-dō*) *n* a Japanese form of wrestling (มวยปล้ำแบบญี่ปุ่น ยูโด): *He learns judo at the sports centre.*

jug *n* a deep container for liquids, usually with a handle and a shaped part for pouring (ภาชนะใส่ของเหลวมักมีหูจับและที่เท เหยือก): *a milk-jug.*

'jug·gle *v* to keep throwing a number of balls or other objects in the air and catching them (โยนลูกบอลหรือสิ่งอื่นจำนวนหนึ่งขึ้นไปบนอากาศแล้วก็รับ เล่นกล): *He entertained the audience by juggling with four balls and four plates at once.*
'jug·gler *n* (นักเล่นกล).

juice (*joos*) *n* **1** the liquid part of fruit or vegetables (ส่วนที่เป็นของเหลวของผลไม้หรือผัก): *She squeezed the juice out of the* *orange; tomato juice.* **2** the fluid contained in meat, that flows out when you cook it (ของเหลวที่อยู่ในเนื้อซึ่งไหลออกมาเมื่อเราทำการปรุงมัน): *the turkey's juices.* **3** fluid contained in the organs of your body, for instance to help you digest your food (ของเหลวที่อยู่ในอวัยวะของเรา ตัวอย่างเช่นน้ำย่อย): *digestive juices.*

'juic·y *adj* (ฉ่ำ).

'juic·i·ness *n* (ความฉ่ำ).

Ju'ly (jōō'lī) *n* the seventh month of the year, the month following June (เดือนกรกฎาคม เดือนที่เจ็ดของปี เดือนที่ตามหลังเดือนมิถุนายน).

'jum·ble *v* to mix up; to throw things together untidily (ผสมปนเป ทิ้งรวมกันไว้อย่างไม่เรียบร้อย): *In this puzzle, the letters of all the words have been jumbled up; His shoes and clothes were all jumbled together in the cupboard.* — *n* **1** a confused mixture (ปนกันยุ่ง): *He found an untidy jumble of things in the drawer.* **2** unwanted possessions suitable for a jumble sale (ของที่ไม่ต้องการเหมาะสำหรับเอาออกมาขายเป็นการกุศล): *Have you any jumble to spare?*

jumble sale a sale of unwanted clothes and other things, usually to raise money for a charity *etc.* (การขายเสื้อผ้าหรือสิ่งอื่นที่ไม่ต้องการ โดยปกติมักจะทำเพื่อหาเงินเข้าการกุศล).

'jum·bo, *plural* **'jum·bos**, or **'jum·bo jet** *n* a very large jet aeroplane (เครื่องบินเจ็ทที่ใหญ่มาก): *He flew by jumbo to London.*

jump *v* **1** to spring off the ground; to leap (ดีดตัวขึ้นจากพื้นดิน กระโดด): *He jumped off the wall, across the puddle, over the fallen tree and into the swimming-pool.* **2** to rise; to move quickly (ลุกขึ้น เคลื่อนตัวอย่างรวดเร็ว): *She jumped to her feet; He jumped into the car.* **3** to make a startled movement (สะดุ้งโหยง): *The noise made me jump.* **4** to get over something by leaping (กระโดดข้าม): *He jumped the stream easily.* **5** to make a horse jump (ทำให้ม้ากระโดด): *Don't jump the horse over that high fence!* — *n* **1** a leap; a spring (กระโดด ดีด): *She crossed the stream in one jump.* **2** a fence *etc.* to be jumped over (กระโดดข้าม): *Her horse fell at the third jump.* **3** a jumping competition (การแข่งขันกระโดด): *He won the high jump.* **4** a startled movement (สะดุ้งด้วยความตกใจ): *She gave a jump when the door suddenly banged shut.*

jump at to grasp a chance *etc.* eagerly (คว้าโอกาส): *He jumped at the chance to go to China for a fortnight.*

jump for joy to be very happy (มีความสุขมาก).

jump on to make a sudden attack on someone (จู่โจมโดยทันทีทันใด): *He was waiting round the corner and jumped on me in the dark.*

jump the queue to move ahead of others in a queue without waiting for your turn (แซงคิว).

'jump·er *n* a sweater or jersey (เสื้อสเวตเตอร์หรือเสื้อยืด).

See **cardigan**

'jump·y *adj* nervous; anxious (อกสั่นขวัญหาย).

'junc·tion *n* a place at which things meet or join, for example roads, railway lines *etc.* (ที่ต่อชุมทาง): *a railway junction.*

'junc·ture (*'junk'-chər*) (ขณะนี้): **at this juncture** at this moment: *At this juncture the doorbell rang.*

June *n* the sixth month of the year, the month following May (เดือนมิถุนายน เดือนที่หกของปี เดือนที่ตามหลังเดือนพฤษภาคม).

'jun·gle (*'juŋ-gəl*) *n* a thick growth of trees and plants in tropical areas (ป่าในเขตร้อน): *Tigers are found in the jungles of Asia.* — *adj* (กองโจร): *soldiers trained for jungle warfare* .

'ju·ni·or (*'joo-ni-ər*) *adj* **1** younger in years or lower in rank (วัยอ่อนกว่าหรือยศต่ำกว่า): *junior pupils; the junior school; She is junior to me at school.* **2** used for the son of someone who has the same name (often written **Jnr**, **Jr** or **Jun.**) (ใช้เป็นชื่อของลูกที่มีชื่อเดียวกับพ่อ): *John Jones Junior.* — *n* someone who is younger, or lower in rank (คนซึ่งอ่อนวัยกว่าหรือยศต่ำกว่า): *The school sent two juniors and two seniors to take part in the competition.*

You say **younger than**, but **junior to**.

The opposite of **junior** is **senior**.

junk[1] *n* unwanted things; rubbish (ขยะ): *That cupboard is full of junk.*

junk food food which is not very good for your health but is quick to prepare and eat (อาหารจานด่วน): *Children shouldn't eat too much junk food.*

junk[2] *n* a Chinese flat-bottomed sailing ship (เรือสำเภา).

'ju·ry (*'jo͝or-i*) *n* **1** a group of people from the ordinary public, who are chosen to sit in a law-court while a case is going on, listen to what the judge says, and then together decide what the verdict should be, for example, whether a prisoner is guilty or not guilty (ลูกขุน). **2** a group of judges for a competition *etc.* (คณะกรรมการในการแข่งขัน).

'ju·ror, 'ju·ry·man *n* s a member of a jury in a law-court (สมาชิกของคณะลูกขุนในศาล).

just[1] *adj* **1** fair; not favouring one more than another (ยุติธรรม ไม่เข้าข้างฝ่ายหนึ่งฝ่ายใด): *The head-teacher's decision to punish both the boys was a just one.* **2** reasonable (มีเหตุผล): *He certainly has a just claim to the money.* **3** deserved (ควรได้รับ): *He got his just reward for all his hard work when he won first prize.*

'just·ly *adv* (อย่างยุติธรรม).

just[2] *adv* **1** exactly (เหมาะสม): *This penknife is just what I needed; He was behaving just as if nothing had happened.* **2** entirely; quite (ทีเดียว): *This dress is just as nice as that one.* **3** very recently (เร็ว ๆ นี้): *He has just gone out of the house.* **4** on the point of; at this very moment (ตรงจุดนี้ เดี๋ยวนี้): *She is just coming through the door.* **5** at a particular moment (ขณะที่): *The telephone rang just as I was leaving.* **6** barely (เพิ่งจะ): *We have only just enough milk to last till Friday; I just managed to escape; You came just in time.* **7** only; merely (เพียงแค่ เท่านั้น): *They waited for six hours just to catch a glimpse of the Queen; Could you wait just a minute?* **8** used for emphasis (ใช้เป็นคำเน้น): *Just look at that mess!; That just isn't true!; I just don't know what to do.* **9** absolutely (อย่างแท้จริง): *The weather is just marvellous.*

just about more or less (ใกล้เคียง): *Is your watch just about right?*

just now 1 at this particular moment (ในตอนนี้): *I can't do it just now.* **2** a short while ago (เมื่อสักครู่): *She fell and banged her head just now, but she feels better again.*

just then 1 at that particular time (เมื่อเวลานั้น): *I was feeling rather angry just then.* **2** in the next minute (ถัดจากนั้นมาอีกนิดหนึ่ง): *She opened the letter and read it. Just then the door bell rang.*

'just·ice (*'jus-tis*) *n* **1** fairness between people (ความยุติธรรม): *Everyone has a right to justice.* **2** the law (กฎหมาย): *a court of justice.* **3** a judge (ผู้พิพากษา).

bring to justice to arrest, try and sentence a criminal (จับกุม ขึ้นศาล และพิพากษาอาชญากรคนหนึ่ง): *The murderer escaped but was finally brought to justice.*

'just·i·fy (*'jus-ti-fī*) *v* **1** to prove or show that something is just or right (พิสูจน์ความยุติธรรม): *How can the government justify the spending of millions of pounds on weapons when there is so much poverty in the country?* **2** to be a good excuse for something (เป็นข้ออ้าง): *Watching television during breakfast does not justify your being late for school.*

just·i'fi·a·ble *adj* (แสดงได้ว่าเหมาะดี).

just·i·fi'ca·tion *n* a good reason for something you do; an excuse (การให้เหตุผลที่ดีสำหรับบางอย่างที่เราทำ การแก้ตัว).

jut *v* to stick out (ยื่นออกมา): *His top teeth jut out.*

'ju·ve·nile (*'joo-və-nīl*) *adj* **1** young (วัยเด็ก): *juvenile offenders.* **2** childish (เด็ก ๆ): *juvenile behaviour.* — *n* a young person (คนที่อยู่ในวัยเด็ก): *She is still a juvenile, so she will not go to prison for her crime.*

ka'leid·o·scope (*kə'lī-də-skōp*) *n* a tube in which you can see changing patterns formed by coloured bits of glass *etc.* reflected in two mirrors (กล้องที่เราจะเห็นรูปแบบการเปลี่ยนแปลงซึ่งเกิดจากเศษแก้วสีชิ้นเล็ก ๆ ฯลฯ สะท้อนอยู่ในกระจกสองบาน).

ka·leid·o'scop·ic *adj* full of colour, change and variety (เต็มไปด้วยสี เปลี่ยนแปลงและหลากหลาย).

'kam·pung (*'kam-poŋ*) *n* a Malay village, usually of wooden houses on stilts (หมู่บ้านของชาวมาเลย์ ทำด้วยไม้และยกขึ้นสูง).

kan·ga'roo (*kaŋ-gə'roo*) *n* a type of large Australian animal with very long hind legs and great power of leaping, the female of which carries her baby in a pouch on the front of her body (จิงโจ้).

ka·ra'o·ke (*ka-rē'ō-kē*) *n* a form of entertainment in which people take it in turns to sing pop songs to recorded music played by a **karaoke machine** (ความบันเทิงรูปแบบหนึ่งซึ่งผู้คนจะผลัดกันร้องเพลงให้เข้ากับดนตรีที่บันทึกไว้ซึ่งเล่นโดยเครื่องคาราโอเกะ การร้องเพลงแบบคาราโอเกะ).

ka'ra·te (*kə'rä-ti*) *n* a Japanese form of unarmed fighting, using blows and kicks (การต่อสู้แบบคาราเต้).

'kay·ak (*'kī-ak*) *n* a canoe made of skins stretched over a frame (เรือแคนูทำจากหนังซึ่งขึงเป็นกรอบ).

ke'bab (*ki'bab*) *n* small pieces of meat *etc.*, cooked on a metal spike (เนื้อชิ้นเล็ก ๆ ย่าง).

keel *n* the long piece of a ship's frame that lies along the bottom from bow to stern (กระดูกงูเรือ): *The boat's keel stuck in the mud near the* shore.

keen *adj* **1** eager (กระหาย แรงกล้า): *He is a keen collector of stamps; I'm keen to succeed.* **2** sharp (แหลมคม): *The teacher may be a lot older than you are, but her eyesight is as keen as ever.*

'keen·ly *adv* (อย่างแหลมคม).

'keen·ness *n* (ความแหลมคม).

keen on liking something or someone very much (ชอบมาก): *She's keen on sailing; She has been keen on that boy for years.*

keep *v* **1** to have forever, or for a very long time (เก็บไว้ตลอดไป เก็บไว้เป็นเวลานานมาก): *He gave me the picture to keep.* **2** not to give away or throw away (ไม่ทิ้งไป เก็บเอาไว้): *I threw away some of my books, but I kept the most interesting ones; Can you keep a secret?* **3** to remain in a certain state or make sure that something or someone else does (คงอยู่ในสภาพเดิมหรือให้แน่ใจว่าบางสิ่งหรือบางคนคงสภาพอย่างนั้น บอกให้รู้): *How do you keep cool in this heat?; Will you keep me informed of what happens?; I keep this gun loaded.* **4** to go on doing something (ทำต่อไป): *He kept walking.* **5** to have in store (เก็บเอาไว้): *I always keep a tin of beans for emergencies.* **6** to have a particular place for something (ที่เก็บของ): *Where can I keep my books?* **7** to look after something (ดูแล): *She keeps the garden beautifully.* **8** to have animals, a pet *etc.* (มีสัตว์ เลี้ยงสัตว์): *Our neighbours keep hens.* **9** to remain in good condition (อยู่ในสภาพดี): *That meat won't keep in this heat unless you put it in the fridge.* **10** to make entries in a diary *etc.* (ลงบันทึกประจำวัน): *She keeps a diary to remind her of her appointments.* **11** to delay (ล่าช้า): *Sorry to keep you.* **12** to provide food, clothes, housing for someone (จัดหาอาหาร เสื้อผ้า บ้าน ให้กับผู้อื่น): *He has a wife and child to keep.* **13** not to break a promise *etc.* (รักษาสัญญา): *She kept her promise.* — *n* food and a place to live (อาหารและสถานที่อยู่อาศัย): *She gives her mother money every week for her keep.*

keep; kept; kept: *She kept the letter in her pocket; Have you kept your promise?*

'keep·er *n* a person who looks after something, for example animals in a zoo (ผู้ดูแล): *The lion attacked its keeper.*

keep-'fit *n* exercises that are intended to make you fit and strong (ออกกำลังซึ่งทำให้เราสมบูรณ์และแข็งแรง). — *adj* (การออกกำลัง

ที่ทำให้ร่างกายสมบูรณ์): *keep-fit exercises.*

keep away to remain at a distance (อยู่ห่าง ๆ): *Keep away — it's dangerous!*

keep back 1 not to move forward (ถอยออกไป อย่าเคลื่อนมาข้างหน้า): *Everybody keep back from the door!* **2** not to tell something (ไม่บอก): *I think he's keeping back the truth.*

keep your distance to stay quite far away (อยู่ห่าง ๆ): *The deer did not trust us and kept their distance.*

keep going to go on doing something in spite of difficulties (ทำต่อไปถึงแม้จะยุ่งยาก).

keep in to stay close to the side of a road *etc.* (อยู่ชิดริมถนน): *Keep in! There's a truck coming.*

keep in mind to remember something (จงจำไว้): *Always keep this in mind.*

keep it up to go on doing something as well as you are already doing it (ทำต่อไปไหน ๆ ก็กำลังทำอยู่แล้ว): *Your work is good — keep it up!*

keep off to stay away (อยู่ห่าง ๆ): *There are notices round the bomb warning people to keep off; The rain kept off and we had sunshine for the wedding.*

keep on to continue (ดำเนินต่อไป): *He kept on writing in spite of the noise; Keep on until you come to a petrol station.*

keep out not to enter (ห้ามเข้า): *The notice at the building site said "Keep out!"*

keep out of (อย่าเข้าไปยุ่งกับ): *Do try to keep out of trouble!*

keep time to show the time accurately (รักษาเวลา): *Does this watch keep good time?*

keep to not to go away from (ไม่ไปจาก): *We kept to the roads we knew.*

keep something to yourself not to tell anyone something (เก็บเป็นความลับ ปกปิด): *He kept the bad news to himself.*

keep up to move fast enough not to be left behind (ตามให้ทัน): *Don't run — I can't keep up with you.*

keep watch to have the job of staying awake and watching for danger (มีหน้าที่ต้องตื่นและเฝ้าดูอันตราย).

keg *n* a small barrel (ถังเล็ก ๆ): *a keg of beer.*

'ken·nel *n* **1** a type of small hut for a dog (บ้านสุนัข). **2** a place where dogs can be looked after (สถานที่เลี้ยงดูสุนัข).

kept *see* **keep** (ดู **keep**).

kerb *n* the row of stones that form the edge of a pavement (ขอบหินของทางเดิน).

'ker·nel *n* the softer substance inside the shell of a nut, or inside the stone of a fruit such as a plum, peach *etc.* (เนื้อในของผลไม้เปลือกแข็งหรือภายในเมล็ดของผลไม้).

'ker·o·sene *n* paraffin oil, obtained from petroleum or from coal (น้ำมันก๊าด).

'ketch·up *n* a sauce made from tomatoes or mushrooms *etc.* (ซอสทำจากมะเขือเทศหรือเห็ด).

'ket·tle *n* a metal pot for heating water, with a spout for pouring and a lid (กาน้ำ).

'ket·tle·drum *n* a large drum that consists of a metal bowl covered with a stretched skin and usually stands on three legs (กลองใหญ่ตั้งอยู่บนสามขา).

key (*kē*) *n* **1** an instrument for opening a lock *etc.* (ลูกกุญแจ): *Have you the key for this door?* **2** in musical instruments, one of the small parts you press to sound the notes (เครื่องดนตรี มีส่วนที่กดเพื่อฟังเสียง): *piano keys.* **3** on a typewriter, calculator *etc.*, one of the parts you press to print or display a letter *etc.* (เครื่องพิมพ์ดีด เครื่องคำนวณ ฯลฯ ซึ่งมีส่วนที่เรากดเพื่อให้มันพิมพ์หรือแสดงตัวอักษร ฯลฯ). **4** something that explains a mystery or gives an answer to a mystery, a code *etc.* (ข้อไข คำเฉลย): *the key to the whole problem.* **5** in a map *etc.*, a table explaining the signs that are used in it (ในแผนที่ ฯลฯ ตารางซึ่งอธิบายสัญลักษณ์ต่าง ๆ ที่ใช้ในนั้น). **6** a series of musical notes related to one another (ระดับเสียงดนตรีที่เกี่ยวข้องกัน): *a song in the key of C.* — *adj* most important (สำคัญที่สุด): *the country's key industries.* — *v* to type on a computer (พิมพ์ที่เครื่องคอมพิวเตอร์).

'key·board *n* the keys of a piano, typewriter *etc.* (แป้นเปียโน เครื่องพิมพ์ดีด): *The pianist* *sat down at the keyboard and began to play; A computer keyboard looks like that of a typewriter.*

'key·hole *n* the hole in which the key of a door *etc.* is placed (**รูลูกกุญแจ**): *Never look through keyholes.*

'key·note *n* the most important part or point of something (**ส่วนสำคัญที่สุดหรือจุดเด่นของอะไรบางอย่าง**): *The keynote of the president's speech was "working together".*

'key·ring *n* a ring for keeping keys on (**พวงกุญแจ**).

keyed up excited; anxious (**ตื่นเต้น กระวนกระวาย**).

'kha·ki (*'kä-ki*) *n, adj* a colour between pale brown and green, used for soldiers' uniforms (**สีกากี**).

kick *v* to hit with your foot (**เตะ**): *The child kicked his brother; He kicked the ball into the next garden; He kicked at the locked door; He kicked the gate open.* — *n* a blow with the foot (**การใช้เท้าเตะ**): *The horse gave her a kick on the leg.*

kick around to treat someone badly; to bully (**รังแก**): *The bigger boys are always kicking him around.*

kick off to start a football game by kicking the ball (**เริ่มเกมฟุตบอลโดยการเตะลูกฟุตบอล**): *We kick off at 2.30.*

'kick-off *n* (**เริ่มเตะ**).

kick out to make someone leave, usually using force (**ไล่ออกไป**): *He was kicked out of the club for fighting.*

kick up to make (**ทำขึ้น**): *She kicked up a fuss when he refused to help her tidy the house.*

kid[1] *n* **1** a word for a child or teenager (**เด็กหรือวัยรุ่น**): *They've got three kids now, two boys and a girl; More than a hundred kids went to the disco last night.* **2** a young goat (**ลูกแพะ**). **3** the leather made from a goat's skin (**หนังแพะ**). — *adj* younger (**อ่อนวัยกว่า**): *my kid brother and sister.*

kid[2] *v* to trick, deceive or tease someone, especially harmlessly (**ล้อเล่น**): *He kidded his sister into thinking he'd forgotten her birthday; Don't cry — I'm only kidding!*

'kid·nap *v* to take someone away by force, usually demanding money in exchange for their safe return (**ลักพา**): *The children were kidnapped by a gang and taken to a secret place in the country.*

'kid·nap·per *n* (**ผู้ลักพา**).

'kid·ney *n* a part of your body that removes waste material from your blood and produces urine (**ไต**).

kill *v* to cause the death of a person, animal or plant (**ฆ่า**): *He killed the rats with poison; Cancer kills many people every day.*

'kill·er *n* someone or something that kills; a murderer (**ผู้ฆ่า ฆาตกร**): *He searched for his father's killer.*

killer whale a large black and white whale (**ปลาวาฬเพชฌฆาต**).

kill off to destroy completely (**ทำลายจนหมดสิ้น**): *The acid in the river has killed off all the fish.*

kill time to find something to do to use up spare time (**ฆ่าเวลา**): *He went for a walk to kill time till dinner.*

kiln (*kiln*) *n* a large oven for baking pottery or bricks (**เตาเผา**).

'kil·o·gramme (*'kil-ə-gram*), or **'ki·lo** (*'kē-ō*), *plural* **'ki·los**, *n* a unit of weight equal to 1000 grammes (**หน่วยวัดน้ำหนักซึ่งเท่ากับ 1000 กรัม**).

'kil·o·me·tre (*'kil-ə-mē-tər*) *n* a unit of length equal to 1000 metres (**หน่วยวัดระยะทางซึ่งเท่ากับ 1000 เมตร**).

kilt *n* a garment like a short pleated skirt, made of checked material, part of a Scottish man's national costume (**กระโปรงจีบตาหมากรุก เป็นส่วนหนึ่งของอาภรณ์ประจำชาติของผู้ชายชาวสก๊อต**).

ki'mo·no, *plural* **ki'mo·nos**, *n* a loose Japanese robe, fastened with a sash (**เสื้อกิโมโน**).

kin *n* your own relations (**ญาติของเรา**): *my own kin.* — *adj* related (**เกี่ยวพัน**).

next of kin your nearest relation (**ญาติสนิท**).

kind (*kind*) *n* a sort; a type (**แบบ ชนิด**): *What kind of car is it?; He is not the kind of boy* *who would steal.*

kind[2] (*kīnd*) *adj* generous and good to other people; helpful and friendly (ใจดี คอยช่วยเหลือและเป็นมิตร): *It was kind of you to look after the children yesterday; a kind father; The teacher was very kind to him when he felt ill in school.*

'kind·ness *n* (ความใจดี).

'kin·der·gar·ten *n* a school for very young children (โรงเรียนอนุบาล).

kind-'heart·ed *adj* kind (มีเมตตา): *She is too kind-hearted to hurt an animal.*

'kin·dle *v* to catch fire; to set fire to something (ติดไฟ จุดไฟ): *I kindled a fire using twigs and grass; The fire kindled easily; His speech kindled the anger of the crowd.*

'kind·ly (*'kīnd-li*) *adv* **1** in a kind manner (ด้วยท่าทางใจดี): *She kindly lent me a handkerchief; He talked kindly to them.* **2** please (กรุณา): *Would you kindly stop talking!* — *adj* gentle and friendly (อ่อนโยนและเป็นมิตร): *a kindly smile; a kindly old lady.*

'kind·li·ness *n* (ความใจดี).

'kin·dred *n* your relations (ญาติของเรา). — *adj* of the same sort (แบบเดียวกัน): *climbing and kindred sports.*

ki'net·ic *adj* having to do with movement (เกี่ยวกับการเคลื่อนไหว จลนะ): *Kinetic energy is produced when something moves.*

king *n* **1** a male ruler of a nation, who inherits his position by right of birth (พระเจ้าแผ่นดิน): *He became king when his father died; King Charles III.* **2** the playing-card with the picture of a king (ไพ่รูปตัวคิง): *the king of diamonds.* **3** the most important piece in chess (ขุน ตัวสำคัญที่สุดในหมากรุก).

'king·dom *n* **1** a state that has a king or queen as its head (ราชอาณาจักร): *The United Kingdom of Great Britain and Northern Ireland; He rules over a large kingdom.* **2** any of the three great divisions of natural objects (อาณาจักรของสิ่งในธรรมชาติ): *the animal, vegetable and mineral kingdoms.*

'king·fish·er *n* a type of bird with bright blue feathers, that feeds on fish (นกกินปลามีขนสีฟ้าสดใส นกกระเต็น).

'king·ly *adj* royal; fit for a king (เหมาะสำหรับพระเจ้าแผ่นดิน): *kingly robes; a kingly feast.*

'king·li·ness *n* (ความเป็นราชา).

'king-size *adj* of a large size; larger than normal (ขนาดใหญ่ ใหญ่กว่าปกติ): *king-size cigars.*

'kink·y *adj* **1** strange or unusual in behaviour *etc.* (ประหลาดหรือพฤติกรรมที่ผิดปกติ). **2** tightly curled: *kinky hair.*

'ki·osk (*'kē-osk*) *n* **1** a small roofed stall for the sale of newspapers, sweets *etc.* (ซุ้มขายพวกหนังสือพิมพ์ ลูกอม ฯลฯ): *I bought a magazine at the kiosk at the station.* **2** a public telephone box (ตู้โทรศัพท์สาธารณะ): *She phone from the telephone-kiosk outside the post-office.*

kiss *v* to touch someone's face or lips with your lips as a sign of your love for them (จูบ) *She kissed him when he arrived home; The child kissed his parents good-night.* — *n* (การจุมพิต): *He gave her a kiss.*

kit *n* **1** a set of tools, clothes *etc.* for a particular purpose (ชุดเครื่องมือ เสื้อผ้า): *He carried his tennis kit in a bag; She had a repair kit for mending punctures in bicycle tyres.* **2** a collection of the materials *etc.* required to make something (วัสดุที่รวมกัน ฯลฯ เพื่อใช้ทำอะไรบางอย่าง): *He bought a model-aeroplane kit.*

'kitch·en *n* a room where food is cooked (ห้องครัว): *A smell of burning was coming from the kitchen.*

kitch·e'nette (*kit-shə'net*) *n* a small kitchen (ห้องครัวเล็ก ๆ).

kite *n* a light frame covered with paper or another material, with string attached, for flying in the air (ว่าว): *The children were flying their kites in the park.*

kith and kin friends and relations (เพื่อนและญาติพี่น้อง): *She invited all her kith and kin to her wedding.*

'kit·ten *n* a young cat (ลูกแมว): *The cat had five kittens last week; There were five kittens in the litter.*

'kit·ty *n* a sum of money kept for a particular

purpose, to which members of a group jointly contribute (เงินกองกลาง): *The three friends shared a flat and kept a kitty for buying food.*

'ki·wi (*'kē-wē*) *n* a type of bird that cannot fly, found in New Zealand (นกกีวี).

knack (*nak*) *n* the ability to do something easily and skilfully (ความชำนาญ ความสามารถ): *Once you get the knack of putting in your contact lenses, you'll do it very quickly.*

'knap·sack (*'nap-sak*) *n* a small bag for food, clothes *etc.* carried on your back (ถุงเล็ก ๆ ใส่อาหาร เสื้อผ้า ฯลฯ ที่สะพายไว้บนหลัง).

See **bag**

knead (*nēd*) *v* to squeeze dough *etc.* with your fingers (นวดด้วยนิ้ว).

knee (*nē*) *n* the part of your leg that bends (หัวเข่า): *He fell and cut his knee; The child sat on her father's knee; He fell on his knees and begged for mercy.*

'knee·cap *n* a flat, round bone on the front of the knee joint (ลูกสะบ้า).

kneel (*nēl*) *v* to drop down on to your knees; to rest your weight on your knees (คุกเข่า): *She knelt down to fasten the child's shoes; She was kneeling on the floor.*

kneel; knelt; knelt: *He knelt down; Have you ever knelt on a drawing-pin?*

knell (*nel*) *n* the ringing of a bell for a death or funeral (เสียงระฆังให้กับผู้ตายหรือการฝังศพ).

knelt *see* **kneel (ดู kneel)**.

knew *see* **know (ดู know)**.

'knick·ers (*'nik-ərz*) *n* women's and girls' pants (กางเกงของผู้หญิงและเด็กหญิง).

knife (*nīf*), *plural* **knives**, *n* **1** a tool with a blade for cutting (มีด): *He carved the meat with a large knife.* **2** a sharp knife used as a weapon (มีดแหลมคมใช้เป็นอาวุธ): *She stabbed him with a knife.* — *v* to stab with a knife (แทงด้วยมีด): *He knifed her in the back.*

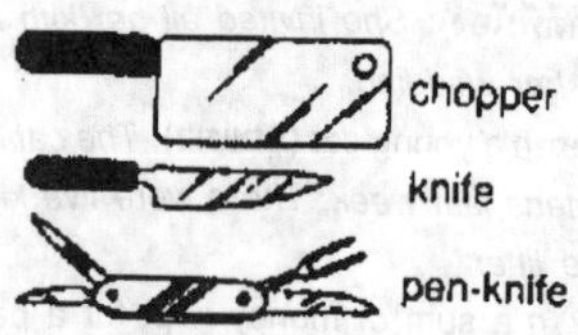

knight (*nīt*) *n* **1** in earlier times, a man of noble birth who was trained to fight, especially on horseback (อัศวิน): *King Arthur and his knights.* **2** a man who has been given the title "Sir" as a special honour (ผู้ได้รับยศ "ท่านเซอร์" เพื่อเป็นเกียรติ). **3** a piece used in chess, shaped like a horse's head (ม้า ในหมากรุก). — *v* to make a person a knight as a reward for important work *etc.* (การแต่งตั้งบุคคลเป็นอัศวินเพื่อเป็นรางวัลในการทำงานสำคัญ ฯลฯ): *He was knighted for his medical work.*

knit (*nit*) *v* to make pullovers *etc.* from woollen thread *etc.*, using knitting-needles or a machine (เสื้อคลุม ฯลฯ ทำจากขนสัตว์ ฯลฯ โดยการใช้เข็มถักหรือเครื่องจักร): *She knitted him a sweater for Christmas.*

'knit·ting *n* (การถัก): *This long piece of knitting is going to be a scarf.*

'knit·ting-nee·dle *n* a thin rod of steel or plastic *etc.*, used in knitting (เข็มถัก).

'knit·wear *n* knitted clothes (เสื้อถัก).

knives *see* **knife (ดู knife)**.

knob (*nob*) *n* **1** a hard rounded object, attached to something else (วัตถุแข็งกลม ๆ ติดอยู่กับอะไรบางอย่าง): *There were brass knobs on the end of the bed.* **2** a rounded handle on a door or drawer (ลูกบิด): *wooden doorknobs.*

knock (*nok*) *v* **1** to make a sharp noise by tapping on a door *etc.* (เคาะประตู): *Someone knocked at the door.* **2** to hit something or someone, making them fall (ทุบ ตี กระแทกให้ล้ม): *She knocked the vase over when she was dusting; I knocked him down with one punch; He was knocked down in the street by a car.* **3** to bump into (กระแทก): *She knocked against the table and spilt my coffee; I knocked my head on the car door.* — *n* the sound or action of knocking (เสียงหรือการเคาะ): *They heard a loud knock at the door; The jug fell off the shelf and gave him a knock on the head.*

The bus **collided with** (not **knocked against**) the truck.

'knock·er *n* an object made of metal *etc.*, fixed

to a door and used for knocking (**ห่วงติดอยู่กับประตูใช้สำหรับเคาะ**).

knock out to hit someone so that they become unconscious (**ทุบ ต่อยจนสลบ**): *The boxer knocked his opponent out in the third round.*

knot (*not*) *n* **1** a join made in string, rope *etc.* by tying and pulling tight (**เงื่อน**): *She tied a knot in her shoe-laces.* **2** a lump in wood at the joint between a branch and the trunk (**ตาของต้นไม้**). — to tie something in a knot (**ผูกเงื่อน**): *He knotted the rope around the post.*

know (*nō*) *v* **1** to be aware of something; to have information about something (**รู้ รู้จัก**): *He knows everything; I know he is at home because his car is in the drive; He knows all about it; I know of no reason why you cannot go.* **2** to have learned and remembered something (**เรียนรู้**): *He knows a lot of poetry.* **3** to be able to recognize someone; to be friendly with someone (**จำได้ เป็นมิตรกับใครบางคน**): *I know Mrs Smith — she lives near me; You would hardly know my son now — he has grown up so much recently.* **4** to call someone or something by a particular name (**เรียกชื่อเฉพาะ**): *His real name is Michael, but his friends know him as Mick; He's known as Mick to his friends.*

know; knew; known: *She knew the answer; Have you known him long?*

'know-all *n* a person who thinks they know everything (**คนที่คิดว่ารู้ไปหมดทุกอย่าง**).

'know-how *n* he knowledge and skill needed to deal with something (**ความรู้และความชำนาญที่จะจัดการกับสิ่งใด**): *She has acquired a lot of know-how about cars.*

'know·ing *adj* showing secret understanding (**รู้ความลับ**): *She gave him a knowing look.*

know how to to have learned the way to do something (**เรียนรู้วิธีทำอะไรบางอย่าง**): *She already knew how to read before she went to school.*

'knowl·edge (*'nol-əj*) *n* **1** knowing (**ความรู้**): *The knowledge that her husband was safe made her very happy.* **2** information; understanding (**ข่าวสาร ความเข้าใจ**): *For this job you need a good knowledge of computers; He had a vast amount of knowledge about*

knowledge is never used in the plural.

'knowl·edge·a·ble *adj* knowing a lot (**มีความรู้**): *He is very knowledgeable about the history of the city.*

general knowledge knowledge about a lot of different subjects (**ความรู้ทั่ว ๆ ไป**): *The teacher sometimes tests our general knowledge.*

known *see* **know** (**ดู know**).

'knuck·le ('nuk-əl) *n* a joint of a finger (**ข้อนิ้ว**): *She hit her hand against the wall and hurt her knuckles.*

ko'a·la (*kō'ä-lə*) *n* a type of Australian tree-climbing animal like a small bear, the female of which carries her baby in a pouch (also called a **koala bear** (**หมีโคอาล่า**).

'kook·a·bur·ra *n* a large Australian bird with bright feathers and a cackling cry (**นกกระตั้วพันธุ์ออสเตรเลีย**).

Ko'ran (*kö'rän*) *n* the holy book of the Muslims (**คัมภีร์โกหร่าน**).

kung 'fu (kuŋ'fo͞o) *n* a Chinese type of fighting using only your hands and feet (**มวยกังฟู**).

lab *n* short for **(คำย่อของ) laboratory**.

'la·bel (*'lā-bəl*) *n* a small written note fixed on something to say what it is or whose it is *etc.* **(ป้าย ฉลาก)**: *luggage labels; The label on the blouse said "Do not iron".* — *v* to put a label on something **(ปิดป้าย ปิดฉลาก)**: *She labelled all the boxes of books carefully.*

la'bor·a·to·ry *n* a place where scientific experiments are done or drugs *etc.* are prepared **(ห้องทดลอง ห้องผสมยา)**: *a chemical laboratory; a hospital laboratory.*

la'bo·ri·ous *adj* difficult; requiring hard work **(ยุ่งยาก หนักแรง)**: *Moving house is always a laborious process.*

la'bo·ri·ous·ly *adv* **(อย่างหนักแรง)**.

'la·bour (*'lā-bər*) *n* **1** hard work **(การทำงานหนัก)**: *The building of the cathedral took much labour.* **2** workmen on a job **(คนทำงาน)**: *The firm is having difficulty getting labour.* **3** the pains that a woman feels when her baby is being born **(เจ็บท้องตอนคลอดลูก)**. — *v* **1** to work as a labourer **(เป็นคนงาน เป็นกรรมกร)**: *to labour on a building site.* **2** to work very hard **(ทำงานหนักมาก)**: *They laboured to get the work finished in time.* **3** to move with difficulty **(เคลื่อนที่ไปด้วยความยากลำบาก)**: *They laboured through the dense jungle.*

'la·bour·er *n* a workman **(คนงาน กรรมกร)**: *He employed four labourers to build the wall.*

'lab·y·rinth (*'lab-ə-rinth*) *n* a place full of long, winding passages; a maze **(ทางวกวน เขาวงกต)**.

lace *n* **1** a string for fastening shoes *etc.* **(เชือกผูกรองเท้า)**: *I need a new pair of laces for my tennis shoes.* **2** delicate, patterned net-like material made with fine thread **(ลูกไม้)**: *Her dress was trimmed with lace.* — *adj* **(ประดับลูกไม้)**: *a lace collar.* — *v* to fasten with a lace which is threaded through holes **(ผูกรองเท้า)**: *Lace up your boots firmly.*

'lace-ups *n* shoes with laces **(รองเท้าพร้อมเชือกผูก)**: *All of his shoes are lace-ups.*

lack *v* to have too little of something or none at all **(มีน้อยเกินไปหรือไม่มีเลย ขาด)**: *He lacked the courage to join the army.* — *n* the state of not having enough of something **(การขาด การมีไม่พอ)**: *They were prevented from going on holiday by their lack of money.*

'lack·ing *adj* **1** not having enough of something **(มีไม่พอ ขาด)**: *He's lacking in brains.* **2** not enough **(ไม่พอ)**: *Money is lacking for the repairs to the hospital.*

lack·a'dais·i·cal (*lak-ə'dā-zi-kl*) *adj* having or showing no enthusiasm or energy **(ไม่กระตือรือร้นหรือไม่มีไฟในการทำงาน)**: *Her work is very lackadaisical.*

'lack·lus·tre (*'lak-lus-tə*) *adj* having no brightness or energy, dull **(ไม่มีความสดใสหรือพลังงาน หมอง)**: *a lacklustre performance of the play.*

'lac·quer (*'lak-ər*) *n* a type of paint **(สีชนิดหนึ่ง)**: *He painted the table with black lacquer.*

lad *n* a boy **(เด็กผู้ชาย)**.

'lad·der *n* a set of steps between two long supporting pieces of wood, metal *etc.*, for climbing up or down **(บันไดลิง)**: *She was standing on a ladder painting the ceiling; the ladder of success.*

'la·den (*'lā-dən*) *adj* carrying a lot; heavily loaded **(แบกของมาก บรรทุกอย่างหนัก)**: *People left the shops laden with their shopping; The laden truck went slowly up the hill.*

'la·dle (*'lā-dəl*) *n* a bowl-like spoon with a long handle for lifting out liquid from a container **(ทัพพี)**: *a soup ladle.*

'la·dy (*'lā-di*) *n* **1** a woman **(ผู้หญิง)**: *Stand up and let that lady sit down; This shop sells ladies' shoes.* **2** a woman who has good manners **(สุภาพสตรี)**: *Be quiet! — Ladies do not shout in public.* **3** a special title for certain women **(ชื่อตำแหน่งพิเศษของสตรี คุณหญิง)**: *Sir James and Lady Brown.*

'la·dy·bird *n* a little round beetle, usually red with black spots **(เต่าทอง)**.

lag *v* to move too slowly and get left behind **(ล่าช้า ล้าหลัง)**: *We waited for the smaller children to catch up, as they were lagging behind the rest.* — *n* the amount by which one thing is later than another (การทิ้งระยะเวลา): *There is sometimes a time-lag of several seconds between seeing lightning and hearing thunder.*

'la·ger (*'lā-gə*) *n* a light beer (เบียร์ที่ไม่ใช่เบียร์สด): *He never drinks lager.*

la'goon *n* an area of shallow water that is separated from the sea by a long bank of sand (บริเวณน้ำตื้นที่แยกออกจากทะเลโดยหาดทรายยาว ทะเลสาบใกล้ฝั่งทะเล ห้วงน้ำ): *We went for a swim in the lagoon.*

laid *see* **lay**[1] (ดู **lay**[1]).

lain *see* **lie**[2] (ดู **lie**[2]).

lair *n* the home of a wild beast (ที่อยู่ของสัตว์ป่า): *The bear had its lair among the rocks.*

lake *n* a large area of water surrounded by land (ทะเลสาบ): *They go sailing on the lake.*

lamb (*lam*) *n* **1** a young sheep (ลูกแกะ): *The ewe has had three lambs.* **2** its flesh eaten as food (เนื้อแกะ): *a roast leg of lamb.*

A lamb **bleats**.

lame *adj* **1** unable to walk properly (ขาพิการ): *He was lame for several weeks after his fall.* **2** not good enough (ไม่ดีพอ): *a lame excuse.*

'lame·ly *adv* (อย่างไม่ดีพอ ฟังไม่ขึ้น).

'lame·ness *n* (ความไม่ดีพอ ความฟังไม่ขึ้น).

la'ment *v* to feel or express sadness about something (รู้สึกหรือแสดงความเศร้าโศก): *We all lament his death.* — *n* an expression of sorrow (แสดงถึงความเศร้าโศก): *This song is a lament for those killed in battle.*

'lam·en·ta·ble *adj* (น่าเศร้าใจ น่าสังเวช).

lam·en'ta·tion *n* (ความเศร้าใจ ความสังเวช).

lamp *n* a light, usually with a cover (ตะเกียง โคมไฟ): *a table lamp; a street-lamp.*

'lamp-post *n* the post supporting a streetlamp (เสาโคม).

'lamp·shade *n* a cover for a light-bulb (โคมไฟ).

lance (*läns*) *n* a weapon of earlier times with a long handle and a sharp point (หอก ทวน หลาว).

land *n* **1** the dry, solid parts of the surface of the earth (พื้นดิน): *We had been at sea a week before we saw land.* **2** a country (ประเทศ): *foreign lands.* **3** the ground or soil (ดิน): *The land was poor and stony.* **4** a piece of countryside belonging to someone (ที่ดิน): *This is private land.* — *v* **1** to come down to the ground (กระโดดลงมายังพื้น): *She jumped across the stream and landed safely on the other side.* **2** to come down to earth in a plane *etc.* (เครื่องบินลงจอด): *The plane landed in a field; They managed to land the helicopter safely.* **3** to bring a ship *etc.* from the sea to land (นำเรือ ฯลฯ เข้าหาฝั่ง): *After being at sea for three months, they landed at Plymouth.* **4** to get into trouble *etc.* (เกิดความยุ่งยาก ฯลฯ): *Don't drive so fast — you'll land up in hospital; You're going to land yourself in trouble!*

'land·ing *n* **1** bringing a plane down to the ground (นำเครื่องบินลง): *The pilot had to make an emergency landing.* **2** the level part of a staircase between flights of steps (ที่พักขั้นบันได): *Her room was on the first floor, across the landing from mine.*

'land·la·dy *n* a female landlord (หญิงเจ้าของที่ดิน หญิงเจ้าของบ้านเช่า).

'land·lord *n* **1** a person who rents rooms, flats or houses to people (เจ้าของบ้านเช่า): *My landlord has just put up my rent.* **2** a person who keeps a hotel or bar where people drink (ผู้ดูแลโรงแรมหรือบาร์).

'land·mark *n* a building *etc.* that can be easily seen and recognized (อาคาร ฯลฯ ที่สามารถเห็นและจดจำได้ง่าย): *The church tower is a landmark for sailors because it stands on the top of a cliff.*

'land-mine *n* a mine laid near the surface of the ground, that is set off by something passing over it (ทุ่นระเบิด).

'land·own·er *n* a person who owns a lot of land (เจ้าของที่ดิน).

'land·scape *n* the scenery or countryside that you see laid out in front of you (ทิวทัศน์): *He stood on the hill admiring the landscape.*

'land·slide *n* a piece of land that falls down from the side of a hill *etc.* (ภูเขาพังทลาย ดิน

ถล่ม): *His car was buried in the landslide.*

land with to give someone an unpleasant job (มอบหมายงานที่ไม่ถูกใจให้): *She was landed with the job of telling him the bad news.*

lane *n* **1** a narrow road or street (ตรอก ซอย): *a winding lane.* **2** used in the names of certain roads or streets (ใช้บอกชื่อตรอกหรือซอย): *His address is 12 Penny Lane.* **3** a division of a road for one line of traffic (ช่องทางการจราจร): *The new motorway has three lanes in each direction.*

'lan·guage (*'laŋ-gwəj*) *n* **1** human speech (ภาษา): *How did humans develop language?* **2** the speech of a particular nation (ภาษาของชาติหนึ่ง ๆ): *She is very good at learning languages; Russian is a difficult language.* **3** the special words used by a particular group of people *etc.* (ภาษาพิเศษที่ใช้ในบางกลุ่ม): *medical language.*

bad language *n* swearing (สบถ สาบาน).

'lan·guish (*'laŋ-gwish*) *v* to grow weak (อาการเปลี้ย เงื่องหงอย).

lank *adj* straight and greasy (ตรงและเป็นมัน): *lank hair.*

'lank·y *adj* too tall and thin (สูงและผอม): *a lanky fellow.*

'lank·i·ness *n* (ความผอมสูง).

'lan·tern *n* a case for holding or carrying a light (โคม ดวงโคมตรงยอดประภาคาร).

lap[1] *v* to drink by licking with the tongue (เลีย): *The cat lapped up the milk from a saucer.*

lap

lick

suck

lap[2] *n* the part of you from your waist to your knees, when you are sitting; your thighs (หน้าตัก): *The baby was lying in its mother's lap.*

'lap·top *n* a small computer that can be carried in a briefcase and used on your lap (คอมพิวเตอร์เล็ก ๆ ที่สามารถเอาใส่กระเป๋าเอกสารและใช้ตั้งบนตักได้): *She uses her laptop on long train journeys.*

lap[3] *n* one round of a race-course *etc.* (รอบของการแข่งขัน): *The runners have completed five laps, with three still to run.*

la'pel *n* one of the two parts of a coat or jacket that are joined to the collar and folded back across your chest (ปกคอเสื้อขนาดใหญ่ตอนหน้า): *He had a small badge fixed to the left lapel of his jacket.*

lapis lazuli (*la-pis 'laz-ū-li*) *n* a bright blue stone used as a gem (อัญมณีสีฟ้าสดใสใช้เป็นเครื่องเพชรพลอย): *earrings made of silver and lapis lazuli.*

lapse *v* to get worse or lower (เลวลงกว่าหรือต่ำลงกว่า): *I'm afraid our standards of tidiness have lapsed.* — *n* **1** a fault; a failure (ความผิดพลาด ความล้มเหลว): *I had a lapse of memory and forgot his name.* **2** a length of time that has passed (ระยะเวลาที่ผ่านไป): *I saw him again after a lapse of five years.*

lard *n* the melted fat of the pig, used in cooking (น้ำมันหมู).

'lard·er *n* a room or cupboard where food is stored (ห้องหรือตู้เก็บอาหาร).

large *adj* great in size, amount *etc.*; not small (ขนาดใหญ่ จำนวนมาก): *a large number of people; a large house; a large family; This house is too large for two people.*

'large·ness *n* (ความใหญ่โต).

'large·ly *adv* mainly (ส่วนใหญ่): *This success was largely due to her efforts.*

lark *n* a name for several types of singing-bird, especially the skylark, which flies high into the air as it sings (นกล้าค นกกระจาบฝน).

'la·rynx (*'la-rinks*) *n* a hollow organ in the throat which contains the vocal cords (หลอดลม): *Singers must be careful not to strain the larynx.*

'lar·va, *plural* **'lar·vae** (*'lär-vē*), *n* a developing insect in its first stage after coming out of the egg; a grub or caterpillar (ดักแด้ ตัวอ่อนที่เพิ่งออกจากไข่). **'lar·val** *adj* (แห่งตัวหนอนหรือดักแด้).

'la·ser (*'lā-zər*) *n* an instrument that produces a narrow and very strong beam of light

(เครื่องมือที่ผลิตลำแสงเล็ก ๆ และเข้มข้น แสงเลเซอร์): *The men were cutting the sheets of metal with a laser.* — *adj* (ลำแสงเลเซอร์): *a laser beam.*

laser printer a fast computer printer which produces very good quality work (เครื่องพิมพ์ด้วยแสงเลเซอร์ของคอมพิวเตอร์ซึ่งผลที่ออกมามีคุณภาพดีมาก): *She is hoping to buy a laser printer to use at home.*

lash *n* **1** an eyelash (ขนตา): *She looked at him through her thick lashes.* **2** a whip (ฟาด หวด เฆี่ยน). **3** a stroke with a whip *etc.*: *The sailor was given twenty lashes as a punishment.* — *v* **1** to strike with a lash (เฆี่ยนด้วยแส้): *He lashed the horse.* **2** to fasten something with rope (มัดด้วยเชือก): *All the equipment had to be lashed to the deck of the ship.* **3** to make a movement like a whip (โบกไปมาเหมือนกับแส้): *The tiger crouched in the tall grass, its tail lashing from side to side.* **4** to come down very heavily (ตกลงมาอย่างหนัก): *The rain was lashing down.*

lash out to attack violently (จู่โจมอย่างรุนแรง): *He lashed out at us with his fists.*

lass *n* a girl (หญิงสาว).

las'so (*la'soo*), *plural* **las'soes**, *n* a long rope with a loop that tightens when the rope is pulled, used for catching wild horses *etc.* (เชือกบ่วงบาศ). — *v* to catch with a lasso: *The cowboy lassoed the horse.*

See **loop**

last[1] (*läst*) *adj* **1** at the end; final (ตอนปลาย สุดท้าย): *the last day of November; He was last in the race; He caught the last bus home; She was the last guest to arrive.* **2** previous (หลังก่อน ก่อนหน้า ครั้งที่แล้ว): *Our last house was much smaller than this; last year; last month; last week; The last time I went to Britain, it rained all the time.* **3** only remaining (เหลืออยู่เท่านี้): *This is my last dollar.* — *pron* (สุดท้าย): *I've spent the last of my money.* — *adv* after all the others (หลังจากอย่างอื่นทั้งหมด): *He took his turn last.*

See **past**.

'last·ly *adv* finally (ในที่สุด สุดท้าย): *Lastly, I would like to thank you all for listening so patiently to what I have been saying.*

last-'min·ute *adj* done or made at the latest possible time (ทำอะไรบางอย่างในนาทีสุดท้าย): *It is too late to make any last-minute changes.*

at last, at long last in the end, especially after a long delay (ในที่สุด หลังจากรอกันมานาน): *Oh, there he is at last!; They succeeded at long last.*

the last word 1 the final remark in an argument *etc.* (คำพูดทิ้งท้าย): *She always must have the last word!* **2** the final decision (การตัดสินใจขั้นสุดท้าย): *The last word rests with the chairman.*

to the last until the very end (จนถึงที่สุด): *He kept his courage to the last.*

last[2] (*läst*) *v* **1** to continue (คงอยู่ต่อไป): *I hope this fine weather lasts.* **2** to remain in good condition or supply (ทนอยู่ได้ มีจนถึง): *This carpet has lasted well; The bread won't last another two days — we'll need more; This coat will last me a long time.*

'last·ing *adj* (คงทนอยู่ได้): *A good education is a lasting benefit.*

last out to be enough; to keep going (พอเพียง ทนอยู่ได้): *I hope the petrol lasts out until we reach a petrol station; I hope we can last out till help arrives.*

latch *n* a catch of wood or metal used to fasten a door *etc.* (สายยู กลอน ฯลฯ): *She lifted the latch and walked in.*

See **bolt**.

'latch·key *n* a small front-door key (กุญแจไขสายยู).

late *adj* **1** after the expected or usual time (สาย หลังจากที่คาดเอาไว้หรือเวลาตามปกติ): *The train is late tonight; I try to be punctual, but I'm always late.* **2** far on in the day or night (สายมาก ๆ หรือดึกมาก ๆ): *late in the day; late at night; It was very late when I got to bed.* **3** dead, especially recently (ตายไปเมื่อเร็ว ๆ นี้): *the late king.* **4** the last to hold a job before the present person (คนที่ทำ

หน้าที่นี้ก่อนคนปัจจุบัน): *our late chairman, Mr Brown.* — *adv* **1** after the expected or usual time (หลังจากที่คาดเอาไว้หรือหลังจากเวลาตามปกติ): *He arrived late for his interview.* **2** far on in the day or night (สายมากหรือดึกมาก): *They always go to bed late.*

'lateness *n* (ความช้า ความสาย).

later *see* **latter**.

'late·ly *adv* recently; not long ago (เร็ว ๆ นี้ ไม่นานมานี้): *Have you seen her lately?*

later on at a later time (ในภายหลัง): *He hasn't come yet but I expect he'll arrive later on.*

of late lately (เร็ว ๆ นี้): *She has been less friendly of late.*

'la·tent (*'lā-tənt*) *adj* hidden; not yet developed (แฝง ยังไม่พัฒนาขึ้นมา): *a latent talent for music.*

'lat·er·al *adj* having to do with the side; sideways (เกี่ยวกับข้าง ๆ ด้านข้าง): *lateral movement.*

'lat·er·al·ly *adv* (ทางด้านข้าง).

'la·tex (*'lā-təks*) *n* the milky juice of some plants, especially rubber trees (ยางสีขาว ๆ ของต้นไม้บางชนิด น้ำจากต้นยาง).

lathe (*lādh*) *n* a machine for shaping wood *etc.* (เครื่องกลึงไม้ ฯลฯ).

'lath·er (*'ladh-ər*) *n* foam made of soap bubbles (ฟองสบู่): *This soap gives plenty of lather.*

'Lat·in *n* the language spoken in ancient Rome (ภาษาที่พูดกันในกรุงโรมสมัยโบราณ ภาษาลาติน).

'lat·i·tude (*'lat-i-tūd*) *n* the distance, measured in degrees on the map, between a particular place and the Equator, whether north or south (ระยะทางวัดเป็นองศาบนแผนที่จากสถานที่หนึ่งไปยังเส้นศูนย์สูตรว่ามันจะอยู่เหนือหรือใต้เส้นรุ้ง ละติจูด): *The latitude of Singapore is 10° north.*

la'trine (*lə-'trēn*) *n* a lavatory used by soldiers *etc.* (ห้องน้ำในโรงทหาร ฯลฯ).

'lat·ter *adj* towards the end (ระยะหลัง มุ่งไปตอนจบ): *the latter part of our holiday.*

the latter the second of two things *etc* mentioned (สิ่งที่สองในสองสิ่ง): *John and Mary arrived, the latter wearing a green dress.* to choose the second or **latter** (not ไม่ใช่ **later**) of two suggestions.

'lat·tice (*'lat-is*) *n* a framework made of crossed strips of wood, metal *etc.* (กรอบไม้หรือเหล็กขัดกันเป็นฟันปลา): *The gardener built a lattice for the roses to climb up.*

'laud·a·ble *adj* worthy of being praised (น่าสรรเสริญ): *a laudable effort.*

'laud·a·bly *adv* (อย่างน่าสรรเสริญ).

laugh (*läf*) *v* to make a sound that shows you are happy or amused (หัวเราะ): *We laughed at the funny film; Children were laughing in the garden as they played.* — *n* an act or sound of laughing (เสียงหัวเราะ): *He gave a laugh; a loud laugh.*

'laugh·ter *n* the act or sound of laughing (การหัวเราะ): *We could hear laughter in the classroom next-door.*

launch[1] *v* to make a boat or ship slide into the water, or make a rocket leave the ground (ปล่อยเรือลงน้ำหรือปล่อยจรวด): *As soon as the alarm was given, the lifeboat was launched; The Russians have launched a rocket.*

'launch·ing-pad *n* a platform from which a rocket is launched (ฐานยิงจรวด).

launch[2] *n* a large, power-driven boat, used for short trips or for pleasure (เรือยนต์ขนาดใหญ่): *We cruised round the bay in a motor-launch.*

'laun·der *v* to wash and iron (ซักรีด): *to launder clothes.*

laun·der'ette (*lön-də'ret*) *n* a shop where customers can wash clothes in washing-machines (ร้านที่ลูกค้าสามารถซักเสื้อผ้าด้วยเครื่องซักผ้า).

'laun·dress *n* a woman employed to launder (หญิงซักรีด).

'laun·dry *n* **1** a place where clothes *etc.* are washed, especially in return for payment (ร้านซักรีด): *She took the sheets to the laundry.* **2** clothes *etc.* that are waiting to be washed, or have been washed (เสื้อผ้าที่กำลังรอซักรีดหรือซักรีดแล้ว): *a bundle of laundry.*

'laur·el (*'lor-əl*) *n* a type of tree, once used for making wreaths to crown winners of races or competitions *etc.* (ต้นไม้ชนิดหนึ่งเคยใช้ทำเป็นมงกุฎคล้องให้กับผู้ชนะในการแข่งขัน ต้นลอเรล).

'la·va (*'lä-və*) *n* liquid, melted rock *etc.* thrown out from a volcano and becoming solid as it cools (หินละลายจากภูเขาไฟ หินลาวา).

'lav·a·to·ry *n* a room in which there is a receptacle for waste matter from the body (ห้องน้ำ).

'lav·en·der *n* **1** a plant with lots of tiny, sweet smelling, bluish-purple flowers on long stalks (ดอกลาเวนเดอร์). **2** a pale, bluish-purple colour (สีน้ำเงินม่วงจาง ๆ).

'lav·ish *adj* very generous; too generous (อย่างมากมาย มากมายเกินไป): *lavish gifts.* — *v* to spend a lot; to give generously (ใช้อย่างมาก ให้อย่างมากมาย): *She lavishes presents on her nephew.*

'lav·ish·ly *adv* (อย่างมากมาย อย่างทุ่มเท).

'lav·ish·ness *n* (ความมากมาย ความทุ่มเท).

law *n* **1** the rules according to which people live or a country *etc.* is governed (กฎหมาย): *Stealing is against the law; The police have to keep law and order.* **2** one of these rules (กฎหมายข้อหนึ่ง): *A new law has been passed by Parliament.* **3** a rule in science that says that under certain conditions certain things always happen (กฎทางวิทยาศาสตร์): *the law of gravity.*

'law-a·bi·ding *adj* obeying the law (เชื่อฟังกฎหมาย): *a law-abiding citizen.*

'law-court or **court of law** a place where people accused of crimes are tried and legal disagreements between people are judged (ศาล).

'law·ful *adj* **1** allowed by law (ถูกกฎหมาย): *He was going about his lawful business as usual.* **2** rightful (ผู้มีสิทธิ์): *She is the lawful owner of the property.*

'law·ful·ly *adv* (อย่างถูกกฎหมาย).

lawn *n* an area of smooth, short grass in a garden (สนามหญ้า): *He is mowing the lawn.*

'lawn·mow·er *n* a machine for cutting grass (เครื่องตัดหญ้า): *an electric lawnmower.*

'law·suit *n* a quarrel that is taken to a court of law for an agreement (คดีความ): *He brought a lawsuit against his neighbour over the constant loud noise from her radio.*

'law·yer (*'lö-yər*) *n* a person whose job is to know about the law and give advice and help people in matters that concern the law (ทนายความ): *When he was arrested, he sent for his lawyer.*

lax *adj* careless; not strict enough (ไม่เอาใจใส่ ไม่เข้มงวดพอ): *Pupils have been rather lax about some of the school rules recently.*

'lax·i·ty *n* (ความหย่อนยาน ความไม่เข้มงวด).

lay[1] *v* **1** to put; to put down (วาง วางลง): *She laid the clothes in a drawer; Lay your hat on this chair; He laid down his pencil.* **2** to place in a lying position; to flatten (วางแบนราบลง): *She laid the baby on his back; The dog laid back its ears.* **3** to put in order; to arrange (จัดให้เป็นระเบียบ จัดการ): *She went to lay the table for dinner; I need time to lay my plans for revenge; They laid a trap for him.* **4** to produce eggs (ออกไข่): *The hen laid four eggs; My hens are laying well.* **5** to bet (พนัน): *I'll lay five pounds that you don't succeed.*

> **lay**[1]; **laid; laid**: *Watch how she lays the table; He laid the baby in its cot; The hens have laid twelve eggs.*
>
> **lay**[1] means to **put** something: *to lay a carpet; to lay a book on the table.*
>
> **lie**[2] means to **rest** in a flat position: *to lie on the carpet*; the past tense is **lay**[2]: *He lay on the bed.*

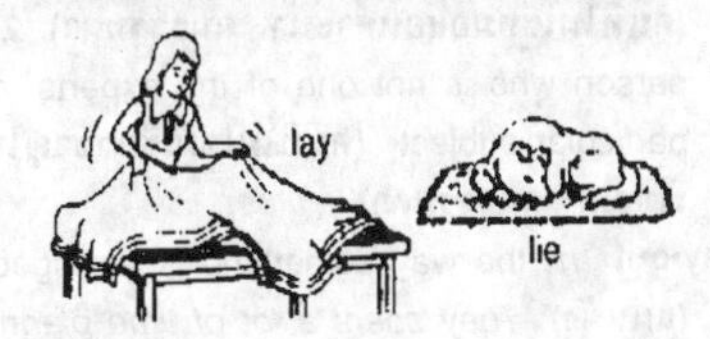

lay aside to put away something so that it can be used or dealt with at a later time (รอไว้ก่อน เอาไว้ข้าง ๆ): *She laid the books aside for later use.*

lay down 1 to give up (ยอมแพ้ เดิมพัน): *They laid down their arms; The* soldiers laid down their lives in the cause of peace. **2** to order; to instruct (**สั่ง บอก**): *The rule book lays down what should be done in such a case.*

lay your hands on something 1 to find something; to be able to obtain something (**หาพบ หามาได้**): *I wish I could lay my hands on that book!* **2** to catch (**จับ**): *The police have been trying to lay hands on the criminal for months.*

lay off to dismiss employees for a time (**เลิกจ้าง พักงาน**): *Because of a shortage of orders, the firm has laid off a quarter of its workers.*

lay on to provide (**จัดหา**): *The teachers laid on a tea party for the pupils.*

lay out 1 to arrange; to plan: *He was the architect who laid out the public gardens.* **2** to spread out something so that it can be easily seen: *She laid out her jewellery on her dressing-table.* **3** to knock someone unconscious.

lay[2] the past tense of **lie**[2] (**อดีตกาลของ lie**[2]).

lay[3] *adj* **1** not a priest; not a clergyman (**ไม่ใช่พระ ไม่ใช่หมอสอนศาสนา**): *lay preachers.* **2** not an expert in a particular subject (**ไม่ใช่ผู้เชี่ยวชาญในสิ่งใดโดยเฉพาะ ธรรมดา**): *Doctors use words that lay people don't understand.*

'lay·er *n* **1** a thickness; a covering (**ความหนา ชั้นที่ปกคลุม**): *The ground was covered with a layer of snow.* **2** a hen that lays eggs (**ไก่ที่ออกไข่**): *This hen is a good layer.*

'lay·man *n* **1** a person who is not a clergyman (**คนที่ไม่ใช่หมอสอนศาสนา คนธรรมดา**). **2** a person who is not one of the experts in a particular subject (**คนที่ไม่ใช่ผู้เชี่ยวชาญในเรื่องใด คนธรรมดา**).

lay·out *n* the way something is arranged (**แผนผัง**): *They spent a lot of time planning the layout of the garden.*

laze *v* to relax and not do anything (**เกียจคร้าน**): *She lazed on the beach all day.*

'la·zy (*'lā-zi*) *adj* not wanting to work hard; not wanting to take exercise (**ขี้เกียจ**): *Henry is lazy at his school-work; I take the bus to work as I'm too lazy to walk; Lazy people tend to become fat.*

'la·zi·ly *adv* (**อย่างเกียจคร้าน**).

'la·zi·ness *n* (**ความเกียจคร้าน**).

'la·zy-bones *n* a name for a lazy person (**ชื่อเรียกคนเกียจคร้าน**).

lead[1] (*led*) *n* **1** heavy, grey metal (**ตะกั่ว**): *Are these pipes made of lead or copper?* **2** the part of a pencil that makes a mark (**ปลายดินสอ**): *The lead of my pencil has broken.* — *adj* (**ท่อตะกั่ว**): *The old lead water-pipes were replaced with copper ones.*

'lead·en *adj* (**ทำด้วยตะกั่ว เหมือนตะกั่ว**).

lead[2] (*lēd*) *v* **1** to guide or take a person or animal in a certain direction (**นำไป พา**): *Follow my car and I'll lead you to the motorway; She took the child by the hand and led him across the road; He was leading the horse into the stable; The sound of hammering led us to the garage; You led us to believe that we would be paid!* **2** to go to a particular place or along a particular course (**ฝ่าเข้าไป**): *A small path leads through the woods.* **3** to cause or bring about a certain situation or state of affairs (**ทำให้เกิดสถานการณ์บางอย่างขึ้น**): *The heavy rain led to serious floods.* **4** to be at the front; to be ahead of others (**นำหน้า**): *An official car led the procession; He is still leading in the competition.* **5** to live a certain kind of life (**ใช้ชีวิตบางอย่าง**): *Cats lead a pleasant life.* — *n* **1** the front place or position (**นำหน้าหรือตำแหน่ง**): *He has taken over the lead in the race; He has a lead of 20 metres over the other runners.* **2** the act of leading (**การนำหน้า**): *We all followed his lead.* **3** a leather strap or chain for leading a dog (**สายรัดหนังหรือโซ่ล่ามสุนัขที่นำหน้า**): *All dogs must be kept on a lead.* **4** a bit of information that may help to solve a mystery; a clue (**ร่องรอย**): *Have the police any leads yet?* **5** a leading part in a play *etc.* (**แสดงนำ**): *Who plays the lead in that film?*

lead; led; led: *She led him out of the wood; He has led a wicked life.*

'lead·er *n* **1** a person who is in front or goes

first (คนที่อยู่ข้างหน้าหรือไปก่อน): *The leader is well ahead of the other cyclists; the leader of a procession.* **2** a person who is in charge of something (ผู้นำ): *The leader of the expedition is a scientist.*

'lead·er·ship *n* **1** the position of leader (ตำแหน่งผู้นำ): *He took over the leadership of the Labour party.* **2** the quality of being a leader (คุณสมบัติของความเป็นผู้นำ): *Is he capable of leadership?* **lead on** to go first; to show the way (ไปก่อน นำทาง): *Lead on to victory!*

lead the way to go first in order to show the way (ไปก่อนเพื่อนำทาง): *She led the way upstairs.*

leaf, *plural* **leaves**, *n* **1** a part of a plant growing from the side of a stem, usually green, flat and thin, but of various shapes depending on the plant (ใบไม้): *Many trees lose their leaves in autumn.* **2** the page of a book (หน้าหนังสือ): *Several leaves had been torn out of the book.* **3** a part of a table that can be folded down or taken off (ส่วนหนึ่งของโต๊ะที่สามารถพับหรือถอดออกได้).

'leaf·let *n* a small, printed sheet containing information *etc.* (ใบปลิว).

'leaf·y *adj* having many leaves (มีใบมาก มีหน้ามาก): *a leafy plant.*

turn over a new leaf to begin a new and better way of behaving, working *etc.* (กลับตนเสียใหม่ เป็นคนดี).

league (*lēg*) *n* **1** a union of people, nations *etc.* for the benefit of each other (สมาคม สันนิบาต เพื่อประโยชน์ซึ่งกันและกัน): *the League for the Protection of Shopkeepers.* **2** a sports association (สมาคมกีฬา): *the Football League.*

leak *n* **1** a crack or hole through which liquid or gas escapes (รอยรั่ว): *Water was escaping through a leak in the pipe.* **2** the passing of gas, water *etc.* through a crack or hole (ก๊าซหรือน้ำ ฯลฯ ที่ไหลผ่านรอยแตกหรือรู): *a gas leak.* **3** the giving away of secret information (เปิดเผยความลับ): *a leak of Government plans.* — *v* **1** to have a leak (มีรูรั่ว): *This bucket leaks.* **2** to pass through a leak (ผ่านรูรั่ว): *Gas was leaking from the cracked pipe.*

'leak·age *n* (การรั่ว).

'leak·y *adj* (รั่ว).

lean[1] *v* **1** to slope over to one side; not to be upright (เอียงไปด้านหนึ่ง): *The lamp-post was leaning dangerously.* **2** to rest against or on something (พิง): *She leant the ladder against the wall; Don't lean your elbows on the table; He leant on the gate.*

lean; leant (*lent*) or **leaned; leant** or **leaned**: *She leaned over to talk to me; Someone had leant against the fence and damaged it.*

lean[2] *adj* **1** thin (ผอม): *a tall, lean man.* **2** not containing much fat (มีไขมันไม่มาก): *lean meat.*

'leanness *n* (ความผอม เนื้อที่ไม่ติดมัน).

leant *see* **lean**[1] (ดู **lean**[1]).

leap *v* **1** to jump (กระโดด): *He leapt into the boat.* **2** to jump over (กระโดดข้าม): *The dog leapt the wall.* — *n* the action of leaping (การกระโดด): *He got over the stream in one leap.*

leap; leapt (*lept*) or **leaped; leapt** or **leaped**: *The cat leapt off the roof; The dog had leapt the gate many times before.*

'leap-frog *n* a game in which one person leaps over another's bent back, pushing off with his hands (เกมการเล่นเสือข้ามห้วยหรือการเล่นที่ใช้มือแตะหลังคนที่ก้มโค้งตัวแล้วกระโดดข้ามหลังไป).

leap year every fourth year, which has 366 days instead of 365, because of February having 29 days, as in 1980, 1984, 1988 *etc.* (ปีอธิกสุรทิน).

by leaps and bounds extremely rapidly (อย่างรวดเร็วมาก): *Your work has improved by leaps and bounds.*

learn (*lärn*) *v* **1** to gain knowledge or skill (เรียน เรียนรู้ หัด): *A child is always learning; to learn French; She is learning to swim; It's time you learnt how to make your bed properly.* **2** to get to know (ทราบ): *Where did you learn that news?*

learn; learnt or **learned; learnt** or **learned**: *He learnt French at school; Have you learnt that poem?*

See also **study**.

'learn·ed (*'lər-nəd*) *adj* knowing a lot (คงแก่เรียน ซึ่งมีความรู้มาก): *a learned professor.*

'learn·er *n* a person who is learning (ผู้กำลังฝึกหัด): *Be patient — I'm only a learner.* — *adj* (หัดใหม่ กำลังฝึกเรียน): *a learner driver.*

'learn·ing *n* knowledge (ความรู้ล้ำลึก): *The professor was a man of great learning.*

lease *n* an agreement giving the use of a house *etc.* on payment of rent (สัญญาเช่า): *We signed the lease yesterday; a twenty-year lease.* — *v* to give or get the use of a house *etc.* for payment (ให้เช่า เช่า): *He leases the land from the town council.*

leash *n* a leash for a dog (สายล่ามหรือจูงสุนัข).

least *adj* the smallest or the smallest possible (เล็กที่สุด น้อยที่สุดหรือเล็ก น้อยที่สุดเท่าที่จะเป็นไปได้): *She wanted to know how to do the work with the least amount of effort.* — *pron* the smallest; the smallest thing; the smallest amount (น้อยที่สุด สิ่งที่เล็กที่สุด ปริมาณน้อยที่สุด): *After being so rude, the least you could do is apologize!* — *adv* to the smallest or lowest extent (น้อยที่สุด ต่ำที่สุด): *I like her least of all the girls; That is the least important of our problems.*

See **little**.

at least at any rate; anyway (อย่างน้อยถึงอย่างไร): *I think she's well — at least, she was when I saw her last.*

'leath·er (*'ledh-ər*) *n* the skin of an animal prepared for making clothes, luggage *etc.* (หนังสัตว์ฟอกแล้ว): *shoes made of leather.* — *adj* (ทำด้วยหนังสัตว์): *Is your case leather?; a leather jacket.*

leave[1] *v* **1** to go away; to depart from someone or something (ไปให้พ้น จากไป): *Please don't leave me!; He left the room for a moment; They left at about six o'clock; I have left that job.* **2** to go without taking something (ทิ้งเอาไว้): *She left her gloves in the car; He left his children behind when he went to France.* **3** to allow something to remain in a particular state or condition (ปล่อยให้ค้างคา): *She left the job half-finished.* **4** to let a person or a thing do something without being helped or attended to (ปล่อยให้ทำเอง): *I'll leave the meat to cook for a while; The teacher left them to work out the* problem by themselves. **5** to let something be done by someone else (มอบให้ผู้อื่นทำ): *Don't play with electricity — leave that job to the experts!* **6** to give someone something in your will (ทิ้งมรดกไว้ให้): *She left all her property to her son.*

leave; left; left: *She left the house; He has already left.*

leave alone not to disturb, upset or tease (ไม่รบกวน ทำให้กังวลหรือล้อเล่น): *Why can't you leave your little brother alone?*

leave off 1 not to include (ไม่รวม): *She left three names off the list.* **2** to stop doing (หยุดทำ): *He left off working to watch the television.*

leave out not to include (เอาออก คัดออกไป): *You've left out the "t" in "Christmas".*

left over not used; extra (ที่เหลืออยู่ เกินมา): *When everyone took a partner there was one person left over; We divided out the left-over food.*

leave[2] *n* **1** permission to do something (การอนุญาตหรือการอนุญาตให้ลาหยุด): *The teacher gave him leave to go home early.* **2** a holiday (การลาพักผ่อน): *Some of the soldiers are home on leave at the moment.*

leaves plural of (พหูพจน์ของคำว่า) **leaf**.

'lec·tern *n* a stand for holding a book *etc.* to be read from, for a lecture or in a church (โต๊ะสำหรับวางหนังสือที่จะอ่านในการปาฐกถาหรือเทศน์).

'lec·ture (*'lek-chər*) *n* **1** a formal talk given to students *etc.* (การสอนแบบบรรยาย): *a history lecture.* **2** a scolding (การดุด่าว่ากล่าว): *The teacher gave the children a lecture for running in the passage.* — *v* to give a lecture (บรรยาย): *He lectures on the history of China.*

'lec·tu·rer *n* a person who lectures to students *etc.* (องค์ปาฐก ผู้บรรยาย อาจารย์ในมหาวิทยาลัย).

led *see* **lead**[2] (ดู **lead**[2]).

ledge *n* a shelf or an object that sticks out like a shelf (**หิ้งหรือส่วนที่ยื่นออกมาเป็นเชิง**): *He keeps plant-pots on the windowledge; a rock-ledge.*

'ledg·er *n* the book of accounts of an office or shop (**บัญชีแยกประเภท**).

lee *n* the sheltered side, away from the wind (**ที่อับลม**): *We sat in the lee of the rock.*

leech *n* a kind of blood-sucking worm (**ปลิง**).

leek *n* a type of vegetable related to the onion with green leaves and a white base (**ผักชนิดหนึ่งคล้ายต้นหอม**).

'lee·way *n* scope or possibility for freedom of movement or action (**ขอบเขตหรือความเป็นไปได้ในการมีอิสระที่จะกระทำ**): *A tight schedule won't leave you much leeway.*

left[1] *see* **leave**[1] (**ดู leave**[1]).

left[2] *adj* on the side of the body that in most people has the less skilful hand (**ข้างซ้าย**): *They drive on the left side of the road in Britain.* — *adv* to or towards this side (**มุ่งไปทางซ้าย**): *He turned left at the end of the road.* — *n* the left side, part *etc.* (**ด้านซ้าย**): *You ought to know your right from your left; He sat on her left; She turned to her left; Take the first road on the left; Keep to the left!*

The opposite of **left** is **right**.

'left-hand *adj* at the left; to the left (**ทางซ้าย ด้านซ้าย**): *It's in the bottom left-hand drawer of the desk.*

left-'hand·ed *adj* having the left hand more skilful than the right (**ถนัดมือซ้าย**).

left-'hand·ed·ness *n* (**ความถนัดซ้าย**).

leg *n* **1** one of the limbs by which animals and humans walk (**ขา**): *The horse injured a front leg; She stood on one leg.* **2** the part of an article of clothing that covers a leg (**ส่วนขากางเกง**): *He has torn the leg of his trousers.* **3** a long, narrow support of a table, chair *etc.* (**ขาโต๊ะ ขาเก้าอี้ ฯลฯ**): *One of the legs of the chair was broken.*

-'leg·ged (*'leg-əd*) *adj* (**มีขา**): *a long-legged girl; a four-legged animal.*

pull someone's leg to tease someone by trying to make them believe something that is not true (**พูดล้อเล่น**).

'leg·a·cy *n* something left to you by someone who has died (**มรดกที่ได้รับมาโดยทางพินัยกรรม**): *He was left a legacy by his great-aunt.*

'le·gal (*'lē-gəl*) *adj* **1** allowed by the law (**ถูกกฎหมาย**): *Is it legal to teach your children at home instead of sending them to school?; a legal contract.* **2** concerned with the law (**เกี่ยวกับกฎหมาย**): *He belongs to the legal profession.*

'le·gal·ly *adv* (**อย่างถูกกฎหมาย**).

le'gal·i·ty *n* (**ความถูกต้องตามกฎหมาย**).

'le·gal·ize *v* to allow something by law (**ทำให้ถูกต้องตามกฎหมาย**).

'leg·end *n* a myth; a story about heroes *etc.* of long ago (**ตำนาน นิทานปรำปรา**): *the legend of Monkey and his friends.*

'leg·end·ar·y *adj* (**เป็นตำนาน เป็นเรื่องที่เล่าสืบต่อกันมา**).

'leg·i·ble *adj* clear enough to be read (**ตัวหนังสือ ลายมือ อ่านได้ชัดเจน โดยสามารถอ่านได้**): *The writing was faded but still legible.*

'leg·i·bly *adv* (**อ่านออกได้**).

leg·i'bil·i·ty *n* (**ความสามารถอ่านออกได้**).

'leg·is·late *v* to make laws (**ออกกฎหมาย**): *The government plans to legislate against the importing of foreign cars.*

leg·is'la·tion *n* **1** making laws (**การออกกฎหมาย**). **2** a law; a set of laws (**กฎหมาย**).

'leg·is·la·tor *n* a person who makes laws (**สมาชิกสภานิติบัญญัติ ผู้ออกกฎหมาย**).

le'git·i·mate *adj* lawful; allowed by law (**ถูกต้องตามกฎหมาย**).

le'git·i·mate·ly *adv* (**อย่างถูกต้องตามกฎหมาย**).

le'git·i·ma·cy *n* (**ความถูกต้องตามกฎหมาย**).

'lei·sure (*'lezh-ər*) *n* time that you can spend as you like, when you have no work to do (**เวลาว่าง**): *I seldom have the leisure to watch television.*

'lei·sure·ly *adj* taking plenty of time (**ใช้เวลาได้ตามสบาย, ไม่รีบร้อน**): *She had a leisurely bath.*

'lem·on *n* a type of juicy fruit with thick, yellow skin and very sour juice (**มะนาว**): *She added* *the juice of a lemon to the pudding.*

lem·o'nade *n* a drink, usually fizzy, flavoured with lemons (น้ำมะนาว).

lend *v* **1** to give someone the use of something for a time (ให้ยืม): *She had forgotten her umbrella so I lent her mine to go home with.* **2** to give (ให้): *Desperation lent him strength.*

lend; lent; lent: *He lent me a dollar; You shouldn't have lent him money.*
lend to: *I lent my pencil to John.*
See also **borrow**.

length *n* **1** the distance from one end to the other of an object, period of time *etc.* (ความยาว ระยะเวลา): *What is the length of your car?; Please note down the length of time it takes you to do this.* **2** a piece of something, especially cloth (ของชิ้นหนึ่งที่มีส่วนความยาวที่แน่นอนหรือตามที่ต้องการใช้เช่นผ้า): *I bought a 3-metre length of silk.*

'length·en *v* to make or become longer (ทำให้ยาวขึ้น): *I'll have to lengthen this skirt; The days are lengthening now that the spring has come.*

'length·y *adj* very long (ยาวมาก ยืดยาว): *This essay is interesting but lengthy.*

at length 1 in detail (อย่างละเอียด): *She told us at length about her accident.* **2** at last (ในที่สุด): *At length the walkers arrived home.*

'le·ni·ent (*'lē-ni-ənt*) *adj* merciful; not punishing severely (ปรานี ผ่อนปรน): *You are much too lenient with those naughty children.*

'le·ni·ent·ly *adv* (อย่างปรานี อย่างผ่อนปรน).

'le·ni·ence, 'le·ni·en·cy *ns* (การผ่อนปรน).

lens (*lenz*) *n* **1** a curved piece of glass *etc.* used in spectacles, microscopes, camera *etc.* (เลนส์): *I need new lenses in my spectacles; She lost one of her contact lenses.* **2** a similar curved, transparent part of your eye (เลนส์ตา).

lens is singular; the plural is **lenses**.

lent *see* **lend** (ดู **lend**).

'len·til *n* a small round vegetable like a bean, that can be dried and then used in cooking (ถั่วแขกชนิดหนึ่ง สามารถตากแห้งแล้วนำมาใช้ประกอบอาหาร): *lentil soup.*

'leop·ard (*'lep-ərd*) *n* a large spotted animal of the cat family (เสือดาว).

'le·o·tard (*'lē-ə-tärd*) *n* a tight-fitting garment worn for dancing, gymnastics *etc.* (ชุดแนบเนื้อสำหรับนักเต้นระบำหรือนักกายกรรม ฯลฯ).

'lep·er *n* a person who has leprosy (คนเป็นโรคเรื้อน).

'lep·ro·sy *n* a skin disease, causing serious damage to the body (โรคเรื้อน).

'les·bi·an (*'lez-bi-ən*) *n* a woman who is sexually attracted to other women (ผู้หญิงที่รักร่วมเพศ).

'le·sion (*'lē-zhən*) *n* an injury or wound (บาดแผล): *a serious lesion on the abdomen.*

less *adj* not as much as (น้อยลง น้อยกว่า): *Think of a number less than forty; He drank his tea and wished he had put less sugar in it; The salary for that job will be not less than $20,000.* — *adv* not as much; to a smaller extent (น้อยลง): *You should smoke less if you want to remain healthy.* — *pron* a smaller part or amount (ส่วนหรือปริมาณที่น้อยลงหรือน้อยกว่า): *He earns less than I do; Use less of the red paint and more of the yellow when you're painting flesh.* — *prep* minus (ลบออก หักออก): *He earns $180 a week, less $60 income tax.*

less is used in speaking about quantity or amount: *People should eat less fat; I've less than $100 in the bank.*
fewer is used in speaking about numbers of things or people: *I've fewer books than he has; There were fewer than 50 people at the meeting.*
See also **little**.

'less·en *v* to make or become less (ทำให้น้อยลง ลดลง): *The noise lessened gradually.*

'less·er *adj* smaller; not as important (เล็กกว่า ไม่สำคัญเท่า): *the lesser of the two towns.*

the less... *The less I see of him, the better!* (ยิ่งฉันอยู่ร่วมกับเขาน้อยลงก็ยิ่งดีขึ้น) *The less I practise, the worse I become;* (ยิ่งฉันฝึกน้อยลงฉันก็ยิ่งแย่ลง).

'les·son *n* **1** a period of teaching (บทเรียน): *during the French lesson.* **2** something that is learnt by experience (บทเรียนจากประสบการณ์ชีวิต): *He burnt his fingers when he touched the kettle — that taught him a lesson!* **3** a piece from the Bible, read in church (บทคำสอนจากคัมภีร์ไบเบิล).

lest *conjunction* in case (เกรงว่า มิฉะนั้น): *He was scared lest he should fail his exam.*

let[1] *v* **1** to allow; to permit (อนุญาต ปล่อยให้): *She refused to let her children go out in the rain; Let me see your drawing.* **2** used for giving orders or making suggestions (ใช้ในการสั่งหรือให้คำแนะนำ): *If they will not work, let them starve; Let us pray.*

> **let; let; let**: *He let me in; Have you let the cat out?*
> **let's** is short for (คำย่อสำหรับ) **let us** (เราไปกันเถอะ): *Let's go for a walk!*

let someone or **something alone, let someone** or **something be** to leave alone; not to disturb or worry (ปล่อยไว้ตามลำพัง อย่ารบกวนหรือห่วง): *Why don't you let him be when he's not feeling well!; Do let your father alone.*

let down 1 to lower (หย่อนลง ย่อตัวลง): *She let down the blind.* **2** to disappoint (ทำให้ผิดหวัง): *You must get him a present — you can't let him down on his birthday.*

let go to stop holding something (ปล่อย): *Will you let go of my coat!; When he was nearly at the top of the rope he suddenly let go and fell.*

let in, let out to allow someone or something to come in or go out (ให้เข้ามาหรือออกไป): *Let me in!; I let the dog out.*

let someone know to tell someone (บอกให้ทราบ): *I'll let you know what the price of the book is.*

let off 1 to fire a gun *etc.* (ยิงปืน): *He let the gun off accidentally.* **2** to allow someone to go without punishment *etc.* (ปล่อยไปโดยไม่มีการลงโทษ): *The policeman let him off with a warning.*

let[2] *v* to give the use of a house *etc* in return for payment (ให้เช่า): *He lets his house to visitors in the summer.*

to let for letting (สำหรับให้เช่า): *The notice said "House to let".*

> **let, rent, hire**: You **let** or **rent** a place to live, but you **hire** equipment.
> **let to**: *to let your flat to visitors.*
> **rent to, rent out to**: *He rents his flat out to university students.*
> **rent from**: *I rent my flat from a landlord who lives abroad.*
> **hire from**: *I hired a bicycle from the shop.*
> **hire out**: *This shop hires out cycles.*

'le·thal (*'lē-thəl*) *adj* causing death (ร้ายแรงถึงตายได้): *The poison is lethal to rats; a lethal blow to the head.*

le'thar·gic *adj* having no interest, energy or enthusiasm (ไม่ให้ความใส่ใจ เซื่องซึม เซื่อง): *He has been very lethargic since he was ill.*

'let·ter *n* **1** a mark that means a sound (ตัวอักษร): *the letters of the alphabet.* **2** a written message, especially one sent by post in an envelope (จดหมาย): *Did you post my letter?*

> See **alphabet**.

'let·ter·ing *n* letters painted or written carefully, for display *etc.* (ตัวอักษรที่ป้ายด้วยแปรง ภู่กันหรือเขียนอย่างบรรจง).

'let·ter·box *n* **1** an oblong hole in a door, sometimes with a box behind it, through which mail is put (ช่องยาว ๆ ที่ประตูบางครั้งมีกล่องอยู่ข้างหลังเพื่อใส่จดหมาย ที่ทิ้งจดหมาย): *He put the postcard through the letterbox.* **2** a postbox (ตู้ไปรษณีย์).

'let·tuce (*'let-is*) *n* a type of green plant with large leaves, used in salads (ผักกาดหอม).

leu'kae·mi·a, leu'ke·mi·a (*loo'kē-mi-ə*) *n* a very serious blood disease (โรคมะเร็งในเม็ดเลือด).

'lev·el *n* **1** height (ระดับความสูง): *The level of the river rose.* **2** a standard (ระดับ): *There is a high level of intelligence amongst the pupils.* **3** a floor (ชั้น): *the third level of the multi-storey car park.* **4** a kind of instrument for showing whether a surface is level (เครื่องวัดระดับ). **5** a flat area, not sloping up or down (พื้นระนาบ): *It was difficult running uphill but he could run fast on the level.* —

adj **1** flat; horizontal (แบน ราบ): *a level surface; a level spoonful.* **2** of the same height, standard, amount *etc.* (ระดับเดียวกัน เท่ากัน): *When he stood up, his eyes were level with the window-sill; The scores of the two teams are level.* **3** steady (เสมอ): *a calm, level voice.* — *v* **1** to make something flat or smooth (ปรับระดับให้เสมอกัน): *He levelled the soil.* **2** to make things equal (ทำให้เสมอกัน): *His goal levelled the scores of the two teams.* **3** to aim a gun *etc.* (เล็ง): *He levelled his pistol at the target.*

'lev·el·ness *n* (ความได้ระดับ).

lev·el-'head·ed *adj* calm and sensible (มั่นคงและมีเหตุมีผลในการตัดสินใจ).

do your level best to do your very best (ทำให้ดีที่สุด).

on a level with level with (เสมอกับ เท่ากันกับ): *His eyes were on a level with the shop counter.*

'le·ver (*'lē-vər*) *n* **1** a tool *etc* used to move things that are heavy or to loosen things that are firmly fixed (ชะแลง เหล็กงัด คานงัด): *You can use a coin as a lever to get a lid off a tin.* **2** a bar or handle for working a machine *etc.* (คันโยค): *This is the lever that switches on the power.* — *v* to move something with a lever (งัด ง้าง): *He levered the lid off with a coin.*

'lev·i·tate *v* to float or cause to float in the air (ลอยหรือทำให้ลอยอยู่ในอากาศ): *He claimed to be able to levitate.*

'lev·i·ta·tion *n* (การลอยอยู่ในอากาศ).

'lev·y *v* to collect a tax (เก็บภาษี): *A tax was levied on tobacco.* — *n* **1** money collected by order (ภาษีที่เก็บได้): *a levy on imports.* **2** the collecting of soldiers for an army (เกณฑ์ทหาร).

'li·a·ble (*'lī-ə-bəl*) *adj* **1** likely to be affected by something (น่าจะ อาจจะ): *This road is liable to flooding; He is liable to pneumonia.* **2** likely to do something (ย่อมจะ): *Watch the milk — it's liable to boil over; He's liable to make careless mistakes.*

li·a'bil·i·ty *n* (ความน่าจะเป็นไปได้).

li'ai·son (*li'ā-zon*) *n* contact; communication (การติดต่อ การสื่อสาร): *liaison between parents and teachers.* — *adj a liaison officer*: (นายทหารติดต่อ)

li'aise *v* to communicate as an official duty (การติดต่ออย่างเป็นทางการโดยเฉพาะทางธุรกิจและทางการทหาร).

'li·ar (*'lī-ər*) *n* a person who tells lies; an untruthful person (คนโกหก): *If he told you that, he's a liar.*

'li·bel (*'lī-bəl*) *n* something written that is harmful to a person's reputation (สิ่งตีพิมพ์หรือข้อเขียนใส่ความหมิ่นประมาทหรือสบประมาท). — *v* to damage the reputation of someone by libel (หมิ่นประมาท ใส่ความ กล่าวร้าย สบประมาท).

'lib·er·al *adj* **1** generous (ใจกว้าง โอบอ้อมอารีเอื้อเฟื้อ): *She gave me a liberal helping of apple pie;* She is very liberal with her money. **2** not severe or strict; allowing people to do what they want, as much as possible (เสรีนิยม): *a liberal headmaster.*

'lib·er·al·ly adv (อย่างเสรี).

'lib·er·ate *v* to set someone free (ปลดปล่อย ปล่อยให้เป็นอิสระ): *The prisoners were liberated by the new government.*

'lib·er·ty *n* **1** freedom from captivity or from slavery (เสรีภาพ อิสรภาพ): *The new president ordered that all prisoners should be given their liberty.* **2** freedom to do as you want (ความมีอิสระ): *Children have a lot more liberty now than they used to.* **3** a lack of politeness in speech or action (การกล่าวหรือการกระทำล่วงเกินผู้อื่น): *I think you were taking a liberty to ask her how old she was!*

'li·brar·y (*'lī-brə-ri*) *n* **1** a building or a room containing a large collection of books, especially for people to borrow (ห้องสมุด): *He works in the public library.* **2** a collection of other things, for example gramophone records, for borrowing (การสะสมสิ่งของอื่น เช่นแผ่นเสียงเพื่อให้ขอยืมได้).

li'brar·i·an (*lī-brār-i-ən*) *n* a person who is employed in a library (บรรณารักษ์).

lice plural of **(พหูพจน์ของ) louse**. **(เหา)**

'li·cence (*'lī-səns*) *n* a printed form giving you permission to do something, for example, drive a car, sell alcoholic drinks *etc.* **(ใบอนุญาต)**: *a driving licence.*

'li·cense *v* to give a licence to someone; to permit someone to do something **(ออกใบอนุญาต)**: *He is licensed to sell alcohol.*

licence is a noun: a **licence** (not **license**) to sell alcohol.
license is a verb: **licensed** (not **licenced**) to drive a goods vehicle.

li·cen'see *n* a person to whom a licence to keep a licensed hotel *etc.* has been given **(ผู้ได้รับอนุญาต)**.

'li·chee (*'lī-chi*) another spelling of **(ลิ้นจี่ สะกดอีกแบบหนึ่ง) lychee**.

'li·chen (*'lī-kən*) *n* a tiny, primitive kind of plant that grows in patches on tree-trunks, rocks, walls *etc.* **(เห็ดรา ตะไคร่ ที่ขึ้นบนต้นไม้ หิน กำแพง ฯลฯ)**.

lick *v* to pass your tongue over something **(เลีย)**: *The dog licked her hand; She licked the stamp.* — *n* **(การเลีย)**: *The child gave the ice-cream a lick.*

lid *n* **1** a cover for a pot, box *etc.* **(ฝาปิด)**: *He lifted the lid of the box and looked inside.* **2** an eyelid **(เปลือกตา)**.

lie[1] (*lī*) *n* a false statement made in order to deceive someone **(การพูดเท็จ การโกหก คำเท็จ)**: *He said he had stayed away from school because he was ill, but he was telling a lie — he had been at a football match.* — *v* to tell a lie **(พูดเท็จ โกหก ปด)**: *Some people are inclined to lie about their age.*

lie[1]; **'ly·ing; lied; lied**: *I knew she was lying; He lied about the money.*

lie[2] (*lī*) *v* **1** to be in, or get into, a flat position **(นอนราบลง วางราบลง)**: *She went into the bedroom and lay on the bed; Lie back in the chair; He lay down on the floor; The book was lying in the hall.* **2** to be in a particular place, condition *etc.*; to be found, or belong, somewhere **(ตั้งอยู่ ตกเป็นหน้าที่ ถูกทิ้งไว้อยู่)**: *The farm lay three miles from the sea; The shop is lying empty now; The secret of good golf lies in the wrist action; The responsibility for the mistake lies with you.*

lie[2]; **'ly·ing; lay; lain**: *Lie down!; She's lying on the couch; He lay on the beach; The factory had lain empty for years.*
See also **lay**[1].

lie about or **lie around** to spend your time relaxing and not working **(พักผ่อน เอกเขนก)**: *I like to spend my weekends just lying about.*

lie ahead to be going to happen in the future **(อยู่ข้างหน้า จะเกิดขึ้นในอนาคต)**: *I just don't know what lies ahead for the company.*

lie low to stay quiet or hidden **(กบดานหรือซ่อนตัว)**: *The criminal lay low until the police stopped looking for him.*

lie with to be the responsibility of **(ตกอยู่กับ)**: *The fault lies with you.*

lieu'ten·ant (lef`ten-ənt) *n* (often written **Lt.**, **Lieut.**) a senior officer in the army or navy **(ร้อยโทหรือเรือโท)**.

life, *plural* **lives**, *n* **1** the quality that plants and animals have that makes them different from stones and rocks *etc.*; the thing that goes out of you when you die **(ความมีชีวิต)**: *Doctors are fighting to save the child's life.* **2** the time between birth and death **(ช่วงชีวิต)**: *He had a long and happy life.* **3** liveliness **(ความมีชีวิตชีวา)**: *She was full of life and energy.* **4** a manner of living **(วิถีชีวิต การดำเนินชีวิต)**: *She lived a life of ease and idleness.* **5** a particular part of life **(ส่วนหนึ่งของชีวิต)**: *School life has changed in the last 20 years.* **6** living things **(สิ่งมีชีวิต)**: *It is now believed that there is no life on Mars; animal life.* **7** the story of a life **(ชีวประวัติ)**: *He has written a life of Sir Stamford Raffles.*

life-and-'death *adj* deciding between life and death **(คอขาดบาดตาย, ซึ่งเกี่ยวกับความเป็นความตาย)**: *a life-and-death struggle.*

'life·boat *n* a boat for saving shipwrecked people **(เรือช่วยชีวิต)**.

'life-cy·cle *n* the various stages through which a living thing passes **(วงจรชีวิต)**: *the life-cycle of the snail.*

life expectancy the length of time a person can expect to live (ช่วงชีวิตของแต่ละคน).

'life·guard *n* a person employed to protect and rescue swimmers at a swimming pool, beach *etc.* (เจ้าหน้าที่ช่วยชีวิตคนจมน้ำในสระ ตามชายหาด ฯลฯ).

life insurance *n* an agreement made with an insurance company, that if you pay them a regular sum, they will give you money when you reach a certain age; an agreement that a certain amount of money will be given to the wife, husband, or children when the person who paid the insurance dies (การประกันชีวิต).

'life-jac·ket *n* a jacket filled with material that will float, for keeping a person afloat (เสื้อชูชีพ).

'life·less *adj* **1** dead (ปราศจากชีวิต): *a lifeless body.* **2** not lively (ไม่มีชีวิตชีวา เชื่องซึม): *The actress gave a lifeless performance.*

'life·like *adj* like a living person, animal *etc.* (เหมือนมีชีวิต): *The statue was very lifelike.*

'life·line *n* a rope used for support in dangerous jobs, or thrown to rescue a drowning person (เชือกชูชีพ).

'life·long *adj* lasting the whole length of a life (ชั่วชีวิต ตลอดชีวิต ตราบชีวิตจะหาไม่): *a lifelong friendship.*

'life-sa·ving *n* the skill of rescuing people from drowning (ทักษะในการช่วยชีวิตคนจมน้ำ).

'life-size *adj* as large as the original (ใหญ่เท่าของจริงหรือตัวจริง): *a lifesize statue.*

'life·style *n* a person's or group's way of living (วิถีชีวิต): *He has a very expensive lifestyle.*

life-support machine *n* a machine which keeps a person alive when they are very ill or in a dangerous environment (เครื่องช่วยชีวิต): *Astronauts depend on their life-support machines when they are in space.*

'life·time *n* the period of a person's life (ตลอดชีพ ระยะเวลาระหว่างที่ยังมีชีวิตอยู่): *There have been many changes in his lifetime.*

bring to life to make a subject interesting (ทำให้น่าสนใจขึ้น): *His lectures brought the subject to life.*

for life until death (ตราบชั่วชีวิต ตราบชีวิตจะหาไม่): *They became friends for life.*

take someone's life to kill someone (ฆ่า).

take your own life to kill yourself; to commit suicide (ฆ่าตัวตาย).

lift *v* **1** to raise up (ยกขึ้น): *The box was so heavy that I couldn't lift it; She lifted the child on to her back.* **2** to rise (บินขึ้น): *The helicopter lifted into the air.* **3** to disappear (จางหายไป): *The plane can't take off till the fog lifts.* — *n* **1** a small compartment that moves up and down between floors carrying goods or people; an elevator (ลิฟต์): *As she was too tired to climb the stairs, she went up in the lift.* **2** a ride in someone's car (การให้นั่งโดยสารไปในรถด้วย): *Can I give you a lift into town?*

lift off to leave the ground (ใช้กับเครื่องบิน ฯลฯ ขึ้นสู่ท้องฟ้า): *The rocket will lift off at 14.00 hours.*

'lift-off *n* (การขึ้นสู่ท้องฟ้า).

'lig·a·ment *n* a band of tough tissue that joins bones and muscles together (เอ็น): *He strained the ligaments in his knee playing football.*

light[1] (*līt*) *n* **1** the brightness given by the sun, or by a flame, or a lamp, that makes things able to be seen (แสงสว่าง): *It was nearly dawn and the light was getting stronger; Sunlight streamed into the room.* **2** an electric lamp *etc.* in a street or building (แสงไฟฟ้า ฯลฯ บนถนนหรือในอาคาร): *Suddenly all the lights went out.* **3** something that can be used to set fire to something else; a flame; a match (เชื้อไฟ เปลวไฟ ไม้ขีดไฟ). — *adj* **1** having plenty of light; not dark (สว่าง สุกใส สุกสว่าง): *The studio was a large, light room.* **2** pale in colour; closer to white than black (สีซีด จาง อ่อน): *light green.* — *v* **1** to give light to a place (ให้แสงสว่าง): *The room was lit only by candles.* **2** to make something catch fire; to catch fire (ติดไฟ จุดไฟ): *She lit the gas; I think this match is damp, because it won't light.*

'light·ness[1] *n* (ความสว่าง).

light; lit; lit: *She lit the candles; The fire had been lit.*

light up 1 to make, be or become bright or full of light (ทำให้สว่างหรือเต็มไปด้วยแสงสว่าง): *A flash of lightning lit up the whole sky.* **2** to make or become happy (เกิดความเบิกบาน ทำให้มีความสุข): *Her face lit up when she saw him; A sudden smile lit up her face.*

light[2] (līt) *adj* **1** easy to lift or carry; weighing little (เบา): *Aluminium is a light metal; I bought a light suitcase for plane journeys.* **2** easy; not hard; not severe (ง่าย บรรเทา ไม่รุนแรง): *Next time the punishment will not be so light; He was given light work after his illness.* **3** consisting of only a small amount of food (ประกอบด้วยอาหารจำนวนน้อยเท่านั้น): *a light meal.* **4** lively; nimble (ปราดเปรียว คล่องแคล่ว): *She was very light on her feet.* **5** cheerful; not serious (ร่าเริง ไม่เครียด): *light music.* **6** little in quantity (จำนวนน้อย): *light rain.*

'light·ly *adv* (อย่างเบา อย่างน้อย).

'lightness[2] *n* (ความบรรเทา ความเบา).

get off lightly to escape or be allowed to go without severe punishment *etc.* (ได้รับการลงโทษสถานเบา).

travel light to travel with little luggage (การเดินทางโดยมีกระเป๋าเล็ก ๆ ใบหนึ่ง).

'light·en[1] *v* to make or become brighter (ทำให้สว่างหรือให้ความสว่าง): *The sky was lightening as dawn approached.*

'light·en[2] *v* to make or become less heavy (ทำให้หนักน้อยลงหรือหนักน้อยลง): *Let me carry one of your bags — that will lighten your load a bit.*

'light·er *n* a device for lighting a gas oven, cigarette *etc.* (ไฟแช็ก).

light-'head·ed *adj* dizzy (วิงเวียน).

light-'heart·ed *adj* happy; not anxious; not sad or serious (มีความสุข ไม่กังวล ไม่โศกเศร้า หรือเคร่งเครียด): *I'm in a light-hearted mood today.*

'light·house *n* a tall building built on a coastline *etc.*, with a light, especially one that flashes, to guide or warn ships (ประภาคาร).

'light·ing *n* the lights provided in a room *etc.* (ระบบหรือการจัดหรืออุปกรณ์ที่ให้ความสว่างแก่ห้อง อาคาร ฯลฯ): *The lighting was so bad in the café that we could hardly see.*

'light·ning *n* a flash of electricity during a storm, usually followed by thunder (ฟ้าแลบ): *The house was struck by lightning.*

a flash of **lightning** (not ไม่ใช่ **lightening**). **lightning** is never used in the plural.

'light·weight *adj* light in weight (น้ำหนักเบา): *a lightweight raincoat.*

'light-year *n* the distance light travels in a year, 9.5 million million kilometres (ปีแสง).

like[1] *prep* **1** the same as or similar to; in the same or a similar way to (เหมือนกันหรือคล้ายกัน): *He climbs like a cat; She is like her mother.* **2** typical of a particular person (เป็นวิสัยของ): *It isn't like her to be late.* **3** used in asking someone to describe someone or something (ใช้ถามเกี่ยวกับลักษณะ): *What is she like?; What is it like?*

feel like to want (อยาก ต้องการ): *I don't feel like going out; I expect he feels like a cup of tea.*

look like 1 to appear similar to someone or something (รูปร่างหน้าตาเหมือนกับ): *She looks very like her mother.* **2** to show signs of something (คล้ายกับว่าจะมี ดูท่า): *It looks like rain.*

like[2] *v* **1** to be pleased with something; to find someone or something pleasant (ชอบ): *I like him very much; I like the way you've decorated this room.* **2** to enjoy (ชื่นชอบ): *I like gardening.*

'like·a·ble *adj* (น่าชอบ น่าคบ น่าพอใจ).

should like, would like want (ต้องการ อยากจะ): *I should like to say thank you; Would you like a cup of tea?*

'like·li·hood *n* probability (ความเป็นไปได้).

'like·ly *adj* **1** probable; expected (น่าจะเป็นไปได้ที่ว่า คาดว่าจะ): *What is the likely result?; It's likely that she'll succeed; She's likely to win.* **2** suitable (เหมาะสม): *a likely spot for a picnic; She's the most likely person for the* *job.*

not likely! certainly not! (ไม่มีทาง ไม่แน่ ๆ): *"Would you put your head in a lion's mouth?" "Me? Not likely!"*

like-'mind·ed *adj* agreeing in opinion or purpose (ใจตรงกัน): *like-minded people.*

'li·ken (*'lī-kən*) *v* to compare (เปรียบเทียบ): *He likened the earth to an apple.*

'like·ness *n* **1** a similarity (ความเหมือนกัน): *The likeness between them is amazing.* **2** a picture of a person *etc.* in a photograph or portrait *etc.* (สภาพเหมือนตัวจริงในภาพถ่าย ภาพวาด ฯลฯ): *That photo of Mary is a good likeness.*

'like·wise *adv* the same (อย่างเดียวกัน เหมือนกัน): *Mary gave some of her pocket money to the Red Cross, and you should do likewise.*

'li·king (*'lī-kiŋ*) *n* **1** a fondness (ความชอบ): *He has too great a liking for chocolate.* **2** satisfaction (ความพอใจ): *Is this meal to your liking?* **take a liking to** to begin to like (เริ่มชอบ): *I've taken a liking to him.*

'li·lac (*'lī-lək*) *n* **1** a small tree with bunches of tiny, sweet-smelling, pale purple or white flowers (พันธุ์ไม้ดอกชนิดหนึ่ง). **2** a pale purple colour (สีม่วงอมแดงหรือม่วงอ่อน).

'lil·y *n* a type of tall plant grown from a bulb, with white or coloured flowers (ต้นพลับพลึง).

limb (*lim*) *n* **1** an arm or leg (แขนหรือขา). **2** a branch (กิ่ง).

out on a limb on your own, without support from other people (อยู่ด้วยตัวของตัวเอง ไม่มีการช่วยเหลือจากผู้อื่น).

'lim·ber **limber up:** to do some exercises before you start training properly. (ออกกำลังกายก่อนที่จะเริ่มการฝึกอย่างถูกวิธี บริหารกล้ามเนื้อ).

lime[1] *n* the white substance left after heating limestone, used in making cement (ปูนขาว).

lime[2] *n* **1** a small, sour, green fruit related to the lemon (มะนาว). **2** the colour of this fruit. — *adj* (สีมะนาว): *lime walls.*

lime[3] *n* a tree with rough bark and small heart-shaped leaves (ต้นไม้มีเปลือกหยาบและมีใบเป็นรูปหัวใจเล็ก ๆ).

'lime·light (การดึงดูดความสนใจของสาธารณชน สายตาประชาชน): **in the limelight** attracting the public's attention.

'lim·er·ick *n* a funny poem with five lines, the third and fourth lines being shorter than the others (กลอนตลก ๆ ที่ไม่มีสาระ มีห้าบรรทัด).

'lime·stone *n* a kind of rock (หินปูน).

'lim·it *n* **1** the farthest point; the boundary (เขตจำกัด ขอบเขต): *the outer limits of the city.* **2** a control (การจำกัด): *We must put a limit on our spending.* — *v* to control; to say where the finishing-point must be (จำกัด): *The teacher limited the time for the composition to one hour.*

'lim·it·ed *adj* **1** not very large (ไม่มากนัก): *We have a limited amount of money to spend on this project.* **2** (usually written **Ltd.**) a word used in the titles of some business companies (คำที่ต่อท้ายชื่อบริษัทจำกัด): *W. and R. Chambers Ltd.*

'lim·it·less *adj* (ไม่จำกัด มากมาย).

'lim·ou·sine (*'lim-ə-zēn*) *n* a large type of motor car (รถยนต์ขนาดใหญ่).

limp[1] *adj* lacking stiffness or strength; drooping (อ่อนปวกเปียก นิ่ม เหี่ยว ห้อย): *a limp lettuce; limp flowers.*

limp[2] *v* to walk unevenly, usually because you have hurt your foot or leg (เดินขากะเผลก เดินกระย่องกระแย่ง): *He twisted his ankle and came limping home.* — *n*: *He walks with a limp.*

line[1] *n* **1** a thread, cord, rope *etc.* (ด้าย เส้น เชือก): *She hung the washing on the line; a fishing-rod and line.* **2** a long, narrow mark (เส้น): *She drew straight lines across the page; a dotted line; a wavy line.* **3** a mark or wrinkle on your face (รอยย่นบนใบหน้า): *Don't frown — you'll get lines on your forehead.* **4** a row of objects or people arranged side by side or one behind the other (แถว): *The children stood in a line; a line of trees.* **5** a short letter (จดหมายสั้น ๆ): *I'll drop him a line.* **6** a series of people that come one after the other, especially in the same family

(เชื้อสาย): *a line of kings.* **7** the railway; a single track of the railway (ทางรถไฟ ขบวนรถไฟ): *Passengers must cross the line by the bridge only.* **8** a system of pipes or electrical cables or telephone cables connecting one place with another (ระบบท่อประปา สายไฟฟ้าหรือสายโทรศัพท์ต่อจากที่หนึ่งไปยังที่หนึ่ง): *All telephone lines to Bangkok are engaged.* **9** a row of written or printed words (บรรทัด): *a poem with sixteen lines.* **10** the words that an actor has to learn (บทพูดของนักแสดง): *I hope I don't forget my lines.* — *v* to form lines along a road *etc.* (ตั้งแถวไปตามแนวถนน ฯลฯ): *Crowds lined the pavement to see the Queen.*

line up to form a line; to group things or people into a line (เข้าแถว จัดแถว): *The children lined up ready to leave the classroom; She lined up the chairs.*

line[2] *v* to cover something on the inside (บุด้านใน ซับใน): *She lined the drawer with newspaper; She lined the dress with silk.*

lined[1] *adj* (บุหรือซับใน): a lined skirt.

lined[2] *adj* **1** ruled with lines (ตีเส้น): *lined paper.* **2** covered with wrinkles (ซึ่งมีรอยย่น): *a lined face.*

'lin·en *n* a kind of cloth that is heavier than cotton, sometimes used to make sheets, dish-towels *etc.* (ผ้าลินิน): *This handkerchief is made of linen.* — *adj* made of linen (ทำด้วยผ้าลินิน): *linen sheets.*

'li·ner[1] (*'lī-nər*) *n* a large ship or aircraft (เรือหรือเครื่องบินขนาดใหญ่): *They went aboard the liner.*

'li·ner[2] (*'lī-nər*) n a plastic bag *etc.* used for lining a container *etc.* (ถุงพลาสติก ฯลฯ ที่ใช้บุในภาชนะ ฯลฯในถัง): *a dustbin-liner.*

'lines·man *n* a person who watches the boundary line of a football field, tennis court *etc.* during a match, and gives a sign when the ball goes over the line (ผู้กำกับเส้น).

'lin·ger (*'liŋ-gər*) *v* to remain; to stay; to move very slowly (ยังคงอยู่ ยังค้างอยู่ อ้อยอิ่ง): *The smell of the bad fish lingered for days; We lingered in the hall lookingat the pictures.*

'lin·ge·rie (*'lan-zhə-rē*) *n* women's underwear and nightclothes (เครื่องชั้นในสตรีและชุดนอน): *The lingerie department is on the second floor of the department store.*

'lin·guist (*'liŋ-gwist*) *n* a person who studies language or is good at languages (นักภาษาศาสตร์หรือคนที่เก่งทางภาษาหรือรู้หลายภาษา).

lin'guistic *adj* (เกี่ยวกับภาษา).

lin'guis·tics *n* the science of languages (ภาษาศาสตร์).

'li·ning *n* a covering on the inside (ผ้าซับใน): *The lining of my jacket is torn.*

link *n* **1** one of the rings that are joined together to form a chain (ข้อลูกโซ่). **2** something that joins or connects one thing with another (ตัวประสาน): *a link in an argument; These old photographs are a link with the past.* — *v* to connect; to join (ประสาน เชื่อม ต่อ): *The children stood in a circle and linked hands; The new train service links the suburbs with the heart of the city; An electrician is coming to link up our house to the electricity supply.*

li'no·le·um (*li'nō-li-əm*) *n* a smooth, hard covering for floors [often shortened to **'li·no** (*'lī-nō*)] (แผ่นไลโนเลียมใช้ปูพื้น): *We have grey lino on our kitchen floor.*

lint *n* linen in the form of soft fluffy material for putting over wounds (ผ้าสำลี).

'li·on (*'lī-ən*) *n* a large, flesh-eating animal of the cat family, the male of which has a thick mane (สิงโต): *A group of lions is called a pride of lions.*

'li·on·ess *n* a female lion (สิงโตตัวเมีย).

A lion **roars**.
A baby lion is a **cub**.
A lion lives in a **den** or **lair**.

the lion's share the largest share (หุ้นใหญ่).

lip *n* **1** either of the pieces of flesh that form the edge of your mouth (ริมฝีปาก): *She bit her lip.* **2** the edge of something (ริม ขอบ): the lip of a cup.

-lipped (ซึ่งมีริมฝีปากบาง หนา ฯลฯ): *a thin-lipped mouth.*

'lip·stick *n* make-up for colouring the lips usually in the form of a short stick **(ลิปสติก)**: *She was wearing bright red lipstick.*

'liq·uid *n* a substance that flows, like water **(ของเหลว)**: *Water is a clear liquid.* — *adj* able to flow; not solid **(สามารถไหลได้ เหลว)**: *The ice-cream has become liquid.*

'liq·uor (*'lik-ər*) *n* strong alcoholic drink **(เครื่องดื่มผสมแอลกอฮอล์ สุรา)**.

list *n* a series of names, numbers, prices *etc.* written down or said one after the other **(รายชื่อ รายการ)**: *a shopping-list; We have a long list of people who are willing to help.* — *v* to put something on a list **(ใส่เข้าไปในรายการ)**: *He listed the things he had to do.*

to **list** (not **list down** or **list out**) the things you need.

'lis·ten (*'lis-ən*) *v* **1** to pay attention to what someone is saying, or to some other sound, so as to hear it properly **(ฟัง)**: *I told her three times how to do it, but she wasn't listening; Do listen to the music!* **2** to follow someone's advice **(เชื่อฟัง)**: *If she'd listened to her mother, she wouldn't have got into trouble.*

See **hear**.

'list·less (*'list-ləs*) *adj* having no energy or interest **(อ่อนเปลี้ยหรือไม่สนใจ)**: *The heat made us listless.*

lit *see* **light**[1] **(ดู light**[1]**)**.

'lit·er·a·cy *n* the ability to read and write **(การรู้หนังสือ)**.

'lit·er·al *adj* **1** exact **(อย่างแท้จริง แน่นอน)**: *the literal truth.* **2** giving the exact meaning of each word **(ตรงตามตัวอักษร)**: *a literal translation.*

'lit·er·al·ly *adv* **(ตามตัวอักษร อย่างแท้จริง)**.

'lit·er·ar·y *adj* having to do with literature, or the writing of books **(ในเชิงอักษรศาสตร์หรือการประพันธ์)**.

'lit·er·ate *adj* able to read and write **(สามารถอ่านและเขียนได้ ที่รู้หนังสือ)**.

'lit·er·a·ture (*'lit-rə-chər*) *n* books; writings; poems, novels, plays *etc.*, especially good ones **(วรรณคดี)**.

lithe (*līdh*) *adj* able to bend easily, supple **(อ่อน ซึ่งอ่อนตัวได้)**: *Gymnasts need to be as lithe as possible.*

'li·tre (*'lē-tər*) *n* a measure of liquid **(ลิตร)**: *a litre of wine.*

'lit·ter *n* **1** an untidy mess of paper, rubbish *etc.* **(ขยะ เศษกระดาษ ซลฯ ที่ทิ้งเกลื่อนไว้)**: *Put your litter in a rubbish bin.* **2** a number of animals born to the same mother at the same time **(ครอก ใช้กับลูกสัตว์)**: *a litter of kittens.* — *v* to cover the ground *etc.* with scattered objects **(ทิ้งของเกลื่อนพื้น)**: *Papers littered the table.*

'lit·tle *adj* **1** small **(เล็ก)**: *a little book.* **2** very young **(ยังเล็ก เด็ก)**: *He is only a little boy; When I was little, I was afraid of the dark.* **3** not much **(ไม่มาก นิดเดียว)**: *The storm did little harm.* **4** not important **(ไม่สำคัญ)**: *I did not expect her to make a fuss about such a little thing.* — *n* not much **(ไม่มาก สิ่งเล็กน้อย)**: *There's little we can do to help him.* — *adv* **1** not much **(น้อยมาก)**: *She goes out very little nowadays.* **2** not at all **(ไม่มากนัก เพียงนิดหน่อย)**: *He little knew how close he was to danger.*

little; less; least: *We have little reason to be pleased, but you have less, and they have least of all.*

See also **few**.

little-'known *adj* not famous **(ไม่เป็นที่รู้จักแพร่หลาย)**: *a little-known author.*

a little 1 a short time or distance **(ระยะเวลาหรือระยะทางสั้น ๆ)**: *Move a little to the right!* **2** a small quantity of something **(จำนวนเล็กน้อย)**: *He has a little money to spare; "Is there any soup left?" "Yes, a little".* **3** slightly **(นิดหน่อย เล็กน้อย)**: *She was a little frightened.*

little means "not much": *You have little reason to boast.*

a little means "some", "a small quantity": *There's a little milk left.*

little by little gradually **(ทีละน้อย)**: *Little by little we began to get to know him.*

live[1] (*liv*) *v* **1** to be alive **(มีชีวิต)**: *This poison is dangerous to everything that lives.* **2** to stay alive; to survive **(รอดชีวิต)**: *The doctors say he is very ill, but they think he will live.*

3 to have your home in a particular place (อาศัยอยู่): *She lives next to the church; They went to live in Brisbane.* **4** to pass your life (ทนอยู่): *He lived a life of luxury; She lives in fear of being attacked.* **5** to get enough money, food *etc.* to keep alive (ทำมาหากิน ดำเนินชีวิต): *She lives by writing books; He lived by fishing.*

live on 1 to keep yourself alive by eating particular foods (ดำรงชีพด้วยอาหารบางอย่าง): *He lives on fish and potatoes.* **2** to buy enough food *etc.* to keep alive, using the money that you get or earn (เลี้ยงปากเลี้ยงท้อง อยู่ได้): *You can't live on $30 a week.*

live[2] (*līv*) *adj* **1** having life; not dead (มีชีวิต ไม่ตาย): *They found a live mouse in the tin of biscuits.* **2** heard or seen on the radio or television while it is actually happening; not recorded (สด[ใช้กับการแสดงหรือการถ่ายทอด]): *I watched a live broadcast of the football match on television.* **3** not exploded; still active (ไม่ด้าน [ใช้กับวัตถุระเบิด กระสุน]): *a live bomb.* **4** burning (กำลังลุก [ใช้กับถ่านไฟ]): *a live coal.* **5** an electric current (มีกระแสไฟฟ้าไหลผ่าน): *a live wire.* — *adv* as the event takes place (สด ๆ): *The competition will be broadcast live.*

'live·li·hood *n* enough pay or wages for you to live on, feed yourself *etc.* (การครองชีพ): *He earns a livelihood as a newspaper reporter.*

'live·ly (*'līv-li*) *adj* active; full of life or movement (มีชีวิตชีวา ร่าเริง คล่องแคล่ว): *lively music; She did a lively dance; a lively discussion.*

'live·li·ness *n* (ความมีชีวิตชีวา ความร่าเริง ความคล่องแคล่ว).

'liv·er *n* **1** a large organ in your body that purifies your blood (ตับ). **2** this organ, taken from certain animals, used as food (ตับที่นำมาจากสัตว์ ใช้เป็นอาหารได้).

lives plural of (พหูพจน์ของ **life**).

'live·stock *n* animals kept on a farm *etc.* such as horses, cattle, sheep, pigs (สัตว์เลี้ยงในฟาร์ม).

'li·vid *adj* **1** very angry (โกรธจัด): *He was absolutely livid when he was sacked.* **2** black and blue (ฟกช้ำดำเขียว): *livid bruises.*

'liv·ing *adj* **1** having life; alive (ซึ่งมีชีวิต): *living creatures; Is there anything living on Mars?* **2** alive at present (ยังมีชีวิตอยู่): *He is the greatest living artist.* — *n* the money that you earn and live on (เงินที่หามาเลี้ยงชีวิต): *He earns his living as a taxi-driver; She makes a living by painting portraits.*

'liv·ing-room *n* a sitting-room (ห้องนั่งเล่น).

'liz·ard *n* a small, four-footed reptile (สัตว์เลื้อยคลานที่มีสี่ขาจำพวกจิ้งจก ตุ๊กแก).

'lla·ma (*'lä-mə*) *n* a South American animal with soft, thick hair, that is like a small camel without a hump (สัตว์ในอเมริกาใต้ มีขนหนาและนุ่ม เหมือนกับอูฐแต่ไม่มีหนอก): *Llamas are kept for carrying loads and for their wool, meat and skin.*

lo an expression of surprise *etc.* at seeing or finding something (อาการแปลกใจที่ได้เห็นหรือได้พบอะไรบางอย่าง).

load *n* **1** something that is being carried (สัมภาระ): *The truck had to stop because its load had fallen off; She was carrying a load of groceries.* **2** as much as can be carried at one time (น้ำหนักบรรทุก): *two truck-loads of earth.* **3** a large amount (มากมายก่ายกอง): *We ate loads of ice-cream.* — *v* **1** to put a load on to a vehicle *etc.* (บรรทุกของ): *They loaded the luggage into the car.* **2** to put bullets *etc.* into a gun (บรรจุกระสุนปืน): *He loaded the revolver and fired.* **3** to put a film into a camera (บรรจุฟิล์ม): *Is this camera loaded?*

loaf[1], *plural* **loaves**, *n* a shaped mass of bread (ขนมปังปอนด์): *a sliced loaf.*

loaf[2] *v* to walk about idly, or waste time doing nothing (เตร่ไปมาหรือไม่ทำอะไร): *They were loafing about the street.*

'loaf·er: *n*: *an idle loafer* (คนที่ไม่เอาถ่าน).

loan *n* **1** anything lent, especially money (เงินกู้): *I shall ask the bank for a loan.* **2** the lending of something (การให้ยืม, การกู้): *I gave him the loan of my bicycle.*

loathe (*lōdh*) *v* to hate very much (เกลียดชัง): *I loathe arithmetic.*

loaves plural of (พหูพจน์ของ **loaf**[1]).

lob *n* a slow, high throw or hit of a ball *etc.* (การโยนหรือตีลูกบอลที่โยนโด่งมาอย่างช้า ๆ). — *v* to throw or strike a ball *etc.* so that it moves high and slowly (โยนหรือตีลูกบอลเพื่อให้มันโด่ง): *He lobbed the ball over the net.*

'lob·by *n* a small entrance-hall or passage (เฉลียงหรือห้องโถงด้านหน้าที่จะนำเข้าไปสู่ห้องในอาคาร).

A **lobby** is a small entrance-hall or passage.
A **foyer** is a large entrance-hall in a theatre, cinema or hotel.

lobe *n* the soft lower part of your ear (ติ่งหู).

'lob·ster *n* a shellfish with large claws (กุ้งทะเลก้ามใหญ่).

'lo·cal *adj* belonging to a certain place or district (ประจำท้องถิ่น): *The local shops are very good; He likes to read the local newspaper.*

'lo·cal·ly *adv* (ในท้องถิ่น).

lo'cal·i·ty *n* an area; a neighbourhood (ตำแหน่งที่ตั้ง สถานที่): *There is only one school in this locality.*

lo'cate *v* to find the place or position of something (ตั้งอยู่ หาที่ตั้ง ชี้ที่ตั้ง): *He located the street he was looking for on the map; The kitchen is located in the basement.*

lo'ca·tion *n* position or situation (ที่ตั้งหรือทำเล).

lock[1] *n* a device for fastening doors *etc.* (แม่กุญแจ): *He put the key in the lock.* — *v* **1** to fasten or become fastened with a lock (ใส่กุญแจ): *She locked the drawer; This door doesn't lock.* **2** to stop someone getting through a door by locking it (ปิดใส่กุญแจไม่ให้เข้า): *Don't forget to take your key with you — you mustn't lock yourself out of the house!; She found she was locked in, and had to climb out through a window.*

See **bolt**.

lock up 1 to lock someone into a room *etc.*; to something into a drawer *etc.* (ปิดขัง ปิดเก็บไว้ในลิ้นชัก): *to lock up a prisoner; She locked up her jewellery.* **2** to lock the door and whatever else should be locked (ปิดล็อก ปิดใส่กุญแจ): *He locked up and left the shop.*

lock[2] *n* a piece of hair (ปอยผม): *She cut off a lock of his hair.*

'lock·er *n* a small cupboard, for holding sports equipment *etc.* (ตู้เล็ก ๆ).

'lock·et *n* a small case for holding tiny photographs, worn on a chain as jewellery (ล็อกเก็ต จี้): *She kept the pictures of her grandchildren in a locket round her neck.*

'lock·smith *n* a person who makes and repairs locks (ช่างทำหรือแก้กุญแจ).

lo·co'mo·tive *n* a railway engine (รถจักร).

'lo·cust *n* a large insect of the grasshopper family, found in Africa and Asia, that moves in very large groups and destroys crops by eating them (ตั๊กแตนตัวใหญ่พบในอัฟริกาและเอเชีย ไปกันเป็นฝูงใหญ่และลงกินพืชผลทำให้เสียหาย).

lodge *n* a small house, especially one at the entrance to a large house (บ้านเล็ก ๆ). — *v* **1** to live in rented rooms (อาศัยอยู่ในห้องเช่า): *He lodges with the Smiths.* **2** to become fixed (ติดแน่น): *The bullet was lodged in his spine.*

'lodg·er *n* a person who lives in rented rooms (ผู้ที่พักอาศัยในห้องเช่า): *The old lady likes to have a lodger in her house.*

'lodg·ing *n* a place to stay (ที่พักอาศัยที่ต้องจ่ายค่าเช่า): *He paid the landlady for board and lodging.*

'lodg·ings *n* a room or rooms rented in someone else's house (ห้องเช่า): *She lives in lodgings.*

loft *n* a room or space under a roof (ห้องเพดานหรือที่ว่างใต้หลังคา): *They kept a lot of old furniture in the loft.*

'loft·y *adj* **1** very high (สูงมาก): *a lofty building.* **2** proud (ภาคภูมิใจ): *a lofty attitude.*

log *n* **1** a thick piece of wood (ซุง): *The trees were sawn into logs.* **2** a book in which the official record of an air or sea journey is written (สมุดบันทึกการเดินทางทางอากาศหรือทางเรือ): *The captain of the ship entered the details in the log.* — *v* to write down something in a log (จดบันทึกลงในสมุด).

log in, log into or log on to begin using a computer system by typing a personal and usually secret password (การเริ่มใช้คอมพิวเตอร์โดยการพิมพ์รหัสลับส่วนตัวเข้าไป): *You can't use the computer unless you log in.*

log out or log off to stop using a computer system by typing a command (การเลิกใช้คอมพิวเตอร์โดยการพิมพ์คำสั่งหนึ่งเข้าไป): *He forgot to log off before going home for the night.*

'log·ger·heads (ไม่ลงรอย): **at loggerheads** quarrelling (มีข้อพิพาท): *They're always at loggerheads with their neighbours.*

'log·ic *n* correct reasoning (ตรรกวิทยา เหตุผลที่ถูกต้องตามหลักตรรกวิทยา).

'log·i·cal *adj* according to the rules of logic (ซึ่งสมเหตุสมผลตามหลักของตรรกวิทยา): *She is always logical in her thinking.*

'log·ical·ly *adv* (อย่างมีเหตุมีผล).

lo'gis·tics *n* **1** the art of moving and supplying soldiers and military equipment (การส่งกำลังบำรุง): *The general was in charge of the logistics of the campaign.* **2** the organizing of everything needed for a complicated operation (การจัดหาทุกสิ่งที่ต้องการเพื่อการปฏิบัติการที่ซับซ้อน): *Planning the school holiday involved some very difficult logistics.*

'lo·go (*'lō-gō*), *plural* **logos**, *n* a small design used as the symbol of an organization (สัญลักษณ์ขององค์กร): *The company logo is a blue cross in a white circle.*

loin *n* the back of an animal when cut into pieces for food (ส่วนท่อนหลังของสัตว์หรือคน).

'loi·ter *v* to move *etc.* slowly or to stand doing nothing in particular (อ้อยอิ่ง): *They were loitering outside the shop.*

loll *v* **1** to sit or lie lazily (เอกเขนก): *to loll in a chair.* **2** to hang down or out (ห้อยลงมาหรือห้อยออกมา): *The dog lay down with his tongue lolling.*

'lol·li·pop *n* a large sweet on a stick (อมยิ้ม).

'lol·ly *n* a lollipop, or another kind of food on a stick (ขนมหรืออาหารอย่างอื่นที่ติดปลายไม้อมยิ้ม): *an ice-lolly.*

lone *adj* without companions, by itself *etc.* (ไม่มีเพื่อน โดดเดี่ยว): *a lone figure on the beach.*

'lone·ly *adj* **1** sad because you are alone (เหงาหงอย เปล่าเปลี่ยว อ้างว้าง): *Aren't you lonely, living by yourself?* **2** far away from busy places; having few people (โดดเดี่ยว): *a lonely island.*

'lone·li·ness *n* (ความโดดเดี่ยว ความอ้างว้าง ความเหงาหงอย).

long[1] *adj* **1** measuring a lot from one end to the other (ยาว): *a long journey; a long road; long legs.* **2** taking a lot of time (นาน): *The book took a long time to read; a long conversation; a long delay.* **3** measuring a certain amount in distance or time (ไกล, ยาวนาน): *The wire is two centimetres long; The television programme was just over an hour long; How long was the film?* — *adv* (นาน): *This happened long before you were born; Have you been waiting long?; How long did the noise last?; I'm going shopping — I won't be long.* — *n* (ระยะเวลานาน): *It won't take long to get there.*

long jump a sports contest in which people jump as far as possible (กีฬากระโดดไกล).

as long as or **so long as** **1** if (ถ้าหากตราบใดที่): *So long as you're happy, it doesn't matter what you do.* **2** during the time that (ตราบเท่าที่): *As long as he's here I'll have more work to do.*

before long soon (ในไม่ช้า อีกไม่นาน): *Come in and wait — he'll be here before long!*

in the long run in the end (ในบั้นปลายหรือในระยะยาว): *We thought we would save money, but in the long run our spending was about the same as usual.*

no longer not now; not any more (ไม่ใช่ตอนนี้ ไม่อีกต่อไปแล้ว): *This cinema is no longer used.*

so long! goodbye!

long[2] *v* to wish very much (ปรารถนา อยากเหลือเกิน): *He longed to go home; I am longing for a drink.*

long-'dis·tance *adj* travelling *etc* a long way (ระยะทางไกล): *a long-distance lorry-driver.*

'long·hand *n* ordinary writing, not shorthand (ลายมือที่เขียนตามธรรมดา).

'long·ing *n* a great wish for something (อยากได้อย่างยิ่ง): *She looked at the cakes with longing.*

'long·ing·ly *adv* (ด้วยความอยากได้ ด้วยความปรารถนา): *She looked longingly at the chocolate.*

'lon·gi·tude (*'loŋ-gi-tūd*) *n* the distance, measured in degrees on the map, that a place is east or west of the north-south line passing through Greenwich in England (ระยะทางวัดเป็นองศาบนแผนที่ว่าสถานที่นั้นอยู่ทางตะวันออกหรือทางตะวันตกของเส้นเหนือ-ใต้ที่ลากผ่านเมืองกรีนิชในประเทศอังกฤษ เส้นแวง).

long-'play·ing *adj* playing for a long time (ซึ่งเล่นได้เป็นเวลานาน): *a long-playing gramophone record.*

long-'sight·ed *adj* having difficulty in seeing close objects clearly (สายตายาว).

long-'sight·ed·ness *n* (ความมีสายตายาว).

long-'wind·ed *adj* taking too long to say something (ยืดยาด เยิ่นเย้อ).

look (*lŏŏk*) *v* **1** to turn your eyes in a certain direction so as to see (ดู): *He looked out of the window; I've looked everywhere, but I can't find him; He looked at me angrily.* **2** to seem (ดูเหมือนว่า): *It looks as if it's going to rain; She looks sad.* **3** to face (หันหน้าไปทาง): *The house looks west.* — *n* **1** an act of looking; a chance to see (การดู การมอง): *Let me have a look!* **2** a glance; an expression (ท่าทางหรืออาการ): *a look of surprise.* **3** appearance (ลักษณะ รูปลักษณะ): *The house had a look of neglect.*

look·er-'on *n* a person who is watching something happening; an onlooker (คนดู).

-look·ing (มีท่าทาง มีลักษณะ): *good-looking; strange-looking.*

'look·out *n* **1** a careful watch (การเฝ้าระมัดระวัง): *a sharp lookout.* **2** a high place for watching from (หอคอย ที่เฝ้ายาม). **3** a person who has been given the job of watching (คนเฝ้ายาม).

looks *n* appearance (หน้าตา รูปร่าง ลักษณะ): *She lost her good looks as she grew older.*

look after to take care of someone or something (ดูแล): *Who is looking after the children?*

look ahead to consider what will happen in the future (มองไปข้างหน้า).

look down your nose at something to despise something (ดูถูก).

look down on to regard as inferior (ถือว่าด้อยกว่า ดูถูก): *The rich often look down on the poor.*

look for to search for someone or something (หา): *I have been looking for you everywhere.*

See **search**.

look forward to to wait with pleasure for something (รอคอยด้วยความยินดี): *We are looking forward to the holidays; I am looking forward to seeing you.*

look here! (นี่ไง นี่แน่ะ): *Look here! Isn't that what you wanted?; Look here, Mary, you're being unfair!*

look into to find out about something; to investigate (ค้นหา สืบสวน): *The manager will look into your complaint.*

look on 1 to watch (ดู): *No, I don't want to play — I'd rather look on.* **2** to consider (ถือว่า): *I have lived with my aunt since I was a baby, and I look on her as my mother.*

look out 1 to wait and watch for something (รอและเฝ้าคอยหา): *She was looking out for him from the window.* **2** to find by searching (ค้นหา): *I've looked out these books for you.*

look out! be careful! (ระวัง!)

look over to examine (ดูอย่างถ้วนถี่ พินิจพิจารณา): *We have been looking over the new house.*

look through to examine briefly (ดูผ่าน ๆ): *I've looked through your notes.*

look up 1 to improve (ดีขึ้น): *Things have been looking up lately.* **2** to pay a visit to (ไปเยี่ยม): *I looked up several old friends.*

3 to search for something in a book of reference (ค้นหาสาระอ้างอิงจากหนังสือ): *You should look the word up in a dictionary.*

look up to to respect someone (นับถือ): *He has always looked up to his father.*

loom[1] *n* a machine in which thread is woven into a fabric (เครื่องทอผ้า).

loom[2] *v* to appear as a large, vague shape, sometimes with frightening suddenness (ปรากฏราง ๆ): *Suddenly a huge ship loomed out of the fog; Tall skyscrapers loomed over the city.*

loop *n* **1** a doubled-over part of a piece of rope, chain *etc.* (ห่วง บ่วง): *She made a loop in the string.* **2** a U-shaped bend in a river *etc.* (โค้งแม่น้ำ). — *v* to fasten with, or form into, a loop or loops (ผูกเป็นห่วง): *He looped the rope round a post.*

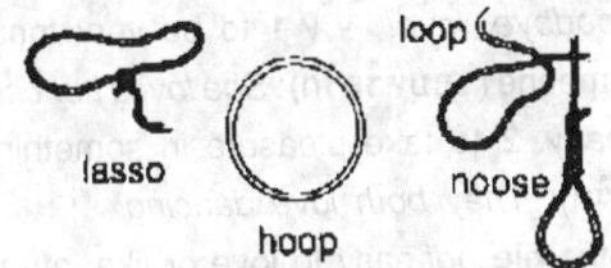

'loop·hole *n* a small mistake or something left out in a law that lets people do things that are really not allowed (ช่องโหว่ในกฎหมาย): *He found a loophole in the new tax law and took advantage of it.*

loose *adj* **1** not tight (หลวม): *a loose coat; This belt is loose.* **2** not firmly fixed (หย่อน ห้อยลุ่ย): *This button is loose.* **3** not tied; free (ไม่มีเชือกผูก เป็นอิสระ): *The horses are loose in the field.* **4** not in a packet (ไม่อยู่ในห่อ อยู่เรี่ยราด กระจัดกระจาย): *loose biscuits.*

'loose·ly *adv* (อย่างหลวม ๆ).

'loose·ness *n* (ความหลวม).

a **loose** (not ไม่ใช่ **lose**) screw.

loose-'leaf *adj* with pages that can be removed or added (ที่ดึงออกได้หรือใส่เพิ่มเข้าไปได้): *a loose-leaf folder.*

'loos·en *v* to make or become loose (ทำให้หลวม คลายออก): *She loosened the string; The screw had loosened and fallen out.*

break loose to escape (หนีจากการควบคุม): *The prisoner broke loose.*

loot *n* something which is stolen (ของที่แย่งชิงจี้หรือปล้นมา): *The thieves got away with a lot of loot.* — *v* to rob or steal from a place (จี้ ขโมยหรือปล้น ใช้กับสถานที่): *The soldiers looted the shops of the captured town.*

lop *v* to cut off (ตัดหรือลิดออก): *to lop branches off a tree.*

lop'si·ded (*lop'sī-dəd*) *adj* bigger or heavier on one side than on the other; not evenly balanced; crooked (เอียงเพราะไม่สมดุล ลำเอียง โอนเอน): *an old lopsided hut; The load on the back of the lorry looked very lopsided.*

lord *n* **1** a master; a man or animal that has power over others or over an area (คนหรือสัตว์ที่มีอำนาจเหนือพื้นที่หนึ่ง ๆ): *The lion is lord of the jungle.* **2** a nobleman or man of rank (ขุนนางหรือลอร์ด ตำแหน่งบรรดาศักดิ์).

the Lord God; Christ (พระผู้เป็นเจ้า พระคริสต์).

'lor·ry *n* a motor vehicle for carrying heavy loads; a truck (รถบรรทุก): *a coal-lorry.*

lose (*looz*) *v* **1** not to be able to find something (ทำหาย สูญ): *I've lost my watch.* **2** to have something taken away from you by death, accident *etc.* (สูญเสีย สูญหาย อับปาง): *She lost her father last year; The ship was lost in the storm.* **3** to put something where it cannot be found (ทำหาย สูญหาย): *My secretary has lost your letter.* **4** not to win (แพ้): *I always lose at cards.*

lose; lost; lost: *He lost his ticket; She has lost her job.*

to **lose** (ไม่ใช่ **loose**) a match.

'los·er *n* a person who loses (ผู้แพ้ ผู้เสียเปรียบ): *The losers congratulated the winners.*

lose your memory to stop being able to remember things (สูญเสียความทรงจำ).

loss *n* **1** losing (การสูญเสีย): *suffering from loss of memory; the loss of our friend.* **2** something which is lost (ของหาย). **3** an amount of money *etc.* that is lost (จำนวนเงิน ฯลฯ ที่หายไป): *a loss of £500.*

at a loss not knowing what to do, say *etc.* (จนด้วยเกล้า จนปัญญา สับสนจนคิดหรือพูดไม่ออก): *He was at a loss for words.*

lost *adj* **1** missing; no longer to be found (ที่สูญหายไป ที่หาไม่พบ): *a lost ticket.* **2** not won (แพ้ พ่ายแพ้): *The game is lost.*
3 wasted; not used properly (สูญเปล่า ใช้ไม่ถูก): *a lost opportunity.* **4** no longer knowing where you are, or in which direction to go (หลงทาง): *I don't know whether to turn left or right — I'm lost.*

loss is a noun: *She is suffering from loss of memory.*
lost is an adjective: *a lost cat.*
See also **lose**.

lot *n* **1** a person's fortune or fate (โชควาสนาหรือโชคชะตา): *It seemed to be her lot to be always unlucky.* **2** a separate group (กองกลุ่มที่แบ่งเป็นพวก ๆ): *She gave one lot of clothes to a jumble sale and threw another lot away.*

lots *n* a large quantity or number (จำนวนมากมากมาย): *lots of people; She had lots and lots of food left over from the party.*

a lot a large quantity or number (จำนวนมากมากมาย): *What a lot of letters!*

draw lots to decide who is going to do something *etc.* by putting everyone's name on pieces of paper in a hat *etc.* and taking one out (จับสลาก): *The six girls drew lots to see which of them should use the two concert tickets.*

'lo·tion *n* a liquid for soothing or cleaning your skin (โลชั่นหรือเครื่องสำอางที่เป็นชนิดเหลวใช้ลูบไล้หรือทำความสะอาดผิวหนัง): *hand-lotion.*

'lot·ter·y *n* a way of raising money in which many people buy tickets, and a few of the tickets win prizes (ล็อตเตอรีหรือสลากกินแบ่ง): *They held a public lottery in aid of charity.*

'lo·tus *n* a type of waterlily (ดอกบัว).

loud *adj* **1** making a great sound; not quiet (ดัง): *a loud voice; loud music.* **2** too bright (ฉูดฉาดเกินไป): *loud colours; a loud shirt.*

'loud·ly *adv* (อย่างดัง ๆ อย่างฉูดฉาด).

'loud·ness *n* (ความดังของเสียง ความฉูดฉาด).

loud'speak·er *n* an instrument for increasing the loudness of your voice *etc.* to make it more widely heard (ลำโพง).

lounge *v* **1** to lie back comfortably (เอนหลังอย่างสบาย เอกเขนก): *lounging on a sofa.* **2** to move about lazily (เคลื่อนไหวอย่างขี้เกียจหรือไม่ทำอะไรเลย): *I spent the day lounging about the house.* — *n* a sitting-room in a hotel *etc.* (ห้องนั่งเล่นในโรงแรม): *They watched television in the hotel lounge.*

louse, *plural* **lice**, *n* a small blood-sucking insect, sometimes found on the bodies of animals and people (เหา).

lout *n* a rough and aggressive man or boy (ผู้ชายหรือเด็กที่หยาบและก้าวร้าว): *A group of louts caused trouble at the party.*

love (*luv*) *n* **1** a feeling of great fondness for a person or thing (ความรัก): *She has a great love of music; her love for her children.* **2** a person or thing of which you are fond (คนรักหรือของรัก): *Ballet is the love of her life; Goodbye, love!* — *v* **1** to be very fond of someone (ชอบหรือรัก): *She loves her children dearly.* **2** to take pleasure in something (มีใจรัก): *They both love dancing.*

'lov·a·ble *adj* easy to love or like; attractive (น่ารัก): *a lovable child.*

love affair a romantic and sexual relationship, especially one which does not last very long (เรื่องของความรักและเพศสัมพันธ์): *He has had a lot of love affairs but none of them have lasted more than a couple of months.*

loved one a member of your family or a very close friend (ผู้เป็นที่รัก): *She remembers all her loved ones in her prayers.*

'love·ly *adj* **1** beautiful; attractive (สวยงามน่ารัก): *She is a lovely girl; She looked lovely in that dress.* **2** pleasant (สบายใจ พอใจ): *What a lovely day!*

'love·li·ness *n* (ความน่ารัก ความงาม).

'love-let·ter *n* a letter expressing love (จดหมายรัก).

'lov·er *n* a person who enjoys or admires something (ผู้ที่ชอบหรือมีใจฝักใฝ่ชื่นชอบ): *an art-lover; He is a lover of sport.*

'lov·ing *adj* (ซึ่งรักใคร่ จงรักภักดี).

'lov·ing·ly *adv* (อย่างรักใคร่ อย่างจงรักภักดี).

be in love with to love someone very much (หลงรัก): *She was in love with him.*

fall in love with to develop feelings of love for someone (เกิดความรู้สึกรัก ตกหลุมรัก): *He fell in love with her straightaway.*

make love to have sexual intercourse (มีเพศสัมพันธ์).

low[1] (*lō*) *adj* **1** not high (ต่ำ ไม่สูง): *low hills; a low ceiling; This chair is too low for the child to reach the table; low temperatures.* **2** not loud (แผ่ว ค่อย): *She spoke in a low voice.* **3** small (ถูก): *a low price.* **4** not strong (ไม่แรง): *The fire was very low.* **5** near the bottom in grade, rank, class *etc.* (อยู่ในระดับ หรือ อันดับท้าย ๆ หรือชั้นต้น ๆ): *the lower classes of the school.* — *adv* in or to a low position, manner or state (อยู่ในตำแหน่งที่ต่ำ อาการที่ต่ำ สภาพที่ต่ำ): *The ball flew low over the net; He turned the music down low.*

a **short** (not ไม่ใช่ **low**) person.

low tide the time when the sea is at its lowest level (ระดับน้ำทะเลต่ำสุด).

low[2] (*lō*) *v* to make the noise of cattle; to moo (ร้องส่งเสียงของวัวควาย): *The cows were lowing.*

'low·er (*'lō-ər*) *v* to make something less high or less loud; to take down (ลดเสียง ลดให้ต่ำลง): *Lower your voice, please!; She lowered her umbrella.*

'low·lands *n* low-lying land; land that is low compared with the rest of a country *etc.* (พื้นที่ต่ำ).

'low·ly (*'lō-li*) *adj* low in rank; humble (ยศต่ำ เจียมตัว).

'loy·al *adj* faithful (ซื่อสัตย์ ภักดี): *a loyal friend; I'm loyal to my country.*

'loy·al·ly *adv* (อย่างภักดี).

'loy·al·ty *n* (ความภักดี).

LP (*el'pē*) *n* a record which plays for between 20 and 30 minutes on each side: *He has a large collection of LPs.*

'lu·bri·cate (*'loo-bri-kāt*) *v* to oil a machine *etc.* to make it move more easily and smoothly (หยอดน้ำมันหล่อลื่น).

lu·bri'ca·tion *n* (การหล่อลื่น).

'lu·bri·cant *n* something that lubricates (น้ำมันหล่อลื่น).

'lu·cid (*'loo-sid*) *adj* **1** easy to understand; clear (เข้าใจง่าย แจ่มแจ้ง): *She has a lucid style of writing.* **2** thinking clearly; not confused (คิดอย่างแจ่มแจ้ง ไม่สับสน): *Although he is 94 he is still very lucid.*

'lu·cid·ly *adv* (อย่างแจ่มแจ้ง).

lu'cid·i·ty *n* (ความแจ่มแจ้ง).

luck *n* **1** the state of happening by chance (โชค): *Whether you win or not is just luck — there's no skill in this game.* **2** something good which happens by chance (โชคดี): *What a bit of luck!*

'luck·less *adj* unfortunate (โชคร้าย): *luckless children.*

'luck·y *adj* **1** having good luck (โชคดี): *He was very lucky to escape alive.* **2** bringing good luck (นำโชคดีมาให้): *a lucky number.*

'luck·i·ly adv (อย่างโชคดี).

lucky dip a form of amusement at a fair *etc.* in which prizes are drawn from a container without the taker seeing what he is getting (การจับฉลากชิงโชค).

bad luck! an expression of sympathy for someone who has failed or been unlucky (คำพูดแสดงความเห็นอกเห็นใจต่อคนที่ล้มเหลว หรือโชคไม่ดี).

good luck! something you say to encourage someone who is about to take part in a competition, sit an exam *etc.* (คำพูดให้กำลังใจกับผู้เข้าแข่งขันหรือผู้เข้าสอบ): *She wished him good luck.*

'lu·cra·tive (*'lū-krə-tiv*) *adj* bringing you a lot of money or profit (ซึ่งได้กำไรงาม ร่ำรวย): *This is a very lucrative business.*

'lu·di·crous (*'loo-di-krəs*) *adj* very silly; deserving to be laughed at (น่าเย้ยหยัน เป็นน่าหัวเราะเยาะ): *You look ludicrous wearing climbing boots with your pyjamas; He's always making ludicrous suggestions.*

'lu·di·crous·ly *adv* (น่าหัวเราะเยาะ).

'lu·do (*'loo-dō*) *n* a game played with counters on a board (เกมที่เล่นโดยมีเครื่องนับอยู่บนกระดานแผ่นหนึ่ง).

lug *v* to pull something with difficulty (ฉุด ลาก): *She lugged the heavy trunk across the floor.*

'lug·gage *n* the suitcases, trunks *etc.* of a traveller (กระเป๋าเสื้อผ้า หีบ ของผู้เดินทาง): *He carried her luggage to the train.* — *adj* (ที่เก็บกระเป๋า): *a luggage compartment.*

luggage is never used in the plural; you say *two pieces of luggage.*

luke'warm (*look'wörm*) *adj* **1** a little bit warm (อุ่น): *The baby's milk should be heated till it is lukewarm but not hot.* **2** not showing much interest or enthusiasm (ไม่แสดงความสนใจหรือกระตือรือร้น): *People gave only lukewarm support to his plans.*

lull *v* to make calm or quiet (กล่อม): *The sound of the waves lulled him to sleep.* — *n* a short period of calm (ความสงบ ระงับ).

'lull·a·by (*'lul-ə-bī*) *n* a song sung to make children go to sleep (เพลงกล่อมเด็ก).

'lum·ber[1] *n* **1** old unwanted furniture *etc.* (เครื่องแต่งบ้านที่เป็นของสัพเพเหระ). **2** timber sawn up (ไม้ซุงที่เลื่อยตัดเป็นท่อน ๆ).

'lum·ber·jack *n* a person employed to cut down, saw up and move trees (คนโค่นต้นไม้).

'lum·ber[2] *v* to move about heavily and clumsily (เคลื่อนไหวอุ้ยอ้าย).

'lu·mi·nous (*'loo-mi-nəs*) *adj* shining, or giving out light, especially in the dark (เรืองแสงหรือโชติช่วง): *a luminous light-switch; Are the hands of your watch luminous?*

lump *n* **1** a small solid mass of no particular shape (ก้อน): *The custard was full of lumps and no one would eat it.* **2** a swelling (บวมปูด): *She had a lump on her head where she had knocked it.* **3** a small cube-shaped mass of sugar (น้ำตาลก้อนสี่เหลี่ยมหรือน้ำตาลปอนด์).

'lump·y *adj* containing lumps (เป็นก้อน ๆ): *lumpy custard.*

'lump·i·ness *n* (ความเป็นก้อน ๆ).

lump sum an amount of money given all at once, not in parts over a period of time (จำนวนเงินที่จ่ายเป็นก้อนทั้งหมดในครั้งเดียว).

'lu·na·cy (*'loo-nə-si*) *n* insanity; madness (ความบ้า ความวิกลจริต).

'lu·nar (*'loo-nər*) *adj* of the moon (แห่งดวงจันทร์): *a lunar eclipse.*

'lu·na·tic (*'loo-nə-tik*) *n* a mad person (คนบ้า คนวิกลจริต).

lunch *n* a meal eaten in the middle of the day (อาหารมื้อกลางวัน). — *v* to eat lunch (กินอาหารกลางวัน).

'lun·cheon (*'lun-chən*) *n* a polite word for lunch (คำสุภาพสำหรับอาหารมื้อกลางวัน): *The president gave a luncheon for all the ambassadors.*

lung *n* one of two parts of the body which fill and empty with air when you breathe (ปอด).

lunge (*lunj*) *v* to make a sudden strong forward movement (พุ่ง ถลา ทิ่ม แทงอย่างกระทันหัน): *Her attacker lunged at her with a knife.* — *n* a movement of this sort (การพุ่ง การถลา การแทง ฯลฯ): *He made a lunge at her.*

lurch (*lərch*) *v* to move forward with a sudden jerk, without full control of the movement (เซถลา เอียงวูบ): *The drunken man lurched towards the bar.* — *n* (การกระตุก): *The train gave a lurch and moved off.*

leave someone in the lurch to leave someone in a difficult situation and without help (ปล่อยคาราคาซังหรือดูดาย ไม่ดูดำดูดี): *Soon after their child was born, he went off and left his wife in the lurch.*

lure (*lo͝or*) *n* attraction; something very attractive or tempting (การดึงดูดหรือล่อ): *The lure of his mother's good cooking brought him back home.* — *v* to attract (ดึงดูด): *The bright lights of the city lured him away from home.*

lurk *v* to wait in hiding especially with a dishonest purpose (ซุ่มซ่อนตัวอยู่ด้วยความประสงค์ร้าย): *She saw someone lurking in the shadows.*

lush *adj* green and fertile (เขียวชอุ่ม): *lush meadows.*

lust *n* a very strong desire (ความต้องการอย่างรุนแรง): *a lust for power.*

'lust·ful *adj* (มีความอยาก ตัณหา ทะยานอยาก ตัณหาราคะรุนแรง ราคะจัด).

'lust·ful·ly *adv* **(เต็มไปด้วยความต้องการอย่างรุนแรง เต็มไปด้วยราคะ)**.

'lus·tre (*'lus-tər*) *n* brightness; a shine **(มันเงา มันวาว)**: *Her hair had a brilliant lustre.*

'lus·trous *adj* **(เป็นมันเงา วาว)**.

'lus·ty *adj* strong and healthy **(แข็งแรงและมีสุขภาพดี)**: *a lusty young man.*

lux'u·ri·ous (*lug'zūr-i-əs*) *adj* supplied with luxuries **(หรูหราฟุ่มเฟือย)**: *a luxurious flat.*

'lux·u·ry (*'luk-shə-ri*) *n* great comfort **(ความน่าสบายแบบ หรูหรา ฟุ่มเฟือย)**: *They live in luxury.* — *adj* **(หรูหรา ฟุ่มเฟือย)**: *fur coats, jewellery and other luxury goods.*

'ly·chee, 'li·chee (*'lī-chē*) *n* a small round fruit with white juicy flesh **(ลิ้นจี่)**.

lying *see* **lie**[1], **lie**[2] **(ดู lie**[1], **lie**[2]**)**.

'ly·ri·cal (*'li-ri-kl*) *adj* poetic and song-like **(ซึ่งไพเราะและน่าชื่นชม)**: *Her writing is very lyrical.*

'ly·ri·cally *adv* **(อย่างไพเราะและน่าชื่นชม)**.

'lyr·ics (*'lir-iks*) *n* the words of a song **(เนื้อเพลง)**: *The tune is good, but I don't like the lyrics.*

Mm

mac short for (คำย่อของ) **Macintosh**.

ma'ca·bre (*mə'kā-brə*) *adj* strange and horrible, often because dealing with death (แปลกและน่ากลัว น่าขนลุกเพราะมักเกี่ยวกับความตาย): *a rather macabre story*.

mac·a'ro·ni *n* a form of pasta, pressed out to form tubes, and dried (เส้นมะกะโรนี).

maca'roon *n* a sweet cake or biscuit flavoured with almonds or coconut (ขนมเค้กหรือขนมปังกรอบใส่อัลมอนด์หรือมะพร้าว).

mace *n* an ornamental rod used as a mark of authority on ceremonial occasions (คทา ใช้เป็นเครื่องหมายแห่งการมีอำนาจในงานพิธี).

ma'chine (*mə'shēn*) *n* a working arrangement of wheels, levers or other parts, driven by human power, electricity *etc*., or operating electronically, producing power or motion for a particular purpose (เครื่องยนต์ เครื่องจักร): *a sewing-machine*. — *v* to sew with a sewing-machine (เย็บด้วยจักร): *to machine seams*.

ma'chi·ner·y *n* machines in general (เครื่องยนต์กลไก เครื่องจักรกล): *Many products are made by machinery rather than by hand* .

machinery is never used in the plural.

ma'chi·nist *n* a person whose job is to operate a machine, such as a sewing machine, or an electrical tool (ช่างเครื่องยนต์): *She's a machinist in a clothes factory*.

machine code a code used for writing instructions in a form a computer can understand (รหัสคำสั่งเครื่องคอมพิวเตอร์).

ma'chine-gun *n* an automatic gun that fires very rapidly (ปืนกล). — *v* (กราดปืนกล): *He machine-gunned a crowd of villagers*.

See **gun**.

'ma·cho *adj* masculine in a very aggressive way (ซึ่งแสดงออกว่าแข็งแกร่ง ห้าวหาญแบบเพศชาย): *She doesn't like macho men*.

'mack·e·rel, *plural* **'mack·e·rel**, *n* a type of edible sea-fish, blue-green with wavy markings (ปลาทะเลชนิดหนึ่งคล้ายปลาทู).

'mack·in·tosh or **'mac·in·tosh** *n* a waterproof raincoat (often shortened to **mac**)(เสื้อกันฝน).

mad *adj* **1** insane (บ้า โกรธ): *He went mad; to drive someone mad; You must be mad to refuse such a good offer*. **2** very angry (โกรธจัด): *She was mad at me for losing my keys*. **3** having a great liking or desire for (คลั่งไคล้): *I'm mad about dancing*.

'mad·ly *adv* (อย่างวิกลจริต อย่างโกรธ).

'mad·ness *n* (ความวิกลจริต ความโกรธ).

like mad wildly, desperately, very quickly *etc*. (อย่างป่าเถื่อน อย่างหอดอาลัย อย่างรวดเร็ว ฯลฯ): *struggling like mad*.

'mad·am, *plural* **mes'dames** (*mā'dam*), *n* a polite form of address to a woman (คำนี้ใช้เรียกผู้หญิงโดยเฉพาะผู้หญิงที่แต่งงานแล้ว มาดามหรือคุณนาย).

'mad·den *v* to make someone, or an animal, mad or angry (ทำให้บ้าหรือโกรธ): *The bull was maddened by the pain*.

made *see* **make** (ดู **make**).

Ma'don·na n the Virgin Mary, mother of Christ (พระแม่มารี แม่พระ): *a painting of the Madonna and Child*.

mag·a'zine (*mag-ə'zēn*) *n* a paper that is published every week, every month *etc*. with articles, stories *etc*. by various writers (นิตยสาร): *women's magazines*.

'mag·got *n* the worm-like larva of a fly (หนอนหรือตัวอ่อนของแมลงวัน).

'mag·ic *n* **1** any power that produces results that cannot be explained or which are remarkable (คาถาอาคม): *The prince was turned by magic into a frog*. **2** the art of performing tricks that deceive your eyes (มายากล): *The conjuror's magic delighted the children*. — *adj* used in or using magic (การใช้คาถาอาคม): *a magic spell*.

'mag·i·cal *adj* **1** produced by, or as if by, the art of magic (ซึ่งใช้เวทมนตร์ คาถา ราวกับใช้เวทมนตร์): *magical power*. **2** mysterious; very wonderful (ลึกลับ วิเศษ มหัศจรรย์): *a magical experience*.

'mag·ic·al·ly *adv* (อย่างมหัศจรรย์ อย่างวิเศษ).

ma'gi·cian (*mə'jish-ən*) *n* a person skilled in the art of magic (ผู้ใช้คาถาอาคม ผู้วิเศษ นักแสดงกล): *They hired a magician to entertain* *the children.*

'mag·is·trate *n* a person who has power to put the laws into force and deal with cases of minor crime (บุคคลผู้มีอำนาจบังคับใช้กฎหมายและจัดการกับคดีอาชญากรรมย่อย ผู้พิพากษา).

mag'nan·i·mous *adj* generous and forgiving, usually towards someone you have beaten (ใจกว้างและให้อภัย ไม่พยาบาทหมาดร้าย): *The winner was magnanimous towards the other runners in the race, praising their efforts.*

'mag·nate *n* a person of great power or wealth (คนใหญ่คนโต คนมั่งมี พ่อค้าใหญ่): *He is a rich shipping magnate.*

'mag·net *n* a piece of iron, steel *etc.* which attracts or repels other pieces of iron *etc.* (แม่เหล็ก).

mag'net·ic *adj* having the powers of a magnet (แม่เหล็ก): *magnetic force.*

magnetic tape narrow plastic tape with a magnetic coating, used for recording sound, television pictures or information from a computer (เทปแม่เหล็ก).

magnetic field the area in which the pull of a magnet is felt (สนามแม่เหล็ก): *the earth's magnetic field.*

mag'nif·i·cent *adj* great and splendid (เลิศเลอ โอ่อ่า งดงาม): *a magnificent costume; a magnificent performance.*

mag'nif·i·cent·ly *adv* (อย่างเลิศเลอ อย่างโอ่อ่า อย่างงดงาม).

mag'nif·icence *n* (ความเลิศเลอ ความโอ่อ่า ความงดงาม).

'mag·ni·fy (*'mag-ni-fī*) *v* to make something appear greater (ขยายให้ใหญ่ขึ้น): *a telescope magnifies an image.*

'mag·ni·fy·ing-glass *n* a piece of glass with curved surfaces that makes an object appear larger (แว่นขยาย): *This print is so small that I need a magnifying-glass to read it.*

'mag·ni·tude (*'mag-ni-tūd*) *n* **1** importance (ความสำคัญ): *a decision of great magnitude.* **2** size (ขนาดใหญ่ ความใหญ่โต): *a star of great magnitude.*

'mag·pie (*'mag-pī*) *n* a black-and-white bird of the crow family, known for its habit of collecting shiny objects (นกตัวดำขาวอยู่ในตระกูลกา มีนิสัยชอบเก็บสะสมของแวววาว).

maid *n* a female servant (สาวใช้ คนรับใช้ที่เป็นหญิง).

'maid·en *n* a young unmarried women (หญิงสาวที่ยังไม่ได้แต่งงาน).

maiden name a woman's surname before her marriage (นามสกุลของผู้หญิงก่อนแต่งงาน): *Mrs Johnson's maiden name was Scott.*

maiden voyage a ship's first voyage (การเดินทางครั้งแรกของเรือ).

mail *n* letters, parcels *etc.* sent by post (จดหมาย ห่อของ ฯลฯ ส่งทางไปรษณีย์): *His secretary opens his mail.* — *v* to send a letter or parcel by post (ส่งจดหมายหรือห่อของทางไปรษณีย์).

'mail·bag *n* a bag for letters *etc.* (ถุงไปรษณีย์).

'mail·box *n* a postbox (ตู้ไปรษณีย์).

maim *v* to injure someone badly, especially with permanent effects (ทำให้พิการ): *He had been maimed for life in an accident with a fire-work.*

main *adj* chief; most important (หลัก สำคัญที่สุด): *the main purpose; the main character in the story.* — *n* the chief pipe or cable bringing gas, water or electricity to a street *etc.* (ท่อหลักหรือสายไฟฟ้าหลัก): *The water has been turned off at the mains.*

'main·ly *adv* mostly; largely (ส่วนมาก ส่วนใหญ่): *This skirt is mainly dark grey.*

'main·land *n* a large piece of land near an island (แผ่นดินใหญ่ที่อยู่ใกล้เกาะ): *The islanders had to get their stores from the mainland; Britain is not part of the mainland of Europe.*

main'tain *v* **1** to continue; to keep up (ดำเนินต่อไป ผดุงไว้): *to maintain a silence; to maintain high standards.* **2** to keep something in good condition (บำรุงรักษา): *He maintains his car very well.* **3** to support (เลี้ยงดู): *How can you maintain a wife and three children on your small salary?* **4** to say definitely (กล่าวยืนยัน): *I maintain that the theory is true.*

'main·te·nance *n* keeping something in good condition (การบำรุงรักษา): *car maintenance.*

mai·son'ette (*mā-za'net*) *n* an apartment on

two floors (ห้องชุดที่แบ่งเป็นสองชั้น).

maize *n* a cereal, grown especially in America (ข้าวโพด).

ma'jes·tic *adj* having great dignity (สง่างาม ตระหง่าน): *He looked truly majestic in his ceremonial robes.*

ma'jes·ti·cal·ly *adv* (อย่างสง่างาม).

'maj·es·ty *n* **1** greatness (ความยิ่งใหญ่ อำนาจ): *the majesty of God.* **2** a title used when speaking to, or about, a king or queen (คำที่ใช้เมื่อกราบบังคมทูลหรือพูดถึงพระเจ้าแผ่นดินหรือพระราชินี): *Her Majesty the Queen; Their Majesties; Your Majesty.*

'ma·jor (*'mā-jər*) *adj* great, or greater, in size, importance *etc.* (ใหญ่ เขื่อง ส่วนใหญ่): *major and minor roads; a major discovery.* — *n* an army officer of high rank (พันตรี).

The opposite of **major** is **minor**.

ma'jor·i·ty *n* the greater number (จำนวนหมู่มากหรือส่วนใหญ่): *The majority of people can read and write.*

make *v* **1** to create; to produce (สร้าง ผลิต): *God made the Earth; She makes all her own clothes; He made it out of paper; to make coffee; We made an arrangement.* **2** to force or cause someone to do something (บังคับหรือให้ผู้ใดกระทำ): *They made her do it; He made me laugh.* **3** to cause to be (ทำให้): *I made it clear; You've made me very unhappy.* **4** to gain or earn (ได้กำไร หามาได้): *He makes $100 a week; to make a profit.* **5** to amount to a total (รวมเป็น): *2 and 2 make 4.* **6** to appoint someone to a post *etc.* (แต่งตั้งให้เข้ารับตำแหน่ง): *He was made manager.* **7** to perform some action *etc.* (กระทำ): *She made a wish; They made a long journey.* — *n* a brand; a type (ยี่ห้อ ชนิด): *What make is your new car?*

make; made; made: *She made lunch; He has made a mess.*

made of is used in speaking of the material from which an object is constructed *etc.*: *This table is made of wood.*

made from is used in speaking of the raw material from which something has been produced by a process of manufacture: *Paper is made from wood.*

make-be'lieve *n* pretending and imagining (แสร้งทำ): *a world of make-believe.*

'ma·ker *n* a person who makes something (คนทำ คนสร้าง): *a tool-maker; a dressmaker.*

'make·shift *adj* built or made very quickly, usually in an emergency, and intended to last only a short time (ของที่ทำขึ้นใช้ชั่วคราว): *He built a makeshift shelter of old planks of wood.*

'make-up *n* lipstick, powder and other cosmetics that you put on your face (เครื่องสำอาง): *She never wears any make-up.*

-'ma·king (การทำ การสร้าง): *glass-making; road-making.*

make a bed to tidy and straighten the sheets, blankets *etc.* on a bed after it has been used (เก็บที่นอน): *The children make their own beds every morning.*

make do to use something as a poor substitute for something else (จำต้องแทนด้วยของอื่น): *There's no meat, so we'll have to make do with potatoes.*

to **make friends** (not ไม่ใช่ **make friend**) with someone. (สร้างมิตร)

make it up 1 to become friends again after a quarrel (คืนดีกัน): *It's time you two made it up with each other.* **2** to do something to show you are sorry about some wrong you have done to someone (หาอย่างอื่นมาชดเชยหรือทดแทนสิ่งที่ได้ทำหรือเกิดขึ้นไปแล้ว): *I'm sorry I've broken your toy — I'll make it up to you somehow.*

make out 1 to see, hear or understand something (เห็น ได้ยิน หรือเข้าใจ): *He could make out a ship in the distance; I couldn't make out what he was saying.* **2** to claim; to pretend (อ้าง แกล้งทำ): *He made out that he was earning a huge amount of money.* **3** to write or fill in something (เขียนหรือกรอกข้อความ): *The doctor made out a prescription.*

make up 1 to invent (สร้างขึ้นมา): *He made up the whole story.* **2** to form (เป็น ทำให้

เป็น ก่อให้เกิด): *Eleven players make up one team.* **3** to complete (ทำให้สมบูรณ์ เพิ่ม): *We need one more player — will you make up the number?* **4** to put make-up on your face (แต่งหน้า): *She made up her face in the mirror.* **5** to become friends again after a quarrel *etc.* (คืนดี): *They've finally made up their disagreement.*

make up your mind to make a decision (ตัดสินใจ): *He finally made up his mind about the job.*

'mal·a·dy *n* an illness; a disease (ความเจ็บป่วย โรค).

ma'lar·i·a (*mə'lār-i-ə*) *n* a fever caused by the bite of a certain type of mosquito (ไข้มาลาเรีย ไข้จับสั่น).

male *adj* of the same sex as a man (เพศชาย): *the male rabbit.* — *n* a male person, animal *etc.* (ชาย ตัวผู้ เพศผู้).

The opposite of **male** is **female**.

ma'lev·o·lent *adj* wanting to do evil and bad things to other people (มุ่งร้าย): *a fairy story with a malevolent fairy.*

mal'func·tion *n* something that is going wrong in a machine *etc.* (ความผิดปกติในการทำงานของเครื่องยนต์ ฯลฯ).

'mal·ice (*'mal-is*) *n* the wish to harm other people *etc.* (ความคิดร้าย การปองร้าย): *There was no malice intended in what she said.*

ma'li·cious (*mə'lish-əs*) *adj* unkind (ร้ายแรง มุ่งร้าย): *a malicious remark.*

ma'lig·nant *adj* **1** likely to cause death (ถึงแก่ชีวิตได้): *The tumour on his lung is malignant.* **2** cruel, harmful (เจตนาร้าย มุ่งร้าย): *malignant behaviour.*

'mal·let *n* **1** a large wooden hammer (ตะลุมพุก ค้อนไม้ขนาดใหญ่): *We hammered the tent pegs into the ground with a mallet.* **2** a wooden hammer with a long handle for playing croquet or polo (ไม้ตีที่มีหัวเป็นฆ้อนไม้สำหรับการเล่นโครเก้หรือโปโล).

mal·nu'tri·tion (*mal-nū'trish-ən*) *n* a diseased condition caused by not getting enough food or the right kind of food (การขาดอาหาร): *About half of the population of the country were suffering from malnutrition.*

malt (*mölt*) *n* barley or other grain prepared for making beer, whisky *etc.* (ข้าวบาร์เลย์หรือเมล็ดพืชอื่น ๆ ที่ใช้ทำเบียร์ เหล้า ฯลฯ).

mam'ma, ma'ma (*mə'mä*) *n* a name some children use for their mother (ชื่อที่เด็กใช้เรียกแม่).

'mam·mal *n* any member of the class of animals in which the females feed the young with their own milk (สัตว์เลี้ยงลูกด้วยนม): *Monkeys are mammals.*

'mam·moth *n* a large hairy elephant of a kind no longer found living (ช้างตัวใหญ่และมีขนปกคลุม สูญพันธุ์ไปแล้วหรือช้างดึกดำบรรพ์). — *adj* very large (ใหญ่มาก): *a mammoth project.*

man, *plural* **men**, *n* **1** an adult male human being (ผู้ชาย): *hundreds of men, women and children.* **2** human beings taken as a whole (มนุษย์): *the development of man.* — *v* to supply something with enough men to operate or run it (บรรจุคนเข้าทำงาน): *We need twelve men to man the ship; Man the guns!*

-man a person doing a particular job (คนที่ทำหน้าที่โดยเฉพาะ): *postman; fireman; chairman etc.*

as one man together (พร้อมกัน): *They rose as one man to applaud his speech.*

the man in the street the ordinary, average person (คนธรรมดา): *The man in the street has little interest in politics.*

'man·age (*'man-ij*) *v* **1** to be in control or charge of something (ควบคุม จัดการ ดูแล): *My lawyer manages all my money.* **2** to be manager of something (เป็นผู้จัดการ): *James manages the local football team.* **3** to deal with something; to control (ปกครอง): *She's good at managing people.* **4** to be able to do something (สามารถทำบางอย่างได้): *Will you manage to repair your bicycle?; Can you manage to eat some more meat?*

'man·age·ment *n* **1** the managing of something (การจัดการ): *Hand over the management of your money to an expert.* **2** the managers of a firm *etc.* as a group (คณะผู้จัดทำ): *The management have agreed to pay the workers* *more money.*

'man·ag·er *n* a person who is in charge of a business, football team *etc.* (ผู้จัดการ): *the manager of the new store.*

man·ag·er'ess *n* a woman who is a manager (ผู้จัดการหญิง).

'man·da·rin *n* **1** a kind of small orange (ส้มจีน). **2** an official of high rank in the Chinese Empire (ขุนนางชั้นสูงในจักรวรรดิจีน).

'man·do·lin *n* a musical instrument similar to a guitar (เครื่องดนตรีที่มีสายสี่คู่ใช้ดีดบรรเลงเพลง ได้คล้ายกับกีตาร์).

'man·drill *n* a West African monkey with a short tail, brown hair and a blue and red face (ลิงอัฟริกันตะวันตก มีหางสั้นขนสีน้ำตาลและใบหน้ามีสีน้ำเงินกับสีแดง).

mane *n* the long hair on the back of the neck of a horse, lion *etc.* (ขนแผงคอม้า สิงโต ฯลฯ).

'man-eat·ing *adj* likely to eat people (กินคน): *a maneating tiger.*

'man-eat·er *n* (สัตว์กินคน).

maneuver another spelling of (คำสะกดอีกแบบหนึ่งของคำว่า) **manoeuvre**.

'man·ger (*'mān-jər*) *n* a box in which food for horses and cattle is placed (รางหญ้า).

'man·gle (*'maŋ-gəl*) *v* **1** to crush to pieces (บุบ บู้บี้): *The car was badly mangled in the accident.* **2** to spoil by bad mistakes *etc.* (ทำให้เสีย): *He mangled the music by his terrible playing.*

'man·go, *plural* **'man·goes** or **'man·gos**, *n* **1** the yellow fruit of an Indian tropical tree (มะม่วง). **2** the tree (ต้นมะม่วง).

'man·grove (*'maŋ-grōv*) *n* a tropical tree growing in or near water (ต้นโกงกาง).

'man·hole *n* a hole usually in the middle of a road or pavement through which someone may go to inspect sewers *etc.* (ช่องซึ่งตามปกติอยู่กลางถนนหรือบาทวิถี ใช้เป็นที่ตรวจท่อน้ำทิ้ง).

'manhood *n* the state of being a man, or of being manly (ความเป็นชาย บุรุษ): *He died before he reached manhood.*

'ma·ni·a (*'mā-ni-ə*) *n* a form of mental illness in which the sufferer is very excited and sometimes behaves violently (อาการคุ้มคลั่งหรือบ้าคลั่ง).

'ma·ni·ac *n* a mad and dangerous person (คนบ้าคลั่ง คนคุ้มคลั่ง): *He drives like a maniac.*

'man·i·cure (*'man-i-kūr*) *n* special treatment to keep the hands and nails attractive and in good condition (การแต่งเล็บ): *She had her nails polished as part of her manicure.*

man·i'fes·to (*man-i'fes-tō*), *plural* **manifestos** or **manifestoes**, n a usually written statement of the policies and beliefs of a politician or political party (ใบประกาศหรือแผ่นประกาศแจ้งนโยบายและความเชื่อของนักการเมืองหรือพรรคการเมือง): *They published a new manifesto before the last election.*

ma'nip·u·late (*mə'nip-ū-lāt*) *v* **1** to handle something skilfully (จัดการด้วยความชำนาญ): *I watched him manipulating the controls of the aircraft.* **2** to influence cleverly but not very honestly (ใช้กลโกง ต้ม): *A clever lawyer can manipulate a jury.*

manip·u'lation *n* (การบงการ การจัดการ).

ma'nip·u·la·tor *n* (ผู้บงการ).

man'kind (*man'kind*) *n* the human race as a whole (มนุษยชาติ): *He worked for the benefit of all mankind.*

'man·ly *adj* having the qualities expected of a man, such as strength, determination, courage *etc.* (มีลักษณะสมเป็นชาย): *He is strong and manly.*

'man·liness *n* (ความมีลักษณะสมเป็นชาย).

'man-'made *adj* made by man, not natural (ทำขึ้นโดยมนุษย์ ไม่ใช่ธรรมชาติ): *a man-made lake; Plastic is a man-made material.*

manned *adj* supplied with men (มีคน): *a manned spacecraft.*

'mann·e·quin (*'man-ə-kin*) *n* **1** a person who models clothes (นางแบบ): *Some mannequins earn a lot of money.* **2** a life-size model of the human body, put in shop windows to show clothes (หุ่นเสื้อผ้า).

'man·ner *n* **1** a way in which anything is done *etc.* (ท่าทาง): *She greeted me in a friendly manner.* **2** the way in which a person behaves, speaks *etc.* (กิริยา มารยาท): *I don't like her manner.*

'man•ners *n* polite behaviour (ความมีมารยาทดี): *Why doesn't she teach her children manners?*

ma'noeu•vre, ma'neu•ver (*'mə'noo-vər*) *n* a planned movement of troops, ships, aircraft, vehicles *etc.* (การยักย้ายของกองกำลัง เรือ เครื่องบิน ยานพาหนะ ฯลฯ): *Can you perform all the manoeuvres required by the driving test?* — *v* to perform manoeuvres (ทำการยักย้ายหรือเคลื่อนย้าย): *She had difficulty manoeuvring her car into the narrow space.*

'man•or *n* an old word for a large house with land round it, once built by a nobleman (คฤหาสน์มีที่ดินล้อมรอบ): *the lord of the manor; the manor house.*

'man•pow•er *n* the number of people available for employment *etc.* (กำลังคน): *There's a shortage of manpower in the building industry.*

'man•ser•vant, *plural* **'men•ser•vants**, *n* a male servant (คนรับใช้ที่เป็นชาย).

'man•sion (*'man-shən*) *n* a large house (คฤหาสน์).

'man-sized *adj* of a size suitable for a man (ขนาดพอเหมาะกับผู้ชาย): *a man-sized breakfast.*

'man•slaugh•ter *n* the crime of killing someone from carelessness, for example, rather than intention (การฆ่าคนโดยประมาท): *He was found guilty of manslaughter.*

'man•tel•piece *n* the shelf above a fireplace (หิ้งเหนือเตาผิง): *We have some china ornaments and a clock on our mantelpiece.*

'man•u•al (*'man-ū-əl*) *adj* **1** having to do with your hands (ทำด้วยมือ): *manual skills.* **2** working with your hands (ทำงานที่ต้องใช้มือ): *a manual worker.* **3** worked or operated by hand (ที่ทำงานหรือควบคุมด้วยมือ): *a car with manual gears.* — *n* a handbook, especially of information about a machine *etc.* (หนังสือคู่มือ): *an instruction manual.*

'man•u•al•ly *adv* by hand (ด้วยมือ): *You have to operate this sewing-machine manually.*

man•u'fac•ture (*man-u'fak-chər*) *v* **1** to make articles *etc.* by machinery and in large quantities (ผลิต): *This firm manufactures cars at the rate of two hundred per day.* **2** to invent something false (กุเรื่อง ปั้นเรื่อง): *He manufactured an excuse for being late.* — *n* the process of manufacturing (กระบวนการผลิต): *the manufacture of glass.*

man•u'fac•tu•rer *n* a person or firm that manufactures goods (คนหรือบริษัทที่ผลิตสินค้า).

ma'nure (*mə'nūr*) *n* a mixture containing animal dung, spread on soil to help produce better crops *etc.* (ปุ๋ยคอก). — *v* to put manure on soil or fields (ใส่ปุ๋ย).

'man•u•script (*'man-ū-skript*) *n* **1** the handwritten or typed material for a book *etc.* (ต้นฉบับ). **2** a book or document written by hand (หนังสือหรือเอกสารที่เขียนด้วยมือ): *a collection of ancient manuscripts.*

'man•y (*'men-i*) *adj* a great number (มากมาย): *Many languages are spoken in Africa; There weren't very many people at the meeting; You've made a great many mistakes.* — *pron* a great number (จำนวนมาก): *A few people survived, but many died; Many of them died.*

> **many; more; most**: *Many people in Britain play rugby, more play football, but most just watch.*
> **many** is used with countable nouns: *How many pupils are there in your class?*
> **much** is used with uncountable nouns: *He put too much salt into the soup.*

many- having a great number (มีจำนวนมาก): *many-coloured; many-sided.*

many a a great number (หลาย มาก): *I've told him many a time to be more polite.*

map *n* a drawing or plan of the surface of the earth or part of it, with rivers, seas, towns *etc.* (แผนที่): *a map of the world; a road map.* — *v* to make a map of an area (ทำแผนที่): *Africa was mapped by many different explorers.*

map out to plan (วางแผน ในรายละเอียดไว้ล่วงหน้า): *to map out a route.*

mar *v* to spoil or damage something (ทำให้เสีย ทำให้มีตำหนิ): *Her beauty was marred by a* *scar on her cheek.*

'mar·a·thon *n* a race on foot of 42 km (26 miles) (**การวิ่งแข่งระยะ 42 กม.**).

'mar·ble *n* **1** a kind of hard polished stone (**หินอ่อน**): *This table is made of marble.* **2** a small solid ball of glass used in children's games (**ลูกหิน**).

'mar·bles *n* any of several games played with marbles (**เกมที่เล่นด้วยลูกหิน**): *The boys were playing marbles in the playground.*

March *n* the third month of the year (**เดือนมีนาคม เดือนที่สามของปี**).

march *v* **1** to walk with regular steps (**เดินแถวเป็นจังหวะ**): *Soldiers were marching across the street.* **2** to go on steadily (**ล่วงไป**): *Time marches on.* — *n* **1** a distance marched by soldiers *etc.* (**ระยะทางที่เดินแถว**): *a long march.* **2** progress (**การก้าวหน้า**): *the march of time.*

mare *n* a female horse (**ม้าเพศเมีย**).

'mar·ga·rine (*'mär-jə-rēn*) *n* a butter-like substance made mainly from vegetable fats (**เนยเทียม**): We use margarine instead of butter.

'mar·gin *n* the blank edge round a page of writing or print (**ขอบรอบข้อความในหน้าหนังสือ**): *Please write your comments in the margin.*

ma·ri·ju'a·na, ma·ri'hua·na (*ma-ri'wä-nə*) *n* a drug made from the dried flowers and leaves of the hemp plant (**กัญชา**).

'ma·ri·nate *v* to soak in oil, lemon juice or vinegar *etc.* before cooking (**หมักหรือแช่ให้นุ่มก่อนนำไปประกอบอาหาร**): *She marinated the fish in a mixture of lemon juice and spices.*

ma'rine (*mə'rēn*) *adj* having to do with the sea; belonging to the sea (**เกี่ยวกับทะเล เป็นของทะเล**): *marine animals.* — *n* a soldier serving on board a ship (**นาวิกโยธิน**): *He has joined the marines.*

'mar·i·ner (*'mar-i-nər*) *n* a sailor (**กะลาสีเรือ**).

mar·i·o'nette (*mar-i-ə'net*) *n* a puppet or doll whose arms and legs can be moved by strings (**หุ่นกระบอก**).

'mar·i·tal *adj* having to do with marriage (**เกี่ยวกับการแต่งงาน**): *the marital relationship.*

'mar·i·time *adj* **1** having to do with the sea, shipping *etc.* (**เกี่ยวกับทะเล การเดินเรือ**): *maritime law.* **2** concerned with the sea; involved in trade by sea; having a navy (**เป็นของทะเล เกี่ยวกับการค้าทางทะเล มีกองทัพเรือ**): *Britain is a maritime nation.*

mark *n* **1** a sign or spot (**เครื่องหมายจุดหรือแต้ม**): *My dog has a white mark on his nose.* **2** a point given as a reward for good work *etc.* (**คะแนน**): *She got good marks in her exam.* **3** a stain (**รอยเปื้อน**): *That spilt coffee has left a mark on the carpet.* **4** a sign used as a guide to position *etc.* (**เครื่องหมายใช้ชี้ตำแหน่ง ฯลฯ**): *There's a mark on the map showing where the church is.* **5** something you do as a sign of something (**สิ่งหรือเครื่องแสดง**): *People bow to the Queen as a mark of respect.* — *v* **1** to put a mark or stain on something, or to become marked or stained (**ใส่เครื่องหมาย ทำเครื่องหมาย**): *Every boy's coat must be marked with his name; That coffee has marked the tablecloth; This white material marks easily.* **2** to give marks for a piece of work (**ให้คะแนน**): *I have forty exam-papers to mark tonight.* **3** to show (**แสดง**): *On the map, X marks the spot where the treasure is buried.* **4** to note (**บันทึก**): *Mark it down in your notebook.*

marked *adj* easily noticeable (**สังเกตได้ง่าย**): *There has been a marked improvement in her work.*

'mark·er *n* **1** something used for marking (**ที่คั่น**): *He put a marker in the book to keep his place.* **2** a type of pen with a thick point (**ปากกาชนิดหนึ่งที่มีปลายหนา**).

mark out **1** to mark the boundary of a football pitch *etc.* (**กำหนดขอบเขต**): *The pitch* was marked out with white lines. **2** to choose someone for some particular purpose *etc.* in the future (**คัดไว้**): *He had been marked out for an army career from early childhood.*

'mar·ket *n* **1** a public place where people meet to buy and sell or the public event at which this happens (**ตลาด**): *He has a clothes stall* in the market; He went to market to sell his cow. **2** a demand for certain things (**ความต้องการของตลาด**): *There is a market for cotton goods in hot countries.* — *v* to sell (**ขาย**): *I produce the goods and my brother markets them all over the world.*

to **go to market** means to go shopping at a market (**ไปจ่ายตลาด**): *She goes to market twice a week.*

to **go to the market** means to visit a particular market (**ไปตลาด**): *He went to the market to buy a melon.*

'mar·ket-place, mar·ket-'square *n* the open space or square in a town in which a market is held (**ย่านตลาด**).

'marks·man *n* a person who shoots well with a gun (**คนแม่นปืน**): *A police marksman shot the robber in the leg to prevent him escaping.*

'mar·ma·lade *n* a jam made from oranges, lemons or grapefruit (**แยมทำจากผลไม้จำพวกส้มหรือมะนาว**).

ma'roon[1] *n* a dark red colour (**สีแดงเข้ม**). — *adj* (**เป็นสีแดงเข้ม**): *a maroon car.*

ma'roon[2] *v* **1** to leave someone on a lonely island from which they cannot escape (**ปล่อยเกาะ**). **2** to leave someone in a helpless or uncomfortable position (**ปล่อยทิ้งไว้**): *I was marooned on a lonely country road when my car broke down.*

mar'quee (*mär'kē*) *n* a very large tent used for circuses, parties *etc.* (**กระโจมขนาดใหญ่ปะรำ**).

'mar·riage (*'mar-ij*) *n* **1** the ceremony by which a man and woman become husband and wife (**การแต่งงาน**): *Their marriage took place last week.* **2** the state of being married; married life (**การสมรส ชีวิตการแต่งงาน**): *Their marriage lasted for thirty happy years.* — *adj* (**พิธีแต่งงาน**): *the marriage ceremony.*

marriage can mean the state of being married, or the ceremony of getting married. A **wedding** is the marriage ceremony.

'mar·row (*'mar-ō*) *n* **1** the soft substance in the hollow parts of bones (**ไขกระดูก**). **2** a large, green thick-skinned vegetable (**ฟัก แฟง**).

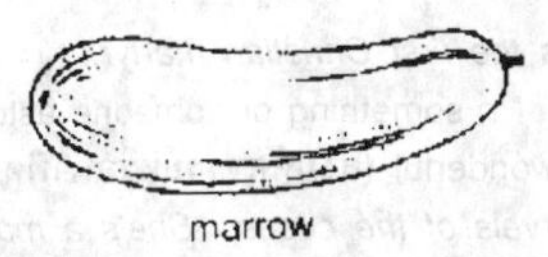
marrow

'mar·ry *v* **1** to take someone as your husband or wife (**แต่งงาน**): *John married my sister; He is married to a doctor; They married in church.* **2** to join as husband and wife (**ประกอบพิธีสมรส**): *The priest married them.* **3** to give your son or daughter as a husband or wife to someone (**ยกลูกสาวหรือลูกชายให้แต่งงาน**): *He married his son to a rich woman.*

'mar·ried *adj*: *She has two married daughters* (**แต่งงานแล้ว**).

marsh *n* an area of soft wet land (**บึง หนอง**): *The heavy rainfall turned the land into a marsh.*

'marsh·y *adj* (**เฉอะแฉะ**).

'marsh·i·ness *n* (**ความเฉอะแฉะ**).

'mar·shal *n* **1** an official who arranges ceremonies, processions *etc.* (**เจ้าหน้าที่พิธีการสมุหพระราชพิธี**). **2** an official with certain duties in the lawcourts (**จ่าศาล**).

mar'su·pi·al (*mär'soo-pi-əl*) *n* any member of the group of animals of which the females carry their babies in a pouch at the front of their bodies (**สัตว์ที่ตัวเมียมีกระเป๋าใส่ลูกอยู่ที่หน้าท้อง**): *In Australia there are many kinds of marsupials, for example the kangaroo and the koala.*

'mar·tial (*'mär-shəl*) *adj* having to do with war or military life (**เกี่ยวกับสงครามหรือชีวิตทหาร**): *martial music.*

martial arts any of various sports which teach self-defence, such as judo and karate (**ศิลปการป้องกันตัว**): *He practises martial arts in his spare time.*

martial law the ruling of a country by the army in time of war or great national emergency (**กฎอัยการศึก**).

'mar·tyr (*'mär-tər*) *n* a person who suffers death or hardship for what they believe (**ผู้ที่ยอมตายหรือยอมรับการทรมานเพื่อสิ่งที่ตนเชื่อถือโดยเฉพาะความเชื่อถือทางศาสนา**): *St. Stephen* *was the first Christian martyr.*

'mar·vel *n* something or someone astonishing or wonderful (**สิ่งมหัศจรรย์หรือน่าพิศวง**): *the marvels of the circus; She's a marvel at producing delicious meals.* — *v* to feel astonishment (**รู้สึกพิศวง**): *They marvelled at the fantastic sight.*

'mar·vel·lous *adj* **1** wonderful (**น่าพิศวง**): *The Great Wall of China is a marvellous sight.* **2** excellent (**ดีเยี่ยม**): *a marvellous idea.*

'mar·vellous·ly *adv* (**อย่างน่ามหัศจรรย์ อย่างยอดเยี่ยม**).

'mas·cot *n* a person, animal or thing supposed to bring good luck (**คน สัตว์หรือสิ่งของนำโชค เครื่องราง**).

'mas·cu·line (*'mas-kū-lin*) *adj* **1** having qualities expected of a man (**มีคุณสมบัติเป็นเพศชาย**): *masculine strength.* **2** belonging to the male class of nouns, in some languages (**เป็นคำที่เป็นเพศชายในบางภาษา**): *The French word for "floor" is masculine, not feminine.*

mas·cu'lin·i·ty *n* (**ความเป็นเพศชาย**).

The opposite of **masculine** is **feminine**.

mash *v* to crush into small pieces or a soft mass (**บดเป็นชิ้นเล็ก ๆ หรือคลุกเป็นก้อนเละ ๆ นิ่ม ๆ**): *to mash potatoes.*

mask (*mäsk*) *n* **1** a covering in the form of a face, for putting over your own face, as a disguise *etc.* (**หน้ากาก**). **2** a covering for the top part of your face, with holes for your eyes (**สิ่งใช้กำบังหน้าและเจาะรูสำหรับลูกตา**): *The thief wore a black mask.* — *v* to hide; to disguise (**กำบัง อำพราง**): *He managed to mask his feelings.*

'mas·o·chist (*'mas-ə-kist*) *n* a person who enjoys suffering (**ผู้ที่พอใจที่ได้รับความเจ็บปวด**): *Only a masochist would enjoy that.*

'ma·son (*'mā-sən*) *n* a skilled worker or builder in stone (**ช่างก่อสร้างตึก**).

'ma·son·ry *n* the stone or bricks of which a building is made (**หินหรืออิฐที่ก่อเป็นตึก**): *He was killed by falling masonry.*

mas·que'rade (*mäs-kə'rād*) *n* pretence; disguise (**การหลอกลวงตบตา การปลอมแปลง**): *Her show of friendship was a masquerade.* — *v* to pretend to be someone else (**ปลอมแปลง**): *The criminal was masquerading as a respectable business-man.*

mass *n* **1** a large lump or quantity, gathered together (**ก้อนใหญ่ มวล กองสุม กลุ่มใหญ่**): *a mass of concrete; a mass of people.* **2** a large quantity (**จำนวนมาก**): *I've masses of things to do.* **3** the main part; the majority (**ส่วนใหญ่ จำนวนข้างมาก**): *The mass of people are in favour of peace.* — *v* to bring or come together in large numbers or quantities (**กอง รวม สุม โปะ**): *The troops massed for an attack.* — *adj* consisting of large quantities or numbers (**หนาแน่น คับคั่ง**): *a mass meeting.*

the mass media the things from which most people get news and other information, such as television, radio, newspapers *etc.* (**สื่อสารมวลชน**).

Mass *n* a service in the Roman Catholic church that commemorates Christ's last supper with his disciples (**พิธีมิซซา**): *What time do you go to Mass?*

'mas·sa·cre (*'mas-ə-kər*) *n* the cruel killing of a large number of people (**การฆ่าคนจำนวนมากอย่างโหดร้าย**). — *v* : *The soldiers massacred the villagers.*

'mas·sage (*'mas-äzh*) *v* to treat parts of the body by rubbing *etc.* to remove pain or stiffness (**นวด**): *She massaged my sore back.* — *n* treatment by massaging (**การรักษาโดยการนวด**).

'mas·sive *adj* huge or heavy (**ใหญ่ หนัก**): *a massive building; a massive load.*

mass-pro'duced *adj* all exactly the same and produced in great quantities (**ผลิตออกมาเหมือนกันเป็นจำนวนมาก**): *mass-produced plastic toys.*

mass-pro'duce *v* (**ผลิตออกมาเป็นจำนวนมาก**).

mass-pro'duc·tion *n* (**การผลิตเป็นจำนวนมาก**).

mast (*mäst*) *n* a long upright pole for supporting the sails of a ship, an aerial, flag *etc.* (**เสากระโดงเรือ**): *The sailor climbed the mast.*

'mas·ter (*'mäs-tər*) *n* **1** a person that commands or controls (**นาย ผู้วางอำนาจ**): *I'm master in* *this house!* **2** an owner of a dog *etc.* (**เจ้าของ**). **3** a male teacher (**ครูผู้ชาย**): *the Maths master.* **4** the commander of a trading ship (**ผู้บังคับการเรือพาณิชย์**): *the ship's master.* **5** a person very skilled in an art, science *etc.* (**ผู้มีความเชี่ยวชาญในงานศิลป วิทยาศาสตร์ ฯลฯ**): *He's a master with a paint brush.* — *adj* fully qualified and experienced (**รอบรู้และเชี่ยวชาญ**): *a master builder.* — *v* **1** to overcome (**พิชิต ครอบงำ**): *She has mastered her fear of heights.* **2** to become skilful in something (**เก่ง**): *I don't think I'll ever master arithmetic.*

The feminine form of **master** is **mistress**.

master key a key which opens a number of locks (**ลูกกุญแจที่สามารถไขแม่กุญแจได้หลายแบบต่าง ๆ กัน**).

'mas·ter·mind *n* a very intelligent person, especially one who directs a scheme (**ผู้มีปัญญาหลักแหลม**): *He was the mastermind behind the scheme.* — *v* to plan and direct a scheme (**วางแผน**): *Who masterminded the robbery?*

'mas·ter·piece *n* an excellent, or the most excellent, piece of work of an artist, craftsman *etc.* (**ผลงานชิ้นเอก**): *He considers this picture his masterpiece.*

'mas·ter·y *n* control or great skill (**การควบคุมหรือความเชี่ยวชาญ**): *We have gained mastery over the enemy.*

mat *n* a flat piece of material for wiping shoes on, covering a floor, putting dishes on *etc.* (**เสื่อ พรม แผ่นรองจาน**): *Wipe your shoes on the doormat; a table mat.*

'mat·a·dor *n* the man who kills the bull in a bullfight (**นักสู้วัวในกีฬาสู้วัวอย่างของสเปน**).

match[1] *n* a short piece of wood or other material tipped with a substance that catches fire when rubbed against a rough or specially-prepared surface (**ไม้ขีดไฟ**): *He struck a match.*

match[2] *n* **1** a contest; a game (**การแข่งขัน เกม**): *a football match.* **2** a thing that is similar to or the same as another in colour, pattern *etc.* (**สี รูปแบบ ฯลฯ ที่เข้าชุดกันได้**): *These trousers are not an exact match for my jacket.* **3** a person who is able to equal another (**คนที่คู่ควรกันหรือเท่าเทียมกัน**): *She has finally met her match at arguing.* **4** a marriage (**การแต่งงาน**): *She hoped to arrange a match for her daughter.* — *v* **1** to be similar to something (**เข้า**): *That dress matches her red hair.* **2** to set two things, people *etc.* against each other (**ประชันกัน**): *He matched his skill against the champion's.*

'match·box *n* a box for holding matches (**กล่องไม้ขีด**).

matched *adj* paired or joined together (**เหมาะสมกัน**): *a well-matched couple; The competitors were evenly matched.*

'match·less *adj* having no equal (**หาที่เสมอเหมือนไม่ได้**): *a woman of matchless beauty.*

'match·ma·ker *n* a person who tries to arrange marriages between people (**แม่สื่อ**).

'match·stick *n* the stick of wood from a used match (**ก้านไม้ขีด**): *He builds models out of old matchsticks.*

mate *v* to come, or bring animals or birds together for breeding (**จับคู่เพื่อผสมพันธุ์**): *It is difficult to get pandas to mate in a zoo.* — *n* **1** an animal *etc.* with which another is paired for breeding (**สัตว์ ฯลฯ ที่ถูกจับคู่กันเพื่อการผสมพันธุ์**): *Some birds sing in order to attract a mate.* **2** a companion or friend (**สหายหรือเพื่อน**): *We've been mates for years.*

ma'te·ri·al (*mə'tē-ri-əl*) *n* **1** anything out of which something is, or may be, made (**วัสดุ**): *Tables are made of solid material such as wood.* **2** cloth (**ผ้า**): *I'd like three metres of blue woollen material.* — *adj* **1** consisting of solid substances *etc.* (**เป็นวัตถุนิยม**): *the material world.* **2** belonging to the world; not spiritual (**ในทางโลก เป็นรูปธรรม**): *He wanted material things like money and possessions.*

ma'te·ri·al·ism *n* a strong interest in material things, such as money, possessions *etc.* and little interest in spiritual and intellectual things (**ลัทธิทางวัตถุนิยม**).

ma•te•ri•al'is•tic *adj* (แห่งรูปธรรม).

ma'ter•nal *adj* **1** suitable to a mother (เกี่ยวกับแม่): *maternal feelings.* **2** related to you on your mother's side of the family (ญาติทางแม่): *my maternal grandfather.*

ma'ter•ni•ty *adj* having to do with having a baby (ความเป็นมารดา): *a maternity hospital; maternity clothes.*

math•e'mat•ics *n* the science dealing with measurements, numbers and quantities (คณิตศาสตร์).

math•e'mat•i•cal *adj* (แห่งคณิตศาสตร์).

math•e•ma't•i•cian *n* **1** a person who is good at mathematics (ผู้เก่งคณิตศาสตร์): *For a young boy he's an excellent mathematician.* **2** someone who works in mathematics (นักคณิตศาสตร์): *He is a mathematician with a local engineering firm.*

maths *n* short for (คำย่อของ) **mathematics**.

'mat•i•nee (*'mat-i-nā*) *n* a performance at a theatre, circus, cinema *etc.* given in the afternoon or morning (การแสดงรอบกลางวัน): *They do three matinées every week.*

'ma•tri•arch (*'mā-tri-ark*) *n* a woman who is head of a family or community (หญิงที่เป็นหัวหน้าครอบครัวหรือชุมชน): *My grandmother is the matriarch in my family.*

'mat•ri•mo•ny *n* the state of being married (สภาพการแต่งงานหรือการมีเรือน).

'ma•trix (*'mā'triks*), *plural* **'ma•tri•ces** (*'mā-tri-sēz*) *n* **1** an arrangement of numbers in rows and columns (การจัดตัวเลขเรียงเป็นแถวตั้งและแถวนอน): *Arrange these numbers in a matrix.* **2** the place in which anything develops or is formed (เบ้า แหล่งกำเนิด บ่อเกิด): *This disease has developed in a matrix of poverty, bad health and poor food.*

'ma•tron (*'mā-trən*) *n* a senior nurse in charge of a hospital (นางพยาบาลอาวุโสที่มีหน้าที่รับผิดชอบในโรงพยาบาล).

mat•ted *adj* in a thick untidy mess (เกาะติดกันเป็นก้อนหรือเป็นกระจุก): *matted hair.*

'mat•ter *n* **1** solid substances, liquids and gases in any form, from which everything physical is made (สสาร วัตถุ): *The entire universe is made up of different kinds of matter.* **2** a subject or topic of discussion *etc.* (เรื่องหรือหัวข้อสนทนาหรืออภิปรายกัน): *a private matter; money matters.* — *v* to be important (มีความสำคัญ เป็นปัจจัยสำคัญ): *That car matters a great deal to him; It doesn't matter.*

matter-of-fact *adj* calm, showing no emotion (อย่างสงบ ไม่แสดงอารมณ์): *She spoke about her husband's death in a matter-of-fact way.*

the matter the thing that is wrong; the trouble, problem or difficulty (สิ่งที่ผิดปกติ ความยุ่งยาก ปัญหา): *Is anything the matter?; What's the matter with you?; He would not tell me what the matter was.*

'mat•tress *n* a thick, firm layer of padding, covered in cloth *etc.* for lying on, usually as part of a bed (ฟูก).

ma'ture (*mə'cho͞or*) *adj* fully grown or developed; grown up (เติบโตเป็นผู้ใหญ่): *a very mature person.* — *v* to make or become mature (ทำให้เป็นผู้ใหญ่หรือกลายเป็นผู้ใหญ่): *She matured early.*

to be very **mature** (not ไม่ใช่ **matured**) for your age.

maul *v* to injure a person or animal by rough treatment (ขย้ำ ตะครุบ ตะปบ): *He was badly mauled by an angry lion.*

mau•so'leum (*mö-zō'lē-əm*) *n* a tomb in the form of a large building (ที่บรรจุศพ ฮวงซุ้ย สุสาน): *The body of their dead leaders are placed in a mausoleum.*

mauve (*möv* or *mōv*) *n* a pale purple colour (สีม่วงอ่อน ๆ). — *adj* (เป็นสีม่วงอ่อน): *a mauve scarf.*

'max•im *n* a well-known wise saying or piece of advice (คำกล่าว หลักหรือกฎที่หลักแหลมเป็นที่รู้จักแพร่หลาย): *"He who hesitates is lost" is a wellknown maxim.*

'max•i•mum *adj* greatest (สูงสุด): *This requires maximum effort; We must put the maximum amount of effort into the job.* — *n* the greatest quantity or the highest point (ปริมาณมากที่สุดหรือจุดที่สูงที่สุด): *Two hundred pencils an hour is the maximum we can produce; The temperature reaches its maximum at mid-*

day.

The opposite of **maximum** is **minimum**.

may *v* **1** to have permission to do something (สามารถจะ): *You may go home now; You may not run in the passage.* **2** used to express a possibility in the present or future (อาจจะ): *He may be here — I don't know; I may not go to Sydney after all.* **3** used to express a wish (ใช้ในการอวยพร): *May you live a long and happy life.*

can means to be able to: *How can I improve my English?* **may** means to be allowed to: *May I open the window, please?*; See also **might**[1].

may have used to express a possibility in the past (ใช้บอกความเป็นไปได้ในอดีตว่า อาจจะเคยกระทำ): *He may have been here, but we cannot be sure.*

May *n* the fifth month of the year (เดือนพฤษภาคม เดือนที่ห้าของปี).

'may·be (*'mā-bē*) *adv* perhaps (อาจจะหรือบางที): *Maybe he'll come.*

mayn't (*mānt*) short for (คำย่อของ) **may not**.

may·on'naise (*mā-ə'nāz*) *n* a cold, thick, creamy sauce that is made from egg yolk, oil, salt and pepper, and vinegar or lemon juice (ซอสซึ่งเป็นครีมข้นทำจากไข่แดง น้ำมัน เกลือ พริกไทย และน้ำส้มสายชู): *Egg mayonnaise is a dish of hardboiled eggs with mayonnaise.*

mayor (*mār*) *n* the chief public official of a city or town (นายกเทศมนตรี).

'mayor·ess *n* **1** a mayor's wife (ภรรยานายกเทศมนตรี). **2** a female mayor (นายกเทศมนตรีหญิง).

maze *n* a deliberately confusing series of paths from which it is difficult to find the way out (ทางวกเวียน เขาวงกต).

me (*mē*) *pron* (used as the object of a verb or preposition and sometimes instead of I) the word you use when you are talking about yourself (ฉัน ผม): *He hit me; Give that to me; It's me; He can go with John and me.*

He is shorter **than I** (or **than I am** or **than me**).
between **you and me** (not ไม่ใช่ **you and I**).

'mead·ow (*'med-ō*) *n* a field of grass (ทุ่งหญ้า): *There were cows in the meadow.*

'mea·gre (*'mē-gər*) *adj* poor; not enough (น้อย ไม่พอ ขาดแคลน): *meagre strength.*

meal *n* the food taken at one time (อาหารในมื้อหนึ่ง): *We eat three meals a day.*

mean[1] *adj* **1** not generous with money *etc.* (ใจแคบ ขี้เหนียว): *He's very mean with his money.* **2** not kind; nasty (ไม่ดี เลวทราม): *It is mean to tell lies.*

mean[2] *v* **1** to express something, or intend to express something (หมายถึงหรือหมายความว่า): *"Vacation" means "holiday"; What do you mean by saying that?* **2** to intend (ตั้งใจ): *I meant to go to the exhibition; For whom was that letter meant?*

mean; meant (*ment*); **meant**: *He meant to post the letter; It was meant to be a joke.*

mean well to have good intentions (ดีแต่พูดแต่มักไม่ทำตามนั้น): *He meant well by what he said.*

me'an·der (*mē'an-dər*) *v* to flow slowly along with many bends and curves (ไหลอย่างช้า ๆ วกไปเวียนมา): *The stream meandered through the meadows.*

'mean·ing *n* what a statement, action, word *etc.* means (ความหมาย): *What is the meaning of this phrase?; What is the meaning of his behaviour?*

means[1] *n* the instrument, method *etc.* that is used to get a result (เครื่องมือ วิธีการ): *By what means can we find out?*

by all means yes, of course (ถูกแล้ว เชิญเลย): *If you want to use the telephone, by all means do.*

by means of using (โดยใช้): *We escaped by means of a secret tunnel.*

by no means 1 definitely not (เปล่าเลย): *"Have you finished yet?" "By no means!"* **2** not at all (ไม่เลย): *I'm by no means certain to win.*

means[2] *n* money available or necessary for living *etc.* (ความมั่งคั่ง ร่ำรวย): *She's a person of considerable means.*

meant *see* **mean** (ดู **mean**).

'mean·time *n* the time between two events

(เวลาระหว่างเหตุการณ์สองเหตุการณ์): *I'll hear her account of the matter later — in the meantime, I'd like to hear yours.*

'**mean·while** *adv* during this time; at the same time (ในระหว่างนั้น ในเวลาเดียวกัน): *The child had gone home. Meanwhile, his mother was searching for him in the street.*

'**mea·sles** (*'mē-zəlz*) *n* a children's disease with small red spots on the skin (โรคหัด).

measles is always in the plural form but takes a singular verb: *Measles is an infectious disease.*

'**meas·ure** *n* **1** a device for finding the size, amount *etc.* of something: *a glass measure for liquids; a tape-measure* (เครื่องมือวัดขนาด จำนวน ฯลฯ). **2** a unit (หน่วย): *The metre is a measure of length.* **3** a plan of action; something done (มาตรการ): *We must take certain measures to stop the increase in crime.* — *v* **1** to find the size, amount *etc.* of something (วัดขนาด วัดจำนวน): *He measured the table.* **2** to show the size, amount *etc.* of something (แสดงขนาด จำนวน ฯลฯ): *A thermometer measures temperature.* **3** to be a certain size (มีขนาด): *This table measures two metres by one metre.*

'**meas·ure·ment** *n* size, amount *etc.*, found out by measuring (การตวง การวัดได้): *What are the measurements of this room?*

made to measure made to fit the measurements of a particular person (มีขนาดหรือสัดส่วนพอดีตัว): *Was your jacket made to measure?* — *adj: a made-to-measure suit.*

meat *n* the flesh of animals or birds used as food (เนื้อสัตว์).

'**meat·y** *adj* full of meat (เต็มไปด้วยเนื้อ): *a meaty soup.*

me'chan·ic (*mə'kan-ik*) *n* a skilled worker who repairs machinery or keeps it in good condition (ช่างเครื่องยนต์).

me'chan·i·cal *adj* **1** having to do with machines (เกี่ยวกับเครื่องจักร): *mechanical engineering.* **2** worked or done by machinery (ซึ่งทำงานหรือทำเสร็จโดยเครื่องจักร): *a mechanical saw.* **3** done without thinking, from habit (ทำเป็นนิสัย): *a mechanical action.*

me'chan·i·cal·ly *adv* (โดยนิสัย โดยเครื่องจักร).

'**mech·a·nism** (*'mek-ə-niz-əm*) *n* a part of a machine *etc.* that does a particular job (เครื่องกลไก ตัวจักร เครื่องนาฬิกา): *The winding mechanism of the old clock has broken.*

'**med·al** *n* a piece of metal like a large coin, with a design, inscription *etc.* stamped on it, given as a reward or made to celebrate a special occasion (เหรียญรางวัล): *He won a medal for bravery.*

'**med·al·list** *n* a person who has won a medal in a competition *etc.* (ผู้ได้รับเหรียญ).

me'dal·lion (*mə'dal-yən*) *n* a large, medal-like piece of jewellery, worn on a chain (เหรียญตราขนาดใหญ่): *Men sometimes wear medallions.*

'**med·dle** *v* to concern yourself with things that are not your business; to fiddle with something (เข้าไปยุ่งด้วยเรื่องที่ไม่เป็นเรื่องของตัว สอด เสือก): *She was always trying to meddle in my affairs; Don't meddle with the television.*

'**med·dler** *n* (ผู้ที่ชอบเข้าไปเกี่ยวข้องกับเรื่องของคนอื่น).

media plural of (พหูพจน์ของ) **medium**.

mediaeval *see* **medieval** (ดู **medieval**).

'**me·di·ate** (*'mē-di-āt*) *v* to try to settle a disagreement between people (ประนีประนอม).

me·di'a·tion *n* (การประนีประนอม).

'**me·di·a·tor** *n* (ผู้ทำการประนีประนอม).

'**med·i·cal** *adj* having to do with healing, medicine or doctors (ทางแพทย์หรือทางเวชกรรม ทางยา): *medical care; medical insurance.* — *n* a medical examination (การตรวจร่างกาย).

'**med·i·cal·ly** *adv* (โดยทางยา โดยทางการรักษา).

'**med·i·ca·ted** *adj* having a healing or health giving substance mixed in (ซึ่งมีตัวยาผสมอยู่): *medicated shampoo.*

'**med·i·cine** (*'med-sin*) *n* **1** a substance that is used to treat disease or illness (ยารักษาโรค): *a dose of medicine.* **2** the science of curing people who are ill (เวชกรรมหรืออายุรเวช): *He is studying medicine.*

The pronunciation of **medicine** is *'med-sin.*

me·di'e·val or **me·di'ae·val** (*me-di'ē-vəl*) *adj* having to do with the period between about the 11th and the 15th centuries, especially in Europe (แห่งสมัยกลาง): *There are still many medieval buildings in the old town centre of Edinburgh.*

me·di'o·cre (*mē-di'ō-kər*) *adj* not very good; ordinary (ไม่ดีมากนัก ปกติธรรมดา): *a mediocre performance.*

medi'oc·ri·ty *n* (ความปานกลาง สามัญ).

'med·i·tate *v* to think deeply (ใคร่ครวญ ทำสมาธิ): *He was meditating on his troubles.*

med·i'ta·tion *n* (การใคร่ครวญ การทำสมาธิ).

'me·di·um (*'mē-di-əm*), *plural* **'me·di·a** or **'me·di·ums**, *n* **1** something by which an effect is transmitted (มัชฌิมหรือสื่อกลาง): *Air is the medium through which sound is carried.* **2** a means, especially, radio, television and newspapers, by which news *etc.* is made known (สื่อในการใช้ข้อมูลข่าวสาร โดยเฉพาะประเภทวิทยุ โทรทัศน์ หนังสือพิมพ์ ฯลฯ): *the news media.* **3** a person through whom spirits of dead people are believed to speak (คนทรง). — *adj* middle or average in size, quality *etc.* (ปานกลาง): *Would you like the small, medium or large packet?*

'med·ley (*'med-li*) *n* **1** a piece of music put together from a number of other pieces (เพลงผสม): *She sang a medley of old songs.* **2** a mixture (การผสมผเสกันหลายชนิด).

meek *adj* humble; not likely to complain, argue *etc.* (สงบเสงี่ยม ว่าง่าย แต่โดยดี): *a meek little man.*

'meek·ly *adv* (อย่างสงบเสงี่ยม).

'meek·ness *n* (ความสงบเสงี่ยม).

meet *v* **1** to come face to face with someone by chance (พบกันโดยบังเอิญ): *It was on a train that I first met the man who became my husband; Michael politely said "Good morning" when he met the headmaster in the passage.* **2** to come together with a person *etc.*, by arrangement (ประชุม): *The committee meets every Monday.* **3** to be introduced to someone for the first time (รับการแนะนำให้รู้จัก): *Come and meet my wife.* **4** to join (ต่อกัน บรรจบ ประสาน): *Where do the two roads meet?* **5** to satisfy requirements *etc.* (พอสมตามความประสงค์): *Will there be sufficient stocks to meet the public demand?*

meet; met; met: *He met her on his way home; Have you met her before?*

'meet·ing *n* a coming together of people for discussion or another purpose (การประชุม): *to attend a committee meeting.*

meet with to experience; to suffer (ประสบ เผชิญ): *We have met with a few problems while writing this dictionary.*

'meg·a·phone *n* a device for speaking through, that causes sounds to be made louder (โทรโข่ง): *He shouted instructions to the crowd through a megaphone.*

'mel·an·chol·y (*'mel-ən-kə-li*) *adj* very sad; showing sadness (เศร้ามาก ใจคอห่อเหี่ยว): *The refugees felt melancholy when they thought of their homeland; a melancholy film; He had a melancholy expression on his face.* — *n* sadness (ความเศร้า): *a feeling of melancholy.*

'mel·low (*'mel-ō*) *adj* **1** mature and sweet (กลมกล่อมและหวาน): *a mellow wine.* **2** soft, not strong or unpleasant (เย็นตา รื่นตา): *The lamplight was soft and mellow.* **3** having become pleasant and agreeable with age (สุขุม): *a mellow old man.*

'mel·low·ness *n* (ความกลมกล่อม ความสุขุม ความรื่นตา).

me'lo·di·ous (*mə'lō-di-əs*) *adj* **1** having a sweet tune (ไพเราะ): *a melodious tune.* **2** nice to listen to (น่าฟัง): *a melodious voice.*

me'lo·di·ous·ly *adv* (อย่างไพเราะ).

'mel·o·dra·ma *n* a play, film *etc.* full of adventure and romance, in which people are either very good or very bad (บทละคร ภาพยนตร์ ที่เต็มไปเรื่องประโลมโลก).

mel·o·dra'mat·ic *adj* showing your feelings too strongly, as though you are acting on stage (แสดงความรู้สึกออกนอกหน้ามากไป): *I don't like his melodramatic behaviour.*

'mel·o·dy *n* a tune (**ทำนองเพลง**): *He played Spanish melodies on his guitar.*

'mel·on *n* a large, juicy fruit with many seeds (**แตงโม แตงไทย**).

melon

water-melon

melt *v* to make or become soft or liquid through heat (**ละลาย**): *She melted the sugar in a pan; The ice has melted.*

'mel·ting-point *n* the temperature at which a solid melts (**จุดหลอมเหลว**): *The melting-point of ice is 0° Celsius.*

'mem·ber *n* a person who belongs to a group, club, society *etc.* (**สมาชิก**).

'mem·ber·ship *n* **1** being a member (**สมาชิกภาพ**): *membership of a political party.* **2** all the members of a club *etc.* (**ชาวคณะ องค์**): *a society with a large membership.*

'mem·brane *n* a thin skin that covers or connects the organs or cells of your body (**เยื่อแผ่นในร่างกาย พังผืด**).

me'men·to, *plural* **mementos**, *n* something kept or given as a reminder or souvenir (**สิ่งที่เก็บไว้หรือให้ไปเพื่อเตือนใจหรือเป็นที่ระลึก**): *They gave her a small gift as a memento.*

'me·mo (*'me-mō*), *plural* **memos**, *n* a note from one member of a company or organization to another (**บันทึกช่วยความจำ**): *She sent a memo to all her staff.*

'mem·o·ra·ble *adj* worthy of being remembered (**น่าจดจำ อยู่ในความทรงจำ**): *a memorable event.*

me'mo·ri·al *n* something, for example a monument, made to remind people of an event or a person (**อนุสรณ์ อนุสาวรีย์ วันหรือสิ่งที่ทำให้รำลึกถึง**): *a memorial to Mao Tse-Tung; a war memorial.*

'mem·o·rize *v* to learn something so well that you can remember it without looking (**ท่องจำ จดจำ**): *She memorized the instructions.*

'mem·o·ry *n* **1** the power to remember things (**ความจำ**): *a good memory for details.* **2** the store of remembered things in your mind (**ความทรงจำ**): *Her memory is full of interesting stories.* **3** something remembered (**บางอย่างที่จำได้**): *memories of her childhood.* **4** the time as far back as can be remembered (**ความหลัง**): *the greatest fire in memory.* **5** a part of a computer in which information is stored for immediate use (**ส่วนความจำของคอมพิวเตอร์ซึ่งใช้เก็บข่าวสารเพื่อการใช้ในทันทีนั้น**).

'men·ace (*'men-əs*) *n* **1** something likely to cause injury, damage *etc.* (**ภยันตราย ภัย**): *Traffic is a menace on narrow roads.* **2** a threat (**การขมขู่**): *His voice was full of menace.* — *v* to threaten (**ขู่ ข่มขู่ นำอันตรายมาสู่**): *The village was menaced by the volcano.*

me'nag·e·rie (*mə'naj-ə-ri*) *n* a collection of wild animals; a zoo (**สวนสัตว์**).

mend *v* **1** to put something broken, torn *etc.* into good condition again; to repair (**ซ่อมแซม**): *Can you mend this broken chair?* **2** to heal or recover (**ค่อยยังชั่วขึ้น**): *My broken leg is mending very well.* — *n* a repaired place (**รอยซ่อม**): *This shirt has a mend in the sleeve.*

'mend·ing *n* things needing to be mended, especially clothes (**การซ่อมแซม การปะชุน**): *a pile of mending.*

'me·ni·al (*'mē-nē-əl*) *adj* needing no skill, dull and boring (**ไม่จำเป็นต้องมีความชำนาญ จำเจ**): *If you don't get some qualifications you'll end up doing menial jobs all your life.*

men·stru'a·tion (*men-stroo'ā-shən*) *n* the natural bleeding from the womb of a woman every 28 days (**การมีระดู**).

'men·stru·ate *v.*

'men·tal *adj* **1** having to do with your mind (**เกี่ยวกับจิตใจ ทางใจ**): *mental illnesses.* **2** done or made by your mind (**คิดหรือทำในใจ**): *mental arithmetic; a mental picture.* **3** for those who have an illness that affects their mind (**สำหรับผู้ที่เป็นโรคทางจิต**): *a mental hospital.* **4** suffering from an illness of the mind (**ผู้ที่ป่วยด้วยโรคทางจิต**): *a mental* *patient.*

men'tal·i·ty *n* a way of thinking (แนวความคิด): *He has a rather strange mentality.*

'men·tal·ly *adv* (ทางจิตใจ): *He is mentally ill.*

'men·thol *n* a sharp-smelling substance got from peppermint oil used to help to give relief from colds *etc.* (เมนทอล ใช้ช่วยลดไข้หวัด).

'men·tion *v* **1** to speak of something briefly (อ้างถึง): *He mentioned the plan.* **2** to remark (กล่าวถึง): *She mentioned that she might be leaving.* — *n* a remark (การกล่าวอ้างถึง การพูดพาดพิงถึง): *No mention was made of this matter.*

'men·u (*'men-ū*) *n* a list of dishes that may be ordered in a restaurant or are served at a meal (เมนู รายการอาหาร): *What's on the menu today?*

'mer·ce·nar·y *adj* too strongly influenced by desire for money (เห็นแก่เงิน งก โลภ): *a mercenary attitude.* — *n* a soldier who is hired to fight for a foreign army (ทหารรับจ้าง).

'mer·chan·dise (*'mär-chən-dīz*) *n* goods to be bought and sold (สินค้า): *This store sells merchandise from all over the world.*

'mer·chant *n* a trader, especially in goods of a particular kind (พ่อค้า): *tea merchants.*

'mer·ci·ful *adj* willing to forgive or to punish only lightly (ยินยอมที่จะให้อภัยหรือลงโทษเพียงสถานเบา เมตตาปรานี): *a merciful judge.*

'mer·ci·less *adj* without mercy; cruel (ไม่มีความปรานี โหดร้าย).

'mer·cu·ry (*'mär-kū-ri*) *n* a poisonous, silvery, liquid metal used in thermometers *etc.* (ปรอท).

'mer·cy *n* **1** kindness towards an enemy, wrongdoer *etc.* (ความเมตตาปรานี): *He showed his enemies no mercy.* **2** a piece of good luck (เคราะห์ดี): *It was a mercy that it didn't rain.*

at the mercy of someone or **something** wholly in the power of someone or something (อยู่ภายใต้อำนาจโดยไม่มีทางต่อต้านได้): *A sailor is at the mercy of the sea.*

have mercy on someone to give kindness to an enemy *etc.* (ให้ความเมตตาปรานี): *Have mercy on me!*

mere (*mēr*) *adj* no more than (เพียง เท่านั้น): *a mere child.*

'mere·ly *adv* simply; only (เฉย ๆ เท่านั้น): *I was merely trying to help.*

merge *v* **1** to combine or join (ผสมหรือรวมกัน): *The sea and sky appear to merge at the horizon.* **2** to change gradually into something else (ค่อย ๆ กลมกลืนกันไป): *Summer slowly merged into autumn.*

me'rid·i·an (*mə'rid-i-ən*) *n* an imaginary line on the earth's surface, running from one pole to the other and cutting through the equator (เส้นแวง): *Meridians on maps help you find the place you are looking for.*

me'ringue (*mə'raŋ*) *n* a kind of light, crisp, white cake that is made of whites of eggs whipped up with sugar (ขนมแบบกรอบนิด ๆ ซึ่งทำด้วยไข่ขาวตีเข้ากับน้ำตาล).

'mer·it *n* **1** that which deserves praise or reward (คุณความดี): *He reached his present position through merit.* **2** a good point or quality (ข้อดี): *His speech had at least the merit of being short.* — *v* to deserve (สมควรจะได้รับ): *Her work merits a high mark.*

'mer·maid *n* a woman with a fish's tail instead of legs, who only exists in fairy-tales *etc.* (นางเงือก).

'mer·ri·ment *n* fun and laughter (ความสนุกสนาน): *There was a great deal of merriment at the party.*

'mer·ry *adj* happy and cheerful (มีความสุขและสนุกสนาน): *merry children; a merry party.*

'mer·ri·ly *adv* (อย่างมีความสุขและสนุกสนาน).

'mer·riness *n* (ความสุขสนุกสนาน).

'mer·ry-go-round *n* a round, moving platform carrying toy horses *etc.* on which children ride at the fair (ม้าหมุน).

'mer·ry·ma·king *n* joyful celebrating (การจัดงานสนุกสนานรื่นเริง).

mesdames plural of (พหูพจน์ของคำว่า) **madam**.

mesh *n* **1** the openings between the threads of a net (ตาแต่ละช่องของตาข่าย แหหรือของตะแกรง): *a net of very fine mesh.* **2 ('mesh·es)** a network (ใย): *A fly was strugg-*

ling in the meshes of the spider's web.

mess *n* disorder; confusion; an untidy or unpleasant sight (ไม่มีระเบียบ ยุ่งเหยิง ไม่เรียบร้อยหรือไม่น่าดู): *This room is in a terrible mess!; The spilt food made a mess on the carpet.* — *v* to put something into disorder or confusion (ทำให้ไม่มีระเบียบหรือยุ่งเหยิง): *Don't mess the room up!*

'mess·y *adj* dirty (สกปรก เลอะเทอะ): *a messy job.*

'mess·i·ly *adv* (อย่างสกปรก เลอะเทอะ).

make a mess of 1 to make something dirty or untidy (ทำให้สกปรกหรือไม่เรียบร้อย): *The heavy rain has made a real mess of the garden.* **2** to do something badly (ทำอย่างเลว): *He made a mess of his essay.*

mess about, mess around 1 to do things with no particular plan (ทำโดยไม่มีแผน ทำงุ่มง่าม อืดอาด): *He didn't know how to repair the car — he was only messing about with it.* **2** to behave in a foolish way (พูดหรือกระทำในสิ่งเหลวไหล ไร้สาระ): *The children were shouting and messing about.*

'mes·sage (*'mes-ij*) *n* **1** a piece of information passed from one person to another (ข่าวสาร สาร ข่าวคราว): *I have a message for you from Mr Johnson.* **2** the teaching given by a story, religion, prophet *etc.* (คำสอน): *What message is this story trying to give us?*

'mes·sen·ger (*'mes-ən-jər*) *n* a person who carries a message (ผู้ส่งข่าว ผู้ถือจดหมาย).

Mes'si·ah (*mə'sī-ə*) *n* Jesus Christ (พระเยซูคริสต์).

me'tab·o·lism (*mə'tab-ō-lizm*) *n* the system of chemical processes in the body that produce energy and growth from food (กระบวนการทางเคมีในร่างกายซึ่งเผาผลาญอาหารก่อให้เกิดพลังงานและความเจริญเติบโต): *Her metabolism is more efficient than mine.*

met·a'bolic *adj* (เกี่ยวกับการเผาผลาญอาหารในร่างกาย).

'met·al *n* any of a group of substances, usually shiny and able to conduct heat (โลหะ): *Gold, silver, copper and iron are all metals.* — *adj* (เป็นโลหะ): *a metal object.*

me'tal·lic *adj* **1** containing or consisting of metal (มีโลหะหรือประกอบด้วยโลหะ): *a metallic substance.* **2** like a metal in appearance or sound (เหมือนโลหะ): *metallic blue; a metallic noise.*

'met·al·work *n* **1** the art or craft of making objects from metal (ศิลปหัตถกรรมที่ทำจากโลหะ): *She learnt metalwork at school.* **2** objects made from metal (วัตถุที่ทำจากโลหะ): *a collection of metalwork.*

met·a'mor·pho·sis (*met-ə'mör-fə-sis*), *plural* **met·a·mor·pho·ses** (*met-ə'mör-fə-sēz*), *n* a change of form, appearance, character *etc.* (การเปลี่ยนรูป อุปนิสัย): *a caterpillar's metamorphosis into a butterfly.*

'met·a·phor (*'met-ə-fər*) *n* a way of describing someone or something in which you call them by the name of a thing that has the same quality as they do (คำอุปมา): *"She is a tigress when she is really angry" and "Their new house is a dream" are examples of metaphors.*

met·a'phor·ic·al *adj* (ซึ่งเป็นการอุปมา).

met·a'phor·i·cal·ly *adv* (อย่างเปรียบเทียบโดยอุปมา).

'me·te·or (*'mē-ti-ər*) *n* a small mass or body travelling very quickly through space, which appears very bright after entering the earth's atmosphere (ดาวตก).

'me·te·o·rite (*'mē-ti-ə-rīt*) *n* a kind of large rock that has fallen to earth from space (อุกกาบาต).

me·te·o'rol·o·gy (*mē-ti-ə'rol-ə-ji*) *n* the study of changes in the earth's atmosphere and the weather they produce (อุตุนิยมวิทยา): *You need to study meteorology if you want to forecast the weather.*

me·te·o·ro'log·i·cal *adj* (แห่งอุตุนิยมวิทยา).

'me·ter[1] *n* an instrument for measuring quantities of electricity, gas, water *etc.* (มาตรวัดไฟฟ้า ก๊าซ น้ำ ฯลฯ): *If you want to know how much electricity you have used you will have to look at the meter.* — *v* to measure with a meter (วัดด้วยมิเตอร์).

'me·ter[2] another spelling of (การสะกดอีกแบบหนึ่ง

ของ) **metre**.

'meth·od *n* **1** a way of doing something (วิธีการ): *methods of training athletes*. **2** fixed series of actions for doing something (การทำตามวิธีการ): *Follow the method shown in the instruction book.*

me'tic·u·lous (*mə'tik-ū-ləs*) *adj* very careful, almost too careful, about small details (ระมัดระวัง พิถีพิถัน กวดขัน): *He paid meticulous attention to detail.*

me'tic·ulous·ly *adv* (อย่างพิถีพิถัน).

'me·tre (*'mē-tər*) *n* the chief unit of length in the metric system, about 1.1 yard (เมตร): *This table is one metre broad; One metre is often written as 1 m.*

'met·ric *adj* having to do with the metre or metric system (เกี่ยวกับการวัดเป็นเมตรหรือระบบเมตริก): *Are these scales metric?*

'met·ri·cate *v* to change from measuring things in non-metric units to measuring them in metric units, such as metres or grammes (เปลี่ยนจากการวัดที่ไม่ใช่ระบบเมตริกไปเป็นระบบเมตริก): *The system of measurement has been metricated.*

the metric system a system of weights and measures based on tens, for example, 1 metre=10 decimetres=100 centimetres= 1000 millimetres. (ระบบเมตริก)

mew *v* to make the cry of a cat (ร้องเหมียว ๆ ของแมว): *The kittens mewed.* — *n* this cry (เสียงร้องของแมว).

mi'aow (*mi'ow*) *v* to make the cry of a cat (ทำเสียงร้องเหมียวของแมว): *The cat miaowed all night.* — *n* this cry (เสียงร้องเหมียว).

mice plural of (พหูพจน์ของคำว่า) **mouse**.

mi·cro- (*mī-krō*) **1** very small (เล็กมาก จุล): *microprint*; **2** one millionth part (หนึ่งส่วนล้าน): *a microvolt.*

'mi·cro·fiche (*'mī-krō-fēsh*) *n* a piece of film the size of a postcard, used for storing miniature copies of text, which can be read using a **microfiche reader** which magnifies the image (แผ่นฟิล์มขนาดจิ๋วที่ใช้ในการบันทึกเอกสารหรือรูปภาพ): *Many libraries now keep their catalogues on microfiche.*

'mi·cro·chip *n* a tiny piece of silicon *etc.* designed to act as a complex electronic circuit (ชิ้นซิลิคอนขนาดจิ๋วทำหน้าที่เป็นตัวหนึ่งในวงจรอิเล็กทรอนิกส์).

mi·cro·com'pu·ter *n* a small computer containing microchips (คอมพิวเตอร์ขนาดเล็กที่ใช้ไมโครชิพส์เหล่านี้).

'mi·cro·film *n* a piece of photographic film on to which a document or a book is copied, in a size very much smaller than its actual size (ฟิล์มซึ่งเก็บภาพถ่ายของเอกสารหรือหนังสือด้วยขนาดที่เล็กกว่าของจริงมาก): *The library has copies of lots of newspapers on microfilm; I borrowed a microfilm of the book at the library.*

'mi·cro·phone *n* an electronic instrument for picking up sound waves to be broadcast, recorded or amplified as in radio, the telephone, a tape-recorder *etc.* (ไมโครโฟน): *Speak into the microphone.*

'mi·cro·scope *n* an instrument with lenses, that makes very tiny objects look much larger, so that you can study them closely (กล้องจุลทรรศน์): *Germs are very small, and can only be seen with the aid of a microscope.*

mi·cro'scop·ic *adj* **1** able to be seen only through a microscope (สามารถเห็นได้โดยกล้องจุลทรรศน์เท่านั้น): *microscopic fungi.* **2** very small (เล็กมากจนมองด้วยตาเปล่าไม่เห็น): *I can't read his microscopic writing.*

'mi·cro·wave *n* (also **microwave oven**) an oven which cooks food very quickly using radiation rather than heat (เตาซึ่งปรุงอาหารได้รวดเร็วโดยการใช้รังสีมากกว่าความร้อน เตาไมโครเวฟ): *You can use a microwave to defrost food from the freezer.*

mid *adj* at, or in, the middle of something (กลาง กลางคัน): *a midweek football match; in mid air.*

mid'day *n* the middle of the day; twelve o'clock (เที่ยงวัน สิบสองนาฬิกา): *We'll meet you at midday.* — *adj* (กลางวัน): *a midday meal.*

'mid·dle *n* **1** the central point or part (ส่วนตรงกลางหรือกึ่งกลาง): *the middle of a circle.* **2** your waist (เอว): *You're getting rather fat* *round your middle.* — *adj* equally distant from both ends (ตรงกลาง กึ่งกลาง): *the middle seat in a row.*

middle age the years between youth and old age (วัยกลางคน): *She is well into middle age.*

mid·dle-'aged *adj* (อยู่ในวัยกลางคน).

Middle Ages the period between the 11th and the 15th centuries, especially in Europe: *People were very superstitious during the Middle Ages.*

'mid·dle·man *n* a dealer who buys goods from the person who makes or grows them, and sells them to shopkeepers or to the public.

be in the middle of doing something to be busy doing something (อยู่ระหว่าง): *I was in the middle of washing my hair when the telephone rang.*

'midg·et *n* a person who is fully developed but has not grown to normal height (คนแคระ).

'mid·night *n* twelve o'clock at night (เที่ยงคืน): *I'll go to bed at midnight.*

midst: in the midst 1 among; in the centre (ท่ามกลาง อยู่ตรงกลาง): *in the midst of a crowd of people.* **2** at the same time as (ในเวลาเดียวกันกับ): *in the midst of all these troubles.*

in our midst among us (ในหมู่เรา): *We have an enemy in our midst.*

mid'way *adj* in the middle between two points; half-way (ตรงกลางระหว่างจุดสองจุด ครึ่งทาง): *the midway point.* — *adv* (อยู่กลางทาง): *Their house is midway between the two villages.*

'mid·wife, *plural* **'mid·wives**, *n* a trained nurse who helps at the birth of children (นางผดุงครรภ์).

mid'wife·ry (*mid'wif-ri*) *n* (การผดุงครรภ์).

might[1] (*mīt*) *v* **1** past tense of **may** (อดีตกาลของ) **may**: *I thought I might find you here; He might come if you offered him a meal; I might never have known the truth, if you hadn't told me.* **2** used instead of "may", for example to make a possibility seem less likely (ใช้แทนคำว่า **"may"** ทำให้ความเป็นไปได้ดูเหมือนว่าจะน้อยลงไป): *He might win if he tries hard.* **3** used to ask permission very politely (ใช้ในการขออนุญาตอย่างสุภาพมาก ๆ): *Might I give you some advice?* **4** used to scold someone for not doing something (ใช้ในการดูหมิ่นผู้ใดในการที่ไม่ทำอะไรสักอย่าง): *You might help me wash the car!*

might not or **'might·n't** (*'mī-tənt*): *I mightn't be able to come after all.*

might have 1 used to suggest that something would have been possible (ใช้เพื่อการเสนอว่าบางอย่างน่าจะเป็นไปได้): *You might have caught the bus if you had run.* **2** used to scold someone for not doing something (ใช้ในการต่อว่าคนในการที่เขาไม่ทำอะไรบางอย่าง): *You might have apologized!*

might[2] (*mīt*) *n* power; strength (ความมีพลัง มีกำลัง): *The might of the opposing army was too great for us.*

mightn't short for (คำย่อสำหรับคำว่า) **might not**.

'might·y (*'mī-ti*) *adj* having great power (มีอำนาจมาก): *a mighty nation.*

'might·i·ly *adv* (อย่างมีอำนาจมาก).

'might·i·ness *n* (ความมีอำนาจ).

'mi·graine (*'mē-grān*) *n* a very painful headache (การปวดศีรษะมาก): *She suffers from frequent attacks of migraine; I have a migraine today.*

mi'grate (*mī'grāt*) *v* **1** to travel from one region to another at certain times of the year (อพยพประจำปี): *Many birds migrate in the early winter.* **2** to move from one place to another, especially to another country (อพยพไปอยู่ที่อื่นโดยเฉพาะไปอยู่อีกประเทศหนึ่ง): *The whole population migrated to the East.*

mi'gra·tion *n* (การอพยพย้ายถิ่น).

See also **emigrate**.

'mi·grant *n* a person, bird or animal that migrates (คน นก หรือสัตว์ที่อพยพย้ายถิ่นฐาน): *The swallow is a summer migrant to Britain.* — *adj* (อพยพ): *migrant workers.*

mild (*mīld*) *adj* **1** gentle (นุ่มนวล อ่อนโยน): *He has a mild temper.* **2** not severe (ไม่รุนแรง): *a mild punishment.* **3** not cold; rather warm (ไม่หนาวจัด ค่อนข้างอุ่น): *a mild* *spring day.* **4** not sharp or hot in taste **(รสไม่จัด)**: *a mild curry.*

'mild·ly *adv* **(อย่างนุ่มนวล อย่างไม่รุนแรง).**

'mild·ness *n* **(ความนุ่มนวล ความไม่รุนแรง).**

mile *n* a measure of length equal to 1.61 km **(หน่วยวัดความยาวเป็นไมล์ซึ่งเท่ากับ 1.61 กิโลเมตร)**: *We walked ten miles today; a speed of 70 miles per hour; a ten-mile hike.*

'mile·age (*'mī-lij*) *n* the number of miles travelled **(จำนวนระยะทางที่เดินทางไปนับเป็นไมล์)**: *What mileage did you do on your trip?; What's the mileage on that old car?*

'mile·stone *n* a very important event in the history of something **(เหตุการณ์สำคัญมากของสิ่งต่าง ๆ ที่เกิดขึ้นในประวัติศาสตร์)**: *The invention of the mercury thermometer by Daniel Fahrenheit in 1714 was a milestone in the history of physics.*

'mil·i·tant *adj* taking strong, sometimes violent action; aggressive **(แข็งข้อ ตอบโต้ ก้าวร้าว)**: *The militant workers went on strike and prevented the others from working normally.* — *n* a militant person **(คนซึ่งแข็งข้อไม่ยอมแพ้ คนชอบความรุนแรง).**

'mil·i·tar·y *adj* having to do with soldiers or armed forces generally **(เกี่ยวกับการทหาร)**: *military power.*

milk *n* a white liquid produced by female mammals as food for their young **(นม)**: *The chief source of milk is the cow.* — *v* to obtain milk from a cow *etc.* **(รีดนม)**: *The farmer milks his cows each day.*

> **milk** is never used in the plural: *How much milk shall I buy today?; They drink a lot of milk.*

'milk·maid *n* a woman employed to milk cows by hand **(ผู้หญิงรีดนมวัว).**

'milk·man *n* a man who delivers milk **(คนส่งนม).**

'milk·shake *n* a drink made by whipping milk and a particular flavouring **(เครื่องดื่มทำโดยการปั่นนมและเครื่องปรุงรสเข้าด้วยกัน)**: *I'd like a strawberry milkshake.*

milk teeth the first set of teeth that a baby develops **(ฟันน้ำนม).**

'milk·y *adj* like milk **(เหมือนกับน้ำนม)**: *A milky substance.*

the Milky Way a huge collection of stars stretching across the sky **(ทางช้างเผือก).**

mill *n* **1** a machine for grinding coffee, pepper *etc.* by crushing it between rough, hard surfaces **(เครื่องบด เครื่องสี)**: *a coffee-mill; a pepper-mill.* **2** a building where grain is ground **(โรงสี)**: *The farmer took his corn to the mill.* **3** a building where certain things are manufactured **(โรงงาน)**: *A woollenmill; a steel-mill.* — *v* to grind or press **(บดหรือโม่)**: *This flour was milled at a local mill.*

mil'len·ni·um, *plural* **mil·len·ni·a**, *n* a period of 1000 years **(เวลา 1000 ปี).**

> See **year**.

'mil·let *n* a grain used as food **(ข้าวฟ่าง).**

mil·li- a thousandth part of something **(ส่วนพัน)**: *millimetre; milligramme.*

'mil·lion *n* one thousand thousand; the number 1,000,000 **(ล้าน เลขจำนวน 1,000,000)**: *a million; one million; five million.* — *adj* 1,000,000 in number **(เป็นล้าน)**: *six million people.*

> You use **million** (not **millions**) after a number: *two million dollars.*

mil·lio'naire (*mil-yə'nār*) *n* a person having a million pounds, dollars *etc.* or more **(เศรษฐี).**

mil·lio'nair·ess *n* a woman who is a millionaire **(เศรษฐีนี).**

'mil·li·pede *n* a small many-legged creature with a long body **(กิ้งกือ).**

mime *n* **1** in dancing *etc.* the art of using movements, especially of the hands, to express what you normally put into words **(การแสดงหรือการเคลื่อนไหวที่ใช้ท่าทางแทนคำพูด)**: *She is studying mime.* **2** a play in which no words are spoken and the actions tell the story **(ละครใบ้)**: *The children performed a mime.* — *v* to act using movements rather than words **(กระทำโดยใช้การเคลื่อนไหวแทนคำพูด)**: *He mimed his love for her by holding his hands over his heart.*

'mim·ic *v* to imitate someone or something,

especially with the intention of making them appear ridiculous or funny (เลียนแบบ ล้อเลียน): *The comedian mimicked the Prime Minister's way of speaking.* — *n* a person who mimics (ผู้ที่ล้อเลียนหรือเลียนแบบ): *Some children are good mimics.*

'mim·ic·ry *n* (การเลียนแบบ การล้อ).

mi'mo·sa (*mi'mō-zə*) *n* a plant with small flowers and fern-like leaves that close when touched (ต้นไม้ที่มีดอกเล็ก ๆ และใบเหมือนต้นเฟิร์นที่จะหุบทันทีที่โดนแตะ เป็นไม้ในตระกูลต้นผักกระเฉด ไมยราบ และจามจุรี).

min·a'ret *n* a tower on a mosque from which the call to prayer is sounded (หอคอยยอดแหลมอยู่ส่วนบนของสุเหร่า).

See **steeple**.

mince *v* to cut meat *etc.* into very small pieces; to chop finely (สับละเอียด): *Would you like me to mince the meat for you?* — *n* meat that has been minced and cooked (เนื้อสับที่ปรุงเป็นอาหารแล้ว): *mince and potatoes.*

'minc·er *n* a machine for mincing meat *etc.* (เครื่องบดเนื้อ).

mind (*mīnd*) n the power by which you think *etc.*; your intelligence or understanding (ความคิด จิตใจ): *The girl was very grown-up — she seemed already to have the mind of an adult.* — *v* **1** to look after someone or something (ดูแล): *Would you mind the baby?* **2** to be upset by something (รังเกียจ ขัดข้อง): *Do you mind if I smoke?* **3** to be careful of something (ระมัดระวัง): *Mind the step!* — a cry of warning (เสียงร้องเตือน ระวัง): *Mind! There's a car coming!*

-mind·ed (ซึ่งมีจิตใจหรือความคิด): *narrow-minded.*

'mind·less *adj* done without a reason (ทำไปโดยไม่มีเหตุผล): *mindless violence.*

be out of your mind to be mad (บ้าคลั่ง): *He must be out of his mind!*

have a good mind to do something to feel inclined to do something (มีแนวโน้มที่จะทำ): *I've a good mind to tell your father what a naughty girl you are!*

make up your mind to decide (ตัดสินใจ): *They've made up their minds to stay in Africa.*

mind your own business not to interfere in other people's affairs (อย่าไปยุ่งกับเรื่องของผู้อื่น): *Go away and mind your own business!*

never mind don't bother; it's all right (ไม่เป็นไร ไม่ต้องห่วง): *Never mind, I'll do it myself.*

speak your mind to say frankly what you mean or think (พูดอย่างเปิดเผย): *You must allow me to speak my mind.*

mine[1] *pron* something that belongs to me (ของผม ของฉัน): *Are these pencils yours or mine?; He is a friend of mine.*

This pencil isn't yours — it's **mine** (not **my one**).

mine[2] *n* **1** a place, usually underground, from which metals, coal, salt *etc.* are dug (เหมืองใต้ดิน): *a coalmine; My father worked in the mines.* **2** a kind of bomb used underwater or placed just beneath the surface of the ground (ทุ่นระเบิด): *The ship has been blown up by a mine.* — *v* to dig for coal, metals *etc.* in a mine (ขุดถ่านหิน โลหะ ฯลฯ ในเหมือง): *Coal is mined in this valley.*

'mi·ner *n* a person who works in a mine (คนทำงานเหมือง).

'min·er·al *n* a substance found in the earth and mined (แร่ธาตุ): *Metals, coal and salt are minerals.* — *adj* (เป็นแร่ธาตุ): *mineral oil.*

mineral water a kind of water containing small quantities of health-giving minerals (น้ำแร่).

'min·gle (*'miŋ-gəl*) *v* to mix (ผสม ปะปน): *He mingled with the crowd.*

'min·gled *adj* (ปนกัน ระคนกัน).

'min·i *n* **1** short for **miniskirt** (คำย่อของ) **miniskirt**. **2** (**'Min·i**) a type of small car (รถชนิดเล็ก ๆ). — *adj* small (เล็ก ๆ จิ๋ว): *a mini dictionary; a minibus.*

'min·i·a·ture (*'min-i-chər*) *adj* smaller than normal, often very small (เล็กกว่าปกติ เล็กมาก ๆ): *a miniature radio.* — *n* **1** a very small painting of a person (รูปภาพของบุคคลที่เล็กมาก ๆ). **2** a copy or model of something, made on a small scale (ลอกหรือทำหุ่นจำลองด้วยอัตรา

ส่วนที่เล็ก).

'min·i·bus *n* a small bus (**รถโดยสารขนาดเล็ก**): *The school choir hired a minibus.*

'min·i·mal *adj* very small indeed (**นิดเดียว**): *The cost of the project will be minimal.*

'min·i·mize *v* **1** to reduce something as far as possible (**ลดลงให้น้อยที่สุดเท่าที่จะทำได้**): *to minimize the danger.* **2** to make something seem small or not important (**ทำให้บางอย่างดูเล็ก ไม่มีความสำคัญ**): *He minimized the mistakes he had made.*

'min·i·mum *adj* smallest or lowest (**เล็กที่สุดหรือต่ำที่สุด**): *The minimum temperature last night was - 28 ⁰ Celsius.* — *n* the smallest possible number, quantity *etc.* or the lowest level (**จำนวน ปริมาณ ฯลฯ ที่น้อยที่สุด ขีดหรือระดับต่ำที่สุด**): *Tickets will cost a minimum of $20.*

The opposite of **minimum** is **maximum**.

'min·i·skirt *n* a very short skirt (**กระโปรงสั้นมาก**).

'min·is·ter *n* **1** a clergyman in certain branches of the Christian Church (**หมอสอนศาสนา พระ**): *He is a minister in the Presbyterian church.* **2** the head of a department of government (**รัฐมนตรี**):*the Minister for Education.*

'min·is·try *n* **1** the work of a minister of religion (**งานทางศาสนา**): *His ministry lasted for fifteen years.* **2** a department of government or the building where its employees work (**กระทรวง**): *the Transport Ministry.*

mink *n* **1** a small animal like a weasel (**สัตว์ตัวเล็ก ๆ คล้ายพังพอน**). **2** its fur (**ขนมิงค์**): *a hat made of mink.* — *adj* (**ทำด้วยขนมิงค์**): *a mink coat.*

'mi·nor (*'mī-nər*) *adj* less, or little, in importance, size *etc.* (**ส่วนข้างน้อย น้อย**): *Always halt when driving from a minor road to a major road; She has to go into hospital for a minor operation.* — *n* a person who is not yet legally an adult; in Great Britain, a person under 18 years old (**คนที่ยังไม่บรรลุนิติภาวะ**).

The opposite of **minor** is **major**.

mi'nor·i·ty *n* a small number; less than half (**จำนวนน้อย น้อยกว่าครึ่ง**): *Only a minority of people live in the countryside; a political minority.*

'min·strel *n* in earlier times, a musician who travelled around the country and sang songs or recited poems (**นักดนตรีสมัยก่อนซึ่งท่องเที่ยวไปทั่วประเทศและร้องเพลงหรือท่องบทกวีให้ผู้คนได้ฟัง**): *The band of minstrels entertained the king with songs about famous battles.*

mint[1] *n* a place where coins are made by the government. (**โรงกษาปณ์**) — *v* to make coins (**ผลิตเหรียญกษาปณ์**).

in mint condition in perfect, fresh condition (**อยู่ในสภาพสมบูรณ์และสดชื่น**).

mint[2] *n* **1** a plant with strong-smelling leaves, used as a flavouring (**ต้นสะระแหน่**). **2** a sweet with the flavour of these leaves (**ขนมหวานที่ใส่รสชาติของสะระแหน่**): *a box of mints.* — *adj* (**ใส่สะระแหน่**): *mint chocolate.*

'mi·nus (*'mī-nəs*) *prep* used to show subtraction (**ลบ**): *Ten minus two equals eight (10 — 2 = 8).* — *adj* negative; less than zero (**เป็นลบ ต่ำกว่าศูนย์**): *Twelve subtracted from ten leaves a minus number.*

'min·u·scule (*'min-əs-kūl*) *adj* very small (**น้อยนิด เล็กนิดเดียว**): *The risks are minuscule.*

'min·ute[1] (*'min-it*) *n* **1** the sixtieth part of an hour; sixty seconds (**นาที**): *It is twenty minutes to eight.* **2** in measuring an angle, the sixtieth part of a degree (**ในการวัดมุม หนึ่งส่วนหกสิบองศา**). **3** a very short time (**ประเดี๋ยวหนึ่ง**): *Wait a minute; It will be done in a minute.* **4** a particular point in time (**เวลานั้น**): *At that minute, the telephone rang.*

minute hand the larger of the two pointers on a clock or watch (**เข็มนาที**).

the minute as soon as (**ทันทีที่**): *Telephone me the minute he arrives!*

mi'nute[2] (*mī'nūt*) *adj* **1** very small (**เล็กจิ๋ว**): *The diamonds in the brooch were minute.* **2** paying attention to the smallest details (**เอาใจใส่ในรายละเอียดที่เล็กที่สุด**): *minute care.*

mi'nute·ly *adv* (**อย่างน้อยมาก**).

mi'nute·ness *n* (**ความน้อยมาก**).

'mir·a·cle *n* **1** a wonderful act or event that cannot be explained by the known laws of nature (**ความมหัศจรรย์ ปาฏิหาริย์**): *Christ's* *turning of water into wine was a miracle.* **2** an extremely fortunate happening (**สิ่งที่เกิดขึ้นอย่างอัศจรรย์**): *It was a miracle that he wasn't killed when he fell down the cliff.*

'mi·rage (*'mi-räzh*) *n* something not really there that you imagine you see, especially an area of water in the desert or on a road *etc.* (**ภาพลวงตา**).

'mir·ror *n* a surface that reflects light, especially a piece of glass which shows the image of the person looking into it (**กระจก**). — *v* to reflect as a mirror does (**สะท้อนภาพได้อย่างกระจก**): *The smooth surface of the lake mirrored the surrounding mountains.*

mirth *n* laughter; amusement (**หัวเราะ ความสนุก**).

mis·ad'ven·ture *n* an unlucky happening (**ความโชคร้าย เหตุร้าย**).

mis·be'have (*mis-bi-hāv*) *v* to behave badly (**ประพฤติตนอย่างเลวร้าย**): *If you misbehave, I'll send you to bed.*

misbe'hav·iour n (**ความประพฤติเลว**).

mis'cal·cu·late *v* to make a mistake in calculating (**คำนวณผิดพลาด**): *I miscalculated the bill.*

mis·calcu'la·tion *n* (**การคำนวณผิดพลาด**).

mis'car·riage *n* **1** the loss of the baby from the womb before it is able to survive (**การแท้งลูก**). **2** a failure (**ความล้มเหลว**).

mis·cel'la·ne·ous (*mis-ə'lā-ni-əs*) *adj* composed of several kinds; mixed (**ต่าง ๆ ชนิด หลายอย่าง จิปาถะ**): *a miscellaneous collection of pictures.*

'mis·chief (*'mis-chif*) *n* **1** behaviour that causes trouble or annoyance to others (**ความประสงค์ร้าย**): *That boy is always up to some mischief.* **2** damage; harm (**มุ่งร้าย กลั่นแกล้ง**).

'mis·chie·vous *adj* (**ซน ร้าย**): *a mischievous child.*

make mischief to cause trouble *etc.* (**ยุแยงให้แตกสามัคคีหรือให้ทะเลาะกัน**).

mis'con·duct *n* bad behaviour (**ความประพฤติชั่ว**).

'mi·ser (*'mī-zər*) *n* a mean person who spends very little money, so that he can store up wealth (**คนตระหนี่**): *That old miser won't give you a cent!*

'mi·ser·ly *adv* (**ตระหนี่**).

'mi·ser·li·ness *n* (**ความตระหนี่**).

'mis·er·a·ble (*'miz-rə-bəl*) *adj* **1** very unhappy (**ทุกข์**): *She's been miserable since her son went away.* **2** very poor in quantity or quality (**หาที่ดีไม่ได้ ย่ำแย่**): *The house was in a miserable condition.*

'mis·er·y (*'miz-ər-i*) *n* great unhappiness (**ความทุกข์ทรมาน ความสาหัส**): *Forget your miseries and come out with me!*

'mis·fit *n* a person who behaves differently from other people in a group and is not liked by them (**คนที่ไม่เหมาะสม**): *Everybody was glad when he left the club because he had always been a misfit there.*

mis'for·tune *n* bad luck (**โชคร้าย**): *I had the misfortune to break my leg.*

mis'giv·ings *n* doubts or worries (**ความสงสัยหรือความหวั่นวิตก**): *She has a few misgivings about getting married again.*

mis'guid·ed *adj* acting on or based on beliefs which are wrong (**ชักนำไปในทางที่ผิด**): *a misguided view of the situation.*

'mis·hap (*'mis-hap*) *n* an unlucky accident (**โชคร้าย อุบัติเหตุ**).

mis'lay *v* to lose something for a while because you have forgotten where you put it (**วางผิดที่**): *I seem to have mislaid my pen.*

mis'lead *v* to deceive (**ทำให้เข้าใจผิด นำผิดทาง**): *Her friendly attitude misled me into thinking I could trust her.*

mislead; mis'led (*mis'led*); **mis'led.**

mis'lead·ing *adj* (**ซึ่งนำผิดทาง**): *a misleading remark.*

mis'og·y·nist (*mis'oj-ə-nist*) *n* a person, usually a man, who hates women (**คนเกลียดผู้หญิง**): *He has never married because he is a misogynist.*

mis'place *v* **1** to lose (**วางผิดที่**). **2** to give trust, love *etc.* to someone who does not deserve it (**ไว้ใจคนผิด**): *Your trust in him was misplaced.*

mis·pro'nounce *v* to pronounce words wrongly (**ออกเสียงคำผิด**).

mis·pro·nun·ci'a·tion *n* (การออกเสียงคำผิด).

mis·rep·re'sent *v* to give a false idea or impression of (บิดเบือน ใส่ความ แสดงเท็จ): *He felt that the newspaper article misrepresented him.*

Miss *n* **1** a polite title given to an unmarried woman or girl (นางสาว คุณ): *Miss Wilson will type my letter; Those three sisters are the Misses Brown; Excuse me, miss — what is the time?* **2** a girl (หญิงสาว): *She's a cheeky little miss!*

miss *v* **1** to fail to hit, catch *etc.* (พลาด ไม่ถึง ไม่โดน): *The arrow missed the target.* **2** to fail to arrive in time for something (มาไม่ทัน): *He missed the 8 o'clock train.* **3** to fail to take advantage of something (พลาดโอกาส): *You've missed your opportunity.* **4** to feel sad because of the absence of someone or something (คิดถึง): *You'll miss your friends when you go to live abroad.* **5** to notice the absence of something (รู้สึกว่าหายไป): *I didn't miss my purse till several hours after I'd dropped it.* **6** to fail to hear or see something (ไม่ได้ยินหรือเห็น): *He missed what you said because he wasn't listening.* **7** to fail to go to something (พลาด): *I'll have to miss my lesson next week, as I'm going to the dentist.* **8** to fail to meet (หาไม่พบ คลาดกัน): *We missed you in the crowd.* **9** to avoid (หลบหลีก): *The thief only just missed being caught by the police.* — *n* a failure to hit, catch *etc.* (การพลาดเป้า): *two hits and two misses.*

miss the boat to be left behind, miss an opportunity *etc.* (ทิ้งไว้ข้างหลัง พลาดโอกาส): *I meant to send her a birthday card but I missed the boat — her birthday was last week.*

'mis·sile (*'mis-īl*) *n* **1** a weapon that is thrown; something that is fired from a gun *etc.* (อาวุธที่ใช้ขว้างปาหรือยิง กระสุนปืน). **2** a rocket-powered weapon carrying an explosive charge (จรวดติดระเบิด): *a ground-to-air missile.*

'mis·sing *adj* not able to be found (หาไม่พบ หายไป): *The little boy has been missing for three days; I haven't found those missing papers yet.*

'mis·sion (*'mish-ən*) *n* **1** a purpose for which a person or group of people is sent (ภาระที่มอบหมายให้ไปทำ): *His mission was to seek help.* **2** something that you may feel is the main purpose of your life (หน้าที่ภาระหลักในชีวิต): *He regards it as his mission to help the cause of world peace.* **3** a place where missionaries live (ที่อยู่อาศัยของคณะสอนศาสนา). **4** a group of missionaries (กลุ่มผู้สอนศาสนา): *a Catholic mission.*

'mis·sion·ar·y *n* a person who is sent to teach and spread a particular religion (ผู้สอนศาสนา).

mis'spell *v* to spell a word wrongly (สะกดคำผิด).

mis'spell; mis'spelt or **mis'spelled; misspelt** or **misspelled**.

mist *n* a cloud of moisture in the air, close to the ground, that makes it difficult to see things clearly (หมอก): *The hills are covered in thick mist.*

'mist·y *adj* (มีหมอก).

'mist·i·ness *n* (ภาวะที่มีหมอกคลุม).

mi'stake *v* **1** to think that one person or thing is another (เข้าใจผิด): *I mistook you for my brother in the dark.* **2** to be wrong about something (จำผิด): *They mistook the date, and arrived two days early.* — *n* something done wrong; an error; a slip (ความผิดพลาด): *a spelling mistake; It was a mistake to trust him; I took your umbrella by mistake — it looks like mine.*

mi'stake; mi'stook; mi'sta·ken: *He mistook the date; I was mistaken.*

mi'sta·ken *adj* wrong (คิดผิด ทำผิด): *You are mistaken if you think the train leaves at 10.30 — it leaves at 10.15.*

mi'sta·ken·ly *adv* (โดยการเข้าใจผิด).

'Mis·ter the long way of writing (คำเต็มของ) **Mr**.

'mis·tle·toe (*'mis-əl-tō*) *n* a small plant with white berries that grows on the branches of trees (กาฝาก): *At Christmas she decorated the room with twigs of holly and mistletoe.*

mis'treat *v* to treat cruelly (กระทำอย่างโหด

ร้าย): *You shouldn't mistreat animals.*

'mis·tress *n* **1** a woman who is the lover of a man to whom she is not married (**ภรรยาลับ**). **2** a female teacher (**ครูผู้หญิง**): *the games mistress.* **3** a woman who commands, controls or owns (**หญิงผู้ออกคำสั่ง ควบคุม หรือเป็นเจ้าของ**): *a dog and its mistress.*

mis·un·der'stand *v* not to understand correctly (**เข้าใจผิด**): *You have misunderstood this sentence.*

misunderstand; mis·un·der'stood; mis·un·der'stood.

mis·un·der'stand·ing *n* **1** a confusion; a mistake (**ความสับสน ความผิดพลาด**): *a misunderstanding about the date of the meeting.* **2** a slight quarrel (**การทะเลาะกันเล็กน้อย**).

mis'use (*mis'ūs*) *n* a wrong or bad use (**การใช้ผิด**): *The machine was damaged by misuse.*

mis'use (*mis'ūz*) *v* **1** to use wrongly (**ใช้อย่างผิด ๆ**). **2** to treat badly (**ใช้อย่างไม่ระวัง**): *They misused the tools.*

'mit·ten *n* a kind of glove with two sections, one for the thumb and the other for the fingers (**ถุงมือที่มีสองส่วน ส่วนหนึ่งสำหรับหัวแม่มือ อีกส่วนหนึ่งสำหรับนิ้วอื่น ๆ**): *a pair of mittens.*

mix *v* **1** to put or blend things together to form one mass (**ผสมกัน**): *She mixed the butter and sugar together; He mixed the blue paint with the yellow paint to make green paint.* **2** to go together to form one mass (**กลมกลืน**): *Oil and water don't mix.* **3** to go together socially (**เข้ากัน**): *People of different races were mixing together happily.* — *n* **1** the result of mixing things or people together (**การผสมปนเปกันไป**): *London has an interesting racial mix.* **2** a collection of ingredients used to make something (**ส่วนผสมเพื่อทำอะไรบางอย่าง**): *a cake-mix.*

mixed *adj* **1** consisting of different kinds (**ปะปนกัน ผสมผเสกัน**): *I have mixed feelings about leaving home; a mixed population.* **2** for both girls and boys, or both women and men (**สหศึกษา**): *a mixed school.*

'mix·er *n* (**เครื่องผสมอาหาร**): *an electric food-mixer.*

'mix·ture (*'miks-chər*) *n* **1** the result of mixing things together (**ส่วนผสม**): *a mixture of eggs, flour and milk.* **2** a liquid medicine (**ยาน้ำ**): *The doctor gave the baby some cough mixture.*

'mix-up *n* a muddle (**สับสน**): *a mix-up over the concert tickets.*

mix up 1 to blend (**ผสม**): *I need to mix up another tin of paint.* **2** to confuse; to muddle (**สับสน ยุ่ง**): *I'm always mixing the twins up.*

moan *v* **1** to give a low cry of grief, pain *etc.* (**ร้องคร่ำครวญ**): *The wounded soldier moaned.* **2** to complain (**บ่น โอดครวญ**): *She's always moaning about how hard she has to work.* — *n* a sound of grief, pain *etc.* (**เสียงของความเศร้าโศก ความเจ็บปวด**): *a moan of pain.*

to **moan** (ไม่ใช่ **mourn**) with pain.

moat *n* a deep ditch, dug round a castle *etc.* and filled with water (**คูน้ำลึกที่ขุดล้อมรอบปราสาท**).

mob *n* a noisy or violent crowd of people (**ฝูงชนที่เอะอะอึกทึกหรือกลุ่มชนที่กลุ้มรุมทำร้ายกัน ก่อความวุ่นวาย**): *He was attacked by an angry mob.* — *v* to crowd closely round someone in a noisy, violent way (**รุมล้อม กลุ้มรุมทำร้าย**): *The pop singer was mobbed by a huge crowd of his fans.*

'mo·bile (*'mō-bil*) *adj* able to move (**สามารถเคลื่อนไหวหรือเคลื่อนที่ได้**): *The van supplying country districts with library books is called a mobile library; The old lady is no longer mobile — she has to stay in bed all day.*

mo'bil·i·ty *n* (**ความเคลื่อนที่ได้**).

'mo·bi·lize *v* **1** to get ready to fight a war (**ระดมพล**): *The country mobilized its armed forces.* **2** to get a group of people to do something (**เกณฑ์**): *She mobilized her neighbours to protest against the noise of the traffic.*

mo·bi·li'za·tion *n* (**การระดมพล การเกณฑ์**).

'moc·ca·sin *n* a flat shoe that is made of soft leather and has a seam at the front above the toes (**รองเท้าหนังอ่อนมีรอยตะเข็บอยู่ด้านบน**): *a pair of black moccasins.*

mock *v* to make fun of someone or something (เยาะเย้ย ล้อเลียน): *They mocked her efforts at cooking.* — *adj* pretended; not real (แกล้งทำ จำลอง): *a mock battle; He looked at me in mock horror.*

'mock·er·y *n* making fun of something (การเยาะเย้ย): *She could not bear the mockery of the other children.*

'mock·ing *adj* (ซึ่งแกล้งทำ): *a mocking laugh.*

mode *n* **1** a manner of doing something (แนววิธีประพฤติหรือปฏิบัติ): *She is a foreigner, and has some unusual modes of expression.* **2** a kind; a type (ชนิด แบบ): *modes of transport.*

'mod·el *n* **1** a copy of something on a much smaller scale (แบบ ตัวอย่าง): *a model of a sports car.* **2** a particular type or design of something that is manufactured in large numbers (รุ่นหรือรูปแบบที่ผลิตออกมาจำนวนมาก ๆ): *Our car is the latest model.* **3** a person who wears something to show to possible buyers (นายแบบ): *He has a job as a fashion model.* **4** someone who poses for an artist, photographer *etc.* (บุคคลที่เป็นแบบให้กับศิลปิน ช่างภาพ ฯลฯ). **5** a person or thing that is an excellent example (บุคคลที่ควรถือเป็นแบบอย่าง แม่แบบ): *She is a model of politeness.* — *adj* perfect (ที่ไม่มีที่ติ): *model behaviour.* — *v* **1** to wear something to show to possible buyers (แสดงแบบ): *They model underwear for a living.* **2** to pose as a model for an artist, photo-grapher *etc.* (เป็นแบบให้กับศิลปิน ช่างภาพ). **3** to make a model of a person or thing (ทำแบบ): *He modelled a figure in clay.*

'mod·el·ling *n* (การทำแบบ).

'mod·er·ate (*'mod-ə-rāt*) *v* to make or become less extreme (บรรเทา เพลา): *He was forced to moderate his opinions.* — *adj* (*'mod-ə-rət*) not extreme (ไม่รุนแรง ปานกลาง พอสมควร): *The prices were moderate; moderate opinions.*

mod·e'ra·tion *n* the quality of being moderate (ปริมาณ พอสมควร): *Alcohol isn't harmful if it's taken in moderation.*

'mod·ern *adj* belonging to the present; recent; not old or ancient (สมัยใหม่ สมัยปัจจุบัน): *modern music.*

'mod·ern·ize *v* to bring up to date (ทำให้ทันสมัย): *We should modernize the school buildings.* **modern'i·za·tion** *n* (ความทันสมัย).

The opposite of **modern** is **ancient**.

'mod·est *adj* **1** having a humble or moderate opinion of your merits (ถ่อมตัว สงบเสงี่ยม): *He's very modest about his success.* **2** decent; not shocking (ดี เรียบร้อย): *modest clothing.*

'mod·est·ly *adv* (อย่างถ่อมตัว อย่างสงบเสงี่ยม).

'modes·ty *n* (ความถ่อมตัว ความสงบเสงี่ยม).

'mod·i·fy (*'mod-i-fī*) *v* to change something (เปลี่ยนแปลง แก้ไข แปร): *We had to modify the original design.*

modi·fi'ca·tion *n* (การเปลี่ยนแปลง).

'mod·ule (*'mod-ūl*) *n* a unit forming part of a building, spacecraft *etc.* (หน่วยที่นำมาประกอบเป็นส่วนของอาคาร ฯลฯ): *a lunar module.*

moist *adj* damp, slightly wet (ชื้น หมาด ๆ): *Alan's eyes were moist with tears.*

'moist·ly *adv* (อย่างหมาด ๆ ชื้น ๆ).

'moist-ness *n* (ความชื้น).

'mois·ten (*'mois-ən*) *v* to wet slightly (ทำให้ชื้นนิด ๆ): *He moistened his lips.*

'mois·ture (*'mois-chər*) *n* dampness (ความชื้น): *This soil needs moisture.*

'mois·tur·ize *v* to add or restore moisture to the skin, air *etc.* (เพิ่มหรือทำความชื้นให้กับผิวหนัง อากาศ).

'mois·tur·iz·er *n* (ครีมทาผิวให้ชุ่มชื้น).

'mo·lar *n* a tooth used for grinding food (ฟันกราม).

mole[1] *n* a permanent dark spot on the skin (ไฝ).

mole[2] *n* a small burrowing animal with small eyes and soft fur (ตัวตุ่น).

'mol·e·cule (*'mol-ə-kūl*) *n* the group of atoms that is the smallest unit into which a substance can be divided without losing its basic nature (อณู โมเลกุล).

mo'lec·u·lar *adj* (มีอณู แห่งอณู).

'mole·hill *n* a heap of earth dug up by a mole while tunnelling (พูนดินขณะที่ตุ่นกำลังขุดอุ-

โมงค์).

mo'lest *v* to annoy or interfere with someone (ทำให้รำคาญหรือรบกวน): *The children kept molesting her.*

'mol·lusc (*'mol-ǝsk*) *n* any of a number of animals that have a soft body, no backbone and often a hard shell (สัตว์จำพวกหอย): *Mussels, clams, octopuses, snails and slugs are molluscs.*

'mol·ten (*'mōl-tǝn*) *adj* in a liquid state, having been melted (ละลาย): *molten rock.*

'mo·ment *n* **1** a short space of time (ชั่วครู่หนึ่ง ชั่วขณะเดียว ครู่): *I'll be ready in a moment.* **2** a particular point in time (ขณะนั้น): *At that moment, the telephone rang.*

'mo·men·tar·y *adj* lasting for only a moment (ประเดี๋ยวเดียว): *a momentary feeling of fear.*

'momen·tar·i·ly *adv* (ชั่วประเดี๋ยวเดียว).

mo'men·tous *adj* very important (สำคัญมากช่วงขณะนั้น): *The invention of the motorcar was a momentous event.*

at the moment at this particular time; now (ขณะนี้ ตอนนี้): *She's rather busy at the moment.*

the moment that exactly when (ในทันใดที่ ในเวลาที่): *I want to see him the moment that he arrives.*

mo'men·tum *n* the ability of an object to keep moving, or that something has to continue to progress (กำลังหรือคุณภาพของการเคลื่อนไหวที่มีอยู่ในวัตถุซึ่งกำลังเคลื่อน หรือพลังที่ได้จากการเคลื่อนไหว โมเมนตัม): *Momentum kept the ball bouncing; The movement for independence has gained momentum.*

'mon·arch (*'mon-ǝrk*) *n* a king, queen, emperor, or empress (กษัตริย์).

'mon·ar·chy *n* a country *etc.* that has government by a monarch (การปกครองระบบราชาธิปไตย).

'mon·as·ter·y *n* a house in which monks live (วัด อาราม).

mo'nas·tic *adj* **1** of or relating to monasteries, monks or nuns (เกี่ยวกับวัด พระ หรือแม่ชี): *monastic vows.* **2** simple and without luxuries (สมถะ สันโดษ): *lead a monastic lifestyle.*

'Mon·day (*'mun-di*) *n* the second day of the week, the day following Sunday (วันจันทร์).

'mon·e·tar·y (*mun-ǝ-tǝ-ri*) *adj* having to do with money (เกี่ยวกับการเงิน): *monetary problems.*

'mon·ey (*'mun-i*) *n* coins or banknotes used in trading (เงิน): *Have you any money in your purse?*

money is not used in the plural: *All her money is donated to charity.*

'mon·ey·len·der *n* a person who lends money and charges interest (ผู้ให้กู้เงิน).

lose money, make money to make a loss or a profit (สูญเสียเงิน, ทำเงิน): *This film is making a lot of money in America.*

'mon·grel (*'muŋ-grǝl*) *n* an animal, especially a dog, bred from different types (สุนัขพันธุ์ผสม).

'mon·i·tor *n* **1** a pupil who helps to see that school rules are kept (หัวหน้านักเรียน). **2** any of several kinds of instrument *etc.* by which something can be constantly checked, especially a small screen in a television studio showing the picture being transmitted at any given time (เครื่องดักฟัง เครื่องตรวจตรา). — *v* to act as, or to use, a monitor; to keep a careful check on something (กระทำตนหรือใช้เครื่องดักฟังตรวจตรา): *These machines monitor the results constantly.*

monk (*muŋk*) *n* a member of a male religious group, who lives in a monastery (พระ).

'mon·key (*'muŋ-ki*) *n* **1** a small, long-tailed animal of the type most like man (ลิง): *You children are naughtier than a troop of monkeys.* **2** a mischievous child (เด็กซน): *Their son is a little monkey.*

A monkey **chatters**.

monkey business mischievous or illegal activities (การกระทำแอบแฝงที่ก่อให้เกิดเรื่องเดือดร้อนหรือผิดกฎหมาย).

'mon·o *adj* using one sound channel only (ใช้ช่องกระจายเสียงเพียงช่องเดียว ไม่แยกเสียง): *This record is mono, not stereo.*

'mon·o·logue (*'mon-ǝ-log*) *n* a long speech

given by one actor or person (บทพูดหรือคำบรรยายยืดยาวที่พูดคนเดียว).

mo'nop·o·ly *n* the sole right of making or selling something (การผูกขาด เอกสิทธิ์): *This company has a monopoly on soap-manufacturing.*

mo'nop·o·lize *v* to have a monopoly of or over something (ผูกขาด): *They've monopolized the fruit-canning industry.*

'mon·o·rail *n* a railway with trains which run hanging from, or along the top of, one rail (รถไฟรางเดียว).

mo'not·o·nous *adj* lacking in variety; dull (ซ้ำซาก น่าเบื่อ): *a monotonous lesson.*

mo'not·o·nous·ly *adv* (อย่างซ้ำซาก อย่างน่าเบื่อ).

mo'not·o·ny *n* (ความซ้ำซาก ความน่าเบื่อ).

mon'soon *n* **1** a wind that blows in Southern Asia, from the SW in summer, from the NE in winter (ลมมรสุม). **2** the rainy season caused by the SW monsoon (ฤดูฝนอันเกิดจากลมมรสุมที่พัดจากทิศตะวันตกเฉียงใต้หรือมรสุมฤดูฝน).

'mon·ster *n* **1** something of unusual size, form or appearance (อสุรกาย สิ่งซึ่งมีขนาด รูปร่าง หรือรูปลักษณ์ใหญ่โตผิดปกติ): *a prehistoric monster.* **2** a horrible creature that only exists in fairy tales *etc.* (สัตว์ที่มีรูปร่างน่ากลัวในนิยาย). **3** an evil person (คนที่ชั่วร้าย): *The man must be a monster to treat his children so badly!* — *adj* extremely large (ใหญ่มาก): *a monster potato.*

'mon·strous *adj* **1** huge; horrible (มหึมา น่ากลัว). **2** shocking (น่าตกใจ): *a monstrous lie.*

'mon·strous·ly *adv* (อย่างมหึมา อย่างน่ากลัว).

month (*munth*) *n* one of the twelve divisions of the year (เดือน): *January is the first month of the year.*

'month·ly *adj* happening, or produced, once a month (รายเดือน): *a monthly magazine.* — *adv* once a month (เดือนละครั้ง).

'mon·u·ment (*'mon-ū-mənt*) *n* something built in memory of a person or event (อนุสาวรีย์): *They built a monument in his honour.*

mon·u'men·tal (*mon-ū-men-təl*) *adj* very large; very important (ใหญ่มาก สำคัญมาก): *a monumental achievment.*

moo *v* to make the sound of a cow (ร้องเสียงของวัว). — *n* this sound (เสียงร้องของวัว).

mood *n* a person's feelings, temper *etc.* at a particular time (อารมณ์): *What kind of mood is she in today?*

'moo·dy *adj* often bad-tempered (อารมณ์ไม่ดี).

'mood·i·ly *adv* (อย่างมีอารมณ์).

'mood·i·ness *n* (ความมีอารมณ์).

moon *n* the heavenly body that moves round the earth (ดวงจันทร์): *The moon was shining brightly.*

'moon·light *n* the light reflected by the moon (แสงจันทร์).

'moon·lit *adj* lit by the moon (อาบด้วยแสงจันทร์): *a moonlit hillside.*

moor[1] (*moor*) *n* a large stretch of open, unfarmed land with poor soil (พื้นที่โล่งซึ่งไม่ได้ทำไร่เพราะดินไม่ดี).

moor[2] (*moor*) *v* to fasten by a rope, cable or anchor (ผูกด้วยเชือก สายเคเบิล หรือทอดสมอ): *We moored the yacht in the bay; They moored in the canal for the night.*

moose, *plural* **moose**, *n* a type of large deer (กวางใหญ่ชนิดหนึ่ง).

mop *n* **1** a pad for washing floors, dishes *etc.* (แผ่นผ้าหรือฟองน้ำใช้ติดกับแท่งไม้สำหรับเช็ดพื้น ฯลฯ). **2** a thick mass of hair (ผมเป็นกระเซิง). **3** an act of mopping (การเช็ดถู): *He gave the floor a quick mop.* — *v* **1** to rub or wipe with a mop (เช็ดหรือถูด้วยม็อบ): *She mopped the kitchen floor.* **2** to wipe or clean (เช็ดหรือทำความสะอาด): *He mopped his face.*

mop up to clean away using a mop etc. (เช็ดถูโดยใช้ม็อบ): *He mopped up the mess with his handkerchief.*

'mo·ped *n* a light motorcycle that you can also pedal like a bicycle (จักรยานยนต์ขนาดเบาซึ่งสามารถถีบแบบจักรยานได้ด้วย).

'mor·al (*'mor-əl*) *adj* having to do with character or behaviour, especially right behaviour (มีศีลธรรม): *high moral standards; John is* *a very moral man.* — *n* the lesson to be learned from something (**หลักศีลธรรม ข้อคิดที่ดี**): *The moral of this story is that crime doesn't pay.*

mo'rale (*mə'räl*) *n* the level of courage and confidence in an army, team *etc.* (**ขวัญและกำลังใจ**): *In spite of the defeat, morale was still high.*

'mor·bid *adj* having or showing a strange interest in death or unpleasant things (**มีความสนใจแปลก ๆ ในเรื่องของความตายหรือสิ่งที่ไม่น่ารื่นรมย์**): *She must have a morbid imagination to write books like that.*

more *adj* **1** a greater number or quantity of something (**มากกว่า จำนวนมากขึ้น**): *I've more pencils than he has.* **2** an additional number or quantity of something (**เพิ่มขึ้น จำนวนเพิ่มขึ้น**): *We need some more milk.* — *adv* **1** used to form the comparative of many adjectives and adverbs (**ใช้ในการเปรียบเทียบ**): *She can do it more easily than I can.* **2** to a greater extent (**มากขึ้น**): *I'm exercising more now than I used to.* **3** again (**อีกครั้ง**): *Play it once more.* — *pron* **1** a greater number or quantity (**จำนวนหรือปริมาณที่มากขึ้น**): *"Are there a lot of people?" "There are more than we expected".* **2** an additional number or amount (**จำนวนเพิ่มขึ้น**): *We've run out of paint. Would you get some more?; We need more of the red paint.*

> **more than one** is always followed by a singular verb: *More than one of the girls has already gone home.*
> See also **many** and **much**.

more'over *adv* also; what is more important (**ยิ่งไปกว่านั้น ที่สำคัญกว่านั้น**): *I don't like the idea, and moreover, I think it's illegal.*

any more any longer (**อีกต่อไป**): *He doesn't go to church any more.*

more and more increasingly (**เพิ่มขึ้นเรื่อย**): *It's becoming more and more difficult to see without my spectacles.*

more or less about (**ประมาณ**): *We live more or less ten minutes from town.*

the more...the more *etc.* (**ยิ่ง...ก็ยิ่ง...**): *The more I see her, the more I like her; The more I hear about New York, the less I want to go there.*

'morn·ing *n* the part of the day up to noon (**ตอนเช้า**).

'mo·ron (*'mö-ron*) *n* an unkind word for a very stupid person (**คนปัญญาอ่อน**): *He doesn't understand anything — he's a real moron.*

mo'rose *adj* angry and silent (**บูดบึ้ง**).

'mor·phi·a (*'mör-fi-ə*), **'mor·phine** (*'mör-fēn*) *n* s a drug used to cause sleep or deaden pain (**มอร์ฟีน**).

Morse *n* a code for signalling and telegraphy, consisting of long and short signals (**รหัสโทรเลขแบบมอร์ส**).

'mor·sel *n* a small piece of something, especially food (**ชิ้นเล็ก ๆ**): *a morsel of fish.*

'mor·tal *adj* **1** unable to live for ever (**ต้องตาย**): *Man is mortal.* **2** having to do with death; causing death (**เกี่ยวกับความตาย เป็นเหตุให้ตาย**): *a mortal illness; mortal enemies.* — *n* a human being (**มนุษย์**).

'mor·tal·ly *adv* in such a way as to cause death (**ในทางที่ทำให้ตายได้**): *He has been mortally wounded.*

'mor·tar *n* a mixture of cement, sand and water, used in building, to hold bricks in place (**ปูนผสมที่ใช้ฉาบตัวอาคารหรือยึดอิฐให้อยู่กับที่**).

'mor·tar-board *n* a university cap, with a square flat top (**หมวกรูปสี่เหลี่ยมแบนของมหาวิทยาลัย หมวกปริญญา**).

'mort·gage (*'mör-gəj*) *n* a legal agreement by which a sum of money is lent for the purpose of buying buildings, land *etc.* (**การจำนอง**). — *v* to give someone the right to own your land, house *etc.* in return for money that they are lending you (**จำนอง**).

'mor·tu·ar·y (*'mör-choo-ər-i*) *n* a building or room where dead bodies are kept before burial or cremation (**ที่เก็บศพ**).

mo'sa·ic (*mō'zā-ik*) *n* a design formed by fitting together small pieces of coloured marble, glass *etc.* (**ลวดลายหรือรูปแบบที่ใช้หินอ่อนหรือแก้วสีต่าง ๆ ชิ้นเล็ก ๆ มาปะติดปะต่อเข้าด้วยกัน**).

mosque (*mosk*) *n* a Muslim place of worship (**สุเหร่า**).

mos'qui·to (*mos'kē-tō*) *n* any of several types of small insect, which suck blood from animals and people (**ยุง**).

moss *n* a small flowerless plant, found in damp places, forming a soft green covering (**ตะไคร่น้ำ**).

'moss·y *adj* (**เป็นตะไคร่น้ำ**).

most (*mōst*) *adj* **1** greatest number or quantity of (**จำนวนหรือปริมาณมากที่สุด**): *Which of them has read the most books?; Who did the most work on this project?* **2** the majority or greater part of (**ส่วนใหญ่**): *Most boys like playing football.* – *adv* **1** used to form the superlative of many adjectives and adverbs (**ใช้เป็นคำเปรียบเทียบว่าใหญ่ที่สุด หรือมากที่สุด ฯลฯ**): *the most delicious cake I've ever tasted; Of all his family, John sees his mother most often.* **2** to the greatest degree or extent (**มากที่สุด**): They like sweets and biscuits but they like ice-cream most of all. **3** very; extremely (**มาก อย่างที่สุด**): *a most annoying child.* – *pron* **1** the greatest number or quantity (**จำนวนหรือปริมาณมากที่สุด**): *I ate two cakes, but Mary ate more, and John ate the most.* **2** the greatest part; the majority (**ส่วนใหญ่ที่สุด จำนวนส่วนใหญ่**): *He'll be at home for most of the day; Most of these students speak English.*

> Most of the **eggs have** been eaten, but most of the **cheese has** been left.
> See also **many** and **much**.

'most·ly *adv* mainly (**ส่วนใหญ่**): *The air we breathe is mostly nitrogen and oxygen; Mostly I go to the library rather than buy books.*

at the most taking the greatest estimate (**อย่างมากที่สุด**): *There were fifty people in the audience at the most.*

mo'tel (*mō'tel*) *n* a hotel with special units for accommodating motorists and their cars (**โรงแรมที่แบ่งเป็นส่วน ๆ หรือห้องสำหรับผู้เดินทางและมีที่ว่างสำหรับจอดรถยนต์อยู่ชิดกับส่วนนั้น ๆ**).

moth *n* any of a large number of insects seen mostly at night and attracted by light (**แมลงที่ตอมไฟ ผีเสื้อกลางคืน**).

'moth·ball *n* a small ball made of a chemical used to protect clothes from moths (**ลูกเหม็น**)

'moth-eaten *adj* old and worn (**กินตัวเปื่อยขาดไปเอง ใช้กับผ้า**): *Her clothes always look moth-eaten.*

'moth·er (*'mudh-ər*) *n* a female parent (**แม่**): *John's mother is a widow.* – *adj* (**เป็นแม่**): *The mother bird feeds her young.*

'moth·er-coun·try, 'moth·er·land *n* s the country where you were born (**มาตุภูมิ**).

'moth·er·hood *n* being a mother (**ความเป็นแม่**): *Motherhood seemed to suit her.*

'moth·er-in-law, *plural* **'mothers-in-law**, *n* the mother of your husband or wife (**แม่สามี แม่ยาย**).

'moth·er·less *adj* having no mother (**ไม่มีแม่**): *The children were left motherless by the accident.*

'moth·er·ly *adj* like a mother (**ของแม่ อย่างเช่นแม่ที่รักลูก**): *a motherly woman; motherly love.*

'moth·er·li·ness *n* (**ความเป็นแม่**).

'moth·er-tongue *n* your native language (**ภาษาที่พูดแต่กำเนิด**): *My mother-tongue is Hindi.*

'mo·tion *n* **1** the act of moving (**การเคลื่อนที่ การเคลื่อนไหว**): *the motion of the planets; He lost the power of motion.* **2** a single movement or gesture (**ขยับหรือกวักมือ โบกมือ**): *He summoned the waiter with a motion of the hand.* – *v* to make a movement or sign (**การขยับหรือส่งสัญญาณ**): *He motioned to her to come nearer.*

'mo·tion·less *adj* not moving (**ไม่เคลื่อนไหว**).

motion picture a cinema film (**ภาพยนตร์**).

in motion moving (**เคลื่อนที่**): *Don't jump on the bus while it is in motion.*

'mo·tive *n* something that makes a person choose to act in a particular way; a reason (**สิ่งจูงใจ สิ่งกระตุ้น**): *What was his motive for murdering the old lady?*

'mo·tor *n* a machine, usually a petrol engine or

electrical device, that gives motion or power (รถยนต์อยู่ชิดกับส่วนนั้น ๆ เครื่องยนต์): *A washing-machine has an electric motor.* — *adj* (มีเครื่องยนต์): *a motor boat.* — *v* to travel by car (เดินทางโดยรถยนต์): *We motored down to my mother's house at the weekend.*

'mo·tor·bike, 'mot·or·cycle *n* a bicycle moved by a motor (จักรยานยนต์).

motor car a four-wheeled vehicle, but not a lorry or van, moved by a motor (รถยนต์).

'mot·or·cyclist *n* a person who rides a motorbike (ผู้ขี่จักรยานยนต์).

'mo·tor·ist *n* someone who drives a motor car (ผู้ขับรถยนต์).

'mo·tor·way *n* a fast road for motor vehicles (ถนนสำหรับรถที่วิ่งเร็ว).

'mot·tled *adj* covered with patches of different colours or shades (เป็นรอยด่างดวง): *mottled leaves; His face was red and mottled.*

'mot·to, *plural* **'mot·toes**, *n* a short sentence or phrase that expresses a pinciple of behaviour *etc.* (คติพจน์ คำขวัญ): "Honesty is the best policy" is my motto.

mould[1] (*mōld*) *n* **1** soil that is full of rotted leaves *etc.* (ดินที่เต็มไปด้วยใบไม้ที่เน่าเปื่อย ดินปุ๋ย). **2** green patches that form on stale food *etc.* (ขึ้นรา). *This bread is covered with mould because it has been kept too long.*

'moul·dy *adj* covered with mould (ปกคลุมไปด้วยเชื้อรา): *mouldy cheese.*

'mould·i·ness *n* (การขึ้นรา).

mould[2] (*mōld*) *n* **1** a shape into which a substance in liquid form is poured so that it may take on that shape when it cools and hardens (แบบพิมพ์): *a jelly mould.* **2** something, especially a food, formed in a mould (อาหารที่ใช้แบบพิมพ์ ประดิษฐ์เป็นรูปแบบต่าง ๆ). — *v* **1** to form in a mould (หล่อ): *The gold is moulded into long bars.* **2** to shape something with your hands (ปั้นด้วยมือ): *He moulded the clay into a ball.*

moult (*mōlt*) *v* to shed feathers, hair, a skin *etc.* (ลอกคราบ): *My budgerigars often moult.*

mound *n* a small hill or heap of earth *etc.* (เนินดินเตี้ย ๆ หรือกองดิน กองหิน): *a grassy mound.*

mount *v* **1** to climb up on to something (ขี่ ขึ้น): *He mounted the platform; She mounted the horse and rode off.* **2** to rise in level (ปรับระดับสูงขึ้นอย่างรวดเร็ว): *Prices are mounting quickly.* **3** to put something into a frame, or stick it on to card *etc.* (ใส่กรอบหรือติดกระดาษแข็ง): to mount a photo. **4** to hang or put up on a stand, support *etc.* (แขวนหรือเอาขึ้นตั้งบนที่รองรับ): *He mounted the tiger's head on the wall.* — *n* an animal that you ride, such as a horse or donkey (สัตว์ที่เราขี่ เช่นม้า ลา).

Mount *n* a name for a mountain (ชื่อยอดเขา ภูเขา): *Mount Everest.*

'moun·tain (*'mown-tən*) *n* a high hill (ภูเขา): *Mount Everest is the highest mountain in the world.* — *adj* (แห่งภูเขา): *a mountain stream.*

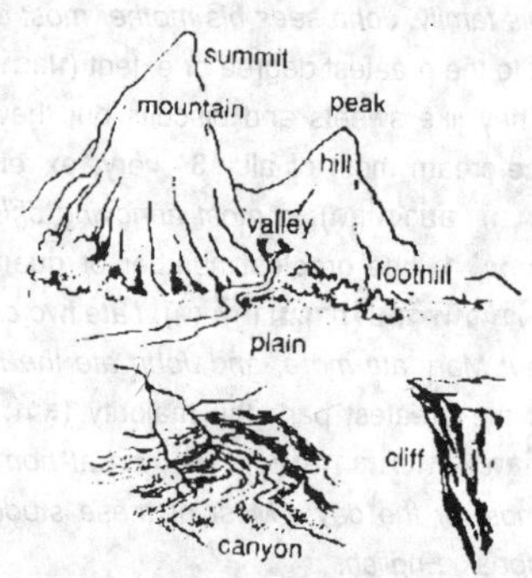

'moun·tai'neer *n* a person who climbs mountains as an occupation (นักปีนเขา).

moun·tai'neer·ing *n* mountain-climbing (การปีนเขา).

'moun·tain·ous *adj* full of mountains (เต็มไปด้วยภูเขา): *The country is very mountainous.*

'mount·ed *adj* on horseback (บนหลังม้า): *mounted policemen.*

mourn (*mörn*) *v* to feel great sorrow; to grieve (เศร้าโศก ไว้ทุกข์): *She mourned for her dead son.*

> to **mourn** (not ไม่ใช่ **moan**) the death of a friend.

'mourn·er *n* (ผู้เศร้าโศก ผู้ไว้ทุกข์): *The mourners stood round the greaveside.*

'mourn·ful *adj* very sad; showing sorrow (เศร้าโศกมาก แสดงความเศร้าโศก): *Don't look so mournful; Her face had a mournful expression.* **'mourn·ful·ly** *adv* (อย่างเศร้าโศก).

'mourn·ing *n* grief shown for someone's death *etc.* (การไว้อาลัย การไว้ทุกข์).

mouse, *plural* **mice**, *n* a small furry gnawing animal with a long tail, found in houses and in fields (หนู).

A mouse **squeaks** or **squeals**.

'mouse·trap a mechanical trap for a mouse (กับดักหนู).

mousse (*moos*) *n* **1** a cold dish, usually sweet, that is made with whipped cream and eggs (ขนมชนิดหนึ่งทำด้วยครีมและไข่ตีเข้าด้วยกัน): *We had chocolate mousse for dessert.* **2** a kind of foam for putting on your hair to make it easier to style (โฟมชนิดหนึ่งใช้ใส่ผมทำให้จัดทรงได้ง่าย).

mou'stache (*mə'stäsh*) *n* the hair on the upper lip of a man (หนวด): *He has a moustache.*

See **beard**.

'mous·y *adj* **1** dull brown in colour (สีน้ำตาลทึม ๆ): *He had mousy hair.* **2** timid; not interesting (ขี้อาย ไม่น่าสนใจ): *a mousy person.*

mouth, *plural* **mouths** (*mowdhz*), *n* **1** the opening in the head by which a human or animal eats and speaks or makes noises (ปาก): *What's in your mouth?* **2** the opening or entrance to something (ปากทางเข้า): *the mouth of the harbour.*

'mouth·ful *n* as much as fills your mouth (เต็มปาก): *a mouthful of soup.*

'mouth·or·gan *n* a small musical instrument played by blowing or sucking air through its metal pipes; a harmonica (หีบเพลงปาก).

'mouth·piece *n* the part of a musical instrument or telephone *etc.* that is put into or held near the mouth (ส่วนของเครื่องดนตรีตรงที่ใช้ปากอม ปากพูดของโทรศัพท์): *When you are talking on the telephone, speak clearly into the mouthpiece and don't put your hand over it.*

'mouth·wash *n* an antiseptic liquid used for cleaning out your mouth (น้ำยาล้างปาก).

'mouth-wa·ter·ing *adj* looking or smelling delicious or tempting (น้ำลายสอ): *That cake looks mouth-watering.*

move (*moov*) *v* **1** to cause to change position; to go from one place to another (เปลี่ยนตำแหน่งจากที่หนึ่งไปยังอีกที่หนึ่ง ย้าย เลื่อน เปลี่ยน): *He moved his arm; Please move your car.* **2** to change houses (ย้ายบ้าน): *We're moving on Saturday.* **3** to affect the feelings of someone (เกิดความรู้สึก): *I was moved by the film.* — *n* **1** the moving of a piece in a board-game such as chess (เดินหมาก): *You can win this game in three moves.* **2** a change to another home (ย้ายบ้าน): *How did your move go?*

'mov·a·ble, 'move·a·ble *adj* (สามารถย้ายได้).

'move·ment *n* **1** a change of position (การเปลี่ยนตำแหน่ง): *The animal turned with a swift movement.* **2** activity (การเคลื่อนไหว): *There was a lot of movement outside.* **3** the art of moving gracefully (การเคลื่อนตัวอย่างสง่า): *She teaches movement and drama.* **4** an organization; an association (องค์การสมาคม): *the Scout movement.*

'mo·vie (*'moo-vi*) *n* a moving film (ภาพยนตร์): *a horror movie.*

the movies means the cinema, or films in general: *We often go to the movies.*

mov·ing *adj* having an effect on your feelings (มีผลต่ออารมณ์ของเรา): *a moving speech.* **'mov·ing·ly** *adv* (อย่างเร้าอารมณ์).

move along to keep moving (เคลื่อนที่ไปเรื่อย ๆ): *Move along now!* **move house** to change your home (ย้ายบ้าน): *They're moving house today.*

to **move** (not ไม่ใช่ **remove**) **house**.

move in to go into and occupy a house *etc.* (ย้ายเข้าพักหรือเข้าอยู่อาศัย): *We can move in on Saturday.*

move off to begin moving away (เริ่มเคลื่อนออก ออกจากที่): *The bus moved off as I got to the bus stop.*

move out to leave a house etc (ย้ายออก): *She has to move out before the new owners arrive.*

move up to move so as to make more space (ขยับที่): *Move up and let me sit down.*

on the move 1 moving from place to place (ย้ายไปเรื่อย ๆ): *The circus is always on the move.* **2** advancing; making progress (ก้าวไปข้างหน้า ก้าวหน้า).

mow (*mō*) *v* to cut with a scythe or mower (ตัดด้วยเคียวหรือเครื่องตัดหญ้า): *He mowed the lawn.*

mow; mowed; mown: *She mowed the grass; The grass has been mown.*

'mow·er *n* a machine for cutting grass (เครื่องตัดหญ้า).

Mr (*'mis-tər*) n a title given to a man (คำนำหน้าของผู้ชาย): *Good morning, Mr Black; Ask Mr White.*

Mrs (*'mis-əz*) *n* a title given to a married woman (คำนำหน้าของผู้หญิงที่แต่งงานแล้ว): *Come in, Mrs Green; Where is Mrs Brown?*

Ms (*miz*) *n* a title for a woman whether married or unmarried, used in writing (คำนำหน้าของผู้หญิงที่แต่งงานแล้วหรือยังไม่ได้แต่ง ใช้ในการเขียน): *The letter is addressed to Ms Scarlet.*

much *adj* a great amount; a certain amount (มาก): *This job won't take much effort; How much sugar is there left?; There's far too much salt in my soup.* — *pron* a large amount (มากมาย จำนวนมาก): *He didn't say much about it; Did you eat much?; not much; too much; as much as I wanted; You haven't drunk much of the wine; How much does this fish cost?; How much is that fish?* — *adv* **1** a great deal (อย่างมากมาย): *She's much prettier than I am; much more easily.* **2** greatly; a lot (มาก): *He will be much missed; We don't see her much; I thanked her very much; much too late; I've much too much to do; The accident was as much my fault as his; Much to my dismay, she began to cry.*

much; more; most: *I didn't eat much cake; George ate more, and Anne ate most of all.* See also **many**.

much the same not very different (ไม่แตกต่างกันมากนัก): *His condition is much the same as it was yesterday.*

nothing much nothing important (ไม่มีอะไรสำคัญ): *"What are you doing?" "Nothing much".*

not much not impressive (ไม่น่าประทับใจ): *My car isn't much to look at but it's fast.*

think too much of to have too high an opinion of someone (เฝ้าครุ่นคิดถึงแต่): *He thinks too much of himself.*

too much for too difficult for someone (ยากเกินไปสำหรับ): *Is this job too much for you?*

muck *n* dung, filth, rubbish etc. (มูลสัตว์ สิ่งโสโครก ขยะ ฯลฯ): *farmyard muck.*

'muck·y *adj* very dirty (สกปรกมาก เปื้อน เลอะเทอะ): *Your face and hands are mucky.*

'mu·cus (*'mū-kəs*) *n* the fluid from your nose (น้ำมูก).

mud *n* wet soft earth (ดินโคลน).

'mud·dy *adj* covered with mud, or containing mud (เต็มไปด้วยโคลน หรือมีโคลนติดอยู่): *muddy boots; muddy water.* — *v* to make something muddy (ทำให้เปื้อนโคลน): *You've muddied the floor!*

mud is never used in the plural.

'mud·dle *v* to confuse; to mix up (สับสน ปนเป): *Don't talk while I'm counting, or you'll muddle me.* — *n* a state of confusion (ความสับสน): *These papers keep getting in a muddle.*

'mud·dled *adj* (อย่างสับสน): *muddled thinking.*

'mud·dle-head·ed *adj* not capable of clear thinking (ทึ่ม เซ่อ): *John is too muddle-headed to look after the club's money.*

mu'ezz·in (*moo'ez-in*) *n* an official at a mosque who calls people to prayer (เจ้าหน้าที่ที่สุเหร่าซึ่งเรียกให้ผู้คนสวดมนต์).

'muf·fin *n* a round, flat cake eaten hot with

butter (ขนมปังก้อนกลมแบนรับประทานร้อน ๆ กับเนย).

'muf·fle *v* to deaden the sound of something (กลบเสียง): *The snow muffled his footsteps.*

mug[1] *n* a cup with tall sides (ถ้วยทรงสูง): *a mug of coffee.*

'mug·ful *n* (เต็มถ้วย): *two mugfuls of coffee.*

mug[2] *n* a slang word for the face (หน้า - เป็นคำสแลง).

mug[3] *v* to attack and rob someone (จู่โจมและจี้): *He was mugged on his way home last night.*

'mug·ger *n* a person who attacks others in this way (คนที่จู่โจมและจี้ผู้อื่น).

'mul·ber·ry *n* **1** a tree on whose leaves silkworms feed (ต้นหม่อน). **2** its fruit (ผลหม่อน).

mule (*mūl*) *n* an animal whose parents are a horse and an ass (ล่อ).

mull: mull over to think about carefully (คิดอย่างรอบคอบ): *He mulled the plans over in his mind.*

'mul·let *n* an edible fish (ปลาจำพวก ปลากระบอก ชะโด ช่อน).

'mul·ti·col·oured *adj* having many colours (มีหลายสี): *a multicoloured shirt.*

mul·ti·mil·lio'naire (*mul-ti-mil-yə'nār*) *n* someone who has wealth valued at several million pounds, dollars *etc.* (มหาเศรษฐี).

'mul·ti·na·tion·al *n* a company with branches in several different countries (บริษัทที่มีสาขาในหลายประเทศ): *This oil company is a multinational.*

'mul·ti·ple *adj* **1** many (มากมาย หลายอย่าง ทวีคูณ): *She suffered multiple injuries when she fell out of the window.* **2** involving many things of the same sort (ทับทวี ทับถม): *Fifteen vehicles were involved in the multiple crash on the motorway.* — *n* a number that contains another number an exact number of times (จำนวนทวีคูณ): *65 is a multiple of 5.*

'mul·ti·ply (*'mul-ti-plī*) *v* **1** to add a number to itself a given number of times and find the total: *4+4+4, or 4 multiplied by 3, or 4 x 3=12* (คูณ). **2** to increase in number (เพิ่มจำนวนขึ้น): *Rabbits multiply very rapidly.*

mul·ti·pli'ca·tion *n* the multiplying of numbers (การคูณ).

'mul·ti'ra·cial *adj* including people of many races (ที่รวมผู้คนหลายเชื้อชาติ): *Britain is a multiracial society.*

mul·ti-'sto·rey, mul·ti-'sto·ry *adj* having many floors or storeys (มีหลายชั้น): *a multi-storey car park.*

'mul·ti·tude (*'mul-ti-tū d*) *n* a very large number of people or things (จำนวนมากมาย ฝูง): *a multitude of people; I didn't want to see her, for a multitude of reasons.*

mum *n* a name used by children for their mother (ชื่อที่เด็กใช้เรียกแม่): *Goodbye, Mum!*

'mum·ble *v* to speak so that the words are difficult to hear (พูดงึมงำ): *The old man mumbled a few words to himself.*

'mum·my[1] *n* a name used by small children for their mother (ชื่อที่เด็กเล็ก ๆ ใช้เรียกแม่): *Where's my mummy?; Hallo, Mummy!*

'mum·my[2] *n* a dead body preserved by being wrapped in bandages and treated with spice, wax *etc.* (ศพที่อาบยาไว้).

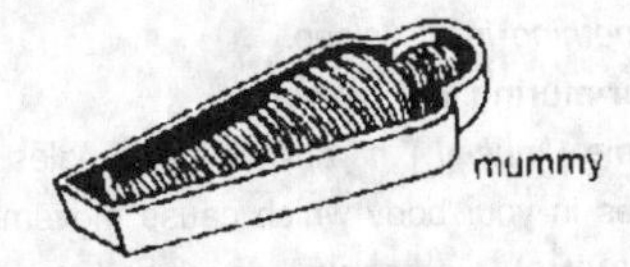
mummy

mumps *n* an infectious disease causing painful swelling at the sides of your neck and face (คางทูม).

> **mumps** is always in the plural form, but takes a singular verb: *Mumps is a painful illness.*

munch *v* to chew something with your lips closed (ปิดปากเคี้ยว): *He was munching his breakfast.*

mun'dane (*mun-'dān*) *adj* ordinary or dull (ธรรมดาหรือน่าเบื่อ): *a mundane job.*

mu'ni·ci·pal (*mū-'ni-si-pl*) *adj* of or relating to the local government of a town or region (แห่งเทศบาล): *There will be municipal elections next month to elect the new town councillors.*

'mu·ral (*'mū-rəl*) *n* a painting that is painted directly on to a wall (จิตรกรรมฝาผนัง).

'mur·der *n* **1** the deliberate and illegal killing of someone (การฆาตกรรม): *The police are treating his death as murder.* **2** any killing or causing of death that is considered as bad as this (การฆ่าหรือการทำลายชีวิตที่เลวร้ายพอ ๆ กับการฆาตกรรม): *the murder of innocent people by terrorists.* — *v* to kill someone deliberately and illegally (ฆ่าคนโดยเจตนาและผิดกฎหมาย).

'mur·der·er *n* (ฆาตกร): *Murderers are no longer hanged in Britain.*

'mur·der·ess *n* a woman who is a murderer (ฆาตกรที่เป็นผู้หญิง).

'mur·der·ous *adj* intending murder (ส่อแววฆาตกรรม): *There was a murderous look in his eye.* **'mur·derous·ly** *adv* (อย่างส่อแววฆาตกรรม).

'mur·ky *adj* dark and gloomy (มืดและตะคุ่ม): *The old house looked murky in the mist.*

'mur·mur (*'mər-mər*) *n* a quiet low sound, of voices *etc* (เสียงพึมพำ): *There was a low murmur among the crowd.* — *v* to make this sound (ทำเสียงแบบนี้): *The child murmured something in his sleep.*

'mur·muring *adj* (พึมพำ).

'mus·cle (*'mus-əl*) *n* any of the bundles of fibres in your body which cause movement (กล้ามเนื้อ): *He has well-developed muscles in his arms.*

'mus·cu·lar (*'mus-kū-lər*) *adj* **1** having to do with muscles (เกี่ยวกับกล้ามเนื้อ): great muscular strength. **2** having well-developed muscles; strong (มีกล้ามแข็งแรง ล่ำสัน): *She is tall and muscular.*

mu'se·um (*mū'zē-əm*) *n* a place where collections of things of interest are set out for people to see (พิพิธภัณฑ์).

musk *n* a substance with a strong, sweet smell, used in making perfume (สารที่หอมหวานอย่างแรงใช้ในการทำน้ำหอม): *She doesn't like perfumes which smell heavily of musk.*

mush *n* something soft and wet (ของเหลว ๆ ข้าวต้ม): *Babies like to eat mush.*

'mush·y *adj* (อย่างเหลว ๆ).

'mush·room *n* an edible fungus (เห็ด). — *v* to grow in size very rapidly (ผุดขึ้นดกดื่นเหมือนดอกเห็ด): *The town has mushroomed recently.*

'mu·sic (*'mū-zik*) *n* **1** the art of arranging and combining sounds able to be produced by the human voice or instruments (ดนตรี): *She is studying music.* **2** the written or printed form of these sounds (โน้ตเพลง): *The pianist has forgotten her music.* — *adj* (แห่งดนตรี): *a music lesson.*

> **music** is not used in the plural: *This composer has written a lot of choral music.*

'mu·si·cal *adj* **1** having to do with music (เกี่ยวกับดนตรี): *a musical instrument.* **2** like music (เหมือนเสียงดนตรี): *a musical voice.* **3** having a talent for music (มีพรสวรรค์ทางดนตรี): *Their children are musical.* — *n* a film or play that includes a large amount of singing and dancing (ภาพยนตร์หรือละครเพลง).

'mu·si·cal·ly *adv* (อย่างไพเราะ).

mu'si·cian *n* **1** a person who is skilled in music (นักดนตรี): *The conductor of this orchestra is a fine musician.* **2** someone who plays a musical instrument (นักดนตรี).

'Mus·lim (*'mo͞oz-lim*) *n* a person of the religion known as Islam (อิสลาม).

'mus·sel *n* an edible shellfish (หอยแมลงภู่).

must *v* **1** used with another verb to express need (ใช้กับคำอื่นเพื่อย้ำถึงความต้องการ ต้อง): *We must go to the shops.* **2** used to suggest a probability (ใช้เพื่อแสดงถึงความน่าจะเป็น - น่าจะ): *They must be finding it very difficult to live in such a small house.* **3** used to express duty, an order, rule *etc.* (ใช้แสดงถึงหน้าที่ คำสั่ง กฎ - ต้อง): *You must come home before midnight.* — *n* something necessary; something not to be missed (สิ่งจำเป็น สิ่งที่ต้องไม่ลืมปฏิบัติ): *This new tent is a must for the serious camper.*

> **must not** or **'must·n't** (*'mus-ənt*): *You mustn't do that again; You must hurry, mustn't you?*

'mus·tard *n* a seasoning made from the seeds of the mustard plant (มัสตาด).

'mus·ter *v* **1** to gather together for a reason (รวมกัน ชุมนุม): *The soldiers mustered* *for duty.* **2** to gather (**รวบรวม**): *He mustered his energy for a final effort.*

mustn't short for (**คำย่อของ**) **must not**.

'mus·ty *adj* damp or stale in smell or taste (**มีกลิ่นอับ หรือมีรสหืน**): *musty old books.*

mu'tate (*mū'tāt*) *v* to change or develop in a different way (**เปลี่ยนแปลงหรือพัฒนาจนแตกต่างออกไปจากเดิม**): *This flu virus can mutate to become resistant to vaccine.*

mute (*mūt*) *adj* **1** unable to speak; dumb (**เป็นใบ้**). **2** silent (**เงียบ นิ่ง ไม่ปริปาก**): *She gazed at him in mute horror.*

'mu·ti·late (*'mū-ti-lāt*) *v* to damage very badly (**ทำให้ฉีกขาด ทำให้พิการ**): *the mutilated bodies of the bomb victims.*

'mu·ti·ny (*'mū-ti-ni*) *n* refusal to obey your senior officers in the navy or other armed services (**ขัดขืนคำสั่ง กำเริบ**): *There has been a mutiny on HMS Tigress.* — *v* to refuse to obey commands from those in authority (**ขัดคำสั่ง**): *The sailors mutinied because they did not have enough food.*

'mut·ter *v* to utter words in a quiet voice especially when grumbling (**บ่น งึมงำอยู่ในลำคอ**). — *n* this sound (**การทำเสียงงึมงำในลำคอ**): *He spoke in a mutter.*

'mut·ton *n* the flesh of sheep, used as food (**เนื้อแกะ ใช้เป็นอาหาร**).

'mu·tu·al (*'mū-chōō-əl*) *adj* **1** given by people to one another (**ซึ่งกันและกัน**): *mutual help.* **2** shared by two or more people *etc.* (**ร่วมกันระหว่างสองคนหรือมากกว่านั้น**): *a mutual friend.*

'muz·zle *n* **1** the jaws and nose of an animal such as a dog (**ส่วนของปากและจมูกของสัตว์ เช่น สุนัข**). **2** an arrangement of straps round the muzzle of an animal to stop it biting (**ตะกร้อใส่ปากสัตว์**): *She muzzled the dog.*

my (*mī*) *adj* belonging to me (**เป็นของฉัน**): *That is my book.* — a cry used to express surprise (**คำที่ร้องออกมาเพื่อแสดงความแปลกใจ**): *My, how you've grown!*

See also **mine**[1].

my'self *pron* **1** (used as the object of a verb or preposition) the word you use when you yourself are both the subject and the object (**คำพูดที่ใช้เมื่อทั้งประธานและกรรมเป็นบุคคลหรือสิ่งเดียวกัน - ตัวเอง**): *I cut myself while shaving.* **2** used to emphasize **I** or **me** (**ใช้ตอกย้ำ ตัวฉันเอง**): *I myself can't tell you, but my friend will; I don't intend to go myself.* **3** without help (**ไม่มีผู้อื่นมาช่วยเหลือ**): *I did it myself.*

'my·nah (*'mī-nə*) *n* a tropical bird that can mimic human speech (**นกขุนทอง**).

'my·ri·ad (*'mi-rē-ad*) *n* a large number of people or things (**จำนวนมหาศาล**): *myriads of stars in the sky.*

'mys·te·ry (*'mis-tə-ri*) *n* **1** something that cannot be, or has not been, explained (**ความลึกลับ**): *the mystery of how the universe was formed; How she passed her exam is a mystery to me.* **2** obscurity; secrecy (**ความมืดมน ปิดบัง**): *Her death was surrounded by mystery.*

my'ste·ri·ous (*mi'stē-ri-əs*) *adj* difficult to understand or explain; full of mystery (**เต็มไปด้วยความลึกลับ**): *mysterious happenings; He's being very mysterious about what his work is.*

my'ste·rious·ly *adv* (**อย่างลึกลับ**).

'mys·ti·cism ('mis-ti-cizm) *n* a religious practice in which people try to get closer to God through prayer and meditation (**การปฏิบัติตนทางศาสนาซึ่งผู้คนพยายามเข้าใกล้ชิดพระเจ้าโดยการสวดมนต์และการเข้าฌาน**): *He practises a form of Christian mysticism.*

'mys·ti·fy (*'mis-ti-fī*) *v* to make someone very puzzled (**ทำให้งงมาก**): *Her sudden disappearance mystified her family; The children were completely mystified by the teacher's strange question.*

myth (*mith*) *n* an ancient story, especially one dealing with gods, heroes *etc.* (**นิยายโบราณ**).

'myth·i·cal *adj* existing only in stories; not real (**มีแต่ในนิยายเท่านั้น ไม่เป็นจริง**): *a mythical prince.*

Nn

nab *v* to take something; to catch or get hold of someone (จับกุม): *The police nabbed the thief.*

'na·dir (*'nā-dēr*) *n* the lowest point (จุดที่ต่ำที่สุด): *the nadir of despair.*

nag *v* to complain or criticize continually (บ่น ว่า จู้จี้): *She nags at her husband about their lack of money.*

'nag·ging *adj* continuously troublesome (ก่อปัญหาซ้ำ ๆ ซาก ๆ): *a nagging pain.*

nail *n* **1** a piece of horn-like substance that grows over the ends of your fingers and toes (เล็บมือ เล็บเท้า): *I've broken my nail; toe-nails; Don't bite your finger-nails.* **2** a thin pointed piece of metal used to fasten pieces of wood together *etc.* (ตะปู): *He hammered a nail into the wall and hung a picture on it.* — *v* to fasten with nails (ตอกตะปูติด ตอกตะปู): *He nailed the picture to the wall.*

'nail-file *n* a small instrument with a rough surface, used for smoothing or shaping the edges of your finger-nails (ตะไบเล็บ).

na'ïve, na'ive (*nī'ēv*) *adj* **1** simple and straight-forward in your way of thinking, speaking *etc.* (ไม่มีมายา ซื่อ ๆ). **2** ignorant; simple (ไม่เดียงสา พาซื่อ).

na'ïve·ly *adv* (อย่างตรง ๆ อย่างซื่อ ๆ).

na'ïv·e·ty *n* (ความไม่มีมายา ความซื่อ).

'na·ked (*'nā-kid*) *adj* **1** without clothes (เปลือย): *a naked child.* **2** not hidden (ไม่ปิดบัง โจ่งแจ้ง): *the naked truth.* **3** uncovered or unprotected (ไม่ปกปิด): *Naked flames are dangerous.*

'na·ked·ly *adv* (อย่างไม่ปิดบัง).

'na·kedness *n* (ความเปลือยเปล่า ความไม่ปิดบัง).

the naked eye the eye by itself, without the help of any artificial means such as a telescope, microscope *etc.* (ตาเปล่า): *Germs are too small to be seen by the naked eye.*

name *n* **1** a word by which a person, place or thing is called (ชื่อ): *My name is Rachel.* **2** reputation; fame (ชื่อเสียง): *He has a name for honesty.* — *v* **1** to give a name to someone or something (ตั้งชื่อหรือเรียกชื่อ): *They named the child Thomas.* **2** to speak of or list by name (บอกชื่อ): *He could name all the kings of England.*

'name·ly *adv* that is (กล่าวคือ นั่นคือ อย่างเช่น): *Only one student passed the exam, namely John.*

'name·sake *n* a person with the same name as yourself (คนที่มีชื่อเหมือนกันหรือซ้ำกัน): *She invited John Smith and his namesake, the other John Smith.*

make a name for yourself to become famous, get a reputation (สร้างชื่อเสียงให้กับตัวเอง มีชื่อเสียง): *He made a name for himself as a concert pianist.*

name after to give a child or a thing the name of another person (ตั้งชื่อตามชื่อของคนอื่น): *Peter was named after his father; George Street was named after King George IV.*

'nan·ny (*'nan-i*) *n* a children's nurse (พยาบาลคนดูแลเด็ก).

'nan·ny-goat *n* a female goat (แพะตัวเมีย).

nap *n* a short sleep (การงีบหลับ).

nape *n* the back of your neck (ต้นคอ): *His hair curled over the nape of his neck.*

'nap·kin *n* **1** a small piece of cloth or paper for protecting your clothes at meal-times, and for wiping your lips — also called a **table napkin** (ผ้าเช็ดปาก). **2** the full form of **nappy** (ความหมายเต็มของคำว่า **nappy**).

'nap·py *n* a piece of cloth or paper put between a baby's legs to soak up urine *etc.* (ผ้าอ้อม).

nar'cot·ic *n* a drug that stops pain and makes you sleepy (ยาระงับปวดและกล่อมประสาท): *Morphine and opium are narcotics.*

nar'rate *v* to tell a story (เล่าเรื่อง บรรยาย): *He narrated the events of the afternoon.*

nar'ra·tion *n* (การบรรยาย).

'nar·ra·tive (*'na-rə-tiv*) *n* a story (เรื่องเล่า).

nar'ra·tor *n* someone who tells a story (ผู้เล่าเรื่อง ผู้บรรยาย).

'nar·row (*'nar-ō*) *adj* **1** not wide; being only a small distance from side to side (แคบ): *The* *bridge is too narrow for large trucks to use.* **2** only just managed (หวุดหวิด): *a narrow escape.* **3** not extensive enough (จำกัด): *John has narrow views about teaching.* — *v* to make or become narrow (แคบลง): *The road suddenly narrowed.*

'nar·row·ly *adv* closely; only just (หวุดหวิดเฉียด): *The ball narrowly missed his head.*

nar·row-'mind·ed *adj* unwilling to accept ideas different from your own (ใจแคบ).

'na·sal (*'nā-zəl*) *adj* **1** having to do with your nose (เกี่ยวกับจมูก): *a nasal infection.* **2** sounding through the nose (ออกเสียงทางจมูก): *a nasal voice.*

'nas·ty (*'näs-ti*) *adj* **1** unpleasant (ไม่ถูกใจ ไม่ชื่นชอบ): *What nasty weather!; a nasty smell.* **2** unfriendly; rude; mean (ไม่เป็นมิตร หยาบคาย ใจแคบ): *The man was nasty to me; He has a nasty temper.* **3** serious; bad (รุนแรง แย่): *The dog gave her a nasty bite.*

'nas·ti·ly *adv* (อย่างแย่ ไม่เป็นมิตร).

'nas·ti·ness *n* (ความไม่ชื่นชอบ ความไม่เป็นมิตร).

'na·tion (*'nā-shən*) *n* **1** the people who live in a particular country (ชาติ): *the Swedish nation.* **2** a large number of people who may be scattered in different countries, who share the same history, ancestors, culture *etc.* (ประชาชาติ): *the Jewish nation.*

'na·tion·al (*'nash-ə-nəl*) *adj* having to do with a particular nation (แห่งชาติ): *Many countries have a national health service.*

'na·tion·al·ly *adv* (ทั้งชาติ).

'na·tion·al·ism *n* **1** great pride in your own nation (ความเป็นชาตินิยม): *International football matches bring out a strong feeling of nationalism in football supporters.* **2** the desire to bring the people of a nation together under their own government (ความต้องการสร้างชาติให้เป็นปึกแผ่นภายใต้การปกครองของตนเอง): *Scottish nationalism.*

'na·tion·al·ist *adj* having to do with the desire to bring the people of a nation together under their own government (ชาตินิยม): *The Nationalist Party won the local election.* — *n* a person who believes in nationalism (นักชาตินิยม).

na·tion·a'lis·tic *adj* having to do with great pride in your own nation (มีใจเป็นชาตินิยม รู้สึกนิยมชาติ): *nationalistic feelings.*

na·tio'nal·i·ty (*nash-ə'nal-i-ti*) *n* membership of a particular nation (สัญชาติ): *"What nationality are you?" "I'm German."*

'na·tion·al·ize *v* to make an industry or company the property of the state (ทำให้อุตสาหกรรมหรือบริษัทเป็นของรัฐ): *The railways in Britain were nationalized in 1947.*

na·tion·al·i'za·tion *n* (การโอนเป็นของชาติ การรวมกันเป็นชาติ).

national anthem a nation's official song or hymn (เพลงชาติ).

national service in some countries, a period in the armed forces that all young men must serve (ระยะเวลาที่คนหนุ่มต้องมารับใช้ชาติโดยเป็นทหารเกณฑ์).

na·tion-'wide *adj, adv* throughout the whole nation (ทั่วทั้งชาติ): *a nation-wide broadcast; They travelled nation-wide.*

'na·tive (*'nā-tiv*) *adj* **1** where you were born (ซึ่งเป็นที่เกิด): *my native land.* **2** belonging to that place (เป็นของพื้นเมือง): *my native language.* **3** belonging by race to a country (โดยเชื้อชาติ): *a native Englishman.* — *n* **1** someone born in a certain place (คนที่เกิดที่นั่น): *a native of Scotland; a native of London.* **2** one of the first inhabitants of a country (คนพื้นเมือง): *Columbus thought the natives of America were Indians.*

'nat·u·ral (*'nach-ə-rəl*) *adj* **1** made by nature; not made by men (โดยธรรมชาติ ธรรมชาติ): *Coal and oil are natural resources; Wild animals are happier in their natural state than in a zoo.* **2** born in someone; not artificial or learned (เป็นไปตามธรรมชาติ): *natural beauty; He had a natural ability for music.* **3** simple; without pretence (ธรรมดา เป็นไปตามธรรมชาติ ไม่มีมารยา): *a nice, natural smile.* **4** normal; as you would expect (ปกติ เหมือนอย่างที่คาดเอาไว้): *It's quite natural to dislike going to the dentist.* — *n* **1** a person who is naturally good at something (คนที่เก่งอะไรสักอย่างโดยธรรมชาติ). **2** in music, a note that is neither sharp nor flat (เสียงกลางในทางดนตรี).

natural gas gas suitable for burning, found underground or under the sea (ก๊าซธรรมชาติ).

natural history the study of plants and animals (ธรรมชาติวิทยา).

'nat·u·ral·ize (*'nach-rə-liz*) *v* to make someone a citizen of a country that he or she was not born in (โอนสัญชาติ): *Mr Singh is a naturalized Australian.*

'nat·u·ral·ly *adv* **1** of course (โดยที่จริง โดยธรรมดา): *Naturally, I didn't want to miss the train.* **2** by nature (โดยธรรมชาติ): *She is naturally kind.* **3** normally; in a relaxed way (เป็นปกติ ผ่อนคลาย): *Although he was nervous, he behaved quite naturally.*

natural resources sources of energy, wealth *etc.* which are not made by man (แหล่งทรัพยากรธรรมชาติ): *Coal and oil are natural resources.*

'na·ture (*'nā-chər*) *n* **1** the world untouched by man; the power which made it (ธรรมชาติ): *the beauty of nature; the forces of nature; the study of nature.* **2** personality (อุปนิสัย): *She has a generous nature.* **3** quality; what something is or consists of (ลักษณะเป็นอย่างไรหรือประกอบด้วยอะไร): *What is the nature of your work?*

- na·tured having a certain type of personality (มีลักษณะบางอย่าง): *good-natured; ill-natured.*

naught (*nöt*) *n* nothing (ไม่มีอะไร ศูนย์).

'naugh·ty (*'nö-ti*) *adj* badly-behaved (ซน ประพฤติตนไม่ดี): *a naughty boy.*

'naugh·ti·ly *adv* (อย่างซุกซน).

'naugh·tiness *n* (ความซุกซน).

'nau·se·a (*'nö-zi-ə*) *n* a feeling of sickness (ความรู้สึกคลื่นเหียน).

'nau·ti·cal *adj* having to do with ships or sailors (เกี่ยวกับเรือหรือกะลาสีเรือ): *nautical words.*

'na·val (*'nā-vəl*) *adj* of the navy (แห่งนาวี): *a naval officer.*

nave *n* the main part of a church, where people sit (ส่วนสำคัญในโบสถ์ตรงที่ผู้คนไปนั่งร่วมพิธี).

'na·vel (*'nā-vəl*) *n* the small hollow in the belly, just below the middle of your waist (สะดือ).

'nav·i·gate *v* **1** to direct, guide or move something in a particular direction (นำร่อง): *He navigated the ship past the dangerous rocks.* **2** to find or follow your route when in a vehicle (นำทางเมื่ออยู่ในยานพาหนะ): *If I drive, will you navigate?*

nav·i'ga·tion *n* the art of navigating (การนำทาง การนำร่อง).

'nav·i·ga·tor *n* someone who navigates (ผู้นำทาง นักเดินเรือ).

'na·vy (*'nā-vi*) *n* **1** a country's warships and the people who work in and with them (กองทัพเรือ): *The USSR has a large navy.* **2** a dark blue colour (สีน้ำเงินเข้ม). — *adj* of this colour (ซึ่งเป็นสีน้ำเงินเข้ม): *a navy jersey.*

near *adj* **1** close in place or time (ใกล้): *The station is quite near; The exams are too near for comfort.* **2** close in relationship (เกี่ยวพันใกล้ชิด สนิท): *He is a near relation.* — *adv* **1** at a short distance from somewhere (ระยะใกล้ ๆ): *He lives quite near.* **2** close to (ใกล้กับ): *Don't sit too near to the window.* — *prep* at a very small distance from (ใกล้กับ ใกล้เคียง): *She lives near the church; It was near midnight when they arrived.* — *v* to come near to (เขาไปใกล้กับ): *The roads became busier as they neared the town.*

'near·ness *n* (ความใกล้).

near'by (*nēr'bī*) *adv* close (ใกล้ ๆ): *He lives nearby; a cottage with a stream running nearby.*

'near·ly *adv* not far from; almost (โดยใกล้ชิด เกือบ): *nearly one o'clock.*

near miss something not quite achieved or only just avoided (คลาดแคล้ว ไปอย่างหวุดหวิด): *She's had two accidents in her car and three near misses.*

near-'sight·ed *adj* short-sighted (สายตาสั้น).

neat *adj* **1** tidy (เรียบร้อย): *She is very neat and tidy.* **2** skilfully done (ทำอย่างไม่มีที่ติ): *He has made a neat job of the repair.*

'neat·ness *n* (ความเรียบร้อย).

'neat·ly *adv* tidily; skilfully (อย่างเรียบร้อย อย่างไม่มีที่ติ): *Write neatly!*

'neb·u·lous (*'neb-ū-ləs*) *adj* vague or hazy (เลือนราง มืดมัว ไม่ชัดเจน): *These plans are only nebulous.*

'nec·es·sar·y (*'nes-ə-ser-i*) *adj* needed; essential (เป็นที่ต้องการ จำเป็น): *Is it necessary to sign your name?*

nec·es'sar·i·ly (*nes-ə'ser-i-li*) adv (โดยจำเป็น).

ne'ces·si·tate *v* to make necessary (ทำให้จำเป็น): *This development necessitates immediate action.*

ne'ces·si·ty *n* something needed; something essential (ความจำเป็น): *Food is one of the necessities of life; There is no necessity for such haste.*

neck *n* **1** the part of your body between your head and chest (ลำคอ): *She wore a scarf round her neck.* **2** the part of a garment that covers that part of the body (คอเสื้อ): *The neck of that shirt is dirty.* **3** anything like a neck in shape or position (ส่วนที่เหมือนคอโดยรูปทรงหรือตำแหน่งที่อยู่): *the neck of a bottle.*

'neck·lace (*'nek-ləs*) *n* a string of jewels, beads *etc.* worn round the neck (สร้อยคอ): *a diamond necklace.*

'neck·tie *n* a man's tie (เนกไท).

neck and neck exactly equal (เท่า ๆ กัน คู่คี่กันมา): *The horses were neck and neck at the finish.*

neck and neck

'nec·tar *n* **1** the sweet liquid collected by bees to make honey (น้ำหวานในดอกไม้). **2** a delicious drink. (เครื่องดื่มทุกชนิดที่มีรสกลมกล่อม)

need *v* **1** to require (ต้องการ): *This page needs to be checked; This page needs checking.* **2** to have to (จำเป็นจะต้อง): *You need to work if you want to succeed; They don't need to come until six o'clock.* — *n* **1** something necessary; something you must have (สิ่งจำเป็น สิ่งที่ต้องการ): *Food is one of our basic needs.* **2** a reason (เหตุผลที่จำเป็น): *There is no need for panic.*

need not or 'need·n't (*'nē-dənt*): *You needn't do exercises 4 and 5 if you're short of time.*

'nee·dle *n* **1** a small, sharp piece of steel with a hole for thread (เข็ม): *a sewing needle.* **2** any of various instruments of a long narrow pointed shape (เครื่องมือหลาย ๆ อย่างที่มีรูปร่างยาวและเรียวแหลม): *a knitting-needle; a hypodermic needle.* **3** a moving pointer (เข็มชี้ที่เคลื่อนไหวได้).

'need·less *adj* unnecessary (ไม่จำเป็น): *a needless fuss.*

needless to say of course (แน่ละ): *Needless to say, the little girl couldn't move the wardrobe on her own.*

'nee·dle·work *n* work done with a needle; sewing, embroidery *etc.* (งานเย็บปักถักร้อย).

needn't short for (คำย่อของ) **need not**.

'need·y *adj* poor (ขัดสน): *We must help needy people.*

'neg·a·tive *adj* **1** meaning or saying "no"; denying something (เป็นไปในทางปฏิเสธหรือทางลบ): *a negative answer.* **2** less than zero (ต่ำกว่าศูนย์ ลบ): *- 4 is a negative or minus number.* — *n* **1** a word by which something is denied (คำพูดในเชิงปฏิเสธ): *"No" and "never" are negatives.* **2** the photographic film from which prints are made (ฟิล์มที่ถ่ายรูปไว้แล้วซึ่งให้สีกลับตรงข้ามกับภาพที่อัดจากฟิล์มนี้): *I gave away the print, but I still have the negative.*

'neg·a·tive·ly *adv* (โดยการปฏิเสธ).

The opposite of **negative** is **positive**.

ne'glect *v* **1** to treat someone or something carelessly; to give too little attention to something (ละเลย ไม่เอาใจใส่): *He neglected his work.* **2** to fail to do something (ไม่ตอบ): *He neglected to answer the letter.* — *n* lack of care and attention (ขาดการดูแลและเอาใจใส่): *The garden is suffering from neglect.*

'neg·li·gi·ble *adj* too small or not important

enough to be considered (เล็กน้อยหรือไม่สำคัญพอที่จะมาใส่ใจ): *The amount of rainfall in the desert is negligible.*

ne'go·ti·ate (*nə'gō-shi-āt*) *v* to bargain or discuss a subject in order to agree (**เจรจา ต่อรอง**).

ne'goti·ator n (**ผู้เจรจา ผู้ต่อรอง**).

ne·go·ti'a·tion *n* (**การเจรจา การต่อรอง**): *The disagreement was settled by negotiation.*

'Ne·gro (*'nē-grō*) *n* a person belonging to, or descended from, the black-skinned races of Africa (**คนผิวดำ คนนิโกร**).

'Ne·gress *n* a woman of this race (**หญิงผิวดำ**).

neigh (*nā*) *v* to make the cry of a horse (**ทำเสียงร้องของม้า**): *The horse neighed in fright.* — *n* (**เสียงร้องของม้า**): *The horse gave a neigh.*

lesson 9 Read English

'neigh·bour (*'nā-bər*) *n* someone who lives near you (**เพื่อนบ้าน**): *my next-door neighbour.*

'neigh·bour·hood *n* **1** a district, especially in a town or city (**ละแวก ย่าน**): *a poor neighbourhood.* **2** an area surrounding a particular place (**พื้นที่ที่อยู่ใกล้เคียงหรือที่แวดล้อมอยู่**): *He lives somewhere in the neighbourhood of the station.*

'neigh·bour·ing *adj* near together; next to each other (**ใกล้กัน ติดกัน**): *France and Belgium are neighbouring countries.*

'nei·ther (*'nī-dhər, 'nē-dhər*) *adj, pron* not the one nor the other of two (**ไม่ใช่ทั้งสองอย่าง**): *Neither window faces the sea; Neither of the twins is good at mathematics.*

neither...nor used to introduce alternatives that are both negative (**ไม่ทั้ง...และ...**): *Neither John nor David could come; He can neither read nor write.*

> **She knows neither of us** (not **She doesn't know both of us**); **She knows both of us** is correct.
> As with **either...or**, the verb usually follows the noun or pronoun that comes closest to it: *Neither she nor her children speak English; Neither the twins nor Jeremy was at home.*

ne·o'lith·ic (*nē-ō'lith-ik*) *adj* of or belonging to the period when people started to make and use stone tools (**ของยุคหิน**): *There are neolithic paintings on the walls of some caves.*

'ne·on (*'nē-on*) *n* a colourless gas used in certain forms of electric lighting, such as advertising signs (**ก๊าซชนิดหนึ่งไม่มีสี ใช้ในหลอดไฟฟ้าบางชนิดที่ให้แสงไฟฟ้าเช่นตามป้ายโฆษณา ก๊าซนีออน**).

'neph·ew (*'nef-ū*) *n* the son of your brother or sister (**หลานชาย**).

> The son of your brother or sister is your **nephew**.
> The daughter of your brother or sister is your **niece**.

nerve *n* **1** one of the cords that carry messages between all parts of your body and your brain (**เส้นประสาท**). **2** courage (**ความกล้า กำลังใจ**): *He must have needed a lot of nerve to do that; He lost his nerve.*

'nerv·ous *adj* **1** having to do with your nerves (**เกี่ยวกับประสาท**): *the nervous system.* **2** rather afraid (**ค่อนข้างขี้กลัว ขี้ตกใจ ประสาทอ่อน**): *a nervous old lady.*

'nerv·ous·ly *adv* (**อย่างกลัว ๆ**).

'nerv·ous·ness *n* (**ความตื่นตกใจ**).

nervous system the brain and nerves of a person or animal (**ส่วนสมองและระบบประสาททั้งหมดในร่างกายของคนและสัตว์**).

get on someone's nerves to irritate someone (**กวนประสาท**): *John really gets on my nerves.*

nest *n* the home that birds and some animals and insects build, in which to hatch or give birth to and look after their babies (**รัง**): *The swallows are building a nest under the roof of our house; a wasp's nest.* — *v* to build a nest and live in it (**ทำรัง**): *A pair of robins are nesting in that bush.*

'nest-egg *n* a sum of money saved up for the future (**เงินเก็บสำรองไว้หรือเงินรองรัง**).

'nes·tle (*'nes-əl*) *v* **1** to lie close together as if in a nest (**นอนเบียดกัน อิงแอบ**): *They nestled together for warmth.* **2** to settle comfortably (**นอนลงอย่างสบาย**): *She nestled down* *amongst the cushions.*

net[1] *n* a loose open material made of knotted string, thread, wire *etc.*; an object made of this (แห ตาข่าย): *a fishing-net; a hair-net; a tennis-net.* — *adj* (เป็นแห เป็นตาข่าย): *a net curtain.* — *v* to catch in a net (จับด้วยแห): *They netted several tons of fish.*

net[2], **nett** *adj* **1** remaining after all expenses have been paid (สุทธิ): *The net profit from the sale was $200.* **2** not including the packaging or container (ไม่รวมหีบห่อหรือภาชนะ): *The sugar has a net weight of 1 kilo; The sugar weighs one kilo net.*

'net·ball *n* a team-game in which you try to throw the ball into a net hanging high up on a pole (การเล่นเนตบอล).

netball

nett another spelling of (การสะกดอีกอย่างหนึ่งของ) **net**[2].

'net·ting *n* material made in the form of a net (วัสดุที่ทำเป็นแห วัสดุที่ทำเป็นตาข่าย): *wire netting.*

'net·tle *n* a plant covered with hairs that sting when touched (ต้นตำแย): *There are a lot of nettles growing wild in that field.*

'net·work *n* a system with lots of branches and connections (เครือข่าย): *A network of roads covered the countryside; a radio network.*

neu'rol·o·gy (*nū'rol-ə-ji*) *n* the study of the structure and diseases of the nervous system (ประสาทวิทยา).

neu'rol·o·gist *n* (ผู้เชี่ยวชาญทางประสาท).

neu'ro·tic (*nū'rot-ik*) *adj* more worried than it is sensible or reasonable to be (เป็นโรคประสาท): *I know you are worried about your children but it won't help to get neurotic.*

'neu·tral (*'nū-trəl*) *adj* **1** taking no part in a quarrel or war (เป็นกลาง): *A neutral observer settled the argument.* **2** not strong or definite in colour (สีปานกลางหรือไม่แก่ไม่อ่อนเกินไป): *Grey is a neutral colour.*

'neu·tral·ize (*'nū-trə-līz*) *v* to stop something having an effect; to make something useless (ทำให้เป็นกลาง แก้ ถอนพิษ ลบล้าง): *The doctor gave him an injection that neutralized the snake poison.*

'nev·er *adv* not ever; at no time (ไม่เคย ไม่มีวัน): *I shall never go there again.*

nev·er-'end·ing *adj* lasting a very long time (ไม่จบสิ้น): *The war seemed to be never-ending.*

nev·er·the'less *adv* in spite of that (แม้กระนั้น): *I am feeling ill, but I shall come with you nevertheless.*

new *adj* **1** only just built, made, bought *etc.* (ใหม่): *She is wearing a new dress; We are building a new house.* **2** not done before (ไม่เคยทำมาก่อน): *Flying in an aeroplane was a new experience for her.* **3** changed (เปลี่ยนไป): *He is a new man.* **4** just arrived *etc.* (เพิ่งเข้าใหม่): *The schoolchildren teased the new boy; Is your teacher new?* — *adv* freshly (สด ๆ): *new-laid eggs.*

'new·com·er *n* a person who has just arrived (ผู้มาใหม่): *He is a newcomer to this district.*

'new·ly *adv* recently (เร็ว ๆ นี้ ใหม่ ๆ): *She is newly married; Her hair is newly cut.*

new to having no previous experience of something (ยังใหม่ต่อ): *He's new to this kind of work.*

news *n* **1** a report about recent events (ข่าว): *You can hear the news at 9 o'clock.* **2** information (ข่าวสาร): *Is there any news of your friend?* — *adj* (แห่งข่าว): *a news broadcast.*

news is singular: *The news is good.*

'news·a·gent *n* someone who has a shop selling newspapers and other goods (ผู้มีร้านขายหนังสือพิมพ์และสินค้าอื่น ๆ).

'news·cast·er *n* a person who presents a news broadcast (ผู้ประกาศข่าว).

'news·flash *n* a brief announcement of important news during a television or radio programme (ข่าวด่วน): *We interrupt this programme to bring you a newsflash.*

'news·let·ter *n* a sheet containing news about a group, organization *etc.* (วารสารจดหมายข่าว).

'news·pa·per *n* a paper, printed daily or weekly, containing news (หนังสือพิมพ์).

'news·room *n* **1** an office where news reports are prepared for printing in a newspaper (ห้องข่าว): *The reporters write their articles in the newsroom.* **2** a radio or television studio used for broadcasting news (ห้องถ่ายทอดข่าว): *The president was interviewed in the newsroom.*

'news·ven·dor *n* a person who sells newspapers (คนขายหนังสือพิมพ์).

'news·wor·thy *adj* interesting or important enough to be reported as news (เรื่องที่น่าสนใจหรือสำคัญพอที่จะเป็นข่าว): *The accident was not thought to be newsworthy.*

newt *n* a small animal which lives on land and in water (สัตว์ตัวเล็ก ๆ คล้ายจิ้งจกหรือตุ๊กแก ส่วนใหญ่มักอยู่ในน้ำแต่สามารถอยู่บนบกได้ จิ้งจกน้ำ นิวต์).

newt

next *adj* nearest; immediately following (ใกล้ที่สุด ถัดไป): *When you have called at that house, go on to the next one; The next person to arrive late will be sent away.* — *adv* immediately after, in place or time (ครั้งหรือคราวต่อไป): *John arrived first and Jane came next.* — *pron* the person or thing nearest in place, time *etc.* (คนหรือสิ่งถัดไป): *Finish one question before you begin to answer the next.*

next door *adv* in the next house (บ้านถัดไป): *I live next door to Mrs Smith.*

next to 1 beside (ข้าง ๆ): *She sat next to me.* **2** closest to (ใกล้เคียงที่สุด): *In height, George comes next to me.*

nib *n* the part of a pen from which the ink flows (ปลายปากกา).

-nibbed: *a fine-nibbed pen.*

'nib·ble *v* to take very small bites of something (แทะ เล็ม ตอด): *She nibbled a biscuit.* — *n* (การค่อนขอด): *I was only having a nibble.*

nice *adj* **1** pleasant: *nice weather; a nice person* (ดี น่าชื่นชม). **2** used jokingly (ใช้ในเชิงตลก ยุ่งน่าดู ยุ่งจังเลย): *We're in a nice mess now.* **3** exact (ละเอียดลออ): *a nice sense of timing.* **'nice·ly** *adv* (อย่างสวยงาม).

niche (*nich, nēsh*) *n* a hollow in a wall for a statue, ornament *etc.* (ช่องที่เจาะบนผนังเพื่อติดตั้งรูปปั้น เครื่องตกแต่ง).

nick *n* a small cut (รอยบากเล็ก ๆ): *There was a nick in the doorpost.* — *v* to make a small cut in something (ทำรอยบาก รอยบากเล็ก ๆ): *He nicked his chin while he was shaving.*

in the nick of time just in time (ทันเวลาพอดี): *He arrived in the nick of time.*

'nick·name *n* a special, usually joking, name for someone or something (ชื่อเล่น ชื่อล้อ ฉายา): *Napoleon Bonaparte's nickname was "Boney".* — *v* to give a nickname to someone or something (ตั้งชื่อเล่น): *We nicknamed him "Four-eyes" because he wore spectacles.*

'nic·o·tine (*'nik-ə-tēn*) *n* a substance contained in tobacco (ธาตุนิโคติน).

niece (*nēs*) *n* the daughter of your brother or sister (หลานสาว): *My brother's two daughters are my nieces.*

See **nephew**.

'nig·gle *v* to bother or worry slightly (กวนใจหรือทำให้กังวลเล็กน้อย): *There are still some doubts niggling me.* — *n* a slight worry (ความกังวลเล็กน้อย): *I just have a couple of niggles left to discuss with you.*

nigh (*nī*) adv an old word for near (ใกล้ เกือบ).

'well·nigh nearly; almost (ใกล้ ๆ เกือบจะ): *The puzzle was well-nigh impossible.*

night (*nīt*) *n* **1** the time from sunset to sunrise (กลางคืน): *We sleep at night.* **2** the time of darkness (ความมืดของเวลากลางคืน): *In the Arctic in winter, night lasts for twenty-four hours out of twenty-four.* — *adj* happening, taking place *etc.* at night (ช่วงหรือตอนกลาง

คืน): *He does night work.*

She arrived **last night** (not **yesterday night**).

'night-club *n* a club open at night for drinking, dancing and entertainment (สถานบันเทิงยามค่ำ).

'night·dress, 'night·gown *n* a garment for wearing in bed (ชุดนอน).

'night·fall *n* the beginning of night; dusk (เวลาพลบค่ำ).

'night·in·gale (*'nīt-iŋ-gāl*) *n* a small bird with a beautiful song (นกไนติงเกล).

'night·life *n* entertainment found in the city late at night (ความบันเทิงในยามราตรี ชีวิตในยามราตรี): *Paris is famous for its nightlife.*

'night·ly *adj, adv* every night (ทุกคืน): *a nightly news programme; He goes there nightly.*

'night·mare *n* a frightening dream (ฝันร้าย ผีอำ).

'nightmar·ish *adj* (เหมือนฝันร้าย).

'night-time *n* the time when it is night (เวลากลางคืน): *Owls are usually seen at night-time.*

nil *n* nothing; zero (ไม่มีอะไร ศูนย์): *Our team won two-nil; We lost by two goals to nil.*

'nim·ble *adj* quick and light in movement (ว่องไว คล่องแคล่ว): *a nimble jump.*

'nim·bly *adv* (อย่างแคล่วคล่อง).

'nin·com·poop *n* a fool or idiot (คนโง่หรือคนปัญญาอ่อน): *You great nincompoop!*

nine *n* **1** the number 9 (เลข 9). **2** the age of 9 (มีอายุ 9 ขวบ). — *adj* **1** 9 in number (มีจำนวน 9). **2** aged 9 (9 ขวบ).

ninth (*nīnth*) *n* one of nine equal parts (ลำดับที่เก้า). — *n, adj* the next after the eighth (หลังจากที่แปด เป็นลำดับที่เก้า).

nine'teen *n* **1** the number 19 (เลข 19). **2** the age of 19 (อายุ 19). — *adj* **1** 19 in number (มีอยู่ 19). **2** aged 19 (อายุ 19).

'nine·ty *n* **1** the number 90 (เลข 90). **2** the age of 90 (อายุ 90). — *adj* **1** 90 in number (มีอยู่ 90). **2** aged 90 (มีอายุ 90).

nip *v* **1** to press something between your thumb and a finger, or between claws or teeth, causing pain; to pinch or bite (หนีบ หยิก กัด): *A crab nipped her toe; The dog nipped her ankle.* **2** to cut with this action (เล็ม): *He nipped off the heads of the flowers.* **3** to go quickly (ไปอย่างว่องไว): *Nip along to the shop and get me some rice.* — *n* (การงับ): *The dog gave her a nip on the ankle.*

'nip·ple *n* **1** the darker, pointed part of a woman's breast from which a baby sucks milk; the same part of a male breast (หัวนม). **2** the rubber mouth-piece of a baby's feeding-bottle; a teat (หัวนมยาง).

nit *n* **1** the little white egg of a louse, which sticks to people's hair (ไข่เหา). **2** an unkind word for a stupid person (ไอ้โง่): *Stop shouting, you nit!*

'nit-pick·ing *n* the activity of worrying or arguing about small and unimportant details or looking for tiny faults in things (โต้เถียงหรือกังวลในเรื่องที่ไม่เป็นเรื่องหรือคอยจับผิดในเรื่องเล็ก ๆ น้อย ๆ).

'ni·trate *n* a chemical compound that includes nitrogen and oxygen (สารประกอบทางเคมีซึ่งประกอบด้วยไนโตรเจนและออกซิเจน สารไนเตรท): *Nitrate is used in fertilizers.*

'ni·tro·gen (*'nī-trə-jən*) *n* a type of gas making up nearly four-fifths of the air we breathe (ก๊าซไนโตรเจน).

'nit·ty-grit·ty *n* the basic or most important part of a situation, activity *etc.* (ต้นเหตุ มูลเหตุ): *get down to the nitty-gritty of the problem.*

no[1], *plural* **nos**, a shortening of (คำย่อของ) **number**.

no[2] *adj* **1** not any (ไม่มี): *We have no food; No other person could have done it.* **2** not allowed (ห้ามหรือไม่อนุญาต): *No smoking.* **3** not a (ไม่ใช่): *He is no friend of mine; This will be no easy task.* — *adv* not any (ไม่เลย): *He is no better at golf than at swimming; He went as far as the shop and no further.* — a word used for denying, disagreeing, refusing *etc.* (ไม่ยอมรับ ไม่เห็นพ้อง ปฏิเสธ): *"Do you like travelling?" "No, I don't."; No, I don't agree; "Will you help me?" "No, I won't."* — *n* a refusal (การปฏิเสธ): *She answered with a definite no.*

'**no·ble** *adj* **1** honourable; unselfish (มีเกียรติ ไม่เห็นแก่ตัว): *a noble deed.* **2** of high birth or rank (มีตระกูลสูง): *a noble family; of noble birth.* — *n* a person of high birth (คนเกิดมาในตระกูลสูง): *The nobles planned to murder the king.*

'**no·ble·man** *n* a noble (ขุนนาง).

'**no·bo·dy** *pron* no-one (ไม่มีใคร): *Nobody likes him.* — *n* a very unimportant person (คนที่ไม่มีความสำคัญอะไรเลย): *She's just a nobody.*

noc'tur·nal *adj* **1** active at night (หากินหรือกระทำเวลากลางคืน): *The owl is a nocturnal bird.* **2** happening at night (เกิดขึ้นในเวลากลางคืน): *a nocturnal adventure.*

nod *v* **1** to make a quick forward and downward movement of your head to show agreement, or as a greeting (พยักหน้า): *You nod your head to say "yes"; I asked him if he agreed and he nodded; He nodded to the man as he passed him in the street.* **2** to let your head fall forward and downward when you're sleepy (สัปหงก): *Grandmother sat nodding by the fire.* — *n* (การพยักหน้า): *He answered with a nod.*

nod off to fall asleep (หลับ): *He nodded off while she was speaking to him.*

No'el, Now'ell, No'ël (*nō'el*) *n* an old word for Christmas (คำโบราณที่หมายถึงคริสต์มาส).

noise (*noiz*) n **1** a sound (เสียง): *I heard a strange noise outside.* **2** an unpleasantly loud sound (เสียงดัง เสียงอึกทึก): *I hate noise.*

'**noise·less** *adj* without any sound (เงียบเชียบ): *a noiseless burglar.*

'**noise·less·ly** *adv* (อย่างเงียบเชียบ).

'**nois·y** *adj* making a loud noise (ทำเสียงดัง): *noisy children.*

'**nois·i·ly** *adv* (อย่างเสียงดัง)

'**nois·i·ness** *n* (เสียงดัง ความอึกทึก).

'**no·mad** *n* one of a group of people with no permanent home who travel about with their herds (กลุ่มคนที่ไม่มีบ้านเป็นหลักแหล่งซึ่งท่องไปพร้อมกับฝูงสัตว์). **no'mad·ic** *adj*

no'mad·i·cal·ly *adv* (ท่องเที่ยวไป).

'**nom·i·nal** *adj* **1** in name only; not in reality (เป็นเพียงแต่ในนามเท่านั้น): *He is only the nominal head of the company.* **2** small (นิดหน่อย พอเป็นพิธี): *He had to pay only a nominal fine.*

'**nom·i·nate** *v* to name someone for possible election to a particular job *etc.* (แต่งตั้ง): *They nominated her as president.*

nom·i'na·tion *n* (การแต่งตั้ง).

non- used with many words to change their meanings to the opposite; not (ไม่ ไม่ใช่): *non-alcoholic drinks; Three of the horses in yesterday's race were non-starters.*

'**non·cha·lant** (*'non-shə-lant*) *adj* calm and not worried (ไม่ไยดี เฉยเมย ทำเป็นทองไม่รู้ร้อน): *She managed to appear nonchalant even though she was very upset.*

'**nonchalantly** *adv* (อย่างสงบ อย่างเฉยเมย).

non-con'duc·tor *n* a substance that does not conduct heat or electricity (สารที่ไม่เป็นตัวนำความร้อนหรือตัวนำไฟฟ้า).

non·con'form·i·ty *n* refusal to behave as other people do or believe what they believe (ความไม่ลงรอย การไม่ยินยอม): *His nonconformity is just a passing phase.*

noncon'form·ist *n* and *adj* (ผู้ที่ไม่ปฏิบัติตามบทบัญญัติทางศาสนา).

'**non·de·script** *adj* with no particular or distintive features (มีรูปร่างที่เห็นไม่ชัด): *a nondescript face in the crowd.*

none (*nun*) *pron* not one; not any (ไม่มีเลย): *"How many tickets have you got?" "None"; He asked me for some food but there was none in the house; None of us have (or HAS) seen today's newspaper; None of your cheek!* — *adv* not at all (ไม่เลย): *He is none the worse for his accident.*

> **none** can be followed by a singular or plural verb: *None of the children like (or likes) the new teacher.*

none·the'less, none the less nevertheless; in spite of this (ถึงกระนั้น แม้กระนั้น): *Jim had a headache, but he wanted to come with us nonetheless.*

non-ex'ist·ent *adj* not existing; not real (ไม่มีอยู่ ไม่มีจริง): *Jean worries about non-existent difficulties.*

non-ex'ist•ence *n* (การไม่มีอยู่ การไม่มีจริง).

non-'fic•tion *n* books about real events or things which exist, as opposed to stories (หนังสือที่เกี่ยวกับเหตุการณ์จริงหรือเป็นสาระที่ไม่ใช่นิยาย): *The library has a large non-fiction section.*

non-'flam•ma•ble *adj* non-inflammable (ไม่ติดไฟ).

non-in'flam•ma•ble *adj* not able to burn or be set alight (ไม่สามารถติดไฟหรือไม่สามารถจุดให้ติดไฟได้): *Asbestos is non-inflammable.*

'non•sense *n* foolishness; foolish words, actions *etc.*; something that is ridiculous (ความเหลวไหล เรื่องเหลวไหล): *He's talking nonsense; What nonsense!*

non'sensi•cal *adj* (เหลวไหล).

non-'stop *adj* continuing without a stop (ไม่หยุดหย่อน ไม่หยุดระหว่างทาง): *nonstop entertainment; Is this train non-stop?*

'noo•dle *n* a strip of paste made with water, flour and egg (เส้นก๋วยเตี๋ยวหรือบะหมี่): *fried noodles.*

nook (*no͝ok*) *n* a quiet, dark corner or place (ซอก มุมมืด).

noon *n* twelve o'clock midday (เที่ยงวัน): *They arrived at noon.*

to arrive at **noon** (not ไม่ใช่ **twelve noon**).

'no-one *pron* nobody (ไม่มีใคร): *No-one is to blame; I spoke to no-one.*

no-one takes a singular verb.

noose *n* **1** a loop in rope, wire *etc.* that becomes tighter when pulled (บ่วง ห่วงคล้อง). **2** a loop like this in a rope used for hanging a person (บ่วงที่ใช้แขวนคอนักโทษ).

nor *conjunction* and not (และก็ไม่ ไม่ใช่): *He did not know then, nor did he ever find out; Emma was neither young nor old; I'm not going, nor is John.*

'nor•mal *adj* usual; without any special characteristics or circumstances (ธรรมดา): *She left at the normal time; normal people; His behaviour is not normal.*

'nor•mal•ly *adv* **1** in a usual, ordinary way (อย่างปกติ ตามธรรมดา): *He was behaving quite normally yesterday.* **2** usually; most often: *I normally eat toast for breakfast.*

north *n* **1** the direction to your left when you face the rising sun; any part of the earth lying in that direction (ทางเหนือ): *The wind is blowing from the north; I used to live in the north of England.* **2** (often written **N**) one of the four main points of the compass (ทิศเหนือ). — *adj* **1** in the north: *on the north bank of the river.* **2** from the direction of the north (จากทิศเหนือ): *a north wind.* — *adv* towards the north (มุ่งไปทางเหนือ): *The stream flows north.*

'north•er•ly *adj* **1** coming from the north (มาจากทางเหนือ ใช้กับลม): *a northerly breeze.* **2** towards the north (มุ่งไปทางเหนือ): *in a northerly direction.*

'north•ern (*'nör-dhərn*) *adj* of the north or the North (ซึ่งอยู่ทางเหนือหรือทางทิศเหนือ).

'north•ward *adj, adv* towards the north (มุ่งไปทางเหนือ): *in a northward direction.*

'north•wards *adv* towards the north (ขึ้นเหนือ): *They were travelling northwards.*

north-'east, north-'west *n* s the direction midway between north and east, or north and west (ทิศตะวันออกเฉียงเหนือ): *a village in the north-east of the country.* — *adjs*: *a north-west wind.* — *advs*: *to travel north-east.*

north-'east•ern, north-'west•ern *adjs* of the north-east or north-west (อยู่ทางทิศตะวันออกเฉียงเหนือหรือทิศตะวันตกเฉียงเหนือ).

the North Pole the northern end of the earth's axis of rotation (ขั้วโลกเหนือ).

north and south is always used in this order.

nose (*nōz*) *n* **1** the part of your face you use for breathing and smelling (จมูก): *She held the flower to her nose.* **2** the sense of smell (การรับรู้หรือได้กลิ่น): *Police dogs have good noses and can sniff out explosives.* **3** the part of anything which is like a nose in shape or position (ส่วนตัวของสิ่งของหรือวัตถุที่เป็นปลายสุดอื่นออกมา): *the nose of an aeroplane.* — *v* **1** to make a way by pushing carefully forward (ไปทิ่มหัว พุ่งหัวไปข้างหน้า): *The* *ship nosed its way through the ice.* **2** to look or search as if by smelling (ดมกลิ่น): *He nosed about in the cupboard.*

-nosed (ซึ่งมีจมูก): *a long-nosed dog.*

'nose·dive *n* a dive or fall by an aeroplane with its head or nose pointing down (การปักหัวดิ่งลง). — *v* to make a dive like this (ปักหัวดิ่งลงมา ใช้กับเครื่องบิน): *Suddenly the plane nose-dived.*

pay through the nose to pay too much (จ่ายเกินราคา).

under someone's nose right in front of someone (ต่อหน้าต่อตา): *He stole the money from under my nose.*

nos'tal·gia (*nos'tal-jə*) *n* a longing or fondness for the past (การระลึกถึงความหลัง): *She felt a great nostalgia for her childhood.*

no'stal·gic *adj* (ซึ่งเกี่ยวกับความหลังหรือเป็นความหลัง).

no'stalgi·cal·ly *adv* (อย่างมีความหลัง).

'nos·tril *n* one of two openings in your nose (รูจมูก).

not *adv* **1** a word used for denying, forbidding, refusing, or expressing the opposite of something {often shortened to **n't** (*ənt*) } (ไม่): *I did not see him; I didn't see him; He isn't here, is he?; Isn't he coming?; They told me not to go; Not a single person came to the party; We're going to London, not Paris; That's not true!* **2** used with certain verbs such as **hope, seem, believe, expect** and also with **afraid** (ใช้กับคำบางคำ): *"Have you got much money?" "I'm afraid not"; Is she going to fail her exam?; "I hope not".*

not at all it does not matter; it is not important *etc.* (ไม่เป็นไร ไม่สำคัญ): *"Thank you for helping me." "Not at all."*

'no·ta·ble *adj* worth taking notice of; important (เด่น สะดุดตา มีชื่อเสียง สำคัญ): *a notable scholar.*

no·ta'bil·i·ty *n* (ความเด่น ความสะดุดตา ความมีชื่อเสียง).

notch *n* a small V-shaped cut (รอยบากเป็นรูปตัว V เล็ก ๆ): *He cut a notch in his stick.* — *v* to make a notch in something (ทำรอยบาก).

note *n* **1** a piece of writing to call attention to something (เครื่องหมายให้เป็นที่สังเกตุ): *He left me a note about the meeting.* **2** (usually **notes**) ideas for a speech, details from a lecture *etc.* written down in short form (บันทึกการบรรยาย): *The students took notes.* **3** a written or mental record (การจดบันทึก): *Have you kept a note of her name?* **4** a short explanation (คำอธิบายสั้น ๆ): *There is a note at the bottom of the page about that difficult word.* **5** a short letter (จดหมายสั้น ๆ): *She wrote a note to her friend.* **6** a piece of paper used as money; a bank-note (ธนบัตร): *a five-dollar note.* **7** a musical sound; a symbol used to represent this (ตัวโน้ตทางดนตรี). — *v* **1** to write down (เขียนหรือจดบันทึก): *He noted down her telephone number in his diary.* **2** to notice; to be aware of (สังเกต เอาใจใส่): *He noted a change in her behaviour.*

'no·ted *adj* well-known (รู้จักเป็นอย่างดี): *a noted author; This town is noted for its cathedral.*

'note·book *n* a small book in which to write notes (สมุดจดบันทึก).

'note·pa·per *n* paper for writing letters (กระดาษเขียนจดหมาย).

'note·wor·thy *adj* worthy of notice; remarkable (พึงเอาใจใส่ ควรจดจำ).

'note·wor·thi·ness *n* (ความมีค่าควรจดจำ).

take note of to notice and remember (สังเกตและจดจำ): *He took note of the change in her appearance.*

'noth·ing (*'nuth-iŋ*) *pron* no thing; not anything (ไม่มีสิ่งใด ไม่มีอะไร): *I have nothing new to say.* — *n* the number 0; nought (ศูนย์): *a telephone number with three nothings in it.* — *adv* not at all (ไม่มีอะไรเลย): *He's nothing like his father.*

for nothing 1 free; without payment (ฟรี ไม่เสียค่าใช้จ่ายหรือไม่คิดเงิน): *I'll do that job for you for nothing.* **2** without result; in vain (โดยไม่เกิดผล ไร้ผล): *I've been working on this book for six years, and all for nothing!*

'no·tice *n* **1** a written or printed statement to announce something publicly **(ประกาศ)**: *He stuck a notice on the door, saying that the gymnasium was closed for repairs; They put a notice in the paper announcing the birth of their daughter.* **2** attention **(ความสนใจ)**: *His skill attracted their notice; I'll bring the problem to his notice as soon as possible.* — *v* to see; to observe **(เห็น สังเกตเห็น)**: *I noticed a book on the table; He noticed her leave the room; Did he say that? I didn't notice.*

notice

advertisement

poster

'no·tice·a·ble *adj* likely to be easily noticed **(น่าจะสังเกตเห็นได้ง่าย)**: *There's a slight stain on this dress but it's not really noticeable.*

'no·tice-board *n* a board, for instance in a hall, school *etc.* on which notices are put **(กระดานติดประกาศ กระดานป้ายนิเทศ)**.

'no·ti·fy (*'nō-ti-fī*) *v* to inform or warn someone about something **(แจ้งหรือเตือน)**: *If there has been an accident you must notify the police.*

no·ti·fi·'ca·tion *n* **(การแจ้ง)**.

'no·tion *n* **1** understanding **(ความเข้าใจ)**: *I've no notion what he's talking about.* **2** an idea **(ความคิดเห็น)**: *He has some very odd notions.* **3** a desire for something or to do something **(เจตนา)**: *He had a sudden notion to visit his aunt.*

no'to·ri·ous *adj* well-known for badness or wickedness **(เป็นที่รู้กันกระฉ่อน)**: *a notorious murderer.*

a **notorious or infamous** criminal, but a **famous** musician **(อาชญากรขึ้นชื่อหรือที่รู้กันกระฉ่อน แต่นักดนตรีที่มีชื่อเสียง)**.

no·to'ri·e·ty (*nō-tə'rī-ə-ti*) n **(ความมีชื่อกระฉ่อน)**.

no'to·ri·ous·ly *adv* **(อย่างกระฉ่อน อย่างขึ้นชื่อ)**.

'nou·gat (*'noo-gä*) *n* a hard, usually white sweet that contains nuts **(ตังเมใส่ถั่ว)**.

nought (*nöt*) *n* **1** nothing **(ไม่มีอะไรเลย)**. **2** the figure 0 **(เลข 0)**: *The number contained five noughts.*

noun *n* a word used as the name of something **(คำนาม)**: *The words "boy", "James" and "happiness" are all nouns.*

'nour·ish (*'nur-ish*) *v* to give a person, animal or plant the food needed for health and growth **(บำรุงเลี้ยง บำรุงกำลัง)**: *These children have not been properly nourished for months.*

'nour·ish·ing *adj* **(ซึ่งบำรุงเลี้ยง)**: *nourishing food.*

'nour·ish·ment *n* something that nourishes; food **(เครื่องบำรุงเลี้ยง อาหารบำรุงกำลัง)**: *Plants draw nourishment from the earth.*

'nov·el[1] *n* a book telling a long story **(หนังสือนวนิยาย)**: *the novels of Charles Dickens.*

'nov·el·ist *n* the writer of a novel **(นักแต่งนวนิยาย)**.

'nov·el[2] *adj* new and strange **(แปลกใหม่)**: *a novel idea.*

'nov·el·ty *n* **1** newness and strangeness **(ความแปลกใหม่)**: *The pupils were excited by the novelty of life in the senior school.* **2** something new and strange **(ของใหม่และแปลก)**: *Snow is a novelty to people from hot countries.* **3** a small, cheap thing that is sold as a toy or souvenir **(ของชิ้นเล็ก ๆ ขายถูก ๆ ที่ขายเป็นของเล่นหรือที่ระลึก)**: *a stall selling novelties.*

No'vem·ber *n* the eleventh month of the year, the month following October **(เดือนพฤศจิกายน เป็นเดือนที่สิบเอ็ดของปี เดือนที่ตามหลังเดือนตุลาคม)**.

'nov·ice (*'nov-is*) *n* **1** a beginner at something **(คนที่เริ่มหัด เริ่มเล่น เริ่มทำสิ่งของใหม่ ๆ)**: *David was a novice at swimming.* **2** a monk or nun who has not yet taken all their vows **(ผู้ที่กำลังอยู่ในระหว่างการฝึกหัดเพื่อจะเป็นพระหรือแม่ชีในคริสตศาสนา สามเณร)**.

now *adv* **1** at present **(ตอนนี้)**: *I am now living in England.* **2** immediately **(เดี๋ยวนี้)**: *I can't do it now — you'll have to wait.* **3** at this moment **(ขณะนี้)**: *He'll be at home now.* **4** then; at that time **(เวลานี้)**: *We were now very close to the city.* **5** because of what has happened

(บัดนี้): *Paul now knew he could not trust Richard.* **6** a word that is used in explanations, warnings, commands *etc.* (นี่ นี่แน่ะ เดี๋ยวนี้นะ): *Now, this is what happened; Stop that, now!; Do be careful, now.* — *conjunction* because or since something has happened (เนื่องจากตอนนี้ ด้วยบัดนี้): *Now you have left school, you will have to find a job; Now that he's 18, he can vote.*

'now·a·days *adv* at the present time (ทุกวันนี้): *Food is very expensive nowadays.*

for now (ในตอนนี้): *That will be enough for now — we'll continue our conversation to-morrow.*

just now a moment ago (เมื่อกี้นี้): *I saw him just now in the street.*

every now and then, now and again sometimes (เป็นครั้งคราว): *We go to the theatre every now and then; It happens now and again.*

'no·where *adv* not anywhere (ไม่มีที่ไหนเลย): *The book was nowhere to be found.*

'noz·zle *n* a narrow end-piece fitted to a pipe, tube *etc* (หัวสูบ): *The fireman pointed the nozzle of the hose-pipe at the fire.*

-n't see (ดู **not**).

'nu·ance (*'nū-äns*) *n* a slight or delicate difference in colour, tone, meaning *etc.* (ความแตกต่างกันนิดหน่อยในเรื่องของสี ของเสียง ของความหมาย ฯลฯ): *The actress could use her voice to achieve nuances of meaning.*

'nu·cle·ar (*'nū-kli-ər*) *adj* **1** using atomic energy (ใช้พลังงานปรมาณู): *a nuclear power station.* **2** belonging to a nucleus (เป็นของนิวเคลียส).

nuclear energy atomic energy (พลังงานปรมาณู).

'nu·cle·us (*'nū-kli-əs*), *plural* **'nu·cle·i** (*'nū-kli-ī*), *n* **1** the central part of an atom (ส่วนที่เป็นใจกลางของปรมาณู). **2** the part of a plant or animal cell that controls its growth (ส่วนของเซลล์ต้นไม้หรือสัตว์ที่ควบคุมการเจริญเติบโต).

nude (*nūd*) *adj* without clothes; naked (เปลือย). — *n* a photograph, picture *etc.* of an unclothed human figure (ภาพเปลือย).

'nu·di·ty *n* nakedness (ความเปลือยเปล่า).

in the nude without clothes (ไม่สวมใส่เสื้อผ้าเปลือยกาย).

nudge *n* a gentle push (ผลักเบา ๆ): *He gave her a nudge.* — *v* to hit gently (ถองเบา ๆ): *She nudged him in the ribs.*

'nug·get (*'nug-it*) *n* a small lump, especially of gold (เป็นก้อนเล็ก ๆ): *a gold nugget.*

'nui·sance (*'nū-səns*) *n* someone or something that is annoying or troublesome (คนหรือสิ่งที่ก่อให้เกิดความรำคาญหรือเดือดร้อน): *That child is a terrible nuisance.*

numb (*num*) *adj* not able to feel or move (ไม่มีความรู้สึกหรือชาจนขยับไม่ได้): *She was numb with cold.* — *v* to make numb (ทำให้ชา): *The cold numbed her fingers.*

'numb·ly *adv* (กระดุกกระดิกไม่ได้).

'numb·ness *n* (อาการชา).

'num·ber *n* **1** a word or figure expressing quantity, or the position of something in a series *etc.* (จำนวนหรือตำแหน่งเลขหมาย): *Seven was often considered a magic number; Answer nos 1—10 of Exercise 2.* **2** a quantity or group of people or things (จำนวนมาก): *He has a number of records; There were a large number of people in the room.* — *v* **1** to put a number on (ใส่หมายเลข): *He numbered the pages in the top corner.* **2** to include (รวมอยู่ด้วย): *He numbered her among his closest friends.* **3** to come to in total (นับรวมได้): *The group numbered ten altogether.*

a number of, meaning "several", is plural: *A number of boys are absent today.*
the number of, meaning "the total quantity of something", is singular: *The number of girls in the class is small.*

'num·ber-plate *n* one of the metal plates carried on the front and back of a motor vehicle showing the registration number (แผ่นป้ายทะเบียนรถยนต์).

'nu·mer·al (*'nū-mə-rəl*) *n* a figure used to express a number (จำนวน): *1, 10, 50 are Arabic numerals; I, X, L are Roman numerals.*

'nu·mer·a·tor (*'nū-mə-rā-tər*) *n* the number that stands above the line in a fraction (จำนวน

เศษ): *The numerator in the fraction 3/4 is 3.*

nu'mer·i·cal *adj* using numbers; consisting of numbers (ที่ใช้หรือที่เกี่ยวกับตัวเลข): *I'm not very good at numerical work.*

nu'mer·i·cal·ly *adv* (โดยใช้ตัวเลข).

'nu·mer·ous *adj* very many (มากมาย): *His faults are too numerous to mention.*

nun *n* a member of a female religious community (แม่ชี).

'nun·ner·y *n* a house in which a group of nuns live; a convent (สำนักชี).

nurse *n* a person who looks after sick or injured people in hospital (นางพยาบาล): *She wants to be a nurse.* — *v* **1** to look after sick or injured people, especially in a hospital (การดูแลคนป่วยหรือผู้บาดเจ็บ): *He was nursed back to health.* **2** to give a baby milk from the breast (การให้นมเด็กจากอก). **3** to hold with care (การโอบเอาไว้อย่างทะนุถนอม): *She was nursing a kitten.*

'nur·se·ry *n* **1** a room *etc.* for young children (ห้องสำหรับเด็กอ่อน). **2** a place where young plants are grown (เรือนเพาะชำ).

nursery rhyme a short poem for children (โคลงสั้น ๆ สำหรับเด็ก โคลงหรือบทกลอนกล่อมเด็ก).

nursery school a school for very young children (โรงเรียนสำหรับเด็กเล็ก).

nursery slope a lower, gentle snow-covered slope for people who are learning to ski (ทางลาดน้อย ๆ ที่ปกคลุมด้วยหิมะสำหรับผู้ที่เรียนการเล่นสกี).

'nurs·ing *n* the job of a nurse who cares for the sick (หน้าที่ของพยาบาลในการดูแลคนป่วย).

'nurs·ing home *n* a small private hospital, especially one for very old people (โรงพยาบาลเอกชนขนาดเล็กโดยเฉพาะที่รับคนชรามาก ๆ มารักษาตัว).

'nur·ture (*'nər-chər*) *v* to feed and look after a young child, animal, plant *etc.* (ให้อาหารและเลี้ยงดูเด็กเล็ก ๆ สัตว์ พืช ฯลฯ): The child has been carefully nurtured.

nut *n* **1** a fruit consisting of a single seed in a hard shell (ผลไม้เปลือกแข็งมีเมล็ดเดียว): *a hazelnut.* **2** a small round piece of metal with a hole through it, for screwing on the end of a bolt to hold pieces of wood, metal *etc.* together (น็อตเล็ก ๆ เป็นเกลียวซึ่งใช้ยึดแผ่นไม้ โลหะ ฯลฯ เข้าด้วยกัน): *a nut and bolt.*

'nut·crack·er *n* an instrument for cracking nuts open (เครื่องกะเทาะเปลือกผลไม้): *a pair of nutcrackers.*

'nut·meg *n* a hard seed ground into a powder and used as a spice in food (เมล็ดจันทน์เทศที่บดเป็นผงใช้ปรุงอาหาร).

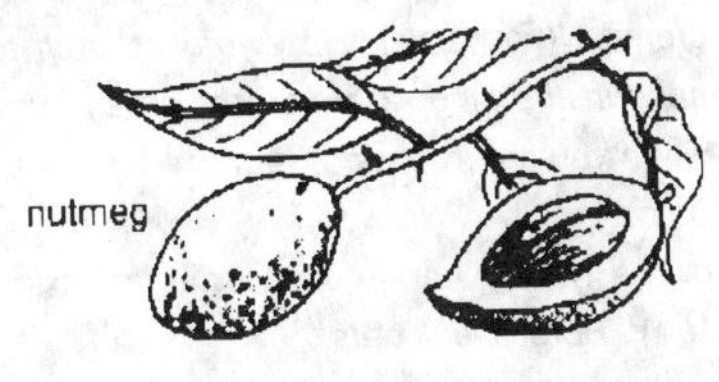

'nu·tri·ent (*'nū-tri-ənt*) *n* a substance in food that helps growth and health (สารในอาหารซึ่งช่วยให้เจริญเติบโตและมีสุขภาพดี).

nu'tri·tion (*nū'trish-ən*) nourishment, or the scientific study of this (โภชนาการ).

nu'tri·tion·al *adj* (อย่างเป็นโภชนาการ).

nu'tri·tious *adj* valuable as food; nourishing (ที่เป็นอาหารบำรุงเลี้ยง): *Sweets are not very nutritious.*

'nut·shell *n* the hard covering of a nut (เปลือก).

'nut·ty *adj* **1** containing, or tasting of, nuts (มีรสอย่างผลไม้เปลือกแข็ง): *a nutty flavour.* **2** a slang word for mad (บ้า คำสแลง): *He's quite nutty.*

'nuz·zle *v* to press, rub or caress with the nose (ใช้จมูกดุนหรือดม): *The horse nuzzled against her cheek.*

'ny·lon (*'nī-lon*) *n* a type of material made from chemicals and used for clothes, ropes, brushes *etc.* (ไนลอน). — *adj* (เป็นหรือทำจากไนลอน): *a nylon shirt.*

nymph (*nimf*) *n* a goddess or spirit of the rivers, trees *etc.* (นางไม้ นางพรายน้ำ).

Oo

oaf *n* a stupid or clumsy person (**คนโง่หรือคนเงอะงะไม่เต็มเต็ง**): *That stupid oaf is always knocking things over.*
'oaf•ish *adj* (**ซุ่มซ่าม**).

oak *n* a type of large tree with hard wood. — *adj* (**ต้นโอ๊ก**): *oak furniture.*

oar *n* a long piece of wood with a flat end for rowing a boat (**ไม้พายเรือ**).

o'a•sis (*ō'ā-sis*), *plural* **o'a•ses** (*ō'ā-sēz*), *n* an area in a desert where water is found (**แหล่งน้ำในทะเลทราย**): *The travellers stopped at an oasis.*

oath, *plural* **oaths** (*ōths, ōdhz*), *n* **1** a solemn promise (**คำสาบาน**): *He swore an oath to support the king.* **2** a word or phrase used when you are swearing (**คำสบถ**): *curses and oaths.*

oats *n* a type of cereal plant or its grain (**ข้าวโอ๊ต**): *Horses eat oats.*

o'be•di•ence (*ə'bē-di-əns*) *n* **1** the obeying of someone or something (**การเชื่อฟัง**): *obedience to an order.* **2** willingness to obey (**ความอ่อมน้อม ความว่าง่าย**): *Most teachers would like more obedience from their pupils.*
o'be•di•ent *adj* (**เชื่อฟัง**): *an obedient child.*
o'be•dient•ly *adv* (**อย่างเชื่อฟัง อย่างว่าง่าย**).

o'bese (*ə'bēs*) *adj* very fat (**อ้วนมาก**).
o'be•si•ty *n* (**ความอ้วน**): *Obesity is a danger to health.*

o'bey (*ə'bā*) *v* to do what you are told to do (**เชื่อฟัง**): *I obeyed the order.*

o'bit•u•ar•y (*ə'bit-ū-ə-ri*) *n* a notice in a newspaper *etc.* that announces a person's death, often with a short account of their life (**ข่าวมรณกรรมในหนังสือพิมพ์**).

'ob•ject[1] *n* **1** something that can be seen or felt (**วัตถุ**): *There were various objects on the table.* **2** an aim; an intention (**จุดมุ่งหมาย ความตั้งใจ**): *His main object in life was to become rich.* **3** the word or words in a sentence *etc*, that stand for the person or thing affected by the verb (**คำที่ทำหน้าที่เป็นกรรมในประโยคหนึ่ง ๆ**): *He hit me; You can eat what you like.*

ob'ject[2] *v* to dislike something; to disapprove of something (**ไม่ชอบ คัดค้าน**): *I object to her rudeness; Chris objected to going to bed so early.*
ob'jec•tion *n* **1** an expression of disapproval (**การแสดงความไม่เห็นด้วย**): *He raised no objection to the idea.* **2** a reason for disapproving (**เหตุผลที่ไม่เห็นด้วย**): *My objection is that he is too young.*
ob'jec•tion•a•ble *adj* very unpleasant; offensive (**ซึ่งไม่พึงปรารถนา ซึ่งน่ารังเกียจ**): *He is a most objectionable person; Everybody thinks that drug-dealing is objectionable.*

ob'jec•tive *n* a goal you try to reach (**เป้าหมาย**): *Our objective is freedom.* — *adj* not influenced by personal opinions (**ไม่ใช้ความคิดของตนเข้ามามีอิทธิพลหรือเข้ามาร่วม**): *He took an objective view of the problem.*

o'blige *v* to do something to help someone (**ทำบุญคุณให้ กรุณา**): *Could you oblige me by carrying this, please?*
ob•li'ga•tion (*o-bli'gā-shən*) *n* a promise or duty (**พันธะหรือหน้าที่**): *You are under no obligation to buy this.*
o'blig•a•to•ry (*ə'blig-ə-tö-ri*) *adj* that must be done (**ข้อผูกมัด ข้อตกลง**): *It is obligatory to pay tax.*
o'bliged *adj* having to do something (**ซึ่งถูกบังคับ**): *I was obliged to invite him to my party, although I didn't want to.*
o'bli•ging *adj* willing to help other people (**เต็มใจช่วยเหลือผู้อื่น**): *He'll help you — he's very obliging.*
o'bliging•ly *adv* (**อย่างเอื้อเฟื้อ**).

o'blique (*ə'blēk*) *adj* sloping (**ลาด เอียง เฉทแยง**): *He drew an oblique line from one corner of the paper to the other.*

o'bliv•i•ous *adj* not aware of what is happening (**ไม่นึกถึง ไม่หลงลืม**): *She was completely oblivious to the argument in the next office.*

'ob•long *n* a rectangular shape that has one pair of opposite sides longer than the other pair (**สี่เหลี่ยมผืนผ้า**). — *adj* shaped like an oblong (**รูปร่างเหมือนสี่เหลี่ยมผืนผ้า**): *an oblong* table.

'o·boe (*'ō-bō*) *n* a woodwind musical instrument (ปี่โอโบ).

'o·bo·ist *n* (คนเป่าปี่).

ob'scene (*əb'sēn*) *adj* disgusting, especially sexually (ลามก หยาบโลน): *obscene photographs.*

ob'scene·ly *adv* (อย่างลามก).

ob'scure (*əb'skūr*) *adj* **1** not clear; difficult to see (ปิด บัง มอ มัว): *an obscure shape; an obscure outline.* **2** difficult to find; hidden (บัง): *an obscure corner of the library.*

ob'ser·vant (*əb'zər-vənt*) *adj* quick to notice (ตาไว ช่างสังเกต): *An observant boy remembered the car's number.*

ob·ser'va·tion *n* **1** the noticing or watching of someone or something (การสังเกตหรือการเฝ้าดู): *She is in hospital for observation.* **2** a remark.

ob'ser·va·to·ry (*əb'zər-və-tə-ri*) *n* a place with large telescopes for observing and studying the moon, stars *etc.* (หอดูดาว).

ob'serve (*əb'zərv*) *v* **1** to notice (สังเกต คอยดู มองดู) *I observed her unhappy face; I observed that she was crying.* **2** to watch carefully (เฝ้าดูอย่างถี่ถ้วน): *She observed his actions with interest.* **3** to obey (ปฏิบัติตาม): *We must observe the rules.* **4** to make a remark (เปรย): *"It's a lovely day," he observed.*

ob'serv·er *n* someone who observes (คนเฝ้าสังเกต).

ob'sess *v* to occupy someone's mind too much (ครอบงำ): *He is obsessed by death.*

ob'ses·sion *n* (การครอบงำ ความหลงใหลใฝ่ฝัน): *an obsession about motorbikes.*

'ob·so·lete (*'ob-sə-lēt*) *adj* no longer used; out of date (ไม่ใช้แล้ว พ้นสมัย): *Now that we have diesel and electric trains, the steam locomotive has become obsolete.*

'ob·sta·cle *n* something which prevents progress (อุปสรรค): *His inability to learn foreign languages was an obstacle to his career.*

ob·ste'tri·cian *n* a doctor specializing in the health of pregnant women, the growth of the baby in the womb and birth (สูติแพทย์): *All pregnant women should see an obstetrician regularly.*

'ob·sti·nate *adj* refusing to give in to someone or something; not wanting to obey someone (ดื้อ ดันทุรัง): *She won't change her mind — she's very obstinate.*

'ob·sti·na·cy *n* (ความดื้อดึง).

'ob·sti·nate·ly *adv* (อย่างดื้อดึง).

ob'struct *v* **1** to block (กีดกั้น): *The road was obstructed by a fallen tree.* **2** to stop something moving past or making progress (ขวางกั้น): *The crashed lorry obstructed the traffic.*

ob'struc·tion *n* something that obstructs (สิ่งขวางกั้น อุปสรรค): *an obstruction in the pipe.*

ob'tain *v* to get (ได้มา): *He obtained a large sum of money by selling houses; Antiseptic ointment can be obtained from* the chemist.

ob'taina·ble *adj* (หาได้).

ob'tuse (*əb'tūs*) *adj* greater than a right-angle (มุมป้าน): *an obtuse angle.*

'ob·vi·ous *adj* easily seen or understood (เห็นได้ชัดหรือแจ่มแจ้ง): *It was obvious that she was ill; an obvious improvement; an obvious reason.*

'ob·vi·ous·ly *adv* (อย่างแจ่มแจ้ง อย่างเห็นได้ชัด): *Obviously, I'll need some help.*

oc'ca·sion (*ə'kā-zhən*) *n* **1** a particular time (โอกาส): *I've heard him speak on several occasions.* **2** a special event (กิจธุระ): *The wedding was a great occasion.*

oc'ca·sion·al *adj* happening now and then (เกิดขึ้นเป็นครั้งคราว): *I take an occasional trip to London.*

oc'ca·sion·al·ly *adv* now and then (บางครั้งบางคราว): *I occasionally go to the theatre.*

oc·ci'den·tal (*ok-si'den-təl*) *adj* of or from the West (แห่งหรือจากดินแดงทางหรือภาคตะวันตก): *occidental cultures.*

oc'cult (*o'kult*) *n* the knowledge and study of what is supernatural or magical (ความรู้และศึกษาในเรื่องเหนือธรรมชาติหรือเวทมนตร์): *She finds the occult frightening.*

'oc·cu·pant (*'ok-ū-pənt*) *n* someone who occupies a house *etc.* (ผู้ครอบครอง ผู้ยึดครอง): *the occupants of the flat.*

oc·cu'pa·tion *n* **1** your job or work (งานที่ทำหรืออาชีพ). **2** the occupying of a house, town *etc.* (การยึดครอง). **3** the time during which a town, house *etc.* is occupied (ระยะเวลาที่มีผู้เข้ามาครอบครองหรือยึดครอง): *During the occupation, there was a shortage of food.*

'oc·cu·py (*'ok-ū-pī*) *v* **1** to fill up space (เติมที่ว่าง): *A table occupied the centre of the room.* **2** to fill up time (ใช้เวลา): *He occupied his time until lunch by reading a book.* **3** to live in (อาศัยอยู่): *The family occupied a small flat.* **4** to capture (ยึด): *The soldiers occupied the town.*

oc'cur (*ə'kər*) *v* **1** to happen (เกิดขึ้น): *The accident occurred yesterday morning.* **2** to come into your mind (ปรากฏหรือบังเกิดขึ้นในใจ): *An idea occurred to him.* **3** to be found (พบใน): *Giants occur in fairy tales.*
oc'cur·rence (*ə'kur-əns*) *n* (เหตุการณ์ ปรากฏการณ์): *a strange occurrence.*

> **occurrence, occurred** and **occurring** have two **r**s.
> **occur** means to happen by chance: *The accident occurred at 8.00 p.m.*
> **take place** should be used when you mean to happen according to plan: *The prize-giving ceremony will take place on 30 June.*

'o·cean (*'ō-shən*) *n* **1** the salt water that covers most of the earth's surface (มหาสมุทร). **2** a name given to each of its five main divisions (ชื่อของมหาสมุทร): *the Atlantic Ocean.*

o'clock *adv* used, in saying the time, for a particular hour (ใช้ในการเรียกเวลา นาฬิกาโมง): *It's five o'clock.* — *adj* (แห่งเวลา): *the three o'clock train.*

'oc·ta·gon *n* a flat shape with eight sides (รูปแปดเหลี่ยม).
oc'ta·gon·al *adj* having eight sides (มีแปดด้าน): *an octagonal coin.*

Oc'to·ber *n* the tenth month of the year, the month following September (เดือนตุลาคม).

'oc·to·pus *n* a sea-creature with eight tentacles (ปลาหมึกยักษ์).

odd *adj* **1** unusual; strange (ประหลาด แปลก): *He's wearing very odd clothes; an odd young man.* **2** not able to be divided exactly by 2 (เลขคี่): *5 and 7 are odd numbers.* **3** not one of a pair, set *etc.* (ข้างเดียว): *an odd shoe.*
'odd·ly *adv* strangely (แปลก ๆ อย่างประหลาด ๆ): *He is behaving oddly.*
odds *n* **1** chances (ต่อพนัน): *The odds are that he will win.* **2** a difference in strength, in favour of one side (ความได้เปรียบ): *They are fighting against heavy odds.*
odd jobs small jobs of various kinds, often done for other people (งานเล็ก ๆ หลากหลาย มักจะทำให้กับคนอื่น): *He hasn't got a regular job, but earns some money by doing odd jobs for old people.*
odds and ends small objects of different kinds (เศษเล็กเศษน้อย ของเล็ก ๆ น้อย ๆ): *There were various odds and ends lying about on the table.*

ode (*ōd*) *n* a poem written in praise of a person or thing (โคลงใช้ร้องหรือสวดเพื่อสดุดี): *Keats' Ode to a Nightingale.*

'o·di·ous (*'ō-di-əs*) *adj* hateful, unpleasant or offensive (น่าเกลียด น่ากลัว น่ารังเกียจ): *an odious person.*

'o·dour *n* a smell (กลิ่น กลิ่นเหม็น): *the unpleasant odour of burning fat.*
'o·dour·less *adj* (ไม่มีกลิ่น).

o'er (*ōr*) *adv, prep,* short for (เป็นคำย่อของ) **over** (เหนือ): *o'er the sea.*

of (*ov*) *prep* **1** belonging to (เป็นส่วนของ): *Where is the lid of this box?; a friend of mine.* **2** away from (ห่างจาก): *I live within five miles of London.* **3** written by (เขียนโดย): *the plays of Shakespeare.* **4** belonging to a group (อยู่ในกลุ่มของ): *He is one of my friends.* **5** showing (ของ): *a picture of my father.* **6** made from; consisting of (ทำจาก

ประกอบด้วย): *a dress of silk; a collection of pictures.* **7** used to show an amount or measurement of something (ใช้แสดงจำนวนของหน่วยตวงวัด): *a gallon of petrol; five bags of coal.* **8** about (เกี่ยวกับ): *the story of his adventures.* **9** containing (บรรจุ): *a box of chocolates.* **10** used to show a cause (ใช้แสดงถึงสาเหตุ): *She died of hunger.* **11** used to show a loss or removal (ใช้แสดงถึงการสูญเสียหรือถอดออก): *She was robbed of her jewels.* **12** used to show the connection between an action and its object (ใช้แสดงความเกี่ยวพันของการกระทำกับสิ่งของ): *the smoking of a cigarette.* **13** used to show character, qualities *etc.* (ใช้แสดงถึงอุปนิสัย คุณภาพ ฯลฯ): *a man of courage.*

off (of) *adv* **1** away from a place, time *etc.* (ห่างออกไป พ้น): *He walked off; She cut her hair off; The holidays are only a week off; She took off her coat.* **2** not working; not giving power *etc.* (ไม่ทำงาน ไม่มีไฟฟ้า ปิด): *The water's off; Switch off the light; Put the light off; Have you turned off the machine?* **3** not at work (หยุดหรือออกเวร): *He's taking tomorrow off; He's off today.* **4** completely (เสร็จสิ้น): *Finish off your meal.* **5** not as good as usual, or as it should be (ไม่ดีเหมือนปกติหรืออย่างที่ควรเป็น เลิกล้ม): *His work has gone off recently.* **6** bad (เสียหรือเสื่อมคุณภาพ): *This milk has gone off — we can't drink it.* **7** out of a vehicle, train *etc.* (ลงจากยานพาหนะ รถไฟ): *The bus stopped and we got off.* **8** cancelled (ยกเลิก): *The wedding is off.* — *adj* **1** not as good as usual (ตกต่ำ): *an off day.* **2** rotten (เน่าเสีย): *This fish is definitely off.* — *prep* **1** away from; down from (ห่างจาก ตกต่ำลงจาก): *It fell off the table; a mile off the coast; He cut about five centimetres off my hair.* **2** out of a vehicle (ลงจากยานพาหนะ): *We got off the bus.*

be off with you! go away! (ตีจาก)

the off season the period, at a hotel, holiday area *etc.*, when there are few visitors (นอกฤดูกาล): *It's very quiet here in the off season.* — *adj* (อัตราตอนนอกฤดูกาล): *off-season rates.*

of'fend *v* **1** to make someone feel upset or angry (ขุ่นเคือง): *If you don't go to her party she will be offended.* **2** to disgust (น่ารังเกียจ): *Cigarette smoke offends me.* **3** to break a law *etc.* (ทำผิดกฎหมาย): *to offend against the law.*

of'fence *n* **1** disgust, anger, displeasure, hurt feelings *etc.* (ความขุ่นเคืองใจ ความขุ่นมัวในใจ): *His rudeness caused offence.* **2** a cause of these feelings (สาเหตุของความขุ่นเคืองใจ): *That rubbish dump is an offence to the eye.* **3** a crime (อาชญากรรม): *The police charged him with several offences.*

of'fend·er *n* a person who offends against the law (ผู้กระทำผิดกฎหมาย).

of'fen·sive *adj* **1** insulting (สบประมาท ก้าวร้าว): *offensive remarks.* **2** disgusting (น่ารังเกียจ): *an offensive smell.*

take offence at to be offended by something (ถือเป็นการสบประมาท): *He took offence at her nasty remark.*

'of·fer *v* **1** to put forward a gift, suggestion *etc.* for acceptance or refusal (เสนอ): *He offered her $20 for the picture.* **2** to say that you are willing (เต็มใจ): *He offered to help her.* — *n* **1** an act of offering (การเสนอ): *an offer of help.* **2** something offered; an amount of money offered (ข้อเสนอ): *They made an offer of $50 000 for the house.*

'of·fer·ing *n* **1** a gift (ของขวัญ): *a birthday offering.* **2** money given during a religious service (เงินทำบุญ): *a church offering.*

on offer for sale, often cheaply (เสนอขาย): *That shop has chairs on offer at $20 each.*

off-'hand *adj* rude and impolite (หยาบคายและไม่สุภาพ): *She often behaves in an off-hand way.*

'of·fice *n* **1** the room or building in which the business of a company is done (สำนักงาน): *The firm's head offices are in New York.* **2** the room in which a particular person works (ห้องทำงาน): *the bank manager's office.* **3** a room or building used for a particular purpose (ห้องหรืออาคารใช้เพื่อจุดประสงค์บาง

อย่าง): *You buy train tickets at the ticket-office.* — *adj* (แห่งสำนักงาน): *office furniture; office stationery.*

'of·fic·er *n* **1** someone holding a commission in the army, navy or air force (นายทหาร): a naval officer. **2** someone who carries out a public duty (เจ้าหน้าที่): *a police-officer.*

of'fi·cial *adj* **1** having to do with authority (เกี่ยวกับผู้มีอำนาจหน้าที่): *official powers; The policeman was wearing his official uniform.* **2** done, said, announced *etc.* by people in authority (อย่างเป็นทางการ): *the official result of the race.* — *n* a person who holds a position of authority (เจ้าหน้าที่): *a government official.*

of'fi·cial·ly *adv* **1** as an official (ในฐานะของเจ้าหน้าที่): *He attended the ceremony officially.* **2** formally; by someone in authority (อย่างเป็นทางการ): *The new library was officially opened yesterday.*

'off-shore *adj* **1** in or on the sea, not far from the coast (อยู่ในทะเล ไม่ไกลจากชายฝั่ง): *an off-shore oil-rig.* **2** blowing away from the coast, out to sea (พัดออกจากชายฝั่ง ออกสู่ทะเล): *off-shore breezes.*

'off·spring, *plural* **'off·spring**, *n* a child; a baby animal (เด็กอ่อน ลูกสัตว์): *How many off-spring does a cat usually have at one time?*

'of·ten (*'of-ən*) *adv* many times (บ่อย ๆ): *I often go to the theatre; I should see him more often.*

'o·gre (*'ō-gər*) *n* a frightening cruel giant in fairy tales (ยักษ์ที่ดุร้ายในนวนิยาย).

oh (*ō*) a cry of surprise, admiration *etc.* (เสียงร้องด้วยความแปลกใจ ด้วยความชื่นชม): *Oh, what a lovely present!*

oil *n* a greasy liquid that will not mix with water (น้ำมัน): *olive oil; whale oil; vegetable oil; cooking oil; He put some oil on the hinges of the door.* — *v* to put oil on or into something (หยอดน้ำมัน): *The machine will work better if it's oiled.*

'oil·field *n* a place where mineral oil is found (พื้นที่ซึ่งพบน้ำมัน): *There are oil-fields in the North Sea.*

oil painting a picture painted with paints made with oil (ภาพวาดสีน้ำมัน).

oil palm a palm tree whose fruit and seeds give oil (น้ำมันปาล์ม).

'oil-rig *n* a structure used to drill wells from which oil is obtained (ฐานขุดเจาะน้ำมัน): *The ship sailed past an enormous oil-rig.*

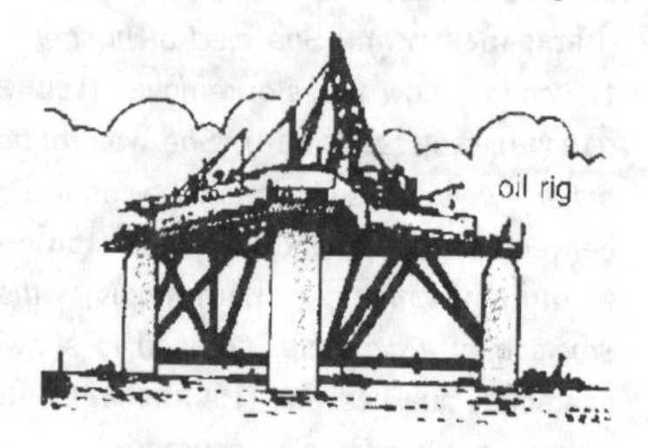

'oil-tank·er *n* a ship used for carrying oil (เรือบรรทุกน้ำมัน): *An oil-tanker sank near here.*

'oil·y *adj* like, or covered with, oil (เป็นน้ำมันหรือเคลือบด้วยน้ำมัน): *an oily liquid; an oily rag.*

'oint·ment *n* any greasy substance that you rub on your skin to heal injuries *etc.* (ยาขี้ผึ้ง ยาหม่อง).

O·K·, **o'kay** all right (เรียบร้อย ตกลง ไม่เป็นไร): *"Will you do it?" "O.K., I will"; Is my dress O.K.?; That's O.K. with me.* — *n* approval (การอนุญาต): *He gave the plan his O.K.*

old (*ōld*) *adj* **1** having lived a long time (แก่): *an old man.* **2** having a certain age (มีอายุ): *He is thirty years old.* **3** having existed for a long time (เก่า เก่าแก่): *an old building; Those trees are very old.* **4** no longer useful (ไม่ใช้แล้ว เลิกใช้แล้ว): *She threw away the old shoes.* **5** belonging to times long ago (ในอดีต เก่า ๆ): *the good old days.*

older *see* **elder** and **senior**.

old age the later part of your life (วัยชรา): *He wrote most of his poems in his old age.*

old boy, old girl a former pupil of a school (ศิษย์เก่า): *The new prime minister is an old girl of our school.*

old-'fash·ioned *adj* in a style common some time ago (โบราณ เชย ล้าสมัย): *old-fashioned* *clothes.*

old maid an unmarried woman who is past the usual age of marriage (สาวทึนทึก).

the old old people (คนชรา): *hospitals for the old.*

'o·live (*'ol-iv*) *n* **1** an edible fruit that gives oil for cooking, and is also used as a decoration on food (มะกอก). **2** the tree on which it grows (ต้นมะกอก): *a grove of olives.*

olive oil the oil from olives (น้ำมันมะกอก).

O'lym·pic (โอลิมปิค)**: the Olympic Games, the Olympics** a sports competition held once every four years for amateur sportsmen and sportswomen from all parts of the world.

'om·e·lette, 'om·e·let (*'om-lət*) *n* a food made of eggs beaten and fried, sometimes with vegetables, meat *etc.* (ไข่เจียว): *a mushroom omelette.*

'o·men *n* a sign of a future event (ลางบอกเหตุล่วงหน้า): *Long ago, storms were regarded as bad omens.*

'om·i·nous *adj* giving a suggestion or warning about something bad that is going to happen (เป็นลางร้าย): *an ominous cloud.*

'om·i·nous·ly *adv* (อย่างเป็นลาง).

o'mis·sion *n* the leaving out of something; something that has been left out (การละเว้น การละเลย): *I have made several omissions in the list of names.*

o'mit *v* **1** to leave out (ละเว้น ข้ามไป): *You can omit the last chapter of the book.* **2** not to do something (ละเลย ลืม): *I omitted to tell him about the meeting.*

omitted and **omitting** have two **t**s.

om'ni·po·tent *adj* having very great or complete power (มีอำนาจยิ่งใหญ่หรือโดยสมบูรณ์): *Only God is omnipotent.*

on *prep* **1** touching, fixed to, covering *etc.* the upper or outer side of something (แตะ ติด ปิด บน): *The book was lying on the table; She wore a hat on her head.* **2** in or into a vehicle (อยู่ในหรือขึ้นยานพาหนะ): *There were 14 people on the bus; I got on the wrong bus.* **3** during a certain day (ระหว่างวันหนึ่ง ๆ): *on Monday.* **4** just after (หลังจาก): *On his arrival, he went straight to bed.* **5** about (เกี่ยวกับ): *a book on the theatre.* **6** having; in the middle of (ระหว่าง): *He's on holiday.* **7** supported by (อยู่บน): *She was standing on one leg.* **8** receiving; taking (รับ กิน): *He's on drugs; She's on a diet.* **9** taking part in (มีส่วนร่วมใน): *He is on the committee.* **10** towards (ไปทั่ว ๆ): *They marched on the town.* **11** near or beside (ใกล้หรือข้าง): *a shop on the main road.* **12** by means of (โดยทาง): *I spoke to him on the telephone.* **13** being carried by (อยู่กับตัว): *The thief had the stolen jewels on him.* **14** as a result of something done; after (เนื่องมาจากผลของ): *On investigation, there proved to be no need to panic.* **15** followed by (ตามมาด้วย): *disaster on disaster.* — *adv* **1** so as to be touching, fixed to, covering *etc* the upper or outer side of something (แตะ ติด ปิด): *She put her hat on.* **2** used to show a continuing state *etc.*; onwards (ต่อไปเรื่อย ๆ): *She kept on asking questions; They moved on.* **3** working; giving power (ทำงาน เปิดไฟ เปิดเครื่อง): *Switch on the light; Put the television on; Have you turned the engine on?* **4** being shown (ฉาย): *There's a good film on at the cinema.* **5** into a vehicle (ขึ้นยานพาหนะ): *The bus stopped and we got on.* — *adj* **1** in progress (ดำเนินต่อไป): *The fight was on.* **2** not cancelled (ยังมีอยู่ ไม่ยกเลิก): *Is the party on tonight?*

See **in**.

on and on used with certain verbs to emphasize the length of an activity (ต่อไปเรื่อย ๆ): *She kept on and on asking questions.*

on time at the right time (ตรงเวลา).

on time means at the right time: *Jane arrived on time.*

in time means early enough to do something: *Susan arrived in time for tea.*

on to to a position on (วางไว้บน): *He lifted the box on to the table.*

once (*wuns*) *adv* **1** a single time (ครั้งเดียว): *He did it once.* **2** at a time in the past (ครั้งหนึ่ง):

I once wanted to be a dancer. — *conjunction* when; as soon as (**ทันทีที่**): *Once it had been unlocked, the door opened easily.*

at once immediately (**โดยทันที โดยไม่รีรอ**): *Go away at once!*

once and for all once and finally (**ครั้งเดียวและเป็นครั้งสุดท้าย**): *Once and for all, I refuse!*

once in a while occasionally (**บางโอกาส**): *I see him once in a while.*

one (*wun*) *n* **1** the number 1 (**เลข 1**): *One and one is two; 1+1=2.* **2** the age of 1 (**อายุ 1 ขวบ**): *Babies start to walk and talk at one.* — *pron* **1** a single person or thing (**คน ๆ เดียวหรือสิ่ง ๆ เดียว**): *She's the one I like the best; I like both these scarves but I think I'll buy the red one.* **2** anyone; you (**ใครก็ได้ เรา**): *One can see the city from here.* — *adj* **1** 1 in number (**จำนวน 1**): *one person; He took one book.* **2** aged 1 (**อายุ 1 ขวบ**): *The baby will be one tomorrow.* **3** of the same opinion etc. (**ความคิดเห็นพ้องกัน**): *We are one in our love of freedom.*

one- having one of something (**มีอยู่หนึ่ง**): *a one-legged man.*

one'self *pron* **1** used as the object of a verb or preposition, when the subject is **one** (**ตัวเอง**): *One should wash oneself every morning.* **2** used in emphasis (**ใช้ในการย้ำ**): *One always has to do these things oneself.*

One ought to keep **oneself** (not **himself** or **herself**) fit and healthy.

one-'si·ded *adj* **1** with one person or side having a great advantage over the other (**เข้าข้าง ลำเอียง ไม่เที่ยงธรรม**): *a one-sided contest.* **2** showing only one view of a subject (**แสดงให้เห็นเพียงด้านเดียว**): *a one-sided discussion.*

one-'way *adj* in which traffic can move in one direction only (**จราจรวิ่งทางเดียว**): *a one-way street.*

one another used as the object of a verb when an action takes place between people etc. (**ซึ่งกันและกัน**): *People must love one another.*

See **each**.

one by one one after the other (**ทีละหน่วย**): *He examined the vases one by one.*

one or two a few (**เล็กน้อย**): *I don't want a lot of nuts — I'll just take one or two.*

one of is followed by a plural noun or pronoun, but takes a singular verb (**หนึ่งในบรรดา**): *One of the girls works as a hairdresser.*

'on·go·ing *adj* continuing (**อย่างต่อเนื่อง**): *the ongoing fight against cancer.*

'on·ion (*'un-yən*) *n* a vegetable with an edible bulb that has a strong taste and smell (**หอมหัวใหญ่**): *Put plenty of onions in the stew.*

'on·look·er *n* someone who watches something happening (**ผู้มุงดู**): *A crowd of onlookers had gathered round them.*

'on·ly (*'ōn-li*) *adj* without any others of the same type (**เพียงแต่ เท่านั้น**): *He has no brothers or sisters — he's an only child; the only book of its kind.* — *adv* **1** not more than (**แค่**): *We have only two cups left; He lives only a mile away.* **2** alone (**ตัวคนเดียว**): *Only you can do it.* **3** merely; just (**เพียงแค่**): *I only scolded the child — I did not smack him.* **4** not longer ago than (**ไม่นานกว่า**): *I saw him only yesterday.* **5** showing the one probable result of an action (**เพียงแต่ทำให้**): *If you do that you'll only make him angry.* — *conjunction* except that; but (**เพียงแต่ว่า**): *I'd like to go, only I have to work.*

only should be put directly before the word etc. that it refers to: ***Only*** *Chris saw the book* means nobody else saw it; *Chris* ***only*** *saw the book* means he didn't read it; *Chris saw* ***only*** *the book means he didn't see anything else.*
See also **except**.

only too very (**เหลือเกิน จริง ๆ**): *I'll be only too pleased to come.*

'on·set *n* a beginning (**การเริ่มจับไข้**): *the onset of a cold.*

'on·slaught *n* a fierce attack (**การเริ่มรุกไล่ เริ่มเข้าตี**): *an onslaught on the enemy troops.*

'on·ward, **'on·wards** *adv* forward; on (**มุ่งไป**

ข้างหน้า): *He led them onward through the night.*

ooze *v* to flow slowly; to have a liquid flowing slowly out (ซึม รั่ว เยิ้ม): *The glue oozed out of the tube; His finger was oozing blood; She felt her courage oozing away.*

'o·pal *n* a precious stone that is milky in colour, with slight traces or streaks of other colours (พลอยโอปอ).

o'paque (*ō'pāk*) *adj* not transparent (ไม่ใส ขุ่น ทึบแสง): *an opaque liquid.*

o'paque·ness, **o'pac·i·ty** *ns* (มัว มืดมน).

'o·pen *adj* **1** not shut (เปิด): *an open box; The gate is wide open.* **2** allowing the inside to be seen (ยอมให้เห็นข้างใน): *an open book.* **3** ready for business, use *etc.* (เปิดทำงาน เปิดให้เข้าชม): *The shop is open on Sunday afternoons; The gardens are open to the public.* **4** obvious; not secret (โดยไม่ปิดบัง): *He watched her dancing with open admiration.* **5** frank (เปิดเผย): *He was very open with me about his work.* **6** empty, with no trees, buildings *etc.* (ที่โล่ง): *I like to be out in the open country; an open space.* — *v* **1** to make or become open (เปิด): *He opened the door; The door opened; The new shop opened last week.* **2** to begin (เริ่ม): *He opened the meeting with a speech of welcome.*

The door is **open** (not **opened**); Someone has **opened** it.
See also **closed**.

'o·pen-air *adj* outside (กลางแจ้ง): *an open-air meeting.*

'o·pen·er *n* something that opens something (ที่เปิดกระป๋อง): *a tin-opener.*

'o·pen·ing *n* **1** a hole; a space (รู ช่องโหว่): *an opening in the fence.* **2** a beginning (การเริ่ม): *the opening of the film.* **3** becoming open or making open (บาน เปิดกิจการ): *the opening of a flower; the opening of the new theatre.* — *adj* said, done *etc.* at the beginning (ซึ่งเป็นอารัมภบท): *the teacher's opening words.*

'o·pen·ly *adv* frankly (อย่างเปิดเผย): *She talked openly about her illness.*

'o·pen-'mind·ed *adj* willing to consider new ideas (ใจกว้าง ยอมรับความคิดใหม่ ๆ): *an open-minded attitude to education.*

o·pen-'plan *adj* with the space kept as one large room and not divided up into smaller individual rooms (ไม่แบ่งย่อยออกหรือซอยออกเป็นห้องเล็ก ๆ ผังห้องรวม): *Her sitting-room, dining-room and kitchen are all open-plan; an open-plan office.*

in the open outside; in the open air (กลางแจ้ง): *It's healthy for children to play in the open.*

in the open air not in a building (ไม่อยู่ในอาคาร กลางแจ้ง): *If it doesn't rain, we'll have the party in the open air.*

open up 1 to open a shop *etc.* (เปิดร้าน): *I open up the shop at nine o'clock every morning.* **2** to open the door of a building *etc.* (เปิดประตูอาคาร): *"Open up!" shouted the policeman.*

with open arms in a very friendly way (ด้วยไมตรีจิต): *They received their visitors with open arms.*

'op·er·a *n* a musical play in which the words are sung (อุปรากร): *an opera by Verdi.*

'op·er·ate *v* **1** to work (ทำงาน): *The sewing-machine isn't operating properly; Can you operate this machine?* **2** to perform a surgical operation (ผ่าตัด): *The surgeon operated on her for appendicitis.*

op·er'a·tion *n* **1** a carefully planned action (ปฏิบัติการ): *a rescue operation.* **2** the process of working (กระบวนการทำงาน): *Our plan is now in operation.* **3** the cutting of a part of the body, usually by a surgeon, in order to cure disease (การผ่าตัด): *an operation for appendicitis.*

op·e'ra·tion·al *adj* in good working order (ทำงานได้ดี).

'op·er·a·tor *n* **1** someone who works a machine (ผู้ควบคุมให้เครื่องทำงานได้): *a lift operator.* **2** someone who connects telephone calls (พนักงานต่อโทรศัพท์): *Ask the operator to connect you to that number.*

o'pin·ion *n* **1** what you think or believe (ความ

เห็นหรือความเชื่อ): *My opinions about education have changed.* **2** a professional judgement, usually of a doctor, lawyer *etc.* (การตัดสินอย่างมืออาชีพ): *He wanted a second opinion on his illness.* **3** what you think of the worth or value of someone or something (การคิดถึงคุณค่าหรือราคา): *I have a very high opinion of his work.*

in my opinion according to what I think (ตามที่เราคิด): *In my opinion, he's right.*

'o·pi·um *n* a drug made from the dried juice of a poppy (ยาฝิ่น).

op'po·nent *n* someone who opposes you (ฝ่ายปฏิปักษ์ ฝ่ายตรงข้าม): *He beat his opponent by four points.*

op·por'tu·ni·ty (*op-ər'tū-ni-ti*) *n* a chance to do something (โอกาส): *I'd like to have an opportunity to go to Rome.*

op'pose (*ə'pōz*) *v* **1** to fight against someone or something by force or argument (ต้าน ขัดขวาง ค้าน โต้): *We opposed the government on this question.* **2** to compete against (ลงแข่งขันกับ): *Who is opposing him in the election?*

'op·po·site (*'op-ə-zit*) *adj* **1** on the other side of something (ตรงข้าม): *on the opposite side of town.* **2** completely different (แตกต่างกันโดยสิ้นเชิง): *The two men walked off in opposite directions.* — *prep, adv* facing (ตรงข้าม): *He lives in the house opposite mine; Who lives in the house opposite?; Angela's house is opposite to ours.* — *n* something that is completely different (สิ่งตรงกันข้าม): *Good is the opposite of bad.*

op·po'si·tion *n* **1** resisting or fighting against someone or something by force, or argument (การโต้ การขัดขวาง การไม่เห็นด้วย): *The teacher found a lot of opposition to her new ideas amongst the parents.* **2** your competitors; the people you are fighting (คู่ต่อสู้): *a strong opposition.*

op'press *v* **1** to govern cruelly (ปกครองอย่างโหดร้าย กดขี่): *The king oppressed his people.* **2** to worry; to depress (หนักใจ หดหู่): *The heat oppressed Jim.*

op'pres·sion *n* (การกดขี่): *After five years of oppression, the peasants revolted.*

op'pres·sive *adj* **1** cruel and unjust (กดขี่โหดร้ายและไม่ยุติธรรม): *oppressive government.* **2** causing worry (ทำให้หนักใจ ห่อเหี่ยว): *an oppressive situation.* **3** unpleasantly hot (ร้อนอย่างยิ่ง): *the oppressive heat of the desert.*

op'pres·sor *n* a ruler who oppresses his people; a tyrant (ผู้กดขี่).

opt: opt out to decide not to do something (ตัดสินใจไม่ทำ): *John opted out of the exam.*

'op·ti·cal *adj* having to do with sight or what you see (เกี่ยวกับสายตาหรือสิ่งที่เรามองเห็น): *optical instruments.*

optical illusion a picture or thing which has an appearance which deceives the eye (ภาพลวงตา): *He thought he could see water in the distance, but it was in fact an optical illusion caused by the light.*

op'ti·cian *n* someone who makes and sells spectacles (ผู้ซึ่งทำและขายแว่นตา): *The optician mended my spectacles.*

'op·ti·mism *n* a state of mind in which you hope or expect something good to happen (การมองเหตุการณ์แต่ในแง่ดี): *Even though it was obvious that he would not win, he was full of optimism.*

'op·ti·mist *n* (ผู้มองเห็นแต่ในแง่ดี).

The opposite of **optimism** is **pessimism**.

op·ti'mis·tic *adj* hoping or believing something good will happen (ซึ่งมองแต่ในแง่ดี): *an optimistic person.*

op·ti'mis·ti·cal·ly *adv* (มองแต่ในแง่ดี).

'op·tion *n* choice (การเลือก ตัวเลือก): *You have no option.*

'op·tion·al *adj* a matter of choice (ซึ่งให้เลือกได้): *Music is optional at our school.*

'op·u·lent *adj* very rich; showing wealth (มั่งคั่ง): *There are a lot of opulent people in America; She lived in opulent surroundings.*

'op·ulence *n* (ความมั่งคั่ง)

or *conjunction* **1** used to show an alternative (หรือ): *Is that your book or is it mine?* **2** because if not (เพราะไม่เช่นนั้น): *Hurry* *or you'll be late.*

See **either**.

or so about; approximately (หรือประมาณนั้น หรือราว ๆ นั้น): *I bought a dozen or so books.*

'o·ral *adj* **1** spoken; not written (โดยการพูด ปากเปล่า): *an oral examination.* **2** with the mouth (เกี่ยวกับปาก): *oral hygiene.* — *n* a spoken examination (การสอบปากเปล่า): *He passed the written exam, but failed his oral.*

'o·ral·ly *adv* by mouth (โดยทางปาก โดยการกิน): *medicine to be taken orally.*

'or·ange (*'or-inj*) *n* **1** a juicy citrus fruit with a thick skin of a colour between red and yellow (ส้ม). **2** the colour of this fruit. — *adj* (สีส้ม): *She was wearing an orange dress; orange juice; an orange drink.*

o·rang-'u·tan *n* a large, man-like ape (ลิงอุรังอุตัง).

o'ra·tion *n* a formal speech, especially in fine language (การกล่าวคำปราศรัย): *a funeral oration.*

'or·a·tor *n* someone who makes public speeches (ผู้กล่าวปราศรัย).

'or·bit *n* the path along which something moves around a planet, star *etc.* (วงโคจร): *The spaceship is in orbit round the moon.* — *v* to go round in space (โคจรไปในอวกาศ): *The spacecraft orbits the Earth every 24 hours.*

'or·chard *n* an area where fruit trees are grown (สวนผลไม้): *a cherry orchard.*

'or·ches·tra (*'ör-kəs-trə*) *n* a group of musicians playing together (วงดนตรี).

'or·chid (*'ör-kid*) *n* a plant with brightly-coloured or unusually-shaped flowers (กล้วยไม้).

or'dain *v* to make a member of the Christian clergy (บวช): *Some Christian churches have decided to ordain women.*

or'deal (*ör'dēl*) *n* a difficult, painful experience (ประสบการณ์ลำบากแสนเข็ญ): *The exam was a great ordeal.*

'or·der *n* **1** a command (คำสั่ง): *He gave me my orders.* **2** an instruction to supply something (ใบสั่งให้จัดหา): *We have received several orders for this dictionary.* **3** an arrangement of people, things *etc.* (จัดเรียง): *Put the names in alphabetical order; I'll deal with the questions in order of importance.* **4** a peaceful condition (สงบสุข): *law and order.* — *v* **1** to tell someone to do something (สั่ง): *He ordered me to stand up.* **2** to give an instruction to supply something (สั่งของ): *He called the waiter and ordered a steak.*

'or·der-form *n* a form on which a customer's order is written (ใบสั่งของ).

'or·der·ly *adj* well-behaved; quiet (ประพฤติตนอย่างดี สงบเรียบร้อย): *an orderly queue of people.*

in order 1 correct according to what is regularly done (ถูกต้องตามปกติ): *It is quite in order to end the meeting now.* **2** in a good efficient state (มีประสิทธิภาพ): *Everything is in order for the party.*

in order that so that (เพื่อว่า): *Sarah read the page again in order that she might understand it better.*

in order to for the purpose of (เพื่อที่จะ): *I went home in order to change my clothes.*

made to order made when and how a customer wishes (ตามสั่ง): *curtains made to order.*

out of order not working properly (ทำงานไม่ถูกต้อง เสีย): *The machine is out of order.*

'or·di·nal (ตัวเลขที่แสดงตำแหน่ง):

ordinal numbers the numbers that show order in a series — first, second, third *etc.*

'or·di·nar·y *adj* **1** usual; normal (ปกติ ธรรมดา): *She was behaving in a perfectly ordinary way.* **2** not especially good *etc.* (ไม่ดีเป็นพิเศษ): *John's poetry is quite ordinary.*

'or·di·nar·i·ly *adv* usually (อย่างปกติ).

ore *n* any mineral, rock *etc.* from which a metal is obtained (สินแร่): *iron ore.*

'or·gan[1] *n* a part of your body or of a plant which has a special purpose (อวัยวะ): *the organs of reproduction.*

'or·gan[2] *n* a large musical instrument like a piano, with or without pipes (ออร์แกน; เครื่องดนตรีคล้ายเปียโน ทั้งมีหรือไม่มีลมเป่า).

'or·gan·ist *n* someone who plays the organ (นักเล่นออร์แกน).

or'gan·ic *adj* produced without the use of chemical fertilizers (สารอินทรีย์; ผลิตโดยไม่ใช้ปุ๋ยเคมี): *He will only buy organic vegetables.*

'or·gan·ism *n* a living animal or plant (สัตว์หรือพืชที่มีชีวิต): *A pond is full of organisms.*

or·gan·i'za·tion *n* **1** a group of people working together for a purpose (องค์การ): *a business organization.* **2** the organizing of something (การจัดระเบียบ): *The success of the project depends on good organization.*

'or·gan·ize *v* to arrange; to prepare for something (การจัด การเตรียม): *to organize a conference.*

'organ·i·zer *n* (ผู้จัด).

'or·gan·ized *adj* well-arranged; efficient; methodical (จัดอย่างดี มีประสิทธิภาพ เป็นระเบียบ): *Always work in an organized way.*

'or·gasm (*'ör-gaz-əm*) *n* during sexual intercourse, the strongest point of sexual excitement (จุดสุดยอดในระหว่างร่วมประเวณี).

'O·ri·ent (บุรพประเทศ ประเทศฝ่ายตะวันออก): **the Orient** the east: *the mysteries of the Orient.*

o·ri'en·tal *adj* in or from the east (แห่งตะวันออก): *oriental art.* — *n* someone who comes from the east (คนที่มาจากทางตะวันออก).

'o·ri·en·tate *v* **1** to get yourself used to unfamiliar surroundings, conditions *etc.* (ปรับตัว). **2** to find out your position in relation to something else (หาทิศทาง ตำแหน่ง): *The hikers tried to orientate themselves before continuing their walk.*

o·rien'ta·tion *n* (การปรับตัว).

or·i'ga·mi (*or-i'gä-mi*) *n* the art of paper-folding that comes originally from Japan (ศิลปะการพับกระดาษ).

'or·i·gin *n* the place or point from which anything first comes; the cause (จุดเริ่มต้น จุดกำเนิด): *the origins of the English language.*

o'rig·i·nal *adj* **1** existing at the beginning; first (ดั้งเดิม แต่แรก): *This part of the house is new but the rest is original.* **2** new; fresh; able to produce ideas which have not been thought of before (ใหม่ สด สร้างสรรค์): *original ideas; He has a very original mind.* **3** done by the artist himself (ทำด้วยตัวศิลปินเอง): *The original painting is in the museum, but there are hundreds of copies.* — *n* the earliest version (เป็นของเดิม): *This is the original — all the others are copies.*

o'rig·i·nate *v* to bring or come into being (กำเนิดขึ้น): *This style of painting on silk originated in China.*

'or·i·gins *n* a person's place of birth, family, background *etc.* (สถานที่เกิด ครอบครัว ภูมิหลัง ฯลฯ แหล่งที่มา): *He tried to hide his origins.*

'or·na·ment *n* a decorative object intended to make a room *etc.* more beautiful (เครื่องประดับ): *There were some china ornaments in the shape of little animals on the mantelpiece.* — *v* to decorate (ประดับ): *The ceiling of the church was richly ornamented.*

or·na·men'ta·tion *n* (การประดับประดา).

or·na'men·tal *adj* for decoration (แห่งการประดับ): *an ornamental pond.*

or'nate *adj* with a complicated and beautiful design (ด้วยความประณีตและออกแบบอย่างสวยงาม): *an ornate doorway.*

or'nate·ly *adv* (อย่างประณีตและสวยงาม).

or'nate·ness *n* (ความประณีตสวยงาม).

'or·phan (*'ör-fən*) *n* a child whose parents have both died (เด็กกำพร้า): *She became an orphan at the age of ten.* — *adj* (กำพร้า): *an orphan child.*

'or·phan·age *n* a home for orphans (บ้านเด็กกำพร้า).

'or·tho·dox (*'ör-thə-doks*) *adj* **1** accepted, or thought correct, by most people (เป็นที่ยอมรับหรือคิดว่าถูกโดยคนส่วนมาก): *The teacher sometimes allowed the children to walk about the classroom and chatter, instead of sitting quietly at desks in the orthodox way.* **2** in religion, keeping the old, traditional beliefs, opinions and practices (การรักษาประเพณีความเชื่อ ความคิดเห็น และการปฏิบัติเก่า ๆ ทางศาสนา): *He is an orthodox Jew.*

'or·tho·dox·y *n* (ความนิยมตามแบบเก่า).

'os·cil·late (*'os-i-lāt*) *v* **1** to move or swing backwards and forwards like the pendulum of a clock (แกว่ง): *Radio waves oscillate.* **2** to keep changing from one thing to the other; to waver (เปลี่ยนจากสิ่งหนึ่งไปเป็นอีกสิ่งหนึ่ง แกว่ง แปรปรวน): *He oscillated between eating meat and being a vegetarian.*

os·cil'la·tion *n* (การแกว่ง การแปรปรวน)

'**os·trich** *n* a large bird that cannot fly (นกกระจอกเทศ).

'**oth·er** (*'udh-ər*) *adj, pron* **1** the second of two things (อันที่สองของสองสิ่ง): *I have lost my other glove; Here is one, but where is the other?* **2** the rest (ที่เหลือ): *Some of the boys have arrived — where are the others?; The baby is here and the other children are at school.* **3** extra; more; different (อื่น ๆ อีก): *If you don't want these books, there are others in the cupboard; We can try out other methods if this doesn't work.* — *adj* recently past (ผ่านไปเมื่อเร็ว ๆ นี้): *I saw him just the other day.*

'oth·er·wise *adv* in every other way except this (อย่างอื่น): *Jim has a bad temper but otherwise he's very nice.* — *conjunction* or else; if not (มิฉะนั้น): *Take a taxi — otherwise you'll be late.*

other than except (เว้นแต่): *There was no-one there other than an old woman.*

somehow or other in some way or by some means (ในทางหนึ่งทางใด): *I'll finish this job on time, somehow or other.*

'**ot·ter** *n* a small furry river animal that eats fish (นาก).

ouch a word used to express pain (คำที่ใช้แสดงความเจ็บปวด): *Ouch! That hurts.*

ought (*öt*) *v* **1** used to show duty; should (ควรจะ): *You ought to help them; She ought not to work so hard.* **2** used to show that you would expect something to happen; should (น่าจะ): *He ought to have been able to do it — I don't know why he couldn't manage it.*

'ought·n't (*'ö-tənt*) the short form of (คำย่อของ) **ought not** (ไม่ควรจะ): *You ought to thank her, oughtn't you?*

ounce *n* a unit of weight, 28·35 grammes, usually written **oz** (หน่วยน้ำหนัก ออนซ์).

our *adj* belonging to us (ของเรา): *This is our house.*

ours *pron* the one, or ones, belonging to us (เป็นของเรา): *The house is ours; These books are ours.*

our'selves *pron* **1** (used as the object of a verb or preposition) the word you use when you and other people are both the subject and the object of the sentence *etc.* (คำที่ใช้เมื่อเราและผู้อื่นเป็นทั้งประธานและกรรมของประโยค ตัวเราเอง): *We saw ourselves in the mirror.* **2** used to emphasize **we** or **us** (ใช้เน้น **we**) or **us**: *We ourselves played no part in this.* **3** without help *etc.* (ด้วยตัวเอง): *We'll just have to finish the job ourselves.*

oust *v* to force to leave a job, position or place (ขับไล่จากงาน ตำแหน่ง หรือสถานที่): *The President has been ousted by his political opponents.*

out *adv* **1** not in a building *etc.*; from inside a building *etc.*; in or into the open air (ข้างนอก กลางแจ้ง): *The children are out in the garden; They went out for a walk.* **2** from inside something (เอาออกมา): *He opened the desk and took out a pencil.* **3** away from home, or from the office *etc.* (ออกนอกบ้านหรือออกนอกสำนักงาน): *We had an evening out; The manager is out.* **4** far away (ห่างไกล): *He went out to India.* **5** loudly and clearly (เสียงดังและฟังชัด): *He shouted out the answer.* **6** completely (หมดแรงโดยสิ้นเชิง): *She was tired out.* **7** known to everyone (เป็นที่รู้ของทุก ๆ คน): *The secret is out.* **8** with the water at or going to its lowest level (ระดับน้ำอยู่ที่ระดับต่ำหรือกำลังจะต่ำที่สุด): *The tide is going out; The tide is out.*

out of 1 from inside (เอาออก): *He took it out of the bag.* **2** not in (ไม่อยู่): *Mr Smith is out of the office; out of danger; out of sight.* **3** from among (จากกลุ่ม): *Four out of five people like this song.* **4** having none left (ไม่มีอะไรเหลือ): *She is quite out of breath.* **5** because of (เป็นเพราะ): *He opened the box out of curiosity.* **6** from (จาก): *He drank the lemonade out of the bottle.*

out of doors outside (ข้างนอกบ้าน): *We like to eat out of doors in summer.*

'out·break *n* a sudden beginning, usually of something unpleasant (การระเบิด การระบาด การลุกลาม): *the outbreak of war.*

'out·burst *n* an explosion, especially of angry feelings (การระเบิดออก): *a sudden outburst of rage.*

'out·cast *n* someone who has been driven away from friends *etc.* (ถูกขับไล่จากเพื่อนฝูง): *an outcast from society.*

'out·come *n* the result (ผล): *What was the outcome of your discussion?*

out'do (*owt'doo*) *v* to do better than someone or something (ทำได้ดีกว่า): *He worked very hard as he did not want to be outdone by anyone.*

outdo; out'did; out'done.

'out·door *adj* outside; for use outside (ข้างนอก ใช้สำหรับภายนอก): *outdoor shoes; outdoor activities.*

out'doors *adv* outside; not inside a building (ข้างนอกบ้าน): *She sat outdoors in the sun; Don't go outdoors if it's raining.*

'out·er *adj* far from the centre of something (ข้างนอก นอกออกไป): *outer space; outer layers.*

'out·er·most *adj* nearest the edge, outside *etc.* (ข้างนอกสุด): *the outermost ring on the target.*

'out·fit *n* a set of clothes, especially for a particular occasion (ชุดสำหรับพิธี): *a wedding outfit.*

out'go·ing *adj* **1** friendly and enjoying social events (เป็นมิตรและชอบสังคม): *a lively, outgoing young woman.* **2** leaving (กำลังจากไป): *the outgoing president.*

out'grow *v* to grow too big or too old for something (ใหญ่เกินไปหรือแก่เกินไป): *He has outgrown all his clothes.*

outgrow; out'grew; out'grown.

'out·ing *n* a short trip, made for pleasure (การเดินทางสั้น ๆ ทำเพื่อความสำราญ): *an outing to the seaside.*

'out·law *n* someone who is given no protection by the law in his country because he is a criminal (คนนอกกฎหมาย). — *v* to make someone an outlaw (ทำให้เป็นคนนอกกฎหมาย).

'out·let *n* a way out; a way of letting something out (ทางออก ปล่อยออก): *That pipe is an outlet from the main tank; Football is an outlet for his energy.*

'out·line *n* **1** the line forming, or showing, the outer edge of something (โครงร่าง): *He drew the outline of the face first, then added the features.* **2** a short description of the main details of a plan *etc.* (คำอธิบายย่อ ๆ ของแผนการหลัก): *Don't tell me the whole story — just give me an outline.* — *v* to draw or give the outline of something (เขียนหรือบอกโครงเรื่องย่อ ๆ).

'out·look *n* **1** a view (ภาพ): *Their house has a wonderful outlook.* **2** your view of life *etc.* (ทัศนคติ): *He has a strange outlook on life.* **3** what is likely to happen in the future (อะไรน่าจะเกิดขึ้นในอนาคต): *The weather outlook is bad.*

'out·ly·ing *adj* distant; away from a city or central area (ซึ่งตั้งอยู่ห่างไกลจากเมืองหรือศูนย์กลาง): *He comes from a small outlying village.*

out'num·ber *v* to be more in number than (มีจำนวนมากกว่า): *The boys in the class outnumber the girls.*

out-of-'date *adj* **1** old-fashioned (ล้าสมัย): *an out-of-date dress.* **2** old; no longer usable (ใช้ไม่ได้อีกต่อไปแล้ว): *an out-of-date telephone directory.*

out-of-the-'way *adj* difficult to reach (ยากที่จะไปถึง): *out-of-the-way places.*

'out-pa·tient *n* someone who comes to hospital for treatment but does not stay there for the night (คนไข้นอก): *She went to the out-patient department of the hospital to have the cut on her hand stitched.*

'out·put *n* **1** a quantity of goods that is produced, or an amount of work that is done (จำนวนของสินค้าหรือผลงานที่ทำออกมา): *The output of this factory increased last year.* **2** the information produced by a computer

(ข่าวสารที่ผลิตออกมาโดยคอมพิวเตอร์).

The opposite of **output** is **input**.

'out·rage *n* a wicked action (การกระทำที่ร้ายกาจ): *The decision to close the hospital is an outrage.* — *v* to hurt, shock or insult (เจ็บปวด ตกใจ หรือดูหมิ่น): *She was outraged by his behaviour.*

out'ra·geous (*owt'rā-jəs*) *adj* terrible (น่ากลัว): *outrageous behaviour.*

out'ra·geous·ly *adv* (อย่างน่ากลัว).

out'ra·geous·ness *n* (ความน่ากลัว).

out'right *adv* **1** honestly (เปิดเผย): *I told him outright what I thought.* **2** immediately (ทันทีทันใด): *He was killed outright.* — *adj* (**'out·right**) without any doubt (อย่างไม่ต้องสงสัย): *He is the outright winner.*

'out·set *n* the beginning of something (แรกเริ่ม): *At the outset of his career he earned very little money; She enjoyed going to school from the outset.*

out'shine *v* to be brighter or better than others (สดใสกว่าหรือดีเด่นกว่าคนอื่น): *She outshone all the other students.*

outshine; out'shone; out'shone.

'out·side *n* the outer surface (ด้านนอก): *The outside of the house was painted white.* — *adj* **1** of, on, or near the outer part of anything (แห่งส่วนที่เป็นด้านนอก บนหรือใกล้ส่วนที่เป็นด้านนอก): *the outside surface.* **2** not from within your own group, firm *etc.* (คนนอก): *We shall need outside help to finish this work.* — *adv* (**out'side**) **1** out of, not in a building *etc.* (อยู่ข้างนอก): *He went outside; He stayed outside.* **2** on the outside (ทางด้านนอก): *The house is beautiful both inside and outside.* — *prep* on the outer part or side of; not inside (ส่วนด้านนอก): *He stood outside the house.*

out'si·der *n* **1** anyone who is not a member (คนนอก): *The members of the secret society had to promise not to tell any outsiders about their meetings.* **2** someone who is in some way different from other people in a group and is not liked by them or does not feel liked by them (คนที่ดูแตกต่างจากคนอื่นในกลุ่มและกลุ่มนั้นก็ไม่ชอบหรือรู้สึกไม่ชอบเขา): *The new boy in the class felt like an outsider.*

'out·skirts *n* the outer parts or area, especially of a town (ขอบเขตภายนอก ชานเมือง): *I live on the outskirts of London.*

out'spo·ken *adj* saying exactly what you mean, even if it upsets people (พูดตรง ๆ พูดขวานผ่าซาก): *She sometimes makes enemies because she is very outspoken; an outspoken remark.*

out'stand·ing *adj* **1** excellent (ดีเยี่ยม): *an outstanding student.* **2** not yet paid, done *etc.* (หนี้ที่ค้าง): *You must pay all outstanding bills.*

out'stand·ing·ly *adv* very (มาก): *outstandingly good.*

'out·ward *adj* **1** on or towards the outside; able to be seen (ภายนอก สามารถเห็นได้): *Judging by his outward appearance, he's not very rich; She showed no outward sign of unhappiness.* **2** away from a place (ไปจากสถานที่แห่งหนึ่ง): *The outward journey will be by sea, but they will return home by air.*

'out·ward·ly *adv* in appearance (ปรากฏภายนอก): *Outwardly he is cheerful, but he is really an unhappy person.*

'out·wards *adv* towards the outside edge or surface; away from the centre (ออกไปข้างนอก ริม หรือผิว ออกจากศูนย์กลาง): *Moving outwards from the centre of the painting, we see* that the figures become smaller.

out'wit *v* to defeat someone by being cleverer than they are (เอาชนะด้วยความฉลาดกว่า): *She managed to outwit the police and escape.*

'o·val *adj* shaped like an egg (รูปเหมือนไข่): *an oval table.* — *n* an oval shape (รูปไข่): *He drew an oval.*

'o·va·ry (*'ō-və-ri*) *n* one of the two organs in a woman's body which produce the eggs from which babies grow (รังไข่).

o'va·tion *n* cheering or applause to express approval, welcome *etc.* (การโห่ร้องหรือตบมือเพื่อแสดงการยอมรับ ต้อนรับ ฯลฯ): *They gave the president an ovation after his speech.*

'ov·en (*'uv-ən*) *n* a closed box-like container that is heated for cooking food (เตาอบ): *She* *put the cake into the oven.*

'ov•en•proof *adj* that will not crack when hot (รับประกันว่าไม่แตกเมื่อโดนความร้อน): *oven-proof dishes and plates.*

'o•ver *prep* **1** higher than; above in position, number, authority *etc.* (สูงกว่า ตำแหน่งสูงกว่า จำนวนมากกว่า หน้าที่มากกว่า): *Hang that picture over the fireplace; He's over 90 years old.* **2** from one side to another, on or above the top of; on the other side of (จากด้านหนึ่งไปอีกด้านหนึ่ง อยู่บนหรืออยู่เหนือ อีกด้านหนึ่งของ): *He jumped over the gate; She fell over the cat; My friend lives over the street.* **3** covering (ปิด): *He put his handkerchief over his face.* **4** across (ทั่วไป): *You find people like him all over the world.* **5** about (เกี่ยวกับ): *a quarrel over money.* **6** by means of (โดยทาง): *He spoke to her over the telephone.* **7** during (ระหว่าง): *Over the years, she grew to hate her husband.* **8** while having *etc* (ขณะที่กำลัง ฯลฯ): *He fell asleep over his dinner.* — *adv* **1** moving above you, from one side to another (เคลื่อนที่อยู่เหนือเราจากด้านหนึ่งไปยังอีกด้านหนึ่ง): *The plane flew over about an hour ago.* **2** used to show a turning movement (พลิก): *He rolled over on his back; He turned over the page.* **3** across (ข้ามไป): *He went over and spoke to them.* **4** down (ล้ม): *He fell over.* **5** more, in number, age *etc.* (จำนวนมากกว่า อายุมากกว่า): *jobs for people aged twenty and over.* **6** remaining (เหลืออยู่): *There are two cakes for each of us, and two over.* **7** through from beginning to end (ผ่านตลอดจากต้นจนจบ): *Read it over.* — *adj* finished (จบแล้ว): *The affair is over now.*

over again once more (อีกครั้งหนึ่ง): *Play the tune over again; Do the whole thing over again.*

to speak **over twenty** (not ไม่ใช่ **twenty over**) languages.
to put your hand **over** (not ไม่ใช่ **above**) a cup; the opposite of **over** is **under**.
to hang a picture **over** or **above** a fireplace; the opposite of **above** is **below**.

'o•ver•all (*'ō-vər-öl*) *n* a garment worn over ordinary clothes to protect them (ชุดที่ใส่ทับเสื้อผ้าธรรมดาเพื่อเป็นการป้องกัน): *She wears an overall when cleaning the house.* — *adj* including everything (รวมหมดทุกอย่าง): *the overall cost.*

'o•ver•alls *n* trousers or a suit made of hard-wearing materials worn by workmen to protect their ordinary clothes (กางเกงหรือชุดที่ทำด้วยวัสดุคงทนซึ่งคนงานสวมเพื่อป้องกันชุดปกติ): *The painter put on his overalls before starting work.*

'o•ver•board *adv* over the side of a ship or boat into the water (ตกจากเรือ): *He jumped overboard.*

o•ver'charge *v* to charge too much (คิดราคามากเกินไป): *I have been overcharged for these goods.*

'o•ver•coat *n* a heavy coat worn over all other clothes (เสื้อคลุม).

o•ver'come *adj* helpless; very upset in your feelings (ทำอะไรไม่ถูก ว้าวุ่นใจ): *overcome with grief.* — *v* to defeat; to conquer (พิชิต): *She overcame her fear of the dark.*

overcome; o•ver'came; o•ver'come.

o•ver'crowd•ed *adj* containing too many people *etc.* (คนยัดเยียดกันมากเกินไป): *overcrowded buses.*

o•ver'crowd•ing *n* (ความแออัด): *There is often overcrowding in cities.*

o•ver'do *v* **1** to do something too much; to go too far (ทำมากเกินไป): *It's good to work hard, but don't overdo it.* **2** to cook for too long (หุงนานเกินไป): *The meat was rather overdone.*

overdo; o•ver'did; o•ver'done.

o•ver'due *adj* **1** late (ล่าช้า): *The train is overdue.* **2** not yet paid, done, delivered *etc.*, although the date for doing this has passed (ยังไม่ได้จ่ายเกินกำหนดไปแล้ว): *overdue library books.*

o•ver'flow *v* to flow over the edge or limits of something (ล้น เกินขีดจำกัด): *The river overflowed its banks; The crowd overflowed into the next room.*

o•ver'grown *adj* **1** full of plants that have grown too large or thick (พันธุ์ไม้ขึ้นปกคลุมกว้างเกิน

ไปหรือหนาแน่นเกินไป): *Our garden is overgrown with weeds.* **2** grown very large (เติบใหญ่มาก): *an overgrown puppy.*

o·ver'haul *v* to examine something carefully and repair any faults (ตรวจอย่างถี่ถ้วนและซ่อมแซมส่วนที่เสีย): *He had his car overhauled at the garage before he took it away on holiday.* — *n* (ยกเครื่อง): *The mechanic gave the car a complete overhaul.*

o·ver'head *adv, adj* above; over your head (เหนือศีรษะ): *The plane flew overhead; an overhead bridge.*

See **zebra crossing**.

'o·ver·heads *n plural* the money that a business has to spend regularly on rent, electricity *etc.* (ค่าโสหุ้ยประจำเช่นค่าเช่า ค่าไฟฟ้า ฯลฯ): *This firm has very high overheads, which make its products more expensive.*

o·ver'hear *v* to hear what you shouldn't hear (แอบได้ยิน): *I overheard them talking about me; Your plan was overheard!*

overhear; o·ver'heard; o·ver'heard.

o·ver'joyed *adj* very glad (ดีใจมาก): *She was overjoyed to hear that he was safe.*

o·ver'lap *v* **1** to cover a part of something; to lie partly over each other (วางซ้อนกัน วางเหลื่อมกัน): *Each roof-tile overlaps the one below it; The curtains should be wide enough to overlap.* **2** to happen partly at the same time; to be partly the same (เกิดขึ้นบางส่วนในเวลาเดียวกัน เหมือนกันบางส่วน): *I couldn't watch the whole film because it overlapped with the news on the fourth channel, which my dad always watches; Although history and geography are separate subjects, they quite often overlap.* — **'o·ver·lap** *n* (การซ้อน การคาบเกี่ยว): *There is an overlap of half an hour between the two programmes.*

o·ver'look *v* **1** to look down on (มองเห็นจากเบื้องบน): *The house overlooked the river.* **2** to take no notice of something; to forgive (มองข้าม ให้อภัย): *We shall overlook your lateness this time.*

o·ver'night *adj, adv* **1** for the night (ค้างคืน): *an overnight bag; We stayed in Paris overnight.* **2** sudden; suddenly (ทันทีทันใด): *He became a hero overnight; She was an overnight success.*

o·ver'rid·ing *adj* most important (สำคัญที่สุด): *the overriding consideration.*

o·ver'run *v* **1** to spread quickly all over a place; to occupy a place quickly (แผ่กระจายไปทั่วอย่างรวดเร็ว เข้ายึดครองสถานที่อย่างรวดเร็ว): *The cellar was overrun with mice; The country was overrun by the enemy troops.* **2** to continue longer than intended (ดำเนินต่อไปนานกว่าที่ตั้งใจ): *The live television show overran by ten minutes.*

o·ver'seas *adv, adj* across the sea; abroad (โพ้นทะเล ต่างประเทศ): *He went overseas; an overseas job.*

overseas (not **oversea**) trade.

o·ver'see *v* to supervise (ควบคุมดูแล): *He oversees production at the factory.*

oversee; o·ver'saw; o·ver'seen.

'o·ver·se·er *n* (ผู้ควบคุม): *The overseer reported her for being late.*

'o·ver·sight *n* a mistake, especially one that you make because you have not noticed something (มองไม่เห็น มองข้าม): *Because of an oversight by his bank, he received the wrong cheque book.*

o·ver'sleep *v* to sleep longer than you intended (หลับเพลิน): *He overslept and missed the train.*

oversleep; o·ver'slept; o·ver'slept.

o·ver'spend *v* to spend too much money (ใช้เงินฟุ่มเฟือย): *He overspent on his new house.*

overspend; o·ver'spent; o·ver'spent.

o·ver'take *v* to pass a car *etc.* while driving *etc.* (แซงขณะขับรถ): *He overtook a police car.*

overtake; o·ver'took; o·ver'ta·ken.

o·ver'throw *v* to defeat and force out of power (ล้มล้าง โค่นล้ม): *The government has been overthrown.*

overthrow; o·ver'threw; o·ver'thrown.

'o·ver·time *n* time spent in working more than

your set number of hours *etc.* (ล่วงเวลา): *He did five hours' overtime this week.*

o·ver'turn *v* to turn over (พลิก คว่ำ): *They overturned the boat; The car overturned.*

'o·ver'view *n* a brief, general description (กล่าวโดยทั่ว ๆ ไป): *He presented an overview of the results so far.*

o·ver'weight *adj* too heavy; too fat (หนักเกินไป อ้วนเกินไป): *If I eat too much I soon get overweight.*

o·ver'whelm *v* **1** to have a very strong and sudden effect on someone (ตื้นตันใจ): *When she won the prize she was overwhelmed with joy and didn't know what to say.* **2** to win a complete victory over someone; to defeat completely (ชัยชนะท่วมท้น บดขยี้): *Our soldiers were overwhelmed by the enemy.*

o·ver'work *n* the act of working too hard (ทำงานหนักเกินไป): *Overwork made him ill.*

o·ver'worked *adj* made to work too hard (ให้ทำงานหนักเกินไป): *His staff are overworked.*

owe (*ō*) *v* to be in debt to someone (เป็นหนี้): *I owe him $10.*

'ow·ing *adj* still to be paid (เป็นหนี้อยู่): *There is some money still owing.*

owing to because of (เป็นเพราะ): *Owing to the rain, the football has been cancelled.*

owing to is used to mean "because of": *The shop is closed owing to* (not *due to*) *the manager's illness.*
due to is used to mean "caused by": *The accident was believed to be due to his negligence.*

owl *n* a bird that flies at night and feeds on small birds and animals (นกเค้าแมว).

An owl **hoots**.

own (*ōn*) *v* **1** to have as a possession (เป็นเจ้าของ): *I own a car; These buildings are owned by the University.* **2** to admit that something is true (ยอมรับว่าเป็นจริง): *I own that I made a mistake.* — *adj, pron* belonging to you (เป็นของเรา): *The house is my own; I saw it with my own eyes.*

I did it by myself (not **I did it my ownself**).

'own·er *n* a person who owns something (เจ้าของ): *Are you the owner of that car?*

'own·ership *n* (ความเป็นเจ้าของ).

on your own **1** by yourself; without help (ด้วยตัวเอง): *Did he do it all on his own?* **2** by yourself; alone (ตัวคนเดียว): *Don't leave me on my own in this horrible place.*

ox, *plural* **'ox·en**, *n* **1** a bull used to pull carts, ploughs *etc.* (วัว): *an ox-drawn cart.* **2** any bull or cow (วัวตัวผู้หรือวัวตัวเมีย).

'ox·y·gen (*'oks-i-jən*) *n* a gas without taste, colour or smell, forming part of the air (ออกซิเจน): *He died from lack of oxygen.*

'oys·ter *n* an edible shellfish from which we get pearls (หอยนางรม).

'o·zone (*'ō-zōn*) *n* a type of oxygen with a strong smell (โอโซน).

ozone layer the layer of ozone that is part of the earth's atmosphere and that protects the planet from the radiation of the sun (ชั้นของโอโซนที่เป็นส่วนหนึ่งของบรรยากาศโลก ช่วยป้องกันรังสีจากดวงอาทิตย์): *Scientists are worried that the ozone layer may be getting thinner.*

pace *n* **1** a step (ก้าว): *He took a pace forward.* **2** speed of movement (ความเร็วในการเคลื่อนไหว): *a fast pace.* — *v* to walk (เดิน): *The tiger paced to and fro in its cage.*

'pace·mak·er *n* **1** an electronic device for making a heart beat regularly (เครื่องอิเล็กทรอนิกส์ที่ทำให้หัวใจเต้นเป็นปกติ): *He was suffering from heart disease and had to have a pacemaker fitted next to his heart.* **2** a person who runs at the front in a race and sets the speed (ผู้แข่งขันที่วิ่งนำหน้า).

'pac·i·fy (*'pas-i-fī*) *v* to make calm or peaceful (ทำให้สงบ): *She tried to pacify the quarrelling children.*

pack *n* **1** things tied up together or put in a bag, especially for carrying on your back (ห่อ ของซึ่งผูกเข้าด้วยกันหรือใส่ในถุง): *He carried his luggage in a pack on his back.* **2** a set of playing-cards (สำรับไพ่): *a pack of cards.* **3** a number or group of certain animals (ฝูงสัตว์): *a pack of wolves.* **4** a packet (ซอง): *a pack of cigarettes.* — *v* **1** to put clothes *etc.* into a bag, suitcase or trunk for a journey (บรรจุเสื้อผ้าลงกระเป๋า): *I've packed all I need and I'm ready to go.* **2** to come together in large numbers and fill a small space (ยัดเยียด): *They packed into the hall to hear his speech; The hall was packed with people.*

pack up to put things into containers in order to take them somewhere else (เก็บของเพื่อการขนย้าย): *She packed up the contents of her house.*

'pack·age (*'pak-əj*) *n* things wrapped up and tied for posting etc. (หีบ ห่อ): to deliver a package. — to wrap things up into a package (ห่อของไว้ในหีบ): He packaged up the clothes.

parcel

package

packet

'pack·et *n* a small, flat, usually paper or cardboard, container (ห่อเล็ก ๆ): a packet of biscuits

See **package**

'packing *n* **1** the putting of things in bags, cases *etc.* (เอาของใส่ถุง กล่อง): *He has done his packing already.* **2** the materials used to wrap things for posting (วัสดุที่ใช้ห่อของเพื่อส่งไปรษณีย์): *He unwrapped the vase and threw away the packing.*

pad[1] *v* to walk softly (เดินอย่างนุ่ม ๆ): *The dog padded along the road.*

pad[2] *n* **1** a soft, cushion-like object made of or filled with a soft material (เบาะนิ่ม ๆ): *She knelt on a rubber pad to clean the floor.* **2** sheets of paper fixed together (กระดาษเย็บติดกันเป็นเล่ม): *a writing-pad.* **3** a platform from which rockets are sent off (ฐานส่งจรวด): *a launching-pad.* — *v* to put a pad in or on something (รองข้างในหรือรองข้างบน): *The shoes were too big so she padded them with cottonwool.*

'pad·ding *n* material used to make a pad (วัสดุที่ใช้รอง): *He used old blankets as padding.*

'pad·dle[1] *v* to walk about in shallow water (เดินไปมาในน้ำตื้น): *The children went paddling in the sea.*

'pad·dle[2] *n* a short, light oar, often with a blade at each end used in canoes *etc.* (พายชนิดมีใบหัวท้าย). — *v* to move with a paddle (เคลื่อนที่ไปได้ด้วยพาย): *He paddled the canoe along the river.*

to **paddle** (not ไม่ใช่ **pedal**) a canoe.

'pad·dock *n* a small enclosed field, usually near a house or stable, where horses are kept (ทุ่งหญ้าเล็ก ๆ ที่มีรั้วล้อม โดยมากจะอยู่ใกล้บ้านหรือคอกม้า เอาไว้สำหรับขังม้า).

'pad·dy *n* (also **paddy field**) a field where rice is grown (ทุ่งนา).

'pad·lock *n* a movable lock with a U-shaped bar that can be passed through a ring, chain *etc.* (แม่กุญแจชนิดใช้กับสายยู): *He has put a padlock on the gate* . — *v* to fasten with a padlock (ใส่กุญแจ): *She padlocked her bike.*

See **bolt**.

pae·di·a'tri·cian (*pē-dē-ə'tri-shən*) *n* a doctor specializing in children's health and diseases (กุมารแพทย์): *a paediatrician working at the local children's hospital.*

page[1] *n* one side of a sheet of paper in a book, magazine *etc.* (หน้า): *page ninety-four; a three-page letter.*

page[2] *n* **1** a boy in a hotel *etc.* who takes messages, carries luggage *etc.* (พนักงานรับใช้ในโรงแรม). **2** a boy servant, also called a **'page-boy** (เด็กรับใช้). — *v* to try to find someone in a public place by calling out their name, usually through a loudspeaker (การประกาศเรียกชื่อทางเครื่องขยายเสียง): *I could not see my friend in the hotel, so I had him paged.*

'pag·eant (*'paj-ənt*) *n* **1** a colourful parade or show made up of different scenes, usually taken from history (การพาเหรดที่เต็มไปด้วยสีสันหรือการแสดงฉากต่าง ๆ การประกวด): *The children were dressed in beautiful costumes for the pageant.* **2** any great and splendid show or display.

pa'go·da *n* a Chinese temple, built in the shape of a tall tower, each storey of which has its own strip of over-hanging roof (เจดีย์).

paid *see* **pay** (ดู **pay**).

pail *n* a bucket (ถังน้ำ): *Fetch a pail of water.*

pain *n* suffering, in your body or mind (ความเจ็บปวด): *a pain in the chest.* — *v* to upset (ว้าวุ่น): *It pained her to have to scold him.*

The bruise was **very sore** or **very painful** (not **very pain**).
I **have a pain** in my chest, or my chest **is hurting** (not **is paining**).

'pain·ful *adj* causing pain (ทำให้เกิดความเจ็บปวด): *a painful injury.*

'pain·fully *adv* (อย่างเจ็บปวด).

'pain·less *adj* without pain (ไม่เจ็บปวด).

'painlessly *adv* (อย่างไม่เจ็บปวด).

'pain·kill·er *n* a drug *etc.* that takes away pain (ยาระงับปวด).

'pains·ta·king *adj* **1** very careful; paying attention to every detail (เอาใจใส่ในรายละเอียดอย่างถี่ถ้วน): *She is a very painstaking student.* **2** needing a lot of care and attention to detail (ต้องการการดูแลและเอาใจใส่ในรายละเอียด): *Building a model aeroplane is painstaking work.*

'pains·taking·ly *adv* (อย่างเอาใจใส่ในรายละเอียด).

paint *n* a colouring substance in the form of liquid or paste (สี): *The artist's clothes were covered with paint.* — *adj* (แห่งสี): *a paint pot.* — *v* **1** to put paint on walls *etc.* (ทาสีบนกำแพง): *He is painting the kitchen.* **2** to make a picture of something or someone using paint (วาดภาพด้วยสี): *She painted her mother and father.*

'paint-box *n* a box containing different paints for making pictures (กล่องใส่สี).

'paint-brush *n* a brush used for putting on paint (แปรงทาสี พู่กัน).

'paint·er *n* **1** a person whose job is to put paint on walls, doors *etc.* (ช่างทาสี): *We employed a painter to paint the outside of the house.* **2** an artist who makes pictures in paint (ช่างวาดภาพ): *Who was the painter of this portrait?*

'paint·ing *n* **1** the activity of painting pictures or walls *etc.* (การวาดภาพหรือทาสีผนัง ฯลฯ): *Painting is very relaxing.* **2** a painted picture (ภาพวาด): *There were four paintings on the wall.*

pair *n* **1** two things of the same kind that are used *etc.* together (คู่): *a pair of shoes.* **2** a single thing made up of two parts (ของที่ประกอบกันเป็นคู่): *a pair of scissors; a pair of pants.* **3** two people, animals *etc.* who are thought of together for some reason (คู่): *a pair of giant pandas; John and James are the guilty pair.*

pair is singular: *That pair of trousers needs mending; There is a pair of gloves on the table.*

pajamas another spelling of (การสะกดอีกแบบหนึ่งของคำว่า) **pyjamas**. (ชุดนอน)

pal *n* a friend (เพื่อน): *My son brought a pal*

home for tea.

'pal·ace (*'pal-əs*) *n* a large and magnificent house, especially one lived in by a king or queen (**พระราชวัง**): *Buckingham Palace.*

pa'la·tial (*pə'lā-shəl*) *adj* like a palace (**เหมือนพระราชวัง**): *a palatial house; palatial rooms.*

'pal·ate (*'pal-ət*) *n* **1** the top part of the inside of your mouth (**เพดานปาก**). **2** a person's particular taste or liking (**รสนิยมหรือชอบอะไรบางอย่าง**): *In Thailand you can get food to suit every palate.*

pale *adj* **1** having less colour than normal (**ซีด**): *a pale face; You look pale — are you ill?; She went pale with fear.* **2** light in colour; not bright (**สีซีด**): *pale green.* — *v* to become pale (**หน้าซีด**): *She paled at the bad news.*

'pale·ness *n* (**ความซีด**).

'pal·ette (*'pal-ət*) *n* a small flat piece of wood *etc.* on which artists mix their colours (**จานผสมสี**).

pall (*pöl*) *v* to begin to bore (**เริ่มน่าเบื่อ**): *He thought the film began to pall after two hours.*

'pal·lid *adj* unnaturally pale; without colour (**ซีดจนผิดธรรมชาติ ปราศจากสี**): *He looked tired and pallid; She had a pallid face.*

'pal·ly *adj* a slang word for friendly (**เป็นมิตร**): *My son is a bit too pally with that girl.*

palm[1] (*päm*) *n* the inner surface of your hand between your wrist and fingers (**ฝ่ามือ**): *She held the mouse in the palm of her hand.*

palm[2] (*päm*) *n* a tall tree, with broad, spreading leaves, which grows in hot countries (**ต้นปาล์ม**): *a coconut palm.*

'pam·per *v* to spoil a child *etc.* by giving too much attention to it (**เด็กที่เสียเพราะได้รับการตามใจจนเกินไป**): *He has been pampered by his parents, and now expects to get everything he wants.*

'pam·phlet (*'pam-flət*) *n* a small book usually giving information, expressing an opinion *etc.* (**หนังสือเล่มเล็ก ๆ ใช้บอกข่าวสาร แสดงความคิดเห็น ฯลฯ**): *a political pamphlet.*

pan *n* a metal pot used for cooking food (**กระทะ**): *a frying-pan; a sauce-pan.*

'pan·cake *n* a thin cake made of milk, flour and eggs, fried in a pan *etc.* (**ขนมแพนเค้ก**).

'pan·cre·as (*'pan-kri-əs*) *n* in the body, the organ which produces insulin (**ตับอ่อน**): *If cells in the pancreas fail to produce insulin, you may develop diabetes.*

'pan·da *n* a large black and white bear-like animal that lives in the mountains of China (**หมีแพนด้า**).

pane *n* a flat piece of glass (**แผ่นกระจก**): *a window-pane.*

'pan·el *n* **1** a flat, straight-sided piece of wood *etc.* used in a door, wall *etc.* (**แผ่นไม้กระดาน**): *a door-panel.* **2** a group of people chosen for a particular purpose for example to judge a contest, take part in a quiz or other game (**คณะบุคคลที่เลือกมาเป็นกรรมการในการแข่งขัน**).

pang *n* a sudden sharp feeling (**ความรู้สึกแปลบหรือเสียววาบ**): *a pang of grief.*

'pan·ic *n* a sudden great fear, especially the kind that spreads through a crowd *etc.* (**ความตื่นกลัว ความตระหนก**): *The fire caused a panic in the city.* — *v* to become so frightened that you lose the power to think clearly (**กลัวมากจนคิดอะไรไม่ออก**): *He panicked at the sight of the audience when he walked on stage.*

There is a **k** in **'pan·ick·ing** and **'panicked**.

pan·o'ra·ma (*pan-ə'rä-mə*) *n* a wide view, of a landscape *etc.*, in all directions (**ทิวทัศน์วิวมุมกว้าง**): *There is a wonderful panorama from the top of that hill.*

pan·o'ram·ic *adj* (**ที่แลเห็นได้ไกลสุดสายตา**): *a panoramic view of the city.*

pant *v* **1** to gasp for breath (**หอบหายใจ**): *He was panting heavily as he ran.* **2** to say while gasping for breath (**พูดขณะที่กำลังหอบ**): *"Wait for me!" she panted.*

'pan·ther *n* **1** a leopard, especially a black one (**เสือดำ**). **2** in America, a puma (**เสือพูม่าในอเมริกา**).

'pant·ies *n* pants (**กางเกงชั้นในสตรี**).

'pant·o·mime *n* a play performed at Christmas

time, based on a popular fairy tale, with music, dancing, comedy *etc.* (ละครเล่นในช่วงเวลาคริสต์มาส เป็นเรื่องนิยายที่นิยมกัน มีทั้งดนตรี เต้นรำ เรื่องขำขัน ฯลฯ).

'pan·try *n* a small room for storing food (ห้องเล็ก ๆ สำหรับเก็บอาหาร).

pants *n* **1** a short undergarment covering your bottom (กางเกงชั้นในขาสั้น): *a pair of pants.* **2** trousers (กางเกงขายาว).

pants takes a plural verb, but **a pair of pants** is singular: *Where are my pants?; Here is a clean pair of pants.*

pa'pa (*pə'pä*) *n* a name sometimes used for father (คำสรรพนามใช้เรียกพ่อ): *You must ask your papa.*

pa'pa·ya (*pə'pī-ə*) *n* a kind of tropical tree, or its fruit (มะละกอ).

'pa·per (*'pā-pər*) *n* **1** a material made from wood, rags *etc.* and used for writing, printing, wrapping parcels *etc.* (กระดาษ): *I need paper and a pen to write a letter.* **2** a single piece of this (กระดาษแผ่นหนึ่ง): *There were papers all over his desk.* **3** a newspaper (หนังสือพิมพ์): *Have you read the paper?* — *adj* (แห่งกระดาษ): *paper handkerchiefs; a paper bag; paper hats.*

'pa·per·back *n* a book with a paper cover (หนังสือปกอ่อน). — *adj* (เป็นหนังสือปกอ่อน): *paperback novels.*

'pa·per-clip *n* a small clip for holding papers together (ที่หนีบกระดาษ).

'pa·per-knife *n* a knife used for opening envelopes *etc.* (มีดตัดกระดาษ).

'pa·per·work *n* written work which needs to be done regularly (งานเอกสาร): *She does all her paperwork on Mondays.*

pa·pier-'mâ·che (*pa-pyā'ma-shā*) *n* a substance consisting of paper mixed together with glue, which can be made into models, bowls, boxes *etc.* (เนื้อเยื่อกระดาษผสมกับกาวปั้นเป็นรูปต่าง ๆ). — *adj* (แห่งกระดาษชนิดนี้): *a papier-mâ ché puppet.*

'par·a·ble *n* a story, especially in the Bible, that is intended to teach a lesson (นิยายที่สอนบทเรียนให้): *Jesus told parables.*

'par·a·chute (*'par-ə-shoot*) *n* an umbrella shaped piece of light material with ropes attached, with which a person can come slowly down to the ground from an aeroplane (ร่มชูชีพ). — *v* to come down to the ground using a parachute (ลงสู่พื้นโดยใช้ร่มชูชีพ).

'par·a·chu·tist *n* a person who uses a parachute (นักกระโดดร่ม).

pa'rade *n* **1** a line of people, vehicles *etc.* moving forward in order, often as a celebration of some event (ขบวนพาเหรด ขบวนของผู้คน ยานพาหนะ ฯลฯ เคลื่อนไปข้างหน้าอย่างเป็นระเบียบ ใช้ในงานฉลอง): *a circus parade.* **2** an arrangement of soldiers in a particular order (ทหารเดินแถว): *The troops are on parade.* — *v* **1** to march in line moving forward in order (เดินไปข้างหน้าอย่างเป็นระเบียบ): *They paraded through the town.* **2** to arrange soldiers in order (จัดแถวทหาร).

'par·a·dise (*'par-ə-dīs*) *n* **1** a place or state of great happiness (สถานที่หรือสภาพที่มีความสุขอย่างยิ่ง): *It's paradise to be by a warm fire on a cold night.* **2** heaven (สวรรค์).

'par·a·dox *n* a strange statement *etc.* that sounds impossible, but has some truth in it (ข้อความแปลก ๆ ซึ่งดูเหมือนจะเป็นไปไม่ได้แต่มีความจริงแฝงอยู่): *When he told them that he was twelve years old but had had only three birthdays, they were puzzled by the paradox — till he explained that he was born on February 29.*

par·a'dox·i·cal *adj* (ดูแย้งกันแต่ทว่าเป็นจริง).

'par·af·fin *n* a kind of oil that is used as a fuel (น้ำมันพาราฟิน): *This heater burns paraffin.* — *adj* (แห่งพาราฟิน): *a paraffin lamp.*

'par·a·graph *n* a part of a piece of writing, marked by beginning the first sentence on a new line (ย่อหน้า): *Start a new paragraph.*

'par·al·lel *adj* going in the same direction and always staying the same distance apart (ขนาน): *The road is parallel to the river; Draw two parallel lines.* — *adv* in the same direction but always about the same distance away (ไปในทิศทางเดียวกันและมีระยะห่างเท่ากันอยู่เสมอ): *We sailed parallel to the coast.*

parallel has **ll** in the middle and **l** at the end.

par·al'lel·o·gram *n* a four-sided figure with opposite sides equal and parallel (สี่เหลี่ยมด้านขนาน).

'par·a·lyse (*'par-ə-līz*) *v* to make unable to move (ทำให้ไม่สามารถเคลื่อนไหวได้ เป็นอัมพาต): *Her legs are paralysed; He was paralysed with fear.*

pa'ral·y·sis (*pə'ral-ə-sis*) *n* a loss of the ability to move (โรคอัมพาต): *The paralysis affects his legs.*

'pa·ra·noid (*'pa-rə-noid*) *adj* very suspicious and afraid of others (ขี้ระแวงและกลัวคนอื่น): *Don't be so paranoid — they aren't all your enemies.*

'par·a·pet *n* a low wall along the edge of a bridge, balcony *etc.* (กำแพงเตี้ย ๆ ริมสะพาน เชิงเทิน): *She leant over the parapet and looked down at the river.*

'pa·ra·phrase *n* a repeating of something written or spoken using different words (การถอดความ): *He gave a paraphrase of his speech.*

'par·a·site *n* an animal or plant that lives on another animal or plant without giving anything in return (กาฝาก ปรสิต): *Fleas are parasites; He is a parasite on society.*

par·a'sit·ic adj (ที่เกาะกิน).

'par·a·troops *n* plural soldiers who are trained to drop by parachute into enemy country (ทหารพลร่ม).

'par·cel *n* something wrapped and tied, usually to be sent by post (หีบห่อ): *I got a parcel in the post today.*

See **package**.

parch *v* to make hot and very dry (ร้อนและแห้งผาก): *The sun parched the earth.*

parched *adj* **1** dried by the sun (ทำให้แห้งผากโดยดวงอาทิตย์): *parched soil.* **2** thirsty (กระหายน้ำ): *I'm parched — I'd like a drink!*

'par·don *v* **1** to forgive (ยกโทษ ให้อภัย): *Pardon my asking, but can you help me?* **2** to free someone from prison, punishment *etc.* (ปลดปล่อยจากคุก การลงโทษ): *The king pardoned the prisoners.* — *n* the forgiving of something (ยกโทษให้). — a word used to indicate that you have not heard properly what was said (คำที่ใช้ในเมื่อเราได้ยินไม่ถนัดว่าพูดว่าอะไร): *Pardon? Could you repeat that last sentence?*

I beg your pardon I'm sorry: *I beg your pardon — what did you say?*

pardon me I am sorry: *Pardon me for interrupting you.*

'par·ent (*'pār-ənt*) *n* a mother or father (มารดาหรือบิดา): *His parents are very kind.*

pa'ri·ah (*pə'ri-ə*) *n* a person driven out of a group or community; an outcast (คนที่ถูกตัดออกจากกลุ่มหรือชุมชน).

'par·ish *n* a district with a particular church and a priest or minister (แขวงการปกครองที่มีโบสถ์และบาทหลวงหรือพระอยู่): *Our house is in the parish of St Mary.*

'pa·ri·ty *n* equality (ความเท่าเทียมกัน): *They want parity of pay for all the workers in the factory.*

park *n* **1** a public piece of ground with grass and trees (สวนสาธารณะ): *The children go to the park every morning to play.* **2** the land surrounding a large country house (พื้นที่ซึ่งล้อมรอบบ้านใหญ่ ๆ ในชนบท). — *v* to stop and leave a motor car *etc.* for a time (ที่จอดรถ): *He parked in front of our house; Don't park your car on the pavement.*

parking meter *n* a coin-operated meter that shows how long a car may be left parked (มาตรจอดรถ).

'par·lia·ment (*'pär-lə-mənt*) *n* the highest law-making council of a nation (รัฐสภา): *an Act of Parliament.*

par·lia'men·ta·ry *adj* (แห่งรัฐสภา).

'par·lour *n* **1** an old word for a sitting-room (ห้องรับแขก): *She asked the guests into the parlour.* **2** a room for customers (ห้องที่ใช้รับลูกค้า): *She is a beautician and has her own beauty parlour; an ice-cream parlour.*

'pa·ro·dy *n* an amusing copying of a work, or of the style of an author or composer *etc.* (การล้อเลียนผลงานหรือแบบอย่างของนักประพันธ์ นักแต่งเพลง): *The film presents a* *parody of life in a hospital.*

pa'role *n* the setting free of someone from prison before the end of their full time there, on condition that they will behave well (การปลดปล่อยจากคุกก่อนกำหนดโดยมีเงื่อนไขว่าพวกเขาจะประพฤติตนเป็นคนดี ทัณฑ์บน): *He was released from prison on parole.*

'par·quet (*'par-kā*) *n* a floor-covering made of pieces of wood arranged in a design. — *adj* (ไม้ปาร์เกต์ ไม้ปูพื้นเป็นชิ้นเล็ก ๆ เรียงสลับกันเป็นลวดลายต่าง ๆ): *a parquet floor.*

'par·rot *n* a bird found in warm countries with a hooked beak and usually brightly coloured feathers, that can be taught to imitate human speech (นกแก้ว).

A parrot **talks** or **screeches**.

'pars·ley *n* a herb with very curly green leaves, used in cookery (ผักชีฝรั่ง).

'par·son *n* the priest, minister *etc.* of a parish (พระ บาทหลวงของชุมชนหนึ่ง).

part *n* **1** something which, together with other things, makes a whole; a piece (ชิ้นหนึ่ง ส่วนหนึ่ง): *We spent part of the time at home and part at the seaside.* **2** an equal division (แบ่งออกเป็นส่วนเท่า ๆ กัน): *He divided the cake into three parts.* **3** a character in a play *etc.* (ตัวละคร): *She played the part of the queen.* **4** the words, actions *etc.* of a character in a play *etc.* (คำพูด การกระทำของตัวละคร): *He learned his part quickly.* — *v* to separate; to divide (แยกจากกัน): *They parted from each other at the gate.*

part with to give away (ให้): *He doesn't like parting with his money.*

part from someone: *I hate parting from my family.*

part with something: *You'll have to part with that old car one day.*

take part in to be one of a group of people doing something (มีส่วน): *He never took part in the other children's games.*

'par·tial *adj* **1** not complete; in part only (เพียงบางส่วน): *a partial success; partial payment.* **2** having a liking for a person or thing (ใจเอนเอียง): *He is very partial to sweets.*

par'tic·i·pate *v* to be one of a group of people doing something (มีส่วนร่วม): *Did you participate in the discussion?*

par·tic·i'pa·tion *n* (การมีส่วนร่วม).

par'tic·i·pant *n* a person who participates (ผู้มีส่วนร่วม).

'par·ti·cle *n* a very small piece (อนุภาค ชิ้นที่เล็กมาก ๆ): *a particle of dust.*

par'tic·u·lar (*pər'tik-ū-lər*) *adj* meaning one definite person or thing considered separately from others (พิเศษ เฉพาะ): *this particular man.*

par'tic·u·lar·ly *adv* more than usually; especially (โดยเฉพาะอย่างยิ่ง): *He was particularly pleased to see his brother because he had a favour to ask him.*

par'tic·u·lars *n* facts; details (ข้อเท็จจริง รายละเอียด): *He gave the police all the particulars about the accident.*

'part·ing *n* **1** the act of leaving someone, saying goodbye *etc.* (การจากกัน): *Their final parting was at the station.* **2** a line dividing hair brushed in opposite directions on the head (รอยแสกผม).

'par·ti·san *n* **1** a keen supporter of a party, person or cause (ผู้สนับสนุนในพรรค ตัวบุคคล หรืออุดมการณ์): *He is a partisan of the government.* **2** a person who fights against an enemy that has invaded their country (บุคคลซึ่งต่อสู้กับศัตรูที่รุกรานประเทศของเขา): *She joined the partisans.*

par'ti·tion *n* **1** something that divides, for example a wall between rooms (ฝากั้นห้อง): *The office was divided in two by a wooden partition.* **2** the dividing of something (การแบ่ง): *the partition of India.* — *v* to divide (กั้น): *They partitioned the room with a curtain.*

'part·ly *adv* **1** to a certain extent (แต่เพียงบางส่วน): *She was tired, partly because of the journey and partly because of the heat.* **2** not completely (ไม่สมบูรณ์): *The work is partly finished.*

'part·ner *n* **1** a person who shares the ownership of a business *etc.* with one or more others (หุ้นส่วน): *She was made a partner in the firm.* **2** one of two people who dance, play in a game *etc.* together (คู่เต้นรำ คู่ขา): *a tennis partner.* — *v* to be a partner to someone (เป็นคู่กับบางคน): *He partnered his wife in the last dance.*

part-'time *adj* not taking up your whole time; for only a few hours or days a week (ที่ทำนอกเวลา): *a part-time job.* — *adv* (นอกเวลา): *She works part-time in a restaurant.*

'par·ty *n* **1** a meeting of guests for entertainment, celebration *etc.* (งานเลี้ยง): *a birthday party; She's giving a party tonight.* **2** a group of people travelling *etc.* together (กลุ่มคนที่เดินทางไปด้วยกัน): *a party of tourists.*

pass (*päs*) *v* **1** to move towards and then beyond something, by going past, through, by, over *etc.* (ผ่าน): *I pass the shops on my way to work.* **2** to move along; to go (ผ่านไปตาม): *The procession passed along the street.* **3** to give from one person to another (ส่งต่อ ๆ กันไป): *They passed the photographs round; The tradition has been passed on from father to son; Pass your plates up to the end of the table.* **4** to overtake (แซง): *The sports car passed me at a dangerous bend in the road.* **5** to spend time (ใช้เวลา): *They passed several weeks in the country.* **6** to end or go away (จบลงหรือผ่านพ้นไป): *His sickness soon passed.* **7** to be successful in an examination *etc.* (สอบผ่าน): *I passed my driving test.* — *n* **1** a narrow gap through which a road *etc.* goes, between mountains (ถนนแคบ ๆ ซึ่งผ่านช่องเขา): *a mountain pass.* **2** a ticket or card allowing a person to do something, for example to travel free or to get into a building (บัตรผ่าน): **4** a throw, kick, hit *etc.* of the ball from one player to another (ส่ง เตะ ตีลูกบอลจากคนหนึ่งไปยังอีกคนหนึ่ง): *He made a pass towards the goal.*

> Use **passed** only as part of the verb **pass**: *We passed the food round; Have we passed the zoo yet?* Otherwise use **past**: *The time for discussion is past.*

pass away to die (ตาย): *Her grandmother passed away last night.*

> We played a game to **pass** (not **pass away**) the time.

pass off to go away (พ้นไป): *By the evening, his sickness had passed off and he felt better.*

pass on 1 to give to someone else (ส่งต่อ): *I passed on his message.* **2** to die (ตาย): *His mother passed on yesterday.*

pass out 1 to faint (เป็นลม): *I feel as though I'm going to pass out.* **2** to give to several people (แจก): *The teacher passed out books to her class.*

pass up not to accept a chance, opportunity *etc.* (ไม่ยอมรับโอกาส สละ): *He passed up the offer of a good job.*

> You **hand in** (not **pass up**) your books to the teacher.

'pas·sage *n* **1** a long narrow way or a corridor (ทางหรือเฉลียงที่ยาวและแคบ): *There was a dark passage leading down to the river between tall buildings.* **2** a part of a piece of writing or music (ตอนหนึ่งของข้อเขียนหรือดนตรี): *That is my favourite passage from the Bible.* **3** passing (ผ่าน): *the passage of time.*

'pas·sen·ger (*'pas-in-jər*) *n* a person who travels in any vehicle, boat, aeroplane *etc.*; not the driver or anyone working there (ผู้โดยสาร): *a passenger on a train.* — *adj* (แห่งผู้โดยสาร): *a passenger train.*

pass·er-'by, *plural* **pass·ers-'by**, *n* a person who is going past a place when something happens (ผู้สัญจรไปมา): *He asked the passers-by if they had seen the accident.*

'pass·ing *adj* **1** going past (ผ่านไป): *a passing car.* **2** lasting only a short time (คงอยู่เพียงแค่ประเดี๋ยวเดียว): *a passing interest.*

'pas·sion *n* very strong feeling, especially anger or love (ความรู้สึกอย่างรุนแรงในเรื่องความโกรธหรือความรัก): *He argued with great passion; He has a passion for chocolate.*

'pas·sion·ate *adj* with or showing strong emotions (แสดงออกถึงความรู้สึกอย่างแรงกล้า): *a passionate plea for help.*

'pas·sive *adj* used to describe the form of a verb when its subject is affected by the action (แห่งกรรมวาจก): *The boy was bitten by the dog.* — *n* (กรรมวาจก): *The verb is in the passive.*

'pass·port *n* a card or booklet that gives the name and description of a person, and is needed to travel in another country (หนังสือเดินทาง): *a British passport.*

'pass·word *n* a secret word that you must give in order to be allowed to go past a particular point, or enter a place (รหัสผ่าน): *The guard on duty at the gate asked him for the password; When you want to use a big computer, you must first type your password.*

past (*päst*) *adj* **1** just finished (เพิ่งหมดไป): *the past year.* **2** over or ended (ผ่านพ้นไปหรือจบลงแล้ว): *The time for discussion is past.* **3** showing that the action is in the past (แสดงถึงการกระทำที่ผ่านไปแล้ว): *In "He did it", the verb is in the past tense.* — *prep* **1** up to and beyond; by (ผ่าน): *He ran past me.* **2** after (หลัง): *It's past six o'clock.* — *adv* up to and beyond a place, person *etc.* (ผ่านไป): *The soldiers marched past.* — *n* **1** a person's earlier life or career (อดีต): *He never spoke about his past.* **2** the past tense (อดีตกาล): *The verb is in the past.*

the past the time that was, before the present (ในอดีต): *In the past, people used candles to light their homes.*

> **In the past** (not **last time**) I used to walk to school.
> See also **passed**.

'pas·ta *n* a dried mixture of flour and water prepared in various shapes, such as spaghetti, macaroni *etc.* (แป้งผสมกับน้ำเพื่อทำเป็นลักษณะต่าง ๆ เช่น สปาเกตตี มะกะโรนี).

paste (*pāst*) *n* **1** a soft, moist mixture (ส่วนผสมที่อ่อนนุ่มและชื้น): *toothpaste.* (ยาสีฟัน) **2** a thin kind of glue for sticking paper on walls *etc.* (กาวชนิดหนึ่งที่ใช้ติดกระดาษบนผนัง). **3** any of several types of food made into a soft mass (อาหารที่ทำเป็นก้อนนิ่ม ๆ): *almond paste; tomato paste.* — *v* to stick with paste (ติดด้วยกาว): *He pasted pictures into his scrapbook.*

'pas·tel *adj* pale, containing a lot of white (สีอ่อนมีสีขาวมาก): *a pastel green.*— *n* a coloured pencil, made with chalk, which makes a pale colour (ดินสอสีทำด้วยชอล์กซึ่งใช้ระบายสีอ่อน ๆ).

'pas·teur·ize (*'päs-chər-īz*) *v* to heat milk for a time to kill germs in it (อุ่นนมเพื่อฆ่าเชื้อโรค).
pas·teur·i'za·tion *n* (การฆ่าเชื้อโรคด้วยความร้อน).

'pas·time (*'päs-tīm*) *n* a hobby (งานอดิเรก): *Playing chess is his favourite pastime.*

> **pastime** is spelt with one **t**.

'pas·tor (*päs-tər*) *n* a minister of religion (พระ).

'pas·try (*'pās-tri*) *n* **1** a mixture of flour, fat, water *etc.* used in making pies, tarts *etc.* (การผสมแป้ง ไขมัน น้ำ เพื่อทำขนม). **2** a pie, tart *etc.* made with this (ขนมพาย ขนมแผ่นที่ทำด้วยสิ่งนี้): *Danish pastries.*

'pas·ture (*'päs-chər*) *n* a field covered with grass for cattle *etc.* to eat (ทุ่งหญ้าเลี้ยงสัตว์): *The horses were out in the pasture.*

'pas·ty *n* a small pie made by folding meat, vegetables *etc.* in pastry (ขนมพายห่อเนื้อผักแล้วอบ): *Cornish pasties contain beef, potatoes and onions.*

pat *n* **1** a light, gentle blow or touch, usually with the hand and showing affection (ตบหรือแตะเบา ๆ ด้วยมือแสดงความรักใคร่): *She gave the* child a pat on the head. **2** a small piece (ชิ้นเล็ก ๆ): *a pat of butter.* — *v* to strike gently with your hand, as a sign of affection (ใช้มือตบเบา ๆ แสดงความรักใคร่): *He patted the horse's neck.*

patch *n* **1** a piece of material sewn on to a garment *etc.* to cover a hole (ปะ): *She sewed a patch on the knee of her jeans.* **2** a small piece of ground (ดินผืนเล็ก ๆ): *a vegetable patch.* — *v* to mend clothes *etc.* by sewing on pieces of material (ซ่อมเสื้อผ้าโดยใช้วัสดุปะ): *to patch clothes.*

'patch·work *n* cloth made by sewing small

pieces of material together (ผ้าที่ทำขึ้นโดยเย็บชิ้นเล็ก ๆ เข้าด้วยกัน).

patch up **1** to mend, especially hastily (ซ่อมอย่างรีบ ๆ): *He patched up the roof with bits of wood.* **2** to settle a quarrel (ประสานลงรอย): *They soon patched up their disagreement.*

'pa·tent (*'pā-tənt*) *n* a licence from the government that gives one person or company the right to make and sell a particular product and to prevent others from copying it (สิทธิบัตร): *He took out a patent on the electric car he had designed.* — *v* to get a patent for something (จดทะเบียนในสิ่งประดิษฐ์ใหม่ ๆ): *She patented her new invention.* — *adj* **1** obvious; easy to see (ชัดแจ้ง เห็นได้ง่าย): *He approached the teacher's desk in patent terror.* **2** made by one manufacturer only (ทำโดยผู้ผลิตรายเดียวเท่านั้น): *a patent medicine*

patent leather very shiny hard leather (หนังที่แข็งและมันมาก): *His dancing shoes were made of black patent leather.*

pa'ter·nal *adj* **1** like a father (เหมือนอย่างพ่อ): *paternal feelings.* **2** on your father's side of the family (เกี่ยวพันทางพ่อ): *my paternal grandmother.*

path (*päth*), *plural* **paths** (*pädhz*), *n* **1** a way made across ground by the passing of people or animals (ทางเดิน): *There is a path through the fields; a mountain path.* **2** the line along which someone or something is moving (ขวางทาง): *She stood right in the path of the bus.*

'path·way *n* a path (เส้นทาง).

pa'thet·ic *adj* **1** making you feel pity (น่าเวทนา): *The lost dog looked so pathetic that we took him home with us.* **2** very bad and annoying; useless (แย่มากและน่ารำคาญ ไร้ประโยชน์): *His singing is pathetic!; What a pathetic performance!*

pa'thol·o·gist *n* a doctor specializing in the study of diseases, usually by examining dead bodies to find out the cause of death (นักพยาธิวิทยา): *The pathologist tried to find out what had killed the man.*

'pa·tience (*'pā-shəns*) *n* **1** the ability or willingness to be patient (ความอดทน): *She has a lot of patience with children.* **2** a card game played by one person (เล่นถอดไพ่): *She often plays patience.*

'pa·tient *adj* suffering delay, pain *etc.* quietly and without complaining (อดทน อดกลั้น): *It will be your turn soon — you must just be patient!* — *n* a person who is being treated by a doctor, dentist *etc.* (คนไข้): *The hospital had too many patients.*

'pa·tient·ly *adv* (อย่างอดทน).

'pa·tri·arch (*'pā-tri-ärk*) *n* the male head of a family or tribe (หัวหน้าครอบครัวหรือหัวหน้าเผ่า).

'pa·tri·ot (*'pā-tri-ət*) *n* a person who loves and serves their country (ผู้รักชาติ).

pat·ri'ot·ic (*pat-ri'ot-ik*) *adj* showing love for your own country; very loyal (แสดงความรักชาติ ภักดีมาก): *a patriotic song.*

pat·ri'ot·i·cal·ly *adv* (โดยมีความรักชาติ).

'pat·ri·ot·ism (*'pat-ri-ət-iz-əm*) *n* great love for your own country (ความรักชาติ).

pa'trol (*pə'trōl*) *v* to watch or protect an area by moving continually around or through it (ลาดตระเวน): *Soldiers patrolled the streets.* — *n* **1** a group of people *etc.* who patrol an area. **2** watching or guarding by patrolling (การเฝ้าดูและปกป้องโดยการลาดตระเวน): *The soldiers went out on patrol.* — *adj* (แห่งการลาดตระเวน): *patrol duty.*

a police **patrol** (not ไม่ใช่ **petrol**); to **patrol** (not ไม่ใช่ **petrol**) the streets.

'pa·tron (*'pā-trən*) *n* **1** a person who supports an artist, musician, writer, form of art *etc.* (ผู้สนับสนุนศิลปิน นักดนตรี นักเขียน ศิลปะ ฯลฯ): *He's a patron of the arts.* **2** a regular customer of a shop *etc.* (ลูกค้าขาประจำ).

'pat·ron·age (*'pat-rən-ij*) *n* the support given by a patron (การสนับสนุนของลูกค้า).

'pat·ron·ize *v* **1** to treat someone as if you were more important, clever *etc.* than they are (อุปถัมภ์). **2** to be a patron to someone or something (ให้ความอุปถัมภ์).

'pat·ter *v* to make a quick, tapping sound (ทำเสียงเคาะเร็ว ๆ เสียงเปาะแปะ): *She heard the* *mice pattering behind the walls.* — *n* the sound made in this way (เสียงที่ทำแบบนี้): *the patter of rain on the roof.*

'pat·tern *n* **1** a model or guide for making something (แบบฉบับ ตัวอย่าง): *a dress-pattern.* **2** a repeated design on material *etc.* (รูปแบบที่ซ้ำ ๆ กัน): *The dress is nice but I don't like the pattern.*

'pat·terned *adj* having a design (มีรูปแบบ).

paunch *n* a large, round belly (พุงใหญ่).

'pau·per *n* a very poor person (คนยากไร้).

pause (*pöz*) *n* a short stop (หยุดนิดหนึ่ง): *There was a pause in the conversation.* — *v* to stop talking, working *etc.* for a short time (หยุดพูดหยุดทำงานประเดี๋ยวหนึ่ง): *They paused for a cup of tea.*

pave *v* to cover a street, path *etc.* with stones or concrete to make a flat surface for walking on *etc.* (ลาด ปู): *He wants to pave the garden.*

'pave·ment *n* a paved footpath along the sides of a road (บาทวิถี).

pa'vil·ion (*pə'vil-yən*) *n* a building on a sports ground in which players change their clothes, store equipment *etc.* (อาคารในสนามกีฬาซึ่งผู้เล่นเปลี่ยนเสื้อผ้า เก็บอุปกรณ์ ฯลฯ).

paw *n* the foot of an animal with claws or nails (อุ้งเท้าสัตว์มีกรงเล็บ): *The dog had a thorn in its paw.* — *v* to touch, hit *etc.* with a paw (แตะ ตะปบ): *The cat was pawing the mouse.*

See **foot**.

pawn *v* to give a valuable article to a shopkeeper called a **'pawn·bro·ker** in exchange for money which may be repaid at a later time to get the article back (จำนำ): *I had to pawn my watch to pay the bill.*

pay *v* **1** to give money to someone in exchange for goods, or for doing something for you (จ่ายเงิน): *He paid $5 for the book.* **2** to return money that you owe (จ่ายหนี้): *It's time you paid your debts.* **3** to suffer punishment (ถูกลงโทษ): *You'll pay for that remark!* **4** to be useful or profitable (ได้ประโยชน์หรือได้กำไร): *Crime doesn't pay.* **5** to give (ให้): *Pay attention!* — *n* money given or received for work *etc.*; wages (ค่าจ้าง): *How much pay do you get?*

pay; paid; paid: *She paid $10; Have you paid your debts?*

'pay·load *n* the number of passengers, or amount of cargo, that an aircraft can carry (ระวาง น้ำหนักบรรทุกของเครื่องบิน): *The space shuttle can carry a heavy payload.*

'pay·ment *n* (ค่าใช้จ่าย): *The radio can be paid for in ten weekly payments; He gave me a book in payment for my kindness.*

'pay·phone *n* a public telephone operated by coins or a credit card (โทรศัพท์หยอดเหรียญหรือใช้บัตรเครดิต): *You'll find a payphone at the station.*

pay back 1 to give back (จ่ายคืน): *I'll pay you back as soon as I can.* **2** to punish (ลงโทษ): *I'll pay you back for that!* **pay up** to give money that you owe (จ่ายหนี้คืน): *You have three days to pay up.*

to **pay** (ไม่ใช่ **pay up**) for goods at the cash-desk.

PC (*pē'sē*) *n* a personal computer (พีซีหรือคอมพิวเตอร์บุคคล): *She has bought herself a new PC.*

pea *n* **1** the round green seed of a climbing plant, eaten as a vegetable (ถั่ว): *We had roast beef, potatoes and peas for dinner.* **2** the plant that produces these seeds (พืชตะกูลถั่ว).

peace *n* **1** freedom from war (สันติภาพ): *These two countries have always been at peace; to make peace.* **2** quietness (ความเงียบ): *I need some peace and quiet.* — *adj* (แห่งสันติภาพ): *The two countries have signed a peace treaty.*

'peace·ful *adj* quiet; calm (เงียบ สงบ): *It's very peaceful in the country.*

'peace·ful·ly *adv* (อย่างสงบ).

'peace·fulness *n* (ความเงียบสงบ).

'peace·ma·ker *n* a person who tries to make peace between enemies, people who are quarrelling *etc.* (ผู้ไกล่เกลี่ย).

in peace 1 without disturbance (ไม่มีการรบกวน อยู่ในความสงบ): *Why can't you leave me in peace?* **2** not wanting to fight (ไม่

ต้องการต่อสู้ มาโดยสันติ): *They said they came in peace.*

peach *n* **1** a juicy, soft-skinned fruit with a stone-like seed (ลูกพีช). **2** the orange-pink colour of the fruit (สีชมพูส้มของผลไม้).

'pea·cock *n* a large bird noted for its magnificent tail-feathers (นกยูง).

'pea·hen *n* the female of the peacock (นกยูงตัวเมีย).

peak *n* **1** the pointed top of a mountain or hill (ยอดเขา ยอดเนิน): *snow-covered peaks.* **2** the highest, greatest, busiest *etc.* point, time *etc.* (เวลาที่ยุ่งที่สุด): *He was at the peak of his career.* **3** the front part of a cap, which shades the eyes (กระบังหมวก): *The boy wore a cap with a peak.* — *v* to reach the highest, greatest, busiest *etc.* point, time *etc.* (ขึ้นถึงจุด เวลา ที่สูงที่สุด มากที่สุด ยุ่งที่สุด): *Prices peaked in July and then began to fall.*

See **mountain**.

peal *n* **1** the ringing of bells (เสียงระฆังดัง). **2** a set of church bells (ชุดของระฆังที่วัด). **3** a loud noise (เสียงดัง): *peals of laughter; peals of thunder.* — *v* (เสียงดัง): *Thunder pealed through the valley; The bells pealed.*

'pea·nut *n* a kind of nut that looks rather like a pea (also called a **'ground·nut**) (ถั่วลิสง).

pear (*pār*) *n* a fruit of the apple family, round at the bottom and narrowing towards the stem or top (ลูกแพร์).

pearl (*pɜrl*) *n* a valuable, hard, round object formed by oysters and several other shellfish (มุก): *The necklace consists of three strings of pearls.* — *adj* (แห่งมุก): *a pearl necklace.*

'pearl-di·ver, **'pearl-fish·er** *n* s a person who dives or fishes for pearls (คนงมหอยมุก).

'pearl·y *adj* like pearls (เหมือนไข่มุก): *pearly teeth.*

'peas·ant (*'pez-ənt*) *n* a person who lives and works on the land, especially in a poor area (เกษตรกร ชาวไร่ชาวนา).

'peas·ant·ry *n* the peasants of a country (ชาวนาของประเทศ).

'peb·ble *n* a small, smooth stone (ก้อนกรวด): *small pebbles on the beach.*

'peb·bly *adj* (เต็มไปด้วยกรวด).

peck *v* **1** to strike or pick up with the beak (จิก): *The birds pecked at the corn.* **2** to eat very little (กินน้อยมาก): *She just pecks at her food.* — *n* a tap or bite with the beak (เคาะหรือจิกด้วยจงอยปาก).

pe'cu·li·ar (*pi'kū-li-ər*) *adj* **1** strange; odd (แปลก ผิดปกติ): *peculiar behaviour.* **2** belonging to one person, place or thing in particular and to no other (เฉพาะ): *customs peculiar to France.*

'ped·al *n* a lever worked by the foot, as on a bicycle, piano, organ *etc.* (ที่สำหรับใช้เท้าถีบเหยียบ): *the brake pedal in a car.* — *v* to operate the pedals on something; to ride a bicycle *etc.* (ถีบจักรยาน): *He pedalled down the road.*

to **pedal** (not ไม่ใช่ **paddle**) a bicycle.

'ped·dle *v* to go from place to place or house to house selling small objects (เร่ขายของ).

'ped·es·tal *n* the base of a statue *etc.* (ฐานรูปปั้น ฯลฯ).

pe'des·tri·an *n* a person who is walking along a street *etc.* (คนเดินเท้า): *A pedestrian was knocked down by a car.*

'ped·i·gree *n* a list of the parents, grandparents *etc.* of a dog, cat or other animal (บรรพบุรุษของหมา แมว หรือสัตว์อื่น ๆ): *This poodle has a good pedigree.* — *adj* coming from parents, grandparents *etc.* all of the same breed (พันธุ์แท้): *pedigree dogs; a herd of pedigree cows.*

'ped·lar *n* a person who peddles (พ่อค้าเร่): *I bought this comb from a pedlar.*

peek *v* to look, especially quickly and in secret (แอบมอง): *Cover your eyes and don't peek.* — *n* a quick look (การแอบมอง).

peek and peep both mean to look quickly, especially secretly: *She opened the box and peeked inside; He peeped round the corner to see if anyone was there.*

peer means to look hard at something that is difficult to see: *She peered at the ship through the thick fog.*

peel *v* **1** to take off the skin or outer covering of a fruit or vegetable (ปอกเปลือก): *She peeled the potatoes.* **2** to take off or come off in small pieces (หลุดออกเป็นชิ้นเล็ก ๆ): *The paint is beginning to peel off.* — *n* the skin of certain fruits and vegetables *etc.* (เปลือกของผลไม้และผักบางอย่าง): orange peel.

'peel·er *n* a tool that peels (เครื่องปอก): *a potato-peeler.*

'peel·ings *n* (ส่วนที่ปอกเปลือกแล้ว): *He threw the potato-peelings away.*

peep[1] *v* **1** to look through a narrow opening or from behind something (ถ้ำมอง แอบดูตามช่อง): *She peeped through the letter-box.* **2** to look quickly and in secret (แอบดูอย่างรวดเร็วและลับ ๆ): *He peeped at the answers at the back of the book.* — *n* a quick look (มองดูอย่างรวดเร็ว): *She took a peep at the visitor.*

See **peek**.

peep[2] *v* to sound the horn of a car (บีบแตรรถยนต์): *She peeped the horn.*

peer *v* to look with difficulty (เพ่งดู): *He peered at the small writing.*

See **peek**.

peg *n* **1** a short piece of wood, metal *etc.* used to fasten or mark something (หมุดเป็นไม้หรือโลหะใช้เป็นที่ผูกหรือเป็นเครื่องหมาย): *There were four pegs stuck in the ground.* **2** a hook for hanging clothes *etc.* on (ตะขอไว้แขวนเสื้อผ้า ฯลฯ): *Hang your clothes on the pegs in the cupboard.* **3** a wooden or plastic clip for holding clothes *etc.* to a rope while drying (ที่หนีบเสื้อ). — *v* to fasten with a peg (ติดด้วยที่หนีบ): *She pegged the clothes on the washing-line.*

pe'jo·ra·tive *adj* expressing or showing disapproval or criticism (แสดงถึงการไม่ยอมรับหรือตำหนิติเตียน): *He did not like the pejorative comments made about him in the newspaper.*

'pel·i·can *n* a large water-bird with a large beak with a pouch for carrying fish (นกกระทุง).

'pel·let *n* a little ball or similarly-shaped object (ลูกกลม ๆ เล็ก ๆ หรือวัตถุที่คล้ายกัน): *He bought a box of lead pellets for his gun.*

pelt *v* **1** to throw things at someone or something (ขว้างปา): *The children pelted each other with snowballs.* **2** to run very fast (วิ่งเร็วมาก): *He pelted down the road.*

'pel·vis *n* the bones that form a hollow framework in your body below the waist (กระดูกเชิงกราน). **'pel·vic** *adj* (แห่งกระดูกเชิงกราน).

pen[1] *n* a small enclosure for sheep, cattle *etc.* (คอก).

pen[2] *n* a tool for writing in ink (ปากกา).

'pe·nal·ize (*'pē-nə-līz*) *v* to punish someone for doing something that is against the rules (ลงโทษที่ทำผิดกฎ): *He was penalized for cheating in the examination.*

'pen·al·ty *n* **1** a punishment for doing wrong (การลงโทษที่ทำผิด): *They did wrong and they will have to pay the penalty; The death penalty has been abolished in this country.* **2** in sport *etc.*, a disadvantage given to a player or team for breaking a rule of a game (ลงโทษเนื่องจากผิดกติกา): *The referee gave the team a penalty.*

'pen·ance *n* punishment that a person suffers willingly to make up for doing something wrong (การลงโทษซึ่งผู้ถูกลงโทษมีความสำนึกผิด): *He did penance for his sins.*

pence the plural of (พหูพจน์ของ) **penny**.

'pen·cil *n* a tool for writing or drawing (ดินสอ): *This pencil needs sharpening; He wrote in pencil, not ink.* — *v* to write or draw with a pencil (เขียนหรือวาดด้วยดินสอ): *He pencilled an outline of the house.*

'pen·dant *n* an ornament hung from a necklace (ของประดับที่ห้อยจากสร้อยคอ).

'pen·du·lum (*'pen-dū-ləm*) *n* a swinging weight that operates the mechanism of a clock (ลูกตุ้มนาฬิกา).

'pen·e·trate *v* **1** to manage to get into or through something: (ทะลุ) *The rain penetrated through the roof; The bullet penetrated his left shoulder.* **2** to understand or be understood: (มองเห็น เข้าใจ) *They could not penetrate the mystery; They told me I had won, but the news took a long time to* *penetrate.*

pen·e'tra·tion *n* **'pen·e·tra·ting** *adj* **1** loud and unpleasant: **(แหลม แสบ)** *Her voice is harsh and penetrating.* **2** hard; full of concentration: **(เพ่ง)** *She gave him a penetrating look.* **3** quick at understanding: **(เฉียบแหลม)** *He has a penetrating mind.*

'pen-friend *n* a person living abroad with whom you exchange letters **(เพื่อนชาวต่างชาติที่ติดต่อกันทางจดหมาย)**: *My daughter has pen-friends in India and Spain.*

'pen·guin (*'peŋ-gwin*) *n* a large sea-bird of Antarctic regions that cannot fly **(นกเพนกวิน)**.

pe'nin·su·la (*pə'nin-sū-lə*) *n* a piece of land that is almost surrounded by water **(แหลม)**: *the Malay peninsula.*

pe'nin·su·lar *adj* **(ที่เป็นแหลม)**.

The adjective **peninsular** is spelt with an **r**.
See also **isthmus**.

'pe·nis (*'pē-nis*) *n* the male sexual organ in humans and many animals **(อวัยวะเพศชายในคนและสัตว์หลายประเภท)**.

'pen·i·tent *adj* sorry for something wrong you have done **(สำนึกผิด)**: *He felt penitent after shouting at his son.*

'pen-knife *n* a small pocket-knife with blades that fold into the handle **(มีดพับ)**.

'pen-name *n* a name used by writers instead of their own name **(นามปากกา)**: *Samuel Clemens used the pen-name Mark Twain.*

'pen·nant *n* a small flag, in the shape of a long narrow triangle **(ธงเล็ก ๆ เป็นรูปสามเหลี่ยมยาวเรียว)**.

'pen-nib *n* the nib of a pen **(ปลายปากกา)**.

'pen·ny, *plural* **pence** or **pennies**, *n* **1** in British currency, the hundredth part of £1 **(เงินเพนนี)**: *It costs seventy-five pence; Please give me five pennies for this fivepenny piece.* **2** in certain countries, a coin of low value **(เงินเหรียญมีค่าต่ำในบางประเทศ)**.

'pen·ni·less *adj* very poor; with little or no money **(จนมาก)**: *a penniless old man.*

'pen-pal *n* a pen-friend **(เพื่อนทางจดหมาย)**.

'pen·sion *n* a sum of money paid regularly to a widow, a person who has retired from work, a soldier who has been seriously injured in war *etc.* **(เงินบำนาญ)**: *He lives on his pension; a retirement pension.*

'pen·sion·er *n* a person who receives a pension, especially one who receives a retirement pension **(ผู้รับเงินบำนาญ)**.

'pen·sive *adj* thoughtful **(อยู่ในห้วงคิด)**: *She looked pensive.*

'pen·ta·gon *n* a flat, 5-sided shape **(รูปห้าเหลี่ยม)**.

pen'tagon·al *adj* **(เป็นห้าเหลี่ยม)**.

pen'tath·lon *n* a sports contest with five separate events **(ปัญจกรีฑา)**: *Pupils competed in a pentathlon consisting of a running race, a swimming race, a bicycle race, a high jump and a long jump.*

'pent·house *n* a luxurious flat at the top of a building **(ห้องหรูหราอยู่ชั้นบนสุดของอาคาร)**.

'peo·ple (*'pē-pəl*) *n* **1** persons **(ผู้คน)**: *There were three people in the room.* **2** men and women in general **(โดยทั่ว ๆ ไปคือผู้ชายและผู้หญิง)**: *People often say such things.* **3** a nation or race **(อาณาประชาราษฎร์)**: *all the peoples of this world.* **4** the public; the population of a country **(สาธารณชน ประชากร)**: *A government should serve the people.*

people is usually plural: *The people waiting at the airport were impatient.*
people is singular, and has the plural **peoples**, when it means a nation: *a defeated people; the peoples of Europe.*

pep *n* energy **(พลังงาน)**: *full of pep.*

'pep·per *n* **1** the dried, hot-tasting berries of the pepper plant, which are ground and used for seasoning food **(พริกไทย)**: *black pepper; This soup has too much pepper in it.* **2** any of several red, yellow, or green hollow fruits used as a vegetable **(พริกยักษ์)**: *red peppers stuffed with rice.*

'pep·per·mint *n* **1** a strong flavouring obtained from a plant, used in sweets, toothpaste *etc.* **(สะระแหน่)**. **2** a sweet flavoured with peppermint **(ปรุงรสด้วยสะระแหน่)**: *a bag of peppermints.*

per *prep* **1** for each **(แต่ละ)**: *The dinner will cost*

$15 per person. **2** in each (ต่อ): *six times per week.*

per'ceive (*pər'sēv*) *v* to notice (สังเกตเห็น): *At last he perceived her in the crowd; She perceived that something was wrong with him.*

per'cent out of every hundred; often written % with figures (ร้อยละ เปอร์เซ็นต์): *25% of people go to church on Sundays.*

per cent is written as two words.

per'cent·age *n* **1** an amount or rate per hundred (จำนวนหรืออัตราต่อร้อย): *Write these fractions as percentages.* **2** a part of something (เป็นส่วนหนึ่งของอะไรบางอย่าง): *A large percentage of the population can't read or write.*

per'cep·tive *adj* good at noticing or realizing things (ช่างสังเกตหรือมีญาณหยั่งรู้): *A doctor has to be perceptive to find out what is wrong with a patient; She wrote a perceptive essay about life in a big city.*

per'cep·tive·ly *adv* (ช่างสังเกต).

perch *n* **1** a branch *etc.* on which a bird sits or stands (กิ่งไม้ที่นกเกาะอยู่): *The pigeon would not fly down from its perch.* **2** any high seat or position (นั่งในที่สูงหรืออยู่ในตำแหน่งสูง): *He looked down from his perch on the roof.* — *v* **1** to sit or stand on a perch (นั่งหรือยืนอยู่บนที่สูง): *The bird perched on the highest branch of the tree.* **2** to sit on something narrow (นั่งบนที่แคบ ๆ): *They perched on the fence.*

'per·co·la·tor (*'pər-kə-lā-tər*) *n* a kind of pot in which coffee is made by pouring boiling water through ground coffee beans in a small container at the top of the pot (หม้อต้มกาแฟ).

per'cus·sion *n* musical instruments that you play by striking them, for example drums, cymbals *etc.* (เครื่องดนตรีที่ใช้ตี เช่นกลอง ฉิ่งฉาบ).

'per·fect *adj* **1** without fault; excellent (ดีเยี่ยม): *a perfect day for a holiday; a perfect rose.* **2** exact (แม่นยำ ถูกต้อง): *a perfect copy.* **3** complete (โดยสิ้นเชิง): *a perfect stranger.* — *v* **(per'fect)** to make perfect (ทำให้สมบูรณ์): *He went to France to perfect his French.*

per'fec·tion *n* (ความสมบูรณ์แบบ).

'per·fect·ly *adv* (อย่างสมบูรณ์แบบ).

'per·fo·rate *v* to make a hole or holes in something, especially a line of small holes in paper, so that it may be torn easily (รอยปรุ).

'perfo·ra·ted *adj* (แห่งรอยปรุ).

per'form *v* **1** to do; to carry out (กระทำ ปฏิบัติ): *The doctor performed the operation.* **2** to act a play or provide any kind of entertainment for an audience (การเล่นละครหรือการเล่นใด ๆ ที่ให้ความบันเทิงแก่ผู้ดู): *The company will perform a Greek play; She performed on the violin.*

per'for·mance *n* **1** the doing of something (การกระทำ): *He is very careful in the performance of his duties.* **2** the way in which something or someone performs (วิธีการทำ): *His performance in the exams was not very good.* **3** something done on stage *etc.* (การแสดงบนเวที): *The company gave a performance of "Macbeth".*

per'form·er *n* a person who performs, especially in the theatre, or on a musical instrument (ผู้แสดง ผู้เล่น).

'per·fume (*'pər-fūm*) *n* **1** a sweet smell (กลิ่นหอม): *the perfume of roses.* **2** a liquid for putting on your skin, that has a sweet smell. (น้ำหอม) — *v* **(per'fume) 1** to put perfume on or in something (ใส่น้ำหอม): *She perfumed herself after her shower.* **2** to give a sweet smell to the air (บรรยากาศหอมหวน): *Flowers perfumed the room.*

per'haps *adv* possibly (บางที อาจจะ): *Perhaps it will rain.*

'per·il *n* great danger (อันตรายมาก): *The perils of rock-climbing; You are in great peril.*

pe'rim·e·ter *n* the outside edge of any area (ปริมณฑล เส้นรอบวง): *the perimeter of the city; the perimeter of a circle.*

'pe·ri·od (*'pē-ri-əd*) *n* **1** any length of time (ช่วงเวลา): *a period of three days.* **2** a stage in the Earth's development or in history (ยุคในระยะพัฒนาการของโลก ยุคใน

ประวัติศาสตร์): *the modern period.* **3** a full stop {.}, put at the end of a sentence (เครื่องหมายมหัพภาค {.}). **4** the natural bleeding from the womb of a woman every 28 days; menstruation (การมีระดู): *She always feels unwell at the start of her period.*

pe·ri'od·i·cal *n* a magazine that is issued every week, month *etc.* (เป็นระยะเวลา นิตยสารรายสัปดาห์ รายเดือน).

'per·i·scope *n* an instrument that, by a special arrangement of mirrors, makes it possible for you to see things that you can't see from the position you are in, used especially in submarines to show you what is on the surface of the water (กล้องเรือดำน้ำ).

'per·ish *v* to die, especially in war, accidents *etc.* (ตายในสงคราม ในอุบัติเหตุ ฯลฯ): *Many people perished in the earthquake.*

'per·ish·a·ble *adj* likely to go bad quickly (ซึ่งเสียหรือเสื่อมคุณภาพอย่างรวดเร็ว): *Fresh fruit is perishable.*

'per·ju·ry (*'pär-jə-ri*) *n* the crime of lying after swearing an oath to tell the truth in a court of law (การเบิกความเท็จ): *The lawyer accused him of perjury.*

perk: perk up to become more lively or cheerful (กระฉับกระเฉงหรือร่าเริงแจ่มใส): *I gave her a cup of tea and she soon perked up.*

perm *n* short for **permanent wave**, a long-lasting, usually curly, hair-style given to your hair by a special process. — *v* (ดัดผมเป็นลอน): *She's had her hair permed.*

'per·ma·nent *adj* lasting for ever, or for a long time; not temporary (ถาวร): *After many years of travelling, they made a permanent home in England.* **'per·ma·nent·ly** *adv* (อย่างถาวร).

'per·manence *n* (ความคงทนถาวร).

per'mis·sion *n* the permitting of something (การอนุญาต): *She gave me permission to leave.*

per'mis·sive *adj* allowing people a lot of freedom to do whatever they want, even things that are usually disapproved of (ปล่อยปละละเลย): *The girl's parents are too permissive — they allow her to stay out all night.*

per'mis·sive·ness *n* (การให้อิสรเสรี).

per'mit *v* to allow or let someone do something (ยอมให้ อนุญาต): *Permit me to answer your question; Smoking is not permitted.* — *n* (**'per·mit**)) a written order allowing a person to do something (ใบอนุญาต): *We have a permit to export our products.*

per·pen'dic·u·lar (*pər-pən'dik-ū-lər*) *adj* standing straight upwards; vertical (ตั้งตรง ตั้งฉาก ลูกดิ่ง): *a perpendicular cliff.*

per'pet·u·al *adj* continuous; lasting for ever; never stopping (เป็นนิจ เป็นอยู่ตลอดไป ไม่เคยหยุด): *The criminal lived in perpetual fear of being discovered by the police; I can't stand the perpetual noise the children make.*

per'pet·u·al·ly *adv* (ตลอดไป เป็นประจำ).

per'plex *v* to puzzle (พิศวง งงงวย): *She was perplexed by his strange question and didn't know how to answer it.* **per'plexed** *adj* (น่าพิศวง). **per'plex·i·ty** *n* (ความน่าพิศวง).

'per·se·cute (*'pär-sə-kūt*) *v* to make someone suffer, especially because of their opinions or beliefs (ข่มเหง รบกวน โดยเฉพาะอย่างยิ่งในทางความคิดหรือความเชื่อ): *They were persecuted for their religion.* **per·se'cu·tion** *n* (การข่มเหง การรบกวน).

'per·se·cu·tor *n* (ผู้ข่มเหง ผู้รบกวน).

per·se'vere (*pär-sə'vēr*) *v* to continue to do something in spite of difficulties (บากบั่น): *He persevered in his task.*

per·se've·rance *n* (ความบากบั่น).

per'sist *v* to keep on doing something in spite of opposition or difficulty (ยืนกราน ดื้อรั้น): *It will not be easy but you will succeed if you persist.*

per'sis·tence *n* (ความดื้อรั้น การยืนกราน).

> **persist in** means to go on doing something: *He persisted in asking her annoying questions.*
> **insist on** means to be very firm in doing or saying what you want to: *He insisted on carrying her case for her.*

'per·son *n* **1** a human being (มนุษย์): *There's a person outside who wants to speak to you.* **2** your body (ตัวเรา ติดตัว): *Never carry a lot of money on your person.*

'per·son·al *adj* **1** own (เฉพาะตัว ด้วยตนเอง): *This is his personal opinion.* **2** private (ส่วนตัว): *This is a personal matter between him and me.* **3** appearing yourself (ปรากฏตัวเอง): *The Prime Minister will make a personal appearance on television.*

personal computer a small computer which can be used on a desk at home or at work (คอมพิวเตอร์ส่วนบุคคล): *He uses his personal computer when he needs to work at home at the weekends.*

per·so'nal·i·ty *n* **1** your character; your qualities (อุปนิสัย ลักษณะส่วนตัว): *What a pleasant personality she has!* **2** strong and usually attractive qualities (เข้มแข็งและมีลักษณะดึงดูดใจ): *She is not beautiful but she has a lot of personality.* **3** a well-known person (บุคคลซึ่งเป็นที่รู้จักกันดี): *a television personality.*

per·son'nel *n* the people employed in a firm, factory, shop *etc.*; the staff (บุคลากร กำลังพล): *Our personnel are very highly trained.*

per'spec·tive *n* the way of drawing solid objects, natural scenes *etc.* on a flat surface, so that they appear to have the correct shape and distance from each other *etc.* (ภาพวาดที่ได้สัดส่วนทั้งในทางลึกและระยะใกล้ไกล): *Try and draw the house so that the door and windows are properly in perspective; That chair is out of perspective.*

per'spire *v* to lose moisture through your skin when you are hot; to sweat (เหงื่อออก): *He was perspiring in the heat.*

per·spi'ra·tion *n* (เหงื่อ การตกเหงื่อ): *The perspiration was running down his face.*

per'suade (*pər'swād*) *v* to make someone do something, or not do something, by arguing with them and advising them (ชักจูงโดยการให้เหตุผลและคำแนะนำ): *We persuaded him to help us; How can we persuade people not to drive after drinking?*

per'sua·sion (*pər'swā-zhən*) *n* the act of persuading (การชักจูง การชักชวน): *He gave in to our persuasion and did what we wanted him to do.*

per'turb·ed *adj* worried (วิตกกังวล): *She was not a bit perturbed by all the problems.*

per'verse *adj* doing things that you know are wrong or silly, usually because someone wants you to do the opposite (ดื้อดึง ทำในสิ่งที่รู้ว่าผิดหรือโง่ ๆ): *His mother told him not to go outside in the rain, but he went out just to be perverse.*

per'versi·ty *n* (ความดื้อดึง).

per'vert *v* to change something from the way it should be; to change something for the worse; to spoil (เปลี่ยนแปลงไปจากที่ควรเป็น เปลี่ยนแปลงไปในทางที่เลวกว่า ทำให้เสีย): *People think that violent and disgusting films can pervert the minds of children who watch them.* — **'per·vert** *n* a person who does things, especially of a sexual kind, that are unnatural and disgusting (คนที่ทำเช่นนี้ โดยเฉพาะอย่างยิ่งในทางเพศซึ่งผิดธรรมชาติและน่ารังเกียจ คนวิตถาร).

per'vert·ed *adj* (อย่างวิตถาร).

'pe·so (*'pā-sō*), *plural* **'pe-sos**, *n* the standard unit of currency in many South and Central American countries and in the Philippines (เงินเปโซ).

'pes·si·mism *n* the state of mind of a person who always expects bad things to happen (สภาพจิตใจของคนที่คิดในแง่ร้าย).

The opposite of **pessimism** is **optimism**.

'pes·si·mist *n* a person who expects bad things to happen (คนที่คิดในแง่ร้าย): *He is such a pessimist that he always expects the worst.*

pes·si'mis·tic *adj* (การมองเห็นแต่ในแง่ร้าย).

pest *n* **1** a creature, such as a rat, a mosquito *etc.*, that is harmful or that destroys things (สัตว์เช่นหนู ยุง ฯลฯ ซึ่งเป็นอันตรายหรือทำลายสิ่งของ). **2** a person or thing that causes trouble (บุคคลหรือสิ่งของที่ก่อความยุ่งยาก): *He is always annoying me — he is an absolute pest!*

'pes·ti·cide *n* a substance that kills animal and insect pests (ยาฆ่าสัตว์และแมลงที่รบกวน).

'pes·ter *v* to annoy someone continually (รบกวนอย่างไม่หยุดหย่อน): *He pestered me with* *stupid questions.*

'pes·tle (*'pes-əl*) *n* a tool for grinding substances into a powder (สาก).

pet *n* **1** a tame animal that you keep in your home (สัตว์เลี้ยง): *She keeps a rabbit as a pet.* **2** a favourite child (คนโปรด): *the teacher's pet.* — *adj* (แห่งสัตว์เลี้ยง): *We have a pet rabbit.* — *v* to stroke in a loving way (ลูบไล้อย่างรักใคร่): *She petted her dog.*

pet name a particular name used to express affection (ชื่อที่ใช้แสดงถึงความรัก): *His pet name for his daughter was "Kitten".*

'pet·al *n* one of the parts of the head of a flower (กลีบดอกไม้): *This rose has yellow petals edged with pink.*

pe'tite (*pə'tēt*) *adj* small and neat (เล็กและประณีตน่าเอ็นดู): *Women from Eastern countries are generally more petite than European women.*

pe'ti·tion *n* a request, especially one signed by many people and sent to a government or authority (คำร้อง). — *v* to make a petition (ยื่นคำร้อง): *They petitioned the government for the release of the prisoners.*

pe'ti·tion·er *n* (การยื่นคำร้อง).

'pet·ri·fy *v* to make someone very frightened (ทำให้กลัวมาก ตะลึง): *The sight of the snake petrified her.*

'pet·ri- fied *adj* (จังงัง ตัวแข็ง).

'pet·ro- having to do with petrol, as in the word **petrochemical** (เกี่ยวกับน้ำมัน).

pet·ro'chem·i·cal *n* any chemical obtained from petroleum or natural gas (สารเคมีที่ได้จากน้ำมันปิโตรเลียมหรือก๊าซธรรมชาติ). — *adj* (แห่งสารเคมีที่ได้จากน้ำมันหรือก๊าซธรรมชาติ): *The petrochemical industry.*

'pet·rol (*'pet-rəl*) *n* a liquid got from petroleum, used as fuel for motor cars *etc.* (น้ำมันเชื้อเพลิง): *I'll stop at the next garage and buy more petrol.*

See also **patrol**.

pe'tro·le·um (*pə'trō-li-əm*) *n* oil in the raw state in which it is found in natural wells below the earth's surface and from which petrol is obtained (น้ำมันดิบ น้ำมันปิโตรเลียม).

petrol pump an apparatus at a petrol station which pumps petrol into cars *etc.* (ปั๊มน้ำมัน).

petrol station a garage where petrol is sold (สถานีขายน้ำมัน).

'pet·ti·coat *n* an undergarment worn by girls and women (ชุดชั้นในของผู้หญิง).

'pet·ty *adj* having very little importance (เล็กน้อยมีความสำคัญน้อยมาก): *petty details.*

'pet·ti·ly *adv* (อย่างน้อยมาก).

'pet·ti·ness *n* (เรื่องเล็ก ๆ น้อย ๆ).

pew *n* a seat or bench in a church (ที่นั่งหรือม้านั่งในโบสถ์).

See **bench**.

'pew·ter *n* a metal made by mixing tin and lead (โลหะดีบุกผสมตะกั่ว). — *adj* (แห่งโลหะชนิดนี้): *a pewter mug.*

'phan·tom *n* a ghost (ผี).

'phar·ma·cy *n* **1** the preparation of medicines (เภสัชกรรม): *He is studying pharmacy.* **2** a shop *etc.* where medicines are sold or given out (ร้าน ฯลฯ ที่ขายหรือจ่ายยา): *the hospital pharmacy.*

'phar·ma·cist *n* a person who prepares and sells medicines; a chemist (เภสัชกร).

phase (*fāz*) *n* **1** a stage in the development of something (ขั้นของการพัฒนา): *We are entering a new phase in the war.* **2** one in a series of regular changes in the shape or appearance of something (ขั้นตามปกติในการเปลี่ยนแปลงรูปร่างหรือการปรากฏต่อสายตา): *the phases of the moon.*

'pheas·ant (*'fez-ənt*) *n* a bird with a long tail, the male of which has brightly-coloured feathers (ไก่ฟ้าตัวผู้).

phe'nom·e·nal *adj* unusually great or good; extraordinary (ยิ่งใหญ่อย่างผิดปกติหรือดีเป็นพิเศษ เหนือธรรมดา): *Her memory is phenomenal; She is a phenomenal mathematician; He earns a phenomenal amount of money.*

phe'nom·e·nal·ly *adv* (อย่างเป็นที่น่าอัศจรรย์).

phe'nom·e·non, *plural* **phe'nom·e·na**, *n* something that can be seen or experienced; a natural happening that is interesting or unusual (ปรากฏการณ์ที่น่าสนใจหรือไม่ปกติ): *Lightning is an interesting phenomenon; An* *eclipse of the sun is a phenomenon that you don't see very often.*

phew a word used to express tiredness, relief *etc.* (คำที่ใช้แสดงถึงความเหนื่อยเหนื่อย คลายใจ): *Phew! It's hot today!*

phi'lan·thro·py *n* love for mankind, shown by money given to, or work done for other people (ความรักในมนุษย์ด้วยกัน).

phi'lan·thro·pist *n* (ผู้มีใจบุญ).

phi'lat·e·ly *n* the study and collecting of postage-stamps (การศึกษาและการสะสมแสตมป์).

phi'lat·e·list *n* (นักสะสมแสตมป์).

phi'los·o·phy *n* the search for knowledge and truth, especially about the nature of humans and their behaviour and beliefs (ปรัชญา).

phi'los·o·pher *n* a person who studies philosophy (นักปรัชญา).

phil·o'soph·i·cal *adj* **1** having to do with philosophy (แห่งปรัชญา): *a philosophical discussion.* **2** calm; not easily upset (สงบ สุขุม): *She has a philosophical attitude to life; He's had a lot of bad luck, but he's philosophical about it.*

phil·o'soph·i·cal·ly *adv* (อย่างปรัชญา อย่างสงบ).

phlegm (*flem*) *n* thick, slimy liquid brought up from the throat by coughing (เสมหะ).

'pho·bi·a *n* an intense fear or hatred of something (ความกลัวอย่างยิ่งหรือความเกลียดอะไรบางอย่าง): *She has a phobia about birds.*

'phoe·nix (*'fē-niks*) *n* a bird that is found only in stories, that burns itself and is born again from its own ashes (นกในนิยายซึ่งเผาตัวเองและเกิดใหม่อีกครั้งหนึ่งจากขี้เถ้าของตัวเอง).

phone *n* a telephone (โทรศัพท์): *We were talking on the phone.* — *v* to telephone (การโทรศัพท์): *I'll phone you this evening; Phone him up and ask him to help.*

pho'net·ic *adj* having to do with the sounds of language (เกี่ยวกับการออกเสียงในภาษา).

pho'net·ics *n* **1** the study of sounds of language (การศึกษาเรื่องการออกเสียงในภาษา). **2** a system of symbols used to show the pronunciation of words (ระบบหรือสัญลักษณ์ที่แสดงถึงการออกเสียงของคำ).

'pho·ney *adj* fake; false (ลวง ผิด): *He spoke in a phoney accent.*

'pho·to, *plural* **'pho-tos**, *n* short for **photograph** (รูปภาพ).

'pho·to·cop·i·er *n* a machine that makes photocopies (เครื่องถ่ายเอกสาร).

'pho·to·cop·y *n* a copy of a document *etc.* made by a machine which photographs it (การถ่ายเอกสาร): *I'll get some photocopies made of this letter.* — *v* to make a copy in this way (ทำสำเนาในแบบนี้): *Will you photocopy this letter for me?*

photocopy is a general word for a copy made by photographing; **Photostat**® and **Xerox**® are tradenames; all three words can be used as verbs.

'pho·to·graph *n* a picture taken by a camera (รูปที่ใช้กล้องถ่าย): *I took a lot of photographs during my holiday.* — *v* to take a photograph or photographs of a person, thing *etc.* (ถ่ายรูป): *He photographed the mountain from many different points.*

pho'tog·ra·pher *n* (ช่างถ่ายรูป): *He is a professional photographer.*

pho'tog·ra·phy *n* the art of taking photographs (ศิลปะการถ่ายรูป): *He's very keen on photography.*

'Pho·to·stat® *n* the tradename of a kind of photocopying machine; a copy made by it (เครื่องถ่ายเอกสารชนิดหนึ่ง). — *v* (ถ่ายภาพแบบนี้): *to Photostat a document.*

See **photocopy**.

'phra·sal (*'frā-zəl*) *adj* having to do with phrases; in the form of a phrase, as in **phrasal verb**, a phrase consisting of a verb and adverb or preposition, which together behave like a verb (เกี่ยวกับวลี): *"Leave out", "go without", "go away", are phrasal verbs.*

phrase (*frāz*) *n* a small group of words that forms part of a sentence (วลี): *He arrived after dinner.* — *v* to express something in words (บรรยายออกมาเป็นคำพูด): *I phrased my explanations in simple language.*

'phys·i·cal (*'fiz-i-kəl*) *adj* **1** having to do with your body (แห่งร่างกาย): *Playing football is* *one form of physical exercise.* **2** having to do with things that can be seen or felt (แห่งสิ่งของที่เห็นหรือสัมผัสได้): *the physical world.* **3** having to do with the laws of nature (แห่งกฎของธรรมชาติ): *It's a physical impossibility for a man to fly like a bird.* **4** relating to the natural features of the surface of the Earth (เกี่ยวกับลักษณะธรรมชาติของผิวโลก): *physical geography.* **5** relating to physics (เกี่ยวกับฟิสิกส์): *physical chemistry.*

'phys·i·cal·ly *adv* (โดยทางกายภาพ).

phy'si·cian (*fi'zi-shən*) *n* a doctor who specializes in medical rather than surgical treatment of patients (แพทย์ทางอายุรกรรม): *My doctor sent me to a physician at the hospital.*

'phys·ics (*'fiz-iks*) *n* the study of things that occur naturally, such as heat, light, sound, electricity, magnetism *etc.* (การศึกษาสิ่งที่เกิดขึ้นตามธรรมชาติ).

phys·i·o'the·ra·py (*fiz-ē-ō'the-rə-pi*) *n* the treatment of injury by physical exercise and massage (กายภาพบำบัด): *He had physiotherapy on the injured leg.*

phys·i·o'the·ra·pist *n* (นักกายภาพบำบัด).

phy'sique (*fi'zēk*) *n* the structure of a person's body (รูปร่าง เรือนร่าง): *He has a powerful physique.*

pi'an·o, *plural* **pianos**, *n* a large musical instrument played by pressing keys (เปียโน).

'pi·an·ist (*'pē-ə-nist*) *n* a person who plays the piano (นักเล่นเปียโน).

'pic·co·lo *n* a small, high-sounding flute (ขลุ่ยเสียงแหลม).

pick *v* **1** to choose; to select (เลือก): *Pick the one you like best.* **2** to take flowers from a plant, fruit from a tree *etc.* (เด็ด เก็บ): *Pick some wild flowers for me; It's time this fruit was picked.* **3** to lift (ยก อุ้ม): *He picked up the child.* **4** to unlock a lock with a tool other than a key (ใช้เครื่องมืออย่างอื่นในการไขกุญแจ): *She picked the lock with a bit of wire.* — *n* **1** whatever you want (อะไรก็ได้ที่เราต้องการ): *Take your pick of these prizes.* **2** the best (ดีที่สุด): *These grapes are the pick of the bunch.*

pick and choose to choose carefully (เลือกอย่างถี่ถ้วน): *When I'm buying apples, I like to pick and choose.*

pick at to eat very little of something (กินน้อยมาก): *He was not very hungry, and just picked at the food on his plate.*

pick on 1 to choose someone to do a difficult or unpleasant job (เจาะจง): *Why do they always pick on me to do the washing-up?* **2** to be nasty to a particular person (หยาบคาย เยาะเย้ย): *Stop picking on me!* **pick out 1** to choose (เลือก): *She picked out one dress that she particularly liked.* **2** to see or recognize a person, thing *etc.* (จำได้): *I couldn't pick him out in the crowd.*

pick someone's pocket to steal something from a person's pocket (ล้วงกระเป๋า).

pick up 1 to learn gradually (เรียนรู้ทีละน้อย): *I never studied French — I just picked it up when I was in France.* **2** to let someone into a car *etc.* in order to take them somewhere (รับขึ้นรถ): *I picked him up at the station and drove him home.* **3** to get something by chance (ได้มาโดยบังเอิญ): *I picked up a bargain at the shops today.* **4** to stand up (ยืนขึ้น): *He fell over and picked himself up again.* **5** to collect something from somewhere (รวบรวม): *I ordered some meat from the butcher — I'll pick it up on my way home tonight.* **6** to increase (เร่ง): *The car picked up speed as it ran down the hill.*

'pick·axe *n* a tool with a point at one end of its head and a blade for chopping at the other (อีเต้อ): *He used a pickaxe to break up the rocks.*

'pick·et *v* to stand outside a factory or other place of work in order to protest about something and to persuade other workers not to go to work there, or not to deliver goods there (ยืนอยู่นอกโรงงานหรือสถานที่เพื่อประท้วงและชักจูงให้คนงานไม่เข้าไปทำงานหรือส่งสินค้าให้ที่นั่น ประท้วง): *The workers picketed the factory for three weeks.* — *n* one of a group of people who are picketing a factory *etc.*

(คนหรือกลุ่มคนที่ประท้วงที่โรงงาน): *The pickets tried to stop lorries getting through the factory gates.*

'pick·le *n* a vegetable, or vegetables, preserved in vinegar, salt water *etc.* (ผักดอง): *Have some pickle; a jar of pickles.* — *v* to preserve in vinegar, salt water *etc.* (ดองผัก): *to pickle cucumbers.*

'pick·pock·et *n* a thief who steals things out of people's pockets *etc.* (นักล้วงกระเป๋า).

'pick-up *n* a small truck or van (รถบรรทุกขนาดเล็ก รถกระบะ).

'pic·nic *n* a meal eaten in the open air, usually on a trip (อาหารที่กินกลางแจ้ง โดยปกติมักเป็นเวลาไปเที่ยว): *We'll go to the seaside and take a picnic; Let's go for a picnic!* — *v* to have a picnic (การรับประทานกลางแจ้ง): *We picnicked on the beach.*

picnicking and **picnicked** are spelt with a **k**.

pic'to·ri·al *adj* **1** having many pictures (มีรูปภาพมาก): *a pictorial magazine.* **2** consisting of a picture or pictures (ประกอบด้วยรูปภาพ): *a pictorial map.*

pic'to·ri·al·ly *adv* (โดยการแสดงด้วยภาพ).

'pic·ture (*'pik-chər*) *n* **1** a painting or drawing (ภาพวาด ภาพเขียน): *This is a picture of my mother.* **2** a photograph (ภาพถ่าย): *I took a lot of pictures when I was on holiday.* **3** a cinema film (ภาพยนตร์): *There's a good picture on at the cinema tonight.* **4** a perfect example of something (เป็นตัวอย่างที่สมบูรณ์แบบ): *She looked the picture of health.* **5** a beautiful sight (ภาพที่สวยงาม): *She looked a picture in her new dress.* **6** a clear description (บรรยายอย่างแจ่มแจ้ง): *He gave me a good picture of what was happening.* — *v* to imagine (จินตนาการ): *I can picture the scene.*

pic·tu'resque (*pik-chə'resk*) *adj* pretty and interesting (สวยงามและน่าสนใจ): *The little old village was very picturesque.*

the pictures the cinema (ภาพยนตร์): *We went to the pictures last night, but it wasn't a good film.*

See **go**.

'pid·gin *n* any of a number of languages which consist of a mixture of a European language and a local one, used in Asia and Africa for trade, business *etc.* (ภาษายุโรปผสมกับภาษาท้องถิ่น ใช้ในเอเชียและแอฟริกาเพื่อการค้าธุรกิจ): *pidgin English.*

pie (*pī*) *n* food baked in a covering of pastry (พาย ขนมพาย): *a steak pie; an apple pie.*

piece (*pēs*) *n* **1** a part of anything (ชิ้นหนึ่ง): *a piece of cake.* **2** an example of something; a bit (ตัวอย่างหนึ่ง): *a piece of paper*; a piece of news. **3** something written or composed (ข้อเขียนหรือสิ่งที่แต่งขึ้น): *He has written a piece about drugs in this week's newspaper.* **4** a coin of a particular value (เหรียญกษาปณ์): *a five-penny piece.* **5** One of the objects you move on a board in a board-game (ตัวหมากรุก): *a chess-piece.*

piece'meal *adv* a little bit at a time (ทีละน้อย): *He did the work piecemeal.*

in pieces 1 with its various parts not joined together (เป็นชิ้น ๆ): *The bed was delivered in pieces and he had to put it together himself.* **2** broken (แตก หัก): *The vase was lying in pieces on the floor.*

piece together to put together (ต่อเข้าด้วยกัน): *They tried to piece together the fragments of the broken vase.*

to pieces into separate small pieces (แตกแยกออกจากกัน): *The material was so old that it fell to pieces when I touched it.*

pier (*pēr*) *n* a platform of stone, wood *etc.* stretching from the shore into the sea or a lake, used as a landing-place for boats (ท่าเทียบเรือ): *The passengers stepped down on to the pier.*

See **quay**.

pierce (*pērs*) *v* **1** to go into or through something (แทงเข้าไปหรือแทงทะลุ): *The arrow pierced his arm.* **2** to make a hole in or through something with a pointed object (เจาะรู): *Pierce the lid before removing it from the jar; She had her ears pierced so that she could wear earrings.*

'pierc·ing *adj* **1** loud; shrill (เสียงดัง เสียงกรีด

ร้อง): *a piercing scream.* **2** sharp; intense (เสียดกระดูก รุนแรง): *a piercing wind; piercing cold.*

'pi·e·ty (*pī-ə-ti*) *n* goodness, especially of the religious kind (ความใจบุญ).

pig *n* **1** a farm animal whose flesh is eaten as pork, ham and bacon (หมู): *He keeps pigs.* **2** a greedy or dirty person (คนโลภหรือคนสกปรก): *You pig!*

A pig **grunts** or **squeals**.
A baby pig is a **piglet**. (ลูกหมู)
A male pig is a **boar**. (หมูตัวผู้)
A female pig is a **sow**. (หมูตัวเมีย)
A pig lives in a **sty**. (คอกหมู)

'pi·geon (*'pij-ən*) *n* a bird of the dove family (นกพิราบ).

A pigeon **coos**.

'pi·geon-hole *n* a small compartment for letters, papers *etc.* in a desk etc. (ช่องเล็ก ๆ สำหรับใส่จดหมาย เอกสารในโต๊ะทำงาน).

'pig·gy *n* a child's word for a pig (คำที่เด็กใช้เรียกหมู).

'pig·gy·back *n* a ride on someone's back (ขี่หลัง): *Please give me a piggyback, Daddy.*

pig'head·ed *adj* refusing to take advice; obstinate (ดื้อ). **pig'head·ed·ness** *n* (ความดื้อ).

pig·let *n* a baby pig (ลูกหมู).

'pig·ment *n* **1** any substance used for colouring, making paint *etc.* (สารใด ๆ ที่ใช้ในการทำสี ทำสี). **2** a substance in plants or animals that gives colour to the skin, leaves *etc.* (รงควัตถุ สารในพืชหรือสัตว์ที่ทำให้เกิดสีขึ้นที่ผิวใบ): *Some people have darker pigment in their skin than others.*

pig·men'ta·tion *n* colouring of skin *etc.* (สีผิว).

pigmy another spelling of (การสะกดอีกแบบหนึ่งของ) **pygmy**.

'pig·skin *n* leather made of a pig's skin (หนังสัตว์ที่ทำจากหนังหมู). — *adj*: *a pigskin purse.*

'pig·sty (*'pig-stī*) *n* **1** a pen for pigs (คอกหมู). **2** a very dirty untidy place (สถานที่ซึ่งสกปรกมากและไม่เรียบร้อย): *This room is a pigsty!*

'pig·swill *n* soft food given to pigs (อาหารอ่อนที่ให้หมู).

'pig·tail *n* a plait of hair (หางเปีย).

See **plait**.

pike, *plural* **pike**, *n* a large fresh-water fish (ปลาน้ำจืดชนิดหนึ่ง).

pile[1] *n* **1** a number of things lying one on top of another; a heap (กอง วางซ้อนกัน): *There was a neat pile of books in the corner of the room; There was a pile of rubbish at the bottom of the garden.* **2** a large quantity (จำนวนมาก): *He must have piles of money to own a car like that.* — *v* to make a pile of something (กองสิ่งของ): *He piled the boxes on the table.*

'pile-up *n* an accident involving several vehicles (อุบัติเหตุที่เกี่ยวกับรถหลายคัน).

pile up v to make or become a pile (กองหรือทำให้เป็นกอง): *He piled up the earth at the end of the garden; The rubbish piled up in the kitchen.*

pile[2] *n* a large pillar or stake driven into the ground as a foundation for a building, bridge *etc.* (เสาเข็ม): *Venice is built on piles.*

'pil·fer *v* to steal small things (ลักเล็กขโมยน้อย).

'pil·grim *n* a person who travels to a holy place (ผู้ธุดงค์).

'pil·grim·age *n* a journey to a holy place (การธุดงค์).

pill *n* a small tablet containing a medicine (ยาเม็ด).

'pil·lar *n* an upright post used in building as a support or decoration (เสาค้ำ เสาประดับ).

'pil·lion (*'pil-yən*) *n* a passenger seat on a motorcycle (ที่นั่งของผู้ซ้อนท้ายมอเตอร์ไซค์). — *adj* (ผู้ซ้อนท้าย): *a pillion passenger.*

'pil·low (*'pil-ō*) *n* a cushion for your head, especially on a bed (หมอน).

'pil·low·case *n* a cover for a pillow (ปลอกหมอน).

'pi·lot (*'pī-lət*) *n* **1** a person who flies an aeroplane (นักบิน). **2** a person who directs a ship in and out of a harbour, river *etc.* (คนนำร่อง). — *adj* experimental (แห่งการทดลอง): *a pilot scheme.* — *v* to guide as a pilot (นำร่อง): *He piloted the ship.*

'pim·ple *n* a small round red swelling on the

skin; a spot (สิว): *He had a pimple on his nose.* **'pim·ply** *adj* (มีสิว).

pin *n* a short, thin, pointed piece of metal used to hold pieces of fabric, paper *etc.* together (เข็มหมุด): *The papers are fastened together by a pin.* — *v* **1** to fasten with a pin (เย็บด้วยเข็มหมุด): *She pinned the material together.* **2** to hold something down, or against something (กดเอาไว้): *The fallen tree pinned him to the ground.*

'pin·a·fore *n* **1** a kind of apron for covering your clothes (ผ้ากันเปื้อน): *The children wore pinafores at nursery school.* **2** a dress with no sleeves, worn over a blouse, sweater *etc.* (เครื่องแต่งตัวที่ไม่มีแขนใช้สวมทับเสื้อ เสื้อยืด).

'pin·cers *n* **1** a tool for gripping things tightly (คีม): *Where are my pincers?; Whose is this pair of pincers?* **2** the claws of lobsters, crabs *etc.* (ก้ามกุ้ง ก้ามปู).

pincers takes a plural verb, but **a pair of pincers** is singular.

pinch *v* **1** to squeeze someone's flesh tightly between your thumb and forefinger (หนีบเนื้อ หยิก): *He pinched her arm.* **2** to hurt by being too small or tight (กัดเท้า): *My new shoes are pinching.* **3** to steal (ขโมย): *Who pinched my bicycle?* — *n* **1** a squeeze (หนีบ): *He gave her cheek a pinch.* **2** a small amount; what can be held between your thumb and forefinger (จำนวนเล็กน้อยซึ่งสามารถใช้นิ้วหัวแม่มือกับนิ้วชี้หยิบขึ้นมาได้): *a pinch of salt.*

'pin·cush·ion *n* a small cushion into which pins are pushed for keeping (หมอนเล็ก ๆ สำหรับปักเข็มหมุด).

pine[1] *n* **1** an evergreen tree with cones (**'pine-cones**) and needlelike leaves (**'pine-nee·dles**) (ต้นสน). **2** its wood (เนื้อไม้ของมัน): *The table is made of pine.* — *adj* (แห่งต้นสน): *a pine table.*

pine[2] *v* **1** to become weak with pain, grief *etc.* (ซูบลงเพราะความเจ็บปวด ความโศกเศร้า): *He pined away after his wife's death.* **2** to want something very much (ต้องการอย่างยิ่ง): *He knew that his wife was pining for home.*

'pine·ap·ple *n* a large tropical fruit shaped like a large pine-cone, the flesh of which is sweet and juicy (สับปะรด).

ping *n* a sharp, ringing sound (เสียงดังคล้ายกระดิ่ง): *His knife struck the wine-glass with a loud ping.* — *v* (ดีดแก้ว ดีดสาย): *The glass pinged; He pinged the wire.*

'ping-pong *n* the game of table tennis (เกมปิงปอง): *Do you play ping-pong?*

'pin·hole *n* a hole made by a pin (รูเข็มหมุด).

pink *n* a colour between red and white (สีชมพู). — *adj* (เป็นสีชมพู): *a dress of pink satin.* **'pink·ness** *n* (ความเป็นสีชมพู).

'pin·na·cle *n* **1** a tall thin spire built on the roof of a church, castle *etc.* (ยอดสูงที่สร้างขึ้นเหนือหลังคาโบสถ์ ปราสาท). **2** a high pointed rock or mountain (ยอดสูงของหินหรือภูเขา): *It was a dangerous pinnacle to climb.*

'pin·point *v* to place or show very exactly (ชี้หรือกำหนดลงไปอย่างแม่นยำ): *He pinpointed the position on the map.*

pint (*pīnt*) *n* a unit for measuring liquids; in Britain, 0.57 litre; in the US, 0.47 litre (หน่วยตวง ในอังกฤษ 0.57 ลิตร ในอเมริกา 0.47 ลิตร): *a pint of beer.*

pi·o'neer (*pī-ə'nēr*) *n* **1** a person who goes to a new country to live and work there (ผู้บุกเบิก): *the American pioneers.* **2** a person who is the first to study some new subject, or develop a new skill, method *etc.* (ผู้ซึ่งเป็นคนแรกที่ศึกษาวิชาใหม่หรือพัฒนาความชำนาญใหม่ วิธีการใหม่). — *v* to be the first to do or make something: *Edward Jenner pioneered the use of vaccine against smallpox.*

'pi·ous *adj* very good; always doing or thinking what is right, especially in a religious way (ใจบุญ). **'pi·ous·ly** *adv* (อย่างใจบุญ).

pip *n* a seed of a fruit (เมล็ดของผลไม้): *an orange pip.*

The small seeds inside apples, melons, pears, oranges *etc.* are **pips**.
The stone of a plum, cherry, peach, apricot *etc.* is a **pit**.

pipe *n* **1** a tube, made of metal, plastic *etc.*, through which water, gas *etc.* can flow

(ท่อ): *a water pipe; a drainpipe.* **2** a small tube with a bowl at one end, in which tobacco is smoked (กล้องยาสูบ): *He smokes a pipe.* **3** a musical instrument consisting of a hollow wooden or metal tube through which the player blows to make a sound (ปี่): *He played a tune on a bamboo pipe.* — *v* to carry gas, water *etc.* by a pipe (ส่งไปตามท่อ): *Water is piped to the town from the reservoir.*

piped music music played through loudspeakers in public places (ดนตรีที่เล่นออกทางลำโพงในที่สาธารณะ): *There is often piped music in the shopping centre.*

pipe dream an ambition or hope which will never happen (ความทะเยอทะยานหรือความหวังที่จะไม่มีวันเกิดขึ้นได้): *She wastes too much time on pipe dreams.*

'pipe•line *n* a long line of pipes used for conveying oil, gas, water *etc.* (ท่อยาว ๆ ที่ใช้ส่งน้ำมัน ก๊าซ น้ำ): *an oil pipeline.*

'pi•per *n* a person who plays a pipe, or the pipes (คนเป่าปี่).

pipes *n* bagpipes or some similar instrument (ปี่สก๊อต): *He plays the pipes.*

'pi•ping *n* **1** the art of playing a pipe or the pipes (ศิลปะของการเป่าปี่). **2** a length of pipe for water, gas *etc.* or number of pipes (ความยาวหรือจำนวนของท่อน้ำ ท่อก๊าซ): *lead piping.* — *adj* highsounding (เสียงปี่): *a piping voice.*

piping hot very hot (เผ็ดมาก): *piping-hot soup.*

pi'ra•nha (*pi'rä-nyə*) *n* a small, fierce fish with very sharp teeth that lives in South American rivers (ปลาปิรันย่า): *Piranhas attack and eat other, larger fish.*

piranha

'pi•rate (*'pī-rət*) *n* a person who attacks and robs ships at sea (โจรสลัด): *Their ship was attacked by pirates.* — *adj* (แห่งโจรสลัด): *a pirate ship.* — *v* to publish, broadcast *etc.* without the legal right to do so (พิมพ์ กระจายข่าวโดยไม่มีสิทธิ์ทางกฎหมายที่จะทำอย่างนั้นได้): *The dictionary was pirated and sold abroad.* **'pi•ra•cy** *n* (การละเมิดลิขสิทธิ์).

'pis•tol *n* a small gun held in one hand (ปืนสั้น ปืนพก).

See **gun**.

'pis•ton *n* a round piece of metal that fits inside a cylinder and moves up and down or backwards and forwards inside it (ลูกสูบ).

pit[1] *n* **1** a large hole in the ground (หลุมใหญ่): *The campers dug a pit for their rubbish.* **2** a place from which minerals are dug, especially a coal mine (บ่อซึ่งขุดเอาแร่ขึ้นมา เช่น บ่อถ่านหิน): *He works down the pit.* — *v* to set one person against another in a fight, competition *etc.* (เอาคนลงไปประลองกับอีกฝ่ายในการแข่งขัน): *He was pitted against a much stronger man.*

pit[2] *n* the hard stone of a peach, cherry *etc.* (เมล็ดแข็งของลูกพืช ลูกเชอร์รี). — *v* to remove the stone from a peach *etc.* (แกะเมล็ดแข็งออกจากลูกพืช).

See **pip**.

pitch[1] *v* **1** to set up a tent or camp (กางเต็นท์หรือตั้งค่าย): *They pitched their tent in the field* **2** to throw (ขว้าง): *He pitched the stone into the river.* **3** to fall heavily (ล้มคว่ำลงอย่างแรง): *He pitched forward.* — *n* **1** the ground for certain games (สนามเล่นเกม): *a football pitch.* **2** the degree of highness or lowness of a musical note, voice *etc.* (ระดับเสียงสูงต่ำของดนตรี). **3** an extreme point (ถึงจุดที่สูงมาก ๆ): *His anger reached such a pitch that he hit her.*

-pitched having a certain pitch (มีระดับเสียง): *a high-pitched noise; low-pitched voice.*

pitched battle a battle between armies that have been prepared and arranged for fighting beforehand (การรบซึ่งมีการเตรียมการและจัดรูปแบบการต่อสู้อยู่ก่อนแล้ว): *They fought a pitched battle.*

pitch[2] *n* a thick black substance obtained from tar (สารสีดำเข้มที่ได้จากน้ำมันดิน): *as black as pitch.*

pitch-'black, pitch-'dark *adjs* as black, or dark, as pitch; completely black or dark

(ดำสนิทหรือมืดสนิท).

'pitch·er[1] *n* a large jug (เหยือก): *a pitcher of water.*

'pitch·er[2] *n* the player who throws the ball in baseball (คนขว้างลูกในกีฬาเบสบอล).

'pit·fall *n* a possible danger; something that it is easy to make a mistake about (เป็นไปได้ว่าจะมีอันตราย หลุมพราง): *English grammar is full of pitfalls.*

pith *n* **1** the white substance between the peel of an orange, lemon *etc.* and the fruit itself (เส้นสีขาวที่อยู่ใต้เปลือกส้ม มะนาว). **2** the soft substance in the centre of the stems of plants (เยื่อนุ่ม ๆ ที่อยู่ในใจกลางของต้นไม้). **3** the most important part of anything (ส่วนสำคัญที่สุดของสิ่งใด ๆ): *the pith of the argument.*

'pit·i·ful *adj* **1** very sad; causing pity (เศร้ามาก ทำให้เกิดความสมเพช): *a pitiful sight.* **2** very poor, bad, insufficient *etc.* (แย่มาก เลวมาก ไม่เพียงพอ): *a pitiful attempt; a pitiful amount of money.*

'pit·i·ful·ly *adv* (อย่างน่าสมเพช).

'pit·i·ful·ness *n* (ความน่าสมเพช).

'pit·ter-pat·ter *n* a light, tapping sound (เสียงเคาะเบา ๆ เสียงกระทบเบา ๆ): *the pitter-patter of rain on a window.* — *v* to make this sound. — *adv* (ทำเสียงแบบนี้): *The mouse ran pitter-patter across the floor.*

'pit·y *n* **1** a feeling of sorrow for the troubles of others (ความเวทนา ความสมเพช): *He felt a great pity for her.* **2** a cause of sorrow or regret (น่าเสียใจ น่าเสียดาย): *What a pity that she can't come.* — *v* to feel pity for someone (รู้สึกเวทนา): *She pitied him.*

have pity on to feel pity for someone (ความรู้สึกเวทนา): *Have pity on the old man.*

take pity on to act kindly, or relent, towards someone, from a feeling of pity (มีความเมตตากรุณา): *He took pity on the hungry children and gave them food.*

'piv·ot *n* the pin or centre on which anything balances and turns (แกนหรือจุดศูนย์กลางซึ่งทำให้สิ่งใด ๆ รักษาสมดุลหรือหมุนได้). — *v* to turn: *The door pivoted on its hinge.*

'pix·y, 'pix·ie *n* a kind of fairy (นางฟ้าชนิดหนึ่ง).

'piz·za (*pēt-sə*) *n* a flat piece of dough spread with tomato, cheese *etc.* and baked (พิซซา).

'plac·ard *n* a notice printed on wood or cardboard and carried, hung *etc.*, in a public place (แผ่นประกาศเป็นไม้หรือกระดาษแข็งในที่สาธารณะ): *The protesters were carrying placards attacking the government's policy.*

pla'cate *v* to stop an angry person feeling angry (ทำให้หายโกรธ): *He placated her with an apology.*

place *n* **1** a particular spot or area (สถานที่): *a quiet place in the country; I spent my holiday in various different places.* **2** an empty space (ที่ว่าง): *There's a place for your books here.* **3** an area or building with a particular purpose (พื้นที่หรืออาคารที่มีจุดประสงค์เป็นพิเศษ): *a market-place.* **4** a seat (ที่นั่ง): *He went to his place and sat down.* **5** a position in an order, series, queue *etc.* (ตำแหน่ง อันดับ เข้าคิว): *She is in first place in the competition; I lost my place in the queue.* **6** a point in the text of a book *etc.* (จุดหนึ่งในเนื้อความของหนังสือ): *I kept losing my place in the book.* **7** a job or position in a team, organization *etc.* (หน้าที่หรือตำแหน่งในทีม องค์การ): *He's got a place in the team.* **8** house; home (บ้าน): *Come over to my place.* **9** a number or one of a series of numbers following a decimal point (ตัวเลขหนึ่งหรือหลายตัวที่ตามหลังจุดทศนิยม): *Make the answer correct to four decimal places.* — *v* to put (วาง): *He placed it on the table.*

to make **room** (not ไม่ใช่ **place**) for something.
Is there enough **room** or **space** (not **place**) in here?

'place-name *n* the name of a place (ชื่อของสถานที่).

in the first, second etc. **place** expressions used to show steps in an argument, explanation *etc.* (คำพูดที่ใช้แสดงขั้นตอนในการให้ความเห็น อธิบาย): *He decided not to buy the house, because in the first place it was too expensive, and in the second place it was too far from his office.*

in place in the proper position; tidy (อยู่ในที่ที่ควรอยู่ เรียบร้อย): *He left everything in place.*

in place of instead of (แทนที่): *Jim went to the party in place of John.*

out of place 1 not in the correct position (อยู่ผิดที่): *All of these books are out of place.* **2** not appropriate or suitable (ไม่เหมาะสมหรือไม่ถูกต้อง): *He is out of place here.*

put someone in their place to remind someone, often in a rude or angry way, of their lack of importance (เตือนสติ).

take place to happen, especially according to plan (เกิดขึ้น โดนเฉพาะอย่างยิ่งเป็นไปตามแผน): *The meeting took place on 17 March; What took place after that?*

See **occur**.

take the place of to be used instead of something (เข้าแทนที่): *I don't think television will ever take the place of books.*

'plac·id *adj* calm; not easily upset (เงียบสงบ): *a placid child.* **'plac·id·ly** *adv* (อย่างเงียบสงบ). **'plac·id·ness** *n* (ความเงียบสงบ).

'pla·gia·rize (*'plā-jə-rīz*) *v* to steal or copy someone else's ideas and pretend that they are yours (คัดลอกความคิดผู้อื่นมาเป็นของตน): *She was accused of plagiarizing the work of other authors.*

plague (*plāg*) *n* **1** an extremely infectious and deadly disease (กาฬโรค). **2** a large and annoying quantity (ปริมาณมากและน่ารำคาญ): *a plague of flies.* — *v* to annoy continually (รบกวนอยู่เรื่อย): *The child was plaguing her with questions.*

a **plague** (not a ไม่ใช่ **plaque**) of frogs.

plaice, *plural* **plaice**, *n* a flat fish (ปลาตัวแบน).

plain *adj* **1** simple; ordinary (ธรรมดา): *plain living.* **2** easy to understand; clear (เข้าใจได้ง่าย แจ่มชัด): *His words were quite plain.* **3** absolutely honest (อย่างจริงใจ): *I'll be quite plain with you; plain speaking.* **4** obvious (เห็นได้ชัด): *It's plain you haven't been practising your music.* **5** not pretty (ธรรมดา): *a plain child.* — *n* a large flat level piece of land (ที่ราบผืนใหญ่): *the plains of central Canada.*

'plain·ly *adv* (อย่างธรรมดา).
'plain·ness *n* (ความธรรมดา).

See **mountain**.

plain chocolate chocolate not containing milk (ช็อกโกเลตอย่างเดียวไม่มีนม).

plain clothes ordinary clothes, not a uniform (เสื้อผ้าธรรมดา ไม่ใช่เครื่องแบบ): *Detectives usually wear plain clothes.* — *adj* (นอกเครื่องแบบ): *a plain-clothes policeman.*

plain sailing progress without difficulty (ดำเนินไปโดยไม่ยุ่งยาก).

'plain·tiff *n* a person who starts a legal case against someone in a court of law (โจทก์).

plait (*plat*) *n* **1** a length of hair arranged by dividing it into sections and passing these over one another in turn (ผมเปีย): *She wore her hair in a long plait.* **2** a similar arrangement of any material (วัตถุใด ๆ ที่ทำเหมือนอย่างนี้): *a plait of straw.* — *v* to arrange hair etc. in this way (ถักเปีย): *She plaited her hair.*

plan *n* **1** an idea of how to do something; a method of doing something (แผนการ): *If everyone follows this plan, we will succeed; I have worked out a plan for making a lot of money.* **2** an intention; an arrangement (ความตั้งใจ): *What are your plans for tomorrow?* **3** a drawing showing a building, town *etc.* as if seen from above (แผนผัง): *These are the plans for our new house; a street-plan.* — *v* **1** to intend to do something (ตั้งใจจะทำอะไรสักอย่าง): *We are planning on going to Italy this year; We were planning to go last year but we hadn't enough money; They are planning a trip to Italy.* **2** to decide how something is to be done; to arrange something (ตัดสินใจว่าบางอย่างจะต้องทำอย่างไร): *We are planning a party.* **3** to design something (ออกแบบ): *They employed an architect to plan the building.*

plane[1] *n* an aeroplane (เครื่องบิน).

See **in**.

plane[2] *n* **1** a level; a standard (ระดับ). **2** in geometry, a flat surface (ระนาบในทางเรขาคณิต).

plane[3] *n* a carpenter's tool for making a level or smooth surface (กบไสไม้). — *v* to make a surface level, smooth or lower by using a plane.

'plan·et *n* any of the bodies which move round the Sun or round another star (ดาวเคราะห์): *Mars and Jupiter are planets, but the Moon is not.* **'plan·e·tar·y** *adj* (แห่งดาวเคราะห์).

plank *n* a long, flat piece of wood (ไม้กระดาน): *The floor was made of planks.*

'plan·ner *n* **1** someone whose job is to plan buildings, streets, shopping centres *etc.* (นักวางผัง). **2** a large calendar on which to mark your plans for the year (ปฏิทินอันใหญ่ซึ่งทำเครื่องหมายของโครงการในปีนั้น ๆ ของเรา).

'plan·ning *n* (แผนผัง การวางผัง): *town-planning.*

plant (*plänt*) *n* **1** anything that grows from the ground and has a stem, roots and leaves (ต้นไม้): *Trees are plants.* **2** industrial machinery (เครื่องจักรอุตสาหกรรม): *engineering plant.* **3** a factory (โรงงาน). — *v* to put something into the ground so that it will grow (ปลูก): *We have planted vegetables in the garden; The garden was planted with shrubs; We're going to plant an orchard.*

plan'ta·tion *n* **1** a place that has been planted with trees (สวน ไร่). **2** a piece of land for growing certain crops, especially cotton, sugar, rubber, tea and tobacco (ผืนดินซึ่งใช้ปลูกพืชโดยเฉพาะเช่น ฝ้าย อ้อย ยาง ชา และยาสูบ): *He owned a rubber plantation in Thailand.*

'plant·er *n* the owner of a plantation (เจ้าของสวน ไร่): *a teaplanter.*

plaque (*pläk*) *n* a metal plate bearing a name *etc.* (แผ่นป้ายโลหะมีชื่ออยู่): *His name was inscribed on a brass plaque.*

to put a **plaque** (not ไม่ใช่ **plague**) on your front door.

'plas·ma *n* the clear, liquid part of blood (น้ำเหลือง): *She was given plasma during her operation as there was no blood available for a transfusion.*

'plas·ter (*'pläs-tər*) *n* **1** a substance put on walls, ceilings *etc.* that dries to form a hard smooth surface (ปูนฉาบผนัง): *He mixed up some plaster to repair the wall.* **2** a similar quick-drying substance used for supporting broken limbs, making models *etc.* (also called **plaster of Paris**) (ปูนพลาสเตอร์ เข้าเฝือก): *She's got her arm in plaster.* **3** sticky tape used to cover a wound *etc.* (also called **'stick·ing-plas·ter**) (พลาสเตอร์ติดแผล): *You should put a plaster on that cut.* — *adj* made of plaster (ทำด้วยปูนพลาสเตอร์): *a plaster ceiling; a plaster model.* — *v* to put plaster on something (โบกปูน): *They plastered the walls.*

'plas·tic *n* any of many chemically manufactured substances that can be moulded when still soft (พลาสติก): *This cup is made of plastic.* — *adj* **1** made of plastic (ทำด้วยพลาสติก): *a plastic cup.* **2** easily made into different shapes (ทำให้เป็นรูปต่าง ๆ ได้ง่าย).

plastic surgery surgery to repair damage to the skin, such as burns, or to improve your appearance (ศัลยกรรมพลาสติก): *She had plastic surgery to make her nose smaller.*

plate *n* **1** a shallow dish for holding food *etc.* (จาน): *china plates.* **2** a sheet of metal *etc.* (แผ่นโลหะ): *The ship was built of steel plates.* **3** articles made of, or plated with, gold or silver (ของที่ชุบหรือทำด้วยทองหรือเงิน): *a collection of gold plate.*

'plat·eau (*'plat-ō*), plural **'plat·eaus** or **'plateaux** (*'plat-ōz*) *n* an area of high flat land; a mountain with a wide flat top (ที่ราบสูง).

'pla·ted *adj* covered with a thin layer of a different metal (ชุบด้วยชั้นโลหะอย่างบาง ๆ ซึ่งต่างชนิดกัน): *gold-plated dishes.*

'plate·ful *n* the contents of a plate (ของที่อยู่ในจาน): *a plateful of potatoes.*

'plat·form *n* **1** a raised part of a floor for speakers, entertainers *etc.* (เวทีสำหรับผู้พูดหรือผู้ให้ความบันเทิง): *The orchestra arranged* *themselves on the platform.* **2** the raised area between or beside the lines in a railway station (ชานชาลา): *The London train will leave from platform 6.*

'pla·ting *n* a thin covering of metal (ชั้นโลหะบาง ๆ ที่ปิดอยู่): *silver plating.*

'plat·i·num *n* a heavy, valuable grey metal, often used in making jewellery (ทองคำขาว). — *adj* (แห่งทองคำขาว): *a platinum ring.*

pla'toon *n* a small group of soldiers that is commanded by a lieutenant (กลุ่มทหารเล็ก ๆ ซึ่งบังคับบัญชาโดยร้อยโท หมวด).

'plat·ter *n* a large, flat plate (จานแบนใหญ่): *a wooden platter.*

'plau·si·ble (*'plö-zə-bl*) *adj* reasonable or likely (มีเหตุผลหรือน่าจะใช่): *His explanation certainly sounds plausible.*

play *v* **1** to amuse yourself (เล่น): *He is playing with his toys.* **2** to take part in games *etc.* (มีส่วนร่วมในการเล่น): *He plays football.* **3** to act in a play *etc.*; to act a character (เล่นบทแสดง): *She's playing Lady Macbeth; The company is playing in London this week.* **4** to perform on a musical instrument (เล่นเครื่องดนตรีชิ้นหนึ่ง): *She plays the piano.* **5** to carry out a trick (เล่นกล เจ้าเล่ห์): *He played a trick on me.* — *n* **1** recreation; amusement (นันทนาการ สันทนาการ กิจกรรมที่ปฏิบัติในยามว่าง การพักผ่อนหย่อนใจ): *You must have time for both work and play.* **2** an acted story; a drama (ละคร): *Shakespeare wrote many plays.*

'play·boy *n* a rich man who spends his time and money on pleasure (หนุ่มเจ้าสำราญ).

'play·er *n* **1** a person who plays (ผู้เล่น): *How many players are there in a football team?; We need four players for this card-game.* **2** an actor (ผู้แสดง).

'play·ful *adj* **1** happy; full of the desire to play (มีความสุข ขี้เล่น): *a playful kitten.* **2** joking; not serious (หยอกเล่น ไม่จริงจัง): *a playful remark.* **'play·ful·ly** *adv* (อย่างสนุก อย่างหยอกเล่น). **'play·fulness** *n* (ความร่าเริง ความขี้เล่น).

'play·ground *n* an area where children can play (สนามเด็กเล่น).

'play·ing-card *n* one of a pack of cards used in card games (สำรับไพ่).

'play·mate *n* a childhood friend (เพื่อนเด็ก).

'play·school *n* a nursery school (โรงเรียนอนุบาล).

'play·thing *n* a toy (ของเล่น).

'play·time *n* a time for children to play (เวลาเล่นของเด็ก): *The children go outside at playtime.*

'play·wright (*'plā-rit*) *n* a person who writes plays (ผู้เขียนบทละคร): *He is a famous playwright.*

at play playing (เล่นกันอยู่): *The children were at play.*

child's play something that is very easy (ของง่ายมาก): *Of course you can do it — it's child's play.*

play at 1 to pretend to be *etc.* (แกล้งทำเป็น): *The children were playing at cowboys and Indians.* **2** used when asking angrily what someone is doing (เล่นอะไรกันอยู่): *What does he think he's playing at?* **play back** to play music *etc.* on a record or tape after it has been recorded (เล่นเทปหรือเครื่องบันทึกเสียงหลังจากได้บันทึกเสียงแล้ว).

'play-back *n* (ย้อนกลับมาเล่นเสียงที่บันทึกไว้).

play down to present as being less important than it really is (ลดความสำคัญ): *He played down the seriousness of his injury.*

play fair to act honestly and fairly (ปฏิบัติอย่างซื่อสัตย์และยุติธรรม).

play a part in, play no part in to be one of the people, or not be one of the people, taking part in something (มีส่วนร่วมหรือไม่มีส่วนร่วม): *He played no part in the robbery.*

play safe to take no risks (ไม่เสี่ยง).

play up 1 to behave badly or not in the way you want (เสเพล เกเร): *Her children are always playing up; His car is playing up.* **2** to cause you pain or discomfort (ก่อให้เกิดความเจ็บปวดหรือความอึดอัด): *Is your back still playing up?* **3** to make something seem more important (ทำให้ดูเหมือนว่ามีความสำคัญยิ่งขึ้น): *He played up the fact* *that he could speak French.*

plea *n* **1** a prisoner's answer to a charge (คำแก้ตัว คำวิงวอน): *He made a plea of guilty.* **2** an urgent request (การร้องขออย่างเร่งด่วน): *The hospital sent out a plea for blood-donors.*

plead *v* **1** to answer a charge, saying whether you are guilty or not (แก้ตัวว่าผิดหรือถูก): *"How does the prisoner plead?" "He pleads guilty."* **2** to make an urgent request (ขอร้องอย่างเร่งด่วน): *He pleaded to be allowed to go.*

'pleas·ant (*'plez-ənt*) *adj* giving pleasure; agreeable (สดใส ร่าเริง เรียบร้อย): *a pleasant day; a pleasant person.* **'pleas·ant·ly** *adv* (อย่างสดใส อย่างเรียบร้อย). **'pleas·ant·ness** *n* (ความสดใส ความเรียบร้อย).

please (*plēz*) *v* **1** to do what is wanted by someone; to give pleasure or satisfaction to someone (เป็นที่สบอารมณ์ พอใจ): *You can't please everyone all the time; It pleases me to read poetry.* **2** to want; to like (ต้องการ ชอบ): *He does as he pleases.* — *adv* a word added to an order or request in order to be polite (คำพูดที่ใช้เสริมในคำสั่งหรือคำร้องขอเพื่อให้สุภาพ): *Please open the window; Close the door, please; Will you please come with me?* **pleased** *adj* happy; satisfied (มีความสุข ความพอใจ): *She was pleased with her new dress.*

'pleas·ing *adj* giving pleasure; attractive (ยินดี ถูกใจ): *a pleasing view.*

'pleas·ing·ly *adv* (อย่างยินดี อย่างถูกใจ).

if you please please (กรุณา โปรด): *Come this way, if you please.*

'pleas·ur·a·ble *adj* giving pleasure; agreeable (เพลิดเพลิน พอใจ): *a pleasurable pastime.*

'pleas·ur·a·bly *adv* (อย่างเพลิดเพลิน อย่างถูกใจ).

'pleas·ure (*'plezh-ər*) *n* something that gives you enjoyment; joy or delight (ความสนุกหรือความยินดี): *I get a lot of pleasure from listening to music.*

'pleas·ure-boat, 'pleas·ure-craft *ns* a boat used for pleasure (เรือสำราญ).

take pleasure in to get enjoyment from doing something (มีความยินดีในการทำอะไรบางอย่าง): *He takes great pleasure in annoying me.*

pleat *n* a fold sewn or pressed into cloth *etc.* (รอยพับหรือรอยจีบบนผ้า): *a skirt with pleats.* — *v* to make pleats in something (ทำเป็นรอยพับหรือจีบ).

'pleat·ed *adj* (พับ จีบ): *a pleated skirt.*

pledge *n* **1** a promise (คำสัญญา): *He gave me his pledge.* **2** something that you give to someone when you borrow money *etc.* from them, to keep until you return the money *etc.* (ของที่จำนำไว้): *He borrowed $20 and left his watch as a pledge.* **3** a sign or token (เครื่องหมายหรือที่ระลึก): *They exchanged rings as a pledge of their love.* — *v* **1** to promise (สัญญา): *He pledged his help.* **2** to give something to someone when you borrow money *etc.* (จำนำ): *to pledge your watch.*

'plen·ti·ful *adj* existing in large amounts (มีอยู่เป็นจำนวนมาก): *a plentiful supply of food.*

'plen·ty *pron* **1** enough (พอเพียง): *I don't need any more books — I've got plenty; We've got plenty of time to get there.* **2** a large amount (จำนวนมาก): *He's got plenty of money.* — *adj* (มากพอแล้ว): *That's plenty, thank you!*

'pli·a·ble (*'plī-ə-bl*) *adj* easy to bend (โค้งงอได้ง่าย): *Wire is pliable.*

pli·a'bil·i·ty n (ความดัดง่าย การยอมตาม).

'pli·ers (*'plī-ərz*) *n* a tool used for gripping, bending or cutting wire *etc.* (คีม ปากคีบหรือคีมตัดลวด): *He used a pair of pliers to pull the nail out; Where are my pliers?*

pliers always takes a plural verb, but **a pair of pliers** is singular.

plight (*plīt*) *n* a bad situation (สภาพที่เลวร้าย): *She was in a terrible plight, as she had lost all her money, and was far from home.*

'plim·soll *n* a light canvas shoe worn for games (รองเท้าผ้าใบที่ใส่เล่นกีฬา): *The children put their plimsolls on for their games lesson.*

plod *v* **1** to walk heavily and slowly (เดินหนัก ๆ และช้า ๆ): *The elderly man plodded down the street.* **2** to work slowly but thoroughly

(ทำงานอย่างช้า ๆ แต่ถี่ถ้วน): *They plodded on with the work.*

plonk *v* to put down noisily and clumsily (วางลงเสียงดังและงุ่มง่าม): *He plonked his books on the table; She plonked herself down in front of the fire.*

plop *n* the sound of a small object falling into water *etc.* (เสียงจ๋อม): *The raindrop fell into her teacup with a plop.* — *v* (ก้อนหินตกลงในสระน้ำดังจ๋อม): *A stone plopped into the pool.*

plot *n* **1** a plan, especially for doing something evil (แผนการอันชั่วร้าย): *a plot to assassinate the President.* **2** the story of a play, novel *etc.* (เค้าโครงเรื่องของละครหรือนิยาย): *The play has a very complicated plot.* **3** a small piece of land for use as a gardening area or for building a house on *etc.* (พื้นที่เล็ก ๆ ใช้ทำสวนดอกไม้หรือสร้างบ้าน). — *v* to plan to bring about something evil (วางแผนให้เกิดสิ่งเลวร้ายขึ้น): *They were plotting the death of the king.*

plough (*plow*) *n* a farm tool pulled through the top layer of the soil to break it up (คันไถ). — *v* **1** to break up earth with this tool (ไถ): *The farmer was ploughing a field.* **2** to crash (ชน): *The lorry ploughed into the back of a bus.*

pluck *v* **1** to pull (ดึง): *She plucked a grey hair from her head; He plucked at my sleeve.* **2** to pull the feathers off a bird before cooking it (ถอนขน). **3** to pick flowers *etc.* (เก็บ). — *n* courage (ความกล้า): *He showed a lot of pluck.*

'pluck·y *adj* brave (ที่กล้าหาญ): *a plucky young fellow.* **'pluck·i·ly** *adv* (อย่างกล้าหาญ). **'pluck·i·ness** *n* (ความกล้าหาญ).

pluck up courage, energy *etc.* to gather up your courage *etc.* to do something (รวบรวมความกล้า): *She plucked up the courage to ask the headmaster a question.*

plug *n* **1** an object that you fit into a socket in the wall, in order to allow an electric current to reach an electrical apparatus that you want to use (ปลั๊กที่ติดอยู่ในกำแพงเพื่อเสียบเครื่องไฟฟ้า): *She changed the plug on the electric kettle.* **2** an object shaped for fitting into the hole in a bath or sink to prevent the water from running away, or a piece of material for blocking any hole (จุกเสียบในอ่างอาบน้ำหรืออ่างล้างหน้า). — *v* to block a hole by putting a plug in it (อุดรู): *He plugged the hole in the window with a piece of newspaper.*

plug in to connect up an electrical apparatus by inserting its plug into a socket (เสียบปลั๊ก): *Could you plug in the electric kettle?*

plum *n* a soft, usually red fruit with a stone in the centre (ลูกพลัม ลูกเกี้ยมบ๊วย).

plum cake, plum pudding a cake or pudding containing raisins, currants *etc.* (ขนมเค้กหรือขนมพุดดิ้งที่มีไส้ลูกเกด ผลไม้แห้งต่าง ๆ).

'plu·mage (*'ploo-məj*) *n* the feathers of a bird (ขนนก): *The peacock has brilliant plumage.*

'plumb·er (*'plum-ər*) *n* someone who fits and mends water, gas and sewage pipes in your home (ช่างท่อ): *Send for a plumber — we have a leaking pipe.*

The pronunciation of **plumber** is *'plum-ər*, to rhyme with **summer**.

'plumb·ing (*'plum-iŋ*) *n* the system of water and gas pipes in a building (ระบบท่อน้ำและท่อก๊าซในตัวอาคาร): *The house needs new plumbing.*

plume (*ploom*) *n* a large decorative feather (ขนนกใหญ่ ๆ ที่ใช้เป็นเครื่องประดับ): *She wore a plume in her hat.*

plump[1] *adj* pleasantly fat (อ้วนน่ารัก ยุ้ย เป็นพวง): *plump cheeks.*

plump·ly *adv* (อย่างเป็นพวง ตรงไปตรงมา). **'plump·ness** *n* (ความอ้วน ความตรงไปตรงมา).

'plun·der *v* to rob; to steal from a place (ปล้น): *The soldiers plundered the city.* — *n* the things stolen (สิ่งที่ถูกปล้น): *They ran off with their plunder.* **'plun·der·er** *n* (ผู้ปล้น).

plunge (*plunj*) *v* **1** to throw yourself down into deep water *etc.*; to dive (ทิ้งตัวลงในน้ำลึก พุ่งตัวลงน้ำ): *He plunged into the river.* **2** to push something violently or suddenly into something (แทงอย่างรุนแรงหรือทันทีทันใด): *He plunged a knife into the meat.* — *n* a dive (พุ่ง): *He took a plunge into the pool.*

'plu·ral (*'ploo-rəl*) *n* the form of a word which expresses more than one (พหูพจน์): *"Mice" is the plural of "mouse"; Is the verb in the singular or the plural?* — *adj* (แห่งพหูพจน์): *a plural verb.*

plus *prep* used to show addition (บวก): *Two plus three equals five; 2+3=5.* — *n* a sign (+) used to show addition or positive quality (also called a **plus sign**) (แสดงให้เห็นถึงคุณภาพที่เพิ่มขึ้นหรือบวกเข้ามา). — *adj* positive; more than zero (บวก มากกว่าศูนย์): *a plus quantity; The temperature was plus fifteen degrees.*

plush *adj* smart, elegant and usually expensive (หรูหราและมักจะมีราคาแพง): *very plush surroundings.*

plu'to·ni·um (*ploo'tō-ni-əm*) *n* a radioactive element used for nuclear power and in nuclear weapons (ธาตุพลูโตเนียม).

ply[1] (*plī*) *v* an old word for to work at (คำเก่าหมายถึงทำงาน): *He plies his trade as weaver.*

ply[2] (*plī*) *n* a thickness, layer or strand, as in *three-ply wool* (ความหนา ชั้น).

'ply·wood *n* a material made up of thin layers of wood glued together (ไม้อัด). — *adj* (แห่งไม้อัด): *a plywood box.*

poach[1] *v* to cook something in boiling liquid, especially water or milk (ต้ม).

poached *adj* (แห่งการต้ม): *a poached egg.*

poach[2] *v* to hunt illegally on someone else's land (ล่าอย่างผิดกฎหมายบนที่ดินของคนอื่น).

'poach·er *n* (นักล่า).

'pock·et *n* **1** a small bag sewn into or on to clothes, for carrying things in (ถุงเล็ก ๆ หรือกระเป๋าบนเสื้อผ้า): *He stood with his hands in his pockets; a coat-pocket.* **2** your income or amount of money available for spending (รายได้หรือเงินที่มีจับจ่าย): *a range of prices to suit every pocket.* — *adj* (แห่งกระเป๋า): *a pocket handkerchief.* — *v* to put something in a pocket (ใส่กระเป๋า): *He pocketed his wallet.*

'pock·et·ful *n* the amount contained by a pocket (เต็มกระเป๋า): *a pocketful of coins.*

'pock·et-mon·ey *n* money for personal use, especially a child's regular allowance (เงินติดตัว เงินสำหรับเด็กที่ได้รับประจำ): *He gets $2 a week pocket-money.*

'pock·et-size *adj* small enough to carry in your pocket (ขนาดเล็กพอที่จะใส่กระเป๋าได้): *a pocket-size dictionary.*

'pock·mark *n* a scar or small dent in the skin caused by smallpox *etc.* (รอยฝีดาษ).

'pock·marked *adj* (เป็นแผลฝีดาษ).

pod *n* the long seed-case of the pea, bean *etc.* (ฝักถั่ว).

'podg·y (*'poj-i*) *adj* a rather unkind word meaning plump or fat (คำพูดที่ไม่สุภาพนักซึ่งหมายถึงอ้วนกลมหรืออ้วน): *He is a small, podgy boy; She has podgy fingers.*

'po·di·um *n* a platform on which a lecturer, conductor of an orchestra *etc.* stands (อัฒจันทร์).

'po·em (*'pō-əm*) *n* a piece of writing arranged in lines that usually have a regular rhythm and often rhyme (โคลงกลอน).

'po·et (*'pō-ət*) *n* someone who writes poems (จินตกวี).

'po·et·ess *n* a female poet (จินตกวีหญิง).

po'et·ic *adj* like poetry (เป็นโคลงกลอน): *a poetic expression.*

po'et·ic·al·ly *adv* (อย่างโคลงกลอน).

'po·et·ry *n* poems (โคลงกลอน): *He writes poetry.*

'poi·gnant (*'poi-nyənt*) *adj* sad and moving (โศกเศร้าและจับใจ): *a poignant scene in a film.*

'poi·gnant·ly *adv* (อย่างโศกเศร้าและจับใจ).

point *n* **1** the sharp end of anything (ปลายแหลม): *the point of a pin; a sword point; at gunpoint.* **2** a piece of land that reaches out into the sea *etc.* (แหลม): *The ship came round Lizard Point.* **3** a small round dot or mark (•) จุด: *a decimal point; five point three six (=5•36); In punctuation, a point is another name for a full stop* (มหัพภาค). **4** an exact spot (ตรงจุดนี้): *When we reached this point in the journey we stopped to rest.* **5** an exact moment (ตอนนี้): *Her husband walked in at that point.* **6** a place on a scale, especially a temperature scale (จุดบนเครื่องวัด): *the boiling-point of water.* **7** a mark in scoring a competition, game, test *etc.* (แต้ม): *He has won by five points to two.* **8** a personal characteristic or quality (อุปนิสัยหรือคุณภาพ): *We all have our good points and our bad ones.* — *v* **1** to aim in a particular direction (เล็ง): *He pointed the gun at her.* **2** to call attention to something by stretching your forefinger in its direction (ชี้นิ้วเพื่อเรียกความสนใจ): *He pointed at the door; He pointed to a sign; It's rude to point your finger at people.* **3** to fill worn places in a stone or brick wall *etc.* with mortar (อุด).

be on the point of to be about to do something (กำลังจะทำอะไรบางอย่าง): *I was on the point of going out when the telephone rang.*

point out to indicate; to draw attention to something (ชี้ให้ดู): *He pointed out his house to her; I pointed out that we needed more money.*

point-'blank *adj, adv* **1** very close (อย่างเผาขน): *He fired at her at point-blank range.* **2** abruptly; without warning or explanation (อย่างทันทีทันใด ไม่มีการเตือนหรือคำอธิบาย): *He asked her point-blank how old she was.*

'point·ed *adj* having a sharp end (มีปลายแหลม): *pointed shoes.*

'point·er *n* **1** a long stick used to point to places on a large map *etc.* (เครื่องชี้). **2** a needle on a dial (เข็มหน้าปัด): *The pointer is at zero.*

'point·less *adj* having no purpose or meaning (อย่างไม่มีจุดประสงค์หรือไม่มีความหมายอันใด): *It is pointless trying to change his mind.*

poise (*poiz*) *v* to balance (ทรงตัว เลี้ยงตัว): *He poised himself on the diving-board.* — *n* **1** balance and control in bodily movement (การทรงตัวและควบคุมการเคลื่อนไหวของตัว): *Good poise is important for a dancer.* **2** dignity and self-confidence (ความสง่างามและเชื่อมั่นในตนเอง): *He lost his poise for a moment.*

poised *adj* **1** staying balanced and still (ทรงตัวให้สมดุลและนิ่ง): *The car was poised on the edge of the cliff.* **2** having the body in a state of tension and readiness to act (เตรียมพร้อมที่จะลงมือ): *The animal was poised ready to leap.*

to **poise** (not ไม่ใช่ **pose**) yourself ready to somersault on a tightrope.

'poi·son (*'poi-zən*) *n* anything that causes death or illness when taken into your body (ยาพิษ): *She killed herself by taking poison.* — *adj* (เป็นพิษ): *poison gas.* — *v* **1** to kill or harm with poison (ฆ่าหรือทำอันตรายด้วยยาพิษ): *He poisoned his wife.* **2** to put poison into food *etc.* (ใส่ยาพิษลงไปในอาหาร): *He poisoned her coffee.* **'poi·son·er** *n* (ผู้วางยาพิษ).

'poi·son·ous *adj* containing or using poison (มีพิษหรือใช้ยาพิษ): *That fruit is poisonous; a poisonous snake.*

'poi·son·ous·ly *adv* (อย่างมีพิษ).

poke *v* **1** to push something sharp into something; to prod (แยง แหย่ กระทุ้ง): *He poked a stick into the hole; He poked her in the ribs.* **2** to make a hole by doing this (ทำรูโดยใช้วิธีนี้): *She poked a hole in the sand with her finger.* **3** to stick; to push (โผล่หรือยื่น): *She poked her head in at the window; His foot was poking out of the blankets.* — *n* (การกระทุ้ง): *He gave me a poke in the arm.*

poke about, poke around to look; to search (ดู ค้นหา).

poke fun at to laugh at someone unkindly (ยั่วเย้า หัวเราะเยาะ): *The children often poked fun at him because he was so small.*

'po·ker *n* a card game played for money (เกมไพ่โปกเกอร์).

'po·lar *adj* having to do with the earth's North or South Pole or the region around it (เกี่ยวกับขั้วโลกเหนือหรือขั้วโลกใต้หรือพื้นที่รอบบริเวณนั้น): *the polar icecap; the polar regions.*

polar bear a bear found near the North Pole (หมีขั้วโลก หมีขาว).

pole[1] *n* **1** the north and south end of the Earth's axis (แกนเหนือใต้ของโลก): *the North Pole; the South Pole.* **2** the points in the sky opposite the Earth's North and South Poles, around which stars seem to turn (จุดในท้องฟ้าอยู่ตรงกันข้ามกับขั้วโลกเหนือและขั้วโลกใต้ซึ่งดูเหมือนว่าดาวฤกษ์จะเคลื่อนที่ไป). **3** either of the opposite ends of a magnet (ขั้วแม่เหล็ก): *The opposite poles of magnets attract each other.*

pole[2] *n* a long, thin, rounded piece of wood, metal *etc.* (เสา): *a telegraph pole; a tent pole.*

'pole-vault *n* a jump made with the help of a pole (กระโดดค้ำถ่อ).

pol'ice (*pə'lēs*) *n* the men and women whose job is to prevent crime, keep order, see that laws are obeyed *etc.* (ตำรวจ): *Call the police!; The police are investigating the crime.* — *adj* (แห่งตำรวจ): *a police officer.* — *v* to supply a place with police (ทำความสะอาด): *We cannot police the whole area.*

police dog a dog trained to work with the police (ตำรวจสุนัข).

po'lice·man, po'lice·wo·man *n* a member of the police (ตำรวจชาย ตำรวจหญิง).

police station the office or headquarters of a police force (สถานีตำรวจ): *The dog was taken to the police station.*

police, *noun*, is plural: *The police are coming.*
police force is singular: *The police force is large.*

'pol·i·cy *n* a planned course of action (นโยบาย): *the government's policies on education.*

'po·li·o *n* a disease that can afffect the brain and nerves and cause paralysis (โรคโปลิโอ).

'pol·ish *v* **1** to make something smooth and shiny by rubbing (ขัด): *She polished her shoes.* **2** to improve (ทำให้ดีขึ้น): *Polish up your English!* — *n* liquid, or other substance used to make something shiny (ของเหลวหรือสารที่ใช้ขัด): *furniture polish; shoe polish.*

'pol·ished *adj* (การขัดถู).

po'lite *adj* having good manners; courteous (มีมารยาท สุภาพเรียบร้อย): *a polite child; a polite apology.* **po'lite·ly** *adv* (อย่างสุภาพ).

po'lite·ness *n* (ความสุภาพ).

'pol·i·tics *n* the science or business of government (เกี่ยวกับการเมือง).

po'lit·i·cal *adj* having to do with politics (แห่งการเมือง): *for political reasons.*

po'lit·i·cal·ly *adv* (อย่างการเมือง).

pol·i'ti·cian *n* someone whose job is politics; a member of parliament (นักการเมือง สมาชิกสภา).

poll (*pōl*) *n* an election (การเลือกตั้ง): *They organized a poll to elect a president.*

'pol·ling-booth *n* a small compartment where you can mark your voting-paper (ห้องเล็ก ๆ สำหรับลงคะแนน).

'pol·ling-station *n* a place where you go to vote (ที่ลงคะแนน).

'pol·len *n* the powder inside a flower that fertilizes other flowers (ละอองเกสรดอกไม้ เรณู): *Bees carry pollen from flower to flower.*

'pol·lin·ate *v* to make a plant fertile by carrying pollen to it from another flower (ผสมเกสร): *Insects pollinate flowers.*

pol·li'na·tion *n* (การผสมเกสร).

pol'lute (*pə'loot*) *v* to make dirty (ทำให้สกปรก): *Chemicals are polluting the air.*

pol'lut·ion *n* (ความสกปรก มลภาวะ).

'po·lo *n* a game like hockey, played on horseback (กีฬาโปโล).

'po·lo-neck *n* a garment with a high, closefitting neck (เสื้อคอรัดสูง): *He was wearing a polo-neck.* — *adj* (คอรัดสูง): *a polo-neck sweater.*

'pol·ter·geist (*'pol-tər-gīst*) *n* a kind of ghost that can move furniture, throw objects through the air and do other strange things in a house (ผีที่เลื่อนสิ่งของหรือขว้างของไปในอากาศและทำสิ่งแปลก ๆ ในบ้าน): *I don't believe in poltergeists.*

pol·y'es·ter (*pol-i'es-tə*) *n* a type of man-made material used for clothes and sheets *etc.* (ผ้าโพลิเอสเตอร์): *He bought a shirt made from a mixture of polyester and cotton.*

'pol·y·gon *n* a flat shape with three or more sides (รูปแบน ๆ ที่มีด้านสามด้านหรือมากกว่า): *A hexagon is a polygon.*

po'lyg·o·nal (*pə'lig-ə-nəl*) *adj* (มีหลายด้าน).

pol·y·sty·rene (*pol-i'stī-rēn*) *n* a very light kind of plastic (พลาสติกชนิดบาง): *All the breakable ornaments were packed in polystyrene chips.*

pol·y'tech·nic *n* a college where you can go after leaving school to study various subjects, especially technical ones (วิทยาลัยซึ่งสอนหลายสาขาวิชาโดยเฉพาะอย่างยิ่งทางด้านเทคนิค): *She is taking a course in photography at the polytechnic.*

'pol·y·thene *n* any of several types of plastic that can be moulded when hot (พลาสติกชนิดที่ปั้นได้เมื่อร้อน). — *adj* (แห่งพลาสติกชนิดนี้): *a polythene bag.*

'pom·e·gran·ate *n* a fruit with a thick skin and many seeds (ผลทับทิม).

'pom·e·lo, *plural* **'pom·e·los**, *n* a large tropical citrus fruit similar to a grapefruit (ผลส้มโอ).

pomp *n* solemn stateliness and magnificence (ความโอ่อ่าและสง่างาม): *The Queen arrived with great pomp and ceremony.*

'pomp·ous *adj* using words that are rather long and grand, instead of simple ones, and behaving as though you were more important than you are (ขี้โอ่ ใช้คำพูดที่ค่อนข้างยาวและใหญ่โตแทนที่จะใช้คำธรรมดาและวางตัวให้สำคัญกว่าที่เป็นอยู่): *People laugh at him for being so pompous; "Toiletries" is a rather pompous word for soap and toothpaste.*

'pomp·ous·ly *adv* (อย่างใหญ่โต).

'pon·cho, *plural* **'pon·chos**, *n* a garment like a blanket, with a hole for your head (ผ้าเหมือนผ้าห่มที่เจาะรูสำหรับศีรษะ).

pond *n* a small lake or pool (ทะเลสาบเล็ก ๆ หรือสระน้ำ): *the village pond.*

'pon·der *v* to consider carefully (คิดอย่างรอบคอบ): *He pondered the suggestion.*

'pon·der·ous *adj* **1** slow-moving, heavy and clumsy (เคลื่อนไหวอย่างช้า ๆ หนักและอุ้ยอ้าย): *The hippopotamus approached with ponderous steps.* **2** dull, too solemn (จืดชืด จริงจังเกินไป): *He gave a boring, ponderous speech.*

pong *n* a bad or unpleasant smell (กลิ่นไม่ดี): *There's a nasty pong coming from the kitchen.* — *v* to smell badly (กลิ่นเหม็น): *Your socks pong!*

'pon·tiff *n* a bishop, especially the Pope (สังฆราช สันตะปาปา).

pon'toon *n* a temporary bridge across a river, made from boats and barges tied together (สะพานที่ใช้เรือผูกข้ามแม่น้ำ): *The soldiers built a pontoon across the river.*

'po·ny a small horse (ม้าแกลบ): *The child was riding a brown pony.*

'po·ny-tail *n* hair tied in a bunch at the back of the head (ผมทรงหางม้า).

See also **plait**.

'poo·dle *n* a breed of dog whose curly hair is often clipped in a decorative way (สุนัขพูเดิล).

pool[1] *n* **1** a small area of still water; a puddle (บ่อน้ำนิ่ง ๆ แอ่งน้ำ): *The rain left pools in the road.* **2** an area of liquid (บริเวณที่มีของเหลว): *a pool of blood; a pool of oil.* **3** a deep part of a stream or river (ส่วนลึกของลำน้ำหรือแม่น้ำ): *He was fishing in a pool near the riverbank.* **4** a swimming-pool (สระว่ายน้ำ): *They spent the day at the pool.*

pool[2] *n* a stock or supply (กองกลาง): *We put our money into a general pool.* — *v* to put together for general use (รวมกันเพื่อใช้ส่วนรวม): *We pooled our money and bought a car.*

poor (*po͝or*) *adj* **1** having little money or property (ยากจน): *the poor nations of the world.* **2** not good; of bad quality (ไม่ดี มีคุณภาพเลว): *His work is very poor.* **3** deserving pity (น่าสงสาร): *Poor fellow!*

'poor·ness *n* (ความน่าสงสาร).

'poor·ly *adv* not well; badly (ไม่ดี อย่างเลว ๆ): *a poorly written essay.* — *adj* ill (เจ็บป่วย): *He is very poorly.*

the poor poor people (คนยากจน).

See **rich**.
See also **weak**.

pop[1] *n* a sharp, quick, explosive noise, like that made by a cork as it comes out of a bottle (เสียงดังเช่นตอนเปิดจุกขวดจุกไม้ก๊อก): *The paper bag burst with a loud pop.* — *v* **1** to make a pop (ทำเสียงแบบนี้): *He popped the* balloon. **2** to spring upwards or outwards (เหลือกขึ้นบนหรือถลนออกมา): *His eyes nearly popped out of his head in amazement.* **3** to go quickly and briefly somewhere (ไปที่ไหนสักแห่งอย่างรวดเร็วและประเดี๋ยวเดียว): *He popped out to buy a newspaper.* **4** to put quickly (ใส่อย่างรวดเร็ว รีบใส่): *He popped the letter into his pocket.*

pop up to appear (ปรากฏ): *I never know where he'll pop up next.*

pop[2] *adj* (short for **popular**) **1** written, played etc. in a modern style (เขียน แสดงในแบบสมัยใหม่): *pop music.* **2** performing or playing pop music (การเล่นหรือการแสดงดนตรีสมัยใหม่): *a pop group; a pop singer; pop records.*

'pop·corn *n* maize that bursts open when heated (ข้าวโพดคั่ว).

pope n (often written with a capital letter) the bishop of Rome, head of the Roman Catholic church (สันตะปาปา): *A new Pope has been elected.*

'pop-gun *n* a toy gun (ปืนของเล่น).

'pop·per *n* a small metal or plastic device for fastening clothes, one piece being sewn on either side of the garment (โลหะ หรือชิ้นพลาสติกเล็ก ๆ สำหรับรัดเสื้อผ้า เย็บติดทั้งสองข้างของเสื้อผ้า): *The dress had poppers down the back.*

'pop·py *n* a plant with large, usually red flowers (ต้นป๊อปปี ต้นไม้มีดอกใหญ่สีแดง).

'pop·u·lar (*'pop-ū-lər*) *adj* **1** liked by most people (เป็นที่นิยม): *a popular holiday resort.* **2** believed by most people (คนส่วนมากเชื่อ): *a popular theory.*

'pop·u·lar·ly *adv* amongst, or by, most people (เชื่อโดยคนส่วนมาก โดยทั่วไป): *He was popularly believed to have magical powers.*

pop·u'lar·i·ty *n* the state of being well liked (ความเป็นที่ชอบอย่างดี).

'pop·u·late (*'pop-ū-lāt*) *v* to fill a land with people (จัดให้ผู้คนอยู่ในพื้นที่): *The country was populated during the last century.*

pop·u'la·tion *n* the people living in a particular country, area *etc.* (ประชากร): *the population of London is 8 million.*

population is singular: *The population of the city increases in the summer.*

'pop·u·lous *adj* full of people (เต็มไปด้วยผู้คน): *London is the most populous area in Britain.*

'por·ce·lain (*'pör-sə-lin*) *n* a kind of fine china (เครื่องปั้นอย่างดีชนิดหนึ่ง): — *adj* (แห่งเครื่องปั้น): *a porcelain figure.*

porch *n* **1** a covered entrance to a building (ปกคลุมทางเข้าตัวอาคาร): *They waited in the porch until it stopped raining.* **2** a veranda (เฉลียง).

See **archway**.

'por·cu·pine (*'pör-kū-pīn*) *n* a gnawing animal covered with long prickles (เม่น).

pore[1] *n* a tiny hole, especially in the skin (ขุมขน รูเล็ก ๆ).

pore[2]: **pore over** *v* to study with great attention (ศึกษาด้วยความสนใจ หมกมุ่น): *He pored over his books.*

pork *n* the flesh of a pig used as food (เนื้อหมู).

por'nog·ra·phy *n* magazines, books, films *etc.* that are intended to excite people sexually by showing naked people and sexual acts (นิตยสาร หนังสือ ภาพยนตร์ลามกที่ทำขึ้นมาเพื่อเร้าอารมณ์โดยมีภาพเปลือยหรือการแสดงออกทางกามารมณ์).

por·no'graph·ic *adj* (อย่างลามก อย่างอนาจาร): *a pornographic film.*

'po·rous (*'pö-rəs*) *adj* having lots of tiny holes that water, air *etc.* can pass through (มีรูเล็ก ๆ มาก พรุน): *Many types of rock are porous.*

'por·poise (*'pör-pəs*) *n* a sea animal of the dolphin family (ปลาโลมา).

'por·ridge *n* a food made from oatmeal boiled in water or milk (อาหารทำจากข้าวโอ๊ตต้มในน้ำหรือในน้ำนม โจ๊ก).

port[1] *n* **1** a harbour (ท่าเรือ): *The ship came into port.* **2** a town with a harbour (เมืองท่า): *the port of Haiphong.*

port[2] *n* the left side of a ship or aircraft (กราบซ้ายของเรือหรือเครื่องบิน): *The helmsman steered the ship to port.* — *adj* (แห่งด้านซ้าย): *the port wing.*

'port·a·ble *adj* easy to carry from place to place (หอบหิ้วเอาไปได้): *a portable radio.*

'por·ter *n* **1** someone whose job is to carry luggage in a railway station *etc.* (คนขนกระเป๋าที่สถานีรถไฟ ฯลฯ): *The old lady could not find a porter to carry her suitcase.* **2** someone whose job is to carry things where there is no other form of transport (คนขนของ): *He set off into the jungle with three porters.*

port'fo·li·o (*port'fō-lē-ō*), *plural* **portfolios**, *n* **1** a flat, thin case for carrying documents, photographs, drawings *etc.* (กระเป๋าเอกสาร กระเป๋าใส่รูป ภาพวาด): *The artist kept all her work in a portfolio.* **2** a government minister's particular department (ตำแหน่งรัฐมนตรี): *He was given the education portfolio.* **3** a document showing how you have invested your money and what shares you own (เอกสารแสดงรายการลงทุนและซื้อหุ้น): *The bank put together a portfolio of possible investments for her.*

'port·hole *n* a small round window in a ship (หน้าต่างกลม ๆ เล็ก ๆ ข้างลำเรือ).

'por·tion *n* **1** a part (ส่วนหนึ่ง): *I read a portion of the newspaper.* **2** a share (มีส่วน): *Her portion of the money was $200.* **3** an amount of food for one person (อาหารสำหรับคนหนึ่ง): *a portion of salad.*

to eat a **portion** (not ไม่ใช่ **potion**) of cake.

portion out to divide into portions or shares (แบ่งออกเป็นส่วน): *The money was portioned out between the three children.*

'port·ly *adj* an old word meaning rather fat (ค่อนข้างอ้วน): *a portly old gentleman.*

'port·li·ness *n* (ความค่อนข้างอ้วน).

'por·trait (*'pör-trət*) *n* **1** a drawing, painting, photograph *etc.* of someone (รูปวาด ภาพวาด รูป): *She had her portrait painted; She sat for her portrait.* **2** a written description of a person, place *etc.* (การเขียนบรรยายถึงคนสถานที่): *a book called "A portrait of London".*

por'tray *v* to make a portrait of someone (การวาดภาพของใครคนหนึ่ง): *In this painting, the king is portrayed sitting on his throne.*

pose[1] (*pōz*) *n* a position into which you put your body (การวางท่า): *a relaxed pose.* — *v* **1** to position yourself (ยืนอยู่): *She posed in the doorway.* **2** to pretend to be (แกล้งทำเป็น): *He posed as a doctor.*

to **pose** (not ไม่ใช่ **poise**) for a photograph.

pose[2] (*pōz*) *v* to set a question or problem for answering or solving (ตั้งคำถามหรือปัญหาให้ตอบหรือให้แก้): *Children who are clever but lazy pose a problem for the teacher.*

posh *adj* of a superior type or class (ชนิดที่เหนือกว่า ชนิดที่มีระดับกว่า): *a posh family; posh clothes.*

po'si·tion (*pə'zi-shən*) *n* **1** a way of standing, sitting *etc.* (ท่าทาง): *He lay in an uncomfortable position.* **2** a place or situation (สถานที่หรือสภาพการณ์): *The house is in a beautiful position.* **3** a job; a post (งาน ตำแหน่ง): *He has a position with a bank.* **4** a point of view (ความเห็น): *Let me explain my position on employment.* — *v* to put; to place (วาง): *He positioned the lamp in the middle of the table.*

be in, out of position to be in the right place, not in the right place (ถูกตำแหน่ง ผิดตำแหน่ง): *Is everything in position for the photograph?; This vase is out of position.*

'pos·i·tive (*'poz-i-tiv*) *adj* **1** meaning or saying "yes" (หมายความว่าหรือกล่าวว่า "ใช่" หรือ "มี"): *a positive answer; They tested the water for the bacteria and the result was positive.* **2** definite; leaving no doubt (แน่ชัด ไม่มีข้อสงสัย): *posi-tive proof.* **3** certain; sure (แน่ใจ): *I'm positive he's right.* **4** greater than zero (ใหญ่กว่าศูนย์): *4 is a positive quantity, but - 4 is a negative quantity.*

The opposite of **positive** is **negative**.

pos'sess (*pə'zes*) *v* to own; to have (เป็นเจ้าของ มี): *How much money does he possess?*

pos'ses·sion *n* something that is owned by a person, country *etc.* (ของตนเอง ของชาติ): *She lost all her possessions in the fire.*

pos'ses·sive *adj* showing that someone or something possesses something (เกี่ยวกับการครอบครอง การเป็นเจ้าของ): *"Yours", "mine", "his", "hers", "theirs" are possessive* *pronouns; "your", "my", "his", "their" are possessive adjectives.*

pos'sess·or *n* (ความเป็นเจ้าของ): *He is the proud possessor of a new car.*

pos·si'bil·i·ty *n* something that is possible; being possible; a likelihood (ความเป็นไปได้ ความน่าจะเป็นไปได้): *There isn't much possibility of that happening; There's a possibility of war.*

'pos·si·ble *adj* **1** able to happen or be done (อาจเกิดขึ้นได้). **2** satisfactory; acceptable (น่าพอใจ ยอมรับได้): *I've thought of a possible solution to the problem.*

possible means "able to happen": *It's possible that he may arrive today.*
probable means "likely to happen": *It's probable that he's gone home now.*

'pos·si·bly *adv* **1** perhaps (บางที): *"Will you have time to do it?" "Possibly".* **2** in any possible way (ในวิถีทางใดที่เป็นไปได้): *I'll come as fast as I possibly can; I can't possibly eat any more.*

post[1] (*pōst*) *n* a long piece of wood, metal *etc.*, usually fixed upright in the ground (แผ่นป้าย เสาประตู หลักชัย): *The notice was nailed to a post; a gate-post; the winning-post.*

post[2] (*pōst*) *n* **1** a job (งาน หน้าที่): *He has a post in the government; a teaching post.* **2** a place of duty: *The soldier remained at his post.*

post[3] (*pōst*) *n* the system of collecting, transporting and delivering letters, parcels *etc.* (ไปรษณีย์): *I sent the book by post; Has the post arrived yet?; Is there any post for me?* — *v* to send a letter *etc.* by post (ส่งจดหมายทางไปรษณีย์): *He posted the parcel yesterday.*

'post·age *n* the money paid for sending a letter *etc.* by post (ค่าไปรษณียากร): *The postage was $1·20.*

postage stamp a small printed label fixed to a letter, parcel *etc.* to show that postage has been paid (ดวงตราไปรษณีย์).

'post·al *adj* having to do with the system of sending letters *etc.* (เกี่ยวกับไปรษณีย์): *the postal service.*

postal order a printed document bought at a post office, that can be exchanged at another post office for the amount of money paid for it (ธนาณัติ).

'post·box *n* a box into which letters *etc.* are put to be collected and sent to their destination (also called a **'let·ter·box** or a **'mail·box**) (ตู้ไปรษณีย์).

'post·card *n* a card on which a message may be sent by post, often with a picture on one side (a **picture postcard**) (ไปรษณียบัตร): *Bob sent me a postcard of the Taj Mahal.*

post office an office for receiving and sending letters, parcels *etc.* (ที่ทำการไปรษณีย์): *Where is the nearest post office?*

'post·er *n* a large notice or advertisement for sticking on a wall *etc.* (แผ่นประกาศหรือแผ่นป้ายโฆษณาที่ติดอยู่บนกำแพง): *Have you seen the posters advertising the circus?*

pos'ter·i·ty *n* people coming after; future generations (ลูกหลาน อนาคต): *The treasures must be kept for posterity.*

post'grad·u·ate (*pōst'grad-ū-ət*) *n* a student who already has a first degree and is studying for another (นักศึกษาซึ่งได้ปริญญาตรีแล้วและทำการศึกษาต่อเอาปริญญาขั้นสูง): *She is a postgraduate working for her doctor's degree.* — *adj* of such a student, or the degree they are studying for (นักศึกษาแบบนั้นหรือปริญญาที่เขากำลังทำ): *postgraduate research.*

'post·hu·mous (*'post-ū-məs*) *adj* happening, published, awarded *etc.* after death (เกิดขึ้น ตีพิมพ์ ได้รางวัล ฯลฯ หลังจากตายไปแล้ว): *He received a posthumous medal.*

'post·humous·ly *adv* (หลังจากการตาย).

'post·man a person whose job is to collect and deliver letters *etc.* (บุรุษไปรษณีย์): *Has the postman been this morning?*

'post·mark *n* a mark put on a letter at a post office, showing the date and place of posting, and cancelling the postage stamp (รอยประทับตราบนจดหมายที่ไปรษณีย์ซึ่งแสดงวันที่และสถานที่ส่ง): *The postmark read "Beirut".*

post-'mor·tem *n* a medical examination of a dead body made to find out how the person died (ชันสูตรศพ): *The post-mortem on the man revealed that he had been poisoned.*

post'pone (*pəs'pōn*) *v* to cancel something until a future time (เลื่อนไป): *The football match has been postponed till tomorrow.*

post'pone-ment *n* (การเลื่อนไป).

'post·script (*'pōst-skript*) *n* the words that the writer of a letter sometimes adds below the signature, with the letters **P.S** (ปัจฉิมลิขิต ป.ล.). (short for **postscript**).

'pos·ture (*'pos-chər*) *n* **1** the way you hold your body when standing, sitting, walking *etc.* (การวางท่าเมื่อตอนยืน นั่ง เดิน): *Good posture is important for a dancer.* **2** a position or pose (ท่าที่วาง): *He knelt in an uncomfortable posture.*

'po·sy (*'pō-zi*) *n* a small bunch of flowers (ช่อดอกไม้เล็ก ๆ): *a posy of primroses.*

pot *n* any of many kinds of deep container used in cooking, for holding food, liquids *etc.* or for growing plants (หม้อ กระถาง ขวด): *a cooking-pot; a plant-pot; a jam-pot; The waiter brought her a pot of tea.* — *v* to plant in a pot (การปลูกลงในกระถาง).

take pot luck to take whatever happens to be available, usually when you are an unexpected guest at a meal-time (อะไรที่มีพอรับประทานได้).

po'tas·si·um (*pə'tas-i-əm*) *n* a soft, silver-white metallic element (โปแตสเซียม): *Potassium is used in making soap and fertilizers.*

po'ta·to (*pə'tā-tō*), *plural* **potatoes**, *n* a plant with round underground stems called **tubers**, which are used as a vegetable; the tuber of this plant (มันฝรั่ง): *She bought 2 kilos of potatoes.*

potato crisp a thin, crisp, fried slice of potato (มันฝรั่งหั่นเป็นชิ้นบาง ๆ แล้วทอดกรอบ): *a packet of potato crisps.*

'po·tent *adj* powerful; having a very strong effect (มีอำนาจ มีผลอย่างมาก): *Television is a potent influence on our lives; This plant contains a very potent poison.*

po'ten·tial *adj* possible (เป็นไปได้): *That hole in the road is a potential danger.* — *n* the possibility of successful development (มีศักยภาพที่จะพัฒนาให้สำเร็จได้): *The land has great farming potential; He shows potential as a teacher.*

po'ten·tial·ly *adv* (อย่างเป็นไปได้).

'pot·hole *n* a hole in the road surface (หลุมบนผิวถนน).

'po·tion *n* a drink containing medicine or poison, or having a magic effect (ยาน้ำ ยาพิษ ยาเสน่ห์): *a love-potion.*

to drink a magic **potion** (not ไม่ใช่ **portion**).

'pot·ted *adj* pressed into a pot or jar (ใส่หม้อหรือใส่เหยือก): *potted meat; potted shrimps.*

'pot·ter[1] *v* to wander about doing small jobs or doing nothing important (กรีดกรายทำงานเล็ก ๆ น้อย ๆ ที่ไม่สำคัญ): *I spent the afternoon pottering about.*

'pot·ter[2] *n* someone who makes plates, cups, vases *etc.* out of clay and fires them in an oven called a **kiln** (ช่างปั้นหม้อ).

'pot·ter·y *n* **1** articles made of baked clay (ของที่ทำด้วยดินเผา): *He is learning how to make pottery.* **2** a place where these articles are made (โรงงานเครื่องปั้นดินเผา): *He is working in the pottery.*

'pot·ty *adj* a slang word for mad; crazy (โง่ บ้า เป็นคำสแลง): *He must be potty to go running in this heat.*

pouch *n* **1** a small bag (ถุงเล็ก ๆ): *a tobacco-pouch.* **2** something bag-like (เหมือนกับถุง): *This animal stores its food in two pouches under its chin.* **3** a pocket of skin on the belly of the female of animals such as kangaroo, in which the baby is reared (มีหนังเป็นถุงอยู่หน้าท้องของสัตว์เพศเมีย).

pouffe, pouf (*poof*) *n* a large firm kind of cushion used as a seat (เก้าอี้นวมไม่มีเบาะพิงซึ่งใช้นั่ง).

'poul·try (*pōl-tri*) *n* farmyard birds (สัตว์ปีกที่เลี้ยงในฟาร์ม): *They keep poultry.*

pounce *v* to jump suddenly, in order to seize or attack (กระโดดเข้าใส่ ตะครุบ): *The cat waited behind the birdcage, ready to pounce.* — *n* the action of pouncing; a sudden attack

(การจู่โจมโดยทันทีทันใด): *The cat made a pounce at the bird.*

pounce on to leap upon someone or something in order to attack or grab (ตะครุบหรือกระโจนเข้าใส่): *The tiger pounced on its victim.*

pound[1] *n* **1** the standard unit of British currency, 100 pence (also called **pound sterling** ; written £) (เงินปอนด์): *A pound is equal to about three dollars ; £ 40.* **2** a measure of weight, equal to 0•454 kilograms (written **lb**, plural **lbs**) (หน่วยวัดน้ำหนัก).

pound[2] *n* a pen into which stray animals are put (คอก): *a dog-pound.*

pound[3] *v* **1** to hit heavily; to thump (ตีอย่างแรง ทุบ): *He pounded at the door; The children were pounding on the piano.* **2** to walk or run heavily (เดินหรือวิ่งอย่างหนัก ๆ): *He pounded down the road.* **3** to break up a substance into powder or liquid (บด ตำ): *She pounded the dried herbs.*

pour (*pör*) *v* **1** to empty; to flow in a stream (ริน ไหล): *She poured the milk into a bowl; Water poured down the wall.* **2** to rain heavily (ฝนตกอย่างหนัก): *It was pouring this morning.*

pout *v* to push your lips out as a sign of displeasure (ทำปากเชิดเพื่อแสดงว่าไม่พอใจ). — *n* this expression of the face (สีหน้าไม่พอใจ).

'pov·er·ty *n* the condition of being poor (สภาพความยากจน): *They lived in extreme poverty.*

'pow·der *n* **1** any substance in the form of fine particles (เป็นผงละเอียด): *soap powder; milk-powder.* **2** a special kind of substance used as make-up *etc.* (แป้งผัดหน้า แป้งสำอาง): *face powder; talcum powder.*

'pow·der·ed *adj* in the form of fine particles (อยู่ในรูปของผงละเอียด): *powdered chocolate.*

'pow·der·y *adj* like powder (เหมือนแป้ง): *powdery soil.*

'pow·er *n* **1** ability (ความสามารถ พลัง): *He no longer has the power to walk; This plant has magic powers.* **2** strength; force; energy (กำลัง แรง พลังงาน): *muscle power; water-power.* **3** authority; control (อำนาจ ควบคุม): *All politicians want power; I have him in my power at last.* **4** the result obtained by multiplying a number by itself a number of times (ยกกำลัง): *$2 \times 2 \times 2$ or 2^3 is the third power of 2, or 2 to the power of 3.*

'pow·ered *adj* supplied with mechanical power (ที่ใช้พลังเครื่องจักรกล): *The machine is powered by electricity; an electrically-powered machine.*

'pow·er·ful *adj* having great strength, influence *etc.* (มีพลังมาก มีอิทธิพล): *a powerful engine; He's powerful in local politics.*

'pow·er·ful·ly *adv* (อย่างมีอำนาจ).

'po·wer·less *adj* having no power (ไม่มีอำนาจ ไม่มีพลัง): *The king was powerless to prevent the execution.*

power cut, power failure a break in the electricity supply (ไฟฟ้าดับ): *We had a power cut last night.*

power point a socket on a wall *etc.* into which an electric plug can be fitted (ปลั๊กตัวผู้ซึ่งอยู่ในผนัง).

power station a building where electricity is produced (โรงไฟฟ้า).

power tool a tool worked by electricity (เครื่องมือที่ใช้ไฟฟ้า).

'prac·ti·cal *adj* **1** concerned with the doing of something (แห่งการปฏิบัติ): *practical difficulties; His knowledge is practical rather than theoretical.* **2** useful (เป็นประโยชน์): *You must try to find a practical answer to the problem.*

'prac·ti·cal·ly *adv* almost (เกือบ): *The room was practically full.*

practical joke a joke consisting of an action, not words (การเล่นตลกโดยการแสดงไม่ใช้คำพูด): *He nailed my chair to the floor as a practical joke.*

'prac·tice *n* **1** the actual doing of something (การกระทำจริง ๆ): *We thought the plan would work all right, but in practice there were a lot of difficulties.* **2** the usual way of doing things; a habit (การกระทำตามปกติ การกระทำซึ่งเป็นนิสัย): *It was his usual practice to rise at 6.00 a.m.* **3** the repeated exercise of something in order to learn to do it well

(ฝึกหัด ฝึกซ้อม): *She has musical talent, but she needs a lot of practice; Have a quick practice before you start.*

practice is a noun: *practice makes perfect.* **practise** is a verb: to *practise the guitar.*

out of practice not having had a lot of practice recently (ฝึกหัดน้อย ขาดการฝึกหัด): *I haven't played the piano for months — I'm very out of practice.*

'prac·tise (*'prak-tis*) *v* **1** to do exercises to improve your performance (ออกกำลังกาย): *She practises the piano every day; You must practise more if you want to enter the competition.* **2** to make something a habit: *to practise selfcontrol* (ฝึกให้ติดเป็นนิสัย).

See **practice**.

'prac·tised *adj* skilful because of having practised a lot (ชำนาญเพราะการฝึกมาก): *a practised performer.*

prag'ma·tic *adj* practical, sensible and reasonable (เอาการเอางาน ใช้การได้จริง รู้จักผิดชอบชั่วดี และมีเหตุผล): *She has a very pragmatic approach to the problem.*

'prai·rie *n* in America, an area of flat land, without trees and covered with grass (ทุ่งหญ้าแพรรีในอเมริกา).

praise (*prāz*) *v* **1** to speak highly of someone or something (ยกย่อง ชมเชย): *He praised her singing; She was often praised for her tidiness.* **2** to worship God by singing hymns *etc.* (ร้องเพลงสวดบูชาพระเจ้า): *Praise the Lord!* — *n* the expressing of approval (แสดงความพอใจ): *He has received a lot of praise for his courage.*

'praise·wor·thy *adj* deserving praise (สมควรแก่การยกย่อง): *a praiseworthy attempt.*

pram *n* a small carriage on wheels for carrying a baby, pushed by its mother *etc.* (รถเข็นเด็ก).

prance (*präns*) *v* to dance or jump about (เต้นหรือกระโดดไปรอบ ๆ).

prank *n* a trick; a practical joke (การเล่นตลกคะนอง).

'prat·tle *v* to talk in a foolish or childish way (พูดโง่ ๆ หรือพูดแบบเด็ก ๆ).— *n* childish talk; chatter (การพูดแบบเด็ก ๆ พูดฉอด ๆ).

prawn *n* an edible shellfish like a shrimp (กุ้ง).

pray *v* to speak to God to give thanks, make a request *etc.* (สวดภาวนา): *Let us pray; She prayed to God to help her.*

pray is a verb: to **pray** (not **prey**) for peace.

'pray·er *n* the words that you use when you pray (คำสวด): *a book of prayer; The child said his prayers.*

preach *v* to give a talk, usually during a religious service, about religious or moral matters (เทศน์): *The vicar preached about pride.*

pre'car·i·ous (*prə'kār-i-əs*) *adj* risky; dangerous (เสี่ยง อันตราย).

pre'cau·tion *n* care taken to avoid accidents, disease *etc.* (การระมัดระวังเพื่อหลีกเลี่ยงอุบัติเหตุ โรคร้าย ฯลฯ): *They took every precaution to ensure that their journey would be safe and enjoyable.*

pre'cede *v* to go before (ไปก่อน อยู่หน้า นำหน้า): *She preceded him into the room.*

'prec·e·dence (*'pres-i-dəns*) *n* the right of coming first in order of importance *etc.* (สิทธิในการมาเป็นอันดับแรกในเรื่องของความสำคัญ): *This matter is urgent and should be given precedence over others at the moment.*

'pre·cinct (*'prē-siŋkt*) *n* **1** an area of shops in the centre of a town or city where no cars, motorcycles *etc.* are allowed (อาณาเขตของร้านค้าใจกลางเมืองซึ่งไม่อนุญาตให้รถยนต์หรือมอเตอร์ไซค์เข้าไป): *a pedestrian precinct; a shopping precinct.* **2** (also **precincts**) an area of ground with walls *etc.* around it (พื้นที่มีกำแพงล้อมรอบ): *Ball games are not allowed within the cathedral precincts.* **3** in America, a district in a city (ในอเมริกาคือเขตในเมืองหนึ่ง).

'pre·cious (*'presh-əs*) *adj* very valuable (มีค่ามาก): *precious jewels.*

precious metal a valuable metal such as gold, silver or platinum (โลหะมีค่า).

precious stone a jewel; a gem (เพชรพลอยอัญมณี): *diamonds, emeralds and other precious stones.*

'prec·i·pice (*'pres-i-pis*) *n* a steep cliff (หน้าผาสูงชัน).

pre'cise *adj* **1** exact (ถูกต้อง แน่นอน): *Give me his precise words; precise instructions.* **2** careful to be accurate and exact in manner, speech *etc.* (ถี่ถ้วนและแม่นยำในกิริยามารยาท คำพูด ฯลฯ): *He is always very precise.*

pre'cise·ness *n* (ความถูกต้อง).

pre'cise·ly *adv* (อย่างพอดิบพอดี อย่างเหมาะเจาะ): *at midday precisely; He spoke very precisely.*

pre'co·cious (*pri'kō-shəs*) *adj* more advanced in speech, learning *etc.* than is usual (ก้าวหน้าทางการพูด การเรียน ฯลฯ มากกว่าปกติ): *Their little boy is very precocious; precocious reading ability.*

'pred·a·tor *n* a bird or animal that attacks and kills others for food (สัตว์กินเนื้อเป็นอาหาร): *A lion is a predator.*

'pred·a·to·ry *adj* (เกี่ยวกับการกินสัตว์อื่น).

'pre·de·ces·sor (*'prē-də-ses-ər*) *n* **1** a person who has had a particular job or position before the present person (ผู้ที่ทำงานนี้หรืออยู่ในตำแหน่งนี้มาก่อน): *He was my predecessor as manager.* **2** an ancestor (บรรพบุรุษ): *My predecessors came from Scotland.*

pre'dic·a·ment *n* a difficulty (ความยากลำบาก): *It is not your fault that you are in such a predicament.*

pre'dict *v* to say in advance (ทำนาย): *He predicted a change in the weather.*

pre'dic·tion *n* something predicted (การทำนาย): *I'd rather not make any predictions about the result of the race in case I'm wrong.*

pre'dom·i·nant *adj* most common, most important or most noticeable (สามัญที่สุด สำคัญที่สุดหรือน่าสนใจที่สุด): *The English language has always been predominant in America; Blue and white are the predominant colours in our bathroom.* **pre'dom·i·nance** *n* (ความเหนือกว่า ความเด่นกว่า ความชัดกว่า).

pre'dom·i·nant·ly *adv* mostly (ส่วนมาก): *The population of Singapore is predominantly Chinese.*

pre'dom·i·nate *v* **1** to be greater or greatest in number (จำนวนมากกว่าหรือมากที่สุด): *In this school girls predominate over boys.* **2** to be most important or most noticeable (สำคัญที่สุดหรือน่าสนใจที่สุด): *His good qualities predominate over his bad ones.*

pre-'empt (*prē'empt*) *v* to do something which makes what another person planned to do pointless (ทำสิ่งซึ่งทำให้แผนที่ผู้อื่นวางเอาไว้ไม่มีผลอันใด หักหน้า): *If she has already told you my news, then she has pre-empted me.*

pre-'emp·tive *adj* **1** having the effect of making someone else's plan pointless (ป้องกันล่วงหน้า): *He took pre-emptive action to prevent the strike.* **2** military action taken to destroy the enemy's weapons before they can be used against you (การโจมตีล่วงหน้า): *They destroyed several enemy aircraft in a pre-emptive attack.*

preen *v* **1** to arrange feathers (ไซ้ขน): *The seagulls were preening themselves.* **2** to improve your appearance, put on your make-up *etc.* (ทำให้เราดูดีขึ้น ใส่เครื่องสำอาง).

pre'fab·ri·ca·ted *adj* made of parts manufactured in advance and ready to be put together (สร้างเตรียมไว้ก่อนเป็นชิ้น ๆ พร้อมที่จะนำมาประกอบเข้าด้วยกัน): *prefabricated houses.*

'pref·ace (*'pref-əs*) *n* an introduction to a book *etc.* (คำนำ): *The preface explained how to use the dictionary.*

'pre·fect (*'prē-fekt*) *n* one of a number of senior pupils having special powers in a school *etc.* (หัวหน้านักเรียน).

pre'fer *v* to like better (ชอบมากกว่า): *Which do you prefer — tea or coffee?; I prefer reading to watching television; She would prefer to come with you rather than stay here.*

> **preferred** and **preferring** are spelt with **-rr-**.
> I prefer apples **to** (not ไม่ใช่ **than**) oranges.

'pref·er·a·ble *adj* better (ดีกว่า มากกว่า): *Is it preferable to write or make a telephone call?*

'pref·era·bly *adv* (อย่างดีกว่า อย่างชอบ

มากกว่า).

'pref·er·ence *n* a liking for one thing rather than another **(ชอบสิ่งหนึ่งมากกว่าอีกสิ่งหนึ่ง)**: *He likes most music but he has a preference for classical music.*

preferable, adjective, is spelt with **-r-**.
preference, noun, is spelt with **-r-**.

'pre·fix (*'prē-fiks*) *n* a syllable added to the beginning of a word to change its meaning **(ส่วนที่เติมหน้าคำ)**: *dislike; unemployed; remake.*

'preg·nant *adj* carrying an unborn baby in the womb **(มีครรภ์)**.

'preg·nan·cy *n* **(การตั้งครรภ์)**.

pre·his'tor·ic *adj* belonging to the time before history was written down **(เกี่ยวกับยุคก่อนประวัติศาสตร์)**: *prehistoric tools; prehistoric animals.*

'prej·u·dice (*'prej-ə-dis*) *n* an opinion that you form, especially against something, before you have proper knowledge or experience **(ความลำเอียง อคติ)**: *The jury must listen to the witness's statement without prejudice; Is racial prejudice increasing in this country?*

pre'lim·i·nar·y *adj* said or done in preparation for something **(พูดหรือกระทำก่อน เบื้องต้น)**: *The judge in the contest made a few preliminary remarks before presenting the prizes to the winners.*

'prel·ude (*'prel-ūd*) *n* **1** an event that happens before something, or leads the way to it **(เหตุการณ์ที่เกิดขึ้นก่อนหรือเหตุการณ์ที่นำไปสู่บทเริ่มต้น การนำไปสู่)**: *The meeting of the two presidents was the prelude to a new friendship between the two countries.* **2** a piece of music played as an introduction to the main piece **(โหมโรง)**.

'prem·a·ture (*'prem-ə-choor*) *adj* happening before the right or expected time **(ก่อนถึงเวลาหรือก่อนเวลาที่คาดเอาไว้)**: *a premature birth; The baby was three weeks premature.*

prem·a'ture·ly *adv* **(ก่อนกำหนด)**.

'prem·i·er (*'prem-i-ər*) *adj* first; leading **(อันดับแรก นำ)**: *Italy's premier industrialist.* — *n* a prime minister **(นายกรัฐมนตรี)**: *the French premier.*

'prem·is·es *n* a building and the area of ground belonging to it **(อาคารและอาณาบริเวณ)**: *These premises are used by the local football team.*

'pre·mi·um (*'prē-mi-əm*) *n* **1** an extra amount of money that someone pays for something **(เงินพิเศษ เงินค่าตอบแทน)**: *The factory owner paid the workers a high premium for working overtime.* **2** a regular payment to an insurance company for insuring something **(เบี้ยประกันภัย)**.

pre'oc·cu·pied *adj* thinking about something all the time and not paying attention to other things **(หมกมุ่น)**: *He tried to talk to her, but she seemed preoccupied; He neglects his family because he is always so preoccupied with his work.*

prep·a'ra·tion *n* **1** the work of preparing **(การเตรียมตัว)**: *You can't pass an exam without preparation.* **2** something done to prepare **(เตรียมการ)**: *She was making hasty preparations for her departure.*

pre'pare *v* to make or get ready **(ทำหรือเตรียมพร้อม)**: *My mother prepared a meal; He prepared to go out; Prepare yourself for a shock.*

pre'pared *adj* **1** ready **(เตรียมพร้อม)**: *We must be prepared to help when we are asked to; You should be prepared for a disappointment.* **2** willing **(เต็มใจ ยินยอม)**: *I'm not prepared to lend him more money.*

prep·o'si·tion (*prep-ə'zish-ən*) *n* a word put before a noun or pronoun to show how it is related to another word **(คำบุพบท)**: *through the window; in the garden; written by me.*

prepo'si·tion·al *adj* **(แห่งคำบุพบท)**.

pre'pos·te·rous (*pri'pos-tə-rəs*) *adj* ridiculous or foolish **(ไร้สาระหรือโง่เขลา)**: *a preposterous suggestion.*

pre'scribe *v* to advise the use of something **(แนะนำให้ใช้อะไรบางอย่าง สั่งยา)**: *My doctor prescribed some pills for my cold; Here is a list of books prescribed by the examiners for the exam.*

pre'scrip·tion *n* a doctor's written instructions for the preparing and taking of a medicine (ใบสั่งยา): *He gave me a prescription to give to the chemist.*

'pres·ence (*'prez-əns*) *n* the state of being present (การอยู่ การปรากฏตัว): *The committee requests your presence at Thursday's meeting.*

in the presence of someone while someone is present (ต่อหน้า): *This document must be signed in the presence of a witness; Don't talk about such shocking things in my mother's presence.*

'pres·ent[1] (*'prez-ənt*) *n* a gift (ของขวัญ): *a wedding present; birthday presents.*

'pres·ent[2] (*'prez-ənt*) *adj* **1** being here, or at a particular place, occasion *etc.* (อยู่ที่นี่ หรือที่พิเศษสักแห่ง): *Who else was present at the wedding?; Now that the whole class is present, we can begin the lesson.* **2** belonging to the time in which we are now living (ปัจจุบัน): *the present moment; the present prime minister.* **3** showing action now (ปัจจุบันกาล): *In the sentence "She wants a chocolate", the verb is in the present tense.*

the present the time now (เวลาในตอนนี้): *Forget the past — think more of the present and the future!* **at present** at the present time (ตอนนี้): *He's away from home at present.* **for the present** as far as the present time is concerned (ในตอนนี้): *You've done enough work for the present.*

pre·sent[3] (*prə'zent*) *v* **1** to give (ให้): *The child presented a bunch of flowers to the Queen; He was presented with a gold watch when he retired.* **2** to introduce (แนะนำ): *May I present my wife?* **3** to show; to express; to produce (แสดงให้เห็น แสดงความคิดเห็น): *She presents her ideas very clearly; This new situation presents a problem.*

pre'sent·a·ble *adj* suitable to be seen in public (เหมาะสำหรับสายตาของสาธารณะชน): *You don't look very presentable in those dirty old clothes.*

pres·en'ta·tion *n* the presenting of something (การมอบ การให้): *the presentation of the prizes.*

'pres·ent·ly *adv* soon (ในไม่ช้า): *Take a seat in the waiting-room — the dentist will see you presently.*

pre'serve (*prə'zərv*) *v* **1** to keep safe from harm (คุ้มครอง): *Heaven preserve us from danger!* **2** to keep in existence, or in good condition (อนุรักษ์): *They have managed to preserve many old documents.* **3** to treat food so that it will not go bad (ถนอมอาหาร): *She preserved the strawberries by boiling them with sugar.* — *n* jam (แยม): *blackberry jam and other preserves.*

pres·er'va·tion *n* (การคุ้มครอง การอนุรักษ์ การถนอมอาหาร).

pre'serv·a·tive *n* something that preserves, especially that prevents food *etc.* from going bad (สิ่งซึ่งรักษาไม่ให้ของเสีย): *a chemical preservative.*

pre'side (*prə'zīd*) *v* to be chairman of a meeting *etc.* (เป็นประธานของการประชุม): *The prime minister presided at the meeting.*

'pres·i·den·cy (*'prez-i-dən-si*) *n* **1** the rank or office of a president (ยศหรือสำนักประธานาธิบดี): *His ambition is the presidency.* **2** the period of time for which somebody is president (ช่วงเวลาซึ่งได้เป็นประธานาธิบดี): *during the presidency of Dwight D. Eisenhower.*

'pres·i·dent *n* **1** the leading member of a club, association *etc.* (ประธานสโมสร ประธานสมาคม): *She was elected president of the Music Society.* **2** the leader of a republic (ประธานาธิบดี): *The President of the United States.*

press *v* **1** to push (กด เบียด ผลัก): *Press the bell twice!; I don't like being in a crowd with people pressing against me; He pressed her hand to comfort her.* **2** to squeeze (บีบ): *The grapes are pressed to extract the juice.* **3** to iron (รีด): *Your trousers need to be pressed.* — *n* **1** the action of pressing (การบีบ การรีด): *He gave her hand a press; You had better give your shirt a press.* **2** a printing machine

(เครื่องพิมพ์). **3** the newspapers (หนังสือพิมพ์): *It was reported in the press.* — *adj* (แห่งหนังสือพิมพ์): *a press photographer.*

press conference a meeting in which information is given to journalists (แถลงข่าว).

'press-cutting *n* an article cut out of a newspaper or magazine (ข่าวที่ตัดออกมาจากหนังสือพิมพ์หรือนิตยสาร).

'pres·sure (*'presh-ər*) *n* **1** the action of pressing (การกด การบีบ): *to apply pressure to a cut to stop the bleeding.* **2** the force with which something presses against a surface *etc.* (การดัน): *air pressure; blood pressure.*

'pres·sur·ize ('presh-ə-rīz) *v* to make someone do something (การบีบคนให้ทำอะไรบางอย่าง): *He was pressurized into giving up his job.*

'pres·sur·ized *adj* having a pressure inside that is different from the pressure outside (มีความกดดันภายในแตกต่างจากความกดดันภายนอก): *The cabin of an aeroplane is pressurized so that it has the same pressure as that on the ground.*

pressure cooker a pan in which food is cooked quickly by steam kept under great pressure.

pres'tige (*pres'tēzh*) *n* reputation or influence due to success, high rank *etc.* (ชื่อเสียง เกียรติศักดิ์ ศักดิ์ศรี): *His fame brought great prestige to the family.*

pre'sume (*prə'zūm*) *v* to believe that something is true without proof (สันนิษฐาน ทึกทัก): *When I found the room empty, I presumed that you had gone home; "Has he gone?" "I presume so".*

See **assume**

pre'su·ma·bly (*prə'zū-mə-bli*) *adv* I presume (สันนิษฐาน): *Presumably you didn't mean to hit the headmistress when you threw the ball.*

pre'sump·tu·ous (*prə'zūmp-tū-əs*) *adj* bold in a rude way (กำเริบ กำแหง อวดดี): *It was a bit presumptuous of you to tell the teacher she was wrong.*

pre'sump·tu·ous·ness *n* (ความกำเริบ ความกำแหง ความอวดดี).

pre'tence *n* pretending something (การแกล้งทำ): *Under the pretence of friendship, he persuaded her to give him $1000.*

pre'ten·tious (*pri'ten-shəs*) *adj* trying to appear more important than they really are (พยายามทำตัวให้มีความสำคัญกว่าที่ตัวเองเป็น): *Only pretentious people drive such big, showy cars.*

pre'tend *v* **1** to make believe that something is true, in play (ทำให้เชื่อว่าบางอย่างเป็นจริงในการแสดงละคร): *Let's pretend that the room is a cave!; Pretend to be a lion!* **2** to put on a false show (แสร้ง แกล้งทำ): *She was only pretending to be asleep; I pretended not to understand.*

'pre·text (*'prē-tekst*) *n* a false reason given for doing something (ข้อแก้ตัว): *Her claim that she arrived late because the train broke down is just a pretext to cover the fact she got up late.*

'pret·ty (*'prit-i*) *adj* pleasing; attractive (เป็นที่ถูกใจ มีเสน่ห์): *a pretty girl; a pretty dress.* — *adv* rather (ดีทีเดียว ค่อนข้าง): *That's pretty good; He's pretty old now.*

'pret·ti·ly *adv* (อย่างสวยงาม อย่างน่ารัก).

'pret·ti·ness n (ความสวยงาม ความน่ารัก).

pretty well nearly (ใกล้จะ): *I've pretty well finished.*

pre'vail *v* to win; to succeed (ชนะ เป็นผลสำเร็จ): *Truth must prevail in the end.*

pre'vail·ing *adj* most frequent or usual (แพร่หลายที่สุด ตามปกติ): *the prevailing fashion; The prevailing winds are from the west.*

'prev·a·lent *adj* common (พบอยู่ทั่วไป สามัญ): *Lung diseases used to be prevalent among miners.*

pre'vent *v* to stop someone doing something or something happening (กีดกั้น ป้องกัน): *He prevented me from going.*

pre'ven·tion *n* (การป้องกัน).

prevent is used with **from**: *The high wall prevented them from seeing the garden.*

'pre·view (*'prē-vū*) *n* a viewing of a play, film

etc. before it is open to the public (การดูละครภาพยนตร์ ก่อนนำออกสู่สาธารณะชน).

'pre·vi·ous (*'prē-vi-əs*) *adj* earlier in time or order (เวลาหรือลำดับก่อนหน้า): *on a previous occasion; the previous owner of the house.*

'pre·vi·ous·ly *adv* (แต่ก่อน).

prey (*prā*), *plural* **prey**, *n* animals that are hunted by other animals for food (เหยื่อ): *The lion tore at its prey.*

beast of prey *n* an animal, for example the lion, that kills and eats others (สัตว์ที่ฆ่าและกินสัตว์อื่น).

bird of prey *n* a bird, for example the eagle, that kills and eats small birds and animals (นกที่ฆ่าและกินนกเล็ก ๆ หรือสัตว์อื่น).

prey on or **prey upon** to attack as prey (ล่าเหยื่อ): *Hawks prey upon smaller birds.*

prey is a noun or a verb: a bird of **prey** (not **pray**); to **prey** on (not **pray on**) smaller creatures.

price *n* **1** the amount of money for which a thing is bought or sold (ราคา): *The price of the book was $10.* **2** what must be given up or suffered in order to gain something (ราคาที่ต้องชดใช้เพื่อให้ได้บางอย่างมา): *Loss of freedom is often the price of success.* — *v* to mark a price on something (ติดราคา): *I haven't priced these articles yet.*

to ask the **price** (not ไม่ใช่ **cost**) of something. See also **cost**.

'price·less *adj* too valuable to have a price (ประมาณค่ามิได้): *priceless jewels.*

'price·y *adj* expensive (แพง).

at a price at a high price (ด้วยราคาที่สูง ด้วยราคาแพง): *We can get dinner at this hotel — at a price.*

prick *v* to pierce slightly with a sharp point (ทิ่มแทง ทิ่มตำ): *She pricked her finger on a pin; He pricked a hole in the paper.* — *n* **1** a pain caused by pricking (ความเจ็บปวดอันเนื่องจากการทิ่มแทง): *You'll just feel a slight prick in your arm.* **2** a tiny hole made by a sharp point (รูเล็ก ๆ ซึ่งเกิดขึ้นจากปลายแหลม): *a pin-prick.*

prick up its ears to raise the ears in excitement, attention *etc.* (หูตั้งชันขึ้นด้วยความตื่นเต้น ด้วยความสนใจ): *The dog pricked up its ears at the sound of the doorbell.*

'prick·le *n* **1** a sharp point growing on a plant or animal (หนาม ขนเม่น): *A hedgehog is covered with prickles.* **2** a feeling of being pricked (รู้สึกเหมือนถูกตำ): *a prickle of fear.*

'prick·ly *adj* covered with prickles (เต็มไปด้วยหนาม): *Holly is a prickly plant.*

pride *n* **1** pleasure that you take in what you have done or in people, things *etc.* you are concerned with (ความภูมิใจ ความกระหยิ่มใจ): *She looked with pride at her handsome sons.* **2** a feeling of self-respect (ความรู้สึกเคารพในตัวเอง): *His pride was hurt by her criticism.* **3** a group of lions (ฝูงสิงโต).

the pride and joy the person or thing that someone is proud of (คนหรือสิ่งของที่เป็นความภาคภูมิใจ): *He was his parents' pride and joy.*

the pride of the finest thing in a certain group *etc.* (สิ่งที่สวยงามประณีตที่สุดในกลุ่ม): *The pride of our collection is this painting.*

pride of place the most important place (สถานที่สำคัญที่สุด): *They gave pride of place at the exhibition to a Chinese vase.*

take pride in to feel pride about something (รู้สึกภูมิใจ): *He took great pride in his achievements.*

priest (*prēst*) *n* **1** a clergyman in the Christian Church, especially the Roman Catholic and Anglican churches (บาทหลวง). **2** an official in other religions (พระ): *a Buddhist priest.*

'priest·hood *n* **1** priests in general (ความเป็นพระ): *the Catholic priesthood.* **2** the office or position of a priest (สำนักหรือตำแหน่งของพระ): *He was called to the priesthood.*

prim *adj* too formal and correct (เป็นทางการและถูกต้อง): *a prim manner; a prim old lady.*

'prim·ly *adv* (อย่างเป็นทางการ).

'prim·ness *n* (ความเป็นทางการ).

'pri·ma·ry (*'prī-mə-ri*) *adj* first; most important (ประการแรก สำคัญที่สุด): *His primary concern was for his children's safety.*

primary colours those colours from which

all others can be made **(แม่สี)**: *Red, blue and yellow are primary colours.*

primary school a school for children below the age of 11 **(โรงเรียนประถม)**.

'pri·mate (*'prī-māt*) *n* a member of the highest class of animals **(สัตว์ชั้นสูงที่สุด)**: *Human beings, apes and monkeys are primates.*

prime *adj* **1** first or most important **(สิ่งแรกหรือสำคัญที่สุด)**: *a matter of prime importance.* **2** best **(ดีที่สุด)**: *in prime condition.* — *n* the time of greatest health and strength **(ช่วงเวลาที่มีสุขภาพและพลานามัยดีที่สุด)**: *the prime of life.*

prime minister the chief minister of a government **(นายกรัฐมนตรี)**.

prime number a number that cannot be divided exactly, except by itself and 1, for example 3, 5, 7, 31 **(เลขคี่)**.

'pri·mer *n* a book that gives basic information about a subject **(ตำราเบื้องต้น)**.

'prim·i·tive *adj* **1** belonging to the earliest times **(โบราณ)**: *primitive stone tools.* **2** simple or rough **(ธรรมดาหรือหยาบ ๆ)**: *He made a primitive boat out of some pieces of wood.*

prince *n* **1** a male member of a royal family, especially a son or grandson of a king or queen **(เจ้าชาย)**: *Prince Charles.* **2** the ruler of a small state, for example Monaco **(ผู้ปกครองประเทศเล็ก ๆ)**.

prin'cess *n* **1** a female member of a royal family, especially a daughter or granddaughter of a king or queen **(เจ้าหญิง)**: *Princess Anne.* **2** the wife or widow of a prince **(พระชายา)**.

'prin·ci·pal *adj* most important **(สำคัญที่สุด)**: *Shipbuilding was one of Britain's principal industries.* — *n* **1** the head of a school, college or university **(อาจารย์ใหญ่ ผู้อำนวยการ)**. **2** the amount of money in a bank *etc.* on which interest is paid **(เงินฝากในธนาคารซึ่งได้รับดอกเบี้ย)**.

> the **principal** (not ไม่ใช่ **principle**) dancer of the company.
> the **principal** (not ไม่ใช่ **principle**) of the college.

'prin·ci·ple *n* **1** a general truth, rule or law **(หลักการ กฎหรือกฎหมาย)**: *the principle of gravity.* **2** the theory by which a machine *etc.* works **(ทฤษฎีซึ่งเครื่องจักรทำงาน)**: *the principle of the jet engine.*

'prin·ci·ples *n* your own personal rules of behaviour **(กฎหรือพฤติกรรมของเราเอง)**: *It is against my principles to borrow money.*

> high moral **principles** (not ไม่ใช่ **principals**) **(พฤติกรรมอันสูงส่ง)**.

print *n* **1** a mark made by pressure **(รอยซึ่งเกิดจากการกด)**: *a footprint; a fingerprint.* **2** printed lettering **(ตัวหนังสือที่พิมพ์)**: *I can't read the print in this book.* **3** a photograph made from a negative **(การอัดรูป)**. — *v* **1** to mark letters *etc.* on paper by using a printing press *etc.* **(การพิมพ์)**: *The invitations will be printed on white paper.* **2** to publish a book, article *etc.* in printed form **(พิมพ์หนังสือ บทความ ลงในแบบพิมพ์)**: *His new novel will be printed next month.* **3** to produce a photographic image on paper **(ผลิตภาพที่ถ่ายลงบนกระดาษ)**: *He develops and prints his own photographs.* **4** to write, using capital letters, or unjoined small letters **(การเขียนแบบตัวพิมพ์)**: *Please print your name and address.*

'print·er *n* a person who prints books, newspapers *etc.* **(ช่างพิมพ์หนังสือ)**.

'print·ing *n* the work of a printer **(การพิมพ์)**.

'print·ing-press *n* a machine for printing **(เครื่องพิมพ์)**.

'print-out *n* the printed information given by a computer **(การพิมพ์โดยคอมพิวเตอร์)**.

out of print no longer available from the publisher **(ไม่มีเหลืออยู่ในสำนักพิมพ์อีกต่อไปแล้ว)**: *That book has been out of print for years.*

'pri·or (*'prī-ər*) *adj* earlier; previous **(ก่อน ล่วงหน้า)**: *He suddenly left, without any prior warning; I can't come — I have a prior engagement.*

pri'or·i·ty *n* **1** the right to go first **(สิทธิที่ได้อันดับแรก)**: *An ambulance must have priority over other traffic.* **2** something that must be done first **(บางอย่างที่ต้องทำก่อน)**: *Our priority* *is to feed the hungry.*

prise (*prīz*) *v* to loosen something using force (คลายหรือเปิดโดยใช้กำลัง): *He prised open the lid with a knife.*

prism *n* **1** a solid shape whose sides are parallel and whose two ends are the same shape and size (ปริซึม รูปทรงที่มีด้านทั้งสองข้างขนานกันซึ่งปลายทั้งสองมีรูปร่างและขนาดเดียวกัน). **2** a glass object of this shape, which breaks up a beam of white light into the colours of the rainbow (แก้วรูปร่างแบบนี้ซึ่งแยกลำแสงออกเป็นสีรุ้ง แก้วปริซึม).

'pris·on (*'priz-ən*) *n* a building in which criminals are kept (คุก): *He was sent to prison; He is in prison.*

'pris·on·er *n* anyone who has been captured and is held against their will as a criminal *etc.* (นักโทษ): *The prisoners escaped from jail.*

prisoner of war, *plural* **prisoners of war**, a member of the armed forces captured in a war (เชลยศึก).

take prisoner, keep prisoner to capture and hold someone against their will (จับเป็นนักโทษ จับเป็นเชลย): *Many soldiers were taken prisoner; She was kept prisoner in a locked room.*

'priv·a·cy *n* being away from other people's sight or interest (ความเป็นส่วนตัว): *You can do what you like in the privacy of your own home, but you must behave well in public.*

'pri·vate (*'prī-vət*) *adj* for or belonging to one person or a group, not to the general public (เป็นของส่วนตัว): *The headmaster lives in a private apartment in the school; This information is to be kept strictly private; You shouldn't listen to private conversations.*

'pri·vate·ly *adv* (อย่างเป็นส่วนตัว).

in private with no-one else listening or watching (โดยไม่มีใครฟังหรือดูอยู่ เป็นการส่วนตัว): *May I speak to you in private?*

'priv·i·lege (*'priv-ə-ləj*) *n* a favour or right given to only one person, or to a few people (อภิสิทธิ์ สิทธิพิเศษ): *Senior students are usually allowed certain privileges.*

'priv·i·leged *adj* (ที่ได้รับสิทธิต่าง ๆ).

prize *n* **1** a reward for good work *etc.* (รางวัลที่ทำงานดี): *He was awarded a lot of prizes at school.* **2** something won in a competition *etc.* (รางวัลสำหรับผู้ที่ชนะในการแข่งขัน): *I've won first prize!* — *v* to value highly (ตีราคาไว้อย่างสูง): *He prized my friendship above everything else.*

pro[1] short for (คำย่อของ) **professional**.

pro[2]: **pros and cons** the arguments for and against (ข้อดีข้อเสีย): *Let's hear all the pros and cons before we make a decision.*

pro- in favour of something (สนับสนุน): *pro-British.*

'prob·a·ble *adj* expected to happen or to be true; likely (คาดว่าจะเกิดขึ้น หรือเป็นจริง น่าจะเป็น): *the probable result; A disaster of that sort is possible but not probable.*

See **possible**.

'prob·a·bly *adv* (บางที อาจจะ): *I'll probably telephone you this evening.*

pro'ba·tion *n* **1** a period of time during which people who have committed a crime are allowed to go free on condition that they behave well, and go regularly to see a social worker called a **probation officer** (ทัณฑ์บน): *He was put on probation for two years.* **2** a period of time during which a person is carefully watched to see that they are able to do their job properly (ระยะเวลาที่บุคคลนั้นถูกจับตามองอย่างถี่ถ้วนว่าทำงานได้เหมาะสมหรือเปล่า ระยะทดลองงาน): *After leaving college teachers are on probation for a year.*

probe *n* **1** a long thin instrument used by doctors to examine a wound *etc.* (กล้องส่องอวัยวะ เครื่องมือเล็ก ๆ ยาว ๆ ที่แพทย์ใช้ตรวจดูบาดแผล). **2** an investigation (การสอบสวน): *A police probe into illegal activities.* — *v* **1** to investigate (ตรวจสอบ): *He probed into her private life.* **2** to examine something with a probe (การตรวจดูด้วยเครื่องมือนี้): *The doctor probed the wound; He probed about in the hole with a stick.*

'prob·lem *n* **1** a difficulty; a matter about which it is difficult to decide what to do (ความยุ่งยาก ปัญหา): *Life is full of problems.* **2** a question to be answered or solved (คำถามที่ต้องตอบ

หรือแก้ไข): *mathematical problems.*

proble'mat·ic or **prob·le'mat·i·cal** *adj* (ยังเป็นปัญหาอยู่).

pro'ce·dure (*prə'sē-jər*) *n* the order or method of doing something (กระบวนการ): *They followed the usual procedures.*

pro'ceed *v* **1** to go on; to continue (ดำเนินต่อไป): *They proceeded along the road; They proceeded with their work.* **2** to set about doing a job *etc.* (เริ่มจะทำงาน): *I want to make a cupboard, but I don't know how to proceed.* **3** to begin; to do something (เริ่มจะ): *They proceeded to ask a lot of questions.*

pro'ceed·ings *n plural* **1** things that happen or take place on a particular occasion, for example at a meeting (การประชุม): *All the parents came to the meeting, and the proceedings lasted for five hours.* **2** legal action that is taken against someone (การดำเนินการตามกฎหมาย): *The landlord started proceedings against his tenants because they hadn't paid the rent.*

'pro·ceeds *n* money or profit made from a sale *etc.* (เงินหรือกำไรที่ได้จากการขาย): *They gave the proceeds of the sale to charity.*

'pro·cess *n* **1** a method or way of manufacturing things (กรรมวิธีการผลิต): *We are using a new process to make glass.* **2** a series of events that produce change or development (เหตุการณ์ที่ก่อให้เกิดการเปลี่ยนแปลงหรือพัฒนา): *The process of growing up can be difficult for a child.* — *v* to deal with something; to put something through a process (ดำเนินกรรมวิธี ดำเนินการ): *Have your photographs been processed?; The information is being processed by computer.*

'pro·cessed *adj* treated in a special way (ดำเนินการอย่างพิเศษ ปรุงแล้ว): *processed cheese.*

in the process of in the middle of; during (ในระหว่างกลาง ระหว่าง): *He is in the process of moving house; These goods were damaged in the process of manufacture.*

pro'ces·sion *n* a line of people, vehicles *etc.* moving forward in order (แถวขบวนคน รถยนต์): *The procession moved slowly through the streets.*

pro'claim *v* to announce or state publicly (ประกาศ): *He was proclaimed the winner.*

pro·cla'ma·tion (*pro-klə'mā-shən*) *n* an official public announcement about something important (การประกาศอย่างเป็นทางการ): *The Queen issued a proclamation announcing the marriage of her son.*

prod *v* **1** to push with something pointed; to poke (ทิ่ม แหย่ ด้วยของแหลม): *He prodded her arm with his finger.* **2** to urge; to encourage (กระตุ้น ให้กำลังใจ): *She prodded him into action.* — *n* (การกระตุ้น): *She gave him a prod with her elbow.*

'prod·i·gal *adj* spending too much money; using too much of something; wasteful (สุรุ่ยสุร่าย): *He was prodigal with the money he inherited from his parents.*

'prod·i·gy *n* something strange and wonderful (ความแปลกและมหัศจรรย์): *A very clever child is sometimes called a child prodigy; prodigies of nature.*

pro'duce (*prə'dūs*) *v* **1** to bring out (นำออกมา): *She produced a letter from her pocket.* **2** to give birth to a baby animal (การคลอดลูกของสัตว์): *A cow produces one or two calves a year.* **3** to cause (เป็นเหตุให้): *His joke produced a shriek of laughter from the children.* **4** to make; to manufacture (ทำ ผลิต): *The factory produces furniture.* **5** to grow (ปลูก): *A few farmers produce enough food for the whole population.* — *n* **'prod·uce** something that is produced, especially crops, eggs, milk *etc.* from farms (ผลิตผลที่ผลิตจากฟาร์ม): *farm produce.*

'prod·uct *n* **1** a result (ผลลัพธ์): *The plan was the product of hours of thought.* **2** something manufactured (ผลิตผล): *The firm manufactures metal products.* **3** the result of multiplying one number by another (ผลคูณ): *The product of 9 and 2 is 18.*

pro'duc·tion *n* **1** the process of producing something (การผลิต): *car-production; The* *production of the film cost a million dollars.* **2** the amount produced, especially of manufactured goods (จำนวนผลผลิต): *The new methods increased production.*

pro'duc·tive *adj* producing a lot (ให้ผลมาก): *productive land; Our discussion was not very productive.*

prod·uc'tiv·i·ty *n* the rate at which goods are produced, or work is done (อัตราผลผลิต): *The company must increase productivity to make a profit.*

pro'fess *v* **1** to declare openly (ประกาศอย่างเปิดเผย). **2** to claim; to pretend (อ้าง แกล้งทำ): *He professed to be an expert.*

pro'fes·sion *n* **1** an occupation or job that needs special knowledge, such as medicine, law, teaching *etc.* (งานที่ต้องการความรู้เป็นพิเศษ อาชีพ). **2** the people who have such an occupation (คนที่มีอาชีพนี้): *the legal profession.*

pro'fes·sion·al *adj* **1** belonging to a profession (แห่งวิชาชีพ): *professional skill.* **2** having a very high standard (มีมาตรฐานสูงมาก): *a very professional performance.* — *n* (sometimes shortened to **pro**) a person who is a professional (มืออาชีพ): *a golf professional; a golf pro.*

pro'fes·sor *n* a university teacher who is the head of a department (ศาสตราจารย์): *He is a professor of English at Leeds; Professor Jones.*

professor ends in **-or**.

pro'fi·cient *adj* skilled; expert (ชำนาญ เชี่ยวชาญ).

'pro·file *n* a side view, especially of a face, head *etc.* (มองด้านข้าง โดยเฉพาะอย่างยิ่งตรงใบหน้า ศีรษะ): *She has a beautiful profile.*

'prof·it *n* **1** money which is gained in business *etc.*, for example from selling something for more than was paid for it (กำไร): *I made a profit of $8,000 on my house; He sold it at a huge profit.* **2** advantage; benefit (ได้เปรียบ ได้กำไร): *A great deal of profit can be had from travelling abroad.* — *v* to gain profit from something (ได้กำไรจากอะไรบางอย่าง): *The business profited from its exports; He profited by his opponent's mistakes.*

profited and **profiting** are spelt with one **t**.

'prof·it·a·ble *adj* giving profit (ให้ผลประโยชน์): *The deal was quite profitable; a profitable experience.*

'pro·fit·a·bly *adv* (อย่างมีผลประโยชน์).

pro'found *adj* **1** deep; very great (ลึก ลึกซึ้ง): *In the fairytale, the princess fell into a profound sleep; She sat in profound thought; They lived in profound happiness.* **2** showing great knowledge or understanding (รู้อย่างลึกซึ้งหรือความเข้าใจ): *His remarks were very profound.* **pro'found·ly** *adv* (อย่างลึกซึ้ง).

pro'fuse (*prə'fūs*) *adj* plentiful (มากมาย ล้นเหลือ): *profuse thanks.*

pro'fuse·ly *adv* (อย่างมากมาย อย่างล้นเหลือ).

'pro·ge·ny (*'pro-jə-ni*) *n* children or descendants (ลูกหลานหรือผู้สืบตระกูล): *He has been married three times and has numerous progeny.*

prog'no·sis (*prog'nō-sis*), *plural* **prog'no·ses** (*prog'nō-sēz*), *n* a prediction about the future, especially a doctor's prediction on the course of a patient's illness and their chances of recovery (การทำนายอาการของโรคและโอกาสที่จะหาย ผลข้างเคียง): *The prognosis is not good for this patient.*

'pro·gramme (*'prō-gram*) *n* **1** the planned events in an entertainment *etc.* (การกำหนดรายการบันเทิง): *According to the programme, the show begins at 8.00.* **2** a plan or scheme (แผนการหรือกลเม็ด): *a programme of reforms.*

'pro·gram *n* a set of data, instructions *etc.* put into a computer (ชุดข้อมูล คำสั่งที่ป้อนเข้าไปในคอมพิวเตอร์). — *v* to give information, instructions *etc.* to a computer, so that it can do a particular job (ป้อนข่าวสาร คำสั่ง ฯลฯ ให้กับคอมพิวเตอร์เพื่อให้มันทำงานอย่างใดอย่างหนึ่ง).

'pro·gram·mer *n* a person who prepares a program for a computer (นักเขียนโปรแกรมคอมพิวเตอร์).

'pro·gress *n* **1** movement forward; advance (เคลื่อนไปข้างหน้า ความก้าวหน้า): *the progress of events.* **2** improvement (สภาพที่ดีขึ้น): *The students are making good progress.* — *v*

(pro'gress) **1** to go forward (ไปข้างหน้า): *We had progressed only a few miles when the car broke down.* **2** to improve (ทำให้ดีขึ้น): *Your English is progressing.*

pro'gres•sive *adj* **1** developing and advancing by stages (พัฒนาและก้าวหน้าไปเป็นขั้น ๆ): *a progressive illness.* **2** using or encouraging new methods (ใช้หรือกระตุ้นให้ใช้วิธีใหม่ ๆ): *progressive education; The new headmaster is very progressive.*

pro'gres•sive•ly *adv* (อย่างก้าวหน้า).

pro'gressive•ness *n* (ความก้าวหน้า).

in progress happening; taking place (เกิดขึ้นอยู่ ดำเนินอยู่): *There is a meeting in progress.*

pro'hib•it *v* to forbid (ห้าม): *Smoking is prohibited.*

'pro•ject *n* **1** a plan or scheme (โครงการ): *a building project.* **2** a piece of study or research (งานศึกษาหรือค้นคว้าชิ้นหนึ่ง): *I am doing a project on Italian art.* — *v* **(pro'ject)** **1** to throw outwards, forwards or upwards (พุ่งไปข้างหน้าและขึ้นบน): *The missile was projected into space.* **2** to stick out (ยื่นออกมา): *A sharp rock projected from the sea.*

pro'jec•tor *n* a machine for projecting pictures or films on to a screen (เครื่องฉายภาพยนตร์).

pro'lif•e•rate (*prə'lif-ə-rāt*) *v* to increase in number quickly (จำนวนเพิ่มขึ้นอย่างรวดเร็ว): *The types of computer available in the shops have proliferated in the past two years.*

pro'lif•ic (*prə'lif-ik*) *adj* producing a lot of new work (ที่ผลิตผลงานใหม่ออกมามากมาย): *a very prolific author.*

'pro•logue (*'prō-log*) *n* a speech or piece of writing that introduces a play or book (อารัมภบท กล่าวนำ คำนำ ในบทละครหรือหนังสือ): *Shakespeare wrote prologues to some of his plays.*

pro'long *v* to make longer (ทำให้ยืดออกไป): *Please do not prolong the discussion unnecessarily.*

prom•e'nade (*prom-ə'näd*) *n* (shortened to **prom**) a road for the public to walk along, usually beside the sea (ถนนเพื่อให้สาธารณะชนเดินเล่น โดยมากมักจะเลียบชายทะเล): *They went for a walk along the promenade.*

'prom•i•nent *adj* **1** standing out (ยื่นออก): *prominent front teeth.* **2** easily seen (เห็นได้ง่าย เด่นชัด): *The tower is a prominent landmark.* **3** famous (มีชื่อเสียง): *a prominent politician.*

'prom•i•nence *n* (ความเด่น).

'prom•ise (*'prom-is*) *v* **1** to say that you will, or will not, do something *etc.* (สัญญา): *I promise that I won't be late; I promise not to be late; I won't be late, I promise!* **2** to say that you will give a gift, help *etc.* (บอกว่าจะให้ของขวัญ ช่วยเหลือ): *He promised me a new dress.* — *n* **1** something promised (สัญญา): *He made a promise; I'll go with you — that's a promise!* **2** a sign of future success (แสดงท่า): *She shows great promise in her work.*

'prom•is•ing *adj* showing signs of future success (แสดงให้เห็นว่าจะมีความสำเร็จในอนาคต): *She's a promising pianist; Her work is promising.*

pro'mote *v* **1** to raise someone to a higher rank or position (เลื่อนชั้นหรือตำแหน่ง): *He was promoted to head teacher.* **2** to encourage; to help the progress of something (สนับสนุน ก้าวต่อไปข้างหน้า): *He worked hard to promote this scheme.* **3** to encourage the buying of goods *etc.* (โฆษณาขาย): *We are promoting a new brand of soap-powder.*

pro'mo•ter *n* (ผู้ส่งเสริม ผู้สนับสนุน).

pro'mo•tion *n* (การส่งเสริม การสนับสนุน).

The opposite of **promote** (a person) is **demote**.

prompt *adj* immediate; punctual (ทันทีทันใด ตรงเวลา): *a prompt reply; I'm surprised that she's late. She's usually so prompt.*

'prompt•ly *adv* (อย่างทันทีทันใด อย่างตรงเวลา).

prone *adj* **1** lying face downwards (นอนคว่ำ): *in a prone position.* **2** likely to experience *etc* (มีท่าทีจะประสบ): *He is prone to illness.*

prong *n* a spike of a fork (ซี่ของส้อม).

pronged *adj* (เป็นง่าม): *a two-pronged fork.*

'pro•noun *n* a word used instead of a noun

(คำที่ใช้แทนคำนาม คำสรรพนาม): *"He", "it", and "who" are pronouns.*

pro'nounce *v* to speak words or sounds, especially in a certain way (ออกเสียงคำพูด): *He pronounced my name wrongly; The "b" in "lamb" and the "k" in "knob" are not pronounced.*

pro·nun·ci'a·tion *n* (การออกเสียง): *She had difficulty with the pronunciation of his name.*

pronounce is spelt with **-ou-**.
pronunciation is spelt with **-u-**.

proof *n* evidence, information *etc.* that shows definitely that something is true (หลักฐาน ข่าวสารซึ่งแสดงว่าเป็นจริง): *We still have no proof that he is innocent.*

-proof protected against something; able to resist something (ป้องกันได้): *a waterproof covering.*

prop *n* a support (ไม้ค้ำ เสาค้ำ): *The ceiling was held up with wooden props.* — *v* to lean something against something else (พิง): *He propped his bicycle against the wall.*

prop up to support something in an upright position, or stop it from falling (ยันให้ตั้งอยู่ได้ ค้ำยันเอาไว้ไม่ให้ตกลงมา): *We had to prop up the roof; He propped himself up against the wall.*

prop·a'gan·da *n* opinions, ideas *etc.* that are spread by a political group or an organization in order to influence people (การโฆษณาชวนเชื่อ): *This leaflet contains nothing but propaganda — why can't they give us facts?*

'prop·a·gate *v* **1** to spread news *etc.* (แพร่ข่าว กระจายข่าว). **2** to make plants produce seeds; to breed animals (เพาะพันธุ์ต้นไม้ ขยายพันธุ์สัตว์). **prop·a'ga·tion** *n* (การเพาะพันธุ์ การขยายพันธุ์ การกระจายข่าว).

pro'pel *v* to drive forward, especially mechanically (ขับเคลื่อนไปข้างหน้า): *The boat is propelled by a diesel engine.*

pro'pel·ler *n* a device made of several blades, that turns round very fast and is used to drive a ship or an aircraft (ใบพัด).

'prop·er *adj* **1** right; correct (ถูกต้อง เหมาะสม): *That isn't the proper way to clean the windows; You should have done your schoolwork at the proper time — it's too late to start now.* **2** complete; thorough (สมบูรณ์ ละเอียด): *Have you made a proper search?* **3** respectable; well-mannered (น่านับถือ มารยาทดี): *It isn't considered proper to talk with your mouth full of food.*

'prop·er·ly *adv* **1** correctly (อย่างถูกต้อง): *She can't pronounce his name properly.* **2** completely (อย่างสมบูรณ์): *I didn't have time to read the book properly.*

proper noun or **proper name** a noun or name that names a particular person, thing or place (วิสามานยนาม): *"John" and "New York" are proper nouns.*

'prop·er·ty *n* **1** something that you own (สมบัติ): *These books are my property.* **2** land or buildings that you own (อสังหาริมทรัพย์): *He has property in Scotland.* **3** a quality (คุณสมบัติ): *Hardness is a property of diamonds.*

'proph·e·cy (*'prof-ə-si*) *n* **1** the telling of what is going to happen in the future (การพยากรณ์). **2** something that is prophesied (สิ่งที่พยากรณ์เอาไว้): *He made many prophecies about the future.*

'proph·e·sy (*'prof-ə-sī*) *v* to tell what will happen in the future (พยากรณ์): *She prophesied that they would lead a happy life.*

prophecy is a noun: Her **prophecy** (not **prophesy**) came true.
prophesy is a verb: to **prophesy** (not **prophecy**) the future.

'proph·et *n* **1** a person who claims to be able to prophesy the future (ผู้พยากรณ์). **2** a person who tells people what God wants, intends *etc.* (ผู้บอกความต้องการและความตั้งใจของพระเจ้า): *the prophet Isaiah.*

pro'phet·ic *adj* (แห่งการพยากรณ์).

pro'phet·i·cal·ly *adv* (โดยการพยากรณ์).

'proph·et·ess *n* a female prophet (ผู้พยากรณ์ที่เป็นหญิง).

pro'por·tion *n* **1** a part of a total amount (ส่วนหนึ่งของจำนวนทั้งหมด): *Only a small proportion of the class passed the exam.*

2 the relation in size, number *etc.* of one thing to another (อัตราส่วน): *The proportion of girls to boys in our school is three to two.*

pro'por·tion·al *adj* (ได้สัดส่วน).

pro'por·tion·al·ly *adv* (เป็นสัดส่วน).

pro'por·tion·ate *adj* being in correct proportion (ได้สัดส่วนกัน): *Should your wages be proportionate to the amount of work you do?*

pro'por·tionate·ly *adv* (เป็นสัดส่วน).

pro'po·sal *n* **1** something proposed or suggested; a plan (การเสนอความเห็น แผนการ): *proposals for peace.* **2** an offer of marriage (การสู่ขอ): *She received three proposals.*

pro'pose (*prə'pōz*) *v* **1** to suggest (เสนอแนะ): *I proposed my friend for the job; Who proposed this scheme?* **2** to intend (ตั้งใจ): *He proposes to build a new house.* **3** to make an offer of marriage (สู่ขอ): *He proposed to me last night and I accepted him.*

pro'pri·e·tor (prə'prī-ə-tər) *n* an owner, especially of a shop, hotel *etc.* (เจ้าของ).

pro'pri·e·tress *n* a female owner (เจ้าของเป็นผู้หญิง).

pro'sa·ic (*prō'sā-ik*) *adj* ordinary or dull (ธรรมดาหรือน่าเบื่อ): *a prosaic speech.*

prose (*prōz*) *n* writing that is not in verse; ordinary written or spoken language (ร้อยแก้ว).

'pros·e·cute (*'pros-ə-kūt*) *v* to accuse someone of a crime and bring a legal action against them (ฟ้องร้อง): *He was prosecuted for careless driving; The sign in the shop said "Shoplifters will be prosecuted".*

pros·e'cu·tion *n* (การฟ้องร้อง).

'pros·pect *n* **1** a view of something in the future (การมองไปในอนาคต มโนภาพ): *He didn't like the prospect of trying to find a job.* **2** a chance for future development or promotion (โอกาสที่จะพัฒนาหรือเลื่อนตำแหน่งในอนาคต): *a job with good prospects.*

pros'pec·tus (*prəs'pek-tus*), *plural* **pros'pec·tus·es**, *n* a booklet issued by a university or college, giving details of the courses you can study there (ระเบียบการของมหาวิทยาลัยหรือวิทยาลัย): *He read about the accommodation available at the university in its prospectus.*

'pros·per *v* to do well; to succeed (รุ่งเรือง ประสบความสำเร็จ): *His business is prospering.*

pros'per·i·ty *n* success; wealth (ความสำเร็จ ความมั่งคั่ง): *We wish you happiness and prosperity.*

'pros·per·ous *adj* successful, especially in business (ความสำเร็จ): *a prosperous businessman.*

'pros·per·ous·ly *adv* (อย่างมีความสำเร็จ อย่างเจริญรุ่งเรือง).

'pros·ti·tute *n* a person, especially a woman, who has sexual intercourse for money (โสเภณี). **pros·ti'tu·tion** *n* (การค้าประเวณี).

'pros·trate *adj* **1** lying flat, especially face downwards (นอนราบ มักจะคว่ำหน้า). **2** exhausted; overwhelmed; completely overcome (หมดแรง ท่วมท้น ข่มขวัญอย่างสิ้นเชิง): *She was prostrate with grief.* — *v* to throw yourself flat on the floor to show how humble you are (หมอบลงกับพื้นเพื่อแสดงว่าตนเองมีความถ่อมตน): *They prostrated themselves before the emperor.*

pro'tag·o·nist (*prō'tag-ə-nist*) *n* **1** an important character in a play, novel or film *etc.* (ตัวสำคัญในละคร นิยาย หรือภาพยนต์): *She is the protagonist in this drama.* **2** a supporter (ผู้สนับสนุน): *He is one of the main protagonists of the government.*

pro'tect *v* to guard or defend from danger; to keep safe (อารักขาหรือป้องกันไม่ให้เป็นอันตราย): *She protected the children from every danger; He wore a fur jacket to protect himself against the cold.*

pro'tec·ted *adj* protected by law from being shot *etc.* (คุ้มครองโดยกฎหมาย): *Elephants are protected animals.*

pro'tec·tion *n* **1** protecting or being protected (การคุ้มครอง การป้องกัน): *He ran to his mother for protection; This kind of lock will give extra protection against burglary.* **2** something that protects (สิ่งซึ่งให้การคุ้มครอง): *The trees were a good protection against the wind.*

pro'tec·tive *adj* giving protection (เป็นการ

ป้องกัน): *protective clothing.*

pro'tec·tor *n* a person or thing that protects (ผู้คุ้มครองหรือสิ่งซึ่งคุ้มครอง).

'pro·tein (*'prō-tēn*) *n* any of a large number of substances present in eggs, fish, meat *etc.* (โปรตีน).

pro'test *v* **1** to show that you are strongly against something (คัดค้าน): *The demonstrators were protesting against the closing of the school.* **2** to declare definitely (ประกาศอย่างเด็ดเดี่ยว): *She protested that she was innocent.* — *n* (**'pro·test**) a strong statement against something; an objection (คำคัดค้าน): *He made no protest when he was arrested and taken to prison.* — *adj* (การประท้วง): *His supporters are organizing a protest march to get him freed.*

pro'test·er *n* (ผู้คัดค้าน ผู้ประท้วง).

'Prot·es·tant *n* a member of any of the Christian churches that separated from the Roman Catholic church at or after the time of the Reformation (ผู้นับถือลัทธิโปรเต๊สแตนท์).

'Prot·es·tant·ism *n* (ลัทธิโปรเต๊สแตนท์)

'pro·to·col (*'prōtə-kol*) *n* the correct way to act in formal situations, or when acting as a diplomat (พิธีการ ขั้นตอน): *What is the protocol when speaking to the Queen?*

pro'trac·tor *n* an instrument for drawing and measuring angles on paper (เครื่องมือใช้ลากเส้นและวัดมุมบนกระดาษ).

pro'trude (*prə-trood*) *v* to stick out; to project (ยื่นออกมา): *His teeth protrude.*

proud *adj* **1** feeling pleased because of something you have done or because of people, things *etc.* you are concerned with (ภูมิใจ): *He was proud of his new house; She was proud of her son's success; He was proud to be a member of the school team.* **2** having too good an opinion of yourself (หยิ่ง): *She was too proud to talk to us.* **3** wishing to be independent (จองหอง): *She was too proud to accept help.* **'proud·ly** *adv* (อย่างภูมิใจ).

prove (*proov*) *v* **1** to show that something is true or correct (พิสูจน์): *This fact proves his guilt; He was proved guilty; Can you prove your theory?* **2** to turn out to be (ปรากฏว่า): *His theory proved to be correct; This tool proved very useful.*

'prov·en (*'proovən*) *adj* proved (สิ่งที่ได้พิสูจน์แล้ว).

The noun from **prove** is **proof**.

'prov·erb *n* a well-known saying that gives good advice or expresses a supposed truth (สุภาษิต): *Two common proverbs are "Many hands make light work" and "Don't count your chickens before they're hatched!"*

pro'vide *v* **1** to give; to supply (ให้ จัดหาให้): *He provided the wine for the meal; He provided them with a bed for the night.* **2** to have enough money to supply what is necessary (มีเงินพอที่จะจัดหาสิ่งที่จำเป็น): *He is unable to provide for his family.*

pro'vi·ded or **pro'vi·ding** *conjunction* if; on condition (มีข้อแม้ว่า): *We can buy it provided we have enough money.*

prov·i'den·tial *adj* lucky (โชคดี): *Your coming here today was quite providential.*

'prov·ince *n* a division of a country, empire *etc.* (จังหวัด): *Britain was once a Roman province.*

pro'vin·cial *adj* (แห่งจังหวัด).

pro'vi·sion *n* the providing of something (การจัดหาหรือเตรียม): *The government are responsible for the provision of education for all children.* — *v* to supply, especially an army, with food (การจัดส่งเสบียงอาหาร).

pro'vi·sions *n* food (อาหาร): *The campers got their provisions at the village shop.*

make provision for to provide what is necessary for (เตรียมสิ่งที่จำเป็นไว้): *You should make provision for your old age.*

pro'voke *v* **1** to make someone angry (ทำให้โกรธ): *Are you trying to provoke me?* **2** to cause (ก่อให้เกิด): *His words provoked laughter.* **3** to cause a person *etc.* to react in an angry way (ทำให้คนมีปฏิกิริยาในทางโกรธ): *His bad behaviour provoked her into shouting at him.*

prow *n* the front part of a ship; the bow (หัวเรือ).

'prow·ess *n* skill; ability (ความชำนาญ ความสามารถ): *athletic prowess.*

prowl *v* to move about carefully in order to

steal, attack, catch *etc.* (เคลื่อนไหวอย่างระวัง เพื่อที่จะขโมย จู่โจม จับ): *Tigers were prowling in the jungle.*

'prowl·er *n* (โจร สัตว์ป่าที่เที่ยวออกหากิน).

on the prowl prowling (จ้องตะครุบเหยื่อ): *Thieves are always on the prowl.*

prox'im·i·ty *n* nearness (ความใกล้เคียง): *Their house is in close proximity to ours.*

'pru·dent (*'proo-dənt*) *adj* wise and careful (ฉลาดและถี่ถ้วน): *a prudent person.*

'pru·dent·ly *adv* (อย่างฉลาดและถี่ถ้วน).

'prudence *n* (ความรอบคอบ).

prune[1] (*proon*) *v* to trim a tree *etc.* by cutting off some twigs and branches (ตัดแต่งต้นไม้).

prune[2] (*proon*) *n* a dried plum (ลูกพลับแห้ง).

pry (*prī*) *v* to try to find out about something that is a secret, especially other people's affairs (สอดรู้สอดเห็น): *He is always prying into my business.*

psalm (*säm*) *n* a song from the Book of Psalms in the Bible (เพลงสวด).

'pseud·o·nym (*'sū-də-nim*) *n* a false name used by an author (นามแฝงของนักประพันธ์): *He wrote under a pseudonym.*

psy'chi·a·trist (*sī'kī-ə-trist*) *n* a doctor who treats mental illness (จิตแพทย์).

psy'chi·a·try *n* the treatment of mental illness (การรักษาโรคจิต).

psy·chi'at·ric (*sī-ki'at-ric*) *adj* (แห่งโรคจิต).

'psy·chic (*'sī-kik*) *adj* **1** (also **'psy·chi·cal**) having to do with the mind and not the body (เกี่ยวกับจิต): *a psychic illness.* **2** having strange powers of the mind, such as being able to know other people's thoughts (มีพลังจิต): *She often knows things about people without being told — she must be psychic.* — *n* a person who has psychic powers (ผู้มีพลังจิต).

psy·cho·a'nal·y·sis (*sī-kō-ə'nal-i-sis*) *n* the treatment of patients with mental or emotional problems which involves asking them about their past life to try and discover what may be causing their illness (จิตวิเคราะห์): *Psychoanalysis helped him to understand why he was depressed.*

psy·cho'an·a·lyst *n* (นักจิต วิเคราะห์).

psy'chol·o·gy (*sī'kol-ə-ji*) *n* the study or science of the human mind (จิตวิทยา).

psy'cholo·gist *n* (นักจิตวิทยา).

'psy·cho·path (*'sī-kō-path*) *n* a person with a serious personality problem which causes them to be violent and aggressive (ผู้มีปัญหาทางจิตซึ่งก่อให้เกิดความรุนแรงและก้าวร้าว): *This murder was the work of a psychopath.*

'pu·ber·ty (*'pū-bər-ti*) *n* the time when a child's body becomes mature (ระยะแตกเนื้อหนุ่มสาว).

'pub·lic *adj* having to do with, or belonging to, all the people of a town, nation *etc.* (เป็นของสาธารณะ): *a public library; a public meeting; The public announcements are on the back page of the newspaper; This information should be made public and not kept secret any longer.* **'pub·lic·ly** *adv* (อย่างเปิดเผย).

public holiday a day on which all shops, offices and factories are closed for a holiday (วันหยุดงานสำหรับสาธารณชน).

public spirit a desire to do things for the good of the community (ความต้องการที่จะทำประโยชน์ให้กับชุมชน). **pub·lic-'spir·i·ted** *adj* (ซึ่งมีจิตใจเพื่อประโยชน์ของชุมชน).

public transport the bus and train services provided by a state or community for the public (บริการรถเมล์ รถไฟ สาธารณะ).

in public in front of other people (ต่อหน้าคนอื่น): *They are always quarrelling in public.*

the public people in general (สาธารณชน): *This swimming pool is open to the public every day.*

the public is singular: *The public has a right to know the truth.*

pub·li'ca·tion *n* **1** the publishing of a book *etc.*: the announcing of something publicly (การพิมพ์หนังสือ การประกาศแก่สาธารณชน): *the publication of a new novel; the publication of the facts.* **2** something that has been published, such as a book or magazine (สิ่งซึ่งถูกพิมพ์ออกมา).

pub'lic·i·ty (*pub'lis-i-ti*) *n* **1** advertising (การโฆษณา): *There is a lot of publicity about the dangers of smoking.* **2** the state of being widely known (สภาพของการเป็นที่รู้จักอย่างกว้างขวาง): *Film stars usually like publicity.*

'pub·li·cize (*'pub-li-sīz*) *v* to make something widely known (โฆษณา).

'pub·lish *v* to prepare, print and produce a book *etc.* for sale (การพิมพ์และผลิตหนังสือออกมาเพื่อขาย): *His new novel is being published this month.*

'pub·lish·er *n* a person or company that publishes books, magazines *etc.* (บริษัทหรือผู้พิมพ์หนังสือ).

'pub·lish·ing *n* the business of a publisher (ธุรกิจการพิมพ์หนังสือ).

'puck·er *v* to crease or wrinkle (ย่นหรือยับ): *You pucker your forehead when you frown.*

'pud·ding (*'po͝od-iŋ*) *n* **1** any of several kinds of soft sweet foods made with eggs, flour, milk *etc.* (อาหารหวานที่ทำด้วยไข่ แป้ง นม ฯลฯ): *sponge pudding; rice pudding.* **2** the sweet course of a meal; dessert (ขนมหวาน): *What's for pudding?*

'pud·dle *n* a small pool of water *etc.* (หลุมน้ำเล็ก ๆ): *It had been raining, and there were puddles in the road.*

puff *n* **1** a small blast of air, wind *etc.*; a gust (ลมพัดนิดหนึ่ง ลม ฯลฯ ลมแรงที่พัดขึ้นอย่างกะทันหัน): *A puff of wind moved the branches.* **2** any of various kinds of soft, round, light objects (นวมนุ่มกลม ๆ สำหรับแตะแป้งผัดหน้า): *a powder puff.* — *v* **1** to blow with short puffs (พ่น สูบ): *Stop puffing cigarette smoke into my face!; He puffed at his pipe.* **2** to breathe quickly, after running *etc* (หายใจหอบหลังจากวิ่ง): *He was puffing as he climbed the stairs.*

puffed *adj* breathing quickly (หายใจหอบ): *I'm puffed after running so fast!*

'puff·y *adj* swollen (บวม): *a puffy face.*

puff out or **puff up** to swell up or grow fatter; to make something do this (บวมขึ้นหรืออ้วนขึ้น สลัดขน): *The bird puffed out its feathers; Her eye puffed up after the wasp stung her.*

pull (*po͝ol*) *v* **1** to move something, especially towards yourself, by using force (ดึง ลาก): *He pulled the chair towards the fire; She pulled at the door but couldn't open it; Help me to pull my boots off; This railway engine can pull twelve carriages.* **2** to row (พายเรือ): *He pulled towards the shore.* **3** to steer or move in a certain direction (เลี้ยวหรือเคลื่อนที่ไปตามทิศทางหนึ่ง): *The car pulled in at the garage; I pulled into the side of the road; The train pulled out of the station; He pulled off the road.* — *n* **1** the action of pulling (การดึงหรือการลาก): *I felt a pull at my sleeve.* **2** a pulling force (แรงดึงดูด): *magnetic pull.*

pull apart or **pull to pieces** to destroy something completely by pulling or tearing (ฉีกทำลาย): *He pulled the flower to pieces.*

pull down to destroy a building deliberately (รื้อถอนอาคาร): *The church has been pulled down.*

pull a face or **pull faces** to make strange expressions with your face (ชักสีหน้า): *The children were pulling faces at each other; He pulled a face when he smelt the fish.*

pull on to put on a piece of clothing hastily (สวมเสื้อผ้าอย่างรีบ ๆ): *She pulled on a sweater.*

pull through to get better; to help someone get better (ดีขึ้น ช่วยให้ใครบางคนดีขึ้น): *He is very ill, but he'll pull through; The doctor pulled him through.*

pull up to stop (หยุด): *The car pulled up at the traffic lights.*

'pul·ley (*'po͝ol-i*) *n* a wheel over which a rope *etc.* can pass in order to lift heavy objects (ลูกรอก).

'pull·o·ver (*'po͝ol-ō-vər*) *n* a knitted garment for the top part of your body; a sweater (เสื้อที่สวมและถอดออกทางศีรษะ เสื้อหนาวที่สวมและถอดออกทางศีรษะ).

pulp *n* **1** the soft, fleshy part of a fruit (เนื้อของผลไม้). **2** a soft mass (เนื้อนุ่ม ๆ): *Paper is made from wood-pulp.*

'pulp·y *adj* like pulp (เหมือนกับเนื้อนุ่ม ๆ).

'pul·pit (*'po͝ol-pit*) *n* a raised box or platform in church, where the priest or minister stands when he is preaching (ยกพื้นในโบสถ์ที่พระ

หรือนักเทศน์ใช้ยืนเวลาเทศน์).

See **stage**.

pulse *n* the regular beating of your heart which can be checked by feeling the artery on your wrist **(ชีพจร)**: *The doctor took her pulse.*

'pu·ma (*'pū-mə*) *n* a wild animal like a large cat, found in America **(เสือพูม่า)**.

pump *n* **1** a machine for making water *etc.* rise from under the ground **(ปั๊มน้ำ)**: *Every village used to have a pump from which everyone drew their water.* **2** a machine or device for forcing liquid, air or gas into, or out of, something **(ปั๊ม)**: *a bicycle pump.* — *v* to raise or force with a pump **(ปั๊มขึ้นมา)**: *Oil is being pumped out of the ground.*

pump up to inflate tyres *etc.* with a pump **(ปั๊มยาง)**.

'pump·kin *n* a large, round, thick-skinned yellow fruit, eaten as food **(ฟักทอง)**.

pun *n* a joke that is based on words that have the same sound but a different meaning **(ตลกโดยการเล่นคำ)**: *An example of a pun is "A newspaper is black and white and read all over" — when you hear "read" you think of "red".*

punch[1] *n* a drink made of spirits or wine, water and sugar *etc.* **(พันช์ เครื่องดื่มทำด้วยเหล้าหรือไวน์ น้ำและน้ำตาล)**.

punch[2] *v* to hit with your fist **(ต่อย)**: *She punched him on the nose.* — *n* **(การต่อย)**: *He gave him a punch.*

punch[3] *n* a tool or device for making holes in leather, paper *etc.* **(เครื่องมือสำหรับเจาะรูบนหนัง กระดาษ)**. — *v* to make holes in something with a punch **(เจาะรูด้วยเครื่องเจาะรู)**.

'punc·tu·al (*'puŋk-cho͞o-əl*) *adj* arriving *etc.* on time; not late **(ตรงเวลา)**: *Please be punctual for your appointment; She's a very punctual person.*

punc·tu'al·i·ty *n* **(ความตรงต่อเวลา)**.

'punc·tu·al·ly *adv* **(ตรงต่อเวลา)**.

'punc·tu·ate (*'puŋk-cho͞o-āt*) *v* to divide up sentences by commas, full stops, colons *etc.* **(ใส่เครื่องหมายวรรคตอน)**. **punc·tu'a·tion** *n* **(การใส่เครื่องหมายวรรคตอน)**.

punctuation mark any of the symbols used for punctuating, such as a comma, full stop, question mark *etc.* **(เครื่องหมายวรรคตอน)**.

'punc·ture (*'puŋk-chər*) *v* to make a small hole in something, especially a tyre **(เจาะ)**: *Some glass on the road punctured my new tyre.* — *n* a hole, especially in a tyre **(รูโดยเฉพาะอย่างยิ่งในยางรถยนต์)**: *My car has had two punctures this week.*

'pun·gent (*'pun-jənt*) *adj* sharp and strong **(กลิ่นฉุนเฉียว)**: *a pungent smell.*

'pun·gent·ly *adv* **(อย่างฉุนเฉียว)**.

'pun·ish *v* to make someone suffer for a crime or fault **(ลงโทษ)**: *He was punished for stealing the money; The teacher punishes disobedience.*

'pun·ish·ment *n* **(การลงโทษ)**: *Punishment follows crime; The teacher gave her some extra work to do as a punishment for being lazy.*

punk *n* **1** a style of dressing and behaving in the 1970s and 1980s that was meant to shock people and was intended as a kind of protest against society **(พังค์ การแต่งตัวซึ่งประพฤติกันในปี ค.ศ. 1970 และ ปี ค.ศ. 1980 เพื่อให้ผู้คนตกใจและตั้งใจไว้ว่าเป็นการต่อต้านสังคมอย่างหนึ่ง)**. **2** (also **punk rock**) rock music that is played in a loud and aggressive way **(ดนตรีที่เล่นเสียงดังและก้าวร้าว)**. **3** a young person who likes punk music, dresses in a very strange or shocking way, or dyes their hair a strange colour **(คนที่ชอบดนตรีแบบนี้ แต่งตัวแปลก ๆ และย้อมผมด้วยสีแปลก ๆ)**.

punt *n* an open boat with a flat bottom and square ends that is moved by someone standing on the end and pushing against the bottom of the river *etc.* with a long pole **(เรือท้องแบนปลายเป็นสี่เหลี่ยมใช้ถ่อกับพื้นแม่น้ำ)**. — *v* to travel in a punt: *They punted up the river.*

'pu·ny (*'pū-ni*) *adj* small and weak (เล็กและอ่อนแอ): *a puny child.*

pup *n* **1** a baby dog (ลูกหมา): *There were six pups in the litter.* **2** the baby of certain other animals (ลูกสัตว์บางชนิด): *a seal pup.*

'pu·pa (*'pū-pə*), *plural* **'pu·pae** (*'pū-pē*), *n* the tightly wrapped-up form that an insect takes when it is changing from a larva to its perfect form, for example from a caterpillar to a butterfly (ดักแด้).

'pu·pil[1] (*'pū-pil*) *n* a person who is being taught (นักเรียน): *The school has 2,000 pupils; How many pupils does the piano teacher have?*

'pu·pil[2] (*'pū-pil*) *n* the round opening in the middle of your eye through which the light passes (ลูกตาดำ).

'pup·pet *n* a doll that can be moved by wires, or fitted over your hand and worked by your fingers (หุ่นกระบอกซึ่งชักด้วยลวดหรือใส่มือแล้วใช้นิ้วเล่น).

'puppet-show *n* a play *etc.* performed by puppets (ละครหุ่นกระบอก).

'pup·py *n* a baby dog (ลูกหมา).

'pur·chase (*'pǝ̈r-chǝs*) *v* to buy (ซื้อ): *I purchased a new car.* — *n* **1** anything that has been bought (สิ่งที่ซื้อมา): *She carried her purchases home in a bag.* **2** the buying of something (การซื้อของ): *The purchase of a car should never be a hasty matter.*

'pur·chas·er *n* a buyer (ผู้ซื้อ).

pure (*pūr*) *adj* **1** not mixed with anything else (บริสุทธิ์ ไม่มีสิ่งใดเจือปน): *pure gold.* **2** clean (สะอาด): *pure water.* **3** complete; absolute (โดยแท้): *a pure accident.*

'pure·ly *adv* (อย่างสะอาด).

'pure·ness *n* (ความสะอาด).

purge *v* to make something clean by clearing it of everything that is bad, not wanted *etc.* (ทำให้สะอาดโดยการเอาสิ่งใด ๆ ที่สกปรก ไม่ต้องการ ทิ้งไป).

'pur·ga·tive *n* a medicine which clears waste matter out of the body (ยาถ่าย).

'pu·ri·fy (*'pū-ri-fī*) *v* to make something pure (ทำให้สะอาด): *to purify water.*

pu·ri·fi'ca·tion *n* (การทำให้สะอาด).

pur·i'tan·i·cal (*pūr-i'tan-i-kl*) *adj* with very strict moral and religious principles (เคร่งครัดในศีลธรรมและหลักศาสนา): *a puritanical attitude towards alcohol.*

'pu·ri·ty (*'pū-ri-ti*) *n* pureness (ความสะอาด ความบริสุทธิ์): *The purity of the mountain air.*

'pur·ple *n* a dark colour made by mixing blue and red (สีม่วง).

'pur·pose (*'pǝ̈r-pǝs*) *n* **1** the reason for doing something (จุดประสงค์): *What is the purpose of your visit to Britain?* **2** what something is used for (จุดประสงค์ในการใช้): *The purpose of this button is to stop the machine in an emergency.*

'pur·pose·ful *adj* having a definite purpose; determined (มีจุดประสงค์แน่วแน่ ตั้งใจ): *He walked in with a purposeful look on his face.*

'pur·pose·ful·ly *adv* (อย่างมีจุดประสงค์ อย่างตั้งใจ).

'pur·pose·ly *adv* deliberately; intentionally; not by accident (โดยเจตนา ด้วยความตั้งใจ ไม่ใช่อุบัติเหตุ): *You trod on my toe purposely; He banged the door purposely to get my attention.*

on purpose purposely (อย่างเจตนา): *Did you break the cup on purpose?*

purr (*pǝ̈r*) *v* to make the low, murmuring sound of a cat when it is pleased (เสียงของแมวเวลาพอใจ). — *n* a sound like this (ทำเสียงแบบนี้).

purse *n* a small bag for carrying money (กระเป๋าเล็ก ๆ สำหรับใส่เงิน): *I looked in my purse for some change.* — *v* to close your lips tightly (เม้มปากแน่น): *She pursed her lips in anger.*

pur'sue (*pǝr'sū*) *v* to follow someone, especially in order to catch them; to chase (ไล่ติดตาม): *They pursued the thief through the town.*

pur'suit (*pǝr'sūt*) *n* the action of pursuing (การไล่ติดตาม): *The thief ran down the street with a policeman in pursuit.*

pus *n* a thick, yellowish liquid that forms in infected wounds *etc.* (หนอง).

push (*poosh*) *v* **1** to press against something, in order to move it (ผลัก): *He pushed the door open; She pushed him away; He* *pushed against the door with his shoulder; Stop pushing!; I had a good view of the race till someone pushed in front of me.* **2** to try to make someone do something (กดดัน บีบคั้น): *She pushed him into asking his boss for more money.* — *n* (การผลัก): *She gave him a push and he fell over.*

'push-chair *n* a small pram that a child sits in, pushed by its mother (เก้าอี้เข็นของเด็กเล็ก ๆ).

'push·o·ver *n* someone from whom you can easily get what you want (คนที่เราสามารถเอาสิ่งที่ต้องการได้อย่างง่ายดาย): *He's a real push-over when it comes to borrowing money.*

push around to treat roughly (ตอบต่ออย่างหยาบคาย): *He pushes his younger brother around.*

push off 1 to go away (ไปให้พ้น): *I wish you'd push off!* **2** to push against something with your hands *etc*, to help you move, leap *etc.* (ใช้มือผลักเพื่อให้เคลื่อนที่ออก): *He got into the boat and pushed off using a pole.*

push on to continue (ทำต่อไป): *Push on with your work.*

push over to push someone so that they fall (ผลักจนล้ม): *He pushed me over.*

push through to force others to accept (บังคับให้ยอมรับ): *The government pushed the law through parliament.*

puss (*pŏŏs*) or **'puss·y** (*'pŏŏs-i*) *n* a cat (แมว)

put (*pŏŏt*) *v* **1** to place something in a certain position or situation (ใส่ วาง ทำให้): *He put the plate in the cupboard; Did you put any sugar in my coffee?; He put his arm around her; I'm putting a new lock on the door; You've put me in a bad temper.* **2** to present a suggestion, question *etc.* (เสนอแนะ คำถาม): *I put several questions to him; She put her ideas before the committee.* **3** to express in words (แสดงด้วยคำพูด): *He put his refusal very politely; Children sometimes have such a funny way of putting things!*

put; put; put: *She put the cups on the table; He has put his shoes outside the door.*

put aside 1 to lay down; to stop doing something (วางลง หยุดทำ): *She put aside her needlework.* **2** to save for the future (ประหยัดไว้เผื่ออนาคต): *He tries to put aside a little money each month.*

put away to return something to its proper place (เก็บของ): *She put her clothes away in the drawer.*

put back to return something to the place you got it from (คืนของไว้ที่เดิม): *Did you put my keys back?*

put down 1 to lower (เอาลง): *You can put your hands down!* **2** to set down something that you are holding (วางของที่ถือลง): *Put that knife down immediately!* **3** to bring a rebellion *etc.* under control (ควบคุมการจลาจลเอาไว้ได้). **4** to kill an animal painlessly when it is old or very ill (ฆ่าสัตว์อย่างไม่เจ็บปวดเมื่อมันป่วยมากหรือแก่มาก).

put your feet up to take a rest (พักผ่อน).

put in 1 to get something fitted in your house *etc.* (ติดตั้งของบางอย่างในบ้าน): *We're having a new shower put in.* **2** to do a certain amount of work *etc.* (ทำงานบางอย่างด้วยจำนวนที่แน่อน): *He put in an hour's training today.*

put off 1 to switch off a light *etc* (ปิดไฟ): *Please put the light off!* **2** to delay (หน่วงเหนี่ยว): *He put off leaving till Thursday.*

put on 1 to switch on a light *etc.* (เปิดไฟ): *Put the light on!* **2** to dress yourself in a piece of clothing (สวม): *Which shoes are you going to put on?* **3** to increase (เร่งเครื่อง เพิ่มน้ำหนัก): *The car put on speed; I've put on weight.*

See **take off**.

put out 1 to hold out your hand *etc.* (ยื่นมือออกไป): *He put out his hand to steady her.*

2 to switch off a light *etc.* (ปิดไฟ): *Please put out the lights.* **3** to stop a fire burning (ดับไฟที่กำลังไหม้): *The fire brigade soon put out the fire.*

The job of the fire brigade is to **put out** (not **put off**) fires.

put together to construct (สร้าง นำมารวมเข้าด้วยกัน): *The vase broke, but I managed to put it together again.*

put up **1** to raise (ยกมือขึ้น): *Put up your hand if you know the answer!* **2** to build (สร้าง): *They're putting up some new houses.* **3** to fix something up on a wall *etc.* (ติดบนฝาผนัง): *He put the picture up.*

put up with to bear patiently (อดทน): *I cannot put up with all this noise.*

'put·ty (*'put-i*) *n* a cement-like paste used to fill in holes and cracks in wood and to fix windows in frames (สียาแนวกระจก ผงขัดเพชรหรือโลหะ): *Dentists use a type of putty to take impressions of teeth.*

'puz·zle *v* **1** to present someone with a problem that is difficult to solve or with a situation *etc.* that is difficult to understand; to confuse (ประหลาดใจ สับสน): *The question puzzled them; I was puzzled by her sudden disappearance; What puzzles me is how he got here so soon.* **2** to think long and carefully about a problem *etc.* (ขบคิด): *I puzzled over the sum.* — *n* **1** a problem that causes a lot of thought (ปัญหาที่ทำให้ต้องคิดมาก): *Her behaviour was a puzzle to him.* **2** a game to test your thinking, knowledge or skill (เกมที่ใช้ทดสอบความคิด ความรู้ หรือความชำนาญ): *a jig-saw puzzle; a crossword puzzle.*

'puz·zling *adj* difficult to understand (ยากที่จะเข้าใจ): *a puzzling remark.*

'pyg·my (*'pig-mi*) or **'pig·my** *n* a member of an African race of very small people (คนแคระ).

py'ja·mas or **pa'ja·mas** (*pə'jä-məz*) *n* a suit for sleeping, consisting of trousers and a jacket (ชุดนอนประกอบด้วยกางเกงและเสื้อ): *Where are my pyjamas?; Whose is this pair of pyjamas?; two pairs of pyjamas.*

pyjamas takes a plural verb, but **a pair of pyjamas** is singular.

'py·lon (*'pī-lən*) *n* a tall steel tower for supporting electric power cables (หอเหล็กสูงที่ใช้เดินสายไฟฟ้า).

'pyr·a·mid (*'pir-ə-mid*) *n* **1** a solid shape with flat sides in the shape of a triangle, that comes to a point at the top (พีระมิด). **2** an ancient tomb built in this shape in Egypt (หลุมฝังศพโบราณที่สร้างอย่างรูปนี้ในอิยิปต์).

pyre (*pīr*) *n* a pile of wood on which a dead body is burned (เชิงตะกอน): *a funeral pyre.*

'py·thon (*'pī-thən*) *n* a large snake that twists around its prey and crushes it (งูเหลือม).

quack *n* the cry of a duck (เสียงร้องของเป็ด). — *v* to make this sound (ทำเสียงแบบนี้): *The ducks quacked noisily as they swam across the pond.*

quad short for (คำย่อของ) **quadrangle** or หรือ **quadruplet**.

'quad·ran·gle (*'kwod-raŋ-gəl*) *n* a square courtyard surrounded by buildings, especially in a school, college *etc.* (สนามหญ้ารูปสี่เหลี่ยมล้อมรอบด้วยอาคาร).

quad·ri'lat·er·al (*kwod-ri'lat-ər-əl*) *n* a flat shape with four straight sides (รูปแบน ๆ มีด้านตรงสี่ด้าน).

'quad·ru·ped (*'kwod-rū-ped*) *n* an animal with four legs (สัตว์สี่เท้า): *Cows, goats and sheep are all quadrupeds.*

quad'ru·ple (*kwod'rōō-pəl*) *adj* **1** four times as much or as many (สี่เท่า). **2** made up of four parts *etc.* (มีสี่ส่วน). — *v* to make or become four times as great (เพิ่มเป็นสี่เท่า).

'quad·ru·plet (*'kwod-rə-plet*) *n* one of four children born at the same time to one mother (shortened to **quad**) (เด็กแฝดคนหนึ่งในจำนวนแฝดสี่คน).

See also **triplet**, **quintuplet**.

quaint *adj* odd; old-fashioned (แปลก แบบเก่า): *quaint customs.*

'quaint·ly *adv* (อย่างแปลก ๆ).

'quaint·ness *n* (ความแปลกประหลาด).

quake *v* to shake (สั่น ไหว): *The ground quaked under their feet.* — *n* an earthquake (แผ่นดินไหว).

qual·i·fi'ca·tion (*kwol-i-fi'kā-shən*) *n* a skill that you have, or an exam that you have passed that makes you suitable to do a job *etc.* (คุณวุฒิ): *What qualifications do you need for this job?*

'qual·i·fy (*'kwol-i-fi*) *v* **1** to make or become suitable for something (มีคุณวุฒิเพียงพอ): *Even if you have spent a year in England, that does not qualify you to teach English; She is too young to qualify for a place in the team.* **2** to show that you are suitable for a job *etc.* especially by passing a test (แสดงว่ามีคุณวุฒิเหมาะสมกับงาน): *I hope to qualify as a doctor.*

'qual·i·fied *adj*: *a qualified engineer* (มีคุณวุฒิ).

'qual·i·ty (*'kwol-i-ti*) *n* **1** how good something is (คุณภาพ): *We produce several different qualities of paper; In this firm, we look for quality rather than quantity.* **2** something that you notice about a thing or person; a characteristic that someone or something has (มีคุณภาพ): *Kindness is a human quality that everyone admires.*

qualm (*kwäm*) *n* a sudden worry (ความวิตกกังวลที่เกิดขึ้นในทันใด): *She had qualms because she was not sure she was doing the right thing.*

'quan·dry (*'kwon-dri*) *n* a situation in which you cannot decide what to do (สถานะการณ์ซึ่งไม่สามารถที่จะตัดสินใจทำอะไร): *He is in a quandry as to what he should do next.*

'quant·i·ty (*'kwon-ti-ti*) *n* an amount, especially a large amount (ปริมาณ): *What quantity of paper do you need?; I buy these goods in quantity; a small quantity of cement; large quantities of tinned food.*

'quar·an·tine (*'kwor-ən-tēn*) *n* the keeping away from the public of people or animals that might be infected with a disease (ด่านกักโรค): *to be in quarantine for chickenpox.* — *v* to put a person or animal in quarantine (กักตัวเอาไว้ในด่านกักโรค).

'quar·rel (*'kwor-əl*) *n* an angry disagreement or argument (การทะเลาะกัน): *I've had a quarrel with my girl-friend.* — *v* to have an angry argument with someone (ทะเลาะ): *I've quarrelled with my girl-friend; My girl-friend and I have quarrelled.*

quarrelled and **quarrelling** are spelt with two ls; **quarrel** and **quarrelsome** have one l.

'quar·rel·some *adj* quarrelling a lot (ชอบทะเลาะ): *quarrelsome children.*

'quar·rel·some·ness *n* (ความชอบทะเลาะกัน).

'quar·ry (*'kwor-i*) *n* a place, usually a very large hole in the ground, from which stone is taken for building *etc.* (บ่อหิน). — *v* to dig stone in a quarry (ขุดหินขึ้นมาจากบ่อหิน).

'quar·ter (*'kwör-tər*) *n* **1** one of four equal parts of something (หนึ่งส่วนสี่): *There are four of us, so we'll cut the cake into quarters; It's quarter past four; In the first quarter of the year his firm made a profit; an hour and a quarter; two and a quarter hours.* **2** a district or part of a town (เขตหรือส่วนหนึ่งของเมือง): *He works in the business quarter of the city.* **3** a direction (ทุก ๆ แห่ง): *People were arriving at the conference from all quarters.* — *v* **1** to divide into four equal parts (แบ่งออกเป็นสี่ส่วนเท่ากัน): *to quarter a melon.* **2** to give soldiers *etc.* somewhere to stay (ที่พักของทหาร): *The soldiers were quartered all over the town.*

'quar·ter·ly *adj* happening, published *etc* once every three months (เกิดขึ้นทุก ๆ สามเดือน): *a quarterly journal; quarterly payments.* — *adv* once every three months (ครั้งหนึ่งทุก ๆ สามเดือน): *We pay our electricity bill quarterly.* — *n* a magazine *etc.* which is published once every three months (นิตยสารรายสามเดือน).

'quar·ters *n* a place to stay, especially for soldiers (สถานที่อยู่ โดยเฉพาะอย่างยิ่งของทหาร).

quar·ter-'fi·nal *n* the third-last round in a competition (การแข่งขันรอบก่อนรอบรองชนะเลิศ).

at close quarters close together (อย่างใกล้ชิด ติดพัน): *The soldiers were fighting with the enemy at close quarters.*

quar'tet (*kwör'tet*) *n* **1** a group of four singers or musicians (กลุ่มของนักร้องหรือนักดนตรีสี่คน). **2** a piece of music composed for a group of four to play or sing (ดนตรีซึ่งประกอบด้วยผู้เล่นสี่คนหรือผู้ร้องสี่คน).

quartz (*kwörts*) *n* a hard substance found in rocks in the form of crystals that can be used in electronic clocks and watches (หินเขี้ยวหนุมาน หินควอทซ์). — *adj* (เป็นหินควอทซ์): *a quartz watch.*

'qua·ver (*'kwā-vər*) *v* to sound shaky; to tremble (เสียงสั่น สั่น): *His voice quavered with fright as he spoke.* — *n* (อาการสั่นในน้ำเสียง): *He tried to sound brave but there was a quaver in his voice.*

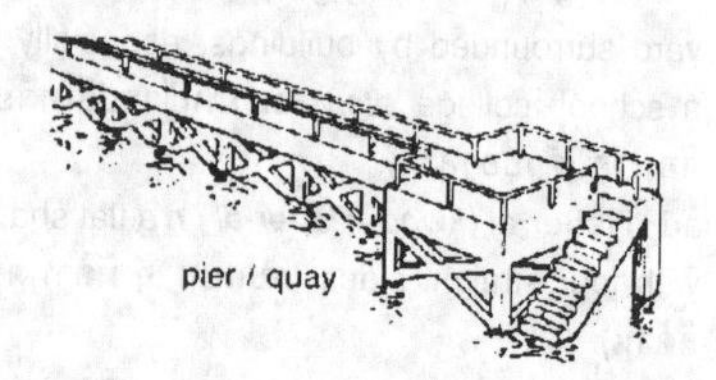
pier / quay

quay (*kē*) *n* a stone-built landing-place, where boats are loaded and unloaded (ท่าเรือ): *The boat is moored at the quay.*

'quea·sy ('kwē-zi) *adj* feeling as if you are about to be sick (อาการคลื่นเหียน): *The motion of the boat made her feel queasy.*

queen *n* **1** a woman who rules a country (พระราชินี): *the Queen of England; Queen Elizabeth II.* **2** the wife of a king (มเหสีของพระราชา): *The king and his queen were both present.* **3** a woman who is regarded as outstanding in some way (ยกย่องผู้หญิงว่าดีเยี่ยมในบางอย่าง): *a beauty queen; a movie queen.* **4** a playing-card with a picture of a queen on it (ไพ่รูปควีน): *I have two aces and a queen.* **5** an important chess-piece (ตัวราชินีในหมากรุก). **6** the egg-laying female of certain kinds of insect, especially bees, ants and wasps (ตัวเมียที่วางไข่ในแมลงบางชนิด เช่นราชินีผึ้ง).

queer *adj* odd; strange (แปลก ประหลาด): *queer behaviour.*

quell *v* **1** to put an end to a rebellion *etc.* by force (ปราบจลาจลโดยใช้กำลัง): *to quell a riot.* **2** to calm (ทำให้สงบลง): *to quell someone's fears.*

quench *v* **1** to drink enough to take away your thirst (ดื่มน้ำเพื่อดับกระหาย): *I had a glass of lemonade to quench my thirst.* **2** to put out a fire (ดับไฟ): *The firemen were unable to quench the fire.*

'que·ry (*'kwē-ri*) *n* a question (คำถาม): *In answer to your query about hotel reservations I am sorry to tell you that we have no vacancies.* — *v* to express doubt about a statement *etc.* (แสดงความสงสัยเกี่ยวกับรายการอะไรบางอย่าง ตรวจสอบ): *I think the waiter has added up the bill wrongly — you should query it.*

See **inquire, inquiry**.

quest *n* a search (ค้นหา แสวงหา): *the quest for gold.*

'ques·tion (*'kwes-chən*) *n* **1** something that is said, written *etc.* that asks for an answer from someone (คำถาม): *The question is, do we really need a new computer?* **2** a problem or matter for discussion (ปัญหาหรือเรื่องราวที่พูดคุยกัน): *There is the question of how much to pay him.* **3** a problem in a school exercise, exam *etc.* (ปัญหาในแบบฝึกหัด ข้อสอบ): *We had to answer four questions in three hours.* **4** a suggestion; a possibility (คำแนะนำ ความเป็นไปได้): *There is no question of our dismissing him.* — *v* **1** to ask a person questions (ถามคำถาม): *I'll question him about what he was doing last night.* **2** to doubt (สงสัย): *He questioned her right to use the money.*

question mark a mark (?) used in writing to indicate a question (เครื่องหมายปรัศนี).

'ques·tion-mas·ter *n* the person who asks the questions in a quiz *etc.* (ผู้ถามปัญหาในการตอบปัญหา).

ques·tion'naire (*kwes-chə'nār*) *n* a written list of questions to be answered by a large number of people to provide information for a report *etc.* (แบบสอบถาม).

out of the question impossible; not allowed (เป็นไปไม่ได้ ไม่อนุญาต): *It is quite out of the question for you to go out tonight.*

queue (*kū*) *n* a line of people waiting for something (การเข้าแถวรอ): *a queue for the football match; a bus queue.* — *v* to stand in a queue (ยืนอยู่ในแถวรอ): *We had to queue to get into the cinema.*

queue up to stand in a queue (ยืนเป็นแถวรอ): *We queued up for tickets.*

'quib·ble (*'kwi-bl*) *v* to argue over small or unimportant details (ถกเถียงกันด้วยเรื่องเล็กน้อยหรือในรายละเอียดที่ไม่สำคัญ): *He quibbled over the amount of money a new shirt would cost him.* — *n* a minor objection or criticism (ข้อโต้แย้งหรือข้อวิจารณ์เล็กน้อย): *I don't have any major comments to make, but just one or two quibbles.*

quick *adj* **1** done *etc.* in a short time (ทำอย่างรวดเร็ว): *a quick trip into town.* **2** moving with speed (เคลื่อนที่ไปด้วยความรวดเร็ว): *He's a very quick walker; I made a grab at the dog, but it was too quick for me.* **3** doing something without delay; prompt (ทำโดยไม่รีรอ ทำโดยทันที): *He is always quick to help; a quick answer; He's very quick at arithmetic.* — *adv* quickly (อย่างรวดเร็ว): *quick-frozen food.*

'quick·ly *adv* (โดยเร็ว).

'quick·ness *n* (ความรวดเร็ว).

'quick·en *n* to make or become quicker (ทำให้เร็วขึ้น): *He quickened his pace.*

'quick·sands *n* loose, wet sand that sucks down anyone who stands on it (ทรายดูด).

'quick·sil·ver *n* mercury (ปรอท).

quick-'tem·pered *adj* easily made angry (โกรธง่าย).

'qui·et (*'kwi-ət*) *adj* **1** making little or no noise (เงียบ): *Tell the children to be quiet; It's very quiet out in the country; a quiet person.* **2** free from worry, excitement *etc.* (ไม่วิตกกังวล ไม่ตื่นเต้น): *I live a very quiet life.* **3** not busy (ไม่ยุ่ง): *We'll have a quiet afternoon watching television.* — *n* a quiet state or time (ความเงียบสงบ): *in the quiet of the night; All I want is peace and quiet.* — *v* to quieten (ทำให้เงียบ ทำให้สงบ).

quiet, adjective: *She has a quiet voice; Keep quiet.*

quite, adverb: *This book is quite good.*

'qui·et·ly *adv* (อย่างเงียบ ๆ).

'qui·et·ness *n* (ความเงียบ).

'qui·et·en *v* to make or become quiet (ทำให้เงียบ เงียบ): *I expect you to quieten down* *when I come into the classroom, children!*

keep quiet about something to keep something secret (ปิดปากในเรื่องบางอย่าง): *I'd like you to keep quiet about the child's father being in prison.*

on the quiet secretly (อย่างลับ ๆ): *He had been using the company's computer on the quiet.*

quill *n* a large feather, especially one made into a pen (ขนนกใหญ่ ๆ แบบที่ใช้ทำเป็นปากกา).

quilt *n* a bedcover filled with feathers *etc.* (ผ้าคลุมเตียงยัดขนนก).

'quilt•ed *adj* made of two layers of material with padding between them (ผ้าสองชั้นมีผ้ารองตรงกลาง): *a quilted jacket.*

quin *n* short for (คำย่อของ) **quintuplet**.

'quin•ine (*'kwin-ēn*) *n* a drug used against malaria (ยาควินิน).

quin•tet *n* **1** a group of five singers or musicians (กลุ่มนักร้องหรือนักดนตรีห้าคน). **2** a piece of music composed for a group of five to sing or play (ดนตรีที่แต่งให้นักร้องหรือนักดนตรีห้าคนเล่น).

'quin•tu•plet (*'kwin-tū-plət*) *n* one of five children born at the same time to one mother (shortened to **quin**) (เด็กแฝดคนหนึ่งในจำนวนห้าคน).

See also **triplet, quadruplet.**

quirk *n* something strange or unusual in a person's behaviour *etc.* (ความประพฤติที่แปลกประหลาดหรือไม่ปกติของคน ๆ หนึ่ง): *Throwing biscuit crumbs over his shoulder is just one of his little quirks.*

quit *v* **1** to stop or give up something (หยุดเลิก): *I'm going to quit teaching.* **2** to leave (จากไป ออกจาก): *They have been ordered to quit the house by next week.*

quite *adv* **1** completely (ทีเดียว แท้ ๆ): *This task is quite impossible.* **2** fairly; rather (พอใช้ ค่อนข้าง): *It's quite warm today; He's quite a good artist; I quite like the idea.* — used to show that you agree (ใช้แสดงความเห็นด้วย): *"I think he is being unfair to her." "Quite."*

See also **quiet**.

'quiv•er[1] *v* to tremble; to shake (สั่นไหว สั่นสะเทือน): *The leaves quivered in the breeze.*
— *n* a quivering sound, movement *etc.* (เสียงสั่น การเคลื่อนไหว).

'quiv•er[2] *n* a long, narrow case for carrying arrows in (กระบอกใส่ลูกศร).

quiz, *plural* **'quiz•zes**, *n* a game or competition in which knowledge is tested by asking questions (การทายปัญหา): *a television quiz.*

'quo•ta *n* the part or share given to or received by each member of a group *etc.* (ส่วนแบ่งที่ได้รับหรือให้กับแต่ละคนในกลุ่ม โควตา).

quo'ta•tion *n* **1** something quoted (การอ้าง): *a quotation from Shakespeare.* **2** a price mentioned for a job *etc.* (ราคาที่อ้างสำหรับงานหนึ่ง ฯลฯ).

quotation marks marks (" " or ' ') used to show that a person's words are being repeated exactly; inverted commas (เครื่องหมายอัญประกาศ): *He said "I'm going out."*

quote *v* **1** to repeat the exact words of a person as they were said or written (คำพูดหรือข้อความที่ยกขึ้นมาอ้าง): *The President's speech was quoted on the television news.* **2** to name a price (ตั้งราคา): *He quoted a price for repairing the bicycle.*

'**rab·bi** (*'rab-ī*) *n* a Jewish priest or teacher of the law (**พระชาวยิวหรือครูสอนกฎหมาย**).

'**rab·bit** *n* a small long-eared animal, found living wild in fields or sometimes kept as a pet (**กระต่าย**).

A rabbit **squeals**.
A male rabbit is a **buck**.
A female rabbit is a **doe**.
A tame rabbit lives in a **hutch**.
A wild rabbit lives in a **burrow** or **warren**.

'**rab·ble** *n* a noisy disorderly crowd: *People collected in a rabble outside the factory gates.*

'**ra·bies** (*'rā-bēz*) *n* a disease that causes madness in dogs and other animals (**โรคกลัวน้ำ**).

rac'coon or **ra'coon** *n* a small, furry animal with a striped, bushy tail (**แรคคูน สัตว์ตัวเล็ก ๆ มีขนลายและหางเป็นพวง**).

race[1] *n* a competition to find who or which is the fastest (**การแข่งขันเพื่อดูว่าใครไปเร็วที่สุด**): *a horse race.* — *v* **1** to run in a race; to put into a race (**วิ่งแข่ง**): *I'm racing my horse on Saturday; The horse is racing against five others.* **2** to go *etc.* quickly (**ไปอย่างรวดเร็ว**): *He raced along the road on his bike.*

race[2] *n* a group of people with the same ancestors and certain characteristics that make them different from other groups (**เชื้อชาติ**): *the African races; the European race.* — *adj* (**แห่งเชื้อสาย**): *Good race relations are important within a city where there are groups of people of different nationalities.*
the human race all human beings (**มนุษย์ทั้งหมด**).

'**race·course** *n* a course over which horse races are run (**สนามแข่งม้า**).

'**race·horse** *n* a horse bred and used for racing (**ม้าแข่ง**).

'**race·track** *n* a course over which races are run by cars, dogs, athletes *etc.* (**สนามวิ่งแข่งของรถยนต์ สุนัข นักกีฬา**).

'**ra·cial** (*'rā-shəl*) *adj* having to do with different human races (**แห่งเชื้อชาติ**): *racial characteristics; racial hatred.*
'**ra·cial·ism** *n* **1** the belief that some races of men are better than others (**ความเชื่อถือว่าเชื้อชาติหนึ่งดีกว่าอีกเชื้อชาติหนึ่ง**). **2** prejudice against someone because of their race. (**ความลำเอียงเรื่องเชื้อชาติ**)
'**ra·cial·ist** *n* (**ผู้มีความลำเอียงในเรื่องเชื้อชาติ ผู้ถือเชื้อชาติ**): *I suspect him of being a racialist* — *adj* (**ถือเชื้อชาติ**): *racialist attitudes.*

'**ra·cing-car** *n* a car specially designed and built for racing (**รถแข่ง**).

'**ra·cism** ('rā-siz-əm) *n* racialism (**การถือเชื้อชาติ คลั่งชาติ**).
'**ra·cist** *n* (**ผู้ถือเชื้อชาติ**).

rack[1] *n* a frame or shelf for holding objects such as letters, plates, luggage *etc.* (**โครงหรือหิ้งที่ใช้วางของ**): *Put these tools back in the rack; Put your bag in the luggage-rack.*

rack[2] (**คิดอย่างหนัก คิดให้ดี ๆ**): **rack your brains** to think hard.

'**rack·et** or '**rac·quet** (*'rak-ət*) *n* a kind of bat used for hitting the ball in tennis, badminton *etc.* (**ไม้ตีเทนนิส ไม้ตีแบดมินตัน**): *a squash-racket.*

racoon another spelling of (**คำสะกดอีกแบบหนึ่งของ**) **raccoon**.

racquet another spelling of (**คำสะกดอีกแบบหนึ่งของ**) **racket**.

'**ra·dar** (*'rā-dār*) *n* a method of showing the direction and distance of an object by means of radio waves that bounce off the object and return to their source (**กระแสคลื่นวิทยุที่ใช้บอกทิศทางและระยะห่างจากวัตถุนั้น ๆ เรดาร์**).

'**ra·di·ant** (*'rā-di-ənt*) *adj* **1** showing great joy (**สดชื่นมาก แจ่มใสมาก**): *a radiant smile.* **2** sending out rays of heat, light *etc.* (**แผ่รังสีความร้อน แสง**). '**ra·di·ance** *n* (**ความผุดผ่องรัศมีที่แผ่กระจายออกไป**).
'**ra·di·ant·ly** *adv* (**อย่างแจ่มใส**).

'**ra·di·ate** (*'rā-di-āt*) *v* **1** to send out rays of light, heat *etc.*; to come out from a source of light, heat *etc* (**มาจากแหล่งของแสง ความร้อน**): *Heat and light radiate from the sun; A fire radiates heat.* **2** to spread out from a centre (แพร่กระจายออกจากจุดศูนย์กลาง): *All the roads radiate from the market square.*

ra·di'a·tion *n* rays of light, heat *etc.* or of any radioactive substance (รังสีของแสง ความร้อน หรือจากสารกัมมันตรังสี).

'ra·di·a·tor *n* **1** a device for heating a room (เครื่องทำความร้อนให้แก่ห้อง). **2** a device in a car that helps to cool the engine (หม้อน้ำรถยนต์).

'rad·i·cal *adj* **1** very basic; fundamental (ขั้นพื้นฐาน มูลฐาน): *The bridge will have to be knocked down because there is a radical fault in its design; The new manager made some radical changes to the way the business was run.* **2** wanting great and important changes (ต้องการให้มีการเปลี่ยนแปลงครั้งใหญ่และสำคัญ): *He has radical ideas on education.* — *n* someone who wants great and important changes (คนที่ต้องการให้มีการเปลี่ยนแปลงครั้งใหญ่และสำคัญ พวกหัวรุนแรง).

'rad·i·cal·ly *adv* (อย่างถอนรากถอนโคน แต่ดั้งเดิม).

'ra·di·o (*'rā-di-ō*), *plural* **radios**, *n* a device for the sending and receiving of human speech, music *etc.* (วิทยุ): *a pocket radio; The concert is being broadcast on radio; I heard about it on the radio.* — *adj* (แห่งวิทยุ): *a radio programme; radio waves.* — *v* to send a message by radio (ส่งข่าวด้วยวิทยุ): *An urgent message was radioed to us this evening.*

ra·di·o'ac·tive *adj* giving off powerful rays that are very harmful and dangerous (ปล่อยรังสีที่รุนแรงออกมาซึ่งเป็นอันตรายมาก): *Uranium is a radioactive metal that is used to produce nuclear energy; It is very difficult to get rid of radioactive waste from nuclear power stations.*

ra·di·o·ac'tiv·i·ty *n* (กัมมันตภาพรังสี).

ra·di·o-con'troll·ed *adj* operated by radio signals (ควบคุมด้วยคลื่นวิทยุ): *a radio-controlled model car.*

ra·di'og·ra·phy (*rā-di'og-rə-fi*) *n* the act or process of taking X-rays (การถ่ายภาพเอกซ์เรย์): *She works in the hospital's radiography department.*

ra·di'og·ra·pher *n* (ช่างภาพเอกซ์เรย์).

radio telescope a telescope that picks up radio waves from stars and planets in space (กล้องวิทยุโทรทัศน์ซึ่งรับคลื่นวิทยุจากดาวฤกษ์และดาวเคราะห์ในอวกาศ).

'rad·ish *n* a plant with a sharp-tasting root, eaten raw in salads (หัวผักกาด).

'ra·di·um (*'rā-di-əm*) *n* a radioactive element used to treat cancer (แร่เรเดียมใช้ในการรักษามะเร็ง): *She was given radium therapy for the tumour.*

'ra·di·us *n* **1** (*plural* **'ra·di·us·es**) the area within a certain distance from a central point (พื้นที่ภายในขอบเขตจากจุดศูนย์กลาง): *They searched within a radius of one mile from the school.* **2** *plural* **'ra·di·i** (*'rā-di-ī*) a straight line from the centre of a circle to its edge (รัศมี).

'raf·fi·a *n* a material used for weaving mats *etc.*, got from palm-tree leaves (เส้นใยได้จากใบปาล์ม).

'raf·fle *n* a way of raising money by selling numbered tickets, a few of which will win prizes (การออกรางวัล): *I won this doll in a raffle.* — *adj* (แห่งการออกรางวัล): *raffle tickets.*

raft (*räft*) *n* a number of logs, planks *etc.* fastened together and used as a boat (แพ).

rag *n* a torn piece of cloth (ผ้าขี้ริ้ว): *I'll polish my bike with this rag.*

rags *n* old, torn clothes (เสื้อผ้าเก่าและขาด): *The beggar was dressed in rags.*

rage *n* violent anger (บันดาลโทสะ): *He flew into a rage; He shouted with rage.* — *v* **1** to shout in great anger (ตะโกนด้วยโทสะ): *He raged at his secretary.* **2** to blow with great force (กระหน่ำด้วยกำลังแรง): *The storm raged all night.* **3** to continue with great violence (ดำเนินต่อไปอย่างรุนแรง): *The battle raged for two whole days.*

'ra·ging *adj* violent; very bad (รุนแรง เลวมาก): *raging toothache; a raging storm.*

all the rage very much in fashion (ทันสมัย).

'rag·ged (*'rag-əd*) *adj* **1** dressed in old, torn clothing (แต่งกายด้วยเสื้อผ้าเก่าและขาด): *a ragged beggar.* **2** torn (ฉีกขาด): *ragged clothes.*

3 rough or uneven (หยาบหรือไม่เรียบ): *a ragged edge.* **'rag·ged·ly** *adv* (อย่างกะรุ่งกะริ่ง). **'rag·ged·ness** *n* (ความเก่าและขาด ความกะรุ่งกะริ่ง).

raid *n* 1 a sudden armed attack against an enemy (จู่โจมข้าศึก): *The soldiers made a raid on the harbour.* 2 an unexpected visit by the police, for example to catch a criminal or to search for illegal drugs (จู่โจมเข้าจับหรือจู่โจมเข้าค้นหา): *The police carried out a raid on the home of a drug-dealer.* 3 the entering of a place in order to steal something (บุกเข้าปล้น): *A total of $50,000 was stolen in the bank raid.* — *v* : *The police raided the gambling club; The robbers raided a jewellery shop* (บุกสถานที่เล่นการพนัน บุกเข้าปล้นร้าน).

rail *n* 1 a bar of metal, wood *etc.* used in fences *etc.* or for hanging things on (ราว ใช้เป็นรั้วหรือใช้แขวนสิ่งของ): *Don't lean over the rail; a curtain-rail; a towel-rail.* 2 a long bar of steel that forms the track on which trains *etc* run (ราง).

'rail·ing *n* a fence or barrier of metal or wooden bars (รั้ว): *They've put railings up all round the park.*

'rail·way or **'rail·road** *n* a track with two parallel steel rails on which trains run (รางรถไฟ): *They're building a new railway.* — *adj* (สถานีรถไฟ): a railway station.

by rail on the railway (ทางรถไฟ): *goods sent by rail.*

rain *n* water falling from the clouds in drops (ฝน): *We've had a lot of rain today; I enjoy walking in the rain.* — *v* (ฝนตก): *I think it will rain today; Is it raining?*

> **drizzle** is very fine, light rain: *continuous drizzle*; it is used as a verb: *You don't need an umbrella — it's only drizzling.*
> A **shower** is a short period of rain: *a light shower; a heavy shower.*
> A **rainstorm** or **downpour** is a period of very heavy rain.
> A **thunderstorm** is a storm with thunder and lightning and usually heavy rain.

'rain·bow *n* the coloured arch sometimes seen in the sky opposite the sun when rain is falling (รุ้งกินน้ำ).

'rain·coat *n* a coat worn to keep out the rain (เสื้อฝน).

'rain·drop *n* a single drop of rain (หยดน้ำฝน).

'rain·fall *n* the amount of rain that falls in a certain place in a certain time (ปริมาณน้ำฝน).

rain·forest *n* a thick tropical forest in an area where there is a lot of rain (ป่าเขตร้อนซึ่งมีฝนตกมาก): *Many rainforests have been destroyed in recent years.*

'rain-gauge *n* an instrument for measuring rainfall (เครื่องวัดปริมาณน้ำฝน).

'rain·storm *n* a period of very heavy rain (พายุฝน).

'rain·y *adj* having many showers of rain (มีฝนตกชุก): *a rainy day; the rainy season; rainy weather.*

rain cats and dogs to rain very hard (ฝนตกหนักมาก).

raise (*rāz*) *v* 1 to move or lift something to a high position (ยกขึ้น ปล่อยควัน): *Raise your right hand; Raise the flag; The truck raised a cloud of dust as it passed.* 2 to make higher (ทำให้สูงขึ้น): *We'll raise that wall about 20 centimetres.* 3 to grow crops or breed animals for food (ปลูกพืชหรือเลี้ยงสัตว์เพื่อเป็นอาหาร): *We don't raise pigs on this farm.* 4 to bring up a child (เลี้ยงเด็กให้เติบโตขึ้นมา): *She has raised a large family.* 5 to state a question, objection *etc.* which you wish to have discussed (ตั้งคำถาม คัดค้าน): *Has anyone in the audience any points they would like to raise?* 6 to collect; to gather (รวบรวม): *We'll try to raise money to repair the swimming-pool.* 7 to cause (ก่อให้เกิด): *His joke raised a laugh.* — *n* an increase in wages or salary (ขึ้นค่าจ้างหรือเงินเดือน): *I'm going to ask the boss for a raise.*

> **raise** means to lift something: *Raise (not rise) your hand.*
> **rise** means to stand up or go up: *Smoke rises (not raises) from the chimney.*

raise someone's hopes to make someone

hopeful (ทำให้ใครบางคนมีความหวัง).

raise someone's spirits to make someone cheerful (ทำให้ใครบางคนร่าเริงขึ้นมา).

raise the roof to make a lot of noise (ทำเสียงเอะอะ).

'rai·sin (*'ra-zin*) *n* a dried grape (ลูกเกด): *She put raisins and sultanas in the cake.*

ra·jah (*'rä-jə*) an Indian prince (เจ้าชายอินเดียน).

rake *n* a tool, like a large comb with a long handle, used for smoothing earth, gathering hay and leaves together *etc.* (คราด). — *v* to smooth or gather with a rake (กวาดด้วยคราด): *I'll rake these grass-cuttings up later.*

'ral·ly *v* **1** to come or bring together (ร่วมชุมนุม): *The general tried to rally his troops after the defeat; The supporters rallied to save the club from collapse.* **2** to recover health or strength (ฟื้นฟูสุขภาพหรือกำลัง): *She rallied from her illness.* — *n* **1** a large gathering of people for some purpose (ร่วมชุมนุมคนเป็นจำนวนมากเพื่อทำอะไรบางอย่าง): *a Scout's rally.* **2** a meeting, usually of cars or motor-cycles, for a competition, race *etc.* (การชุมนุมรถยนต์หรือรถจักรยานยนต์เพื่อแข่งขัน การแข่งขัน).

rally round to come together for a joint effort, especially of support (ร่วมชุมนุมเพื่อทำงานร่วมกัน): *When John's business was in difficulty, his friends all rallied round to help him.*

ram *n* **1** a male sheep (แกะตัวผู้). **2** something heavy, especially part of a machine, used for ramming (เครื่องตอกเสาเข็ม เครื่องกระทุ้ง). — *v* **1** to run into something and cause damage to it (ชนหรือกระแทกจนเกิดความเสียหาย): *His car rammed into the car in front of it.* **2** to push with great force (กระแทกหรือกระทุ้งอย่างแรง): *We rammed the post into the ground.*

'Ram·a·dan *n* the ninth month of the Muslim year, when Muslims fast between sunrise and sunset (เดือนที่เก้าในศาสนาอิสลามอันเป็นเดือนถือศีลอด): *His family always fasts during Ramadam.*

'ram·ble *v* **1** to go for a walk, usually in the countryside (เดินซึ่งตามปกติจะเป็นนอกเมือง). **2** to speak in a confused way (พูดสับสน). — *n* a walk taken for pleasure (เดินเล่น).

'ram·bler *n* (คนเดินเล่น คนเดินเตร็ดเตร่).

ramp *n* a sloping surface (ทางลาด): *The car drove up the ramp from the quay to the ship.*

ram'page (*ram'pāj*) *v* to rush about angrily, violently or in excitement (วิ่งวุ่นอย่างโกรธ ๆ รุนแรงหรือด้วยความตื่นเต้น): *The elephants rampaged through the jungle.*

'ram·pant *adj* very common; out of control (ครึกโครม ดาษดื่น): *rampant weeds; rampant crime.*

'ram·part *n* a wall for defence (กำแพง).

ran *see* **run** (ดู **run**).

ranch (*ränsh*) *n* a farm, especially one in America for rearing cattle or horses (ไร่ปศุสัตว์).

'ran·cid *adj* tasting or smelling bad (รสหรือกลิ่นหืน): *rancid butter.*

'ran·cour (*'ran-kər*) *n* a feeling of bitterness or hatred that lasts a long time (ความรู้สึกขมขื่นหรือเกลียดอย่างเข้ากระดูก): *There has always been a feeling of rancour between them.*

'ran·dom *adj* done *etc.* without any plan or system (ไม่มีแผนหรือระบบ สุ่ม): *a random selection.* **'ran·dom·ly** *adv* (อย่างสุ่ม ๆ).

at random without any plan or system (อย่างสุ่ม ๆ): *Choose a number at random.*

rang *see* **ring**[2] (ดู **ring**[2]).

range (*rānj*) *n* **1** a selection; a variety (การเลือก ความหลากหลาย): *a wide range of books for sale; He has a very wide range of interests.* **2** the distance over which an object can be sent or thrown; the distance over which a sound can be heard *etc.* (ระยะทางที่วัตถุจะถูกส่งหรือขว้างออกไปได้ ระยะที่ได้ยินเสียง): *What is the range of this missile?; We are within range of their guns.* **3** the amount between certain limits (ระหว่าง): *I'm hoping for a salary within the range $10,000 to $14,000.* **4** a row; a ridge (เป็นแถว เทือกเขา): *a mountain range.* — *v* **1** to put things in rows (เรียงกันเป็นแถว): *The two armies were ranged on opposite sides of the valley.*

2 to vary between certain limits (เปลี่ยนแปลงไปมาในระหว่างขีดจำกัด): *Weather conditions here range between very good and very bad.*

'rang·er *n* a person who looks after a forest or park (เจ้าหน้าที่รักษาป่าหรืออุทยาน).

rank *n* **1** a line or row (แถว แนว ที่จอดรถแท็กซี่): *a soldier in the front rank; a taxi-rank.* **2** a person's position according to importance *etc.* (ยศ ตำแหน่ง): *He was promoted to the rank of sergeant; a police officer of very high rank; Doctors belong to the higher ranks of society.* — *v* to place or be placed according to importance *etc.* (วางหรือถูกวางอยู่ตามลำดับความสำคัญ): *Apes rank above dogs in intelligence.*

rank and file 1 ordinary people (คนธรรมดา). **2** ordinary soldiers, not officers (ทหารธรรมดาไม่ใช่นายทหาร).

'ran·sack *v* **1** to search thoroughly (ค้นอย่างถี่ถ้วน): *She ransacked the whole house for her keys.* **2** to take goods from places by force (ปล้น): *The army ransacked the conquered city.*

'ran·som *n* a sum of money *etc.* paid for the freeing of a prisoner (ค่าไถ่). — *v* to pay money *etc.* to free someone (จ่ายเงินเพื่อให้ปล่อยตัวคนบางคน).

rant *v* to talk in a loud, angry way (พูดเอะอะ): *He ranted on and on for hours.*

rap *n* a quick knock; a sharp tap (เคาะเร็ว ๆ): *He heard a rap on the door.* — *v* to hit sharply (ทุบอย่างแรง): *He rapped on the table and called for silence.*

rap out to say sharply (พูดเสียงดังฟังชัด): *He rapped out a command.*

rape *v* to force a woman to have sexual intercourse against her will (ข่มขืน). — *n* the crime of doing this (การข่มขืน).

'rap·id *adj* quick; fast (เร็ว): *rapid progress; a rapid heart-beat.*

'rap·id·ly *adv* (อย่างรวดเร็ว).

ra'pid·i·ty *n* (ความรวดเร็ว).

'rap·ids *n* a place in a river where the water flows very fast, usually over and between dangerous rocks (แก่งน้ำเชี่ยว).

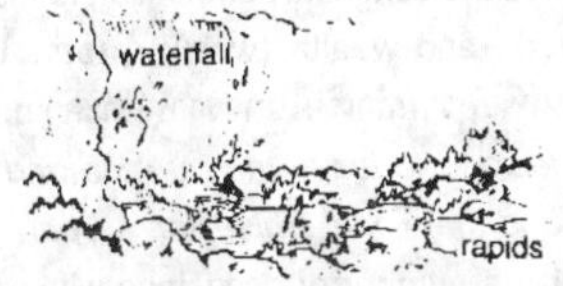

'rap·ture (*'rap-chər*) *n* great delight (ความปีติอย่างเหลือล้น).

rare *adj* not found very often; unusual (หายาก): *a rare flower; An eclipse of the sun is a rare event.*

'rare·ly *adv* not often (ไม่บ่อย): *I rarely go to bed before midnight.*

> **rarely** means the same as **seldom**: *The baby rarely (or seldom) cries.*
> **scarcely** means the same as **hardly**. See **scarcely**.

'rar·ing (*'rār-iŋ*): **raring to go** eager to start (อยากจะไป กระหายที่จะเริ่ม).

'rar·i·ty (*'rār-i-ti*) *n* **1** being rare (ความหายาก). **2** something that is rare (บางอย่างที่หายาก): *This stamp is a rarity.*

'ras·cal (*'räs-kəl*) *n* a naughty person, especially a child (คนที่ซุกซน คนเลว): *a cheeky little rascal; That shop is run by a pack of rascals.*

rash[1] *adj* foolishly hasty; not thinking carefully before acting (รีบอย่างโง่ ๆ ไม่คิดให้ดีก่อนทำ): *a rash person; It was rash of you to leave your present job without first finding another.* **'rash·ly** *adv* (อย่างหุนหันพลันแล่น). **'rashness** *n* (ความหุนหันพลันแล่น).

rash[2] *n* a large number of red spots on the skin (รอยผื่นคัน): *That child has a rash — is it measles?*

'rash·er *n* a thin slice of bacon or ham (ชิ้นบาง ๆ ของหมูเบคอนหรือหมูแฮม).

rasp (*rāsp*) *v* to make a harsh, scraping sound (เสียงแหบ ๆ): *Her throat was so sore she could only rasp.* — *n* a harsh, scraping sound (เสียงห้าว เสียงโกรกกราก): *the rasp of a file on wood.*

'rasp·ber·ry (*'raz-bə-ri*) *n* a small, soft, red berry (ผลราสเบอร์รี่): *raspberry jam.*

rat *n* a small animal with a long tail, like a mouse but larger (หนูขนาดใหญ่).

rat race the continual competition for success at work, and wealth (แข่งขันกันอย่างไม่หยุดหย่อนเพื่อความสำเร็จในการงานและความมั่งคั่ง): *He decided to leave the rat race and go on a round-the-world cruise for a year.*

rate *n* **1** the number of occasions within a certain period of time when something happens (อัตรา): *There is a high accident rate in the factory.* **2** the number or amount of something in relation to a total (อัตราส่วน): *There was a failure rate of one pupil in ten in the exam.* **3** the speed with which something happens or is done (ความรวดเร็ว): *He works at a very fast rate.* **4** the level of pay, cost *etc* for a particular job *etc.* (อัตราการจ่ายเงินสำหรับงานหนึ่ง ๆ): *What is the rate of pay for this job?* — *v* to value; to regard (ให้คุณค่า ถือว่า): *I don't rate this book very highly.*

'ra·ther (*'rä-dhər*) *adv* **1** to a certain extent; slightly; a little (ค่อนข้างจะ): *He's rather nice; That's a rather silly question; She's rather a pretty girl.* **2** more willingly; preferably (เต็มใจมากกว่า ชอบมากกว่า): *I'd rather do it now than later; Can we do it now rather than tomorrow?; Wouldn't you rather have the red one than the blue one?* **3** more exactly; more correctly (แน่ชัดลงไปกว่า อย่างถูกต้องมากกว่า): *He agreed, or rather he didn't disagree; You might say he was foolish rather than wicked.*

'rat·i·fy *v* to agree formally to accept (ให้สัตยาบัน): *All of the countries have now ratified the treaty.* **rat·i·fi'ca·tion** *n* (การให้สัตยาบัน).

'ra·ti·o (*'rā-shi-ō*), *plural* **ratios**, *n* the proportion of one thing compared to another (อัตราส่วน): *There is a ratio of two girls to one boy in this class.*

'ra·tion (*'rash-ən*) *n* a measured amount of food *etc.* allowed during a particular period of time (การปันส่วนอาหาร): *The soldiers were each given a ration of food for the day.* — *v* to allow only a certain amount of food *etc.* to a person or animal during a particular period of time (ปันส่วนอาหาร): *During the oil shortage, petrol was rationed.*

'ra·tion·al (*'rash-ə-nəl*) *adj* **1** able to think, reason and judge *etc.* (สามารถที่จะคิด มีเหตุผลและวิจารณญาน): *Man is a rational animal.* **2** sensible; reasonable (รู้จักผิดชอบชั่วดี มีเหตุผล): *There must be a rational explanation for those strange noises.*

'rat·tle *v* to make a series of short, sharp noises by knocking together (เสียงเขย่าโดยของกระทบกัน): *The cups rattled as he carried the tray in.* — *n* **1** a rattling noise: *the rattle of cups.* **2** a child's toy that makes a noise of this sort (ของเล่นเด็กที่มีเสียงกรุ้งกริ้ง): *The baby waved its rattle.*

'rat·tle·snake *n* a poisonous American snake with bony rings in its tail which rattle (งูหางกระดิ่ง).

'rav·age *v* to plunder and destroy land *etc.* (การปล้นและทำลายล้างที่ดิน).

rave *v* **1** to talk wildy as if you are mad (พูดพล่ามราวกับคนบ้า). **2** to talk very eagerly (พูดอย่างกระตือรือร้น): *He's raving about this new record he's heard.*

'ra·ven (*'rā-vən*) *n* a large black bird of the crow family (นกดุเหว่า).

'rav·en·ous *adj* very hungry (หิวมาก): *The children were ravenous after playing football all afternoon.* **'rav·en·ous·ly** *adv* (อย่างหิวมาก).

ra'vine (*rə'vēn*) *n* deep narrow valley (หุบเขาลึกแคบ ๆ).

'rav·ish·ing *adj* beautiful (สวยงาม): *She looks ravishing tonight.*

raw *adj* **1** not cooked (ดิบ): *raw meat.* **2** in the natural state, before going through a manufacturing process (วัตถุดิบ): *raw cotton; What raw materials are used to make plastic?*

ray *n* **1** a narrow beam of light, heat *etc.* (รังสีของแสง ความร้อน): *the sun's rays; X-rays; a ray of light.* **2** a small amount (น้อยนิด): *a ray of hope.*

'ray·on *n* a kind of artificial silk (ไหมเทียม).

raze *v* to destroy a city *etc.* completely (ทำลายเมือง ฯลฯ อย่างราบคาบ).

'ra·zor (*'rā-zər*) *n* an instrument with a sharp blade or electrically-powered cutters used for shaving hair from your skin (มีดโกน).

reach *v* **1** to arrive at a place (ไปถึง): *We'll never reach London before dark; The noise reached our ears; Have they reached an agreement yet?* **2** to touch or get hold of something (แตะหรือจับได้): *My keys have fallen down this hole and I can't reach them.* **3** to stretch out your hand in order to touch or get hold of something (เอื้อมมือออกไปเพื่อแตะหรือหยิบ): *He reached across the table for another cake; She reached out and took the book.* **4** to make contact with someone (ติดต่อ): *If anything happens you can always reach me by phone.* **5** to extend (ยาวออกไป): *The school playingfields reach from here to the river.* — *n* **1** a distance that can be travelled easily (ระยะทางที่สามารถเดินทางไปได้ง่าย): *My house is within reach of London.* **2** the distance you can stretch your arm (ระยะที่เราต้องเอื้อมมือ): *I keep medicines on the top shelf, out of the children's reach; My keys are down that hole, just out of reach.*

reach is followed by the destination: *They reached Kuala Lumpur in the evening.*
arrive is used with **at** or **in**.
See **arrive**.

re'act (*rē'akt*) *v* to behave in a certain way as a result of something (มีปฏิกิริยา): *How did he react when you called him a fool?; He reacted angrily to the criticism; Hydrogen reacts with oxygen to form water.*

re'ac·tion *n* **1** the way a person reacts to something (การมีปฏิกิริยา): *What was his reaction to your remarks?* **2** a process of change that occurs when two or more substances are put together (กระบวนการเปลี่ยนแปลงซึ่งเกิดขึ้นเมื่อเอาสารสองสิ่งหรือมากกว่านั้นเข้ามารวมกัน ปฏิกิริยา): *a chemical reaction between iron and acid.*

re'ac·tion·a·ry *adj* against change and progress and in favour of a return to a former system (ต่อต้านการเปลี่ยนแปลงและความก้าวหน้าโดยชอบที่จะกลับไปสู่ระบบเดิม นักการเมืองฝ่ายขวาจัด): *a politician with reactionary views.*

re'act·or *n* an apparatus in which nuclear energy is produced (เตาปฏิกรณ์).

read *v* **1** to look at and understand words or other signs (อ่าน): *The children are learning to read and write Chinese and English; I like reading adventure stories; Read as much as you can; to read music.* **2** to learn something by reading (เรียนรู้จากการอ่าน): *I read in the paper today that the government is going to increase taxes.* **3** to read aloud, usually to someone else (อ่านออกเสียงดัง ๆ): *I always read my daughter a story before she goes to bed; Parents ought to read more to their children.* **4** to study a subject at a university (ศึกษาวิชาหนึ่งที่มหาวิทยาลัย): *She is reading mathematics at London University.* **5** to look at what is recorded on an instrument *etc.*; to record an amount, temperature *etc.* (มองดูสิ่งที่บันทึกอยู่บนเครื่องมือ บันทึกจำนวน อุณหภูมิ): *The thermometer read 34° Celsius; The nurse read the thermometer.* **6** to be worded; to say (กล่าวออกมาเป็นคำพูดว่า): *His letter reads as follows: "Dear Sir,...".*

read; read (*red*); **read** (*red*): *She read the story aloud; Have you read any good books lately?*

'read·a·ble *adj* **1** pleasant to read (น่าอ่าน): *a readable book.* **2** able to be read (สามารถอ่านได้): *Your writing is scarcely readable.*

'read·er *n* **1** a person who reads a lot of books, magazines *etc.* (นักอ่าน): *He's a keen reader.* **2** a person who reads a particular newspaper, magazine *etc.* (คนอ่านหนังสือพิมพ์หรือนิตยสาร): *The editor asked readers to write to him with their opinions.* **3** a reading-book (หนังสือสำหรับอ่าน): *an English reader.*

read between the lines to understand something, for example in a letter, that is not actually written there (เข้าใจความหมาย).

read on to continue to read (อ่านต่อไป): *He paused for a few moments, and then read on.*

read out to read aloud (อ่านเสียงดัง): *Read out the answers to the questions.*

read over, read through to read from beginning to end (อ่านจากต้นจนจบ): *I'll read through your composition, and let you know if I find any mistakes.*

read up to learn about a subject by reading books about it (เรียนรู้เกี่ยวกับบางเรื่องโดยการอ่านหนังสือในเรื่องนั้น): *to read up a subject.*

'read·i·ly (*'red-i-li*) *adv* **1** willingly (อย่างเต็มใจ): *I'll readily help you.* **2** without difficulty (อย่างไม่ยุ่งยาก): *I can readily answer all your questions.*

'read·ing *n* **1** the ability to read (ความสามารถในการอ่าน): *Billie is very good at reading.* **2** the figure, measurement, temperature *etc.* shown on an instrument *etc.* (ตัวเลข การวัด อุณหภูมิที่แสดงอยู่บนเครื่องมือนั้น): *The reading on the thermometer was 40˚.*

re·ad'just *v* to get used to something again (ปรับใหม่ จัดใหม่): *He found it difficult to readjust to home life after months in prison.*

re·ad'just·ment *n* (การจัดใหม่อีกครั้งหนึ่ง).

'read·y (*'red-i*) *adj* **1** prepared; able to be used *etc.* immediately or when needed; able to do something immediately or when necessary (เตรียมพร้อม พร้อม): *I've packed our cases, so we're ready to leave; Is tea ready yet?; Your coat has been cleaned and is ready to be collected.* **2** willing (เต็มใจ): *I'm always ready to help.* **3** quick (รวดเร็ว): *You're too ready to find faults in other people; He always has a ready answer.* **4** likely; about to do something (ราวกับจะ): *My head feels as if it's ready to burst.*

'read·i·ness *n* (ความพร้อม).

read·y-'made, read·y-to-'wear *adjs* made in standard sizes, and for sale to anyone rather than made for one particular person (สำเร็จรูป): *a ready-made suit; ready-to-wear clothes.*

're·al (*'rē-əl*) *adj* **1** actually existing (มีอยู่จริง คงอยู่จริง): *There's a real monster in that cave.* **2** not artificial; genuine (ของแท้): *real leather; Is that diamond real?* **3** actual (จริง ๆ): *He may own the factory, but it's his manager who is the real boss.* **4** great (มาก): *a real surprise; a real problem.*

're·a·list *n* someone who sees a situation as it really is and deals with it in a practical way (ผู้เห็นสถานการณ์ตามที่เป็นจริงและตอบต่อสถานการณ์นั้นอย่างเหมาะสม นักสัจนิยม): *He is a realist and knows that he has to work hard in order to pass his exams.*

re·a'lis·tic *adj* showing or seeing things as they really are (แสดงหรือเห็นตามที่เป็นจริง): *a realistic painting; You won't get all your clothes into that case — be realistic!*

re·a'lis'tic·al·ly *adv* (ตามความเป็นจริง).

re'al·i·ty *n* that which is real and not imaginary (ความเป็นจริงและไม่ใช่จินตนาการ): *We were glad to get back to reality after hearing the ghost story.*

in reality really; actually (ความเป็นจริง ที่จริงแล้ว): *John said he liked the food, but in reality it was terrible.*

're·a·lize (*'rē-ə-līz*) *v* **1** to know; to understand (รู้ เข้าใจ): *I realize that I can't have everything I want; I realized my mistake.* **2** to make real; to make something come true (ทำให้เป็นจริง): *He realized his ambition to become an astronaut.*

re·ali'za·tion *n* (ความสำนึกรู้).

're·al·ly (*'rē-ə-li*) *adv* **1** in fact; actually (ความจริง อันที่จริง): *He looks stupid but he's really very clever.* **2** very (มาก): *That's a really nice dress!* **3** used to express surprise *etc* (ใช้แสดงความประหลาดใจ): *"Mr Davis is going to be the next manager." "Oh, really?"; Really! You mustn't be so rude!*

realm (*relm*) *n* **1** a kingdom (อาณาจักร). **2** an area of activity, interest *etc.* (พื้นที่มีกิจกรรม น่าสนใจ): *She's well-known in the realm of sport.*

reap *v* to cut and gather (เก็บและรวบรวม): *The farmer is reaping the wheat.*

'reap·er *n* a person or machine that reaps (คนหรือเครื่องที่เก็บเกี่ยว).

re·ap'pear *v* to appear again (ปรากฏขึ้นอีกครั้งหนึ่ง): *The boy disappeared behind the wall,* and reappeared a few yards away.

re·ap'pear·ance *n* (การปรากฏขึ้นอีกครั้งหนึ่ง).

to **reappear** (not ไม่ใช่ **reappear again**).

rear[1] *n* **1** the back part of something (ส่วนท้าย): *There is a bathroom at the rear of the house.* **2** your bottom (ก้น): *He sits on his rear all day doing nothing.* — *adj* positioned behind (ตำแหน่งข้างหลัง): *the rear wheels of the car.*

rear-view mirror a mirror on a vehicle's windscreen which allows the driver to see traffic behind them (กระจกมองหลัง): *She looked into her rear-view mirror before turning right.*

rear[2] *v* **1** to feed and care for a family, animals *etc.* while they grow up (เลี้ยงดูและเอาใจใส่ต่อครอบครัว สัตว์ ฯลฯ ในขณะที่พวกเขากำลังเติบโตขึ้นมา): *She has reared six children; He rears cattle.* **2** to rise up on the hind legs (ยืนด้วยสองขาหลัง): *The horse reared in fright as the car passed.* **3** to raise (ยกหัวขึ้น): *The snake reared its head.*

rear up to rear (รั้งท้าย): *the horse reared up.*

re·ar'range *v* to arrange differently (จัดแจง จัดใหม่): *We'll rearrange the chairs.*

re·ar'range·ment *n* (การจัดใหม่).

'rea·son (*'rē-zən*) *n* **1** the cause of, or explanation for, an event or happening (เหตุผล): *What is the reason for this noise?; What is your reason for going to London?; The reason I am going is that I want to.* **2** the power of your mind to think, form opinions *etc.* (พลังความคิดที่เป็นรูปแบบ): *Only humans have the power of reason — animals have not.* — *v* **1** to be able to think, form opinions *etc.* (สามารถคิด ออกความเห็น): *Humans have the ability to reason.* **2** to argue; to work out after some thought (โต้เถียง คิดออกมาได้หลังจากได้คิด): *She reasoned that if he had caught the 6.30 p.m. train, he would be home by 8.00.*

A **reason** explains why you do something: *What was your reason for dismissing him?*
A **cause** makes something happen: *Greed is often a cause of war.*

'rea·son·a·ble *adj* **1** sensible (มีเหตุผล): *a reasonable suggestion.* **2** willing to listen to argument; acting with good sense (ยอมฟังคำโต้แย้ง กระทำด้วยความรู้สึกที่ดี): *You can't expect me to do all this work — be reasonable!.* **3** fair; correct; acceptable (พอใช้ ถูกต้อง ยอมรับได้): *Is $10 a reasonable price for this book?* **4** satisfactory; as much as you might expect or want (พอใจ คาดว่าจะมีเท่านี้ คาดว่าต้องการเท่านี้): *There were a reasonable number of people at the meeting.*

'rea·son·ab·ly *adv* (อย่างมีเหตุผล พอใช้ได้): *He behaved very reasonably; The car is reasonably priced; The meeting was reasonably well attended.*

'rea·son·ing *n* the process of thinking that helps you to reach a decision or conclusion (การใช้วิจารณญาน เหตุผล): *What made you change your mind? Explain your reasoning step by step.*

lose your reason to become insane; to go mad (เป็นบ้า).

reason with to argue with someone; to persuade someone to be more sensible (โต้เถียงอย่างมีเหตุผล): *We reasoned with Jim for hours, but he still refused to talk to her.*

re·as'sem·ble *v* **1** to put things together after taking them apart (การประกอบขึ้นใหม่): *The mechanic took the engine to pieces, then reassembled it.* **2** to come together again (รวมกันเข้าอีกครั้งหนึ่ง): *The pupils thought about the problem separately, and reassembled to discuss it together.*

re·as'sure (rē-ə'sho͞or) *v* to take away your doubts or fears about something (ทำให้มั่นใจอีกครั้งหนึ่ง รับรองอีกครั้งหนึ่ง): *I reassured him that everyone liked his poem.*

re·as'sur·ance *n* **1** the reassuring of someone (การให้ความมั่นใจ). **2** something you say *etc.* to reassure someone (คำพูดที่ให้ความมั่นใจ): *In spite of the doctor's reassurances, she was still worried.*

re·as'sur·ing *adj* (มั่นใจ ปลอยใจ): *the doctor's reassuring remarks.* **re·as'sur·ing·ly** *adv* (อย่างมั่นใจ อย่างปลอบใจ).

're•bate (*'rē-bāt*) *n* a return of part of a sum of money paid (**คืนเงินที่จ่ายไป**): *He was given a tax rebate.*

'reb•el (*'reb-əl*) *n* **1** someone who fights against people in authority, for example a government (**กบฏ**): *The rebels killed many soldiers.* **2** someone who does not accept the rules of normal behaviour *etc.* (**คนที่ไม่ยอมรับกฎของความประพฤติที่เป็นปกติธรรมดา**): *My son is a bit of a rebel.* — *adj* (**แห่งกบฏ**): rebel troops. — v (*re'bel*) to fight against people in authority (**ต่อสู้กับเจ้าหน้าที่**): *The people rebelled against the king.*

The noun **'reb•el** has the accent on the first half of the word; the verb **re'bel** has the accent on the second half.

re'bel•lion *n* **1** an open or armed fight against a govenment *etc.* (**การกบฏ**). **2** a refusal to obey orders or to accept rules *etc.* (**ปฏิเสธที่จะเชื่อฟังคำสั่งหรือยอมรับกฎ**).

re'bel•lious *v* rebelling or likely to rebel (**กบฏหรือน่าจะกบฏ**): *rebellious troops.*

re'bel•lious•ly *adv* (**อย่างกบฏ อย่างขัดขืน**).

re'bellious•ness *n* (**ความเป็นกบฏ ความขัดขืน**).

re'bound (*ri-'bound*) *v* **1** to bounce or spring back (**กระดอน**): *The ball rebounded off the wall.* **2** to have a bad effect on the person performing the action (**สะท้อนกลับต่อคนผู้นั้นอย่างไม่ดี**): *The lies he told rebounded on him in the end.*

on the rebound (*'rē-bound*) while still recovering from an emotional shock, especially the end of a love affair (**ในขณะที่กำลังหายจากความตกใจทางอารมณ์ โดยเฉพาะอย่างยิ่งในตอนจบของเรื่องรักใคร่**): *She agreed to marry him on the rebound.*

re'buff *v* to reject or refuse unkindly (**บอกปัดหรือปฏิเสธอย่างไม่ไยดี**): *He rebuffed her offer of help.* — *n* (**การปฏิเสธอย่างไม่ไยดี**): *My offer met with a rebuff.*

re'buke (*rə'būk*) *v* to speak severely to someone because they have done wrong; to scold (**ตำหนิติเตียน**): *The boy was rebuked by his teacher for cheating.* — *n* (**การว่ากล่าว การตำหนิติเตียน**): *She got a rebuke from her mother for coming home late.*

re'call (*rə'köl*) *v* **1** to order someone to return (**สั่งให้กลับมา**): *He had been recalled to hospital.* **2** to remember (**จำได้**): *I don't recall when I last saw him.* — *n* **1** an order to return (**คำสั่งให้กลับมาประจำหน้าที่**): *the recall of soldiers to duty.* **2** (*'rē-köl*) the ability to remember (**ความสามารถจำได้**).

See **remember**.

re'cap•ture *v* to capture again (**ยึดหรือจับได้อีกครั้งหนึ่ง**): *The soldiers recaptured the city; The prisoners were recaptured.* — *n* (**การยึดหรือจับได้อีกครั้งหนึ่ง**): *The recapture of the town.*

re'cede *v* to move back (**ลดลงไป หดกลับ**): *The floods receded; His hair is receding from his forehead.*

re'ceipt (*rə'sēt*) *n* **1** the receiving of something (**การรับของบางอย่าง**): *Please sign this form to acknowledge receipt of the money.* **2** a note saying that money *etc.* has been received (**ใบรับเงิน ใบเสร็จ**): *I paid the bill and he gave me a receipt.*

re'ceive (*rə'sēv*) *v* **1** to get or be given (**รับหรือถูกรับ**): *He received a letter; They received a good education.* **2** to welcome or greet someone (**ต้อนรับหรือทักทาย**): *They received their guests warmly.* **3** to respond to something that you are told *etc.* (**สนองตอบต่อบางสิ่งที่เราได้รับการบอก**): *The news was received in silence.*

receive is spelt with **-ei-**.

re'ceiv•er *n* **1** the part of a telephone that you hold to your ear (**หูฟังโทรศัพท์**). **2** an apparatus for receiving radio or television signals (**อุปกรณ์ที่ใช้รับวิทยุหรือสัญญาณโทรทัศน์**). **3** a stereo amplifier with a built-in radio.

're•cent (*'rē-sənt*) *adj* happening, done *etc.* not long ago (**เร็ว ๆ นี้**): *Things have changed in recent weeks; recent events.*

're•cent•ly *adv* (**เมื่อเร็ว ๆ นี้**): *He came to see me recently.*

re'cep•ta•cle *n* something that is made to put

or keep things in; a container (ที่รองรับ ภาชนะ บรรจุ): *A dustbin is a receptacle for rubbish.*

re'cep·tion *n* **1** the receiving of something (การต้อนรับ): *His speech got a good reception.* **2** a formal party (งานเลี้ยงรับรอง): *a wedding reception.* **3** the quality of radio or television signals (คุณภาพของสัญญาณวิทยุหรือโทรทัศน์): *Radio reception is poor in this area.* **4** the part of a hotel, hospital *etc.* where visitors enter and are attended to (ที่ต้อนรับของโรงแรมหรือโรงพยาบาล).

re'cep·tion·ist *n* someone in a hotel, office *etc.* whose job is to answer the telephone, attend to guests *etc.* (พนักงานต้อนรับ).

're·cess (*'rē-ses*) *n* **1** a part of a room set back from the main part (ส่วนของห้องซึ่งแยกออกมาจากห้องใหญ่): *We can put the dining-table in the recess.* **2** a period of free time between classes (เวลาหยุดพัก).

re'ces·sion *n* a period when there is a fall in the amount of trade a country does, and a rise in poverty and the number of people who are unemployed (ภาวะถดถอยทางการค้า ซึ่งก่อให้เกิดความยากจนและคนว่างงานเพิ่มมากขึ้น): *This country has been in a recession for the past four years; a world recession.*

'rec·i·pe (*'res-i-pi*) *n* a set of instructions on how to prepare and cook something (ตำรับวิธีปรุงอาหาร): *a recipe for curry.* — *adj* (แห่งตำรับนี้): *a recipe book.*

re'cip·i·ent *n* someone who receives something (ผู้รับ): *the recipient of a letter.*

re'cip·ro·cal *adj* given by two people, countries *etc.*, to each other (ซึ่งกันและกัน): *After the end of the war, the two countries made a reciprocal agreement to return all their prisoners.* **re'cip·rocal·ly** *adv* (ซึ่งกันและกัน).

re'ci·tal *n* **1** a public performance of music or songs (การเล่นดนตรีหรือเพลงในที่สาธารณะ): *a recital of Schubert's songs.* **2** the reciting of something (การเล่า การบรรยาย).

rec·i'ta·tion *n* a poem *etc.* which is recited (การท่องโคลง): *a recitation from Shakespeare.*

re'cite *v* to repeat aloud from memory (การท่องปากเปล่า): *to recite a poem.*

'reck·less *adj* very careless; done without any thought of the outcome (เลินเล่อมาก ๆ ทำโดยไม่คิดถึงผลที่จะออกมา): *a reckless driver; reckless driving.*

'reck·less·ly *adv* (โดยประมาท).

'reckless·ness *n* (ความประมาท).

'reck·on *v* to consider (นับ พิจารณา): *He is reckoned to be the best pianist in Britain.*

'reck·on·ing *n* calculation; counting (การคำนวณ การนับ): *By my reckoning, we must be about eight kilometres from the town.*

re'claim *v* to ask for something that you own, that has been found by someone else (เรียกคืน เอาคืน): *A purse has been found and can be reclaimed at the manager's office.* **rec·la'ma·tion** *n* (การเรียกคืน).

re'cline *v* to lie back or lie down (เอนหลัง นอนลง): *She was reclining on the sofa.*

re'cluse (*ri'kloos*) *n* a person who lives alone and chooses not to see other people (ผู้ที่อยู่ตัวคนเดียวและไม่ยอมพบปะผู้ใด เอกา ผู้อยู่สันโดษ): *He has been a recluse since his wife died.* **re'clusive** *adj* (สันโดษ).

rec·og'ni·tion *n* the recognizing of someone or something (การจำได้ การระลึกถึง): *They gave the boy a medal in recognition of his courage.*

'rec·og·nize *v* **1** to see, hear *etc.* someone or something *etc.* and know who or what they are, because you have seen or heard them before (จำได้): *I recognized his handwriting; I recognized him by his voice.* **2** to admit (ยอมรับ): *Everyone recognized his skill.*

re·cog'niza·ble *adj* (สามารถจำได้ ยอมรับได้).

re'coil *v* to move quickly back or away from something or someone because of fear or horror (ถอยหลังหรือถดถอยอย่างรวดเร็วด้วยความกลัวหรือขยะแขยง): *He recoiled from the dentist's drill; She recoiled at the sight of the dead animal.*

rec·ol'lect v to remember (จำได้): *I can't recollect exactly what he said.*

See **remember**.

rec·ol'lec·tion *n* **1** the power of remembering

(พลังของการจำได้). **2** something that is remembered (บางอย่างที่ถูกจำเอาไว้): *My book is called "Recollections of Childhood".*

rec·om'mend *v* **1** to advise (แนะนำ): *The doctor recommended a long holiday.* **2** to suggest as being particularly good, suitable *etc.* (เสนอแนะอย่างดี ๆ เหมาะสม): *He recommended her for the job.*

recommend has one **c** and two **ms**.

rec·om·men'da·tion *n* **1** the recommending of someone or something (การแนะนำ การรับรอง): *I gave her the job on his recommendation.* **2** something recommended (การแนะนำ): *The recommendations of the committee.*

'rec·on·cile *v* **1** to make people become friendly again, for example after they have quarrelled (ทำให้คืนดี ทำให้ปรองดอง): *Why won't you be reconciled with him?* **2** to bring two or more different aims *etc.* into agreement (ปรองดอง): *The workers want high wages and the bosses want high profits — it's almost impossible to reconcile these two aims.* **3** to make someone accept something (ทำให้ใครบางคนยอมรับอะไรบางอย่าง): *Her mother didn't want the marriage to take place but she is reconciled to it now.*

rec·on·cil·i'a·tion *n* (การคืนดี การปรองดอง).

re·con'di·tion *v* to put something in good condition again by cleaning, repairing *etc.* (ทำให้อยู่ในสภาพที่ดีอีกครั้งหนึ่งโดยการทำความสะอาด ซ่อมแซม ฯลฯ).

re·con'di·tion·ed *adj* (ปรับปรุงใหม่): *a reconditioned television set.*

re·con'sid·er *v* to think about something again and possibly change your opinion, decision *etc.* (พิจารณาใหม่): *Please reconsider your decision to leave the firm.*

re·con·sid·e'ra·tion *n* (การพิจารณาใหม่).

'rec·ord *n* **1** a written report of facts, events *etc.* (บันทึก): *historical records; I wish to keep a record of everything that is said at this meeting.* **2** a round flat piece of plastic on which music *etc.* is recorded (แผ่นบันทึกเสียง เทปบันทึกเสียง): *a record of Beethoven's Sixth Symphony.* **3** the best perfomance so far; something that has never yet been beaten (สถิติ): *He holds the record for the 1000 metres.* **4** the collected facts from the past that are known about someone or something (ประวัติ): *This school has a very poor record of success in exams; He has a criminal record.* — *adj* better than all previous ones (ดีกว่าที่แล้วมาทั้งหมด): *a record score.* — *v* (*re'cord*) *v* **1** to write a description of something so that it can be read in the future (ทำบันทึก): *The decisions will be recorded in the minutes of the meeting.* **2** to put something on a record or tape so that it can be listened to or watched in the future (บันทึกแผ่นเสียง บันทึกเทป): *I've recorded the whole concert.* **3** to show a figure *etc.* as a reading (ผลการอ่านตัวเลข): *The thermometer recorded 35 °C yesterday.*

re'cord·er *n* **1** a musical wind instrument (ขลุ่ยชนิดหนึ่ง). **2** an instrument for recording on to tape (เครื่องบันทึกเสียงลงบนเทป).

re'cord·ing *n* something recorded on tape, a record *etc.* (สิ่งที่บันทึกไว้บนเทป แผ่นเสียง ฯลฯ): *This is a recording of Beethoven's Fifth Symphony.*

'rec·ord-play·er *n* a machine that plays records (เครื่องเล่นแผ่นเสียง เครื่องเล่นเทป).

in record time very quickly (เร็วมาก).

re'count *v* to tell (บอก เล่า): *He recounted his adventures.*

re'cov·er (*rə'kuv-ər*) *v* **1** to become well again; to return to good health *etc.* (ฟื้นไข้ ฟื้นตัว): *He is recovering from a serious illness.* **2** to get back (เอากลับคืน หาพบ): *The police have recovered the stolen jewels.*

re'cov·er·y *n* (ฟื้นตัว การค้นพบ): *The patient made a good recovery after his illness; the recovery of stolen property.*

rec·re'a·tion *n* a pleasant activity that you do in your spare time (การพักผ่อนหย่อนใจ): *I have little time for recreation; amusements and recreations.*

rec·re'a·tion·al *adj* (พักผ่อนหย่อนใจ).

re·crim·in'a·tion *n* an accusation that you make against a person who has already accused you of something (ฟ้องแย้ง): *There will be recriminations if you accuse him wrongly of theft.*

re'cruit (*rə'kroot*) *n* **1** someone who has just joined the army, air force *etc.* (ทหารใหม่). **2** someone who has just joined a club *etc.* (สมาชิกใหม่): *The drama group had two new recruits.* — *v* to get people to join the army, or a club *etc.* (เกณฑ์คนมาเป็นทหารหรือสมาชิก ฯลฯ): *to recruit troops; to recruit new members.*

re'cruit·ment *n* (การเกณฑ์ การสมัคร).

'rec·tan·gle (*'rek-taŋ-gəl*) *n* a flat, four-sided shape with opposite sides equal and all its angles right angles (สี่เหลี่ยมมุมฉาก).

rec'tang·u·lar (*rek'taŋ-gū-lər*) *adj* (มีรูปเป็นสี่เหลี่ยมมุมฉาก).

'rec·ti·fy (*'rek-ti-fī*) *v* to correct a mistake *etc.* (แก้ข้อผิดพลาด): *We shall rectify the error as soon as possible.*

re'cu·per·ate (*rə'koo-pər-āt*) *v* to get better from an illness; to recover (ฟื้นจากไข้).

re·cu·per'a·tion *n* (การฟื้นจากไข้).

re'cur *v* to happen again (เกิดขึ้นอีก เป็นอีก): *His illness has recurred.*

re'cur·rence *n* (การเกิดขึ้นอีก การเป็นอีก): *a recurrence of his illness.*

re'cur·rent *adj* (ความเจ็บป่วยที่เกิดขึ้นอีก): *a recurrent illness.*

re'cy·cle *v* to put a used substance through a special process so that it can be used again (เอาของใช้แล้วผ่านกระบวนการพิเศษเพื่อเอากลับมาใช้ใหม่): *Waste paper can be recycled to make brown wrapping paper.*

red *n* **1** the colour of blood (สีของเลือด). **2** a colour between red and brown, used about hair, fur *etc.* (สีระหว่างแดงและน้ำตาลใช้เกี่ยวกับผมและขนสัตว์). — *adj* (แห่งสีแดง): *red cheeks; red lips; Her eyes were red with crying; A fox has red fur.*

'red·ness *n* (ความแดง).

'red·den *v* **1** to make or become red (ทำให้แดง): *to redden your lips with lipstick.* **2** to blush (หน้าแดง): *She reddened as she realized her mistake.*

Red Indian a North American Indian.

re'deem *v* **1** to make up for the faults of someone or something (ชดเชย): *He was very lazy, but his kindness redeemed him in her opinion.* **2** in religion, to save someone from being punished by God for their sins (ไถ่บาป).

red-'hand·ed: **catch someone red-handed** to catch someone while they are doing something wrong (จับได้คาหนังคาเขา): *His mother caught him redhanded stealing money from her purse.*

red-'hot *adj* glowing red with heat (ร้อนแดง): *red-hot steel.*

re-'do *v* to do again (ทำอีก).

re-'do; re-'did; re-'done.

re'duce (*rə'dūs*) *v* **1** to make less, smaller *etc.*; to decrease (ลดลง): *The shop reduced its prices; The train reduced speed.* **2** to lose weight by dieting (ลดน้ำหนัก): *You will have to reduce if you want to get into that dress.* **3** to put into a bad state (ทำให้อยู่ในสภาพที่เลวร้าย): *The bombs reduced the city to ruins.*

re'du·ci·ble *adj* (สามารถทำให้ลดลงได้).

re'duc·tion *n* (การลดลง): *price reductions.*

re'dun·dant *adj* **1** having lost your job because there isn't enough work left for you to do (ตกงานเพราะไม่มีงานพอให้ทำ ส่วนเกิน): *350 men have been made redundant at the shipyard; There were angry protests from the redundant workers.* **2** no longer needed; unnecessary (ไม่ต้องการอีกต่อไป ไม่จำเป็น): *The old typewriter is now redundant because we have a word-processor.*

re'dun·dan·cy *n* (ความเป็นส่วนเกิน).

reed *n* **1** a tall, stiff stalk of grass growing on wet or marshy ground (ต้นอ้อ): *reeds along a riverbank.* **2** a thin piece of cane or metal in certain wind instruments (เศษบาง ๆ ของต้นอ้อหรือโลหะในเครื่องเป่า).

reef *n* a line of rocks *etc.* just above or below the surface of the sea (หินโสโครก): *The ship got stuck on a reef.*

reek *v* to smell strongly of something unpleasant (กลิ่นเหม็นอันน่ารังเกียจ): *He reeks of cigarette smoke.* — *n* (ควันบุหรี่): *There was a reek of tobacco smoke in the café.*

reel *n* **1** a wheel-shaped or cylinder-shaped object of wood, metal *etc.* on which thread, film, fishing-lines *etc.* can be wound (หลอด หรือวัตถุทำด้วยไม้หรือโลหะมีรูปทรงอย่างล้อ ใช้ม้วนฟิล์ม ม้วนสายเบ็ด): *a reel of cotton; He changed the reel in the projector.* **2** a lively Scottish, Irish or American dance (การเต้นรำอย่างร่าเริงของพวกสก๊อต ไอริช หรืออเมริกัน): *The fiddler played a reel; to dance a reel.* — *v* to stagger; to sway; to whirl (โซเซ แกว่ง หมุน): *The drunk man reeled along the road; My brain was reeling with all the information that he gave me.*

reel off to repeat quickly and easily, without pausing (ทำซ้ำอย่างรวดเร็วและง่ายดายโดยไม่หยุด): *He reeled off the list of names.*

re-e'lect *v* to elect again (เลือกใหม่อีกครั้งหนึ่ง): *She has been re-elected President.*

re-e'lec·tion *n* (การเลือกเข้ามาใหม่อีกครั้ง).

re-'ent·er *v* to enter again (กลับเข้ามาใหม่อีกครั้ง): *The spaceship will re-enter the Earth's atmosphere tomorrow.*

re-'ent·ry *n* (การกลับเข้ามาใหม่).

to **re-enter** a room (not ไม่ใช่ **re-enter** a room **again**).

re'fer *v* **1** to talk or write about something; to mention (อ้างถึง เขียนถึง): *He doesn't like anyone referring to his wooden leg.* **2** to concern; to mean (หมายถึง หมายความ): *What were you referring to when you said that?* **3** to pass on to someone else for a decision *etc.* (ส่งต่อไปให้คนอื่นตัดสินใจ): *The case was referred to a higher law-court.* **4** to use a reference book to find out something (ใช้หนังสืออ้างอิงเพื่อหาอะไรบางอย่าง): *Refer to a dictionary whenever you can't spell a word.*

referred and **referring** are spelt with **-rr-**.

ref·er'ee *n* **1** a person who supervises boxing matches and football matches *etc.* (กรรมการตัดสิน): *The referee sent two of the players off the field.* **2** someone who is willing to provide a note about your character, ability *etc.*, for example when you apply for a new job (ผู้อ้างอิง). — *v* to act as a referee for a match (ทำหน้าที่เป็นกรรมการในการแข่งขัน): *to referee a football match.*

'ref·er·ence *n* **1** a mention (การอ้างอิง): *He made several references to her latest book.* **2** a note about your character, ability *etc.* (บันทึกเกี่ยวกับอุปนิสัยของเรา ความสามารถ ฯลฯ): *Our new secretary had excellent references from her previous employer.* **3** a note in a book *etc.* showing where a particular piece of information comes from, or where you can find further information (บันทึกในหนังสือเพื่อแสดงว่าข่าวสารนั้น ๆ มาจากไหนหรือเราจะหาข่าวสารต่อไปได้ที่ไหน). **4** the act of referring (ทำการอ้างอิง). **5** a reference book (หนังสืออ้างอิง).

reference is spelt with **-r-**.

reference book a book that you look at occasionally for information, for example a dictionary or encyclopaedia (หนังสืออ้างอิง เช่น พจนานุกรม สารานุกรม).

ref·e'ren·dum *n* a vote in which all the people of a country or region are asked to vote for or against an important proposal (การลงประชามติ): *In 1975 the British government held a national referendum on whether or not to stay in the European Community.*

re'fill (*rē'fil*) *v* to fill something again (เติมอีกครั้ง): *He refilled his glass.* — *n* (**'re·fill**) **1** a full container that replaces an empty one (หลอดเต็มซึ่งแทนที่หลอดว่าง): *She put a refill in her pen.* **2** another filling (เติมใหม่อีกครั้ง): *He stopped for a refill at the petrol station.*

re'fine *v* **1** to make something pure by taking out dirt, waste substances *etc.* (กลั่น ทำให้บริสุทธิ์): *Oil is refined before it is used.* **2** to improve (ทำให้ดีขึ้น): *We have refined our methods since the work began.*

re'fi·ner·y *n* a place where sugar or oil *etc.* is refined (โรงกลั่น โรงงานน้ำตาล): *an oil refinery.*

re'flect *v* **1** to send back light, heat *etc.* (สะท้อนแสง ความร้อน): *The white sand reflected the sun's heat.* **2** to give an image of something (สะท้อนภาพ): *She was reflected in the* *mirror; The lake reflected the mountains.* **3** to think carefully (คิดอย่างถี่ถ้วน): *Give me a minute to reflect.*

re'flect·ing *adj* able to reflect (สามารถสะท้อนได้): *a reflecting surface.*

re'flec·tion *n* **1** an image (ภาพสะท้อน): *She looked at her reflection in the water.* **2** thought (ความคิด): *After reflection, I felt I had made the wrong decision.*

re'flec·tor *n* something that reflects light, heat *etc.* (เครื่องส่องแสงสะท้อน สิ่งที่สะท้อนความร้อน).

're·flex (*'rē-fleks*) *n* an automatic movement of a part of your body (ปฏิกิริยาอัตโนมัติของร่างกาย การมีปฏิกิริยา). — *adj* (มีปฏิกิริยา): *The movement of your leg when your knee is tapped is a reflex action.*

re'form *v* **1** to improve; to remove the faults from something (ทำให้ดีขึ้น เอาของที่ไม่ดีออกไป ปฏิรูป): *to reform the education system.* **2** to give up bad habits, improve your behaviour *etc.* (เลิกนิสัยที่ไม่ดี ทำพฤติกรรมให้ดีขึ้น): *Alan had tried to reform, but was still a criminal; It's time you reformed your ways.* — *n* the improving of something; an improvement (การทำให้ดีขึ้น การปฏิรูป): *Many reforms in education are needed.*

re·for'ma·tion *n* (การปฏิรูป).

re'formed *adj* (ปฏิรูป).

re'frain[1] *n* a line of words or music repeated regularly in a song; a chorus (คำพูดหรือทำนองเพลงที่ย้ำบ่อย ๆ ลูกคู่).

re'frain[2] *v* not to do; to avoid (ระงับ หลีกเลี่ยง): *Please refrain from smoking.*

refrain is followed by **from**: *Refrain from running in the corridor.*

re'fresh *v* to give someone new strength and energy; to make someone feel less hot, tired *etc.* (ทำให้สดชื่นขึ้น ทำให้หายร้อน หายเหนื่อย): *This glass of cool lemonade will refresh you.*

re'fresh·ing *adj* **1** giving new strength and energy; having a cooling and relaxing effect (สดชื่นขึ้น เย็นลงและผ่อนคลาย): *a refreshing drink of cold water.* **2** pleasing and unusual (พอใจและรู้สึกผิดธรรมดา): *It is refreshing to hear a politician speak so honestly.*

re'freshing·ly *adv* (อย่างสดชื่น).

re'fresh·ments *n* food and drink (เครื่องดื่มและอาหาร): *Light refreshments are available in the other room.*

refresh someone's memory to remind someone of the facts and details of something (เตือนความจำ).

re'frig·er·a·tor (*rə'frij-ər-ā-tər*) *n* a device like a box or cupboard that keeps food cold (often shortened to **fridge**) (ตู้เย็น): *Milk should be kept in the refrigerator.*

re'frig·er·ate *v* to keep food cold (รักษาอาหารให้เย็น): *Meat should be refrigerated.*

re·frig·e'ra·tion *n* (การทำให้เย็น).

re'fu·el (*rē'fū-əl*) *v* to put more fuel into a car, plane *etc* (เติมน้ำมัน): *The driver stopped to refuel.*

'ref·uge (*'ref-ūj*) *n* a place that gives shelter or protection from danger, trouble *etc.* (ที่พักเพื่อหลบภัย): *The escaped prisoner found refuge in a church.*

ref·u'gee *n* someone who seeks shelter, especially in another country, from war, disaster *etc.* (ผู้ลี้ภัย): Refugees were pouring into the city. — *adj* (แห่งการลี้ภัย): *a refugee camp.*

re'fund *v* to pay back (จ่ายคืน ชดใช้คืน): *They refunded the money at once.* — *n* (*'rē-fund*) the paying back of money (การคืนเงิน): *They demanded a refund.*

re'fur·bish (*ri'fär-bish*) *v* to clean, decorate and make more modern (ทำความสะอาด ตกแต่งและทำให้ทันสมัยขึ้น): *These flats are going to be completely refurbished.*

re'furbishment *n* (การตกแต่งให้ทันสมัยขึ้น).

re'fu·sal (*rə'fū-zəl*) *n* the act of refusing (การปฏิเสธ): *I was surprised at his refusal to help me.*

re'fuse[1] (*rə'fūz*) *v* **1** not to do what you have been asked, or are expected, to do (ปฏิเสธ): *He refused to help me; She refused to believe what I said; When I asked him to leave, he refused.* **2** not to accept (ไม่รับ): *He refused my offer of help; They refused our invitation; She refused the money.* **3** not to give permission *etc.* (ไม่อนุญาต): *I was refused permission to take a day off.*

'**ref·use**[2] (*'ref-ūs*) *n* rubbish (ขยะ).

ref·use, meaning rubbish, has its accent on the first half of the word.

re'gain *v* to get back again (เอากลับคืนมาอีก): *The champion was beaten in January but regained the title in March.*

'**re·gal** (*'rē-gəl*) *adj* like, or suitable for, a king or queen (เหมือนหรือเหมาะสำหรับกษัตริย์หรือราชินี): *She has a regal appearance; regal robes.* '**re·gal·ly** *adv* (อย่างกษัตริย์).

re'ga·li·a (*ri'gā-li-ə*) *n* the traditional clothes, ornaments and jewellery which are worn as a sign of authority by a judge, king or queen *etc.* on important occasions (เครื่องยศ เครื่องราชกกุธภัณฑ์ในโอกาสสำคัญ): *The mayor wore his full regalia.*

re'gard *v* **1** to consider to be (พิจารณาว่า ถือว่า): *I regard Jim as a friend.* **2** to think of someone or something as being very good, important *etc.*; to respect (นับถือ): *He is very highly regarded by his friends.* **3** to think of something with a particular feeling (ถือว่า): *I regard war with horror.* **4** to look at someone or something (มองดู): *He regarded me over the top of his glasses.* — *n* **1** thought; attention (คิดถึง เอาใจใส่): *He drove without regard for her safety or his own.* **2** sympathy; care; consideration (เห็นอกเห็นใจ ดูแล คิดถึง): *He shows no regard for other people.* **3** good opinion; respect (นับถือ): *I hold him in high regard.*

re'gard·ing *prep* about; concerning (เกี่ยวกับ): *Have you any suggestions regarding this project?* **re'gard·less** *adj, adv* not thinking or caring about costs, problems, dangers *etc.* (ไม่คิดหรือไม่สนใจเกี่ยวกับราคา ปัญหา อันตราย ฯลฯ): *There may be difficulties but I shall carry on regardless.*

re'gards *n* greetings; good wishes (คำทักทาย ปรารถนาดี): *Give my regards to your mother.*

as regards as far as something is concerned (เกี่ยวกับ): *As regards the meeting, I am unable to attend.*

with regard to about; concerning (เกี่ยวกับ): *I have no complaints with regard to his work.*

with regards is sometimes used in ending a letter.
with regard to means "about".

'**re·gent** *n* a person who governs a country while the king or queen is a child or ill (ผู้สำเร็จราชการแทนพระองค์): *Her uncle, the prince regent, ruled until her twenty-first birthday.*

re'gime (*rā'zhīm*) *n* a system of government or a particular government (ระบอบการปกครอง): *a country ruled by a corrupt regime; the Communist regime.*

'**reg·i·ment** *n* a group of soldiers commanded by a colonel (กรมทหาร).

reg·i'men·tal *adj* (แห่งกรมทหาร).

'**re·gion** (*'rē-jən*) *n* a part of a country, the world *etc.* (เขต ส่วนหนึ่งของประเทศ ของโลก): *Do you know this region well?; in tropical regions.*

'**re·gion·al** *adj* (พื้นเมือง ส่วนภูมิภาค): *regional dress; regional customs.* '**re·gion·al·ly** *adv* (อย่างท้องถิ่น อย่างภูมิภาค).

in the region of about; around; near (ราว ๆ ประมาณ ใกล้ ๆ): *The cost will be in the region of $200,000.*

'**reg·is·ter** *n* a book containing a written list, record *etc.* (สมุดรายชื่อ สมุดทะเบียน): *a school attendance register.* — **1** to write something in a register (ลงทะเบียน): *to register the birth of a baby.* **2** to write your name, or have your name written, in a register *etc.* (ลงชื่อในทะเบียน): *They registered at the Hilton Hotel.* **3** to show a figure, amount *etc.* (แสดงตัวเลข จำนวน): *The thermometer registered 25 ⁰ Celsius.*

reg·is'tra·tion *n* (การลงทะเบียน).

re'gret *v* to be sorry about (เสียใจ): *I regret my foolish behaviour; I regret to inform you that your application for the job was unsuccessful.* — *n* a feeling of sorrow, or of having done something wrong (รู้สึกเสียใจที่ได้ทำผิด): *I have no regrets about what I did; I heard the news of his death with deep regret.*

regretted and **regretting** are spelt with two ts.

re'gret·ful *adj* feeling regret (รู้สึกเสียใจ): *She felt regretful that she could not see her father before he died.*

re'gret·ful·ly *adv* with regret (ด้วยความเสียใจ): *Regretfully, we have had to refuse your offer.*

re'gret·ta·ble *adj* (น่าเสียใจ): *a regrettable mistake.*

re'gret·ta·bly *adv* (อย่างน่าเสียใจ).

regrettable is spelt with two ts.

'reg·u·lar (*'reg-ū-lər*) *adj* **1** usual (ตามปกติ): *Saturday is his regular shopping day.* **2** equal in distance or measurement (ระยะห่างเท่ากัน): *They placed guards at regular intervals round the camp.* **3** even (สม่ำเสมอ): *Is his pulse regular?* **4** doing the same things at the same time each day *etc.* (ทำสิ่งเดียวกันในเวลาเดียวกันทุกวัน): *a man of regular habits.* **5** frequent (บ่อย ๆ): *He's a regular visitor.* **6** permanent; lasting (ถาวร ทนนาน): *He's looking for a regular job.* **7** symmetrical (ได้สัดส่วน): *A square is a regular figure.* **8** of ordinary size (ขนาดธรรมดา): *I don't want the large size of packet — just give me the regular one.*

reg·u'lar·i·ty *n* (ความสม่ำเสมอ การทำเป็นประจำ).

'reg·u·lar·ly *adv* (อย่างสม่ำเสมอ): *He comes here regularly.*

'reg·u·late *v* **1** to control (ควบคุม): *Traffic lights are used to regulate traffic.* **2** to adjust a piece of machinery *etc.* so that it works at a certain rate *etc.* (ปรับเครื่องจักร ฯลฯ ให้ทำงานในอัตราหนึ่ง): *Can you regulate this watch so that it keeps time accurately?*

reg·u'la·tion *n* a rule or instruction (กฎหรือคำสั่ง): *These regulations must be obeyed.* — *adj* made *etc.* according to official rules (ทำตามกฎของทางการ): *envelopes of regulation size.*

re·ha'bil·i·tate (*rē-ha'bil-i-tāt*) *v* **1** to help someone who has been ill or in prison to adapt to a normal life (ช่วยให้ปรับตัวกลับสู่ชีวิตปกติ การฟื้นฟู): *She helps rehabilitate elderly people who have been in hospital for a long while.* **2** to accept again someone who has been rejected or criticized for their political beliefs (ยอมรับอีกครั้งหนึ่งต่อผู้ที่โดนปฏิเสธหรือโดนวิจารณ์เกี่ยวกับความเชื่อในเรื่องการเมืองของเขา): *His books had been banned for twenty years before he was rehabilitated and they were published again.*

re·hab·il·i'ta·tion (การกลับคืน การฟื้นฟู).

re'hears·al *n* the rehearsing of a play or performance (การซ้อมละครหรือการแสดง): *I want the whole cast of the play at tonight's rehearsal.*

dress rehearsal a final rehearsal, wearing costumes (การซ้อมครั้งสุดท้ายโดยใช้เครื่องแต่งตัวจริง).

re'hearse (*ri'hərs*) *v* to practise something before performing in front of an audience (การซ้อมก่อนแสดงต่อหน้าผู้ชม): *You must re-hearse the scene again.*

reign (*rān*) *n* the time during which a king or queen rules (รัชสมัย รัชกาล): *in the reign of Queen Victoria.* — *v* **1** to rule, as a king or queen (ปกครองในฐานะกษัตริย์หรือราชินี): *The king reigned for forty years.* **2** to be present or exist (ครอบงำ): *Silence reigned at last.*

to **reign** (not ไม่ใช่ **rein**) over a kingdom.

re·im'burse (*rē-im'bəs*) *v* to pay a person money to cover what they have spent on something (ชดใช้ให้): *They reimbursed her train fare.*

re·in·car'na·tion *n* **1** the belief that your soul will be born again in a different body after your death (การจุติ การเกิดใหม่): *Buddhists believe in reincarnation.* **2** a person whose soul has been born again in a different body (ผู้จุติ ผู้เกิดใหม่): *The Dalai Lama is a reincarnation.*

'rein·deer (*'rān-dēr*), *plural* **'rein·deer**, *n* a large deer of Northern Europe, Asia and America (กวางเรนเดียร์).

re·in'force (*rē-in'förs*) *v* to make something stronger (เสริมให้แข็งแรงขึ้น): *This bridge needs to be reinforced.*

re·in'force·ment *n* (การเสริมให้แข็งแรง).

re·in'force·ments *n* troops added to an army *etc.* in order to strengthen it (การเสริมกำลัง): *The general called for reinforcements.*

reins (*rānz*) *n* **1** two straps attached to a bridle for guiding a horse (บังเหียนม้า). **2** straps fitted round a very small child so that it can be prevented from straying (สายรัดตัวเด็กเล็ก ๆ เพื่อไม่ให้ไปไหน).

to hold the horse's **reins** (not ไม่ใช่ **reigns**).

rein in to stop or restrain a horse by pulling on the reins (ดึงบังเหียนให้ม้าหยุด).

re'ject *v* to refuse to accept (ไม่รับ ปฏิเสธ): *She rejected his offer of help.* — *n* (*'rē-jekt*) something that is rejected because it is faulty *etc.* (ไม่ยอมรับเพราะมีข้อผิดพลาด).

re'jection *n* (การไม่ยอมรับ การบอกปัด).

re'joice *v* to feel or show great happiness (รู้สึกหรือแสดงว่ามีความสุขอย่างยิ่ง): *They rejoiced at the victory.*

re'joic·ing *n* celebration (การเฉลิมฉลอง): *There was great rejoicing at the news of John's success.*

re'lapse (*ri'laps*) *v* **1** to become ill again after a period of better health (กลับป่วยอีกหลังจากมีสุขภาพดีขึ้นระยะหนึ่ง): *The operation made her feel better for a time but she soon relapsed.* **2** to begin to act badly again after a period of better behaviour (เริ่มทำเลวอีกหลังจากประพฤติตัวดีขึ้นระยะหนึ่ง): *He gave up smoking and started taking more exercise but he soon relapsed into his bad habits.* — *n* (*'rē-laps*) a return to bad health or illness after a period of better health (กลับไปมีสุขภาพไม่ดีหรือเจ็บป่วยหลังจากมีสุขภาพดีขึ้นระยะหนึ่ง): *He suffered a relapse.*

re'late *v* **1** to tell a story *etc.* (เล่าเรื่อง): *He related all that had happened to him.* **2** to be about, concerned or connected with something (เกี่ยวกับ): *Have you any information relating to the effects of this drug?*

re'la·ted *adj* belonging to the same family (เป็นครอบครัวเดียวกัน): *I'm related to him — he's my brother.*

to be **related** to (not ไม่ใช่ **related with**) someone.

re'la·tion *n* **1** someone who belongs to your family either by birth or because of marriage (ญาติพี่น้อง): *uncles, aunts, cousins and other relations.* **2** a connection between facts, events *etc.* (ความเกี่ยวพันกันระหว่างความจริง เหตุการณ์). **3 (relations)** contact and communications between people, countries *etc*: *to establish friendly relations* (สัมพันธไมตรี).

re'la·tion·ship *n* **1** the friendship, contact, communications *etc.* that exist between people (มิตรภาพ ความสัมพันธ์): *He finds it very difficult to form lasting relationships.* **2** the fact that, or the way in which, things are connected (ความเกี่ยวพัน): *Is there any relationship between crime and poverty?* **3** being related by birth or because of marriage (เกี่ยวพันกันโดยกำเนิดหรือการแต่งงาน): *"What is the relationship between you two?" "We're cousins".*

'rel·a·tive *n* a relation (ญาติพี่น้อง): *All his relatives attended the funeral.* — *adj* compared with something else, or with a situation in the past *etc.* (เปรียบเทียบกับสิ่งอื่นหรือสถานการณ์ในอดีต): *the relative speeds of a car and a train; She used to be rich but now lives in relative poverty.*

'rel·a·tive·ly *adv* quite; fairly (ค่อนข้าง พอประมาณ): *He seems relatively happy now.*

re'lax *v* **1** to make or become less stiff or tight; to make or become less worried *etc.*; to rest completely (หายเกร็ง ผ่อนคลาย): *The doctor gave him a drug to make him relax; Relax your shoulders; He relaxed his grip on the rope for a second and it was dragged out of his hand.* **2** to make or become less strict (ลดความเข้มงวดลง): *The rules were relaxed because of the Queen's visit.*

re·lax'a·tion *n* (การผ่อนคลาย): *I play golf for relaxation.*

re'lay *v* to receive and pass on a message, news *etc.* by telegraph, radio, television *etc.* — *n* (*'rē-lā*) the sending of news *etc.* by these devices (รับและส่งข้อความ ข่าว ฯลฯ โดยทาง

โทรเลข วิทยุ โทรทัศน์ ฯลฯ ถ่ายทอด).

relay race a race between teams, in which runners are spaced out along the whole track, and the second runner can start only when the first runner reaches him, and so on (การวิ่งผลัด).

re'lease *v* **1** to set free; to allow to leave (ปล่อยให้เป็นอิสระ อนุญาตให้ไป): *He was released from prison yesterday.* **2** to stop holding *etc.*; to allow to move, fall *etc.* (ปล่อยตกลงมา): *He released his hold on the rope.* **3** to move a fastening, brake *etc.* that prevents something from moving *etc.* (เลื่อนหรือปล่อยสายรัด เบรก เพื่อไม่ให้เคลื่อนไหว): *He released the brake and drove off.* **4** to allow news *etc.* to be given to the public (อนุญาตให้ข่าวออกสู่สาธารณชน): *The list of winners has just been released.* — *n* (การปล่อย การอนุญาตให้ไปได้): *After his release, the prisoner went home.*

'rel·e·gate *v* to put someone or something down to a lower grade or less important position (ย้ายไปอยู่ที่เกรดต่ำกว่าหรือตำแหน่งที่มีความสำคัญน้อยกว่า): *The local football team has been relegated to the Second Division.*

re'lent *v* to become less severe or unkind; to agree after refusing at first (ผ่อนคลายความรุนแรง ยินยอมหลังจากปฏิเสธในครั้งแรก): *At first she wouldn't let them go to the cinema, but in the end she relented.*

re'lent·less *adj* without pity; not allowing anything to keep you from what you are doing or trying to do (ไม่ปรานี): *The police fight a relentless battle against crime.*

re'lent·less·ly *adv* (อย่างไม่ปรานี).

re'lent·less·ness *n* (ความไม่ปรานี).

'rel·e·vant *adj* having some connection with what is being discussed *etc.* (มีความเกี่ยวพันกับสิ่งที่กำลังพูดกันอยู่ ตรงกับกรณี): *Your remarks are interesting but not relevant to the present discussion.* **'rel·e·vance** *n* (ความตรงกับกรณี).

re'li·a·ble (*rə'lī-ə-bəl*) *adj* **1** able to be depended on or trusted (ไว้ใจได้ เชื่อถือได้): *Get Lucy to help you — she's very reliable.* **2** likely to be true (น่าจะเป็นจริง): *Is this information reliable?* **re·li·a'bil·i·ty** *n* (ความเชื่อถือได้).

re'li·a·bly *adv* (น่าเชื่อถือ).

re'li·ance (*rə'lī-əns*) *n* dependence on something (การพึ่งพา): *a child's reliance on its parents.*

'rel·ic *n* **1** something left from a past time (สิ่งที่ตกทอดมาจากอดีต): *relics of an ancient civilization.* **2** something connected with a dead person, especially a saint (สิ่งที่เกี่ยวข้องกับผู้ตาย พระบรมสารีริกธาตุ).

re'lief (*rə'lēf*) *n* **1** a lessening or stopping of pain, worry *etc.* (ความบรรเทาหรือหยุดความเจ็บปวด ความวิตกกังวล ความคลายใจ): *He gave a sigh of relief when he had finished his exam; It was a relief to find that nothing had been stolen.* **2** help given to people in need of it (ความช่วยเหลือที่ให้กับผู้ที่ต้องการ): *to send relief to starving people.* **3** someone who takes over a job from someone else after a period of time (การเปลี่ยนเวร): *The bus-driver was waiting for his relief.* — *adj* (กองทุนช่วยเหลือ): *A relief fund has been started for the victims of the flood; a relief driver.*

re'lieve *v* **1** to lessen or stop pain, worry *etc* (บรรเทาหรือหยุดความเจ็บปวด ความวิตกกังวล): *The doctor gave him some drugs to relieve the pain; to relieve the hardship of the refugees.* **2** to take over a job or task from someone (ผลัดเปลี่ยนเวร): *You guard the door first, and I'll relieve you in two hours.* **3** to dismiss someone from their job (ปลดออกจากหน้าที่): *He was relieved of his duties.* **4** to take something heavy, difficult *etc.* from someone (ช่วยเหลือ): *May I relieve you of that heavy case?; He relieved me of the task of writing the letter.*

re'lieved *adj* no longer anxious or worried (ไม่กระวนกระวายหรือวิตกกังวลอีกต่อไป): *I was relieved to hear you had arrived safely.*

re'li·gion *n* **1** a belief in, or the worship of, a god or gods (ความเชื่อหรือการบูชาพระเจ้า). **2** a particular system of belief or worship (ศาสนา): *Christianity and Islam are two* *different religions.*

re'li·gious *adj* **1** concerned with religion (เกี่ยวกับศาสนา): *religious education; a religious leader.* **2** believing in a religion (เชื่อมั่นในศาสนา): *a religious man.*

re'ligious·ly *adv* (อย่างเลื่อมใสในศาสนา).

re'li·gious·ness *n* (ความเลื่อมใสในศาสนา).

re'lin·quish *v* to give up (ละทิ้ง สละ ปล่อย): *The king was forced to relinquish control of the country; We shall have to relinquish our plans for a new hall.*

'rel·ish *v* to enjoy greatly (พอใจอย่างมาก สนุกมาก): *He relishes his food.* — *n* pleasure; enjoyment (ความพอใจ ความสนุก): *He ate the food with great relish; I have no relish for such a boring task.*

re'luc·tant *adj* unwilling (ไม่เต็มใจ ไม่ยินยอม): *Sue was reluctant to go to school.*

re'luc·tance *n* (ความไม่พอใจ ความไม่ยินยอม).

re'luc·tant·ly *adv* (อย่างไม่พอใจ อย่างไม่ยินยอม).

re'ly (*rə'lī*) (ไว้ใจ เชื่อถือ พึ่งพิง): **rely on 1** to depend on (หวังพึ่ง): *I am relying on you to help me.* **2** to trust someone to do something; to be certain that something will happen (ไว้ใจ เชื่อมั่น): *We can rely on Mary to keep a secret; John should get here soon, but we can't rely on it.*

re'main *v* **1** to be left (เหลืออยู่): *Little remained of the house after the fire.* **2** to stay; not to leave (อยู่): *I shall remain here.* **3** to continue to be (คงอยู่ต่อไป): *The problem remains unsolved.*

to **remain** or **stay** behind when the rest have gone (คงอยู่เบื้องหลัง).
to **stay** (not ไม่ใช่ **remain**) with someone for a holiday.

re'main·der *n* the amount or number that is left when the rest has gone, been done or taken away *etc.* (จำนวนหรือเศษที่ยังเหลืออยู่): *The remainder of the work will be done tomorrow; If you divide 10 by 3, what is the remainder?* **re'mains** *n* what is left after part has been taken away, eaten, destroyed *etc.* (ส่วนที่ยังเหลืออยู่): *The remains of the picnic were lying all over the grass.*

remains has no singular form.

re'mand: on remand having appeared in court and be waiting for trial, either in prison or at home on bail (ได้ปรากฏตัวในศาลและรอคอยการไต่สวนอยู่ในคุกหรือประกันตัวออกไป): *Some prisoners spend months in prison on remand before their trial.*

re'mark *n* a comment; something said (การกล่าว การพูดอะไรบางอย่าง): *The chairman made a few remarks, then introduced the speaker.* — *v* to say; to comment (พูด กล่าว เปรย): *He remarked on the time; "It's late," he remarked; He remarked that it was late.*

re'mark·a·ble *adj* unusual; worth mentioning; extraordinary (ไม่ปกติ มีค่าควรแก่การอ้างถึง วิสามัญ ผิดธรรมดา): *What a remarkable thing to happen; She's a remarkable person.*

re'mark·a·bly *adv* (อย่างน่าสังเกต): *Their replies were remarkably similar.*

re'me·di·al (*rə'mē-di-əl*) *adj* intended to help or cure (ตั้งใจจะช่วยหรือรักษา): *She does remedial work with the less clever children; remedial exercises.*

'rem·e·dy *n* a cure for an illness or something bad (การรักษาอาการเจ็บป่วยหรืออะไรที่เลวร้าย): *I know a good remedy for toothache.* — *v* to put right (แก้ไขให้ถูก): *These mistakes can be remedied.*

re'mem·ber *v* to keep something in your mind, or to bring it back into your mind after forgetting it for a time (จำได้): *I remember you — we met three years ago; I remember watching the first men landing on the moon; Remember to telephone me tonight; I don't remember where I hid it.*

recall and **recollect** mean the same as **remember**: *I cannot remember(or recall or recollect) her name.*
remember also means to keep in your mind: *Remember to switch off the television; Remember that he's only three.*
remind means to make someone remember: *He reminded me of my appointment.*
I remember **meeting** (not ไม่ใช่ **to have met**)

him.

re'mem·brance *n* remembering or reminding (การจำได้หรือการระลึกถึง): *The pupils gave their teacher a photograph in remembrance of his work with them.*

re'mind (*rə'mīnd*) *v* **1** to tell someone that they ought to do, remember *etc.* something (เตือนใจ): *Remind me to post that letter; She reminded me of my promise.* **2** to make someone remember or think of someone or something (เตือนให้นึกถึง): *She reminds me of her sister; This food reminds me of my schooldays.*

See **remember**.

re'mind·er *n* something that reminds you to do something (เครื่องเตือนใจ): *Leave the bill on the table as a reminder that I still have to pay it.*

rem·i'nisce (*rem-i'nis*) *v* to talk or write about things that you remember from your past (พูดหรือเขียนสิ่งที่เราจำได้จากอดีต): *The old lady enjoyed reminiscing about her youth.*

rem·i'nis·cence *n* something that you remember from your past, and tell people about (การระลึกถึงความหลังแล้วเล่าให้ผู้คนฟัง): *The children listened attentively to their grandfather's reminiscences about his childhood.*

rem·i'nis·cent *adj* **1** reminding you of someone or something, because of some similarity (รำลึกถึง): *Her voice was reminiscent of her grandmother's; The drink had a taste reminiscent of mangos.* **2** talking or thinking about the past (พูดหรือคิดถึงความหลัง): *He was in a reminiscent mood.*

re'miss *adj* careless or having failed to do something which you should have done (เลินเล่อหรือเฉื่อยชา): *It was very remiss of me not to invite him to my party.*

'rem·nant *n* a small piece, amount or a small number that is left over from a larger piece, amount or number (เศษ): *The shop is selling remnants of cloth at half price.*

'rem·on·strate (*'rem-on-strāt*) *v* to protest to someone or argue with them (คัดค้านหรือโต้แย้ง): *He remonstrated with the manager about the poor quality of the food in the restaurant.*

re'morse *n* regret for something bad you have done; pity (สำนึกผิด เสียใจ): *The murderer seemed to feel no remorse.*

re'morseful *adj* (รู้สึกผิด เสียใจ):

re'morseful·ly *adv* (ความรู้สึกผิด).

re'morse·less *adj* cruel; having no pity (โหดร้าย ไม่มีความเมตตา): *a remorseless tyrant.*

re'mote *adj* **1** far away in time or place; far from any other village, town *etc.* (อยู่ห่างไกลในเวลาหรือสถานที่ ไกลจากหมู่บ้านอื่น เมืองอื่นห่างไกล): *a remote village in New South Wales; a farmhouse remote from the city.* **2** distantly related (เกี่ยวพันกันห่าง ๆ): *a remote cousin.* **3** very small or slight (น้อยมาก): *a remote chance of success.*

re'mote·ly *adv* (อย่างห่างไกล).

re'mote·ness *n* (ความห่างไกล).

remote control the control of a switch, model or machine *etc.* from a distance using radio or electrical signals (การควบคุมสวิทช์ หุ่นจำลอง หรือเครื่องจักร จากระยะไกลโดยใช้วิทยุหรือสัญญาณไฟฟ้า): *The model ship is guided by remote control.*

re'mov·a·ble (*rə'moo-və-bəl*) *adj* able to be separated or removed (สามารถแยกหรือเอาออกได้): *a removable collar.*

re'mov·al (*rə'moo-vəl*) *n* **1** the removing of something (ลบ กำจัด): *the removal of a stain.* **2** moving house; moving furniture to a new house (การย้ายบ้าน): *Our removal takes place on Monday; furniture removal.*

re'move (*rə'moov*) *v* **1** to take away (ย้ายออก เอาออก): *Will someone please remove all this rubbish!; I can't remove this stain from my shirt.* **2** to take off a piece of clothing (ถอดสิ่งที่สวมใส่ออก): *Please remove your hat.* **3** to move to a new house *etc* (ย้ายไปบ้านใหม่): *He has removed to London.*

to **move** (not ไม่ใช่ **remove**) house.
"to **remove to** London" is correct.

'ren·der *v* **1** to cause someone or something

to become; to make (ทำให้): *His rude remark rendered her speechless with astonishment.* **2** an old word for give (ให้ เป็นคำเก่า): *She was quick to render assistance to the injured man.*

'ren·dez·vous (*'ron-dā-voo*), *plural* **'ren·dez·vous** (*'ron-dā-vooz*), *n* an arrangement, or a place, for meeting someone (การนัดพบ): *We had arranged a rendezvous for 10.30 a.m.; Our rendezvous was the coffee-bar.*

'ren·e·gade (*'ren-i-gād*) *n* a person who leaves the political or religious group to which they belong and joins an enemy or rival group (ผู้ปลีกตัว ผู้เปลี่ยนศาสนา ผู้ทรยศ ผู้ตีจาก): *a renegade from the other political party; a renegade priest.*

re'new *v* **1** to begin, do *etc.* again (เริ่ม ทำอีกครั้งหนึ่ง): *He renewed his efforts to escape.* **2** to pay for a licence *etc.* to be continued (ต่อใบอนุญาต ทำต่อไป): *My television licence has to be renewed in October.* **3** to make something new or fresh (ทำของให้ใหม่หรือสดใสขึ้น): *I've renewed all the cushion covers.* **re'new·a·ble** *adj* (ต่ออายุได้ ทำกันใหม่ได้อีก). **re'new·al** *n* (การต่ออายุ การทำกันใหม่ได้อีก).

to **renew** your licence (not ไม่ใช่ **renew** your licence **again**).

'ren·o·vate *v* to make as good as new again (ปรับปรุง): *to renovate an old building.* **ren·o'va·tion** *n* (การทำให้ดีเหมือนใหม่).

re'nown *n* fame (ความมีชื่อเสียง). **re'nowned** *adj* famous (มีชื่อเสียง): *a renowned actress.*

a **renowned** (not ไม่ใช่ **renown**) musician.

rent *n* money paid, usually regularly, for the use of a house, shop, land *etc.* that belongs to someone else (ค่าเช่า): *The rent for this flat is $50 a week.* — *v* to pay or receive rent for the use of a house, shop, land *etc.* (จ่ายหรือรับค่าเช่า ให้เช่า): *We rent this flat from Mr Smith; Mr Smith rents this flat to us.*

See also **let**.

'rent·al *n* **1** money paid as rent (เงินค่าเช่า). **2** the act of renting (การเช่า).

rent out to allow people to use a house *etc.* that you own in exchange for money (ให้เช่า).

repaid *see* (**repay** ดู **repay**).

re'pair *v* **1** to mend; to put back into good condition (ซ่อมแซม): *to repair a torn jacket.* **2** to put right; to make up for (ทำให้ดี ชดเชย): *Nothing can repair the harm done by his cruelty.* — *n* **1** the repairing of something damaged or broken (ซ่อมแซม): *I put my car into the garage for repairs; The bridge is under repair.* **2** a condition; a state (สภาพ): *The road is in bad repair; The house is in a good state of repair.*

re'pair·a·ble *adj* able to be mended (สามารถซ่อมแซมได้).

re'pair·man *n* a man who repairs things (ช่างซ่อม).

'rep·a·ra·ble *adj* able to be put right (สามารถทำให้ดีได้).

re'pay *v* to pay back (จ่ายคืน ตอบแทน): *When are you going to repay the money you borrowed?; I must find a way of repaying his kindness; How can I repay him for his kindness?*

re'pay·ment *n* (การจ่ายคืน การตอบแทน).

repay; re'paid; re'paid.

re'peal *v* to make a law *etc.* no longer valid (ยกเลิกกฎหมาย): *Parliament voted to repeal the law on capital punishment.* — *n* the act of repealing a law *etc.* (การยกเลิกกฎหมาย): *He campaigned for the repeal of the law.*

re'peat *v* **1** to say or do again (พูดซ้ำหรือทำซ้ำ): *Would you repeat those instructions, please?* **2** to tell someone something that you have been told by someone else (บอกต่อ): *Please do not repeat what I've just told you.* **3** to recite something you have learnt by heart (พูดสิ่งที่เราเรียนรู้มาในใจ): *to repeat a poem.* — *n* something that is repeated (สิ่งที่ซ้ำ ๆ): *I'm tired of seeing all these repeats on television.* — *adj* (ซ้ำ ๆ): *a repeat performance.*

to **repeat** the lesson (not ไม่ใช่ **repeat** the lesson **again**).

re'peat·ed *adj* said, done *etc.* many times (พูดหลายครั้งแล้ว ทำหลายครั้งแล้ว): *In spite* *of repeated warnings, he went on smoking.*

re'peat·ed·ly *adv* many times (หลายครั้ง): *I've asked him repeatedly to tidy his room.*

repeat yourself to repeat what you have already said (พูดอีก): *Listen carefully because I don't want to have to repeat myself.*

re'pel *v* **1** to resist or fight an enemy successfully (ต้านทานหรือต่อสู้ข้าศึกได้สำเร็จ): *to repel invaders.* **2** to cause a feeling of disgust (ทำให้เกิดความรู้สึกขยะแขยง): *She was repelled by his dirty appearance.* **3** to force something to move away (บีบออก ขับออก): *Oil repels water.*

re'pent *v* **1** to be sorry for your past sins (เสียใจในบาปที่ทำมาในอดีต). **2** to wish that you had not done something (สำนึกผิด): *He repented of his selfish behaviour.*

re'pentance *n* (ความสำนึกผิด).

re'pent·ant *adj* (รู้สึกในความผิด).

re·per'cus·sion (*rē-pə'kush-ən*) *n* a usually bad and unexpected result or effect (ผลที่เกิดขึ้นอย่างเลวร้ายและไม่คาดฝัน สะท้อนกลับ): *I didn't realize that the decision would have so many serious repercussions.*

'rep·er·toire (*'rep-ə-twä*) *n* a list of songs, plays or operas *etc.* that a performer or singer can perform (รายชื่อของเพลง บทละคร หรือโอเปร่า ซึ่งนักแสดงหรือนักร้องพร้อมที่จะแสดงได้): *His repertoire includes all of the baritone parts in Mozart's operas.*

rep·e'ti·tion *n* the repeating of something (การกระทำซ้ำ): *After many repetitions, he got the words right.*

re'pet·i·tive *adj* doing or saying the same thing too often (ทำหรือกล่าวสิ่งเดียวกันบ่อยเกินไป): *a repetitive job.*

re'place *v* **1** to put something new in place of something old or damaged (เปลี่ยนใหม่): *I must replace that broken lock; He replaced the cup he broke with a new one.* **2** to take someone's place (แทนที่): *She has replaced him as manager.* **3** to put something back where it was (คืนไว้ดังเดิม): *Please replace the books on the shelves.*

re'placea·ble *adj* (ซึ่งแทนที่ได้).

See **substitute**.

re'place·ment *n* (การแทนที่ การดำรงตำแหน่งแทน): *I broke your cup — here's a replacement.*

'rep·li·ca *n* an exact copy, especially of a work of art (แบบจำลอง โดยเฉพาะอย่างยิ่งในงานศิลปะ): *The real statue is in New York — this one is only a replica.*

re'ply (*rə'plī*) *v* to answer (ตอบ): *"I don't know," he replied; Should I reply to his letter?* — *n* an answer (คำตอบ): *I'll write a reply to his letter; What did he say in reply to your question?*

to **reply to** a letter (not ไม่ใช่ **reply** a letter).

re'port *n* **1** a description of what has been said, seen, done *etc.* (รายงาน): *a school report; a police report on the accident.* **2** a loud noise, especially of a gun being fired (เสียงดัง โดยเฉพาะเสียงปืนที่ยิง). — *v* **1** to give a description of what has been said, seen, done *etc.* (รายงาน): *A serious accident has been reported; His speech was reported in the newspaper.* **2** to make a complaint about someone to someone in authority (ร้องเรียนต่อผู้มีอำนาจหน้าที่): *The boy was reported to the headmaster for being rude to a teacher.* **3** to tell someone in authority about something (รายงานต่อผู้มีอำนาจหน้าที่): *He reported the theft to the police.* **4** to announce that you are present and ready for work *etc.* (รายงานว่าเราอยู่และพร้อมที่จะทำงาน): *The boys were ordered to report to the police-station every Saturday afternoon; Report to me when you return; How many policemen reported for duty?*

re'port·er *n* someone who writes articles and reports for a newspaper (นักข่าว): *Reporters and photographers rushed to the scene of the fire.*

re'pose (*rə'pōz*) *n* rest; calm; peacefulness (พักผ่อน สงบ ความสงบสุข).

rep·re'sent (*rep-rə'zent*) *v* **1** to speak or act on behalf of others (พูดหรือกระทำในนามของผู้อื่น ตัวแทน): *You have been chosen to represent us at the conference.* **2** to stand for something (หมายถึง): *This black dot on the* *map represents the fort.* **3** to be a good example of; to show (**เป็นตัวอย่างที่ดีของ แสดงถึง**): *What he said represents the feelings of many people.*

rep·re·sen'ta·tion *n* (**การเป็นตัวแทน การแสดงถึง**).

rep·re'sent·a·tive *adj* typical (**เป็นตัวแทน**): *We need opinions from a representative group of people.* — *n* **1** someone who represents a business; a travelling salesman (**ตัวแทนทางธุรกิจ**): *Our representative will call on you this afternoon.* **2** a person who represents a person or group of people (**ผู้แทน**): *A Member of Parliament is the representative of the people who elect him.*

re'press *v* to hold back; to stop (**กลั้น ยับยั้ง**): *He repressed his tears; She repressed a desire to hit the naughty boy.*

re'prieve (*ri'prēv*) *v* to pardon a criminal or to delay the punishment (**ยกโทษให้อาชญากรหรือเลื่อนการลงโทษออกไป**): *The murderer was sentenced to death, but later reprieved.* — *n* **1** an order that reprieves a criminal (**คำสั่งอภัยโทษ**): *The murderer was granted a reprieve.* **2** a delay before something very bad happens (**ผ่อนผัน ทุเลา**): *The workers have had a reprieve — the factory is not going to close down next month after all.*

'rep·ri·mand (*'rep-ri-mänd*) *v* to speak angrily or severely to someone because they have done wrong; to scold (**พูดอย่างโกรธเคืองและรุนแรงต่อผู้กระทำผิด ดุด่า ตำหนิ**): *The head-teacher reprimanded the boy for his behaviour.* — *n* (**การตำหนิโทษ**): *He was given a severe reprimand.*

re'pri·sal (*ri'prī-zəl*) *n* something bad that you do to someone who has done something bad to you (**การแก้แค้น**): *The attack was a reprisal for the enemy's attack the previous day.*

re'proach *v* to scold in a gentle way; to rebuke (**ติเตียนอย่างนุ่มนวล ตำหนิ**): *She reproached me for not telling her about my problems.* — *n* (**การตำหนิ**): *a look of reproach.*

re'proach·ful *adj* showing or expressing reproach (**แสดงอาการตำหนิ**): *a reproachful look.*

re'proachful·ly *adv* (**อย่างตำหนิ**).

re·pro'duce *v* **1** to make a copy of; to produce again; to copy (**ทำสำเนาของ ทำขึ้นใหม่อีกครั้งหนึ่ง เลียนแบบ**): *to reproduce documents; Jim could reproduce the teacher's voice exactly.* **2** to produce babies, seeds *etc.* (**คลอดลูก ผลิตเมล็ด**): *How do fish reproduce?*

re·pro'duc·tion *n* **1** the process of reproducing (**กระบวนการผลิต**): *He is studying reproduction in rabbits.* **2** a copy (**เลียนแบบ**): *These paintings are all reproductions.*

re·pro'duc·tive *adj* concerned with reproduction (**เกี่ยวกับการผลิต**): *the reproductive organs of a rabbit.*

re'proof *n* a scolding; a rebuke (**ตำหนิ ติเตียน**): *He got a reproof from the teacher for being lazy; She gave them a stern glance of reproof.*

re'prove (*rə'proov*) *v* to scold (**ตำหนิ**): *The teacher reproved the boys for coming late to school.*

'rep·tile *n* a cold-blooded animal of the group to which snakes, lizards, crocodiles *etc.* belong (**สัตว์เลื้อยคลาน สัตว์เลือดเย็นอยู่ในกลุ่มของงู จิ้งจก จระเข้**).

rep'til·i·an *adj* (**แห่งสัตว์เลื้อยคลาน**).

re'pub·lic *n* a country that is governed by representatives elected by the people, and has no king or queen (**ประเทศซึ่งปกครองโดยตัวแทนที่ประชาชนเลือกและไม่มีกษัตริย์หรือพระราชินี ประเทศสาธารณรัฐ**): *Singapore became an independent republic in 1965.*

re'pu·di·ate (*ri'pū-di-āt*) *v* to refuse to accept; to refuse to accept; to reject (**ไม่ยอมรับ ปฏิเสธ**): *She repudiated everything the politician said.*

re'pulse *v* **1** to reject; to refuse in an unfriendly way (**บอกปัด ปฏิเสธอย่างไม่เป็นมิตร**): *He repulsed their offers of friendship.* **2** to fight an enemy and force them to retreat (**ต่อต้านข้าศึกและบีบบังคับให้ถอยไป**): *The army repulsed the invading forces.* — *n* (**การบอกปัด การขับไล่ถอยไป การต่อต้าน**): *The invaders suffered a repulse after crossing the border.*

re'pul·sive *adj* horrible; disgusting (น่ากลัว น่าขยะแขยง): *What a repulsive smell!*

re'pul·sive·ly *adv* (ไล่ให้ถอยไป น่าขยะแขยง).

re'pulsive·ness *n* (การไล่ให้ถอยไป ความขยะแขยง).

'rep·u·ta·ble (*'rep-ū-tə-bəl*) having a good reputation (มีชื่อเสียงดี): *a reputable firm.*

rep·u'ta·tion (*rep-ū'tā-shən*) *n* the opinion that people have about someone or something (ความคิดเห็นที่ผู้คนมีต่อบางคนหรือบางสิ่ง ชื่อเสียง): *That firm has a bad reputation; He has made a reputation for himself as an expert in computers.*

re'pu·ted *adj* having a particular reputation (มีชื่อเสียงทางด้านใดด้านหนึ่ง): *He is reputed to be very wealthy.*

re'quest *n* **1** a polite demand (ร้องขออย่างสุภาพ): *I did that at his request.* **2** something asked for (ร้องขอ): *The next record I will play is a request.* — *v* to ask politely (ขอร้องอย่างสุภาพ): *People using this library are requested not to talk.*

by request because you are asked to (เพราะเราโดนขอร้อง): *I'm singing this next song by request.*

on request when requested (เมื่อถูกขอ): *Buses stop here only on request.*

re'quire *v* **1** to need (ต้องการ): *Is there anything you require?* **2** to ask or order someone to do something (ขอร้องหรือสั่งให้ทำ): *You are required by law to send your children to school.*

re'quire·ment *n* something that is needed, asked for, ordered *etc.* (บางอย่างที่ต้องการ ขอร้อง สั่ง): *Our firm will be able to supply all your requirements.*

'res·cue (*'res-kū*) *v* to save (ช่วยชีวิต): *The lifeboat was sent out to rescue the sailors from the sinking ship.* — *n* (การช่วยชีวิต): *After his rescue, the climber was taken to hospital; They came quickly to our rescue.*

'res·cu·er *n* (ผู้ช่วยชีวิต).

re'search (*rə'sərch*) *n* a close and careful study to find out new facts or information (การค้นคว้า การวิจัย): *He is working on cancer research.* — *adj* (แห่งการค้นคว้า): *a research student.* — *v* (ค้นคว้า): *What subject are you researching?*

re'search·er *n* (นักค้นคว้า).

re'sem·blance *n* a likeness (ความเหมือนกัน): *I can see some resemblance between him and his father.*

re'sem·ble (*ri'zem-bəl*) *v* to be like; to look like (เหมือน ดูเหมือน): *He doesn't resemble either of his parents*

re'sent (*ri'zent*) *v* to feel annoyed about something because you think it is unfair, insulting *etc.* (ขุ่นเคือง ไม่พอใจ โกรธเคือง): *I resent his interference in my affairs.*

re'sent·ment *n* (ความขุ่นเคือง ความไม่พอใจ ความโกรธเคือง).

re'sent·ful *adj* feeling annoyed in this way (ความรู้สึกในแบบนี้): *She feels resentful that her sister married before she did.*

re'sent·ful·ly *adv* (อย่างขุ่นเคือง).

res·er'va·tion *n* **1** the reserving of something (การจอง): *the reservation of a room; to make a reservation at a restaurant; a hotel reservation.* **2** a doubt (ความสงสัย ความอิดเอื้อน).

re'serve (*ri'zərv*) *v* **1** to ask for something to be kept for the use of a particular person (จอง): *The restaurant is usually busy, so I'll phone up today and reserve a table.* **2** to keep something for the use of a particular person or group of people *etc.* (จอง): *These seats are reserved for the committee members.* — *n* **1** something that is kept for use when needed (เก็บบางอย่างเอาไว้เพื่อใช้เมื่อต้องการ): *The farmer kept a reserve of food in case he was cut off by floods.* **2** a piece of land used for a special purpose (พื้นที่ใช้สำหรับจุดประสงค์พิเศษ สงวน): *a wild-life reserve; a nature reserve.* **3** the habit of not saying very much, not showing what you are feeling, thinking *etc.* (เก็บเนื้อเก็บตัว); shyness.

re'served *adj* not saying very much; not showing what you are feeling, thinking *etc.* (สงบเสงี่ยม สำรวม): *a reserved manner.*

'res·er·voir (*'rez-ərv-wär*) *n* a place, usually a man-made lake, where water for drinking *etc.* is stored (อ่างเก็บน้ำ).

re'side (*rə'zīd*) *v* to live in a place (อาศัยอยู่ใน): *He now resides in Hong Kong.*

'res·i·dence (*'rez-i-dəns*) *n* **1** a person's home; the grand house of someone important (บ้าน ทำเนียบ): *the Prime Minister's residence.* **2** living in a place (การพำนัก): *during his residence in Spain.*

'res·i·dent (*'rez-i-dənt*) *n* someone who lives or has their home in a particular place (ผู้พำนัก): *a resident of London.* — *adj* **1** living in a place (อาศัยอยู่ในที่หนึ่ง): *He is now resident in Taiwan.* **2** living in the place where you work (ภารโรง): *a resident caretaker.*

res·i'den·tial *adj* containing houses rather than offices, shops *etc.* (เป็นที่อยู่อาศัย): *This district is mainly residential.*

'res·i·due (*'rez-i-dū*) *n* something that is left over (สิ่งที่เหลือ เศษที่เหลือ): *the residue of a meal.* **re'sid·u·al** *adj* (ที่เหลืออยู่ เศษตกค้าง).

re'sign (*rə'zīn*) *v* **1** to leave a job *etc.* (ลาออกออกจาก): *He resigned from his post.* **2** to make yourself accept something with patience and calmness (ยอมรับด้วยความอดทน): *He has resigned himself to the possibility that he may never walk again.*

res·ig'nation (*rez-ig'nā-shən*) *n* (การลาออก การอดทนโดยไม่ปริปาก).

re'si·li·ent (*rə'zil-i-ənt*) *adj* able to recover quickly from bad luck, illness *etc.* (สามารถคืนกลับจากโชคร้าย ความเจ็บป่วย ได้อย่างรวดเร็ว): *Children are very resilient when it comes to coughs and colds.*

're·sin (*'re-zin*) *n* a sticky substance produced by certain trees, such as pines and firs, used in making plastics (ยางไม้ที่ได้จากต้นสน ใช้ทำพลาสติก ยางสน): *a factory which produces synthetic resin.*

re'sist (*rə'zist*) *v* **1** to fight against (ต่อต้าน): *to resist an attack; It's hard to resist temptation.* **2** to be able to stop yourself doing, taking *etc.* something (ยับยั้งตัวเองเอาไว้ได้ ห้ามใจ): *I couldn't resist laughing at his dirty face; I can't resist strawberries.* **3** to be unaffected or undamaged by something (ต้าน ทนทาน): *a metal that resists acids.*

re'sis·tance *n* **1** fighting against something (แรงต่อต้าน ความต้านทาน): *The rebel army met with strong resistance from government troops; resistance to temptation; resistance to disease.* **2** the force that one object, substance *etc.* exerts against the movement of another object *etc.* (การขัดขวาง การผลักดัน).

re'sis·tant *adj* (ต้านทาน): *This breed of cattle is resistant to disease.*

'res·o·lute (*'rez-ə-loot*) *adj* determined; not willing to give up (เด็ดเดี่ยว ไม่ย่อท้อ): *a resolute attitude; She remained resolute in spite of difficulties.*

res·o'lu·tion (*rez-ə'loo-shən*) *n* **1** a firm decision to do something (ตัดสินใจแน่วแน่ที่จะทำอะไรบางอย่าง): *He made a resolution to get up early.* **2** a decision made by a group of people (มติของกลุ่มชน): *They passed a resolution to ban smoking.*

re'solve *v* **1** to make a firm decision to do something (ตั้งใจแน่วแน่): I've resolved to work harder. **2** to pass a resolution (ลงมติ): *They resolved to ban smoking.* **3** to get rid of a problem *etc.* (ขจัดปัญหา): *to resolve a difficulty.* — *n* **1** determination to do what you have decided to do (ตั้งใจจะทำในสิ่งที่เราตัดสินใจไว้แล้ว): *He showed great resolve.* **2** a firm decision (ตัดสินใจแน่วแน่): *It is his firm resolve to become a doctor.*

re'solved *adj* determined (ตัดสินใจ ตกลงใจ): *I am resolved to go and nothing will stop me.*

'res·o·nant (*'rez-ə-nənt*) *adj* **1** echoing, or producing echoing sounds (เสียงก้อง เสียงกังวาน): *Many big churches are very resonant inside.* **2** with a ringing quality which makes it deep, strong (เสียงระรัวลึก ๆ และดัง): *a resonant voice.* **'res·o·nance** *n* (ความก้อง ความมีเสียงระรัวลึก ๆ และดัง).

re'sort (*rə'zört*) *v* to use something as a way of solving a problem (หันไปใช้อะไรบางอย่างเพื่อช่วยแก้ปัญหา หันเข้าหา): *He resorted* *to threats when they refused to give him money.* — *n* a place visited by many people, especially for holidays (ที่พักผ่อนหย่อนใจ): *Brighton is a popular resort.*

re'sound (*ri'zound*) *v* **1** to ring or echo (กึกก้อง ดังสนั่น): *The audience's cheers resounded through the building; Her fame resounded through the town.* **2** to be filled with sound (กึกก้องไปด้วย): *The hall resounded with the sound of her footsteps.*

re'sounding *adj* **1** ringing and echoing (ดังสนั่นและกึกก้อง): *resounding cheers.* **2** very great or clear (ยิ่งใหญ่มากหรือกระจ่างชัด): *a resounding victory.*

re'source (*ri'zörs*) *n* **1** **(resources)** something that gives help, support *etc.* when needed; a supply; a means (สิ่งที่ช่วยเกื้อหนุนยามต้องการ เครื่องมือ): *We have used up all our resources; We haven't the resources at this school for teaching handicapped children.* **2** **(resources)** the wealth of a country, or the supply of materials *etc.* which bring this wealth (ทรัพยากร): *This country is rich in natural resources.* **3** the ability to find ways of solving difficulties (ความสามารถในการหาทางแก้ความยุ่งยาก): *He is full of resource.*

re'source·ful *adj* good at finding ways of solving difficulties, problems *etc.* (หาทางแก้ปัญหาได้ดี มีความชำนาญในการแก้ปัญหา).

re'sourceful·ly *adv* (อย่างชำนิชำนาญ).

re'source·ful·ness *n* (ความชำนิชำนาญ).

re'spect *n* **1** admiration; good opinion (ชื่นชมนับถือ): *He is held in great respect by everyone.* **2** consideration; thoughtfulness; willingness to obey *etc.* (เห็นอกเห็นใจ เอาอกเอาใจ เต็มใจเชื่อฟัง): *He shows no respect for his parents.* **3** a particular detail, feature *etc.* (รายละเอียด): *John is very like Chris in some respects.* — *v* **1** to admire someone (ชื่นชม): *I respect you for what you did.* **2** to show consideration for someone *etc.*; to be willing to obey someone (ยินยอมเชื่อฟัง): *You ought to respect your teacher; You should respect other people's feelings.*

re'spect·a·ble *adj* **1** having a good reputation or character (มีชื่อเสียงดี มีความประพฤติดี): *a respectable family.* **2** correct; acceptable (ถูกต้อง ยอมรับได้): *respectable behaviour.* **3** good enough, or suitable, to wear (ดีพอหรือเหมาะสมที่จะใส่): *You can't go out in those torn trousers — they're not respectable.* **4** large, good *etc.* enough; fairly large, good *etc.* (มาก ดี อย่างพอเพียง): *Four goals is a respectable score.*

re'spect·a·bly *adv* (อย่างน่านับถือ).

re·spect·a'bil·i·ty *n* (ความน่านับถือ).

re'spect·ful *adj* (น่านิยม อ่อนน้อม): *respectful pupils.* **re'spectful·ly** *adv* (อย่างน่านิยม).

re'spect·ful·ness *n* (ความน่านิยม).

re'spect·ing *prep* about (เกี่ยวกับ): *Joan said nothing respecting her new job.*

re'spect·ive *adj* belonging to each person or thing; own (เป็นของแต่ละคน): *Peter and George went to their respective homes.*

re'spect·ive·ly *adv* referring to each person or thing in order (ตามลำดับ): *Peter, James and John were first, second and third respectively.*

re'spects *n* greetings (ทักทาย): *He sends his respects to you.*

with respect to about; concerning (เกี่ยวกับ): *With respect to your request, we regret that we are unable to assist you in this matter.*

res·pi'ra·tion *n* breathing (การหายใจ): *The process of breathing in and out is called respiration.*

'res·pi·ra·tor *n* **1** a kind of mask that someone, such as a fireman or soldier, wears over the mouth and nose in order to be able to breathe when in a smoke-filled room or when surrounded by poisonous gas (หน้ากากกันควันหรือก๊าซพิษ). **2** a device that is used to help very ill or injured people to breathe when they cannot breathe naturally (เครื่องช่วยหายใจ).

'res·pir·a·to·ry *adj* having to do with breathing (เกี่ยวกับการหายใจ): *the human respiratory system.*

re'spond *v* **1** to answer (ตอบ): *He didn't respond to my question.* **2** to show a good reaction

(แสดงปฏิกิริยาที่ดี): *His illness did not respond to treatment by drugs.*

re'sponse *n* a reply; a reaction (การตอบสนอง): *Our letters have met with no response.*

re·spons·i'bil·i·ty *n* **1** something that someone has to look after, do *etc.* (ความรับผิดชอบ): *He takes his responsibilities very seriously.* **2** having important duties (มีหน้าที่สำคัญ ตำแหน่งที่ต้องรับผิดชอบ): *a position of responsibility.* **3** being the cause of something (เป็นผู้ก่อให้เกิด): *The police have no doubt about his responsibility for the accident.*

re'spons·i·ble *adj* **1** having a duty to see that something is done *etc.* (รับผิดชอบ): *We'll make one person responsible for buying the food.* **2** having many duties (ภาระหน้าที่): *The job of manager is a very responsible post.* **3** being the cause of something (เป็นต้นเหตุ): *Who is responsible for the stain on the carpet?* **4** able to be trusted; sensible (มีความรับผิดชอบ): *We need a responsible person for this job.*

re'spons·i·bly *adv* in a sensible way (อย่างรู้จักผิดชอบชั่วดี อย่างมีเหตุผล): *Do try to behave responsibly.*

re'spons·ive *adj* (ตอบสนอง): *The disease is responsive to treatment.*

re'spons·ive·ly *adv* (อย่างตอบสนอง).

re'spons·ive·ness *n* (การตอบสนอง).

rest[1] *n* **1** a break after or between periods of work; a period of freedom from worries or work *etc.* (พัก พักผ่อน): *Digging the garden is hard work — let's stop for a rest; Let's have a rest; Take a rest; I need a rest from all these problems — I'm going to take a week's holiday.* **2** sleep (หลับ): He needs a good night's rest. **3** something which holds or supports something (ที่ค้ำ): *a bookrest.* **4** a state of not moving (สภาพที่ไม่เคลื่อนไหว): *The machine is at rest.* — *v* **1** to stop working *etc.* in order to get new strength (พักเอาแรง): *Stop and rest a minute; Stop reading and rest your eyes; Let's rest our legs.* **2** to sleep; to lie quietly (หลับ นอนพักอย่างเงียบ ๆ): *Mother is resting at the moment.* **3** to lean against something (พิง อิงแอบ): *Her head rested on his shoulder.* **4** to stay fixed (จ้อง): *Her gaze rested on the jewels.* **5** to be calm *etc.* (สงบ): *I will never rest until I know he is happy.* **6** to depend on something (ขึ้นอยู่กับ): *Our hopes now rest on him, since all else has failed.* **7** to belong to (เป็นของ): *The choice rests with you.*

come to rest to stop moving (หยุดเคลื่อนไหว): *The ball came to rest under a tree.*

rest[2]: **the rest** **1** what is left when part of something is taken away, finished *etc.* (ส่วนที่เหลือ): *the rest of the meal.* **2** all the other people, things *etc* (คนหรือสิ่งอื่น ๆ): *Jack went home, but the rest of us went to the cinema.*

'res·taur·ant (*'rest-ront*) *n* a place where meals may be bought and eaten (ภัตตาคาร).

The pronunciation of **restaurant** is *'rest-ront.*

'rest·ful *adj* **1** bringing rest (ได้รับการพักผ่อน): *a restful holiday.* **2** making you feel calm (ทำให้รู้สึกสงบ): *Some people find blue a restful colour.* **3** peaceful; calm (สงบเงียบ): *The patient seems more restful now.*

'rest·ful·ly *adv* (อย่างสงบเงียบ).

'rest·ful·ness *n* (ความสงบเงียบ).

'rest·less *adj* **1** always moving; showing signs of worry, boredom, impatience *etc.* (ไม่อยู่นิ่ง แสดงอาการวิตก เบื่อหน่าย กระสับกระส่าย): *a restless child; He's been doing the same job for years now and he's beginning to get restless.* **2** without sleep (นอนไม่หลับ): *a restless night.*

'restless·ly *adv* (อย่างกระสับกระส่าย).

'rest·less·ness *n* (ความกระสับกระส่าย).

re'store *v* **1** to repair something so that it looks as it used to (คืนสู่สภาพเดิม). **2** to bring back to a normal or healthy state (ฟื้นคืนเป็นปกติ): *The patient was soon restored to health.* **3** to bring or give back (นำมาหรือคืนสู่): *to restore law and order; The police restored the stolen cars to their owners.*

re·sto'ra·tion *n* (การนำกลับคืนมาตั้งเดิม).

re'strain *v* to prevent someone from doing something; to control (ห้าม ควบคุม): *He was so angry he could hardly restrain himself; He had to be restrained from hitting the man; He restrained his anger with difficulty.*

re'strict *v* to limit (จำกัด): *Use of the television is restricted to senior pupils; Living in a city restricts a child's freedom.*

re'stric·tion *n* (ข้อจำกัด): *There are certain restrictions on what you may wear to school.*

re'sult (*rə'zult*) *n* **1** anything that is due to something already done (เป็นผลมาจาก เกิดผล): *His deafness is the result of a car accident; He went deaf as a result of an accident; He tried a new method, with excellent results.* **2** the answer to a sum *etc.* (ผลลัพธ์): *Add all these figures and tell me the result.* **3** the final score (ผล): *What was the result of Saturday's match?* **4** the list of people who have been successful in a competition; the list of subjects a person has passed or failed in an examination *etc.* (ผลการแข่งขัน ผลการสอบ): *He had very good exam results; The results will be published next week.* — *v* **1** to be caused by something (เป็นผลมาจาก): *We will pay for any damage that results from our experiments.* **2** to have as a result (ผลจากการแข่งขัน): *The match resulted in a draw.*

re'sume (*rə'zūm*) *v* to begin again after stopping (ดำเนินต่อไป): *We'll resume the meeting after tea.* **re'sump·tion** *n* (การดำเนินต่อไป).

re'sur·gence (*ri'sər-jəns*) *n* a return to action, growth, importance or influence *etc.* after a period of quietness (การกลับมามีปฏิกิริยาใหม่ การเจริญเติบโตขึ้นใหม่ การกลับมามีอิทธิพลใหม่หลังจากเงียบไปช่วงเวลาหนึ่ง): *There has been a resurgence in nationalistic feelings in parts of Europe during the past two years.*

res·ur'rec·tion (*rez-ə'rek-shən*) *n* the process of being brought back to life again after death (การฟื้นคืนชีพ).

re'sus·ci·tate (*re'sus-i-tāt*) *v* to bring or come back to consciousness (ทำให้ฟื้นคืนสติ): *The lifeguard managed to resuscitate her even though she had been under the water for several minutes.*

're·tail *v* to sell goods to a customer in a shop *etc.*, not to a businessman *etc.* who is going to sell them again (ขายปลีก). — *adj* having to do with the sale of goods in shops *etc.* (การขายปลีก): *a retail price.*

're·tail·er *n* a shopkeeper (พ่อค้าขายปลีก).

re'tain *v* **1** to remember (จำได้): *He finds it difficult to retain information.* **2** to keep (รักษา): *These plates don't retain heat very well.*

re'tal·i·ate *v* to do something bad to someone in return for something bad they have done to you (ตอบโต้ ทำร้ายตอบ): *Peter kicked Sarah, and she retaliated by pulling his hair.*

re'tard *v* to make slower (ทำให้ช้าลง): *The train's progress was retarded by snow; The baby's development was retarded by an accident.*

re'tard·ed *adj* slow in learning (เรียนรู้ได้ช้า): *a retarded child.*

'ret·i·cent *adj* not willing to say very much about oneself or ones feelings (พูดน้อยเกี่ยวกับตัวเองหรือความรู้สึกของตัวเอง การสงวนถ้อยคำ): *She is always very reticent with people she hasn t known very long.*

'ret·i·na (*'ret-i-nə*), *plural* **retinas** or **retinae** (*'ret-i-nē*), *n* the lining at the back of the eye which receives the image from the lens and passes it on to the brain (ลูกตาดำ).

re'tire *v* **1** stop working when you reach a particular age (เกษียณอายุ): *He retired at the age of 65.* **2** to go away (ไปนอน เข้าห้องของเรา): *to retire to bed; to retire to your own room.*

re'tired *adj* having stopped working (หยุดทำงาน เลิกสอน): *a retired teacher.*

re'tire·ment *n* retiring from work; being retired from work (การเกษียณอายุการทำงาน): *It is not long till his retirement; She's enjoying her retirement.*

re'ti·ring *adj* shy (ขี้อาย): *a retiring person.*

re'tort *v* to make a quick and clever or angry reply (ตอบกลับอย่างรวดเร็วและฉลาดหรือตอบด้วยความโกรธ): *"You're too old," she said.*

"You're not so young yourself," he retorted. — *n* a reply of this type (การตอบในแบบนี้).

re'trace: retrace your steps to go back over the route that you have come along (ย้อนรอย): *He lost his keys somewhere on his way home, and had to retrace his steps until he found them.*

re'treat *v* **1** to move back or away from a battle, usually because the enemy is winning (ล่าถอย): *Our army was forced to retreat.* **2** to withdraw; to take yourself away (ถอยกลับ): *He retreated to his room.* — *n* the action of retreating (การล่าถอย): *After their retreat, the enemy troops left the area.*

re'trieve (*rə'trēv*) *v* to get back something that was lost *etc.* (ได้สิ่งของที่หายไปคืนมา): *My hat blew away, but I managed to retrieve it; Our team retrieved its lead in the second half.* **re'triev·al** *n* (การได้คืนมา).

re'triev·er *n* a dog trained to find and bring back birds and animals that have been shot (สุนัขที่ถูกฝึกให้นำนกหรือสัตว์ที่ถูกยิงกลับมา).

re'turn *v* **1** to come back; to go back (กลับมา กลับไป): *He returned to London from Paris yesterday; The pain has returned; We'll return to this subject later in the lesson.* **2** to give, send or put something back where it came from (คืนกลับ): *He returned the book to its shelf; Please return my umbrella.* **3** to do something to someone that they have done to you (ตอบโต้): *She hit him and he returned the blow.* **4** in tennis *etc.*, to hit a ball back to your opponent (ตีลูกกลับคืนไปยังคู่ต่อสู้): *She returned his serve.* — *n* **1** returning; home-coming (การกลับสู่บ้าน): *They were looking forward to their son's return from his holiday abroad; On our return, we found the house had been burgled.* **2** a return ticket (ตั๋วไปกลับ): *Do you want a single or return?* — *adj* (ไปกลับ): *a return journey.*

to **return** (not ไม่ใช่ **return back**) someone's book.

return ticket a ticket allowing you to travel to a place and back again (ตั๋วไปกลับ).

by return of post by the next post (ทางไปรษณีย์เที่ยวถัดไป): *Please send me your reply by return of post.*

in return for as an exchange for something (เพื่อเป็นการตอบแทน): *He sent me flowers in return for my help.*

many happy returns an expression of good wishes said to you on your birthday (แสดงความปรารถนาดีในวันคล้ายวันเกิดของเรา ขอให้มีความสุขมาก ๆ): *He visited his mother on her birthday to wish her many happy returns.*

re'un·ion (*rē'ūn-yən*) *n* a meeting of people who have not met for some time (การร่วมชุมนุมของผู้ที่ไม่ได้เจอกันมาในระยะเวลาหนึ่ง): *We attended a reunion of former pupils of our school.*

re·u'nite *v* to bring or come together after being separated (มาร่วมกันอีกหลังจากแยกกันไป): *The children were reunited with their parents.*

re'veal *v* **1** to make something known (เปิดเผย เป็นที่รู้): *All their secrets have been revealed.* **2** to show; to allow to be seen (แสดง เผยให้เห็น): *The curtains opened to reveal an empty stage.*

rev·e'la·tion *n* the revealing of a secret *etc.*; a discovery of facts (การเปิดเผยความลับ การค้นพบความลับ): *amazing revelations.*

re'venge (*rə'venj*) *n* harm done to someone in return for harm that they have done to you (การแก้แค้น): *I'll get my revenge on you somehow; Jim took his revenge on Susan for laughing at him by hiding a frog in her desk; In revenge, she stole his pen; She did it out of revenge.* — *v* to get your revenge (แก้แค้น): *He revenged himself on his enemies; I'll soon be revenged on you all.*

See **avenge**.

'rev·e·nue (*'rev-ə-nū*) *n* the money that a government receives (รายได้ของแผ่นดิน): *Most of the government's revenue comes from income tax.*

re'ver·be·rate *v* **1** to echo, repeat or reflect many times (สะท้อน ทำซ้ำหรือสะท้อนกลับหลาย ๆ ครั้ง): *The sound of banging rever-*

berated through the room. **2** to be heard continually (ได้ยินอย่างสม่ำเสมอ): *The scandal reverberated through the town.* **3** to have an effect which lasts a long time (มีผลอยู่เป็นเวลานาน): *The consequences of his decision will reverberate for years.*

re'vere (*re'vēr*) *v* to respect greatly (เคารพนับถืออย่างยิ่ง): *The students revere the professor.*

'rev·e·rence *n* great respect (ความนับถืออย่างยิ่ง ความบูชา): *He was held in reverence by those who worked for him.*

'Rev·e·rend *n* a title given to a clergyman, usually written **Rev.** (ชื่อที่ใช้เรียกพระ หมอสอนศาสนา): *the Rev. John Brown.*

'rev·e·rent *adj* showing reverence (แสดงความบูชา): *to give reverent thanks to God.*

'rev·e·rent·ly *adv* (อย่างบูชา).

re'ver·sal *n* the changing of something to its opposite (การเปลี่ยนบางอย่างให้เป็นตรงกันข้าม): *the reversal of a decision.*

re'verse *v* **1** to move backwards (ถอยหลัง): *He reversed the car into the garage.* **2** to put into the opposite position, order *etc.*; to make one thing change places with another (วางในตำแหน่งกลับกัน เปลี่ยนที่กัน): *He reversed the order of the events on the programme.* **3** to change something to the exact opposite (เปลี่ยนเป็นตรงกันข้าม): *to reverse a decision.* — *n* **1** the opposite (ตรงกันข้าม): *"Are you hungry?" "Quite the reverse — I've eaten far too much!"* **2** a defeat; a piece of bad luck (ทำให้พ่ายแพ้ โชคร้ายส่วนหนึ่ง). **3** a backwards direction; the gear in a car that makes it go backwards (ถอยหลัง เข้าเกียร์ถอยหลัง): *He put the car into reverse.* **4** the back of a coin, medal *etc.*: *the reverse of a coin* (ด้านหลังของเหรียญ). — *adj* (กลับกัน): *I hold the reverse opinion to yours; She put the car into reverse gear; the reverse side of a coin.*

re'vers·i·ble *adj* **1** able to be reversed (สามารถกลับหลังได้). **2** able to be worn with either side out (สามารถสวมใส่ได้ทั้งสองด้าน): *Is that raincoat reversible?*

re'view (*rə'vū*) *n* a report about a book, play *etc.* giving an opinion of it (วิจารณ์เกี่ยวกับหนังสือ การแสดง). — *v* **1** to write a review of a book *etc.* (เขียนวิจารณ์หนังสือ): *The book was reviewed in yesterday's newspaper.* **2** to consider again (พิจารณาอีกครั้ง): *We shall review the situation in a month's time.*

re'view·er *n* a person who reviews books *etc.* (ผู้วิจารณ์หนังสือ).

re'vise (*rə'vīz*) *v* **1** to correct faults and make improvements in a book *etc.* (การตรวจแก้และทำให้หนังสือดีขึ้น): *This dictionary has been completely revised.* **2** to study your previous work, notes *etc.* in preparation for an examination *etc.* (ทบทวนงาน บันทึก ฯลฯ เพื่อเตรียมสอบ): *You'd better start revising your English for your exam.* **3** to change (เปลี่ยน): *to revise your opinion.*

re'vision *n* (การแก้ไขใหม่ การปรับปรุงใหม่).

re'vive *v* **1** to come, or bring, back to consciousness, strength, health *etc.* (ฟื้นคืนสติ ฟื้นกำลัง ฟื้นสุขภาพ): *They attempted to revive the woman who had fainted; She soon revived; The flowers revived in water; to revive someone's hopes.* **2** to come or bring back to use *etc.* (นำกลับมาใช้อีก): *This old custom has recently been revived.*

re'vi·val *n* (การฟื้นฟู).

re'voke (*ri'vōk*) *v* to make no longer valid or to cancel (เพิกถอน ล้มเลิก): *He revoked his previous decision to give her a job.*

re'volt (*rə'vōlt*) *v* **1** to rebel against a government *etc.* (ก่อการกบฏ): *The army revolted against the king.* **2** to disgust (สะอิดสะเอียนขยะแขยง): *His habits revolt me; I was revolted by the film about the war.* — *n* rebellion (การกบฏ): *The peasants rose in revolt; The government have crushed the revolt.*

re'vol·ting *adj* causing a feeling of disgust (ทำให้เกิดความรู้สึกขยะแขยง): *revolting food.*

rev·o'lu·tion (*rev-ə'loo-shən*) *n* **1** a complete circle or turn round a central point, made, for example, by a record turning on a record-player, or the Earth moving on its axis or round the Sun (การหมุนรอบจุดศูนย์กลางครบหนึ่งรอบ). **2** a successful, and usually violent attempt by a group of people within a country to change or overthrow its political system (การกบฏ การปฏิวัติ): *The French Revolution of 1789 put an end to the monarchy in France.* **3** a great change in ideas, methods *etc.* (การเปลี่ยนแปลงแนวความคิด วิธีการ อย่างขนานใหญ่): *Computers have caused a revolution in the way many people work.*

rev·o'lu·tion·ar·y *adj* **1** completely new and different (ใหม่และแตกต่างไปอย่างสิ้นเชิง): *He discovered a revolutionary process for recording sound.* **2** attempting to cause a political revolution (พยายามก่อให้เกิดการเปลี่ยนแปลงทางการเมือง): *He was sent to prison for revolutionary activities.* — *n* a person who takes part in, or tries to cause, a revolution (นักปฏิวัติ): *The dictator imprisoned the revolutionaries.* **rev·o'lu·tion·ize** *v* to cause great changes in ideas, methods *etc.* (ทำให้เกิดการเปลี่ยนแปลงอย่างขนานใหญ่ทางแนวความคิด วิธีการ): *This new machinery will revolutionize the paper-making industry.*

re'volve *v* to move, roll or turn in a complete circle around a central point (เคลื่อนที่ กลิ้งหรือหมุนเป็นวงกลมรอบจุดศูนย์กลาง): *A wheel revolves on its axle; The Moon revolves round the Earth; The Earth revolves about the Sun and also revolves on its axis.*

re'volv·er *n* a pistol (ปืนพก).

re'volv·ing *adj* (หมุนรอบ เปิดปิด): *revolving doors.*

re'ward (*rə'wörd*) *n* **1** something given in return for work done, good behaviour *etc.* (รางวัลที่ให้เนื่องจากทำงานได้เสร็จ ประพฤติดี): *They gave him a plant as a reward for his kindness.* **2** a sum of money offered for finding a criminal, or lost property *etc.* (รางวัลนำจับหรือรางวัลที่หาของหายคืนมาได้): *A reward of $100 has been offered to the person who finds the diamond brooch.* — *v* to give a reward to someone for something (ให้รางวัลตอบแทน): *He was rewarded for his services; His services were rewarded.*

See **award**.

'rheu·ma·tism (*'roo-mə-tiz-əm*) *n* a kind of disease that causes pain in your joints and muscles (โรคปวดตามข้อ): *The old lady has rheumatism in her legs and finds it difficult to walk.*

'rhi·no (*'rī-no*), *plural* **'rhinos**, *n* short for **rhi'noc·e·ros**.

rhi'noc·e·ros (*rī'nos-ə-rəs*) *n* a large thickskinned animal with one or two horns on its nose (แรด).

'rhom·bus (*'rom-bəs*) *n* a flat shape with four equal sides, that is not a square (รูปสี่เหลี่ยมขนมเปียกปูน).

rhyme (*rīm*) *n* **1** a short poem (โคลงสั้น ๆ): *a book of rhymes for children.* **2** a word which is like another in its final sound (คำมีเสียงลงท้ายเหมือนกับคำอื่น): *Beef and leaf are rhymes.* **3** verse or poetry using words that rhyme at the ends of the lines (โคลงหรือกลอนที่ใช้คำลงท้ายในแต่ละบรรทัดคล้องจองกัน): *To amuse the teacher he wrote his composition in rhyme.* — *v* to be rhymes (เสียงคล้องจองกัน): *Beef rhymes with leaf.*

'rhyth·m (*'ridh-əm*) *n* **1** a regular, repeated pattern of sounds in music, poetry *etc.* (จังหวะ): *Just listen to the rhythm of those drums.* **2** a regular, repeated pattern of movements (รูปแบบการเคลื่อนไหวที่ซ้ำ ๆ กันอย่างสม่ำเสมอ): *The rowers lost their rhythm.* **3** an ability to sing, move *etc.* with rhythm (ความสามารถที่จะร้อง เต้น ไปตามจังหวะ): *That girl has got rhythm.*

'rhyth·mic, 'rhyth·mic·al *adj* done with rhythm (เกี่ยวกับจังหวะ): *rhythmic movement; The dancing was very rhythmical.*

'rhyth·mic·al·ly *adv* (อย่างเป็นจังหวะ).

rib *n* **1** any one of the bones that curve round and forward from your backbone, enclosing your heart and lungs (ซี่โครง). **2** anything that is similar in shape *etc.* (สิ่งใดที่มีลักษณะเหมือนกัน): *an umbrella rib; the ribs of a boat.*

'rib·bon *n* a long narrow strip of material used in decorating clothes, tying hair *etc.* (โบว์):

a blue ribbon; four metres of red ribbon.

rice *n* a plant whose seeds are used as food (ข้าว).

rice is never used in the plural.

rich *adj* **1** wealthy; having a lot of money, possessions *etc.* (รวย มั่งคั่ง): *a rich man.* **2** having a lot of something (อุดมสมบูรณ์): *This part of the country is rich in coal.* **3** valuable (มีค่า): *a rich reward.* **4** containing a lot of fat, eggs, spices *etc.* (ประกอบด้วยไขมัน ไข่ เครื่องเทศ ฯลฯ อย่างมาก): *a rich sauce.* **5** very beautiful and expensive (สวยงามมากและแพง): *rich materials.*

'rich·ly *adv* (อย่างมีราคาสูง อย่างมาก อย่างมั่งคั่ง).

'rich·ness *n* (ความรวย ความมั่งคั่ง).

'rich·es *n* lots of money; wealth (ทรัพย์สมบัติ ความมั่งคั่ง): *His riches do not make him a happy man.*

riches means wealth; it has no singular form.
the rich means rich people; the opposite is **the poor**.

'rick·et·y *adj* not well made; likely to collapse; shaky (ทำมาไม่ดี น่าจะล้มพับ โยกคลอน): *This chair is rather rickety.*

'rick·shaw *n* a small two-wheeled carriage pulled by a man (รถบรรทุกสองล้อใช้คนลาก).

rid *v* to free someone *etc.* from something (กำจัด): *We must try to rid the town of rats.*

rid; rid; rid: *He rid himself of his worries; She has rid herself of her problems.*

be rid of, get rid of to remove; to free yourself from (ขจัด): *I thought I'd never get rid of these weeds.*

good 'rid·dance words you use when you are happy to have got rid of something (คำที่ใช้เมื่อเรารู้สึกมีความสุขที่ได้ขจัดบางอย่างไป): *I've thrown out all those old books, and good riddance to the lot of them!*

ridden *see* **ride** (ดู **ride**).

'rid·dle *n* a puzzle that describes an object, person *etc.* in a mysterious way (ปริศนา): *The answer to the riddle "What flies for ever, and never rests?" is "the wind".*

ride *v* **1** to travel in a car, train or bus (โดยสารรถยนต์ รถไฟ หรือรถเมล์): *to ride on a bus.* **2** to travel on and control a horse or bicycle (ขี่ม้าหรือจักรยาน): *Can you ride a bicycle?; Which horse is he riding in this race?; My daughter goes riding at the riding school every Saturday.* — *n* (การโดยสาร การขี่): *He likes to go for a long bicycle ride on a Sunday afternoon; I went for a ride on my horse; Would you like a ride in my new car?; May I have a ride on your bike?*

ride; rode; 'rid·den: *John rode five miles on his bicycle; He has ridden a horse for several years now.*

'ri·der *n* (ผู้ขับขี่ ผู้โดยสาร): *a horse-rider; The rider of the motor-cycle was hurt.*

ridge *n* **1** a long narrow raised piece of ground *etc* (สันดิน): *A plough makes furrows and ridges in the soil.* **2** a long narrow row of hills (สันเขา). **3** the top edge of something where two sloping surfaces meet (สันด้านบนที่พื้นผิวลาดมาบรรจบกัน): *a roof-ridge.*

'rid·i·cule (*'rid-i-kūl*) *v* to laugh at; to mock (หัวเราะเยาะ เย้ยหยัน): *They ridiculed him because he was wearing one brown shoe and one black shoe.* — *n* laughter at someone or something; mockery (การหัวเราะเยาะ การเย้ยหยัน): *Despite the ridicule of his neighbours, he continued to build a space-ship in his garden.*

ri'dic·u·lous (*ri'dik-ū-ləs*) *adj* very silly; deserving to be laughed at (ขบขัน สมควรโดนหัวเราะเยาะ): *You look ridiculous in that hat!*

ri'dic·u·lous·ly *adv* (อย่างน่าหัวเราะเยาะ).

ri'dic·u·lous·ness *n* (ความน่าหัวเราะเยาะ).

'ri·fle (*'rī-fəl*) *n* a gun with a long barrel, fired from the shoulder (ปืนเล็กยาว). — *v* to search through something (รื้อค้น): *The thief rifled through the drawers.*

See **gun**.

rift *n* **1** a split or crack (รอยปริ รอยแตก รอยแยก): *The sun shone briefly through a rift in the clouds.* **2** a bad quarrel between people that makes them stop being friends (การทะเลาะกันอย่างแรงซึ่งทำให้ไม่เป็นมิตรกัน): *They used to be friends but there has been a rift between them.*

rig *v* to fit a ship with ropes and sails (จัดสายระโยงและใบเรือ). — *n* **1** an oil-rig (เครื่องเจาะบ่อน้ำมัน). **2** any special equipment, tools *etc.* for some purpose (เครื่องมือชนิดพิเศษที่ใช้ทำงานใด ๆ). **3** the arrangement of sails *etc.* of a sailing-ship (การจัดใบเรือ).

'rig·ging *n* the ropes *etc.* which control a ship's masts and sails (เชือกซึ่งควบคุมเสากระโดงและใบเรือ).

rig up to build quickly (สร้างขึ้นอย่างรวดเร็ว): *They rigged up a shelter.*

right (*rīt*) *adj* **1** on the side of your body that usually has the more skilful hand; to the side of you that is toward the east when you are facing north (ข้างขวา): *When I'm writing, I hold my pen in my right hand.* **2** correct (ถูกต้อง ถูกที่): *Is that the right answer to the question?; Did you get the sum right?; Put all the toys back in their right places.*
3 morally correct; good (ถูกหลัก ดี): *It's not right to let thieves keep what they have stolen.* **4** suitable (เหมาะสม): *He's not the right man for this job.* — *n* **1** something you ought to be allowed to have, do *etc.* (เราสมควรจะได้รับหรือทำ สิทธิ์): *Everyone has the right to a fair trial; You must fight for your rights; You have no right to say that.* **2** that which is correct or good (ฝ่ายถูก): *Who's in the right in this argument?* **3** the right side, part or direction (ด้านขวา): *Turn to the right; Take the second road on the right.* — *adv* **1** exactly (อย่างแน่นอน พอดี): *He was standing right here.* **2** immediately (โดยทันที): *I'll go right after lunch.* **3** close (ใกล้ชิด): *He was standing right beside me.* **4** completely; all the way (อย่างสิ้นเชิง ผ่านตลอด ทะลุ): *The bullet went right through his arm.* **5** to the right (ไปทางขวา): *Turn right.* **6** correctly (ถูกต้อง): *Have I done this sum right?* — *v* **1** to bring back to the correct position (กลับมาตำแหน่งที่ถูกต้อง): *The boat tipped over, but righted itself again.* **2** to correct something that is bad (แก้ไขบางอย่างที่ไม่ดี): *to right a wrong.* — used to mean I understand, I'll do what you say *etc.* (ใช้ในความหมายว่าเราเข้าใจ เราจะทำตามที่คุณพูด): *"I want you to type some letters for me." "Right, I'll do them now."*

> The opposite of **right**, meaning the side of the body, is **left**.
> The opposite of **right**, meaning correct, is **wrong**.

right angle an angle of 90°, like any of the four angles in a square (มุมฉาก).

'right·eous (*'rī-chəs*) *adj* good (ดี): *a righteous man.* **'right·eous·ly** *adv* (อย่างดี อย่างเที่ยงธรรม). **'right·eous·ness** *n* (ความดี ความเที่ยงธรรม).

'right·ful *adj* proper; having a right to something (มีสิทธิ์ในบางอย่าง): *He is the rightful owner of the house.*

'right·ful·ly *adv* (อย่างมีสิทธิ์): *The house is rightfully mine.*

'right-hand *adj* at the right; to the right (ด้านขวา ไปทางขวา): *the top right-hand drawer of my desk; Take the right-hand turning.*

right-'hand·ed *adj* using the right hand more easily than the left (ถนัดขวา): *Most people are right-handed.*

'right·ly *adv* justly (อย่างยุติธรรม): *He was rightly punished for his cruelty.*

get right to do something correctly (ทำอะไรอย่างถูกต้อง): *Did you get that sum right?*

go right to happen just as you want; to be successful (เกิดขึ้นอย่างที่เราต้องการ ความสำเร็จ): *Nothing ever goes right for him.*

not in your right mind, not right in the head mad (ความคิดไม่ถูกต้อง บ้า): *He can't be in his right mind, making stupid suggestions like that!* **put right 1** to repair (ซ่อม): *There is something wrong with this kettle — can you put it right?* **2** to change something that is wrong (แก้ให้ถูก): *You've made a mistake in that sum — you'd better put it right; My watch is slow — I'll have to put it right.*

3 to make someone healthy again (**ทำให้มีสุขภาพดีอีกครั้งหนึ่ง**): *That medicine will soon put you right.*

right away, right now immediately (**โดยทันที**): *You can start right away.*

serve someone right to be the punishment deserved by someone (**เป็นการลงโทษที่สมควรแล้ว**): *If you fall and hurt yourself, it'll serve you right for climbing up there when I told you not to.*

'rig·id (*'rij-id*) *adj* **1** completely stiff; not able to be bent easily (**แข็ง งอไม่ได้ง่าย ๆ**): *An iron bar is rigid.* **2** very strict, and not likely to change (**เข้มงวดมากและไม่น่าจะเปลี่ยนแปลง**): *rigid school rules.*

'rig·id·ly *adv* (**อย่างเข้มงวด**).

'rig·id·ness, ri'gid·i·ty *ns* (**ความแข็ง ความเข้มงวด**).

'rig·o·rous (*'rig-ə-rəs*) *adj* **1** strict or harsh (**เข้มงวดหรือรุนแรง**): *rigorous discipline.* **2** strictly accurate (**เข้มงวดในรายละเอียด**): *He always pays rigorous attention to detail.*

'rig·o·rous·ly *adv* (**อย่างเข้มงวด อย่างรุนแรง**).

rim *n* an edge or border (**ริม ขอบ**): *the rim of a cup.*

'rim·less *adj* without a rim (**ไม่มีขอบ**): *rimless spectacles.*

rimmed *adj* (**มีขอบ**): *horn-rimmed spectacles; Her eyes were red-rimmed from crying.*

rind (*rind*) *n* a thick, hard outer layer or covering, especially the outer surface of cheese or bacon, or the peel of fruit (**ชั้นหนา ๆ และแข็งที่ปกคลุมด้านนอก เปลือก**): *bacon-rind; lemon-rind.*

ring[1] *n* **1** a small circle of gold *etc.* that you wear round your finger (**แหวน**): *a wedding ring; She wears a diamond ring.* **2** a circle of metal, wood *etc.* for any of various purposes (**วงแหวน**): *a scarf-ring; a key-ring; The trapdoor had a ring attached for lifting it* (**ประตูลับที่มีห่วงติดอยู่เพื่อยกขึ้น**). **3** anything that is like a circle in shape (**สิ่งใด ๆ ที่มีลักษณะเป็นวง**): *The children formed a ring round their teacher; The hot teapot left a ring on the polished table.* **4** an enclosed space for boxing matches, circus performances *etc.* (**สังเวียน**): *the circus-ring; The crowd cheered as the boxer entered the ring.* — *v* to form a ring round something; to put, draw *etc.* a ring round something (**การทำห่วงล้อมรอบ การลากเส้นล้อมรอบ ตีวง**): *The teacher ringed the mistakes in Joe's composition with a red pen.*

ring[2] *v* **1** to sound (**เสียงระฆัง เสียงกริ่ง**): *The doorbell rang; He rang the doorbell; The telephone rang.* **2** to telephone someone (**การโทรศัพท์**): *I'll ring you tonight; He rang his mother up.* **3** to ring a bell, for example in a hotel, to tell someone to come, to bring something *etc.* (**สั่นกระดิ่งเรียก**): *She rang for the maid.* **4** to make a high sound like a bell (**ทำเสียงดังเหมือนกระดิ่ง**): *The glass rang as she hit it with a metal spoon.* **5** to make a loud, clear sound (**ทำเสียงดังฟังชัด**): *His voice rang through the house; A shot rang out.* — *n* **1** the sound of ringing (**เสียงของกระดิ่ง**): *There was a ring at the door.* **2** a telephone call (**เรียกทางโทรศัพท์**): *I'll give you a ring.*

ring; rang; rung: *She rang the bell; He has just rung me.*

ring a bell to stir your memory slightly (**ระลึกได้เล็กน้อย**): *His name rings a bell, but I can't remember where I've heard it.*

ring back to telephone someone who has telephoned (**โทรศัพท์กลับไปหาคนที่โทรศัพท์มา**): *If he is busy at the moment, he can ring me back; He'll ring back tomorrow.*

ring true to sound true (**เป็นจริงเป็นจัง**): *His story does not ring true.*

'ring·lead·er *n* someone who leads others into doing something wrong (**ผู้นำคนอื่นให้ทำความผิด หัวโจก**): *The teacher punished the ringleader.*

'ring·let *n* a long curl of hair (**ผมเป็นลอนยาว**).

'ring·mas·ter *n* a person who is in charge of performances in a circus ring (**ผู้กำกับการแสดงละครสัตว์**).

rink *n* **1** an area of ice, for ice-skating, ice hockey *etc.* (**พื้นเล่นสเก็ตน้ำแข็ง**). **2** a smooth floor for roller-skating (**พื้นเรียบ ๆ สำหรับเล่น

สเก็ต).

rinse *v* **1** to wash clothes *etc.* in clean water to remove soap *etc.* (ล้าง): *After washing the towels, rinse them out.* **2** to clean a cup, your mouth *etc.* by filling it with clean water *etc.* and then emptying the water out (การทำความสะอาดถ้วย กลั้วคอ): *The dentist asked me to rinse my mouth out.* — *n* the action of rinsing (การกลั้วคอ การล้างทำความสะอาด): *Give the cup a rinse.*

'ri·ot (*'rī-ət*) *n* a noisy disturbance made by a large group of people (เสียงรบกวนเอะอะที่เกิดขึ้นโดยคนกลุ่มใหญ่ ความวุ่นวาย การจลาจล): *The protest march developed into a riot.* — *v* to take part in a riot (มีส่วนร่วมในความวุ่นวาย): *The protesters were rioting in the street.*

'ri·ot·er *n* (ผู้ก่อความวุ่นวาย ผู้ก่อจลาจล).

rip *v* to tear (ฉีก ขาด รื้อ): *He ripped his shirt on a branch; His shirt ripped; The roof of the car was ripped off in the crash; to rip up floorboards; He ripped open the envelope.* — *n* a tear or hole (รอยฉีก เป็นรู): *There's a rip in my shirt.*

rip off 1 to remove quickly and often violently (เอาออกอย่างรวดเร็วและมักจะรุนแรง): *She ripped the sticking-plaster off his leg.* **2** to cheat or steal from, usually by charging too much (โก่งราคา): *He always tries to rip off his clients.*

ripe *adj* ready to be gathered in or eaten (สุก): *ripe corn; ripe apples.*

'ripe·ness *n* (ความสุก).

'ri·pen *v* to make or become ripe (ทำให้สุก): *The sun ripened the corn; The corn ripened in the sun.*

'rip·ple *n* a little wave or movement on the surface of the water *etc.* (น้ำกระเพื่อม): *He threw the stone into the pond, and watched the ripples spread across the water.*

rise (*rīz*) *v* **1** to become greater, larger, higher *etc.*; to increase (ใหญ่ขึ้น สูงขึ้น เพิ่มขึ้น ฟูขึ้น): *Food prices are still rising; His temperature rose; If the river rises much more, there will be a flood; Bread rises when it is baked.* **2** to move upwards (เคลื่อนขึ้นข้างบน บินขึ้น): *Smoke was rising from the chimney; The birds rose into the air.* **3** to get up from bed (ตื่นนอน ลุกขึ้นจากเตียง): *He rises every morning at six o'clock.* **4** to stand up (ยืนขึ้น): *The children all rose when the headmaster came in.* **5** to appear above the horizon (ปรากฏขึ้นเหนือแนวขอบฟ้า): *The sun rises in the east and sets in the west.* **6** to slope upwards (เอียงลาดขึ้น): *The hills rose in front of us.* **7** to rebel (กบฏ ลุกฮือ): *The people rose in revolt against the dictator.* **8** to move to a higher rank, a more important position *etc.* (เลื่อนตำแหน่งสูงขึ้น ตำแหน่งที่สำคัญขึ้นกว่า): *He rose to the rank of colonel.* **9** to begin (เริ่มต้น): *The river Rhone rises in the Alps.* **10** to start to blow hard (พัดแรงขึ้น): *Don't go out in the boat — the wind has risen.* **11** to be built (ถูกสร้างขึ้น): *Office blocks are rising all over the town.* **12** to come back to life (ฟื้นคืนชีพ): *Jesus has risen.* — *n* **1** the act of rising (การเพิ่มสูงขึ้น การขึ้นสู่อำนาจ): *a rise in prices; He had a rapid rise to power; the rise of Mao Tse-tung.* **2** an increase in salary or wages (เงินเดือนหรือค่าจ้างเพิ่มขึ้น): *She asked her boss for a rise.* **3** a slope or hill (ลาดชันหรือเนินเขา): *The house is just beyond the next rise.*

rise; rose (*rōz*); **'ris·en** (*'ri-zən*): *He rose from his seat; The sun has risen.*
The sun **rises in** (not **rises up from**) the east.
See also **raise**.

'ri·sing *n* the action of rising (การขึ้น): *the rising of the sun.* — *adj* (เกี่ยวกับการขึ้น): *the rising sun; rising prices.*

give rise to to cause (ก่อให้เกิด): *This plan has given rise to various problems.*

risk *n* danger; possible loss or injury (อันตรายเป็นไปได้ที่จะสูญเสียหรือบาดเจ็บ): *He thinks we shouldn't go ahead with the plan because of the risks involved.* — *v* to put something in danger; to leave something to chance (เสี่ยง): *He would risk his life for his friend; He risked all his money on betting on that* *horse; He was willing to risk death to save his friend; I'd better leave early as I don't want to risk being late for the play.*

'risk·y *adj* possibly causing or bringing loss, injury *etc.* **(เสี่ยง)**: *Motor-racing is a risky business.*

at risk in danger; likely to suffer loss, injury *etc.* **(อยู่ในอันตราย น่าจะเกิดการสูญเสีย บาดเจ็บ)**: *You mustn't place your family at risk.*

at the risk of with the possibility of loss, injury, trouble *etc.* **(เป็นไปได้ที่จะสูญเสีย บาดเจ็บ มีความยุ่งยาก)**: *He saved the little girl at the risk of his own life; At the risk of shocking you, I must tell you the horrible truth.*

run the risk or **take the risk** to do something which involves a risk **(ยอมเสี่ยง)**: *I took the risk of buying you a ticket for the match — I hope you can come; He didn't want to run the risk of losing his money.*

take risks or **take a risk** to do something which might cause loss, injury *etc.* **(ยอมเสี่ยง)**.

rite *n* a fixed, formal action *etc.*, especially one used in a religious ceremony **(พิธีการ พิธีกรรม)**: *The priest performed the usual rites; marriage rites.*

'rit·u·al (*'rit-ū-əl*) *n* **1** a ceremony with a set of fixed actions and words **(พิธีกรรม)**: *Every religion has its own rituals.* **2** a set of actions that people regularly perform in a particular situation **(การกระทำซึ่งคนทำกันอยู่เป็นประจำในสภาพการณ์อย่างหนึ่ง)**: *First thing in the morning, she goes through the ritual of wash-ing her face, cleaning her teeth and brushing her hair.* — *adj* happening as part of a ritual **(เกี่ยวกับการกระทำตามปกติ)**: *a ritual washing of the hands.*

'ri·val (*'rī-vəl*) *n* a person or thing that competes with another **(คู่แข่ง)**: *For students of English, this dictionary is without a rival; The two brothers are rivals for the first prize.* — *adj* **(เกี่ยวกับคู่แข่ง)**: *rival teams.* — *v* to be, or try to be, as good as someone or something else **(ทำหรือพยายามทำให้ดีเหมือนคนอื่น)**: *He rivalled his brother as a chess-player; Nothing rivals football for excitement and entertainment.*

rivalled and **rivalling** are spelt with 2 **l**s.

'ri·val·ry *n* the state of being rivals **(สภาพของการเป็นคู่แข่ง)**: *the rivalry between business companies.*

'riv·er *n* a large stream of water flowing across land **(แม่น้ำ)**: *The Thames is a river; the River Thames; the Hudson River.*

'riv·er-bed *n* the ground over which a river runs **(ท้องแม่น้ำ)**.

'riv·er·side *n* the ground along or near the side of a river **(ฝั่งแม่น้ำ)**: *He has a bungalow on the riverside.*

'riv·et *n* a bolt for fastening plates of metal together **(หมุดย้ำแผ่นโลหะเข้าด้วยกัน)**. — *v* **1** to fasten with rivets **(การย้ำด้วยหมุด)**: *They riveted the sheets of metal together.* **2** to fix firmly **(จ้องเขม็ง)**: *His eyes were riveted on the television.*

road *n* **1** a way with a hard level surface for people, vehicles *etc.* to travel on **(ถนน)**: *This road takes you past the school; Are we on the right road for Brisbane?* **2** used in the names of roads or streets **(ชื่อถนน)**: *His address is 24 School Road.* **3** a way that leads to something **(ทางที่นำไปสู่อะไรสักอย่าง)**: *He's on the road to disaster.*

See **street** and **route**.

'road·block *n* a barrier put across a road in order to stop or slow down traffic **(ปิดกั้นถนน)**: *The police set up a roadblock.*

'road·side *n* the ground beside a road **(ข้างถนน)**: *Flowers were growing by the roadside.*

'road·way *n* the part of a road on which cars *etc.* travel **(บนถนน)**: *Don't walk on the roadway.*

'road·works *n* the building or repairing of a road **(งานสร้างหรือซ่อมถนน)**.

by road by car or truck, not by train **(ไปทางรถยนต์หรือรถบรรทุก)**: *The goods will be sent by road.*

roam *v* to walk about without any fixed plan or purpose; to wander **(ท่องเที่ยวไป เตร็ดเตร่ไป)**: *He roamed from town to town.*

roar *v* **1** to give a loud deep cry; to shout (คำราม ตะโกน): *The lions roared; The general roared his commands.* **2** to laugh loudly (หัวเราะเสียงดัง): *The audience roared with laughter at the man's jokes.* **3** to make a loud deep sound (ทำเสียงดังลึก ๆ): *The thunder roared.* **4** to move fast with a loud deep sound (ผ่านไปอย่างเร็วด้วยเสียงดังลึก ๆ): *He roared past on his motorbike.* — *n* (การหัวเราะเสียงดัง เสียงคำราม เสียงอึกทึกของยวดยาน): *a roar of laughter; the lion's roars; the roar of traffic.*

roast *v* to cook or be cooked in an oven, or over a fire *etc.* (ย่าง ปิ้ง): *to roast a chicken over the fire; The beef was roasting in the oven.* — *adj* roasted (เกี่ยวกับการย่าง): *roast beef.* — *n* meat that has been roasted or is for roasting (เนื้อที่ย่างแล้วหรือสำหรับใช้ย่าง): *She bought a roast for dinner.*

'roast·ing *adj* very hot (ร้อนมาก): *It's roasting outside.*

rob *v* to steal from a person, place *etc* (ปล้น): *He robbed a bank; I've been robbed!*

'rob·ber *n* (นักปล้น): *The bank robbers got away with nearly $50,000.*

'rob·ber·y *n* (การปล้น): *Robbery is a serious crime; He was charged with four robberies.*

to **rob** a bank or a person (การปล้นธนาคารหรือปล้นคน).

to **steal** a watch, pencil, money *etc.* (ขโมย).

robe *n* **1 (robes)** long loose clothing (เสื้อคลุมยาวหลวม ๆ): *Many Arabs still wear robes; a judge's robes.* **2** a loose garment (เครื่องแต่งตัวที่หลวม ๆ): *a bath-robe; a beach-robe.*

'rob·in *n* a small bird with a red breast (นกโรบิน).

'ro·bot *n* a machine that works like a human being (หุ่นยนต์).

ro'bust *adj* strong; healthy (แข็งแรง มีสุขภาพดี): *a robust child.*

rock[1] *n* **1** a large lump or mass of stone (หิน): *The ship struck a rock and sank; He built his house on solid rock.* **2** a large stone (หินใหญ่): *The climber was killed by a falling rock.* **3** a hard sweet made in the shape of a stick (ขนมหวานแข็ง ๆ ทำเป็นรูปไม้เท้า).

rock[2] *v* **1** to swing gently backwards and forwards or from side to side (แกว่งไกวไปข้างหน้าข้างหลังหรือข้าง ๆ อย่างนิ่ม ๆ): *The mother rocked the cradle.* **2** to shake or move violently (เขย่าหรือเคลื่อนไหวอย่างรุนแรง): *The earthquake rocked the building.*

rock[3] *n* in jazz, music or songs with a strong, simple tune (เพลงร็อค): *She likes rock.* — *adj* (วงดนตรีร็อค): *a rock band.*

'rock·er·y *n* a part of a garden that is built of rocks and soil, where small plants and flowers are grown (ส่วนของสวนที่ทำด้วยหินและดินเพื่อปลูกต้นไม้เล็ก ๆ และไม้ดอก).

'rock·et *n* **1** a tube containing materials which, when set on fire, give off a jet of gas which drives the tube forward (จรวด). This kind of device can be used as a firework, for signalling, or for launching a spacecraft. **2** a spacecraft launched in this way (ยานอวกาศที่ปล่อยออกไปด้วยวิธีอย่างนี้): *The Americans have sent a rocket to Mars.* — *v* to rise or increase very quickly (พุ่งขึ้นสูงหรือเพิ่มขึ้นอย่างรวดเร็ว): *Bread prices have rocketed.*

'rock·ing-chair *n* a chair that rocks backwards and forwards (เก้าอี้โยก).

'rock·ing-horse *n* a toy horse that rocks backwards and forwards (ม้าโยก).

'rock·y[1] *adj* full of rocks (เต็มไปด้วยก้อนหิน): *a rocky coastline.*

'rock·y[2] *adj* not firm; not steady (ไม่แน่น ไม่มั่นคง).

rod *n* a long thin stick or piece of wood, metal *etc.* (ไม้ เหล็ก ที่ผอมบางและยาว): *a fishing-rod; a measuring-rod.*

rode *see* **ride** (ดู **ride**).

'ro·dent *n* any of several animals with large front teeth for gnawing, for example squirrels, beavers, rats *etc.* (สัตว์ที่มีฟันหน้าซี่ใหญ่สำหรับแทะ เช่น กระรอก ตัวบีเวอร์ หนู).

'ro·de·o, *plural* **rodeos**, *n* a show or contest of riding *etc.* by cowboys (การแสดงหรือการแข่งขันโดยพวกโคบาล).

roe[1] (*rō*) *n* the eggs of fish (ไข่ปลา): *cod roe.*

roe[2] (*rō*) or **'roe deer** *n* a small deer found in Europe and Asia **(กวางชนิดเล็ก พบในยุโรปและเอเชีย)**.

rogue (*rōg*) *n* **1** a dishonest person **(คนไม่ซื่อ)**: *I wouldn't buy a car from a rogue like him.* **2** a mischievous person **(คนซุกซน คนชอบก่อเรื่องเดือดร้อน)**: *She's a little rogue sometimes.*

role or **rô le** (*rōl*) *n* **1** a part played by an actor or actress in a play *etc.* **(บทบาทที่แสดงในละคร)**: *He is playing the rōle of King Lear.* **2** the part played, or job done, by someone **(บทบาทหรืองานที่ทำเสร็จลงไปโดยใครคนหนึ่ง)**: *It will be your role to show the guests to their seats.*

roll[1] (*rōl*) *n* **1** material, for example paper, rolled or wound round a tube *etc.* **(ห่อ ม้วน)**: *a roll of kitchen foil; a toilet-roll.* **2** bread shaped into a small round mass that can be sliced and filled with meat, cheese *etc.* **(ขนมปังทำเป็นก้อนกลม ๆ เล็ก ๆ)**: *a cheese roll.* **3** the action of rolling **(การม้วน การกลิ้ง)**: *Our dog loves a roll on the grass.* **4** a long low sound **(เสียงต่ำ ๆ ยาว ๆ)**: *a roll of thunder; a roll of drums.* — *v* **1** to move by turning like a wheel or ball **(เคลื่อนที่ไปโดยการกลิ้งเหมือนกับลูกล้อหรือลูกบอล)**: *The coin rolled under the table; He rolled the ball towards the puppy; The ball rolled away.* **2** to move on wheels, rollers *etc.* **(ที่เคลื่อนตัวด้วยลูกล้อ ลูกกลิ้ง)**: *The children rolled the cart up the hill, then let it roll back down again.* **3** to fold up a carpet *etc.* into the shape of a tube **(ม้วนพรม)**: *to roll the carpet back.* **4** to turn over **(กลิ้งเกลือก)**: *The dog rolled on to its back; Stop rolling about on that dirty floor!* **5** to shape clay *etc.* into a ball by turning it about between your hands **(ปั้นดินเหนียวให้เป็นลูกกลม ๆ)**: *He rolled the clay into a ball.* **6** to make something flat by rolling something heavy over it **(ทำให้แบนโดยการบด)**: *to roll out pastry.* **7** to rock from side to side while travelling forwards **(โคลงเคลงไปมาในขณะเคลื่อนที่ไป)**: *The storm made the ship roll.* **8** to make a series of low sounds **(ทำเสียงต่ำ ๆ ติดต่อกันเป็นชุด)**: *The thunder rolled; The drums rolled.*

roll up 1 to fold up something into a roll **(ม้วนขึ้น)**: *He rolled up his sleeves.* **2** to arrive **(มาถึง)**: *John rolled up ten minutes late.*

roll[2] (*rōl*) *n* a list of names, for example of pupils in a school *etc.* **(รายชื่อ)**.

'roll-call *n* the calling of names from a list, to find out if anyone is missing, in a school class *etc.* **(เรียกชื่อตามรายชื่อเพื่อดูว่าในชั้นเรียนนี้ใครขาดไปบ้าง)**.

'roll·er *n* **1** something shaped like a tube, often used for flattening **(เครื่องบด ลูกกลิ้ง)**: *a garden roller; a road-roller.* **2** a small tube-shaped object on which hair is wound to curl it **(โรลม้วนผม)**. **3** a long large wave on the sea **(คลื่นลูกใหญ่ในทะเล)**.

'roll·er-skate *n* a skate with wheels instead of a blade **(สเก็ตที่ใช้ลูกล้อ)**: *a pair of roller-skates.* — *v* to move on roller-skates **(เคลื่อนไปโดยสเก็ต)**.

'roll·ing-pin *n* a roller of wood *etc.* for flattening out dough **(ไม้รีดแป้ง)**.

'Ro·man *adj* connected with Rome, especially ancient Rome **(เกี่ยวกับกรุงโรม โดยเฉพาะอย่างยิ่งกรุงโรมในสมัยโบราณ)**: *Roman coins.* — *n* a person belonging to Rome **(คนที่เป็นของกรุงโรม)**.

Roman alphabet the alphabet in which Western European languages such as English are written.

Roman Catholic *n* a member of the Christian church that recognizes the Pope as its head **(ศาสนาคริสต์นิกายโรมันคาธอลิกมีพระสันตะปาปาเป็นประมุข)**. — *adj* **(แห่งศาสนาคริสต์)**: *the Roman Catholic Church.*

Roman numerals I, II, III *etc.*, as opposed to the Arabic numerals 1, 2, 3 *etc.* **(ตัวเลขโรมัน)**.

ro'mance *n* **1** the relationship between people who are in love **(ความเกี่ยวพันกันของผู้คนที่รักกัน)**: *It was a beautiful romance, but it didn't last.* **2** a story about a relationship like this **(เรื่องที่เกี่ยวกับความรัก)**: *She writes romances.*

ro'man·tic *adj* **1** about people who are in love (**เกี่ยวกับคนที่ตกอยู่ในความรัก**): *a romantic novel.* **2** having to do with love; causing feelings of love (**เกี่ยวกับความรัก ทำให้เกิดความรัก**): *romantic music; a romantic mood.*

romp *v* to play in a lively way (**เล่นอย่างสนุกสนาน**): *The children and their dog were romping about on the grass.* — *n* (**การเล่นอย่างสนุกสนาน**): *The children had a romp in the grass.*

roof, *plural* **roofs**, *n* the top covering of a building *etc.* (**หลังคา**): *a flat roof; the roof of a car.* — *v* to put a roof on a building (**ใส่หลังคา**): *to roof a new house.*

rook (*ro͝ok*) **1** a large black bird of the crow family (**นกกา**). **2** a chess-piece (also called a **castle**) (**ตัวหมากรุก**).

room *n* **1** one part of a house or building (**ห้อง**): *This house has six rooms; a bedroom; a dining room.* **2** space (**ที่ว่าง**): *The bed takes up a lot of room; There's no room for a piano; We'll move the bookcase to make room for the television.*

See **place**.

-roomed: *a four-roomed house.*

'room-mate *n* another student *etc.* with whom you share a room in a hostel *etc.* (**เพื่อนนักเรียนอีกคนที่อยู่ร่วมห้องกันในหอพัก**).

room service the serving of food and drinks to a hotel guest in their room (**การบริการอาหารและเครื่องดื่มให้กับแขกของโรงแรมในห้องของเขา**): *He rang for room service and ordered a cup of coffee.*

'room·y *adj* having plenty of space (**มีที่ว่างมาก**): *roomy cupboards.*

roost *n* a branch *etc.* on which a bird rests at night (**กิ่งไม้ คอน ที่นกเกาะนอนในตอนกลางคืน**).

'roost·er *n* a farmyard cock (**ไก่เลี้ยงตัวผู้**).

root[1] *n* **1** the part of a plant that grows under the ground and draws food and water from the soil (**ราก**): *Trees often have deep roots.* **2** the base of something growing in the body (**รากผม รากขน รากฟัน**): *the roots of your hair; The root of this tooth is infected.* **3** cause; origin (**บ่อเกิด จุดกำเนิด**): *Love of money is the root of all evil; We must get at the root of the trouble.* — *v* to grow roots (**ออกราก**): *These plants aren't rooting very well.*

root beer a kind of non-alcoholic drink made from the roots of certain plants (**เครื่องดื่มไม่มีแอลกอฮอล์ชนิดหนึ่งทำจากรากพืชบางชนิด รูทเบียร์**).

root crop plants with roots that are grown for food, such as carrots or turnips (**พืชที่รากใช้ทำอาหาร เช่น หัวแครอท หัวผักกาด**).

root out 1 to pull up or tear out by the roots (**ถอน**): *The gardener began to root out the weeds.* **2** to get rid of something completely (**ขจัดไปโดยสิ้นเชิง**): *We must do our best to root out poverty.*

take root to grow strong roots (**ออกรากที่แข็งแรง**): *The plants took root and grew well.*

root[2] *v* to poke about; to search about (**ค้นหาไปทั่ว ๆ**): *The pigs were rooting about for food.*

rope *n* a thick cord, made by twisting together lengths of hemp, nylon *etc.* (**เชือกเส้นใหญ่ ๆ เชือกไนลอน**): *He tied the two vehicles together with a rope; a skipping rope* (**กระโดดเชือก**). — *v* to tie with a rope (**ผูกด้วยเชือก**): *He roped the cases to the roof of the car.*

rope-'lad·der a ladder made with wooden rungs linked together with rope (**บันไดเชือก**).

rope in to include (**รวมเข้าไปด้วย**): *We roped Julie in to help with the concert.*

rope off to separate or divide with a rope (**กั้นด้วยเชือก**): *The police roped off the part of the street where the bomb exploded.*

'ro·sa·ry (*'rō-zə-ri*) *n* a group of prayers counted on a string of beads, used by Roman Catholics (**การสวดมนต์โดยนับสายลูกประคำ**).

rose[1] *see* **rise** (**ดู rise**).

rose[2] (*rōz*) *n* **1** a brightly-coloured flower, often with a sweet scent, growing on a bush with sharp thorns (**ดอกกุหลาบ**). **2** a pink colour (**สีชมพู**).

ro'sette (*rə'zet*) *n* a circular badge made of

coloured ribbon (เครื่องประดับกลม ๆ ทำด้วยริบบิ้นสีต่าง ๆ): *He wore a green rosette to show that he was supporting the team which was playing in the green shirts.*

'ros·trum *n* a platform for a speaker or the conductor of an orchestra to stand on (ยกพื้นสำหรับผู้พูดหรือวาทยกรยืน).

See **stage**.

'ro·sy (*'rō-zi*) *adj* **1** rose-coloured; pink (สีชมพู): *rosy cheeks.* **2** bright; hopeful (สดใส มีความหวัง): *His future looks rosy.*

rot *v* to make or become bad or decayed (เสีย เน่าเปื่อย ผุพัง เสื่อมสลาย): *The fruit is rotting on the ground; Water rots wood.* — *n* **1** decay (ความผุพัง ความเสื่อมสลาย): *The floorboards are affected by rot.* **2** nonsense (เหลวไหล): *Don't talk rot!*

'ro·ta (*'rō-tə*), *plural* **rotas**, *n* a list of jobs or duties and the names of the people who take turns doing them (ตารางของงานหรือหน้าที่ซึ่งผู้คนจะผลัดเปลี่ยนกันมาทำ): *She kept a rota of the children's chores in the kitchen.*

'ro·ta·ry *adj* turning like a wheel (หมุนคล้ายลูกล้อ): *a rotary movement.*

ro'tate *v* to turn like a wheel (หมุน): *He rotated the handle; The earth rotates.*

ro'ta·tion *n* (การหมุน).

'ro·tor *n* the set of blades on top of a helicopter that go round very fast. (ใบพัดของเฮลิคอปเตอร์).

'rot·ten *adj* **1** having gone bad; decayed (เน่า ผุพัง): *rotten vegetables; rotten wood.* **2** bad; mean (เลว เห็นแก่ตัว): *It was a rotten thing to do.* **'rot·ten·ness** *n* (ความเน่า ความเลว ความเห็นแก่ตัว).

rough (*ruf*) *adj* **1** not smooth (หยาบ): *Her skin felt rough.* **2** not even (ไม่เรียบ): *a rough path.* **3** harsh (ห้าว): *a rough voice.* **4** noisy and violent (เอะอะและรุนแรง): *rough behaviour.* **5** stormy (มีพายุ): *The sea was rough; rough weather.* **6** not complete; not exact (คร่าว ๆ): *a rough drawing; a rough estimate.*

'rough·ly *adv* (โดยประมาณ).

'rough·ness *n* (ความหยาบ ความไม่เรียบ).

'rough·en *v* to make or become rough (ทำให้ปั่นป่วน): *The wind roughened the sea.*

rou'lette (*roo 'let*) *n* a game of chance, played with a ball on a revolving wheel (เกมการพนันชนิดหนึ่ง รูเลตต์).

round *adj* shaped like a circle or ball (ลักษณะกลม): *a round hole; a round stone; This plate isn't quite round.* — *adv* **1** in the opposite direction (ทิศทางตรงกันข้าม): *He turned round.* **2** in a circle (เป็นวงกลม): *They all stood round and listened; A wheel goes round.* **3** from one person to another (จากคนหนึ่งไปยังอีกคนหนึ่ง): *They passed the letter round; The news went round.* **4** to a particular place, usually a person's home (สถานที่แห่งหนึ่ง เช่นที่บ้าน): *Are you coming round tonight?; We'll go round to Peter's.* — *prep* **1** on all sides of something (ทุกด้าน รอบ ๆ): *There was a wall round the garden; He looked round the room.* **2** passing all sides of something and returning to the starting-place (วนรอบแล้วกลับมายังจุดเริ่มต้น): *They ran round the tree.* **3** changing direction at a corner *etc.* (เปลี่ยนทิศทางตรงมุม): *He came round the corner.* **4** in or to all parts of a town *etc.* (ทั่วเมือง): *The news spread all round the town.* — *n* **1** a complete circuit (รอบ): *a round of golf.* **2** a regular journey (เดินทางไปรอบ): *a postman's round.* **3** a burst of cheering, shooting *etc.* (เสียงเชียร์ ลูกปืน): *They gave him a round of applause; The soldier fired several rounds.* **4** a part of a competition *etc.* (รอบหนึ่งของการแข่งขัน): *The winners of the first round will go through to the next.* — *v* to go round (อ้อม): *The car rounded the corner.*

'round·ed *adj* curved (โค้ง): *a rounded arch.*

'round·a·bout *n* **1** a moving, circular platform with toy horses *etc.* on which children ride at a fair (ม้าหมุน). **2** a circular piece of ground where several roads meet, and round which traffic must travel (วงเวียน). — *adj* not direct (ไม่ตรง ทางอ้อม): *a roundabout route.*

round trip **1** a journey to a place and back again (การเดินทางไปกลับ). **2** a trip to several places and back, taking a circular route

(การเดินทางไปหลายสถานที่เป็นวงกลม).

round about 1 surrounding (ล้อมรอบ): *She sat with her children round about her.* **2** near (ใกล้): *There are not many houses round about.* **3** nearly; approximately (ประมาณ): *There must have been round about a thousand people there.*

round up to collect together (รวมเข้าด้วยกัน): *The farmer rounded up the sheep.*

rouse (*rowz*) *v* **1** to wake up (ปลุกให้ตื่น): *I'll rouse you at 6 o'clock.* **2** to excite (ตื่นเต้น): *Her interest was roused by what he said.*

'rous·ing *adj* exciting (อย่างตื่นเต้น): *a rousing speech.*

rout (*rowt*) *v* to defeat completely (พิชิตอย่างสิ้นเชิง): *The enemy army was routed in the battle.* — *n* (ความพ่ายแพ้อย่างสิ้นเชิง): *The battle ended with the rout of the enemy.*

route (*root*) *n* a way of getting somewhere; a road (เส้นทาง ถนน): *Our route took us through the mountains.*

A **route** is a way of getting somewhere using particular roads: *We drove to school by a new route* (not *road*) *this morning.*

rou'tine (*roo'tēn*) *n* a regular, fixed way of doing things (กิจวัตร): *your daily routine.* — *adj* regular; ordinary (ปกติ ธรรมดา): *routine work.*

rove *v* to wander; to roam (ท่องเที่ยวไป เตร็ดเตร่ไป): *He roved through the streets.*

'ro·ver *n* (ผู้ท่องเที่ยวไป).

row[1] (*rō*) *n* a line (แถว): *two rows of houses; They were sitting in a row; They sat in the front row in the theatre.*

row[2] (*row*) *n* **1** a noisy quarrel (ทะเลาะกันเสียงเอะอะ): *They had a terrible row.* **2** a continuous loud noise (เสียงดังอย่างต่อเนื่อง): *They heard a row in the street.*

row, meaning a noise or a quarrel, is pronounced to rhyme with *cow.*

row[3] (*rō*) *v* **1** to move a boat through the water using oars (พายเรือ): *Can you row a boat?; He rowed up the river.* **2** to take someone or something in a rowing-boat (พายเรือพาไป): *He rowed them across the lake.*

'row·er *n* a person who rows (คนพายเรือ).

'row·ing-boat or **'row-boat** *n* a boat which is moved by oars (เรือพาย).

'row·dy *adj* noisy and rough (เอะอะและหยาบคาย): *The teacher punished the boys for their rowdy behaviour during the visit to the museum.*

'roy·al *adj* having to do with, or belonging to, a king, queen *etc.* (เกี่ยวกับหรือเป็นของพระราชาหรือราชินี): *the royal family.*

'roy·al·ty *n* **1** a payment made to a writer, singer, musician *etc.* for every book, record *etc.* sold (เงินค่าลิขสิทธิ์). **2** the state of being royal, or royal people in general (ราชวงศ์).

rub *v* to move one thing against another (ถูขยี้): *He rubbed his eyes; The horse rubbed its head against my shoulder; The back of my shoe is rubbing against my heel.* — *n* (การขัด): *He gave the teapot a rub with a polishing cloth.*

rub it in to keep reminding someone about something unpleasant that they want to forget (เตือนความจำในสิ่งที่อยากลืม).

rub out to remove a mark, writing *etc.* with a rubber; to erase (ลบ).

rub up to polish (ขัดมัน): *She rubbed up the silver.*

'rub·ber *n* **1** a strong elastic substance (ยาง): *Tyres are made of rubber.* **2** a piece of rubber used to rub out pencil marks *etc.* — *adj* (ยางลบ): *a pair of rubber boots.*

'rub·ber·y *adj* like rubber (คล้ายยาง).

'rub·bish *n* **1** things that have been thrown away, or that should be thrown away (ขยะ): *Our rubbish is taken away twice a week.* **2** nonsense (เหลวไหล): *Don't talk rubbish!*

'rub·ble *n* small pieces of stone, brick *etc.* (เศษหิน เศษอิฐ).

'ru·by (*'roo-bi*) *n* a deep-red precious stone (ทับทิม): *a ring set with rubies.* — *adj* (เกี่ยวกับทับทิม): *a ruby necklace.*

'ruck·sack *n* a bag that you carry on your back (ถุงสะพายหลัง เป้).

'rud·der *n* a flat piece of wood, metal *etc* fixed to the back of a boat for steering (หางเสือ).

'rud·dy *adj* red; rosy **(สีแดง เป็นสีชมพู)**: *ruddy cheeks.*

rude (*rood*) *adj* **1** not polite; showing bad manners **(ไม่สุภาพ หยาบคาย)**: *rude behaviour.* **2** not decent; vulgar **(ไม่งาม สามหาว)**: *His mother told him not to use such rude words.* **'rude·ly** *adv* **(อย่างสามหาว).** **'rude·ness** *n* **(ความสามหาว).**

'rud·i·ments (*'rood-i-mənts*) *n* the first or basic rules, facts or skills of a subject **(กฎข้อแรกหรือพื้นฐาน ความจริงหรือความชำนาญในเรื่องหนึ่ง ๆ)**: *He learnt the rudiments of cooking from his mother.*

'rue·ful (*'roo-fŏŏl*) *adj* showing or feeling sorrow **(แสดงหรือความรู้สึกเสียใจ)**: *a rueful face.*

'ruf·fi·an *n* a violent, brutal person **(คนอันธพาล)**: *He was attacked by a gang of ruffians.*

'ruf·fle *v* to make something untidy, especially hair, feathers *etc.* **(ทำให้ขนหรือผมยุ่ง)**: *The wind ruffled her hair; The bird ruffled its feathers.*

rug *n* **1** a mat for the floor; a small carpet **(พรมผืนเล็ก ๆ). 2** a thick blanket **(ผ้าห่มหนา).**

'Rug·by or **'rug·by** *n* a game like football, using an egg-shaped ball that may be carried (also called **'rug·ger**) **(เกมรักบี้).**

'rug·ged (*'rug-əd*) *adj* **1** rough; rocky **(ขรุขระ เป็นหิน)**: *rugged mountains.* **2** strong; tough **(แข็งแรง บึกบึน)**: He was a tall man with rugged features.

'rug·ged·ly *adv* **(อย่างขรุขระ อย่างบึกบึน).**

'rug·ged·ness *n* **(ความขรุขระ ความบึกบึน).**

rugger another name for **Rugby (อีกชื่อหนึ่งของ Rugby).**

'ru·in (*'roo-in*) *n* **1** collapse; destruction; decay **(ผุพัง ทลาย เสื่อมโทรม)**: *the ruin of a city.* **2** a cause of ruin **(สาเหตุของการเสื่อมโทรม)**: *Drink was his ruin.* **3** complete loss of money **(เงินสูญหายไปหมด)**: *The company is facing ruin.* — *v* to destroy **(ทำลาย)**: *The scandal ruined his career.* **ru·i'na·tion** *n* **(การทำลาย).**

'ru·ined *adj* destroyed **(ถูกทำลาย)**: *ruined houses.*

'ru·ins *n* destroyed and decayed buildings **(การทำลายและเสื่อมโทรม)**: *the ruins of the castle.*

in ruins in a ruined state **(ในสภาพเสื่อมโทรม)**: *The town lay in ruins.*

rule (*rool*) *n* **1** government **(การปกครอง)**: *This city was once under foreign rule.* **2** a regulation; an order **(กฎ ระเบียบ)**: *school rules.* **3** a general standard that guides your actions **(แนวทางปฏิบัติ)**: *I make it a rule never to be late for appointments.* **4** a marked strip of wood, metal *etc.* for measuring **(ไม้บรรทัด)**: *He measured the windows with a 100-centimetre rule.* — *v* **1** to govern **(ปกครอง)**: *The king ruled wisely.* **2** to decide **(ตัดสิน)**: *The judge ruled that the witness should be allowed to speak.* **3** to draw a straight line **(ลากเส้นตรง)**: *He ruled a line across the page.*

ruled *adj* having straight lines drawn across **(มีเส้นตรงลาก กระดาษมีเส้น)**: *ruled paper.*

'ru·ler *n* **1** a person who governs **(นักปกครอง)**: *the ruler of the state.* **2** a long narrow piece of wood, plastic *etc.* for drawing straight lines **(ไม้บรรทัด)**: *I can't draw straight lines without a ruler.*

'ru·ling *adj* governing **(ปกครอง)**: *the ruling party.* — *n* a decision **(การตัดสิน)**: *The judge gave his ruling.*

as a rule usually **(โดยปกติ)**: *I don't go out in the evening as a rule.*

rule out to leave out **(ตัดออกไป)**: *We mustn't rule out the possibility of bad weather.*

rum *n* an alcoholic drink made from sugar cane **(เหล้ารัม)**: *a bottle of rum.*

'rum·ble *v* to make a low grumbling sound **(เสียงคำรามต่ำ ๆ)**: *Thunder rumbled in the distance.* — *n* **(เสียงฟ้าร้อง)**: *the rumble of thunder.*

'rum·mage *v* to search by turning things out or over **(ค้นอย่างกระจุยกระจาย)**: *He rummaged in the drawer for a clean shirt.* — *n* a thorough search **(การค้นอย่างละเอียด).**

'ru·mour (*'roo-mər*) *n* news passed from person to person, that may not be true **(ข่าวลือ)**: *I heard a rumour that you had got a new job; Don't listen to rumour — find out the truth.*

rump *n* **1** the rear end of an animal **(ด้านท้ายของสัตว์)**: *He slapped the donkey on its rump to make it move.* **2** (also **rump steak**) beef that is cut from the rear end of a cow **(เนื้อที่ตัดออกมาจากสะโพกของวัว)**.

run *v* **1** to move quickly, faster than walking **(วิ่ง)**: *He ran down the road.* **2** to move smoothly **(เคลื่อนที่อย่างราบเรียบ)**: *Trains run on rails.* **3** to flow **(ไหล)**: *Rivers run to the sea; The tap is running.* **4** to work; to operate **(ทำงาน ปฏิบัติการ)**: *The engine is running; He ran the motor to see if it was working.* **5** to organize; to manage **(จัดการ)**: *He runs the business very efficiently.* **6** to travel regularly **(เดินทางอย่างสม่ำเสมอ)**: *The buses run every half hour; The train is running late this evening.* **7** to last or continue; to go on **(ใช้เวลา ทำต่อไป)**: *The play ran for six weeks.* **8** to come out; to spread **(ลอกออกมา แผ่กระจาย)**: *When I washed my new dress the colour ran.* — *n* **1** a period of running **(ระยะเวลาของการวิ่ง)**: *He went for a run before breakfast.* **2** a trip; a drive **(วิ่ง)**: *We went for a run in the country.* **3** a period **(ช่วงหนึ่ง)**: *He's had a run of bad luck.*

run; ran; run: *She ran home; He has run the business for two years.*

'run·a·way *n* a person, animal *etc.* that runs away **(คน สัตว์ ที่หนีไป)**: *The police caught the two runaways.*

run-'down *adj* tired; exhausted **(เหนื่อย หมดแรง)**: *He feels run-down.*

'run-in *n* a quarrel or argument **(การทะเลาะ การโต้เถียง)**: *He had another run-in with his boss at work today.*

run-of-the-'mill *adj* ordinary; not special **(ธรรมดา ไม่พิเศษ)**: *My job is very run-of-the-mill.*

in the running having a chance of success **(มีโอกาสสำเร็จ)**: *She's in the running for the job of director.*

on the run escaping; running away **(หนี วิ่งหนี)**: He's on the run from the police.

run across to meet **(พบ เจอ)**: *I ran across an old friend.*

run after to chase **(ไล่ตาม)**: *The dog ran after a cat.*

run along to go away **(ไปให้พ้น)**: *Run along now, children!* **run away** to escape **(หนี)**: *He ran away from school.*

run away with **1** to steal **(ขโมย)**: *He ran away with all her money.* **2** to go too fast for you to control **(ไปเร็วเกินกว่าที่จะควบคุมได้)**: *The horse ran away with him.*

run down 1 to stop working **(หยุดทำงาน)**: *My watch has run down — it needs rewinding.* **2** to knock down **(ชนล้ม)**: *I was run down by a bus.*

run for it to try to escape **(พยายามที่จะหนี)**: *Quick — run for it!* **run into** **1** to meet **(พบ)**: *I ran into her in the street.* **2** to crash into something **(ชนเข้ากับ)**: *The car ran into a lamp-post.*

run out **1** to come to an end **(หมด)**: *The food has run out.* **2** to have no more **(ไม่มีอีกแล้ว)**: *We've run out of money.*

run over 1 to knock down or drive over **(ชนล้มหรือขับทับ)**: *Don't let the dog out of the garden or he'll get run over.* **2** to repeat for practice **(ทำซ้ำเพื่อฝึก)**: *Let's run over the plan again.*

rung[1] *n* a step on a ladder **(ขั้นกระได)**: *a missing rung.*

rung[2] *see* **ring (ดู ring)**.

'run·ner *n* **1** a person or horse that runs **(ผู้แข่งขัน คนหรือม้าที่วิ่ง)**: *There are five runners in this race.* **2** the long narrow part on which a sledge *etc.* moves **(ส่วนยาว ๆ แคบ ๆ ที่รถเลื่อนเคลื่อนที่)**. **3** a long stem of a plant, such as a strawberry plant, which puts down roots **(หน่อ)**.

run·ner-'up *n* a person, thing *etc.* that is second in a race or competition **(รองชนะเลิศ)**: *My friend won the prize and I was the runner-up.*

See **champion**.

'run·ning *adj* **1** for running **(แห่งการวิ่ง)**: *running shoes.* **2** continuous **(ต่อเนื่อง)**: *a running commentary on the football match.* — *adv* one after another; continuously **(อย่างต่อเนื่อง)**:

We travelled for four days running.

'run·ny *adj* liquid or watery (**เป็นของเหลวหรือเป็นน้ำ ๆ**): *runny honey.*

'run·way *n* a wide path from which aircrafts take off, and on which they land (**ทางวิ่งของเครื่องบิน**): *The plane landed on the runway.*

'rup·ture (*'rup-chər*) *n* a tearing; a breaking (**การฉีกขาด การแตกหัก**). — *v* to break or tear (**หักหรือฉีก**).

'ru·ral (*'ro͝or-əl*) *adj* having to do with the countryside (**เกี่ยวกับชนบท**): *a rural area.*

The opposite of **rural** is **urban**.

rush *v* **1** to hurry; to go quickly (**รีบ ไปอย่างรวดเร็ว**): *He rushed into the room.* **2** to take someone quickly (**พาคนไปอย่างเร่งรีบ**): *She rushed him to the doctor.* — *n* **1** a sudden quick movement (**การเคลื่อนไหวอย่างรวดเร็วในทันทีทันใด**): *They made a rush for the door.* **2** a hurry (**รีบ**): *I'm in a dreadful rush.*

rush hour a period when there is a lot of traffic on the roads, usually when people are going to or leaving work (**ชั่วโมงเร่งด่วน**).

rusk *n* a dry biscuit, like hard toast (**ขนมปังกรอบแห้ง ๆ**): Rusks are good for babies to bite on when their teeth start growing.

rust *n* the reddish-brown substance that forms on iron and steel (**สนิม**): The car was covered with rust (**เป็นสนิม**): There's a lot of old metal rusting in the garden.

rust is never used in the plural: *There is a lot of rust on the car.*

'rus·tic *adj* **1** having to do with the countryside; simple (**เกี่ยวกับชนบท ง่าย ๆ**): *rustic life.* **2** roughly made (**ทำขึ้นมาอย่างหยาบ ๆ**): *a rustic fence; a rustic bench.*

'rus·tle (*'rus-əl*) *v* to make a soft, whispering or crackling sound (**มีเสียงกรอบแกรบ**): *The leaves rustled.* — *n* (**เสียงกรอบแกรบ**): *There was a rustle of papers as the students finished their exam.*

'rust·y *adj* covered with rust (**เป็นสนิม**): *a rusty old bicycle.*

rut *n* a deep track made by a wheel *etc.* in soft ground (**รอยล้อ**): *The road was full of ruts.*

'ruth·less (*'rooth-ləs*) *adj* cruel; without pity (**โหดร้าย ไม่มีความเมตตา**): *a ruthless attack; a ruthless tyrant.*

'ruthless·ly *adv* (**อย่างโหดร้าย**).

'ruth·less·ness *n* (**ความโหดร้าย**).

'rut·ted *adj* having ruts (**มีรอยล้อ**): *a deeply-rutted path.*

rye (*rī*) *n* a kind of cereal (**ข้าวไรย์ ธัญพืชชนิดหนึ่ง**). — *adj* (**แห่งข้าวไรย์**): *rye bread; rye flour.*

Ss

'Sab·bath *n* the day of the week regularly set aside for religious services and rest (**วันพระ วันหยุด**): among the Jews, Saturday; among most Christians, Sunday.

'sab·o·tage (*'sab-ə-täzh*) *v* to destroy or damage machinery, vehicles *etc.* as a protest, or during a war (**ก่อวินาศกรรม**): *The railway lines had been sabotaged by the enemy.* — *n* (**การก่อวินาศกรรม**): *The machinery in the factory had been so badly damaged that the police were sure it was a case of sabotage.*

sab·o'teur (*sab-ə'tër*) *n* a person who commits sabotage (**ผู้ก่อวินาศกรรม**): *The bridge was blown up by saboteurs.*

sac *n* a small, bag-like part of an animal or plant (**ถุงเล็ก ๆ เป็นส่วนหนึ่งของสัตว์หรือพืช**): Cobras have sacs filled with poison inside their heads.

'sach·et (*'sash-ā*) *n* a small packet of something (**ถุงเล็ก ๆ ซอง**): *a sachet of shampoo.*

sack[1] *n* a large bag made of rough cloth, strong paper or plastic (**กระสอบ**): *The potatoes were put into sacks.*

sack[2] *v* to dismiss someone from a job (**ไล่ออกจากงาน**): *One of the workmen was sacked for drunkenness.*

get the sack to be sacked (**ถูกไล่ออก**).

'sa·cred (*'sā-krəd*) *adj* holy; connected with religion or with God (**ศักดิ์สิทธิ์ เกี่ยวกับศาสนาหรือพระเจ้า**): *Temples, mosques, churches and synagogues are all sacred buildings.*

'sac·ri·fice (*'sak-ri-fīs*) *n* **1** the offering of something to a god (**เครื่องบูชา เครื่องบูชายัญ**): *A lamb was offered in sacrifice.* **2** the thing that is offered in this way (**สิ่งที่ถูกเสนอให้ในแบบนี้**). **3** something you give up in order to gain something more important or to benefit another person (**สิ่งที่เรายอมเสียสละเพื่อได้มาซึ่งสิ่งที่สำคัญกว่าหรือเพื่อเป็นประโยชน์ต่อผู้อื่น การเสียสละ**): *His parents made sacrifices to pay for his education.* — *v* **1** to offer as a sacrifice (**บูชายัญ**): *He sacrificed a sheep in the temple.* **2** to give away *etc.* for the sake of something or someone else (**เสียสละ**): *He sacrificed his life trying to save the children from the burning house.*

sac·ri'fi·cial *adj* (**อย่างเสียสละ**).

sad *adj* unhappy (**เศร้า**): *He is very sad about his cat's death; She's sad because her son is ill; a sad face.* **'sad·ly** adv (**อย่างเศร้า ๆ**). **'sad·ness** *n* (**ความเศร้า**).

'sad·den *v* to make someone feel sad (**ทำให้รู้สึกเศร้า**): *The headmistress said she was saddened by reports of pupils' bad behaviour.*

'sad·dle *n* a seat for a rider (**อาน**): *The bicycle saddle is too high.* — *v* to put a saddle on a horse (**ใส่อานม้า**).

'sa·dist (*'sā-dist*) *n* someone who gets pleasure from hurting other people or animals (**ซาดิสท์ ผู้มีความสุขจากการทำร้ายผู้อื่นหรือสัตว์**).

sa'dis·tic (*sə'dis-tik*) *adj* (**แห่งการกระทำแบบนี้**): *sadistic cruelty.*

sa'far·i (*sə'fär-i*) *n* an expedition or tour, especially in Africa, for hunting animals (**การเดินทางหรือท่องเที่ยวเพื่อล่าสัตว์**): *We often went out on safari.*

safe *adj* **1** protected; free from danger *etc.* (**ป้องกันไว้แล้ว ปลอดภัย**): *The children are safe from danger in the garden; You should keep your money in a safe place.* **2** not hurt or harmed (**ไม่บาดเจ็บหรือเป็นอันตราย**): *The missing child has been found safe and well.* **3** not causing harm (**ไม่ก่อให้เกิดอันตราย**): *These pills are safe for children.* **4** able to be trusted (**สามารถเชื่อถือได้**): *a safe driver.* — *n* a heavy metal box or chest in which money and valuable things are kept (**ตู้เซฟ**): *There is a small safe hidden behind the picture on the wall.*

> to keep your money in a **safe** (not **ไม่ใช่ save**) place.

'safe·guard *n* anything that gives protection (**เครื่องป้องกัน**): *A good lock on your door is a safeguard against burglary.* — *v* to protect (**ป้องกัน**): *Put a good lock on your door to safeguard your property.*

'safe·ly *adv* without harm or risk (**ไม่อันตราย**

หรือเสี่ยง อย่างปลอดภัย): *He got home safely.*

'safe·ty *n* being safe (ความปลอดภัย): *I worry about the children's safety on these busy roads.*

'safe·ty-belt *n* a fixed belt in a car or aircraft used to keep a passenger from being thrown out of their seat in an accident, crash *etc.* (เข็มขัดนิรภัย).

'safe·ty-pin *n* a pin that has a cover over its point when it is closed (เข็มกลัด).

'saf·fron *n* a bright yellow powder obtained from a type of crocus, used to add flavour and colour to food (หญ้าฝรั่นใช้ปรุงรสและสีให้กับอาหาร): *Add some saffron to the rice.*

sag *v* to bend or hang down, especially in the middle (หย่อน ห้อย ตกท้องช้าง): *There were so many books on the shelf that it sagged.*

sage *n* a wise man (คนฉลาด). — *adj* wise (ฉลาด): *sage advice.*

'sa·go (*'sā-gō*) *n* a substance from inside the trunk of certain palm trees, used in cooking (สาคู).

said *see* **say** (ดู **say**).

sail *n* **1** a sheet of strong cloth spread to catch the wind, by which a ship is driven forward (ใบเรือ). **2** a journey in a ship (เดินทางโดยเรือ): *He went for a sail in his yacht.* — *v* **1** to move or steer across water (แล่นไปบนน้ำ): *The ship sailed away; He sailed the yacht to the island.* **2** to travel in a ship (เดินทางไปกับเรือ): *I've never sailed in an ocean liner.* **3** to begin a voyage (ออกเดินทาง): *The ship sails today; My aunt sailed today for New York.* **4** to move steadily and easily (เคลื่อนไปอย่างมั่นคงและง่าย ๆ): *Clouds sailed across the sky; He sailed through his exams.*

'sail·ing *n* (การแล่นเรือ): *Sailing is the sport I enjoy most.*

'sail·or *n* a member of a ship's crew whose job is helping to sail a ship (กะลาสี): *a loyal crew of sailors.*

saint (*sānt*, or *sənt* when used before a name) *n* a title given especially by the Roman Catholic Church to a very good or holy person after their death (shortened to **St** (*sənt*) in names of places) (นักบุญ): *Saint Peter and all the saints; St John's School.*

'saint·ly *adj* very holy or very good (ถือธรรมะเมตตากรุณา): *He led a saintly life.*

sake: for the sake of someone or **something** **1** in order to benefit (เพื่อเป็นประโยชน์ต่อ): *He bought a house in the country for the sake of his wife's health.* **2** because of a desire for something (เพื่อเห็นแก่): *For the sake of peace, he said he agreed with her.*

'sal·ad *n* a dish of mixed raw vegetables (ผักดิบ ๆ ผสมกัน สลัด).

'sal·a·ry *n* a fixed, regular, usually monthly, payment for work (เงินเดือน).

sale *n* **1** the giving of something to someone in exchange for money (การขาย): *the sale of a house; Sales of cars have increased.* **2** in a shop *etc.*, an offer of goods at reduced prices for a short time (การขายสินค้าลดราคา): *I bought my dress in a sale.*

'sales·man (*plural* **'sales·men**), **'saleswom·an** (*plural* **'sales·wom·en**), *ns* a person who sells, or shows, goods to customers in a shop *etc.* (พนักงานขาย).

for sale intended to be sold (สำหรับขาย): *Have you any pictures for sale?*

sa'li·va (*sə'lī-və*) *n* the liquid that forms in your mouth (น้ำลาย).

sal·low (*'sal-ō*) *adj* pale, not pink-cheeked (ซีด แก้มไม่เป็นสีชมพู).

'salm·on (*'sam-ən*), *plural* **'salm·on**, *n* a large edible fish with pink flesh (ปลาแซลมอน).

'sal·on *n* a place where hairdressing *etc.* is done (ร้านทำผม ร้านเสริมสวย): *a beauty salon; a hairdressing salon.*

sa'loon *n* **1** a car with seats for at least four people (รถซึ่งมีที่นั่งอย่างน้อยสำหรับสี่คน): *Most cars are saloons.* **2** a bar where alcoholic drinks are sold (ร้ายขายเหล้า). **3** a large room on a passenger ship (ห้องใหญ่ในเรือโดยสาร): *the dining-saloon.*

salt (*sölt*) *n* **1** a white substance used for flavouring food (เกลือ): *The soup needs more salt.* **2** any other substance formed, like salt, from a metal and an acid (สารซึ่งจับเป็นขี้เกลือ).

— *adj* **1** containing salt (เป็นเกลือ): *salt water.* **2** preserved in salt (ดอง หมัก ด้วยเกลือ): *salt pork.* — *v* to put salt on or in something (ใส่เกลือ): *Have you salted the potatoes?*

'salt·ed *adj* containing, or preserved with, salt (มีเกลือหรือดองด้วยเกลือ): *salted butter; salted beef.*

'salt·y *adj* containing, or tasting of, salt (เค็ม): *Tears are salty.*

sa'lute (*sə'loot*) *v* **1** to raise your hand to your forehead to show respect (วันทยหัตถ์): *They saluted their commanding officer.* **2** to honour by firing large guns (ให้เกียรติโดยการยิงปืนใหญ่): *They saluted the Queen by firing one hundred guns.* — *n* the action of saluting (การทำวันทยาวุธ การทำวันทยหัตถ์ การแสดงคารวะ): *The officer gave a salute.*

'sal·vage *v* to save something from loss or ruin in a fire, shipwreck *etc.* (การช่วยไม่ให้สูญเสียหรือเสียหายจากไฟไหม้ จากเรือแตก): *He salvaged his books from the burning house.* — *n* **1** the salvaging of something (การช่วยแบบนี้). **2** property *etc.* that has been salvaged (ทรัพย์สมบัติซึ่งช่วยเอาไว้ได้): *Was there any salvage from the wreck?*

sal'va·tion *n* **1** the saving of someone from death or danger (การช่วยคนให้พ้นความตายหรืออันตราย). **2** in religion, the freeing of a person from sin, or the saving of someone's soul (การช่วยให้หลุดพ้นจากบาปหรือการช่วยดวงวิญญาณ).

same *adj* **1** alike; very similar (เหมือนกัน): *The houses in this road are all the same; You have the same eyes as your brother.* **2** not different (ไม่แตกต่าง): *My friend and I are the same age; He went to the same school as I did.* **3** not changed (ไม่เปลี่ยน): *My opinion is the same as it always was.* — *pron* the same thing (อย่างเดียวกัน ทำเหมือนกัน): *He sat down and we all did the same.* — *adv* in the same way (โดยวิธีเดียวกัน): *I dislike boxing and I feel the same about wrestling.*

all the same nevertheless (แต่กระนั้น ถึงแม้ว่า): *I'm sure I locked the door, but, all the same, I'll go and check.*

'sam·ple (*'säm-pəl*) *n* a part taken from something to show the quality of the rest of it (ตัวอย่าง): *samples of the artist's work.* — *v* to try a sample of something (ลองชิม): *He sampled my cake.*

san·a'to·ri·um (*san-ə'tö-ri-əm*), *plural* **sanatoriums** or **sanatoria**, *n* a hospital for patients recovering from illnesses which last a long time (สถานพักฟื้นสำหรับผู้ที่กำลังหายจากการเจ็บป่วยเป็นเวลานาน): *a sanatorium for people with tuberculosis.*

'sanc·tion (*'sank-shən*) *n* **1** official permission (การอนุญาตอย่างเป็นทางการ): *He gave the plan his sanction.* **2** action taken to encourage or force someone to do what others want them to do (การลงโทษ): *Several countries threatened to impose sanctions on his country unless he allowed elections to be held.* — *v* to approve of officially (อนุมัติอย่างเป็นทางการ): *He sanctioned the plan.*

'sanc·tu·ar·y *n* **1** a place where someone is safe from arrest or violence; the safety that such a place gives (ที่ลี้ภัยที่ปลอดภัย): *In earlier times a criminal could use a church as a sanctuary; Most countries won't give sanctuary to people who hijack aeroplanes.* **2** an area of land where wild birds or wild animals are protected (เขตรักษาพันธุ์นกหรือสัตว์ป่า): *You can't visit the island because it is a bird sanctuary.*

sand *n* **1** tiny grains of crushed rocks, shells *etc.*, found on beaches *etc.* (ทราย). **2** an area of sand, especially on a beach (ชายหาด): *We lay on the sand.*

'san·dal *n* a light shoe made of a sole with straps to hold it on to the foot (รองเท้าแตะ).

'sand·bag *n* a sack filled with sand that is used to build walls as a protection against floods, gunfire *etc.* (กระสอบทราย).

'sand·pa·per *n* paper with sand glued to it, used for smoothing and polishing (กระดาษทราย).

'sand·wich *n* two slices of bread with food between (แซนด์วิช มีขนมปังสองแผ่นและอาหารอยู่ตรงกลาง): *ham sandwiches.* — *v* to place or press between two objects *etc.* (วางอยู่

หรือถูกกดไว้ระหว่างวัตถุสองชิ้น): *His car was sandwiched between two lorries.*

'sand·y *adj* **1** filled or covered with sand (ปกคลุมด้วยทราย): *a sandy beach.* **2** of a colour between blond and red (สีเหลืองอมแดง): *She has sandy hair.*

sane *adj* **1** not mad (ไม่บ้า): *in a perfectly sane state of mind.* **2** sensible (มีเหตุมีผล): *a very sane person.*

sang *see* **sing** (ดู **sing**).

'san·i·tar·y *adj* **1** concerned with the protection of health through cleanliness and hygiene (สุขาภิบาล): *A sanitary inspector came to look at the drains.* **2** clean; free from dirt and germs (สะอาด ปราศจากฝุ่นและเชื้อโรค): *The conditions in that camp are not sanitary.*

san·i'ta·tion *n* the arrangements for protecting health, especially drainage (การสุขาภิบาล).

'san·i·ty *n* the condition of being sane (ความปกติของจิตใจ): *I am concerned about his sanity.*

sank *see* **sink** (ดู **sink**).

sap *n* the liquid in trees, plants *etc.* (ยางไม้ น้ำเลี้ยงต้นไม้): *The sap flowed out when he broke the stem of the flower.*

'sap·ling *n* a young tree (ต้นไม้อ่อน).

'sap·phire (*'saf-īr*) *n* a dark-blue precious stone (พลอยสีน้ำเงินเข้ม). — *adj* (แห่งพลอยชนิดนี้): *a sapphire ring.*

'sar·casm (*'sär-kaz-əm*) *n* unkindness in speaking to someone or about them; unkind remarks (การพูดกระทบกระเทียบ).

sar'cas·tic *adj* (ประชดประชัน): *a sarcastic person; sarcastic remarks.*

sar'cast·i·cal·ly *adv* (อย่างประชดประชัน).

sar'dine (*sär'dēn*) *n* a small fish like a herring, often packed in oil in small tins (ปลาซาร์ดีน).

sash *n* a broad band of cloth worn round the waist, or over one shoulder (ผ้าคาดที่เอวหรือสายสะพาย): *a white dress with a red sash at the waist.*

sat *see* **sit** (ดู **sit**).

'Sa·tan (*'sā-tən*) *n* the Devil; the spirit of evil (ซาตาน วิญญาณร้าย).

sa'tan·ic *adj* (เหมือนปิศาจ).

'sat·chel *n* a small bag for schoolbooks *etc.*, that you carry on your back (กระเป๋าใส่หนังสือเรียนซึ่งใช้สะพายหลัง).

'sat·el·lite *n* **1** a smaller body that moves round a planet (ดาวบริวาร): *The Moon is a satellite of the Earth.* **2** a man-made object fired into space to travel round the Earth (ดาวเทียม).

'sat·in *n* a closely woven silk with a shiny surface (ผ้าซาติน). — *adj* (แห่งผ้าซาติน): *a satin dress.*

'sat·ire (*'sat-īr*) *n* **1** a kind of humour that attacks the bad and stupid things that go on in the world by making you laugh at them (กล่าวเสียดสี): *Political satire is common in television shows.* **2** a play, book *etc.* that uses satire to make you laugh at something stupid or bad (ละคร หนังสือ ที่กล่าวเสียดสี): *The book is a satire on dictatorship.*

sa'tir·i·cal (*sə'tir-i-kəl*) *adj* (เสียดสี): *a satirical remark.*

sat·is'fac·tion *n* **1** the satisfying of someone or their needs *etc.* (ความพอใจ): *the satisfaction of desires.* **2** pleasure; contentment (ความสำราญใจ ความพอใจ): *Your success gives me great satisfaction.*

sat·is'fac·to·ry *adj* **1** good enough to satisfy (น่าพอใจ): *Your work is not satisfactory.* **2** fairly good (ดีพอใช้): *The condition of the sick man is satisfactory.*

sat·is'fac·to·ri·ly *adv* (อย่างน่าพอใจ).

satisfied *adj* pleased (พอใจ): *I'm not satisfied with your work.*

'sat·is·fy *v* **1** to give a person enough of what they want or need to take away hunger, curiosity *etc.* (ทำให้พอใจ): *The apple didn't satisfy my hunger.* **2** to please (พอใจ): *He is not satisfied with his job; She is very difficult to satisfy.*

'sat·is·fy·ing *adj* (น่าพอใจ): *The story had a satisfying ending.*

> **satisfactory** means fairly good, or just good enough; it can also mean pleasing: *satisfactory work; a satisfactory result.*
> **satisfying** means giving you pleasure or satisfaction: *a satisfying meal.*

satisfied means pleased: *a satisfied customer.* The opposite is **dissatisfied**.

'sat·u·rate (*'sach-ə-rāt*) *v* to make something very wet (ทำให้เปียกโชก): *Saturate the earth round the plants.* **sat·u'ra·tion** *n* (การทำให้เปียกโชก).

'Sat·ur·day *n* the seventh day of the week, the day following Friday (วันเสาร์ วันที่เจ็ดของสัปดาห์ วันที่ตามหลังวันศุกร์).

sauce *n* a liquid that is poured over food in order to add flavour (ซอส): *tomato sauce.*

'sauce·pan *n* a deep pan usually with a long handle (กระทะ).

'sau·cer *n* a small shallow dish for placing under a cup (จานรอง).

'sau·na *n* **1** a hot steam bath (การอบไอน้ำ): *She had a refreshing sauna after her game of squash.* **2** a room or building where you can have a sauna (ห้องอบไอน้ำ).

'saun·ter *v* to walk or stroll about without hurry (เดินเรื่อย ๆ): *He sauntered through the park.* — *n* a walk or stroll (การเดินเรื่อย ๆ).

'sau·sage (*'sos-əj*) *n* a food made of minced meat, fat, spices and bread, in the shape of a tube (ไส้กรอก).

'sav·age *adj* **1** wild (ป่าเถื่อน): *a savage beast.* **2** fierce and cruel (ดุร้ายและทารุณ): *savage behaviour.* **3** not civilized (ไม่เจริญ ไม่มีวัฒนธรรม): *savage tribes.* — *v* to attack (จู่โจม): *He was savaged by a tiger.* — *n* a savage person (คนป่าเถื่อน): *a tribe of savages.*

'sav·age·ly *adv* (อย่างป่าเถื่อน).

'sav·age·ness, 'sav·age·ry *ns* (ความป่าเถื่อน).

save *v* **1** to rescue; to bring out of danger (ช่วยเหลือ เอาออกมาจากอันตราย): *He saved his friend from drowning; The house was burnt but he saved the pictures.* **2** to keep money *etc.* for future use (อดออม ประหยัด): *He's saving up to buy a bicycle; They're saving for a house.* **3** to avoid or prevent something (หลีกเลี่ยง ป้องกัน): *Frozen foods save a lot of trouble; I'll telephone and that will save me writing a letter.* **4** in football *etc.*, to prevent the opposing team from scoring a goal (ป้องกันฝ่ายตรงข้ามไม่ให้ยิงเข้าประตู): *The goalkeeper saved six goals.* — *n* (การป้องกันประตู): *The goalkeeper made a great save.* — *prep* except (ยกเว้น): *All the children save John had gone home.*

to **save** (not ไม่ใช่ **safe**) up to buy a bicycle.

'sa·ver *n* (ประหยัด): *The telephone is a great time-saver.*

'sa·vings *n* money saved up (ประหยัดเงิน): *He keeps his savings in the bank.*

'sa·viour (*'sā-vyər*) *n* **1** a person who rescues someone or something from evil, danger *etc.* (ผู้ช่วยให้พ้นจากความชั่วร้าย ภัยอันตราย): *He was the saviour of his country.* **2** (**Saviour**) Jesus Christ, who saves people from sin (พระเยซูคริสต์ผู้ไถ่บาปของผู้คน).

'sa·vour·y *adj* having a salty or sharp taste or smell; not sweet (มีรสเค็มหรือรสเผ็ดหรือมีกลิ่น ไม่หวาน): *a savoury omelette.*

saw[1] *see* **see** (ดู **see**).

saw[2] *n* a tool for cutting with a long metal blade that has teeth along its edge (เลื่อย): *He used a saw to cut through the branch.* — *v* to cut with a saw (ตัดด้วยเลื่อย): *He sawed the log in two.*

saw; sawed; sawn: *She sawed up the log; Have you sawn the wood?*

'saw·dust *n* dust made by sawing (ขี้เลื่อย).

'saw·mill *n* a place in which wood is mechanically sawn (โรงเลื่อย).

'sax·o·phone *n* a musical instrument with a curved metal tube, played by blowing (แซกโซโฟน).

say *v* **1** to speak (พูด): *What did you say?; She said "Yes".* **2** to state; to declare (บอกกล่าว ป่าวประกาศ): *She said she had enjoyed meeting me; She is said to be very beautiful.* **3** to repeat (ท่อง): *to say your prayers.* **4** to guess (เดา): *I can't say when he'll return.*

say; said (*sed*); **said**: *She said "No"; What was said at the meeting?*

'say·ing *n* something often said, especially a proverb (สุภาษิต).

let's say or **say** approximately; about (ประมาณ): *You'll arrive there in, say, three hours.*

that is to say in other words; I mean (หรือพูดอีกอย่าง หมายถึง): *He was here last Thursday, that's to say the 4th of June.*

scab *n* a crust formed over a sore or wound (สะเก็ดแผล). **'scab·by** *adj* (มีสะเก็ดแผล).

'scab·bard *n* a case for a sword, worn on a belt (ซองใส่ดาบคาดไว้ที่เอว).

'scaf·fold·ing *n* the metal poles and wooden planks used by men who are repairing the outside of a building, or building something new (นั่งร้าน).

scald (*sköld*) *v* to burn your skin with hot liquid or steam (ผิวหนังถูกลวกด้วยของเหลวหรือน้ำร้อน): *He scalded his hand with boiling water.* — *n* a burn caused by hot liquid or steam (รอยลวกที่เกิดจากโดนของเหลวร้อน ๆ หรือน้ำร้อน).

scale[1] *n* **1** a set of regularly spaced marks made on something, for example a thermometer or a ruler, for use as a measure; a system of numbers, measurements *etc.* (มาตราส่วนใช้ในการวัด ชั่ง): *the Celsius scale.* **2** a series or system of increasing values (เครื่องวัด): *a wage scale.* **3** in music, a group of notes going up or down in order (บันไดเสียง): *The boy practised his scales on the piano.* **4** the size of measurements on a map *etc.* compared with the real size of the country *etc.* shown by it: *In a map drawn to the scale 1 : 50,000 one centimetre represents half a kilometre* (อัตราส่วนบนแผนที่). **5** the size of an activity (ขนาดของการกระทำ): *These toys are being manufactured on a large scale.*

scale[2] *v* to climb a ladder, cliff *etc.* (ขึ้นบันไดปีนหน้าผา).

scale[3] *n* any of the small thin plates or flakes that cover the skin of fishes, reptiles *etc.* (เกล็ด): *A herring's scales are silver in colour.*

scales *n* a machine for weighing (ตาชั่ง เครื่องชั่ง): *He weighed the flour on the kitchen scales.*

'scal·lop (*'skol-əp*) *n* an edible water animal like an oyster, with a pair of fan-shaped shells (หอยชนิดหนึ่งที่มีเปลือกเป็นรูปพัด).

scalp *n* the skin of the part of your head that is covered by hair (หนังศีรษะ): *Rub the shampoo well into your scalp.*

'sca·ly (*'skā-li*) *adj* covered with scales (ปกคลุมด้วยเกล็ด): *A dragon is a scaly creature.*

'scamp·er *v* to run quickly and lightly (วิ่งอย่างรวดเร็วและเบา): *The mouse scampered away when it saw me.*

scan *v* **1** to examine carefully (ตรวจอย่างถี่ถ้วน): *He scanned the horizon for any sign of a ship.* **2** to look at quickly but not in detail (กวาดตามอง): *She scanned the newspaper for news of the murder.*

'scan·ner *n* a machine which examines the body closely and carefully using X-rays or a laser beam (เครื่องตรวจร่างกายอย่างละเอียดโดยใช้รังสีเอกซ์หรือแสงเลเซอร์): *The hospital has raised funds to buy a new brain scanner.*

'scan·dal *n* **1** the talk and discussion that follow an event that people consider shocking or shameful (เรื่องเสียหาย เรื่องอับอายขายหน้า): *When their daughter ran away from home, they kept the matter secret in order to avoid a scandal.* **2** something very bad; something that makes you very angry (เรื่องอัปยศ): *the scandal of drug-dealing; The state of the roads here is a scandal.* **3** unkind talk about other people (การนินทา): *You should neither listen to nor pass on gossip and scandal about other people.*

'scan·dal·ous *adj* **1** shocking; shameful (น่าตกใจ น่าละอายใจ): *He lost his job because of his scandalous behaviour.* **2** making you very angry (ทำให้โกรธมาก): *It's scandalous that we should all be punished for his mistake.* **'scan·dal·ous·ly** *adv* (น่าเสียหาย น่าอับอาย).

'scan·ty *adj* hardly enough; small in size or amount (ขาดแคลน จำนวนน้อยมาก): *They were given such scanty portions of food that they still felt hungry afterwards.*

'scan·ti·ly *adv* (อย่างอัตคัด): *The children were dirty and very scantily dressed.*

'scape·goat *n* a person who is blamed or punished for the mistakes of others (แพะ

รับบาป): *The manager of the football team was made a scapegoat for the team's failure, and was forced to resign.*

scar *n* the mark that is left by a wound *etc.* (รอยแผลเป็น): *There was a scar on her arm where the dog had bitten her.* — *v* (เป็นรอยแผล): *He recovered from the accident but his face was badly scarred.*

scarce (*skārs*) *adj* not many; not enough (ไม่มาก ไม่พอ): *Food is scarce because of the drought.*

'scarce·ly *adv* only just; not quite (แทบจะไม่): *Speak louder please — I can scarcely hear you; They have scarcely enough money to live on.*

scarcely means the same as **hardly**: *I can scarcely* (or *hardly*) *hear you*; it does not mean the same as **rarely**. See **rarely**.

'scar·ci·ty (*'skār-si-ti*) *n* a lack; a shortage (ความขาดแคลน): *a scarcity of jobs.*

scare *v* to frighten (กลัว): *You'll scare the baby if you shout; His warning scared them into working harder.* — *n* a feeling of fear (ความรู้สึกกลัว): *The noise gave me a scare.*

'scare·crow *n* a figure like a man, dressed in old clothes, put up in a field to scare away birds and stop them eating the seeds *etc.* (หุ่นไล่กา).

scared *adj* frightened (กลัว): *I'm scared of spiders.*

scare away, scare off to make someone or something go away or stay away because of fear (ทำให้กลัว): *The birds were scared away by the dog.*

scarf, *plural* **scarves** or **scarfs**, *n* a long strip of material to wear round your neck (ผ้าพันคอ).

'scar·let *n* a bright red colour (สีแดงสด). — *adj* (แห่งสีแดงสด): *scarlet poppies; She blushed scarlet.*

scarves plural of (เป็นพหูพจน์ของ) **scarf**.

'scat·ter *v* **1** to send or go in different directions (กระจัดกระจาย): *The sudden noise scattered the birds ; The crowds scattered when the bomb exploded.* **2** to throw loosely in different directions (เกลื่อนกลาด): *The load from the overturned lorry was scattered over the road.*

'scat·tered *adj* occasional; not close together (กระจัดกระจาย ไม่อยู่ใกล้กัน): *Scattered showers are forecast for this morning; The few houses in the valley are very scattered.*

scene (*sēn*) *n* **1** the place of a real or imagined event (สถานที่จริงหรือเหตุการณ์ที่จินตนาการขึ้น): *The scene of the story is a village in New South Wales.* **2** an incident *etc.* that is seen or remembered (ภาพ): *He remembered scenes from his childhood.* **3** a show of anger (แสดงความโกรธ): *I was very angry but I didn't want to make a scene.* **4** the view that you see in front of you (ทัศนียภาพ): *The sheep grazing on the hillside made a peaceful scene.* **5** one division of a play *etc.* (ฉากหนึ่งในละคร): *The hero dies in the last scene.*

'sce·ner·y (*'sē-nər-i*) *n* **1** the painted background for a play *etc.* on a stage (ฉากภาพวาดที่เป็นฉากหลังในละคร). **2** the general appearance of a landscape *etc.* (ทิวทัศน์): *They enjoyed the beautiful scenery of Tasmania.*

scenery is never used in the plural.

'scen·ic (*'sen-ik* or *'sē-nik*) *adj* **1** having to do with scenery (เกี่ยวกับทิวทัศน์): *clever scenic effects in the film.* **2** surrounded by beautiful scenery (ล้อมรอบด้วยทิวทัศน์ที่สวยงาม): *a scenic route.*

scent (*sent*) *v* **1** to discover by the sense of smell (ได้กลิ่น): *The dog scented a cat.* **2** to suspect (สงสัย ระแวง): *As soon as he came into the room he scented trouble.* **3** to give a pleasant smell to something (ส่งกลิ่นหอม): *The roses scented the air.* — *n* **1** a pleasant smell (กลิ่นหอม): *This rose has a delightful scent.* **2** a smell that can be followed (ตามกลิ่น): *The dogs picked up the man's scent and then lost it again.*

'scent·ed *adj* sweet-smelling (กลิ่นหอม): *scented soap.*

'scep·tic (*'skep-tik*) *n* a person who will not believe something; a doubter (คนที่จะไม่ยอมเชื่อถือในสิ่งใด ๆ คนขี้สงสัย).

'scep·ti·cal *adj* (สงสัย): *Some people think apples clean your teeth, but I'm sceptical about that.*

'scep·tre (*'sep-tər*) *n* the rod carried by a king or queen as a sign of power (คทาสำหรับกษัตริย์หรือพระราชินี).

'sched·ule (*'shed-ūl*) *n* the time set or fixed for doing something *etc.*; a timetable (ตารางเวลา): *Here is a work schedule for next month.* — *v* to plan the time of an event *etc.* (วางแผนการจัดเวลาของเหตุการณ์หนึ่ง): *The meeting is scheduled for 9.00 a.m. tomorrow.*

scheme (*skēm*) *n* **1** a plan; an arrangement; a way of doing something (แผนการ การจัดวิธีการทำอะไรบางอย่าง): *a colour scheme for the room; There are various schemes for improving the roads.* **2** a dishonest plan (แผนการที่ไม่ซื่อ): *His scheme to steal the money was discovered.* — *v* to plot (วางแผน): *He was punished for scheming against the President.*

'schol·ar (*'skol-ər*) *n* **1** a person of great knowledge and learning (นักวิชาการ): *a fine classical scholar.* **2** a student who has been awarded a scholarship (นักเรียนผู้ได้รับทุนเรียน).

'schol·ar·ly *adj* having or showing knowledge (มีหรือแสดงความรู้): *a scholarly person; a scholarly book.*

'schol·ar·ship *n* **1** knowledge and learning (ความรู้และการเรียนรู้): *a man of great scholarship.* **2** money given to good students so that they may go on with further studies (ทุนเล่าเรียน): *She was awarded a scholarship.*

school[1] (*skool*) *n* **1** a place for teaching children (โรงเรียน): *She goes to school; He's not at university — he's still at school.* **2** the pupils and teachers of a school (นักเรียนและครูของโรงเรียน): *The whole school assembled in the hall to hear the headmistress speak.* **3** a place where you can be instructed in a skill (สถานที่เรียน): *a riding school; a driving school.*

See **go**.

school[2] (*skool*) *n* a large number of fish, whales or other water animals that swim together (ฝูงปลา ปลาวาฬ หรือสัตว์น้ำอื่น ๆ ที่ว่ายอยู่ด้วยกัน).

'school·bag *n* a bag for carrying books *etc.* to and from school (กระเป๋าหนังสือ).

'school·boy, 'school·girl *n* a boy or girl who goes to school (นักเรียน).

'school·child, *plural* **'school·chil·dren**, *n* a child who goes to school (เด็กเล็ก ๆ ที่ไปโรงเรียน).

'school·days *n* the time during someone's life when they go to school (ชีวิตตอนไปโรงเรียน): *Did you enjoy your schooldays?*

'school·fel·low *n* a person who is at the same school as you are (เพื่อนร่วมโรงเรียน).

'school·mas·ter *n* a man who teaches in school (ครูผู้ชาย).

'school·mate *n* a schoolfellow, especially a friend (เพื่อนในโรงเรียน เพื่อน).

'school·mis·tress *n* a woman who teaches in school (ครูผู้หญิง).

'school·teach·er *n* a person who teaches in a school (ครู).

'schoo·ner (*'skoo-nər*) *n* a fast sailing ship with two or more masts (เรือใบที่แล่นเร็วมีสองเสากระโดงหรือมากกว่านั้น).

'sci·ence (*'sī-əns*) *n* **1** knowledge gained by observation and experiment (วิทยาศาสตร์). **2** a branch of knowledge such as biology, chemistry, physics *etc.* (สาขาความรู้เช่นชีววิทยา เคมี ฟิสิกส์ ฯลฯ). **3** these subjects considered as a group (วิชาเหล่านี้ถือเป็นกลุ่มวิชาหนึ่ง): *My daughter prefers science to languages.*

sci·en'tif·ic *adj* having to do with sciences (เกี่ยวกับวิทยาศาสตร์): *scientific discoveries; scientific methods.*

sci·en'tif·i·cal·ly *adv* (อย่างเป็นวิทยาศาสตร์).

'sci·en·tist *n* a person who studies one or more branches of science (นักวิทยาศาสตร์).

science fiction stories dealing with future times on Earth or in space (นิยายวิทยาศาสตร์).

'scis·sors (*'siz-ərz*) *n* a cutting instrument with two blades (กรรไกร): *Where are my scissors?; Whose is this pair of scissors?*

scissors always takes a plural verb, but **a pair of scissors** is singular.

scoff *v* to express scorn (แสดงอาการดูหมิ่น):

She scoffed at my poem.

scold (*skōld*) *v* to criticize or blame loudly and angrily (วิจารณ์หรือตำหนิออกมาด้วยเสียงอันดังด้วยความโกรธ): *She scolded the child for coming home so late.*

'scold·ing *n* (การตำหนิ): *I got a scolding for doing careless work.*

scone (*skon*) *n* a small, round, flat cake made from flour and fat (ขนมเค้กเล็ก ๆ กลมและแบน): *We had scones with butter and jam for tea.*

scoop *n* a spoon-like tool, used for lifting, serving *etc.* (เครื่องมือสำหรับตัก): *a grain scoop; an ice-cream scoop.* — *v* to move with, or as if with, a scoop (กอบ โกย): *He scooped the crumbs together with his fingers .*

'scoot·er *n* **1** a small motor-cycle (รถจักรยานยนต์ขนาดเล็ก). **2** a child's vehicle made of a foot-board with two small wheels and a handlebar, that is moved along by pushing one foot against the ground.

scope *n* **1** opportunity; chance; possibility (โอกาส ความเป็นไปได้): *There's plenty of scope for improvement in your work, children!* **2** extent (ขอบเขต ระดับ): *Few things are beyond the scope of a child's imagination.*

scorch *v* to burn slightly (ไหม้): *She scorched her dress with the iron; That material scorches easily.*

score *n* the number of points, goals *etc.* gained in a game, competition *etc.* (ทำแต้มได้ในการแข่งขัน): *The cricket score is 59 for 3.* — *v* **1** to gain goals *etc.* in a game (ได้ประตู): *He scored two goals before half-time.* **2** to put a line through a word, name *etc.* to remove it; to cross something out (ขีดฆ่าออก): *Please could you score my name off the list?; Is that word meant to be scored out?* **'score-board** *n* a large board on which the score is shown (แผ่นป้ายใหญ่ ๆ ที่แสดงแต้ม ประตู).

'sco·rer *n* **1** a person who scores points, goals *etc.* (ผู้ทำแต้ม ผู้ทำประตู): *Our team scored two goals — Smith and Brown were the scorers.* **2** the person whose job is to write down the score during a match (ผู้เขียนแต้มในระหว่างการแข่งขัน).

scores very many (มากมาย): *She received scores of letters about her radio programme.*

scorn *n* a very low opinion of someone or something; contempt; disgust (การดูถูก การเหยียดหยาม ความสะอิดสะเอียน): *He looked at my drawing with scorn.* — *v* to show scorn for someone or something (ดูถูก): *They scorned my suggestion; I scorn cowards.*

'scorn·ful *adj* feeling scorn; expressing scorn (รู้สึกดูถูก แสดงความดูถูก): *a scornful remark; He was rather scornful about your book; She was scornful of his cowardly behaviour.*

'scorn·ful·ly *adv* (อย่างดูถูก).

'scorn·ful·ness *n* (ความดูถูก).

'scor·pi·on *n* an animal of the spider family, that has a tail with a sting (แมงป่อง).

scot-'free *adj* not hurt; not punished (ไม่บาดเจ็บ ไม่โดนลงโทษ): *I shall find out who broke the window — I'm determined that the person who did it shall not escape scot-free.*

'scoun·drel *n* a very wicked person (คนสารเลว คนอันธพาล).

scour (*skowr*) *v* **1** to clean something by rubbing or scrubbing it hard (ขัดถูให้สะอาด): *She scoured the dirty saucepan.* **2** to make a thorough search of an area *etc.* looking for a thing or person (ค้นหาสิ่งของหรือคนในบริเวณนั้นอย่างละเอียด): *She scoured the whole room for her lost contact lens.*

scourge (*skärj*) *n* a cause of great suffering to many people (เป็นเหตุให้เดือดร้อนอย่างมากกับผู้คนหลาย ๆ คน): *Vaccination has freed us from the scourge of smallpox.*

scout *n* **1** a person, aircraft *etc.* sent out to bring in information or to spy (คนหรือเครื่องบินที่ถูกส่งออกไปลาดตระเวน): *The scouts reported that enemy troops were nearby.* **2 (Scout)** a member of the Scout Movement, an organization for boys (ลูกเสือ). — *v* to go out and collect information; to spy (ออกไปหาข่าว สอดแนม): *A party was sent ahead to scout.*

scowl *v* to look in a bad-tempered or angry way (ถลึงตา บึ้งตึง): *He scowled at the* children. — *n* an angry expression on the face (มีสีหน้าแสดงความโกรธ).

'Scrab·ble® *n* a kind of word-building game (เกมต่อตัวอักษรชนิดหนึ่ง).

'scram·ble *v* **1** to crawl or climb quickly, using arms and legs (คลานหรือปีนอย่างรวดเร็ว): *They scrambled up the slope; He scrambled over the rocks.* **2** to move hastily (เคลื่อนที่อย่างรวดเร็ว): *He scrambled to his feet.* **3** to rush, or struggle with others, to get something (รีบหรือแก่งแย่งกับผู้อื่นเพื่อเอาอะไรสักอย่าง): *The boys scrambled for the ball.* — *n* a rush or struggle (วิ่งหรือแก่งแย่ง): *There was a scramble for the best seats.*

scrambled eggs eggs mixed with milk and salt and then cooked in a pan with butter (ไข่กวน).

scrap *n* **1** a small piece (เศษเล็ก ๆ): *a scrap of paper.* **2** a piece of food left over after a meal (เศษอาหารที่เหลือหลังจากกินอาหารแล้ว): *They gave the scraps to the dog.* **3** waste articles that are only valuable for the material they contain (ของเสียที่มีค่าเพียงแค่วัสดุที่มีอยู่ในตัวเท่านั้น): *The old car was sold as scrap.* — *adj* (แห่งของเสีย): *scrap metal.* — *v* to throw away (ทิ้งไป): *They scrapped the old television set.*

'scrap·book *n* a book with blank pages on which to stick pictures *etc.* (สมุดติดรูปภาพ): *The actor kept a scrapbook of newspaper cuttings about his career.*

scrape *v* **1** to rub against something sharp or rough, usually causing damage (ขูด ขีด): *He drove too close to the wall and scraped his car.* **2** to clean, or remove, by rubbing with something sharp (ทำความสะอาดหรือเอาออกโดยการขูดด้วยของมีคม): *He scraped his boots clean; He scraped the paint off the door.* **3** to make a harsh noise by rubbing (ทำให้เกิดเสียงดังโดยการขูด): *Stop scraping your feet!* **4** to make a hole *etc.* by scratching (ทำให้เป็นรู): *The dog scraped a hole in the sand.* — *n* **1** the action or sound of scraping (การขูด การขีด). **2** a mark or slight wound made by scraping (เป็นรอยหรือแผลเล็กน้อยโดยการขูด แผลถลอก): *a scrape on the knee.* **3** a situation that may lead to punishment (สถานการณ์ซึ่งอาจจะนำไปสู่การลงโทษ): *Tom is always getting into scrapes.*

'scra·per *n* a tool or instrument for scraping, especially one for scraping paint and wallpaper off walls *etc.* (เครื่องมือที่ใช้ในการขูดขีด).

scrape through to pass a test *etc.*, but only just (ผ่านการสอบอย่างหวุดหวิด): *He scraped through his exams.*

'scrap·py *adj* consisting of bits and pieces (ประกอบด้วนเศษเล็กเศษน้อย): *a scrappy meal.*

scratch *v* **1** to mark or nurt by moving something sharp across a surface (ข่วน ขีด): *The cat scratched my hand; How did you scratch your leg?; I scratched myself on a rose bush.* **2** to rub your skin with your fingernails to stop itching (เกา): *You should try not to scratch insect bites.* **3** to make marks by scratching (ทำให้เป็นรอยโดยการขูด ขีด): *He scratched his name on the rock with a sharp stone.* — *n* a mark, injury or sound made by scratching (เครื่องหมาย การบาดเจ็บ หรือเสียงที่เกิดจากการขีด ข่วน): *Her arm was covered in scratches; The dog gave a scratch at the door to ask to be let in.*

start from scratch to start something from the very beginning (เริ่มต้นจากไม่มีอะไร): *He now has a very successful business, but he started from scratch.*

scrawl *v* to write untidily or hastily (เขียนอย่างไม่เรียบร้อยหรือรีบเขียน): *I scrawled a hasty note to her.* — *n* untidy handwriting (ลายมือหวัด): *a hasty scrawl.*

scream *v* **1** to shout or cry very loudly (กรีดร้อง): *He was screaming with pain; "Look out!" she screamed; We screamed with laughter.* **2** to make a loud, shrill noise (ทำเสียงโหยหวน): *The sirens screamed.* — *n* a loud, shrill cry or noise (หวีดร้อง).

screech *v* to make a harsh, shrill cry, shout or noise (เสียงกรีดร้อง): *She screeched a warning at him; The car screeched to a halt.* — *n* a loud, shrill cry or noise (เสียงดังที่กรีดร้องออกมา): *screeches of laughter; a screech of* *brakes.*

screen *n* **1** a flat, movable, covered frame that you use for privacy, for decoration, or for protection from cold or heat (ฉากกั้น ที่กำบัง): *Screens were put round the patient's bed; a fire-screen.* **2** anything that you use as a screen (อะไรก็ตามที่เราใช้เป็นฉากกำบังหรือฉากกั้น): *He hid behind the screen of bushes.* **3** the surface on which films or television pictures appear (ฉากหรือจอ): *a television screen; a cinema screen.* — *v* **1** to hide or protect (ซ่อนหรือคุ้มครอง): *The tall grass screened him from view.* **2** to test people to make sure they haven't got a particular disease (ทดสอบผู้คนเพื่อให้แน่ใจว่าไม่ได้เป็นโรคอย่างหนึ่งโดยเฉพาะ): *Adults should be regularly screened for cancer.*

'screen·play *n* the text of a film (บทภาพยนตร์).

screw *n* a kind of nail that is driven into something by a firm twisting action (ตะปูควง): *I need four strong screws for fixing the cupboard to the wall.* — *v* **1** to fix with a screw (ซ่อมด้วยตะปูควง): *He screwed the handle to the door.* **2** to fix with a twisting movement (ซ่อมด้วยการบิดเข้าไป): *Make sure that the hook is fully screwed in.*

'screw·dri·ver *n* a tool for turning screws (ไขควง).

screw up to crumple (ขยำ): *She screwed up the letter.*

screw up your courage to try to become brave enough to do a dangerous or unpleasant thing (พยายามกล้าให้พอที่จะทำสิ่งที่อันตรายหรือสิ่งที่ไม่ชอบ).

'scrib·ble *v* **1** to write quickly or carelessly (เขียนอย่างหวัด ๆ): *He scribbled a message.* **2** to make meaningless marks with a pencil *etc.* (ทำเครื่องหมายที่ไม่มีความหมายอะไรด้วยดินสอ): *The children were punished for scribbling on the wall.* — *n* **1** untidy, careless handwriting (ลายมือหวัด). **2** a mark *etc.* made by scribbling (เครื่องหมายที่เกิดจากการเขียนอย่างนี้).

script *n* the text of a play, talk *etc.* (บทละคร): *Have the actors all got their scripts?*

'script·writ·er *n* a person who writes scripts for films or for television or radio programmes (ผู้เขียนบทภาพยนตร์หรือโทรทัศน์หรือรายการวิทยุ).

'scrip·ture (*'skrip-chər*) *n* **1** the sacred writings of a religion (คัมภีร์): *Buddhist and Hindu scriptures.* **2** **(Scripture)** the Bible (หนังสือไบเบิล).

scroll (*skrōl*) *n* a roll of paper with writing on it (ม้วนกระดาษมีตัวหนังสือ).

'scro·tum (*'skrō-təm*) *n* the pocket of skin that contains the testicles (ถุงอัณฑะ).

scrounge (*skrownj*) *v* to get what you want by begging for it from someone (ขอบริจาค): *He's always scrounging; Do you mind if I scrounge a few sheets of paper?*

scrub *v* to rub hard in order to clean (ถูอย่างแรงเพื่อให้สะอาด): *She's scrubbing the floor; She scrubbed the mess off the carpet.* — *n* (การขัดถู): *I'll give the floor a scrub; Your hands need a good scrub.*

scruff·y *adj* dirty and untidy (สกปรกและไม่เรียบร้อย): *scruffy clothes; a scruffy room.*

'scru·pu·lous (*'skroo-pū-ləs*) *adj* careful in attending to small details; careful not to do anything wrong; absolutely honest (ถี่ถ้วนในรายละเอียดเล็กน้อย ระวังไม่ทำอะไรผิด ซื่อสัตย์อย่างแท้จริง): *He is scrupulous in dealing with the accounts.*

scru·ti·nize (*'skroo-ti-nīz*) *v* to look at very closely and carefully (ตรวจดูอย่างใกล้ชิดและถี่ถ้วน): *She scrutinized the signature on the letter.* **scru·ti·ny** *n* (การพิจารณาอย่างถี่ถ้วน).

'scu·ba-div·ing (*'skoo-bə dī-viŋ*) *n* the activity of swimming under water, with cylinders of compressed air on your back for breathing (การดำน้ำโดยมีเครื่องช่วยหายใจ).

scuf·fle *n* a fight (การต่อสู้): *The two men quarrelled and then there was a scuffle.*

'sculp·tor *n* an artist who carves or models in stone, clay, wood *etc.* (ช่างแกะสลัก).

'sculp·tress *n* a female sculptor (ช่างแกะสลักหญิง).

'sculp·ture (*'skulp-chər*) *n* **1** the art of modelling or carving figures, shapes *etc.* (ปฏิมา-

กรรม): *He went to art school to study painting and sculpture.* **2** work done by sculptors (งานที่ทำโดยช่างแกะสลัก): *ancient Greek sculpture; They've put up a new sculpture outside the library.*

scum *n* dirty foam on the surface of a liquid (ฟองสกปรกบนผิวของของเหลว): *The pond was covered with scum.*

'scur·ry *v* to run quickly (วิ่งอย่างรวดเร็ว): *The mouse scurried into its hole.* — *n* (การวิ่งอย่างรวดเร็ว): *There was a scurry of feet as the children rushed to their desks.*

'scut·tle[1] *v* to run with short, quick steps (วิ่งซอยเท้าอย่างรีบเร่ง): *I poked the spider and it scuttled away.*

'scut·tle[2] *n* a metal container for storing coal beside a fire in a house (ภาชนะโลหะที่ใช้ใส่ถ่านหินวางไว้ข้างเตาในบ้าน).

scythe (*sīdh*) *n* a tool with a long, curved blade for cutting tall grass *etc.* (เคียว). — *v* to cut grass *etc.* with a scythe (ตัดหญ้าด้วยเคียว).

sea *n* **1** the mass of salt water covering most of the Earth's surface (ทะเล): *I enjoy swimming in the sea; The sea is very deep here.* **2** a particular area of sea (ทะเลโดยเฉพาะ): *the Baltic Sea; These fish are found in tropical seas.* — *adj* (แห่งทะเล): *sea monsters.*

sea·far·ing (*'sē-fār-iŋ*) *adj* living a sailor's life (ใช้ชีวิตแบบกะลาสี): *a seafaring man.*

'sea·food *n* fish or shellfish from the sea (อาหารทะเล).

'sea·front *n* a promenade; part of a town where the buildings face the sea (ส่วนหนึ่งของเมืองซึ่งอาคารต่าง ๆ หันหน้าออกสู่ทะเล).

'sea-go·ing *adj* designed and equipped for travelling far from the coast (เที่ยวไปในทะเล): *a sea-going yacht.*

'sea·gull *n* a large white sea bird (นกนางนวล).

'sea·horse *n* a small fish with a head shaped like the head of a horse, and a curved tail (ม้าน้ำ).

sea level the level of the surface of the sea used as a base from which the height of land can be measured (ระดับน้ำทะเล): *300 metres above sea level.*

at sea 1 on a ship and away from land (อยู่ในเรือและห่างจากพื้นดิน): *He has been at sea for months.* **2** puzzled (พิศวง): *Can you help me with this problem? I'm a bit at sea.*

go to sea to become a sailor (เป็นกะลาสี): *He wants to go to sea.*

seal[1] *n* **1** a piece of wax stamped with a design, attached to a document to show that it is genuine and legal (รอยประทับตราซึ่งติดอยู่กับเอกสารเพื่อแสดงว่าเป็นของแท้และถูกกฎหมาย). **2** a piece of wax used to seal a parcel (ครั่งที่ใช้ประทับหีบห่อ). **3** something that joins tightly or closes up completely (ที่ผนึก): *There was a rubber seal round the lid of the jar.* — *v* **1** to put a seal on a document *etc.* (ประทับตราเอกสาร): *The document was signed and sealed.* **2** to close completely (ปิดสนิท): *He licked and sealed the envelope; All the air is removed from a can of food before it is sealed.*

seal[2] *n* any of several kinds of sea animal, some having fur, living partly on land (แมวน้ำ).

'sea-li·on *n* a large type of seal (สิงโตทะเล แมวน้ำขนาดใหญ่).

seam *n* **1** the line formed by the sewing together of two pieces of cloth *etc.* (ตะเข็บ). **2** the line where two things meet or join (รอยที่ของสองสิ่งมาเจอกันหรือต่อกัน): *Water was coming in through the seams of the boat.* — *v* to sew a seam in a garment (เย็บตะเข็บผ้า): *I've pinned the skirt together but I haven't seamed it yet.*

'sea·man, *plural* **'sea·men**, *n* a sailor (กะลาสี).

sear *v* to scorch (ไหม้เกรียม): *The iron was too hot and it seared the delicate fabric.*

search (*sərch*) *v* **1** to look for something carefully (ค้นหา): *I've been searching for that book for weeks; He searched the whole house but couldn't find his watch; Have you searched through your pockets thoroughly?* **2** to look all over a person for weapons, stolen goods, drugs *etc.* (ค้นตัว): *He was taken to the police station, searched and questioned.* — *n* (การค้นหา การค้นตัว): *She made a thorough search for the missing* *necklace.*

'search·er *n* (ผู้ค้นหา).

We are **searching** or **looking** (not **finding**) for the lost dog.

'search·light *n* a strong light that can be turned in any direction, used to see enemy aeroplanes in the sky *etc.* (ไฟฉายส่องหาเครื่องบิน).

search party a group of people looking for someone who is lost (กลุ่มคนที่ค้นหาผู้สูญหาย): *A search party was sent out to look for the missing climbers.*

in search of searching for someone or something (การค้นหา): *We went in search of a restaurant.*

'sea·shell *n* the shell of a sea creature (เปลือกหอย หอย).

'sea·shore *n* the land close to the sea; the beach (ชายทะเล).

'sea·sick *adj* ill because of the motion of a ship at sea (เมาเรือ): *Were you seasick on the voyage?* **'sea·sick·ness** *n* (ความเมาเรือ).

'sea·side *n* a place beside the sea (ริมทะเล): *We like to go to the seaside in the summer.*

seashore means beach: *They walked along the seashore collecting shells.*

seaside means a place beside the sea: *"Are you going to the seaside this summer?" "Yes, we're going to Blackpool".*

'sea·son (*'sē-zən*) *n* **1** one of the main divisions of the year (ฤดูกาล): *The four seasons are spring, summer, autumn and winter; The monsoon brings the rainy season.* **2** the usual or suitable time for something (หน้าฤดูกาลสำหรับ): *the football season.* — *v* to add salt, pepper *etc.* to food (เพิ่มเกลือและพริกไทยลงในอาหาร): *She seasoned the meat with plenty of pepper.*

'sea·son·al *adj* done at a particular season only (ทำเฉพาะบางฤดูเท่านั้น): *seasonal sports.*

'sea·son·ing *n* something used to season food (เครื่องปรุงรสอาหาร): *Salt and pepper are used as seasonings.*

season ticket a ticket that can be used repeatedly during a certain period (ตั๋วตลอดฤดู): *a threemonth season ticket.*

in season available for buying and eating (อยู่ในฤดู): *That fruit is not in season just now.*

out of season not in season (นอกฤดูกาล).

seat *n* **1** an object for sitting on; a chair *etc.* (ที่นั่ง เก้าอี้): *Are there enough seats for everyone?* **2** the part of a chair *etc.* on which you sit (ส่วนของเก้าอี้ที่เรานั่ง): *The seat of this chair is broken.* **3** a place in which a person has a right to sit (ตั๋ว ตำแหน่ง): *I bought two seats for the play; a seat in Parliament.* — *v* **1** to give someone a seat (ให้นั่ง): *I seated myself at my desk; She was seated in the armchair.* **2** to have seats for a certain number of people (จำนวนที่นั่ง): *Our table seats eight.*

seat belt a safety belt fitted to a seat in a car or aeroplane to hold passengers in their seats in an accident (เข็มขัดนิรภัย): *Was she wearing her seat belt?*

'seat·ing *n* the supply or arrangement of seats (การหาหรือการจัดที่นั่ง).

take a seat to sit down (นั่งลง): *Please take a seat!*

'sea·weed *n* plants growing in the sea (สาหร่ายทะเล).

sec·a'teurs (*sek-ə'tərz*) *n plural* a tool like a pair of strong scissors that is used for cutting the stems of plants (ตะไกรตัดต้นไม้): *The gardener used a pair of secateurs to prune the rose bushes.*

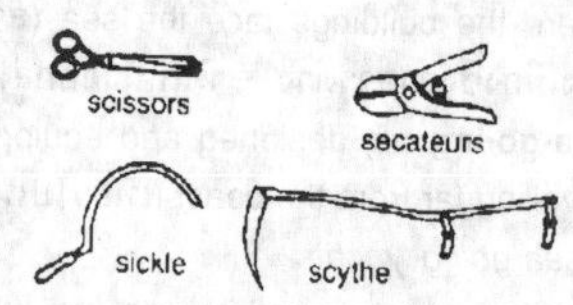

se'clu·ded (*sə'kloo-dəd*) *adj* far away from people *etc.* (ปลีกวิเวก): *Monks live secluded lives; a secluded cottage.*

se'clu·sion (*sə'kloo-zhən*) n (การปลีกวิเวก).

'sec·ond[1] *n* **1** the sixtieth part of a minute (วินาที): *He ran the race in three minutes and forty seconds.* **2** a short time (เวลาสั้น ๆ

เดี๋ยวเดียว): *I'll be there in a second.*

'sec·ond[2] *adj* **1** next after the first in time, place *etc.* (ที่สอง): *February is the second month of the year; She finished the race in second place.* **2** less good; less important *etc.* (รองอันดับ สำคัญน้อยกว่า): *She's a member of the school's second swimming team.* — *adv* next after the first (ได้ที่สอง): *He came second in the race.* — *n* a second person, thing *etc.* (คนที่สอง สิ่งที่สอง): *You're the second to arrive; The second of the two suggestions was the more sensible.*

'sec·ond·ar·y *adj* **1** coming after, and at a higher level than, primary (ทุติยภูมิ มาทีหลังระดับมัธยม): *a secondary school; secondary education.* **2** less important (สำคัญน้อยกว่า): *a matter of secondary importance.*

'sec·ond·ly *adv* (ในประการที่สอง): *I have two reasons for not buying the house — first, it's too big, and secondly it's too far from town.*

sec·ond-'best *adj* next after the best; not as good as the best (ถัดจากดีที่สุด ไม่ดีเท่ากับดีที่สุด): *She wore her second-best dress.*

sec·ond-'class *adj* **1** not of the very best quality (ไม่ใช่มีคุณภาพดีที่สุด): *a second-class restaurant.* **2** for travelling in a less comfortable part of a train *etc.* (ชั้นสอง): *a second-class ticket.* — *adv* (อย่างต่ำกว่าหรือมีคุณสมบัติต่ำกว่า): *I'll be travelling second-class.*

sec·ond-'hand *adj* previously used by someone else (ของใช้แล้ว): *second-hand clothes.*

second nature a habit which is fixed so firmly that it seems to be part of a person's character (นิสัยซึ่งติดแน่นจนดูเหมือนว่าจะเป็นอุปนิสัย): *Driving fast is second nature to him.*

sec·ond-'rate *adj* not of the best quality (คุณภาพด้อย): *The play was pretty second-rate.*

second thoughts a change of opinion (เปลี่ยนความคิด): *I'm having second thoughts about selling the piano.*

every second day, week *etc.* every other day, week *etc.* (วันเว้นวัน): *The classroom is cleaned every second day.*

second to none better than every other of the same kind (ไม่เป็นสองรองใคร): *As a portrait painter, he is second to none.*

'se·cret (*'sē-krət*) *adj* hidden from other people; not known to other people (ความลับ): *a secret agreement; He kept his illness secret from everybody.* — *n* something which is, or must be kept, secret (เก็บเป็นความลับ): *The date of their marriage is a secret.*

'se·cre·cy *n* (การเก็บไว้เป็นความลับ).

secret agent a spy (สายลับ).

secret service a government department dealing with spying *etc.* (หน่วยสืบราชการลับ).

in secret secretly (อย่างลับ ๆ): *This must all be done in secret.*

keep a secret not to tell something secret to anyone else (เก็บไว้เป็นความลับ).

sec·re'tar·i·al *adj* having to do with secretaries or their duties (เกี่ยวกับเลขานุการหรือหน้าที่ของเลขานุการ): *secretarial work; She is training at a secretarial college.*

'sec·re·tar·y *n* **1** a person employed to write letters, keep records and make business arrangements *etc.* for another person (เลขานุการ): *He dictated a letter to his secretary.* **2** a person who deals with the official business of an organization *etc.* (เลขาธิการ): *The secretary read out the minutes of the society's last meeting.*

se'crete (*si'krēt*) *v* to produce a liquid (ขับ): *Your skin secretes sweat when you feel hot.*

se'cre-tion n (การผลิตของเหลวออกมา).

'se·cre·tive (*'sē-krə-tiv*) *adj* inclined to hide your thoughts and activities from other people (มีแนวโน้มที่จะซ่อนความคิดและการกระทำจากผู้อื่น ไม่ปากโป้ง): *He's rather a secretive person.*

'se·cret·ly *adv* (อย่างลับ ๆ): *He secretly copied her telephone number into his notebook.*

sect *n* especially in religion, a group of people with strong beliefs, that has split from a larger group (นิกาย คณะในทางศาสนา).

'sec·tion *n* **1** a part; a division (ส่วนหนึ่ง แบ่งแยก): *The book is divided into five sections; She works in the accounts section of the business.* **2** a view of the inside of anything when it is cut right through (ภาคตัดภายในของสิ่งที่ตัดออก): *a section of the stem of a flower.* **'sec·tion·al** *adj* (เป็นส่วน ๆ).

'sec·tor *n* a section of a circle (ส่วนหนึ่งของวงกลม).

'sec·u·lar (*'sec-ū-lər*) *adj* not spiritual or religious (ไม่ใช่ทางวิญญาณหรือทางศาสนา ทางโลก): *He paints both secular and religious pictures.*

se'cure (*sə'kūr*) *adj* **1** safe; free from danger, loss *etc.* (ปลอดภัย ปราศจากอันตราย ไม่สูญเสีย): *Is your house secure against burglary?* **2** fastened; fixed; strong; firm (ผูก แน่นหนา แข็งแรง มั่นคง): *Is the lock secure?; Is that door secure?* **3** definite; not likely to be lost (ไม่น่าจะสูญเสียไป): *He has a secure job.* — *v* **1** to make something safe (เก็บไว้ให้ปลอดภัย): *Keep your jewellery in the bank to secure it against theft.* **2** to fasten (ผูกมัด): *He secured the boat with a rope.*

se'cure·ly adv (อย่างแน่นหนา อย่างปลอดภัย).

se'cu·ri·ty *n* **1** safety (ความปลอดภัย): *A happy home gives children a feeling of security.* **2** arrangements that prevent people breaking in, or escaping (การจัดการซึ่งป้องกันไม่ให้คนเข้ามาหรือหนีออกไป): *This alarm system will give the factory some security; There has to be tight security at a prison.*

se'date[1] *adj* calm; full of dignity (สงบ เต็มไปด้วยความเยือกเย็น): *The headmistress was a tall, sedate lady.*

se'date[2] *v* to give someone a drug to calm them down (ให้ยาระงับประสาท): *The doctor sedated the patient with some pills.*

'sed·a·tive *n* a drug that has a calming effect (ยาระงับประสาท).

'sed·i·ment *n* the material that settles at the bottom of a liquid, for example the mud that collects at the bottom of a river (ตะกอน).

se'duce (*sə'dūs*) *v* **1** to persuade someone to have sexual intercourse (พร่าสวาท): *He tries to seduce all the girls.* **2** to tempt into doing something wrong (หลอกลวงให้ทำสิ่งผิด): *She was seduced into crime by a friend.*

se'duc·tion *n* (การล่อลวงให้ทำสิ่งผิด การชักชวนให้ร่วมรัก).

se'ductive *adj* **1** sexually attractive and charming (มีเสน่ห์และดึงดูดในทางเพศ): *a seductive smile.* **2** tempting (ยั่วยวน): *a very seductive offer.*

see *v* **1** to have sight (มองเห็น): *After six years of blindness, he found he could see.* **2** to notice with your eyes (เห็นด้วยตาของเรา): *I can see her in the garden.* **3** to look at something; to watch (ติดตาม): *Did you see that play on television?* **4** to understand (เข้าใจ): *I see what you mean.* **5** to find out (ดูว่า): *I'll see what I can do for you.* **6** to meet (พบ): *I'll see you at the usual time.* **7** to go with someone; to take someone somewhere (ไปส่ง): *I'll see you home.*

> **see; saw; seen**: *She saw you yesterday; I have seen this film before.*
> See **watch**.

see about to deal with something (จัดการ): *I'll see about this tomorrow.*

seeing that considering that (พิจารณาดูแล้วเห็นว่า): *Seeing that he's ill, he's unlikely to come.*

see off to go with someone who is starting on a journey to the place they are leaving from (ไปส่ง): *He saw me off at the station.*

see through not to be deceived by a person, trick *etc.* (รู้ทัน): *We soon saw through him and his little plan.*

see to to attend to someone or something (เอาใจใส่ ดูแล): *I must see to the baby; I'll go and see to the dinner.*

seed *n* the part of a tree, plant *etc.* from which a new plant may be grown (เมล็ด): *sunflower seeds; grass seed.*

'seed·ling *n* a young plant just grown from a seed (ต้นไม้อ่อนที่เติบโตจากเมล็ด).

'seed·bed *n* ground prepared for growing seeds (แปลงเพาะชำ).

seek *v* to try to find (ค้นหา): *to seek a cure for cancer; to seek a solution to a problem.*

> **seek; sought** (*söt*); **sought**: *He sought his doctor's advice; They have sought for a*

solution for many years.

seem *v* to appear to be, or to do, something (ดูเหมือนว่า): *Thin people always seem to be taller than they really are; She seems kind; He seemed to hesitate for a minute.*

seen *see* **see** (ดู **see**).

seep *v* to flow slowly through a small opening or leak (ซึมออกมา): *Blood seeped out through the bandage round his head.*

'see•saw *n* a long, flat piece of wood, metal *etc.*, balanced on a central support so that one end of it goes up as the other goes down (กระดานหก): *The boy fell off the seesaw in the park.* — *v* to move up and down like a seesaw (เคลื่อนที่ขึ้นลงเหมือนกับกระดานหก).

seethe (*sēdh*) *v* **1** to be very crowded with people, insects *etc.* that are moving about (ยั้วเยี้ย พลุกพล่านไปหมด): *The beach was seething with people.* **2** to be very angry (โกรธมาก): *He was seething when he lost the tennis match.*

'see•thing *adj* (พลุกพล่าน): a seething mass of ants.

'seg•ment *n* a part or section (แบ่งออกเป็นส่วน): *He divided the orange into segments.*

'seg•re•gate *v* to keep people, groups *etc.* apart from each other (แยกคน กลุ่มคน ออกจากกัน): *At football matches, the supporters of the two teams are segregated.*

seg•re'ga•tion *n* (การแยกออกจากกัน).

seize (*sēz*) *v* **1** to take suddenly; to grab; to grasp (จับ แย่ง): *She seized the gun from him; He seized her by the arm; Seize your opportunities while you can.* **2** to take possession of something; to confiscate (เข้าครอบครอง ริบ): *The police seized the drugs.*

seize is spelt with **-ei-** (not **-ie-**).

'sei•zure (*'sē-zhər*) *n* the seizing of something(การยึด): *seizure of property.*

seize on to accept with enthusiasm (ยอมรับอย่างกระตือรือร้น): *I suggested a cycling holiday, and he seized on the idea.*

'sel•dom *adv* rarely; not often (นาน ๆ ครั้ง ไม่บ่อย): *I've seldom heard such nonsense.*

See **rarely**.

se'lect *v* to choose from among a number (เลือก): *She selected a blue dress from the wardrobe; You have been selected to do the job.* — *adj* picked or chosen carefully (เลือกเฟ้น): *He invited a select group of friends to the party.*

se'lec•tion *n* **1** the selecting of things or people (การเลือกคนหรือสิ่งของ): *The singing-teacher made a selection of children for the choir.* **2** a collection or group of things that have been selected (การรวบรวมหรือกลุ่มของสิ่งของที่เลือก): *a selection of fruit.*

se'lec•tive *adj* choosing carefully (เลือกอย่างถี่ถ้วน): *Be very selective in your television-watching.*

self, *plural* **selves**, *n* your own body, personality and desires (ตัวเราเอง ตัวบุคคลและความปรารถนา): *You can't help thinking of your own self first.*

self-as'sur•ance *n* confidence (ความมั่นใจ).

self-as'sured *adj* (มั่นใจในตัวเอง).

self-'ca•ter•ing (*self'kāt-ə-riŋ*) *adj* in which the guest provides and prepares their own food (แขกจัดหาและเตรียมอาหารของตนเอง): *She goes on self-catering holidays so she does not have to eat hotel food; self-catering accommodation for students.*

self-'cen•tred *adj* interested only in your own affairs; selfish (สนใจแต่ในเรื่องของตัวเอง เห็นแก่ตัว).

self-'con•fi•dence *n* belief in your own powers (ความเชื่อมั่นในตนเอง): *You need plenty of self-confidence to be a good airline pilot.*

self-'con•fi•dent *adj* (เชื่อมั่นในตัวเอง).

self-'con•scious *adj* too easily becoming shy in the presence of others (ขี้อายง่ายจนเกินไปเมื่ออยู่ต่อหน้าผู้อื่น): *She'll never be a good teacher — she's too self-conscious.*

self-'con•scious•ness *n* (ความขี้อายจนเกินไปเมื่ออยู่ต่อหน้าผู้อื่น).

self-con'tained *adj* complete and separate; not sharing a kitchen, bathroom *etc.* with other people (เอกเทศ ไม่ปะปนกับผู้อื่น): *The old lady has a self-contained flat in her son's house.*

self-con'trol *n* control of yourself, your feelings *etc.* (ควบคุมตัวเอง ควบคุมความรู้สึกของตัวเอง): *He behaved with great self-control although he was very angry.*

self-de'fence *n* defence of your own body, property *etc.* against attack (ป้องกันตัวเอง ทรัพย์สมบัติ จากการจู่โจม): *He killed his attacker in self-defence.*

self-em'ployed *adj* working for yourself; not employed by someone else (ทำงานให้ตัวเอง ไม่ถูกจ้างโดยผู้อื่น).

self-es'teem *n* your good opinion of yourself (การนับถือตนเอง): *His self-esteem suffered when he failed the exam.*

self-'in·ter·est *n* consideration only for your own aims and advantages (การพิจารณาแต่จุดมุ่งหมายหรือความได้เปรียบของเราเองเท่านั้น): *He acted out of self-interest.*

'self·ish *adj* caring only for your own pleasure or advantage (เห็นแก่ตัว): *a selfish person; selfish behaviour.*

'self·ish·ly *adv* (อย่างเห็นแก่ตัว).

'self·ish·ness *n* (ความเห็นแก่ตัว).

self-'pi·ty *n* pity for yourself (ความสมเพชตนเอง): *He's full of self-pity since he lost his job and makes no attempt to try and find another one.*

self-'por·trait *n* a portrait that you make of yourself (ภาพวาดของตัวเองที่เราทำขึ้น): *to paint a self-portrait.*

self-re'spect *n* respect for yourself and concern for your reputation (ความนับถือตนเอง): *Well-known people should have more self-respect than to take part in television advertising.*

self-'right·eous (*self'rī-chəs*) *adj* too convinced of your own goodness, and too critical of other people's faults (อหังการ เชื่อมั่นว่าตัวเองดีและวิจารณ์ความผิดของผู้อื่นจนเกินไป): *"Some people are always late for school, but I never am", he said in a self-righteous voice.*

self-'right·eous·ly *adj* (ถือตัวว่าถูก).

self-'right·eous·ness *n* (การถือตัวว่าถูก).

self-sac·ri·fice *n* the giving up of your own desires in order to help others (การยอมเสียสละความสุขส่วนตนเพื่อช่วยผู้อื่น): *With great self-sacrifice she gave up her holiday to look after her sick aunt.*

self-'sat·is·fied *adj* too easily pleased with yourself and your achievements (พอใจในตัวเองและความสำเร็จของตนเองอย่างง่ายจนเกินไป).

self-'serv·ice *n* an arrangement by which customers themselves collect the goods that they want to buy (การบริการตนเอง). — *adj* (บริการตนเอง): *a self-service restaurant.*

self-suf'fi·cient (*self-sə'fish-ənt*) *adj* able to make or get everything that is needed without the help of others (สามารถทำหรือเอาทุกอย่างที่ต้องการมาได้โดยไม่ต้องมีการช่วยเหลือจากผู้อื่น): *The island is self-sufficient in food; a self-sufficient community.*

self-suf'fi·cien·cy *n* (ความไม่ต้องพึ่งใคร).

sell *v* **1** to give something in exchange for money (ขาย): *He sold her a car; I've got some books to sell.* **2** to have for sale (มีเพื่อขาย): *This shop sells tools.* **3** to be sold (ถูกขาย): *His book sold well.*

sell; sold (*sōld*); **sold**: *She sold her old car; We have sold our house.*

sell off to sell quickly and cheaply (ขายอย่างรวดเร็วและถูก ๆ): *They're selling off their old stock.*

sell out to sell all of something (ขายหมด): *We've sold out of copies of* The Times *today; Seats for the concert are sold out; The concert is sold out.*

'sell-out *n* (ขายได้หมด).

sell up to sell your house, business *etc.* (ขายบ้าน ขายกิจการ).

'sel·lo·tape® *n* a type of clear tape with glue on one side, for sticking paper or cardboard *etc.* (เทปกาวใส ๆ): *She wrapped the parcel in brown paper and fastened it with sellotape.* — *v* to fasten with sellotape (ติดด้วยเทปกาวใส ๆ): *She sellotaped the picture to the door.*

selves plural of (พหูพจน์ของ) **self**.

'se·men (*'sē-men*) *n* the liquid containing sperms that is produced by the male sexual organs

(น้ำอสุจิ).

se'mes·ter (*sə'mes-tər*) *n* one of the two periods into which the school or university year is divided in some countries (ภาคเรียนระยะครึ่งปีของโรงเรียนหรือมหาวิทยาลัยในบางประเทศ): *He left college after his first semester.*

'sem·i·cir·cle *n* a half circle (ครึ่งวงกลม): *The chairs were arranged in a semicircle round the speaker.*

sem·i'co·lon *n* the punctuation mark (;) (เครื่องหมายวรรคตอน อัฒภาค).

sem·i·con'duc·tor *n* a substance such as silicon, that can conduct electricity at high temperatures or when it is slightly impure, and can be used in electronic devices (สารกึ่งตัวนำไฟฟ้า).

sem·i·'con·scious *adj* partly conscious (รู้สึกตัวเพียงบางส่วน).

sem·i·de'tached *adj* joined to another house on one side but separate on the other (ต่อกับบ้านอื่นด้านเดียวแต่อีกด้านหนึ่งแยกออกต่างหาก): *a semi-detached bungalow.*

sem·i·'fi·nal *n* a match, round *etc.* immediately before the final (การแข่งขันรอบรองชนะเลิศ): *She reached the semi-finals of the competition.*

sem·i·'fi·nal·ist *n* a person, team *etc.* competing in a semi-final (คน ทีม ที่เข้ารอบรองชนะเลิศ).

'Sen·ate (*'sen-ət*) *n* the senior council in the government of the United States, Canada, Australia and many other countries (วุฒิสภา รัฐสภา).

send *v* **1** to order someone to go somewhere (ส่ง): *She sent the boy to the headmaster.* **2** to post; to get something carried to someone (ส่งไปรษณีย์): *Send me a postcard; to send a telegram; The headmaster sent all the parents a note.* **3** to put someone into a particular state (ทำให้คนตกอยู่ในสภาพบางอย่าง): *His jokes sent her into fits of laughter.* **4** to throw, push, kick *etc.* (ข้าง ผลัก เตะ): *His kick sent the ball straight into the goal.*

> **send; sent; sent**: *She sent me a parcel; The boy has been sent home.*

'send·er *n* a person who sends a letter *etc.* (ผู้ส่งจดหมาย).

send for 1 to ask someone to come (ขอให้มา): *The woman became so ill that her son was sent for; to send for a doctor.* **2** to order something (สั่ง): *I'll send for a taxi; She sent away for the paint-box that she saw advertised in the paper.*

send in to offer or submit something for a competition *etc.* (ส่งเข้าประกวด): *He sent in three drawings for the competition.*

send off to join with others in saying goodbye to someone at the place from which they are leaving on a journey (ไปส่ง): *A crowd gathered at the station to send the football team off.*

'send-off *n* (การไปส่ง).

send out 1 to distribute (แจกจ่าย): *A notice has been sent out to all employees.* **2** to produce (ผลิต): *This plant is sending out some new shoots.*

send up to laugh at or ridicule someone by imitating them (ล้อเลียน): *He made his friends laugh by sending up their teacher.*

'se·nile (*'sē-nil*) *adj* mentally or physically weak because of old age (จิตใจและร่างกายอ่อนแอลงเพราะความชรา ชรา): *He is nearly senile and is finding it harder and harder to look after himself.*

'se·ni·or (*'sē-ni-ər*) *adj* **1** older in years or higher in rank (แก่ปีกว่าหรือยศสูงกว่า): *John is senior to me by two years; He is two years my senior; senior army officers.* **2** **(Senior)** used for the father of someone who has the same name (often written **Snr, Sr** or **Sen.**) (ใช้สำหรับพ่อที่มีชื่อเหมือนกับลูก): *John Jones Senior.* — *n* someone who is older or higher in rank (คนที่แก่กว่าหรือยศสูงกว่า): *The teacher asked a senior to look after the new pupil.*

sen·i'or·i·ty *n* (ความมีอาวุโสกว่า).

> You say Denis is two years **senior to** me, or Denis is two years **older than** I.
> The opposite of **senior** is **junior**.

senior citizen a person who has passed retirement age (คนที่อายุเลยเกษียณไปแล้ว).

sen'sa·tion *n* **1** the ability to feel through the sense of touch (**ความรู้สึกโดยการสัมผัส**): *Cold can cause a loss of sensation in the fingers and toes.* **2** a feeling (**ความรู้สึก**): *a sensation of faintness.* **3** a general feeling, or a cause, of excitement (**ความรู้สึกหรือเหตุที่ก่อให้เกิดความตื่นเต้น**): *His arrest was the sensation of the week.*

sen'sa·tion·al *adj* **1** causing great excitement *etc.* (**เป็นเหตุให้เกิดความตื่นเต้นอย่างมาก**): *a sensational piece of news.* **2** very good (**ดีมาก**): *The film was sensational.* **3** intended to create feelings of excitement *etc.* (**ตั้งใจที่จะสร้างความรู้สึกตื่นเต้น**): *That magazine is too sensational for me.*

sen'sa·tion·al·ly *adv* (**อย่างน่าตื่นเต้น**).

sense *n* **1** one of the five powers — hearing, taste, sight, smell and touch — by which a person or animal feels or notices (**ประสาทสัมผัส**). **2** an ability to understand something (**ความสามารถในการเข้าใจ ความสามารถในการรู้สึก**): *a good musical sense; She has no sense of humour; Where's your sense of fairness?* **3** good judgement (**การวินิจฉัยที่ดี**): *You can rely on him — he has plenty of sense.* **4** a meaning of a word (**ความหมายของคำ ๆ หนึ่ง**): *The word "right" has several different senses.* — *v* to feel; to realize (**รู้สึก รู้ตัว**): *He sensed that she was angry with him, although she didn't say anything.*

'sense·less *adj* **1** unconscious (**หมดสติ**): *The blow knocked him senseless.* **2** foolish (**โง่**): *What a senseless thing to do!*

'sens·es *n* a person's normal state of mind (**คนที่มีสภาพจิตใจปกติ**): *When he came to his senses, he was lying in a hospital bed.*

make sense to have an understandable meaning (**มีความหมายที่เข้าใจได้**): *This sentence doesn't make sense.*

make sense of to understand (**เข้าใจ**): *Can you make sense of this sentence?*

'sen·si·ble *adj* wise; having good judgement (**ฉลาด มีการวินิจฉัยที่ดี**): *She's a sensible, reliable person; a sensible suggestion.*

'sen·si·bly *adv* (**อย่างฉลาด อย่างสมเหตุสมผล**): *He sensibly brought his umbrella in case it rained.*

'sen·si·tive *adj* **1** easily getting affected by something; easily damaged (**อ่อนไหว เสียหายได้ง่าย**): *She has sensitive skin.* **2** reacting to something (**มีปฏิกิริยาต่อ ไวต่อ**): *Photographs are made on film that is sensitive to light.* **3** easily feeling hurt or offended (**รู้สึกเจ็บปวดหรือรู้สึกโดนดูหมิ่นได้ง่าย**): *He's very sensitive — you must try not to hurt his feelings.*

'sens·i·tive·ly *adv* (**ไวต่อความรู้สึก**).

sens·i'tiv·i·ty *n* (**การไวต่อความรู้สึก**).

'sen·sor *n* an instrument which can detect and give a signal of things such as light, heat and movement (**เครื่องมือที่สามารถตรวจจับและส่งสัญญาณออกมา**): *The building has a good security system with sensors which can detect the presence of people.*

'sen·su·al (*'sen-sū-əl*) *adj* having, showing or suggesting a liking for physical, especially sexual, pleasure (**แห่งความรู้สึกทางกาย โดยเฉพาะอย่างยิ่งด้านทางเพศ ความสนุก**): *a sensual dancer.*

'sen·su·al·i·ty *n* (**ความมักมาก ราคะ**): *Her sensuality showed in the way she walked.*

sent *see* **send** (**ดู send**).

'sen·tence *n* **1** a number of words forming a complete statement (**ประโยค**): *"I want it" and "Give it to me!" are sentences.* **2** a punishment imposed by a law-court (**คำพิพากษาลงโทษ**): *a sentence of three years' imprisonment; He is under sentence of death.* — *v* to condemn a person to a particular punishment (**ตัดสินคนให้โดนลงโทษ**): *He was sentenced to life imprisonment.*

'sen·ti·ment *n* tender feelings; emotion (**รู้สึกอ่อนไหว อารมณ์**): *a song full of patriotic sentiment.*

sen·ti'ment·al *adj* **1** too full of tender feeling (**เต็มไปด้วยความรู้สึกอ่อนไหวมากจนเกินไป**): *a sentimental person; a sentimental film about a little boy and a donkey.* **2** having to do with your emotions or feelings (**เกี่ยวกับอารมณ์หรือความรู้สึกของเรา**): *The ring has* *sentimental value, as my husband gave it to me.*

'sen·try *n* a soldier or other person on guard at an entrance *etc.*, to stop anyone who has no right to enter (ทหารหรือคนยืนยามตรงทางเข้าเพื่อหยุดผู้ที่ไม่มีสิทธิ์เข้าไป): *The entrance was guarded by two sentries.*

'sep·ar·a·ble *adj* able to be separated (สามารถแยกได้).

'sep·a·rate *v* **1** to set apart; to keep apart (แยกออกจากกัน อยู่แยกจากกัน): *He separated the money into two piles; The Atlantic Ocean separates America from Europe; A policeman tried to separate the men who were fighting.* **2** to go in different directions (ไปคนละทิศทาง): *We all walked along together and separated at the crossroads.* **3** to start living apart from each other by choice (แยกกันอยู่): *Her parents have separated.* — *adj* (*'sep-ə-rət*) **1** divided; not joined (แยกกัน ไม่รวมกัน): *He sawed the wood into four separate pieces; The garage is separate from the house.* **2** different (แตกต่างกัน): *This happened on two separate occasions.*

separate is spelt with **-ar-** (not **-er-**).

'sep·a·rate·ly *adv* (โดยแยกจากกัน ทีละคน): *We have two different problems here — we must consider them separately; Jane and Elizabeth didn't come here together — they arrived separately.*

'sep·a·rates *n* garments such as jerseys, skirts, trousers, blouses and shirts, rather than dresses or suits (เสื้อผ้าที่สวมแยกกันมากกว่าที่จะเป็นกระโปรงชุดหรือสูต).

sep·a'ra·tion *n* **1** being separated (การแยกจากกัน): *They were together again after a separation of three years.* **2** an arrangement by which a husband and wife remain married but live separately (แยกกันอยู่).

separate out to separate (แยกออก): *Separate out the blue pieces and the red pieces.*

Sep'tem·ber *n* the ninth month of the year, the month following August (เดือนกันยายน).

'sep·tic *adj* full of pus; infected with germs (เต็มไปด้วยหนอง ติดเชื้อโรค): *A wound should be cleaned to stop it going septic; a septic finger.*

'se·quel (*'sē-kwəl*) *n* **1** a story that continues an earlier story (เรื่องราวซึ่งต่อมาจากตอนต้น): *She has just written a sequel to her popular book about a boy called Adrian Mole.* **2** a result (ผลลัพธ์): *There was an unpleasant sequel to that event.*

'se·quence (*'sē-kwəns*) *n* a series of events *etc.* following one another in a particular order (เหตุการณ์ต่อเนื่องกันมา): *He described the sequence of events leading to his dismissal from the firm.*

'ser·e·nade *n* a song or piece of music performed at night especially outside the house of someone you love (เพลงหรือดนตรีที่ร้องตอนกลางคืนนอกบ้านของคนที่เรารัก).

se'rene *adj* calm (สงบ): *a serene face; serene weather.*

'ser·geant (*'sär-jənt*) *n* **1** an officer of low rank in the British army or air force (จ่า). **2** a police officer senior to an ordinary policeman (จ่าตำรวจ).

'se·ri·al (*'sē-ri-əl*) *n* a story that is published or broadcast one part at a time (เรื่องราวที่พิมพ์หรือส่งกระจายเสียงเป็นตอน ๆ): *Have you been reading that serial in the magazine?; I missed the last part of the serial on television.*

'se·ri·al·ize *v* to publish or broadcast a story as a serial (พิมพ์หรือส่งกระจายเสียงเรื่องออกมาเป็นตอน ๆ): *to serialize a book.*

se·ri·al·i'za·tion *n* (การพิมพ์เป็นตอน ๆ).

'se·ries (*'sē-rēz*), *plural* **'se·ries**, *n* **1** a number of similar things done one after another (อนุกรม ชุด อันดับ): *a series of scientific discoveries.* **2** a set of programmes (ชุดของรายการ): *Are you watching the television series on Britain's castles?* **3** a set of books (ชุดของหนังสือ): *a series of school text-books.*

a series takes a singular verb: *The series of programmes begins next Tuesday.*

'se·ri·ous (*'sē-ri-əs*) *adj* **1** grave; solemn (เอาจริงเอาจัง เคร่งขรึม): *a quiet, serious boy; You're looking very serious.* **2** earnest;

sincere (กระตือรือร้น จริงใจ): *Is he serious about wanting to be a doctor?* **3** intended to make you think hard (จริงจัง หนัก): *He reads very serious books.* **4** causing worry; dangerous (ก่อให้เกิดความกังวล อันตราย): *a serious head injury; The situation is becoming serious.*

'se·ri·ous·ness *n* (ความเคร่งเครียด ความเอาจริงเอาจัง).

'se·ri·ous·ly *adv* (อย่างเอาจริงเอาจัง): *Is he seriously thinking of being an actor?; She is seriously ill.*

'ser·mon *n* a serious talk, especially one given in church discussing a passage in the Bible (การพูดอย่างจริงจัง เทศนา).

'ser·pent *n* a snake (งู).

'serv·ant *n* **1** a person who is employed by someone to help to run their house *etc.* (คนรับใช้). **2** a person employed by the government in the running of the country *etc.* (ข้าราชการ): *civil servants.*

serve *v* **1** to work for someone as a servant (รับใช้): *He served his master for forty years.* **2** to distribute food *etc.* (บริการอาหาร): *She served the soup to the guests; The waiter served me with a glass of wine.* **3** to supply goods to a customer in a shop (บริการลูกค้าในร้าน): *Which shop assistant served you?* **4** to be suitable for a purpose (เหมาะสมกับจุดประสงค์): *This upturned bucket will serve as a seat.* **5** to perform your duty, for example as a member of the armed forces (ปฏิบัติหน้าที่ เช่นเป็นทหาร): *He served his country as a soldier for twenty years.* **6** to undergo a prison sentence; to have to stay in prison as a punishment for a crime (ติดตะราง): *He served six years for armed robbery.* **7** in tennis and similar games, to start the play by throwing up the ball *etc.* and hitting it (ลูกเสิร์ฟ): *Is it your turn to serve?* — *n* (การตีลูกเสิร์ฟ): *She hit a good serve.*

'serv·er *n* the person who serves the ball in tennis *etc.* (ผู้เสิร์ฟ).

'serv·ers *n* a pair of instruments like a large spoon and fork for serving out salad *etc.* (เครื่องมือเหมือนกับช้อนและส้อมอันใหญ่ใช้บริการตักสลัด): *a pair of salad-servers.*

it serves you *etc.* **right** you *etc.* deserve your misfortune *etc.* (สมน้ำหน้า): *He has done no work so it will serve him right if he fails his exam.*

serve out to distribute to each of a number of people (แจกจ่ายให้กับผู้คน): *She served out the pudding.*

serve up to start serving a meal (เริ่มเสิร์ฟอาหาร).

'serv·ice *n* **1** the serving of customers in a hotel, shop *etc.* (การบริการ): *You get very slow service in that shop.* **2** (usually **services**) work that helps people; work that you do for your employer *etc.* (การทำประโยชน์ การงาน): *He was rewarded for his services to refugees; He has given faithful service to the firm for many years.* **3** a check made of all parts of a car, machine *etc.* to make sure that it is working properly (การตรวจรถยนต์ เครื่องจักร เพื่อให้แน่ใจว่ามันทำงานถูกต้อง): *Bring your car in for a service.* **4** regular public transport (การขนส่งสาธารณะ): *There is a good train service into the city.* **5** a religious ceremony (พิธีกรรมทางศาสนา): *He attends a church service every Sunday; the marriage service.* **6** in tennis and similar games, the serving of the ball (การเสิร์ฟลูกบอล): *He has a strong service.* **7** a department of public or government work (หน่วยงานราชการหรือหน่วยงานของรัฐบาล): *the Civil Service.* **8** employment in the army, navy or air force (การเป็นทหาร): *military service.* — *v* to check a car, machine *etc.* thoroughly to make sure that it works properly (ตรวจรถยนต์ เครื่องจักรอย่างถี่ถ้วนเพื่อให้ทำงานได้).

'serv'ice·a·ble *adj* **1** useful; able to be used (มีประโยชน์ สามารถใช้ได้): *This old typewriter is no longer serviceable.* **2** strong; lasting well (แข็งแรง ทนนาน): *serviceable shoes.*

service charge a charge added to a hotel or restaurant bill to cover the cost of the waiter *etc.* (ค่าบริการ): *The service charge is usually ten per cent of the bill.*

service station a petrol station at which you can get your car checked or repaired (สถานีบริการ อู่ซ่อมรถยนต์).

serv·i'ette (*sər-vi'et*) *n* a table napkin (ผ้าเช็ดปากที่โต๊ะอาหาร): *a paper serviette.*

'serv·ing *n* a portion of food that is served to you; a helping (อาหารหนึ่งที่): *This recipe will be enough for four servings.*

'ses·sion *n* **1** a meeting, or period of meetings, of a court, council, parliament *etc.* (การประชุม สมัยประชุม ของศาล คณะกรรมการ รัฐสภา): *The judge will sum up the case at tomorrow's court session.* **2** a period of time spent on a particular activity (ระยะเวลาที่ใช้ในการกระทำอะไรบางอย่าง): *a filming session.* **3** a school year or one part of this (ภาคการศึกษาหรือส่วนหนึ่งของภาคการศึกษา): *the summer session.*

set *v* **1** to put; to place (วาง): *She set the tray down on the table.* **2** to put plates, knives, forks *etc* on a table for a meal (จัดโต๊ะอาหาร): *Please would you set the table for me?* **3** to give a person a task *etc.* to do (กำหนด): *The witch set the prince three tasks; The teacher set a test for her pupils.* **4** to disappear below the horizon (พระอาทิตย์ตก): *It gets cooler when the sun sets.* **5** to become firm and solid (แข็งตัว): *Has the concrete set?; How long will it take for the jelly to set?* **6** to adjust (ตั้ง ปรับ): *He set his alarm-clock for 7.00 a.m.; The bomb was set to go off at 2.45 a.m.* **7** to arrange hair in waves or curls (จัดผมให้เป็นลอน). **8** to fix something into the surface of something else, for example jewels in a ring (ฝัง): *The gold ring was set with rubies.* **9** to arrange: *Has a date been set for the competition yet?* **10** to put broken bones into the correct position for healing (จัดกระดูกที่หักให้ถูกที่): *The doctor set his broken arm.* **11** to write music for words to be sung to (แต่งเนื้อ): *A composer set the words of the poem to music.* — *n* **1** a group of things used or belonging together (ชุด): *a set of tools.* **2** an apparatus for receiving radio or television programmes *etc.* (เครื่องมือสำหรับรับรายการวิทยุหรือรายการโทรทัศน์): *a television set; a radio set.* **3** the fixing of your hair in a particular style when you wash it (จัดแต่งทรงผมให้เข้ารูป): *a shampoo and set.* **4** scenery for a play; the part of a studio where a film is being made (จัดฉาก). **5** a group of six or more games in tennis (เกมในการเล่นเทนนิส): *She won the first set and lost the next two.*

set; set; set: *He set the table; The sun has set.*
The sun sets **in** (not **to**) the west.

'set-square *n* a triangular instrument with one right angle, used in geometrical drawing *etc.* (ไม้ฉาก).

set-'to, *plural* **set-tos**, *n* a fight or quarrel (ต่อสู้หรือทะเลาะกัน): *The two boys had a set-to in the street.*

all set ready (พร้อม): *We were all set to leave when the phone rang.*

set about to begin (เริ่ม): *How will you set about this task?* **set aside** to keep something for a special purpose (เก็บบางอย่างเอาไว้ด้วยจุดประสงค์พิเศษ): *He set aside some cash for use at the weekend.*

set back to delay the progress of someone or something (ทำให้ชะงัก): *Her illness set her back in her school-work.*

'set·back *n* (เสียท่า อาการทรุด).

set down to stop and let passengers out (หยุดและปล่อยให้ผู้โดยสารลง): *The bus set us down outside the post-office.*

set off 1 to start a journey (เริ่มออกเดินทาง): *We set off to go to the beach.* **2** to explode; to make something go off (ระเบิด): *His father allowed him to set off some of the fireworks.*

set on or **set upon** to attack (จู่โจม): *The gang set upon him in the dark.*

set out to start a journey (เริ่มการเดินทาง): *He set out to explore the countryside.*

set up 1 to establish (ตั้งขึ้น จัดตั้ง): *When was the organization set up?* **2** to arrange; to construct (จัดตั้ง สร้าง): *He set up the* *apparatus for the experiment.*

'set·ting *n* background (ส่วนที่อยู่ข้างหลัง ภูมิหลัง): *The castle is the perfect setting for a mystery story.*

set'tee *n* a sofa (โซฟา).

'set·tle *v* **1** to put into a comfortable place or position (นั่งลง): *I settled myself in the armchair.* **2** to come to rest (ตกลงกอง): *Dust had settled on the books.* **3** to calm (สงบ): *I gave him a pill to settle his nerves.* **4** to go and live (ตั้งถิ่นฐาน): *Many people from Scotland settled in New Zealand.* **5** to reach a decision about something (กำหนด): *Have you settled the date for his visit?* **6** to come to an agreement about something; to solve (แก้ไข): *The dispute between the manager and the employees is still not settled.* **7** to pay a bill (จ่ายหนี้): *to settle your accounts.*

'set·tle·ment *n* **1** an agreement (การตกลง): *The two sides have at last reached a settlement.* **2** a small community (ชุมชนเล็ก ๆ): *a farming settlement.*

'set·tler *n* a person who settles in a country that is being newly populated (ผู้ตั้งถิ่นฐาน): *the early settlers on the east coast of America.*

settle down 1 to become quiet, calm and peaceful (เงียบ สงบ): *He waited for the audience to settle down before he spoke.* **2** to begin to concentrate on something (เริ่มตั้งสมาธิ): *He settled down to his schoolwork.*

settle in to become used to new surroundings (คุ้นเคยกับสิ่งรอบ ๆ): *You'll soon settle in!*

settle on to choose (เลือก): *Which car did you settle on?* **settle up** to pay a bill (จ่ายหนี้ จ่ายเงิน): *He asked the waiter for the bill, and settled up.*

'sev·en *n* **1** the number 7 (เลข 7). **2** the age of 7 (อายุ 7 ขวบ). — *adj* **1** 7 in number (มีจำนวนเป็น 7). **2** aged 7 (อายุ 7).

'sev·enth *n* one of seven equal parts (ส่วนหนึ่งในเจ็ดส่วน). — *n adj* the next after the sixth (มาหลังที่หก).

sev·en'teen *n* **1** the number 17 (หมายเลข 17). **2** the age of 17 (อายุ 17 ปี). — *adj* **1** 17 in number (มีจำนวนเป็น 17). **2** aged 17 (อายุ 17).

'sev·en·ty *n* **1** the number 70 (เลข 70). **2** the age of 70 (อายุ 70 ปี). — *adj* **1** 70 in number (จำนวน 70). **2** aged 70 (อายุ 70).

'sev·er *v* to break off (หักขาด): *His arm was severed in the accident.*

'sev·er·al *adj* more than one or two, but not a great many (หลาย ๆ): *Several weeks passed before he got a reply to his letter.* — *pron* some; a few (มีบ้าง สองสามคน): *Several of the teachers are ill.*

se'vere *adj* **1** very bad; serious (เลวร้ายมาก อย่างหนัก): *a severe shortage of food; a severe illness; Our team suffered a severe defeat.* **2** strict; harsh (เข้มงวด รุนแรง): *a severe mother; a severe scolding.*

se'vere·ly *adv* (อย่างเข้มงวด อย่างรุนแรง).

se'ver·i·ty *n* (ความเข้มงวด ความรุนแรง).

sew (*sō*) *v* to make, stitch or attach something with thread, using a needle (เย็บโดยใช้เข็ม): *She sewed the pieces together; Have you sewn my button on yet?*

sew; sewed; sewn: *He sewed the badge on to his jacket; I've sewn your button on again.* to **sew** (not ไม่ใช่ **sow**) a button on.

sew up to close up by sewing; to mend (ปิดโดยการเย็บ ซ่อม): *I've sewn up the hole in your sock.*

'sew·age (*'soo-ij*) *n* waste matter carried away in sewers (ของเสีย ของโสโครก).

'sew·er[1] (*'soo-ər*) *n* an underground pipe or channel for carrying away water *etc.* from drains (ท่อน้ำเสีย).

'sew·er[2] (*'sō-ər*) *n* someone who sews (ผู้เย็บ): *You're a neat sewer.*

'sew·ing (*'sō-iŋ*) *n* **1** the activity of sewing (การเย็บ): *I was taught sewing at school.* **2** work to be sewn (งานที่ต้องเย็บ): *She picked up a pile of sewing.*

'sew·ing-ma·chine *n* a machine for sewing (จักรเย็บผ้า).

sex *n* either of the two classes, male and female, into which human beings and animals are divided according to the part they play in producing babies (เพศ): *Jeans are worn by people of both sexes; What sex is the puppy?*

'sex·ism *n* contempt shown to the members of one sex, usually women, by members of the other (การกดขี่ทางเพศ): *She accused her boss of sexism because he refused to promote any women.*

'sex·ist *n* (ผู้กดขี่ทางเพศ): *All of his women employees believe he is a sexist.* — *adj* (แห่งการกดขี่ทางเพศ): *a sexist attitude.*

'sex·u·al (*'sek-shōō-əl*) *adj* concerned with the production of babies (เกี่ยวกับเพศสัมพันธ์): *the sexual organs.* **'sex·u·al·ly** *adv.*

sexual intercourse the sexual activity between a man and woman that is necessary for the producing of babies (การร่วมประเวณี).

'sex·y *adj* attractive to the opposite sex; making you think about the opposite sex *etc.* (กระตุ้นความรู้สึกทางเพศ ทำให้เราคิดถึงเพศตรงข้าม).

'shab·by *adj* **1** old and worn out (เก่าและทรุดโทรม): *shabby curtains; shabby clothes.* **2** wearing old or dirty clothes (สวมเสื้อผ้าเก่าหรือเสื้อผ้าสกปรก): *a shabby old man.*

'shab·bi·ly *adv* (อย่างโทรม ๆ).

'shab·bi·ness *n* (ความโทรม).

shack *n* a roughly-built hut (กระท่อมที่สร้างขึ้นมาอย่างหยาบ ๆ): *a wooden shack.*

'shack·les *n* a pair of iron rings joined by a chain that are put on a prisoner's wrists, ankles *etc.*, to stop him moving very far (โซ่สำหรับล่ามนักโทษ).

'shack·le *v* to put shackles on someone (ใส่โซ่ตรวน).

shade *n* **1** slight darkness caused by the blocking of light (ร่มเงา): *I prefer to sit in the shade rather than in the sun.* **2** the dark parts of a picture (ส่วนมืดของภาพ): *the light and shade in a portrait.* **3** something used as a screen or shelter from light or heat (ม่านหรือเพิงกำบังแสงหรือความร้อน): *to put up a sunshade; a lampshade.* **4** a variety of colour; a slight difference (โทน สี): *a pretty shade of green.*

— *v* **1** to shelter from light; to screen a light to reduce its brightness (บังแสง ม่านกรองแสงเพื่อลดความสว่าง): *to shade a bulb; He put up his hand to shade his eyes.* **2** to make a part of a drawing *etc.* darker (ทำส่วนหนึ่งของภาพวาดให้เข้มขึ้น): *You should shade the side of the face more in your drawing.*

shades *n* sunglasses (แว่นกันแดด).

'shad·ow (*'shad-ō*) *n* **1** an area of shade on the ground *etc.* caused by an object blocking the light (เงา): *We were in the shadow of the building.* **2** **(the shadows)** darkness; shade (ความมืด เงา): *I didn't notice you standing there in the shadows.* **3** a dark patch (รอยดำ ๆ): *You look tired — there are shadows under your eyes.* **4** a very slight amount (จำนวนน้อยนิด): *There's not a shadow of doubt that he stole the money.* — *v* **1** to hide in shadow (ซ่อนในเงามืด): *A broad hat shadowed her face.* **2** to follow someone in order to spy on them (ติดตามเพื่อสอดแนม): *We shadowed him for a week.*

'shad·ow·y *adj* **1** full of shadows (เต็มไปด้วยเงา): *shadowy corners.* **2** dark; difficult to see properly (มืด ยากที่จะมองเห็นได้ชัด): *A shadowy figure went past.*

'sha·dy *adj* **1** sheltered; giving shelter from heat or light (ให้ร่มเงา): *a shady tree; a shady corner of the garden.* **2** dishonest (ไม่ซื่อสัตย์): *a shady business.*

'sha·di·ness *n* (ความไม่ซื่อสัตย์).

shaft (*shaft*) *n* **1** the long straight part or handle of a tool, weapon *etc.* (ด้ามของเครื่องมือ อาวุธ): *the shaft of a golf-club.* **2** one of two poles on a cart *etc.* to which a horse *etc.* is harnessed (เสาเทียมม้า): *The horse stood patiently between the shafts.* **3** a long, narrow space, for example for a lift in a building (ปล่อง): *a liftshaft; a mineshaft.* **4** a ray of light (ลำแสง): *a shaft of sunlight.*

'shag·gy *adj* covered with rough hair or fur; rough and untidy (ปกคลุมด้วยขนหยาบ ๆ): *The dog had a shaggy coat; a shaggy dog.*

'shag·gi·ness *n* (ความหยาบ ความยุ่งเหยิง).

shake *v* **1** to tremble; to move to and fro violently (สั่น แกว่งไปแกว่งมาอย่างรุนแรง): *She shook the bottle; The explosion shook the building; We were shaking with laughter.* **2** to shock; to weaken (ตกใจ หวั่นไหว): *He was shaken by the accident; My confidence in him has been shaken.* — *n* **1** the action of shaking (ความสั่น เขย่า): *He gave the bottle a shake.* **2** a drink made by whisking the ingredients together (เครื่องดื่มทำโดยผสมส่วนต่าง ๆ เข้าด้วยกัน): *a chocolate milkshake.*

shake; shook (shook); **'sha•ken**: *She shook hands with him; Have you shaken the bottle properly?*

'sha•ky *adj* **1** weak; trembling with age, illness *etc.* (อ่อนแอ ตัวสั่นด้วยความชรา ความเจ็บป่วย): *a shaky voice; shaky handwriting.* **2** unsteady; likely to collapse (ไม่มั่นคง น่าจะพังลงมา): *That bookcase looks a bit shaky.* **3** not very good (ไม่ดีนัก): *My arithmetic has always been very shaky.* **'sha•ki•ly** *adv* (อย่างไหวสั่น). **'sha•ki•ness** *n* (ความสั่น).

shake hands, shake someone's hand to grasp someone's hand in greeting (จับมือในการทักทาย).

shake your head to turn your head from side to side to mean "No" (สั่นศีรษะไปมาเพื่อบอกว่า "ไม่"): *"Are you coming?" I asked. She shook her head.*

shall *v* **1** used to form future tenses of other verbs when the subject is **I** or **we** (ใช้บอกกาลอนาคตของคำกริยาอื่นเมื่อประธานเป็น I หรือ we): *We shall be leaving tomorrow; I'll have arrived by this time tomorrow; Shall I ever see you again?* **2** used to show your intention (ใช้แสดงความตั้งใจ): *I shan't be late tonight.* **3** used when you are making up your mind or asking for advice or instructions (ใช้เมื่อตอนที่เราตัดสินใจแล้วหรือขอคำแนะนำหรือคำสั่งสอน): *Shall I tell him, or shan't I?; Shall we go now?* **4** used as a form of command (ใช้ในรูปแบบของคำสั่ง): *You shall go if I say you must.*

I shall or **I'll** (*īl*); **We shall** or **we'll** (*wēl*); **shall not** or **shan't** (*shänt*): *I'll miss you when you've gone; We shan't wait for a bus — we'll walk.*

'shal•low (*'shal-ō*) *adj* not deep (ตื้น): *shallow water; a shallow pit.*

'shal•low•ness *n* (ความตื้น).

sham *n* something that is only pretended (การหลอกลวง): *The whole trial was a sham.* — *adj* pretended; false (แกล้งทำ หลอก): *a sham fight; Are those diamonds real or sham?* — *v* to pretend (แกล้ง): *He shammed sleep; He shammed dead; I think she's only shamming.*

'sham•ble *v* to walk slowly without lifting your feet properly (เดินขาลากอย่างช้า ๆ): *The old man shambled along.*

'sham•bles (*'sham-bəlz*) *n* a great mess and confusion (ความยุ่งเหยิง): *Her room is a shambles; The meeting was a complete shambles and nothing was decided.*

shame *n* **1** an unpleasant feeling of guilt, foolishness or failure (ความละอายใจ): *I was full of shame at my rudeness; He felt no shame at his behaviour.* **2** dishonour; disgrace (เสื่อมเกียรติ เสื่อมเสีย): *The news that he had stolen money brought shame on his whole family.* **3** a pity (สมเพช): *What a shame that he didn't get the job!*

'shame•ful *adj* disgraceful (เสื่อมเสีย): *shameful behaviour.*

'shame•ful•ly *adv* (อย่างเสื่อมเสีย).

'shame•less *adj* feeling no shame; causing no shame (ไม่มีความละอายใจ): *a shameless liar; a shameless lie.*

'shame•less•ly *adv* (อย่างไม่ละอายใจ).

put to shame to make someone feel ashamed of their own efforts *etc.* (ทำให้ละอายใจ): *Your lovely drawing puts me (or mine) to shame.*

to my shame (น่าละอายใจตัวเอง): *To my shame, my daughter always beats me at chess.*

sham'poo *n* **1** a soapy liquid for washing your hair (แชมพู). **2** a liquid *etc.* used for cleaning other things, such as cars, carpets, armchairs *etc.* (ของเหลวที่ใช้ในการทำความสะอาดสิ่งของ).

3 a wash with shampoo (**การล้างด้วยแชมพู**): *I had a shampoo and set at the hairdresser's.* — *v* to wash with shampoo (**ล้างแชมพู**): *She shampoos her hair every day.*

shank *n* the long straight part of a nail, screw *etc.* (**ตัวตะปู ตัวเกลียว**).

shan't short for (**คำย่อสำหรับ**) **shall not**.

'shan·ty *n* a roughly-built hut or shack (**กระท่อมที่สร้างหยาบ ๆ หรือเพิง**).

shape *n* **1** the form or outline of anything (**รูปร่าง**): *People are all different shapes and sizes; The house is built in the shape of a letter L.* **2** condition; state (**สภาพ สถานะ**): *I must start training so as to get into good shape for the match.* — *v* **1** to make something into a certain shape; to form; to model (**ปั้น**): *She shaped the dough into three separate loaves.* **2** to influence strongly (**มีอิทธิพลอย่างยิ่งต่อ**): *This event shaped his whole life.* **3** to develop (**พัฒนาขึ้นมา**): *The team is shaping well.*

-shaped: *A rugby ball is egg-shaped.*

'shape·less *adj* lacking shape (**ขาดรูปร่าง**): *a shapeless coat.*

'shape·less·ness *n* (**ความไม่มีรูปร่าง**).

'shape·ly *adj* having a pleasing shape (**มีรูปร่างดี**): *a shapely body.*

'shape·li·ness *n* (**ความมีรูปร่างดี**).

out of shape not in its proper shape (**เสียรูปร่าง**): *I sat on my hat and it's rather out of shape.*

take shape to develop into a definite form (**ค่อย ๆ มีรูปร่างขึ้นมา**): *My garden is gradually taking shape.*

share *n* **1** one of the parts of something that is divided among several people *etc.* (**ส่วนแบ่ง ส่วน**): *We all had a share of the cake; We each paid our share of the bill.* **2** the part played by a person in something done by several people *etc.* (**มีส่วนร่วม**): *I had no share in the decision.* **3** a fixed sum of money invested in a business company by a **'share·hold·er** (**หุ้น**). — *v* **1** to divide something among a number of people (**แบ่ง**): *We shared out the money among us.* **2** to have or use something together with other people; to allow someone to use something of yours (**มีหรือใช้ร่วมกัน**): *The students share a sitting-room; The little boy hated sharing his toys with other children.* **3** to pay part of a bill with someone else (**จ่ายบิลส่วนหนึ่งร่วมกับผู้อื่น**): *He wouldn't let her share the cost of the taxi.*

share out to share among several people (**แบ่งกันไปในหมู่ผู้คน**): *We shared out the food.*

shark *n* a type of large, fierce, flesh-eating fish (**ปลาฉลาม**).

sharp *adj* **1** having a thin edge that can cut, or a point that can pierce (**แหลม คม**): *a sharp knife.* **2** clear; distinct (**ชัดเจน แจ่มแจ้ง**): *These photographs are nice and sharp; sharp details.* **3** sudden; quick (**กะทันหัน รวดเร็ว**): *a sharp left turn.* **4** keen, acute or intense (**ร้ายแรง รุนแรง**): *He gets a sharp pain after eating.* **5** angry; severe (**โกรธ รุนแรง**): *"Be quiet, children!" she said in a sharp voice.* **6** good at hearing; good at seeing (**หูตาไว**): *Dogs have sharp ears; What sharp eyes you have!* **7** shrill; sudden (**หวีด**): *a sharp cry.* — *adv* **1** punctually (**อย่างตรงเวลา**): *Come at six o'clock sharp.* **2** with a change of direction (**เปลี่ยนทิศทาง**): *Turn sharp left here.* — *n* a sign (#) in music, that makes a note higher by another half note (**เครื่องหมาย (#) ทางดนตรีซึ่งทำให้เสียงสูงขึ้นไปอีกครึ่งระดับ**).

'sharp·ness *n* (**ความแหลม ความคม ความชัดเจน**).

'sharp·en *v* to make or grow sharp (**ทำให้แหลม คม**): *He sharpened his pencil.*

'sharp·en·er *n* a tool for sharpening (**เครื่องมือลับหรือเหลา**): *a pencil-sharpener.*

'sharp·ly *adv* (**อย่างแหลม ๆ เลี้ยวหักมุม**): *a sharply-pointed piece of glass; The road turned sharply to the left; He spoke sharply to her for being late again.*

sharp-'wit·ted *adj* able to think quickly and well; clever (**สามารถคิดได้เร็วและดี ฉลาด**): *a sharp-witted boy.*

look sharp to be quick; to hurry (**ทำให้เร็ว**

รีบ): *Bring me the books and look sharp!*

'shat·ter *v* **1** to break violently into small pieces (แตกกระจายเป็นชิ้นเล็กชิ้นน้อย): *The stone shattered the window; The window shattered.* **2** to upset greatly (ทำให้ว้าวุ่นอย่างมาก): *She was shattered by the news of his death.*

'shat·tered *adj* (ทำลาย พังทลาย).

shave *v* **1** to cut away hair with a razor (โกนหนวด โกนขน โกนผม): *He shaves only once a week; Bill has shaved his beard off; Many monks shave their heads.* **2** to scrape; to cut away (ตัดออกไป): *I'll have to shave some wood off the edge of the door.* — *n* (การอาบน้ำและโกนหนวด): *I need a wash and a shave.*

'sha·ven *adj* shaved (ถูกโกน): *Many monks have shaven heads.*

'sha·vings *n* very thin strips of wood *etc.* (แผ่นไม้บาง ๆ): *The glasses were packed in wood shavings.*

shawl *n* a garment for covering your shoulders, or your head and shoulders (ผ้าคลุมไหล่ หรือผ้าคลุมศีรษะและไหล่): *The old lady wore a woollen shawl round her shoulders.*

See **cape**.

she (*shē*) *pron* (used as the subject of a verb) a female person or animal (คนผู้หญิงหรือสัตว์ตัวเมีย): *When the girl saw us, she asked the time.* — *n* a female person or animal (คนผู้หญิงหรือสัตว์ตัวเมีย): *Is a cow a he or a she?* **she-** female (เพศเมีย): *a she-wolf.*

sheaf, *plural* **sheaves**, *n* a bundle (มัด ฟ่อน): *a sheaf of corn; She was carrying a sheaf of papers.*

shear *v* **1** to clip or cut wool from a sheep (ตัดขนแกะ). **2** to cut hair off (ตัดผมออก): *All her curls have been shorn off; He has been shorn of all his curls.* **3** to cut (ตัด): *The heavy blade sheared through the metal sheet.*

shear; sheared; shorn or **sheared**: *He sheared the sheep; The sheep have been shorn* (or *sheared*).

shears *n* a cutting-tool with two blades, like a large pair of scissors (เครื่องมือตัดมีใบมีดสองใบเหมือนกับตะไกรขนาดใหญ่): *These shears are blunt; Here is a sharper pair of shears.*

shears takes a plural verb, but **a pair of shears** is singular.

sheath, *plural* **sheaths** (*shēdhz*), *n* **1** a case for a sword or blade (ฝัก ปลอก). **2** a long close-fitting covering (ที่ปกคลุมขนาดยาว ๆ): *The rocket is encased in a metal sheath.*

sheathe (*shēdh*) *v* to put into a sheath (ใส่ฝัก): *He sheathed his sword.*

sheaves plural of (พหูพจน์ของ) **sheaf**.

shed[1] *n* a roughly-built building for working in, or for storage (เพิง): *a wooden shed; a garden shed.*

shed[2] *v* **1** to send out light *etc.* (ส่องแสง): *The torch shed a bright light on the path ahead.* **2** to cast off clothing, skin, leaves *etc.* (สลัดหรือถอดหรือลอก เสื้อผ้า หนัง ใบ): *Many trees shed their leaves in autumn.* **3** to produce tears or blood (หลั่งน้ำตา หลั่งเลือด): *Don't waste time shedding tears over your mistake — just don't make the same mistake again!; If only the countries of the world could settle their quarrels without shedding blood!*

shed; shed; shed: *The moon shed a silver light on the sea; The trees had shed their leaves.*

she'd short for (คำย่อสำหรับ) **she had** or หรือ **she would**.

sheen *n* shine; shininess (แวววาว ความแวววาว).

sheep, *plural* **sheep**, *n* a kind of animal related to the goat, whose flesh is used as food and from whose wool clothing is made (แกะ): *a flock of sheep.*

A sheep **bleats**.
A baby sheep is a **lamb**.
A male sheep is a **ram**.
A female sheep is a **ewe**.
Sheep are looked after by a **shepherd**.

'sheep·dog *n* a dog trained to work with sheep (สุนัขเลี้ยงแกะ).

'sheep·ish *adj* foolish; ashamed (โง่ อาย): *a sheepish expression.*

sheer *adj* **1** absolute (โดยแท้ โดยสิ้นเชิง): *It all happened by sheer chance.* **2** very steep (ชันมาก): *a sheer drop to the sea.* — *adv*

(อย่างสูงชันขึ้นมา): *The land rises sheer out of the sea.*

sheet *n* **1** a broad piece of cloth for a bed (ผ้าปูที่นอน): *She put clean sheets on all the beds.* **2** a large, thin, flat piece of some material (วัสดุที่ผืนใหญ่และบาง): *a sheet of paper; a sheet of glass.*

sheik, sheikh (*shāk*) *n* an Arab chief (หัวหน้าชาวอาหรับ).

shelf, *plural* **shelves**, *n* a long narrow board for laying things on, fixed to a wall *etc.* (หิ้ง): *We'll have to put up some more shelves for all these books.*

shell *n* **1** the hard outer covering of several kinds of sea or land animals, or of an egg, nut *etc* (เปลือกหอย เปลือกไข่ เปลือกของผลไม้ เปลือกแข็ง): *an eggshell; A tortoise can pull its head and legs under its shell.* **2** the framework or outer shape of a building (โครงร่างลักษณะด้านนอกของตัวอาคาร): *After the fire, all that was left of the building was its shell.* **3** a metal case filled with explosives and fired from a large gun *etc.* (ปลอกกระสุนปืนใหญ่): *A shell exploded right beside him.* — *v* **1** to remove a vegetable *etc.* from its shell or pod (ปลอกเปลือก): *You have to shell peas before eating them.* **2** to fire explosive shells at troops *etc.* (ยิงลูกระเบิดใส่ทหาร): *to shell the enemy troops.*

'shell·fish, *plural* **shellfish**, *n* any of several kinds of sea animal covered with a shell such as an oyster, crab *etc.* (สัตว์ทะเลที่มีเปลือกแข็ง เช่น หอย ปู ฯลฯ).

'shell-shock *n* a nervous illness caused by the frightening conditions of war (โรคประสาทเกิดจากความกลัวสภาพสงคราม): *Many solidiers came back from the front suffering from shell-shock.*

come out of your shell to become less shy (ขี้อายน้อยลง).

she'll short for (คำย่อของ) **she will**.

'shel·ter *n* **1** a place where you are protected from the weather *etc.* (ที่พัก ที่กำบังจากดินฟ้าอากาศ): *We gave the old man shelter for the night in our house; When the rain started, we took shelter under a tree.* **2** a building that gives protection (ที่พัก): *At some bus stops there are bus shelters for people to wait in.* — *v* **1** to go into a place of shelter (เข้าที่พัก เข้าที่กำบัง): *He sheltered from the storm.* **2** to give protection (ให้ที่กำบัง): *The garden was sheltered by a row of tall trees.*

shelves plural of (พหุพจน์ของ) **shelf**.

'shep·herd (*'shep-ərd*) *n* a person who looks after sheep (คนเลี้ยงแกะ): *The shepherd and his dog gathered the sheep in.*

'shep·herd·ess *n* a female shepherd (หญิงเลี้ยงแกะ).

'sher·bet (*'shər-bət*) *n* a sweet powder that is mixed with water to make a fizzy drink, or is eaten as a sweet (ผงหวาน ๆ ที่ใช้ผสมกับน้ำทำเป็นเครื่องดื่มเป็นฟองหรือกินเป็นขนม): *The little girl bought a packet of orange sherbet.*

'sher·iff *n* in the USA, the chief law officer of a county, concerned with keeping order (นายอำเภอ).

she's short for (คำย่อของ) **she is, she has**.

shield (*shēld*) *n* **1** a broad piece of metal, wood *etc.* that soldiers in earlier times carried as a protection against weapons (เกราะ). **2** something that protects (สิ่งซึ่งช่วยป้องกัน): *This steel plate acts as a heat shield.* **3** a trophy shaped like a shield (ของรางวัลรูปร่างเหมือนกับเกราะ): *My son won the shield for the high jump in the school sports.* — *v* to protect (ป้องกัน): *Motor-cyclists wear goggles to shield their eyes from dust; He put up his hand to shield his eyes from the sun.*

shift *v* **1** to move; to change the position of something (เลื่อน เปลี่ยนตำแหน่ง): *to shift furniture.* **2** to change direction (เปลี่ยนทิศทาง): *The wind has shifted to the west.* **3** to transfer (โยน): *She shifted the blame on to me.* **4** to get rid of something; to remove (ขจัด เอาออก): *This cleaning liquid shifts stains.* — *n* **1** a group of people who begin work on a job when another group stops work (กลุ่มคนที่ทำงานเป็นผลัด): *Cleaning the machinery is the job of the night-shift.* **2** the length of time, or the period of time during which this group works (กะทำงาน): *The men work an eight-hour shift; The evening shift begins at 17.00 hours.*

'shift·y *adj* dishonest (ไม่ซื่อสัตย์): *His eyes have a shifty expression.*

'shim·mer *v* to shine with a quivering light (แสงสลัว ๆ): *The moonlight shimmered on the lake.*

shin *n* the front part of your leg below the knee (หน้าแข้ง).

shine *v* **1** to give out light; to direct light towards someone or something (ส่องแสง): *The light shone from the window; The policeman shone his torch; He shone a torch on the lock.* **2** to be bright (แวววาว): *He polished the silver cup until it shone.* **3** to polish (ขัด): *He tries to make a living by shining shoes.* **4** to be very good at something (ดีมากในบางอย่าง): *She shines at most sports.*
— *n* **1** brightness; the state of being well polished (ความแวววาว สภาพของการโดนขัดอย่างดี): *He likes a good shine on his shoes.* **2** the polishing of something (การขัด): *I'll just give my shoes a shine.*

> **shine; shone** (*shon*); **shone**: *The sun shone all day; He got a fright when the torch was shone in his eyes.*
> But: *He shined my shoes for me; I've shined 20 pairs of shoes today.*

'shin·gle (*'shiŋ-gəl*) *n* the pebbles on a beach (ก้อนกรวดตามชายหาด): *There's too much shingle and not enough sand on this beach.*

'shin·gles (*'shiŋ-gəlz*) *n* a kind of infectious disease causing a rash of painful blisters (โรคงูสวัด).

'shi·ning *adj* very bright and clear; producing or reflecting light; polished (สว่างมากและแจ่มใส ผลิตหรือสะท้อนแสง เป็นมัน): *a shining star; The windows were clean and shining.*

'shi·ny *adj* polished; reflecting light; glossy (ขัดมัน สะท้อนแสง เป็นมัน): *This paper has a shiny surface; clean, shiny shoes.*

ship *n* **1** a large boat (เรือลำใหญ่): *We could see a ship on the horizon*; a fleet of ships. **2** a vehicle that travels through the sky (ยานอวกาศ): *an airship; a spaceship.* — *v* to send goods by ship (ส่งสินค้าโดยทางเรือ): *The books were shipped to Australia.*

> See **in**.

'ship·build·er *n* a person whose business is the construction of ships (คนทำธุรกิจทางด้านการต่อเรือ): *a firm of shipbuilders.*

'ship·build·ing *n* (การต่อเรือ).

'ship·ment *n* **1** a load of goods sent by sea (การส่งสินค้าทางทะเล): *a shipment of wine from Portugal.* **2** the sending of goods by sea (ส่งสินค้าทางทะเล).

'ship·per *n* a person who arranges for goods to be shipped (คนส่งสินค้าทางทะเล): *a firm of shippers.*

'ship·ping *n* **1** transport by ship (การขนส่งโดยทางเรือ). **2** ships (เรือต่าง ๆ): *There is always a lot of shipping in the harbour.*

'ship·wreck *n* **1** the accidental sinking or destruction of a ship (เรืออับปาง): *There were many shipwrecks on the rocky coast.* **2** a wrecked ship (เศษเรืออับปาง): *an old shipwreck lying on the shore.* — *v* (เรือแตก): *We were shipwrecked off the coast of Africa.*

'ship·yard *n* a place where ships are built or repaired (อู่ต่อเรือหรือซ่อมแซมเรือ).

shirk *v* to avoid something that you shouldn't try to avoid (หลีกเลี่ยงสิ่งที่เราไม่ควรพยายามเลี่ยง): *to shirk work; to shirk the truth.*

'shirk·er *n* (ผู้หนีงาน ผู้หนีความรับผิดชอบ).

shirt *n* a loose-fitting garment that you wear on the upper part of your body (เสื้อหลวม ๆ): *a short-sleeved shirt; She wore black jeans and a white cotton shirt.*

shit *n* an impolite word for the solid waste matter from your bowels (อุจจาระ เป็นคำพูดที่ไม่สุภาพ).

'shiv·er *v* to tremble with cold, fear *etc.* (ตัวสั่นด้วยความหนาว ความกลัว). — *n* (สั่นสะท้าน): *She gave a little shiver as she put her toe in the water.*

'shiv·er·y *adj* (หนาวยะเยือก): *The thought of ghosts gave her a shivery feeling; She felt shivery after her swim.*

shoal *n* a great number of fish swimming

together in one place (ฝูงปลา): *a shoal of herring.*

shock *n* **1** a violent disturbance to your feelings (อาการตกตะลึง): *The news of the accident gave us all a shock.* **2** the effect on your body of an electric current passing through it (usually called an **electric shock**) (ไฟฟ้าช็อต): *He got a slight electric shock when he touched the wire.* **3** a sudden bump coming with great force (อาการสะเทือน): *the shock of an earthquake.* **4** an unhealthy condition of the body caused by a bad shock (อาการช็อก): *He is suffering from shock as a result of his accident; The doctor treated him for shock.* — *v* to upset; to horrify (ว้าวุ่น ตกใจ): *Everyone was shocked by his death.*

'shock·ing *adj* very bad (เลวมาก น่าตกใจ): *shocking news; shocking behaviour.*

'shock·ing·ly *adv* (อย่างน่าตกใจ): *The dress was shockingly expensive.*

shod *adj* **1** with a shoe or shoes on (สวมรองเท้าอยู่). **2** with a hard metal tip or cover (มีโลหะแข็งหุ้มอยู่): *a steel-shod walking-stick.*

'shod·dy *adj* badly made; poor in quality (ทำอย่างเลว ๆ คุณภาพต่ำ): *shoddy furniture; shoddy work.*

shoe (*shoo*) *n* **1** an outer covering for your foot (รองเท้า): *a new pair of shoes.* **2** a curved piece of iron nailed to the hoof of a horse (also called a **'horse·shoe**) (เกือกม้า). — *v* to put a shoe or shoes on a horse (ใส่เกือกม้า).

shoe; shod or shoed (*shood*); **shod** or **shoed**: *The blacksmith shoed the horse; The horse has been shod.*

'shoe·lace n a cord for fastening a shoe (เชือกผูกรองเท้า).

'shoe·ma·ker *n* a person who makes, repairs or sells shoes (ช่างรองเท้า).

shone *see* **shine** (ดู **shine**).

shoo a word you shout when chasing an animal *etc.* away (ส่งเสียงตะโกนไล่สัตว์). — *v* (ไล่สัตว์): *She shooed the pigeons away.*

shook *see* **shake** (ดู **shake**).

shoot *v* **1** to fire bullets, arrows *etc.* from a gun, bow *etc.* (ยิงปืน ยิงธนู): *The enemy were shooting at us; He shot an arrow through the air.* **2** to hit or kill with a bullet, arrow *etc.* (ยิงโดนหรือฆ่าด้วยลูกปืนหรือลูกธนู): *He went out to shoot pigeons; The prisoner was told he would be shot at dawn; The police shot him in the leg.* **3** to move swiftly (เคลื่อนที่อย่างรวดเร็ว): *He shot out of the room; The pain shot up his leg.* **4** to take moving pictures for a film (ถ่ายภาพยนตร์): *That film was shot in Spain; We will start shooting next week.* **5** to kick or hit a ball *etc.* at a goal in order to try to score (เตะหรือตีลูกบอลเพื่อให้เข้าประตู): *Shoot!* — *n* a new growth on a plant (หน่อ): *The deer were eating the young shoots on the trees.*

shoot; shot; shot: *She shot the tiger; Help! I've been shot.*

'shoot·ing-star *n* another name for a meteor (ดาวตก).

shoot down to hit a plane with a shell *etc.* and cause it to crash (ยิงกระสุนโดนเครื่องบินและทำให้เครื่องบินตก).

shoot up to grow; to increase rapidly (เติบโต เพิ่มขึ้นอย่างรวดเร็ว): *Arthur has shot up since I last saw him; Prices have shot up.*

shop *n* **1** a place where goods are sold (ร้านค้า): *a baker's shop.* **2** a place where any kind of industry is carried on; a workshop (โรงงาน). — *v* to visit shops for the purpose of buying goods (จับจ่าย ซื้อของ): *We shop on Saturdays; She goes shopping once a week.*

shop assistant a person employed in a shop to serve customers (พนักงานขาย).

'shop·keep·er *n* a person who owns and runs a shop (เจ้าของร้าน).

'shop·lift·er *n* a person who steals goods from a shop (คนขโมยของในร้าน).

'shop·lift·ing *n* (การขโมยของในร้านค้า).

'shop·per *n* **1** a person who is shopping (คนซื้อของตามร้านค้า): *The street was full of shoppers.* **2** a large bag used when shopping (ถุงใหญ่ ๆ ใช้เมื่อไปซื้อของ).

'shop·ping *n* **1** the activity of buying goods in shops (การซื้อสินค้าในร้านค้า): *Have you a* *lot of shopping to do?* **2** the goods you have bought **(สินค้าที่เราซื้อมา)**: *He helped her carry her shopping home.* — *adj* **(เกี่ยวกับการซื้อสินค้า)**: *a shoppinglist; a shopping-basket; a shopping-bag.*

shopping centre a place, often a very large building, where there are a large number of different shops **(ศูนย์การค้า)**.

shore *n* the land along the edge of the sea or of any large area of water **(ชายฝั่งทะเล)**: *a walk along the shore; When the ship reached Gibraltar the passengers were allowed on shore.*

shorn *see* **shear (ดู shear)**.

short *adj* **1** not long **(สั้น)**: *You look nice with your hair short; Do you think my dress is too short?* **2** not tall; smaller than usual **(เตี้ย)**: *a short man.* **3** not lasting long; brief **(สั้น ๆ)**: *a short film; in a very short time.* **4** not as much as it should be **(ขาดไป)**: *When I checked my change, I found it was 20 cents short.* **5** not having enough **(มีไม่พอ)**: *Most of us are short of money these days.* **6** crisp **(กรอบ)**: *short pastry.* — *adv* suddenly **(อย่างทันทีทันใด)**: *He stopped short when he saw me.*

'short·ness *n* **(ความสั้น)**.

See **low** and **tall**.

'short·age *n* a lack; not enough of something **(ขาดแคลน มีไม่พอ)**: *a shortage of water.*

'short·bread *n* a crumbly biscuit that is made from flour, butter and sugar **(ขนมปังกรอบซึ่งทำจากแป้ง เนย และน้ำตาล)**: *Would you like some shortbread with your tea?*

'short·cake *n* a soft kind of shortbread **(ขนมเค้กชนิดนุ่ม)**.

'short·com·ing *n* a fault **(ข้อบกพร่อง)**.

'short cut *n* a quick way between two places **(ทางลัด)**: *I'm in a hurry — I'll take a short cut across the field.*

'short·en *v* to make or become shorter **(ทำให้สั้น)**: *The dress is too long — we'll have to shorten it.*

'short·en·ing *n* the fat used for making pastry **(ไขมันใช้อบขนม)**.

'short·hand *n* a method of writing rapidly, using strokes, dots *etc.* to represent sounds **(ชวเลข)**.

'short-lived (*'shört-livd*) *adj* living or lasting only for a short time **(อายุสั้น)**: *short-lived insects.*

'short·ly *adv* soon **(ในไม่ช้า)**: *He will be here shortly; Shortly after that, the police arrived.*

shorts *n* short trousers for men or women **(กางเกงขาสั้นของผู้ชายหรือผู้หญิง)**: *Where are my running shorts?; a clean pair of shorts.*

shorts takes a plural verb, but **a pair of shorts** is singular.

short-'sight·ed *adj* seeing clearly only things that are near **(สายตาสั้น)**: *I don't recognize people at a distance because I'm short-sighted.*

short-'sight·ed·ness *n* **(ความมีสายตาสั้น)**.

short-'temp·ered *adj* easily made angry **(โมโหง่าย)**: *My father is very short-tempered in the mornings.*

for short as a shortening **(เรียกสั้น ๆ)**: *His name is Victor, but he's called Vic for short.*

in short in a few words **(พูดสั้น ๆ)**: *In short, you all need to work harder!*

run short of not to have enough **(มีไม่พอ ขาด)**: *We're running short of money.*

short and sweet (สั้น ๆ และตรงไปตรงมา): *His reply was short and sweet: "Get out!"*

short for an abbreviation of **(คำย่อ)**: *"Phone" is short for "telephone"; What is "Ltd" short for?*

shot[1] *n* **1** the firing of a bullet *etc.* **(การยิงลูกปืน)**: *He fired one shot.* **2** the sound of a gun being fired **(เสียงปืน)**: *He heard a shot.* **3** a throw, hit, turn *etc.* in a game or competition **(การขว้าง การตี การโยน ฯลฯ ในเกมการแข่งขัน)**: *It's your shot; Can I have a shot?; He played some good shots in that tennis match; Good shot!* **4** an attempt **(ลองดู พยายาม)**: *I don't know if I can do that, but I'll have a shot at it.* **5** a photograph or a scene in a film **(รูปภาพหรือฉากในภาพยนตร์)**: *That's a lovely shot of the dog.* **6** someone who uses a gun **(คนที่ยิงปืน)**:

He's a good shot.

'shot·gun *n* a type of rifle (ปืนลูกซอง).

like a shot very eagerly (อย่างกระตือรือร้นมาก): *He accepted my invitation like a shot.*

a shot in the dark a guess (เดา).

shot[2] *see* **shoot** (ดู **shoot**).

should (*shŏŏd*) *v* **1** past tense of **shall** (อดีตกาลของ **shall**): *I thought I should never see you again; We wondered whether we'd ever get home.* **2** used to say what ought to be done *etc* (ควรจะ): *You should hold your knife in your right hand; You shouldn't have said that, should you?* **3** used to say what is likely to happen *etc.* (น่าจะ): *If you leave now, you should arrive there by six o'clock.* **4** used after certain expressions of sorrow, surprise *etc.* (ถึงกับ): *I'm surprised that you should dislike travelling so much.* **5** used after **if** in some sentences (ใช้หลังจาก **if** ในบางประโยค): *If anything should happen to me, I want you to remember everything I have told you today.* **6** used with **I** or **we** to express a wish (ใช้กับ **I** หรือ **we** เพื่อแสดงออกถึงความปรารถนา): *We should like to thank you for your help; I'd love to see the Great Wall of China.* **7** used to describe an event that is rather surprising (ใช้บรรยายเหตุการณ์ซึ่งค่อนข้างจะแปลก ๆ): *I was just about to get on the bus when who should come along but John, the very person I was going to visit.*

I should or **I'd** (*īd*); **we should** or **we'd** (*wēd*); **should not** or **'should·n't** (*'shŏŏd-ənt*): *I said I'd be home by midnight; We shouldn't waste food, should we?*

'shoul·der (*'shōl-dər*) *n* **1** the part of your body between your neck and the upper part of your arm (ไหล่): *He was carrying the child on his shoulders.* **2** something that looks like a shoulder (บางอย่างซึ่งดูเหมือนไหล่): *the shoulder of the hill.* — *v* **1** to lift something on to your shoulder (แบก): *He shouldered his pack and set off on his walk.* **2** to bear; to face (ทน เผชิญหน้า): *He must shoulder his responsibilities.* **3** to make your way by pushing with your shoulder (ใช้ไหล่เปิดทาง): *He shouldered his way through the crowd.*

'shoul·der-blade *n* the broad flat bone at the back of your shoulder (กระดูกไหล่).

shoulder to shoulder close together; side by side (เคียงบ่าเคียงไหล่); *We'll fight shoulder to shoulder.*

shouldn't short for (คำย่อสำหรับ) **should not**.

shout *n* a loud cry; a call (ตะโกน โห่ร้อง): *He heard a shout; A shout went up from the crowd when he scored a goal.* — *v* to say something very loudly (พูดเสียงดังมาก ตะโกน): *He shouted the message across the river; I'm not deaf — there's no need to shout; Calm down and stop shouting at each other.*

shove (*shuv*) *v* to push (ผลัก ยัด): *I shoved the papers into a drawer; I'm sorry I bumped into you — somebody shoved me; Stop shoving!* — *n* a push (การผลัก): *He gave the table a shove.*

'shov·el (*'shuv-əl*) *n* a tool like a spade, with a short handle, used for scooping up and moving coal, gravel *etc.* (พลั่ว). — *v* to move with a shovel (ตักด้วยพลั่ว): *He shovelled snow from the path.*

shovelling and **shovelled** are spelt with two **l**s.

show (*shō*) *v* **1** to let something be seen (แสดง เอามาให้ดู): *Show me your new dress; Please show your membership card when you come to the club; His work is showing signs of improvement.* **2** to be able to be seen (สามารถเห็นได้): *The tear in your dress hardly shows.* **3** to present or display something for the public to look at (เสนอหรือแสดงต่อสาธารณชน): *They are showing a new film; Which film is showing at the cinema?; His paintings are being shown at the art gallery.* **4** to point out; to point to (ชี้ให้ดู): *He showed me which road to take; Show me the man you saw yesterday.* **5** to guide (นำทาง นำชม): *Please show this lady to the door; They showed him round the factory.* **6** to demonstrate (สาธิต): *Will you show me how to do it?* **7** to prove (พิสูจน์): *That just shows* *how stupid he is.* — *n* **1** an entertainment, exhibition, performance *etc.* (งานรื่นเริง งานมหกรรม งานแสดง): *a horse-show; a flower show; a TV show.* **2** the showing of some quality; an appearance; an impression (แสดงให้เห็นถึงคุณภาพ สิ่งที่ปรากฏ ความรู้สึกประทับใจ): *There was no show of support for his suggestion; Good quality is more important than outward show.*

show; showed; shown: *She showed me her drawing; The film was shown on television.*
See **go**.

'show-busi·ness *n* entertainment on stage, television *etc.*, especially shows, comedy *etc.* (งานบันเทิง).

'show·case *n* a glass case in a museum *etc.*, for displaying objects in (ตู้กระจกที่ใช้แสดงของ ตู้โชว์).

'show·down *n* a fight or argument which settles a dispute that has lasted a long time (ยุติการวิวาท การโต้แย้ง): *It's time you had a showdown with him.*

good show! that's good! **on show** being displayed (นำออกแสดง): There are over five hundred paintings on show here.

show off 1 to display something for people to admire (อวด): *He showed off his new car.* **2** to try to impress other people by doing or saying things that you think they will admire (โอ้อวด): *Stop showing off!*

'show-off *n* (ความขี้โอ่): *What a show-off Willie is!* **show up** to reveal the faults of something (เปิดเผยให้เห็นถึงข้อผิด): *Mary's drawing was so good that it showed mine up.*

'show·er *n* **1** a short fall of rain (ฝนตกเป็นระยะสั้น ๆ): *I got caught in a shower on my way here.* **2** anything resembling a fall of rain (ห่าฝนห่ากระสุน): *a shower of bullets.* **3** a bath in which water is sprayed down on you from above (อาบน้ำฝักบัว): *I'm going to take a shower; We're having a shower fitted in the bathroom.* — *v* **1** to pour down in large quantities; to give (โปรยลงมาเป็นจำนวนมาก): *to shower someone with compliments.* **2** to bathe in a shower (อาบน้ำฝักบัว): *He showered and dressed.*

See **rain**.

'show·er·proof *adj* waterproof, but only in a small amount of rain (กันน้ำฝน แต่ในเมื่อมีฝนจำนวนน้อยเท่านั้น): *That coat is only showerproof and will not keep you dry in a storm.*

'show·er·y *adj* raining occasionally (ฝนตกบ่อย ๆ): *showery weather.*

'show·man *n* a person who produces shows and entertainments (ผู้อำนวยการผลิตการแสดงและการรื่นเริงต่าง ๆ).

'show·man·ship *n* the ability to display things in an entertaining way (ความสามารถในการแสดงที่จะก่อให้เกิดความบันเทิง): *Showmanship is important to a magician.*

shown *see* **show** (ดู **show**).

'show·room *n* a room where objects for sale are displayed for people to see (ห้องแสดงสินค้า): *a car showroom.*

'show·y *adj* too bright in colour *etc.*; too easily noticed (สีเจิดจ้า เห็นได้ง่าย): *He wears rather showy clothes.*

shrank *see* **shrink** (ดู **shrink**).

'shrap·nel *n* small pieces of metal from an exploding bomb *etc.* (สะเก็ดระเบิด): *The soldier was injured by shrapnel; a shrapnel wound.*

shred *n* a long, narrow torn strip (ริ้ว): *His shirt was torn to shreds; a tiny shred of material.* — *v* to cut or tear into shreds (ตัดหรือฉีกออกเป็นชิ้น ๆ): *to shred paper.*

'shred·der *n* a machine that shreds pieces of paper very finely in order to make it impossible to read them (เครื่องฉีกกระดาษ).

shrew *n* a small, brown animal like a mouse with a long, pointed nose and very sharp teeth (สัตว์ชนิดหนึ่งเหมือนหนู มีจมูกแหลมและฟันที่คมมาก).

shrewd (*shrood*) *adj* showing good judgement; wise (แสดงว่ามีเหตุผลดี ฉลาด): *a shrewd man; a shrewd choice.* **'shrewd·ly** *adv* (อย่างมีเหตุผลดี). **'shrewd·ness** *n* (ความมีเหตุผลดี).

shriek (*shrēk*) *v* to scream; to shout (หวีดร้องตะโกน): *She shrieked whenever she saw a spider; We were shrieking with laughter.* —

n (การกรีดร้อง ระเบิดเสียงหัวเราะ): *She gave a shriek as she felt someone grab her arm; shrieks of laughter.*

shrill *adj* high and clear (เสียงแหลมและดังชัด): *the shrill voice of a child.*

'shril·ly (*'shril-li*) *adv* (อย่างมีเสียงแหลมและดังชัด).

'shrill·ness *n* (ความมีเสียงแหลมและดังชัด).

shrimp *n* **1** a small long-tailed shellfish (กุ้ง). **2** an unkind word for a small person (คำพูดที่ไม่สุภาพสำหรับคนตัวเล็ก).

shrine *n* a sacred place (สถานที่ศักดิ์สิทธิ์ เช่น สถูป เจดีย์ ฯลฯ): *Many people visited the shrine where the saint lay buried.*

shrink *v* **1** to become smaller because of washing *etc.* (หด): *My jersey shrank in the wash.* **2** to move back in fear (หดถอย): *She shrank back from the fierce dog.* **3** to want to avoid something (อยากจะหลีกเลี่ยงอะไรบางอย่าง): *She shrank from telling him the bad news.*

shrink; shrank; shrunk: *The jersey shrank when I washed it; Have these socks shrunk?*

'shriv·el *v* to make or become dried up, wrinkled and withered (ทำให้แห้งลง ยับและเหี่ยวแห้ง): *The flowers shrivelled up in the heat.*

shroud *n* **1** a cloth wrapped around a dead body (ผ้าตราสัง). **2** something that covers (อะไรที่ปกคลุม): *The mountain-top was hidden in a shroud of mist.* — *v* to cover; to hide (ปกคลุม ซ่อน): *Her death was shrouded in mystery.*

shrub *n* a small bush; (ไม้พุ่ม).

shrug *v* to show doubt, lack of interest *etc.* by raising your shoulders (ยักไหล่): *When I asked him if he knew what had happened, he just shrugged his shoulders.* — *n* (การยักไหล่): *She gave a shrug of disbelief.*

shrug off **1** to get rid of easily (สลัดทิ้งไปอย่างง่ายดาย): *He always manages to shrug off colds.* **2** to dismiss as not important or serious (ไม่ให้ความสำคัญ): *She shrugged off the criticism of her new book.*

shrunk *see* **shrink** (ดู **shrink**).

'shrunk·en *adj* shrunk; having become very thin (หดลง เล็กลงมาก): *People become shrunken with age.*

'shud·der to tremble from fear, disgust, cold *etc.* — *n* (ตัวสั่นด้วยความกลัว ความขยะแขยง ความหนาว ฯลฯ): *He gave a shudder of horror.*

'shuf·fle *v* **1** to move your feet along the ground *etc.* without lifting them (ลากขา): *The old man shuffled along the street.* **2** to mix playing-cards (สับไพ่): *It's your turn to shuffle.* — *n* (การสับไพ่): *He gave the cards a shuffle.*

shun *v* to avoid; to keep away from (หลีกเลี่ยง เมิน ๆ).

shut *v* **1** to move a door, window, lid *etc.* so as to cover the opening; to move a drawer, book *etc.* so that it is no longer open; to close (ปิด): *Shut that door, please!; Shut your eyes and don't look; The door shut with a bang; Shut your books, children!* **2** to close and lock a building *etc.* at the end of the day *etc.*; to be closed (ปิดทำการ): *The shops all shut at half past five.* **3** to stop using a building *etc.* (ปิดโรงงาน): *The factory is going to be shut.* **4** to stop someone *etc.* from getting through a door by shutting it (ปิดประตูเพื่อป้องกันไม่ให้คนเข้ามา): *The dog was shut inside the house.* — *adj* closed (ปิด): *Is the door shut or open?*

shut; shut; shut: *She shut the window; I've shut the door.*

shut off **1** to stop an engine working, a liquid flowing *etc.* (ปิดเครื่อง ปิดของเหลวไม่ให้ไหล): *I'll need to shut the gas off before I repair the stove.* **2** to keep away (อยู่ห่าง ๆ): *He shut himself off from the rest of the world.*

shut up **1** to stop speaking (หยุดพูด): *Tell them to shut up!; That'll shut him up!* **2** to close and lock (ปิดและล็อก): *It's time to shut up the shop.*

'shut·ter *n* **1** a wooden cover for a window (ม่านหน้าต่างเป็นไม้): *He closed the shutters.* **2** the moving cover over the lens of a camera, which opens when a photograph is taken (เครื่องปิดเปิดเลนส์ของกล้องถ่ายรูป ซึ่งจะเปิดเมื่อถ่ายรูป).

'shut·tle *n* **1** in weaving, a device for carrying the thread backwards and forwards across the other threads (กระสวย). **2** a device for making loops in the lower thread in a sewing machine (กระสวยในจักรเย็บผ้า). **3** an air, train or other transport service that operates backwards and forwards between two places (บริการขนส่งทางอากาศ รถไฟ หรืออะไรก็ตาม ซึ่งทำงานไปกลับระหว่างสถานที่สองแห่ง): *an airline shuttle between London and Edinburgh; A space shuttle travels between space stations.*

'shut·tle·cock *n* a cork ball with feathers fixed round it, used in the game of badminton (ลูกขนไก่).

shy (*shī*) *adj* **1** feeling nervous in the presence of others, especially strangers; not wanting to attract attention (ขี้อาย): *She is too shy to go to parties; He's shy of strangers.* **2** easily frightened; timid (ขี้กลัว): *Deer are very shy animals.* — *v* to turn suddenly aside in fear (หลบไปข้าง ๆ ด้วยความกลัว): *The horse shied at the strangers.*

'shy·ly *adv* (อย่างกลัว ๆ).

'shy·ness *n* (ความกลัว).

shy; 'shy·er or **'shi·er; 'shy·est** or **'shi·est**: *He's a shy boy, but his sister is shyer, and his brother is the shyest of the three.*

shy away from to avoid doing or accepting because you are afraid or worried (หลีกเลี่ยงที่จะทำหรือยอมรับเพราะเรากลัวหรือวิตกกังวล): *She shied away from telling him the bad news because she knew it would upset him.*

'sib·ling *n* a brother or sister (พี่ชายน้องชาย หรือพี่สาวน้องสาว): *He has three siblings — two sisters and one brother.*

sick *adj* **1** vomiting; needing to vomit (อาเจียน อยากจะอาเจียน เมารถ เมาเรือ เมาเครื่องบิน): *He has been sick three times today; I feel sick; If you get car-sick you probably get air-sick and sea-sick as well.* **2** ill (ป่วย): *The doctor told me that my husband is very sick.* **3** very tired of something (เบื่อมาก): *I'm sick of doing this; I'm sick and tired of hearing about it!*

See also **ill**.

'sick·en *v* **1** to become sick (ทำให้เบื่อ). **2** to disgust (ขยะแขยง): *The thought of that crime sickens me.*

'sick·le *n* a tool with a curved blade for cutting grain *etc.* (เคียว).

'sick·ly *adj* often becoming ill; unhealthy (ป่วยบ่อย ๆ สุขภาพไม่แข็งแรง): *a sickly child.*

'sick·ness *n* illness; disease (ความเจ็บป่วย โรค): *There is a lot of sickness in the refugee camp.*

side *n* **1** an edge (ริม ขอบ ด้านข้าง ฝั่งเดียวกัน): *Flowers were growing at the side of the field; He lives on the same side of the street as I do.* **2** a surface of something (ด้าน): *A cube has six sides.* **3** one of two surfaces that are not the top, bottom, front or back (ด้านหน้า): *There is a label on the side of the wardrobe.* **4** either surface of a piece of paper, cloth *etc.* (ด้านหนึ่งด้านใดของกระดาษ ผ้า): *Don't waste paper — write on both sides!* **5** the right or left part of the body (ด้านซ้ายหรือด้านขวาของร่างกาย): *I've got a pain in my right side.* **6** a part of a town *etc.* (ส่วนของเมือง): *He lives on the north side of the town.* **7** a slope of a hill (ด้านเอียงลาดของเนินเขา): *a mountain-side.* **8** a team playing a match *etc.* (ทีมในการแข่งขัน): *Which side is winning?* **9** one of the people or groups involved in an argument or quarrel (เข้าข้าง): *Whose side are you on?*

'side·board *n* a large piece of furniture with shelves and drawers, for holding dishes and glasses (ตู้ใส่เครื่องถ้วยชามและแก้ว): *She keeps her best plates in the sideboard in the sitting-room.*

-si·ded (เป็นด้าน ๆ): *a four-sided figure.*

side effect an additional, usually bad, effect of a drug *etc.* (ผลข้างเคียง): *These pills have some unpleasant side effects.*

'side·line *n* **1** a business *etc.* carried on in addition to your main job (งานพิเศษ งานอดิเรก): *He's a mechanic, but he drives a taxi as a sideline.* **2** one of the lines around the edge of a football field *etc.* (เส้นขอบ

สนามฟุตบอล).

'side·lines *n plural* the position or point of view of someone who is not actually taking part in a sport, argument *etc.* (ตำแหน่งหรือมุมมองของคนที่ไม่ได้ร่วมอยู่ในวงการกีฬาหรือการโต้แย้งอันนั้นอย่างจริงจัง อยู่วงนอก): *She made some suggestions from the sidelines; He likes standing on the sidelines and not having to make decisions.*

'side·long *adv* and *adj* from or to one side, not directly (จากด้านข้าง ไม่โดยตรง): *a sidelong glance.*

'side-road, 'side-street *n* a small, minor road or street (ตรอก ซอย): *The man ran down the side-road and disappeared.*

'side·walk *n* a pavement; a footpath (บาทวิถี).

'side·ways *adj, adv* to or towards one side (มุ่งไปทางด้านข้าง): *He moved sideways; a sideways movement.*

side by side beside one another; close together (เคียงบ่าเคียงไหล่): *They walked along the street side by side.*

side with to support one of the opposing sides in an argument *etc.* (เข้าข้าง): *Don't side with him against us!* **take sides** to join in on one side or the other in an argument *etc.* (เข้าข้าง): *Everybody in the class took sides in the argument.*

'sid·ing *n* a short railway line beside the main one where wagons, carriages and engines are kept while not in use (รางสั้น ๆ ข้างรางหลักที่ซึ่งตู้โดยสาร ตู้สินค้า และหัวรถจักรถูกเก็บไว้เมื่อไม่ใช้).

'si·dle (*'sī-dəl*) *v* to move quietly sideways, so as not to attract attention (เลี่ยง หลบออกไป): *He sidled out of the room.*

siege (*sēj*) *n* an attempt to capture a fort or town by keeping it surrounded with armed forces until it surrenders (การล้อมไว้): *The town is under siege.*

siege is spelt with **-ie-** (not **-ei-**).

sieve (*siv*) *n* a container with a bottom full of very small holes, used to separate liquids from solids or small, fine pieces from larger ones *etc.* (ตะแกรง): *He poured the soup through a sieve to remove all the lumps.* — *v* (ร่อน): *She sieved the flour.*

sift *v* to sieve (ร่อน): *Sift the flour before making the cake.*

sigh (*sī*) *v* to take a long, deep breath and breathe out noisily, to express tiredness, relief and several other feelings (ถอนหายใจ): *She sighed with boredom.* — *n* (การถอนหายใจ): *She gave a sigh of relief.*

heave a sigh to sigh (ถอนหายใจ).

sight (*sīt*) *n* **1** the power of seeing (การมองเห็น): *The blind man had lost his sight in the war.* **2** the distance within which something can be seen (ระยะห่างที่พอมองเห็น): *The boat was within sight of land; The end of this job is in sight* (เรือที่มองเห็นจากฝั่ง พอมองเห็น). **3** something worth seeing (สถานที่สำคัญ): *to see the sights of London.* **4** a view (ทิวทัศน์): *A strange sight met our eyes.* **5** something that looks ridiculous, shocking *etc.* (บางอย่างที่เหลือเชื่อ น่าตกใจ): *You look a sight in those awful clothes!* **6** a device on a gun *etc.* that guides your eye when you aim (ศูนย์เล็ง). — *v* to get a view of something; to see suddenly (เห็นบางอย่างในทันใด): *The captain sighted the coast as dawn broke.*

'sight-see·ing *n* visiting the famous and interesting buildings and places in a city *etc.* (เที่ยวชมอาคารสถานที่ซึ่งมีชื่อเสียงและน่าสนใจในเมือง): We spent the day sight-seeing in London.

'sight-se·er (*'sīt-sē-ər*) *n* (ผู้เที่ยวชม).

catch sight of to see (เห็น): *He caught sight of her in the crowd.*

lose sight of to stop being able to see (ไม่สามารถมองเห็นได้): *She lost sight of him in the crowd.*

sign (*sīn*) *n* **1** a mark used to mean something; a symbol (เครื่องหมาย): *+ is the sign for addition.* **2** a notice that gives information to the public (ประกาศซึ่งให้ข่าวแก่สาธารณชน): *The sign above the shop-door said "Hamid & Sons, grocers"; a road-sign.* **3** a movement that is intended to tell someone something (ทำสัญญาณบอก): *He made a sign to me to keep still.* **4** something that is evidence of something else (ไม่มีสัญญาณ): *There were no signs of life at the house, so he thought they were away.* **5** something that shows what is coming (สัญญาณแสดงว่าอะไรกำลังมา): *Clouds are often a sign of rain.* — *v* **1** to write your name on a document *etc.* (เซ็นชื่อ): *Sign at the bottom, please; He signed his name on the document.* **2** to make a movement that tells someone something (ให้สัญญาณบอก): *She signed to me to say nothing.*

'sig·nal *n* **1** a sign, for example a movement of the hand, a light, a sound *etc.*, giving a command, warning or other message (สัญญาณ เช่นการโบกมือ แสงไฟ เสียง ฯลฯ เป็นการออกคำสั่ง คำเตือน หรือข่าวอื่น ๆ): *He gave the signal to advance.* **2** a device that uses coloured lights to tell you when to stop or go (สัญญาณจราจร): *a railway signal; traffic signals.* **3** the sound received or sent out by a radio set *etc.* (เสียงซึ่งรับส่งโดยวิทยุ). — v (ให้สัญญาณ): *The policeman signalled the driver to stop; to signal a message; She signalled to him across the room.*

'sig·nal·man *n* **1** a person who works railway signals (ผู้ควบคุมสัญญาณรถไฟ). **2** a person who sends signals (เจ้าหน้าที่สื่อสาร): *He is a signalman in the army.*

'sig·na·ture (*'sig-nə-chər*) *n* a signed name (ลายเซ็น): *His signature is on the cheque.*

'sign·board (*'sīn-börd*) *n* a board with a notice on it (กระดานป้าย): *The signboard said "House for Sale".*

sig'nif·i·cance *n* meaning; importance (มีความสำคัญ): *a matter of great significance.*

sig'nif·i·cant *adj* full of meaning; important (เต็มไปด้วยความหมาย สำคัญ).

sig'nif·i·cant·ly *adv* (อย่างสำคัญ).

'sig·ni·fy (*'sig-ni-fī*) *v* **1** to mean (หมายความ): *A frown signifies disapproval.* **2** to show (แสดง): *He signified his approval with a nod.*

'sign·post (*'sīn-pōst*) *n* a post with a sign on it showing the direction and distance of places (เสาป้ายบอกทิศทางและระยะทางไปยังที่ต่าง ๆ): *We passed a signpost that said "London 40 kilometres".*

'si·lence (*'sī-ləns*) *n* a time when there is no sound (เงียบ): *A sudden silence followed his remark.* — *v* to make silent (ทำให้เงียบ): *The arrival of the teacher silenced the class.* — a cry used to tell people to be quiet (เสียงร้องบอกให้ผู้คนเงียบ): *"Silence, children!"*

'si·lent *adj* without noise; without sound; very quiet (เงียบจริง ๆ): *The house was empty and silent; The tiger moved through the grass with silent tread.*

'si·lent·ly adv (อย่างเงียบ ๆ).

in silence without saying anything (โดยไม่พูดอะไร): *The children listened in silence to the story.*

sil·hou'ette (*sil-ōō'et*) *n* a dark image showing only the outline of a person, like a shadow (ภาพดำ ๆ เหมือนเงา): *We could see his silhouette against the curtain.*

'sil·i·con *n* a substance that occurs as grey crystals or brown powder, and is used as a semiconductor in electronic devices (ซิลิกอน สสารที่เกิดขึ้นเป็นผลึกสีเทาหรือผงสีน้ำตาล ใช้เป็นสารกึ่งตัวนำไฟฟ้าในเครื่องมืออิเล็กทรอนิกส์).

silk *n* **1** very fine, soft threads made by silkworms (ใยไหม). **2** thread, cloth *etc.* made from this (เส้นไหม ผ้าไหม): *The dress was made of silk.* — *adj* (แห่งผ้าไหม): *a silk dress.*

'silk·worm *n* a type of caterpillar that makes silk (หนอนไหม).

'silk·y *adj* soft, fine and rather shiny like silk (นุ่ม ละเอียด และค่อนข้างเป็นมันเหมือนกับไหม): *silky hair; silky fur.*

sill *n* a ledge of wood, stone *etc.* at the bottom of a window (คานล่างของหน้าต่างเป็นไม้ หิน): *a window-sill.*

'sil·ly *adj* foolish; not sensible (โง่เขลา ไม่มีเหตุผล): *Don't be so silly!; silly children.*

'sil·li·ness *n* (ความโง่เขลา ความไม่มีเหตุผล).

silt *n* fine sand and mud left behind by flowing water (โคลนตม).

'sil·ver *n* **1** a precious, shiny grey metal that is

used in jewellery, ornaments *etc.* (โลหะเงิน): *The tray was made of solid silver.* **2** things made of silver, especially knives, forks, spoons *etc.* (สิ่งของที่ทำด้วยเงิน): *Burglars broke into the house and stole all our silver.* — *adj* **1** made of, of the colour of, or looking like, silver (ทำด้วย เป็นสีของ ดูเหมือนเงิน): *a silver brooch; silver stars; silver paint.* **2** twenty-fifth (ที่ยี่สิบห้า): *a silver wedding anniversary.*

silver foil, silver paper a common type of wrapping material, made of metal, with a silvery appearance (กระดาษเงิน): *The sweets were wrapped in silver paper.*

'sil·ver·y *adj* like silver, especially in colour (เหมือนกับเงิน โดยเฉพาะอย่างยิ่งก็เป็นสี): *the silvery moon.*

'sim·i·lar *adj* like something else; alike (เหมือนบางอย่าง เหมือนกับ): *My house is similar to yours; Our jobs are similar.*

sim·i'lar·i·ty *n* (ความเหมือนกัน).

'sim·i·lar·ly *adv* in the same, or a similar, way (อย่างเดียวกัน).

'sim·i·le (*'sim-i-lē*) *n* any phrase in which one thing is described as being like another (คำเปรียบเทียบ): *The phrase "eyes sparkling like diamonds" is a simile.*

'sim·mer *v* to cook gently; to boil very gently (ตั้งบนไฟพอให้เดือด): *The stew simmered on the stove.*

simmer down to stop being angry and become calm again (หายโกรธและสงบลงอีกครั้งหนึ่ง): *She was so angry she thought a long walk would help her simmer down.*

'sim·ple *adj* **1** not difficult; easy (ไม่ยาก ง่าย): *a simple task.* **2** not complicated (ไม่ซับซ้อน): *a simple design.* **3** without luxury (ไม่หรูหรา): *He leads a very simple life.* **4** plain (ธรรมดา): *the simple truth.* **5** full of trust (เต็มไปด้วยความเชื่อถือ): *the simple mind of a child.*

'sim·ple·ness *n* (ความเป็นธรรมดา).

sim·ple-'mind·ed *adj* stupid (โง่).

sim'plic·i·ty *n* the quality of simpleness (ความง่าย): *a task of the utmost simplicity.*

'sim·pli·fy (*'sim-pli-fī*) *v* to make something simpler (ทำให้ง่ายขึ้น): *This sentence is too long and complicated — can you simplify it?*

sim·pli·fi'ca- tion *n* (การทำให้เป็นธรรมดา การทำให้ง่ายขึ้น).

'sim·pli·fied *adj* (ความง่าย ความธรรมดา).

'sim·ply *adv* **1** only (เพียงแต่ เท่านั้น): *I was simply trying to help.* **2** absolutely (อย่างแท้จริง): *simply beautiful.* **3** in a simple manner (อย่างธรรมดา): *She was always very simply dressed.*

'sim·u·late *v* **1** to pretend (แกล้งทำ): *He simulated illness in order not to have to go to school.* **2** to make something appear to be real (ทำให้เหมือนจริง): *This machine simulates the flight of an aeroplane.*

'sim·u·la·tion *n* (การเลียนแบบ).

'sim·u·la·ted *adj* artificial; not real (ของเทียม ไม่จริง): *simulated leather a simulated accident.*

'sim·u·la·tor *n* a device that simulates particular conditions (เครื่องมือซึ่งเลียนแบบ): *The astronauts had to spend a lot of time in the space simulator to get used to weightlessness.*

sim·ul'ta·ne·ous (*sim-əl'tā-ni-əs*) *adj* happening, or done, at exactly the same time (เกิดขึ้นหรือกระทำในเวลาเดียวกัน): *When you go to a play in a foreign language, you can sometimes get a device that gives you a simultaneous translation.*

sim·ul'ta·ne- ous·ly *adv* (ในเวลาเดียวกัน).

sin *n* wickedness; a wicked act, especially one that breaks a religious law (บาป): *It is a sin to envy the possessions of other people; Lying and cheating are both sins.* — *v* to do wrong; to commit a sin (ทำบาป): *People ask God to forgive them when they have sinned.*

since *conjunction* **1** from the time that (นับตั้งแต่): *Since I left school, I have been working as a shop assistant.* **2** at a time after (หลังจากที่): *I've had flu since I last saw you.* **3** because (เพราะว่า): *Since you are so unwilling to help, I shall have to do the job myself.* — *adv* **1** from that time onwards (นับจากเวลานั้นเรื่อยมา): *She broke her leg last year and has been limping ever since.*

2 at a later time (ในภายหลัง): *I didn't like him then, but we have since become friends.* — *prep* 1 from the time of something in the past until the present time (นับตั้งแต่): *She has been very unhappy ever since her quarrel with her boyfriend.* 2 at a time between something in the past and the present time (ตั้งแต่): *I've changed my address since last year.*

Do not use **ago** with **since** : *It is months since I last saw Jim*, or *I last saw Jim months ago* (not *It is months ago since I last saw Jim*). *It was months ago that I last saw Jim* is correct.
See also **for**.

sin'cere *adj* **1** true; genuine (จริง แท้จริง จริงใจ): *sincere love; sincere friends.* **2** not trying to pretend or deceive (ไม่พยายามแกล้งทำหรือหลอกลวง): *a sincere person.*
sin'cer·i·ty *n* (ความจริงใจ).
sin'cere·ly *adv* (อย่างจริงใจ): *I sincerely hope that you will succeed; Many letter-writers finish their letters with "Yours sincerely".*

'sin·ew (*'sin-ū*) *n* a strong cord that joins a muscle to a bone (เอ็น).

'sin·ful *adj* wicked (ชั่วช้า). **'sin·ful·ly** *adv* (อย่างชั่วช้า). **'sinful·ness** *n* (ความชั่วช้า).

sing *v* to make musical sounds with your voice (ร้องเพลง): *He sings very well; She sang a Scottish song; I could hear the birds singing.*

sing; sang; sung: *She sang while she worked; This song should be sung to the harp.*

'sing·er *n* a person who sings (นักร้อง): *Are you a good singer?; He is training to be an opera-singer; a choir of 40 singers.*
'sing·ing *n* (การร้องเพลง): *She's going to study singing when she leaves school.* — *adj* (เกี่ยวกับการร้องเพลง): *a singing lesson; a singing-teacher.*

singe (*sinj*) *v* to burn slightly; to scorch (ไหม้เล็กน้อย เกรียม): *She singed her dress by ironing it with too hot an iron.*

'singe·ing, meaning "burning slightly" is spelt with an **e**.

'sin·gle (*'siŋ-gəl*) *adj* **1** one only (เดี่ยว): *The spider hung on a single thread.* **2** for one person only (สำหรับคนเดียวเท่านั้น): *a single bed.* **3** not married (โสด): *a single person.* **4** for, or in, one direction only (ทางเดียว เที่ยวเดียว): *a single fare; a single journey; Is your ticket single or return?* — *n* a one-way ticket (ตั๋วเที่ยวเดียว): *Do you want a single or return?* **'sin·gle·ness** *n* (ความเป็นโสด).
sin·gle-'hand·ed *adj, adv* working *etc.* by yourself, without help (ทำด้วยตัวเองไม่มีคนช่วย): *He runs the restaurant single-handed.*
'sin·gles *n* a tennis match *etc.* in which there is one player on each side (ในเกมเทนนิสเกมเดี่ยว).
'sin·gly *adv* one by one; separately (ทีละคน แยกกัน): *They all arrived together, but they left singly.*
single out to pick out for special treatment (เลือกวิธีปฏิบัติอย่างพิเศษ): *He was singled out to receive special thanks for his work.*

'sin·gu·lar (*'siŋ-gū-lər*) *n* the form of a word which expresses only one (เอกพจน์): *"Foot" is the singular of "feet"; Is this noun in the singular or plural?* — *adj* (แห่งเอกพจน์): *a singular verb.*

'sin·i·ster *adj* suggesting, or warning of, evil (เป็นลางร้าย): *sinister happenings; His disappearance is very sinister.*

sink *v* **1** to go down below the surface of water; to make a ship *etc.* do this (จม ทำให้เรือจม): *The ship sank in deep water; The battleship was sunk by a torpedo.* **2** to go down; to get lower (ลงต่ำ ลดต่ำลง): *The sun sank slowly behind the hills; Her voice sank to a whisper.* **3** to go deeply into something (ซึม): *Rain sinks into the soil.* **4** to become sad (เศร้า): *My heart sinks when I think of the difficulties ahead.* — *n* a basin with a drain and a water supply connected to it (อ่างมีที่ระบายน้ำและต่อกับท่อน้ำที่เข้ามา อ่างล้างจาน อ่างล้างหน้า): *He washed the dishes in the sink.*

sink; sank; sunk: *The ship sank; The stone*

had sunk to the bottom of the lake.

'sin·ner *n* a person who sins (ผู้ทำบาป).

sip *v* to drink in very small mouthfuls (จิบ). — *n* a very small mouthful (การกินเข้าไปคำเล็ก ๆ): *She took a sip of the medicine.*

'si·phon or **'syphon** (*'sī-fən*) *n* **1** a bent pipe or tube for moving liquid from one container into another, lower, container (กาลักน้ำ): *He used a siphon to remove the petrol from the tank.* **2** a bottle which makes the liquid in it fizzy as it is let out (ขวดซึ่งทำให้ของเหลวที่อยู่ข้างในเป็นฟองเมื่อถูกปล่อยออกมา): *He got some soda-water from the siphon.*

siphon off to draw liquid from a container (เอาน้ำออกจากที่บรรจุ): *He siphoned off the petrol from the tank.*

sir *n* **1** a polite word you use for addressing a man (คำพูดสุภาพ ใช้กับผู้ชาย): *Excuse me, sir!; He started his letter "Dear Sirs,...".* **2** used as the title of a knight or a nobleman (ท่านเซอร์): *Sir Thomas Raffles.*

'si·ren (*'sī-rən*) *n* a device that gives out a loud shrill noise as a signal or a warning (ไซเรน): *a factory siren.*

'sis·ter *n* **1** a female relation who has the same parents as you do (พี่สาวหรือน้องสาว): *I have a brother and two sisters.* **2** a senior nurse (พยาบาลอาวุโส): *She's a sister on Ward 5.* **3** a member of a nunnery *etc.*; a nun (แม่ชี): *The sisters prayed together.*

'sis·ter-in-law, *plural* **'sis·ters-in-law**, *n* **1** the sister of your husband or wife (พี่สะใภ้หรือน้องสะใภ้). **2** your brother's wife.

sit *v* **1** to rest on your bottom; to be seated (นั่ง): *He likes sitting on the floor.* **2** to lie; to be in, or put in, a certain position (วาง อยู่ใน วางใน ตำแหน่งใดตำแหน่งหนึ่ง): *The parcel is sitting on the table; She sat the baby on the floor.* **3** to be an official member of a committee *etc.* (เป็นสมาชิกอย่างเป็นทางการของคณะกรรมาธิการ): *He sat on several committees.* **4** to perch (เกาะอยู่บนราวไม้ เกาะอยู่บนคอน): *An owl was sitting on the branch.* **5** to take an examination (การสอบ): *to sit an English exam.* **6** to have your picture painted or your photograph taken (การเป็นแบบหรือการถ่ายรูป): *She is sitting for a portrait.*

sit; sat; sat: *We sat in silence; He had sat there for three hours.*

sit back to rest (พักผ่อน): *He sat back in his armchair and read the newspaper.*

sit down to take a seat; to get into a sitting position (นั่งลง): *Let's sit down over here; Do sit down!* **sit up** to rise to a sitting position (นั่งตัวตรง): *Can the patient sit up?*

site *n* a place where a building, town *etc.* is, was, or is to be, built (สถานที่ตั้งหรือจะสร้างตัวอาคาร เมือง): *a building-site; The site for the new factory has not been chosen yet.*

'sit-in *n* a protest in which people occupy a building for a long time (การประท้วงโดยการยึดอาคารหลังหนึ่งไว้เป็นเวลานาน): *The students campaigning for higher grants staged a sit-in in the library.*

'sit·ting-room *n* the room in a house that is used for sitting in *etc.* (ห้องรับแขก): *She took the guests into the sitting-room.*

'sit·u·at·ed (*'sit-ū-ā-təd*) *adj* to be in a particular place (ตั้งอยู่): *The new school is situated on the north side of town.*

sit·u'a·tion (*sit-ū'ā-shən*) *n* **1** circumstances (สถานการณ์): *an awkward situation.* **2** a job (งาน): *She found a situation as a secretary.*

six *n* **1** the number 6 (จำนวน 6). **2** the age of 6 (อายุ 6 ขวบ). — *adj* **1** 6 in number (จำนวนเป็น 6). **2** aged 6 (อายุเป็น 6)

at sixes and sevens in confusion (อยู่ในความสับสน): *We've been at sixes and sevens since we moved house.*

sixth *n* one of six equal parts (หนึ่งในหกส่วน). — *n, adj* the next after the fifth (ที่ตามมาหลังที่ห้า).

six'teen *n* **1** the number 16 (หมายเลข 16). **2** the age of 16 (อายุ 16 ปี). — *adj* **1** 16 in number (จำนวนเป็น 16). **2** aged 16 (อายุเป็น 16).

'six·ty *n* **1** the number 60 (หมายเลข 60). **2** the age of 60 (อายุ 60 ปี). — *adj* **1** 60 in number (จำนวนเป็น 60). **2** aged 60 (อายุเป็น 60).

size *n* **1** largeness (ขนาด): *an area the size of a football pitch.* **2** a particular measurement in clothes, shoes *etc.* (ขนาดของเสื้อผ้า รองเท้า): *I take size 5 in shoes.*

'size·a·ble *adj* fairly large (ค่อนข้างใหญ่): *Sarah had a sizeable bruise on her knee after falling downstairs.*

'siz·zle *v* to make a hissing sound (เสียงดังฉี่ ๆ): *The steak sizzled in the frying-pan.*

skate *n* **1** a boot with a steel blade fixed to it for moving on ice *etc.* (รองเท้าสเก็ตน้ำแข็ง). **2** a roller-skate (รองเท้าสเก็ตลูกล้อ). — *v* to move on skates (เคลื่อนที่ไปบนสเก็ต): *Can you skate?; to go skating on the river.*

'ska·ter *n* (ผู้เล่นสเก็ต).

'skate·board *n* a narrow board with four small wheels, that you stand on and ride about on (แผ่นไม้สเก็ต).

'skate·board·ing *n* the activity of riding on a skateboard (การขี่ไปบนแผ่นไม้สเก็ต): *The boys do a lot of skateboarding in the park.*

'ska·ting-rink *n* an area of ice designed for skating on (ลานน้ำแข็งทำเป็นที่เล่นสเก็ต).

skate round or **skate over** to avoid facing or considering (หลีกเลี่ยงที่จะเผชิญหน้าหรือหลีกเลี่ยงที่จะพิจารณา): *She skated over the problems.*

'skel·e·ton *n* **1** the bony framework of an animal or person (โครงกระดูก): *The archaeologists dug up the skeleton of a dinosaur.* **2** any framework or outline (โครงสร้างหรือกรอบใด ๆ): *the steel skeleton of a building.*

sketch *n* **1** a rough plan; a quick drawing (แผนอย่างหยาบ ๆ วาดอย่างเร็ว ๆ): *Make a quick sketch of the classroom.* **2** a short account without many details (เรื่องราวสั้น ๆ): *The book began with a sketch of the author's life.* — *v* (วาดภาพอย่างหยาบ ๆ): *They went out with their pencils and paper and sketched the church.*

'sketch-book *n* a book for doing sketches in (สมุดวาดภาพอย่างหยาบ ๆ).

'sketch·y *adj* not thorough (ไม่ทั่วถึง): *My knowledge of chemistry is rather sketchy.*

'skew·er *n* a long metal pin for roasting meat on (ก้านโลหะเสียบเนื้อ).

ski (*skē*), *plural* **skis**, *n* one of a pair of long narrow strips of wood *etc.* that are attached to your feet for gliding over snow, water *etc.* (สกีหิมะ สกีน้ำ).— *v* to move on skis (เคลื่อนที่ไปด้วยสกี): *Can you ski?; to go skiing in the mountains.*

> **ski; ski·ing; skied** (*skēd*); **skied**: *I went skiing at Christmas; He skied down the slope.*

ski- (แห่งสกี): *a ski-suit.*

skid *v* to slide accidentally sideways (ไถลไปข้าง ๆ อย่างไม่ตั้งใจ): *The back wheel of his bike skidded and he fell off.* — *n* (การลื่นไถลไปข้าง ๆ): *I had a nasty skid on a patch of ice.*

'ski·er (*'skē-ər*) *n* someone who skies (ผู้เล่นสกี): *He's a good skier.*

'ski·ing *n* (การเล่นสกี).

'skil·ful *adj* having, or showing, skill (มีหรือแสดงความชำนาญ): *a skilful surgeon.*

'skil·ful·ly *adv* (อย่างชำนาญ).

'skil·ful·ness *n* (ความชำนาญ).

> **skilful** is spelt with **-l-** (not **-ll-**).

skill *n* **1** cleverness at doing something (ความชำนาญ): *This job requires a lot of skill.* **2** a job or activity that requires training and practice; an art (ศิลปะ): *Children quickly master the skills of reading and writing.*

skilled *adj* **1** having skill, especially skill gained by training (มีความชำนาญ): *a skilled craftsman; She is skilled at all types of dressmaking.* **2** requiring skill (ต้องมีความชำนาญ): *a skilled job.*

skim *v* **1** to remove floating matter, for example cream, from the surface of a liquid (ช้อนเอาของที่ลอยออก เช่นช้อนเอาครีมที่ลอยออก): *Skim the fat off the gravy.* **2** to move lightly and quickly over a surface (เคลื่อนที่ไปอย่างเบาและรวดเร็วบนพื้นผิว): *The bird skimmed across the water.* **3** to read quickly, missing out parts (อ่านเร็ว ๆ พลาดบางส่วนไป): *She skimmed through the book.*

skim milk milk from which the cream has been skimmed (หางน้ำนม).

'skimp·y *adj* brief or too small and not covering very much (สั้น ๆ หรือเล็กเกินไปและปกปิดไม่มากนัก); *She wore a skimpy swimsuit.*

skin *n* **1** the natural outer covering of an animal or person (ผิวหนัง): *She felt the cool breeze on her skin; A snake can shed its skin.* **2** a thin outer layer on fruit *etc.* (เปลือกบาง ๆ ภายนอกของผลไม้): *a tomato-skin.* **3** a thin film or layer that forms on a liquid (ชั้นบาง ๆ ที่ก่อตัวขึ้นบนของเหลว): *Boiled milk often has a skin on it.* — *v* to remove the skin from (ถลกหนัง): *He skinned and cooked the rabbit.*

skin-'deep *adj* affecting the surface only and not really important (ผิวเผิน): *Beauty is only skin-deep.*

'skin-di·ver *n* someone who does skin-diving (นักดำน้ำ).

'skin-di·ving *n* the activity of swimming under water without a special diving suit, using only light breathing equipment (การดำน้ำโดยไม่มีชุดประดาน้ำ ใช้เพียงแต่เครื่องช่วยหายใจขนาดเล็กเท่านั้น).

skin-'tight *adj* fitting very tightly (รัดแน่นมาก): *His jeans were skin-tight.*

by the skin of your teeth only just (หวุดหวิด): *We escaped by the skin of our teeth.*

'skin·ny *adj* very thin (ผอมมาก): *You must eat more — you're very skinny.*

skip *v* **1** to go along with a hop on each foot in turn (กระโดดไปทีละขาสลับกัน): *The little girl skipped up the path.* **2** to jump over a rope that you turn under your feet and over your head (กระโดดเชือก). **3** to miss out (ข้ามไป): *Skip Chapter 2.* — *n* a hop on one foot in skipping (การกระโดดเชือก).

'skip·per *n* the captain of a ship, an aeroplane, or a team. — *v* (กัปตันเรือ เครื่องบิน หรือทีม): *Who skippered the team?*

'skir·mish *n* a brief battle or argument (รบกันหรือโต้แย้งกันประปราย): *He was killed in a skirmish between the protesters and the police; a skirmish in parliament over the new law.*

skirt *n* **1** a garment, worn by women, that hangs from the waist (กระโปรง): *Was she wearing trousers or a skirt?* **2** the lower part of a dress, coat *etc.* (ส่วนล่างของเสื้อผ้า กระโปรง): *a dress with a narrow skirt.*

skit *n* a short act on stage, or piece of writing, that makes fun of something (การแสดงสั้น ๆ เสียดสีบนเวทีหรือการเขียนเสียดสี): *The skit on the policeman was the funniest part of the show.*

'skit·tle *n* a bottle-shaped object that you try to knock down with a ball (เกมชนิดหนึ่งซึ่งมีวัสดุเป็นรูปขวดที่เราพยายามจะทำให้ล้มโดยใช้ลูกบอล).

'skit·tles *n* a game in which the players try to knock down a number of skittles all at once with a ball (เกมซึ่งผู้เล่นพยายามจะทำให้วัสดุรูปขวดจำนวนหนึ่งล้มลงในเวลาเดียวกัน).

skull *n* the bony case that contains your brain (กะโหลก).

skunk *n* a small animal, found in North America, that defends itself by giving out a bad-smelling liquid (ตัวสกั๊งค์).

sky (*skī*) *n* the part of space above the earth, where you can see the sun, moon *etc.*; the heavens (ท้องฟ้า): *The sky was blue and cloudless; The skies were grey all week.*

'sky-div·er *n* someone who does sky-diving (นักดิ่งพสุธา).

'sky-div·ing *n* the activity of jumping from an aircraft and performing tricks in the air before your parachute opens (การดิ่งพสุธา).

sky-'high *adj, adv* very high (สูงมาก): *sky-high prices; The car was blown sky-high by the explosion.*

'sky·line *n* the outline of buildings, hills *etc.* seen against the sky (แนวขอบฟ้า): *the New York skyline.*

'sky·scra·per *n* a high building of very many storeys (ตึกระฟ้า).

slab *n* a thick slice; a thick flat piece (แผ่นแบน ๆ หนา ๆ): *concrete slabs; a slab of* cake.

slack *adj* loose; not tightly stretched (**หย่อน**): *Leave the rope slack.*

'slack·ly *adv* (**อย่างหย่อน**).

'slack·ness *n* (**ความหย่อน**).

'slack·en *v* to make or become looser (**ทำให้หลวมขึ้นอีก คลายมือลง**): *She felt his grip on her arm slacken.*

slain *see* **slay** (**ดู slay**).

'sla·lom (*'slä-ləm*) *n* a race in and out of obstacles on a twisting course, usually on skis or in canoes (**การแข่งขันผ่านเครื่องกีดขวางมักจะเป็นการแข่งขันสกีหรือเรือแคนู**).

slam *v* to shut violently, making a loud noise (**ปิดอย่างแรงทำให้เกิดเสียงดัง**): *He slammed the door.* — *n* (**กระแทกประตูปิด**): *The door closed with a slam.*

'slan·der (*'slän-der*) *n* a spoken statement which tells lies about someone (**ถ้อยคำซึ่งกล่าวถึงใครบางคนอย่างไม่เป็นความจริง ข้อครหา ข้อกล่าวร้าย**): *Slander could damage a person's good reputation.*

slang *n* informal words or phrases that you use in conversation, especially with people of your own age, but not when you are writing or being polite (**คำสแลง ภาษาตลาด**): *school slang; "Mug" is slang for "face".*

slant (*slänt*) *v* to slope (**เอียง**): *The house is very old and all the floors and ceilings slant a little.* — *n* (**ความเอียง**): *Your writing has a backward slant.*

'slant·ing *adj* (**ตัวเอียง**): *slanting writing.*

slap *v* to give someone a blow with the palm of your hand or anything flat (**ตบ**): *She slapped his face.* — *n* (**การตบ**): *Tim got a slap from his mother for being rude.*

'slap·stick *n* a kind of comedy that uses actions, not words, to make you laugh (**ละครตลกที่ใช้การกระทำมากกว่าคำพูดที่จะทำให้เราหัวเราะ**): *Slapstick is the kind of comedy in which people throw messy pies at each other's faces, and trip each other up.*

slash *v* **1** to make long cuts in something (**รอยบาดเป็นทางยาว**): *Her attacker slashed her arm with a razor.* **2** to strike violently (**จู่โจมอย่างรุนแรง**): *He slashed at the snake with a stick.* — *n* (**ขาดเป็นทางยาว ตีอย่างแรง**): *There was a long slash in her dress; He gave the snake a slash with his stick.*

slat *n* a thin strip of wood or metal (**แผ่นไม้หรือโลหะบาง ๆ**): *The door is made of narrow slats.*

slate *n* an easily split kind of stone, blue or grey in colour; a shaped piece of this, used to make roofs (**หินชนวนใช้มุงหลังคา**): *Slates fell off the roof in the wind.*

'slaugh·ter (*'slö-tər*) *n* **1** the killing of people or animals in large numbers (**การประหารหมู่ การฆ่าสัตว์**): *Many people protested at the slaughter of seals.* **2** the killing of animals for food (**การฆ่าสัตว์เพื่อเป็นอาหาร**): *Methods of slaughter must be humane.* — *v* **1** to kill animals for food (**ฆ่าเพื่อเป็นอาหาร**): *Thousands of cattle are slaughtered here every year.* **2** to kill in a cruel manner, especially in large numbers (**การฆ่าอย่างโหดร้ายและเป็นจำนวนมาก**): *The soldiers slaughtered the villagers.*

'slaugh·ter-house *n* a place where animals are killed for food; an abattoir (**โรงฆ่าสัตว์**).

slave *n* someone who works for and belongs to someone else (**ทาส**): *In the 19th century many Africans were sold as slaves in the United States.* — *v* to work very hard (**ทำงานหนักมาก**): *I've been slaving away all day while you've been sitting watching television.*

'sla·ver·y *n* (**ความเป็นทาส การทำงานหนัก**).

slay *v* to kill (**ฆ่า**).

slay; slew; slain: *Jack slew the giant; The dragon was slain by St George.*

'slea·zy *adj* dirty, neglected and seeming to be dishonest (**สกปรก ถูกละเลยและดูเหมือนจะไม่น่าไว้วางใจ**): *a sleazy part of town.*

sledge *v* a vehicle made for sliding upon snow (**ล้อเลื่อนบนหิมะ**). — *v* to ride on a sledge: *The children went sledging in the snow.*

sleek *adj* smooth and shining (**เรียบและเป็นประกาย**): *sleek hair.*

sleep *v* to rest with your eyes closed, in a state of natural unconsciousness (**หลับ**): *Good-*

night — sleep well!; I can't sleep — I'm not tired. — *n* (การหลับ): *It is important for children to get plenty of sleep; I had a nice long sleep this afternoon; I had only four hours' sleep last night.*

sleep; slept; slept: *I slept well last night; John has slept in that room all his life.*

'sleep·er *n* **1** a person who is asleep (ผู้ที่หลับ): *Nothing occurred to disturb the sleepers.* **2** a compartment you sleep in, on a railway train (ตู้นอนในรถไฟ): *I'd like to book a sleeper on the London train.*

'sleep·ing-bag *n* a large warm bag for sleeping in, used by campers, mountaineers *etc.* (ถุงนอน).

'sleep·ing-pill, 'sleep·ing-tab·let *n* a pill that can be taken to make you sleep (ยานอนหลับ).

'sleep·less *adj* without sleep (นอนไม่หลับ): *He spent a sleepless night worrying about the exam.*

'sleep·walk *v* to walk about while you are asleep (เดินละเมอ): *She was sleepwalking again last night.* **'sleep·walk·er** *n* (ผู้เดินละเมอ).

'sleep·y *adj* **1** wanting to sleep; drowsy (อยากจะนอน ง่วง): *I feel very sleepy after that long walk.* **2** dull; not bright and alert (ซึมเซา ไม่สดใสและร่าเริง): *She always has a sleepy expression.* **3** very quiet; lacking excitement (เงียบมาก ขาดความตื่นเต้น): *a sleepy town.* **'sleep·i·ly** *adv* (อย่างหลับไหล). **'sleep- i·ness** *n* (ความหลับไหล).

put to sleep 1 to make someone unconscious with an anaesthetic (วางยาสลบ): *The doctor will give you an injection to put you to sleep.* **2** to kill an animal painlessly (วางยา): *As my cat was so old and ill, he had to be put to sleep.*

sleep like a log, sleep like a top to sleep very well (หลับเป็นตาย): *After my hard day's work I slept like a log.*

sleet *n* rain mixed with snow or hail (ฝนตกปนกับหิมะหรือลูกเห็บ): *It was getting colder and the rain was beginning to turn to sleet.*

sleeve *n* **1** the part of a garment that covers your arm (แขนเสื้อ): *He tore the sleeve of his jacket.* **2** a stiff envelope for a gramophone record (ซองใส่แผ่นเสียง).

-sleeved (เกี่ยวกับแขนเสื้อ): *a long-sleeved dress.*

'sleeve·less *adj* without sleeves (ไม่มีแขน): *a sleeveless dress.*

have or **keep something up your sleeve** to keep something secret for possible use at a later time (เก็บบางอย่างไว้เป็นความลับเพื่อที่จะนำมาใช้ในภายหลัง): *I'm keeping this idea up my sleeve.*

sleigh (*slā*) *n* a large sledge, pulled by a horse (ล้อเลื่อนขนาดใหญ่ ใช้ม้าลาก).

sleight (*slit*) (ความคล่องแคล่ว): **sleight of hand** skill in moving your hands quickly to trick or deceive people (ความคล่องแคล่วในการใช้มือเล่นกลหรือลวงผู้คน): *Conjurors rely on sleight of hand to perform tricks.*

'slen·der *adj* **1** thin; slim; narrow (ผอม บาง แคบ): *She is tall and slender; a tree with a slender trunk.* **2** slight; small (น้อยนิด เล็กน้อย): His chances of winning are extremely slender.

slept *see* **sleep** (ดู **sleep**).

slew *see* **slay** (ดู **slay**).

slice *n* a thin broad piece of meat, bread *etc.*; a slab or a triangular section cut from a cake (ชิ้นบาง ๆ ของเนื้อ ขนมปัง ส่วนของขนมเค้กเป็นรูปสามเหลี่ยม): *How many slices of meat would you like?; She cut herself a large slice of cake.* — *v* **1** to cut into slices (ตัดเป็นชิ้นบาง ๆ): *He sliced the cucumber.* **2** to cut with a sharp blade or knife (ตัดด้วยใบมีดที่คม ๆ): *Alan sliced off the end of the packet.*

sliced *adj* cut into slices (ตัดเป็นชิ้น ๆ): *a sliced loaf.*

slick *n* a broad band of oil floating on the surface of the sea *etc.* (รอยน้ำมันเป็นวงกว้างลอยอยู่บนผิวน้ำทะเล): *An oil-slick is floating towards the coast.*

slide *v* to move over a surface fast and smoothly; to slip (เคลื่อนไปบนผิวอย่างเร็วและราบเรียบ ไถล): *The coin slid under the chair; He slid the coin across the table to me; Children must not slide in the school corridors.* —

n **1** the action of sliding (การลื่นไถล): *to have a slide on the ice.* **2** a playground apparatus with a smooth sloping surface, for children to slide down (กระดานลื่น). **3** a small transparent photograph for projecting on to a screen *etc.* (รูปภาพเล็ก ๆ ใส ๆ ที่ใช้กับเครื่องฉายภาพ): *The lecture was illustrated with slides.*

slide; slid; slid: *He slid down the icy slope; The book had slid across the floor.*

sliding door a door that slides across an opening rather than swinging on a hinge (ประตูเลื่อน).

slight (*slit*) *adj* **1** small; not great; not very bad (เล็กน้อย ไม่มาก ไม่เลวนัก): *a slight breeze; We have a slight problem; She has a slight cold; There has been a slight improvement in your work.* **2** slim and light (ผอมบางและเบา): *He looked too slight to be a boxer.*

'slight·est *adj* least possible; any at all (เป็นไปได้น้อยที่สุด ไม่เลย): *I haven't the slightest idea where he is; The slightest difficulty seems to upset her.*

'slight·ly *adv* (อย่างนิดหน่อย): *I'm still slightly worried about it.*

in the slightest at all (แม้แต่น้อย ไม่เลย): *You haven't upset me in the slightest; That doesn't worry me in the slightest.*

slily another spelling of (คำสะกดอีกแบบหนึ่งของ) **slyly** .

slim *adj* **1** thin (ผอม บาง): *Taking exercise is one way of keeping slim.* **2** not good; slight (ไม่ดี มีน้อย): *There's still a slim chance that we'll find the child alive.* — *v* to try to become slimmer, for example by eating less (พยายามทำให้ผอมลง): *I mustn't eat cakes — I'm trying to slim.* **'slim·ness** *n* (ความผอม).

slime *n* thin, slippery mud or other matter that is soft, sticky and half-liquid (เมือก): *There was a layer of slime at the bottom of the pond.*

'sli·my *adj* (เป็นเมือก เป็นตะกอน).

'sli·mi·ness *n* (ความเป็นเมือก ความเป็นตะกอน).

sling *n* a bandage hanging from your neck or shoulders to support an injured arm (ผ้าคล้องคอสำหรับโยงแขนที่ได้รับบาดเจ็บ): *He had his broken arm in a sling.* — *v* **1** to throw violently (ขว้างอย่างแรง): *Jim slung my bag through the open window.* **2** to support, hang or swing by means of a strap, sling *etc.* (มีเชือกหรือสายคล้อง): *He had a camera slung round his neck.*

sling; slung; slung: *He slung his rucksack on to his back; His coat was slung over his shoulder.*

'sling·shot *n* a catapult (หนังสติ๊ก).

slink *v* to go quietly or secretly (ไปอย่างเงียบ ๆ และเป็นความลับ ย่อง): *He slunk into the kitchen and stole a cake.*

slink; slunk; slunk: *He slunk out of sight; The snake had slunk into the bushes.*

slip[1] *n* a small piece of paper (กระดาษแผ่นเล็ก ๆ): *She wrote down his telephone number on a slip of paper.*

slip[2] *v* **1** to slide accidentally and lose your balance (ลื่น): *I slipped and fell on the ice.* **2** to slide, or drop, out of the right position or out of control (ลื่นหลุดจากตำแหน่งหรือหลุดจากการควบคุม): *The plate slipped out of my grasp.* **3** to move quietly, especially without being noticed (แอบออกไปอย่างเงียบ ๆ): *She slipped out of the room.* **4** to put something with a quick, light movement (สอดคืนอย่างรวดเร็วและเบา): *She slipped the letter back in its envelope.* — *n* **1** a small mistake (ความผิดพลาดเล็กน้อย): *Everyone makes the occasional slip.* **2** a petticoat (กระโปรงชั้นใน).

'slip·per *n* a loose, soft kind of shoe for wearing indoors (รองเท้าแตะที่ใส่อยู่ในบ้าน).

'slip·per·y *adj* so smooth as to cause slipping (เรียบมากจนทำให้ลื่น): *The path is slippery — watch out!* **'slip·per·i·ness** *n* (ความลื่น).

'slip·stream *n* a fast stream of air behind a moving vehicle such as a car or aircraft (กระแสอากาศที่ถูกดันกลับโดยรถยนต์หรือเครื่องบิน).

give someone the slip to escape (หนี): *The bank robbers gave the policemen the slip.*

slip into to put on clothes quickly (ใส่เสื้อ

ผ้าอย่างรวดเร็ว): *She slipped into her night-dress.*

slip off **1** to take clothes off quickly (ถอดเสื้อผ้าออกอย่างรวดเร็ว): *Slip off your shoe.* **2** to move away quietly (ออกไปอย่างรวดเร็ว): *We'll slip off when no-one's looking.*

slip on to put clothes on quickly (สวมเสื้อผ้าอย่างรวดเร็ว): *She slipped on her jacket.*

slip up to make a mistake (ทำผิดพลาด).

'slip·shod *adj* careless and untidy (ไม่เอาใจใส่และไม่เรียบร้อย): *slipshod work.*

slit *v* to make a long cut in something (ตัดเป็นทางยาว เฉือน): *He slit the animal's throat; She slit the envelope open with a knife.* — *n* a long cut; a narrow opening (รอยตัดยาว ๆ รอยเปิดแคบ ๆ): *a slit in the material.*

slit; slit; slit: *Alice slit the material with scissors; The envelope had been slit open.*

'slith·er (*'slidh-ər*) *v* to slide; to slip (กลิ้งเกลือก): *The dog was slithering about on the mud.*

'sliv·er (*'sliv-ə*) *n* a long thin piece cut or broken from something (ตัดออกหรือหักออกเป็นชิ้นยาว ๆ): *She cut slivers of cheese.*

slob *n* a lazy, untidy and rude person (คนขี้เกียจ ไม่เรียบร้อย และหยาบคาย): *He has become a slob since he was sacked.*

slog *v* **1** to hit someone or something hard (ทุบหรือตีอย่างแรง): *She slogged him with her handbag; He slogged the golf-ball into the air.* **2** to work very hard (ทำงานหนักมาก): *He has been slogging all week for his exams.* **3** to walk with a lot of effort (เดินด้วยความยากลำบาก): *We slogged up the steep hill.* — *n* (เป็นงานที่หนัก): *Working for exams is a hard slog; We were really tired after the long, hard slog up the hill; He gave the ball a slog.*

'slo·gan (*'slō-gən*) *n* an easily-remembered and often-repeated phrase that is used in advertising *etc.* (คติพจน์ คำพังเพย คำที่ใช้บ่อย ๆ ในการโฆษณา).

slop *v* to splash, spill, or move around violently in a container (กระจาย หก หรือเคลื่อนไหวอย่างรุนแรงอยู่ในที่บรรจุ กระฉอก): *The water was slopping about in the bucket.*

slope *n* **1** a direction that is neither level nor upright; an upward or downward slant (เอียงลาด): *The floor is on a slight slope.* **2** the side of a hill (ด้านข้างของภูเขา): *The house stands on a gentle slope.* — *v* (เอียงลาด): *The field slopes towards the road.*

'slo·ping *adj* (เกี่ยวกับการเอียงลาด): *a sloping roof.*

'slop·py *adj* **1** half-liquid (กึ่งของเหลว): *sloppy food.* **2** careless (เลินเล่อ): *sloppy work.*

slosh *v* to splash in a noisy way (กระจายด้วยเสียงอันดัง): *The water sloshed on the table; She sloshed water on to the floor.*

slot *n* a small narrow opening, especially one to receive coins (ช่องเล็ก ๆ แคบ ๆ ที่เปิดอยู่มักจะเป็นช่องรับเหรียญ): *I put the correct money in the slot, but the machine didn't start.* — *v* to fit something into a small space (ใส่บางอย่างลงในที่แคบ ๆ): *He slotted the tape into the recorder.*

slouch *v* to move, stand or sit with your shoulders rounded and your head hanging forward (คอตก ซบเซา): *He was slouching in a chair.*

slow (*slō*) *adj* **1** not fast; not moving quickly; taking a long time (ช้า): *a slow train; The service at that restaurant is very slow; He was very slow to offer help.* **2** showing a time earlier than the real time: behind in time (เดินช้า): *My watch is five minutes slow.* **3** not clever; not quick at learning (ไม่ฉลาดเรียนรู้ได้ไม่เร็ว): *He's slow at arithmetic.* — *v* to make, or become slower (ทำให้ช้าลง): *The car slowed to turn the corner; He slowed the car.* **'slow·ness** *n* (ความช้า).

'slow·ly *adv* (อย่างช้า ๆ): *He slowly opened his eyes.*

slow down, slow up to make or become slower (ช้าลง): *The police were warning drivers to slow down; The fog was slowing up the traffic.*

slug *n* a creature like a snail, but without a shell (ทาก).

'slug·gish *adj* lazy, working or moving more slowly than usual (ขี้เกียจ ทำงานหรือเคลื่อนไหวช้ากว่าปกติ): *She got out of bed feeling tired and sluggish.*

slum *n* a part of a town *etc.* where the conditions are dirty and overcrowded and the buildings in a bad state (**ชุมชนแออัด**): *That new block of flats is rapidly turning into a slum.* — *adj* (**แห่งชุมชนแออัด**): *a slum dwelling.*

'slum·ber *v* to sleep (**หลับ**): *The children were slumbering peacefully.* — *n* (**การหลับ**): *She was in a deep slumber.*

slump *v* to fall or sink suddenly and heavily (**ล้มหรือจมอย่างกระทันหันและอย่างหนัก ๆ**): *He slumped wearily into a chair.*

slung *see* **sling** (**ดู sling**).

slunk *see* **slink** (**ดู slink**).

slur (*slər*) *v* to pronounce in a way which is not clear (**พูดอ้อแอ้ พูดไม่ชัด**): *He slurred his words because he was drunk.* — *n* an insult which could damage someone's good reputation (**คำหมิ่นประมาทซึ่งอาจจะทำให้คนดี ๆ เสียหายได้**): *She got angry when people cast slurs on her character.*

sly (*slī*) *adj* cunning; deceitful (**ฉลาดแกมโกงหลอกลวง**): *sly behaviour.*

'sly·ly, 'sli·ly *advs* (**อย่างฉลาดแกมโกง**).

'sly·ness *n* (**ความฉลาดแกมโกง**).

smack *v* to strike smartly and loudly; to slap (**ตีหรือตบเสียงดัง**): *She smacked the child's hand.* — *n* (**การตบเสียงดัง**): *He gave the child a hard smack; He could hear the smack of the waves against the side of the ship.* — *adv* directly and with force (**อย่างตรง ๆ และใช้กำลัง**): *He ran smack into the door.*

small (*smöl*) *adj* **1** little; not large; not important (**เล็ก ๆ ไม่ใหญ่ ไม่สำคัญ**): *She was holding a small boy by the hand; There's only a small amount of sugar left; He runs a small advertising business; There were a few small mistakes in your work.* **2** not capital (**ไม่ใช่ตัวใหญ่**): *The teacher showed the children how to write a capital G and a small g.*

See also **young**.

small change coins of small value (**เศษเงินเงินเหรียญที่มีค่าน้อย**).

'small·pox *n* a serious disease in which there is a bad rash of large, pus-filled spots that leave scars (**ฝีดาษ ไข้ทรพิษ**).

smart *adj* **1** neat and well-dressed; fashionable (**แต่งตัวดี ทันสมัย**): *You're looking very smart today; a smart suit.* **2** clever and quick in thought and action (**การคิดและการกระทำที่ฉลาดและรวดเร็ว**): *We need a smart boy to help in the shop.* **3** brisk; sharp (**อย่างรวดเร็วแรง**): *She gave him a smart slap on the cheek.* — *v* to have a sharp stinging feeling (**มีความรู้สึกระคายเคือง**): *The thick smoke made his eyes smart; His cheek was smarting where she had slapped him.*

'smart·en *v* to make or become smarter (**ทำให้ดูดีขึ้น**): *He has smartened up a lot in appearance lately; Smarten yourself up before you go and see the headmaster.*

'smart·ly *adv* (**อย่างฉลาด เท่ห์**): *She is always smartly dressed.*

'smart·ness *n* (**ความฉลาด ความดูดี**).

smash *v* **1** to break in pieces; to be ruined (**แตกเป็นชิ้นเล็กชิ้นน้อย ทำลาย**): *The plate dropped on the floor and smashed into little pieces; This unexpected news had smashed all his hopes; He smashed up his car in an accident.* **2** to strike with great force; to crash (**ชน**): *The car smashed into a lamp-post.* — *n* **1** the sound of a breakage; a crash (**เสียงของการแตก**): *I heard a smash in the kitchen.* **2** an accident; a crash (**การชน**): *There has been a bad car smash.* **3** a strong blow (**ต่อยอย่างแรง**): *He gave his opponent a smash on the jaw.* **4** in tennis *etc.*, a hard downward shot (**การตีลูกกดลงต่ำอย่างแรงในการเล่นเทนนิส**).

'smash·ing *adj* marvellous; splendid (**ยอดเยี่ยม วิเศษ**): *What a smashing idea!; a smashing new bike.*

smear *v* **1** to spread something sticky or oily over a surface (**ป้าย**): *The little boy smeared jam on the chair.* **2** to rub; to smudge (**ถูเปื้อน**): *He brushed against the newly painted notice and smeared the lettering.* — *n* (**รอยป้าย**): *There's a dirty smear on your face.*

smell *n* **1** the power of being aware of things through your nose (**การดมกลิ่น**): *Dogs have a good sense of smell.* **2** the thing that is noticed by using this power (สิ่งต่าง ๆ ที่ถูกสังเกตเห็นได้โดยใช้พลังทางนี้): *a pleasant smell; There's a strong smell of gas.* **3** the using of this power (การใช้พลังทางนี้): *These roses have a lovely perfume — come and have a smell.* — *v* **1** to notice through your nose (ดมกลิ่น): *I thought I smelt burning.* **2** to give off a smell (ปล่อยกลิ่น): *The roses smelt beautiful; My hands smell of onions.* **3** to examine something using your sense of smell (พิจารณาดูอะไรบางอย่างโดยใช้การดมกลิ่น): *Let me smell those flowers.*

smell; smelt or **smelled; smelt** or **smelled**: *He said he smelt gas; We had already smelt the gas.*

-smel·ling (กลิ่น): *a nasty-smelling liquid; sweet-smelling flowers.*

'smel·ly *adj* having a bad smell (มีกลิ่นเหม็น): *smelly fish.* **'smel·li·ness** *n* (ความมีกลิ่นเหม็น).

smell out to find by smelling (หาด้วยการดมกลิ่น): *We buried the dog's bone, but he smelt it out again.*

smelt[1] *v* to melt ore in order to separate metal from waste (ถลุงแร่เพื่อแยกโลหะออกจากของเสีย).

smelt[2] *see* **smell** (ดู **smell**).

smile *v* to show pleasure, amusement *etc.* by turning up the corners of your mouth (ยิ้ม): *He smiled warmly at her as he shook hands; They all smiled politely at the joke.* — *n* (การยิ้ม): *"How do you do?" he said with a smile; the happy smiles of the children.*

'smi·ling *adj* (การยิ้มอย่างมีความสุข): *a happy, smiling face.*

all smiles very happy (มีความสุขมาก): *The children were all smiles when the headmistress promised them a day's holiday.*

smock *n* a loose garment worn over clothes to protect them (เสื้อคลุมกันเปื้อน): *Artists often wear smocks to protect their clothes from paint.*

smog *n* smoke mixed with fog that hangs over some busy industrial areas (ควันผสมกับหมอกซึ่งลอยอยู่เหนือบริเวณอุตสาหกรรม): *Smog makes it difficult to breathe properly.*

smoke *n* **1** the cloudlike gases and bits of soot given off by something that is burning (ควัน): *Smoke was coming out of the chimney; He puffed cigarette smoke into my face.* **2** the smoking of a cigarette *etc.* (ควันบุหรี่): *He went outside for a smoke.* — *v* **1** to give off smoke (ปล่อยควันออกมา): *The factory chimney was smoking.* **2** to draw in and puff out the smoke from a cigarette *etc.* (สูบบุหรี่): *I don't smoke; He smokes cigars; He smokes a pipe.* **3** to preserve ham, fish *etc.* by hanging it in smoke (หมูรมควัน ปลารมควัน).

'smoke·less *adj* burning without smoke (เผาไหม้โดยไม่มีควัน): *smokeless fuel.*

'smo·ker *n* someone who smokes cigarettes *etc.* (คนสูบบุหรี่): *When did you become a smoker?* **'smo·king** *n* the habit of smoking cigarettes *etc.* (การสูบบุหรี่): *Smoking may damage your health.*

'smo·ky *adj* **1** filled with smoke (เต็มไปด้วยควัน): *The atmosphere in the room was thick and smoky.* **2** like smoke in appearance *etc.* (ดูเหมือนควัน): *smoky glass.*

'smo·ki·ness *n* (ความเต็มไปด้วยควัน).

go up in smoke to be destroyed by fire (โดนทำลายด้วยไฟ): *The house went up in smoke.*

smooth (*smoodh*) *adj* **1** having an even surface; not rough (มีพื้นผิวราบเรียบ): *Her skin is as smooth as satin.* **2** without lumps (ไม่เป็นก้อน): *Make the mixture into a smooth paste.* **3** without breaks, stops or jerks (ไม่มีการหยุดพัก ไม่มีการหยุดหรือการกระตุก): *Did you have a smooth flight from New York?* **4** without problems or difficulties (ไม่มีปัญหาหรือความยุ่งยาก): *a smooth journey.* — *v* **1** to make something smooth or flat (ทำให้ราบเรียบหรือแบน): *She tried to smooth the creases out.* **2** to rub a liquid substance *etc.* gently over a surface (ถูด้วยสารเหลวเบา ๆ บนผิว): *Smooth the cleansing liquid over your face and neck; Smooth the ointment into your skin.*

'smooth·ly *adv* (อย่างราบเรียบ): *The plane landed smoothly; The meeting went very* smoothly.

'smooth·ness *n* (ความราบเรียบ).

'smoth·er (*'smudh-ər*) *v* **1** to kill or die from lack of air; to suffocate (ถูกฆ่าหรือตายโดยขาดอากาศ ขาดอากาศหายใจ): *It's better not to give the baby a pillow as he may get smothered by it.* **2** to prevent a fire from burning by covering it thickly (ป้องกันไม่ให้ไฟลุกต่อไปอีกโดยการปกคลุมอย่างหนา ๆ): *He threw sand on the fire to smother it.*

'smoul·der (*'smōl-dər*) *v* to burn slowly, without a flame (ลุกไหม้อย่างช้า ๆ ไม่มีเปลวไฟ).

smudge *n* a smear; a rubbed mark (รอยเปื้อน): *There's a smudge of paint on your nose.* — *v* (เปื้อน): *Her writing was smudged and untidy.* **'smudg·y** *adj* (แห่งรอยเปื้อน).

smug *adj* feeling or looking very pleased with yourself (รู้สึกหรือมีท่าทีพอใจมากในตนเอง): *You didn't get all your sums right, so there's no need to look smug, even if you did do better than Paul.*

'smug·gle *v* to bring goods into or send them out from a country illegally, or without paying duty (ขนของหนีภาษี): *He was caught smuggling drugs through the Customs.*

'smug·gler *n* (ผู้ขนของหนีภาษี).

'smug·gling *n* (การขนของหนีภาษี): *the laws against smuggling; drug-smuggling.*

smut *n* **1** a small piece of dirt or soot that leaves a dark mark on something (รอยเขม่า หรือขี้เถ้าเขม่า). **2** talk that is disgusting, especially in a sexual way (คำพูดที่น่าสะอิดสะเอียน โดยเฉพาะอย่างยิ่งพูดในเรื่องเพศ).

snack *n* a light, hasty meal (อาหารเบา ๆ): *I usually have a snack at lunchtime.* — *adj* (กินอาหารอย่างเบา ๆ): *a snack lunch.*

snag *n* a difficulty; a problem (ความยุ่งยาก ปัญหา): *We did not realize at first how many snags there were in our plan.*

snail *n* a small animal with a soft body and a shell, that moves slowly along the ground (หอยทาก): *Snails leave a silvery trail as they move along.*

at a snail's pace very slowly.

snake *n* a legless reptile with a long body, that moves along the ground with a twisting movement. Some snakes have a poisonous bite (งู): *He was bitten by a snake and nearly died.* — *v* to move like a snake (เคลื่อนที่เหมือนงู): *He snaked his way through the narrow tunnel.*

'snake-charm·er *n* a person who can handle snakes and make them perform dancing movements (หมองู).

A snake **hisses**.

snap *v* **1** to make a biting movement; to grasp with the teeth (งับ): *The dog snapped at his ankles; The dog snapped up the piece of meat and ran away.* **2** to break with a sudden sharp noise (เสียงหักอย่างกระทันหัน): *He snapped the stick in half; The handle of the cup snapped off.* **3** to make a sudden sharp noise in moving *etc.* (เสียงดีดนิ้ว): *The lid snapped shut; Can you snap your fingers?* **4** to speak in a sharp, angry way (พูดสวน): *"Be quiet" he snapped.* **5** to take a photograph of something (ถ่ายรูป): *He snapped the children playing in the garden.* — *n* **1** the noise of snapping (เสียงหัก): *There was a loud snap as his pencil broke.* **2** a photograph; a snapshot (รูปภาพ): *He wanted to show us his holiday snaps.*

'snap·py *adj* bad-tempered; inclined to speak angrily (อารมณ์ร้าย): *He is always rather snappy on a Monday morning.*

'snap·pi·ly *adv* (อย่างอารมณ์ร้าย).

'snap·pi·ness *n* (ความมีอารมณ์ร้าย).

'snap·shot *n* a photograph, especially one taken quickly (รูปภาพ เฉพาะอย่างยิ่งที่ถ่ายอย่างรวดเร็ว): *That's a good snapshot of the children.*

snare *n* a trap for catching an animal (กับดักสัตว์). — *v* to catch with a snare (การจับด้วยกับดัก): *He snared a couple of rabbits.*

snarl *v* to growl angrily, showing the teeth (คำราม แยกเขี้ยว): *The dog snarled at the burglar.* — *n* (การคำราม การแยกเขี้ยว): *The dog gave an angry snarl.*

snatch *v* **1** to try to seize or grab suddenly (ฉวย คว้า จับ): *The monkey snatched the biscuit* *out of my hand.* **2** to take quickly, when you have time or the opportunity **(รีบทำอย่างรวดเร็วเมื่อมีโอกาสหรือเวลา)**: *She managed to snatch an hour's sleep.* — *n* **1** an attempt to seize **(พยายามที่จะแย่ง)**: *The thief made a snatch at her handbag.* **2** a short piece of music, conversation *etc.* **(ดนตรีสั้น ๆ การสนทนาสั้น ๆ)**: *a snatch of conversation.*

sneak *v* to go somewhere quietly and secretly, especially for a dishonest purpose **(ย่อง)**: *He must have sneaked into my room when no-one was looking and stolen the money.* — *n* a mean, deceitful person, especially someone who tells the teacher or someone in authority about what you have done wrong **(คนไม่ซื่อ คนที่ชอบฟ้องครูหรือเจ้าหน้าที่ว่าเราทำอะไรผิด)**.

'sneak·ers *n* rubber-soled running shoes **(รองเท้าพื้นยางสำหรับวิ่ง)**.

sneer *v* **1** to raise your top lip at one side in a kind of smile that expresses scorn **(ยิ้มเป็นเชิงดูหมิ่น)**. **2** to express your scorn for something **(ดูหมิ่น)**: *He sneered at my drawing.* — *n* **1** a sneering expression on your face **(มีสีหน้าดูหมิ่น)**. **2** a scornful remark.

sneeze *v* to blow out air suddenly and noisily through your nose **(จาม)**: *The pepper made him sneeze.* — *n* **(การจาม)**: *He felt a sneeze coming.*

sniff *v* **1** to draw in air through your nose with a slight noise **(สูดลมเข้าจมูกโดยมีเสียงเล็กน้อย)**. **2** to do this when trying to smell something **(ดม)**: *He sniffed suddenly, wondering if he could smell smoke.* — *n* **(การดม)**: *She gave the cheese a sniff.*

sniff out to discover by using the sense of smell **(หาพบโดยการดม)**: *The police used dogs to sniff out the explosives.*

'snig·ger *v* to laugh quietly in an unpleasant manner, for example at someone else's bad luck **(หัวเราะในคออย่างเย้ยหยัน)**: *When the teacher dropped her glasses, several of the children sniggered; What are you sniggering at?*

snip *v* to cut sharply, especially with a single quick action, with scissors *etc.* **(ตัด เล็ม อย่างว่องไวด้วยตะไกร)**: *I snipped off two inches of thread.* — *n* a cut with scissors **(การตัดด้วยตะไกร)**: *With a snip of her scissors she cut a hole in the cloth.*

snipe *v* **1** to shoot at someone from a hidden position **(ลอบยิง)**: *The bank robbers sniped at the police from behind a wall.* **2** to attack someone with words **(โจมตีด้วยคำพูด)**: *Politicans are often sniped at in newspapers.*

'sni·per (*'snī-pər*) *n* a person who shoots at people from a hidden position **(คนที่ลอบยิงผู้อื่น)**.

snip·pet *n* a small amount of **(จำนวนน้อย)**: *a snippet of information.*

'sniv·el (*'sniv-əl*) *v* to complain tearfully **(ร้องไห้กระซิก)**: *The child snivelled all the way home because he was tired.*

snob *n* someone who admires people of high rank or class, and despises those in a lower class *etc.* than themselves **(คนหัวสูง ชื่นชมคนที่มียศสูงหรือเหนือชั้นกว่าและดูถูกคนที่ต่ำชั้นกว่า)**.

'snob·ber·y *n* **(การวางท่าเป็นคนหัวสูง)**.

'snob·bish *adj* **(วางท่าเป็นคนหัวสูง)**: *She always had a snobbish desire to live in an area of expensive housing.*

'snob·bish·ly *adv* **(อย่างคนหัวสูง)**.

'snob·bish·ness *n* **(ความเป็นคนหัวสูง)**.

'snoo·ker *n* a game played on a large table by two players, who use long thin sticks called cues, to hit a white ball and knock coloured balls into pockets at the sides of the table **(เกมสนุกเกอร์)**: *Let's have a game of snooker; a snooker match.*

snoop *v* to investigate things that do not concern you **(สอดเข้าไปในเรื่องที่ไม่ใช่ธุระของตน)**: *She's always snooping into other people's business.*

snooze *v* to sleep lightly **(งีบหลับ)**: *His grandfather was snoozing in his armchair.* — *n* **(การงีบหลับ)**: *He's having a snooze.*

snore *v* to make a noise like a snort while sleeping, when you breathe in **(กรน)**: *Do I snore when I'm asleep?* — *n* **(การกรน)**: *He* *gave a loud snore and turned over in bed.*

'snor·kel *n* a tube fixed to a submarine, or used by an underwater swimmer, with one end sticking out above the water to let in air (ท่อระบายอากาศของเรือดำน้ำหรือนักดำน้ำ). — *v* to swim under water using a snorkel (ดำน้ำโดยใช้ท่อชนิดนี้): *Let's go snorkelling.*

snort *v* **1** to force air noisily through your nostrils, breathing either in or out (ทำเสียงพรืดทางจมูก): The horses snorted impatiently. **2** to make a similar noise, showing disapproval, anger, contempt, amusement *etc.* (ทำเสียงแบบเดียวกันนี้เพื่อแสดงว่าไม่เห็นด้วย โกรธ ดูหมิ่น ขบขัน ฯลฯ): *She snorted at his silly idea.* — *n* (ทำเสียงพรืดด้วยความเหลืออด): *a snort of impatience; She gave a snort of laughter.*

snout *n* the projecting mouth and nose part of certain animals, especially of a pig (ปากและจมูกของสัตว์บางชนิดที่ยื่นออกมา เช่นหมู).

snow (*snō*) *n* frozen water vapour that falls to the ground in soft white flakes (หิมะ): *About 15 centimetres of snow had fallen overnight.* — *v* (หิมะตก): *It's snowing heavily; It snowed during the night; Has it stopped snowing?*

'snow·ball *n* snow pressed into a hard ball for throwing (หิมะปั้นเป็นก้อน).

'snow·fall *n* **1** a fall or shower of snow that settles on the ground (หิมะตก): *There was a heavy snowfall last night.* **2** the amount of snow that falls in a certain place (ปริมาณหิมะที่ตกในที่บางแห่ง): *The snowfall last year was much higher than average.*

'snow·flake *n* one of the soft, light flakes composed of groups of crystals, in which snow falls (เกล็ดหิมะ): *A few large snowflakes began to fall from the sky.*

'snow·storm *n* a heavy fall of snow (พายุหิมะ).

snow-'white *adj* white like snow (ขาวเหมือนหิมะ).

'snow·y *adj* **1** full of, or producing a lot of, snow (เต็มไปด้วยหิมะหรือมีหิมะมาก): *The weather has been very snowy recently.* **2** white like snow (ขาวเหมือนหิมะ): *the old man's snowy hair.*

snub *v* to treat someone rudely; to insult someone on purpose (ตำหนิ ดูหมิ่นบางคนโดยเจตนา): *She snubbed him by taking no notice of him.* — *n* (การดูถูก): *He considered it a snub when she didn't come to his party.*

'snuf·fle *v* to make sniffing noises, or breathe noisily, when you have a cold (ทำเสียงสูดจมูกหรือหายใจเสียงดังเมื่อตอนเราเป็นหวัด).

snug *adj* warm; comfortable; sheltered from the cold (อบอุ่น สบาย ป้องกันความหนาวได้): *The house is small but snug.*

'snug·gle *v* to curl your body up for warmth *etc.* (ขดตัวเพื่อความอบอุ่น): *She snuggled up to her mother and went to sleep.*

'snug·ly *adv* comfortably; warmly (อย่างสบาย อย่างอบอุ่น): *The girl had a scarf wrapped snugly round her neck.*

so *adv* **1** to this extent; to such an extent (ขนาดนั้น ราว ๆ นี้ เกินไป): *"The snake was about so long," he said, holding his hands about a metre apart; Don't get so worried!; She was so pleased with his work in school that she bought him a new bicycle; He departed without so much as a goodbye; You've been so kind to me!; Thank you so much!* **2** in this way; in that way (โดยวิธีนี้ โดยวิธีนั้น เผอิญ): *He wants everything to be left just so; It so happens that I have to go to an important meeting tonight.* **3** as already indicated (เป็นเช่นนั้น ตามที่บอกไว้ ยิ่งกว่านั้น): *"Are you really leaving your job?" "Yes, I've already told you so"; If you needed money you should have said so; "Is she arriving tomorrow?" "Yes, I hope so"; If you haven't read the notice, please do so now; "Is that so?" "Yes, it's really so"; "Was your father angry?" "Yes, even more so than I was expecting — in fact, so much so that he refused to speak to me all day!* **4** also (เหมือนกัน เช่นกัน): *"I hope we'll meet again." "So do I."; She has a lot of money and so has her husband* **5** indeed (จริง ๆ): *"You said you were going shopping today." "So I did, but I've changed my mind;" "You'll need this* *book tomorrow, won't you?" "So I shall."* — *conjunction* therefore (ดังนั้น): *John had a bad cold, so I took him to the doctor; "So you think you'd like this job, then?" "Yes."; And so they got married and lived happily ever after.*

so-'so *adj* not very good (ไม่ดีมากนัก): *His health is so-so.*

and so on, and so forth and more of the same kind of thing (และอื่น ๆ อีก): *He told me to work harder, and so on.*

so as to in order to (เพื่อที่จะ): *He sat at the front so as to be able to hear.*

so far, so good all is well up to this point (ดีไปหมดจนถึงจุดนี้): *So far, so good — we've checked the equipment, and everything's ready.*

so that 1 in order that (เพื่อที่): *I'll wash this dress so that you can wear it tomorrow.* **2** with the result that (เป็นผลให้): *He got up very late, so that he was late for work.*

soak *v* **1** to put something into a liquid and leave it there (แช่ทิ้งไว้ในของเหลว): *She soaked the clothes overnight in soapy water.* **2** to make very wet (ทำให้เปียกมาก ๆ): *That shower has completely soaked me.* **3** to flow into, and be absorbed by, a material etc. (ซึมผ่าน): *The blood has soaked through the bandage.*

soaked *adj* (เปียก): *She got soaked in the rain.*

'soak·ing *adj* or **soaking wet** very wet (เปียกมาก): *She took off her soaking clothes; My hair's soaking wet.*

soak up to absorb (ซึมซับ): *This paper towel will soak up the spilt tea.*

soap *n* a substance used in washing (สบู่): *He found a bar of soap and began to wash his hands.* — *v* to rub with soap (ถูสบู่): *She soaped the baby all over.*

soap opera a radio or television series about the daily life and problems of a particular group of people (ละครทางวิทยุหรือโทรทัศน์เกี่ยวกับชีวิตประจำวันและปัญหาของคนกลุ่มหนึ่ง).

'soap·y *adj* (แห่งสบู่): *soapy water.*

soar *v* to fly high; to rise high and quickly (บินสูง พุ่งขึ้นสูง): *Seagulls soared above the cliffs; Prices have soared recently.*

sob *v* to weep noisily (ร้องสะอึกสะอื้น): *I could hear her sobbing in her bedroom.* — *n* (การร้องสะอึกสะอื้น): *I could hear her sobs coming from the bedroom.*

'so·ber *adj* **1** serious (เคร่งเครียด): *a sober mood.* **2** not bright (ไม่สดใส): *She wore a sober grey dress.* **3** not drunk (ไม่มึนเมา): *Don't give me a drink — I've got to drive home so I want to stay sober.*

'so·ber·ly *adv* (อย่างเคร่งเครียด อย่างไม่เมา).

'so-called *adj* wrongly called; not true (เรียกกันอย่างผิด ๆ ไม่จริง): *Your so-called friends have gone to the cinema without you!*

'soc·cer (*'sok-ər*) *n* football played according to certain rules (กีฬาฟุตบอล).

'so·cia·ble *adj* fond of the company of others; friendly (ชอบมีเพื่อน เป็นมิตร): *He's a cheerful, sociable man.*

See **social**.

'so·cial *adj* **1** having to do with the life of people in a community (ทางสังคม): *social problems; People tend to get divided into upper and lower social classes.* **2** living in communities (ชอบสังคม): *Ants are social insects.* **3** having to do with meeting and being friendly with other people (เกี่ยวกับการพบปะสังสรรค์): *a social club.* **'so·cial·ly** *adv* (อย่างสังคม).

sociable means friendly: *Sociable people enjoy the company of others.*
social means having to do with living with other people in a community: *It is important for old people to have an active social life.*

'so·cial·ism *n* a system of government under which a country's wealth, such as its land or industries, is owned by the state, not by individual people (ลัทธิสังคมนิยม).

'so·cial·ist *adj* having to do with socialism (เกี่ยวกับสังคมนิยม): *a socialist republic.* — *n* a person who believes in socialism (นักสังคมนิยม).

so'ci·e·ty *n* **1** people in general (ประชาชนโดย

ทั่วไป สังคม): *Bad drivers are a danger to society.* **2** a particular section of the people of the world or a country (ประชาชนในบางส่วนของโลกหรือในประเทศ): *middle-class society.* **3** an association; a club (สมาคม สโมสร): *a model railway society.* **4** company; companionship (สมาคม การเป็นเพื่อนกัน): *I enjoy the society of young people.*

sock *n* a woollen, cotton or nylon covering for the foot and ankle (ถุงเท้า): *I need a new pair of socks; Are these socks yours?*

'soc·ket *n* a specially shaped hole or set of holes into which something is fitted (รูที่เสียบไฟฟ้า): We need a new electric socket for the television.

'so·da *n* **1** a substance that is used for washing; another substance used in baking (โซดา สารซึ่งใช้ในการซัก สารอีกชนิดหนึ่งใช้ในการอบ). **2** soda-water (น้ำโซดา).

'so·da-wa·ter *n* water through which the gas carbon dioxide has been passed, making it fizzy (น้ำโซดา).

'sod·den (*'sod-ən*) *adj* very wet (เปียกชุ่ม): *It had rained so much the ground was sodden.*

'so·di·um (*'sō-di-əm*) *n* a silver-white element found in many common substances including salt **(sodium chloride)** (โซเดียม ส่วนสีเงินขาวพบในสารทั่ว ๆ ไปหลายอย่างรวมทั้งเกลือ).

'so·fa *n* a long soft seat with a back and arms; a couch (เก้าอี้โซฟา).

See **bench**.

soft *adj* **1** not hard; not firm (อ่อนนุ่ม): *a soft cushion.* **2** pleasantly smooth to feel (รู้สึกเรียบ): *The dog has a soft, silky coat.* **3** not loud (เสียงนุ่ม): *a soft voice.* **4** not bright or harsh (สีนุ่ม): *a soft pink.* **5** not alcoholic (ไม่ใช่เหล้า): *At the party they were serving soft drinks as well as wine and spirits.*

'soft·ly *adv* (อย่างนุ่ม ๆ).

'soft·ness *n* (ความนุ่ม).

soft-'boiled *adj* slightly boiled, so that the yolk is still soft (ไข่ลวก): *She likes her eggs softboiled.*

soft drink a cold drink that does not contain any alcohol (เครื่องดื่มที่ไม่มีแอลกอฮอล์ผสมอยู่): *Lemonade and fruit juices are soft drinks.*

'soft·en (*'sof-ən*) *v* to make or become soft or softer, less strong, or less painful (ทำให้นุ่มหรือนุ่มขึ้น): *When she lost her job his kind words softened the blow for her.*

soft-'heart·ed *adj* kind; generous (ใจดี ใจกว้าง).

'soft·ware *n* computer programs (โปรแกรมคอมพิวเตอร์).

'sog·gy *adj* very wet and soft (เปียกและอ่อนนุ่ม): *Water makes paper soggy.*

soil[1] *n* the upper layer of the earth, in which plants grow (ดิน): *to plant seeds in the soil.*

soil[2] *v* to dirty (ทำให้สกปรก): *Don't soil your dress with these dusty books!*

'so·lar *adj* having to do with, powered by, or influenced by, the sun (เกี่ยวกับดวงอาทิตย์): *the solar year; a solar heating system.*

solar system the Sun or any star and the planets that move round it (ระบบสุริยะ).

sold *see* **sell** (ดู **sell**).

'sol·dier (*'sōl-jər*) *n* a member of an army (ทหาร): Philip wants to be a soldier when he grows up.

sole[1] *n* **1** the underside of your foot (ฝ่าเท้า). **2** the underside of a boot or shoe (พื้นรองเท้า).

sole[2], *plural* **sole, soles**, *n* a small, flat, edible fish. (ปลาลิ้นหมา)

sole[3] *adj* **1** only; single (เท่านั้น จุดประสงค์เดียว): *To be successful is his sole purpose in life.* **2** not shared; belonging to one person or group only (แต่ผู้เดียว): *She has sole right to the house.*

'sole·ly *adv* only (เท่านั้น): *She was solely responsible for the accident.*

'sol·emn (*'sol-əm*) *adj* **1** serious; earnest (จริงจัง เคร่งขรึม): *He looked very solemn as he announced the bad news.* **2** stately; dignified (มีพิธีการ ภูมิฐาน): *a solemn procession.*

'sol·emn·ly *adv* (อย่างมีพิธีการ อย่างภูมิฐาน).

'sol·emn·ness *n* (ความเคร่งขรึม ความมีพิธีการ).

sol'em·ni·ty (*sə'lem-ni-ti*) *n* being solemn

(พิธี ความเคร่งขรึม): *the solemnity of the occasion.*

so'lic·i·tor (*sə'lis-i-tər*) *n* a lawyer who gives legal advice to people, for example if they want to buy a house, or write their wills, or are arrested by the police (ทนายผู้ให้คำปรึกษาทางกฎหมาย เช่นเมื่อเราต้องการซื้อบ้าน หรือเขียนพินัยกรรม หรือถูกตำรวจจับ).

'sol·id *adj* **1** not easily changing shape; not in the form of liquid or gas (แข็ง): *Water becomes solid when it freezes; solid substances.* **2** not hollow (ไม่กลวง ตัน): *The tyres of the earliest cars were solid.* **3** firm (มั่นคง): *That's a solid piece of furniture; His argument is based on good solid facts.* **4** completely made of one substance (ประกอบด้วยสารอย่างเดียวทั้งหมด): *This bracelet is made of solid gold; We dug till we reached solid rock.* **5** without gaps (ไม่มีช่องว่าง): *The policemen formed themselves into a solid line.* **6** having height, length and thickness (มีความสูง ยาว และหนา): *A cube is a solid figure.* **7** following one another without a pause (ติด ๆ กัน): *I've been working for six solid hours.* — *n* **1** a substance that is solid (สารซึ่งแข็ง): *Butter is a solid but milk is a liquid.* **2** a shape that has height, length and thickness (ลูกบาศก์).

so'lid·i·fy (*so'lid-i-fi*) *v* to make or become solid (ทำให้แข็ง).

so'lid·i·ty, 'sol·id·ness *ns* (ความแข็ง).

'sol·id·ly *adv* **1** firmly; strongly (อย่างมั่นคง อย่างแข็งแรง): *solidly-built houses.* **2** continuously (อย่างต่อเนื่อง): *I worked solidly from 8.30 a.m. till lunchtime.*

so'lil·o·quy (*sə'lil-ə-kwi*) *n* a speech made to yourself, especially in a play (คำพูดที่พูดกับตัวเอง โดยเฉพาะอย่างยิ่งในการเล่นละคร): *The audience knew what the character was thinking from his soliloquies.*

'sol·i·tar·y *adj* alone; lonely; without companions (โดดเดี่ยว เดียวดาย ไม่มีเพื่อน): *a solitary traveller; She lives a solitary life.*

'sol·i·tude (*'sol-i-tūd*) *n* the state of being alone (สันโดษ): *He likes solitude; He lives in solitude.*

'so·lo (*'sō-lō*) *n* a performance by a single person especially of a musical piece, for voice, instrument *etc.* (การแสดงเดี่ยว): *She sang a solo; He played a solo on the violin.* — *adj* (อย่างโดดเดี่ยว): *a solo flight in an aeroplane.* — *adv* (บินเดี่ยว): *to fly solo.*

'so·lo·ist *n* someone who plays, sings *etc.* a solo (นักเล่น ร้อง ฯลฯ เดี่ยว).

'sol·u·ble (*'sol-ū-bl*) *adj* that can be dissolved in water (ซึ่งสามารถละลายน้ำได้): *She prefers soluble aspirin to the tablet form.*

so'lu·tion (*sə'loo-shən*) *n* **1** an answer to a problem, difficulty or puzzle (การแก้ปัญหา ความยุ่งยาก หรือปริศนา): *the solution to a crossword.* **2** the discovery of an answer to a problem *etc.* (การหาคำตอบสำหรับปัญหา). **3** a liquid with something dissolved in it (สารละลาย): *a solution of salt and water.*

solve *v* **1** to discover the answer to a problem *etc.* (แก้ปัญหา): *The mathematics teacher gave the children some problems to solve.* **2** to clear up or explain a mystery, crime *etc.* (คลายปมปริศนา): *That crime has never been solved.*

solv·ent *n* having enough money to pay all your debts (มีเงินพอที่จะจ่ายหนี้ได้ทั้งหมด): *He has managed to keep the company solvent despite economic problems.*

'som·bre (*som-bər*) *adj* **1** dark and gloomy (มืดและน่าเศร้า): *She was dressed in sombre black; The furniture was heavy and sombre.* **2** serious; sad (เครียด เศร้า): *He looked sombre and never smiled; She was in a sombre mood.*

'som·bre·ly *adv* (อย่างเคร่งเครียด อย่างเศร้า ๆ).

some (*sum*) *pron, adj* **1** an indefinite amount or number (บาง): *I can see some people walking across the field; You'll need some money if you're going shopping; Some of the ink was spilt on the desk.* **2** a certain, or small, amount or number (บ้าง): *"Has she any experience of the work?" "Yes, she has some."; Some people like the idea and* *some don't.* **3** certain (อยู่บ้าง): *He's quite kind in some ways.* — *adj* an unnamed thing, person *etc.* (ไม่เอ่ยชื่อสิ่งของ ชื่อของคน): *Jim is visiting some relative of his.*

some; more; most: *I ate some ice-cream, but Jill ate more, and David ate most of all.*

some; any: use **any** with **not**: *I have some money in the bank, but my brother hasn't any money; I don't have any food to spare — ask Diana for some.*

'some·bod·y *pron* someone (ใครบางคน).

some day sometime in the future (สักวันหนึ่ง): *I'll beat him some day.*

'some·how *adv* in some way (โดยทางใดทางหนึ่ง): *I'll get there somehow.*

'some·one *pron* **1** a person not known or not named (ใครบางคน): *There's someone at the door — would you answer it?; We all know someone who needs help.* **2** a person of importance (บุคคลที่มีความสำคัญ): *He thinks he is someone.*

'som·er·sault (*'sum-ər-sölt*) *n* a leap or roll in which you turn with your feet going over your head (การตีลังกา): *She performed a somersault.* — *v* (ตีลังกา): *He somersaulted off the diving-board.*

'some·thing *pron* **1** a thing not known or not stated (บางอย่าง): *Would you like something to eat?* **2** a thing of importance (บางอย่างที่มีความสำคัญ): *There's something in what you say.*

'some·time *adv* at an unknown time (บางเวลาโดยไม่รู้เวลา): *We'll go there sometime next week.*

They went away sometime (without **-s**) *in July;* but: *Sometimes* (with **-s**) *she gets very lonely.*

'some·times *adv* occasionally (บางครั้ง): *Sometimes he seems very forgetful.*

See **sometime**.

'some·what *adv* rather; a little (ค่อนข้าง เล็กน้อย): *He is somewhat sad; The news puzzled me somewhat.*

'some·where *adv* in or to some place not known or not named (ที่ไหนสักแห่ง): *They live somewhere in London; They're going somewhere in Thailand for their holidays.*

son (*sun*) *n* a male child (ลูกชาย).

'son-in-law, *plural* **'sons-in-law**, *n* a daughter's husband (ลูกเขย).

song *n* **1** a musical composition for singing (เพลงร้อง): *He wrote this song for his wife.* **2** the activity of singing (การร้องเพลง): *He burst into song; bird-song.*

'son·ic *adj* having to do with sound (เกี่ยวกับเสียง): *A sonic boom is the sudden loud noise that you hear when an aircraft is travelling faster than the speed of sound.*

soon *adv* **1** in a short time from now (ในไม่ช้า): *I hope he arrives soon; They'll be here sooner than you think.* **2** early (เนิ่น ๆ): *It's too soon to tell.* **3** willingly (ยอม เต็มใจ): *I'd just as soon do the job myself if you can't do it; I would sooner stand than sit.*

as soon as when (เมื่อ): *You may have a biscuit as soon as we get home.*

no sooner...than (ไม่เร็วไปกว่า ในทันใด): *No sooner had he arrived than he was told he must leave again.*

sooner or later sometime; eventually (ในที่สุด): *He'll come home sooner or later.*

the sooner the better as quickly as possible (เร็วที่สุดเท่าที่จะเป็นได้): *"When shall I tell him?" "The sooner the better!"*

soot (*sŏŏt*) *n* the black powder left after the burning of coal *etc.* (ขี้เถ้า).

'soot·y *adj* (เขม่าจับ).

soothe (*soodh*) *v* **1** to calm, comfort or quieten someone (ปลอบ): *She was so upset that it took half an hour to soothe her.* **2** to ease pain *etc.* (ทำให้คลายความเจ็บปวด): *The medicine soothed the child's toothache.*

'sooth·ing *adj* (ปลอบโยน คลายความเจ็บปวด).

'sooth·ing·ly *adv* (อย่างปลอบโยน).

so'phis·ti·ca·ted (*sə'fis-ti-kā-təd*) *adj* **1** knowing a lot about the world and about what is fashionable to do and to wear (กว้าง ทันสมัย): *a sophisticated young girl.* **2** complicated (ซับซ้อน): *sophisticated machinery.*

so·phis·ti'ca·tion *n* (ความซับซ้อน).

sop·o'rif·ic (*sop-ə'rif-ik*) *adj* making you feel sleepy or bored (ทำให้เรารู้สึกง่วงนอนหรือเบื่อหน่าย): *I find the heat soporific.*

'sop·py *adj* sentimental in a silly way (เพ้อฝันหลงใหล): *I didn't like that soppy film about the prince and the beautiful poor girl.*

so'pra·no (*sə'prä-nō*), *plural* **so'pra·nos**, *n* the highest singing voice for a woman or young boy (เสียงร้องเพลงแหลมที่สุดของผู้หญิงหรือเด็กผู้ชาย).

'sor·cer·y *n* witchcraft; magic, especially of an evil kind (เวทมนตร์ คาถา ในทางชั่วร้าย).

'sor·cer·er *n* a man who uses sorcery (พ่อมด หมอผี).

'sor·cer·ess *n* a female sorcerer (แม่มด).

'sor·did *adj* **1** dirty; unpleasant (สกปรก ไม่น่าดู): *The room was in a sordid mess.* **2** dishonest; unworthy (ไม่ซื่อสัตย์ ไม่มีคุณค่า): *sordid behaviour.*

'sor·did·ly *adv* (อย่างสกปรก อย่างไม่ซื่อสัตย์).

'sor·didness *n* (ความสกปรก ความไม่ซื่อสัตย์).

sore *adj* **1** painful (เจ็บปวด): *I have a sore leg.* **2** suffering pain (ยังเจ็บปวดอยู่): *I am still a bit sore after my operation.* — *n* a painful, infected spot on the skin (จุดที่เจ็บปวดหรือติดเชื้ออยู่บนผิวหนัง): *His hands were covered with horrible sores.*

'sore·ness *n* (ความเจ็บปวด).

See **pain**.

'sore·ly *adv* badly (อย่างมาก): *I miss him sorely.*

'sor·row (*'sor-ō*) *n* grief; something that causes grief (ความเศร้าโศก): *He felt great sorrow when his mother died; Her son's wickedness was a great sorrow to her.*

'sor·row·ful *adj* full of sorrow (เต็มไปด้วยความเศร้าโศก): *sorrowful people; a sorrowful expression.*

'sor·row·ful·ly *adv* (อย่างเศร้าโศก).

'sor·row·ful·ness *n* (ความเศร้าโศก).

'sor·ry *adj* **1** used when apologizing or expressing regret (ใช้เมื่อขอโทษหรือแสดงความเสียใจ ขอโทษด้วย เสียใจด้วย): *I'm sorry that I forgot to return your book; Did I give you a fright? I'm sorry.* **2** apologetic; full of regret (การขออภัย เต็มไปด้วยความเสียใจ): *I think he's really sorry for his bad temper.* **3** unsatisfactory; bad (ไม่เป็นที่พอใจ เลวร้าย): *a sorry state of affairs.* — a word used when you apologize, or when you ask someone to repeat what they have just said (คำพูดที่เราใช้เมื่อขออภัยหรือเมื่อเราขอให้เขาพูดย้ำที่เพิ่งพูดไปใหม่อีกครั้ง): *Did I tread on your toe? Sorry!; Sorry, what did you say?* **be sorry for, feel sorry for** to pity (สมเพช สงสาร): *I'm sorry for the poor woman; I felt sorry for Anne when she was punished.*

sort *n* a class, type or kind (ชั้น ประเภท ชนิด): *I like all sorts of books; She was wearing a sort of crown.* — *v* to separate into classes or groups, putting each thing in its place (แบ่งแยกออกเป็นชั้นหรือกลุ่ม จัดสิ่งของให้เข้าที่): *She sorted the buttons into large ones and small ones.*

sort of slightly (นิดหน่อย): *I feel sort of worried about him.*

sort out 1 to separate one lot or type of things from a general mixture (เลือกออกมา): *Sort out which clothes you want to take on holiday.* **2** to correct, improve, solve *etc.* (แก้ไข ทำให้ดีขึ้น แก้ปัญหา): *You must sort out your business affairs.*

S·O'S (*es-ō'es*) *n* a signal calling for help or rescue (สัญญาณแจ้งภัยฉุกเฉิน): *Send an SOS to the mainland to tell them that we are sinking!*

'so-so *adj* not very good (ไม่ดีนัก): *Your work is so-so.*

sought *see* **seek** (ดู **seek**).

soul (*sōl*) *n* **1** your spirit; the non-physical part of someone, that is often thought to continue in existence after they die (วิญญาณ): *People often discuss whether animals and plants have souls.* **2** a person (บุคคล): *She's a wonderful old soul.* **3** a perfect example (ตัวอย่างที่สมบูรณ์): *She's the soul of kindness.*

'soul·less *adj* **1** without kind or noble feelings (ไม่มีใจเมตตาหรือความรู้สึกที่ดี): *a soulless person.* **2** dull; boring (จืดชืด น่าเบื่อ): *a soulless job.*

'soul-de•stroy•ing *adj* dull; boring (จืดชืด น่าเบื่อ): *a souldestroying task.*

sound[1] *adj* **1** strong; in good condition (แข็งแรง อยู่ในสภาพดี): *The foundations of the house are not very sound; He's 87, but he's still sound in mind and body.* **2** deep (สนิท ลึก): *sound sleep; She's a very sound sleeper.* **3** full; thorough (เต็มที่ โดยตลอด): *a sound training.* **4** accurate (แม่นยำ): *a sound piece of work.* **5** sensible (มีเหตุมีผล): *His advice is always very sound.*

'sound•ly *adv* (อย่างมีเหตุมีผล).

'sound•ness *n* (ความมีเหตุมีผล).

sound asleep sleeping deeply (หลับสนิท): *The baby is sound asleep.*

sound[2] *n* **1** the impressions sent to your brain by your sense of hearing (เสียง): *Deaf people live in a world without sound.* **2** something that you hear (เสียงที่ได้ยิน): *Odd sounds were coming from the kitchen.* **3** the impression given by a piece of news, a description *etc.* (ท่าทีที่แสดงออก ลักษณะ): *I didn't like the sound of her hairstyle at all!* — *adj* (คลื่นเสียง): *sound waves.* — *v* **1** to make a sound; to make something make a sound (ทำเสียง ทำให้อะไรบางอย่างเกิดเสียง): *Sound the bell!; The bell sounded.* **2** to signal something by means of a bell, bugle, drum *etc.* (ให้สัญญานโดยการใช้ระฆัง เป่าแตร ตีกลอง): *Sound the retreat!; Sound the alarm!* **3** to make a particular impression; to seem; to appear (ดูเหมือน ปรากฏว่า): *Your singing sounded very good; That sounds like a train.* **4** to pronounce (ออกเสียง): *In the word "lamb" the letter b is not sounded.*

'sound•less *adj* (ไม่มีเสียง).

'sound•less•ly *adv* (อย่างไม่มีเสียง).

See **horn**.

sound[3] *v* to measure the depth of water *etc.* (วัดความลึกของน้ำ).

sound out to try to find out someone's opinion *etc.* (ฟังความคิดเห็น): *I'll sound out the headmaster on your suggestion.*

sound effects sounds other than speech or music, used in films, radio *etc.* (เสียงประกอบ).

'sound•ing *n* measurement of depth of water *etc.* (การวัดความลึกของน้ำ): *He took a sounding.*

'sound•proof *adj* not allowing sound to pass in, out, or through (กันเสียงได้): *The walls are soundproof.* — *v* to make walls, a room *etc.* soundproof (ทำผนัง ห้อง เก็บเสียง).

'sound•track *n* a recording of the music from a film or programme (เสียงในฟิล์มหรือในรายการ): *The soundtrack from the television series is available on record.*

soup (*soop*) *n* a liquid food made from meat, vegetables *etc.* (ซุป แกงจืด): *She made some chicken soup.*

sour *adj* **1** having a taste of the same sort as that of lemon juice or vinegar (เปรี้ยว): *Unripe apples are sour; These plums taste sour; Milk goes sour if you keep it too long.* **2** bad-tempered (มีอารมณ์ร้าย): *She was looking very sour this morning.* — *v* to make or become sour (ทำให้อารมณ์ร้าย).

'sour•ly *adv* (อย่างเปรี้ยว ๆ อย่างอารมณ์ร้าย).

'sour•ness *n* (ความเปรี้ยว ความมีอารมณ์ร้าย).

source (*sörs*) *n* **1** the place, person, circumstance, thing *etc.* from which anything begins or comes (บ่อเกิด แหล่งกำเนิด): *They have discovered the source of the trouble.* **2** the spring from which a river flows (แหล่งของแม่น้ำ): *the source of the Nile.*

south *n* **1** the direction to your right when you face the rising sun; any part of the earth lying in that direction (ทิศใต้): *He stood facing towards the south; She lives in the south of France.* **2** (often written **S**) one of the four main points of the compass (หนึ่งในสี่ทิศสำคัญของเข็มทิศ). — *adj* **1** in the south (ทางใต้): *She works on the south coast.* **2** from the direction of the south (มาจากทางใต้): *a south wind.* — *adv* towards the south (หันไปทางใต้): *This window faces south.*

See **north**.

'south•er•ly (*'sudh-ər-li*) *adj* **1** coming from the south (มาจากทางใต้): *a southerly wind.* **2** looking, lying *etc.* towards the south (มองดู วางอยู่ ทางใต้): *in a southerly direction.*

'south·ern (*'sudh-ərn*) *adj* belonging to the south (เกี่ยวกับทางทิศใต้): *Australia is in the southern hemisphere.*

south·ward *adj, adv* towards the south: *in a southward direction; moving southward.*

'south·wards *adv* towards the south (มุ่งไปทางใต้): *We are moving southwards.*

south-'east, south-'west *ns* the direction midway between south and east, or south and west (ตะวันออกเฉียงใต้): *a mountain in the south-west of the country.* — *adjs*: *a south-east wind.* — *advs* (ไปทางตะวันตกเฉียงใต้): *to travel south-west.*

south-'east·ern, south-'west·ern *adj* of the south east or south west (แห่งทางตะวันออกหรือทางตะวันตกเฉียงใต้): *They climbed the mountain from its south-western side.*

the South Pole the southern end of the earth's axis (ขั้วโลกใต้).

sou·ve'nir (*soo-və'nēr*) *n* something you buy, keep or are given to remind you of a place or occasion (ของที่ระลึก): *He kept a large sea-shell in his room as a souvenir of his holiday.*

'sov·er·eign (*'sov-ər-ən*) *n* a king or queen (พระราชาหรือพระราชินี). — *adj* self-governing (ปกครองตนเอง): *a sovereign state.*

sow[1] (*sō*) *v* to scatter seeds over, or put seeds into, the ground (โปรย ปลูก ลงในพื้นดิน): *I sowed carrots in this part of the garden; This field has been sown with wheat.*

> to **sow** (not ไม่ใช่ **sew**) seed.
> **sow; sowed; sown**: *I sowed flowers in the garden; We've sown wheat this year.*

sow[2] *n* a female pig (หมูตัวเมีย).

'soy·a bean, 'soy·bean *n* a type of bean used as a substitute for meat *etc.* (ถั่วเหลือง).

space *n* **1** a gap; an empty place (ช่องว่าง สถานที่ว่าง): *I couldn't find a space for my car.* **2** room; the area available for use (ห้อง พื้นที่มีให้ใช้ได้): *Have you enough space to turn round?; Is there space for one more person?* **3** the region outside the Earth's atmosphere, in which all stars and other planets *etc.* are situated (อวกาศ): *travellers through space.* — *v* to leave gaps between one thing and the next (ปล่อยที่ว่างเอาไว้ระหว่างกัน): *He spaced the rows of potatoes so that they were half a metre apart; Space your words out more when you write — they're too close together.*

> See **place**.

'space-age *adj* extremely up-to-date and advanced (ทันสมัยและก้าวหน้าอย่างยิ่ง): *space-age travel.*

'space·craft *n* a vehicle for travelling in space (ยานอวกาศ).

'space·man someone who travels in space; an astronaut (มนุษย์อวกาศ).

'space·ship *n* a spacecraft (ยานอวกาศ).

'space·suit *n* a suit worn by a spaceman (ชุดอวกาศ).

'spa·cing *n* the distance left between objects, written words *etc.*, when they are set out (ช่องว่าง เว้นวรรค).

'spa·cious (*'spā-shəs*) *adj* having plenty of room; large (มีที่มาก ใหญ่): *Their dining-room is very spacious.*

'spa·cious·ly *adv* (อย่างใหญ่).

'spa·cious-ness *n* (ความใหญ่).

spade[1] *n* a tool with a broad blade and a handle, used for digging (พลั่ว).

spade[2] *n* one of the playing-cards of the suit spades, which have black shapes like this on them, ♠ (ไพ่โพธิ์ดำ).

spa'ghet·ti (*spə'get-i*) *n* an Italian food consisting of long pieces of pasta (เป็นเส้น ๆ ทำด้วยแป้ง).

span *n* **1** the length between the supporting pillars of a bridge or arch (ช่วงของสะพานระหว่างเสาค้ำหรือโค้ง): *The first span of the bridge is one hundred metres long.* **2** the full time for which anything lasts (ช่วงเวลา): *Seventy or eighty years is the normal span of a human life.* — *v* to stretch across (ยื่นข้าม): *A bridge spans the river.*

'span·iel (*'span-yəl*) *n* a breed of dog with large ears which hang down (หมาพันธุ์ที่มีหูใหญ่และห้อย).

spank *v* to strike someone with the palm of

your hand, especially on their bottom, as a punishment (ใช้ฝ่ามือตีที่ก้นเป็นการลงโทษ): *The child was spanked for his disobedience.* — *n* (การตีด้วยฝ่ามือ): *His mother gave him a spank on the bottom.*

'spank·ing *n* (การโดนตีด้วยฝ่ามือ): *He got a spanking from his mother.*

'span·ner *n* a tool used for tightening or loosening nuts, bolts *etc.* (กุญแจเลื่อน กุญแจปากตาย).

spare *v* **1** to manage without (พอจะให้ได้): *No-one can be spared from this office.* **2** to afford; to set aside for a purpose (เจียดเวลาเพื่อจุดประสงค์อย่างใดอย่างหนึ่ง): *I can't spare the time for a holiday.* **3** to treat someone with mercy (ปล่อย ยกโทษให้): *"Spare us!" they begged.* **4** to avoid causing someone grief, trouble *etc.* (หลีกเลี่ยงไม่ทำให้เกิดความเศร้าโศก ปัญหา ฯลฯ): *Break the news gently in order to spare her as much pain as possible* (บอกข่าวอย่างนุ่มนวลเพื่อที่จะช่วยเธอให้มากที่สุดเท่าที่จะช่วยได้). **5** to avoid (หลีกเลี่ยง): *He spared no expense in helping us.* — *adj* **1** extra; not actually being used (ส่วนเกิน ส่วนที่ไม่ได้ใช้จริง ๆ อะหลั่ย): *We haven't a spare bedroom for guests in our house; Most cars carry a spare tyre.* **2** free for leisure *etc.* (เวลาพักผ่อน): *What do you do in your spare time?* — *n* a spare part for a car *etc.* (อะไหล่): *They sell spares at that garage.*

'spar·ing *adj* careful or economical (ระมัดระวังหรือประหยัด).

'sparing·ly *adv* (อย่างประหยัด).

spare part a part for a machine *etc.*, used to replace an identical part if it breaks *etc.* (อะไหล่).

to spare extra (ส่วนเกิน): *I'll go to an exhibition if I have time to spare.*

spark *n* **1** a tiny red-hot piece thrown off by something burning, or when two very hard surfaces are struck together (ประกายไฟ): *Sparks were being thrown into the air from the burning building.* **2** a trace; a small amount (ร่องรอย น้อยนิด): *The children showed no spark of enthusiasm when the teacher suggested an arithmetic test.* — *v* **1** to give off sparks (มีประกายไฟ). **2** to start; to cause (เริ่ม ก่อให้เกิด): *Her remark sparked off a serious quarrel.*

'spar·kle *v* to glitter, as if throwing off tiny sparks (ประกายแสง ระยิบระยับ): *The snow sparkled in the sunlight.* — *n* (แสงระยิบระยับ): *the sparkle of diamonds; There was a sparkle in her eyes.*

'spark·ling *adj* (เป็นประกาย).

sparkling wine wine which is slightly fizzy (ไวน์ซึ่งมีฟองเล็กน้อย): *Champagne is an expensive type of sparkling wine.*

'spar·row (*'spar-ō*) *n* a small brown bird (นกกระจอก).

sparse *adj* poor and thin; not plentiful (มีน้อย เบาบาง มีไม่มาก): *sparse trees; sparse grass.*

'sparse·ly *adv* (อย่างเบาบาง).

'spa·sm (*'spa-zm*) *n* **1** a sudden jerking movement of the muscles which you cannot control (อาการกล้ามเนื้อกระตุก): *The muscles in his leg were in spasm.* **2** a strong short occurrence or burst (ปวดหนึบ ๆ): *a spasm of pain.*

'spas·tic *adj* suffering from brain damage that causes severe difficulties in controlling muscles (กล้ามเนื้อกระตุก). — *n* a person who is spastic.

spat *see* **spit** (ดู **spit**).

spawn *n* the eggs of fish, frogs *etc.* (ไข่ปลา กบ): *In the spring, the pond is full of frog-spawn.*

speak *v* **1** to say words; to talk (พูด): *His throat is so sore that he can't speak; He spoke a few words to us; May I speak to you for a moment?; We spoke for hours about the problem.* **2** to be able to talk in a particular language (สามารถพูดภาษาใดได้): *She speaks Russian.* **3** to tell your thoughts, the truth *etc.* (พูดความจริง): *I always speak my mind.* **4** to make a speech; to talk to an audience (กล่าวสุนทรพจน์ ปราศรัย): *The Prime Minister spoke on television about unemployment.*

speak; spoke; 'spo·ken: *He spoke to her*

yesterday; I've already spoken to him about that.

'speak·er *n* **1** someone who speaks (ผู้พูด). **2** the device in a radio, record-player *etc.* that converts the electrical impulses into sounds (also called a **loudspeaker**) (ลำโพง): *Our record player needs a new speaker.*

generally speaking in general (พูดโดยทั่ว ๆ ไป): *Generally speaking, men are stronger than women.*

speak out to say boldly what you think (พูดตรงไปตรงมา): *The time has come to speak out.*

speak up to speak louder (พูดดังขึ้นอีก): *Speak up! We can't hear you.*

spear *n* a long-handled weapon (หอก). — *v* to pierce or kill with a spear (แทงทะลุหรือฆ่าด้วยหอก): *He went out in a boat and speared some fish.*

'spear·head *n* the pointed tip of a spear (ปลายหอก).

'spe·cial (*'spesh-əl*) *adj* **1** out of the ordinary; unusual; exceptional (พิเศษ): *a special occasion; a special friend.* **2** for a particular purpose (มีจุดประสงค์พิเศษ): *a special tool for drilling holes; There will be a special train to take people to the football match.*

'spe·cial·ist *n* someone who makes a very deep study of a particular subject (ผู้เชี่ยวชาญ): *Dr Brown is a heart specialist.*

spe·ci'al·i·ty (*spesh-i'al-i-ti*), **'spe·cial·ty**, *ns* **1** a subject about which you have special knowledge (เรื่องที่เรามีความรู้เป็นพิเศษ): *His speciality is physics.* **2** something that you make or do particularly well (บางอย่างที่เราทำได้ดีเป็นพิเศษ): *Dictionaries are a specialty of this firm.*

'spec·ial·ize *v* to give your attention to a particular subject (มีความเชี่ยวชาญ): *He specializes in computers.*

'spe·cial·ly *adv* with one particular purpose (เพื่อจุดประสงค์พิเศษอย่างเดียว): *I picked these flowers specially for you.*

specially means for a special purpose: *I bought this hat specially for the wedding.*

especially means particularly: *I like these photos, especially the one of you.*

'spe·cies (*'spē-shēz*), *plural* **species**, *n* **1** a group of animals *etc.* whose members are so similar or closely related as to be able to breed together (พันธุ์ ตระกูล ชาติพันธุ์): *There are several species of zebra.* **2** a kind; a sort (ชนิด ประเภท).

spe'cif·ic *adj* **1** giving all the details clearly (บอกรายละเอียดทั้งหมดอย่างชัดเจน): *specific instructions.* **2** particular; exactly stated or described (โดยเฉพาะ กำหนดไว้ เจาะจง): *Each of the bodily organs has its own specific function.*

spe'cif·ic·al·ly *adv* (โดยเฉพาะ): *This dictionary is intended specifically for learners of English.*

'spec·i·fy (*'spes-i-fī*) *v* **1** to mention particularly (ระบุ): *He specified the main illnesses that are caused by poverty.* **2** to order specially (เจาะจง): *She ordered a cake from the baker and specified green icing.*

'spec·i·men *n* something used as a sample (ของตัวอย่าง): *We looked at specimens of different types of rock under the microscope.*

speck *n* **1** a small spot or stain (จุดเล็ก ๆ หรือรอยเปื้อน): *a speck of ink.* **2** a tiny piece (ชิ้นเล็ก ๆ): *a speck of dust.*

'speck·le *n* a little coloured spot (จุดสีเล็ก ๆ): *The eggs were pale blue with dark green speckles.*

'spec·ta·cle *n* a sight (ภาพที่น่าดู): *The royal wedding was a great spectacle.*

'spec·ta·cles *n* a pair of framed lenses that you wear to help your eyesight; glasses (แว่นตา): *Where are my spectacles?; That's the second pair of spectacles I've lost this week.*

spectacles takes a plural verb, but **a pair of spectacles** is singular.

spec'tac·u·lar *adj* splendid; impressive (งามสง่าน่าประทับใจ): *a spectacular performance.*

spec'tac·u·lar·ly *adv* (อย่างงามสง่า อย่างน่าประทับใจ).

spec'ta·tor *n* someone who watches an event (ผู้ดู ผู้ชม): *Fifty thousand spectators came to the match.*

See **audience**.

'spec·tre *n* a ghost (ผี): *He thought he could see spectres flying through the air.*

'spec·trum, *plural* **'spec·tra** or **'spec·trums**, *n* **1** all the different colours that are produced when light goes through a prism or a drop of water (แก้วปริซึมหรือหยดน้ำซึ่งแสงผ่านออกมาเป็นสีต่าง ๆ): *The colours of the rainbow form the spectrum.* **2** all the different forms of something (รูปแบบต่าง ๆ ของบางอย่าง): *Actors can express the whole spectrum of feelings in the way they speak.*

'spec·u·late *v* to guess (คาดเดา).

spec·u'la·tion *n* (การคาดเดา).

sped *see* **speed** (ดู **speed**).

speech *n* **1** saying words; the ability to say words (คำพูด): *Speech is the chief means of communication between people.* **2** the words that you say; the way you speak (คำพูดที่เรากล่าวออกมา วิธีการพูดของเรา): *Your speech is too full of slang words; The old man's speech was very slow.* **3** a talk given to an audience (สุนทรพจน์): *parliamentary speeches.*

'speech·less *adj* unable to speak, because of surprise, shock *etc.* (พูดไม่ออก เพราะความแปลกใจ ตกใจ): *He looked at her in speechless amazement.* **'speech·less·ly**

speed *n* **1** rate of moving (อัตราการเคลื่อนที่): *to move along at a slow speed; The car was travelling at high speed.* **2** quickness (ความรวดเร็ว): *Speed is essential in this job.* — *v* **1** to move or progress quickly; to hurry (รีบ เร่ง). **2** to drive faster than is allowed by law (ขับรถเร็วเกินกว่าที่กฎหมายกำหนด): *The policeman said that I had been speeding.*

speed; sped or **'speed·ed; sped** or **'speed·ed**: *He sped along on his bicycle; The car speeded along the motorway; I tried to catch him, but he had sped out of the room.*

'speed·ing *n* the offence of driving faster than the speed limit (การขับรถเร็วเกินขีดจำกัด): *He was fined for speeding.*

spee'dom·e·ter *n* an instrument on a car *etc.* showing how fast you are travelling (เครื่องบอกความเร็วในรถยนต์).

'speed·y *adj* quick (เร็ว): *a speedy answer.*

'speed·i·ly *adv* (อย่างรวดเร็ว).

'speed·i·ness *n* (ความรวดเร็ว).

speed limit a limit, set by law, to how fast you may drive on any particular road (จำกัดความเร็ว).

speed up 1 to increase speed (เร่งความเร็วขึ้น): *The car speeded up as it left the town.* **2** to quicken the rate of something (เร่งความเร็วของอะไรบางอย่าง): *Work on this project has had to be speeded up.*

speed up; speeded up; speeded up.

spell[1] *n* **1** a set of words that is supposed to have magical power (เสน่ห์ อาคม คำสาป): *The witch recited a spell and turned herself into a swan.* **2** a strong influence (มีอิทธิพลมาก): *He was completely under her spell.*

spell[2] *n* **1** a turn at work (ทำงานพักหนึ่ง): *Shortly afterwards I did another spell at the machine.* **2** a period of time during which something lasts (ช่วงหนึ่ง): *a spell of bad health.* **3** a short time (ระยะเวลาสั้น ๆ): *We stayed in the country for a spell and then came home.*

spell[3] *v* **1** to say or write in order the letters of a word (พูดหรือเขียนแบบสะกดคำ): *I asked him to spell his name for me ; How do you spell "gauge"?* **2** to form a word (สะกด): *C-a-t spells "cat".* **3** to be able to spell words correctly (สามารถสะกดได้ถูกต้อง): *I can't spell!*

spell; spelt or **spelled; spelt** or **spelled**: *He spelt my name correctly; My name has been spelt wrong again!*

'spel·ling *n* (การสะกด): *Her spelling is terrible; The teacher gave the children a spelling test.*

spend *v* **1** to use up or pay out money (ใช้จ่ายเงิน): *He spends more than he earns.* **2** to pass time (ใช้เวลา): *I spent a week in Spain this summer.*

spend; spent; spent: *He spent his last dollar on chocolate; We've spent good money on your education.*

'spend·thrift *n* a person who spends his money carelessly (คนสุรุ่ยสุร่าย).

sperm *n* **1** the male sex cell that fertilizes the female egg (ตัวอสุจิ). **2** (*plural* **sperms** or **sperm**) one of the fertilizing cells in this fluid (ตัวอสุจิ).

sphere (*sfēr*) *n* a solid object that is the shape of a ball (ลูกกลมเหมือนลูกโลก): *The earth is a sphere.*

'spher·i·cal *adj* completely round, like a ball (กลมเหมือนลูกโลก): *The world is not flat, but spherical.*

Sphinx (*sfiŋks*) *n* the huge stone statue of a creature with a human head and a lion's body, that stands near the pyramids at Gisa in Egypt (ตัวสฟิงซ์).

spice *n* any of several strong-smelling, sharp-tasting substances used to flavour food (เครื่องเทศใช้ปรุงรสอาหาร): *We added cinnamon and other spices to the dish.*

spic·ed *adj* containing spices (มีเครื่องเทศผสมอยู่): *spiced dishes.*

'spi·cy *adj* tasting of spices (มีรสเครื่องเทศ): *a spicy cake.*

'spi·ci·ness *n* (รสหรือกลิ่นเครื่องเทศ).

spick and span neat, clean and tidy (ประณีต สะอาดและเรียบร้อย): *The whole house looks spick and span.*

'spi·der (*'spī-dər*) *n* a small creature with eight legs and no wings, that spins a web (แมงมุม).

spike *n* a hard, thin, pointed object (ปลายแข็งแหลม ของวัตถุ): *The fence had long spikes on top.* **spiked** *adj* (มีปลายแหลม).

'spi·ky *adj* having spikes (มีหนาม): *the spiky coat of a hedgehog.*

spill *v* to pour out accidentally (หก): *He spilt milk on the floor; Vegetables spilt out of the burst bag.*

spill; spilt or **spilled; spilt** or **spilled**: *She spilt tea over her dress; I've spilt the milk.*

spin *v* **1** to turn round rapidly (หมุนรอบตัวอย่างรวดเร็ว): *She spun round in surprise; He spun a coin on the table.* **2** to form threads from wool, cotton *etc.* by pulling it out and twisting it (ขวั้นเส้นด้ายจากขนสัตว์ ฝ้าย): *The old woman was spinning wool.* — *n* (หมุน): *The car ran into a patch of ice and went into a spin.*

spin; spun; spun: *The spider spun a web; It had spun its web in the corner of the window.*

spin out to cause to last longer than is normal (ทำให้อยู่ได้นานกว่าปกติ): *He spun out his speech for an extra five minutes.*

'spin·ach (*'spin-əj* or *'spin-əch*) *n* a plant whose young leaves are eaten as a vegetable (ผักขม).

'spi·nal (*'spī-nəl*) having to do with your spine (เกี่ยวกับกระดูกสันหลัง): *a spinal injury.*

'spin·dle *n* a pin on which something turns, for example the shaft of a knob on a radio *etc.* (ปุ่ม เช่นปุ่มวิทยุ).

spine *n* **1** the line of linked bones running down the back of humans and many animals; the backbone (กระดูกสันหลัง): *She damaged her spine when she fell.* **2** the narrow back part of a book (สันหนังสือ): *The title was written on the spine.* **3** a thin, stiff, pointed part growing on an animal or a plant (ขนแหลม ๆ ที่โผล่ขึ้นมาจากสัตว์หรือพืช หนาม): *the spines of a porcupine.*

'spin·ner *n* someone who spins (คนปั่นฝ้าย).

'spin-off *n* something useful that happens or is formed during the making of something else, without being planned (สิ่งมีประโยชน์ที่เกิดขึ้นโดยไม่ได้วางแผนเอาไว้ระหว่างที่ทำอย่างอื่นอยู่ ผลพลอยได้): *There have been a lot of spin-offs from space research.*

'spin·ster *n* a woman who has never married (สาวทึนทึก).

'spi·ny *adj* covered with spines (ปกคลุมด้วยหนาม): *a spiny cactus.*

'spi·ral (*'spī-rəl*) *adj* coiled; winding round like a spring (ขด ม้วนเป็นวงกลมคล้ายสปริง เกลียว): *a spiral staircase; a spiral shell.* — *n* (ทำเป็นขด): *She wound the piece of wire round and round her finger so that it formed a spiral.*

'spi·ral·ly *adv* (อย่างเป็นขด).

spire *n* a tall, pointed tower (หอคอยยอดแหลม).

See **steeple**.

'spir·it *n* **1** your personality and the things you believe in; your soul, which some people believe remains alive when your body dies (วิญญาณ): *Our great leader may be dead, but his spirit still lives on; Evil spirits have taken possession of him.* **2** liveliness; courage (ชีวิตจิตใจ ความกล้า): *He acted with spirit.* **3** a feeling; a sense (ความรู้สึก จิตสำนึก): *Have you no spirit of fairness?*

'spir·it·ed *adj* full of courage or liveliness (เต็มไปด้วยความกล้าหรือความมีชีวิตจิตใจ): *a spirited speech.*

'spir·it·ed·ly *adv* (อย่างเต็มไปด้วยความกล้า).

'spir·its *n* your mood (อารมณ์): *He's in good spirits.*

'spir·i·tu·al (*'spir-i-choo͝-əl*) *adj* concerned with your spirit or soul, or your religious beliefs (เกี่ยวกับจิตใจหรือวิญญาณหรือความเชื่อในทางศาสนา). **'spir·i·tu·al·ly** *adv* (สภาพทางพระ สภาพแห่งจิตใจ สภาพแห่งความกล้า).

spit *n* the liquid that forms in your mouth; saliva (น้ำลาย). — *v* **1** to throw out spit from your mouth (ถ่มน้ำลาย): *He spat on the floor; In her anger, she spat at him.* **2** to throw out (ขว้างออกมา ส่งออกมา): *The fire spat out sparks.*

spit; spat; spat: *He spat out the cherry stone; The dog was tired of being spat at by the cat.*

spite *n* a desire to hurt or offend someone (เคียดแค้น): *He hid her book out of spite.*

'spite·ful *adj* (ด้วยความแค้น ด้วยเจตนาร้าย): *a spiteful remark; a spiteful person.*

'spite·ful·ly *adv* (อย่างเจตนาร้าย).

'spite·ful·ness *n* (ความเจตนาร้าย).

in spite of 1 taking no notice of something (แม้กระนั้น แต่กระนั้น แม้ว่า): *He went out in spite of his father's orders that he must stay at home.* **2** although something has happened, is a fact *etc.* (ถึงแม้ความจริงจะเป็นอย่างนั้น): *In spite of all the rain that had fallen, the ground was still very dry.*

Write **in spite of** (not **inspite of**).

'spit·tle *n* the liquid that forms in your mouth; spit; saliva (น้ำลาย).

splash *v* **1** to make something wet with drops of liquid, mud *etc.* (สาดให้เปียกด้วยของเหลว โคลน): *A passing car splashed my coat with water.* **2** to fly about in drops (กระจายเป็นหยด): *Water splashed everywhere.* **3** to move with splashes; to make splashes (กระโดดน้ำให้กระจาย เคลื่อนที่ไปจนน้ำกระจาย): *The children were splashing about in the sea; We splashed through the puddles.* — *n* **1** a scattering of drops of liquid; the noise made by this (ทำน้ำกระจาย เสียงที่เกิดจากการนี้): *He fell into the river with a loud splash.* **2** a mark made by splashing (รอยที่เกิดจากการนี้): *There was a splash of mud on her dress.* **3** a bright patch (รอยแต้มสดใส): *a splash of colour.*

'splashdown *n* the landing of a spacecraft in the sea at the end of a space flight (ยานอวกาศลงทะเลในตอนจบการบินในอวกาศ).

'splat·ter *v* to splash with, or in small drops (สาดเป็นหยดเล็ก ๆ): *She splattered paint on the walls; She splattered the walls with the paint; The rain splattered the door.*

'splen·did *adj* **1** brilliant; magnificent; very rich and grand (โชติช่วง งามสง่า อร่ามและใหญ่โต): *He looked splendid in his robes.* **2** very good or fine (ดีมาก): *This is a splendid essay, Catherine!* **'splen·did·ly** *adv* (อย่างสง่างาม).

'splen·dour *n* grand beauty; magnificence; brilliance (ความงามอย่างยิ่งใหญ่ ความสง่าผ่าเผย ความโชติช่วง): *the splendour of the snow-covered mountains.*

splice *v* to join two pieces together neatly by the ends (ต่อปลายเชือกโดยวิธีควั่นเกลียวเข้าด้วยกัน): *He spliced the ropes by weaving their threads together.*

splint *n* a piece of wood *etc.* used to keep a broken arm or leg in a fixed position while it heals (เฝือก).

'splint·er *n* a small sharp broken piece of wood *etc.* (เสี้ยนไม้ที่แหลมเล็ก): *She got a splinter in her finger from the rough wooden plank.* — *v* to split into splinters (แตกออกเป็นสะเก็ดไม้): *The door splintered under the heavy blow.*

split *v* **1** to break or tear apart (แตกหรือฉีกขาด):

to split firewood; My skirt has split down the side. **2** to divide (แบ่งแยก): *The dispute split the workers into two opposing groups.* — *n* a crack, tear or break (รอยแยก รอยฉีกหรือแตก): *There is a split in your jacket.*

split; split; split: *She split the chocolate in half; They've split the work into two parts.*

splitting headache a very bad headache (ปวดหัวมาก).

'splut·ter *v* to make spitting sounds, for example as you talk because of excitement or anger (พูดละล่ำละลัก): *She spluttered with anger.*

spoil *v* **1** to damage; to ruin; to make something bad or useless (ทำลาย เสียหาย ทำให้เสียหรือใช้การไม่ได้): *If you touch that flower you'll spoil it.* **2** to give children *etc.* too much of what they want and make their characters worse by doing so (เสียเด็ก): *Don't give Jane so many presents — you mustn't spoil her.*

spoil; spoilt or **spoiled; spoilt** or **spoiled**: *He spoilt the dinner by burning it; You've spoilt my drawing!*

spoilt *adj* (เสียแล้ว เหลิง): *He's a very spoilt child!* **'spoil·sport** *n* a person who spoils, or refuses to join in, the fun of others (คนที่ปฏิเสธหรือทำให้งานสนุกของผู้อื่นเสียไป).

spoke[1] *n* one of the ribs or bars from the centre to the rim of the wheel of a bicycle, cart *etc.* (ซี่ล้อรถจักรยาน เกวียน ฯลฯ).

spoke[2] **spoken** *see* **speak** (ดู **speak**).

'spokes·man, 'spokes·wom·an *n* a person who speaks on behalf of a group of others (โฆษก).

sponge (*spunj*) *n* **1** a sea animal, or its soft skeleton, which has many holes and is able to suck up and hold water (ฟองน้ำ). **2** a piece of this skeleton, used for washing your body; an artificial substitute for this (ฟองน้ำ). **3** a light kind of cake or pudding (เค้กหรือพุดดิงชนิดหนึ่ง). **4** a wipe with a sponge (เช็ดด้วยฟองน้ำ): *Give the baby's face a sponge.* — *v* to wipe or clean with a sponge (เช็ดหรือทำความสะอาดด้วยฟองน้ำ): *She sponged the child's face.*

'spon·gy (*'spun-ji*) *adj* soft and springy; holding water like a sponge (อ่อนนุ่มและหยุ่น ๆ อุ้มน้ำเหมือนกับฟองน้ำ): *spongy ground.*

'spon·sor *n* **1** to pay some or all the money that is needed for a particular event or project, often as a form of advertising (การอุปการะ การอุปถัมภ์ การโฆษณา): *The company sponsored several football matches.* **2** to promise someone that you will pay a certain sum of money to a charity if he or she completes a particular task (การสนับสนุน): *Are you willing to sponsor me on a 24-mile walk for the Leprosy Fund?* — *n* a person, company *etc.* that sponsors something (บุคคล บริษัท ฯลฯ ที่อุปถัมภ์).

spon'ta·ne·ous (*spon'tā-ni-əs*) *adj* **1** of your own free will (โดยทันที): *a spontaneous offer of help.* **2** natural; not forced (เป็นธรรมชาติ ไม่ถูกบีบบังคับ): *a spontaneous smile.*

spon'ta·ne·ous·ly *adv* (อย่างเป็นธรรมชาติ). **spon·ta'ne·i·ty** (*spontə'nē-i-ti*) *n* (ความเป็นไปตามธรรมชาติ ความเป็นไปโดยใจสมัคร.

spool *n* a cylindrical holder on to which photographic film *etc.* is wound (กล่องรูปทรงกระบอกซึ่งใช้เก็บฟิล์ม หลอดม้วน).

spoon *n* an instrument shaped like a shallow bowl with a handle for lifting food to your mouth, or for stirring tea, coffee *etc.* (ช้อน): *a teaspoon; a soupspoon.* — *v* to lift or scoop up with a spoon (ตักด้วยช้อน): *She spooned food into the baby's mouth.*

'spoon·ful *n* the amount held by a spoon (เต็มช้อน): *three spoonfuls of sugar.*

The plural of **spoonful** is **spoonfuls** (not **spoonsful**).

'spoon-feed *v* **1** to feed a baby *etc.* with a spoon (ป้อนด้วยช้อน). **2** to teach or treat people in a way that does not allow them to think for themselves (สอนหรือตอบต่อผู้คนในทางที่ไม่ปล่อยให้เขาคิดเองได้เลย).

'spoon-feed; 'spoon-fed; 'spoon-fed.

spo'rad·ic (*spə'rad-ik*) *adj* happening from time to time at irregular intervals (ประปราย): *sporadic gunfire.*

spo'rad·ic·al·ly *adv* (อย่างเป็นครั้งคราว).

spore *n* a cell, produced by bacteria and some plants, which grows into a new individual (สปอร์ เชื้อเห็ด เชื้อรา): *Fungi produce spores.*

sport *n* **1** games or competitions involving physical activity (เกมหรือการแข่งขันซึ่งเกี่ยวกับการใช้กำลังกาย): *She's very keen on sport of all kinds.* **2** a particular game or amusement of this kind (เกมชนิดหนึ่งชนิดใดที่ให้ความบันเทิงในแบบนี้): *Football is my favourite sport; hunting, shooting, fishing and other sports.* **3** a good-natured, kind person (นิสัยดี คนใจดี): *He's a good sport to agree to help us!*

'sport·ing *adj* **1** having to do with sports (เกี่ยวกับกีฬา): *That tennis match was one of the best sporting events of the year; the sporting world.* **2** kind; friendly; helpful (ใจดี เป็นมิตร ช่วยเหลือ): *It was very sporting of him to let me use his bicycle when mine had a puncture; a sporting gesture.*

'sporting·ly *adv* (อย่างใจดี อย่างเป็นมิตร).

sports adj designed, or suitable, for sports (ออกแบบหรือเหมาะกับการกีฬา): *a sports centre; sports equipment.*

'sports·man *n* **1** someone who takes part in sports (นักกีฬา): *He is a very keen sportsman.* **2** someone who is fair and generous in sport (ผู้ที่มีความยุติธรรมและใจกว้างในกีฬา): *He's a real sportsman — he doesn't seem to care if he wins or loses.*

'sports·wear *n* clothing designed for playing sports in (ชุดกีฬา).

'sports·wom·an *n* a girl or woman who takes part in sport (นักกีฬาหญิง).

spot *n* **1** a small mark or stain (จุดเล็ก ๆ หรือรอยเปื้อน): *She was trying to remove a spot of grease from her skirt.* **2** a small, round mark of a different colour from its background (จุดกลม ๆ เล็ก ๆ หลากสีเป็นพื้น): *His tie was blue with white spots.* **3** a pimple or red mark on your skin (สิวหรือจุดแดง ๆ บนผิวหนัง): *She had chicken pox and was covered in spots.* **4** a place or small area, especially the exact place where something happened *etc.* (สถานที่ซึ่งอะไรบางอย่างเกิดขึ้น): *The girls showed the policeman the spot where they had seen the stolen car.* **5** a small amount (จำนวนเล็กน้อย): *May I borrow a spot of sugar?* — *v* **1** to catch sight of someone or something (เห็นใครบางคนหรือบางอย่าง): *She spotted him at the very back of the crowd.* **2** to recognize or pick out (จำได้หรือชี้ออกมาได้): *Can you spot the mistake in this picture?*

spot check an inspection made without warning, especially on something chosen at random from a group, for example of goods leaving a factory (การตรวจตราโดยไม่มีการเตือนมาก่อน เช่นการสุ่มตัวอย่างเอาจากกลุ่มสินค้าที่ออกจากโรงงาน).

'spot·less *adj* very clean (สะอาดมาก): *a spotless kitchen.*

'spot·light *n* a circle of light that is thrown on to a small area, for example on a stage; the lamp that projects this beam (ไฟฉาย แสงไฟกลม ๆ ที่ส่องไปบนพื้นที่เล็ก ๆ เช่นบนเวที). — *v* **1** to light with a spotlight (อาบด้วยแสงไฟฉาย). **2** to show something up clearly; to draw attention to something (แสดงบางอย่างให้เห็นชัด ดึงความสนใจไปสู่อะไรบางอย่าง): *to spotlight a difficulty.*

'spot·light; 'spot·lit or **'spot·light·ed; 'spot·lit** or **'spot·light·ed.**

'spot·ted *adj* (เปื้อนเป็นจุด ๆ ลายจุด): *Her dress was spotted with paint; a spotted tie.*

'spot·ty *adj* covered with spots (ปกคลุมด้วยจุด): *a spotty face.*

in a spot in trouble (ตกอยู่ในความยุ่งยาก): *Can you help me? — I'm in a spot!*

on the spot 1 at once (โดยทันที): *She liked the dress so much that she bought it on the spot.* **2** in the exact place where something is happening; in the place where you are needed (อยู่ในที่ซึ่งบางอย่างกำลังเกิดขึ้น ณ ที่นั้น): *It was a good thing you were on the spot when he had his heart attack.* — *adj* **1** (ถูกต้อง): *an on-the-spot decision.* **2** (อยู่ ณ ที่นั้น): *our on-the-spot reporter.*

spot on very accurate (แม่นยำมาก): *His description of Mary was spot on!*

spouse (*spows*) *n* a husband or wife (สามีหรือภรรยา).

spout *v* to be forced out in a jet; to burst out (ฉีดออกเป็นลำ ระเบิดออกมา): *Water spouted from the hole in the pipe.* — *n* **1** the part of a kettle, teapot, jug, water-pipe *etc.* through which the liquid it contains is poured out (พวยกา พวยน้ำ ปากกระบอกฉีด). **2** a strong flow of water *etc.*; a jet (น้ำที่พุ่งออกมา).

sprain *v* to twist a joint, especially your ankle or wrist so as to injure the muscles *etc.* round it (บิดข้อต่อ โดยเฉพาะอย่างยิ่งที่ข้อเท้าหรือข้อมือซึ่งทำให้กล้ามเนื้อบาดเจ็บ บวม): *She sprained her ankle yesterday.* — *n* (อาการเคล็ด อาการขัดหรือบวม): *"Is your ankle broken?" "No, I think it's only a sprain".*

sprang *see* **spring** (ดู **spring**).

sprawl *v* to sit, lie or fall with your arms and legs spread out (นั่ง นอน หรือตกลงมาโดยมือและขากางแผ่หรา): *Several tired-looking people were sprawling in armchairs.*

'sprawl·ing *adj* (แผ่หรา แผ่ขยาย): *the huge, sprawling city of Los Angeles.*

spray *n* **1** a mist or jet of small flying drops of water *etc.* (น้ำที่กระเซ็นเป็นฝอย): *The perfume came out of the bottle in a fine spray.* **2** a device with many small holes for producing a mist or jet like this (เครื่องมือที่ใช้ฉีดของเหลวออกมาเป็นฝอย สเปรย์): *She used a spray to wash her hair.* **3** a liquid for spraying (ของเหลวที่ใช้ฉีดออกมาเป็นฝอย): *She bought a can of hair-spray to keep her hair-style in place.* — *v* to pour out in a mist or jet (ฉีดออกมาเป็นฝอยหรือเป็นลำ): *The water sprayed all over everyone; She sprayed water over the flowers; He sprayed the roses with insecticide.*

spread (*spred*) *v* **1** to cover a surface (ทา): *She spread honey on her bread; She spread the bread with jam.* **2** to reach a wider area; to affect a larger number of people *etc.*; to distribute widely (กระจาย): *The news spread through the village very quickly; Spread the good news!* **3** to distribute over an area, period of time *etc.* (กินเวลา): *The exams were spread over a period of ten days.* — *n* **1** the process of reaching a wider area, affecting more people *etc.* (กระบวนการที่แพร่ออกไป มีผลต่อผู้คนมากขึ้น): *the spread of information by television; the spread of crime.* **2** a food to be spread on bread *etc.* (อาหารที่ทาบนขนมปัง): *Have some chicken spread.*

spread; spread; spread: *The disease spread quickly ; The books were spread out on the table.*

spread out 1 to extend; to stretch out (ขยายออก ยืดออก แผ่ออก): *The fields spread out in front of him; He spread the map out on the table.* **2** to distribute (แผ่ออก): *The meetings of the club are spread out over the whole year.* **3** to scatter (กระจาย): *She spread the leaflets out on the table; They spread out and began to search the whole hillside.*

sprig (*sprig*) *n* a small piece of a plant; a twig (กิ่งเล็ก ๆ).

See **branch**.

'spright·ly (*'sprīt-li*) *adj* lively and moving quickly (มีชีวิตชีวาและเคลื่อนไหวอย่างรวดเร็ว): *a sprightly old lady.*

spring *v* to jump, leap or move swiftly, usually upwards (กระโดด): *She sprang into the boat; Do you spring out of bed in the morning?* — n **1** a coil of wire or a similar device that can be pressed down but returns to its original shape when released (สปริง): *a watch-spring; the springs in a chair.* **2** the season of the year when plants begin to grow, March to May in cooler northern regions (ฤดูใบไม้ผลิ): *Spring is my favourite season.* **3** a leap or sudden movement (กระโดด กระโจน): *The lion made a sudden spring at its prey.* **4** the ability to spring back again after being stretched, squashed *etc.* (สามารถที่จะดีดตัวได้): *There's not a lot of spring in this old trampoline.* **5** the ability to leap or jump well (สามารถที่จะกระโจนหรือกระโดดได้ดี): *A dancer needs plenty of spring.* **6** a small stream flowing out from the ground (น้ำพุ).

spring; sprang; sprung: *He sprang out of*

the chair; New buildings have sprung up since I was last here.

'spring·board *n* **1** a type of diving-board that bends under your weight, so that you can spring off it (กระดานกระโดด). **2** a board on which gymnasts jump before vaulting (กระดานกระโดดสำหรับกายกรรม).

spring cleaning thorough cleaning of a house *etc.* in spring (การทำความสะอาดบ้านโดยทั่วถึงในฤดูใบไม้ผลิ).

spring roll a roll of thin pastry filled with vegetables and meat and cooked in oil (เปาะเปี๊ยะ).

'spring·time *n* the season of spring (ฤดูใบไม้ผลิ).

'spring·y (*'spriŋ-i*) *adj* (ยืดหยุ่น): *This is a nice springy mattress; thick, springy grass; to walk with springy steps.*

spring up to develop or appear suddenly (พัฒนา ปรากฏขึ้นสู่สายตา): *New buildings are springing up everywhere.*

'sprin·kle *v* to scatter something over something else in small drops or bits (โปรย พรม): *He sprinkled salt over his food; He sprinkled the roses with water.*

'sprin·kler *n* an apparatus for sprinkling something, for instance water over a lawn (เครื่องโปรย เครื่องพรมน้ำ).

sprint *n* a run or running race performed at high speed over a short distance (การวิ่งหรือการวิ่งแข่งด้วยความเร็วสูงในระยะสั้น): *Who won the 100 metres sprint?* — *v* to run at full speed especially in a race (วิ่งด้วยความเร็วเต็มที่ในการวิ่งแข่ง): *He sprinted the last few hundred metres.*

'sprin·ter *n* a person who is good at running short distances very fast (นักวิ่งเร็วในระยะสั้น).

sprout *v* **1** to develop leaves, shoots *etc.* (แตกใบ แตกหน่อ): *The trees are sprouting new leaves.* **2** to develop horns, produce feathers *etc.* (งอกเขา งอกขน): *The young birds are sprouting their first feathers.* — *n* a new shoot (ถั่วงอก): *bean sprouts.*

sprout up to grow (เติบโต): *That fruit bush has sprouted up fast; Jennifer has sprouted up a lot since I last saw her.*

spruce *adj* neat and smart (หมดจดและหล่อเหลา): *You're looking very spruce today.*

spruce up to smarten (ทำให้ดูดีขึ้น): *I'll go and spruce up before going out.*

sprung *see* **spring** (ดู **spring**).

spun *see* **spin** (ดู **spin**).

spur *n* **1** a small instrument with a sharp point or points that riders wear on their heels and dig into the horse's sides to make it go faster (เดือยรองเท้าที่กระตุ้นสีข้างของม้าให้ไปเร็วขึ้น). **2** anything that urges a person to make greater efforts (สิ่งใดที่คอยกระตุ้นให้คนพยายามมากขึ้นอีก): *He was driven on by the spur of ambition.*

spur on to urge a horse to go faster, using spurs; to urge a person to make greater efforts (การใช้เดือยกระตุ้นม้าให้ไปเร็วขึ้น การกระตุ้นคนให้พยายามมากขึ้นอีก): *He spurred his horse on; The thought of the prize spurred her on.*

spurn *v* to reject scornfully (บอกปัดด้วยความดูหมิ่น): *He spurned her offers of help.*

spurt *v* to spout (พุ่งออกมา): *Blood spurted from the wound.* — *n* a sudden burst (การพุ่งออกมาในทันใด การโหมกำลัง): *a spurt of blood; a spurt of energy.*

spy (*spī*) *n* a secret agent or person employed to gather information secretly, especially about the military affairs of other countries (สายลับ จารชน): *She was arrested as a spy.* — *v* **1** to be a spy (เป็นสายลับ เป็นจารชน): *He had been spying for the Russians for many years.* **2** to see or notice (เห็นหรือสังเกตเห็น): *She spied a human figure on the mountainside.*

spy; 'spy·ing; spied; spied: *She was spying for the enemy; He spied a strange bird.*

'spy·hole *n* a hole through which you can look without being seen (รูสำหรับแอบดู).

spy on to watch a person *etc.* secretly (เฝ้าดูคน ฯลฯ อย่างลับ ๆ): *The police had been spying on the gang for several months.*

'squab·ble (*'skwob-əl*) *v* to quarrel (ทะเลาะวิวาท): *The children are always squabbling over their toys.* — *n* a noisy quarrel (การทะเลาะกันเสียงเอ็ดอึง).

squad (*skwod*) *n* a small group of soldiers, workmen *etc.* working together; a team (ทหารหมู่หนึ่ง คนหมู่หนึ่ง ฯลฯ ทำงานร่วมกัน ทีม): *The men were divided into squads to perform different duties; a squad of workmen.*

'squad·ron (*'skwod-rən*) *n* a division of a regiment, a section of a fleet, or a group of aeroplanes (หน่วย กองเรือส่วนหนึ่ง เครื่องบินหมู่หนึ่ง).

'squal·id (*'skwol-id*) *adj* very dirty; filthy (สกปรกมาก ซอมซ่อ): *The houses are squalid and overcrowded.*

'squal·or *n* (ความสกปรก ความซอมซ่อ): *They lived in squalor.*

'squan·der (*'skwon-dər*) *v* to waste (ผลาญ สูญเสียไปโดยเปล่าประโยชน์): *He squandered all his money on gambling; She is squandering her time watching television when she should be studying.*

square *n* **1** a four-sided flat shape with all sides equal in length and all the angles right angles (สี่เหลี่ยมจัตุรัส). **2** something with this shape (อะไรที่มีรูปร่างอย่างนี้). **3** an open place in a town, with the buildings round it (จัตุรัสในเมือง). **4** the resulting number when a number is multiplied by itself (ยกกำลัง): *3 x 3, or 3^2 equals 9, so 9 is the square of 3.* — *adj* **1** having the shape of a square or right angle (มีรูปร่างสี่เหลี่ยมหรือเป็นมุมฉาก): *I need a square piece of paper; He has a square chin.* **2** measuring a particular amount on all four sides (การวัดทั้งสี่ด้าน): *This piece of wood is two metres square.* — *adv* firmly and directly (อย่างมั่นคงและตรง ๆ): *She hit him square on the point of the chin.* — *v* **1** to give a square shape to something; to make something square (ทำให้เป็นสี่เหลี่ยม). **2** to multiply a number by itself (เลขยกกำลัง): *Two squared is four.*

squared *adj* marked out in squares (ทำเป็นรูปสี่เหลี่ยม): *squared paper.*

squash (*skwosh*) *v* to press, squeeze or crush (กด บีบหรืออัด): *He tried to squash too many clothes into his case; The tomatoes got squashed at the bottom of the shopping-bag.* — *n* **1** a crowd; a crowding together of people *etc.* (ฝูงชน): *There was a great squash in the doorway.* **2** a drink containing the juice of crushed fruit (น้ำผลไม้คั้น): *Have some orange squash!* **3** a type of game played in a walled court with rackets and a rubber ball (เกมสควอทช์).

squat (*skwot*) *v* to sit down on your heels or in a crouching position (นั่งยอง): *The beggar squatted all day in the market place.* — *adj* short and fat (เตี้ยและอ้วน): *He has a squat body.*

squawk (*skwök*) *v* to give a loud, harsh cry (ร้องเสียงห้าวดัง ๆ): *The hen squawked and ran away.* — *n* (การร้องเสียงห้าวดัง ๆ): *The goose gave a squawk when it saw the fox.*

squeak *n* a shrill cry or sound (เสียงกรีดร้องหรือเสียงแหลมเล็ก ๆ): *the squeaks of the mice; The door gave a squeak as she opened it.* — *v* (เสียงดังเอี๊ยดเอี๊ยด): *The hinge is squeaking.*

'squeak·y *adj* (ดังเอี๊ยดเอี๊ยด): *squeaky shoes.*

squeal *n* a long, shrill cry (เสียงร้องนานอย่างตื่นเต้น): *The children welcomed their father home with squeals of delight.* — *v* (ครวญครางด้วยความเจ็บปวด): *This puppy squealed with pain.*

'squeam·ish *adj* easily shocked and made to feel sick (คลื่นเหียน สะอิดสะเอียนได้ง่าย): *She is squeamish about blood.*

squeeze *v* **1** to press something tightly (บีบแน่น ปั้น รีด): *He squeezed her hand lovingly; He squeezed the clay into a ball.* **2** to force someone or something into a narrow space (เบียดตัวเข้าไปในที่แคบ ๆ): *The dog squeezed itself into the hole; We were all squeezed into the back seat of the car.* **3** to force something, for example liquid, out of something by pressing (บีบน้ำออก): *to squeeze oranges.* — *n* (การบีบ การเบียด): *Give the lemon a squeeze; He gave her hand a squeeze; We all got into the car,* *but it was a squeeze; Would you like a squeeze of lemon on your fish?*

'squeez·er *n* an instrument for squeezing (เครื่องมือที่ใช้สำหรับบีบ): *a lemon squeezer.*

squeeze up to move closer together (เบียดชิดกันเข้าไปอีก): *Could you all squeeze up on the bench and make room for me?*

squelch *n* the sucking sound made by movement in a thick, sticky substance such as mud (เสียงโคลนดูด เสียงทรายเปียก ๆ ดูด): *the squelch of boots in the wet sand.* — *v* to make this sound (การทำเสียงเช่นนี้): *She squelched along in the mud.*

squid, *plural* **squid** or **squids**, *n* a sea creature with ten tentacles (หมึก).

squint *n* a fault in the eyes that makes them turn inward (ตาเข ตาเหล่): *The baby has a squint.* — *v* (เหล่ ชำเลือง): *The baby squints; You squint when you try to look at your nose.*

squirm *v* to twist your body; to wriggle (บิดตัวดิ้นไปมา): *He lay squirming on the ground with pain.*

'squir·rel *n* a small red-brown or grey animal with a large bushy tail, that can sit on its back legs and use its front paws to feed itself (กระรอก).

squirt *v* to shoot out in a narrow spray or jet (ฉีดน้ำออกมาเป็นฝอยหรือเป็นลำ): *The elephant squirted water over itself; Water squirted from the hose.*

St, St., short for (คำย่อสำหรับ) **Saint** or หรือ **Street**, in names of places (ใช้เป็นชื่อของสถานที่).

stab v to wound or pierce with a pointed instrument or weapon (แทง): *He stabbed her with a dagger; He had been stabbed in the chest; stabbed through the heart.* — *n* (ถูกแทง): *He had received a stab in the chest.*

'stab·wound *n* a wound caused by stabbing (บาดแผลถูกแทง).

'sta·bil·ize (*'stā-bi-līz*) *v* to make something firm or steady (ทำให้คงที่หรืออยู่นิ่ง ๆ): *He put a strip of board under the cupboard to stabilize it.*

'sta·ble[1] (*'stā-bəl*) *adj* **1** firm and steady; well balanced (มั่นคง อยู่ตัว): *This chair isn't very stable.* **2** firmly established; likely to last (ตั้งอย่างมั่นคง น่าจะอยู่ได้นาน): *a stable government.* **3** sensible (มีเหตุมีผล): *She has a stable personality.*

sta'bil·i·ty n (ความมั่นคง เสถียรภาพ).

'sta·ble[2] (*'stā-bəl*) *n* **1** a building in which horses are kept (คอกม้า). **2 (stables)** an establishment where horses are kept for hiring *etc.* (คอกที่เก็บม้าให้เช่า): *He runs the riding stables.*

stack *n* **1** a large, neatly shaped pile, of hay, straw, wood *etc.* (กองหญ้าแห้ง ฟาง ไม้ ที่วางเป็นระเบียบ): *a haystack.* **2** a set of shelves for books in a library *etc.* (หิ้งหนังสือในห้องสมุด). — v to arrange things in a large, neat, pile (จัดของวางเป็นกองใหญ่ ๆ อย่างมีระเบียบ): *Stack the files up against the wall.*

'sta·di·um *n* a large sports-ground or racecourse with seats for spectators (สนามกีฬา สนามแข่งม้า): *The athletics competitions were held in the new stadium.*

staff[1] (*stäf*) *n* a group of people employed in running a business, school *etc.* (คณะบุคคลที่ถูกจ้างเข้ามาทำงานทางธุรกิจ โรงเรียน ฯลฯ เจ้าหน้าที่): *The school has a large teaching staff; The staff are annoyed about the changes; Two members of staff are leaving the school at the end of term.* — *v* to supply with staff (มีเจ้าหน้าที่): *Most of our offices are staffed by volunteers.*

staff can take a singular or plural verb.

'staff·room *n* a sitting-room for the staff of a school (ห้องพักครู): *A meeting will be held in the staffroom.*

staff[2] (*stäf*), *plural* **staves**, *n* a stick; a pole (เสา).

stag *n* a male deer (กวางตัวผู้).

stage[1] *n* a raised platform for performing or acting on, in a theatre, hall *etc.* (เวที). — *v* **1** to prepare and produce a play *etc.* in a theatre (เตรียมการและทำการแสดงละคร ฯลฯ ในโรงมหรสพ): *This play was first staged in 1928.* **2** to organize an event *etc.* (จัดให้มีเหตุการณ์หนึ่งขึ้น): *The protesters are planning to stage a demonstration.*

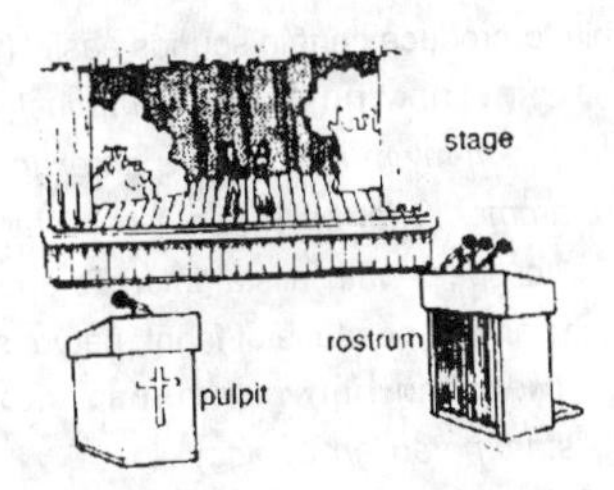

'stage-man·age *v* **1** to organize the scenery and lights *etc.* for a play (จัดฉากและแสง ฯลฯ สำหรับเล่นละคร). **2** to organize an event *etc.* in order to create an effect (จัดเหตุการณ์ ฯลฯ เพื่อให้เกิดผลอย่างหนึ่งขึ้นมา): *The wedding was stage-managed by her mother.*

stage manager the person who organizes the scenery and lights *etc.* for a play (ผู้จัดการเกี่ยวกับฉากและแสงในการเล่นละคร).

stage[2] *n* **1** a period or step in the development of something; a particular moment (ระยะหรือขั้นตอนในพัฒนาการของบางอย่างในเวลานั้น): *The plan is in its early stages; We know that several people survived the plane-crash, but at this stage, we don't know how many survivors there are.* **2** part of a journey (ส่วนหนึ่งของการเดินทาง): *The first stage of our journey will be the flight to Singapore.* **3** a section of a bus route (ส่วนหนึ่งของเส้นทางเดินรถ).

'stag·ger *v* **1** to sway, move or walk unsteadily (โซเซ เดินโซเซ): *The drunk man staggered along the road.* **2** to astonish (ประหลาดใจ): *I was staggered to hear that he had died.* **3** to arrange people's hours of work, holidays *etc.* so that they do not begin and end at the same times (จัดเวลาทำงาน วันหยุด ฯลฯ เพื่อที่มันจะได้ไม่เริ่มและจบลงในเวลาเดียวกัน).

'stag·ger·ing *adj* astonishing (น่าประหลาดใจ น่าตกใจ): *staggering news.*

'stag·nant *adj* **1** standing still, not flowing, therefore dirty and unhealthy (หยุดอยู่กับที่ ไม่ไหล ดังนั้นจึงสกปรกและไม่เหมาะกับสุขภาพ): *Stagnant water; a stagnant pool.* **2** dull; making no progress (ชะงักงัน): *Trade is stagnant at present.*

staid *adj* serious and often a bit dull (เคร่งขรึมและค่อนข้างจะจืดชืด): *Her clothes are always very staid.*

stain *v* **1** to leave a mark, especially a permanent one, on a garment *etc.* (รอยเปื้อน): *The coffee I spilt has stained my trousers.* **2** to become marked in this way (การติดรอยเปื้อนแบบนี้): *Silk stains easily.* **3** to dye or colour wood (การย้อมสีไม้): *The wooden chairs had been stained brown.* — *n* a dirty mark on cloth *etc.* that is difficult or impossible to remove (รอยสกปรกบนผ้า ซึ่งยากที่จะเอาออกหรือเอาออกไม่ได้): *His overall was covered with paintstains.*

stained glass a glass panel made of pieces of glass of different colours put together to form a picture (กระจกสีหลาย ๆ แผ่นประกอบกันเข้าเป็นรูปภาพ): *There are some very famous stained glass windows in the church.*

stainless steel a metal that is a mixture of steel and chromium and does not rust (โลหะที่เป็นส่วนผสมของเหล็กและโครเมียมซึ่งไม่ขึ้นสนิม).

stair *n* **1** a set of steps inside a building, going from one floor to another (ขั้นบันได): *We need a new carpet for the stair.* **2** one of these steps (บันไดขั้นหนึ่ง): *a flight of stairs; He fell down the stairs.*

'stair·case, 'stair·way *ns* a flight of stairs (บันได): *A dark narrow staircase led up to the top floor.*

stake[1] *n* a strong stick or post, especially a pointed one used as a support or as part of a fence (รั้ว).

stake[2] *n* a sum of money that you risk in betting (เงินที่เราเสี่ยงเล่นการพนัน). — *v* to bet money (เงินเล่นพนัน พนัน): *I'm going to stake $5 on that horse.*

at stake 1 to be won or lost (ชนะหรือแพ้): *A great deal of money is at stake.* **2** in great danger (อันตรายอย่างใหญ่หลวง): *Our children's future is at stake.*

'stal·ac·tite *n* a spike of limestone hanging from the roof of a cave *etc.* formed by the dripping of water containing lime (หินย้อย).

'stal·ag·mite *n* a spike of limestone rising from the floor of a cave, formed by water dripping from the roof (หินงอก).

stale *adj* not fresh; dry and tasteless (ไม่สด แห้งและไม่มีรสชาติ): *stale bread.*

'stale•mate *n* a position in a game of chess or a dispute in which neither side can win (หมากรุกในลักษณะอับ): *The discussions ended in a stalemate; There is no way to break the stalemate between them.*

stalk[1] (*stök*) *n* the stem of a plant or of a leaf, flower or fruit (ลำต้นของต้นไม้หรือกิ่งของใบไม้ ดอกไม้ หรือผลไม้): *If the stalk is damaged, the plant may die.*

stalk[2] (*stök*) *v* **1** to walk stiffly and proudly (เดินตัวแข็งและภาคภูมิใจ): *He stalked out of the room in anger.* **2** to spread dangerously through a place (แผ่กระจายไปทั่วอย่างเป็นอันตราย): *Disease and famine stalk the country.* **3** in hunting, to move gradually as close as possible to an animal, trying to remain hidden (การล่า การแอบติดตามเข้าไปใกล้สัตว์อย่างช้า ๆ): *to stalk deer.*

stall[1] (*stöl*) *n* **1** a compartment in a cowshed *etc.* (คอกกั้น): *cattle stalls.* **2** a small shop or a counter on which goods are displayed for sale (ร้านเล็ก ๆ หรือเคาน์เตอร์ซึ่งตั้งแสดงสินค้าเพื่อจะขาย): *He bought a newspaper at the bookstall on the station; The market-place was full of traders' stalls.*

stalls *n* in a theatre, the seats on the ground floor (ที่นั่งชั้นล่างสุดในโรงมหรสพ): *I always sit in the stalls.*

stall[2] (*stöl*) *v* to stop suddenly because of lack of power (หยุดอย่างกะทันหันเพราะขาดกำลัง): *The car stalled when I was halfway up the hill.*

'stal•lion (*'stal-yən*) *n* a fully-grown male horse (ม้าตัวผู้ที่โตเต็มที่).

'sta•men (*'stā-mən*) *n* the delicate stalk inside a flower, that produces pollen (ช่อเกสรตัวผู้).

'stam•i•na *n* strength that helps you to go on exercising or working for a long time (ความอดทน): *Long-distance runners need plenty of stamina.*

'stam•mer *n* the fault in speaking of being unable to produce certain sounds easily (พูดติดอ่าง พูดตะกุกตะกัก): *"You m-m-must m-m-meet m-m-my m-mmother" is an example of a stammer; That child has a bad stammer.* — *v* to speak with a stammer; to speak in a similar way because of fright, nervousness *etc.* (พูดตะกุกตะกักเพราะความกลัว กังวลใจ): *He stammered an apology.*

stamp *v* **1** to bring your foot down with force on the ground (กระทืบเท้า): *He stamped his foot with rage; She stamped on the insect.* **2** to print or mark (พิมพ์หรือทำเครื่องหมายหรือประทับตรา): *He stamped the date at the top of his letter; The oranges were all stamped with the exporter's name.* **3** to stick a postage stamp on a letter *etc.* (ติดสแตมป์บนซองจดหมาย): *I've addressed the envelope but I haven't stamped it.* — *n* **1** stamping your foot (กระทืบเท้า): *"Give it to me!" she shouted with a stamp of her foot.* **2** the instrument used to stamp a design *etc.* on a surface (เครื่องมือที่ใช้ประทับตรา): *He put the date on the bill with a rubber-stamp.* **3** a postage stamp (สแตมป์ไปรษณียากร): *He stuck the stamps on the parcel; He collects foreign stamps.* **4** a design *etc.* made by stamping (แบบที่เกิดจากการประทับตรา): *All the goods had the manufacturer's stamp on them.*

stamp out to put an end to something; to get rid of something (ขจัดให้หมดไป): *to stamp out a wicked custom; to stamp out a rebellion.*

stam'pede *n* a sudden wild rush of wild animals *etc.* (สัตว์ป่าที่แตกตื่นอย่างกะทันหัน): *a stampede of buffaloes; The school bell rang for lunch and there was a stampede for the door.* — *v* to rush in a stampede (วิ่งไปอย่างแตกตื่น): *The noise made the elephants stampede.*

stance (*stäns*) *n* **1** a position or manner of standing (ท่าทาง หรือท่ายืน): *an upright stance.* **2** an attitude (ท่าที): *She has adopted a tough stance towards them.*

stand *v* **1** to be in an upright position, not sitting or lying (ยืน): *His leg was so painful that he* could hardly stand; After the storm, few trees were left standing. **2** to rise to your feet (**ยืนขึ้น**): *He pushed back his chair and stood up; Stand up when your teacher comes into the room.* **3** to remain without moving (**หยุดโดยไม่เคลื่อนไหว**): *The train stood for an hour outside Newcastle.* **4** to remain unchanged (**ไม่เปลี่ยนแปลง**): *This law still stands.* **5** to be in a particular place (**เคยอยู่**): *There is now a factory where our house once stood.* **6** to be in a particular state (**อยู่ในสภาพบางอย่าง**): *As things stand, we can do nothing to help.* **7** to put in a particular position, especially upright (**ยกขึ้นตั้ง**): *He picked up the fallen chair and stood it beside the table.* **8** to undergo; to bear (**อดทน**): *He will stand trial for murder* (**ขึ้นศาล**); *I can't stand her rudeness any longer.* — *n* **1** a position in which you stand ready to fight *etc.* (**ตำแหน่งซึ่งพร้อมที่จะต่อสู้**): *The guard took up his stand at the gate.* **2** an object for holding or supporting something (**ที่วางของ ที่แขวน**): *a coat-stand; The sculpture had been removed from its stand for cleaning.* **3** a stall where goods are displayed for sale or advertisement (**ที่วางสินค้าเพื่อขายหรือเพื่อโฆษณา**). **4** a large structure beside a football pitch, *etc.* with rows of seats for spectators (**ที่นั่งของผู้ดู**): *The stand was crowded.*

stand; stood; stood: *A stranger stood at the door; He had stood there all day.*

'stand-by, *plural* **'stand-bys**, *n* **1** readiness for action (**เตรียมพร้อม พร้อมที่จะปฏิบัติ**): Two fire-engines went directly to the fire, and a third was on stand-by. **2** something that can be used in an emergency *etc.* (**สิ่งที่จะนำมาทดแทน**): *Fruit is a good stand-by when children get hungry between meals.*

'stand·ing *n* position or reputation (**ตำแหน่งหรือชื่อเสียง**): *He has a very high standing in the town.*

'stand·ing-room *n* space for standing only, not sitting (**ที่ว่างสำหรับยืนเท่านั้น**): *There was standing room only on the bus.*

make someone's hair stand on end to frighten someone (**ขนลุกเกรียว**): *The horrible scream made his hair stand on end.*

stand aside to move to one side so as to get out of someone's way (**หลีกทาง**): *He stood aside to let me past.*

stand back to move backwards or away (**ถอยออกไป**): *A crowd gathered round the injured man, but a policeman ordered everyone to stand back.*

stand by 1 to watch something happening without doing anything (**ดูเฉย ๆ โดยไม่ทำอะไร**): *I couldn't just stand by while he was hitting the child.* **2** to be ready to act (**พร้อมที่จะลงมือ**): *The police are standing by in case of trouble.* **3** to support; to stay loyal to someone (**สนับสนุน อยู่เคียงข้างด้วยความภักดี**): *She stood by him throughout his trial.*

stand down to withdraw from a contest *etc.* (**ถอนตัวออกจากการแข่งขัน**).

stand fast, stand firm to refuse to give in (**ไม่ยอมแพ้**).

stand for 1 to be a shortening of something (**คำย่อ**): *HQ stands for headquarters.* **2** to represent (**หมายถึง**): *I like to think that our school stands for all that is best in education.* **3** to accept; to tolerate (**ยอมรับ ยอมทน**): *I won't stand for this bad behaviour.*

stand on your own two feet to manage your own affairs without help (**ช่วยตัวเองได้**).

stand out to be noticeable (**เด่น**): *She stood out as one of the cleverest girls in the school.*

stand up for to support or defend someone *etc.* (**สนับสนุน ปกป้อง**): *She stood up for him when the others laughed at him.*

stand up to 1 to defend yourself against someone; to fight back (**ตอบโต้**): *He stood up to the bigger boys who tried to bully him.* **2** to last, in spite of something (**ทนทาน**): *These chairs have stood up to very hard use.*

'stand·ard *n* **1** something used as a basis of measurement (**มาตรฐาน**): *The kilogram is the international standard of weight.* **2** a basis for judging quality; a level of excellence you aim at, require or reach (พื้นฐานในการพิจารณาถึงคุณภาพ ความดี ที่เราตั้งความหวังเอาไว้): *You can't judge a child's drawing by the same standards as you would judge that of a trained artist; high standards of behaviour; Her dancing did not reach the standard required for entry into the ballet school.* — *adj* normal; usual (ปกติ ธรรมดา): *The Post Office likes the public to use a standard size of envelope.*

'stand·ard·ize *v* to make or keep products *etc.* of one size, shape *etc.* for the sake of convenience (ทำให้เป็นมาตรฐาน).

stand·ard·i'za·tion *n* (การจัดมาตรฐาน).

below standard not as good as is required (ต่ำกว่ามาตรฐาน).

up to standard as good as is required (ตรงตามมาตรฐาน).

'stand·point *n* a point of view (มุมมอง แง่คิด): *What is his standpoint on this issue?*

'stand·still: be at, come to, reach a standstill to remain without moving; to stop, halt *etc.* (หยุดนิ่ง): *The traffic was at a standstill.*

stank *see* **stink** (ดู **stink**).

'stan·za (*'stan-zə*) *n* a verse in a poem (บทในโคลง).

'sta·ple[1] (*'stā-pəl*) *n* a chief product of trade or industry (ผลิตผลสำคัญในการค้าหรืออุตสาหกรรม). — *adj* chief; main (สำคัญ หลัก): *Rice is their staple food.*

'sta·ple[2] (*'stā-pəl*) *n* **1** a U-shaped type of nail (ตะปูรูปตัวยู). **2** a U-shaped piece of wire that is driven through sheets of paper *etc.* to fasten them together (เข็มเย็บกระดาษ). — *v* (เย็บกระดาษ): *The papers had been stapled together.*

'sta·pler *n* an instrument for stapling papers (เครื่องเย็บกระดาษ).

star *n* **1** any of the fixed bodies in the sky, which are really distant suns (ดาวฤกษ์): *The Sun is a star, and the Earth is one of its planets.* **2** any of the bodies in the sky appearing as points of light (สิ่งที่อยู่บนฟ้าแลเห็นเป็นจุดแสงสว่าง): *The sky was full of stars.* **3** a shape with a number of points, usually five or six (รูปร่างซึ่งเป็นแบบดาว โดยปกติมีปลายอยู่ห้าหรือหกปลาย). **4** a leading actor or actress; a well-known performer (นักแสดงนำชายหรือหญิง ผู้แสดงที่เป็นที่รู้จักกันอย่างดี): *a film star; a television star; a football star.* — *v* **1** to play a leading part in a play, film *etc.* (แสดงนำในละคร ภาพยนตร์): *She has starred in two films.* **2** to have a certain actor *etc.* as its leading performer (มีดาราที่แสดงนำโดยเฉพาะ): *The film starred Elvis Presley.*

see stars to see flashes of light as a result of a hard blow on your head (เห็นดาวเพราะโดนตีที่ศีรษะอย่างแรง).

thank your lucky stars to be grateful for your good luck (ขอบคุณต่อความมีโชคดีของเรา).

'star·board *n* the right side of a ship or aircraft, when you are looking towards the bow or front (ด้านข้างขวาของเรือหรือเครื่องบินเมื่อเรามองไปทางหัวเรือ).

starch *n* **1** a white food substance found especially in flour, potatoes *etc.* (แป้ง): *Bread contains starch.* **2** a powder prepared from this, used for stiffening clothes (แป้งที่ใช้ลงผ้า). — *v to starch a dress.*

'star·dom *n* the state of being a famous actor or performer (ความมีชื่อเสียงในการเป็นดาราหรือผู้แสดง): *Vivien Leigh shot to stardom in the film "Gone with the wind".*

stare *v* to look hard for a long time (จ้องดู): *They stared at her strange clothes in amazement; Don't stare — it's rude!* — *n* (การจ้องดู): *He gave me a long stare.*

'star·fish *n* a small sea animal with five pointed arms (ปลาดาว).

stark (สิ้นเชิง ทนโท่): **stark naked** completely naked.

'star·light *n* light from the stars (แสงดาว).

'star·ling *n* a small bird with dark, shiny feathers (นกกะหรอด).

'star·lit *adj* bright with stars (สว่างด้วยแสงดาว): *a starlit night.*

'star·ry (*'stä-ri*) *adj* full of stars; shining like stars (เต็มไปด้วยดวงดาว ส่องแสงเหมือนดวงดาว): *a starry night; starry eyes.*

start[1] *v* to jump or jerk suddenly because of

fright, surprise *etc.* (สะดุ้ง): *The sudden noise made me start.* — *n* (การสะดุ้ง): *He gave a start of surprise; What a start the news gave me!*

start[2] *v* **1** to begin a journey (เริ่มเดินทาง): *We shall have to start at 5.30 a.m. in order to get to the boat in time.* **2** to begin (เริ่ม): *He starts working at six o'clock every morning; She started to cry; She starts her new job next week; Haven't you started your meal yet?; What time does the play start?* **3** to begin to work; to make something begin to work (เริ่มทำงาน การทำให้สิ่งใดเริ่มทำงาน): *I can't start the car; The car won't start; The clock stopped but I started it again.* **4** to establish something; to get something going (จัดตั้ง ดำเนินต่อไป): *One of the students decided to start a college magazine.* — *n* **1** the beginning of something (เริ่มตั้งแถว เริ่มทำอะไรบางอย่าง): *The runners lined up at the start; He stayed in the lead after a good start; I shall have to make a start on that work.* **2** in a race, chase *etc.*, the advantage of beginning before or further forward than others (ข้อได้เปรียบในการเริ่มก่อนหรืออยู่ก่อนหน้าผู้อื่นในการแข่งขัน ต่อให้): *The youngest child in the race got a start of five metres; The driver of the stolen car already had twenty minutes' start before the police began to chase him.*

'start·er *n* **1** the first part of a meal (ส่วนแรกของอาหารมื้อหนึ่ง): *We had tomato soup as a starter.* **2** a device in a car *etc.* for starting the engine (ที่สตาร์ทรถ). **3** a person, horse *etc.* that actually runs in a race (คนหรือม้าที่เข้าวิ่งแข่งขัน): *There were only five starters because several horses were withdrawn from the race.* **4** a person who gives the signal for a race to start (ผู้ให้สัญญาณการแข่งขัน).

'start·ing-point *n* the point from which something begins (จุดออก จุดเริ่มการแข่งขัน).

start off **1** to begin a journey (ออกเดินทาง): *It's time we started off.* **2** to begin; to establish something or someone; to get someone or something going (เริ่ม): *The meeting started off with the chairman's speech of welcome; His father started him off as a bookseller by lending him money to buy a shop.*

start out to begin a journey; to start off (ออกเดินทาง เริ่มออก): *We shall have to start out at dawn.*

'star·tle *v* to give someone a shock or surprise (ทำให้ตกใจหรือประหลาดใจ): *The sound startled me.*

star'va·tion extreme hunger; not having enough food to keep you alive: *n* (ความอดอยาก มีอาหารไม่พอที่จะยังชีพ): *They died of starvation.*

starve *v* **1** to die, or suffer, from hunger (ตายหรือทนทุกข์ทรมานจากความอดอยาก): *In the drought, many people and animals starved; You'll starve to death if you don't eat.* **2** to give no food, or not enough food, to someone (ไม่ให้อาหารหรือให้อาหารไม่พอแก่การยังชีพ): *They were accused of starving their prisoners.* **3** to be very hungry: *Can't we have supper now? I'm starving.*

state[1] *n* **1** the condition in which a thing or person is (สภาพที่สิ่งของหรือผู้คนเป็นอยู่): *the bad state of the roads; The room was in an untidy state; He inquired about her state of health; He was not in a fit state to run in the race.* **2** a country considered as a political community (รัฐ): *The Prime Minister visits the Queen once a week to discuss affairs of state; The care of sick and elderly people is partly the job of the state.* — *adj* (แห่งรัฐ): *The railways are under state control.*

state[2] *v* to say or announce clearly, carefully and definitely (กล่าวหรือประกาศอย่างแจ่มแจ้งถี่ถ้วน และเด็ดขาด): *You have not yet stated your intentions.*

'state·ly *adj* noble, dignified and impressive (สูงศักดิ์ ทรงเกียรติ และน่าประทับใจ): *She is tall and stately; a stately house.*

'state·ment *n* **1** the stating of something; something that is stated (คำกล่าว ถ้อยแถลง): *The Prime Minister will make a statement tomorrow on the new education plans.* **2** a written statement of how much money a person has, owes *etc.* (รายการทางบัญชี รายการในบัญชีเงินฝากธนาคาร): *a bank statement.*

'states·man *n* an important political leader whom people respect (รัฐบุรุษ).

'stat·ic *adj* not moving; not changing (อยู่กับที่ ไม่เปลี่ยนแปลง): *The latest weather report says that the area of high pressure will remain static for the next few days.* — *n* (also **static electricity**) tiny electric sparks that are caused by rubbing two things together (ไฟฟ้าสถิต): *You get static when you comb your hair with a plastic comb.*

'sta·tion (*'stā-shən*) *n* **1** a place with a ticket office, waiting rooms *etc.*, where trains, buses or coaches stop to allow passengers to get on or off (สถานีรถโดยสาร สถานีรถไฟ): *a bus station; She arrived at the station in good time for her train.* **2** a local headquarters or centre (กองบัญชาการหรือศูนย์ของท้องถิ่น): *How many fire-engines are kept at the fire station?; a radio station; Where is the police station?; military stations; naval stations.* **3** a post; a position of duty (ที่ทำการ): *The watchman remained at his station all night.* — *v* to place in a position of duty (เข้าที่ทำการ): *He stationed himself at the corner of the road to keep watch; The regiment is stationed abroad.*

'sta·tion·ar·y *adj* standing still; not moving (อยู่นิ่ง ๆ ไม่เคลื่อนไหว): *a stationary vehicle; The car remained stationary.*

a **stationary** (not ไม่ใช่ **stationery**) car.

'sta·tion·er (*'stā-shə-nər*) *n* a person who sells stationery (คนขายเครื่องเขียน).

'sta·tion·er·y *n* paper, envelopes, pens and other articles used in writing *etc* (เครื่องเขียนต่าง ๆ).

to buy **stationery** (not ไม่ใช่ **stationary**) at the bookshop.
stationery is never used in the plural: *pencils, pens and other pieces of stationery.*

'sta·tis·tics 1 *n plural* figures that give you information about something (สถิติ): *The latest statistics on education show that there are more students at universities and colleges than ever before.* **2** *n* the study of such figures (วิชาสถิติ): *He is studying statistics.*

'stat·ue (*'stat-ū*) *n* a figure of a person or animal made of bronze, stone, wood *etc.* (รูปปั้นคนหรือสัตว์ทำด้วยบรอนซ์ หิน ไม้): *A statue of Nelson stands at the top of Nelson's Column; The children stood as still as statues.*

'sta·ture (*'sta-tūr*) *n* **1** height of body (ความสูงของร่างกาย): *a man of great stature.* **2** importance or greatness (ความสำคัญหรือความยิ่งใหญ่): *a musician of international stature.*

'sta·tus (*'stā-təs*) *n* **1** your position in society, especially as seen by other people (สถานะทางสังคม): *Does a doctor have a higher status than a teacher?* **2** the position of a person as a member of a group, that gives him or her certain rights (ตำแหน่งของบุคคลในกลุ่ม ซึ่งทำให้เขาหรือเธอมีสิทธิ์บางอย่าง): *He has the status of a British citizen.*

'sta·tute (*'sta-tūt*) *n* a law or rule (กฎหมายหรือกฎ): *There are several statutes governing road use.*

staunch (*stönch*) *adj* firm and loyal (มั่นคงและภักดี): *a staunch supporter.*

staves plural of (พหูพจน์ของ **staff**[2]).

stay *v* **1** to remain in a place for a time (อยู่ค้าง): *We stayed three nights at that hotel in Paris; Aunt Mary is coming to stay with us for a fortnight; Would you like to stay for supper?; Stay and watch that television programme.* **2** to remain in a particular position, place or condition (อยู่ในตำแหน่ง สถานที่หรือสภาพใดสภาพหนึ่ง): *The doctor told her to stay in bed; He never stays long in any job; Stay away from the office till your cold is better; Why won't these socks stay up?; Stay where you are — don't move!; In 1900, people didn't realize that motor cars were here to stay.* — *n* (การอยู่ การค้าง): *We had an overnight stay in London.*

See **remain.**

stay behind to remain in a place after others

have left it (อยู่ต่อ): *They all left the office at five o'clock, but he stayed behind to finish some work.*

staying power stamina (มีกำลังวังชา): *She has great staying power when it comes to her work.*

stay in to remain at home (อยู่บ้าน): *I'm staying in tonight to watch television.*

stay out to remain out of doors (อยู่นอกบ้าน): *The children mustn't stay out after 9 p.m.* **stay put** to remain where placed (อยู่นิ่ง ๆ): *Once a baby can crawl, he won't stay put for long.*

stay up not to go to bed (ไม่ไปนอน): *The children wanted to stay up and watch television.*

'stead·fast (*'sted-fäst*) *adj* firm; never changing (มั่นคง ไม่เปลี่ยนแปลง): *a steadfast friend.*

'stead·fast·ly *adv* (อย่างมั่นคง).

'stead·fast·ness *n* (ความมั่นคง ความไม่เปลี่ยนแปลง).

'stead·y (*'sted-i*) *adj* **1** firm; not shaky (มั่นคง ไม่สั่น): *The table isn't steady; You need a steady hand to be a surgeon.* **2** regular; even (ปกติ สม่ำเสมอ): *a steady temperature; He was walking at a steady pace.* **3** never changing (ไม่เคยเปลี่ยน): *steady faith.* — *v* to make or become steady (ทำตัวให้มั่นคง): *He stumbled but managed to steady himself.*

'stead·i·ness *n* (ความมั่นคง).

'stead·i·ly *adv* (อย่างมั่นคง): *His work is improving steadily.*

steak (*stāk*) *n* a slice of meat, especially beef, or fish, for frying (ชิ้นเนื้อหรือปลาใช้สำหรับทอด สเต็ก): *a piece of steak; two cod steaks.*

steal *v* **1** to take another person's property, especially secretly, without permission (ขโมย): *Thieves broke into the house and stole money and jewellery; He was sent away from the school because he had been stealing.* **2** to do something quickly or secretly (ทำอย่างลับ ๆ และรวดเร็ว ชำเลือง): *He stole a glance at her.* **3** to move quietly (เคลื่อนตัวอย่างเงียบ ๆ): *He stole quietly out of the room.*

steal; stole; 'sto·len: *Joe stole Sally's purse; My watch has been stolen.*
See also **rob**.

'stealth·y (*'stel-thi*) *adj* done secretly or quietly, so as not to attract people's attention (ทำอย่างลับ ๆ และเงียบ ๆ เพื่อไม่ให้ผู้คนสนใจ): *He took a stealthy glance at his watch; I heard stealthy footsteps coming along the passage.*

'stealth·i·ly *adv* (อย่างเงียบ ๆ).

steam *n* **1** a gas or vapour that rises from hot or boiling water *etc.* (ก๊าซหรือละอองน้ำร้อน): *A cloud of steam was coming out of the kettle; Steam rose from the wet earth in the hot sun.* **2** power obtained from steam under pressure (พลังงานที่ได้จากแรงดันไอน้ำ): *The machinery is driven by steam; Diesel fuel has replaced steam on the railways.* — *adj* (พลังไอน้ำ): *steam power; steam engines.* — *v* **1** to give out steam (ให้ไอน้ำออกมา): *A kettle was steaming on the stove.* **2** to move by means of steam (แล่นไปด้วยพลังไอน้ำ): *The ship steamed across the bay.* **3** to cook by steam (ปรุงโดยการอบ): *The pudding should be steamed for four hours.*

'steam·boat, 'steam·ship *ns* a ship driven by steam (เรือกลไฟ).

steam engine a moving engine for pulling a train, or a fixed engine, driven by steam (รถจักรหรือเครื่องจักรไอน้ำ).

'steam·er *n* a steamship (เรือกลไฟ).

steam roller a type of vehicle driven by steam, with wide and heavy wheels for flattening the surface of newly-made roads *etc.* (รถบดถนน).

'steam·y *adj* full of steam (เต็มไปด้วยไอน้ำ): *The air was steamy in the launderette.*

full steam ahead at the greatest speed possible (แล่นเร็วที่สุดเท่าที่จะทำได้).

steel *n* a very hard metal that is a mixture of iron and carbon, used for making tools *etc.* (เหล็ก): *tools of the finest steel.* — *adj* (เกี่ยวกับเหล็ก): *steel knives.*

steep *adj* rising sharply (สูงชัน): *The hill was too steep for me to cycle up; a steep path; a steep climb.*

'steep·ly *adv* (อย่างสูงชัน).

'steep·ness *n* (ความสูงชัน).

'stee·ple *n* a high tower on a church *etc.* (หอสูงของโบสถ์).

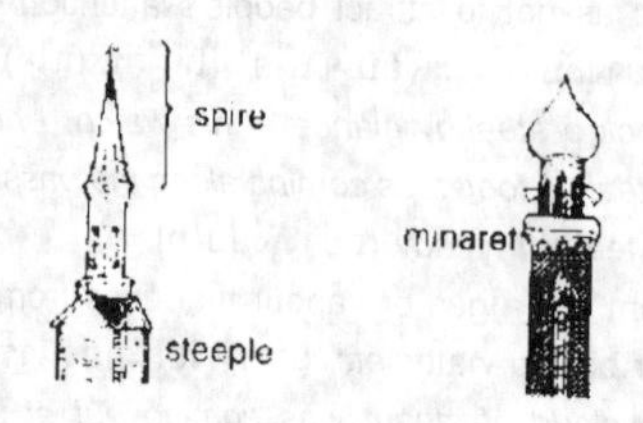

steer *v* to control the course of a ship, car *etc.* (บังคับทิศทางของเรือ รถยนต์ เปลี่ยนเรื่อง): *He steered the car through the narrow streets; I steered out of the harbour; She managed to steer the conversation towards the subject of her birthday.*

'steer·ing-wheel *n* the wheel in a car for steering it, or the wheel on a ship that is turned to control the rudder (พวงมาลัยรถ เรือ).

stem *n* **1** the part of a plant that grows upward from the root; the part from which a leaf, flower or fruit grows; a stalk (ลำต้น): *Poppies have long, hairy, twisting stems.* **2** the narrow part of various objects, for instance of a wine-glass, between the bowl and the base (ก้าน ลำกล้อง): *the stem of a wine-glass; The stem of his favourite pipe broke.* **3** the upright piece of wood or metal at the bow of a ship (ไม้หรือโลหะที่ตั้งตรงอยู่บนหัวเรือ): *As the ship struck the rock, she shook from stem to stern* (สั่นจากหัวถึงท้าย). — *v* to be caused by (เกิดจาก): *Hate sometimes stems from envy.*

See **branch**.

stench *n* a strong, bad smell (กลิ่นเหม็น): *the stench of stale tobacco smoke.*

'sten·cil *n* a piece of paper, metal or plastic with a design cut out of it, which can be put on to a piece of paper and coloured or painted over to reproduce the design (กระดาษไข): *She used stencils to do the lettering on the poster.*

step *n* **1** one movement of the foot in walking, running, dancing *etc.* (ก้าว): *He took a step forward; She was walking with hasty steps.* **2** the sound made by someone walking *etc.* (เสียงก้าวเดิน): *I heard steps approaching; noisy footsteps.* **3** a particular movement with the feet, for example in dancing (ท่าเต้น): *The dance has some complicated steps.* **4** a flat surface on which you put your foot when going up or coming down a stair, ladder *etc.* (ขั้นบันได): *A flight of steps led down to the cellar; Mind the step!; She was sitting on the doorstep.* **5** a stage in progress, development *etc.* (ขั้นตอนในการพัฒนา ก้าวหน้า): *Mankind made a big step forward with the invention of the wheel; His present job is a step up from his previous one.* **6** an action; a move towards achieving an aim *etc.* (การกระทำที่มุ่งเข้าหาเป้า): *That would be a sensible step to take; I shall take steps to prevent this happening again.* — *v* to take a step; to walk (เดิน ก้าว): *He opened the door and stepped out; She stepped quickly along the road.*

in step with the same foot going forward at the same time (เดินไปข้างหน้าด้วยความพร้อมเพรียง): *Soldiers are trained to march in step; Keep in step!* **out of step** *not in step: One of the marching soldiers was out of step.*

step aside to move to one side (ก้าวไปข้าง ๆ): *He stepped aside to let me pass.*

step by step gradually (ทีละนิด): *He improved step by step.*

step out to walk with long, vigorous steps (เดินก้าวเท้ายาว ๆ อย่างเร่งรีบ).

watch your step to be careful, especially over your own behaviour (ระมัดระวังในความประพฤติของเรา).

step- a relationship not by blood but by another marriage (ความเกี่ยวพันกันทางการแต่งงาน).

'step-fa·ther *n* a man who is married to your mother, but isn't your own father (พ่อเลี้ยง).

'step-moth·er *n* a woman who is married to your father, but isn't your own mother (แม่เลี้ยง).

'step-sis·ter, 'step-broth·er *ns* a daughter

or son of your step-father or step-mother (พี่หรือน้องบุญธรรม).

'step-son, 'step-daugh·ter, 'step-child *ns* a son or daughter from your wife's or husband's previous marriage (ลูกเลี้ยง).

'ste·re·o (*'ste-rē-ō*), *plural* **stereos**, *n* a record-player which plays the sound through two speakers (เครื่องบันทึกเสียงซึ่งเล่นเสียงออกมาทั้งสองลำโพง).

'ste·re·o·type (*'ste-rē-ō-tīp*) *n* a general idea, image or phrase which has come to represent a particular type of person or thing (ความคิดโดยทั่วไป ภาพพจน์หรือสำนวนที่กลายมาเป็นแบบอย่างของคนหรือสิ่งของชนิดนั้น ๆ สิ่งที่ตายตัว): *He is the stereotype of a bank manager.*

'ster·ile (*'ster-īl*) *adj* **1** unable to produce crops, seeds or babies (ไม่สามารถผลิตพืชผล เมล็ด หรือลูก ออกมาได้ เป็นหมัน): *sterile soil; Starvation makes women sterile.* **2** free from germs; completely clean (ไม่มีเชื้อโรค สะอาดอย่างที่สุด): *A doctor's instruments must be sterile.*

ste'ril·i·ty *n* (ความเป็นหมัน).

'ster·i·lize *v* **1** to make a woman or a female animal sterile by means of a surgical operation (ทำให้ผู้หญิงหรือสัตว์เพศเมียเป็นหมันโดยการผ่าตัด). **2** to make something completely free of germs by boiling it in water (ฆ่าเชื้อโรคโดยต้มในน้ำเดือด): *to sterilize medical instruments.*

ster·i·li'za·tion *n* (การอบฆ่าเชื้อโรค).

'ster·ling (*'stər-liŋ*) *n* the money used in Great Britain (เงินที่ใช้ในประเทศอังกฤษ): *He changed his dollars into sterling.* — *adj* of good quality (มีคุณภาพดี): *He has done some sterling work.*

stern[1] *adj* harsh; severe; strict (ห้าว รุนแรง เข้มงวด): *The teacher looked rather stern; She had a stern voice.* **'stern·ly** *adv* (อย่างเข้มงวด). **'stern·ness** *n* (ความเข้มงวด).

stern[2] *n* the back part of a ship (ส่วนท้ายของเรือ).

'ste·roid *n* one of several chemicals found in the body, including hormones, some of which can be taken to improve the size of muscles (สเตียรอยด์ สารเคมีหลายชนิดที่พบในร่างกายรวมทั้งฮอร์โมน บางอย่างมีผลกระตุ้นการเพิ่มขนาดของมัดกล้ามเนื้อ): *Some athletes take steroids illegally to try to improve their performance.*

'steth·o·scope *n* an instrument with which a doctor can listen to the beats of your heart (เครื่องฟังเสียงเต้นของหัวใจ).

stew *v* to cook meat, fruit *etc.* by slowly boiling it (ต้มเนื้อ ผลไม้ อย่างช้า ๆ ทำสตูว์): *She stewed the apples; The meat was stewing in the pan.* — *n* a dish of stewed meat *etc.* (สตูว์เนื้อ): *I've made some beef stew.*

'stew·ard *n* **1** a passengers' attendant, especially on a ship (พนักงานต้อนรับ). **2** a person who helps to arrange, and is an official at, races, entertainments *etc.* (คนที่คอยช่วยจัดและเป็นเจ้าหน้าที่ในการแข่งขัน งานบันเทิง ฯลฯ). **3** a person who supervises the supply of food and stores in a club, on a ship *etc.* (ผู้ดูแลเรื่องอาหารและห้องเก็บของในสโมสร บนเรือ).

'stew·ard·ess *n* a woman who is a passengers' attendant, especially on an aeroplane (พนักงานหญิงที่ต้อนรับผู้โดยสาร โดนเฉพาะอย่างยิ่งบนเครื่องบิน): *an air stewardess.*

stick[1] *v* **1** to push something sharp or pointed into or through something (แทง เสียบ เย็บ): *She stuck a pin through the papers to hold them together; Stop sticking your elbow into me!* **2** to be pushed into or through something (เสียบเข้าไปหรือเสียบทะลุ): *Two arrows were sticking in his back.* **3** to fasten or be fastened by glue *etc.* (ติดหรือติดด้วยกาว): *He licked the flap of the envelope and stuck it down; These labels don't stick very well; He stuck the broken vase together again; His brothers used to call him Bonzo and the name has stuck.* **4** to make or become fixed and unable to move or progress (ติดหล่ม ติดขัด): *The car stuck in the mud; The cupboard door has stuck; I'll help you with your arithmetic if you're stuck.*

stick; stuck; stuck: *He stuck the stamp on the envelope; Can you help me? — I'm stuck.*

'stick·er *n* a label or sign with a design, message *etc.*, for sticking on a car window *etc.* (แผ่นป้ายหรือเครื่องหมายมีข่าวสารใช้สำหรับติดหน้าต่างรถยนต์ สติ๊กเกอร์): *The car sticker said "Blood donors needed".*

stick around to remain in a place (อยู่กับที่ อยู่แถวนี้): *I'll stick around after the party to help you tidy up.*

stick by to stay loyal to someone or something (มีความจงรักภักดีต่อบางคนหรือบางสิ่ง): *His friends stuck by him when he was in trouble.*

stick out 1 to project; to put out (ยื่นออกมา แลบลิ้น): *His front teeth stick out; He stuck out his tongue.* **2** to be noticeable (สังเกตเห็นได้ง่าย): *Her red hair sticks out in a crowd.*

stick to not to give up; not to abandon (ไม่ยอมแพ้ ไม่ละทิ้ง): *We've decided to stick to our previous plan; If you stick to me, I'll stick to you.*

stick together 1 to fasten together; to be fastened together (มัดเข้าด้วยกัน เกาะกัน): *We'll stick the pieces together; The rice is sticking together.* **2** to remain loyal to each other (ซื่อสัตย์ต่อกันและกัน): *They've stuck together all these years.*

stick up for to defend or support (ป้องกันหรือสนับสนุน): *She always sticks up for her sister at school.*

stick[2] *n* **1** a branch or twig from a tree (ไม้): *They were sent to find sticks for firewood.* **2** a long, thin piece of wood *etc.* shaped for a special purpose (ไม้ยาว ๆ ทำเพื่อจุดประสงค์อะไรบางอย่าง): *She always walks with a stick nowadays; a walking-stick; a hockey-stick; a drumstick; candlesticks.* **3** a long piece (ชิ้นยาว ๆ): *a stick of rhubarb.*

get hold of the wrong end of the stick to misunderstand something (เข้าใจผิดอะไรบางอย่าง).

'stick·y *adj* **1** designed to stick to another surface (เกาะติดกับผิวอื่นได้): *to mend a book with sticky tape.* **2** likely to stick to other things (น่าจะเกาะติดกับสิ่งอื่นได้): *sticky sweets.* **3** difficult (ยุ่งยาก): *a sticky situation.*

come to a sticky end to have an unpleasant fate or death (มีเคราะห์กรรมหรือตาย).

stiff *adj* **1** very firm; not easily bent or folded; rigid (แข็ง): *He has walked with a stiff leg since he injured his knee; stiff cardboard.* **2** moving with difficulty, pain *etc.* (ขยับตัวด้วยความยากลำบาก เจ็บปวด): *I can't turn the key — the lock is stiff; I woke up with a stiff neck; I was stiff all over after my long cycle-ride.* **3** difficult to do (ยากที่จะทำ): *a stiff examination.* **4** strong (แรง): *a stiff breeze.* **'stiff·ly** *adv* (อย่างแรง). **'stiff·ness** *n* (ความแข็ง ความแรง).

'stiff·en *v* to make or become stiff (ทำให้แข็ง ตัวแข็ง): *You can stiffen cotton with starch; He stiffened with fright when he heard the unexpected sound.*

bore someone stiff to make someone desperately bored (ทำให้คนเบื่อแทบตาย): *The children were bored stiff by the teacher's lesson.*

scare someone stiff to frighten someone very badly (ทำให้คนกลัวแทบตาย): *His driving scares me stiff.*

'sti·fle (*'stī-fəl*) *v* **1** to prevent someone from breathing; to be prevented from breathing; to suffocate (ทำให้หายใจไม่ออก): *He was stifled to death when smoke filled his bedroom; I'm stifling in this heat.* **2** to put out flames; to extinguish (ดับเพลิง).

'sti·fling *adj* very hot (ร้อนมาก): *stifling heat.*

sti'let·to (*sti'let-ō*), *plural* **stilettos**, *n* a shoe with a high, thin heel (รองเท้าส้นสูง): *She never wears stilettos.*

still[1] *adj* without movement or noise (นิ่ง สงบ): *The city seems very still in the early morning; Please keep still while I brush your hair!; still water; still weather.* — *adv* (อย่างนิ่ง ๆ): *Sit still!; Stand still!* **'still·ness** *n* (ความนิ่ง).

still[2] *adv* **1** up to and including the present time (จนถึงและรวมเวลานี้เข้าไปด้วย): *Are you still working for the same firm?; By Saturday he still hadn't replied to my letter.* **2** nevertheless; in spite of that (ก็ยังจะ): *Although the doctor told him to rest, he still went on* *working; This picture is not valuable — still, I like it.* **3** even (แม้แต่): *He seemed very ill in the afternoon and in the evening looked still worse.*

Use **still** when something is going on and has not stopped: *Are the children still up? They should be in bed by now.*
Use **yet** when you expect something to happen: *Have the children gone to bed yet?*

'stilt·ed *adj* unnatural or formal (ไม่เป็นธรรมชาติหรือเป็นทางการ): *He spoke in rather stilted English.*

stilts *n* **1** a pair of poles with supports for the feet, on which you can stand and walk about (ไม้ตั้งขาเดิน). **2** tall poles fixed under a house *etc.* to support it if it is built on a steep hill-side *etc.* (เสาใช้ค้ำยันบ้านถ้าถูกสร้างบนเนินเขาชัน ๆ).

'stim·u·late (*'stim-ū-lāt*) *v* to rouse or encourage someone (กระตุ้นหรือให้กำลังใจ): *After listening to the violin concert, he felt stimulated to practise the violin again.*

stim·u'la·tion *n* (การกระตุ้น การให้กำลังใจ).
'stim·u·la·ting *adj* very interesting (น่าสนใจมาก เร้าใจมาก): *a stimulating discussion.*
'stim·u·lus, *plural* **'stim·u·li** (*'stim-ū-lī*) *n* **1** something that encourages you to do something (สิ่งเร้า เครื่องกระตุ้น): *Many people think that children need the stimulus of exams to make them work better at school.* **2** something that makes a person, animal or plant do something (สิ่งเร้า เครื่องกระตุ้น): *Light is the stimulus that causes a flower to open.*

sting *n* **1** a part of some plants, insects *etc.*, for example nettles and wasps, that can prick your skin and inject an irritating or poisonous fluid into the wound (หนาม เหล็กใน): *Bees leave their stings behind in the wound, but wasps don't.* **2** the piercing of the skin with this part; the wound, pain or swelling caused by it (รอยถูกตำหรือถูกต่อย): *Some spiders give a poisonous sting; You can soothe a wasp sting by putting vinegar on it.* — *v* **1** to injure with a sting (บาดเจ็บโดยการถูกต่อย): *The child was badly stung by nettles; Do those insects sting?* **2** to smart; to be painful (เจ็บปวด): *The salt water made his eyes sting.*

sting; stung; stung: *A bee stung him on the finger; I've been stung!*

'stin·gy (*'stin-ji*) *adj* mean; not generous (ขี้เหนียว ใจแคบ). **'stingi·ly** *adv* (อย่างขี้เหนียว อย่างใจแคบ). **'stin·gi·ness** *n* (ความขี้เหนียว ความใจแคบ).

stink *v* to have a very bad smell (มีกลิ่นเหม็นมาก): *That fish stinks; The house stinks of cats.* — *n* a very bad smell (กลิ่นเหม็นมาก): *What a stink!*

stink; stank; stunk: *The rotting fish stank; If the dead mouse hadn't stunk so much, I wouldn't have been able to find it.*

stint *n* a fixed amount of time or work to be done (จำกัดเวลาหรืองานที่กำหนดให้ทำ): *She hasn't done her stint of the cooking yet.*

'stip·u·late (*'stip-ū-lāt*) *v* to state as a necessary condition (กำหนดขึ้นเป็นเงื่อนไขที่จำเป็น): *The contract stipulates that you must work at least forty hours each week.*

stip·u'lat·ion *n* (ข้อกำหนด เงื่อนไข).

stir *v* **1** to mix a liquid *etc.* with a continuous circular movement of a spoon *etc.* (ผสมของเหลวเข้าด้วยกันโดยการคน): *He put sugar and milk into his tea and stirred it; She stirred the sugar into the mixture.* **2** to move, either gently or vigorously (ขยับอย่างนิ่มนวลหรืออย่างรุนแรง): *The breeze stirred her hair; He stirred in his sleep; Come on — stir yourselves!* — *n* a fuss; a disturbance (ความตื่นเต้น ความโกลาหล): *The news caused a stir.*

'stir·ring (*'stər-iŋ*) *adj* exciting (ตื่นเต้น): *a stirring tale.*

stir up to cause trouble etc. (ก่อให้เกิดความยุ่งยาก): *He was trying to stir up trouble at the factory.*

'stir·rups *n plural* a pair of metal loops hanging on straps from a horse's saddle, that you put your feet in when riding a horse (โกลนม้า).

stitch *n* **1** a loop made in thread, wool *etc* by a needle in sewing or knitting (การเย็บ การถัก):

She sewed the hem with small, neat stitches; Bother! I've dropped a stitch. **2** a type of stitch forming a particular pattern in sewing, knitting *etc* (รอยเย็บ รอยถัก): *The cloth was edged in blanket stitch; The jersey was knitted in stocking stitch.* — *v* to sew or put stitches into something (เย็บ): *She stitched the two pieces together; I stitched the button on to my coat; I'll stitch this button on again.*

'stitch·ing *n* (การเย็บ): *The stitching is very untidy.*

in stitches laughing a lot (หัวเราะอย่างมากมาย): *His stories kept us in stitches.*

stitch up (เย็บแผล): *The doctor stitched up the wound.*

stock *n* **1** a store of goods in a shop, warehouse *etc.* (ที่เก็บสินค้าของร้าน โกดังสินค้า): *Buy while stocks last!* **2** a supply of something (การสะสม): *We bought a large stock of food for the camping trip.* **3** farm animals; live-stock (ปศุสัตว์): *He would like to purchase more stock.* **4** the handle of a whip, rifle *etc.* (ด้ามแส้ ด้ามปืน). — *adj* common; usual (ปกติ ธรรมดา): *stock sizes of shoes.* — *v* **1** to keep a supply of something for sale (เก็บของเอาไว้เพื่อขาย): *Does this shop stock writing-paper?* **2** to supply a shop, farm *etc.* with goods, animals *etc.* (จัดสินค้าให้กับทางร้าน ฟาร์ม): *He cannot afford to stock his farm any longer.*

'stock·brok·er *n* a person who buys and sells shares in companies on behalf of investors (นายหน้าค้าหุ้น): *Her stockbroker handles all of her business investments.*

stock exchange a market for buying and selling shares in businesses (ตลาดซื้อขายหุ้น).

stock market a stock exchange, or the business carried out there (ตลาดค้าหุ้น): *Prices have fallen on the stock market.*

'stock·pile *n* a large reserve supply (คลังพัสดุ การเก็บของไว้จำนวนมาก): *She keeps a stockpile of sugar in her cupboard.* — *v* to buy or collect a stockpile of something (ซื้อหรือรวบรวมของไว้เป็นจำนวนมาก): *She has been stockpiling sugar.*

in stock available for sale (มีเก็บไว้ขาย): *The tools you ordered are now in stock.*

out of stock not available for sale (ไม่มีขาย): *The pens you want are out of stock.*

stock up to build up a supply of something (สะสมของบางอย่าง): *The boys stocked up with chocolate and lemonade for their walk.*

stock'ade *n* a fence of strong posts put up round a camp, settlement *etc.* for defence (ล้อมรั้วรอบค่าย อาณานิคม เพื่อเป็นการป้องกัน).

'stock·ing *n* one of a pair of close-fitting coverings for the legs and feet, reaching to or above the knee (ถุงเท้ายาวถึงหรือเหนือหัวเข่า): *Most women prefer tights to stockings nowadays.*

stock-'still *adv* completely still; without moving at all (หยุดนิ่งอย่างสิ้นเชิง ไม่ขยับตัวเลย): *He stood stock-still.*

'stock·y *adj* short, stout and strong (เตี้ยล่ำ): *a stocky little boy.* **'stock·i·ly** *adv* (อย่างล่ำสัน). **'stock·i·ness** *n* (ความล่ำสัน).

stoke (*stōk*) *v* **1** to put coal or other fuel on (ใส่ถ่านหินหรือเชื้อเพลิงอย่างอื่น): *She stoked the fire with wood.* **2** to make a dispute, argument *etc.* worse (ทำให้ข้อโต้แย้งเลวร้ายลงไปอีก): *This news will stoke the conflict.*

stole, stolen *see* **steal** (ดู **steal**).

'stom·ach (*'stum-ək*) *n* **1** the bag-like organ in the body into which food passes when swallowed, and where it is digested (กระเพาะอาหาร). **2** the part of the body between the chest and thighs; the belly (ส่วนท้อง): *a pain in the stomach.*

'stom·ach-ache *n* a pain in the belly (ปวดท้อง).

stomp *v* to stamp; to tread heavily (กระทืบเหยียบย่ำ).

stone *n* **1** the material of which rocks are composed (หิน): *In early times, men made tools out of stone; Stalactites are formed from limestone; The house is built of stone, not brick.* **2** a piece of this (เศษหิน): *He threw a stone at the dog.* **3** a piece of this shaped for a special purpose (เศษหินทำเป็นรูปร่างเพื่อ

จุดประสงค์บางอย่าง): *paving stones; a grindstone.* **4** a gem; a jewel (**เพชรพลอย**): *diamonds, rubies and other stones.* **5** the hard shell containing the nut or seed in some fruits such as peaches and cherries (**เมล็ด**): *a cherry-stone.* — *v* to remove the stones from fruit (**เอาเมล็ดออกจากผลไม้**): *to stone cherries.*

stone-'cold *adj* completely cold (**เย็นสนิท**): *Your soup has gone stone-cold.*

stone-'dead *adj* completely dead (**ตายสนิท**).

stone-'deaf *adj* completely deaf (**หนวกสนิท**): "Can he hear anything at all?" "No, he's stone-deaf."

'sto•ny *adj* **1** full of, or covered with, stones (**ปกคลุมด้วยหิน**): *a stony path; a stony beach.* **2** hard and cold in manner (**กิริยาเย็นชา**): *He gave me a stony stare.*

a stone's throw a very short distance (**ระยะสั้นมาก ๆ**): *They live only a stone's throw away from here.*

stood *see* **stand** (**ดู stand**).

stool *n* a seat without a back (**ม้านั่งไม่มีที่พิง**): *a piano-stool.*

stoop *v* to bend your body forward and downward (**ก้มตัวลงข้างหน้า**): *The doorway was so low that he had to stoop his head to go through it; She stooped down to talk to the child.* — *n* a stooping position of the body, shoulders *etc.* (**หลังโกง**): *Many people develop a stoop as they grow older.*

stooped *adj* (**ไหล่งุ้ม**): *stooped shoulders.*

stop *v* **1** to cease moving; to make something cease moving; to halt (**หยุด**): *He stopped the car and got out; This train does not stop at Birmingham; He stopped to look at the map; He signalled with his hand to stop the bus.* **2** to prevent someone *etc.* from doing something (**ห้าม**): *We must stop him going; Can't you stop him working so hard?; I was going to say something rude but stopped myself just in time.* **3** to cease (**หยุด**): *That girl just can't stop talking; The rain has stopped; It has stopped raining.* **4** to block; to close up (**ปิด**): *He stopped his ears with his hands when she started to shout at him.* **5** to stay (**หยุดแวะ**): *Will you be stopping long at the hotel?* — *n* **1** the act of stopping (**การหยุด การแวะ**): *We made only two stops on our journey; Work came to a stop for the day.* **2** a place for a bus *etc.* to stop (**ป้ายหยุดรถ**): *a bus stop.* **3** in punctuation, a full stop (**เครื่องหมายมหัพภาค**): *You need a stop at the end of the sentence.* **4** a device, for example a wedge *etc.*, for keeping something in a fixed position (**เครื่องมืออย่างเช่นลิ่ม ใช้สำหรับยึดบางอย่างให้อยู่กับที่**): *a door-stop.*

stop to do something means to pause in order to do something: *We stopped to look at the map.*

stop doing something means to cease doing what you are doing: *Stop shouting!*

'stop•gap *n* a person or thing that fills a gap in an emergency (**คนหรือสิ่งของที่ใช้แทนสิ่งอื่นในกรณีฉุกเฉิน ผู้ปฏิบัติงานแทน**): *He was made headmaster as a stopgap till a new man could be appointed.*

'stop•per *n* an object, for example a cork, that is put into the neck of a bottle, jar, hole *etc.* to close it (**จุก**).

'stop•ping *n* a filling in a tooth (**สิ่งที่ใช้อุดฟัน**): *One of my stoppings has come out.*

stop-'press *n* the most recent news, put into a specially reserved space in a newspaper after the printing has been started (**ข่าวล่าสุดใส่ลงในช่องว่างที่จองเอาไว้เป็นพิเศษในหนังสือพิมพ์หลังจากการพิมพ์ได้เริ่มแล้ว**).

'stop•watch *n* a watch with a hand that can be stopped and started, used in timing a race *etc.* (**นาฬิกาจับเวลา**).

put a stop to to prevent something from continuing (**ป้องกันไม่ให้ดำเนินต่อไป**): *We must put a stop to this waste.*

stop at nothing to be willing to do anything, however dishonest *etc.*, in order to get something (**ยอมทำทุกอย่าง**): *He'll stop at nothing to get what he wants.*

stop off to make a halt on a journey *etc* (**หยุดแวะ**): *We stopped off at Edinburgh to see the castle.*

stop over to make a stay of a night or more (หยุดพักค้างคืน): *We're planning to stop over in Amsterdam.*

'stop-o•ver *n* (การหยุดพัก ค้างคืน).

stop up to block (กีดขวาง ขัด): *Some rubbish got into the drain and stopped it up.*

'sto•rage *n* the storing of something (การเก็บของ): *When he went abroad, he had to put his furniture into storage in a warehouse.*

store *n* **1** a supply of goods *etc.* from which things are taken when required (เสบียง สัมภาระ): *They took a store of dried and canned food on the expedition; Who is in charge of stores for the trip?* **2** a large collected amount (แหล่งรวม): *These books contain a great store of knowledge.* **3** a shop (ร้าน): *The post office here is also the village store; a department store.* — *v* **1** to put something into a place for keeping (เก็บรักษา): *We stored our furniture in the attic while the tenants used our house.* **2** to stock a place *etc.* with goods *etc.* (เอาสินค้ามาใส่ แสดง): *The museum is stored with interesting exhibits.*

'store•house, 'store•room *ns* a building or room where goods *etc.* are stored (ห้องเก็บของ): *There is a storeroom behind the shop.*

in store 1 kept or reserved for future use (เก็บเอาไว้เพื่อใช้ในวันข้างหน้า): *I keep plenty of tinned food in store for emergencies.* **2** coming in the future (มีมาในอนาคต): *There's trouble in store for her!* **store up** to collect and keep (รวบรวมและเก็บเอาไว้): *I don't know why she stores up all those old magazines.*

'sto•rey, *plural* **'sto•reys**, *n* one of the floors or levels in a building (ชั้นหรือระดับในตัวอาคาร): *an apartment block of 17 storeys.*

-sto•reyed (แห่งชั้นหรือระดับ): *A two-storeyed house is one with a ground floor and one floor above it.*

stork *n* a wading bird with a long beak, neck and legs (นกกระสา).

storm *n* **1** very bad weather with strong wind, lightning, thunder, heavy rain *etc.* (พายุ): *a rain-storm; a thunderstorm; a storm at sea; The roof was damaged by the storm.* **2** a violent outbreak of feeling *etc.* (ความรู้สึกที่ระเบิดออกมาอย่างรุนแรง): *a storm of anger; a storm of applause.* — *v* **1** to shout very loudly and angrily (ตะโกนเสียงดังและโกรธมาก): *He stormed at her.* **2** to move in an angry manner (โมโห): *He stormed out of the room.* **3** to attack a building *etc.* with great force, and capture it (การโจมตีและยึดตัวอาคาร): *They stormed the castle.*

See **rain** and **wind**.

'storm•y *adj* **1** having a lot of strong wind, heavy rain *etc.* (ลมแรง ฝนตกหนัก): *a stormy day; stormy weather; a stormy voyage.* **2** full of anger (เต็มไปด้วยความโกรธ): *in a stormy mood; a stormy discussion.*

'sto•ry *n* an account of an event *etc.*, real or imaginary (เรื่องราว นิยาย): *the story of the disaster; the story of his life; What sort of stories do boys aged 10 like?; adventure stories; love stories; murder stories; a story-book; He's a good story-teller.*

stout *adj* **1** strong and thick (แข็งแรงและหนา): *a stout stick.* **2** brave (กล้าหาญ): *stout resistance; stout opposition.* **3** fat (อ้วน): *He's getting stout.*

stove *n* **1** an apparatus using coal, gas, electricity *etc.*, used for cooking (เตา): *a gas stove; Put the saucepan on the stove.* **2** an apparatus for heating a room (เตาผิง).

stow (stō) *v* to pack neatly; to put away (เก็บเอาไว้): *The sailor stowed his belongings in his locker; She stowed her jewellery away in a locked drawer.*

stow away to hide yourself on a ship, aircraft *etc.* before its departure, in order to travel on it without paying the fare (ซ่อนตัวไปในเรือ เครื่องบิน เพื่อเดินทางไปโดยไม่เสียค่าโดยสาร): *He stowed away on a cargo ship for New York.* — *n* (**'stow•a•way**) a person who stows away (คนที่เล็ดลอดไปในเรือหรือเครื่องบิน): *They found a stowaway on the ship.*

'strad•dle *v* to stand or sit with one leg or part on either side of (ยืนหรือนั่งถ่างขา): *The bridge straddles the river.*

'strag•gle *v* **1** to grow or spread untidily (งอก

ขึ้นมาหรือแผ่ไปทั่วอย่างไม่เรียบร้อย): *His beard straggled over his chest.* **2** to walk too slowly to keep up with the other walkers or marchers (เดินตามไม่ทัน): *Some of the younger children were straggling behind.*

'strag·gler *n* a person who walks too slowly during a march *etc.* and gets left behind (คนซึ่งเดินตามไม่ทัน).

'strag·gly *adj* (เกะกะ ไม่เป็นระเบียบ): *straggly hair.*

'strag·gli-ness *n* (ความเกะกะ ความไม่เป็นระเบียบ).

straight (*strāt*) *adj* **1** not bent; not curved; not curling (ตรง): *a straight line; straight hair.* **2** honest; frank (ซื่อสัตย์ เปิดเผย): *Give me a straight answer!* **3** lying in the proper position; not crooked (อยู่ถูกที่ ไม่คด): *Your tie isn't straight.* **4** correct; tidy; sorted out (ถูกต้อง เรียบร้อย จัดเรียง): *I'll never get this house straight!; Now let's get the facts straight!* **5** not smiling or laughing (หน้าตาย): *You should keep a straight face while you tell a joke.* — *adv* **1** in a straight line; directly (เป็นเส้นตรง โดยตรง): *His route went straight across the desert; Can't you steer straight?; Keep straight on.* **2** immediately; without any delay (ทันทีทันใด ไม่ล่าช้า): *He went straight home after the meeting.* **3** honestly; fairly (ไม่ซื่อ ไม่ยุติธรรม): *You're not playing straight.* **'straight·ness** *n* (ความซื่อ ความยุติธรรม).

'straight·en *v* to make or become straight (จัดให้ตรง ตรงไป): *He straightened his tie; The road curved and then straightened; The path straightened out when it reached the river; He bent over and then straightened up; We must try to straighten out this muddle.*

straight'for·ward *adj* **1** without difficulties or complications; simple (โดยไม่มีความยุ่งยากหรือซับซ้อน ธรรมดา): *a straightforward task.* **2** frank; honest (เปิดเผย ซื่อสัตย์): *a nice straightforward boy.*

straight talking frank discussion (พูดกันอย่างตรงไปตรงมา): *The time has come for some straight talking.*

straight away or **straight off** immediately (โดยทันที): *Do it straight away!*

strain *v* **1** to use to the greatest possible extent (ใช้อย่างเต็มที่เท่าที่จะเป็นไปได้ เงี่ยหู): *He strained his ears to hear the whisper.* **2** to make a great effort (พยายามอย่างยิ่ง): *They strained at the door, trying to pull it open; He strained to reach the rope.* **3** to injure a muscle *etc.* through too much use (กล้ามเนื้อบาดเจ็บเพราะใช้งานมาก ปวดเมื่อย): *He has strained a muscle in his leg; You'll strain your eyes by reading in such a poor light.* **4** to stretch too far; to put too much pressure on something (บีบคั้นมากเกินไป): *The constant interruptions were straining his patience.* **5** to separate solid matter from liquid (แยกของแข็งออกจากของเหลว คั้น): *to strain the tea; to strain off the water from the vegetables.* — *n* **1** force or weight put on something (รับแรง): *Can nylon ropes take more strain than the old kind of rope?* **2** the bad effect on your mind and body of too much work, worry *etc.* (บีบคั้น เครียด): *to suffer from strain.* **3** an injury to a muscle *etc.* caused by straining it (กล้ามเนื้อปวดเมื่อย): *muscular strain.* **4** too great a demand (บีบคั้น): *These constant delays are a strain on our patience.*

strained *adj* not natural; done with effort (ไม่เป็นธรรมชาติ ฝืน): *a strained smile.*

'strain·er *n* a sieve for separating solids from liquids (เครื่องกรอง): *a tea-strainer.*

strait *n* a narrow strip of sea between two pieces of land (ช่องแคบ): *the Straits of Gibraltar; the Bering Strait.*

See **isthmus**.

strait'lac·ed *adj* strict and severe in attitude or behaviour (มีท่าทีเคร่งครัด เข้มงวด): *My mother is very straitlaced and doesn't approve of me going out at night.*

strand *n* a thin thread, for example one of those twisted together to form rope, string, knitting-wool *etc*; a thin lock of hair (เกลียวเชือก เกลียวผม): *She pushed the strands of hair back from her face.*

'strand·ed *adj* left helpless (**ถูกทอดทิ้ง**): *He was left stranded in Nepal without money or passport.*

be stranded to get stuck on rocks *etc.* (**เกยหิน**): *The ship was stranded on rocks.*

strange (*strānj*) *adj* **1** not known, not seen *etc.* before; foreign (**แปลก ไม่รู้จัก ไม่เคยเห็น**): *What would you do if you found a strange man in your house?; Are you good at finding your way about in a strange country?* **2** unusual; odd (**ผิดปกติ แปลก**): *She had a strange look on her face ; a strange noise.*

'strange·ly *adv* (**ความแปลก**).

'stran·ger *n* **1** a person whom you have not met before (**คนแปลกหน้า**): *Children are often warned not to talk to strangers; I've met her once before, so she's not a complete stranger to me.* **2** someone who is in a place for the first time and does not know it well (**คนที่เคยมาที่นั่นเป็นครั้งแรกและยังไม่รู้จักที่นั่นดี คนใหม่**): *I can't tell you where the post office is — I'm a stranger here myself.*

'stran·gle (*straŋ-gəl*) *v* to kill someone by gripping or squeezing their neck tightly (**ฆ่าคนโดยการบีบคอ**): *He strangled her with a nylon stocking; This top button is nearly strangling me!*

stran·gu'la·tion (*straŋ-gū'lā-shən*) *n* (**การบีบ การกด**).

strap *n* a narrow strip of leather, cloth *etc.* used to fasten things, hold things, hang things on *etc.* (**สายหนังหรือสายผ้า ใช้สำหรับผูก ยึด แขวน ของต่าง ๆ**): *I need a new strap for my camera; a watch-strap; luggage straps.* — *v* **1** to beat someone on the hand with a leather strap (**ตีที่มือโดยใช้สายเข็มขัด**): *He was strapped for being rude to the teacher.* **2** to fasten with a strap *etc.* (**ผูกด้วยสายชนิดนี้**): *The two pieces of luggage were strapped together; He strapped on his new watch.*

'strap·ping *adj* large and strong (**ใหญ่และแข็งแรง**): *a big strapping girl.*

strap up to fasten or bind with a strap, bandage *etc* (**ผูกหรือพัน พันแผล**): *His injured knee was washed and strapped up.*

'strat·e·gy (*'strat-ə-ji*) *n* the art of planning or carrying out a plan *etc.* (**ยุทธศาสตร์**): *military strategy.* **stra'te·gic** (*strə'tē-jik*) adj (**แห่งยุทธศาสตร์**).

'stra·tum (*'strā-təm*), *plural* **strata**, *n* **1** a layer of rock in the earth's crust (**ชั้นของหินในเปลือกโลก**): *This stratum of rock was formed hundreds of years ago.* **2** a group of people of a particular level or social class (**กลุ่มของผู้คนในสังคมระดับหนึ่ง ๆ**): *He belongs to the upper stratum of society.*

straw *n* **1** the dry, cut stalks of corn *etc.* (**ฟางข้าว**): *The cows need fresh straw.* **2** a single stalk of corn (**ฟางข้าว**): *There's a straw in your hair.* **3** a paper or plastic tube for sucking up a drink (**หลอดดูด**): *He was sipping orange juice through a straw.*

'straw·ber·ry *n* a small juicy red fruit (**ผลสตรอเบอร์รี่**). — *adj* (**เกี่ยวกับผลสตรอเบอร์รี่**): *strawberry ice-cream.*

stray *v* to wander, especially from the right path, place *etc.* (**เตร็ดเตร่ หันเหออกไปจากทาง**): *The shepherd went to search for some sheep that had strayed.* — *n* a cat or dog that has strayed and has no home. — *adj* **1** wandering or lost (**เตร็ดเตร่ หลง**): *stray cats and dogs.* **2** occasional; scattered (**กระจัดกระจาย**): *The sky was clear except for one or two stray clouds.*

streak *n* **1** a long mark or stripe (**ลายหรือแถบยาว ๆ**): *a streak of lightning.* **2** a trace of some quality in a person's character *etc.* (**อุปนิสัยของคน**): *She has a streak of selfishness.* — *v* **1** (**คราบ ลาย**): *The child's face was streaked with tears; Her dark hair was streaked with grey.* **2** to move very fast (**วิ่ง**): *The runner streaked round the racetrack.* **'streak·y** *adj* (**อย่างเร็ว**).

stream *n* **1** a small river (**ลำธาร**): *He managed to jump across the stream.* **2** a flow of something (**การไหล**): *A stream of water was pouring down the gutter; Streams of people were coming out of the cinema; He got into the wrong stream of traffic.* **3** the current of a river *etc.* (**กระแสน้ำ**): *He was swimming* *against the stream.* **4** in schools, one of the classes into which children of the same age are divided according to ability (ชั้นเรียนซึ่งเด็กมีอายุขนาดเดียวกันถูกแบ่งแยกออกไปตามความสามารถ). — *v* **1** to flow (ไหล กระจาย): *Tears streamed down her face; Workers streamed out of the factory gates; Her hair streamed out in the wind.* **2** to divide school-children into classes according to ability (แบ่งแยกเด็กนักเรียนออกเป็นชั้น ๆ ตามความสามารถ): *Many people disapprove of streaming in schools.*

'stream·er *n* a long narrow banner; a narrow paper ribbon (ธงเป็นแถบยาวแคบ ๆ กระดาษริบบิ้นแคบ ๆ): *The aeroplane was trailing a streamer that read "Come to the Festival".*

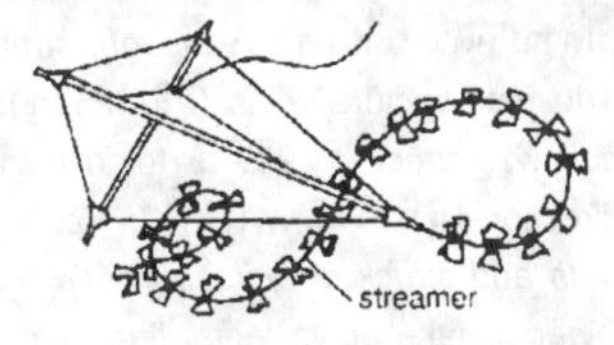

'stream·line *v* to make a business *etc.* more efficient, especially by making it simpler (การทำธุรกิจให้มีประสิทธิภาพยิ่งขึ้นโดยการวางระบบให้คล่องตัวง่ายขึ้น): *The company streamlined its production methods.*

'stream·lined *adj* **1** shaped so as to be able to move faster (จัดการให้สามารถไปได้เร็วขึ้น): *a streamlined racing-car.* **2** made more efficient (ทำให้มีประสิทธิภาพมากขึ้น): *a modern, streamlined kitchen.*

street *n* a road with houses, shops *etc.* on one or both sides, in a town or village (often written **St** in names of roads) (ถนน): *the main shopping street; I met her in the street; Her address is 12 High St.*

A **street** is in a busy part of a town or village, with houses, shops *etc.* usually on both sides.
A **road** is a way made for vehicles to travel on, and leads from one place to another.

street directory a booklet giving an index and plans of a city's streets (หนังสือที่บอกลายชื่อและผังถนนของเมือง).

strength *n* the quality of being strong (กำลัง): *He got his strength back slowly after his illness.*

'strength·en *v* to make or become strong (ทำให้มีกำลัง แรงขึ้น): *He did exercises to strengthen his muscles ; The wind strengthened.*

'stren·u·ous (*stren-ū-əs*) *adj* requiring effort or energy (ต้องใช้ความพยายามหรือพลังงาน คร่ำเคร่ง): *a strenuous climb; a strenuous effort.*

'stren·u·ous·ly *adv* (อย่างคร่ำเคร่ง).

stress *n* **1** the effect of too much worry, work *etc.*; strain (ความบีบคั้น): *the stresses of modern life; Her headaches may be caused by stress.* **2** force or emphasis placed, in speaking, on particular syllables or words (การย้ำพยางค์หรือคำพูด): *In the word "window" we put stress on the first syllable.* — *v* **1** to emphasize a syllable (ย้ำพยางค์): *Stress the last syllable in "violin".* **2** to emphasize something you are saying (ย้ำในสิ่งที่เรากำลังพูด): *He stressed the need for speed.*

lay stress on, put stress on to emphasize (ย้ำ เน้น): *He laid stress on the point about hard work.*

to **stress** (not ไม่ใช่ **stress on**) a point.
to **lay stress on** a point is correct.

stretch *v* **1** to make or become longer or wider especially by pulling (ดึงให้ยาวขึ้นหรือกว้างขึ้น ยืด บิดขี้เกียจ): *She stretched the piece of elastic to its fullest extent; This material stretches; The dog yawned and stretched itself; He stretched up as far as he could, but still could not reach the shelf.* **2** to reach; to extend: *The road stretched ahead of them for miles.* — *n* **1** the action of stretching (การยืด การบิดขี้เกียจ): *He got out of bed and had a good stretch.* **2** an extent, in distance or time (ระยะทางหรือเวลา): *This is a bad stretch of road; a stretch of twenty years.*

'stretch·er *n* a light folding bed with handles for carrying a sick or wounded person (เปลพยาบาล): *The injured man was carried to an ambulance on a stretcher.*

See **bed**.

at a stretch continuously (ติดต่อกัน): *I can't work for more than three hours at a stretch.*

stretch your legs to go for a walk for the sake of exercise (ไปเดินเล่นเพื่อออกกำลังกาย): *I need to stretch my legs.*

stretch out to straighten; to extend (ยืดออก บิดขี้เกียจ): *She stretched out a hand for the child to hold ; He stretched himself out on the bed.*

strew (*stroo*) *v* to scatter (กระจัดกระจาย): *Rubbish was strewn about on the ground; The ground was strewn with rubbish.*

strew; strewed; strewn: *He strewed his clothes around; She has strewn bits of paper all over the floor.*

'strick·en *adj* badly affected by something (เกิดผลอย่างเลวร้ายโดยบางอย่าง): *stricken with grief.*

strict *adj* **1** severe; stern; insisting on obedience (รุนแรง เข้มงวด ต้องเชื่อฟัง): *This class needs a strict teacher; His parents were very strict with him; The school rules are too strict; strict orders.* **2** exact (แน่นอน ถูกต้อง เที่ยงแท้): *the strict truth.*

'strict·ness *n* (ความเข้มงวด ความรุนแรง).
'strict·ly *adv* (อย่างเข้มงวด).

strictly speaking if we must be completely accurate, act according to rules *etc.* (ถ้าจะให้ถูกแล้ว ทำตามกฎ): *Strictly speaking, he should be punished for this.*

stride *v* to walk with long steps (สาวเท้า): *He strode along the path; He strode off in anger.* — *n* a long step (ก้าวยาว ๆ): *He walked with long strides.*

stride; strode; 'strid·den: *She strode along the path; He had stridden off.*

make great strides to progress well (ก้าวหน้าไปด้วยดี): *He's making great strides in his piano-playing.*

'strid·ent *adj* loud and harsh (เสียงดังและห้าว): *a strident voice.*

strife *n* fighting or quarrelling (การต่อสู้กันหรือการทะเลาะกัน): *There was a lot of strife within the political party.*

strike *v* **1** to hit; to knock (ตี ต่อย ทุบ กระแทก ฟาด): *He struck me in the face with his fist; Why did you strike him?; The stone struck me a blow on the head; His head struck the table as he fell; The tower of the church was struck by lightning.* **2** to attack (โจมตี): *The enemy troops struck at dawn.* **3** to produce sparks or a flame by rubbing (จุดไม้ขีด): *He struck a match.* **4** to stop work as a protest, or to try to force employers to give better pay *etc.* (ผละงาน): *The men decided to strike for higher wages.* **5** to make a strong clear sound (ทำเสียงดังฟังชัด): *He struck a note on the piano; The clock struck twelve.* **6** to impress (ประทับใจ): *I was struck by the resemblance between the two men; How does the plan strike you?* **7** to come into your mind (มีความคิดแวบขึ้นมา): *A thought struck me.* **8** to manufacture coins (ผลิตเหรียญ): *This coin was struck in 1979.* **9** to go in a certain direction (มุ่งไปในทิศทางหนึ่ง): *He left the path and struck off across the fields.* **10** to lower or take down tents, flags *etc.* (ลดธงลงหรือถอนเต็นท์). — *n* the stopping of work as a protest (การผละงาน): *The miners' strike lasted for three months.*

strike; struck; struck: *She struck a match; The building was struck by lightning.*

'stri·ker *n* **1** a worker who strikes (คนงานที่ผละงาน). **2** in football, a forward player (ศูนย์หน้าในการเล่นฟุตบอล).

'stri·king *adj* noticeable; impressive (เป็นที่สังเกตได้ น่าประทับใจ): *She is tall and striking; She wears striking clothes.*

strike at to aim a blow at a person *etc.* (ตีไปยังคน ๆ หนึ่ง ฯลฯ): *He struck at the dog with his stick.*

strike down to hit or knock a person down (ชนให้ล้ม กระแทกให้ล้ม): *He was struck down by a car.*

strike out 1 to erase or cross out a word *etc.* (ลบหรือขีดฆ่าคำ): *He read the essay and struck out a word here and there.* **2** to start fighting (เริ่มการต่อสู้): *He strikes out with his fists whenever he's angry.*

strike up 1 to begin to play a tune *etc.*

(เริ่มเล่นเพลง): *The band struck up a cheerful tune.* **2** to begin a friendship, conversation *etc.* (เริ่มมีมิตรภาพ การสนทนา ฯลฯ): *to strike up an acquaintance with someone.*

string *n* **1** long narrow cord made of threads twisted together, for tying, fastening *etc.* (เชือก): *a piece of string to tie a parcel; a ball of string; a puppet's strings; apron-strings.* **2** one of the pieces of wire, gut *etc.* on which you play the notes on a violin *etc.* (สายไวโอลิน): *There are four strings on a violin.* **3** a series or group of things threaded on a cord *etc.* (สิ่งของที่ร้อยด้วยเชือก): *a string of beads.* — *v* **1** to put beads *etc.* on a string *etc.* (ร้อยลูกปัด): *The pearls were sent to a jeweller to be strung.* **2** to put a string or strings on a bow or stringed instrument (ใส่สายที่ส่วนหัวหรือเครื่องดนตรีที่เป็นสาย ขึ้นสาย). **3** to remove strings from vegetables *etc.* (ลอกเส้นใยออกจากผัก). **4** to tie and hang with string *etc.* (ผูกและแขวนด้วยเชือก): *The farmer strung up the dead crows on the fence.*

string; strung; strung: *She strung her guitar; He has strung his bow.*

string bean the long, edible green or yellow pod of certain beans (ถั่วฝักยาว ถั่วลันเตา).

stringed instruments musical instruments that have strings, such as violins, violas, cellos, guitars *etc.* (เครื่องดนตรีที่มีสาย เครื่องสาย).

strings *n* the stringed instruments in an orchestra (เครื่องดนตรีที่มีสาย เครื่องสาย): *The conductor said the strings were too loud.*

string out to stretch into a long line (ยืดออกไปเป็นแถวยาว): *The runners were strung out along the course.*

'strin·gent *adj* severe (ร้ายแรง เข้มงวด เฉียบขาด): *The laws against theft should be more stringent.* **'strin·gent·ly** *adv* (อย่างเข้มงวด อย่างเฉียบขาด).

strip *v* **1** to remove the covering of something (เปลื้อง เอาออก): *He stripped the old varnish off the wall.* **2** to undress (ถอดเสื้อผ้าออกเปลือย): *She stripped the child and put him in the bath; He stripped and dived into the water; to strip off your clothes.* **3** to remove the contents of a house *etc.* (เอาของที่อยู่ในบ้านออก): *They stripped the house of all its furnishings.* **4** to take away something from someone (ถอดยศ): *The officer was stripped of his rank.* — *n* **1** a long narrow piece of something (แผ่น ผืน ยาวและแคบ): *a strip of paper; a strip of grass.* **2** a strip cartoon (รูปการ์ตูนที่เขียนลงในหนังสือพิมพ์). **3** a footballer's shirt, shorts and socks (เสื้อ กางเกงขาสั้น และถุงเท้าของนักฟุตบอล).

strip cartoon a line of drawings, in a newspaper or comic paper, telling a story (ภาพวาดเล่าเรื่องราวในหนังสือพิมพ์).

stripe *n* a band of colour *etc.* (แถบสี ลายสี): *The wallpaper was grey with broad green stripes; A zebra has black and white stripes.*

striped *adj* having stripes (มีลาย): *a striped shirt; blue-and-white-striped curtains.*

'stri·py *adj* (เป็นลาย): *A tiger has a stripy coat.*

strive *v* to try very hard; to struggle (พยายามอย่างยิ่ง ดิ้นรน): *He always strives to please his teacher.*

strive; strove; 'striv·en: *He strove to win the prize; She has striven for success for many years.*

strode *see* **stride** (ดู **stride**).

stroke[1] *n* **1** the action of hitting; the blow given (การฟัน การตี การทุบ): *He felled the tree with one stroke of the axe; the stroke of a whip.* **2** a sudden occurrence of something (อะไรบางอย่างเกิดขึ้นในทันทีทันใด): *a stroke of lightning; What a stroke of luck to find that money!* **3** the sound made by a clock striking the hour (เสียงนาฬิกาตีบอกเวลา): *She arrived on the stroke of ten.* **4** a mark made in one direction by a pen, pencil, paintbrush *etc.* (รอยปากกา ดินสอ พู่กัน): *short, even pencil strokes.* **5** a movement of the arms and legs in swimming, or a particular method of swimming (ตีกรรเชียง): *He swam with slow, strong strokes; Can you do backstroke?;*

She's good at breaststroke.

at a stroke with a single effort; all at once (**ทั้งหมดในคราวเดียว**): *We can't solve all these problems at a stroke.*

stroke[2] *v* to keep rubbing gently in one direction, especially as a sign of affection (**ลูบไล้**): *He stroked the cat; The dog loves being stroked; She stroked the child's hair.* — *n* (**การลูบไล้**): *He gave the dog a stroke.*

stroll (*strōl*) *v* to walk without hurry; to wander (**เดินโดยไม่รีบ เดินเล่น**): *He strolled along the street.* — *n* a gentle walk (**เดินเที่ยว**): *I went for a stroll round the town.*

strong *adj* **1** firm; powerful; not weak (**มั่นคง แข็งแรง ใจแข็ง**): *strong furniture; a strong castle; a strong wind; She's a strong swimmer; He has a very strong will; He is not strong enough to lift that heavy table.* **2** very noticeable; very intense (**เห็นได้ชัดมาก เข้มมาก**): *a strong colour; a strong smell; a strong flavour; I took a strong dislike to him.* **3** made with a strong taste or flavour (**รสเข้มข้น**): *strong tea.*

'strong·ly *adv* (**อย่างเข้มข้น**).

to be **strong in** (not **at**) mathematics, but **good at** (not **in**) mathematics.

'strong·hold *n* a fort, fortress or castle *etc.* (**ค่าย ป้อมค่าย หรือปราสาท**).

strong language swearing; abuse (**สบถ ด่าว่า**).

strong-'mind·ed *adj* determined (**ตัดสินใจแล้วแน่วแน่**).

strong point something you are very good at (**จุดที่ดีมากของเรา**): *Arithmetic isn't one of my strong points.*

strove *see* **strive** (**ดู strive**).

struck *see* **strike** (**ดู strike**).

'struc·ture (*'struk-chər*) *n* **1** the way in which something is arranged or organized (**โครงสร้าง**): *the structure of a human body.* **2** a building; something that is built or constructed (**อาคารหรืออะไรบางอย่างที่ถูกสร้างขึ้นมา**): *A bridge is a structure for taking a road across a river etc.*

'struc·tu·ral *adj* (**แห่งโครงสร้าง**).

'strug·gle *v* **1** to twist and fight to escape (**ดิ้นรนเพื่อจะหนี**): *The child struggled in his arms.* **2** to make great efforts; to try hard (**พยายามอย่างยิ่ง ดิ้นรนอย่างยิ่ง**): *All his life he has been struggling against injustice.* **3** to move with difficulty (**เคลื่อนตัวด้วยความยากลำบาก**): *He struggled out of the hole.* — *n* the action of struggling; a fight (**การดิ้นรน**): *The struggle for independence was long and hard.*

strum *v* to play with sweeping movements of the fingers (**เล่นเครื่องสายอย่างไม่ชำนาญ**): *She strummed her guitar; He strummed a tune.*

strung *see* **string** (**ดู string**).

strut *v* to walk in a stiff, proud way (**เดิน วางท่าอย่างภาคภูมิใจ**): *She was strutting along the street in her new dress, looking very pleased with herself; The cock strutted round the farmyard.*

stub *n* **1** the short remaining end of a cigarette, pencil or other long thin object (**ก้นบุหรี่ เศษดินสอหรือสิ่งของที่ยาว ๆ เล็ก ๆ อย่างอื่น**): *There were ten cigarette stubs in the ashtray.* **2** the small part of a cheque or ticket that you keep after tearing off the larger part (**ต้นขั้วเช็ค ตั๋ว**). — *v* to hurt your toe by striking it against something hard (**หัวแม่เท้าสะดุดอะไรอย่างแรงจนเกิดความเจ็บปวด**): *She stubbed her toe on the table leg.* **stub out** *v* to put out a cigarette or cigar by pressing it against something hard (**ดับบุหรี่หรือซิการ์กับพื้นแข็ง ๆ**): *He stubbed out his cigarette in the ashtray.*

'stub·ble *n* **1** the short stalks of corn left standing in the fields when corn has been cut (**ต้นข้าวถูกตัดแล้วเหลือแต่โคนสั้นๆ**). **2** short coarse hairs that grow on a man's face when he has not shaved for a few days (**หนวดเคราที่ขึ้นแข็งหลังจากไม่ได้โกนมาสักสองสามวัน**): *A grey stubble covered his chin.*

'stub·born *adj* unwilling to give way, obey *etc.* (**ไม่ยอมแพ้ ดื้อดึง**): *He's as stubborn as a donkey.*

'stub·by *adj* short and thick (**สั้นและใหญ่**): *He has stubby fingers.*

stuck *see* **stick**[1] (ดู **stick**)[1].

stud *n* a knob or nail with a large head, used as a fastener, for decoration, or on the soles of boots or shoes (ตะปูหัวใหญ่ใช้ตกแต่งหรือตอกพื้นรองเท้า): *The studs on the bottom of football boots help to stop the player slipping in the mud.*

'stu·dent (*'stū-dənt*) *n* **1** a person studying for a degree at a university *etc.* (นักศึกษา): *university students; a medical student.* **2** a boy or girl at school (นักเรียน).

'stu·di·o (*'stū-di-ō*), *plural* **studios**, *n* **1** the workroom of an artist or photographer (ห้องทำงานของช่างเขียนหรือช่างภาพ). **2** a place in which cinema films are made (ห้องถ่ายภาพยนตร์): *This film was made at Ramrod Studios.* **3** a room from which radio or television programmes are broadcast (ห้องกระจายเสียง ห้องส่งโทรทัศน์): *a television studio.*

'stu·di·ous (*'stū-di-əs*) *adj* spending much time in careful studying (หมกมุ่นในการศึกษา): *a studious girl.*

'stu·di·ous·ly *adv* (อย่างหมกมุ่นในการศึกษา).

'stu·di·ous·ness *n* (ความหมกมุ่นในการศึกษา).

'stud·y *v* **1** to gain knowledge of a subject by reading *etc.*; to spend time learning a subject (ศึกษา): *What subject is he studying?; He is studying French literature; He is studying for a degree in mathematics; She's studying to be a teacher.* **2** to look at something carefully (ดูอย่างถี่ถ้วน): *He studied the railway timetable; Give yourself time to study the problem in detail.* — *n* **1** reading and learning about something (การศึกษา): *He spends all his evenings in study; She has made a study of the habits of bees.* **2** a room in a house *etc.*, in which to study, read, write *etc.* (ห้องเขียนหนังสือ): *The headmaster wants to speak to you in his study.*

to **study** (not ไม่ใช่ **study about**) history.

to **learn** is to get to know something and memorize it (เรียนรู้ก็คือการทำความรู้จักกับอะไรบางอย่างและจดจำเอาไว้): *Did you learn French at school?* to **study** is to spend time learning, or learning about, a subject (ศึกษาก็คือการใช้เวลาในการเรียนรู้เกี่ยวกับวิชา): *He's studying algebra in the library; I'm studying Chinese history.*

stuff[1] *n* **1** material; substance (วัตถุ สิ่งของ): *What is that black oily stuff on the beach?; The doctor gave me some good stuff for removing warts.* **2** unimportant things, objects *etc.* (ของที่ไม่สำคัญ): *We'll have to get rid of all this stuff when we move house.*

know your stuff to have a lot of skill and knowledge in your particular job or subject (มีความเชี่ยวชาญและความรู้ในงานหรือวิชาของเรา).

stuff[2] *v* **1** to pack or fill tightly (ยัดแน่น สวาปาม): *His drawer was stuffed with papers; She stuffed the fridge with food; The children have been stuffing themselves with ice-cream.* **2** to fill a turkey, chicken *etc.* with stuffing before cooking (ไก่งวง ไก่ยัดไส้ก่อนที่จะทำให้สุก). **3** to fill the skin of a dead animal or bird so that it keeps the appearance it had when alive (สต๊าฟสัตว์หรือนก): *They stuffed the golden eagle.*

'stuff·ing *n* **1** material used for stuffing toy animals *etc.* (ของที่ใช้ยัดในของเล่นที่เป็นสัตว์): *The teddy-bear had lost its stuffing.* **2** a mixture used in cooking for stuffing meat, vegetables *etc.* (ส่วนผสมที่ใช้ยัดในเนื้อ ผัก ในการปรุง).

stuff up to block (ปิด อุด): *He stuffed the hole up with some newspaper.*

'stuff·y *adj* too warm; without any fresh air (ร้อน ไม่มีอากาศบริสุทธิ์): *Why do you sit in this stuffy room all day?*

'stuff·i·ness *n* (ความอับ ความอุดอู้).

'stum·ble *v* **1** to strike your foot against something and nearly fall (สะดุด): *He stumbled over the edge of the carpet.* **2** to walk with difficulty, nearly falling over (เดินโซซัดโซเซ): *He stumbled along the track in the dark.* **3** to make mistakes, or hesitate, in speaking, reading aloud *etc.* (พูดหรืออ่านตะกุกตะกัก): *He stumbled over the difficult words as he read aloud in class.*

stumbling block an obstacle or difficulty (อุปสรรคหรือความยุ่งยาก): *It is an excellent scheme but the stumbling block is the cost.*
stumble across or **stumble on** to find by chance (พบโดยบังเอิญ): *I stumbled across this book today.*

stump *n* **1** the part of a tree left in the ground after the trunk has been cut down (ตอไม้). **2** the part of a limb, tooth, pencil *etc.* remaining after the main part has been cut or broken off, worn away *etc.* (แขนขา ฟัน ดินสอ ฯลฯ ซึ่งยังเหลืออยู่หลังจากส่วนใหญ่ของมันถูกตัดหรือถอนออกไป). — *v* **1** to walk with heavy, stamping steps (เดินกระทืบเท้า): *He stumped angrily out of the room.* **2** to puzzle (พิศวง): *I'm stumped!*
'stump·y *adj* short and thick like a stump (สั้นและหนาเหมือนกับตอ): *The cat had a stumpy tail.*

stun *v* **1** to make someone unconscious usually by a blow on the head (ทำให้หมดสติ): *The blow stunned him.* **2** to shock; to astonish (ตกใจ ประหลาดใจ): *I was stunned by the news of her death.*

stung *see* **sting** (ดู **sting**).

stunk *see* **stink** (ดู **stink**).

'stun·ning *adj* marvellous (ดีเลิศ น่าพิศวง): a stunning dress.

stunt[1] *v* to prevent the full growth or development of a child *etc.* (ป้องกันไม่ให้เติบโตเต็มที่หรือขัดต่อการที่เด็กจะพัฒนา): *It is thought that smoking by a pregnant mother may stunt the baby's growth.*
'stunt·ed adj not well-grown (เติบโตไม่เต็มที่): *a stunted tree.*

stunt[2] *n* something daring and spectacular that is done to attract attention *etc.* (การแสดงอย่างโลดโผนซึ่งทำขึ้นเพื่อดึงดูดความสนใจ): *One of his stunts was to cross the Niagara Falls blindfold on a tightrope.*
'stunt·man *n* a person who takes the place of an actor in film scenes involving athletic skill and danger (ตัวแสดงแทนดาราในภาพยนตร์เกี่ยวกับเรื่องความเชี่ยวชาญทางด้านกีฬาและมีอันตราย).

stu'pen·dous (*stū'pen-dəs*) *adj* tremendous or amazing (มหึมาหรือน่าพิศวง): *The number of stars in the sky is stupendous; It was a stupendous concert.*

'stu·pid (*'stū-pid*) *adj* foolish; slow at understanding (โง่ เข้าใจได้ช้า): *a stupid mistake; He isn't as stupid as he looks.*
'stu·pid·ly *adv* (อย่างโง่ ๆ).
stu'pid·i·ty *n* (ความโง่).

'stur·dy *adj* **1** strong and healthy (แข็งแรงและมีสุขภาพ): *He is small but sturdy.* **2** firm and well-made (แน่นหนาและแข็งแรง): *sturdy furniture.*
'stur·di·ly *adv* (อย่างแข็งแรง อย่างแน่นหนา).
'stur·di·ness *n* (ความแข็งแรง ความแน่นหนา).

'stut·ter *v* to stammer (ติดอ่าง): *He stutters sometimes when he's excited; "I've s-s-seen a gh-gh-ghost," he stuttered.* — *n* (การพูดติดอ่าง): *He has a bad stutter.*
'stut·ter·er *n* (คนติดอ่าง).

sty (*stī*) *n* a building in which pigs are kept (คอกหมู).

style *n* **1** a manner of doing something, such as writing, speaking, painting, building *etc.* (วิธีทำอะไรสักอย่าง แบบฉบับ): *I like the style of her writing; different styles of architecture.* **2** a fashion in clothes, hair *etc.* (แฟชั่นของเสื้อผ้า ทรงผม): *the new style of shoe; Do you like my new hairstyle?* **3** elegance in dress, behaviour *etc.* (ความสำรวย ความเก๋ในการแต่งตัว ความประพฤติ): *She certainly has style.* — *v* **1** to arrange hair in a certain way (ทำผม): *I'm going to have my hair cut and styled.* **2** to design in a certain style (ออกแบบเป็นบางอย่าง): *These clothes are styled for comfort.*
'sty·lish *adj* smart; elegant; fashionable (หล่อ โอ่อ่า ทันสมัย): *stylish clothes.*
'sty·lish·ly *adv* (อย่างทันสมัย).
'sty·list *n* **1** a person who designs styles in clothes *etc* (คนออกแบบเสื้อผ้า). **2** a person who arranges hair in a style (คนออกแบบทรงผม): *a hair-stylist.*
in style in a luxurious, elegant way (ด้วย

ความหรูหรา โอ่อ่า): *He likes to do things in style.*

'sty·lus (*'stī-ləs*) *n* a needle for a record-player (เข็มสำหรับเล่นแผ่นเสียง).

suave (*swäv*) *adj* polite and charming, but often not sincere (สุภาพและมีเสน่ห์แต่มักจะไม่ค่อยจริงใจ): a suave young man.

sub'con·scious (*sub'kon-shəs*) *n* the part of the mind that you are not aware of but which influences your behaviour (จิตใต้สำนึก): *The cause of her depression is locked in her subconscious.* — *adj* influenced by or existing in the subconsious (มีอิทธิพลหรือมีอยู่ในจิตใต้สำนึก): *subconscious desires.*

sub·di'vide *v* to divide into smaller parts or divisions (แบ่งออกไปเป็นส่วนย่อย ๆ): *Each class of children is subdivided into groups according to reading ability.*

sub·di'vi·sion *n* (การแบ่งออกไปเป็นส่วนย่อย ๆ).

sub'due (*səb'dū*) *v* to overcome; to bring under control (เอาชนะ ปราบ): *After months of fighting the rebels were subdued.*

sub'dued *adj* quiet; not bright; not lively (เงียบ ไม่สดใส ไม่มีชีวิตชีวา): *subdued voices; He seems subdued today.*

'sub·ject *adj* not independent; ruled by another country *etc.* (ไม่เป็นอิสระ ปกครองโดยประเทศอื่น): *subject nations.* — *n* **1** a person who is under the rule of a monarch; a member of a country that has a monarchy *etc.* (พสกนิกร): *We are the subjects of the Queen; He is a British subject.* **2** someone or something that is talked about, written about *etc.* (เรื่องราวของคนหรือสิ่งของ): *We discussed the price of food and similar subjects; The teacher tried to think of a good subject for the children's composition; I've said all I can on that subject.* **3** a branch of study or learning in school, university *etc.* (สาขาวิชา): *He is taking exams in seven subjects; Mathematics is his best subject.* **4** in a sentence *etc.*, the word representing the person or thing that usually does the action shown by the verb (ประธานของประโยค): *The cat sat on the mat; He hit her because she broke his toy; He was hit by the ball.* — *v* (*sub'-ject*) **1** to bring a person, country *etc.* under control (นำบุคคลหรือประเทศเข้ามาอยู่ภายใต้การควบคุม): *They have subjected all the neighbouring states to their rule.* **2** to make someone or something undergo something (นำไปให้อยู่ภายใต้): *He was subjected to cruel treatment; These tyres are subjected to various tests before leaving the factory.*

sub'jec·tive *adj* resulting from your own thoughts and feelings only; not objective (ผลอันเนื่องมาจากความคิดและความรู้สึกของเราเองเท่านั้น): *a subjective opinion.*

sub'jec·tive·ly *adv* (อย่างนึกคิดเอาเอง).

subject to 1 likely to suffer from something (ได้รับการกระทบจาก): *He is subject to colds.* **2** depending on (ขึ้นอยู่กับ): *These plans will be carried out next week, subject to your approval.*

su'blime (*sə'blīm*) *adj* of overwhelming greatness or beauty (วิเศษสุด สวยงาม): *a sublime moment in her life.*

sub·mar'ine (*sub-mə'rēn*) *n* a ship that can travel under the surface of the sea (เรือดำน้ำ).

sub'merge *v* to cover with water; to sink under water (น้ำท่วม จมลงใต้น้ำ): *I watched the submarine submerging.* **sub'merg·ence, sub'mer·sion** *ns* (การจมลงใต้น้ำ).

sub'mis·sion *n* **1** the act of submitting (การยอมแพ้ การยอมจำนน การเสนอ). **2** being submissive; humbleness (ความถ่อมตัว).

sub'mis·sive *adj* humble and obedient (ถ่อมตัวและเชื่อฟัง): *a submissive servant.*

sub'mit *v* **1** to yield to control; to allow yourself to be treated, usually in a bad way, by another person *etc.* (ยอมจำนน ยอมให้ผู้อื่นตอบต่อเราอย่างเลว): *I refuse to submit to his control; The rebels were ordered to submit; The prisoners had to submit to torture.* **2** to offer a plan, suggestion, proposal, entry *etc.* (เสนอแผนการ คำแนะนำ ชื่อผู้เข้าแข่งขัน ฯลฯ): *Competitors for the painting competition must submit their entries by Friday.*

sub'or·di·nate *adj* lower in rank or importance (**มีความสำคัญหรือลำดับต่ำกว่า**): *These questions are subordinate to the main problem.* — *n* a person with a less important rank or position (**ผู้ใต้บังคับบัญชา**): *He always tries to help his subordinates.*

sub'scribe *v* **1** to give money to a charity or other cause (**บริจาค**): *He subscribes to a lot of charities; We each subscribed $1 towards the present.* **2** to promise to receive and pay for a weekly, monthly *etc.* magazine *etc.* (**บอกรับนิตยสาร ฯลฯ เป็นรายสัปดาห์ รายเดือน ฯลฯ**): *I've been subscribing to that magazine for four years.*

sub'scri·ber *n* (**ผู้บอกรับ**).

sub'scrip·tion *n* (**การบอกรับ**).

'sub·se·quent *adj* following; coming after (**ต่อมา ตามมาในภายหลัง**): *The story describes the hero's capture by pirates, and his subsequent escape and journey home.*

'sub·se·quent·ly *adv* (**ต่อมา**).

subsequent to after (**หลังจาก**): *The child became ill subsequent to eating the ice-cream.*

sub'side *v* **1** to sink lower (**จมต่ำลงไป ทรุด**): *When a building starts to subside, cracks usually appear in the walls.* **2** to become quieter (**เงียบสงบลงกว่าเดิม**): *They stayed anchored in harbour till the wind subsided.*

sub'sid·i·a·ry (*sub'sid-i-ə-ri*) *adj* of secondary or lesser importance (**เป็นรองหรือมีความสำคัญน้อยกว่า**): *She took two subsidiary subjects as well as her main subject for her university course.* — *n* a company controlled by another, larger company(**บริษัทซึ่งถูกบริษัทใหญ่กว่าควบคุม บริษัทสาขา**): *The company owns several subsidiaries in other countries.*

'sub·si·dize *v* to pay money to companies, farmers, artists *etc.* in order to keep the price of their products or services low for the public (**ช่วยเหลือบริษัท ชาวนา ศิลปิน ฯลฯ เพื่อทำให้สินค้าหรือบริการของพวกเขามีราคาต่ำต่อสาธารณชน ให้เงินอุดหนุน**): *The production of rice is subsidized by the government.*

'sub·si·dized *adj* (**ที่ให้เงินอุดหนุน**): *subsidized food.*

'sub·si·dy *n* (**การให้เงินอุดหนุน**): *Which industries are supported by government subsidies?*

'sub·stance *n* a material (**วัตถุ**): *Rubber is a tough, stretchy substance.*

sub'stan·tial *adj* **1** solid; strong (**มั่นคง แข็งแรง**): *a substantial table.* **2** large (**มาก**): *a substantial sum of money; a substantial meal.*

sub'stan·tial·ly *adv* (**อย่างมั่นคง อย่างมาก**).

'sub·sti·tute *v* to put someone or something in the place of someone or something else; to take the place of someone else (**แทนที่**): *I substituted your name for mine on the list; Mrs Jones will be substituting for the headmaster this term.* — *n* a person or thing used or acting instead of another (**คนหรือสิ่งของที่แทนที่**): *You could use lemons as a substitute for limes; She is not well enough to play in the tennis match, so we must find a substitute.* **sub·sti'tu·tion** *n* (**ตัวแทน**).

When you **substitute** X **for** Y, you use X.
When you **replace** X **with** Y, you use Y.

'sub·ter·fuge (*'sub-tər-fūj*) *n* a trick or plan for avoiding difficulties or hiding something (**เล่ห์เหลี่ยมเพื่อหลีกเลี่ยงความยุ่งยากหรือปิดบังอะไรบางอย่าง**): *She used subterfuge to get him to do what she wanted.*

'sub·ti·tle (*'sub-tī-təl*) *n* **1** a second title to a book (**ชื่อรอง ชื่อย่อย**). **2** in films, a translation of foreign speech appearing at the bottom of the screen (**คำแปลภาษาต่างประเทศที่ปรากฏอยู่ข้างล่างจอภาพยนตร์**): *I found it difficult to read the subtitles.*

'sub·tle (*'sut-əl*) *adj* **1** faint or delicate in quality; difficult to describe or explain (**เฉียบหรือมีความประณีต ยากที่จะอธิบาย**): *There is a subtle difference between "unnecessary" and "not necessary"; a subtle flavour.* **2** clever or cunning (**ฉลาดหรือเจ้าเล่ห์**): *He has a subtle mind.* **'sub·tle·ty** (*'sut-əl-ti*) *n* (**ความประณีต ความเฉียบแหลม**). **'sub·tly** *adv* (**อย่างประณีต อย่างเฉียบแหลม**).

sub'tract *v* to take one number or quantity from

another (ลบ): *If you subtract 5 from 8, 3 is left; In their first year at school, most children learn to add and subtract.*

sub'traction *n* (การลบ).

'sub·urb *n* an area of houses in the outer parts of a city, town *etc.* (บริเวณที่มีบ้านซึ่งอยู่ชานเมือง): *Croydon is a suburb of London; They decided to move out to the suburbs.*

su'bur·ban *adj* (แห่งชานเมือง): *suburban housing.*

sub'ver·sive *adj* likely to destroy, weaken or overthrow a government (น่าจะเป็นการทำลาย ทำให้อ่อนแอ หรือโค่นล้มรัฐบาล): *He was arrested for publishing subversive books.*

'sub·way *n* **1** an underground passage for pedestrians, under a busy road (ทางเดินเท้าใต้ดิน): *Cross by the subway.* **2** an underground railway in a city (รถไฟใต้ดิน): *Go by subway.*

suc'ceed (*sək'sēd*) *v* **1** to manage to do what you have been trying to do (บรรลุความสำเร็จ): *He succeeded in persuading her to marry him; He's happy to have succeeded in his chosen career; She tried three times to pass her driving-test, and at last succeeded.* **2** to follow next in order; to take the place of someone or something else (สืบต่อ สืบตำแหน่ง): *He succeeded his father as manager of the firm; When your uncle dies, who will succeed to his property?; The cold summer was succeeded by a stormy autumn.*

The opposite of **succeed**, meaning to be successful, is **fail**.

suc'cess (*sək'ses*) *n* **1** the achievement of an aim (ความสำเร็จ): *I wish you success in your exams; He has achieved great success in his career.* **2** a person or thing that succeeds (คนหรือสิ่งของที่ประสบความสำเร็จ): *She's a great success as a teacher.*

The opposite of **success** is **failure**.

suc'cess·ful *adj* having success (มีความสำเร็จ): *Were you successful in finding a new house?; a successful career.*

suc'cess·ful·ly *adv* (อย่างเป็นผลสำเร็จ).

suc'ces·sion *n* **1** the right of succeeding to a throne, to a title *etc.* (สืบราชบัลลังก์ สืบตำแหน่ง): *The Princess is fifth in succession to the throne.* **2** a number of things following after one another (ต่อเนื่องกันไป): *a succession of bad harvests.*

suc'ces·sive *adj* following one after the other (ต่อเนื่อง): *He won three successive matches.*

suc'ces·sive·ly *adv* (อย่างต่อเนื่อง).

suc'ces·sor *n* a person who follows, and takes the place of another (ผู้สืบต่อ): *Who will be appointed as the manager's successor?*

in succession one after another (สืบต่อ): *five wet days in succession.*

suc'cinct (*suk'sinkt*) *adj* brief and precise (สั้นและชัดเจน): *Her account of what happened was clear and succinct.*

'suc·cu·lent (*'suk-ū-lənt*) *adj* juicy and delicious (ฉ่ำและอร่อย): *succulent peaches.*

suc'cumb (*sə'kum*) *v* to give in to (ยอมแพ้ให้กับ): *She succumbed to temptation.*

such *adj* **1** of the same kind (ชนิดเดียวกัน): *Animals that gnaw, such as mice, rats, rabbits and weasels are called rodents; I've seen several such buildings; I've never done such a thing before; doctors, dentists and such people.* **2** of that name (เช่นนั้น): *She asked to see Mr Johnson but was told there was no such person there.* **3** so great; so bad, good *etc.* (มากเหลือเกิน เลวยิ่งนัก ดี ฯลฯ): *She never used to have such a bad temper; He shut the window with such force that the glass broke; This is such a shock!; They have been such good friends to me!* — *pron* (เท่าที่): *I have only a few photographs, but can show you such as I have.*

'such-and-such *adj, pron* used to refer to any person or thing (อย่างนั้น): *Let's suppose that you go into such-and-such a shop and ask for such-and-such.*

suck *v* **1** to draw liquid *etc.* into your mouth (ดูด): *As soon as they are born, young animals learn to suck milk from their mothers; She sucked up the lemonade through a straw.* **2** to hold something between your lips or inside your mouth, as though drawing liquid from it (อม ดูด): *to suck a sweet; He sucked the end of his pencil.* **3** to draw in (ดูดเข้าไป): *The vacuum cleaner sucked up all the dirt from the carpet; A plant sucks up moisture from the soil.* — *n* (การดูด): *She took a suck of her lollipop.*

'suck·er *n* **1** a person or thing that sucks (คนหรือสิ่งของที่ดูด): *Are these insects blood-suckers?* **2** an organ of an animal, such as an octopus, by which it sticks to objects (อวัยวะของสัตว์ซึ่งดูด เช่นหนวดปลาหมึก). **3** a rubber or plastic disc that can be pressed on to a surface and sticks there (จานยางหรือพลาสติกซึ่งใช้ดูดติดกับพื้น). **4** a side shoot coming from the root of a plant (หน่อที่แตกออกจากรากต้นไม้).

'suck·le *v* to feed a baby with milk from the breasts or udder (ให้ดื่มนมจากหน้าอกหรือจากเต้านม): *The cow suckled her calf.*

'suc·tion *n* **1** the action of sucking (การดูด). **2** the force that draws liquid up into a tube *etc.*, or that makes a sucker *etc.* stick to a surface (แรงดูด).

'sud·den *adj* happening *etc.* quickly, without being expected (ทันทีทันใด): *a sudden attack; His decision to get married is rather sudden!; a sudden bend in the road.*

'sud·den·ness *n* (ความกะทันหัน ความฉับพลัน).

'sud·den·ly *adv* (อย่างทันทีทันใด): *He suddenly woke up; Suddenly he realized that she had a gun.*

all of a sudden suddenly (ทันใดนั้น): *All of a sudden the lights went out.*

suds *n* plural soap bubbles (ฟองสบู่): *You get a lot of suds from a small quantity of washing powder.*

sue (*sū*) *v* **1** to start a law case against someone, usually in order to get money from them (ฟ้องต่อศาล): *The man who was injured in the car crash is suing the other driver for $50,000 damages.* **2** to ask for something (ขออะไรบางอย่าง): *His wife is suing for divorce.*

suede (*swād*) *n* leather from a sheep or lamb *etc.* with a soft surface like velvet. — *adj* (หนังฟอกของแกะ ฯลฯ นุ่มเหมือนกำมะหยี่ หนังอ่อน): *suede shoes.*

'suf·fer *v* **1** to feel pain, misery *etc.* (รู้สึกเจ็บปวด ทุกข์ยาก ฯลฯ): *He suffered terrible pain from his injuries; The crash killed him instantly — he didn't suffer at all.* **2** to be punished (โทษ): *I'll make you suffer for the harm you have done me.* **3** to experience (ประสบ): *The army suffered enormous losses.* **4** to be neglected (ละเลย): *I like to see you enjoying yourself, but you mustn't let your work suffer.* **5** to have something wrong with you; to have often (ทรมาน): *When I called on her, she was suffering from a cold; She suffers from headaches.*

'suf·fer·ing *n* pain; misery (ความเจ็บปวด ความทุกข์ยาก): *The shortage of food caused widespread suffering; She keeps complaining about her sufferings.*

suf'fi·cient *adj* enough (พอเพียง): *We haven't sufficient food to feed all these people; Will $10 be sufficient for your needs?*

suf'fi·cien·cy *n* (ความพอเพียง).

suf'fi·cient·ly *adv* (อย่างพอเพียง).

'suf·fo·cate *v* to kill or die through lack of air or because breathing is prevented (หายใจไม่ออก ทำให้หายใจไม่ออก): *A baby may suffocate if it sleeps with a pillow; The smoke was suffocating him.*

suf·fo'ca·tion *n* (การหายใจไม่ออก).

'sug·ar (*'shoog-ər*) *n* the sweet substance that is obtained from sugar-cane, or from the juice of certain other plants (น้ำตาล): *Do you take sugar in your coffee?* — *v* to sweeten, or cover, with sugar (ทำให้หวานหรือเคลือบด้วยน้ำตาล).

'sug·ar-cane *n* a tall grass from the juice of which sugar is obtained (ต้นอ้อย).

sug·ar-'coat·ed *adj* covered with icing (โรยหน้าหรือเคลือบด้วยน้ำตาล): *sugar-coated biscuits.*

sugar lump a small cube of sugar (น้ำตาลก้อนสี่เหลี่ยม).

sugar tongs an instrument for lifting sugar lumps (คีมคีบน้ำตาล): *a pair of sugar tongs.*

sug'gest (*sə'jest*) *v* **1** to mention or propose an idea *etc.* (เสนอแนะ แนะนำ): *He suggested a different plan; I suggest doing it this way; She suggested to me two suitable people for this job; I suggest that we have lunch now.* **2** to hint; to say in an indirect way (พูดอ้อม): *Are you suggesting that I'm too old for the job?*

sug'ges·tion (*sə'jes-chən*) *n* **1** the suggesting of something (การเสนอแนะ). **2** something that is suggested; a proposal or idea (การเสนอความคิดเห็น): *Has anyone any other suggestions to make?; What a clever suggestion!* **3** a slight trace (มีเค้าอยู่เล็กน้อย): *There was a suggestion of boredom in his tone.*

'su·i·cide (*'soo-i-sīd*) *n* the deliberate killing of yourself; the taking of your own life (การฆ่าตัวตาย): *to commit suicide.*

suit (*soot*) *n* **1** a set of clothes made to be worn together, for example a jacket and trousers for a man, or a jacket and skirt or trousers for a woman (ชุดเสื้อผ้า). **2** a garment for a particular purpose (เครื่องแต่งตัวเพื่อจุดประสงค์พิเศษ): *a bathing-suit; a diving-suit.* **3** a case in a law-court: *He won his suit* (การฟ้องร้องในศาล). **4** one of the four sets of playing-cards — spades, hearts, diamonds, clubs (ชุดของไพ่ โพดำ โพแดง ข้าวหลามตัด ดอกจิก). — *v* **1** to be convenient for someone; to be agreeable (สะดวกสบาย น่าพอใจ): *The arrangements did not suit us; The climate suits me very well.* **2** to look right for someone (เหมาะสม): *Long hair suits her; That dress doesn't suit her.* **3** to make something fitting or suitable (ทำให้เหมาะ): *He suited his speech to his audience.*

suit yourself to do what you want to do (ทำตามที่เราต้องการทำ).

'suit·a·ble (*'soo-tə-bəl*) *adj* **1** right for a purpose or occasion (เหมาะสมกับจุดประสงค์หรือโอกาส): *Those shoes are not suitable for walking in the country; Many people applied for the job but not one of them was suitable.* **2** convenient (สะดวก): *We must find a suitable day for our meeting.* **suita'bil·i·ty** *n* (ความเหมาะสม ความสะดวก).

'suit·a·bly *adv* (อย่างเหมาะสม อย่างสะดวก): You're not suitably dressed for a wedding.

'suit·case (*'soot-kās*) *n* a case with flat sides, to put your clothes in when you are travelling (กระเป๋าเดินทาง).

suite (*swēt*) *n* a number of things forming a set (ของหลาย ๆ อย่างรวมกันเป็นชุด): *a suite of furniture; He has composed a suite of music for the film.*

'suit·ed (*'soo-təd*) *adj* suitable; fit (เหมาะสม พอดี): *He's particularly suited to this kind of work.*

'suit·or *n* a man who wants to marry a woman (ผู้ชายที่จีบผู้หญิง): *She had several suitors.*

sulk *v* to show anger by being silent (แสดงความโกรธอย่างเงียบ ๆ บูดบึ้ง): *He's sulking because his mother won't let him have an ice-cream.*

'sulk·y *adj* (อย่างขรึม ๆ อย่างบูดบึ้ง): *She's in a sulky mood; a sulky girl.*

'sulk·i·ly *adv* (อย่างบูดบึ้ง).

'sulk·i·ness *n* (ความบูดบึ้ง).

'sul·len *adj* silent and angry (เงียบเนื่องจากโกรธ): *a sullen young man; a sullen expression.*

'sul·len·ly *adv* (อย่างเงียบ ๆ อย่างขรึม ๆ).

'sul·len·ness *n* (ความขุ่นใจ).

'sul·phur (*'sul-fər*) *n* a light yellow element that burns with a blue flame and an unpleasant smell, used to make matches and gunpowder (กำมะถัน).

sul'ta·na (*səl'tä-nə*) *n* a small, seedless raisin (ลูกเกดไม่มีเมล็ด).

'sul·try *adj* hot but cloudy, and likely to become stormy (ร้อนอบอ้าว): *sultry weather.*

'sul·triness *n* (ความร้อนอบอ้าว).

sum *n* **1** the total made by two or more things or numbers added together (ผลรวม): *The sum of 12, 24, 7 and 11 is 54.* **2** a quantity of money (จำนวนเงิน): *It will cost an enormous sum to repair the swimming-pool.* **3** a problem in arithmetic (ทำเลข): *My children are better at sums than I am.*

sum up to give the main points of something (สรุป): *He summed up the discussion.*

'sum·mar·ize *v* to make a summary of a story *etc.* (สรุปเรื่องราว): *He summarized the arguments .*

'sum·mar·y *n* a shortened form of a statement, story *etc.* giving only the main points (เรื่องโดยย่อ เรื่องสรุป): *A summary of his speech was printed in the newspaper.*

'sum·mer *n* the warmest season of the year, June till September in northern regions (ฤดูร้อน): *I went to Italy last summer.* — *adj* (แห่งฤดูร้อน): *summer holidays.*

'sum·mer·time *n* the season of summer (ฤดูร้อน).

'sum·mit *n* the highest point (จุดสูงที่สุด): *They reached the summit of the mountain at midday.*

See **mountain.**

'sum·mon *v* to order someone to come (เรียกให้มา): *He was summoned to appear in court; The headmaster summoned her to his room.*

'sum·mons (*'sum-ənz*) *n* an order to appear in court; an order to come and see someone (หมายเรียกให้มาปรากฏตัวในศาล คำสั่งให้มาหา): *The driver who caused the car crash received a summons from the court; She went to the headmaster's office as soon as she got his summons.*

'sump·tu·ous (*'sump-choo͞-əs*) *adj* expensive and splendid (ราคาแพงและวิเศษ): *a sumptuous meal.*

sun *n* **1** the round body in the sky that gives light and heat to the earth (ดวงอาทิตย์ในระบบสุริยะ): *The sun is nearly 150 million kilometres away from the earth.* **2** any of the fixed stars (ดวงอาทิตย์ในระบบอื่น): *Do other suns have planets revolving round them?* **3** light and heat from the sun; sunshine (แสงอาทิตย์): *We sat in the sun; In Britain they don't get enough sun; The sun has faded the curtains.* — *v* to sit or lie in the sunshine (นั่งหรือนอนกลางแดด): *He's sunning himself in the garden.*

'sun·bathe *v* to lie or sit in the sun, especially wearing few clothes, in order to get a suntan (อาบแดด).

'sun·beam *n* a ray of the sun (แสงอาทิตย์).

'sun·burn *n* **1** a red colour of the skin caused by being out in hot sun too long (ผิวหนังแดงอันเกิดจากการตากแดดนานเกินไป). **2** suntan (ผิวหนังเกรียมเพราะโดนแดดมากเกินไป).

'sun·burned, 'sun·burnt adj (ถูกแดดเผา): *sunburnt faces.*

'sun·dae (*'sun-dā*) *n* a portion of ice-cream served with fruit, syrup *etc.* (ไอศกรีมผลไม้): *a fruit sundae.*

'Sun·day *n* the first day of the week, the day following Saturday, kept for rest and worship among Christians (วันอาทิตย์ วันพักผ่อนและบูชาพระเจ้าในหมู่ชาวคริสต์).

Sunday best the smart garments that you wear for special occasions.

Sunday school a school attended by children on Sundays for religious instruction.

a month of Sundays a very long time (เวลานานมาก).

'sun·di·al (*'sun-dī-əl*) *n* a device, in a garden *etc.*, for telling the time from the shadow of a rod or plate cast on its surface by the sun (นาฬิกาแดด).

'sun·flow·er *n* a large yellow flower with petals like rays of the sun, from the seeds of which we get oil (ดอกทานตะวัน).

sung *see* **sing** (ดู **sing**).

'sun·glass·es *n* glasses of dark-coloured glass or plastic to protect your eyes in bright sunlight (แว่นกันแดด).

sunk, sunken *see* **sink** (ดู **sink**).

'sun·less *adj* without sun; without sunlight (ไม่มีดวงอาทิตย์ ไม่มีแสงอาทิตย์): *a sun-less day; a sunless room.*

'sun·light *n* the light of the sun (แสงของอาทิตย์).

'sun·lit *adj* lit up by the sun (ส่องสว่างด้วยดวงอาทิตย์): *a sunlit room.*

'sun·ny *adj* **1** filled with sunshine (เต็มไปด้วยแสงอาทิตย์): *sunny weather.* **2** cheerful and happy (ร่าเริงและมีความสุข): *a sunny smile.*

'sun·rise *n* the rising of the sun in the morning, or the time of this (ดวงอาทิตย์ขึ้น ยามเช้า): *We get up at sunrise.*

'sun·set *n* the setting of the sun in the evening, or the time of this (ดวงอาทิตย์ตก ยามเย็น).

'sun·shine *n* the light of the sun (แสงอาทิตย์): *The children were playing in the sunshine.*

'sun·tan *n* a brown colour of the skin (ผิวหนังเป็นสีน้ำตาล): *I'm trying to get a suntan.*

'sun·tanned *adj* (อย่างเป็นสีน้ำตาล).

'su·per (*'soo-pər*) *adj* extremely good, nice *etc.* (ดีอย่างยิ่ง เยี่ยม): *a super new dress.*

su'perb (*sōō'pərb*) *adj* magnificent; excellent (งดงาม ดีเยี่ยม): *a superb view.*

su'perb·ly *adv* (อย่างงดงาม).

su·per'fi·cial *adj* **1** affecting the surface only (ผิวเผิน): *The wound is only superficial.* **2** not thorough (ไม่ลึกซึ้ง): *superficial knowledge.*

su·per'fi·cial·ly *adv* (อย่างผิวเผิน).

su'per·flu·ous (*sōō'pər-flōō-əs*) *adj* more than is needed or wanted (ไม่จำเป็น): *Your advice is superfluous.*

su·per'hu·man *adj* beyond what is human (เหนือมนุษย์): *a man of superhuman strength.*

su·per·im'pose *v* to put on top of something (วางทับอยู่ข้างบน): *She superimposed two shades of paint to get the effect she wanted.*

su·per·in'tend *v* to supervise (ดูแล ตรวจตรา): *She superintended the children; He superinteded the job.*

su'pe·ri·or (*sōō'pēr-i-ər*) *adj* higher in rank, better or greater (ยศสูงกว่า ดีกว่า หรือใหญ่กว่า): *Is a captain superior to a commander in the navy?; With his superior strength he managed to overwhelm his opponent.* — *n* a person who is better than, or higher in rank than, another or others (หัวหน้า ผู้บังคับบัญชา).

su·pe·ri'or·i·ty *n* (ความเหนือกว่า ความดีกว่า).

to be **superior** to (not ไม่ใช่ **than**) something. The opposite of **superior** is **inferior**.

su'per·la·tive (*sōō'pər-lə-tiv*) *adj* the word used for adjectives and adverbs that are used in comparisons to describe something or someone that goes beyond all the others, like these underlined words (คำที่ใช้ในการเปรียบเทียบ): *He is the best man for this job; the worst moment of my life; Jane tried the hardest; He arrived most quickly.*

'su·per·man *n* an imagined man of the future with amazing powers (ซูเปอร์แมน).

'su·per·mar·ket *n* a large, self-service store selling food and other goods (ซูเปอร์มาร์เก็ต ตลาดขายอาหารและสินค้าอื่น ๆ ขนาดใหญ่ที่ลูกค้าต้องบริการตนเอง).

su·per'nat·ur·al *adj* beyond what is natural or physically possible (เหนือธรรมชาติ): *supernatural happenings; a creature of supernatural strength.*

su·per'sede (*sōō-pər'sēd*) *v* to take the place of something older or less modern (แทนที่สิ่งซึ่งเก่ากว่าหรือทันสมัยน้อยกว่า): *These large computers have been superseded by much smaller personal computers.*

su·per'son·ic *adj* faster than the speed of sound (เร็วกว่าเสียง): *These aircraft can travel at supersonic speeds; Concorde is a supersonic aeroplane.*

su·per'sti·tion *n* **1** belief in magic, witchcraft and other strange powers (ความเชื่อโชคลาง). **2** an example of this kind of belief (ตัวอย่างของความเชื่อในแบบนี้): *There is an old superstition that those who marry in May will have bad luck.*

su·per'sti·tious *adj* (เชื่อโชคลาง): *superstitious beliefs; She is very superstitious.*

'su·per·struc·ture *n* **1** that part of a ship which is above the main deck (สิ่งที่สร้างขึ้นเหนือดาดฟ้าเรือ). **2** that part of a building which is above the foundations (ส่วนของอาคารซึ่งอยู่เหนือฐานราก).

'su·per·tank·er *n* a very large ship for transporting oil (เรือขนน้ำมันขนาดใหญ่).

'su·per·vise (*'soo-pər-vīz*) *v* to direct; to control; to be in charge of (ควบคุม ดูแล ตรวจตรา): *to supervise the workers on a building site; to supervise the building of a road; Who supervises this department?*

su·per'vi·sion *n* (การควบคุม ดูแล ตรวจตรา). **'su·per·vi·sor** *n*.

supervisor is spelt **-or** (not **-er**).

'sup·per *n* a meal taken in the evening (อาหารมื้อเย็น): *Would you like some supper?; She has invited me to supper.*

sup'plant (*sə'plänt*) *v* to take the place of (แทนที่): *She is trying hard to supplant him at work.*

'sup·ple *adj* able to bend and stretch easily (สามารถงอและยืดได้ง่าย โอนอ่อน): *Take exercise if you want to keep supple.*

'sup·ple·ness *n* (ความโอนอ่อน).

'sup·ple·ment *n* **1** an addition that is made to something to make it better or more complete (ส่วนเพิ่มเข้ามาเพื่อทำให้บางสิ่งดีขึ้นหรือสมบูรณ์ยิ่งขึ้น): *The supplement to the dictionary contains hundreds of new words.* **2** an extra part of a newspaper that is published in addition to the main part (ส่วนพิเศษของหนังสือพิมพ์ที่พิมพ์เพิ่มขึ้นมานอกจากส่วนหลัก): *A colour supplement is a coloured magazine that you get free with some newspapers.* — *v* to increase or improve something by adding something else (เพิ่มหรือทำให้ดีขึ้นโดยการเพิ่มอย่างอื่นเข้าไป): *He supplements his wages by working as a gardener.*

sup·ple'men·ta·ry *adj* (การเพิ่มขึ้น): *A supplementary volume to the dictionary has just been published.*

sup'ply (*sə'plī*) *v* to give; to provide (ให้ จัดหาให้): *Extra paper will be supplied by the teacher if it is needed; The town is supplied with water from a reservoir in the hills; The shop was unable to supply what she wanted.* — *n* **1** the supplying of something (การจัดหาบางสิ่งให้). **2** an amount or quantity that is supplied; a stock or store (จำนวนหรือปริมาณที่จัดหามาให้): *a supply of food; Who will be responsible for the expedition's supplies?; Fresh supplies will be arriving soon.*

to **supply** someone **with** something (not ไม่ใช่ **supply** someone something).

in short supply scarce (หายาก แร้นแค้น): *Bread is in short supply.*

sup'port *v* **1** to carry the weight of someone or something; to hold upright, in place *etc.* (รับน้ำหนัก พยุง): *That chair won't support him; It won't support his weight; He limped home, supported by a friend on either side.* **2** to help; to encourage (สนับสนุน ให้กำลังใจ): *He has always supported our cause; His family supported him in his decision.* **3** to supply your family *etc.* with food and clothes *etc.* (หาอาหารและเสื้อผ้ามาให้ครอบครัว): *He has a wife and four children to support.* — *n* **1** the supporting of something (สนับสนุน จุนเจือ): *The plan was cancelled because of lack of support; Her job is the family's only means of support; I would like to say a word or two in support of his proposal.* **2** something that supports a bridge, roof, arch *etc.*; a pillar, column *etc.* (เสาค้ำ เสายัน): *One of the supports of the bridge collapsed.*

sup'port·er *n* someone who supports a person, cause, team *etc.* (ผู้สนับสนุน): *football supporters.*

sup'pose (*sə'pōz*) *v* **1** to believe; to guess (เชื่อ เดา): *Who do you suppose telephoned today?; "I suppose you'll be going to the meeting?" "Yes, I suppose so"; "No, I don't suppose so"; Do you suppose she'll win?; "That can't be true, can it?" "No, I suppose not".* **2** to consider as a possibility (พิจารณาดูว่ามันน่าจะเป็นไปได้): *Let's suppose we each had $100 to spend; Suppose the train's late — what shall we do?* **3** used to make a suggestion or give an order in a polite way (แนะนำหรือออกคำสั่งอย่างสุภาพ): *Suppose we have lunch now!; Suppose you make us a cup of tea!*

sup'po·sing if (สมมติว่า ถ้า): *Supposing she doesn't come, what shall we do?*

supposed to 1 believed to; thought to (เชื่อว่าเป็น คิดว่าเป็น): *He's supposed to be the best doctor in the town.* **2** expected to (คาดว่า): *You're supposed to make your own bed every morning.*

sup'press *v* **1** to defeat (ปราบ): *to suppress a rebellion.* **2** to keep back; to stop (อดกลั้น

เอาไว้ หยุด): *She suppressed a laugh; to suppress information.*

sup'pression *n* (การปราบปราม การระงับ การกดขี่).

su'preme (*sōō'prēm*) *adj* **1** the highest or most powerful (สูงที่สุดหรือมีอำนาจมากที่สุด): *the supreme ruler.* **2** the greatest possible (อย่างมากที่สุด): *supreme courage.*

su'preme·ly *adv* (อย่างสูงสุด).

sure (*'shoor*) *adj* **1** having no doubt (แน่ใจ): *I'm sure that I gave him the book; I'm not sure what her address is; "There's a bus at two o'clock." "Are you quite sure?"; I thought her idea was good, but now I'm not so sure; I'll help you — you can be sure of that!* **2** certain to do or get something (แน่ใจว่าจะทำหรือได้รับอะไรบางอย่าง): *He's sure to win; You're sure of a good dinner if you stay at that hotel.* **3** reliable; dependable (เชื่อถือได้ วางใจได้): *a sure way to cure hiccups; a safe, sure method.* — *adv* certainly; of course (อย่างแน่ใจ แน่นอน): *Sure I'll help you!; "Would you like to come?" "Sure!"*

'sure·ly *adv* **1** used in questions, exclamations *etc.* to show what you consider probable (ใช้ในประโยคคำถามหรือการอุทานเพื่อแสดงถึงสิ่งที่เราคิดว่าน่าจะเป็นไปได้): *Surely she's finished her work by now!; You don't believe what she said, surely?* **2** without doubt; certainly (ไม่มีความสงสัย แน่ใจ): *Slowly but surely we're achieving our aim.*

be sure to don't forget to do something (อย่าลืม): *Be sure to switch off the television.*

for sure definitely; certainly (อย่างแน่นอน อย่างแน่ใจ): *We don't know for sure that he's coming.*

make sure to act so that, or check that, something is sure (ทำให้แน่ใจ เพื่อความมั่นใจ): *Arrive early at the cinema to make sure of getting a seat!; I think he's coming today but I'll telephone to make sure.*

sure enough (แน่นอนละ): *I thought she'd be angry, and sure enough she was.*

sure of yourself confident (มั่นใจ).

surf *n* the foam made as waves break on rocks or on the shore (ฟองคลื่น): *The children were playing in the white surf.*

'sur·face (*'sər-fəs*) *n* **1** the outside or top layer of anything (ผิวหน้า ผิวนอกสุด): *Two-thirds of the earth's surface is covered with water; This road has a very uneven surface.* **2** a person's outward appearance or apparent character (ลักษณะท่าทางภายนอก): *On the surface she seems an unfriendly person, but she's really very kind.*

surface mail mail sent by ship, train *etc.* and not by aeroplane (ไปรษณีย์ส่งทางเรือ รถไฟ ฯลฯ ไม่ใช่ส่งทางอากาศ).

'sur·feit (*'sər-fit*) *n* an excess (มากเกินไป): *There has been a surfeit of sport on television recently.*

'surf·ing *n* the sport of riding on a surfboard (การเล่นกระดานโต้คลื่น).

'surf·board *n* a board on which a person can ride on the surf towards the shore (กระดานโต้คลื่น).

surge *v* to move forward with great force (เคลื่อนไปข้างหน้าอย่างแรง): *The waves surged over the rocks.* — *n* a surging movement, or a sudden rush (พลุ่งขึ้นในทันที): *The stone hit his head and he felt a surge of pain; a sudden surge of anger.*

'sur·geon (*'sər-jən*) *n* a doctor who treats injuries or diseases by operations in which the body sometimes has to be cut open (ศัลยแพทย์).

'sur·ger·y *n* **1** the work of a surgeon (การผ่าตัด): *to specialize in surgery.* **2** a doctor's or dentist's room in which they examine patients (ห้องตรวจคนไข้).

'sur·gi·cal *adj* of or relating to surgery (เกี่ยวกับการผ่าตัด): *surgical techniques.*

'sur·ly *adj* rude or sharp in speech or behaviour (หยาบคายหรือกระโชกโฮกฮากในการพูดหรือความประพฤติ): *He spoke in a surly voice.*

sur'mount *v* to overcome (เอาชนะ ผ่านพ้น): *He has surmounted all his problems.*

'sur·name *n* a person's family name (นามสกุล): *Smith is a common British surname.*

sur'pass (*sər'päs*) *v* to be, or do, better, or more than (ทำดีกว่า มากกว่า เกินกว่า): *His work surpassed my expectations.*

'sur·plus *n* an amount left over when whatever is needed has been taken (ที่เหลืออยู่ จำนวนที่เหลือใช้): *This country produces a surplus of grain.*

The opposite of **surplus** is **deficit**.

sur'prise (*sər'prīz*) *n* something sudden or unexpected; the feeling caused by this (ประหลาดใจ): *The news caused some surprise; Your letter was a pleasant surprise; He stared at her in surprise; To my surprise the door was unlocked.* — *adj* (อย่างไม่รู้เนื้อรู้ตัว): *a surprise visit.* — *v* **1** to cause someone surprise (ทำให้ประหลาดใจ): *The news surprised me.* **2** to come upon someone without warning (เจอเข้ากับบางคนอย่างไม่รู้ตัวมาก่อน): *They surprised the enemy from the rear.*

sur'prised *adj* feeling surprise (รู้สึกแปลกใจ): *I'm surprised he's not here; You behaved badly — I'm surprised at you!; I wouldn't be surprised if he won.*

sur'pri·sing *adj* likely to cause surprise (น่าจะทำให้เกิดความประหลาดใจ): *surprising news; It is not surprising that he won.*

sur'pri·sing·ly *adv* (อย่างประหลาดใจ).

take by surprise **1** to come to, or catch, someone unexpectedly (อย่างไม่รู้เนื้อรู้ตัว): *The news took me by surprise.* **2** to capture a fort *etc.* by a sudden, unexpected attack (จู่โจมอย่างไม่รู้เนื้อรู้ตัว).

sur'ren·der *v* to give up (ยอมแพ้ เลิก คืน): *The general refused to surrender to the enemy; He surrendered his claim to the throne; You must surrender your old passport when applying for a new one.* — *n* (การยอมแพ้): *The army was forced into surrender; the surrender of the fort to the enemy.*

sur·rep'ti·tious (*su-rep'ti-shəs*) *adj* done secretly (กระทำอย่างปกปิด): *She paid a surreptitious visit to her doctor.*

sur'round *v* **1** to be, or come, all round (ล้อมรอบ): *Britain is surrounded by sea; Enemy troops surrounded the town.* **2** to put round (สร้างขึ้นรอบ ๆ): *He surrounded the castle with a high wall.*

sur'round·ing *adj* lying or being all round (สิ่งที่ล้อมรอบ): *the village and its surrounding scenery.*

sur'round·ings *n* **1** the scenery *etc.* that is round a place (ทิวทัศน์รอบ ๆ สถานที่นั้น): *a pleasant hotel in delightful surroundings.* **2** the conditions *etc.* in which a person, animal *etc.* lives (สภาพที่คน สัตว์ ฯลฯ อาศัยอยู่): *He was happy to be at home again in his usual surroundings.*

sur'vey (*sər'vā*) *v* **1** to look at something (มองดู): *He looked out of his window and surveyed his garden.* **2** to inspect carefully (สำรวจ): *They surveyed the damage left by the earthquake.* **3** to measure and work out the shape of a piece of land *etc.*, especially when you are planning new roads or buildings (งานสำรวจ งานรังวัด).

sur'vive *v* **1** to remain alive (รอดชีวิต): *He didn't survive long after the accident.* **2** to live longer than someone else (มีชีวิตอยู่นานกว่าบางคน): *He died in 1940 but his wife survived him by another 20 years.*

sur'vi·val *n* (การคงอยู่ การมีชีวิตอยู่).

sur'vi·ving *adj* remaining alive (ยังคงมีชีวิตอยู่).

sur'vi·vor *n* a person who survives a disaster (ผู้รอดชีวิตจากความหายนะ).

su'spect *v* **1** to think a person *etc.* guilty (สงสัย): *Whom do you suspect of the crime?; I suspect him of robbing the bank.* **2** to have doubts about something (ระแวง): *I suspected her motives.* **3** to think probable (คิดว่าน่าจะเป็นไปได้): *I suspect that she's trying to hide her true feelings.* — *n* (**'sus·pect**) a person who is thought guilty (บุคคลผู้ต้องสงสัย): *There are three possible suspects in this murder case.* — *adj* not able to be trusted (ไม่สามารถเชื่อถือได้): *I think his statement is suspect.*

to **suspect that** means to think something is likely (คิดว่าบางอย่างน่าจะ): *We suspect* *that he is the murderer.*

to **doubt whether** means to think something is unlikely (คิดว่าบางอย่างไม่น่าจะ): *I doubt whether he is the murderer.*

su'spend *v* **1** to hang (แขวน): *The meat was suspended from a hook.* **2** to keep something from falling or sinking (ทำให้ไม่ตกลงมาหรือจมลง): *Particles of dust are suspended in the air.* **3** to stop something for a while (หยุดชั่วขณะ): *All business will be suspended until after the New Year celebrations.* **4** to stop someone for a certain length of time from doing their job, usually as a punishment (หยุดงาน พักงาน): *The footballer was suspended from playing for three months.*

su'spend·ers *n* **1** a pair of elastic straps for holding up socks or stockings (สายโยงถุงเท้า). **2** braces for holding up trousers (สายโยงกางเกง).

su'spense *n* a state of uncertainty and anxiety (สภาพของความไม่แน่ใจและกระวนกระวาย): *We waited in suspense for the result of the competition.*

su'spen·sion *n* the suspending of something or someone (หยุดบางสิ่งหรือบางคน): *He was punished by a two-month suspension from football.*

suspension bridge a type of bridge that has its roadway suspended from cables supported by a tower at each end (สะพานแขวน).

su'spi·cion *n* the suspecting of someone or something; doubt; distrust (ความสงสัย ความไม่เชื่อถือ): *They looked at each other with suspicion; I have a suspicion she is not telling the truth.*

su'spi·cious *adj* **1** feeling or showing suspicion (รู้สึกหรือแสดงความสงสัย): *I'm always suspicious of people who won't look at me straight in the eyes; She gave him a suspicious glance.* **2** causing suspicion (ทำให้น่าสงสัย): *He died in suspicious circumstances.*

su'stain *v* **1** to give help or strength to someone (ให้ความช่วยเหลือ ทำให้มีกำลังใจ ดำรงคงทน): *The thought of seeing his family again sustained him throughout his long time in prison; She took a few sandwiches to sustain her during the journey.* **2** to suffer (ทนทุกข์): *He sustained head injuries when he fell off the ladder.* **3** to bear (ทนทาน): *The tree could hardly sustain the weight of its fruit.* **4** to keep something going (ดำเนินต่อไป): *He couldn't sustain the pace he had set at the beginning of the race.* **su'stained** *adj* continued for a long time (ดำเนินอยู่เป็นเวลานาน): *The pianist received sustained applause for her performance.*

swab (*swob*) *n* **1** a small piece of cotton used to clean wounds (สำลีใช้ทำความสะอาดบาดแผล): *She used a swab to apply the cream.* **2** a sample of fluid from the body taken for examination (ตัวอย่างของเหลวจากร่างกายซึ่งเอามาตรวจ): *The doctor took a swab from her throat to check for infection.*

'swag·ger *v* to walk as though very pleased with yourself (เดินวางมาด): *I saw him swaggering along the street in his new suit.*

'swal·low[1] (*'swol-ō*) *v* **1** to make food or drink pass down your throat to your stomach (กลืน): *Try to swallow the pill; His throat was so painful that he could hardly swallow.* **2** to accept a lie *etc.* without question (ยอมรับการโกหกโดยไม่ถาม): *You'll never get her to swallow that story!*

swallow your pride to behave humbly, for example by making an apology (ประพฤติตัวอย่างถ่อมตน เช่นการขอโทษ).

swallow up to close around; to hide completely (ถูกกลืนเข้าไปใน): *She was swallowed up in the crowd.*

'swal·low[2] (*'swol-ō*) *n* a bird with long wings and a divided tail (นกนางแอ่น).

A swallow **twitters**.

swam *see* **swim** (ดู **swim**).

swamp (*swomp*) *n* wet, marshy ground (เปียกที่เฉอะแฉะ): *These trees grow best in swamps.* — *v* to cover deeply with water (ท่วมท้นด้วยน้ำ): *A great wave swamped the deck.*

'swamp·y *adj* (เฉอะแฉะ): *The land is very swampy — it will have to be drained.*

swan (*swon*) *n* a large, usually white, water bird

with a long graceful neck (หงส์ ห่าน).

swap another spelling of (การสะกดอีกแบบหนึ่งของคำว่า) **swop**.

swarm (*swörm*) *n* **1** a great number of insects or other small creatures moving together (ฝูงแมลงหรือสัตว์ตัวเล็ก ๆ): *a swarm of ants; a swarm of bees.* **2** a great number; a crowd (จำนวนมาก ฝูงชน): *swarms of people.* — *v* **1** to move in great numbers (ออกมาเป็นฝูง): *The children swarmed out of the school.* **2** to follow the queen bee in a swarm (ตามนางพญาผึ้งไปเป็นฝูง): *The bees are swarming.*

'swar·thy (*'swör-dhy*) *adj* with a dark complexion (ผิวคล้ำ): *He is dark and swarthy.*

swat (*swot*) *v* to crush a fly *etc.* by slapping it with something flat (ตบแมลงวันด้วยของที่มีลักษณะแบน): *He swatted the fly with a folded newspaper.*

sway *v* **1** to move from side to side, or up and down, with a swinging or rocking action (แกว่งไปมา): *The branches swayed gently in the breeze.* **2** to influence (ชักจูง): *She's too easily swayed by her friends' opinions.* — *n* the motion of swaying (การแกว่งไกว): *the sway of the ship's deck.*

swear (*swār*) *v* **1** to state or promise solemnly (สาบาน): *The witness must swear to tell the truth; Swear never to reveal the secret; I swear I'm innocent of this crime.* **2** to use the name of God and other sacred words, or dirty words, in anger or for emphasis; to curse (สบถ): *Don't swear in front of the children!*

swear; swore; sworn: *She swore to tell the truth; He has sworn an oath.*

sweat (*swet*) *n* the moisture that comes out through the skin (เหงื่อ): *He was dripping with sweat after running so far in the heat.* — *v* (เหงื่อแตก): *Vigorous exercise makes you sweat.*

'sweat·er *n* a knitted pullover (เสื้อถักที่สวมใส่ทางศีรษะ).

See **cardigan**.

'sweat·shirt *n* a cotton jersey worn for sport or casually (ชุดผ้าฝ้ายใช้ใส่เพื่อเล่นกีฬาหรือเป็นชุดลำลอง).

a cold sweat a state of shock, fear *etc.* (สภาพที่ตกใจ กลัว).

sweep *v* **1** to clean a room *etc.* using a brush or broom (กวาด): *The room has been swept clean.* **2** to move with a brushing or rushing movement (ปัดหรือกวาดแบบใช้แปรง): *to sweep up rubbish; She swept the crumbs off the table with her hand; The wave swept him overboard; The wind nearly swept me off my feet.* **3** to move swiftly (เคลื่อนที่อย่างรวดเร็ว กวาด): *High winds sweep across the desert; The disease is sweeping through the country; She swept into my room without knocking on the door.* — *n* **1** the action of sweeping with a brush *etc.* (การกวาดด้วยไม้กวาด): *She gave the room a sweep.* **2** a sweeping movement (กวาดมือ): *He indicated the damage with a sweep of his hand.* **3** a person who cleans chimneys (คนทำความสะอาดปล่องไฟ).

sweep; swept; swept: *He swept up the crumbs; She has swept the floor.*

'sweep·er *n* a person or thing that sweeps (ผู้กวาด): *a road-sweeper; a carpet-sweeper.*

at a sweep in a single action or move; all at once (ทั้งหมดในคราวเดียว): *He sacked half of his employees at a sweep.*

sweep out to sweep a room *etc.* thoroughly (กวาดห้องอย่างละเอียด): *to sweep the classroom out.*

sweet *adj* **1** tasting like sugar; not sour, salty or bitter (หวาน): *as sweet as honey.* **2** pleasant; fragrant (พอใจ กลิ่นหอม): *the sweet smell of flowers.* **3** delightful to hear (น่ายินดีที่ได้ฟัง): *the sweet song of the nightingale.* **4** attractive; charming; nice (น่ารัก มีเสน่ห์ สวย): *What a sweet little baby!; a sweet smile; You look sweet in that dress; Isobel has a sweet nature.* — *n* **1** a small piece of sweet food, such as chocolate, toffee *etc.* (ขนมหวานชิ้นเล็ก ๆ): *a packet of sweets; Have a sweet.* **2** a dish or course of sweet food at the end of a meal; a pudding or dessert (ของหวานหลังอาหาร): *The waiter served the sweet.*

'sweet·ness *n* (ความหวาน).

'sweet·en *v* to make or become sweet (ทำให้หวาน): *to sweeten food with sugar.*

'sweet·heart *n* **1** a boyfriend or girlfriend (เพื่อนชายหรือเพื่อนหญิง). **2** used as a name for someone you love; darling (ใช้เป็นชื่อเรียกคนที่เรารัก): *Goodbye, sweetheart!*

'sweet·ly *adv* in an attractive, charming, kindly manner (อย่างน่ารัก อย่างมีเสน่ห์ อย่างมีมารยาทดี): *She smiled very sweetly.*

sweet potato a tropical climbing plant with an edible yellow root (มันเทศ).

swell *v* to make or become larger, greater or thicker (บวม เอ่อ เพิ่มขึ้น): *The insect-bite made her finger swell up; The continual rain had swollen the river; I invited her to join us in order to swell the number of people on the trip.* — *adj* very good (เยี่ยมมาก): *a swell idea; That's swell!*

swell; swelled; 'swol·len (*'swō-lən*): *His ankle swelled; The river is swollen with rain.*

'swell·ing *n* a swollen area on the body (บริเวณที่บวมบนร่างกาย): *She had a swelling on her arm where the wasp had stung her.*

'swel·ter *v* to be uncomfortably hot (ร้อนอบอ้าว): *I'm sweltering in this heat!; It's sweltering today.*

swept *see* **sweep** (ดู **sweep**).

swerve *v* to turn away suddenly from a line or course (หันเหไปจากเส้นหรือทิศทางในทันทีทันใด): *The car driver swerved to avoid the dog.* — *n* (หักเลี้ยวอย่างกะทันหัน): *The bus gave a sudden swerve and rocked the passengers in their seats.*

swift[1] *adj* fast; quick (รวดเร็ว ว่องไว): *a swift horse; a swiftfooted animal.*

'swift·ly *adv* (อย่างรวดเร็ว อย่างว่องไว).

'swift·ness *n* (ความรวดเร็ว ความว่องไว).

swift[2] *n* a bird rather like a swallow (นกชนิดหนึ่งคล้ายนกนางแอ่น).

swill *v* **1** to clean something by pouring a lot of water over it; to rinse (ล้าง): *He swilled out the dirty cups.* **2** to drink a lot of something, especially an alcoholic drink (ดื่มอย่างมากมาย): *He sat in the bar swilling beer.* — *n* (also **pigswill**) waste food in water that is given to pigs to eat (เศษอาหารที่เป็นน้ำ เอาไปให้หมูกิน อาหารหมู).

swim *v* **1** to move through water using arms and legs or fins, tails *etc.* (ว่ายน้ำ): *The children aren't allowed to go sailing until they've learnt to swim; I'm going swimming; They watched the fish swimming about in the aquarium; She attempted to swim the river but had to give up half-way across.* **2** to seem to be going round and round as a result of dizziness (เวียนหัว): *My head's swimming.* — *n* (การว่ายน้ำ): *We went for a swim in the lake.*

swim; swam; swum: *He swam across the river; We have swum three lengths of the swimming-pool.*

'swim·mer *n* : *He's a strong swimmer* (นักว่ายน้ำ).

swim·ming-bath, 'swim·ming-pool *ns* an indoor or outdoor pool for swimming in (สระว่ายน้ำ).

'swim·ming-trunks *n* short pants worn by boys and men for swimming (กางเกงว่ายน้ำ).

'swim·suit, 'swim·ming-cos·tume *ns* a garment worn by girls or women for swimming (ชุดว่ายน้ำ).

'swin·dle *v* to cheat someone, especially out of money (ฉ้อโกง): *That shopkeeper has swindled me out of $2!; He swindled a hundred dollars out of her.* — *n* (การฉ้อโกง): *What a swindle — I paid $50 for this watch and doesn't work!*

swine *n* **1** an old word for a pig (หมู เป็นคำเก่า). **2** a rude word for someone who behaves badly towards others (คำหยาบที่ใช้กับคนที่ทำตัวร้ายต่อผู้อื่น): *He left me to pay the bill, the swine!*

swing *v* **1** to move from side to side, or forwards and backwards from a fixed point (แกว่ง โหนเหวี่ยง): *You swing your arms when you walk; The children were swinging on a rope hanging from a tree; The door swung open; He swung the load on to his shoulder.* **2** to walk with a stride (เดินเร็ว ๆ): *He swung along the road.* **3** to turn suddenly (หันมาในทันใด): *He* *swung round and stared at them.* — *n* **1** a go or turn at swinging (กระโดดเชือก): *He was having a swing on the rope.* **2** a swinging movement (การแกว่ง): *the swing of a pendulum.* **3** a strong dancing rhythm (จังหวะเต้นรำที่เร่าร้อน): *The music should be played with a swing.* **4** a seat for swinging, hung on ropes or chains from a supporting frame *etc.* (ชิงช้า).

swing; swung; swung: *The door swung open; The goal has swung the game in our favour.*

'swing·ing *adj* fashionable and exciting (ทันสมัยและน่าตื่นเต้น): *the swinging city of London.*

swing door a door that swings open in both directions (ประตูสปริง).

in full swing going ahead, or continuing, busily (ดำเนินต่อไปอย่างเต็มที่): *The work was in full swing.*

swipe *v* to hit something hard, with a strong swing of your arm (ตีหรือหวด): *She swiped the tennis ball into the air ; He swiped at the fly on his leg but missed it.* — *n* (การตี การหวด): *She gave the boy a swipe across the face.*

swirl *v* to move quickly, with a whirling motion (หมุนตัวอย่างรวดเร็ว): *The leaves swirled along the ground.* — *n* (การหมุนตัว): *The dancers came on stage in a swirl of colour.*

swish *v* to move or cause to move with a rustling sound (ทำให้เคลื่อนที่ไปดังขวับ): *Her long skirt swished as she danced; He swished open the curtains.*

switch *n* **1** a small device for turning an electric current on or off (สวิทช์เปิดปิดไฟฟ้า): *The switch is down when the power is on and up when it's off; He couldn't find the light-switch.* **2** a change (เปลี่ยน): *After several switches of direction they found themselves on the right road.* **3** a thin stick (ไม้บาง ๆ). — *v* to change; to turn (เปลี่ยน บิด): *He switched the lever to the "off" position; Let's switch over to another programme; Having considered that problem, they switched their attention to other matters.*

'switch·board *n* a board with lots of switches for making connections by telephone, for instance in a large office or hotel (แผงโทรศัพท์กลาง): *He rang the company and asked the lady at the switchboard to connect him with the manager.*

switch on, switch off to turn on or turn off an electric current, light *etc.* (เปิดหรือปิดกระแสไฟฟ้า หลอดไฟฟ้า): *He switched on the light; Switch off the electricity before going on holiday.*

to **switch on** (not ไม่ใช่ **open**) the light.
to **switch off** (not ไม่ใช่ **shut**) the light.

'swiv·el *v* to turn round quickly; to spin (หมุน): *He swivelled round when he heard a strange noise behind him; She swivelled her chair round to face the desk.*

'swol·len (*'swō-lən*) *adj* increased in size because of swelling (บวมขึ้น เอ่อขึ้น): *He had a swollen ankle after falling downstairs; a swollen stream.* See also **swell**.

'swol·len-'head·ed *adj* too pleased with yourself; conceited (พอใจในตัวเองมากจนเกินไป หยิ่ง อวดดี): *He's very swollenheaded about his success.*

swoon *v* to lose consciousness; to faint (หมดสติ เป็นลม): *The girls were so excited when the pop-singer appeared on stage that they nearly swooned.*

swoop *v* to rush or fly downwards (พุ่งหรือโผลงมา): *The owl swooped down on its prey.*

swop or **swap** (*swop*) *v* to exchange one thing for another (การแลกสิ่งหนึ่งกับอีกสิ่งหนึ่ง): *He swopped his ball with another boy for a pistol; They swopped books with each other.* — *n* an exchange (การแลกเปลี่ยน): *a fair swop.*

sword (*sörd*) *n* a weapon with a long blade that is sharp on one or both edges (ดาบ): *He drew his sword and killed the man.*

'sword·fish *n* a large fish with a long, pointed upper jaw (ปลาดาบ).

swore *see* **swear** (ดู **swear**).

sworn *adj* **1** having sworn always to remain a friend, enemy *etc.* (สาบานว่าจะเป็นมิตร เป็นศัตรู ตลอดไป): *They are sworn enemies.* **2** made by someone who has sworn to tell the truth (สาบานว่าจะพูดความจริง): *The prisoner made a sworn statement.*

See also **swear**.

swot *v* to study hard and seriously (คร่ำเคร่งในการเรียน): *She has been swotting for her exams.* — *n* (ความคร่ำเคร่งในการเรียน): *His friends think he is a swot because he has been working hard for his exams.*

swot up to study very hard (ศึกษาอย่างหนัก): *She has been swotting up her French.*

swum *see* **swim** (ดู **swim**).

swung *see* **swing** (ดู **swing**).

'syl·la·ble *n* a word or part of a word that is a single sound (พยางค์): *"Cheese" has one syllable, "butter" has two and "mar-ga-rine" has three.*

'syl·la·bus (*'sil-ə-bəs*) *n* a list of subjects that students have to study at school or university (หลักสูตรในโรงเรียน มหาวิทยาลัย).

'sym·bol *n* a thing that represents or stands for something (สัญลักษณ์): *The cross is a symbol of Christianity; The dove is a symbol of peace; The sign (÷) is the symbol for division.*

sym'bol·ic *adj* (แห่งสัญลักษณ์): *In the Christian religion, bread and wine are symbolic of Christ's body and blood.*

sym'bol·i·cal·ly *adv* (อย่างเป็นสัญลักษณ์).

'sym·bol·ize *v* to be a symbol of something (เป็นสัญลักษณ์ของ): *A ring symbolizes everlasting love.*

sym'met·ri·cal *adj* having symmetry (สมมาตร): *The two sides of a person's face are never completely symmetrical.*

'sym·me·try *n* the state in which two parts, on either side of a dividing line, are equal in size, shape and position (ความสมมาตร).

sym·pa'thet·ic *adj* showing or feeling sympathy (มีความเห็นอกเห็นใจ): *She was very sympathetic when I failed my exam; a sympathetic smile.*

sym·pa'thet·i·cal·ly *adv* (อย่างเห็นอกเห็นใจ).

'sym·pa·thize *v* to show or feel sympathy (เห็นอกเห็นใจ): *I find it difficult to sympathize with him when he complains so much.*

'sym·pa·thy *n* the sharing of the feelings or attitudes of others (ความเห็นอกเห็นใจ): *When her husband died, she received many letters of sympathy; Are you in sympathy with the strikers?*

'sym·pho·ny *n* a long piece of music for an orchestra (บทดนตรีสำหรับดนตรีวงใหญ่).

sym'phon·ic *adj* (เกี่ยวกับเสียงประสาน เกี่ยวกับดนตรีวงใหญ่).

'symp·tom (*'simp-təm*) *n* something that goes with a particular illness (อาการ): *A cold, fever and headache are the usual symptoms of flu.*

'syn·a·gogue (*'sin-ə-gog*) *n* a Jewish place of worship (สถานที่บูชาของชาวยิว).

'syn·chro·nize (*'siŋ-krə-niz*) *v* **1** to happen, or make something happen, at the same time as something else (ทำให้เกิดขึ้นพร้อมกัน ทำให้คล้องจองกัน): *In foreign films, the movements of the actors' lips are often not synchronized with the sounds of their words; The voices and lip-movements don't synchronize.* **2** to adjust watches so that they say the same time (ปรับนาฬิกาเพื่อให้เวลาตรงกัน): *The bank-robbers synchronized watches.*

syn·chro·ni'za·tion *n* (การคล้องจองกัน การเกิดขึ้นพร้อมกัน).

'syn·drome (*'sin-drōm*) *n* a set of symptoms which are the sign of a particular illness (กลุ่มอาการต่าง ๆ ของโรคบางชนิด): *There is a new blood test to detect babies suffering from this syndrome before birth.*

'syn·o·nym (*'sin-ō-nim*) *n* a word which means the same, or nearly the same, as another (คำที่หมายความเหมือนกันหรือใกล้เคียงกันกับคำอื่น): *Happy and pleased are synonyms.*

'syn·tax (*'sin-taks*) *n* the grammatical rules which govern the position words may have in a sentence and how they relate to each other (หลักไวยากรณ์): *He finds English syntax difficult to understand.*

'syn·the·sis, *plural* **'syn·the·ses** (*'sin-thə-sēz*) *n* **1** the forming of a product by combining various different chemical substances (การ

สังเคราะห์): *Plastic is produced by synthesis.* **2** a combination (การรวมกัน): *His latest proposal is a synthesis of old and new ideas.*

syn'thet·ic *adj* artificial; produced by a chemical process; not natural (เทียม สังเคราะห์): *Nylon is a synthetic material.* — *n* a synthetic material (วัตถุสังเคราะห์): *In a hot climate natural materials are more comfortable to wear than synthetics.*

syr'inge (*sir'inj*) *n* an instrument for sucking up and squirting out liquids, used, with a needle fitted to it, for giving injections or taking blood out of the body (หลอดฉีดยา).

'syr·up *n* water, or the juice of fruits, boiled with sugar and made thick and sticky (น้ำเชื่อม).

'syr·up·y *adj* like syrup (เหมือนน้ำเชื่อม).

'sys·tem *n* **1** an arrangement of many parts that work together (ระบบ): *a railway system; the solar system; the human digestive system.* **2** a way of organizing something according to certain ideas *etc.* (ขบวนการ): *a system of education.* **3** a plan; a method (แผนการ วิธีการ): *There's a new system for serving meals to the pupils.*

sys·te'mat·ic *adj* (เป็นระบบ).

sys·te'mat·i·cal·ly *adv* (อย่างเป็นระบบ).

tab *n* a small piece of some material attached to something, standing up so that it can be seen, held, pulled *etc.* (วัตถุชิ้นเล็ก ๆ ที่ติดกับอะไรบางอย่าง สิ่งที่ชี้ขึ้นมาเพื่อให้เห็น จับ ดึง แขวน): *You open the packet by pulling the tab; Hang your jacket up by the tab.*

'tab·by *n* a striped cat, especially a femaleone (แมวลาย โดยเฉพาะอย่างยิ่งเป็นเพศเมีย).

'ta·ble (*'tā-bəl*) *n* **1** a piece of furniture with a flat surface on legs (โต๊ะ): *Put the plates on the table.* **2** a statement of facts or figures arranged in columns *etc.* (ตารางข้อเท็จจริง ตารางตัวเลข):*The results of the experiment can be seen in table 5.*

'ta·ble·cloth *n* a cloth for covering a table (ผ้าปูโต๊ะ).

'ta·ble·spoon *n* a large spoon (ช้อนโต๊ะ).

'ta·ble·spoon·ful *n* (เต็มช้อนโต๊ะ): *two tablespoonfuls of sugar.*

The plural of **tablespoonful** is **tablespoonfuls** (not **tablespoonsful**).

table tennis a game played on a table with small bats and a light ball (ปิงปอง).

lay or **set the table** to put a tablecloth, plates, knives, forks *etc.* on a table for a meal (จัดโต๊ะกินอาหาร).

'tab·let *n* **1** a pill (ยาเม็ด): *Take these tablets for your headache.* **2** a flat piece or bar of soap *etc.* (ชิ้นแบน ๆ หรือแท่งสบู่). **3** a flat surface on which words are engraved *etc.* (แผ่นแบน ๆ ซึ่งใช้สลักคำพูด): *They put up a marble tablet in memory of the poet.*

'tab·loid *n* a newspaper printed on small pages, often with short articles and lots of pictures (หนังสือพิมพ์ขนาดเล็ก มักมีบทความสั้น ๆ และรูปภาพมาก).

ta'boo (*ta'boo*), *plural* **taboos**, *n* anything which is forbidden for social or religious reasons (สิ่งต้องห้ามด้วยเหตุผลทางสังคมหรือทางศาสนา): *Alcohol is taboo for Muslims.*

'tab·u·late (*'tab-ū'lāt*) *v* to arrange in columns or a table (จัดเป็นตาราง): *He tabulated all the results.*

'ta·ci·turn (*'ta-si-tërn*) *adj* saying little, quiet (พูดน้อย เงียบ ๆ): *He has a taciturn nature.*

tack *n* **1** a short nail with a broad flat head (ตะปูเข็ม): *a carpet-tack.* **2** in sewing, a large, temporary stitch used to hold pieces of material in position for you to machine them together (การสอย). — *v* to fasten with tacks (ติดตะปูเข็ม สอย): *I tacked the carpet down; She tacked the pieces of material together.*

'tack·le *v* **1** to try to grasp or seize someone (พยายามคว้าหรือจับ): *The policeman tackled the thief.* **2** to deal with a difficulty (จัดการกับความยุ่งยาก): *We still have several problems to tackle.* — *n* **1** equipment (อุปกรณ์): *fishing tackle; riding tackle.* **2** a system for lifting heavy weights (ระบบสำหรับยกของหนัก): *lifting tackle.* **3** the ropes and rigging of a boat (ผูกสายระยางของเรือ).

tact *n* care and skill in your behaviour towards people, in order to avoid hurting or offending them (การรู้จัก กาลเทศะ): *He showed tact in dealing with the less clever children.*

'tact·ful *adj* (มีกาลเทศะ): *A tactful teacher praises the slower children whenever possible.* **'tactful·ly** *adv* (อย่างมีไหวพริบ).

'tac·tics *n plural* **1** the things that you do in order to win or get what you want (กลยุทธ): *The politicans planned their tactics for the election.* **2** the ways of arranging troops, warships *etc.* during a battle, in order to win (ยุทธวิธี): *The generals discussed their tactics.*

'tact·less *adj* lacking tact, thoughtless (ไม่มีกาลเทศะ ไม่รู้จักคิด): *A tactless remark can cause much unhappiness.*

'tact·less·ly *adv* (อย่างไม่มีไหวพริบ).

'tad·pole *n* a young frog or toad in its first stage as a round black head with a tail (ลูกอ๊อด).

tag *n* a label (ป้าย): *a price-tag; a name-tag.* — *v* (ติดป้าย): *to tag a label on to something.*

tail *n* **1** the part of an animal, bird or fish that sticks out behind the rest of its body (หาง): *The dog wagged its tail; A fish swims by moving its tail.* **2** anything that has a similar position (สิ่งที่อยู่ในตำแหน่งเดียวกันอย่างนี้):

the tail of an aeroplane. — *v* to follow closely (ติดตามอย่างกระชั้นชิด): *The detectives tailed the thief to the station.*

A dog wags its **tail** (not **tale**).

tails *n, adv* the side of a coin that does not have the head on it (ก้อย): *He tossed the coin and it came down tails.*

tail-'end *n* the very end or last part (ตอนท้ายหรือส่วนท้าย): *the tailend of the procession.*

'tai·lor *n* a person who cuts and makes suits, overcoats *etc.* (ช่างตัดเสื้อ): *He has his clothes made by a tailor.*

tai·lor-'made *adj* made by a tailor to fit a person exactly (สั่งตัดโดยเฉพาะ): *a tailor-made dress.*

'taint·ed (*'tānt-id*) *adj* spoiled from contact with, or affected by, something bad or evil (เสียหาย): *Her good reputation has been tainted by the scandal.*

take *v* **1** to reach out for something and grasp, hold, lift, pull it *etc.* (เอา จับ ถือ ยก): *He took my hand; He took the book down from the shelf; He opened the drawer and took out a gun; I've had a tooth taken out.* **2** to carry or lead to another place (เอาไปหรือนำไปยังอีกที่หนึ่ง): *I took the books back to the library; The police took him away; I took the dog out for a walk.* **3** to do some action (กระทำการอย่างหนึ่ง): *I think I'll take a walk; Will you take a look?; to take a shower.* **4** to get, receive, buy, rent *etc.* (รับ ซื้อ เช่า): *I'm taking French lessons; I'll take three kilos of strawberries; We took a house in London.* **5** to accept (ยอมรับ): *He took my advice; I won't take that insult from you!; I'm afraid we can't take back goods if you don't show us your receipt.* **6** to need; to require (ใช้เวลา): *How long does it take you to get home?; It takes time to do a difficult job like this.* **7** to travel by bus *etc.* (จับรถ): *I'm taking the next train to London; I took a taxi.* **8** to photograph (ถ่ายรูป): *She took a picture of the scenery.* **9** to make a note, record *etc.* (ทำหมายเหตุ บันทึก): *He took a note of her telephone number; The nurse took the patient's temperature.* **10** to remove, use *etc.* with or without permission (เอาไป ใช้ ฯลฯ โดยไม่ได้รับอนุญาต): *Someone's taken my coat; He took all my money.* **11** to consider (พิจารณา): *Take John, for example.* **12** to win (ชนะ): *He took the first prize.* **13** to make less or smaller by a certain amount; to subtract (ลบ): *Take four from ten, and that leaves six.* **14** to eat or drink (กินหรือดื่ม): *Take these pills; Do you take sugar in your tea?* **15** to be in charge of; to lead; to run (รับผิดชอบ นำ ดูแล): *Will you take the class for me this evening?* **16** to react to something in a certain way (มีปฏิกิริยาต่อบางสิ่งตามวิถีทางบางอย่าง): *He took the news calmly.* **17** to feel (รู้สึก): *He took pleasure in his work.* **18** to go down or turn into a road (ไปตามทางหรือเลี้ยวเข้าสู่ถนน): *Take the second road on the left.* **19** to do a test, examination *etc.* (สอบ): *I'm taking my driving test tomorrow.* **20** to think; to suppose (คิดคาดเดา): *I take it you'll be wanting a birthday cake?*

take; took; 'ta·ken: *She took the books home; He has taken the job.*
See also **bring**.

'take-a·way *n* **1** food prepared and bought in a restaurant but taken away and eaten somewhere else (อาหารที่ทำในภัตตาคารแต่เอาไปกินที่อื่น): *I'll go and buy a take-away.* **2** a restaurant that sells take-aways (ภัตตาคารที่ขายอาหารแบบเอาไปกินที่อื่น). — *adj* (เกี่ยวกับอาหารที่เอาไปกินที่อื่น): *a take-away meal; a take-away Indian restaurant.*

take after to be or look like a parent or relation (ดูเหมือนกับพ่อแม่หรือญาติ): *She takes after her father.*

take down to make a note of something (จด): *He took down her name and address.*

take for to make the mistake of thinking that someone is someone or something they are not (นึกว่าเป็น): *I took you for your brother; Do you take me for a* fool? **take in 1** to give someone shelter (ให้ที่พัก): *He had nowhere to go, so I took him in.* **2** to understand and remember (เข้าใจและจำได้): *I didn't take in what he said.* **3** to deceive or cheat (ตบตา หลอกลวง): *He took me in with his story.*

take off 1 to remove clothes *etc.* (ถอดเสื้อผ้าออก): *He took off his coat.* **2** not to work during a period of time (ไม่ทำงานในช่วงเวลาหนึ่ง): *I'm taking tomorrow morning off.* **3** to imitate unkindly (ล้อเลียน): *Tom is good at taking the teacher off.* **4** to leave the ground (ออกจากพื้นดิน): *The plane took off for Rome at 9.30 a.m.* **'take-off** *n* (เครื่องบินขึ้น).

The opposite of **put on** your coat is **take off** (not **take out**) your coat.

take on 1 to agree to do work *etc.* (ยอมทำงาน): He took on the job. **2** to allow passengers to get on or in (รับผู้โดยสาร): *The bus stops here to take on passengers.*

take over 1 to do something after someone else stops doing it (รับช่วง): *He retired last year, and I took over his job from him.* **2** to take control of a business company *etc.* (เข้าควบคุมบริษัทธุรกิจ): *When was this company taken over by Breakages Ltd?* **'take-o·ver** *n* (รับช่วงการงาน กรรมสิทธิ์).

take up 1 to use space, time *etc.* (กินที่ กินเวลา): *I won't take up much of your time; How much space will the chest of drawers take up?* **2** to begin a hobby, pastime *etc.* (เริ่มทำงานอดิเรก เริ่มงานหย่อนใจ): *He has taken up the violin.* **3** to pick up (หยิบขึ้นมา): *He took up the book and began to read it.*

'ta·kings *n plural* the amount of money taken in a shop, at a cinema, zoo *etc.* (จำนวนเงินที่ร้านค้ารับเข้ามา ค่าผ่านประตู): *After closing the shop, the shopkeeper took the day's takings to the bank.*

'tal·cum pow·der *n* fine, usually perfumed powder (often shortened to **talc**) (แป้งละเอียด มักจะเป็นแป้งหอม): *She put some talc on the baby after she had bathed him.*

tale *n* **1** a story (เรื่องราว นิยาย): *He told me the tale of his travels.* **2** a lie (การโกหก): *He told me he had a lot of money, but that was just a tale.*

to read the children a fairy **tale** (not ไม่ใช่ **tail**).

'tal·ent *n* a special ability or skill (ความสามารถพิเศษหรือความเชี่ยวชาญ): *a talent for drawing.* **'tal·ent·ed** *adj* naturally clever or skilful (ความฉลาดตามธรรมชาติหรือความเชี่ยวชาญ): *a talented pianist.*

talk (*tök*) *v* to speak; to have a conversation (พูด การสนทนา): *They talked to each other for a long time; What did they talk about?; I'm teaching my parrot to talk; You must stop talking when the teacher comes into the classroom; How old are babies when they learn to talk?* — *n* **1** a conversation or discussion (การพูดคุยหรือการโต้แย้ง): *Robert and I had a long talk about the film.* **2** a lecture (การบรรยาย การปราศรัย): *The doctor gave the school a talk on health.* **3** useless discussion (การถกเถียงกันอย่างไร้ประโยชน์): *There's too much talk and not enough action.* **'talk·a·tive** *adj* talking a lot (พูดมาก): *a talkative person.*

talk back to answer rudely (ตอบอย่างหยาบคาย): *Don't talk back to me!* **talk big** to talk as if you are very important; to boast (คุยโตโอ้อวด).

talk down to to speak to someone as if they are not as important or clever as you are (พูดดูถูก): *Children dislike being talked down to.*

talk someone into doing something, talk someone out of doing something to persuade someone to do something, or persuade someone not to do something (พูดจูงใจ).

talk over to discuss (อภิปราย): *We talked over the whole idea.*

talk round to persuade (ชักจูง): *I managed to talk her round.*

talk sense, talk nonsense to say sensible, or ridiculous, things (พูดจามีเหตุผล พูดจาเหลวไหล): *I do wish you would talk sense; Don't talk nonsense.*

tall (*töl*) *adj* **1** higher than normal (สูง): *a tall man.* **2** having a particular height (สูงเท่าไหร่): *John is only four feet tall.* **'tall·ness** *n* (ความสูง).

a tall story a story which is hard to believe (เรื่องราวซึ่งยากที่จะเชื่อ).

tall is used especially of people, and of other narrow upright objects; the opposite of **tall** is **short**: *a tall girl; a tall tree; a tall building; Is she tall or short?* **high** is used of objects that are a long way off the ground, or reach a great height; the opposite of **high** is **low**: *a high shelf; a high diving-board; a high mountain; a high wall.*

'tal·ly *n* an account (ทำบัญชี นับจำนวน): *He kept a tally of all the work he did.* — *v* to agree or match (เห็นด้วยหรือสอดคล้องกัน): *Their stories tally; His story tallies with mine.*

'tam·a·rind *n* a tropical fruit consisting of a brown pod filled with a juicy, spicy pulp that is used in medicines, drinks *etc.* (มะขาม).

tam·bou'rine (*tam-bə'rēn*) *n* a shallow, onesided drum with tinkling metal discs in the rim, held in the hand and shaken or beaten (กลองที่มีด้านเดียวและมีจานกรุ๋งกริ๋งอยู่รอบ ๆ).

tame *adj* used to living with people; not wild or dangerous (เชื่อง): *He kept a tame bear as a pet.* — *v* to make tame (ทำให้เชื่อง): *It is impossible to tame some animals.*

'tame·ness *n* (ความเชื่อง).

The opposite of **tame** is **wild**.

'tam·per *v* to meddle (เข้าไปยุ่ง เสือก): *Don't tamper with the engine.*

tan *v* **1** to make an animal's skin into leather by treating it with certain substances (ฟอกหนัง). **2** to make skin brown (ทำให้หนังเป็นสีน้ำตาล): *She was tanned by the sun.* — *n* **1** a light brown colour (สีน้ำตาลอ่อน). **2** suntanned skin (ผิวที่โดนแดด): *He came back from holiday with a tan.*

'tan·dem *n* a long bicycle for two people with two seats and two sets of pedals (รถจักรยานมีสองที่นั่งและที่ถีบสองอัน ต่อกัน).

tan·ge'rine (*tan-jə'rēn*) *n* a kind of small orange that has a sweet taste and is easily peeled (ส้มเขียวหวาน).

'tan·gi·ble (*'tan-ji-bl*) *adj* able to be felt or seen, real (สามารถสัมผัสหรือเห็นได้ เป็นจริง): *The changes had no tangible effects.*

'tan·gle (*'taŋ-gəl*) *n* an untidy, messy state (ความไม่เรียบร้อย สภาพยุ่งเหยิง): *The child's hair was in a tangle.* — *v* to make or become tangled (ทำให้ยุ่งเหยิง): *Don't tangle my wool when I'm knitting.*

'tan·gled *adj* (ยุ่งเหยิง): *tangled hair.*

tank *n* **1** a large container for liquids or gas (ถังขนาดใหญ่ใช้ใส่ของเหลวหรือก๊าซ): *a hot-water tank.* **2** a heavy steel-covered vehicle armed with guns (รถถัง).

'tank·er *n* a ship or lorry for carrying oil (เรือหรือรถบรรทุกน้ำมัน).

'tank·ard *n* a large metal mug (เหยือกโลหะขนาดใหญ่): *He drank his beer from a tankard.*

tanned *adj* made brown by the sun (ทำให้เป็นสีน้ำตาลโดยดวงอาทิตย์): *a tanned face.*

'tan·ta·lize *v* to make someone want something that they cannot have (ยั่วยุ ทรมานจิตใจ): *He tantalized his sister by showing her his ice-cream and then eating it all himself; The tantalizing smells from the restaurant made me feel hungry.*

'tan·ta·mount (มีผลเหมือนกับ เท่ากับ):

tantamount to having the same effect or result as: *His refusal to appear in court to answer the charges is tantamount to an admission of guilt.*

'tan·trum *n* a fit of extreme rage, with shouting and stamping (โกรธเป็นฟืนเป็นไฟ): *She's having a tantrum again.*

tap[1] *n* a quick touch; a light knock (การเคาะเบา ๆ): *I heard a tap at the door.* — *v* (เคาะเบา ๆ): *He tapped at the window; She tapped me on the shoulder.*

tap[2] *n* any of several kinds of device, usually with a handle and valve that can be shut or opened, for controlling the flow of liquid or gas (ที่ปิดเปิดเพื่อควบคุมการไหลของของเหลวหรือก๊าซ ก๊อกน้ำ): *Turn the tap off!* — *v* to attach a device to someone's telephone wires in order to be able to listen to their telephone conversations (ติดเครื่องดักฟังทางโทรศัพท์): *My phone is being tapped.*

tape *n* **1** a narrow strip or band of cloth used

for tying *etc.* (สายเล็ก ๆ หรือแถบผ้าที่ใช้สำหรับมัด): *bundles of letters tied with tape.* **2** a narrow strip, of paper, plastic, metal *etc.*, with many different purposes (เทปกระดาษ พลาสติก โลหะ ใช้ในจุดประสงค์ต่าง ๆ กัน): *adhesive tape; insulating tape; I recorded the concert on tape.* — *v* **1** to fasten or stick with tape (มัดหรือติดด้วยเทป). **2** to record on tape (บันทึกเสียงด้วยเทป): *He taped the concert.*

'tape-meas·ure or **'meas·ur·ing-tape** *ns* a length of tape, marked with centimetres, metres *etc.* for measuring (สายวัด).

'tape-re·cord·er *n* a machine that records sounds on magnetic tape and reproduces them when required (เครื่องบันทึกและเล่นเทป).

'ta·per (*'tā-pər*) *n* a long, thin candle (เทียนไขที่เรียวยาว). — *v* to make or become narrower at one end (เรียวตรงปลายข้างหนึ่ง): *The leaves taper off to a point.*

'ta·per·ing *adj* (เรียวยาว): *tapering fingers.*

'tap·es·try *n* a piece of cloth with a picture or design sewn or woven into it (ผ้าทอเป็นรูปหรือลาย): *Two large tapestries hung on the wall.*

tar *n* any of several kinds of thick, black, sticky material obtained from wood, coal *etc.* and used in roadmaking *etc.* (น้ำมันดิน). — *v* to cover with tar (คลุมด้วยน้ำมันดิน): *The road has just been tarred.*

'tar·get (*'tär-gət*) *n* **1** a marked board or other object aimed at in shooting, darts *etc.* (เป้า): *His shots hit the target every time.* **2** any object at which shots, bombs *etc.* are directed (เป้าหมาย): *Their target was the royal palace.*

'tar·mac *n* **1** a mixture of small stones and tar that is used to make road surfaces *etc.* (ยางมะตอย): *a tarmac road.* **2** a piece of ground with a tarmac surface, such as a road or runway at an airport (ถนนหรือลานบินลาดยางมะตอย): *The plane was standing on the tarmac.*

'tar·nish *v* **1** to become dull and stained (ทำให้มัวหมองและเปื้อน): *Objects made of silver, copper or brass tarnish easily.* **2** to damage (เสียหาย): *The politician's reputation was tarnished by the scandal.*

'tar·nished *adj* (ทำให้เปื้อน ทำให้เสียหาย).

tar'pau·lin *n* a sheet of strong, waterproof material (ผ้าใบกันน้ำ): *The goods on the truck were covered by a tarpaulin.*

'ta·riff *n* **1** a list of prices or charges (รายการราคา): *a hotel tariff.* **2** a tax to be paid on particular goods imported or exported (อัตราภาษีของสินค้าที่นำเข้าหรือส่งออก อัตราภาษีศุลกากร): *Each of the two countries agreed to cut tariffs on goods imported from the other.*

'tar·ry (*'tä-ri*) *adj* covered with tar; like tar (ปกคลุมด้วยน้ำมันดิน เหมือนน้ำมันดิน): *a tarry substance.*

tart *n* a pie containing fruit or jam (ขนมพายไส้ผลไม้หรือแยม): *an apple tart.*

'tar·tan *n* a woollen cloth with a coloured checked pattern, usually from Scotland (ผ้าขนสัตว์เป็นลายสีหมากรุก): *Her skirt was made of tartan.*

task (*täsk*) *n* a piece of work; a duty that must be done (การงาน หน้าที่ที่ต้องทำ): *household tasks.*

'tas·sel *n* a hanging bunch of threads, used as a decoration on a uniform, hat, shawl *etc.*, or on a cushion *etc.* (ภู่ ใช้สำหรับประดับบนเครื่องแบบ หมวก ผ้าคลุมไหล่ ฯลฯ).

'tas·selled *adj.*

taste (*tāst*) *v* **1** to recognize the flavour of something (รสชาติ): *I can taste ginger in this cake.* **2** to test or find out the flavour or quality of food *etc.* by eating or drinking a little of it (ชิมหรือดื่มเพื่อหารสชาติ): *Please taste this and tell me if it is too sweet.* **3** to have a particular flavour (มีรสชาติเฉพาะ): *This milk tastes sour; The sauce tastes of garlic.* **4** to eat food, especially with enjoyment (กินอาหารอย่างอร่อย): *I haven't tasted such a delicious curry for ages.* — *n* **1** one of the five senses, the sense by which we are aware of flavour (ประสาทสัมผัสที่ทำให้เรารู้ถึงรสชาติ): *the sense of taste; A lemon is bitter to the taste.* **2** flavour (รสชาติ): *This wine* *has an unusual taste.* **3** a small quantity of food *etc.* for tasting (**อาหารจำนวนนิดหนึ่งเพื่อการชิม**): *Do have a taste of this cake!* **4** a liking (**ความชอบ**): *a taste for music; a strange taste in books; expensive tastes.*

'taste·less *adj* lacking flavour (**ขาดรสชาติ**): *tasteless food.*

-tast·ing having a particular kind of taste (**มีรสชาติพิเศษ**): *a sweet-tasting liquid.*

'tast·y *adj* having a good flavour (**มีรสชาติดี**): *tasty food.* **'tast·i·ness** *n* (**ความมีรสชาติ**).

'tat·tered *adj* torn (**ฉีก ขาด**): *a tattered book.*

'tat·ters *n* torn and ragged pieces (**ขาดเป็นริ้ว**): *His clothes were in tatters.*

tat'too[1] *v* to make coloured patterns or pictures on part of a person's body by pricking the skin and putting in dyes (**รอยสัก**): *The design was tattooed on his arm.* — *n* (**การสัก**): *His arms were covered with tattoos.*

tat'tooed *adj* (**มีรอยสัก**).

tat·too[2] *n* **1** a rhythm that you beat on a drum, or with your fingers on a table *etc.* (**จังหวะที่เราใช้นิ้วเคาะลงบนโต๊ะ**): *He beat a little tattoo with his fingers.* **2** an outdoor military show with music *etc.* (**การแสดงของทหารกลางแจ้งด้วยดนตรี**): *The Edinburgh Tattoo is held every August in front of the Castle.*

'tat·ty *adj* shabby and untidy (**โกโรโกโส มอมแมมและไม่เรียบร้อย**): *The beggar was wearing tatty old clothes.*

taught *see* **teach** (**ดู teach**).

taunt *v* to say unkind or cruel things to someone in order to annoy them; to tease someone in a cruel way (**ถากถาง เย้ยหยัน เสียดสีเหน็บแนม**): *The children at school taunted him because of his big ears.* — *n* (**การเย้ยหยัน**): *He was upset by their taunts.*

taut *adj* pulled or stretched tight (**ดึงหรือยึดให้ตึง**): *The rope needs to be taut.*

'taw·ny (*'tö-ni*) *adj* yellowish-brown in colour (**สีน้ำตาลอมเหลือง**): *The dog had tawny hair.*

tax *n* **1** a charge made by the government on a person's income or on the price of goods *etc.* to help pay for the running of the state (**ภาษี**): *income tax; a tax on tobacco.* **2** a strain (**เครียด**): *The continual noise was a tax on her nerves.* — *v* **1** to make a person pay tax; to put a tax on goods *etc.* (**เสียภาษี ติดอากรแสตมป์**): *He is taxed on his income; Alcohol is taxed.* **2** to put a strain on (**ทำให้เครียด**): *Don't tax your strength!*

tax'a·tion *n* the system of collecting taxes (**การเก็บภาษี**).

'tax·ing *adj* difficult; requiring a lot of effort (**ยุ่งยาก ต้องใช้ความพยายามมาก**): *a taxing job.*

'tax·i *n* a car that can be hired with its driver, especially for short journeys (**รถแท็กซี่**): *I took a taxi from the hotel to the station.* — *v* to move slowly along the ground before beginning to speed up for take-off (**วิ่งไปช้า ๆ ตามพื้นดินก่อนที่จะเร่งเครื่องเพื่อบินขึ้น**): *The plane taxied along the runway.*

> **taxi** (verb); **'tax·is** or **'tax·ies; 'tax·i·ing** or **'tax·y·ing; 'tax·ied**.

taxi rank a place where taxis stand waiting to be hired (**ที่จอดรถแท็กซี่**): *There is a taxi rank at the railway station.*

tea *n* **1** a plant grown in Asia or its dried and prepared leaves (**ต้นชาหรือใบชา**): *I bought half a kilo of tea.* **2** a drink made by adding boiling water to these leaves (**น้ำชา**): *Have a cup of tea!* **3** a cup of tea (**น้ำชาหนึ่งถ้วย**): *Two teas, please!* **4** a small meal in the afternoon or a larger one in the early evening, at which tea is often drunk (**อาหารมื้อเล็ก ๆ ในตอนบ่ายหรือมื้อใหญ่ในตอนค่อนข้างเย็นซึ่งมักจะมีการดื่มน้ำชาด้วย**): *She invited him to tea.*

'tea-bag *n* a small bag made of very thin paper, containing tea (**ถุงชา**).

teach *v* to instruct or train (**สอนหรือฝึก**): *Do you enjoy teaching children?; I've been teaching for five years; She teaches English; Mrs Lee teaches the piano; Experience has taught him nothing.*

'teach·er *n* a person who teaches, especially in a school (**ครู**).

'teach·ing *n* **1** the work of a teacher (**การสอน**): *Teaching is a satisfying job.* **2** guidance; instruction; something that is taught (การแนะแนว การสั่งสอน สิ่งที่ถูกสอน): *the teachings of Christ; the teaching of the Christian Church.* — *adj* (สอน): *the teaching staff of this school.*

teach; taught (*töt*); **taught**: *She taught French last year; I've taught at this school for a long time.*

teak *n* **1** a tree that grows in Asia (ต้นสัก). **2** its very hard wood (ไม้เนื้อแข็งมาก): *The table is made of teak.* — *adj* (เกี่ยวกับไม้สัก): *teak furniture.*

team *n* **1** a group of people forming a side in a game (ทีม): *a football team.* **2** a group of people working together (กลุ่มคนทำงานด้วยกัน): *a team of doctors.* **3** two or more animals working together, pulling a plough *etc.* (สัตว์สองตัวหรือมากกว่านั้นทำงานด้วยกันไถนา): *a team of horses.*

team up to join with others to do something together (ร่วมกับผู้อื่นเพื่อทำอะไรด้วยกัน): *They teamed up with another family to rent a house for the holidays.*

'tea-par·ty *n* an afternoon party at which tea *etc.* is served (งานเลี้ยงในตอนบ่ายซึ่งมีการเสริฟน้ำชา): *She has been invited to a tea-party.*

'tea·pot *n* a pot with a spout used for making and pouring tea (กาน้ำชา).

tear[1] (*tēr*) *n* a drop of liquid coming from your eyes when you cry, either because of some strong feeling, especially sadness, or because something, for example smoke or onions, has irritated them (น้ำตา): *tears of joy; tears of laughter; The pain brought tears to his eyes.*

'tear·drop *n* a single tear (หยดน้ำตา): *The doll had a teardrop painted on her cheek.*

'tear·ful *adj* (น้ำตานอง): *She was very tearful; a tearful farewell; tearful faces.*

'tear·ful·ly *adv* (อย่างน้ำตานอง).

'tearful·ness *n* (การร้องไห้ การมีน้ำตานอง).

tear gas a type of gas which blinds people temporarily by stinging their eyes and making them cry (แก๊สน้ำตา): *The police fired tear gas into the crowd.*

'tear-stained *adj* streaked with tears (เปื้อนน้ำตา): *a tear-stained face.*

in tears crying; weeping (ร้องไห้): *She was in tears over the broken doll.*

tear[2] (*tār*) *v* **1** to make a split or hole in something with a sudden pulling action; to remove something by this sort of action (ฉีก เอาออก): *He tore the photograph into pieces; You've torn a hole in your jacket; I tore the picture out of the magazine.* **2** to become torn (ขาด): *Newspapers tear easily.* **3** to rush (เร่งรีบ): *He tore along the road.* — *n* a hole or split made by tearing (รูหรือรอยปริเกิดขึ้นจากการฉีก): *There's a tear in my dress.*

torn between one thing and another having a very difficult choice to make between two things (มีความยุ่งยากใจ): *He was torn between obedience to his parents and loyalty to his friends.*

tear up to tear into pieces (ฉีกเป็นชิ้นเล็กชิ้นน้อย): *She tore up the letter.*

tear; tore; torn: *John tore his trousers on the fence; Jim had torn the newspaper into small pieces.*

'tear·a·way *n* a wild, badly behaved young person (ความผลุนผลัน ไม่คิดให้รอบคอบ ในหมู่คนหนุ่มสาว): *He used to be a tearaway but he has become kind and polite since he got a job.*

tease (*tēz*) *v* **1** to annoy or irritate on purpose (ล้อเล่น): *He's teasing the cat.* **2** to annoy or laugh at someone playfully (ยั่วเย้า): *His schoolfriends tease him about his size.* — *n* someone who enjoys teasing others (คนชอบยั่วเย้า): *He's a tease!* **'teas·ing** *adj* (การยั่วเย้า).

'teas·ing·ly *adv* (อย่างยั่วเย้า).

'teas·er *n* a puzzle or difficult problem (ปริศนาหรือปัญหาที่ยาก): *This question is a teaser.*

'tea-set, 'tea-ser·vice *ns* a set of cups, saucers and plates, and sometimes a teapot and milk-jug (ชุดน้ำชา).

'tea·spoon *n* **1** a small spoon for use with

a teacup (ช้อนชา): *I need a teaspoon to stir my tea.* **2** a teaspoonful (เต็มช้อนชา): *a teaspoon of salt.*

'tea·spoon·ful *n* (เต็มช้อนชา): *two teaspoonfuls of salt.*

The plural of **teaspoonful** is **teaspoonfuls** (not **teaspoonsful**).

teat *n* the part of a female animal's breast or udder through which milk passes to the baby; a nipple (หัวนม).

'tech·ni·cal (*'tek-ni-kəl*) *adj* having to do with science, or with scientific, mechanical and industrial skills (เกี่ยวกับวิทยาศาสตร์ การช่าง และความชำนาญทางอุตสาหกรรม): *a technical college; technical drawing; Myopia is the technical term for short-sightedness.*

'tech·ni·cal·ly *adv* (อย่างเป็นหลักวิชา).

tech'ni·cian (*tek'ni-shən*) *n* a person specialized or skilled in a practical art (ช่าง): *She trained as a dental technician; laboratory technicians.*

tech'nique (*tek'nēk*) *n* the way in which something is, or should be, practised (วิถีทางซึ่งเป็นอยู่หรือควรจะเป็น เทคนิค): *They admired the pianist's faultless technique.*

tech'nol·o·gy (*tek'nol-ə-ji*) *n* the study of science applied to practical purposes (เทคโนโลยี วิชาวิทยาศาสตร์ประยุกต์): *a college of science and technology.*

tech·no'log·i·cal *adj* (แห่งวิชาวิทยาศาสตร์ประยุกต์).

tech'nol·o·gist *n* (ผู้เชี่ยวชาญในวิชาอุตสาหกรรม วิทยาศาสตร์ประยุกต์ วิชาการเทคโนโลยี).

'ted·dy *n* a child's stuffed toy bear (also called a **'teddy-bear**) (ของเล่นเด็กเป็นตุ๊กตาหมี).

'te·di·ous (*'tē-di-əs*) *adj* boring; continuing for a long time (น่าเบื่อ ต่อเนื่องกันมานาน): *a tedious lesson.*

'te·di·ous·ly *adv* (อย่างน่าเบื่อ).

'te·di·ous·ness *n* (ความน่าเบื่อ).

teem *v* **1** to be very full of people or animals that are moving about (เต็มไปด้วยผู้คนหรือสัตว์เคลื่อนไหวอยู่ไปมา): *On Saturdays the supermarket teems with shoppers; The pond was teeming with fish.* **2** to rain heavily (ฝนตกอย่างหนัก): *It teemed with rain all night; The rain was teeming down.*

teem·ing *adj* (ตกลงมา).

'teen·age (*'tēn-āj*) *adj* of, or in, the teens; belonging to people in their teens (แห่งวัยรุ่น อยู่ในวัยสิบกว่าปี): *teenage children; teenage clothes; teenage behaviour.*

'teen·ag·er *n* someone who is in their teens (วัยรุ่น).

teens *n* **1** the years of your life between the ages of thirteen and nineteen (ช่วงชีวิตระหว่างอายุสิบสามถึงสิบเก้าปี): *She's in her teens.* **2** the numbers from thirteen to nineteen (ตัวเลขตั้งแต่สิบสามถึงสิบเก้า).

tee shirt a light shirt of knitted cotton *etc.*, usually with short sleeves (also spelt **T-shirt**) (เสื้อยืด).

teeth the plural of (พหุพจน์ของ) **tooth**.

teethe (*tēdh*) *v* to grow your first teeth (ฟันซี่แรกงอก): *The baby keeps crying because he is teething.*

tee'to·tal *adj* never drinking alcoholic drinks (ไม่ดื่มเครื่องดื่มแอลกอฮอล์): *The whole family is teetotal.*

tee'to·tal·ler *n* a person who never drinks alcoholic drinks (คนซึ่งไม่เคยดื่มเครื่องดื่มแอลกอฮอล์).

'tel·e·cast (*'tel-ə-käst*) *n* a television broadcast (การถ่ายทอดโทรทัศน์). — *v* to broadcast on television (ถ่ายทอดทางโทรทัศน์).

tel·e·com·mu·ni'ca·tions (*tel-ə-kə-mū-ni'kā-shənz*) *n* the science of sending messages or information by telephone, telegraph, radio, computer *etc.* (วิทยาศาสตร์ของการส่งข่าวสารโดยทางโทรศัพท์ โทรเลข วิทยุ คอมพิวเตอร์ ฯลฯ).

'tel·e·gram *n* a message sent by telegraph (โทรเลข): *He received a telegram wishing him a happy birthday.*

'tel·e·graph (*'tel-ə-gräf*) *n* a system of sending messages using either wires and electricity or radio (ระบบของการส่งข่าวสารโดยใช้สายและไฟฟ้าหรือวิทยุ): *Send this message by telegraph.* — *v* (ส่งข่าวสาร): *He telegraphed the time of his arrival; He telegraphed to say* *when he would arrive.*

te'lep·a·thy *n* the communication of thoughts or ideas directly from one person's mind to another person's mind (โทรจิต): *He knew exactly what I was thinking – it must have been telepathy.*

tel·e'path·ic *adj* (เกี่ยวกับโทรจิต).

'tel·e·phone (*'tel-ə-fōn*), often shortened to **phone**, *n* an instrument for speaking to someone from a distance, using either an electric current which passes along a wire, or radio waves (ทางโทรศัพท์): *I spoke to her yesterday on the telephone; I'll let you know by telephone what time I'm arriving.* – *adj* (เกี่ยวกับโทรศัพท์): *a telephone operator; a telephone number.* – *v* (โทรศัพท์): *I'll telephone you tomorrow; He said he would telephone his time of arrival; Please would you telephone for a taxi?; Can you telephone Australia from England?*

to **telephone** (not ไม่ใช่ **telephone to**) someone.

te'leph·on·ist *n* a person who operates a telephone switchboard in a telephone exchange (พนักงานต่อสายโทรศัพท์).

telephone booth, telephone box a small room or compartment containing a telephone for public use (ตู้โทรศัพท์).

telephone directory a book containing a list of the names, addresses and telephone numbers of all the people with telephones in a particular area (สมุดโทรศัพท์): *Look them up in the telephone directory.*

telephoto lens (*tel-ə'fōt-ō lenz*) a camera lens which produces large images of distant or small objects (เลนส์ซึ่งถ่ายภาพทางไกล).

'tel·e·scope *n* a kind of tube containing lenses through which distant objects appear closer (กล้องโทรทรรศน์): *He looked at the ship through his telescope.* – *v* to push or be pushed together so that one part slides inside another, like the parts of a closing telescope (เกยกัน): *The crash telescoped the railway coaches.*

'tel·e·vise (*'tel-ə-vīz*) *v* to send a picture by television (ส่งภาพโดยทางโทรทัศน์): *The football match was televised.*

'tel·e·vi·sion, often shortened to **TV** (*tē'vē*), *n* the sending of pictures from a distance, and the showing of them on a screen; an apparatus (also called a **television set**) with a screen for receiving these pictures (เครื่องโทรทัศน์): *When was television invented?; Do you often watch television?; I saw the film on television; Our television set is broken; We've got two televisions.*

to **watch** (not ไม่ใช่ **see**) **television**.

'tel·ex (*'tel-eks*) *n* **1** a machine which you type a message into and which then sends that message to be printed out by another machine at a distance (เครื่องส่งโทรเลขโดยตรง): *We use the office telex to send messages abroad.* **2** a message sent by such a machine (ข่าวสารที่ส่งโดยเครื่องชนิดนี้): *I sent him a telex with the information.*

tell *v* **1** to inform (บอก): *He told John about his holiday; Peter told me the news, and then told it all to Janet; Can you tell me what time the next train leaves?; Philip, tell me how you spell "beautiful".* **2** to order; to command; to suggest; to warn (สั่ง ออกคำสั่ง แนะนำ เตือน): *I told him to go away.* **3** to utter (เปล่งเสียงออกมา): *to tell lies; to tell the truth; to tell a story.* **4** to distinguish; to see a difference; to know or decide (การแยกแยะ เห็นความแตกต่าง รู้หรือตัดสินใจ): *Can you tell the difference between the twins?; I can't tell one from the other; You can tell if the meat is cooked by the colour.* **5** to give away a secret (บอกความลับออกไป): *You mustn't tell or we'll get into trouble.*

tell; told (*tōld*); **told**: *He told me the news; You should have told me before.*

tell off to scold (ตำหนิ): *The teacher told me off for not doing my homework.* **tel·ling-'off** *n* (ต่อว่า): *He gave me a good telling-off.*

tell tales to give someone in authority information about someone who has done wrong (การแจ้งข่าวสารต่อผู้มีหน้าที่ว่าใครทำอะไรผิด): *You mustn't tell tales.*

'tell-tale *n* a person who tells tales (คนที่ทำเช่นนี้).

tell the time to know what time it is by looking at a clock *etc.* or by any other means (รู้ว่าเวลาเป็นเท่าไรโดยการดูนาฬิกาหรือด้วยวิธีอื่น): *He can tell the time from the position of the sun; Could you tell me the time, please?* **you never can tell** it is possible (คุณไม่มีวันบอกได้): *It might rain — you never can tell.*

'tell·er *n* **1** a bank employee who receives money from and pays it out to the bank's clients (พนักงานรับจ่ายเงินประจำธนาคาร). **2** a person who counts the votes at an election (พนักงานนับคะแนนเสียง).

'tem·per *n* **1** a mood (อารมณ์): *He's in a bad temper.* **2** a tendency to become unpleasant when angry (มีแนวโน้มที่ไม่น่าดูเมื่อโกรธ): *He has a terrible temper.* **3** an angry state (สภาพความโกรธ): *She's in a temper.*

-tem·pered (แห่งอารมณ์): *good-tempered; bad-tempered; sweet-tempered.*

keep your temper not to lose your temper (อย่าอารมณ์เสีย ระงับอารมณ์): *He was very annoyed but he kept his temper.*

lose your temper to show anger (อารมณ์เสีย): *He lost his temper and shouted at me.*

'tem·per·a·ment *n* the way you feel and behave (นิสัย อารมณ์): *a person of nervous temperament.*

tem·per·a'men·tal *adj* easily getting upset or excited (กระวนกระวายหรือตื่นเต้นได้ง่าย).

'tem·per·ate (*'tem-pə-rət*) *adj* neither very hot nor very cold (ไม่ร้อนมากหรือเย็นมาก ปานกลาง): *The British climate is temperate.*

'tem·per·a·ture (*'temp-rə-chər*) *n* **1** a degree of cold or heat (อุณหภูมิ): *The food must be kept at a low temperature.* **2** a level of body heat that is higher than normal; a fever (มีไข้): *She had a temperature and wasn't feeling well.*

take someone's temperature to measure someone's body heat, using a thermometer (วัดอุณหภูมิของคนโดยใช้ปรอท).

'tem·ple[1] *n* a building in which people worship (โบสถ์ วัด): *a Hindu temple.*

'tem·ple[2] *n* either of the flat parts of your head at the side of your forehead (ขมับ): *The stone hit him on the temple.*

'tem·po, *plural* **tempos** or **tempi**, *n* **1** the speed at which a piece of music is played (จังหวะดนตรี): *a typical waltz tempo.* **2** a rate or speed (อัตราความเร็ว): *the tempo of life.*

'temp·or·ar·y *adj* lasting, acting, used *etc.* for a short time only (ชั่วคราว): *a temporary job; He made a temporary repair.*

'temp·or·ar·i·ly *adv* (เพียงชั่วคราว).

'temp·or·ar·i·ness *n* (ความเป็นอยู่ชั่วคราว).

tempt *v* to make someone want to do something especially something wrong (ยั่วยวน ล่อ): *He was tempted to steal the purse when he saw it lying on the table; The sight of the blue sea and the golden sand tempted them into the water for a swim.*

temp'ta·tion *n* the tempting of someone; something that tempts you (ความยั่วยวน): *He knew cigarettes were bad for him, but he found it hard to resist the temptation to smoke; We are all surrounded by temptations.*

'tempt·ing *adj* attractive (มีเสน่ห์ ยั่วยวน): *That cake looks tempting.*

'tempt·ing·ly *adv* (อย่างมีเสน่ห์ อย่างยั่วยวน).

ten *n* **1** the number 10 (เลข 10). **2** the age of 10 (อายุ 10 ขวบ). — *adj* **1** 10 in number (มีจำนวน 10). **2** aged 10 (อายุเป็น 10).

tens *n* the two-figure numbers, from 10 to 99 (เลขสองหลักจาก 10 ถึง 99).

tenth *n* one of ten equal parts (หนึ่งในสิบส่วน). — *n, adj* the next after the ninth (ถัดจากที่เก้า).

te'na·cious (*tə'nā-shəs*) *adj* determined or obstinate (ยึดมั่นหรือดื้อดึง): *She is very tenacious and will not give up looking for a job until she has found one.*

'ten·ant *n* someone who pays rent to you for the use of a house, building, land *etc.* that you own (ผู้เช่า): *A tenant can complain to an authority if the rent that his landlord charges is too high.*

tend *v* to be likely to do something; to do

something frequently (มีแนวโน้ม): *Plants tend to die in hot weather; He tends to get angry too easily.*

'tend·en·cy *n* likelihood; inclination (ความมีแนวโน้ม): *He has a tendency to forget things.*

'tend·er *adj* **1** soft; not hard; not tough (นุ่ม ไม่แข็ง): *This meat is nice and tender.* **2** sore; painful when touched (เจ็บ ปวดเมื่อถูกแตะ): *His injured leg is still tender.* **3** loving; gentle (มีใจรักใคร่ นุ่มนวล): *She had a tender heart.*

'tender·ness *n* (ความนุ่มนวล).

'tend·er·ly *adv* (อย่างนุ่มนวล).

tend·er-'heart·ed *adj* kind; easily made to feel pity (ใจดี ทำให้รู้สึกสงสารได้ง่าย).

tend·er-'heart·ed·ness *n* (ความมีใจดี ความมีใจขี้สงสาร).

'ten·don *n* a cord of strong tissue that joins a muscle to a bone (เอ็น): *She strained a tendon in her ankle playing tennis.*

'ten·dril *n* a thin, curling part of a climbing plant that attaches itself to a support (หนวดเกาะของไม้เลื้อย): *The tendrils of the vine twisted round the fence.*

'ten·nis *n* a game for two or four players who use rackets to hit a ball to each other over a net (เทนนิส). — *adj* (เกี่ยวกับเทนนิส): *a tennis match.*

'ten·or (*'ten-ər*) *n* the highest singing voice for a man (เสียงสูงที่สุดในการร้องเพลงของผู้ชาย).

tense[1] *n* a form of a verb that shows the time of its action in relation to the time of speaking (กาล): *a verb in the past tense; the present tense; the future tense.*

tense[2] *adj* anxious; full of anxiety; nervous (กังวลใจ เต็มไปด้วยความร้อนใจ กระวนกระวาย): *The crowd was tense with excitement; a tense situation.* — *v* to make or become tight (ทำให้ตึง): *He tensed his muscles.*

'tense·ly *adv* (อย่างกังวลใจ).

tense, adjective, has no **d** in it: *The children were tense with expectation.*

'ten·sion *n* **1** the condition of being pulled or stretched tight (ความตึง). **2** mental strain; anxiety (จิตใจเครียด ร้อนใจ): *She is suffering from tension; the tensions of modern life.*

tent *n* a movable shelter made of canvas or another material (เต็นท์): *We went camping and slept in a tent; Where shall we pitch our tent?*

'ten·ta·cle *n* a long, thin, arm-like or horn-like part of an animal, used to feel, grasp *etc.* (หนวด งวง หรือเป็นเหมือนอย่างเขาของสัตว์ใช้สัมผัส จับ): *An octopus has eight tentacles.*

'ten·ta·tive *adj* **1** cautious and careful (ระมัดระวังและรอบคอบ): *She took a tentative step towards him.* **2** not completed or finalized (ยังไม่เสร็จหรือยังไม่สรุป): *tentative arrangements.*

'tent·er·hooks : on tenterhooks (กระวนกระวาย ร้อนใจหรือกังวล) nervous, anxious or worried: *I've been on tenterhooks all day waiting to hear if she's had her baby.*

'ten·u·ous (*'ten-ū-əs*) *adj* slight or weak (น้อยหรืออ่อน): *His excuse sounded tenuous.*

'tep·id *adj* slightly warm (อุ่นเล็กน้อย): *I don't like drinking tepid water — I prefer it cold.*

term *n* **1** a limited period of time (ช่วงระยะเวลาที่จำกัด): *a term of imprisonment; a term of office.* **2** a division of a school or university year (เทอมในโรงเรียน มหาวิทยาลัย): *the autumn term.* **3** a word; an expression (คำ วิธีพูด): *Myopia is a medical term for short-sightedness.* — *v* to name; to call (ตั้งชื่อ เรียก): *Pictures that try to represent feelings or ideas rather than real objects are termed "abstract".*

terms *n* **1** the conditions of an agreement (เงื่อนไข): *The directors of the firm and the employees had a meeting to arrange terms for a new pay settlement.* **2** a relationship between people (ความเกี่ยวพันระหว่างผู้คน): *They are on friendly terms.*

'term·i·nal *n* **1** a building containing the arrival and departure areas for passengers at an airport; a building in the centre of a city or town where passengers can buy tickets for air travel *etc.* and can be transported by bus *etc.* to an airport (อาคารสนามบิน อาคารในเมืองซึ่งผู้โดยสารสามารถซื้อตั๋วเดินทางทางอากาศ และสามารถจะถูกส่งไปยังสนามบินได้โดย

ทางรถโดยสาร): *an air terminal.* **2** a large station at either end of a railway line; a station for long-distance buses (สถานีปลายทางของรถไฟ สถานีรถโดยสารทางไกล): *a bus terminal.*

'term·in·ate *v* to bring or come to an end or limit (จบลงหรือขีดจำกัด): *The teacher terminated the lesson five minutes early; to terminate a conversation.*

term·i'na·tion *n* (การสิ้นสุดลง).

'ter·mi·nus, *plural* **'ter·mi·nus·es** or **'ter·mi·ni** (*'tër-mi-nī*), *n* the end of a railway or bus route (สิ้นสุดของทางรถไฟหรือรถโดยสาร): *I get off at the bus terminus.*

'ter·mite *n* a pale-coloured, wood-eating insect, like an ant (ปลวก).

'ter·race (*'ter-əs*) *n* **1** one of a number of flat strips of ground, cut like large steps into the side of a hill (ดินที่ราบทำเป็นหลั่น ๆ ข้างภูเขา): *Vines are grown on terraces on the hillside.* **2** an open paved area next to a house or hotel, where people sit, eat *etc.* (ระเบียง): *On hot evenings, we often have dinner outside on the terrace.* **3** a row of houses joined to each other by their side walls (บ้านเป็นแถวซึ่งด้านข้างติดกัน). **4** a street with rows of terraced houses; a word used in the names of certain streets (ถนนซึ่งมีบ้านติดกันเป็นแถว ๆ คำซึ่งใช้เป็นชื่อของถนนบางสาย): *She lives in Gladstone Terrace.*

'ter·raced *adj* (เป็นแถว): *terraced rice fields.*

terraced house *n* one of a row of houses joined to each other by their side walls.

ter'rain (*tə-rān*) *n* an area of land, especially with regard to its features (ภูมิประเทศ): *mountainous terrain.*

'ter·ra·pin *n* a small turtle that lives on land and in fresh water (เต่าน้ำจืด): *He keeps two terrapins as pets.*

'ter·ri·ble *adj* **1** very bad (แย่มาก): *That music is terrible!* **2** causing great pain, suffering *etc.* (ก่อให้เกิดความเจ็บปวดอย่างยิ่ง ทุกข์ทรมาน): *It was a terrible disaster.* **3** causing great fear or horror (ทำให้เกิดความกลัวอย่างยิ่งหรือสยดสยอง): *The noise of the guns was terrible.*

'ter·ri·bly *adv* **1** very (มาก): *She is terribly clever.* **2** very badly (แย่มาก): *Does your leg hurt terribly?*

'ter·ri·er *n* any of several breeds of small dog (หมาเล็ก ๆ ชนิดหนึ่ง).

ter'rif·ic *adj* **1** marvellous; wonderful (ดีเลิศยอดเยี่ยม): *a terrific party.* **2** very great, powerful *etc.* (อย่างแรง): *Joan gave Alan a terrific slap.*

ter'rif·i·cal·ly *adv* (อย่างยอดเยี่ยม).

'ter·ri·fy (*'ter-i-fī*) *v* to frighten someone very much (ทำให้หวาดกลัว): *She was terrified by the thunder.*

'ter·ri·fy·ing *adj* (กลัวมาก).

ter·ri'to·ri·al *adj* having to do with national territory (แห่งดินแดนของชาติ): *territorial boundaries.*

'ter·ri·to·ry *n* **1** a stretch of land; a region (ดินแดน อาณาเขต): *They explored the territory around the North Pole.* **2** the land under the control of a ruler or state (ดินแดนภายใต้การปกครองของรัฐ): *British territory.*

'ter·ror *n* very great fear; something that causes this (กลัวอย่างมาก สิ่งที่ทำให้เกิดความกลัวอย่างมาก): *John's terror increased as the door swung slowly open; I have a terror of spiders; the terrors of war.*

'ter·ror·ist *n* someone who tries to frighten people or governments into doing what he wants by using violence or threats (ผู้ก่อการร้าย): *The plane was hijacked by terrorists.* — *adj* (ก่อการร้าย): *terrorist activities.*

'ter·ror·ism *n* (การก่อการร้าย).

'ter·ror·ize *v* **1** to frighten very much (ทำให้กลัวอย่างมาก): *A lion escaped from the zoo and terrorized the whole town.* **2** to frighten someone into doing what you want by threatening them (ข่มขู่ให้คนทำตามที่เราต้องการ).

ter·ror·i'za·tion *n* (การข่มขู่ การทำให้ตกใจกลัว).

'ter·ror-strick·en *adj* feeling very great fear (เกิดความกลัวอย่างยิ่ง): *The children were terror-stricken.*

test *n* **1** a set of questions or exercises to find

out your ability, knowledge *etc.*; a short examination (การทดสอบ การสอบ): *an arithmetic test.* **2** something done to find out whether something is in good condition *etc.* (การกระทำบางอย่างเพื่อดูว่าสิ่งนั้นอยู่ในสภาพดีหรือไม่): *a blood test.* **3** an event, situation *etc.* that shows how good something is (เหตุการณ์ สถานการณ์ ที่แสดงให้เห็นว่าสิ่งนั้นดีขนาดไหน): *The frightening experience was a test of his courage.* **4** a way to find out if something exists or is present (การทดสอบ): *She was given a test for cancer.* — *v*: *The students were tested on their French; They tested the new aircraft; Have you ever had your blood tested?; to test someone for cancer.*

A **test** is a short examination: *to come top in the arithmetic test.*
A **text** is the written or printed words of something: *They read the text of the play.*

'tes·ti·cle *n* one of the two glands in the male body in which sperm is produced (ลูกอัณฑะ).

'tes·ti·fy (*'tes-ti-fi*) *v* to provide information or evidence, especially in a court of law; to be a witness in a legal case (การให้ข่าวสารหรือหลักฐานต่อศาล การเป็นพยานในศาล): *She testified that her husband had been at home on the night of the murder.*

tes·ti'mo·ni·al *n* a written statement about someone's character, skills and abilities (ใบรับรอง ใบสุทธิ): *He asked his previous employer for a testimonial when he applied for the new job.*

'tes·ti·mo·ny *n* the statement made by a witness in a court of law (คำให้การ): *The jury listened carefully to her testimony.*

'teth·er *n* a rope for tying an animal to a post *etc.* — *v* (เชือกล่าม เชือกผูกสัตว์ไว้กับเสา): *He tethered the goat to the post.*

text *n* in a book, the written or printed words (คำพูดที่เขียนหรือพิมพ์): *The illustrations have to be fitted into the text after the text is printed.*

See **test**.

'text·ile (*'teks-til*) *n* a cloth or fabric made by weaving (ผ้าหรือสิ่งทอ): *woollen textiles.* — *adj* (เกี่ยวกับสิ่งทอ): *the textile industry.*

'tex·ture (*'teks-chər*) *n* **1** the way something feels when touched *etc.* (ความรู้สึกเมื่อถูกสัมผัส): *the texture of wood, stone, skin etc.* **2** the way that a piece of cloth is woven (เนื้อผ้า): *the loose texture of this material.*

than (*dhan, dhən*) *conjunction* a word used in comparisons (กว่า คำที่ใช้ในการเปรียบเทียบ): *It is easier than I thought; I sing better than he does.*

He is stronger **than** (not **then**) **I am** or **than me**.
She likes dancing better than **I** (like dancing) or better than **I do**.
She likes you better than (she likes) **me**.

thank *v* to express gratitude to someone for something they have given you or done for you (ขอบคุณ ขอบใจ): *He thanked me for the present.*

'thank·ful *adj* grateful; relieved and happy (ขอบคุณ หายกังวลและมีความสุข): *He was thankful that the journey was over; a thankful sigh.*

'thank·ful·ly *adv* (อย่างขอบคุณ).

'thank·ful- ness *n* (ความขอบคุณ).

'thank·less *adj* for which no-one is grateful (ไม่รู้สึกเป็นบุญคุณ): *Collecting taxes is a thankless task.* **'thankless·ly** *adv* (อย่างไม่รู้สึกเป็นบุญคุณ).

thanks *n* expression of gratitude (ความสำนึกในบุญคุณ): *Please give her my thanks for all her kindness.* — used in expressing gratitude; thank you (ขอบคุณ): *Thanks very much for your present; Thanks a lot!; No, thanks; Yes, thanks.*

There is no singular form of **thanks**.

'thanks·giv·ing *n* the giving of thanks, especially to God (การให้ความขอบคุณ ขอบคุณพระเจ้า).

thanks to because of (เป็นเพราะ): *Thanks to Alan's bad behaviour, the whole class had to stay in at lunchtime.*

thank you I thank you (ขอบคุณ): *Thank you very much for your help; No, thank you.*

that (*dhat*), *plural* **those** (*dhōz*), *adj* used to refer to a person, thing *etc.* that is some distance away from you, or has already been mentioned *etc.* **(นั่น สิ่งนั้น)**: *Don't take this book — take that one; Who is that man over there?; At that time, I was living in Japan; When are you going to return those books I lent you?* — *pron* **1** used to refer to a thing, person *etc.* that is some distance away from you, or has already been mentioned *etc.* **(ใช้อ้างถึงสิ่งของ บุคคล ที่อยู่ห่างจากเราหรือได้เคยพูดถึงแล้ว นั่น นั่น)**: *What is that you've got in your hand?; Who is that?; That is the Prime Minister; Those were my instructions.* **2** (*dhət*) used in a clause that describes or distinguishes someone or something. Note that you can leave "that" out, if it is the object of the clause **(ใช้ในอนุประโยคซึ่งบรรยายหรือทำให้เด่นชัดถึงตัวคนหรืออะไรบางอย่าง จงสังเกตด้วยว่าเราสามารถตัดทิ้ง "that" ไปได้ถ้ามันเป็นกรรมของอนุประโยค)**: *Where is the parcel that arrived this morning?; Here is the book (that) you wanted; Who is the man (that) you were talking to?* — *conjunction* (*dhət*) **1** (often left out) used after verbs like **know, say, tell** *etc.* **(ใช้หลังคำกริยาเหล่านี้ มักจะถูกตัดทิ้งไป)**: *He told me (that) she was ill; I know (that) you didn't do it; I was surprised (that) he had gone.* **2** used in wishes *etc.* **(ใช้ร่วมกับความปรารถนา)**: *Oh, that the holidays would come!* **like that** in that way **(เช่นนั้น อย่างนั้น)**: *Don't hold it like that — you'll break it!*

thatch *n* straw, rushes *etc.* used as a roofing material for houses **(หญ้าแห้ง ฟางข้าว ใบจาก)**. — *v* to cover the roof of a house with thatch **(มุงหลังคาบ้านด้วยใบจาก)**.

thatched *adj* **(เกี่ยวกับใบจาก)**: *thatched cottages.*

'that'd (*'dhat-əd*) short for **(คำย่อของ) that had** or **(หรือ) that would**.

'that'll (*'dhat-əl*) short for **(คำย่อของ) that will**.

that's (*dhats*) short for **(คำย่อของ) that is** or **(หรือ) that has**.

thaw *v* **1** to melt; to make or become liquid **(ละลาย ทำให้กลายเป็นของเหลว)**: *The snow thawed quickly.* **2** to defrost **(ละลายน้ำแข็ง)**: *Frozen food must be thawed before cooking.* — *n* the melting of ice and snow at the end of winter; the change of weather that causes this **(การละลายของน้ำแข็งและหิมะในตอนสิ้นฤดูหนาว การเปลี่ยนภูมิอากาศทำให้เกิดแบบนี้ขึ้น)**: *The thaw has come early this year.*

the (*dhə, dhē*) *adj* **1** used to refer to a person, thing *etc.* mentioned previously, described in a following phrase, or already known **(ใช้อ้างถึงคน สิ่งของ ที่เคยกล่าวถึงมาแล้วก่อนหน้านี้ ได้อธิบายในไว้แล้วในวลีที่ตามหลัง หรือเป็นที่รู้อยู่แล้ว)**: *Where is the book I put on the table?; My mug is the tall blue one; Switch the light off!* **2** used with a singular noun to mean any of the people, things *etc.* of the same kind **(ใช้กับคำนามซึ่งเป็นเอกพจน์เพื่อหมายถึงคนใด ๆ สิ่งใด ๆ ที่เป็นชนิดเดียวกัน)**: *The horse is a beautiful animal; Always give your name when you answer the telephone; You play the piano very well.* **3** used before an adjective to make a usually plural noun **(ใช้นำหน้าคำคุณศัพท์เพื่อทำให้คำนามนั้นเป็นพหุพจน์)**: *Take care of the sick and elderly.* **4** used in titles and names or to refer to someone or something when there is only one **(ใช้กับบรรดาศักดิ์และชื่อหรืออ้างถึงบางคนหรือบางอย่างเมื่อมีเพียงหนึ่งเดียวเท่านั้น)**: *the Duke of Edinburgh; the Indian Ocean.* **5** used after a preposition with words referring to a unit of quantity, time *etc.* **(ใช้หลังคำบุพบทโดยมีคำซึ่งอ้างถึงหน่วยของปริมาณ เวลา)**: *In this job we are paid by the hour; to buy fruit by the kilo.* **6** used with superlative adjectives and adverbs **(ใช้กับคำคุณศัพท์และกริยาวิเศษณ์ที่เป็นตัวเปรียบเทียบในระดับสูงสุด)**: *He is the kindest man I know; Who can run the fastest?* **7** used with comparative adjectives to show that someone or something *etc.* is better, worse *etc.* because of something **(ใช้กับคำคุณศัพท์เปรียบเทียบเพื่อแสดงว่าบางคนหรือบางสิ่ง ดีกว่า เลวกว่า ฯลฯ)**: *He has had a week's holiday and looks the better for it.*

the is pronounced *dhē* before words beginning with **a, e, i, o, u**, and **h** when **h** is not sounded: *the apples; the umbrella; the hour.* **the** is pronounced *dhə* before all other letters, and **u** when its sound is *ū*: *the book; the house; the university.*

the..., the... used to show the connection or relationship between two actions, states, processes *etc.* (ใช้แสดงถึงความเกี่ยวข้องหรือเกี่ยวพันระหว่างการกระทำสองอย่าง สภาพ กระบวนการ): *The harder you work, the more you earn.*

'the·a·tre (*'thē-ə-tər*) *n* **1** a place where plays, operas *etc.* are publicly performed (สถานที่ซึ่งมีการแสดงละคร โอเปร่า ฯลฯ ให้สาธารณชนชม). **2** plays in general; any theatre (ละคร โรงละคร): *Are you going to the theatre tonight?* **3** a room in a hospital where surgical operations are performed (ห้องปฏิบัติการผ่าตัดในโรงพยาบาล).

theft *n* stealing (การลักขโมย): *He was jailed for theft.*

their (*dhār*) *adj* **1** belonging to them (เป็นของพวกเขา): *This is their car.* **2** used instead of **his, his** or **her** *etc.* where a person of unknown sex or people of both sexes are referred to (ใช้อ้างถึงคนที่เราไม่รู้จักเพศหรือผู้คนทั้งสองเพศ): *When you see someone in trouble, do you go to their aid?*

See **there**.

theirs (*dhārz*) *pron* something *etc.* belonging to them (เป็นของพวกเขา): *These books are theirs; He is a friend of theirs; Is this their house? No, theirs is on the corner.*

them (*dhem, dhəm*) *pron* (used as the object of a verb or preposition) **1** people, animals, things *etc.* (ผู้คน สัตว์ สิ่งของ): *Let's invite them to dinner; What will you do with them?* **2** used instead of **him, him** or **her** *etc.* where a person of unknown sex or people of both sexes are referred to (ใช้อ้างถึงคนที่เราไม่รู้จักเพศหรือผู้คนทั้งสองเพศ): *If anyone touches that, I'll hit them.*

them'selves *pron* **1** used as the object of a verb or preposition when people, animals *etc.* are both the subject and the object (ใช้เป็นกรรมของกริยาหรือบุพบทเมื่อผู้คน สัตว์ ฯลฯ เป็นทั้งประธานและกรรม): *They hurt themselves ; They looked at themselves in the mirror.* **2** used to emphasize **they, them** or the names of people, animals *etc.* (ใช้เน้นคำว่า) **they, them** (หรือชื่อของผู้คน สัตว์ ฯลฯ): *They themselves did nothing wrong; The English themselves don't speak English very well.* **3** without help *etc.* (ปราศจากการช่วยเหลือ ด้วยตัวเอง): *They decided to do it themselves.*

theme *n* the subject of a discussion, essay *etc.* (หัวข้อการอภิปราย ข้อเขียนสั้น ๆ): *The theme for tonight's talk is education.*

then (*dhen*) *adv* **1** at that time, in the past or future (ในตอนนั้น ในอดีตหรืออนาคต): *I was at school then; If you're coming next week, I'll see you then.* **2** (used with prepositions) that time (เวลานั้น): *John should be here by then; I'll be home before then; Goodbye till then.* **3** after that (หลังจากนั้น): *I had a drink, and then I went home.* **4** in that case (ในกรณีนั้น): *He might not give us the money and then what should we do?* **5** often used at the end of sentences in which you ask for an explanation, opinion *etc.*, or in which you show surprise *etc.* (ใช้บ่อยในตอนจบประโยคซึ่งเราขอคำอธิบาย ความเห็น หรือแสดงความประหลาดใจ): *What do you think of that, then?* — *conjunction* in that case; as a result (ถ้าอย่างนั้น): *If you're tired, then you must rest.*

Let's visit the museum and **then** (not **than**) the zoo.

the'ol·o·gy *n* **1** the study of God and religion (ศาสนศาสตร์): *She has a degree in theology.* **2** a particular system of religious belief (ระบบความเชื่อทางศาสนาโดยเฉพาะ): *Muslim theology.*

the·o'ret·i·cal *adj* possible or likely but not absolutely certain (เป็นไปได้หรือน่าจะเป็นไปได้แต่ไม่แน่ใจโดยสิ้นเชิง): *He should be here by ten o'clock theoretically.*

'the·o·ry (*'thē-ə-ri*) *n* **1** an idea or explanation that has not yet been proved to be correct

(ทฤษฎี): *John had a theory about the origin of fire; There are many theories about the origin of life.* **2** the main ideas in an art, science *etc.* as opposed to the practice of actually doing it (**มโนคติ ความคิดในทางศิลปะ วิทยาศาสตร์ ฯลฯ ซึ่งตรงกันข้ามกับการลงมือทำจริง ๆ**): *A musician has to study both the theory and practice of music.*

the·ra'peu·tic (*the-rə'pū-tik*) *adj* of or relating to the healing of diseases (**เกี่ยวกับการรักษาโรค**): *Some herbs have therapeutic effects.*

'the·ra·py *n* the treatment of diseases without the use of surgery, and often without drugs (**การรักษาโรคโดยไม่มีการผ่าตัดและมักจะไม่ใช้ยา**): *She tried a course of water therapy for her skin problems.*

there (*dhār*) *adv* **1** at, in, or to that place (**ที่ใน หรือยังสถานที่นั้น**): *He lives there; Don't go there.* **2** used to begin sentences in which you announce a fact *etc.* (**ใช้ในการเริ่มประโยคซึ่งเราแจ้งข้อเท็จจริงออกมา**): *There has been an accident at the factory; There seems to be something wrong.* **3** at that point (**ณ จุดนั้น**): *Don't stop there — tell me what happened next!* **4** used to draw attention to someone or something (**ใช้ในการเรียกความสนใจ**): *There she goes now!; There it is!* — used in various other ways (**ใช้ในทางอื่นอีกหลายอย่าง**): *There, now — things aren't as bad as they seem; There! That's that job done; There! I said you would hurt yourself, and now you have!*

there means in that place; **their** means belonging to **them**: *Tell them to hang their coats over there.*

'there·a·bouts *adv* about there; about that (**ประมาณนั้น แถวนั้น**): *a hundred or thereabouts; at three o'clock or thereabouts; She lives in York, or thereabouts.*

'there·fore (*'dhār-för*) *adv* for that reason (**ด้วยเหตุนั้น ดังนั้น**): *Tony works hard, and therefore has a good chance of winning the prize.*

there's (*dhārz*) short for (**คำย่อของ**) **there is**.

'ther·mal *adj* **1** of or relating to heat (**เกี่ยวกับความร้อน**): *thermal energy.* **2** designed to keep the body warm (**ออกแบบเพื่อทำให้ร่างกายอบอุ่น**): *thermal underclothes.* — *n* a current of warm air used by birds and gliders to move upwards (**กระแสลมร้อน**): *Hang-gliders need to know how to use thermals if they are to stay in the air.*

ther'mom·e·ter *n* an instrument used for measuring temperature, especially your body temperature (**เครื่องวัดอุณหภูมิ ปรอท**): *The nurse took his temperature with a thermometer.*

'ther·mo·stat *n* a device that automatically controls the temperature of a room or of water in a boiler, by switching the heating system on or off (**เครื่องควบคุมอุณหภูมิโดยอัตโนมัติของห้องหรือของน้ำในหม้อน้ำ โดยการเปิดหรือปิดระบบความร้อน**).

the'sau·rus (*thə'sö-rəs*), *plural* **thesauruses**, *n* a book which lists words according to sense (**พจนานุกรมคำพ้องและคำที่มีความหมายตรงกันข้าม**): *She used her thesaurus to find words with related meanings.*

these plural of (**พหุพจน์ของ**) **this**.

'the·sis (*'thē-sis*), *plural* **theses** ('thē-sēz) *n* a long written report based on original research, and often done as part of a university degree (**วิทยานิพนธ์**): *She spent four years writing her thesis.*

they (*dhā*) *pron* (used as the subject of a verb) **1** people, animals or things (**ผู้คน สัตว์ หรือสิ่งของ**): *If you're looking for the children, they are in the garden.* **2** used instead of **he, he** or **she** *etc.* when the person's sex is unknown or when people of both sexes are being referred to (**ใช้เมื่อเราไม่รู้จักเพศของคนผู้นั้นหรือเมื่ออ้างถึงผู้คนทั้งสองเพศ**): *If anyone does that, they are to be severely punished.*

they'd short for (**คำย่อของ**) **they had** or (**หรือ**) **they would**.

they'll short for (**คำย่อของ**) **they will**.

they're short for (**คำย่อของ**) **they are**.

they've short for (**คำย่อของ**) **they have**.

thick *adj* **1** having a fairly large distance between opposite sides; not thin (**หนา**): *a thick book; thick walls; thick glass.* **2** having a certain distance between opposite sides (หนาเท่าไร): *The glass is a centimetre thick.* **3** containing solid matter; not flowing easily when poured (ข้น): *thick soup.* **4** dense (หนาแน่น): *a thick forest; thick hair.* **5** difficult to see through (มองทะลุได้ยาก): *thick fog.* **6** full of, covered with *etc.* (เต็มไปด้วย ปกคลุมด้วย): *The room was thick with dust; The air was thick with smoke.* — *n* the thickest part (ส่วนที่หนาแน่นที่สุด): *in the thick of the forest.*

'thick·ly *adv* (อย่างหนา ๆ).

'thick·ness *n* (ความหนา).

'thick·en *v* to make or become thick or thicker (ทำให้หนาหรือหนาขึ้น): *I thickened the sauce by adding some flour; The fog thickened and we could no longer see the road.*

'thick·et *n* a group of trees or bushes growing closely together (พุ่มไม้ ดงไม้): *He hid in a thicket.*

thick-'skinned *adj* not easily hurt or offended (ไม่เจ็บง่าย ๆ หรือดูหมิ่นไม่ได้ง่าย ๆ ไม่มียางอาย): *You won't upset her — she's very thick-skinned.*

thief (*thēf*), *plural* **thieves**, *n* a person who steals (ขโมย): *The thief got away with all my money; a gang of thieves.*

thigh (*thī*) *n* the part of your leg between your knee and hip (ขาอ่อน).

'thim·ble *n* a cap to protect your finger and push the needle with when you are sewing (ปลอกนิ้ว).

thin *adj* **1** having a short distance between opposite sides; not thick (บาง): *thin paper; The walls of these houses are too thin.* **2** having not much flesh; not fat (ผอม): *She looks very thin in that dress.* **3** not containing any solid matter; lacking in taste; containing a lot of water or too much water (ใส ขาดรสชาติ มีน้ำมากเกินไป): *thin soup.* **4** not dense or crowded; not thick (บาง ผู้คนไม่เยอะ): *His hair is getting rather thin; a thin audience.* **5** not believable (ไม่น่าเชื่อ): *a thin excuse.* — *v* to make or become thin or thinner (ทำให้ผอมลงหรือผอมลงกว่าเดิม): *The crowd thinned after the parade was over.*

'thin·ly *adv* (อย่างเบาบาง).

'thin·ness *n* (ความเบาบาง).

thin air nowhere (หายวับไปกับตา): *He disappeared into thin air.*

thing *n* **1** an object: something that is not living (วัตถุ สิ่งของ): *What do you use that thing for?* **2** any fact, quality, idea *etc.* that you can think of or refer to (ข้อเท็จจริงใด ๆ คุณภาพ ความคิดเห็น): *Music is a wonderful thing; I hope I haven't done the wrong thing; That was a stupid thing to do.*

things *n* clothes and other possessions (เสื้อผ้าและข้าวของ): *Take all your wet things off; Which cupboard shall I put my things in?* **the thing is...** the important fact or question is; the problem is (ปัญหาก็คือ): *The thing is, is he going to help us?*

think *v* **1** to have or form ideas in your mind (คิด): *Can babies think?; I was thinking about my mother.* **2** to have or form opinions in your mind; to believe (เชื่อ คิด): *He thinks the world is flat; What do you think of his poem?; What do you think about his suggestion?; He thought me very stupid.* **3** to plan (วางแผน): *I must think what to do; I was thinking of going to London next week.* **4** to imagine or expect (จินตนาการหรือคาดหวัง): *I never thought this job could take so long.* — *n* (ความคิด): *Go and have a think about it before you make up your mind.*

think; thought (*thöt*); **thought**: *I thought you were going to help me; They hadn't thought of the difficulties.*

'think·er *n* a person who thinks deeply; a wise man (คนคิดลึก คนฉลาด): *Gandhi was one of the world's great thinkers.*

think well of, think highly of to have a good opinion of someone or something (ปรารถนาดีต่อ มีความเห็นที่ดีต่อ ยกย่องชมเชย): *The teacher thinks very well of James; She thought highly of him.*

not think much of to have a very low

opinion of someone or something (มีความเห็นที่ไม่ดีต่อ): *He didn't think much of what I had done.*

think of 1 to remember to do something; to keep in your mind; to consider (คิดได้ จำเอาไว้ พิจารณา): *You always think of everything!; Have you thought of the cost?* **2** to remember (จำได้): *I've met him before, but I can't think of his name!* **3** to be willing to do something (เต็มใจที่จะทำ): *I would never think of being rude to her.*

think out to plan; to work out in your mind (วางแผน คิดอยู่ในใจ): *He thought out the whole plan.*

think over to think carefully about something (คิดอย่างถี่ถ้วน): *He thought it over, and decided not to go.*

think twice to hesitate before doing something; to decide not to do something (คิดสองตลบ): *I would think twice about going, if I were you.*

think up to invent (ประดิษฐ์): *He thought up a new game.*

thin-'skinned *adj* easily getting offended or feeling hurt (หวั่นไหวต่อการดูถูกหรือรู้สึกเจ็บปวดได้ง่าย): *Be careful what you say to him — he's very thin-skinned.*

third *n* one of three equal parts (หนึ่งในสามส่วน). — *n, adj* the next after the second (ถัดมาจากที่สอง). — *adv* in the third position (ในตำแหน่งที่สาม): *John came first in the race, and I came third.*

'third·ly *adv* (อย่างที่สาม): *First, I haven't enough money, secondly, I'm too old, and thirdly, it's raining.*

third party a third person who is not directly involved in an action, contract *etc.* (บุคคลที่สามซึ่งไม่ได้เกี่ยวข้องโดยตรงในการกระทำ การทำสัญญา): *Was there a third party present when you and she agreed to the sale?*

thirst *n* **1** the dryness you have in your mouth and throat when you need a drink (ความกระหายน้ำ): *I have a terrible thirst.* **2** a strong desire for something (ความปรารถนาอย่างแรงในบางอย่าง): *a thirst for knowledge.* — *v* to have a great desire for (มีความต้องการอย่างยิ่ง): *He's thirsting for revenge.*

'thirst·y *adj* **1** suffering from thirst (กระหายน้ำ): *I'm so thirsty — I must have a drink.* **2** causing a thirst (ทำให้เกิดความกระหาย): *Digging the garden is thirsty work.*

'thirst·i·ly *adv* (อย่างกระหายน้ำ).

'thirst·i·ness *n* (ความกระหายน้ำ).

thir'teen *n* **1** the number 13 (เลข **13**). **2** the age of 13 (อายุ **13** ปี). — *adj* **1** 13 in number (จำนวนเป็น **13**). **2** aged 13 (อายุ **13**).

'thir·ty *n* **1** the number 30 (เลข **30**). **2** the age of 30 (อายุ **30** ปี). — *adj* **1** 30 in number (จำนวนเป็น **30**). **2** aged 30 (อายุ **30**).

this (*dhis*), *plural* **these** (*dhēz*), *adj* used to refer to a person, thing *etc.* nearby, or belonging to the present, or just being mentioned (ใช้อ้างถึงบุคคล สิ่งของ ฯลฯ ที่อยู่ใกล้ ๆ หรือเป็นของปัจจุบันนี้หรือเพิ่งโดนอ้างถึง): *This book is better than that one; I prefer these trousers; Jobs are hard to find these days; Come here this minute!* — *pron* (คำสรรพนาม): *Read this — you'll like it; This is my friend John Smith; I didn't think swimming would be as easy as this; This is the moment I've been waiting for.*

like this in this way (อย่างนี้): *It would be quicker if you did it like this.*

thorn *n* a hard, sharp point sticking out from the stem of certain plants (หนาม): *Roses have thorns.*

'thorn·y *adj* **1** covered with thorns (ปกคลุมด้วยหนาม): *a thorny branch.* **2** difficult; causing trouble *etc.* (ยุ่งยาก): *a thorny problem.*

'thor·ough (*'thur-ə*) *adj* **1** very careful; attending to every detail (อย่างถี่ถ้วน ให้ความสนใจในรายละเอียดทุกอย่าง): *He's a thorough worker.* **2** done with a high level of care, attention to detail *etc.* (ละเอียดลออ): *His work is very thorough.* **3** complete; absolute (สมบูรณ์ สิ้นเชิง): *a thorough waste of time.*

'thor·ough·bred *n* a horse bred from pedigree parents, usually for racing (ม้าพันธุ์ดี มักใช้วิ่งแข่ง): *She breeds and trains thoroughbreds.*

'thor·ough·fare *n* a public road or street (ทางสาธารณะหรือถนนสาธารณะ): *Don't park your* *car on a busy thoroughfare.*

thor·ough'go·ing *adj* very thorough, complete (อย่างถี่ถ้วนมาก อย่างสิ้นเชิง): *The government wanted to introduce thoroughgoing changes to the country's health service.*

'thor·ough·ly *adv* **1** with great care; attending to every detail (อย่างเอาใจใส่ ให้ความสนใจในรายละเอียดทุกอย่าง): *She doesn't do her job very thoroughly.* **2** completely; very (อย่างสิ้นเชิง มาก): *Cleaning the house is a thoroughly boring job.*

'thor·ough·ness *n* (ละเอียดถี่ถ้วน) care; attention to detail (เอาใจใส่).

those plural of (พหูพจน์ของ) **that**.

though (*dhō*) *conjunction* in spite of the fact that; although (ถึงแม้ว่า): *He went out, though I told him not to; He went for a walk even though it was raining.* — *adv* however (อย่างไรก็ตาม): *I wish I hadn't done it, though.*

as though as if (ราวกับว่า): *You sound as though you've got a cold.*

thought[1] *see* **think** (ดู **think**).

thought[2] (*thöt*) *n* **1** an idea (ความคิด): *I had a sudden thought.* **2** consideration (การพิจารณา): *After a great deal of thought we decided to emigrate to America.* **3** general opinion (ความเห็นโดยทั่ว ๆ ไป): *scientific thought.*

'thought·ful *adj* **1** thinking deeply (คิดลึก คิดมาก): *You look thoughtful; a thoughtful mood.* **2** thinking of other people; considerate (คิดถึงคนอื่น เห็นอกเห็นใจผู้อื่น): *It was very thoughtful of you to buy her a present.*

'thought·ful·ly *adv* (อย่างเห็นอกเห็นใจ).

'thought·ful·ness *n* (ความเห็นอกเห็นใจ).

'thought·less *adj* not thinking about other people; inconsiderate (ไม่คิดถึงผู้อื่น ไม่เห็นอกเห็นใจผู้อื่น): *thoughtless words.*

'thought·less·ly *adv* (อย่างไม่เห็นอกเห็นใจ).

'thought·less·ness *n* (ความไม่เห็นอกเห็นใจผู้อื่น).

-thought-out (มีชื่อเสียง): *a well-thought-out essay.*

'thou·sand (*'thow-zənd*), *plural* **'thou·sand** or **'thou·sands**, *n* **1** the number 1000 (เลข **1000**): *one thousand; several thousand.* **2** a thousand pounds or dollars (พันปอนด์หรือดอลลาร์): *The car cost twelve thousand.* — *adj* 1000 in number (จำนวน **1000**).

You use **thousand** (not **thousands**) after a number: *three thousand children.*

'thou·sandth *n* one of a thousand equal parts (หนึ่งในพันส่วน). — *n, adj* the last of a thousand people, things *etc.* (คนหรือสิ่งของสุดท้ายในพัน).

thousands of **1** several thousand (หลายพัน): *He's got thousands of pounds in the bank.* **2** lots of (จำนวนมาก): *I've read thousands of books.*

thrash *v* **1** to spank (ตีก้น): *The child was soundly thrashed.* **2** to move about violently (เคลื่อนที่ไปมาอย่างรุนแรง): *The wounded animal thrashed about on the ground.* **3** to defeat easily (แพ้ง่าย แพ้ยับ): *Our team was thrashed 18-nil.*

to **thrash** (not ไม่ใช่ **thresh**) someone for being naughty.

'thrash·ing *n* (การตี การเฆี่ยน): *He needs a thrashing!*

thread (*thred*) *n* **1** a thin strand of cotton, wool, silk *etc.* especially when used for sewing (ด้าย ขนสัตว์ ไหม ใช้ในการเย็บ): *a needle and some thread.* **2** the spiral ridge around a screw (เกลียวของตะปูควง): *This screw has a worn thread.* **3** the connection between the various details of a story *etc.* (ปะติดปะต่อระหว่างรายละเอียดของเรื่องราวต่าง ๆ): *I've lost the thread of what he's saying.* — *v* **1** to pass a thread through (ร้อยรูเข็ม): *I cannot thread this needle.* **2** to make your way through (แทรกผ่านไป): *She threaded her way through the crowd.*

threat (*thret*) *n* **1** a warning that you are going to hurt or punish someone (การข่มขู่): *The teacher carried out his threat to punish the children.* **2** a sign of something dangerous or unpleasant which may be, or is, about to happen (การคุกคาม): *a threat of rain; the threat of war.* **3** a source of danger (แหล่ง

ของอันตราย): *Nuclear weapons are a threat to our children's future.*

'threat·en *v* **1** to make a threat (ข่มขู่): *She threatened to kill herself; He threatened me with violence.* **2** to be about to come (กำลังจะมา): *A storm is threatening.*

three *n* **1** the number 3 (เลข 3). **2** the age of 3 (อายุ 3 ขวบ). — *adj* **1** 3 in number (จำนวนเป็น 3). **2** aged 3 (อายุ 3).

three-di'men·sion·al *adj* having three dimensions — height, length and thickness (often shortened to **3-D** in talking about films etc.) (มีสามมิติ): *A cube is a three-dimensional shape; 3-D photography* (ภาพสามมิติ).

three-'quar·ter *adj* not quite full-length (สามในสี่): *a three-quarter-length coat.*

three quarters (สามส่วน): *I've dug three quarters of the garden — I'll dig the last quarter tomorrow.*

three quarters of an hour 45 minutes (สามในสี่ของชั่วโมง 45 นาที): *I'll be home in three quarters of an hour.*

thresh *v* to beat the stalks of corn in order to extract the grain (นวดหรือย่ำข้าวให้เมล็ดร่วง).

to **thresh** (not ไม่ใช่ **thrash**) corn.

'thresh·old (*'thresh-ōld*) *n* **1** a doorway forming the entrance to a house *etc.* (ธรณีประตู): *He paused on the threshold and then entered.* **2** beginning (เริ่ม): *She is on the threshold of a brilliant career.*

threw *see* **throw** (ดู **throw**).

thrift *n* the ability to save money *etc.*; economy (สามารถเก็บเงินได้ ประหยัด): *Thrift is important when you're running a household.*

'thrift·y *adj* (ประหยัด). **'thrift·i·ly** *adv* (อย่างประหยัด). **'thrift·i·ness** *n* (ความประหยัด).

thrill *v* to excite; to feel excitement (ตื่นเต้น รู้สึกตื่นเต้น): *She was thrilled by the invitation.* — *n* excitement; something that causes this (ความตื่นเต้น สิ่งที่ทำให้เกิดแบบนี้ขึ้น): *the thrill of going abroad; It was a great thrill to win the first prize.*

'thrill·er *n* an exciting novel, film or play (นิยายตื่นเต้น ภาพยนตร์หรือละครที่ตื่นเต้น): *He gave me a thriller to read.*

'thrill·ing *adj* exciting (ตื่นเต้น).

thrive *v* to grow strong and healthy (แข็งแรงและมีสุขภาพดี): *Children thrive on good food; The business is thriving.*

'thri·ving *adj* successful (ประสบความสำเร็จ): *a thriving industry.*

throat *n* **1** the back part of your mouth (ลำคอ): *She has a sore throat.* **2** the front part of the neck (คอ): *She wore a silver brooch at her throat.*

'throat·y *adj* deep; hoarse (เสียงลึก เสียงห้าว): *a throaty laugh.* **'throat·i·ly** *adv* (ออกมาจากลำคอ). **'throat·i·ness** *n* (ลำคอ).

throb *v* **1** to beat (เต้น): *Her heart throbbed with excitement.* **2** to beat regularly like the heart (เต้นอยู่เป็นประจำเหมือนกับหัวใจ): *The engine was throbbing gently.* **3** to beat regularly with pain; to be very painful (ปวดหนึบ ๆ): *My toe is throbbing.* — *n* (เสียงเครื่องยนต์): *the throb of the engine.*

throne *n* the ceremonial chair of a king, queen, emperor *etc.*, pope or bishop (บัลลังก์).

throng *n* a crowd (ฝูงชน): *Throngs of people gathered to see the Queen.* — *v* to crowd or fill (ออกันหรืออัดเต็ม): *People thronged the streets to see the President.*

'throt·tle *v* to kill by choking or strangling (ฆ่าโดยการทำให้หายใจไม่ออกหรือบีบคอ): *The scarf was too tight round her neck and she felt as if she was being throttled.* — *n* a pedal which controls a vehicle's speed by controlling the amount of fuel going into the engine (คันเร่ง): *She pressed down on the throttle and the car shot away.*

through (*throo*) *prep* **1** into something from one direction and out of it in the other (ผ่านตลอด): *The water flows through a pipe; He walked through the door.* **2** from side to side or end to end of something (จากข้างหนึ่งไปยังอีกข้างหนึ่ง หรือจากสุดปลายหนึ่งไปยังสุดปลายอีกด้านหนึ่ง): *He walked through the town.* **3** from the beginning to the end of (จากเริ่มต้นไปจนจบ): *She read through the magazine.* **4** because of (เพราะว่า): *He lost* *his job through his own stupidity.* **5** by way of; with the help of (โดยการช่วยเหลือของ): *He got the job through a friend.* **6** from...to (จาก...ถึง): *I go to work Monday through Friday.* — *adv* (ออกมา ตลอด): *He opened the window and climbed through; I drove through to the other side of the town; Your shirt is wet through.* — *adj* taking you all the way without a change of train (รถไฟคันเดียวแล่นไปตลอดทาง): *There isn't a through train to Perth — you'll have to change.*

through'out *prep* **1** in all parts of an area (โดยตลอด ทุกส่วนในพื้นที่): *The police are seeking her throughout the country.* **2** from start to finish of something (จากเริ่มไปจนจบ): *She complained throughout the journey.* — *adv* in every part (ในทุก ๆ ส่วน): *The house was furnished throughout.*

throw (*thrō*) *v* **1** to send something through the air with force; to hurl; to fling (ขว้าง โยน): *He threw the ball to her; She threw him a sweet.* **2** to make the rider fall off (ทำให้ผู้ขี่ตกลงมา): *My horse threw me.* — *n* (การขว้าง): *That was a good throw!*

throw; threw (*throo*); **thrown**: *He threw the book across the room; Well thrown!*

throw away to get rid of (ขจัด ทิ้งไป): *Why don't you throw away these old clothes?*

throw in to include as a gift (รวมเข้าไปด้วยในฐานะเป็นของขวัญ): *When I bought his car he threw in the radio and a box of tools.*

throw off 1 to get rid of (ขจัด): *She finally managed to throw off her cold.* **2** to take off quickly (ถอดออกอย่างรวดเร็ว): *He threw off his coat.*

throw open to open suddenly and wide (เปิดกว้างอย่างกะทันหัน): *He threw open the door and walked in.*

throw out to get rid of (ทิ้ง โยนออกมา): *I must throw out these old newspapers; You'll be thrown out of the school if you go on behaving badly.*

throw up a slang expression for to vomit (อาเจียน): *She had too much to eat, and threw up on the way home.*

thrush *n* a bird with brown feathers and a spotted chest (นกชนิดหนึ่งมีขนสีน้ำตาลและหน้าอกเป็นจุด ๆ).

thrust *v* to push suddenly and violently (ผลักอย่างกะทันหันและด้วยความแรง ยัดเยียด): *He thrust his spade into the ground; She thrust forward through the crowd; She thrust her arm through his.*

thrust; thrust; thrust: *He thrust his arm through hers; Her belongings were thrust into a cupboard.*

thud *n* a dull sound like that of something heavy falling to the ground (เสียงหนัก ๆ เหมือนกับมีอะไรหนัก ๆ ตกลงบนพื้น): *He dropped the book with a thud.*

thug *n* a violent or rough man (คนที่ชอบความรุนแรงหรือคนหยาบ): *He was attacked by thugs.*

thumb (*thum*) *n* the short thick finger of the hand, set at a different angle from the other four (หัวแม่มือ). — *v* to turn over the pages of a book with your thumb and fingers (ใช้นิ้วพลิกหน้าหนังสือ): *She was thumbing through the dictionary.*

'thumb-nail *n* the nail on your thumb (เล็บนิ้วหัวแม่มือ).

'thumb•print *n* a mark made by pressing your thumb on to a surface (รอยหัวแม่มือ).

thumbs-'up *n* a sign expressing a wish for good luck, success *etc.* (สัญญาณแสดงความปรารถนาให้โชคดี มีความสำเร็จ): *He gave me the thumbs-up.*

thump *n* a heavy blow or hit (ทุบหนัก ๆ หรือตี): *They heard a thump on the door; A book fell off the shelf and gave him a thump on the head.* — *v* (ทุบ กระทืบเท้า): *She thumped him with her fists; Someone is thumping about upstairs.*

'thun•der *n* **1** the deep rumbling sound heard in the sky after a flash of lightning (ฟ้าร้อง): *a clap or peal of thunder; a thunderstorm.* **2** a loud rumbling (เสียงดังกระหึ่ม): *the thunder of horses' hooves.* — *v* **1** to rumble *etc.* (ส่งเสียงกระหึ่ม): *It rained and thundered all night.* **2** to make a noise like thunder (ทำ

เสียงเหมือนฟ้าร้อง): *The children thundered up the stairs.*

'thun·der·bolt *n* **1** a flash of lightning immediately followed by thunder (ฟ้าผ่า แสงอสุนีบาต). **2** a sudden great surprise (แปลกใจเป็นล้นพ้น): *The news of her father's arrest came as a complete thunderbolt.*

'thun·der·ous *adj* very loud, like thunder (เสียงดังมาก เหมือนกับเสียงฟ้าร้อง): *The aeroplane made a thunderous noise as it passed overhead; thunderous applause.*

'thun·der·ous·ly *adv* (อย่างสนั่นหวั่นไหว).

'thun·der·storm *n* a storm with thunder and lightning and usually heavy rain (พายุฝนฟ้าคะนอง).

See **rain**.

'Thurs·day *n* the fifth day of the week, the day following Wednesday (วันพฤหัสบดี).

thus (*dhus*) *adv* in this or that way; therefore (ดังนั้น): *She offered to type his work out for him, and thus he was able to finish the job quickly.*

thwart (*thwört*) *v* to stop; to hinder; to prevent someone from doing something (ขัดขวาง): *All his attempts to get rich were thwarted; The police managed to thwart the plot against the king; When you have a good plan, you don't like to be thwarted.*

ti'ar·a (*ti'är-ə*) *n* a jewelled ornament for your head, similar to a crown (รัดเกล้าประดับเพชรพลอย).

tick[1] *n* **1** a regular sound, especially that of a watch, clock *etc.* (เสียงปกติ อย่างเช่นเสียงนาฬิกาเดิน). **2** a moment (ชั่วครู่ ชั่วขณะ): *Wait a tick!* — *v* (นาฬิกาเดิน): *Your watch ticks very loudly.*

tick[2] *n* a mark (/) used to show that something is correct, has been noted *etc.* (เครื่องหมายที่แสดงว่าบางอย่างนั้นถูกแล้ว บันทึกไว้แล้ว). — *v* to put this mark beside an item or name on a list *etc.* (ทำเครื่องหมายข้าง ๆ รายการหรือรายชื่อ): *She ticked everything off on the list.*

tick someone off, give someone a ticking-off to scold someone (ตำหนิ ดุด่า): *The teacher gave me a ticking-off for being late.*

tick[3] *n* a type of small, blood-sucking insect (ตัวไร หมัด): *Our dog has ticks.*

'tick·et *n* a piece of card or paper that gives you a right, for example, to travel on a vehicle, enter a theatre *etc.* (ตั๋ว): *a bus-ticket; a cinema-ticket.*

'tick·le *v* **1** to touch a particular part of someone's skin lightly, making them laugh (จั๊กจี้): *to tickle someone's feet; to tickle someone under the arms.* **2** to feel as if it is being touched in this way; to itch (รู้สึกเหมือนกับโดนจั๊กจี้ คัน): *My nose tickles.* **3** to amuse (ขำ): *The funny story tickled him.* — *n* (การจั๊กจี้ การคัน): *She gave his toes a tickle; I've got a tickle in my throat that keeps making me cough.*

'tick·lish *adj* **1** easily made to laugh when tickled (บ้าจี้): *Are you ticklish?* **2** not easy to manage; difficult (ยาก): *a ticklish problem.*

tickled pink very pleased (พอใจมาก ๆ).

'ti·dal (*'tī-dəl*) *adj* having to do with the tide; affected by the tide (เกี่ยวกับกระแสน้ำขึ้นน้ำลง มีผลจากกระแสน้ำขึ้นน้ำลง): *a tidal river.*

tidal wave an enormous wave caused by an earthquake *etc.* (คลื่นใหญ่มหึมาเกิดจากแผ่นดินไหว).

tide *n* the regular movement of the sea in and out, happening twice a day (กระแสน้ำขึ้นน้ำลงของน้ำทะเล เกิดขึ้นวันละสองครั้ง): *It's high tide; When is low tide?; The tide is coming in; The tide is going out.*

'ti·dy (*'tī-di*) *adj* **1** in good order; neat (เรียบร้อย ประณีต): *a tidy room; I'm usually a tidy person; Her hair never looks tidy.* **2** fairly big (มากพอสมควร): *a tidy sum of money.* — *v* to put in good order; to make neat (จัดให้เป็นระเบียบ จัดให้เรียบร้อย): *He tidied his papers; She was tidying the room up when her mother arrived.*

'ti·di·ly *adv* (อย่างเป็นระเบียบ อย่างเรียบร้อย).

'ti·di·ness *n* (ความเป็นระเบียบ ความเรียบร้อย).

tie (*tī*) *v* **1** to fasten with a string, rope *etc.* (ผูกด้วยเชือก ติดอยู่กับ): *He tied the horse to a tree; The parcel was tied with string; I don't* *like this job — I hate being tied to a desk.* **2** to fasten by knotting; to make a knot or bow in (ผูกเป็นโบว์): *He tied his shoe laces; The belt of this dress ties at the front.* **3** to score the same number of points *etc* in a game, competition *etc.* (การแข่งขันที่เสมอกัน): *Three people tied for first place.* — *n* **1** a strip of material worn tied round your neck under the collar of a shirt (เนกไท): *He wore a shirt and tie.* **2** something that joins (สายใย): *the ties of friendship.* **3** an equal score or result in a game, competition *etc.*; a draw (เสมอกัน). **4** a game or match to be played (เกมหรือการแข่งขันที่จะเล่น).

tie; 'ty·ing; tied; tied: *He's tying his tie; You haven't tied your shoe-laces.*

tied up 1 busy (มีธุระยุ่ง): *I can't discuss this matter just now — I'm tied up with other things.* **2** connected with something (เกี่ยวข้องกับอะไรบางอย่าง): *I believe he's tied up with films.*

tie down to limit someone's freedom (จำกัดความเป็นอิสระของคนบางคน): *Her work tied her down.*

tier (*tēr*) *n* a row of seats (ที่นั่งเป็นแถว): *They sat in the first tier.*

tiff *n* a slight quarrel (ทะเลาะกันเล็กน้อย): *She's had a tiff with her boyfriend.*

'ti·ger (*'tī-gər*) *n* a large wild animal of the cat family, with a striped coat (เสือ).

A tiger **roars** or **growls**.
A baby tiger is a **cub**.
A female tiger is a **'ti·gress**.
A tiger lives in a **lair**.

tight (*tīt*) *adj* **1** fitting very closely (แน่น คับ): *I couldn't open the box because the lid was too tight; My trousers are too tight.* **2** not loose (ไม่หลวม): *He made sure that the knot was tight.* **3** strict and very careful (เข้มงวดและระมัดระวังมาก): *She keeps tight control over her temper.* **4** not allowing much time or room (ไม่ให้เวลามาก ไม่ให้ที่มาก): *We'll have to keep to a very tight schedule if we are to finish the work in time; a tight space.* — *adv* **1** closely (อย่างแนบชิด แนบเนื้อ): *Hold me tight; a tight-fitting dress.* **2** with no extra room or space (ไม่มีห้องพิเศษหรือที่พิเศษ): *The room was packed tight with people.*

'tight·ness *n* (ความแน่น ความคับ).

-tight sealed so as to keep something in or out (ปิดแน่นเพื่อรักษาบางอย่างไว้ข้างในหรือกันไม่ให้อะไรบางอย่างเข้าไปได้): *airtight; watertight.*

'tight·en *v* to make or become tight or tighter (ทำให้แน่นหรือแน่นขึ้น): *to tighten your belt; to tighten your grip.*

'tight·ly *adv* (อย่างแน่น): *She held his hand tightly; a tightly-packed suitcase.*

'tight·rope *n* a tightly-stretched rope or wire on which acrobats balance (เชือกหรือลวดที่ขึงตึงสำหรับให้นักกายกรรมเดิน).

tights *n* a close-fitting garment that covers your feet, legs and body to the waist (กางเกงรัดรูปของนักกายกรรม): *She bought three pairs of tights; Are these your tights?*

tights always takes a plural verb, but **a pair of tights** is singular.

'ti·gress (*'tī-grəs*) *n* a female tiger (เสือตัวเมีย).

tile *n* **1** a piece of baked clay used in covering roofs, walls, floors *etc.* (กระเบื้องปูหลังคา ผนัง พื้น): *Some of the tiles were blown off the roof during the storm.* **2** a piece of plastic material used for covering floors *etc.* (กระเบื้องพลาสติกใช้ปูพื้น). — *v* to cover a roof, floor *etc.* with tiles (ปูหลังคา พื้น ฯลฯ ด้วยกระเบื้อง): *We had to have the roof tiled.*

tiled *adj* covered with tiles (ปกคลุมด้วยกระเบื้อง).

till *prep* up to a particular time (จนกระทั่ง): *I'll wait till six o'clock.* — *conjunction* up to the time when or the place where (จนกระทั่งถึงเวลาหรือถึงสถานที่): *Go on till you reach the station.*

tilt *v* to go or put something into a sloping or slanting position (วางของในตำแหน่งที่เอียงลาดหรือเอียง): *He tilted his chair backwards; The lamp tilted and fell.* — *n* a slant; a slanting position (เอียง ตำแหน่งที่เอียง): *The table is at a slight tilt.*

'tim·ber *n* **1** wood, especially for building (ไม้):

The house is built of timber. **2** trees suitable for building *etc.* **(ต้นไม้ที่เหมาะสำหรับสร้างบ้าน)**: *a hundred acres of good timber.* **3** a wooden beam used in the building of a house, ship *etc.* **(คานไม้ที่ใช้ในการสร้างบ้านเรือ)**.

time *n* **1** the hour of the day (เวลา): *What time is it?; to tell the time.* **2** the passing of days, years, events *etc.* (วันเวลา): *time and space; Time will tell whether we've made a good decision.* **3** a point or period connected with a particular event **(จุดหรือช่วงเวลาหนึ่งที่เกี่ยวกับเหตุการณ์พิเศษ)**: *at the time of his wedding; breakfast time.* **4** the quantity of minutes, hours, days *etc.*, spent in, or available for, a particular activity *etc.* **(จำนวนนาที ชั่วโมง วัน ฯลฯ ที่ใช้หรือที่มีเพื่อปฏิบัติการอย่างใดอย่างหนึ่ง)**: *This won't take much time to do; I enjoyed the time I spent in Paris; At the end of the exam, the supervisor called "Your time is up!"* **5** a suitable moment or period **(ถึงเวลา)**: *Now is the time to ask him.* **6** one of a number of occasions **(จำนวนครั้ง)**: *He's been to France four times.* **7** a period or occasion and the experience you associate with it **(ประสบการณ์)**: *He went through an unhappy time when she died; We had some good times together.* **8** the speed at which a piece of music should be played **(ความเร็วของเครื่องดนตรี)**: *in slow time.* — *v* **1** to measure the time taken by a happening, event *etc.* or by a person, in doing something **(จับเวลา)**: *He timed the journey; to time a runner.* **2** to choose a particular time for doing something **(กะเวลา)**: *You timed your arrival perfectly — I was just going to cut this cake.*

time bomb a bomb that has been set to explode at a particular time **(ระเบิดเวลา)**.

time limit a fixed length of time during which you must do and finish something **(จำกัดเวลา)**: *The examination has a time limit of three hours.*

'time·ly *adj* coming at the right moment **(ทันเวลา)**: *Your arrival was most timely.*

'time·li·ness *n* (ความทันเวลา).

times *n* **1** a period **(ช่วง สมัย ยุค)**: *We live in difficult times.* **2** in mathematics, used to mean multiplied by **(คูณ)**: *Four times two is eight.*

'time·ta·ble *n* a list of the times of trains, school classes *etc.* **(ตารางเวลารถไฟ ตารางสอน)**.

'ti·ming *n* **1** the measuring of the amount of time taken **(จับเวลา)**. **2** the art of speaking and acting at the moment when you can achieve the best effect **(กะเวลา)**: *Actors must have a good sense of timing.*

all in good time soon enough; be patient **(เร็ว ๆ นี้ อดทนหน่อย)**: *"I haven't had my pocket-money yet." "All in good time."*

all the time continually **(ตลอดเวลา)**: *He's so bad-tempered all the time.*

at times occasionally; sometimes **(บางเวลา)**: *He's sad at times.*

behind time late **(ช้า สาย)**: *Hurry up! We're behind time already!*

for the time being meanwhile **(ในเวลานี้)**: *I am staying at home for the time being.*

from time to time occasionally; sometimes **(เป็นครั้งเป็นคราว บางครั้ง)**: *From time to time he brings me a present.*

in good time early enough; well before the arranged time **(แต่เนิ่น ก่อนเวลาที่กำหนด)**: *We arrived in good time for the concert.*

in time **1** early enough **(เนิ่นพอควร)**: *He arrived in time for dinner; Are we in time to catch the train?* **2** at the same speed or rhythm **(ด้วยความเร็วหรือจังหวะเดียวกัน)**: *They marched in time with the music.*

> **in time** means early enough: *I'll be home in time for tea.*
> **on time** means at the arranged or expected time; punctual; punctually: *Please be on time for work in the mornings.*

no time, no time at all a very short time indeed **(ไม่กินเวลาเลย เวลาน้อยจริง ๆ)**: *The journey took no time at all; They finished in no time.*

on time at the right time; punctual; punctually

(ตรงเวลา): *The train arrived on time; He was on time for his appointment.*

See **in time**.

save time to avoid spending time (ประหยัดเวลา): *Take my car instead of walking, if you want to save time.*

take your time to do something as slowly as you wish (ทำบางสิ่งอย่างช้า ๆ ตามที่เราต้องการ).

waste time to spend time unnecessarily (เสียเวลา): *Don't waste time discussing unimportant details.*

'tim·id *adj* easily frightened; nervous; shy (ขี้ตกใจ กระวนกระวาย ขี้อาย): *A mouse is a timid creature.*

'tim·id·ly *adv* (อย่างกระวน-กระวาย).

ti'mid·i·ty *n* (ความกระวนกระวาย).

'tim·pa·ni *n plural* another word for kettledrums (อีกคำหนึ่งของ **kettledrums**).

tin *n* **1** a silvery white metal (ดีบุก สังกะสี): *Is that box made of tin or steel?* **2** a sealed container for preserved food, made of thin sheets of iron covered with tin or another metal (also called a **can**) (กระป๋องใส่อาหาร ทำจากแผ่นเหล็กบาง ๆ เคลือบด้วยดีบุกหรือโลหะอย่างอื่น): *a tin of fruit.* **3** a container of the same material for cake, biscuits *etc.* (กล่องที่ทำจากวัตถุอย่างเดียวกัน ใช้ใส่ขนมเค้ก ขนมปังกรอบ ฯลฯ): *a biscuit-tin.* — *adj*: *a tin can; a tin plate.*

'tin·foil *n* very thin sheets of tin or another metal used for wrapping *etc.* (แผ่นกระดาษดีบุกหรือโลหะชนิดอื่น ใช้สำหรับห่อของ): *to wrap sandwiches in tinfoil.*

tinge *n* a slight trace of colour (มีสีเรื่อ ๆ): *The material was white but had a blue tinge.*

'tin·gle *v* to have a prickling feeling (รู้สึกแปลบ ๆ): *My fingers were tingling with cold.*

'tink·er *v* to try to repair or improve something, usually without having the necessary skills (พยายามซ่อมแซมหรือทำสิ่งของให้ดีขึ้นโดยไม่มีความชำนาญเท่าที่ควร): *He enjoys tinkering around with old motorcycles; Who's been tinkering with the television?*

'tin·kle *v* to make a sound of, or like, the ringing of small bells (ทำเสียงกรุ๋งกริ๋ง เสียงสั่นกระดิ่งเล็ก ๆ): *The doorbell tinkled.* — *n*: *I heard the tinkle of breaking glass.*

tinned *adj* sealed in a tin for preservation *etc.* (ปิดกระป๋องเพื่อถนอมอาหาร): *tinned foods.*

'tin·sel *n* strings of sparkling, glittering material used for decorating a room *etc.* for a festival or celebration (สายระย้าทำด้วยวัตถุที่แวบวับ ใช้สำหรับตกแต่งห้องเพื่อการเฉลิมฉลอง).

'tin·sel·ly *adj* (มีสายระย้า).

tint *n* a shade of a colour (สี). — *v* to colour or dye slightly (ย้อมสีเล็กน้อย): *She had her hair tinted red.*

'ti·ny (*'ti-ni*) *adj* very small (เล็กมาก): *a tiny insect.*

tip[1] *n* the small or thin end, point or top of something (ปลายเล็ก ๆ หรือยอดของอะไรบางอย่าง): *the tips of my fingers.*

tip[2] *v* **1** to make something slant (ทำให้เอียง): *The boat tipped to one side.* **2** to empty something from a container, or remove something from a surface, with this kind of movement (เท): *He tipped the water out of the bucket.* **3** to dump rubbish (ทิ้ง): *People have been tipping their rubbish in this field.* — *n* a place where rubbish is thrown (ที่ทิ้งขยะ): *a rubbish tip.*

tip over to knock over; to fall over; to overturn (ชนล้ม ล้มลงไป ล้มคว่ำ): *He tipped the lamp over; She put the jug on the edge of the table and it tipped over.*

tip[3] *n* a gift of money given to a waiter *etc.*, for personal service (เงินทิป): *I gave him a generous tip.* — *v* to give a gift of this sort to someone (ให้รางวัลอย่างเดียวกันนี้กับบางคน): *She tipped the hairdresser.*

tip[4] *n* a piece of useful information; a hint (พูดเป็นนัย แนะนำ พูดเปรย บอกใบ้): *He gave me some good tips about gardening.*

tip off to warn (เตือน): *The police had been tipped off about the burglary that had been planned.* **'tip-off** *n.*

tipped *adj* with a tip (ปลาย จุ่ม): *filter-tipped cigarettes; a white-tipped tail; an arrow tipped with poison.*

'tip·sy *adj* slightly drunk (เมานิด ๆ).

'tip·toe *v* to walk on your toes, usually in order to be quiet (ย่อง): *He tiptoed past her bedroom door.*

walk, stand *etc.* **on tiptoe** to walk, stand *etc.* on your toes (เขย่งเท้า): *He stood on tiptoe to reach the shelf.*

tip-'top *adj* excellent (ดีเยี่ยม): *The horse is in tip-top condition.*

tire[1] another spelling of (คำสะกดอีกแบบหนึ่งของคำว่า) **tyre**.

tire[2] *v* to make, or become, exhausted and in need of rest; to weary (เหนื่อย): *Walking tired her; She tires easily.*

tired *adj* **1** wearied; exhausted (อิดโรย หมดแรง): *She was too tired to continue.* **2** no longer interested; bored (ไม่สนใจอีกต่อไป เบื่อหน่าย): *I'm tired of answering stupid questions!*

'tired·ness *n* (ความเหน็ดเหนื่อย ความเบื่อหน่าย).

'tire·less *adj* never becoming weary or exhausted; never resting (ไม่รู้จักเหนื่อย ไม่พักผ่อน): *a tireless worker; tireless energy.*

'tire·less·ly *adv* (อย่างไม่รู้จักเหนื่อย).

'tire·some *adj* troublesome; annoying (ทำให้ยุ่งยาก รำคาญ).

'ti·ring *adj* causing tiredness (ทำให้เกิดความเหน็ดเหนื่อย): *I've had a tiring day; The journey was very tiring.*

tire out to tire or exhaust completely (เหน็ดเหนื่อยหรือหมดแรงอย่างสิ้นเชิง): *The hard work tired her out.*

'tis·sue (*'tish-oo*) *n* **1** one of the kinds of substance of which your body is made (เนื้อเยื่อ): *the tissues of the body; muscular tissue.* **2** a piece of thin soft paper used for wiping your nose *etc.* (กระดาษทิชชู): *He bought a box of tissues for his cold.*

tissue paper very thin paper, used for packing, wrapping *etc.* (กระดาษที่บางมาก ใช้ห่อของ).

tit: tit for tat hurting or injuring someone in return for being hurt by them (การแก้แค้นในทำนองเดียวกัน): *He tore my dress, so I spilt ink on his suit. That's tit for tat.*

'tit·bit *n* a tasty little piece of food (สิ่งโอชะเล็ก ๆ): *He gave the dog a titbit.*

'titch·y (*'tich-i*) *adj* very small (เล็กมาก): *She offered me a titchy piece of cake.*

'ti·tle (*'tī-təl*) *n* **1** the name of a book, play, painting, piece of music *etc.* (ชื่อหนังสือ ละคร ภาพวาด ท่อนนำของเพลง ฯลฯ): *The title of the painting is "A Winter Evening".* **2** a word put before your name to show rank, honour, occupation *etc.* (คำนำหน้าชื่อเพื่อแสดงถึงยศ เกียรติ อาชีพ ฯลฯ): *Sir John; Lord Henry; Captain Smith; Professor Brown; Dr (Doctor) Mary Bevan.*

'ti·tled *adj* having a title that shows noble rank (มียศซึ่งแสดงว่ามีตระกูลสูง): *a titled lady.*

'tit·u·lar (*'tit-ū-lər*) *adj* having the title of an office but none of its duties (มียศศักดิ์แต่ในนาม): *He is only a titular professor.*

to (*tə, to͞o*) *prep* **1** towards; in the direction of (ไปยัง ในทิศทางของ): *I cycled to the station; The book fell to the floor.* **2** so as to attend: *I went to the concert; I don't want to go to school.* **3** as far as (จน): *His story is a lie from beginning to end.* **4** until (จนกระทั่ง): *Did you stay to the end of the concert?* **5** used in expressing various connections and relationships between actions, people and things (มายัง พูดด้วย ต่อ): *He sent the book to us; You're the only person I can talk to; Please be kinder to your sister; Listen to me!; Did you reply to his letter?; Where's the key to this door?; He sang to his guitar.* **6** into a particular state or condition (เป็น): *She tore the letter to pieces.* **7** used in expressing comparison (กว่า ต่อ): *He's junior to me; We won the match by 5 goals to 2.* **8** showing the purpose or effect of an action *etc.* (มายัง ด้วยความ): *He came quickly to my assistance; To my horror, he took a gun out of his pocket.* **9** used with a verb to express various meanings (ใช้กับคำกริยาเพื่อแสดงความหมายหลายอย่าง): *I want to go!; He asked me to come; He worked hard to earn a lot of money; These buildings were designed to* *resist earthquakes; He asked her to stay but she didn't want to.* — *adv* (*too*) into a closed or almost closed position (ปิดหรืออยู่ในตำแหน่งที่เกือบปิด): *He pulled the door to.*

to and fro (*frō*) backwards and forwards (ไป ๆ มา ๆ): *They ran to and fro in the street.*

toad *n* an animal like a large frog (คางคก).

A toad **croaks**.
A baby toad is a **tadpole**.

'toad·stool *n* a fungus that looks like a mushroom but is poisonous (เห็ดมีพิษ): *He ate a toadstool thinking it was a mushroom and almost died.*

toast[1] *v* to drink in honour of someone or something (ดื่มเป็นเกียรติ): *We toasted the bride and bridegroom; Let us toast the new ship.* — *n* (การดื่มเป็นเกียรติ): *Let's drink a toast to our friends!*

toast[2] *v* to make bread *etc.* brown in front of a fire, under a grill *etc.* (การปิ้งขนมปัง): *We toasted slices of bread for tea.* — *n* bread that has been toasted (ขนมปังที่ปิ้งแล้ว): *He always has two pieces of toast for breakfast.*

'toast·ed *adj* (เกี่ยวกับการปิ้ง): *toasted cheese; How well do you like your bread toasted?*

'toast·er *n* an electric machine for toasting bread (เครื่องปิ้งขนมปัง).

'toast·rack *n* a small stand in which slices of toast can be served (ที่สำหรับเสริฟขนมปังแผ่น).

to'bac·co *n* a plant that has leaves that are dried and used for smoking in pipes, cigarettes, cigars *etc.* (ต้นยาสูบ): *Tobacco may be bad for your health.*

to'bac·co·nist *n* a person who sells tobacco, cigarettes *etc.* (ผู้ขายยาสูบ บุหรี่ ฯลฯ).

to'bog·gan (*tə'bog-ən*) *n* a vehicle like a long, low seat made for sliding over snow (เลื่อนที่ใช้ไถไปบนหิมะ). — *v* to ride a toboggan (ขี่เลื่อน): *The children tobogganed down the hill; We went tobogganing.*

to'day *adv* **1** on this day (วันนี้): *I'm not going to school today.* **2** at the present time (เวลาในปัจจุบันนี้): *Life is easier today than it was a hundred years ago.* — *n* (วันนี้ ทุกวันนี้): *Today is Friday; Here is today's newspaper; People of today want more holidays and less work.*

'tod·dle *v* to walk unsteadily when you first learn to walk (เดินเตาะแตะ): *The baby has begun to toddle.*

'tod·dler *n* a very young child who has just learnt to walk (เด็กเดินเตาะแตะ).

toe (*tō*) *n* **1** one of the five finger-like end parts of your foot (นิ้วเท้า): *These tight shoes hurt my toes.* **2** the front part of a shoe, sock *etc.* (ส่วนปลายของรองเท้า ถุงเท้า): *There's a hole in the toe of my sock.*

'toe·nail *n* the nail that grows on your toes (เล็บเท้า): *to cut your toenails.*

toe the line to act according to the rules (ทำตามกฎ).

'tof·fee *n* a sticky sweet made of sugar and butter (ทอฟฟี่ ลูกอม).

to'geth·er (*tə'gedh-ər*) *adv* **1** with someone or something else; in company (ด้วยกัน): *They travelled together.* **2** at the same time (เวลาเดียวกัน): *They all arrived together.* **3** so as to be joined or united (เข้าด้วยกัน ต่อกัน): *He nailed the pieces of wood together.* **4** acting with one or more other people (ร่วมกัน): *Together we persuaded him.*

together with in company with; in addition to (รวมเข้ากับ): *My knowledge, together with his money, should be very useful.*

toil *v* **1** to work hard and long (ทำงานหนักและนาน): *He toiled all day in the fields.* **2** to move with great difficulty (เคลื่อนไหวด้วยความยากลำบากอย่างยิ่ง): *He toiled along the road with all his luggage.* — *n* hard work (งานหนัก): *He slept well after his hours of toil.*

'toi·let *n* a lavatory (ห้องน้ำ): *Do you want to go to the toilet?; Where is the ladies' toilet?* — *adj* (เกี่ยวกับห้องน้ำ): *a toilet seat.*

'toi·let·ries *n plural* the things that you use for washing yourself, cleaning your teeth, taking care of your skin *etc.*, such as soap, shampoo and toothpaste (เครื่องใช้ในห้องน้ำ

ที่เราใช้ล้างตัว แปรงฟัน ดูแลผิวหนังของเรา ฯลฯ เช่น สบู่ แชมพู และยาสีฟัน): *Most supermarkets sell toiletries.*

'to·ken *n* a sign; a symbol (เครื่องหมาย สัญลักษณ์): *Wear this ring as a token of our friendship.*

told *see* **tell** (ดู **tell**).

'tol·e·ra·ble *adj* **1** able to be borne or endured (สามารถทนทานได้): *The heat was barely tolerable.* **2** quite good (ดีทีเดียว): *The food was tolerable.*

'tol·e·rance *n* **1** the ability to be fair and understanding to people whose ways, opinions *etc.* are different from your own (สามารถที่จะมีความยุติธรรมและเข้าใจในแนวความคิดเห็นของผู้คนซึ่งแตกต่างไปจากของเราเอง). **2** the ability to bear something (ความสามารถอดทนได้): *tolerance of pain.*

'tol·e·rant *adj* showing tolerance (แสดงความอดทน อดกลั้น): *I really am a very tolerant person, but I can't bear his rudeness much longer; Try and be tolerant towards other people; Be tolerant of other people's faults.*

'tol·er·ant·ly *adv* (อย่างอดทน).

'tol·e·rate *v* to bear or endure; to put up with (อดทน อดกลั้น): *I couldn't tolerate his rudeness.*

tol·e'ra·tion *n* (ความอดทน ความอดกลั้น).

toll[1] (*tōl*) *v* to ring slowly (เสียงระฆังดังอย่างช้า ๆ): *The bell tolled solemnly.*

toll[2] (*tōl*) *n* a tax charged for crossing a bridge, driving on certain roads *etc.* (ค่าผ่านทาง): *All cars pay a toll of $1.* — *adj* (เกี่ยวกับค่าผ่านทาง): *a toll bridge.*

to'ma·to (*tə'mä-tō*), *plural* **to'ma·toes**, *n* a juicy vegetable, used in salads, sauces *etc.* (มะเขือเทศ): *We had a salad of lettuce, tomatoes and cucumbers.* — *adj* (เกี่ยวกับมะเขือเทศ): *tomato sauce.*

tomb (*toom*) *n* a grave (หลุมฝังศพ): *He was buried in the family tomb.*

'tom·boy *n* a girl who likes rough games and activities (เด็กผู้หญิงที่ชอบเล่นและทำหยาบ ๆ): *She's a real tomboy!*

'tomb·stone (*'toom-stōn*) *n* an ornamental stone placed over a grave (ศิลาจารึกหลุมฝังศพ).

'tom·cat *n* a male cat (แมวตัวผู้).

to'mor·row (*tə'mor-ō*) *adv* **1** on the day after today (พรุ่งนี้): *The members of the team will be announced tomorrow.* **2** in the future (ในอนาคต): *Tomorrow we die.* — *n* (วันพรุ่งนี้ อนาคต): *Tomorrow is Saturday; tomorrow's world.*

ton (*tun*) *n* a unit of weight equal to 2240 pounds (or, in America, 2000 pounds) (หน่วยวัดน้ำหนัก เท่ากับ **2240** ปอนด์ หรือในอเมริกา **2000** ปอนด์).

tons *n* a lot (มากมาย): *I've got tons of letters to write.*

tone *n* **1** the quality of a sound, especially a voice (คุณภาพของเสียง น้ำเสียง): *He spoke in a gentle tone; He told me about the film in a tone of disapproval; That violin has a very good tone.* **2** a shade of colour (แถบสี): *various tones of green.* **3** firmness of body or muscle (ความแข็งของกล้ามเนื้อ): *Your muscles lack tone — you need exercise.* — *v* to fit in well; to blend (ผสมกลมกลืน): *The brown sofa tones well with the walls.*

tone down to make or become softer, less harsh *etc.* (ทำให้อ่อนลง เข้มน้อยลง): *The red paint is too bright — we'll have to tone it down.*

tongs *n* an instrument for holding and lifting objects (คีม): *Where are the sugar-tongs?; a pair of tongs.*

tongs takes a plural verb but **a pair of tongs** is singular.

tongue (*tuŋ*) *n* **1** the fleshy organ inside your mouth, that you use for tasting, swallowing, speaking *etc.* (ลิ้น): *The doctor looked at her tongue.* **2** the tongue of an animal used as food (ลิ้นของสัตว์ ใช้เป็นอาหาร). **3** something with the same shape as a tongue (อะไรที่มีรูปร่างคล้ายลิ้น): *a tongue of flame.* **4** a language (ภาษา): *English is his mother-tongue; your native tongue; a foreign tongue.*

'ton·ic *n* medicine that gives strength or energy (ยาบำรุงกำลัง): *The doctor prescribed a tonic.*

to'night (*tə'nīt*) *adv* on the night of this present

day (คืนนี้): *I'm going home early tonight.* — *n* (คืนนี้): *Here is tonight's weather forecast.*

'ton·sil (*'ton-səl*) *n* either one of a pair of lumps of tissue at the back of the throat (ต่อมทอนซิล): *He had to have his tonsils out.*

too *adv* **1** more than is required, desirable or suitable (มากเกินต้องการ เกินพอดี): *He's too fat to run far; This sum is too difficult for me; Your essay is too long.* **2** also; as well (เช่นกัน เหมือนกัน): *Jim went home early, and John did too.*

not too not very (ไม่มาก): *He's not too well; I'm not too good at arithmetic.*

took *see* **take** (ดู **take**).

tool *n* an instrument for doing work (เครื่องมือ): *hammers, saws and other tools; Advertising is a powerful tool.*

toot *n* a quick blast of a trumpet, car-horn *etc.* (เสียงแตร กดแตรรถยนต์). — *v*: *He tooted the horn.*

See **horn**.

tooth (*tooth*), *plural* **teeth** (*tēth*), *n* **1** any of the hard, bone-like objects that grow in your mouth, that you use for biting and chewing (ฟัน): *I broke a tooth on a peach stone.* **2** something that looks or acts like a tooth (อะไรบางอย่างที่ดูหรือทำเหมือนฟัน): *the teeth of a comb.*

'tooth·ache *n* a pain in a tooth (ปวดฟัน): *I've got terrible toothache.*

'tooth·brush *n* a brush for cleaning your teeth (แปรงสีฟัน).

toothed *adj* (มีซี่): *A gear is a toothed wheel; a sharp-toothed animal.*

'tooth·less *adj* without teeth (ไม่มีฟัน ฟันหลอ): *a toothless old man.*

'tooth·paste *n* a paste used to clean your teeth (ยาสีฟัน).

'tooth·pick *n* a small piece of wood for picking out food from between your teeth (ไม้จิ้มฟัน).

a sweet tooth a liking for sweet food (ชอบอาหารหวาน): *I've always had a sweet tooth.*

top[1] *n* **1** the highest part of anything (ส่วนสูงสุดของสิ่งใด ๆ): *the top of the hill; the top of your head; The book is on the top shelf.* **2** the position of the cleverest in a class *etc.* (ตำแหน่งที่ฉลาดที่สุดในชั้น): *He's at the top of the class.* **3** the upper surface (ผิวหน้าด้านบน): *the table-top.* **4** a lid (ฝาปิด): *I've lost the top of this jar; a bottle-top.* **5** a woman's garment for the upper half of the body; a blouse, sweater *etc.* (เสื้อผ้าส่วนบนของผู้หญิง): *I bought a new skirt and top.* — *adj* having gained the best marks in a school class *etc.* (ได้คะแนนดีที่สุดในชั้นเรียน): *She's top of the class again.* — **1** to cover on the top (ปิดอยู่ด้านบน): *She topped the cake with cream.* **2** to rise above (สูงขึ้นเหนือ): *Our exports have topped $100,000.* **3** to remove the top of something, especially to remove the remains of the stalk from fruit (ตัดยอด ต่อปลาย): *to top strawberries.*

at the top of your voice very loudly (สุดเสียง): *They were shouting at the top of their voices.*

from top to bottom completely (ทั้งหมด สิ้นเชิง): *They've painted the house from top to bottom.*

on top of on the top surface of (ข้างบน): *Your bags are on top of the wardrobe.*

on top of the world very well and happy (อยู่ดีมีความสุข): *She's on top of the world — she's just got engaged to be married.*

top[2] *n* a kind of toy that spins (ลูกข่าง).

sleep like a top to sleep very well (หลับสนิท): *The child slept like a top after a day on the beach.*

'to·paz (*'tō-paz*) *n* a yellowish brown precious stone (บุษราคัม พลอยสีเหลืองออกน้ำตาล): *a topaz necklace.*

'top·ic *n* something spoken or written about; a subject (เรื่องที่พูดหรือเขียน ปัญหา): *They discussed the weather and other topics.*

'top·ic·al *adj* interesting and important at the present time (น่าสนใจและมีความสำคัญในปัจจุบัน): *a topical subject.*

'top·ic·al·ly *adv* (อย่างน่าสนใจและมีความสำคัญในปัจจุบัน).

'top·ping *n* something that forms a covering

on top of food *etc.* (สิ่งที่ราดหน้า): *strawberry ice-cream with chocolate topping.*

'top·ple *v* to fall; to make something fall (ล้ม ทำให้ล้ม): *The child toppled over; He toppled the pile of books.*

top-'se·cret *adj* very secret (ลับเฉพาะ): *top-secret information.*

'top·sy·turv·y *adj, adv* upside down; in confusion (กลับหัวกลับหาง อย่างสับสน): *Everything was turned topsy-turvy.*

torch *n* **1** a small light that you can carry about with you, worked by an electric battery (ไฟฉายเล็ก ๆ): *He shone his torch into her face.* **2** a piece of wood *etc.* set on fire and carried as a light (ไต้ คบเพลิง).

tore *see* **tear**[2] (ดู **tear**[2]).

'tor·ment *n* **1** very great pain, suffering, worry *etc.* (ความเจ็บปวดรวดร้าว ทนทุกข์ทรมาน วิตกกังวล ฯลฯ): *He was in torment.* **2** something that causes this (สิ่งที่ทำให้เกิดเช่นนี้ขึ้น): *Her shyness was a torment to her.* — *v* **(tor'·ment)** to cause pain, suffering, worry *etc.* to someone (ทำให้เกิดความเจ็บปวด ทุกข์ทรมาน วิตกกังวล กับใครบางคน): *She was tormented with toothache.*

torn *see* **tear**[2] (ดู **tear**[2]).

tor'na·do (*tör'nā-dō*), *plural* **tor'na·does**, *n* a violent whirlwind that can cause great damage (พายุทอร์นาโด): *The village was destroyed by a tornado.*

See **hurricane.**

tor'pe·do (*tör'pē-dō*), *plural* **tor'pe·does**, *n* an underwater weapon for firing at ships (อาวุธใต้น้ำใช้สำหรับยิงเรือ ตอร์ปิโด): *The ship was struck by an enemy torpedo.* — *v* (ยิงด้วยตอร์ปิโด): *The ship was torpedoed.*

'tor·rent *n* a rushing stream (กระแสน้ำเชี่ยว ฝนตกเป็นห่า ผรุสวาทประดุจห่าฝน): *The rain fell in torrents; a torrent of abuse.*

tor'ren·tial *adj* like a torrent (อย่างกับกระแสน้ำเชี่ยว): *torrential rain; The rain was torrential.*

'tor·so (*'tör-sō*), *plural* **torsos**, *n* the main part of the human body without the arms, legs and head (ลำตัว): *a statue or a man's torso.*

'tor·tu·ous (*'tör-tū-əs*) *adj* **1** full of twists and turns (ลดเลี้ยว): *They followed a tortuous road up the mountain.* **2** difficult to follow (ยากที่จะติดตาม): *a tortuous piece of prose.*

'tor·toise (*'tör-təs*) *n* a four-footed, slow moving animal covered with a hard shell (เต่า).

'tor·ture (*'tör-chər*) *v* **1** to treat someone cruelly and cause them pain, as a punishment, or in order to make them confess something, give information *etc.* (ทรมาน): *to torture prisoners.* **2** to cause someone a lot of pain or misery (ก่อให้เกิดความเจ็บปวดหรือความขมขื่นอย่างมากกับใครบางคน): *She was tortured by jealousy.* — *n* **1** the torturing of people (การทรมานผู้คน): *The king would not permit torture.* **2** something causing great suffering (อะไรที่ทำให้เกิดความทุกข์ทรมาน): *the torture of toothache.*

toss *v* **1** to throw into or through the air (โยนขึ้นไปบนอากาศ): *She tossed the ball into the air.* **2** to throw yourself restlessly from side to side (พลิกตัวอยู่ไปมา): *She tossed about all night, unable to sleep.* **3** to be thrown about (เหวี่ยง): *The boat tossed wildly in the rough sea.* **4** to throw a coin into the air and decide something according to which side falls uppermost (โยนหัวโยนก้อย): *They tossed a coin to decide which of them should go first.* — *n* an act of tossing (การโยนแบบนี้).

toss up to toss a coin to decide a matter (โยนเหรียญเพื่อตัดสินเรื่องราว เสี่ยงทาย): *We tossed up whether to go to the play or the ballet.*

tot *n* a small child (เด็กเล็ก ๆ): *a tiny tot.*

'to·tal *adj* whole; complete (ทั้งหมด ทั้งสิ้น): *What was the total cost of the holiday?; The car was a total wreck.* — *n* the whole amount of various sums added together (รวมจำนวนเข้าด้วยกัน): *The total came to $10.* — *v* to add up to (รวมเป็น): *The doctor's fees totalled $20.*

'to·tal·ly *adv* completely (โดยสิ้นเชิง): *two totally different things; Mary gave totally the wrong answer.*

total up to add up (รวมกันเข้า): *He totalled up the money he had earned at the end of the week.*

'to·tem (*'tō'təm*) *n* (เสาไม้ซึ่งแกะสลักเป็นรูปสัตว์ นก และต้นไม้):

totem pole a tall wooden column on which animals, birds and plants are carved: *Totem poles are often carved by North American Indians.*

'tot·ter *v* to move unsteadily as if you are about to fall (เดินโซซัดโซเซ จวนจะล้มมิล้มแหล่): *The building tottered and collapsed; He tottered down the road.*

touch (*tuch*) *v* **1** to come into contact, or make contact with something else (แตะ สัมผัส): *Their shoulders touched; He touched the water with his foot.* **2** to feel with your hand (สัมผัสด้วยมือ): *He touched her cheek.* **3** to make someone feel pity, sympathy *etc.* (รู้สึกสงสารเห็นอกเห็นใจ): *I was touched by her generosity.* **4** to be concerned with; to have anything to do with (เกี่ยวข้อง): *I wouldn't touch a job like that.* — *n* **1** the action of touching; the feeling of being touched (การสัมผัส ความรู้สึกโดนสัมผัส): *I felt a touch on my shoulder.* **2** one of the five senses, the sense by which we feel things (ประสาทสัมผัส): *the sense of touch; Her skin was cold to the touch.* **3** a mark or stroke *etc.* to improve the appearance of something (แต่งหรือลูบไล้ให้บางอย่างดูดีขึ้น): *Sue put the finishing touches to her make-up.*

'touch·ing *adj* causing pity, sympathy or deep feeling (ทำให้เกิดความสงสาร เห็นใจหรือมีความรู้สึกลึก ๆ): *a touching story.*

'touch·ing·ly *adv* (อย่างน่าสงสาร): *He spoke touchingly about the children he had left behind.*

'touch·y *adj* easily annoyed or offended (รำคาญง่าย โกรธง่าย): *You're very touchy today.* **'touch·i·ly** *adv* (รำคาญง่าย).

'touch·i·ness *n* (ความน่ารำคาญ).

in touch in communication (ติดต่อ ติดต่อสื่อสาร): *I have kept in touch with my school-friends.*

lose touch to stop communicating with someone (ขาดการติดต่อ): *I used to see him quite often but we have lost touch now.*

out of touch 1 not in communication with someone (ไม่มีการติดต่อ): *We've been out of touch for a few months.* **2** not sympathetic towards something; not understanding something (ไม่มีความเห็นอกเห็นใจในบางอย่าง ไม่เข้าใจในบางอย่าง): *Older people sometimes seem out of touch with the modern world.*

touch down to land (ลงพื้น): *The plane should touch down at 2 o'clock.*

touch off to make something explode (ทำให้ระเบิด): *A spark touched off the gun powder; The fight was touched off by John's insult to Bob.*

tough (*tuf*) *adj* **1** strong; not easily broken, worn out *etc.* (แข็งแรง ไม่หักง่าย ไม่สึกหรอง่าย): *Plastic is a tough material.* **2** difficult to chew (เคี้ยวยาก เหนียว): *This meat is rather tough.* **3** strong; able to bear hardship, illness *etc.* (แข็งแรง สามารถทนกับความยากลำบาก ความเจ็บป่วย): *Mary is tough enough to get over the disappointment.* **4** rough and violent (หยาบและมีความรุนแรง): *tough lads; It's a tough neighbourhood.* **5** difficult to deal with; difficult to beat (ยากที่จะจัดการได้ ยากที่จะเอาชนะ): *a tough problem; The competition was really tough.* — *n* a rough person; a bully (คนหยาบ คนพาล): *He's a young tough!*

'tough·ness *n* (เหนียว ทนทาน อันธพาล).

'tough·en *v* to make or become tough (ทำให้แกร่ง ทำให้เหนียว ทำให้ทนทาน).

get tough with someone to deal very firmly with someone, or use force, to get them to do what you want (บังคับคนบางคน): *When he started to argue, I got tough with him.*

tour (*to͝or*) *n* **1** a journey to several places and back (การท่องเที่ยว): *They went on a tour of Italy.* **2** a visit around a particular place (ไปเยือนยังที่หนึ่งที่ใดโดยเฉพาะ): *He took us on a tour of the house and gardens.* **3** an official period of time of work, usually abroad (ช่วงเวลาทำงานของเจ้าหน้าที่ โดยปกติเป็นต่าง

ประเทศ): *He did a tour of duty in Fiji.* — *v* to go on a tour around (ไปท่องเที่ยว): *to tour Europe.*

'tour·ism *n* the industry dealing with tourists (อุตสาหกรรมการท่องเที่ยว): *Tourism is an important part of our economy.*

'tour·ist *n* someone who travels for pleasure (นักท่องเที่ยว): *London is usually full of tourists.* — *adj* (เกี่ยวกับการท่องเที่ยว): *the tourist industry.*

'tour·na·ment *n* a competition in which many players compete in many separate games (การแข่งขันซึ่งมีผู้แข่งขันหลาย ๆ คนหรือหลายทีม): *I'm playing in the next tennis tournament.*

tow (*tō*) *v* to pull something with a rope, chain or cable (ดึง ลากด้วยเชือก โซ่ หรือสายลวดขนาดใหญ่): *The tugboat towed the ship out of the harbour; The car had to be towed to the garage.* — *n* (การดึง การลาก): *The car broke down and a lorry gave us a tow to the nearest garage.*

to'wards (*tə'wördz*), **to'ward** (*tə'wörd*) *preps* **1** moving, facing *etc.* in the direction of someone or something (เคลื่อนไป หันไป ในทิศทางที่ใครบางคนหรืออะไรบางอย่างอยู่): *He walked toward the door; She turned towards him.* **2** in relation to (เกี่ยวกับ ต่อ): *I feel quite friendly towards him.* **3** as a help to (เป็นการช่วย): *Here's $3 towards the cost of the journey.* **4** near (ใกล้): *Towards night-time, the weather worsened.*

'tow·el *n* a piece of absorbent cloth or paper for drying yourself, your hands, dishes *etc.* (ผ้าหรือกระดาษที่ซึมซับน้ำที่ใช้เช็ดตัว เช็ดมือ เช็ดชาม): *a bath-towel; a hand-towel; Pass me a paper towel — I've spilt the milk.*

'tow·er *n* **1** a tall narrow building; a castle (หอ ปราสาท): *the Tower of London.* **2** a tall narrow part of a castle or other building (หอคอย): *a church-tower.* — *v* to rise high (ขึ้นสูง ค้ำศีรษะ): *The mountains towered above them; The headmaster towered over the child.*

'tow·er·ing *adj* **1** very high (สูงมาก): *towering cliffs.* **2** very violent or angry (รุนแรงมากหรือโกรธ): *He was in a towering rage.*

town *n* **1** a group of houses, shops, schools *etc.*, that is bigger than a village but smaller than a city (เมือง): *I'm going into town to buy a dress.* **2** the people who live in a group of houses *etc.* of this sort (ผู้คนที่อาศัยอยู่ในกลุ่มของบ้านในเมืองแบบนี้): *The whole town came to see the play.* **3** towns in general as opposed to the countryside (เมืองซึ่งแตกต่างจากชนบทโดยทั่ว ๆ ไป): *Do you live in the country or the town?*

town hall the building in which the official business of a town is done (ศาลากลาง).

'towns·folk, 'towns·peo·ple *ns* the people living in a town (คนในเมือง).

'tox·ic (*'tok-sik*) *adj* poisonous (เป็นพิษ): *toxic substances.*

'tox·in (*'tok-zin*) *n* a poison produced naturally by plants, animals or bacteria (สารพิษที่ผลิตตามธรรมชาติโดยพืช สัตว์ หรือบักเตรี): *The water had been polluted by toxins.*

toy *n* an object made for a child to play with (ของเล่น): *He got lots of toys for his birthday.* — *adj* (เกี่ยวกับของเด็กเล่น): *a toy dog; toy soldiers.* — *v* to play with something in an idle way (เล่นอะไรไปเรื่อย ๆ): *He wasn't hungry and sat toying with his food.*

trace *n* **1** a mark or sign left by something (ร่องรอย เครื่องหมาย): *There were traces of egg on Alan's tie; There's still no trace of the missing child.* **2** a small amount (จำนวนน้อย): *Traces of poison were found in the cup.* — *v* **1** to follow or discover by means of clues, evidence *etc.* (ติดตามหรือค้นพบโดยมีเงื่อนงำ หลักฐาน): *The police have traced him to London; The source of the infection has not yet been traced.* **2** to make a copy of a picture *etc* by putting transparent paper over it and drawing the outline *etc.* (ทำสำเนารูปภาพโดยการเอาแผ่นใสวางข้างบนแล้ววาดคัดลอก): *to trace a map.*

'tra·cing *n* a copy made by tracing (การคัดลอกโดยทำแบบนี้): *I made a tracing of the diagram.*

track *n* **1** a mark left (รอยที่ทิ้งเอาไว้): *They followed the lion's tracks.* **2** a path or rough road (เส้นทางหรือถนนหยาบ ๆ): *a mountain track.* **3** a course on which runners, cyclists *etc.* race (เส้นทางวิ่งของนักวิ่ง นักปั่นจักรยาน): *a running track.* **4** a railway line (ทางรถไฟ). — *adj* (แข่งมาราธอนและรายการประเภทลู่): *the marathon and other track events.* — *v* to follow someone or something by the marks, footprints *etc.* that they have left (ตามรอย): *They tracked the wolf to its lair.*

'track-suit *n* a warm suit worn by athletes *etc.* especially before and after exercising (เสื้อวอร์ม).

keep track of to keep yourself informed about something (ติดตาม จดสถิติ): *I've kept track of your career over the years.*

lose track of not to keep yourself informed about something (ไม่ได้ติดตาม): *He lost track of the argument.*

track down to search for and find someone or something (ตามหา ตามพบ): *I managed to track down an old copy of the book.*

'trac·tor *n* a motor vehicle for pulling agricultural machinery (รถแทรกเตอร์).

trade *n* **1** the buying and selling of goods (การค้า): *Japan does a lot of trade with Britain.* **2** a business, occupation or job (ธุรกิจ อาชีพหรืองาน): *He's in the jewellery trade.* — *v* **1** to buy and sell (ซื้อและขาย): *They made a lot of money by trading; They trade in fruit and vegetables.* **2** to exchange (แลกเปลี่ยน): *I traded my watch for a bicycle.*

'tra·der *n* someone who trades (พ่อค้า แม่ค้า): *She bought some fruit from a street trader.*

'trade·mark, 'trade·name *ns* a mark or name belonging to a particular company that is put on goods made by the company (เครื่องหมายการค้า).

tra'di·tion *n* **1** customs, beliefs, stories *etc.* (ประเพณี ความเชื่อ เรื่องราว): *These songs have been preserved by tradition.* **2** a custom, belief, story *etc.* that is passed on (ประเพณี ความเชื่อ เรื่องราว ที่สืบทอดกันมา).

tra'di·tion·al *adj* (ประเพณี).

tra'di·tion·al·ly *adv* (เป็นประเพณี เป็นความเชื่อ).

'traf·fic *n* vehicles, aircraft, ships *etc.* moving about (การจราจร): *There's a lot of traffic on the roads.*

traffic is never used in the plural: *There's too much traffic on the roads.*

traffic island a small pavement in the middle of a road, for you to stand on on your way across (เกาะกลางถนน).

traffic jam a situation in which large numbers of road vehicles are prevented from moving freely (จราจรติดขัด).

traffic lights lights of changing colours for controlling traffic at road crossings *etc.* (ไฟควบคุมการจราจร): *Turn left at the traffic lights.*

'trag·e·dy (*'traj-ə-di*) *n* **1** a drama about unfortunate events with a sad outcome (โศกนาฏกรรม เรื่องเศร้า): *"Hamlet" is one of Shakespeare's tragedies.* **2** an unfortunate or sad event (โชคร้ายหรือเหตุการณ์เศร้าสลด): *His early death was a great tragedy for his family.*

The opposite of **tragedy** is **comedy**.

'trag·ic *adj* **1** sad; unfortunate (เศร้าสลด โชคร้าย): *I heard of the tragic death of her son.* **2** having to do with tragedy (เกี่ยวกับเรื่องเศร้า): *Hamlet is a tragic hero.*

trail *v* **1** to drag, or be dragged, along loosely (ลากหรือถูกลากไป): *Sarah's skirt trailed along the ground.* **2** to walk slowly and wearily (เดินอย่างช้า ๆ และเหนื่อยอ่อน): *He trailed down the road.* **3** to follow the track of someone or something (ตามรอย): *John trailed the spy to her home.* — *n* **1** a track (รอย): *The bear's trail was easy for the hunters to follow.* **2** a path through a forest or other wild area (ทางผ่านป่าหรือพื้นที่รก): *a mountain trail.* **3** a line, or series of marks, left by something as it passes (เส้นทางหรือรอยที่ทิ้งไว้เมื่อสิ่งนั้นผ่านไป): *There was a trail of blood across the floor.*

'trail·er *n* a vehicle pulled behind a motor-car *etc.* (รถพ่วง): *We carry our luggage in a trailer.*

train[1] *n* **1** a railway engine with its carriages or trucks (รถไฟ): *I caught the train to London.* **2** a part of a long dress or robe that trails behind (เสื้อคลุมหรือเครื่องแต่งกายยาวที่ลากตามหลัง): *The bride wore a dress with a train.* **3** a connected series (เรื่องที่ติดต่อกันเป็นชุด ๆ): *Then began a train of events which ended in disaster.* **4** a line of animals carrying people or baggage (แถวสัตว์ซึ่งบรรทุกคนหรือสัมภาระ): *a mule train; a baggage train.*

See **in**.

train[2] *v* **1** to prepare, be prepared, or prepare yourself, through instruction, practice, exercise *etc.*, for a sport, job, profession *etc.* (การฝึก): *I was trained as a teacher; The race-horse was trained by my uncle.* **2** to teach a child or animal to behave well (ฝึกเด็กหรือสัตว์ให้เชื่อฟัง).

trained *adj* (ได้รับการฝึก): *She's a trained nurse; a well-trained dog.*

trai'nee *n* someone who is being trained (ผู้เข้ารับการฝึก): *He's a trainee with an industrial firm.* — *adj* (เกี่ยวกับการฝึก): *a trainee teacher.*

'train·er *n* someone who prepares people or animals for sport, a race *etc.* (ผู้ฝึก).

'train·ing *n* **1** preparation for a sport (การฝึกเพื่อแข่งกีฬา): *He has gone into training for the race.* **2** the learning of a job (การฝึกงาน): *It takes many years of training to be a doctor.*

trait *n* a particular quality of a person's character (ลักษณะหรืออุปนิสัยของคน): *Patience is one of his good traits.*

'trai·tor *n* someone who changes to the enemy's side or gives away information to the enemy (คนทรยศ): *He was a traitor to his country.*

tra'jec·to·ry (*trə'jek-tə-ri*) *n* the path that a moving object follows, especially the curve of an object moving through the air (แนวโค้งของวิถีวัตถุที่เคลื่อนไปในอากาศ): *They followed the missile's trajectory through their binoculars.*

tram *n* a long car running on rails and usually driven by electric power, for carrying passengers, especially along the streets of a town (รถราง).

tramp *v* **1** to walk with heavy footsteps (เดินลงเท้าหนัก ๆ): *He tramped up the stairs.* **2** to walk for a long distance (เดินระยะไกล ๆ): *She loves tramping over the hills.* — *n* **1** someone with no fixed home or job, who travels around on foot and lives by begging (คนขอทาน): *He gave his old coat to a tramp.* **2** a long walk (เดินระยะไกล). **3** the sound of heavy footsteps (เสียงย่ำเท้าหนัก ๆ).

'tram·ple *v* to tread heavily on something (กระทืบ เหยียบย่ำ): *The horses trampled the grass.*

'tram·po·line (*'tram-pə-lēn*) *n* a frame across which a piece of canvas *etc.* is stretched, attached by springs, for gymnasts *etc.* to jump on (กรอบมีผ้าใบติดสปริงสำหรับนักกายกรรม): *Children love jumping on trampolines.*

trance (*träns*) *n* a sleep-like state in which you don't notice what is happening around you (ภวังค์ สติลอย).

'tran·quil *adj* quiet; peaceful (เงียบ สงบสุข): *Life in the country is usually more tranquil than life in the town.*

'tran·quil·ly *adv* (อย่างสงบ สุข).

tran'quil·li·ty *n* (ความสงบสุข).

'tran·quil·li·zer (*'traŋ-kwi-li-zər*) *n* a drug, especially a pill, that makes people feel calm and sleepy (ยาที่ทำให้สงบ ยาระงับประสาท): *The doctor gave her a tranquillizer to calm her down after the shock of the accident.*

tran'sac·tion (*tran'zak-shən*) *n* a piece of business, such as the buying and selling of something (การดำเนินธุรกิจ เช่นการซื้อและการขาย): *The manager gave a report on the important business transactions that had taken place during the year.*

tran'scend (*tran-send*) *v* to be more important or better than (สำคัญกว่า ดีกว่า): *Loyalty to your country should transcend loyalty to the company you work for.*

'tran·script (*'tran-skript*) *n* a written copy of something spoken (สำเนาของสิ่งที่ได้พูด): *The newspaper published a transcript of their* *conversation.*

trans'fer *v* **1** to remove something to another place (ย้าย โอน): *He transferred the letter from his briefcase to his pocket.* **2** to move to another place, job, vehicle *etc.* (ย้ายไปที่อื่น ทำงานอื่น เปลี่ยน): *They're transferring me to the Bangkok office; I'm transferring to a job in Hong Kong; You will have to transfer to the Kweilin train.* — *n* (**'trans•fer**) **1** the transferring of something (การย้าย การโอน): *He arranged the transfer of his bank account without difficulty.* **2** a design that can be transferred from one surface to another, for example from paper to cloth as a guide for embroidery (ลอกลายหรือภาพไปยังอีกแห่งหนึ่งได้).

trans'fer•a•ble (*trans'fër-ə-bəl*) *adj* able to be transferred from one place or person to another; able to be used by another person (สามารถย้ายได้ สามารถโอนให้คนอื่นได้): *This ticket is not transferable.*

trans'form *v* to change completely (เปลี่ยนไปโดยสิ้นเชิง แปลงร่าง): *He transformed the old kitchen into a beautiful sitting-room; A witch had transformed him into a frog.*

trans•for'ma•tion *n* (การเปลี่ยน การแปลงร่าง).

trans'fu•sion (*trans'fū-zhən*) *n* the process of injecting blood into someone who is very ill or has lost a lot of blood in an accident (การถ่ายโลหิต): *The patient was given a blood transfusion during the operation.*

'trans•i•ent *adj* passing quickly, temporary (ผ่านไปอย่างรวดเร็ว ชั่วคราว): *Life sometimes seems very transient.*

tran'sis•tor *n* **1** a small electronic device that controls the flow of an electric current (ทรานซิสเตอร์). **2** a portable radio that uses these devices (วิทยุทรานซิสเตอร์): *She took her transistor everywhere with her.*

'trans•it *n* the carrying of goods or passengers from one place to another (การส่งสินค้าหรือผู้โดยสารจากที่หนึ่งไปยังอีกที่หนึ่ง): *The company is responsible for the transit of goods from Singapore to Japan.*

in transit in the process of travelling from one place to another (การย้ายจากที่หนึ่งไปยังอีกที่หนึ่ง): *All of the passengers who are in transit are requested to wait for their next flights in the airport lounge.*

tran'si•tion (*tran'zish-ən*) *n* a change from one place, state *etc.* to another (การเปลี่ยนจากที่หนึ่งไปยังอีกที่หนึ่ง จากสภาพหนึ่งไปยังอีกสภาพหนึ่ง): *The transition from child to adult can be difficult.*

tran'si•tion•al *adj* (เกี่ยวกับการเปลี่ยนแปลง การเปลี่ยนสภาพ): *a transitional stage; a transitional period.*

'trans•i•to•ry *adj* lasting only for a short time (คงอยู่ได้เพียงระยะเวลาอันสั้น): *Her good mood was only transitory.*

trans'late *v* to put something said or written into another language (แปล): *John was able to translate the tourist's question from French into English.*

> to **translate into** (not ไม่ใช่ **in**) another language.

trans'la•tion *n* (การแปล): *He bought a Chinese translation of "Alice in Wonderland" in a bookshop; The translation of poetry is always a difficult job.*

trans'la•tor *n* a person who translates (นักแปล).

trans'lu•cent (*trans'loo-sənt*) *adj* allowing light to pass through, but not transparent (โปร่งแสง): *translucent silk.*

trans'lu•cence, trans'lu•cen•cy *ns* (ความโปร่งแสง).

trans'mis•sion *n* **1** the transmitting of something (การส่ง การแพร่): *the transmission of disease; the transmission of messages.* **2** a radio or television broadcast (การกระจายข่าว).

trans'mit *v* **1** to pass on (ส่งต่อ): *He transmitted the message; Insects can transmit disease.* **2** to send out radio or television signals (การส่งสัญญาณวิทยุหรือโทรทัศน์): *The programme will be transmitted at 5.00 p.m.*

trans'mit•ter *n* an apparatus for transmitting; a person who transmits (เครื่องส่งสัญญาณ ผู้ส่งสัญญาณ): *a radio transmitter.*

trans'par·ent *adj* able to be seen through (โปร่งใส): *The box has a transparent lid.*
trans'par·ent·ly *adv* (อย่างโปร่งใส).
trans'par·en·cy *n* a small transparent photograph in a frame for projecting on to a screen; a slide (ภาพสไลด์).

trans'pire (*tranz-pīr*) *v* to become known (ปรากฏ เปิดเผย): *It transpired that he had been lying all the time.*

'trans·plant *n* an operation in which a part of one person's body is removed and put into the body of another person who is very ill (การผ่าตัดเปลี่ยนอวัยวะภายใน): *His mother gave one of her kidneys because he needed a kidney transplant.* — *v* **(trans-'plant) 1** to perform a transplant (ผ่าตัดเปลี่ยนอวัยวะ): *Surgeons are able to transplant most organs.* **2** to plant a growing plant in another place (ย้ายต้นไม้ที่ใหญ่แล้วไปปลูกอีกที่หนึ่ง): *He transplanted the rose-bushes from the back garden into the front garden.*

trans'port *v* to carry goods, passengers *etc.* from one place to another (ขนส่งสินค้า ผู้โดยสาร): *The goods were transported by air.* — *n* **('trans·port)** the transporting of things or people (การขนส่ง): *The transport of goods by sea and air; road transport; My husband is using my car, so I have no means of transport.*
trans·por'ta·tion *n* transport (การขนส่ง).

trap *n* **1** a device for catching animals (เครื่องมือดักสัตว์): *He set a trap to catch the bear; a mousetrap.* **2** a plan or trick for taking a person by surprise (กับดัก): *He fell straight into the trap.* — *v* to catch in a trap or by a trick (ดักหรือล่อให้ติดกับ): *He lives by trapping animals and selling their fur; She trapped him into admitting that he had made a mistake.*
'trap-door *n* a small door, or opening, in a floor or ceiling (ประตูเล็ก ๆ บนพื้นหรือเพดาน ประตูกล): *A trap-door in the ceiling led to the attic.*

tra'peze *n* a horizontal bar hung on two ropes, on which gymnasts or acrobats perform (ชิงช้าสำหรับนักกายกรรมแสดง).

trash *n* rubbish (ขยะ): *Find a bin to put all this trash in; Those sweets are no better than trash.*
'trash·y *adj* (เป็นขยะ ไร้ประโยชน์).
'trash·can *n* a dustbin (ถังขยะ).

'trau·ma (*'trö-mə*) *n* an emotional shock which may have effects which last a long time (การตกใจทางอารมณ์หรือทางจิตซึ่งอาจจะมีผลเป็นเวลานาน): *The divorce was a trauma for everyone concerned.*
trau'mat·ic *adj* (เกี่ยวกับการบาดเจ็บอย่างนี้).

'trav·el *v* **1** to go from place to place; to journey (เดินทาง): *I travelled to Scotland by train.* **2** to move (เคลื่อนที่): *Light travels in a straight line.* **3** to visit places, especially foreign countries (ไปเยือนสถานที่ต่าง ๆ โดยเฉพาะอย่างยิ่งในต่างประเทศ): *He has travelled a great deal.* — *n* (การเดินทาง): *They say that travel improves your mind; Travel to and from work can be very tiring.*
'trav·el·ler *n* a person who travels (ผู้เดินทาง): *a weary traveller.*

> **travelled, traveller** and **travelling** are spelt with two **l**s.

'trawl·er *n* a boat that is used to catch fish by dragging a large, bag-like net across the bottom of the sea (เรือตีอวน).

tray *n* a flat piece of wood, metal *etc.* with a low edge, for carrying dishes *etc.* (ถาด): *She brought in the tea on a tray; a tea-tray.*

'treach·er·ous (*'trech-ər-əs*) *adj* **1** betraying; likely to betray (ทรยศ น่าจะทรยศ): *a treacherous person.* **2** dangerous (อันตราย): *The roads are treacherous in winter.*
'treach·er·ous·ly *adv* (อย่างน่าเป็นอันตราย).
'treach·er·y *n* the betraying of someone; disloyalty (การทรยศ ความไม่ภักดี): *His treachery led to the capture and imprisonment of his friend.*

'trea·cle *n* a sweet, thick, dark, sticky liquid that is produced from sugar (น้ำเชื่อม น้ำตาลเหลว): *Some cakes are made with treacle.*

tread (*tred*) *v* **1** to place your feet on something (เหยียบเท้า ย่างเท้า): *Please don't tread on the grass.* **2** to walk along or over something (ย่ำเท้าหรือเดินไป): *He trod the streets looking for a job.* **3** to crush with your feet (ขยี้ด้วยเท้า): *We watched them treading the grapes.* — *n* **1** a way of walking (ฝีเท้า): *I heard his heavy tread.* **2** the pattern of grooves in the surface of a tyre (ดอกยาง): *The tread has been worn away.* **3** the part of a step or stair on which you put your foot (ขั้นหรือบันไดที่เราเหยียบลงไป).

tread; trod; 'trod·den: *He trod on her toes; The path was well trodden.*

'trea·son (*'trē-zən*) *n* the crime of betraying your own country, for instance by helping a foreign power to conquer it, or by giving secret information about it to its enemies (การทรยศต่อชาติ): *He was convicted of treason and sent to prison for life.*

'treas·ure (*'trezh-ər*) *n* **1** a store of money, gold, jewels *etc.* (ทรัพย์สมบัติ): *The place where the treasure was buried was marked on the map.* **2** something very valuable (ของมีค่ามาก): *Our babysitter is a real treasure!* — *v* to value something; to think of something as very valuable (ตีค่า คิดว่ามีค่ามาก): *I treasure the hours I spend in the country.*

'treas·ured *adj* regarded as precious; valued (ถือว่าเป็นของมีค่า): *The photograph of her son is her most treasured possession.*

treat *v* **1** to deal with, or behave towards a thing or person, in a certain manner (ปฏิบัติ ตอบต่อ): *She treated her dog very kindly.* **2** to try to cure a person or a disease, injury *etc.* (รักษา): *The doctor treated her for earache; How would you treat a broken leg?* **3** to put something through a process (เอาบางอย่างผ่านกระบวนการ): *The woodwork has been treated with a new chemical.* **4** to buy a meal, present *etc.* for someone (ซื้ออาหาร ของขวัญให้ใครบางคน): *I'll treat you to lunch.* — *n* something that is provided specially to give you pleasure, for example an outing (สิ่งที่ให้ความสำราญ): *He took them to the theatre as a treat.*

'treat·ment *n* (การปฏิบัติต่อ การรักษา): *This chair seems to have received rough treatment; This patient requires urgent treatment; What is the right treatment for this disease?*

'treat·ise (*trēt-is*) *n* a formal piece of writing about a particular subject (บทความอย่างเป็นทางการเกี่ยวกับเรื่องหนึ่งเรื่องใด): *Her treatise is on the relationship between poverty and disease.*

'trea·ty *n* an agreement between states or governments (สนธิสัญญา): *The two presidents signed a peace treaty at the end of the war.*

'tre·ble (*'treb-əl*) *adj, adv* three times as much, many *etc.* (สามเท่า): *Food costs treble what it cost two years ago; Her marks were treble those of Paul.* — *v* to make, or become, three times as much (เพิ่มเป็นสามเท่า): *He trebled his earnings.*

'tre·bly *adv* (สามเท่า).

tree *n* the largest kind of plant, with a thick, firm, wooden stem, and branches (ต้นไม้): *We have three apple trees growing in our garden.*

trek *v* to make a long, hard journey (เดินทางระยะไกลด้วยความยากลำบาก). — *n* (การเดินทางระยะไกลอย่างยากลำบาก): *a trek through the mountains.*

'trel·lis *n* a frame made of strips of wood, that is used to support climbing plants *etc.* (ระแนงไม้สำหรับให้ต้นไม้เลื้อย): *The roses grew up a trellis.*

'trem·ble *v* to shake with cold, fear, weakness *etc.* (สั่นด้วยความหนาว กลัว อ่อนเพลีย): *She trembled with cold.*

tre'men·dous *adj* very large; very great (ใหญ่มาก ยิ่งใหญ่): *The response to our appeal was tremendous.*

tre'men·dous·ly *adv* very (มาก): *This book is tremendously interesting.*

'trem·or *n* a shaking; a quivering (การสั่น การไหว): *A slight earthquake is called an earth tremor.*

trench *n* a long narrow ditch dug in the ground especially as a protection for soldiers against gunfire (คูสนาม): *The soldiers returned to the trenches.*

trend *n* **1** a fashion (แบบสมัยนิยม): *She follows all the latest trends in clothing.* **2** the direction of progress (แนวโน้ม): *The trend in education* *is towards more helpful teaching methods.*

'tren·dy *adj* following the latest fashions (**ตามสมัยนิยม**): *a trendy club.*

tre·pi'da·tion (*tre-pi'dā-shən*) *n* fear or nervousness (**ความกลัว ความกังวลใจ**): *She entered the room with trepidation.*

'tres·pass (*'tres-pəs*) *v* to enter private land *etc.* illegally (**ล่วงล้ำเข้าไปในที่ดินส่วนตัว**): *You are trespassing on my land.* — *n* the act of trespassing (**การละเมิด การล่วงล้ำ**).

'trespass·er *n* (**ผู้ละเมิด ผู้ล่วงล้ำ**).

'tres·tle (*'tres-əl*) *n* a wooden support with various purposes, used for example to form the legs of a temporary table (**ขาหนุน**).

'tri·al (*'trī-əl*) *n* **1** a test (**ทดลอง**): *Give the new car a trial.* **2** a legal process by which a person is judged in a court of law (**การพิจารณาคดีของศาล**): *Their trial will be held next week.* **3** a source of trouble or anxiety (**แหล่งของความยุ่งยากหรือความกังวลใจ**): *My son is a great trial to me.*

on trial **1** being tried in a court of law (**กำลังถูกพิจารณาคดีอยู่ในศาล**): *She's on trial for murder.* **2** undergoing tests (**กำลังทดสอบ**): *The new computer is on trial.*

'tri·an·gle (*'trī-aŋ-gəl*) *n* **1** a flat shape with three sides and three angles (**สามเหลี่ยม**). **2** a musical instrument consisting of a metal bar bent into a triangular shape, that you strike with a small hammer (**เหล็กเคาะจังหวะที่มีรูปสามเหลี่ยม**).

tri'an·gu·lar *adj* in the shape of a triangle (**มีรูปเป็นสามเหลี่ยม**): *a triangular road-sign.*

'tri·bal (*'trī-bəl*) *adj* having to do with tribes (**เกี่ยวกับเผ่า**): *tribal customs.*

tribe *n* **1** a race of people, or a family, who are all descended from the same ancestor (**เผ่าพันธุ์**): *the tribes of Israel.* **2** a group of families, especially of a primitive or wandering people, ruled by a chief (**เผ่ามนุษย์**): *the desert tribes of Africa.*

'tribes·man *n* a man who belongs to a tribe (**ชาวเผ่า**): *an African tribesman.*

tri'bu·nal (*trī-bū-nəl*) *n* a special court which deals with particular cases or problems (**ศาลพิเศษเพื่อชำระคดีหรือปัญหาโดยเฉพาะ**): *She took her case against her employee to an industrial tribunal.*

'trib·ute (*'trib-ūt*) *n* something said, given or done to express praise or thanks (**การยกย่อง การสรรเสริญ บรรณาการ**): *Everybody paid tribute to the girl's great courage; Many tributes of flowers were laid on the actor's grave; This monument was erected as a tribute to the president.*

trick *n* **1** something that is done to cheat or deceive someone, or make them appear stupid and cause laughter (**อุบาย เล่นกล**): *The children loved to play tricks on their teacher.* **2** a clever or skilful action done to amuse people (**การเล่นกล**): *The magician performed some clever tricks.* — *adj* intended to deceive you and give you a false impression (**ตั้งใจล่อลวงให้เข้าใจผิด**): *trick photography.*

'trick·er·y *n* cheating; deception (**การล่อลวง หลอกลวง**): *I suspect that there's some trickery going on.*

'trick·le *v* to flow in small amounts (**ไหลเป็นจำนวนน้อย หยด**): *Tears trickled down Gerry's face.* — *n* a small amount (**จำนวนน้อย**): *a trickle of water; At first there was only a trickle of people but soon a crowd arrived.*

'trick·ster n a cheat (**คนหลอกลวง คนโกง**).

'trick·y *adj* difficult (**ยาก มีเล่ห์เหลี่ยม**): *a tricky problem; a tricky person to deal with.*

'trick·i·ly *adv* (**อย่างยาก**).

'tri·cy·cle (*'trī-si-kəl*) *n* a cycle with three wheels (**จักรยานสามล้อ**).

'tri·fle (*'trī-fəl*) *n* **1** anything of very little value (**มีค่าน้อยมาก**): *When you are very rich, $1000 is a mere trifle.* **2** a sweet pudding made of sponge-cake, fruit, cream *etc.* (**ขนมหวานที่ทำจากขนมปังฟู ผลไม้ ครีม**).

'tri·fling *adj* unimportant (**ไม่สำคัญ น้อยนิด**): *a trifling amount of money.*

'trig·ger *n* a small lever on a gun, which is pulled to make the gun fire (**ไกปืน**). — *v* to be the cause of some event, especially a major one (**เป็นตัวก่อให้เกิดเหตุการณ์บางอย่างขึ้น ตัวจุดชนวน**): *Quite a small happening* can trigger off a war.

'tril·o·gy *n* a group of three related plays, novels, poems or operas *etc.* (ละครที่เกี่ยวเนื่องกันสามตอนจบ นิยาย โคลง หรือโอเปร่า): *Her books on the history of Venice form a trilogy.*

trim *v* **1** to cut the edges or ends of something in order to make it shorter or neat (ขลิบ): *He's trimming the hedge; She had her hair trimmed.* **2** to decorate a dress etc. (ประดับเครื่องแต่งกาย): *She trimmed the sleeves with lace.* **3** to arrange the sails of a boat *etc.* suitably for the weather conditions (ปรับใบเรือให้เข้ากับสภาพอากาศ). — *n* a haircut (ตัดผม): *She went to the hairdresser's for a trim.* — *adj* neat and tidy (ประณีตและเรียบร้อย): *a trim appearance.* **'trim·ly** *adv* (อย่างประณีต).

'trimness *n* (ความเรียบร้อย).

'trim·ming *n* something added as a decoration (การประดับ): *lace trimming.*

'trin·ket *n* a small ornament or piece of jewellery (เครื่องประดับหรือเพชรพลอยเล็ก ๆ): *That shop sells postcards and trinkets.*

'tri·o *n* a group of three, especially a group of three musicians (กลุ่มสามคน กลุ่มนักดนตรีสามคน): *A trio was playing in the hotel lounge.*

trip *v* **1** to catch your foot and stumble or fall; to make someone do this (สะดุด ทำให้สะดุด): *She tripped over the carpet and fell; He tried to trip her up by sticking his foot out in front of her.* **2** to walk with short, light steps (เดินเบา ๆ หย่ง ๆ): *She tripped happily along the road.* — *n* a journey; a tour (การเดินทาง): *She went on a trip to Paris.*

'tri·ple (*'trip-əl*) *adj* three times as much as usual (สามเท่า): *He received triple wages for all his extra work.* — *v* to make or become three times as much, big *etc.*; to treble (ทำให้เป็นสามเท่า กลายเป็นสามเท่า): *He tripled his income; His income tripled in ten years.*

'trip·let *n* one of three children or animals born to the same mother at the same time (แฝดสาม): *She's just had triplets.*

See **quadruplet** and **quintuplet**.

'tri·pod (*trī-pod*) *n* a stand with three legs for supporting a camera (ขาตั้งสามขาสำหรับกล้องถ่ายภาพ): *He used a tripod when taking photographs at night.*

'tri·shaw (*'trī-shö*) *n* a small, light, three wheeled, pedal-driven vehicle (รถถีบสามล้อ).

trite (*trīt*) *adj* having no meaning because repeated or used too often (ไม่มีความหมายเพราะทำซ้ำหรือใช้ซ้ำบ่อยเกินไป): *The film is full of trite ideas about love.*

'tri·umph (*'trī-umf*) *n* **1** a great victory or success (ชัยชนะอันยิ่งใหญ่หรือความสำเร็จ): *The battle ended in a triumph for the Romans.* **2** a state of happiness, celebration, pride *etc.* after a success (สภาพของความสุข การเฉลิมฉลอง ความภาคภูมิใจ หลังจากความสำเร็จ): *The winners went home in triumph.* — *v* to win a victory (มีชัยชนะ): *The Romans triumphed over their enemies.*

tri'umph·ant *adj* (แห่งชัยชนะ): *The triumphant team were welcomed home; Triumphant crowds welcomed the winners home; He gave a triumphant shout when he found the book he had lost.*

tri'umph·ant·ly adv (อย่างภาคภูมิใจ อย่างมีชัยชนะ).

'triv·i·a *n* unimportant matters or details (เรื่องหรือรายละเอียดไม่สำคัญ): *I haven't time to worry about such trivia.*

'triv·i·al *adj* of very little importance (สำคัญน้อยมาก): *trivial details; trivial remarks.*

'triv·i·al·ly *adv* (อย่างเล็กน้อย).

triv·i'al·i·ty *n* **1** something that is trivial (บางอย่างที่เล็กน้อย): *Don't worry about trivialities.* **2** unimportance; silliness (ไม่สำคัญ ความเขลา).

trod, trodden *see* **tread** (ดู **tread**).

troll (*trōl*) *n* an imaginary creature of human-like form, a dwarf or a giant (สิ่งที่สร้างขึ้นในจินตนาการมีรูปแบบเหมือนมนุษย์ คนแคระ หรือยักษ์).

'trol·ley *n* **1** a type of small cart for carrying things *etc.* (รถเข็นเล็ก ๆ): *At the supermar-*

ket, she filled her trolley with groceries. **2** a small cart used for serving tea, food *etc.* (รถเข็นใช้สำหรับเสิร์ฟน้ำชา อาหาร): *She brought the tea in on a trolley.*

'trol·ley-bus *n* a bus that is driven by power from an overhead wire to which it is connected (รถโดยสารซึ่งใช้กำลังไฟฟ้าจากสายไฟซึ่งอยู่ด้านบน).

trom'bone *n* a brass musical instrument (แตรยาว).

trom'bo·nist *n* a person who plays the trombone (ผู้เป่าแตรยาว).

troop *n* **1** a group of ordinary soldiers (กองทหาร). **2** a crowd or collection of people or animals (ฝูงชนหรือสัตว์): *A troop of visitors arrived.* — *v* to go in a group (ไปกันเป็นกลุ่ม): *They all trooped into the headmaster's room.*

'tro·phy (*'trō-fi*) *n* **1** a prize for winning in a sport *etc.* (ถ้วยรางวัลสำหรับผู้ชนะในการแข่งกีฬา): *He won a silver trophy for shooting.* **2** something you keep to remind you of a success *etc.* (ของที่ระลึก): *He shot the tiger and brought back its skin as a trophy.*

'trop·ic·al *adj* belonging to the tropics or very hot countries (เกี่ยวกับเขตร้อนหรือประเทศที่ร้อนมาก ๆ): *a tropical climate; tropical plants.*

'trop·ic·al·ly *adv* (อย่างเมืองร้อน).

'trop·ics *n* the hot regions north and south of the equator (เขตร้อนทางตอนเหนือและใต้ของเส้นศูนย์สูตร): *The ship is heading for the tropics.*

trot *v* **1** to move with fairly fast, bouncy steps, faster than a walk but slower than a gallop (เหยาะย่าง): *The horse trotted down the road.* **2** to run with little steps (วิ่งด้วยก้าวเล็ก ๆ): *The child trotted along beside his mother.* — *n* the pace of trotting (การวิ่งเหยาะ ๆ): *The horsemen rode at a trot.*

'trot·ter *n* a pig's foot (เท้าสุกร).

See **foot**.

'trou·ble (*'trub-əl*) *n* worry, difficulty, anxiety or extra work; something that causes these things (วิตกกังวล ยุ่งยาก กระวนกระวาย อะไรที่ก่อให้เกิดอาการอย่างนี้): *I had a lot of trouble finding the book you wanted; Her injured ankle is causing her trouble again; What a trouble children are sometimes!* — *v* **1** to cause someone worry or sadness (ทำให้วิตกกังวลหรือโศกเศร้า): *She was troubled by the news of her sister's illness.* **2** used as part of a very polite request (ใช้เป็นส่วนหนึ่งของคำขอร้องอย่างสุภาพ): *May I trouble you to close the window?* **3** to make an effort (พยายาม): *He didn't even trouble to tell me what had happened.*

'trou·bled *adj* **1** worried; anxious (วิตกกังวลกระวนกระวาย): *His face wore a troubled expression.* **2** disturbed; not peaceful (ยุ่งเหยิง ไม่สงบ): *troubled sleep.*

'trou·ble·ma·ker *n* a person who continually, and usually deliberately, causes worry, difficulty or disturbance to other people (ผู้ที่ทำให้คนอื่นเดือดร้อนเสมอ): *Beware of Miriam — she is a real troublemaker.*

'trou·ble·some *adj* causing worry or difficulty (ทำให้เกิดวิตกกังวลหรือยุ่งยาก): *troublesome children.*

trough (*trof*) *n* a long, low, open container for animals' food or water (รางข้าวหรือน้ำสำหรับสัตว์).

'trou·sers (*'trow-zərz*) *n* an outer garment for the lower part of your body, covering each leg separately (กางเกง): *He wore a pair of black trousers; Where are George's maroon trousers?; This pair of trousers needs a wash.*

trousers takes a plural verb, but **a pair of trousers** is singular.

trout, *plural* **trout**, *n* an edible freshwater fish of the salmon family (ปลาเทราท์).

'trow·el *n* **1** a tool like a small shovel, used in gardening (เกรียง): *Bob prepared the flower-bed with a trowel.* **2** a tool with a flat blade, for spreading mortar, plaster *etc.* (เครื่องมือโบกปูน).

'tru·ant (*'troo-ənt*) *n* someone who stays away from school without permission (คนที่หนีโรงเรียน): *The truants were found in the sweet-shop and sent back to school.*

play truant to be a truant (หนีโรงเรียน): *He*

was always playing truant from school.

truce (*troos*) *n* a rest from fighting that is agreed to by both sides (สัญญาพักรบ): *The two countries agreed on a fortnight's truce; They called a truce while they discussed the possibility of ending the war.*

truck *n* **1** a railway vehicle for carrying goods (ตู้สินค้าของรถไฟ). **2** a lorry (รถบรรทุก): *Joe's father drives a truck.*

trudge *v* to walk with slow, tired or heavy steps (เดินลากขาอย่างช้า ๆ และเหนื่อยอ่อน): *She trudged up the hill carrying the baby.* — *n* (การเดินอย่างนี้): *a long trudge through the snow.*

true (*troo*) *adj* **1** telling something that really happened; not invented; agreeing with fact; not wrong (จริง): *a true statement of the facts; Is it true that Jennifer stole the ring?* **2** accurate (ถูกต้อง แม่นยำ): *His book gives a true picture of life in South Africa.* **3** faithful; loyal (ซื่อสัตย์ ภักดี): *He has been a true friend to me.* **4** properly called a particular thing (เรียกชื่อบางอย่างอย่างถูกต้อง): *A spider is not a true insect.*

'tru·ly *adv* **1** really (จริง ๆ): *I truly believe that this decision is the right one.* **2** really; sincerely; dearly (จริง ๆ จริงใจ อย่างรักยิ่ง): *He loved her truly.*

'trump·ed-up *adj* false or invented (แสร้งทำขึ้นหรือแต่ง): *There were several trumped-up charges against him.*

'trum·pet *n* **1** a brass musical wind instrument (แตรทรัมเป็ต). **2** the noise an elephant makes (เสียงช้างร้อง): *The elephant gave a loud trumpet.* — *v* (ช้างร้อง): *The elephant trumpeted.*

blow your own trumpet to boast; to praise yourself (คุยโอ่ ยกย่องตัวเอง): *He really isn't very clever but he is always blowing his own trumpet.*

'trun·dle *v* to roll slowly and heavily along on wheels (ล้อกลิ้งไปอย่างช้า ๆ และหนัก): *The huge lorry trundled along the road; He trundled his barrow through the streets.*

trunk *n* **1** the main stem of a tree (ลำต้น): *a treetrunk.* **2** a large box or chest for packing or keeping clothes *etc.* in (กล่องหรือหีบใหญ่ ๆ สำหรับใส่ของหรือเสื้อผ้า): *He packed his trunk and sent it to Canada by sea.* **3** an elephant's long nose (งวงช้าง). **4** your body, not including your arms and legs (ลำตัว): *He has a short, powerful trunk, and muscular limbs.* **5** the boot of a car (ตัวถังรถ): *Put your luggage in the trunk.*

trunk call a telephone call to a place at a distance (โทรศัพท์ทางไกล): *He made a trunk call from London to Glasgow.*

trunks *n* short trousers or pants worn by boys or men, especially the kind used for swimming (กางเกงอาบน้ำ): *bathing-trunks.*

truss *v* to tie tightly (ผูกอย่างแน่นหนา): *She trussed the chicken and put it in the oven; The burglars trussed up the guards.*

trust *v* **1** to have confidence or faith; to believe (เชื่อมั่น เชื่อถือ): *She trusted in him.* **2** to give something to someone, believing that it will be used well and sensibly (เชื่อว่าจะใช้อย่างดีและมีเหตุผล): *I can't trust him with my car.* **3** to hope (หวัง): *I trust that you will have a good journey.* — *n* **1** belief or confidence in the power, reality, truth, goodness *etc.* of a person or thing (เชื่อหรือมั่นใจในพลังความเป็นจริง ความดี ของคน ๆ หนึ่งหรือสิ่ง ๆ หนึ่ง): *I have a lot of trust in your ability; Put your trust in God.* **2** charge; care; responsibility (ภาระ ดูแล รับผิดชอบ): *The child was placed in my trust.* **3** responsibility given to a person by someone who believes that they will manage it well (ความรับผิดชอบที่มอบให้กับคน ๆ หนึ่งโดยคนบางคนที่เชื่อว่าเขาจะทำได้ดี): *He holds a position of trust in the firm.*

'trust·wor·thy *adj* able to be trusted (สามารถเชื่อถือได้): *Is your friend trustworthy?*

'trust·wor·thi·ness *n* (ความเชื่อถือได้).

truth (*trooth*) *n* **1** the state of being true (สภาพความเป็นจริง): *I am certain of the truth of his story.* **2** the true facts (ข้อเท็จจริง): *Tell the truth about what you were doing last night.*

'truth•ful *adj* **1** telling the truth (พูดความจริง): *She's a truthful child.* **2** true (ความจริง): *a truthful account of what happened.*

'truth•ful•ly *adv* (อย่างจริง ๆ).

'truth•fulness *n* (ความเป็นจริง).

to tell you the truth really; actually (ความจริงแล้ว อันที่จริง): *To tell you the truth I forgot it was your birthday last week.*

try (*trī*) *v* **1** to attempt; to make an effort (พยายาม): *He tried to answer the questions; Let's try and climb that tree!* **2** to test; to make an experiment in order to find out whether something will be successful, satisfactory *etc.* (ทดลอง): *She tried washing her hair with a new shampoo; Have you tried this new washingpowder?; Try one of these sweets!* **3** to judge someone in a court of law (พิจารณาคดี): *The prisoners were tried for murder.* **4** to strain (ความอดทน ความเครียด): *You are trying my patience.* — *n* an attempt; an effort (ความพยายาม ทดลอง): *Have a try at this question — it's not too difficult.*

try; 'try•ing; tried; tried: *She's trying to skate; She tried again; Have you tried skating?*

'try•ing *adj* difficult; annoying; causing strain, anxiety or impatience (ยุ่งยาก น่ารำคาญ ทำให้เกิดความเครียด กระวนกระวายหรือทนไม่ไหว): *Having to stay such a long time in hospital must be very trying; It has been a trying week in the office; She's a very trying woman!*

try on *to put on clothes etc.* to see if they fit (ลองใส่เพื่อดูว่าพอดีหรือไม่): *She tried on a hat in the shop.*

try out to test something by using it (ทดลอง): *We are trying out new teaching methods.*

T-shirt another spelling of (การสะกดอีกแบบหนึ่งของคำว่า) **tee shirt**.

tub *n* **1** a round container for holding water, washing clothes *etc.* (อ่างน้ำ). **2** a bath (อ่างอาบน้ำ): *He was sitting in the tub.* **3** a small round container in which certain foods are sold; a small carton (ที่บรรจุอาหาร ห่อเล็ก ๆ): *a tub of ice-cream.*

'tu•ba (*'tū-bə*) *n* a large brass musical wind instrument (แตรใหญ่).

tu•ber•cu'lo•sis (*tū-bər-kū'lō-sis*) *n* an infectious disease affecting the lungs (วัณโรค): *Tuberculosis is common in some parts of the world.*

'tub•by *adj* rather plump (ค่อนข้างอ้วน): *She used to be tubby as a child, but she's quite slim now.*

tube (*tūb*) *n* **1** a long, narrow cylinder-shaped object; a pipe (ท่อ): *The water flowed through a rubber tube.* **2** an underground railway in London (รถไฟใต้ดินในลอนดอน): *I go to work on the tube.* **3** a long narrow container for a soft substance, made of soft metal or plastic, which you squeeze to get out the contents (หลอด): *a tube of toothpaste.*

'tu•ber (*'tū-bər*) *n* a swelling on the stem or root of a plant (ก้อนบวมตรงลำต้นหรือรากของต้นไม้ เช่นพวกหัวมัน): *Potatoes are the tubers of the potato plant.*

tuck *n* **1** a fold sewn into a piece of material (พับผ้าแล้วเย็บติดกัน): *Her dress had tucks down the front.* **2** sweets, cakes *etc.* (ขนมหวาน ขนมเค้ก). — *v* to push *etc.* (ยัด วาง): *He tucked his shirt into his trousers; She tucked her hand into his.*

tuck in or **into 1** to gather bedclothes *etc.* closely round someone (เอาผ้าปูที่นอนเหน็บรอบ ๆ ตัว): *I said goodnight and tucked him in; She tucked him into bed.* **2** to eat greedily or with enjoyment (กินอย่างตะกละหรือด้วยความเอร็ดอร่อย): *Emma tucked into her chocolates; Come on — sit down and tuck in!*

'Tues•day (*'tūz-di*) *n* the third day of the week, the day following Monday (วันอังคาร).

tuft *n* a small bunch; a clump (หย่อม กระจุก): *tufts of grass.*

tug *v* to pull sharply and strongly (ดึงอย่างแรงลาก): *He tugged at the door but it wouldn't open; She took his hand and tugged him out of the room.* — *n* a strong, sharp pull (การลาก การดึงอย่างแรง การกระชาก): *He gave* *the rope a tug.*

'tug-boat *n* a small boat with a very powerful engine, for towing larger ships (เรือจูง).

tug-of-'war *n* a competition in which two people or teams pull at opposite ends of a rope, trying to pull their opponents over a centre line (ชักคะเย่อ).

tu'i·tion (*tū'ish-ən*) *n* teaching, especially to individual pupils (การสอน โดยเฉพาะอย่างยิ่งสอนให้แก่นักเรียนตัวต่อตัว): *She gives piano tuition.*

'tu·lip (*'tū-lip*) *n* a plant with brightly-coloured cup-shaped flowers, grown from a bulb (ต้นทิวลิป).

'tum·ble *v* to fall, especially in a helpless or confused way (หกล้ม): *She tumbled down the stairs.* — *n* a fall (การหกล้ม): *She had a tumble on the stairs.*

tumble dryer a machine for drying clothes (เครื่องเป่าผ้าให้แห้ง): *She put the washing in the tumble dryer because it was raining.*

'tum·bler *n* a large drinking glass (แก้วน้ำขนาดใหญ่).

'tum·bler·ful *n* (เต็มแก้ว): *He drank two tumblerfuls of water.*

'tum·my *n* a child's word for stomach, really meaning the belly (คำที่เด็กใช้เรียกท้อง หมายถึงพุงนั่นเอง): *I've a pain in my tummy.* — *adj* (เกี่ยวกับพุง): *tummy-ache.*

'tu·mour (*'tū-mər*) *n* a kind of lump that is growing on or in the body (เนื้องอก): *The surgeon removed a tumour from her lung; a brain tumour.*

'tu·mult (*'tū-mult*) *n* a great noise, especially made by a crowd (เสียงดังมาก โดยเฉพาะอย่างยิ่งจากฝูงชน): *He could hear a great tumult in the street.*

tu'mul·tu·ous *adj* (เสียงอันดัง): *The crowd gave him a tumultuous welcome; tumultuous applause.* **tu'mul·tu·ous·ly** *adv* (อย่างดัง ๆ).

'tu·na (*'tū-nə*), *plural* **'tu·na** or **'tu·nas**, *n* a large edible seafish of the mackerel family (also called **tunny**) (ปลาทูน่า).

tune (*tūn*) *n* musical notes put together in a pleasing order; a melody (ตัวโน้ตดนตรีที่จัดเรียงกัน ทำนองเพลง): *He played a tune on the violin.* — *v* **1** to adjust a musical instrument, or its strings *etc.* to the correct pitch (ปรับเครื่องดนตรี เครื่องสายให้ถูกเสียง): *The orchestra tuned their instruments.* **2** to adjust a radio *etc.* so that it receives a particular station (ปรับคลื่นวิทยุ): *The radio was tuned to a Japanese station.*

'tune·ful *adj* having a pleasing tune (มีเสียงไพเราะ): *That song is very tuneful.*

'tune·less *adj* having no tune; unmusical (ไม่มีทำนอง ไม่ใช่ดนตรี): *The child was singing in a tuneless voice.*

in tune adjusted so as to give the correct note, or so as to be in harmony with another instrument; in harmony with other voices (ปรับให้ถูกตัวโน้ต หรือให้เข้าทำนองกับเครื่องเล่นอย่างอื่น เข้าจังหวะกับเสียงอื่น): *Is the violin in tune with the piano?; Are your instruments in tune?; Someone in the choir isn't singing in tune.*

out of tune not in tune (ไม่เข้าจังหวะ).

tune in to tune a radio to a particular station or programme (ปรับคลื่นวิทยุไปยังรายการหรือสถานีที่ต้องการ): *We usually tune in to the news.*

tune up to tune instruments (ปรับเสียงเครื่องดนตรี): *The orchestra was tuning up.*

'tu·nic (*'tū-nik*) *n* **1** a soldier's or policeman's jacket (เสื้อคลุมของทหารหรือตำรวจ). **2** a loose garment worn in ancient Greece and Rome (เครื่องแต่งตัวหลวม ๆ ที่ใส่ในสมัยโบราณของกรีกและโรม). **3** a similar type of modern garment (เสื้อในสมัยใหม่แบบเดียวกันนี้).

'tun·nel *n* an underground passage, especially one cut through a hill or under a river (อุโมงค์ใต้ดิน): *The road goes through a tunnel under the river.* — *v* to make a tunnel (ทำอุโมงค์): *They escaped from prison by tunnelling under the walls.*

'tun·ny *n* another name for (อีกชื่อหนึ่งของ) **tuna**.

'tur·ban *n* a long piece of cloth worn wound round the head, especially by men in parts of north Africa and southern Asia (ผ้าโพกศีรษะ).

'tur·bu·lent (*'tər-bū-lənt*) *adj* **1** very rough (ปั่น-

ป่วนมาก): *The boat sank in turbulent seas.* **2** very confused (ยุ่งเหยิงมาก): *the turbulent years of the war.*

'tur·bu·lent·ly *adv* (อย่างยุ่งเหยิง).

'tur·bu·lence *n* (ความยุ่งเหยิง).

turf, *plural* **turfs** or **turves**, *n* grass and the earth it grows out of; a square piece cut from this (ดินและหญ้า พื้นที่สี่เหลี่ยมของดินและหญ้า): *They cut away several turfs to make a place for the camp-fire; He walked across the springy turf.* — *v* **1** to cover with turfs (ปกคลุมด้วยดินและหญ้า): *We are going to turf over one of the flower-beds.* **2** to throw (ขว้าง โยน): *We turfed him out of the house.*

'tur·key *n* a large farmyard bird, eaten at Christmas and other festivals (ไก่งวง).

'tur·moil *n* a state of wild confused movement; disorder (ความยุ่งเหยิง ความไม่เป็นระเบียบ): *The house is in a turmoil — I must tidy it; His mind was in turmoil.*

turn *v* **1** to move round or over; to go round; to revolve (พลิก หมุน): *He turned the handle; The handle turned; to turn the pages of a book.* **2** to face or go in another direction (หันหน้ากลับหรือเดินไปอีกทางหนึ่ง): *He turned and walked away.* **3** to change direction (เปลี่ยนทิศทาง): *The road turned to the left.* **4** to aim or point (เล็งหรือชี้): *Turn your feet out when you dance.* **5** to direct (หันกลับมา): *He turned his attention to his work.* **6** to go round (เดินเลี้ยว): *They turned the corner.* **7** to change; to become (เปลี่ยน กลายเป็น): *You can't turn lead into gold; At what temperature does water turn into ice?; She turned her hair pink with her new hair-spray; Her hair's turned white.* — *n* **1** the action of turning (การหมุน): *He gave the handle a turn.* **2** your chance or duty to do something (โอกาสหรือหน้าที่ของเราที่จะต้องทำ): *It's your turn to choose a record; Whose turn is it to wash up?*

'turn·ing-point *n* a place where, or time when, an important change happens (จุดแปรผัน จุดเปลี่ยนแปลง): *the turning-point in his life.*

do someone a good turn to do something helpful for someone (ช่วยเหลือ): *He did me several good turns.*

in turn or **by turns** one after another, in regular order (ผลัดเปลี่ยน): *They answered the teacher's questions in turn.*

out of turn not in the correct order (ไม่อยู่ในลำดับที่ถูก แทรก): *He answered a question out of turn.*

take a turn for the better, take a turn for the worse to become better or worse (กลายเป็นดีขึ้นหรือเลวลง): *Her health has taken a turn for the worse.*

take turns to do something one after the other, not at the same time (ผลัดกัน): *They took turns to look after the baby.*

turn a blind eye to pretend not to see or notice something (แกล้งทำเป็นไม่เห็น): *Because he works so hard, his boss turns a blind eye when he comes in late.*

turn against to dislike or disapprove of someone or something that you liked before (เกลียดชังหรือไม่ชอบ): *He turned against his friends.*

turn away to move away; to send away (เบือนหน้า ส่งไปที่อื่น): *He turned away in disgust; The police turned away the crowds.*

turn back to go back in the opposite direction (หันกลับ): *He began to climb the mountain but turned back when it began to snow.*

turn down 1 to say "no" to; to refuse (ปฏิเสธ): *He turned down her request.* **2** to reduce the noise *etc.* produced by something (ลดเสียงลง): *Please turn the television down — it's far too loud.*

turn in to hand over a person or thing to someone in authority (ส่งมอบคนหรือสิ่งของให้กับเจ้าหน้าที่): *They turned the escaped prisoner in to the police.*

turn loose to set free (ปล่อยให้เป็นอิสระ): *He turned the horse loose in the field.*

turn off to stop water, gas or electricity flowing (ปิด): *I've turned off the electricity at the main switch; I turned off the tap; He turned* *off the light; Have you turned the oven off?*

See **put out**.

turn on 1 to make water, gas or electricity start to flow (เปิด): *He turned on the gas; I turned on the tap; He turned the radio on.* **2** to attack (จู่โจม): *The dog turned on him.*

turn out 1 to send away; to make someone leave (ไล่ออกไป ทำให้ใครบางคนจากไป): *His mother got so tired of his bad behaviour that she turned him out of the house.* **2** to make or produce (ทำหรือผลิต): *I have a week to turn out my report.* **3** to empty; to clear (ทำให้ว่างเปล่า ล้าง): *I turned out the cupboard.* **4** to come out in a crowd (มากันเป็นฝูง): *A large crowd turned out to see the procession.* **5** to turn off (ปิด): *Turn out the light!* **6** to happen; to prove to be (พิสูจน์ว่า ปรากฏว่า): *He turned out to be right; It turned out that he was right.*

turn over 1 to give something up (ส่งมอบ): *He turned the money over to the police.* **2** to turn a page on to its other side (พลิก): *She turned over a page or two.*

turn up 1 to appear; to arrive (ปรากฏกายมาถึง): *He turned up at our house.* **2** to be found (โผล่): *Don't worry — the watch will turn up again.* **3** to increase the sound *etc.* produced by something (เร่งเสียงให้ดังขึ้น): *Turn up the radio — I want to hear the news.*

'tur·nip *n* a plant with a large round edible root: *a field of turnips* (หัวผักกาด).

'tur·pen·tine (*'tər-pən-tin*) *n* a liquid obtained from certain trees, used for cleaning paint off brushes (น้ำมันสน).

'turn·stile *n* a revolving gate with metal bars that allows only one person to pass at a time, usually after paying an entrance fee (ทางเข้าเป็นเหล็ก หมุนได้): *There is a turnstile at the entrance to the football ground.*

'turn·ta·ble *n* the flat, round part of a record player where the record lies while it is being played (จานหมุนของเครื่องเล่นแผ่นเสียง).

'tur·quoise (*'tər-kwoiz*) *n* **1** a greenish-blue precious stone (พลอยสีขึ้นกการเวก): *The ring was set with a turquoise.* **2** a greenish-blue colour (สีเขียวอมฟ้า). — *adj* (แห่งสีชนิดนี้): *a pale turquoise dress.*

'tur·tle *n* a kind of large tortoise, especially one living in water (เต่าใหญ่).

turves plural of (พหูพจน์ของ) **turf**.

tusk *n* one of a pair of large curved teeth which project from the mouth of certain animals, for instance the elephant and the walrus (งาช้าง งาช้างน้ำ).

See **fang**.

'tu·tor (*'tū-tər*) *n* **1** a teacher of a group of students in a university *etc.* (ครูของนักศึกษากลุ่มหนึ่งในมหาวิทยาลัย). **2** a teacher employed to teach a child at home (ครูพิเศษที่ถูกจ้างมาสอนเด็กที่บ้าน): *His parents employed a tutor for him instead of sending him to school.* — *v* to teach (สอน): *He tutored the child in mathematics.*

tu'to·ri·al *n* a lesson given by a university or college lecturer to a small group of students (บทเรียนที่ผู้บรรยายในมหาวิทยาลัยหรือวิทยาลัยให้กับนักศึกษากลุ่มเล็ก ๆ): *The department does most of its teaching in tutorials; a tutorial group.*

'tu·tu (*'too-too*) *n* a female ballet-dancer's short stiff skirt (กระโปรงสั้นของนักระบำบัลเลต์).

twang *n* a sound of, or like, a tightly-stretched string being pulled and let go, or breaking (เสียงคล้ายกับสายตึง ๆ ถูกดึงแล้วปล่อย หรือขาด): *The string broke with a sharp twang.* — *v* (ดีด): *She twanged the strings of the guitar.*

tweak *n* a sharp pull or twist (การทึ้งหรือการบิด): *She gave his nose a tweak.* — *v* to pull or twist sharply (ทึ้งหรือบิดอย่างแรง): *She tweaked his nose.*

tweed *n* a thick, rough woollen material, usually

with coloured flecks in it (ผ้าขนสัตว์หยาบ ๆ โดยปกติจะมีสีแต้มอยู่ด้วย): *a jacket made from tweed; a tweed suit.*

'twee·zers *n plural* a small tool for pulling out hairs or gripping small objects (แหนบหรือคีมเล็ก ๆ): *She used a pair of tweezers to pluck her eyebrows; I need some tweezers to get the splinter out of your finger.*

twelve *n* **1** the number 12 (หมายเลข 12). **2** the age of 12 (อายุ 12 ปี). — *adj* **1** 12 in number (จำนวนเป็นสิบสอง). **2** aged 12 (อายุ 12).

'twelfth *n* one of twelve equal parts (หนึ่งส่วนสิบสอง). — *n, adj* the next after the eleventh (ต่อจากที่สิบเอ็ด).

'twen·ty *n* **1** the number 20 (เลข 20). **2** the age of 20 (อายุ 20 ปี). — *adj* **1** 20 in number (จำนวนเป็น 20). **2** aged 20 (อายุ 20).

twice *adv* **1** two times (สองครั้ง): *I've been to London twice.* **2** two times the amount of something (สองเท่า): *She has twice his courage.* **3** two times as good *etc.* as someone or something (ดีเหมือนกับ): *Don't be frightened of him — you're twice the man he is.*

'twid·dle *v* to twist something round and round (หมุนไปรอบ ๆ): *He twiddled the knob on the radio.*

twig *n* a small branch of a tree (กิ่งไม้เล็ก ๆ). See **branch**.

'twi·light (*'twī-līt*) *n* the time of the dim light just before the sun sets (สนธยา ตะวันยอแสง).

twin *n* one of two children or animals born to the same mother at the same time (แฝด): *She gave birth to twins.* — *adj* (เกี่ยวกับคู่แฝด): *They have twin daughters; Bill and Ben are twin brothers; I have a twin sister.*

twine *n* a stong kind of string made of twisted threads (เชือกที่ควั่นเป็นเกลียว): *He tied the parcel with twine.* — *v* to twist (บิด): *The ivy twined round the tree.*

twinge (*twinj*) *n* a sudden sharp pain (ปวดแปลบ รู้สึกแปลบ): *He felt a twinge of pain in his foot; She felt a twinge of regret as she left her old house for good.*

'twin·kle *v* **1** to shine with a small, slightly unsteady light (ส่องแสงระยิบระยับ): *The stars twinkled in the sky.* **2** to shine with amusement (เป็นประกายด้วยความซุกซน): *His eyes twinkled with mischief.* — *n* (ฉายแสงแห่งความซุกซน): *The headmistress spoke sternly to the children who had played the trick, but there was a twinkle in her eye all the same.*

twirl *v* to turn round and round; to spin (หมุนไปรอบ ๆ ควง ปั่น): *She twirled her hair round her finger.* — *n* (การหมุนไปรอบ ๆ การควง): *She did a twirl on one foot.*

twist *v* **1** to turn round (บิดไปรอบ): *He twisted the knob.* **2** to bend this way and that way (คดเคี้ยวไปมา): *The road twisted through the mountains.* **3** to wind around or together (พัน): *The dog's lead got twisted round a lamp-post; He twisted the pieces of string to make a rope.* **4** to force something out of the correct shape or position (บิดให้ผิดรูปผิดร่างไป): *I've twisted my ankle.* — *n* **1** the action of twisting (การบิด): *He gave her arm a twist.* **2** a twisted piece of something (บีบมะนาวลงไป): *She added a twist of lemon to his drink.* **3** a bend (โค้ง): *The road was full of twists and turns.* **4** something unexpected (ไม่คาดคิด): *The story had a strange twist at the end.*

'twisted *adj* (บิดเบี้ยว): *a twisted branch.*

twitch *v* **1** to move jerkily (กระตุก): *His hands were twitching.* **2** to give something a little pull or jerk (กระตุกหรือกระชาก): *He twitched her sleeve.* — *n* a twitching movement (การกระตุกหรือการกระชาก).

'twit·ter *n* a light, chirping sound, made by birds (เสียงร้องเจื้อยแจ้วของนก): *He could hear the twitter of sparrows.* — *v* (ร้องเจื้อยแจ้ว): *The swallows twittered overhead.*

two (*too*) *n* **1** the number 2 (เลข 2). **2** the age of 2 (อายุ 2 ขวบ). — *adj* **1** 2 in number (จำนวนเป็นสอง). **2** aged two (อายุเป็นสอง).

two-'faced *adj* deceitful (หน้าไหว้หลังหลอก ตีสองหน้า): *a two-faced person.*

'two·some (*'too-səm*) *n* two people; a couple (สองคน คู่): *They usually travel in a twosome.*

two-'way *adj* able to operate in two ways;

moving in two directions (สามารถทำงานได้สองทิศทาง เคลื่อนไปสองทิศทาง): *two-way traffic; a two-way radio.*

in two in two pieces (สองชิ้น): *The magazine was torn in two.*

See **divide**.

ty'coon (*tī'koon*) *n* a rich and powerful businessman (นักธุรกิจที่ร่ำรวยและมีอำนาจ): *an oil tycoon.*

tying *see* **tie** (ดู **tie**).

type[1] *n* a kind; a sort; a variety (ชนิด แบบ หลากหลาย): *What type of house would you prefer to live in?; A hood is a type of hat.*

type[2] *v* to write something using a typewriter (พิมพ์): *Can you type?*

'type·wri·ter *n* a machine with keys for printing letters on a piece of paper (เครื่องพิมพ์ดีด): *an electric typewriter.*

'type·wri·ting *n* writing produced by a typewriter (การพิมพ์ดีด).

'type·writ·ten *adj* typed (พิมพ์): *a typewritten letter.*

'ty·phoid (*'tī-foid*) *n* an infectious disease producing fever and diarrhoea, caused by bacteria in water (ไข้ไทฟอยด์ ไข้รากสาดน้อย): *Typhoid can be fatal.*

ty'phoon (*tī'fōōn*) *n* a violent storm occurring in the East (พายุไต้ฝุ่น): *They were caught in a typhoon in the China seas.*

See **hurricane**.

'typ·i·cal (*'tip-i-kəl*) *adj* having the usual qualities and characteristics (มีลักษณะและอุปนิสัยตามแบบฉบับ): *He is a typical Englishman.*

'typ·i·cal·ly *adv* (อย่างมีลักษณะและอุปนิสัยธรรมดา ๆ).

'ty·ping (*'tī-piŋ*) *n* the art of using a typewriter; work produced on a typewriter (การพิมพ์ด้วยเครื่องพิมพ์ดีด งานที่ผลิตโดยเครื่องพิมพ์ดีด): *He's learning typing and shorthand; five pages of typing.*

'ty·pist (*'tī-pist*) *n* a person whose job is to type (นักพิมพ์ดีด).

'ty·rant (*'tī-rənt*) *n* a cruel and unjust ruler (ผู้ปกครองที่โหดร้ายและไม่ยุติธรรม): *The people suffered many years of misery under foreign tyrants.*

ty'ran·ni·cal *adj* (โหดร้ายและไม่ยุติธรรม).

ty'ran·ni·cal·ly *adv* (อย่างโหดร้ายและไม่ยุติธรรม). **'tyr·an·ny** (*'tir-ə-ni*) *n.*

tyre, tire *n* a thick, rubber, air-filled ring around the edge of the wheel of a car, bicycle *etc* (ยางรถยนต์ รถจักรยาน): *The tyres of this car need pumping up.*

Uu

'ud·der *n* the bag-like part of a cow, goat *etc.* that hangs between her legs and produces milk for her babies (**เต้านมของวัว แพะ ฯลฯ**).

ugh! (*uhh*) a word used to express disgust (**คำที่ใช้แสดงถึงความขยะแขยง รังเกียจ**): *Ugh! The cat has been sick!*

'ug·ly *adj* **1** unpleasant to look at; not attractive; not good-looking (**น่าเกลียด**): *an ugly face.* **2** unpleasant, nasty; dangerous (**ไม่น่าดู ร้ายกาจ อันตราย**): *ugly black clouds; The crowd was in an ugly mood.*

'ug·li·ness *n* (**ความน่าเกลียด**).

'ul·cer *n* a kind of sore on the skin or inside the body (**แผลฝีบนผิวหนังหรือในร่างกาย**).

ul'te·ri·or *adj* hidden, kept secret (**ซ่อนเร้น**): *She has ulterior motives for wanting to help.*

'ul·ti·mate *adj* last; final (**สุดท้าย ท้ายที่สุด**): *an ultimate warning; an ultimate goal in life.*

'ul·ti·mate·ly *adv* in the end (**ในที่สุด**): *We hope ultimately to be able to buy a house of our own.*

ul·ti'ma·tum (*ul-ti'mā-təm*), *plural* **ultimatums** or **ultimata**, *n* a final warning that hostile action will be taken unless certain conditions are met (**คำขาด**): *She issued an ultimatum to her husband that unless her demands were met, she would divorce him.*

'ul·tra·sound *n* sound waves which cannot be heard by the human ear, used for examining things happening inside the body (**คลื่นเสียงซึ่งหูของมนุษย์ไม่สามารถได้ยิน ใช้สำหรับตรวจสิ่งที่เกิดขึ้นในร่างกาย คลื่นเหนือเสียง**): *The doctor used ultrasound to measure the size of the baby in her womb.*

ul·tra'vi·o·let (*ul-trə'vī-ō-lət*) *adj* invisible to the human eye and having the effect of tanning the skin (**รังสีอุลตราไวโอเลต**): *ultraviolet radiation from the sun.*

um'brel·la *n* an apparatus for protecting you from the rain, made of a folding covered framework attached to a stick with a handle (**ร่ม**).

'um·pire (*'um-pīr*) *n* a person who supervises a game, makes sure that it is played according to the rules, and decides doubtful points (**กรรมการ**): *Tennis players usually have to accept the umpire's decision.* — *v* to act as umpire (**ทำหน้าที่เป็นกรรมการ**): *Have you umpired a tennis match before?*

un'a·ble *adj* without enough strength, power, skill, time, information *etc.* to be able to do something (**ไม่สามารถ**): *I am unable to get out of bed; I shall be unable to meet you for lunch today.*

unable to understand, but **incapable of understanding**.

un·af'fect·ed *adj* not upset; not affected (**ไม่กระทบกระเทือน ไม่มีผลต่อ**): *The child seemed unaffected by his father's death; It has been raining heavily, but this evening's football arrangements are unaffected.*

un·a'fraid *adj* not afraid (**ไม่กลัว**).

u'nan·i·mous (*ū'nan-i-məs*) *adj* with everyone agreeing (**เป็นเอกฉันท์**): *The whole school was unanimous in its approval of the headmaster's plan; a unanimous decision.*

u'nan·i·mous·ly *adv* (**อย่างเป็นเอกฉันท์**).

un'armed *adj* without weapons or any other means of defence (**ไม่มีอาวุธหรือของอย่างอื่นไว้ป้องกันตัว**): *The gangster shot an unarmed policeman; Judo is a type of unarmed fighting.*

un·a'sha·med·ly (*un-ə'shā-məd-li*) *adv* showing no shame or embarrassment (**อย่างไม่ละอายใจ อย่างไม่เคอะเขิน**): *She was weeping unashamedly.*

un'auth·or·ized *adj* not having the permission of the people in authority (**ไม่ได้รับอนุญาตเป็นทางการ**): *She was dismissed by her boss for unauthorized use of the firm's equipment.*

un·a·void·a·ble *adj* that cannot be avoided or prevented (**ซึ่งหลีกเลี่ยงไม่ได้**): *The accident was unavoidable.*

un·a'ware *adj* not aware; not knowing (**ไม่รู้สึก ไม่รู้**): *He was so quiet that I was unaware of his presence in the room.*

take someone unawares to surprise or

startle someone (ประหลาดใจหรือตกใจ): *He came into the room so quietly that he took me unawares.*

un'bear·a·ble *adj* too painful, or too unpleasant *etc.* to bear (เจ็บเหลือทน น่าเบื่อจนเกินไป): *This toothache is almost unbearable; What an unbearable boy he is!*

un'bear·a·bly *adv* (อย่างเหลือทน อย่างยิ่ง): *unbearably painful; unbearably rude.*

un·be'liev·a·ble *adv* too bad, good *etc.* to be believed (อย่างเหลือเชื่อ): *unbelievable stupidity; Her good luck is unbelievable!*

'un·be'liev·a·bly *adv* (ไม่สามารถเชื่อได้).

un'born *adj* not yet born; still in the mother's womb (ยังไม่คลอด ยังอยู่ในครรภ์ของมารดา): *The unborn baby gets nourishment from its mother's body.*

un'buck·le *v* to undo the buckle of a belt, strap *etc.* (ถอดเข็มขัด ถอดสายรัด): *He unbuckled his belt.*

un'but·ton *v* to unfasten the buttons of a garment (แกะกระดุมเสื้อผ้า): She unbuttoned her coat.

un'called-for *adj* unnecessary and usually rather rude (ไม่จำเป็นและปกติแล้วค่อนข้างหยาบคาย): *Some of the remarks he made at the meeting were quite uncalled-for.*

un'cer·tain *adj* **1** not sure; not definitely knowing (ไม่แน่ใจ ไม่รู้อย่างแน่ชัด): *I'm uncertain of my future plans; The government is uncertain what is the best thing to do.* **2** not definitely known; not settled (ยังตกลงกันไม่ได้): *My plans are still uncertain.*

un'certain·ly *adv* (อย่างไม่แน่ใจ อย่างไม่รู้แน่ชัด).

'un·cle *n* the brother of your father or mother, or the husband of your aunt (ลุง อา): *He's my uncle; Hallo, Uncle Jim!*

un'clear *adj* not clear, confusing or confused (ไม่ชัดเจน สับสน): *His meaning is unclear.*

un'coil *v* to straighten from a coiled position (ไม่ขด): *The snake uncoiled itself.*

un'com·fort·a·ble *adj* **1** not comfortable (ไม่สะดวกสบาย): *That's a very uncomfortable chair; Don't you get uncomfortable sitting on the floor?* **2** embarrassed; shy (เคอะเขิน ขี้อาย): *I always feel uncomfortable in a room full of strangers.*

un'com·fort·a·bly *adv* (อย่างไม่สุขสบาย อย่างเคอะเขิน).

un'com·mon *adj* rare; unusual (หายาก ไม่ปกติ): *This type of animal is becoming very uncommon.*

un'com·mon·ly *adv* very; unusually (อย่างไม่ปกติ): *an uncommonly clever person.*

un·con'di·tion·al *adj* with no conditions attached (ไม่มีข้อแม้): *His offer of money is unconditional.*

un'con·scious (*un'kon-shəs*) *adj* **1** stunned; not conscious, usually because of a bad illness or an accident (มึนงง หมดสติ): *She was unconscious for three days after her car-crash.* **2** not aware; not intended; not deliberate (ไม่รู้ตัว ไม่ได้ตั้งใจ ไม่เจตนา): *He was unconscious of having said anything rude; Her rudeness is quite unconscious.* — *n* the deepest level of your mind, the workings of which go on without you being aware of them (จิตใต้สำนึก).

un'con·scious·ly *adv* (อย่างไม่รู้ตัว อย่างไม่ได้ตั้งใจ).

un'conscious·ness *n* (ความไม่รู้ตัว ความไม่ได้ตั้งใจ).

un'count·a·ble *adj* **1** not able to be numbered (นับไม่ได้). **2** not able to have a plural (เป็นพหูพจน์ไม่ได้): *Weather is an uncountable noun.*

un'cov·er *v* to remove the cover from something; to reveal something (เปิดออก เปิดเผย): *His criminal activities were finally uncovered.*

un'daunt·ed *adj* fearless; not discouraged (ไม่มีความกลัว ไม่พรั่นพรึง): *He was undaunted by his failure.*

un·de'cid·ed *adj* **1** not having made up your mind (ยังไม่ตัดสินใจ): *She was undecided as to whether she should go or not.* **2** not decided (ยังตัดสินใจไม่ได้): *The date of the meeting is still undecided.*

'un·der *prep* **1** beneath; lower than; covered by (ข้างล่าง ต่ำกว่า อยู่ข้างใต้): *Your pencil* *is under the chair; Strange plants grow under the sea; She hid the letter under her pillow.* **2** less than (น้อยกว่า): *Children under five should not cross the street alone; You can do the job in under an hour.* **3** in your charge; obeying your orders (ผู้อยู่ใต้การควบคุมของเรา เชื่อฟังคำสั่งของเรา): *She has 50 workers under her.* **4** used to express various relations (ใช้ในการบอกถึงความเกี่ยวพันต่าง ๆ): *The fort was under attack; The business improved under the new management; The matter is under consideration.* — *adv* (ข้างใต้ น้อยกว่า): *The swimmer surfaced and went under again; children aged seven and under.*

You put a saucer **under** (not **below**) a cup; the opposite of **under** is **over**.
You look down from a hill at the fields **below** (not **under**) you; the opposite of **below** is **above**.

under- **1** beneath, as in **underline** (ข้างใต้). **2** too little, as in **underpay** (น้อยเกินไป). **3** lower in rank (ยศต่ำกว่า): *the under-manager.* **4** less in age than (อายุต่ำกว่า): *a nursery for under-fives.*

'un·der·clothes *n* clothes worn next to your skin, under your outer clothes (ชุดชั้นใน).
un·der·clo·thing *n* underclothes (ชุดชั้นใน).

un·der'cov·er *adj* working in secret; done in secret (ทำงานอย่างซ่อนเร้น ทำเป็นความลับ): *He is an undercover agent for the Americans.*

un·der'es·ti·mate *v* to make too low an estimate of the value or importance of (ประเมินคุณค่าหรือความสำคัญต่ำเกินไป): *Don't underestimate his abilities.*

'un·der·gar·ment *n* an article of clothing worn under the outer clothes (ชุดชั้นใน).

un·der'go *v* **1** to experience (ได้รับ ดำเนินการ): *The villagers underwent terrible hardships ggduring the war.* **2** to go through a process (ผ่านกระบวนการ): *The car is undergoing repairs; She has been undergoing medical treatment.*

under'go; under'went; under'gone.

un·der'grad·u·ate (*un-dər'grad-ū-ət*) *n* a university student who has not yet passed the final examinations (นักศึกษาระดับปริญญาตรี).

'un·der·ground *adj* below the surface of the ground (ใต้ดิน): *an underground railway; underground streams.* — *adv* (**un·der'ground**) **1** under the surface of the ground (ใต้ดิน): *Rabbits live underground.* **2** into hiding (ซ่อนตัว): *He will go underground if the police start looking for him.* — *n* (**'un·der·ground**) an underground railway (also called a **subway**) (รถไฟใต้ดิน): *She hates travelling by the underground; I'll come on the underground.*

'un·der·growth *n* low bushes or large plants growing among trees (พุ่มไม้เตี้ย ๆ หรือพืชต้นใหญ่ ๆ ที่ขึ้นในระหว่างต้นไม้): *She tripped over in the thick undergrowth.*

'un·der·hand *adj* dishonest (ไม่ซื่อสัตย์): *The other competitors complained that he had used underhand methods to win the competition.*

un·der'lie *v* to be the basis or cause of something (เป็นมูลฐานหรือสาเหตุของบางอย่าง): *The desire to be liked underlies most of his behaviour.*
un·der'ly·ing *adj* (แห่งมูลฐาน).

under'lie; under'lay; under'lain.

un·der'line *v* **1** to draw a line under something (ขีดเส้นใต้): *He wrote down the title of his essay and underlined it.* **2** to emphasize the importance of something (เน้นถึงความสำคัญ): *In his speech he underlined several points.*

un·der'mine *v* to weaken (ทำให้อ่อนแอ กร่อน): *Continuous hard work had undermined his health.*

un·der'neath *prep* under; beneath (ข้างใต้ ข้างล่าง): *She was standing underneath the light; Have you looked underneath the bed?* — *adv* (ข้างใต้): *Molly had the top bunk and Milly had the one underneath.* — *n* the part or side beneath (ข้างใต้): *Have you ever seen the underneath of a bus?*

'un·der·pants *n* a man's or boy's short undergarment worn over the bottom (กางเกงใน): *a* *clean pair of underpants; Are these your underpants?*

'un·der·pass *n* a road or path that passes under another road, railway *etc.* (ถนนหรือทางตัดผ่านไปข้างล่างถนนอื่น ทางรถไฟอื่น).

'un·der·side *n* the part or side lying beneath (ส่วนหรือข้างที่อยู่ข้างล่าง).

un·der'stand *v* **1** to see the meaning of something (เข้าใจ): *I can't understand this question; I don't understand why he was so angry; I can understand Japanese, although I don't speak it well; Speak slowly to foreigners so that they'll understand you.* **2** to know someone or something thoroughly (เข้าถึง): *She is a good teacher — she really understands children; I don't understand computers.* **3** to learn or realize something (รู้): *At first I didn't understand how ill she was; I understood that you were planning to leave today.*

under'stand; under'stood; under'stood: *We understood that he was coming; I don't think I've understood you correctly.*

un·der'stand·a·ble *adj* able to be understood or explained (สามารถเข้าใจได้หรืออธิบายได้): *His anger is quite understandable.*

un·der'stand·ing *adj* good at knowing how other people feel (เห็นใจ): *an understanding person; Try to be more understanding!* — *n* **1** the power of thinking clearly (พลังในการคิดที่แจ่มชัด): *a man of great understanding.* **2** the ability to understand another person's feelings (ความสามารถในการเข้าใจความรู้สึกของผู้อื่น): *His kindness and understanding were a great comfort to her.* **3** an agreement (เข้าใจกัน): *The two men have reached an understanding after their disagreement.*

make yourself understood to make your meaning or intentions clear (ทำให้ความหมายหรือความตั้งใจของเราเป็นที่กระจ่าง): *He tried speaking French to them, but couldn't make himself understood.*

un·der'state·ment *n* a statement which expresses less than the truth about something (ถ้อยแถลงที่แสดงความจริงเกี่ยวกับบางอย่างไม่ครบถ้วน): *To say he's foolish is an understatement — he's really quite mad.*

un·der'take *v* **1** to accept a duty, task *etc.* (รับหน้าที่ ภารกิจ): *He undertook the job willingly.* **2** to promise (สัญญา): *I undertake to complete the work in a fortnight.*

under'take; under'took; under'ta·ken.

'un·der·ta·ker *n* a person who organizes funerals (สัปเหร่อ).

un·der'ta·king *n* **1** a task; a piece of work (ภารกิจ งานชิ้นหนึ่ง): *I didn't realize what a large undertaking this job would be.* **2** a promise (สัญญา): *He made an undertaking that he would pay the money back.*

'un·der·wa·ter *adj* (ใต้น้ำ): *underwater exploration; an underwater camera.* — *adv* (อย่างใต้น้ำ): *to swim underwater.*

'un·der·wear *n* underclothes (ชุดชั้นใน): *She washed her skirt, blouse and underwear.*

underwent *see* **undergo** (ดู **undergo**).

'un·der·world *n* **1** a group of people in a city that live by committing crimes (กลุ่มของคนในเมืองที่อาศัยอยู่โดยการก่ออาชญากรรม): *A member of the underworld told the police where the murderer was hiding.* **2** in mythology, a place people go to when they die (นรก อเวจี).

un·de'si·ra·ble *adj* **1** not wanted (ไม่เป็นที่ต้องการ): *These pills can have some undesirable effects.* **2** unpleasant; nasty (ไม่เป็นที่ชื่นชอบ น่ารังเกียจ): *My son has made some undesirable friends; undesirable behaviour.*

undid *see* **undo** (ดู **undo**).

un·di'vi·ded *adj* full; completely concentrated (เต็ม รวมพลังอย่างเต็มที่): *Please give the matter your undivided attention.*

un'do (*un'doo*) *v* **1** to unfasten; to untie (แก้มัด): *Can you undo the knot in this string?; He undid his jacket.* **2** to reverse, cancel or remove the effect of something (ลบล้าง): *The evil that he did can never be undone.*

un'do; un'did; un'done.

un'do·ing *n* the cause of ruin or disaster (สาเหตุของความเสื่อมโทรม หรือความหายนะ): *His laziness was his undoing.*

un'done *adj* not done; not finished (ไม่เสร็จ

ไม่สำเร็จ): *I don't like going to bed leaving work undone.*

un'doubt·ed *adj* certain; clear; obvious (แน่นอน ชัดเจน เห็นได้ชัด): *his undoubted talents.*
un'doubt·ed·ly *adv* without doubt; certainly (อย่างไม่ต้องสงสัย อย่างแน่นอน): *You are undoubtedly correct.*

un'dress *v* to take clothes off (ถอดเสื้อผ้าออก): *She undressed the child; Undress yourself and get into bed; I undressed and went to bed.*

un'due (*un'dū*) *adj* too great; more than is necessary (ใหญ่เกินไป เกินความจำเป็น): *undue caution.*
un'du·ly *adv* (ไม่เหมาะ เกินควร): *to be unduly severe.*

un'earth (*un'ərth*) *v* to discover something or remove it from where it is put away (ค้นพบอะไรบางอย่างหรือเอามันออกมาจากที่เก็บ): *to unearth new facts; I've unearthed this old hat for you to wear at the fancy-dress party.*

un'earth·ly *adj* **1** strange and a bit frightening (แปลกและน่ากลัวนิด ๆ): *The children heard unearthly groans coming from the cave.* **2** very unreasonable (ไม่สมเหตุสมผลมาก ๆ): *He rang her at the unearthly hour of 5 a.m.*

un'ease *n* uneasiness (ความไม่สบายใจ).

un'eas·y *adj* anxious; worried; shy; embarrassed (กระวนกระวาย วิตกกังวล ขี้อาย เคอะเขิน): *When her son did not return, she grew uneasy; I feel uneasy in the company of strangers.* **un'eas·i·ness** *n* (ความกระวนกระวาย ความเคอะเขิน).
un'eas·i·ly *adv* (อย่างกระสับกระส่าย): *He glanced uneasily at his watch.*

un·em'ployed *adj* without a job (ไม่มีงานทำ): *He has been unemployed for three months.* — *n* people who are unemployed (คนตกงาน).
un·em'ploy·ment *n* **1** the state of being unemployed (สภาพตกงาน): *If the factory is closed, many men will face unemployment.* **2** the numbers of people without work (จำนวนของผู้คนที่ตกงาน): *Unemployment has reached record figures this year.*

un'end·ing *adj* never finishing; continuous (ไม่มีวันเสร็จ ต่อเนื่อง): *For some people, life is just an unending struggle for survival.*

un'e·qual *adj* not equal in quantity, quality *etc.* (จำนวนไม่เท่ากัน คุณภาพไม่เหมือนกัน): *They got unequal shares of the money.*
un'e·qual·ly *adv* (อย่างไม่เท่ากัน).

un'e·ven *adj* **1** not even (ไม่เรียบ): *The road surface here is very uneven.* **2** not all of the same standard (ไม่ได้มาตรฐานเดียวกัน): *His work is very uneven.*
un'e·ven·ly *adv* (อย่างไม่เรียบ).
un'e·ven·ness n (ความไม่เรียบ).

un·ex'pec·ted *adj* not expected; sudden (คาดไม่ถึง ทันทีทันใด): *his unexpected death.*

un'fail·ing *adj* constant (สม่ำเสมอ): *We admired her unfailing courage.*
un'fail·ing·ly *adv* always (เสมอ): *He is unfailingly polite.*

un'fair *adj* not fair; not just (ไม่ยุติธรรม): *unfair treatment.* **un'fair·ly** *adv* (อย่างไม่ยุติธรรม).
un'fair·ness *n* (ความไม่ยุติธรรม).

un'faith·ful *adj* not loyal (ไม่ภักดี).
un'faith·ful·ness *n* (ความไม่จงรักภักดี).

un·fa'mil·i·ar *adj* not known to you; not knowing something well (ไม่คุ้นเคย): *He felt nervous about walking along unfamiliar streets; I am unfamiliar with this neighbourhood.*

un'fas·ten *v* to undo something that is fastened (แก้มัด แกะ ถอด): *He unfastened his jacket.*

un'fit *adj* **1** not good enough; not in a suitable state (ไม่ดีพอ ไม่อยู่ในสภาพที่เหมาะสม): *This water is unfit for drinking; He has been ill and is quite unfit to travel.* **2** not as strong and healthy as is possible (ไม่แข็งแรงและมีสุขภาพดีเท่าที่ควร): *You become unfit if you don't take regular exercise.*
un'fit·ness *n* (ความไม่เหมาะสม).

un'fold *v* **1** to open and spread out a map, newspaper *etc.* (เปิดและกางแผนที่ออก กางหนังสือพิมพ์ออก): *He sat down and unfolded his newspaper.* **2** to make or become known (เปิดเผย): *She gradually unfolded her plan to them; The story gradually unfolded.*

un·for'get·ta·ble *adj* never able to be forgotten (ไม่สามารถลืมได้): *an unforgettable ex-*

perience.

un·fore'seen *adj* not known about before it happens, not predicted **(ไม่รู้มาก่อนที่มันจะเกิดขึ้น ไม่ได้ทำนาย)**: *The plan was upset by unforeseen developments.*

un'for·tu·nate *adj* **1** unlucky **(โชคร้าย)**: *He has been very unfortunate.* **2** regrettable **(น่าเสียดาย น่าเสียใจ)**: *an unfortunate mistake.*

un'for·tu·nate·ly *adv* **(อย่างน่าเสียดาย อย่างน่าเสียใจ)**: *I'd like to help but unfortunately I can't.*

un'found·ed *adj* not based on facts; not true **(ไม่อยู่บนพื้นฐานของข้อเท็จจริง ไม่จริง)**: *The rumours are completely unfounded.*

un'gain·ly *adj* awkward; clumsy **(งุ่มง่าม เชื่องช้า)**.

un'grate·ful *adj* not giving thanks for kindness *etc.* **(อกตัญญู)**: *It will look very ungrateful if you don't write and thank him.*

un'hap·py *adj* **1** not happy; sad **(ไม่มีความสุข โศกเศร้า)**: *He had an unhappy childhood.* **2** unfortunate; unlucky **(โชคไม่ดี โชคร้าย)**: *An unhappy chance brought me face to face with the headmaster, just as I was leaving early.* **un'hap·pi·ly** *adv* **(อย่างไม่มีความสุข)**. **un'hap·pi·ness** *n* **(การไม่มีความสุข)**.

un'health·y *adj* not healthy **(สุขภาพไม่ดี)**: *He is fat and unhealthy; an unhealthy climate.*

un'healthi·ly *adv.* **un'health·i·ness** *n* **(ความมีสุขภาพไม่ดี)**.

un·hy'gien·ic *adj* not hygienic, dirty **(ไม่ถูกสุขลักษณะ สกปรก)**: *The restaurant was forced to close because the kitchens were unhygienic.*

'u·ni·corn (*'ū-ni-körn*) *n* in fairy tales *etc.*, an animal like a white horse with one straight horn on its forehead **(สัตว์ในนวนิยาย มีรูปร่างเหมือนม้าขาวมีเขาอยู่กลางศีรษะ ยูนิคอร์น)**.

un·i'den·ti·fied *adj* not identified; not recognized **(แยกแยะไม่ออก จำไม่ได้)**: *an unidentified body.*

unidentified flying object an object in the sky that can't be identified, and is therefore believed to come from outer space **(จานบินหรือจานผี)**.

'u·ni·form (*ū-ni-förm*) *n* special clothes worn by all members of an organization, for instance soldiers, children at a particular school *etc.* **(เครื่องแบบ)**: *The policemen were in uniform; The pupils like their new uniforms.* — *adj* the same everywhere, or in every case; not varying **(เป็นแบบเดียวกันหมด)**: *The sky was a uniform grey.*

'u·ni·form·ly *adv* **(อย่างแบบเดียวกันหมด)**.

u·ni'lat·e·ral (*ū-ni'lat-ə-rəl*) *adj* involving, affecting or done by only one person in a group **(การเกี่ยวข้อง ฝ่ายเดียว ข้างเดียว)**: *The country cannot take unilateral action but must act with its allies.*

u·ni'late·ral·ly adv **(อย่างฝ่ายเดียว)**.

un·im'por·tant *adj* not important or significant **(ไม่สำคัญหรือไม่มีนัยสำคัญ)**: *The changes he has suggested are unimportant.*

'u·ni·fy (*'ū-ni-fī*) *v* to join several things together to form a single whole **(รวมหลาย ๆ อย่างเข้ามาเป็นอย่างเดียว)**: *The country used to consist of several small states and was unified only recently.*

un'in·ter·est·ed *adj* lacking interest; showing no enthusiasm **(ขาดความสนใจ ไม่กระตือรือร้น)**: *I told him the news but he seemed uninterested.*

> **uninterested** means lacking interest: *uninterested pupils.*
> **disinterested** means not favouring one side; being fair to both sides: *a disinterested judgement.*

un·in·ter'rupt·ed *adj* **1** continuing without a pause **(ดำเนินไปโดยไม่หยุด)**: *four hours of uninterrupted rain.* **2** not blocked by anything **(โล่ง)**: *We have an un-interrupted view of the sea.*

un·in'vi·ted *adj* not invited; not wanted **(ไม่ได้เชื้อเชิญ ไม่เป็นที่ต้องการ)**: *uninvited guests; uninvited interference.*

'un·ion (*'ūn-yən*) *n* the joining together of things or people; a combination; a partnership **(การรวมกันของสิ่งของหรือผู้คน การรวมกัน หุ้นส่วน)**: *Their marriage was a perfect union.*

Union Jack the national flag of the United

Kingdom.

u'nique (*ū'nēk*) *adj* being the only one of its kind; having no equal (**เป็นเพียงสิ่งเดียวของชนิดนี้ เอกลักษณ์ ไม่เหมือนใคร**): *His style is unique.*

a **unique** (not **ไม่ใช่ very unique**) opportunity; **very** is not needed.

'u·ni·sex (*'ū-ni-seks*) *adj* in a style that can be worn by both men and women (**ในแบบที่ทั้งชายและหญิงสามารถใช้ได้**): *unisex clothes; a unisex hairstyle.*

'u·ni·son (*'ū-ni-sən*) *n* **1** the same musical note, or series of notes, produced by several voices singing, or instruments playing, together (**การประสาน การประสานเสียง**): *They sang in unison.* **2** agreement (**การเห็นพ้อง**): *They acted in unison.*

'u·nit (*'ū-nit*) *n* **1** a single thing *etc.* within a group (**หน่วย**): The building is divided into twelve different apartments or living units. **2** a quantity that is used as a standard (**หน่วยมาตรฐาน**): *The dollar is the standard unit of currency in America.* **3** the smallest whole number, 1, or any number between 1 and 9 (**เลขหลักหน่วย**).

u'nite (*ū'nīt*) *v* to join together; to make or become one (**รวมกัน รวมกันเป็นหนึ่ง**): *England and Scotland were united under one parliament in 1707; He was united with his friends again; Let us unite against the common enemy.*

u'ni·ted *adj* **1** joined politically (**รวมกันทางการเมือง**): *the United States of America.* **2** joined together by love or friendship (**รวมกันด้วยความรักหรือมิตรภาพ**): *a united family.* **3** joint; shared (**ร่วมกัน มีส่วนร่วมกัน**): *a united effort.*

'u·ni·ty (*'ū-ni-ti*) *n* the state of being united or in agreement (**สามัคคี เอกภาพ**): *When will men learn to live in unity with each other?*

'u·ni·verse (*'ū-ni-vərs*) *n* everything — earth, planets, sun, stars *etc.* — that exists anywhere (**เอกภพ**): *Somewhere in the universe there might be another world like ours.*

u·ni'ver·sal *adj* affecting, including *etc.* the whole of the world or all people (**เป็นสากลทั่วไป**): *English may become a universal language that everyone can learn and use.*

u·ni'ver·sal·ly *adv* (**อย่างเป็นสากล**).

u·ni'ver·si·ty (*ū-ni'vər-si-ti*) *n* a place of learning where a large number of subjects are taught up to a high standard (**มหาวิทยาลัย**): *Many pupils go to university after they leave school.*

un'just *adj* not just; unfair (**ไม่พอดี ไม่ยุติธรรม**): *an unjust punishment.*

un'kind *adj* not kind; cruel (**ไม่ใจดี โหดร้าย**): *You were very unkind to her; It was unkind of you to tease her.*

un'know·ing·ly *adv* without realizing (**โดยไม่รู้**): *She unknowingly gave the patient the wrong medicine.*

un'known *adj* **1** not known (**ไม่รู้ ไม่ปรากฏ**): *This news has come from an unknown source.* **2** not famous; not well-known (**ไม่มีชื่อเสียง ไม่เป็นที่รู้จัก**): *an unknown actor.*

un'less *conjunction* **1** if not (**นอกจาก ถ้าไม่**): *Don't come unless I telephone.* **2** except when (**นอกจากว่า**): *The directors have a meeting on Friday, unless there is nothing to discuss.*

un'like *prep* **1** different from (**แตกต่างจาก**): *I never saw twins who were so unlike each other.* **2** not usual for someone; not characteristic of someone (**ไม่ใช่วิสัย ไม่ใช่ลักษณะของ**): *It is unlike Mary to be so silly.*

un'like·ly *adj* not likely or probable (**ไม่น่าจะ**): *an unlikely explanation; She's unlikely to arrive before 7.00 p.m.; It is unlikely that she will come.*

un'load *v* to remove cargo from a ship, vehicle *etc.* (**ขนสินค้าลงจากเรือ ยานพาหนะ**): *The men were unloading the ship.*

un'lock *v* to open something that is locked (**เปิดอะไรที่ถูกปิดอยู่**): *Unlock this door, please!*

un'luck·y *adj* not lucky; not fortunate (**โชคไม่ดี ไม่มีโชค**): *I am unlucky — I never win at cards.*

un'luck·i·ly *adv* unfortunately (**อย่างโชคไม่ดี**): *Unluckily, he has hurt his hand and cannot play the piano.*

un·mis'ta·ka·ble *adj* very clear; impossible to misunderstand (**ชัดเจนมาก เป็นไปไม่ได้ที่จะเข้าใจผิด**): *His meaning was unmistakable.*

un'moved *adj* not affected; not upset (**ไม่เป็นผล ไม่สะทกสะท้าน**): *He was unmoved by her tears.*

un'nat·u·ral *adj* not natural; strange; queer (**ไม่เป็นธรรมชาติ แปลก ประหลาด**): *an unnatural silence.*

un'nat·u·ral·ly *adv* (**อย่างแปลก ๆ**).

un'nec·es·sar·y *adj* **1** not necessary (**ไม่จำเป็น**): *It is unnecessary to waken him yet.* **2** that could have been avoided (**ซึ่งควรจะหลีกเลี่ยงได้**): *Your mistake caused a lot of unnecessary work in the office.*

un·nec·es'sar·i·ly *adv* (**โดยไม่จำเป็น**).

un'oc·cu'pied (*un'ok-ū-pīd*) *adj* not lived in, empty (**ไม่มีใครอยู่อาศัย ว่าง**): *These flats have been unoccupied for years.*

un'pack *v* to take out things that are packed (**แก้หีบห่อ**): *He unpacked his clothes; Have you unpacked yet?; I've unpacked my case.*

un'pleas·ant *adj* not pleasant; nasty (**ไม่ถูกใจ กลิ่นเหม็น**): *an unpleasant smell.*

un'pleas·ant·ly *adv* (**อย่างน่าเบื่อ**).

un'pop·u·lar (*un'pop-ū-lə*) *adj* not popular or liked (**ไม่เป็นที่นิยมหรือชอบ**): *He has always been unpopular.*

un'ques·tion·a·ble *adj* not able to be doubted; completely certain (**ปราศจากข้อสงสัย**): *unquestionable proof.*

un'ques·tion·a·bly *adv* certainly (**อย่างแน่ใจ**): *Unquestionably, he deserves to be punished.*

un'ques·tion·ing *adj* with no doubt or disagreement (**โดยไม่มีความสงสัยหรือไม่เห็นด้วย**): *unquestioning obedience; unquestioning belief.*

un'rav·el *v* **1** to take the knots out of thread, string *etc.* (**คลายเงื่อนออกจากด้าย เชือก**): *She could not unravel the tangled thread.* **2** to undo knitting (**คลายการถัก**). **3** to solve (**แก้ปัญหา**): *to unravel a mystery.*

un'real *adj* not actually existing (**ไม่จริง**): *He lives in an unreal world imagined by himself.* **un·re'al·i·ty** *n* (**เลื่อนลอย**).

un'rea·son·a·ble *adj* not sensible; asking too much (**ไม่มีเหตุผล เกินสมควร**): *It is unreasonable to expect children to work so hard; That butcher charges unreasonable prices.*

un·re'fined (*un-ri'fīnd*) *adj* in a raw or natural state (**ดิบหรืออยู่ในสภาพธรรมชาติ**): *unrefined sugar.*

un·re'li·a·ble (*un-ri-lī-ə-bl*) *adj* not to be relied on or trusted (**ไม่ไว้ใจหรือเชื่อถือ**): *My old car is getting very unreliable.*

un'rest *n* trouble and discontent among the people (**ความยุ่งยากและความไม่พอใจในหมู่ผู้คน**): *There was unrest all over the country when the government introduced higher taxes.*

un'roll (*un'rōl*) *v* to open so that it is flat (**กางออก แผ่ออก**): *She unrolled the carpet on the floor.*

un'ru·ly (*un'roo-li*) *adj* badly behaved; not easily controlled (**ประพฤติตนไม่ดี ควบคุมยาก**): *an unruly boy; unruly behaviour.*

un'ru·li·ness *n* (**ความไม่ง่ายต่อการควบคุม**).

un·sat·is'fac·to·ry *adj* not good enough (**ไม่ดีพอ ไม่พอใจ**): *Your work is unsatisfactory, Anna — you must try harder.*

See **dissatisfied**.

un'screw (*un'skroo*) *v* to remove or loosen something by taking out screws; to loosen something with a twisting action (**คลายเกลียว**): *He unscrewed the cupboard door.*

un'sight·ly *adj* ugly (**น่าเกลียด**): *Those new buildings are very unsightly.*

un·suc'cess·ful *adj* not successful (**ไม่สำเร็จ**): *She tried to find him but was unsuccessful.*

un'suit·a·ble *adj* not suitable or right (**ไม่เหมาะสมหรือถูกต้อง**): *Those shoes are unsuitable for school.*

un'tan·gle *v* to free something from a tangle; to disentangle (**แก้ให้หายยุ่ง**): *I'm trying to untangle this string.*

un'think·a·ble *adj* too bad, unusual *etc.* to be considered (**ไม่น่าคิด ไม่น่าจะเป็นไปได้**): *It would be unthinkable to ask him to tell a lie.*

un'ti·dy *adj* not tidy; in a mess (**ไม่เรียบร้อย ยุ่งเหยิง**): *His room is always very untidy; an* *untidy person.*

un'tie *v* to loosen; to unfasten (แก้ แกะ): *He untied the string from the parcel.*

un'til *prep* up till a particular time (จนกระทั่งถึงเวลานั้น): *He was here until one o'clock.* — *conjunction* up to the time when, or place where (จนกระทั่งถึงเวลาหรือสถานที่ซึ่ง): *Walk straight on until you come to the hospital; I won't know his opinion until I get a letter from him.*

> **until** is spelt with one **l**.
> **until** means up till (จนกระทั่ง): *He will be here until one o'clock.*
> **by** means at or just before a particular time: *He will be here by one o'clock.*

un'ti·ring (*un'tī-riŋ*) *adj* never stopping; never giving up (ไม่ยอมหยุด ไม่ยอมแพ้): *his untiring efforts; her untiring energy.*

un'ti·ring·ly adv (อย่างไม่ยอมแพ้).

un'told *adj* **1** not told; not revealed (ไม่ได้บอก ไม่ได้เปิดเผย): *The horrible story is better left untold; Her secret remained untold.* **2** too great to be counted, measured *etc.* (มากเกินกว่าที่จะนับ วัด): *There are an untold number of stars in the universe; The king lived in untold wealth while his people died of hunger.*

un·to'ward *adj* not favourable or convenient (ไม่เหมาะหรือไม่สะดวก): *untowards events.*

un'true *adj* not true; false (ไม่จริง ผิด): *an untrue statement.*

un'twist *v* to straighten from a twisted position (คลายขดออก): *He untwisted the wire.*

un'u·su·al *adj* not usual; rare (ไม่ปกติ หายาก ไม่ค่อยมี): *It is unusual for him to arrive late; He has an unusual job.*

un'u·su·al·ly *adv* (อย่างไม่ปกติ).

un'want·ed *adj* (ไม่ต้องการ): *unwanted interference.*

un'war·y *adj* not cautious (ไม่ระมัดระวัง): *If you are unwary he will cheat you.*

un'war·i·ly *adv* (อย่างไม่ระมัดระวัง).

un'war·iness *n* (ความไม่ระมัดระวัง).

un'wiel·dy (*un-wēl-di*) *adj* large and awkward to carry or manage (ใหญ่และไม่สะดวกต่อการจับถือหรือจัดการ ไม่คล่องแคล่ว): *This suitcase is too unwieldy for me.*

un'wel·come *adj* received unwillingly or with disappointment (รับอย่างไม่เต็มใจหรือด้วยความผิดหวัง ไม่ต้อนรับ): *unwelcome news; unwelcome guests; I felt unwelcome in her house.*

un'well *adj* not in good health (สุขภาพไม่ดี ไม่สบาย): *He felt unwell this morning.*

un'will·ing *adj* not willing; reluctant (ไม่เต็มใจ ลังเล): *He's unwilling to accept the money.*

un'will·ing·ly *adv* (อย่างไม่เต็มใจ).

un'will·ing·ness *n* (ความไม่เต็มใจ).

un'wind *v* to undo or come out of a wound position (คลายจากการพัน จากการขดตัว): *He unwound the bandage from his ankle; The snake unwound itself.*

> **un'wind; un'wound; un'wound**.

un'wor·thy (*un'wər-dhi*) *adj* **1** very bad; shameful (เลวมาก น่าละอาย): *That was an unworthy way to behave.* **2** not deserving (ไม่สมควรจะได้รับ): *He's unworthy to be chosen for such an important job.* **3** less good than should be expected from someone (ดีน้อยกว่าที่ควรจะคาด): *Such bad behaviour is unworthy of him.*

un'worth·i·ly *adv* (อย่างไม่สมควรจะได้).

un'worth·i·ness *n* (ความไม่สมควรจะได้).

unwound *see* **unwind** (ดู **unwind**).

un'wrap *v* to open something wrapped (เปิดห่อ): *He unwrapped the gift.*

un'zip *v* to undo the zip of a dress *etc.* (เปิดซิป).

up *adv* **1** to, or at, a higher position; into an upright position (ยัง ที่ ตำแหน่งซึ่งสูงขึ้นไป อยู่ในตำแหน่งที่ตั้งตรง): *Is the elevator going up?; She looked up at him; The price of coffee is up again; Stand up; He got up from his chair.* **2** out of bed; not in bed (ลุกจากเตียง ตื่น): *What time do you get up?; He stayed up all night; Jack's up already.* **3** towards, and as far as, the place where you *etc* are (เข้ามาหาเรา): *A taxi drove up and we got in; He came up to me and shook hands.* **4** louder (เสียงดังขึ้น): *Turn the radio* up; Speak up! **5** used with many verbs to express various meanings (ใช้กับคำกริยาหลายคำเพื่อแสดงความหมายต่าง ๆ): *Hurry up!; You'll end up in hospital if you don't drive more carefully; She locked the house up; I've used up all the paper; She tore the letter up.* — *prep* **1** to or at a higher level on something (ขึ้นไปยังระดับสูง): *He went up the mountain; She's up the ladder; to go up the stairs; to climb up a tree.* **2** along (ตาม): *They walked up the street; Their house is up the road.*

up to 1 busy with (ยุ่งอยู่กับ): *What is he up to now?* **2** able to do (สามารถทำได้): *He isn't quite up to the job.* **3** reaching the standard of (ถึงมาตรฐานของ): *This work isn't up to your best.* **4** having to be decided, chosen *etc.* by a particular person (ขึ้นอยู่กับการตัดสินใจ การเลือกของคน ๆ หนึ่ง): *It's up to you to decide; The final choice is up to him.* **5** as far, or as much, as (มากเท่ากับ จนกระทั่งถึง): *He counted up to 100; Up to now, the work has been easy.*

'up·bring·ing *n* the process of bringing up a child (การอบรมเลี้ยงดู): *He had a stern upbringing.*

up'hea·val (*up'hē-vəl*) *n* a great change or disturbance (การเปลี่ยนแปลงขนานใหญ่หรือความยุ่งยาก): *Moving house always causes upheaval; There were political upheavals after the election of the new government.*

up'hill *adv* up a slope (ขึ้นทางลาด): *We travelled uphill for several hours.* — *adj* **1** sloping upwards (เอียงลาดขึ้น): *an uphill journey.* **2** difficult (ยากลำบาก): *This will be an uphill struggle.*

up'hold *v* to support (สนับสนุน): *His family upholds him in his campaign.*

up'hold; up'held; up'held.

up'hol·ster (*up'hōl-stər*) *v* to fit seats with springs, stuffing, covers *etc.* (ที่นั่งบุด้วยสปริง เบาะ ผ้าคลุม): *He upholstered the chair.*

up'hol·stered *adj* (เกี่ยวกับการบุที่นั่ง).

up'hol·ster·y *n* **1** the business or process of upholstering (ธุรกิจหรือกระบวนการบุที่นั่ง). **2** the springs, coverings *etc.* of a seat (สปริง ผ้าปิด ของที่นั่ง): *car upholstery.*

'up·keep *n* the keeping of a house, car *etc.* in a good condition; the cost of this (การบำรุงรักษาบ้าน รถยนต์ ให้อยู่ในสภาพดี ค่าใช้จ่ายในการนี้).

u'pon *prep* on (บน): *He sat upon the floor; Please place it upon the table.*

'up·per *adj* higher (สูงกว่า ชั้นบน ด้านบน): *the upper floors of the building; He has a scar on his upper lip.* — *n* the part of a shoe above the sole (ส่วนของรองเท้าที่สูงจากพื้นขึ้นมา): *The uppers are made of leather and the soles are made of nylon.*

up·per·most *adj* highest (บนสุด สูงที่สุด): *in the uppermost room of the castle.* — *adv* (อย่างสูงที่สุด): *Thoughts of her father were uppermost in her mind.*

the upper hand an advantage (ได้เปรียบ): *Our team managed to get the upper hand in the end.*

'up·right *adj* **1** standing straight up; erect; vertical (ยืนตรง ตั้งขึ้น ตั้งตรง): *a row of upright posts.* **2** just and honest (เที่ยงธรรมและซื่อสัตย์): *an upright, honourable man.* — *adj* vertically (ตั้งขึ้น): *He placed the books upright in the bookcase; She stood upright.* — *n* an upright post *etc.* supporting a construction (เสาที่ตั้งตรงขึ้นเพื่อใช้ค้ำยันในการก่อสร้าง): *When building the fence, place the uprights two metres apart.*

'up·ri·sing *n* a fight against a government *etc.*; a rebellion (ต่อสู้กับรัฐบาล การกบฏ): *There was an armed uprising against the dictator.*

'up·roar *n* an outbreak of noise, shouting *etc.* (เสียงอึกทึก เสียงตะโกน): *The whole town was in an uproar after the football team's victory.*

up'roar·i·ous *adj* very noisy, especially with much laughter (เสียงอึกทึกโดยเฉพาะอย่างยิ่งเป็นเสียงหัวเราะอยู่มาก): *an uproarious welcome.* **up'roar·i·ous·ly** *adv* (อย่างอึกทึก).

up'root *v* to pull a plant *etc.* out of the earth together with its roots (ถอนต้นไม้ออกพร้อมทั้งราก): *to uproot weeds.*

up'set *v* **1** to overturn; to knock over (**ล้มคว่ำ ทำให้ล้มลงไป**): *He upset a glass of wine over the table.* **2** to disturb; to put out of order (**รบกวน ทำให้ไม่เป็นระเบียบ**): *His illness has upset all our arrangements.* **3** to make someone sad, unhappy *etc.* (**ทำให้โศกเศร้า ไม่มีความสุข**): *His friend's death upset him very much.* — *adj* disturbed; unhappy (**กวนใจ ไม่มีความสุข**): *Is he very upset about failing his exam?* — *n* (**'up•set**) a disturbance (**การรบกวน ความไม่สงบ**): *He has a stomach upset; I couldn't bear the upset of moving house again.*

up•side 'down 1 with the top part underneath (**กลับหัว**): *The plate was lying upside down on the floor.* **2** into a state of confusion (**สภาพของความยุ่งเหยิง**): *The burglars turned the house upside down.*

up'stairs *adv* on or to an upper floor (**อยู่ชั้นบน**): *His room is upstairs; She went upstairs to her bedroom.* — *n* the upper floor (**ชั้นบน**): *The ground floor needs painting, but the upstairs is nice.* — *adj* (**'up•stairs**) (**เกี่ยวกับชั้นบน**): *an upstairs sitting-room.*

up'stream *adv* towards the source of a river, stream *etc.* (**มุ่งไปยังต้นน้ำ**): *Salmon swim upstream to lay their eggs.*

'up•ward *adj* going up; directed up (**ขึ้นข้างบน มุ่งขึ้นไป**): *They took the upward path; an upward glance.*

'up•wards *adv* towards a higher position (**มุ่งไปยังตำแหน่งสูงกว่า**): *He was lying on the floor face upwards; The path led upwards.*

'ur•ban *adj* having to do with a city or town (**เกี่ยวกับเมืองใหญ่ ๆ หรือเมือง ชานเมือง**): *He dislikes urban life; urban traffic.*

The opposite of **urban** is **rural**.

'ur•chin *n* a mischievous, dirty or ragged, child (**เด็กซุกซน สกปรกหรือมอมแมม**): *She was chased by a crowd of urchins.*

urge *v* **1** to beg; to ask earnestly (**ขอร้อง อ้อนวอน**): *He urged her to drive carefully; "Come with me," he urged.* **2** to recommend; to insist on something (**ขอร้อง**): *She urged caution.* — *n* a strong desire (**ปรารถนาอย่างยิ่ง**): *I felt an urge to hit him.*

urge on to try to persuade a person *etc* to go on (**พยายามชักจูงคนให้ทำต่อไป**): *He urged his followers on.*

'ur•gent *adj* needing immediate attention (**เร่งด่วน**): *There is an urgent message for the doctor.*

'ur•gent•ly *adv* (**อย่างเร่งด่วน**).

'ur•gen•cy *n* (**ความเร่งด่วน**).

'u•rine (*'ū-rin*) *n* the waste fluid passed out of the bodies of humans and animals from the bladder (**ปัสสาวะ**).

'u•ri•nar•y *adj* (**เกี่ยวกับอวัยวะถ่ายปัสสาวะ**): *a urinary infection.*

'u•ri•nate *v* to pass urine from the bladder (**ถ่ายปัสสาวะ**).

urn *n* **1** a tall vase, especially one for holding the ashes of a dead person (**เหยือก โกศ**). **2** a large metal container with a tap, in which tea or coffee is made, for example in a canteen (**หม้อต้มชาหรือกาแฟมีก็อก**): *a tea-urn.*

us *pron* used as the object of a verb or preposition; the word you use for yourself along with one or more other people (**พวกเรา**): *She told us to be quiet; A plane flew over us.*

'u•sa•ble (*'ūz-ə-bəl*) *adj* be used (**ใช้ได้**): *Are any of these clothes usable?*

'u•sage (*'ū-zəj*) *n* **1** treatment (**การปฏิบัติต่อการใช้**): *These chairs have had a lot of rough usage.* **2** the way in which the words of a language are used; the way a particular word is used (**การใช้คำ**).

use[1] (*ūz*) *v* **1** to employ something for a purpose (**ใช้**): *What did you use to open the can?; Use your common sense!* **2** to consume (**บริโภค**): *We're using far too much electricity.*

used *adj* not new (**เก่า ใช้แล้ว**): *used cars.*

used (*ūst*) **to 1** accustomed to (**คุ้นเคยกับ**): *She isn't used to such hard work.* **2** was or were in the habit of doing something (**เคยกับนิสัยที่จะทำอะไรบางอย่าง**): *I used to swim every day; She used not to be so forgetful; They used to play golf, didn't they?*

u•ser-'friend•ly *adj* simple to use or understand (ง่ายต่อการใช้หรือเข้าใจ): *Modern computers need to be user-friendly.*

use[2] (*ūs*) **1** *n* the using of something (การใช้): *The use of force in this case cannot be justified; This telephone number is for use in emergencies.* **2** the purpose for which something may be used (จุดประสงค์ของการใช้): *This little knife has plenty of uses; I have no further use for these clothes.* **3** value; advantage (คุณค่า เป็นประโยชน์): *Is this coat of any use to you?; It's no use offering to help when it's too late.* **4** the power of using (การใช้): *She lost the use of her right arm as a result of the accident.* **5** permission to use something (อนุญาตให้ใช้): *He let me have the use of his car while he was away.*

'use·ful *adj* helpful or serving a purpose well (เป็นประโยชน์): *a useful tool; She made herself useful by doing the washing for her mother.*

'useful·ness n (ความเป็นประโยชน์).

'use·ful·ly *adv* in a useful way (อย่างเป็นประโยชน์): *He spent the day usefully in repairing the car.*

'use·less *adv* having no use; having no point or purpose (ไม่มีประโยชน์ ไม่มีจุดประสงค์อะไร): *Why don't you throw away those useless things?; We can't do it — it's useless to try.*

it's no use it's impossible (เป็นไปไม่ได้): *He tried in vain to do it, then said "It's no use."*

make use of, put to good use (ใช้ให้เป็นประโยชน์): *He makes use of his training; He puts his training to good use in that job.*

'ush·er *n* a person who shows people to their seats in a theatre *etc.* (พนักงานเดินตั๋ว). — *v* to lead (นำไป): *The waiter ushered him to a table.*

ush·er'ette (*ush-ər'et*) *n* a female usher (พนักงานเดินตั๋วที่เป็นหญิง).

'u·su·al (*'ū-zhōō-əl*) *adj* done, happening *etc.* most often; customary (เป็นปกติ เป็นธรรมดา): *Are you going home by the usual route?; There are more people here than usual; This kind of behaviour is quite usual in children of that age; As usual, he was late.*

'u·su·al·ly *adv* on most occasions (ตามปกติ): *We are usually at home in the evenings; Usually we finish work at 5 o'clock.*

u'surp (*ū'zərp*) *v* to take power or authority illegally (ชิงอำนาจ): *He usurped the throne.*

u'ten·sil (*ū'ten-sil*) *n* an instrument, tool *etc.* used in everyday life (เครื่องใช้สอยในชีวิตประจำวัน): *pots and pans and other kitchen utensils.*

u'til·i·ty (*ū'til-i-ti*) *n* **1** usefulness (ความมีประโยชน์): *Some kitchen tools have very little utility.* **2** a useful public service, for example the supply of water, gas, electricity *etc.* (สาธารณูปโภค).

'u·ti·lize (*'ū-ti-līz*) *v* to use something in an effective way (ใช้ให้เป็นประโยชน์): *The extra money is being utilized to buy books for the school library; Old newspapers can be utilized for making recycled paper.*

u·ti·li'za·tion *n* (การใช้ให้เป็นประโยชน์).

'ut·most *adj* greatest possible (เป็นไปได้มากที่สุด): *Take the utmost care!*

do your utmost to make the greatest possible effort: *She has done her utmost to help him.*

ut·ter[1] *adj* complete; total (สิ้นเชิง ทั้งหมด): *There was utter silence; utter darkness.*

'ut·ter·ly *adv* (อย่างสิ้นเชิง).

'ut·ter[2] *v* to produce a sound from your mouth (เปล่งเสียง): *She uttered a sigh of relief; She didn't utter a single word.*

'U-turn *n* a turn in the shape of a **U**, made by a driver *etc.* in order to go back the way he has just come (ที่เลี้ยวกลับ ยูเทิร์น).

v short for (คำย่อของ) **versus**.

V- shaped like a V (รูปร่างเหมือนตัว V): *a V-necked pullover.*

'va·can·cy (*'vā-kən-si*) *n* a job or place that has not been filled (ที่ว่าง ตำแหน่งงานว่าง): *We have a vacancy for a typist.*

'va·cant (*'vā-kənt*) *adj* **1** empty; not occupied (ว่าง ไม่โดนจับจอง): *a vacant chair; Are there any rooms vacant in this hotel?* **2** showing no intelligence or interest (เหม่อลอย): *a vacant stare.*

'va·cant·ly *adv* (อย่างเหม่อลอย): *He stared vacantly out of the window.*

va'ca·tion *n* a holiday (วันหยุด): *a summer vacation.*

on vacation not working; having a holiday (ไม่ทำงาน ในวันหยุด): *She has gone to Italy on vacation.*

'vac·ci·nate (*'vak-si-nāt*) *v* to protect someone against a disease by putting the germs of a related disease called a **'vac·cine** (*'vak-sēn*) into their blood (ฉีดวัคซีน): *Has your child been vaccinated against smallpox?*

vac·ci'na·tion *n* (การฉีดวัคซีน).

'vac·u·um (*'vak-ū-əm*) *n* a space from which all air or other gas has been removed (สุญญากาศ). — *v* to clean with a vacuum cleaner (ทำความสะอาดด้วยเครื่องดูดฝุ่น): *She vacuumed the carpet.*

vacuum cleaner a machine that cleans carpets *etc.* by sucking dust into itself (เครื่องดูดฝุ่น).

va'gi·na (*və'jī-nə*) *n* the opening in a woman's body that comes from her womb, through which a baby passes when it is born (ช่องคลอด).

'va·grant (*'vā-grənt*) *n* a person who has no home or job and spends their life wandering about the streets (คนจรจัด): *The city opened two more hostels for vagrants.*

vague (*vāg*) *adj* **1** not clear; not definite (ไม่แจ่มแจ้ง ไม่ชัดเจน): *Through the fog we saw the vague outline of a ship; I have only a vague idea of how this machine works.* **2** forgetful; absent-minded; not precise (ขี้ลืม ใจลอย ไม่พอดี): *He is always very vague when making arrangements.* **'vague·ly** *adv* (เลื่อนลอย). **'vague·ness** *n* (ความไม่แจ่มแจ้ง).

vain *adj* **1** having too much pride in your appearance, achievements *etc.* (หยิ่งลำพองในรูปร่างหน้าตาของตัวเอง ในความสำเร็จของตัวเอง): *She's very vain about her good looks.* **2** not successful; useless (ไม่สำเร็จ ไร้ประโยชน์): *He made a vain attempt to reach the drowning woman.* **3** empty; meaningless (ว่างเปล่า ไม่มีความหมาย): *vain threats; vain promises.* **'vain·ly** *adv* (อย่างไร้ประโยชน์).

in vain without success (ปราศจากความสำเร็จ): *He tried in vain to open the locked door.*

vale *n* a valley (หุบเขา).

'val·en·tine (*'val-ən-tīn*) *n* a sweetheart chosen on St Valentine's Day, February 14, or a card that you send to your sweetheart on this day (วันแห่งความรัก). — *adj* (เกี่ยวกับคนรัก): *a valentine card.*

'val·et (*'val-ā* or *'val-ət*) *n* a manservant who looks after his master's clothes *etc* (คนใช้ผู้ชายที่คอยดูแลเสื้อผ้าให้เจ้านาย).

'val·iant *adj* brave (กล้า): *valiant deeds.*

'val·id *adj* **1** reasonable; acceptable (มีเหตุผล ยอมรับได้): *a valid excuse.* **2** legally effective (เป็นผลตามกฎหมาย): *a valid passport.*

'val·ley *n* an area of low land between hills or mountains, often with a river running through it (หุบเขา).

See **mountain**.

'val·our *n* courage, especially in battle (ความกล้าหาญ).

'val·u·a·ble (*'val-ū-ə-bəl*) *adj* having high value (มีค่าสูง): *a valuable painting.*

'val·u·a·bles *n* things of special value (ของที่มีค่าเป็นพิเศษ): *jewellery and other valuables.*

'val·ue (*'val-ū*) *n* **1** importance; usefulness (ความสำคัญ ความมีประโยชน์): *His special knowledge was of great value to us.* **2** price (ราคา): *What is the value of that stamp?* **3** fairness of exchange for your money (ความยุติธรรมกับเงินของเราที่ใช้ไป): *You get* *good value for money at this supermarket!* — *v* **1** to suggest a suitable price for something (ตั้งราคาที่เหมาะสม): *This painting has been valued at $50,000.* **2** to regard something as good or important (ถือว่าดีหรือมีความสำคัญ): *He values your advice very highly.*

'val·ued *adj* regarded as precious (ถือว่ามีคุณค่า): *What is your most valued possession?*

'val·ue·less *adj* having no value; worthless (ไม่มีค่า ไร้ค่า): *The necklace is completely valueless.*

'vam·pire *n* a dead person who is imagined to rise from the grave at night and suck the blood of people (ผีดูดเลือด).

van *n* **1** a motor vehicle for carrying goods (รถบรรทุกสินค้า). **2** a luggage or goods compartment on a train (ห้องเก็บกระเป๋าหรือสินค้าบนรถไฟ).

'van·dal *n* a person who deliberately damages or destroys public buildings or other property (คนที่ชอบทำลายอาคารสาธารณะหรือทรัพย์สมบัติอื่น ๆ): *Vandals have damaged this telephone box.*

'van·dal·ism *n* (การทำลายสาธารณสมบัติ).

va'nil·la (*və'nil-ə*) *n* a pod from a type of orchid, used to flavour food (วนิลา): *She put vanilla in her cake.*

'van·ish *v* to become no longer visible; to disappear, especially suddenly (ไม่เห็นอีกต่อไป หายลับตาไป): *The ship vanished over the horizon.*

'van·i·ty *n* too much pride in your appearance, achievements *etc.* (ความหยิ่งลำพองในรูปร่างหน้าตาของตัวเอง ในความสำเร็จของตัวเอง): *Vanity is his chief fault.*

'va·por·ize (*'vā-pər-īz*) *v* to change into vapour (กลายเป็นไอ).

'va·pour (*'vā-pər*) *v* **1** the gas-like form into which a substance can be changed by heating (ไอ): *water vapour.* **2** mist or smoke in the air (หมอกหรือควันไฟในอากาศ).

'va·ri·a·ble (*'ve-ri-ə-bl*) *adj* varying or that may be varied (เปลี่ยนแปร หรืออาจจะเปลี่ยนแปรได้ หลาย): *The winds here tend to be variable; These windows are available in variable designs.*

var·i'a·tion (*vār-i'ā-shən*) *n* **1** the extent to which something varies; a difference (การเปลี่ยนแปร ความหลากหลาย): *In the desert there are great variations in temperature.* **2** in music, a development of a theme (การพัฒนาแนวบทเพลง).

'var·ied (*'vār-ēd*) *adj* full of variety (เต็มไปด้วยความหลากหลาย): *He has had a varied career.*

va'ri·e·ty (*və'rī-ə-ti*) *n* **1** the quality of being of many different kinds or of changing often (ลักษณะของการมีหลายชนิดแตกต่างกันหรือการเปลี่ยนแปลงบ่อย ๆ): *There's great variety of experience in this job.* **2** a mixed collection (รวบรวมกันหลายอย่าง): *The children got a variety of toys on their birthdays.* **3** a kind (ชนิด): *They grow fourteen different varieties of rose.* **4** mixed theatrical entertainment including dances, songs, short sketches *etc.* (ความรื่นเริงทางการแสดงหลายอย่างผสมกันรวมทั้งการเต้นรำ ร้องเพลง การบรรยายสั้น ๆ). — *adj*: *a variety show* (วิพิธทัศนา).

'var·i·ous (*'vār-i-əs*) *adj* **1** different (แตกต่าง): *His reasons for leaving were many and various.* **2** several (หลาย ๆ): *Various people have told me about you.*

'var·i·ous·ly *adv* (อย่างแตกต่าง).

'var·nish *n* a sticky liquid that you paint on to wood *etc.* to give it a glossy surface (น้ำยาขัดเงาไม้). — *v* (ขัดเงา): *Don't sit on that chair — I've just varnished it.*

'var·y (*'vār-i*) *v* to make, be or become different (แตกต่างกัน): *These apples vary in size from small to medium; His work never varies.*

vase (*väz*) *n* a jar or jug used as an ornament or for holding cut flowers (แจกัน).

vast (*väst*) *adj* very large; immense (ใหญ่มากมหึมา): *He inherited a vast fortune.*

'vast·ness *n* (ความใหญ่โต).

vat *n* a large barrel or tank for holding liquids such as beer (ถังใหญ่).

vault *n* a leap, especially one in which you use your hands or a pole to push off with. — *v* to leap (กระโดดโดยใช้มือหรือไม้ยันข้ามไป):

He vaulted over the fence.

vaunt *v* to boast about (คุยโอ้อวด): *She vaunted her new car.*

veal *n* the flesh of a calf, used as food (เนื้อลูกวัวใช้ทำอาหาร).

veer *v* to change direction suddenly (เปลี่ยนทิศทางอย่างกะทันหัน): *The car veered across the road and hit the wall; The driver was forced to veer sharply.*

'veg·e·ta·ble (*'vej-tə-bəl*) *n* **1** a plant or part of a plant used as food (พืชผัก): *We grow potatoes, beans and other vegetables.* — *adj* (เกี่ยวกับพืชผัก): *vegetable oil.* **2** a plant (พืช): *Grass is a vegetable, gold is a mineral and a human being is an animal.*

veg·e'tar·i·an (*vej-ə'tār-i-ən*) *n* a person who does not eat meat or fish (ผู้ที่ไม่กินเนื้อหรือปลา). — *adj* (มังสวิรัติ): *a vegetarian dish.*

veg·e'ta·tion (*vej-ə'tā-shən*) *n* plants in general; plants of a particular region or type (พืชพรรณ พืชจำเพาะเขตหรือชนิด): *There is hardly any vegetation in a desert; tropical vegetation.*

've·he·ment (*'vē-ə-mənt*) *adj* strongly or forcefully expressed (เร่าร้อน รุนแรง): *vehement denials.* **'vehe·ment·ly** *adv* (อย่างเร่าร้อน อย่างรุนแรง).

've·hi·cle (*'vē-ə-kəl*) *n* a means of transport on land, especially on wheels, such as a car, bus, bicycle *etc.* (ยานพาหนะ).

veil (*vāl*) *n* a piece of thin cloth worn over your face or head to hide or cover it (ผ้าคลุมหน้า): *Some women wear veils for religious reasons, to prevent strangers from seeing their faces.* — *v* to cover with a veil (คลุมหน้าด้วยผ้า): *She veiled her face.*

veiled *adj* (แห่งการคลุมหน้า): *a veiled lady; The bride was veiled.*

vein (*vān*) *n* **1** any of the tubes that carry the blood back to your heart from the rest of your body (เส้นโลหิตดำ). **2** a similar-looking line on a leaf (เส้น ๆ อย่างนี้บนใบไม้).

ve'loc·i·ty (*və'los-i-ti*) *n* speed (ความเร็ว): *The velocity of sound and light are different.*

'vel·vet *n* a cloth made from silk *etc.* with a soft, thick surface (กำมะหยี่): *Her dress was made of velvet.* — *adj* (แห่งกำมะหยี่): *a velvet jacket.*

'vel·vet·y *adj* soft, like velvet (นุ่มเหมือนกำมะหยี่).

ven'det·ta *n* a bitter quarrel between families (การพยาบาทจองเวรระหว่างครอบครัว): *The vendetta between them started when her great-great uncle killed his great-great grandfather.*

'ven·e·ra·ble *adj* greatly respected because old and wise (นับถืออย่างยิ่งเพราะความชราและฉลาด): *a venerable old priest.*

'ven·e·rate *v* to think of with great respect (นับถืออย่างสูง สักการะ): *His tomb has been venerated for centuries.*

ve'ne·re·al (*və'nē-ri-əl*): **venereal disease** *n* a disease that is passed on by sexual intercourse {often shortened to **VD** (*vē'dē*) } (กามโรค).

'ven·geance (*'ven-jəns*) *n* harm done in return for injury received; revenge (แก้แค้น).

'ven·i·son *n* the flesh of deer, used as food (เนื้อกวาง ใช้เป็นอาหาร): *roast venison.*

'ven·om (*'ven-əm*) *n* **1** the poison that some snakes, spiders and scorpions produce in order to kill their prey (พิษของงู แมงมุม แมงป่อง). **2** the wish to harm other people; great hatred (ความเกลียดอย่างยิ่ง): *There was a lot of venom in his remarks.* **'ven·om·ous** *adj* **1** poisonous (มีพิษ): *A cobra is a venomous snake.* **2** full of hatred (เต็มไปด้วยความเกลียด): *a venomous speech.*

vent *n* a hole to allow air, smoke *etc.* to pass out or in (ช่องระบายอากาศ): *an air-vent.* — *v* to get rid of your anger *etc.* by expressing it in a violent way (ระบายอารมณ์): *He was angry with himself and vented his rage on his son by beating him.*

give vent to to vent (ระบาย): *He gave vent to his anger in a furious letter to the newspaper.*

'ven·ti·late *v* to make a room *etc.* fresher and cooler by letting fresh air into it (ทำให้ห้องสดชื่นและเย็นขึ้นโดยการปล่อยอากาศบริสุทธิ์เข้ามา): *Kitchens must be properly ventilated.* **ven·ti'la·tion** *n* (การระบายอากาศ).

'ven·ti·la·tor *n* a device for ventilating a room *etc.* (เครื่องระบายอากาศ).

ven'tril·o·quist (*ven'tril-ə-kwist*) *n* a person who can speak without moving their mouth, so that it seems as if another person is talking (ผู้ที่สามารถพูดโดยไม่ขยับปากตัวเอง เพื่อให้ดูเหมือนว่าคนอื่นพูด): *In the television show, the ventriloquist pretended to have a conversation with a puppet.*

'ven·ture (*'ven-chər*) *n* an undertaking or scheme that usually involves risk (การดำเนินการหรือแผนการซึ่งโดยปกติแล้วมักจะเสี่ยง): *a business venture.* — *v* **1** to dare to go (กล้าที่จะไป): *Every day the child ventured further into the forest.* **2** to dare to do something (กล้าที่จะทำอะไรบางอย่าง): *He ventured to kiss her hand; I ventured to remark that her skirt was too short.* **3** to risk (เสี่ยง): *He decided to venture all his money on the scheme.*

ve'ran·da, ve'ran·dah *n* a kind of long porch extending along the side of a house (ระเบียง).

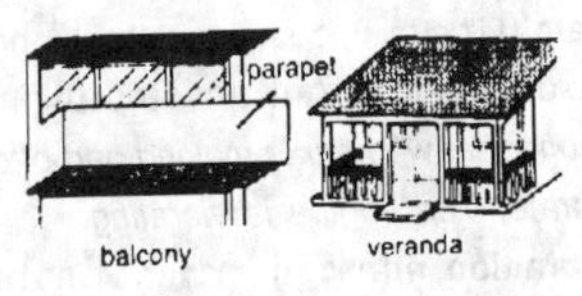

verb *n* the word or phrase that tells what a person or thing does (คำกริยา): *I saw him; He ran away from me; I have a feeling; What is this?*

'verb·al *adj* **1** spoken, not written; having to do with spoken words (แห่งการพูด): *a verbal agreement.* **2** having to do with verbs (เกี่ยวกับกริยา).

'ver·dict *n* **1** the decision of a jury at the end of a trial (คำชี้ขาดของลูกขุน): *The jury brought in a verdict of guilty.* **2** a decision or judgement (คำตัดสิน คำวินิจฉัย คำพิพากษา).

verge (*vərj*) *n* a border, especially a grass edge to a road *etc.* (ริม ขอบถนนที่เป็นหญ้า). — *v* to be close to (ใกล้ ๆ): *He is verging on old age.*

'ver·i·fy *v* to confirm that something is true; to check that something is true or correct (ยืนยันว่าบางอย่างเป็นจริงหรือถูกต้อง): *Can you verify her statement?; The detective verified the story of the stolen diamonds* (สอบสวน).

'ver·i·fi·a·ble *adj* (สามารถพิสูจน์ได้ว่าเป็นจริง).

ver·i·fi'ca·tion *n* (การพิสูจน์ว่าเป็นจริง).

'ver·sa·tile (*'vər-sə-tīl*) *adj* **1** able to turn easily from one task, activity or occupation to another (มีความสามารถหลายด้าน): *a versatile entertainer; He will easily get another job — he is so versatile.* **2** useful for many purposes (มีประโยชน์หลายอย่าง): *a versatile tool.*

vers·a'til·i·ty *n* (ความคล่องตัว).

verse *n* **1** a number of lines of poetry, grouped together and forming a separate unit within the poem, song, hymn *etc.* (บทร้อยกรอง บทประพันธ์ ท่อนแยกในเพลง): *This song has three verses.* **2** a short section in a chapter of the Bible (ส่วนสั้น ๆ ในบทหนึ่งของคัมภีร์ไบเบิล). **3** poetry, as opposed to prose (บทกวี แตกต่างจากร้อยแก้ว): *He expressed his ideas in verse.*

'ver·sion *n* an account from one point of view (เรื่อง): *The boy gave his version of what had occurred.*

'ver·sus *prep* against (often shortened to **v**) (ประจัญกับ เผชิญกับ): *the England v Wales rugby match.*

'ver·te·bra (*'vər-tə-brə*), *plural* **vertebrae** (*'vər-tə-brā*), *n* any of the pieces of bone which form the spine (กระดูกสันหลัง): *She bruised several of her vertebrae when she fell from the horse.*

'ver·te·brate *n* a creature with a spine, such as animals, birds and fish (สัตว์ที่มีกระดูกสันหลัง): *An octopus is not a vertebrate.*

'ver·ti·cal *adj* standing straight up; upright (ยืนตรง ตั้งขึ้นตรง): *You lie in a horizontal position and you stand in a vertical position.*

'ver·ti·cal·ly *adv* (ตั้งตรง ตามแนวยืน).

'ver·ti·go *n* a feeling of dizziness caused by heights (รู้สึกวิงเวียนเกิดจากความสูง): *She suffers from vertigo so don't let her go near the edge of the cliff.*

verve *n* great liveliness or enthusiasm (**ความมีชีวิตชีวาอย่างยิ่งหรือความกระตือรือร้น**): *His performance lacked verve.*

'ver·y *adv* **1** extremely (**อย่างมาก**): *He's very clever; You came very quickly.* **2** absolutely (**อย่างแท้จริง อย่างสมบูรณ์**): *The very first thing you must do is ring the police; She has a car of her very own.* — *adj* **1** exactly the thing, person *etc.* mentioned (**คนหรือสิ่งของที่อ้างถึงอย่างแน่ชัด**): *You're the very man I want to see; At that very minute the door opened.* **2** extreme (**ปลายสุด**): *at the very end of the day; at the very top of the tree.* **3** mere (**เพียงแค่**): *The very suggestion of a sea voyage makes her feel sick.*

not very not (**ไม่**): *I'm not very good at swimming; I'm not feeling very well.*

very well used to express agreement to a request *etc.* (**ใช้ในการแสดงความเห็นด้วยในคำขอ**): *"Please be home before midnight." "Very well."*

'ves·sel *n* **1** a container, usually for liquid (**ภาชนะ โดยปกติใช้ใส่ของเหลว**): *a glass vessel containing acid.* **2** a ship (**เรือ**): *a grain-carrying vessel.*

vest *n* **1** an undergarment for the top half of your body (**เสื้อชั้นใน**): *He was dressed only in a vest and underpants.* **2** a waistcoat (**เสื้อกั๊ก**): *jacket, vest and trousers.*

'vest·i·bule (*'vest-i-būl*) *n* a small entrance hall (**โถงทางเข้าเล็ก ๆ**): *There were several doors opening out of the vestibule.*

'vest·ige *n* a trace, slight amount or hint (**ร่องรอย น้อยนิดหรือหลักฐาน**): *After the explosion, not a vestige of the building was left.*

vet *n* short for (**คำย่อของ**) **veterinary surgeon** (**สัตวแพทย์**).

'vet·er·an *n* **1** someone who has served as a soldier, especially during a war (**ผู้ซึ่งเคยรับราชการทหาร ทหารผ่านศึก**): *a war veteran.* **2** someone who has had experience in a particular job, sport *etc.* for a long time (**คนที่มีประสบการณ์ในงานหนึ่งมาเป็นเวลานาน**): *He is a veteran politician; This tennis championship is for veterans only.*

'vet·er·i·nar·y *adj* having to do with the treatment of diseases in animals (**เกี่ยวกับการรักษาสัตว์**): *veterinary medicine.*

veterinary surgeon a doctor for animals (often shortened to **vet**) (**สัตวแพทย์**).

've·to (*'vē-tō*) *v* to forbid something; to refuse to agree to something (**ยับยั้ง ปฏิเสธไม่ยอมรับ**): *The president vetoed the minister's proposal.* — *n, plural* **'ve·toes**, the right to forbid something (**สิทธิยับยั้ง**): *The leader used his veto against the proposed changes.*

vex *v* to make someone angry; to irritate someone (**ทำให้โกรธ ทำให้ขุ่นเคือง**): *His rude behaviour vexed her; She felt very vexed that she hadn't been invited to his party.*

'vi·a (*'vī-ə*) *prep* by way of (**โดยผ่านทาง**): *We went to America via Japan.*

'vi·a·duct (*'vī-ə-dukt*) *n* a long bridge carrying a road or railway over a valley *etc.* (**สะพานขนาดยาวนำถนนหรือรถไฟผ่านหุบเขา**).

'vi·brant (*'vī-brənt*) *adj* very lively, bright or exciting (**มีชีวิตชีวา สดใสหรือตื่นเต้น**): *The dancers were dressed in vibrant colours.*

vi'brate (*vī'brāt*) *v* to shake, tremble, or move rapidly to and fro (**สั่น แกว่งไกวไปมา**): *Every sound that we hear is making part of our ear vibrate; The engine is vibrating.*

vi'bra·tion *n* (การสั่น การแกว่งไกวไปมา).

'vic·ar *n* a clergyman of the Church of England (**พระในศาสนาคริสต์ของโบสถ์อังกฤษ**).

'vic·ar·age *n* the house of a vicar (**สำนักของพระ**).

vice *n* **1** a serious moral fault (**ความผิดทางศีลธรรมอย่างรุนแรง ความชั่ว**): *Continual lying is a vice.* **2** a bad habit (**นิสัยเลว**): *Smoking is not one of my vices.*

vice (*vī-si vərsə*) the other way round (**ในทางกลับกัน**): *Dogs often chase cats but not usually vice versa.*

vi'cin·i·ty *n* an area surrounding a particular place (**พื้นที่รอบ ๆ บริเวณรอบ ๆ**): *There are no parks in this vicinity; They live somewhere in the vicinity of the theatre.*

'vi·cious *adj* evil; cruel; likely to attack you (**ชั่วร้าย โหดร้าย อาจจะจู่โจมเรา**): *Keep back* *from that dog — it's vicious.*

'vi·cious·ly adv (อย่างโหดร้าย).

'vi·cious·ness n (ความโหดร้าย).

'vic·tim *n* a person who suffers death or harm as a result of someone else's action or a disaster *etc.* (เหยื่อ): *a murder victim; Food is being sent to the victims of the disaster.*

'vic·tor *n* the person who wins a battle or other contest (ผู้มีชัยชนะ ผู้ชนะ).

vic'to·ri·ous *adj* winning (ชัยชนะ): *the victorious army.*

'vic·to·ry *n* success in a battle, struggle or contest (ชัยชนะ ดิ้นรนหรือการต่อสู้): *Our team has had two defeats and eight victories; to win a victory over a handicap.*

'vid·e·o (*'vid-i-ō*) *adj* having to do with television pictures (เกี่ยวกับภาพโทรทัศน์). — *n* (*plural* **videos**) **1** the broadcasting of television pictures (การถ่ายทอดโทรทัศน์). **2** a videotape (เทปโทรทัศน์). **3** a video recorder (เครื่องบันทึกเทปโทรทัศน์). — *v* to record on to a video recorder or videotape (บันทึกลงบนเครื่องบันทึกเทปโทรทัศน์): *He videoed the television programme.*

video camera a camera which records moving images and sound on tape (กล้องบันทึกเทปโทรทัศน์): *She filmed the children playing using her video recorder.*

video game an electronic game played using a television or computer screen (เกมอิเล็กทรอนิกส์ใช้จอโทรทัศน์หรือจอคอมพิวเตอร์): *Her son spends hours playing video games.*

video recorder a cassette recorder that records sound and vision (เครื่องบันทึกซึ่งบันทึกทั้งเสียงและภาพ).

'vid·e·o·tape *n* recording tape carrying pictures and sound (เทปบันทึกซึ่งมีทั้งภาพและเสียง).

vie (*vī*) *v* to compete with someone (แข่งขัน): *The two pupils vied with one another for the first prize.*

vie; 'vy·ing; vied; vied: *The twins are always vying with each other; They vied with each other for the prize.*

view (*vū*) *n* **1** an outlook on to, or picture of, a scene (ภาพของ ทิวทัศน์): *Your house has a fine view of the hills; He painted a view of the harbour.* **2** an opinion (ความคิดเห็น): *Tell me your views on this subject.* **3** an opportunity to see or inspect something (การชม): *We were given a private view of the exhibition before it was opened to the public.* — *v* to look at something (มองดู): *She viewed the scene with astonishment.*

'view·er *n* **1** a person who watches television (ผู้ชม): *This programme has five million viewers.* **2** a device with a magnifying lens, and often with a light for looking at photographic slides (เครื่องซึ่งมีแว่นขยายและมักมีไฟฟ้าเพื่อให้ดูภาพถ่ายได้).

'view·point *n* a point of view (ทัศนะ): *I am looking at the matter from a different viewpoint.*

in view of something because of something (เพราะบางอย่าง): *In view of the bad weather we decided not to go out.*

point of view a way of looking at a subject, matter *etc.* (ทัศนะ): *You must consider everyone's point of view before deciding.*

'vi·gil *n* a period of staying awake, especially as part of a religious ceremony or festival, or to watch over someone who is ill (ช่วงระยะเวลาที่เฝ้า โดยเฉพาะอย่างยิ่งในพิธีกรรมทางศาสนาหรืองานฉลอง หรือเฝ้าคนป่วย): *Many Christians keep the Easter vigil.*

'vig·i·lant *adj* watchful or ready for danger (ระมัดระวังหรือพร้อมสำหรับอันตราย).

'vig·i·lance *n* (ความระมัดระวัง).

'vig·our (*'vig-ər*) *n* strength and energy (ความแข็งแรงและพลัง): *He began his new job with enthusiasm and vigour.*

'vig·or·ous *adj* (กระฉับกระเฉง): *a vigorous dance.* **'vig·orous·ly** *adv* (อย่างกระฉับกระเฉง).

> **vigour** is spelt **-our**.
> **vigorous** is spelt **-or-**.

vile *adj* horrible; disgusting (น่ากลัว น่าขยะแขยง): *That was a vile thing to say!; The blue cheese tasted vile.*

'vil·la *n* a house, especially in the country or suburbs; a house used for holidays at the seaside (บ้านอยู่นอกเมืองหรือชานเมือง บ้านที่ใช้ในวันหยุดตามชายทะเล).

'vil·lage *n* **1** a group of houses *etc.* that is smaller than a town (หมู่บ้าน): *They live in a little village.* **2** the people who live there (ผู้คนที่อยู่ในหมู่บ้าน): *The whole village turned out to see the celebrations.*

'vil·lag·er *n* a person who lives in a village (คนที่อาศัยอยู่ในหมู่บ้าน).

'vil·lain (*'vil-ən*) *n* a person who is wicked or has a very bad character (คนที่ชั่วร้ายหรือมีนิสัยไม่ดี): *the villain of the story.*

vin·ai'grette (*vin-ə'gret*) *n* a mixture of oil and vinegar used as a salad dressing (น้ำสลัด).

'vin·di·cate *v* to prove to be correct or without blame (พิสูจน์ว่าถูกต้องหรือโดยไม่ถูกกล่าวหา): *Recent events have vindicated his decision to start his own business.*

vin·di'ca·tion *n* (การกล่าวแก้).

vin'dic·tive *adj* feeling or showing spite or hatred (รู้สึกหรือแสดงความเคียดแค้นหรือเกลียด): *He keeps sending me vindictive letters.*

vine *n* **1** a climbing plant which bears grapes (องุ่น). **2** any climbing plant (ต้นไม้เลื้อยชนิดใด ๆ).

'vine·yard (*'vin-yärd*) *n* an area which is planted with grape vines (พื้นที่ซึ่งปลูกต้นองุ่น).

'vin·e·gar *n* a sour liquid made from wine, beer *etc.*, used in seasoning or preparing food (น้ำส้มสายชู): *Mix some oil and vinegar as a dressing for the salad.*

'vin·tage *n* the grape harvest of a particular year and the good quality wine made from it (องุ่นที่เก็บได้ประจำปีและไวน์มีคุณภาพดีที่ได้): *That was a good vintage for wines from Bordeaux.*

'vi·nyl (*'vī-nəl*) *n* a strong kind of plastic (ไวนีลพลาสติกที่แข็งแรงชนิดหนึ่ง): *We have a blue vinyl floor-covering in our bathroom.*

vi'o·la (*vi'ō-lə*) *n* a kind of large violin (ไวโอลินใหญ่ชนิดหนึ่ง).

'vi·o·late (*'vī-ə-lāt*) *v* **1** to break a promise, law or rule (ละเมิดคำสัญญา กฎหมายหรือกฎ): *The footballer was suspended for violating the rules.* **2** to break into a sacred place (ล่วงล้ำเข้าไปในสถานที่ศักดิ์สิทธิ์): *Thieves have violated the emperor's tomb.* **3** to disturb (รบกวน): *The loud music is violating the peace of the countryside.*

vi·o'lation *n* (การละเมิด).

'vi·o·lence (*'vī-ə-ləns*) *n* great roughness and force, especially causing destruction, injury or damage (ความรุนแรง): *Try not to use violence against children; She was terrified by the violence of the storm.*

'vi·o·lent *adj* **1** having, using, or showing, great force (อย่างรุนแรง): *There was a violent storm at sea; a violent earthquake; He has a violent temper; She gave him a violent blow.* **2** caused by force (เกิดขึ้นโดยการใช้กำลัง): *a violent death.*

'vi·o·lent·ly *adv* (อย่างรุนแรง).

'vi·o·let (*'vī-ə-lət*) *n* **1** a small purple flower (ดอกไวโอเลต). **2** a purple colour (สีม่วง).

vi·o'lin (*vī-ə'lin*) *n* a musical instrument with four strings, played with a bow (ไวโอลิน): *She played the violin in the school orchestra.*

vi·o'lin·ist *n* (นักเล่นไวโอลิน).

'vi·per (*'vī-pər*) *n* a small poisonous snake found in Europe (งูพิษตัวเล็ก ๆ พบในยุโรป).

'vir·gin *n* a person, especially a woman, who has had no sexual intercourse (พรหมจารี).

'vi·rile *adj* having all the traditional male qualities such as strength and the ability to produce children (มีความเป็นชาย เช่นมีกำลังและความสามารถในการผลิตลูก): *virile young actors.*

'vir·tu·al (*'vər-cho͞o-əl*) *adj* not actual, but having the effect of being actual (ไม่จริงแต่ในทางปฏิบัติเป็นจริง เสมือน): *The princess influenced all the king's decisions, so that she was the virtual ruler of the country.*

'vir·tu·al·ly (*'vər-cho͞o-əl-i*) *adv* more or less; almost (เกือบ): *My work is virtually finished.*

vir·tu'o·so (*vər-tū'ō-zō*), *plural* **virtuosos**, *n* a highly skilled musician (นักดนตรีที่มีความชำนาญมาก): *He is a virtuoso on the piano; a virtuoso musician.*

'vir·tue (*'vər-cho͞o*) *n* **1** a good moral quality

(คุณธรรม): *Honesty is a virtue.* **2** a good quality (คุณสมบัติ): *The house is small, but it has the virtue of being easy to clean.* **3** goodness of character *etc.* (อุปนิสัยดี): *She is a person of great virtue.*

'vir·tu·ous *adj* (มีคุณธรรม).

'vi·ru·lent *adj* having a harmful effect very quickly (มีผลร้ายอย่างรวดเร็ว): *a virulent disease.*

'vi·rus (*'vī-rəs*) *n* any of various kinds of germs that are smaller than bacteria (เชื้อไวรัส): *Viruses can cause influenza, mumps, chicken-pox and many other infectious diseases.*

'vi·ral *adj* (เกี่ยวกับเชื้อไวรัส).

'vi·sa (*'vē-zə*) *n* an official permit to visit a country (ใบอนุญาตอย่างเป็นทางการให้เข้าประเทศ วีซา): *You'll need a visa if you want to visit Russia.*

'vis·i·ble (*'viz-i-bəl*) *adj* able to be seen (สามารถเห็นได้): *The house is visible through the trees; The scar on her face is scarcely visible now.*

'vis·i·bly *adv* (ซึ่งเห็นได้).

'vi·sion (*'vizh-ən*) *n* **1** something seen in the imagination or in a dream (มโนภาพหรือสิ่งที่เห็นในความฝัน). **2** the ability to see or plan into the future (โลกทรรศน์): *Politicians should be men of vision.* **3** the ability to see (สามารถมองเห็นได้): *He is slowly losing his vision.* **4** the picture on a television screen (ภาพบนจอโทรทัศน์): *The vision is very poor on that television set.*

'vis·it (*'viz-it*) *v* **1** to go to see a person or place (เยี่ยม เยือน): *We visited my parents at the weekend; They visited the Taj Mahal while they were in India.* **2** to stay in a place or with a person for a time (พักชั่วคราว): *My mother visits us each summer; Many birds visit Britain only during the summer months.* — *n* (การเยี่ยม การเยือน): *We went on a visit to my aunt's.*

'vis·it·or *n* a person who visits (ผู้มาเยือน): *We're having visitors next week.*

pay a visit to visit (ไปเยือน): *She paid her aunt a visit; we paid a visit to the library.*

'vi·sor (*'vī-zər*) *n* **1** the moveable part of a helmet that covers the face (หมวกเหล็กตอนหน้าใช้เปิดปิดได้): *The knight pulled down his visor before the battle began.* **2** a moveable flap that can be folded down in front of the windscreen of a car *etc.* to protect the driver's eyes from strong sunlight (เครื่องบังแสงอาทิตย์ หน้าที่นั่งรถยนต์).

'vis·u·al (*'vizh-ōō-əl*) *adj* having to do with seeing (เกี่ยวกับการมองเห็น): *She has a very good visual memory — she can always remember what people look like; The bright green light produced strange visual effects.*

'vis·u·al·ly *adv* (มองเห็นได้). **visual aids** *n plural* pictures, slides, films or models that are used to help you understand or learn something (รูปภาพ สไลด์ ภาพยนตร์ หรือแบบจำลอง ซึ่งช่วยให้เราเข้าใจหรือเรียนรู้อะไรบางอย่าง): *Biology teachers use a lot of visual aids.*

'vis·u·al·ize *v* to form a clear picture of something or someone in your mind (นึกภาพ): *It is impossible to visualize the size of the universe; I know his name, but I can't visualize him.*

'vi·tal (*'vī-təl*) *adj* **1** essential; very important (มีความจำเป็น สำคัญมาก): *Speed is vital to the success of our plan; It is vital that we arrive at the hospital soon.* **2** lively and energetic (มีชีวิตชีวาและชอบทำงาน): *a vital person.*

vi'tal·i·ty *n* liveliness and energy (ความมีชีวิตชีวาและมีพลังงาน): *a girl of great vitality.*

'vit·a·min *n* any of a group of substances necessary for healthy life, different ones occurring in different natural things such as raw fruit, vegetables, fish, meat *etc.* (วิตามิน): *Vitamin C is found in fruit and vegetables.*

vi'va·cious (*vi'vā-shəs*) *adj* lively and attractive (มีชีวิตชีวาและน่ารัก): *She has a vivacious personality.*

'viv·id *adj* **1** brilliant; very bright (สุกใส สดใสมาก): *The door was painted a vivid yellow; The trees were vivid in their autumn colours.*

2 clear (แจ่มชัด): *I have many vivid memories of that holiday; a vivid description*. **3** active; lively (กระตือรือร้น มีชีวิตชีวา): *She has a vivid imagination.*

'viv·i·dly *adv* (อย่างมีชีวิตชีวา).

'viv·id·ness *n* (ความมีชีวิตชีวา).

'vix·en *n* a female fox (สุนัขจิ้งจอกตัวเมีย): *The vixen was followed by her cubs.*

vo'cab·u·lar·y (*və'kab-ū-lər-i*) *n* **1** words in general (คำศัพท์): *This book contains some difficult vocabulary.* **2** words known and used by one person, or within a particular trade or profession (คำศัพท์ที่รู้จักและใช้โดยคนหนึ่ง หรือภายในกลุ่มอาชีพหนึ่ง): *He has a vocabulary of about 20,000 words; Each of the sciences has its own special vocabulary.* **3** a list of words in alphabetical order with meanings (รายชื่อคำศัพท์เรียงตามลำดับตัวอักษรพร้อมทั้งความหมาย).

'vo·cal *adj* **1** having to do with your voice, or with speaking or singing (เกี่ยวกับเสียง): *Your voice is produced by your vocal organs.* **2** eager to express your opinion (กระหายที่จะออกความเห็น): *He's always very vocal at meetings.*

'vo·cal·ist *n* a singer (นักร้อง): *a female vocalist.*

vocal cords folds of tissue in your throat that produce the sounds used in speech, singing *etc.* when vibrated (หลอดเสียง).

vo'ca·tion *n* **1** a feeling of having a special duty to do a particular kind of work, especially medical work, teaching, or caring for people in some way (ความรู้สึกว่ามีหน้าที่พิเศษ โดยเฉพาะอย่างยิ่งทางด้านการรักษาพยาบาล การสอน หรือการดูแลผู้คนในทางใดทางหนึ่ง). **2** an occupation or profession of this kind (อาชีพแบบนี้).

voice *n* **1** the sounds that come from your mouth when you speak or sing (เสียง): *He has a very deep voice; He spoke in a loud voice.* **2** your voice as a means of expression; your opinion (ความคิดเห็นของเรา): *The voice of the people must not be ignored.* — *v* **1** to express feelings *etc.* (แสดงความรู้สึก): *He voiced his anger.* **2** to pronounce a letter *etc.* with a sound in your throat as well as with your breath (การออกเสียง): *"Th" should be voiced in "this" but not in "think".*

voiced *adj* (เสียง).

'voiceless *adj* (ไม่มีเสียง).

lose your voice to be unable to speak because of having a cold, sore throat *etc.* (ไม่สามารถพูดได้เพราะเป็นหวัด เจ็บคอ): *When I had flu I lost my voice for three days.*

raise your voice to speak more loudly than normal, especially in anger (ขึ้นเสียง): *I don't want to have to raise my voice to you again.*

void *adj* not valid, having no official authority (ยกเลิก): *The agreement is now void.* — *n* an empty space (พื้นที่ว่างเปล่า): *Her husband's death left a void in her life.*

'vol·a·tile *adj* **1** quickly becoming upset or angry (โกรธง่าย): *a volatile child.* **2** likely to change quickly and suddenly (น่าจะเปลี่ยนได้รวดเร็วและในทันทีทันใด): *a volatile situation in which anything could happen.*

vol'can·ic *adj* having to do with volcanoes; produced by volcanoes (เกี่ยวกับภูเขาไฟ เกิดขึ้นจากภูเขาไฟ): *a volcanic eruption; volcanic rock.*

vol'ca·no (*vol'kā-nō*), *plural* **vol'can·oes**, *n* a hill or mountain with an opening at the top through which molten rock, ashes *etc.* are thrown up from inside the earth (ภูเขาไฟ): *The village was destroyed when the volcano erupted.*

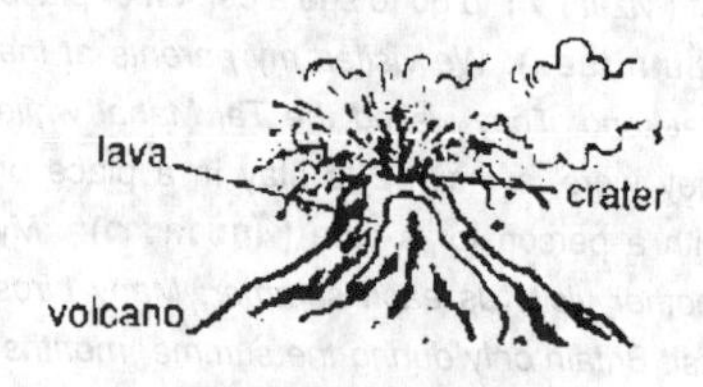

'vol·ley *n* **1** in tennis, the hitting of a ball before it bounces (การตีลูกก่อนที่จะตกถึงพื้น). **2** a burst of firing *etc.* (การยิงอย่างอุตลุด): *a volley of shots.* — *v* (ตบลูกบอลข้ามตาข่าย): *She volleyed the ball back across the net.*

'vol·ley·ball *n* a game in which you hit the ball over a high net with your hand (กีฬาวอลเลย์บอล).

volt *n* a unit for measuring the strength of an electric current (หน่วยวัดกระแสไฟฟ้า).

'vol·ume (*'vol-ūm*) *n* **1** a book (เล่ม): *This library contains over a million volumes.* **2** one of a series of books (หนังสือเล่มหนึ่งในชุด): *Where is Volume 15 of the encyclopedia?* **3** the amount of space occupied by something; the amount of space inside a container (กินที่ พื้นที่ว่างภายในภาชนะ): *What is the volume of the petrol tank?* **4** amount (จำนวน): *A large volume of work remains to be done.* **5** the loudness of the sound coming from a radio, television *etc.* (เสียงดังอันเกิดจากวิทยุ โทรทัศน์): *Turn up the volume on the radio.*

'vol·un·tar·y *adj* **1** done by choice, not by accident or because you are asked or forced to (สมัครใจ): *a voluntary act.* **2** without payment (ไม่มีการจ่ายเงิน): *She does a lot of voluntary work.*

'vol·un·tar·i·ly *adv* (อย่างสมัครใจ).

vol·un'teer *v* **1** to offer to do something of your own free will (อาสาสมัคร): *He volunteered to act as messenger; She volunteered for a dangerous job.* **2** to offer an opinion *etc.* (เสนอความคิดเห็น): *Two or three people volunteered suggestions.* — *n* someone who offers to do something of their own free will (อาสาสมัคร): *The charitable organizations depend on the help of volunteers.*

vo'lup·tu·ous (*vo'lup-tū-əs*) *adj* sexually attractive, especially in having large breasts and hips (งามอย่างยั่วยวน โดยเฉพาะอย่างยิ่งตรงหน้าอกและสะโพก): *a voluptuous female dancer.*

'vom·it *v* to throw out the contents of your stomach through your mouth; to be sick (อาเจียน ป่วย): *The movement of the ship made her feel like vomiting.* — *n* food *etc.* that has been vomited (อาหารที่อาเจียนออกมา).

vote *n* **1** the choice you make between candidates at an election, or between the two sides in a debate (การลงคะแนนเสียง): *to give your vote to a candidate.* **2** the action of voting (ลงคะแนนเสียง): *A vote was taken to decide the matter.* **3** the right to vote (สิทธิในการลงคะแนนเสียง): *In Britain, the vote was given to women over twenty-one in 1928; Nowadays everyone over eighteen has a vote.* — *v* to give your vote: *She voted for the Conservative candidate; I always vote Labour; I shall vote against the Government's new education plans.*

'vo·ter *n* a person who votes or has the right to vote (ผู้ลงคะแนนเสียงหรือผู้มีสิทธิลงคะแนนเสียง).

vouch *v* **1** to say that you are sure that something is fact or truth (ยืนยันว่าบางอย่างเป็นข้อเท็จจริงหรือเป็นความจริง): *Will you vouch for the truth of the statement?* **2** to say that you are sure of the goodness and honesty of someone (พูดรับรองความดีและความซื่อสัตย์ของใครบางคน): *My friends will vouch for me.*

'vouch·er *n* a piece of paper that you can use like money in certain shops, restaurants *etc.* (ใบสำคัญซึ่งเราสามารถใช้แทนเงินได้ในร้านค้า ภัตตาคาร): *My granny has sent me a $20 voucher so that I can buy myself some cassettes; a luncheon voucher.*

vow *n* a solemn promise, especially one made to God (ให้คำปฏิญาณ): *The monks have taken a vow of silence; marriage vows.* — *v* to make a vow (สาบาน): *He vowed that he would die rather than surrender.*

'vow·el *n* in English and many other languages, the letters *a, e, i, o, u* (สระ).

'voy·age *n* a long journey, especially by sea (การเดินทางที่ยาวนาน): *The voyage to America used to take many weeks.* — *v* to make a voyage (เดินทาง): *They voyaged for many months.*

'vul·gar *adj* not decent; not polite; illmannered (ไม่ดี ไม่สุภาพ มารยาททราม): *vulgar behaviour.* **'vulg·ar·ly** *adv* (อย่างไม่สุภาพ).

vul'gar·i·ty *n* **(ความไม่สุภาพ).**

'vul·ner·a·ble *adj* not protected against attack; likely to be hurt or damaged **(อาจถูกจู่โจมได้ น่าจะบาดเจ็บหรือเสียหายได้)**: *Small animals are vulnerable to attack from birds of prey.*

'vul·ture (*'vul-chər*) *n* a large bird of prey that lives chiefly on the flesh of dead animals **(นกแร้ง).**

vying *see* **vie (ดู vie).**

wad (*wod*) *n* **1** a mass of loose material pressed into a solid piece (การเอาวัสดุมาทำให้เป็นก้อน): *He blocked the hole in the wall with a wad of newspaper; She put a wad of cottonwool over the cut on his hand to stop it bleeding.* **2** a large bundle (ฟ่อนใหญ่): *He took a wad of $100 notes from his wallet.*

'wad·dle (*'wod-əl*) *v* to take short steps and move from side to side in walking (เดินก้าวสั้น ๆ ส่ายไปมา เดินเตาะแตะเหมือนเป็ด): *The ducks waddled across the road.*

wade *v* to walk through water, mud *etc.* (ลุยน้ำ ลุยโคลน): *He waded across the river; We can wade the stream at its narrowest point.*

'wa·fer (*'wa-fər*) *n* a very thin biscuit, often eaten with ice-cream (ขนมปังกรอบแผ่นบาง ๆ มักใช้กินกับไอศกรีม): *an ice-cream wafer; a wafer biscuit.* **'wafer-thin** *adj* extremely thin (บางอย่างยิ่ง): *wafer-thin sandwiches.*

'waf·fle[1] *v* to write or talk at length but expressing very little (เขียนหรือพูดเยิ่นเย้อ): *He waffled on about his plans but nobody was listening.* — *n* (พูดมากแต่ไร้สาระ): *His speech was just a lot of waffle.*

'waf·fle[2] *n* a potato pancake with a grid-like pattern (ขนมวอฟเฟิล): *They had waffles and eggs for breakfast.*

waft *v* to float or drift gently (ลอยมาอย่างแผ่วเบา): *The sounds of the music wafted through the air.*

wag *v* to move from side to side (กระดิก ส่าย): *The dog wagged its tail; He wagged his head in time to the music.*

wage[1] *v* to carry on a war *etc.* (ทำสงคราม): *The North waged war against the South.*

wage[2] *n* (usually **wages**) payment for work (ค่าจ้าง): *His wages are $100 a week.*

wages takes a plural verb: *His wages are too low.*

'wag·gle *v* to move from side to side (กระดิกแกว่งโยกไปมา): *His beard waggled as he ate.*

'wag·on or **'wag·gon** *n* **1** a four-wheeled vehicle for carrying heavy loads (เกวียน): *a hay wagon.* **2** an open railway container for goods (ตู้รถไฟไม่มีหลังคาใช้บรรทุกสินค้า): *a goods wagon.*

wail *v* to cry loudly; to make a long sound like a cry (ร้องอย่างดัง ๆ ทำเสียงโหยหวนคล้ายร้องไห้): *The little boy was wailing over his broken toy; The sirens wailed.* — *n* (เสียงหวอ): *I heard the wail of a police siren.*

waist *n* **1** the narrow part of the human body between the ribs and hips (เอว): *She has a very small waist.* **2** the part of a garment that goes round your waist (ส่วนของเสื้อผ้าตรงรอบเอว): *This skirt is too loose in the waist.*

'waist·coat (*'wās-kōt*) *n* a short, sleeveless garment, especially for a man, buttoned up the front, that is worn under a jacket (เสื้อกั๊ก): *a three-piece suit consists of trousers, jacket and waistcoat.*

wait *v* **1** to stay where you are, until someone or something comes (รอคอย): *We have been waiting for the bus for half an hour; I am waiting for her to arrive; Wait for me!; Wait two minutes while I go inside.* **2** to expect (คาดหวัง): *I'm just waiting for that pile of dishes to fall!* **3** to serve dishes, drinks *etc.* (เสิร์ฟอาหาร เครื่องดื่ม): *She employed four women to wait on the guests; You must learn how to wait at table* (รับใช้). — *n* a delay (ล่าช้า): *There was a long wait before they could get on the train.*

'wait·er *n* a man who serves people with food in a restaurant *etc.* (พนักงานบริการชาย).

'wait·ing-room *n* a room in which people may wait at a station, doctor's surgery *etc.* (ห้องนั่งคอยที่สถานี คลินิกหมอ ฯลฯ).

'wait·ress *n* a woman who serves people with food in a restaurant *etc.* (พนักงานบริการหญิง).

waive *v* **1** not to insist that a rule be obeyed (ละเว้นกฎ): *The judge waived the rule about not speaking in court.* **2** not to insist on your right to something (ละเว้นสิทธิ์): *She waived her right to object.*

wake *n* to stop sleeping; to stop someone

sleeping (การตื่น การปลุก): *Wake up — you're late!; Go and wake the others, will you?*

wake; woke; 'wo·ken: *She woke up early; The noise has woken the baby.*

'wake·ful *adj* not feeling tired and not sleeping very much (ตื่นตัว ตื่นอยู่): *Some babies are very wakeful at night.*

'wa·ken *v* to wake (ตื่น ปลุก): *What time are you going to waken him?; I wakened early this morning.*

walk (*wök*) *v* **1** to move on foot (เดิน): *He walked across the room and sat down; How long will it take to walk to the station?; She walks her dog in the park every morning.* **2** to travel on foot for pleasure (เดินเล่น): *We're going walking in the hills for our holidays.* **3** to go on foot along a street *etc.* (เดินไปตามถนน): *It's dangerous to walk the streets of New York alone after dark.* — *n* **1** a journey on foot (การเดินเท้า): *to go for a walk; to take a walk; It's a long walk to the station.* **2** a manner of walking (ลักษณะการเดิน): *I recognized her walk.* **3** a route for walking (เส้นทางเดิน): *There are many pleasant walks in this area.*

'walk·er *n* a person who goes walking for pleasure (ผู้ชอบเดินเล่น).

walk·ie-'talk·ie *n* a radio set that you carry round with you for sending and receiving messages (เครื่องวิทยุที่เราสามารถนำติดตัวเพื่อใช้ส่งหรือรับข่าว): *The soldiers spoke to each other on the walkie-talkie.*

'walk·ing-stick *n* a stick you use to help you walk (ไม้เท้า): *The old lady has been using a walking-stick since she hurt her leg.*

'walk·o·ver *n* an easy victory (ได้ชัยชนะอย่างง่ายดาย): *The match was a walkover for his team.*

'walk·way *n* a path *etc.* for pedestrians only (ทางเดินสำหรับคนเดินเท้าเท่านั้น).

walk off with 1 to win easily (ชนะอย่างง่ายดาย): *He walked off with all the prizes at the school sports.* **2** to steal (ขโมย): *The thieves have walked off with my best silver and china.*

walk on air to feel extremely happy (รู้สึกมีความสุขอย่างยิ่ง).

wall (*wöl*) *n* **1** an object built of stone, brick *etc.*, used to enclose something or separate one area from another (กำแพง): *There's a wall round the garden; The Great Wall of China; a garden wall.* **2** any of the sides of a building or room (ผนังตึก ผนังห้อง): *One wall of the room is yellow — the rest are white.* — *v* to enclose something with a wall (สร้างกำแพงล้อมรอบ): *We've walled in the playground to prevent the children getting out.*

walled *adj* (มีกำแพงล้อม): *a walled city.*

have your back to the wall to be in a desperate situation (เข้าตาจน จนตรอก).

up the wall crazy (เป็นบ้า): *This problem is driving me up the wall!*

'wal·let (*'wol-ət*) *n* **1** a small case made of soft leather, plastic *etc.*, carried in the pocket and used for holding paper money, personal papers *etc.* (กระเป๋าสตางค์). **2** a similar case for holding other things (กระเป๋าแบบคล้ายกันสำหรับใส่ของอย่างอื่น): *a plastic wallet containing a set of small tools.*

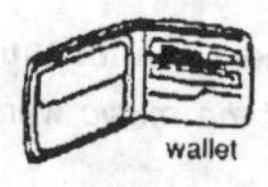

'wal·lop (*wol-əp*) *v* to hit or beat severely (ตีหรือเฆี่ยนอย่างรุนแรง): *He threatened to wallop his son if he didn't go to bed immediately.*

'wal·low (*'wol-ō*) *v* to roll about with enjoyment (เกลือกกลิ้งด้วยความสนุก): *The pig wallowed in the dirt.*

'wal·nut ('wöl-nut) *n* **1** a tree whose wood is used for making furniture *etc.* (ต้นวอลนัท). **2** the nut produced by this tree (ลูกวอลนัท). — *adj* (แห่งต้นวอลนัท): *a walnut table.*

'wal·rus (*'wöl-rəs*), *plural* **'wal·rus·es** or **walrus**, *n* a large sea animal with huge tusks, related to the seal (ช้างน้ำ).

waltz *n* **1** an old-fashioned dance to music

with three beats in every bar (จังหวะวอลซ์ การเต้นรำแบบโบราณ): *She did not know how to waltz.* **2** the music for such a dance (ดนตรีสำหรับการเต้นรำแบบนี้): *He is famous for his waltzes.*

wan (*won*) *adj* pale and sickly-looking (ดูซีดเซียวและอมโรค): *She still looks wan after her illness.*

'wan·ly *adv* (อย่างซีดเซียวและอมโรค).

'wan·ness *n* (ความซีดเซียวและอมโรค).

wand (*wond*) *n* a long slender rod used as the symbol of magic power by magicians, fairies *etc.* (คทาที่เป็นสัญลักษณ์ของผู้วิเศษ นางฟ้า ฯลฯ): *In the story, the fairy waved her magic wand and the frog became a prince.*

'wan·der (*'won-dər*) *v* **1** to go from place to place with no definite purpose (พเนจร): *I'd like to spend a holiday wandering through France; The mother wandered the streets looking for her child.* **2** to go astray; to stray away from home or from the proper place (หลงทาง นอกลู่นอกทาง ไปจากบ้านหรือจากที่อันสมควร): *Our dog often wanders off; My attention was wandering.*

'wan·der·er *n* (นักพเนจร).

to **wander** (not ไม่ใช่ **wonder**) through the countryside.

wane *v* to appear to become smaller as less of it is visible (ดูเหมือนว่าจะเล็กลงเพราะส่วนน้อยของมันโผลให้เห็น): *The moon is waning.*

'wan·gle (*'waŋ-gəl*) *v* to obtain something by trickery or clever management (หลอกล่อ ใช้เพทุบาย): *He got us seats for the concert — I don't know how he wangled it.*

want (*wont*) *v* **1** to wish to have or do something; to desire (ต้องการ): *Do you want a cigarette?; She wants to know where he is; She wants to go home.* **2** to need (ต้อง): *This wall wants a coat of paint.* **3** to lack (ขาด): *This house wants none of the usual modern features but I do not like it.* — *n* **1** something you desire (บางอย่างที่เราอยากได้): *The child has a long list of wants.* **2** poverty (ความยากจน): *They have lived in want for many years.* **3** a lack (การขาด): *There's no want of opportunities these days.*

'wan·ted *adj* **1** being searched for by the police (ต้องการตัวโดยตำรวจ): *He is a wanted man; He is wanted for murder.* **2** needed; cared for (เป็นที่ต้องการ การเอาใจใส่ดูแล): *Old people must be made to feel wanted.*

war (*wör*) *n* an armed struggle between nations (สงคราม): *The larger army will win the war; to declare war on another country; the horrors of war.* — *adj* (แห่งสงคราม): *war crimes.* — *v* to fight (ต่อสู้): *The two countries have been warring with each other for ten years.*

See **battle**.

'war·ble (*'wör-bəl*) *v* to sing in a trembling voice, as some birds do (ร้องเพลงด้วยวิธีเล่นลูกคอเหมือนกับนกบางอย่างทำ).

'war·bler *n* any of several kinds of small singing bird (นกร้องเพลงตัวเล็ก ๆ ชนิดใดชนิดหนึ่ง).

ward (*wörd*) *n* **1** a room with beds for patients in a hospital (ห้องพร้อมเตียงสำหรับคนป่วยในโรงพยาบาล): *He is in Ward 2 at the hospital.* **2** someone who is under the legal control and care of a person who is not their parent, or of a court (ผู้ที่อยู่ภายใต้การควบคุมของกฎหมายและได้รับการดูแลจากบุคคลที่ไม่ใช่พ่อแม่หรือจากศาล): *She was made a ward of court so that she could not marry until she was eighteen.*

ward off *v* to keep something away; to fight something successfully (ปัดป้อง ต่อสู้กับบางอย่างได้สำเร็จ): *He smoked a pipe to ward off mosquitos; The troops warded off the attack by the enemy.*

'war-dance *n* a dance performed by people of tribal societies before going to war (การเต้นรำของพวกที่อยู่กันเป็นเผ่าก่อนที่จะทำสงคราม).

'war·den (*'wör-dən*) *n* **1** the person in charge of an old people's home, a students' hostel *etc.* (ผู้ปกครองบ้านพักคนชรา หอพักนักเรียน ฯลฯ): *The warden has reported that two students are missing from the hostel.* **2** a person who controls parking and the movement of traffic in an area (ยามซึ่งควบคุมสถานที่จอดรถหรือการจราจรในสถานที่นั้น): *If the* *traffic warden finds your car parked there you will be fined.* **3** a person who guards a game reserve (**เจ้าหน้าที่คุ้มครองป่าสงวน**).

'war·der (*'wör-dər*) *n* a person who guards prisoners in jail (**ผู้คุมนักโทษ พัศดี**).

'ward·robe (*'wörd-rōb*) *n* **1** a cupboard in which clothes may be hung (**ตู้เสื้อผ้า**): *Hang your suit in the wardrobe.* **2** a supply of clothing (**เสื้อผ้า**): *She bought a complete new wardrobe in Paris.*

'ware·house *n* a building in which goods are stored (**คลังสินค้า**): *a furniture warehouse.*

'war·fare *n* fighting, as in a war (**การสงคราม**): *Nuclear weapons are not used in conventional warfare.*

'war·head *n* the front part of a missile, that contains the explosives (**หัวขีปนาวุธ**).

'war·like *adj* fond of fighting (**ชอบสงคราม**): *a warlike nation.*

warm (*wörm*) *adj* **1** fairly, or pleasantly hot (**อบอุ่น**): *Are you warm enough, or shall I close the window?; a warm summer's day.* **2** protecting you from the cold (**ป้องกันจากความเย็น**): *a warm jumper.* **3** welcoming, friendly *etc* (**การต้อนรับ ความเป็นมิตร**): *a warm welcome; a warm smile.* — *v* to make or become warm (**ทำให้อบอุ่น**): *He warmed his hands in front of the fire; Have a cup of tea to warm you up; The room will soon warm up.*

'warm·ly *adv* (**อย่างอบอุ่น**).

'warm- ness *n* (**ความอบอุ่น**).

'warmth *n* the state of being warm (**ความอบอุ่น**): *The warmth of the fire; The warmth of her smile made me feel welcome.*

warm'heart·ed *adj* kind (**ใจดี**): *a warmhearted old lady.* **warm'heart·ed·ness** *n* (**ความใจดี**).

'war·mon·ger·ing *n* behaviour which encourages people to be enthusiastic supporters of war (**ความประพฤติซึ่งกระตุ้นผู้คนให้กระหายสงคราม**): *He was arrested for warmongering.*

warn (*wörn*) *v* **1** to tell someone in advance about a danger *etc.* (**เตือน**): *Black clouds warned us of the approaching storm; They warned her* that she would be ill if she didn't rest. **2** to advise someone against doing something (**เตือนไม่ให้ทำ**): *I was warned against speeding by the policeman; They warned him not to be late.*

'warn·ing *n* an event, or something said or done, that warns (**การเตือน**): *He gave her a warning against driving too fast; His heart attack will be a warning to him not to work so hard; The earthquake came without warning.* — *adj* (**เกี่ยวกับการเตือน**): *She received a warning message.*

'warn·ing·ly *adv* (**อย่างเป็นการเตือน**).

warp[1] (*wörp*) *v* to make or become twisted out of shape (**บิดจนผิดรูปผิดร่างไป**): *The door has been warped by all the rain we've had lately.* — *n* the shape into which something is twisted by warping (**สิ่งที่บิดเบี้ยวเพราะการบิด**): *The rain has given this door a permanent warp.* **warped** *adj* (**เกี่ยวกับการบิด**).

warp[2] (*wörp*) *n* the set of threads that are stretched from top to bottom of a loom during weaving; the threads going across the loom are the **weft** (**เส้นด้ายตามยาวของหูกในระหว่างการทอผ้า เส้นด้ายลายขวาง**).

'war·path *n* the march or route to war or a quarrel (**การเดินหรือเส้นทางไปสู่สงครามหรือการทะเลาะ**): *She s very angry and is on the warpath after him.*

'war·rant (*'wor-ənt*) *v* to be a good reason or excuse for something (**เหตุผลที่ดีหรือข้อแก้ตัว**): *A slight cold does not warrant your staying off work.* — *n* something that gives authority, especially a legal document giving the police the authority to search someone's house, arrest someone *etc.* (**หมายสั่งให้ตำรวจทำการค้นหรือจับใครบางคน**): *The police have a warrant for his arrest.*

war·ren (*'wor-ən*) *n* an underground home dug by rabbits, with a large number of burrows linked by tunnels (**ที่ซึ่งกระต่ายขุดเป็นโพรงต่อเนื่องกันเพื่อเป็นที่อยู่ใต้ดิน**).

'war·ri·or (*'wor-i-ər*) *n* a soldier or skilled fighting man (**นักรบ**): *The chief of the tribe called his warriors together.*

wart (*wört*) *n* a small hard lump on the skin

(หูด).

'war•y (*'wār-i*) *adj* cautious (ระมัดระวัง รอบคอบ): *a wary animal; Be wary of lending money to him.*

'war•i•ly *adv* (อย่างระมัดระวัง).

'war•i•ness *n* (ความระมัดระวัง).

was *see* **be** (ดู **be**).

wash (*wosh*) *v* **1** to clean with water and soap *etc.* (ทำความสะอาดด้วยน้ำและสบู่ สระ ล้าง อาบน้ำ): *How often do you wash your hair?; You wash the dishes and I'll dry; You should wash yourself at least once a day; We can wash in the stream.* **2** to be able to be washed without being damaged (สามารถซักล้างได้โดยไม่เสียหาย): *This fabric doesn't wash very well.* **3** to flow against, over *etc.* (โหมกระหน่ำ ซัด): *The waves washed against the ship.* **4** to sweep away *etc.* by means of water (ชะล้าง): *The floods have washed away hundreds of houses.* — *n* **1** an act of washing (การชำระร่างกาย การซักล้าง): *He's just gone to have a wash.* **2** things to be washed or being washed (สิ่งที่จะถูกล้างหรือถูกล้างแล้ว): *Your sweater is in the wash.* **3** a liquid with which you wash something (ของเหลวที่เราใช้ชำระล้าง): *a mouthwash.* **4** a thin coat of water-colour paint *etc.* (สีน้ำเคลือบบาง ๆ): *The background of the picture was a pale blue wash.* **5** the waves caused by a moving boat *etc.* (ฟองคลื่นที่เกิดจากใบพัดของเรือ): *The rowing-boat was tossing about in the wash from the ship's propellers.*

'wash•a•ble *adj* able to be washed without being damaged (สามารถซักล้างได้โดยไม่เสียหาย): *Is this dress washable?* **'wash•ing** *n* **1** (การซักล้าง การซักผ้า): *I don't mind washing, but I hate ironing.* **2** clothes washed or to be washed (ผ้าที่ซักแล้วหรือจะถูกซัก): *I'll hang the washing out to dry; I must deal with this huge pile of washing.*

washed-'out *adj* **1** tired (เหน็ดเหนื่อยเมื่อยล้า): *I feel washed-out today.* **2** faded as a result of washing (สีซีดเพราะการซัก): *She wore a pair of old, washed-out jeans.*

'wash•hand basin a basin in which to wash your face and hands (อ่างล้างหน้า): *We are having a new washhand basin fitted in the bathroom.*

'wash•ing-ma•chine *n* an electric machine for washing clothes (เครื่องซักผ้า).

'wash•ing-pow•der *n* a powder that you add to water to help to wash clothes (ผงซักฟอก).

wash•ing-'up *n* dishes to be cleaned after a meal *etc.* (จานที่ต้องล้างหลังจากกินอาหารแล้ว): *I'll help you with the washing-up.*

'wash•room *n* a lavatory (ห้องน้ำ).

wash up 1 to wash dishes *etc.* after a meal (ล้างจานหลังจากกินอาหารแล้ว): *I'll help you wash up.* **2** to bring up on to the shore (ขึ้นมาเกยหาด): *A lot of rubbish has been washed up on the beach.*

wasn't short for (คำย่อสำหรับคำว่า) **was not**.

wasp (*wosp*) *n* a winged insect that has a sting and a slender yellow-and-black-striped body (ตัวต่อ).

'wast•age (*'wāst-əj*) *n* loss by wasting; the amount wasted (การสิ้นเปลือง ปริมาณที่สิ้นเปลือง): *Of the total amount, roughly 20% was wastage.*

waste (*wāst*) *v* to use more than is necessary of something, or not to use something in a useful way (สิ้นเปลือง): *We waste a lot of food; You're wasting my time with all these stupid questions.* — *n* **1** useless material that is to be got rid of (ของที่ไม่มีประโยชน์ซึ่งจะต้องขจัดไป): *industrial waste from the factories.* **2** the wasting of something (การเสียเวลา การเสียโอกาส): *That was a waste of an opportunity.* **3** a huge area of land that is not or cannot be used (ดินผืนใหญ่ที่ไม่ใช้หรือไม่สามารถใช้ได้): *the Arctic wastes.* — *adj* (อย่างเปล่าประโยชน์): *waste land.*

'waste•ful *adj* involving or causing waste (เกี่ยวกับหรือเป็นเหตุให้สิ้นเปลือง): *Throwing away that bread is wasteful.*

'waste•ful•ly *adv* (อย่างสิ้นเปลือง).

'waste•ful•ness *n* (ความสิ้นเปลือง).

waste away to lose weight, strength and health *etc.* (น้ำหนักลด กำลังและสุขภาพก็ลด

ลง): *He is wasting away because he has a terrible disease.*

watch (*woch*) *n* **1** a kind of small clock that you wear on your wrist (**นาฬิกาข้อมือ**): *He wears a gold watch; a wrist-watch.* **2** a period of standing guard during the night (**เวลาเฝ้ายามในตอนกลางคืน**): *I'll take the watch from two o'clock till six.* **3** in the navy *etc.*, a group of officers and men who are on duty for a number of hours (**กลุ่มนายทหารและพลทหารซึ่งอยู่เวรในช่วงเวลาหนึ่ง**). — *v* **1** to look at someone or something (**ดู มอง**): *He was watching her carefully; He is watching television.* **2** to look out for someone or something (**คอยเฝ้าดู**): *They've gone to watch for the ship coming in; Could you watch for the postman?* **3** to be careful about someone or something (**ระมัดระวัง คอยระวัง**): *Watch that you don't fall off that wall!; Watch him! He's dangerous.* **4** to guard or take care of someone (**ป้องกันหรือดูแล**): *Watch the prisoner and make sure he doesn't escape; Please watch the baby while I go shopping; The hen is watching over her chicks.* **5** to wait for a chance (**คอยโอกาส**): *Watch your chance, and then run.*

'watch·er *n* (**ผู้เฝ้าดู**).

to **watch** (not ไม่ใช่ **see**) television.

'watch·ful *adj* alert and cautious (**ตื่นตัวและระมัดระวัง**): *watchful eyes; If you are watchful you will not be robbed.*

'watch·ful·ly *adv* (**อย่างตื่นตัวและระมัดระวัง**).

'watch·ful·ness *n* (**ความตื่นตัวและระมัดระวัง**).

'watch·dog *n* a dog that guards someone's property *etc.* (**สุนัขเฝ้าบ้าน**): *We leave a watchdog in our office at night to scare away thieves.*

'watch·man *n* a man employed to guard a building *etc.* against thieves, especially at night (**คนเฝ้ายาม**): *The bank-robbers shot the watchman.*

watch·word *n* a motto or slogan used by members of a group of people (**ภาษิตหรือคำขวัญที่ใช้โดยสมาชิกของกลุ่มคนกลุ่มหนึ่ง**): *"Be prepared" is the Scouts' watchword.*

keep watch to be on guard (**เฝ้าระวังระไว**): *He kept watch while the other soldiers slept.*

watch your step to be careful what you do or say (**ระมัดระวังในสิ่งที่เราทำหรือพูด**): *The boss is in a bad mood, so watch your step and don't say anything wrong!* **watch out** to be careful (**ระมัดระวัง**): *Watch out for the cars!; Watch out! The police are coming!*

'wa·ter (*'wö-tər*) *n* a clear liquid without taste or smell when pure (**น้ำ**): *She drank two glasses of water; Each bedroom in the hotel is supplied with hot and cold running water; The water's too cold to go swimming; transport by land and water.* — *v* **1** to supply plants *etc.* with water (**รดน้ำต้นไม้**): *He watered the flowers.* **2** to produce saliva (**น้ำลายไหล**): *His mouth watered at the sight of all the food.* **3** to fill with tears (**น้ำตาไหล**): *The dense smoke made his eyes water.*

'wa·ter-clos·et *n* a lavatory (often shortened to **WC**) (**ห้องน้ำ**).

'wa·ter-col·our *n* a paint that is thinned with water instead of oil (**สีน้ำ**).

'wa·ter·fall *n* a natural fall of water from a height such as a rock or a cliff (**น้ำตก**).

See **rapids**.

'wa·ter·front *n* a part of a town *etc.* that faces the sea or a lake (**ส่วนหนึ่งของเมืองซึ่งหันหน้าออกสู่ทะเลหรือทะเลสาบ**): *He lives on the waterfront.*

'wa·ter·ing-can *n* a container with a spout, used for watering plants (**ถังที่มีพวย ใช้รดน้ำต้นไม้**).

water level the level of the suface of a mass of water (**ระดับน้ำ**): *The water level in the reservoir is sinking.*

'wa·ter·logg·ed *adj* so wet that it cannot soak up any more water (**ชุ่มจนไม่สามารถรับน้ำได้อีก**): *The ground was waterlogged after the storm.*

'wa·ter-mel·on a melon with green skin and red flesh (**แตงโม**).

'wa·ter·proof *adj* not allowing water to soak through (**กันน้ำ**): *waterproof material.* — *n* a coat made of waterproof material: *She was* *wearing a waterproof.* — *v* to make material waterproof (ทำให้วัตถุกันน้ำได้).

'wa·ter-ski·ing *n* the sport of skiing on water, towed by a motor-boat.

'wa·ter-ski *v* (กีฬาสกีน้ำ).

'wa·ter·tight *adj* made in such a way that water cannot pass through (น้ำเข้าไม่ได้).

water vapour water in the form of a gas, produced by evaporation (ไอน้ำ).

'wa·ter·way *n* a channel, such as a canal or river, along which ships can sail (ร่องน้ำที่ใช้เดินเรือ).

'wa·ter·y *adj* **1** like water (เหมือนน้ำ): *watery soup.* **2** full of water, tears *etc.* (เต็มไปด้วยน้ำ น้ำตาคลอ): *watery eyes.* **3** pale (ซีด จาง): *a watery blue; a watery sky.*

get into deep water to get into a difficult or dangerous situation (ตกอยู่ในความยุ่งยากหรือสถานการณ์ที่เป็นอันตราย).

hold water to be convincing (ทำให้เชื่อมั่น): *His explanation won't hold water.*

water down to add water to something (เติมน้ำ): *This milk has been watered down.*

watt (*wot*) *n* a unit of power (หน่วยของไฟฟ้า วัตต์).

wave *n* **1** a moving ridge, on the surface of water (คลื่น): *rolling waves; a boat tossing on the waves.* **2** a vibration travelling through the air (เคลื่อนที่ผ่านอากาศ): *radio waves; sound waves; light waves.* **3** a curl in hair (ลอนผม): *Are those waves natural?* **4** a rise; an increase (คลื่น เพิ่มขึ้น): *a wave of violence; The pain came in waves.* **5** the action of waving (การโบกมือ): *She recognized me, and gave me a wave.* — *v* **1** to move backwards and forwards (ปลิวสะบัด): *The flags waved gently in the breeze.* **2** to curl or perm hair (ทำผมให้เป็นลอน): *She's had her hair waved; Her hair waves naturally.* **3** to make a gesture *etc.* with your hand, or something held in your hand, especially as a greeting (โบกมือ): *She waved to me across the street; Everyone was waving handkerchiefs in farewell.*

'wave·band *n* a range of wavelengths used to transmit radio programmes (แถบคลื่น).

'wave·length *n* the distance from any given point on one radio wave to the corresponding point on the next (ความยาวคลื่น).

'wa·ver (*'wā-vər*) *v* to be unsteady or uncertain (ไม่มั่นคง ไม่แน่ใจ): *He wavered between accepting and refusing.*

'wa·vy (*'wā-vi*) *adj* full of waves (เต็มไปด้วยลอน): *Her hair is wavy but her sister's hair is straight.*

wax[1] *v* to appear to grow in size as more of it becomes visible (ปรากฏขนาดใหญ่ขึ้นและมองเห็นมากขึ้น): *The moon is waxing.*

wax[2] *n 1* the sticky, fatty substance of which bees make their cells (ขี้ผึ้ง). **2** the sticky, yellowish substance that forms in your ears (ขี้หู). **3** a manufactured, fatty substance used in polishing, to give a good shine (สารขัดมัน): *furniture wax.* **4** a substance used in making candles, models *etc.*, that melts when heated. — *v* to polish or rub with wax (ขัดหรือถูด้วยขี้ผึ้ง).

waxed *adj* having a coating of wax (มีขี้ผึ้งเคลือบ): *waxed paper.*

'wax·en, 'wax·y *adjs* like wax (เหมือนขี้ผึ้ง).

way *n* **1** an opening; a passageway (ทาง): *This is the way out; There's no way through.* **2** a route, direction *etc.* (เส้นทาง ทิศทาง): *Which way shall we go?; Which is the way to Princes Street?; His house is on the way from here to the school; Will you be able to find your way to my house?; Your house is on my way home; The errand took me out of my way; a motorway; a railway.* **3** used in the names of roads (ใช้เป็นชื่อถนน): *His address is 21 Melville Way.* **4** a distance (ระยะทาง): *It's a long way to the school; The nearest shops are only a short way away.* **5** a method; a manner (วิธีการ วิธีทำ): *Which is the easiest way to cook rice?; I know a good way of doing it; He's got a funny way of talking; This is the quickest way to chop onions.* **6** an aspect of something (ลักษณะของบางสิ่ง): *In some ways this job is quite difficult; In a way I feel sorry for him.* **7** a habit (นิสัย): *He has some rather nasty ways.* **8** used with many verbs to give the idea of progressing or moving (ใช้กับกริยาต่าง ๆ เพื่อแสดงถึงการก้าวหน้าหรือเคลื่อนที่ไป): *He pushed his way through the crowd; They soon ate their way through the food.* — *adv* by a long distance or time (ด้วยระยะทางไกลหรือเวลาห่างกัน): *The winner finished the race way ahead of the other competitors; It's way past your bedtime.*

'way·side *n* the side of the road, path *etc.* (ข้างถนน เส้นทาง): *We can stop by the wayside and have a picnic.*

be on your way or **get on your way** to start or continue a journey *etc.* (เริ่มหรือเดินทางต่อ): *I must be on my way now.*

by the way used in mentioning another subject (ใช้ในการอ้างถึงอีกเรื่องหนึ่ง): *By the way, did you know he was getting married?*

get your own way or **have your own way** to do, get *etc.* what you want (ทำตามทางของเรา): *You can't always have your own way.*

go out of your way to do more than is really necessary (ทำเกินกว่าความจำเป็น): *He went out of his way to help us.*

have it your own way to get your own way (ตามทางของเรา): *Oh, have it your own way — I'm tired of arguing.*

in the way blocking someone's progress, or occupying space that is needed by someone (ขวางทางหรือกินที่): *Don't leave your bicycle where it will get in the way of pedestrians; Will I be in your way if I work at this table?*

lose your way to stop knowing where you are (หลงทาง): *I lost my way through the city.*

make your way 1 to go (ไป): *They made their way towards the centre of the town.* **2** to be successful (มีความสำเร็จ): *He has made his way in life.*

make way to stand aside and leave room (หลีกทาง): *The crowd parted to make way for the ambulance.*

out of the way not in the way (ไม่ขวางทาง): *"Get out of my way!" he said rudely.*

'way·ward *adj* behaving badly; obstinate; disobedient (ประพฤติตนเลว ดื้อดึง ไม่เชื่อฟัง): *a wayward child.*

we *pron* (used as the subject of a verb) the word you use for yourself, along with one or more other people (เรา): *We are going home tomorrow.*

weak *adj* **1** not strong; feeble (อ่อนแอ): *Her illness has made her very weak.* **2** not strong in character (ไม่เข้มแข็ง): *I'm very weak when it comes to giving up cigarettes.* **3** not good at a subject *etc.* (ไม่เก่งในวิชาหนึ่ง): *He is weak in mathematics.* **4** diluted; not strong (เจือจาง อ่อน): *weak tea.* **5** not good; not convincing (ไม่ดี ไม่เชื่อ): *a weak excuse.* **6** not very funny (ไม่ตลกมาก): *a weak joke.*

'weak·ly *adv* (อย่างอ่อน).

to be **weak in** (not ไม่ใช่ **at**) mathematics, but **bad** or **poor at** (not ไม่ใช่ **in**) mathematics. See **good** and **strong**.

'weak·en *v* to make or become weak (ทำให้อ่อนแอ): *The patient has weakened; The strain of the last few days has weakened him.*

'weak·ness *n* **1** the state of being weak (ความอ่อนแอ). **2** a fault (ข้อด้อย จุดอ่อน): *weaknesses of character; Smoking is one of my weaknesses.*

have a weakness for to have a liking for something (ชอบอะไรบางอย่าง): *She has a weakness for chocolate biscuits.*

wealth (*welth*) *n* **1** riches (ความมั่งคั่ง): *He is a man of great wealth.* **2** a great quantity (ปริมาณมาก): *a wealth of information.*

'wealth·y *adj* having a lot of money and possessions; rich (มีเงินและทรัพย์สมบัติมากมั่งคั่ง).

wean *v* to teach a baby to take food other than its mother's milk (สอนให้เด็กกินอาหารอย่างอื่นนอกจากน้ำนมของแม่): *Her baby is already one year old but she hasn't started to wean him yet.*

'weap·on (*'wep-ən*) *n* an instrument used for fighting (อาวุธ): *Rifles, arrows, atom bombs and tanks are all weapons; Surprise is our* *best weapon.*

wear (*wār*) *v* **1** to be dressed in something; to carry something on part of your body (สวม แต่ง): *She wore a white dress; Does she usually wear spectacles?* **2** to arrange your hair in a particular way (จัดทรงผมให้เป็นแบบหนึ่ง): *She wears her hair in a pony-tail.* **3** to have a particular expression (สีหน้าแบบหนึ่ง): *She wore an angry expression.* **4** to become thinner *etc.* because of use, rubbing *etc.* (บางลงเพราะการใช้ การถู): *This carpet has worn in several places; This sweater is wearing thin at the elbows.* **5** to make a hole *etc.* by rubbing, use *etc.* (เป็นรูเพราะการถู การใช้): *I've worn a hole in the elbow of my jacket.* **6** to last (ทนทาน): *This material doesn't wear very well.* — *n* **1** wearing; use (การสวมใส่ ใช้): *I use this suit for everyday wear.* **2** clothes (เสื้อผ้า): *sports-wear; leisure wear.* **3** damage due to use (often called **wear and tear**) (สึกกร่อน เก่าเพราะการใช้): *The hall carpet is showing signs of wear.*

wear; wore; worn: *She wore a new dress; I have never worn spectacles.* to **put on** (not **wear**) your coat when you go out.

wear away to make or become damaged, thinner, smoother *etc.* through use, rubbing *etc.* (เสียหาย บางลง เรียบลง โดยการใช้ การถู): *The steps have worn away in places.*

wear off to become less (น้อยลง): *The pain is wearing off.*

wear out 1 to become unfit for further use (ใช้จนเก่า): *My socks have worn out; I've worn out my socks.* **2** to make someone very tired (ทำให้เหนื่อยอ่อน): *Children really wear you out!*

'wear·i·some (*'wēr-i-səm*) *adj* tiring; making you weary (น่าเบื่อ น่าระอา): *a wearisome journey.*

'wear·y (*'wēr-i*) *adj* tired; exhausted (เบื่อ หมดแรง): *a weary sigh; He looks weary; I am weary of his jokes.* — *v* to make or become tired (ทำให้เบื่อ หมดแรง): *The patient wearies easily; Don't weary the patient.*

'wear·i·ly *adv* (อย่างเหนื่อยอ่อน).

'wear·i·ness *n* (ความเหนื่อยอ่อน).

'wea·sel (*'wē-zəl*) *n* a small wild animal with red-brown fur and a long slender body, that lives on mice, rabbits *etc.* (สัตว์ตัวเล็ก ๆ มีขนสีน้ำตาลแดง ลำตัวยาว กินหนู กระต่าย).

'weath·er (*'wedh-ər*) *n* conditions in the atmosphere surrounding you — heat or cold, wind, rain, snow *etc.* (สภาพลมฟ้าอากาศ): *The weather is too hot for me; stormy weather.* — *adj* (เกี่ยวกับลมฟ้าอากาศ): *a weather report; the weather forecast.* — *v* **1** to change gradually through exposure to wind, rain *etc.* (เปลี่ยนไปอย่างช้า ๆ เนื่องจากโดนลม ฝน): *smooth, weathered stone.* **2** to survive safely (รอดมาได้อย่างปลอดภัย): *The ship weathered the storm although she was badly damaged.*

weather refers to climatic conditions: *fine weather.*
See also **climate**.
whether is a conjunction: *Do you know whether he is coming?*

weave *v* **1** to pass threads over and under each other on a loom *etc.* to make cloth (ทอผ้า): *to weave cloth.* **2** to make baskets *etc.* by a similar process (สาน).

weave; wove; 'wo·ven: *She wove a beautiful scarf; He has woven a basket.*

'weav·er *n* a person who weaves cloth (คนทอผ้า).

web *n* **1** a net made by a spider *etc.* (ใยแมงมุม): *A fly was caught in the spider's web.* **2** the skin between the toes of ducks, swans, frogs *etc.* (หนังระหว่างนิ้วของเป็ด ห่าน กบ).

webbed *adj* having the toes joined by a web (มีนิ้วเท้าที่เชื่อมด้วยหนังอย่างนี้): *Ducks have webbed feet.*

wed *v* to marry (แต่งงาน).

'wed·ding *n* a marriage ceremony (พิธีแต่งงาน): *The wedding will take place on Saturday.* — *adj* (เกี่ยวกับการแต่งงาน): *a wedding-cake; a wedding-ring.*

See **marriage**.

we'd (*wēd*) short for (คำย่อของ) **we would, we**

should or (หรือ) **we had**.

wedge *n* **1** a piece of wood or metal, thick at one end and sloping to a thin edge at the other, used in splitting wood *etc.* or in fixing something tightly in place (ลิ่ม): *She put a wedge under the door to prevent it swinging shut.* **2** something similar in shape (บางอย่างที่มีรูปร่างเหมือนกัน): *a wedge of cheese.* — *v* to fix firmly in a narrow gap (ใส่ลงไปในช่องว่างอย่างแน่นหนา): *He was so fat that he got wedged in the doorway.*

'Wed·nes·day (*'wenz-di* or *'wed-ənz-di*) *n* the fourth day of the week, the day following Tuesday (วันพุธ).

Wednesday is pronounced *'wenz-di* or *'wed-ənz-di.*

weed *n* any wild plant, especially when growing where it is not wanted (วัชพืช): *The garden is full of weeds.* — *v* to take weeds out of the ground (ถอนวัชพืช): *to weed the garden.*

week *n* **1** any period of seven days, especially from Sunday to Saturday (สัปดาห์): *It's three weeks since I saw her.* **2** the five days from Monday to Friday (ห้าวันจากวันจันทร์ถึงวันศุกร์): *He can't go during the week, but he'll go on Saturday or Sunday.* **3** the amount of time spent working during a period of seven days (จำนวนเวลาที่ใช้ในการทำงานระหว่างเจ็ดวัน): *He works a fortyeight-hour week.*

'week·day *n* any day except a Saturday or Sunday (วันจันทร์ถึงวันศุกร์): *Our office is open on weekdays.*

week'end *n* Saturday and Sunday, or Friday evening to Sunday evening (วันสุดสัปดาห์): *We spent a weekend in Paris.* — *adj* (แห่งวันสุดสัปดาห์): *a weekend trip.*

'week·ly *adj* happening once a week; published once a week (เกิดขึ้นสัปดาห์ละหนึ่งครั้ง): *a weekly magazine.* — *adv* once a week (สัปดาห์ละหนึ่งครั้ง): *The newspaper is published weekly.*

weep *v* to cry; to shed tears (ร้องไห้ หลั่งน้ำตา): *She wept when she heard the terrible news.*

weep; wept; wept: *He wept bitter tears; I could have wept for joy.*

weft *n* the threads going across a loom (ด้ายที่ขวางหูก). See **warp**[2] (ดู **warp**[2]).

weigh (*wā*) *v* **1** to find out how heavy something is by placing it on a scale (ชั่งน้ำหนัก): *He weighed himself on the bathroom scales; You must have your luggage weighed at the airport.* **2** to have a certain heaviness (หนัก): *This parcel weighs one kilo; How much does this box weigh?* **3** to be a heavy burden to someone (เป็นภาระหนักแก่ใครบางคน): *She was weighed down with two large suitcases.*

'weigh·ing-ma·chine *n* a machine for weighing people, loads *etc.* (เครื่องชั่งน้ำหนัก): *I weighed myself on the weighing-machine at the railway station.*

weight *n* **1** the amount that a person or thing weighs (น้ำหนัก): *His weight is 80 kg.* **2** a piece of metal *etc.* of a standard weight (ที่ระบุอัตราน้ำหนักของเครื่องชั่งน้ำหนักมาตรฐาน): *a seven-pound weight.* **3** burden; load (ภาระ แบก): *You have taken a weight off my mind.* **4** importance (ความสำคัญ): *Her opinion carries a lot of weight.*

'weight·less *adj* not kept on the ground by gravity, so flying about freely (ไร้น้ำหนัก): *The astronauts were weightless inside the spacecraft.* **'weight·less·ness** *n* (ความไร้น้ำหนัก).

'weight·y *adj* **1** important (มีความสำคัญ): *a weighty reason.* **2** heavy (หนัก).

'weight·i·ly *adv* (อย่างมีน้ำหนัก).

'weight·i·ness *n* (ความมีน้ำหนัก).

put on weight to get fatter (อ้วนขึ้น).

weir (*wēr*) *n* a shallow dam across a river (เขื่อน ทำนบ): *It is dangerous to swim near the weir.*

weird (*wērd*) *adj* odd; very strange (ประหลาดแปลกมาก ๆ): *a weird story.*

'weird·ly *adv* (อย่างประหลาด).

'wel·come (*'wel-kəm*) *adj* **1** received with gladness and happiness (ต้อนรับ): *She will make you welcome; He is a welcome visitor at our house; The extra money was very welcome; The holiday made a welcome change.* **2** gladly permitted to do something (ยินดีอนุญาตให้ทำอะไรบางอย่าง): *She's very wel-*

come to borrow my books. — n the receiving of a visitor etc.: *We were given a warm welcome.* — v to receive or greet with pleasure and gladness (รับเข้ามาหรือต้อนรับด้วยความพอใจและดีใจ): *We were welcomed by our hosts; She will welcome the chance to see you again.* — used to express gladness at someone's arrival (ใช้แสดงความดีใจในการมาถึงของใครบางคน): *Welcome to Britain!*

She is always a **welcome** (not **welcomed**) visitor; The host **welcomed** the guests.

'wel·com·ing *adj* (อย่างต้อนรับ): *a welcoming smile.*

you're welcome! a polite expression used in reply to thanks (คำพูดสุภาพที่ใช้ในการตอบต่อคำขอบคุณ): *"Thank you very much!" — "You're welcome!"*

weld *v* to join pieces of metal by pressure, often using heat, electricity *etc.* (เชื่อม). — *n* a joint made by welding.

'weld·er *n* (ช่างเชื่อม).

'wel·fare *n* good health; well-being (สวัสดิภาพ ความอยู่ดีกินดี): *Who is looking after the child's welfare?*

well[1] *n* **1** a shaft made in the earth from which to obtain water, oil, natural gas *etc.* (บ่อ). **2** the space round which a staircase winds (กระไดหมุน): *He fell down the stair-well.* — *v* to flow freely (ไหลอย่างอิสระ เอ่อ): *Tears welled up in her eyes.*

well[2] *adj* **1** healthy (มีสุขภาพดี): *I don't feel at all well; She doesn't look very well; She's been ill but she's quite well now.* **2** in a satisfactory state; all right (ความพอใจ ถูกต้อง): *All is well now.* — *adv* **1** in a good, successful, suitable *etc.* way (ในทางที่ดี สำเร็จ เหมาะสม): *He's done well to become a millionaire at thirty; She plays the piano well; Mother and baby are both doing well; How well did he do in the exam?* **2** rightly; with good reason (อย่างถูกต้อง ด้วยเหตุผลที่ดี): *You may well look ashamed — that was a cruel thing to do; You can't very well refuse to go.* **3** with praise (ด้วยความชื่นชม): *He speaks well of you.* **4** thoroughly (อย่างถี่ถ้วน): *Examine the car well before you buy it.* **5** by a long way (ไปแล้ว): *He is well over fifty.* — a word used **1** to express surprise *etc.* (ใช้สำหรับแสดงถึงความประหลาดใจ): *Well! I'd never have believed it.* **2** when re-starting a conversation, starting an explanation *etc.* (ใช้เพื่อเริ่มการสนทนาใหม่ เริ่มอธิบาย): *Do you remember John Watson? Well, he's become a teacher.*

well; better; best: *My aunt knows me well, my sister knows me better, but my mother knows me best.* See also **good**

to play the piano very **well** (not **good**).

well-be'haved *adj* behaving correctly (ประพฤติตัวถูกต้อง): *well-behaved children.*

well-'be·ing *n* welfare; happiness (สวัสดิภาพ ความสุข): *She is always very concerned about her mother's well-being.*

well-'fed *adj* having plenty of good food to eat (มีอาหารการกินสมบูรณ์).

well-'groomed *adj* smart and tidy in appearance (แลดูสะอาด เรียบร้อย).

well-'known *adj* familiar; famous (คุ้นเคย มีชื่อเสียง): *a well-known TV personality.*

well-'man·nered *adj* polite (สุภาพ).

well-'off *adj* **1** rich (ร่ำรวย): *He is very well-off; a well-off young lady.* **2** fortunate (โชคดี): *You children do not know when you are well off.*

well-'read (*wel'red*) *adj* having read many books *etc.* (อ่านหนังสือมาหลายเล่ม).

well-to-'do *adj* having enough money to live comfortably (มีเงินมากพอที่จะอยู่ได้อย่างสบาย): *a well-to-do family.*

as well too (ด้วย เช่นกัน): *If you will go, I'll go as well.*

as well as in addition to (อีกด้วย ด้วยเช่นกัน): *She works in a restaurant in the evenings as well as doing a full-time job during the day.*

Sally as well as Jane **is** working at this restaurant.

very well fine; all right (ดีแล้ว): *Have you finished? Very well, you may go now.*

well done! used in congratulating a person

(ใช้ในการแสดงความยินดีกับคน ๆ หนึ่ง): *I hear you won the competition. Well done!* **well enough** fairly well (ดีพอสมควร): *"Did you do well in your exam?" "Well enough."*

we'll (*wēl*) short for (คำย่อของ) **we shall** or (หรือ) **we will**.

went *see* **go** (ดู **go**).

wept *see* **weep** (ดู **weep**).

were *see* **be** (ดู **be**).

we're (*wēr*) short for (คำย่อของ) **we are**.

weren't short for (คำย่อของ) **were not**.

west *n* **1** the direction in which the sun sets or any part of the earth lying in that direction (ทิศตะวันตก): *The wind is blowing from the west; Geelong is to the west of Melbourne; in the west of Britain.* **2** (often written **W**) one of the four main points of the compass (ทิศหลักในสี่ทิศของเข็มทิศ). — *adj* **1** in the west (ทางตะวันตก): *She's in the west wing of the hospital.* **2** from the direction of the west (จากทิศตะวันตก): *a west wind.* — *adv* towards the west (ไปทางทิศตะวันตก): *The cliffs face west.*

'west·er·ly *adj* **1** coming from the west (มาจากทางทิศตะวันตก): *a westerly wind.* **2** towards the west (มุ่งไปทางตะวันตก): *moving in a westerly direction.*

'west·ern *adj* belonging to the west (เกี่ยวกับทางตะวันตก): *Western customs.* — *n* a film or novel about cowboys in North America (ภาพยนตร์หรือนิยายเกี่ยวกับโคบาลในอเมริกาเหนือ).

'west·ward *adj, adv* towards the west (ไปทางตะวันตก): *in a westward direction; They travelled westward.*

'west·wards *adv* towards the west (ไปทางตะวันตก): *We journeyed westwards for two weeks.*

the West Europe, North America and South America (ยุโรป อเมริกาเหนือและอเมริกาใต้).

wet *adj* **1** soaked in, or covered with, water or another liquid (เปียก ชุ่ม): *We got soaking wet when it began to rain; His shirt was wet through with sweat; wet hair; The car skidded on the wet road.* **2** rainy (มีฝนมาก): *a wet day; wet weather; It was wet yesterday.* **3** not yet dry (ยังไม่แห้ง): *wet paint.* — *v* to make wet (ทำให้เปียก): *She wet her hair and put shampoo on it; The baby has wet the bed.*

'wet·ness *n* (ความเปียก).

wet; wet or 'wet·ted; wet or **wetted**: *He wet his hair; It's easier to iron the sheets if they have been wetted first.*

wet blanket a dreary companion; someone who keeps complaining (เพื่อนที่น่าเบื่อ คนที่ชอบบ่น).

wet through completely soaked (เปียกโชก).

we've (*wēv*) short for (คำย่อของ) **we have**.

whack *v* to strike someone or something very hard, making a loud sound (ฟาดเต็มแรง ทำให้เกิดเสียงดัง): *His father whacked him for misbehaving.* — *n* a blow (ตบ): *His father gave him a whack across the ear.*

whale *n* a very large animal that lives in the sea (ปลาวาฬ): *There is a school of whales in the bay.*

have a whale of a time to enjoy yourself very much (ทำความสนุกสนานให้กับตัวเองมาก): *They had a whale of a time at the party.*

wharf (*wörf*), *plural* **wharfs** or **wharves**, *n* a platform alongside which ships are moored for loading and unloading (ท่าเทียบเรือเพื่อการบรรทุกหรือเอาสินค้าลงจากเรือ).

what (*wot*) *pron, adj* **1** used in questions especially about things (อะไร): *What street is this?; What's your name?; What time is it?; What kind of bird is that?; What is he reading?; What did you say?; What is this cake made of?; "What do you want to be when you grow up?" "A doctor."; Tell me what you mean; I asked him what clothes I should wear.* **2** (also used as an *adv*) used in exclamations of surprise, anger *etc.* (ใช้ในการอุทานด้วยความแปลกใจ ความโกรธ): *What weather we're having!; What a fool he is!; What naughty children they are!; What a silly book this is!; What on earth is happening?* **3** the thing or things that (สิ่งที่): *Did you find what you wanted?; These tools are just what*

I need for this job; What that child needs is a good spanking! **4** any things or amount that; whatever (**สิ่งใดก็ได้ หรือจำนวนที่ อะไรก็ตาม**): *Please lend me what you can.*

what'ev·er *adj, pron* **1** any things or amount that (**สิ่งใดหรือจำนวนที่**): *I'll lend you whatever books you need; You can choose whatever you want.* **2** no matter what (**ไม่ว่าจะเป็นอะไร**): *You have to go on, whatever trouble you meet; Whatever else you do, don't do that!; Whatever I say, it's always wrong.* — *adj* whatsoever; at all (**อะไรก็ตามด้วยประการใด ๆ**): *I had nothing whatever to do with the accident.* — *pron* (also spelt **whatever**) used in questions or exclamations to express surprise *etc.* (**ใช้ในคำถามหรือคำอุทานเพื่อแสดงความแปลกใจ**): *Whatever will he say when he hears this?; What ever are you doing?*

'what·not *n* such things (**สิ่งต่าง ๆ เหล่านั้น**): *He told me all about his childhood and whatnot.*

what·so'ev·er *adj* at all (**อะไรก็ตาม ด้วยประการใด ๆ**): *That's nothing whatsoever to do with me.*

what about used to ask someone's opinion or plans about something, or to make suggestions (**ใช้ถามความเห็นหรือแผนการเกี่ยวกับอะไรบางอย่างหรือให้คำแนะนำ**): *What about your new book?; What about all this work? — We can't leave it till tomorrow; What about a cup of tea?*

How about is often used for making suggestions: *How about going to the cinema tonight?* **What about** is often used when asking for someone's opinion or plans: *You can go out if you want, but what about your homework?*

what...for **1** why (**ทำไม**): *What did he do that for?* **2** for what purpose (**ด้วยจุดประสงค์อะไร**): *What is this switch for?* **what have you** and similar things; and so on: *clothes, books and what have you.*

what if what will or would happen if (**อะไรจะเกิดขึ้นถ้า**): *What if he comes back and catches us?* **what...like** used when you want information about someone or something (**มันเหมือนกับอะไร เป็นเช่นไร**): *"What does it look like?" "It's small and square."; "What's her mother like?" "Oh, she's quite nice."; We may go — it depends what the weather's like.*

what'll (*'wot-əl*) short for (**คำย่อสำหรับ**) **what shall** or (**หรือ**) **what will**.

what's (*wots*) short for (**คำย่อสำหรับ**) **what is** or (**หรือ**) **what has**.

wheat *n* a type of grain from which flour for making bread, cakes *etc.* is obtained (**ข้าวสาลี**).

wheel *n* **1** a circular frame or disc turning on a rod or axle, on which vehicles *etc.* move along the ground (**ล้อ**): *A bicycle has two wheels, a tricycle three, and most cars four; a cartwheel.* **2** any of several things similar in shape and action (**ของหลาย ๆ อย่างที่มีรูปร่างและการกระทำเหมือนอย่างนี้**): *a potter's wheel; a steering-wheel.* — *v* **1** to push a wheeled vehicle (**เข็นรถ**): *He wheeled his bicycle along the path.* **2** to turn quickly (**หันมาอย่างรวดเร็ว**): *He wheeled round and slapped me.* **3** to fly in circles (**บินเป็นวง**): *The sea-gulls wheeled about overhead.*

wheeled *adj* (**มีล้อ**): *a wheeled vehicle; a fourwheeled vehicle.*

'wheel·bar·row (*'wēl-bar-ō*) *n* a small cart that you push, with one wheel at the front, and two legs and two handles at the back (**รถเข็นมีล้อเดียว**).

'wheel·chair *n* a chair with wheels, used by invalids or those who cannot walk (**เก้าอี้เข็น**).

at the wheel in the driver's seat; driving (**ในที่นั่งคนขับ คนขับ**): *My wife was at the wheel.*

wheeze *v* to breathe with a rough gasping sound (**การหอบหายใจ การหายใจไม่ค่อยออก**): *She's wheezing because she has a bad cold.*

when *adv* at what time (**เมื่อไร**): *When did you arrive?; When will you see her again?; I asked him when the event had occurred; Tell me when to jump.* — *conjunction* **1** at or during the time at which (**ตอนที่**): *It happened* *when I was abroad; When you see her, give her this message; When I've finished, I'll telephone you.* **2** in spite of the fact that; considering that **(ในเมื่อ)**: *Why do you walk when you have a car?*

whence *adv* from what place; from where; because of what or which **(จากที่ใด จากที่ไหน เป็นเพราะ).**

when'ev·er *adv, conjunction* **1** at any time that **(เมื่อไรก็ตาม)**: *Come and see me whenever you want to.* **2** at every time that **(ทุกเวลาที่)**: *I go to the theatre whenever I get the chance.*

where (*wār*) *adv* which place; to, from or in which place **(ที่ไหน)**: *Where are you going?; Where are we going to?; Do you know where we are?; Where does he get his ideas from?; Where did you buy that dress?; We asked where to find a good restaurant.* — *pron* to, from, or in which; the place to, from or in which; to or in the place to or in which **(ไปยัง จาก ที่ซึ่ง)**: *It's nice going on holiday to a place where you've been before; This is the town where I was born; Is this the shop where you got your dress?; It's still where it was; I can't see him from where I am.*

'where·a·bouts *adv* near or in what place **(ใกล้หรือในที่ใด)**: *Whereabouts is it?; I don't know whereabouts it is.* — *n* the place where a person or thing is **(สถานที่ซึ่งคนหรือสิ่งของนั้นอยู่)**: *I don't know his whereabouts.*

where'as *conjunction* when in fact; but on the other hand **(เมื่อความจริง แต่ในทางตรงกันข้าม)**: *He thought I was lying, whereas I was telling the truth.*

wher'ev·er *pron* **1** no matter where **(ไม่ว่าจะเป็นที่ใด)**: *I'll follow you wherever you may go; Wherever he is he will be thinking of you.* **2** to or in any place that **(ไปยังหรือที่ใด ๆ ก็ตามซึ่ง)**: *Go wherever he tells you to go.* — *adv* (also spelt **where ever**) used in questions or exclamations to express surprise *etc* **(ใช้เป็นคำอุทานหรือแสดงความประหลาดใจ)**: *Wherever did she get that hat?*

where's (*wārz*) short for **(คำย่อของ) where is, where has.**

'wheth·er (*'wedh-ər*) *conjunction* if **(ถ้า)**: *I don't know whether it's possible.*

whether...or used to show a choice between two things **(ใช้ในการเลือกระหว่างสองสิ่ง)**: *He can't decide whether to go or not; She doesn't know whether or not to go; Whether you like the idea or not, I'm going ahead with it; Decide whether you're going or staying.*

See **weather**.

which *adj, pron* used in questions *etc.* when asking someone to name something or someone from a particular group **(อัน ไหน)**: *Which colour do you like best?; Which do you like best?; At which station should I change trains?; Which of the two girls do you like better?; Tell me which books you would like; Let me know which train you'll be arriving on; I can't decide which to choose.* — *pron* (able to be replaced by **that** except after a preposition; able to be left out except after a preposition or when it is the subject of the verb) the one that; the ones that **(ซึ่ง ที่)**: *This is the book which* (or *that*) *was on the table; This is the book which* (or *that*) *you wanted; This is the book you wanted; A nappy is a garment which* (or *that*) *is worn by babies; The chair which* (or *that*) *you are sitting on is broken; The chair you are sitting on is broken; The documents for which they were searching have been recovered.* — *pron, adj* used, after a comma, to make a further remark about something **(ที่ ซึ่ง)**: *My new car, which I paid several thousand pounds for, is not running well; He said he could speak Russian, which was untrue; My father may have to go into hospital, in which case he won't be going on holiday.*

which'ev·er *adj, pron* **1** any that, any one or ones that **(อันไหนก็ตาม คนไหนก็ตาม)**: *I'll take whichever books you don't want; Give me whichever you don't want; The prize will go to whichever of them writes the best essay.* **2** no matter which **(ไม่ว่าจะ)**: *Whichever way*

I turned, I couldn't escape.

which is which which is one and which is the other (คนไหนเป็นคนไหน): *Mary and Susan are twins and I can't tell which is which.*

whiff *n* a sudden puff of air, smoke, smell *etc.* (ลม ควัน กลิ่น ที่พ่นออกมาอย่างกะทันหัน): *a whiff of petrol; a whiff of cigar smoke.*

while *conjunction* also **whilst** (wīlst) **1** during the time that (ในขณะที่): *I saw him while I was out walking.* **2** although (ถึงแม้ว่า): *While I sympathize, I can't really do very much to help.* — *n* a length of time (ช่วงเวลาหนึ่ง): *It took me quite a while; It's a long while since we saw her.*

while away to pass time without boredom (เวลาผ่านไปโดยไม่เบื่อ): *He whiled away the time by reading.*

worth your while worth your time and trouble (คุ้มกับเวลาและความยุ่งยาก): *It's not worth your while reading this book, because it isn't very good.*

whim *n* a sudden desire; a change of mind (ความปรารถนาอย่างกะทันหัน การเปลี่ยนใจ): *I am tired of that child's whims.*

'whim·per *v* to cry with a whining voice (ร้องหงิง ๆ ร้องแย ๆ): *I heard a child whimpering.* — *n* (ครางหงิง ๆ): *The dog gave a little whimper.*

whine *v* **1** to give a complaining cry or a cry of suffering (ครางหงิง ๆ): *The dog whines when it's left alone in the house.* **2** to make a similar noise (ทำเสียงอย่างเดียวกันนี้): *I could hear the engine whine.* **3** to complain unnecessarily (บ่นโดยไม่จำเป็น บ่นพร่ำเพรื่อ): *Stop whining about how difficult the job is!* — *n* (เสียงคราง): *the whine of an engine.*

'whin·ny *v* to make the cry of a horse (ทำเสียงร้องของม้า): *The horse whinnied when it saw its master.*

whip *n* a long cord or strip of leather attached to a handle, used for striking people as a punishment, driving horses *etc.* (แส้): *He carries a whip but he would never use it on the horse.* — *v* **1** to strike with a whip (ตีด้วยแส้): *He whipped the horse to make it go faster; The criminals were whipped.* **2** to beat eggs, cream *etc.* (ตีไข่ ครีม). **3** to move fast especially with a twisting movement like a whip (เคลื่อนไหวอย่างรวดเร็ว): *Suddenly he whipped round and saw me; He whipped out a revolver and shot her.*

whip up 1 to whip (ตี): *I'm whipping up eggs for the dessert.* **2** to produce quickly (ทำให้มีขึ้นอย่างรวดเร็ว): *I'll whip up a meal in no time.*

whir, whirr *v* to move with a buzzing sound and a whirling action (เคลื่อนไหวด้วยเสียงหึ่ง ๆ และหมุนตัว): *The propellers whirred and we took off.*

whirl *v* to move rapidly with a twisting or turning action (เคลื่อนไหวอย่างรวดเร็วพร้อมกับทำการหมุนหรือบิด): *She whirled round when I called her name; The wind whirled my hat away before I could grab it.* — *n* **1** an excited confusion (ความวิงเวียน): *a whirl of activity; My head's in a whirl — I can't believe it's all happening!* **2** a rapid turn (หมุนกลับอย่างเร็ว).

'whirl·pool *n* a strong circular current in a river or the sea (น้ำวน).

'whirl·wind *n* a violent circular current of wind with a whirling motion (ลมหมุน พายุหมุน).

See **hurricane**.

whirr another spelling of (การสะกดอีกแบบหนึ่งของคำว่า) **whir**.

whisk *v* **1** to sweep; to take rapidly (กวาด คว้า ฉก ฉวย เอาไปอย่างรวดเร็ว): *He whisked the dirty dishes off the table; He whisked her off to the doctor.* **2** to beat eggs *etc.* with a fork or whisk (ตีไข่ด้วยส้อมหรือปั่น). — *n* a kitchen tool made of wire *etc.*, for beating eggs, cream *etc.* (เครื่องมือในครัวที่ทำด้วยลวดเพื่อตีไข่ ปั่นครีม).

'whisk·er *n* **1** (usually **whiskers**) hair growing

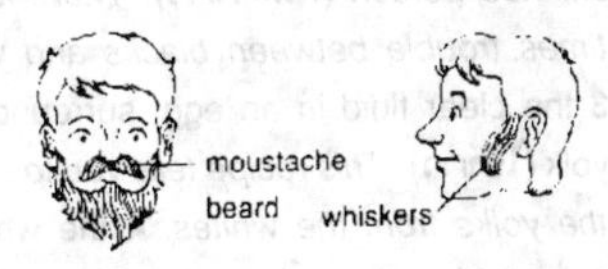

down the sides of a man's face (จอน). **2** one of the long hairs between the nose and the mouth of a cat *etc.* (หนวดแมว).

'whisk·ered, 'whisk·er·y *adjs* (มีจอน).

See **beard**.

by a whisker only just (เพียงนิดเดียว): *The truck missed the child by a whisker.*

'whis·ky *n* an alcoholic drink made from grain, especially barley (เหล้าวิสกี้): *A lot of whisky is made in Scotland.*

'whis·per *v* **1** to speak very softly (กระซิบ): *You'll have to whisper or he'll hear you; "Don't tell him," she whispered.* **2** to make a soft sound in the wind (เสียงดังกรอบแกรบเบา ๆ): *The leaves whispered in the breeze.* — *n* (การกระซิบ): *They spoke in whispers.*

'whis·tle (*'wis-əl*) *v* **1** to make a shrill sound by forcing your breath between the lips or teeth (ผิวปาก): *Can you whistle?; He whistled to attract my attention; He whistled a happy tune.* **2** to make a sound like this (ทำเสียงแบบนี้): *The electric kettle's whistling; The bullet whistled past his head; Listen to the wind whistling.* *n* **1** the sound made by whistling (เสียงที่เกิดจากการผิวปาก): *I gave the dog a whistle and he came running.* **2** a musical pipe with high notes (เสียงสูงของเครื่องดนตรีเป่า). **3** a device used by policemen, referees *etc.* to make a whistling noise (นกหวีด): *The referee blew his whistle at the end of the game.*

white *adj* **1** having the colour of this paper (สีขาว). **2** having light-coloured skin; European in descent (ผิวขาว สายโลหิตยุโรป): *the first white man to explore Africa.* **3** pale because of fear, illness *etc* (หน้าซีด): *He went white with shock.* **4** with milk in it (มีนมผสมอยู่): *a white coffee, please.* — *n* **1** the colour of this paper (สีขาว). **2** a white-skinned person (คนผิวขาว): *There is sometimes trouble between blacks and whites.* **3** the clear fluid in an egg, surrounding the yolk (ไข่ขาว): *This recipe tells you to separate the yolks from the whites.* **4** the white part surrounding the coloured part of your eye (ตาขาว): *the whites of your eyes.*

'white·ness *n* (ความขาว).

white-'col·lar *adj* working in an office *etc.*, rather than a factory (ทำงานในสำนักงาน): *white-collar workers.*

white lie a lie that is not a very bad one (การโกหกซึ่งไม่เลวร้ายนัก): *I'd rather tell my mother a white lie than tell her the truth and upset her.*

'white·wash *n* a mixture of lime and water for painting on to walls to make them white (ปูนทาผนัง). — *v* to cover with whitewash (โบกปูน).

'whitewashed *adj* (โบกปูนเป็นสีขาว).

whizz *v* to fly through the air with a hissing sound (เสียงหวือที่ดังฝ่าอากาศ): *The arrow whizzed past his shoulder.*

who (*hoo*) *pron* (used as the subject of a verb) **1** what person or people (ใคร): *Who is that woman in the green hat?; Who did that?; Who won?; Do you know who all these people are?* **2** (usually able to be replaced by **that**) the one that; the ones that (ผู้ซึ่ง): *The man who* (or *that*) *telephoned was a friend of yours; A doctor is a person who looks after people's health.* **3** used, after a comma, to make a further remark about a person or people (ผู้ซึ่ง ผู้ที่): *His mother, who was tired out, gave him a smack.*

In correct, formal English, **who** is used only as the subject of a verb; the form **whom** is used as the object of a verb or preposition: *The lady whom* (not *who*) *he had helped called to thank him.*

know who's who to know which people are important (รู้จักว่าผู้ใดมีความสำคัญ).

who'd (*hood*) short for (คำย่อสำหรับ) **who would, who had**.

who'ev·er *pron* **1** any person or people that (ใครก็ตาม หรือคนที่): *Whoever gets the job will have a lot of work to do.* **2** no matter who (ไม่ว่าจะเป็นใคร): *Whoever rings, tell them I'm out.* **3** (also spelt **who ever**) used in questions to express surprise *etc.* (ใช้ในคำถามเพื่อแสดงความประหลาดใจ): *Whoever* *said that?*

whole (*hōl*) *adj* **1** including everything or every-one; complete **(ทั้งหมด)**: *The whole class collected the money for your present; a whole pineapple.* **2** not broken; in one piece **(ไม่แตก ไม่หัก เป็นชิ้นเดียว)**: *She swallowed the biscuit whole.* — *n* **1** a single unit **(หน่วยเดียว)**: *The different parts were joined to form a whole.* **2** the entire thing **(ทั้งหมด)**: *We spent the whole of one week sunbathing on the beach.*

whole'heart·ed *adj* sincere; keen **(จริงใจ กระตือรือร้น)**: *wholehearted support.*

'whole·meal *n* flour made from the whole wheat grain or seed **(แป้งซึ่งทำจากข้าวสาลี)**. — *adj: wholemeal bread.*

on the whole taking everying into consi-deration **(เอาทุก ๆ อย่างเข้ามาพิจารณา)**: *Our trip was successful on the whole.*

'whole·sale *adj* buying goods on a large scale, from a manufacturer and selling them to a shopkeeper **(ขายส่ง)**: *a wholesale business.* — *adv: He buys the materials wholesale.*

'whole·sa·ler *n* a person who buys and sells goods wholesale **(ผู้ขายส่ง)**.

'whole·some (*'hōl-səm*) *adj* healthy; good for your health **(สมบูรณ์ เป็นประโยชน์ต่อร่างกาย)**: *Fresh fruit and vegetables are very wholesome; wholesome exercise.*

who'll (*hool*) short for **(คำย่อของ) who will**.

'whol·ly (*'hōl-li*) *adv* completely; altogether **(อย่างสิ้นเชิง)**: *I am not wholly certain.*

whom (*hoom*) *pron* (used as the object of a verb or preposition, but in everyday speech sometimes replaced by **who**) **1** what person or people **(ใคร ผู้ใด)**: *Whom* (or *who*) *do you want to see?; Whom* (or *who*) *did you give it to?; To whom shall I speak?* **2** (able to be left out or replaced by **that** except when following a preposition) the one that; the ones that **(ผู้ซึ่ง)**: *The man whom* (or *that*) *you mentioned is here; The man you mentioned is here; Today I met some friends whom* (or *that*) *I hadn't seen for ages; I met some friends I hadn't seen for ages; This is the man to whom I gave it; This is the man whom* (or *who* or *that*) *I gave it to; This is the man I gave it to.* **3** used, after a comma, to make a further remark about a person or people **(ผู้ซึ่ง)**: *My father, whom I'd like you to meet one day, is interested in your work.*

See **who**.

whoop *n* a loud cry of delight, triumph *etc.* **(เสียงร้องดังอย่างดีใจ อย่างมีชัย)**: *a whoop of joy.* — *v* **(ร้องเสียงดังอย่างดีใจ)**: *She gave a whoop of joy.*

who's (*hooz*) short for **(คำย่อของ) who is, who has**.

whose (*hooz*) *adj, pron* **1** belonging to which person **(ของใคร)**: *Whose is this jacket?; Whose jacket is this?; Whose is this?; Whose are these?; Whose car did you come back in?; In whose house did this incident happen?; Tell me whose pens these are.* **2** of whom **(ของเขา)**: *Show me the boy whose father is a policeman.*

why (*wī*) *adv* for which reason **(ทำไม)**: *Why did you hit the child?; "I have to go to Surabaya on Friday." "Why?"; Why haven't you finished?; "I don't want to go swim-ming." "Why not?"; Tell me why you came here.* — *pron* for which **(ทำไม)**: *Give me one good reason why I should help you!*

why not? can be used to express agree-ment **(สามารถใช้แสดงการเห็นด้วย)**: *"Let's go for a walk!" "Why not?"*

wick *n* the twisted threads of cotton *etc.* in a candle, lamp *etc.*, which draw up the oil or wax into the flame **(ไส้ตะเกียง ไส้เทียน)**.

'wick·ed (*'wik-əd*) *adj* evil; sinful **(ชั่วร้าย เต็มไปด้วยบาป)**: *He is a wicked man; That was a wicked thing to do.*

'wick·ed·ly *adv* **(อย่างชั่วร้าย)**.

'wick·ed·ness *n* **(ความชั่วร้าย)**.

'wick·er *n* made of twigs, canes or rushes that are woven together **(ทำจากกิ่งอ่อน ๆ หวาย หรือพืชต้นอ่อน เอามาสานเข้าด้วยกัน)**: *a wicker basket; a wicker chair.* **(เครื่องจักสาน)**

'wick·et *n* in cricket, a set of three upright wooden rods at which the bowler aims the ball (เสาไม้สามต้นในกีฬาคริกเกตที่ผู้เล่นเล็งลูกบอล).

'wick·et-keep·er *n* the fielder who stands immediately behind the wicket (ผู้เล่นที่ยืนอยู่หลังเสาไม้).

wide *adj* **1** great in extent, especially from side to side (กว้าง): *wide streets.* **2** being a certain distance from one side to the other (ระยะที่แน่นอนจากด้านหนึ่งไปยังอีกด้านหนึ่ง): *This material is three metres wide; How wide is it?* **3** great; large (มาก): *a wide experience of teaching.* — *adv* with a great distance from top to bottom or side to side (ระยะกว้างมากจากบนลงล่างหรือจากข้างหนึ่งไปยังอีกข้างหนึ่ง): *He opened his eyes wide.*

'wide·ly *adv* (อย่างกว้าง).

'wide·ness *n* (ความกว้าง).

'wi·den *v* to make or become wider (ทำให้กว้างขึ้น): *They have widened the road; The lane widens here.*

'wide·spread *adj* spread over a large area or among many people (แผ่ไปกว้างหรือแผ่ไปในหมู่ผู้คน): *widespread hunger and disease.*

wide apart a great distance away from one another (กว้างออกจากกัน แยกออกจากกัน): *He held his hands wide apart.*

wide awake fully awake (ตื่นอย่างเต็มที่).

wide open fully open (เปิดอย่างเต็มที่): *The door was wide open; Her eyes are wide open but she seems to be asleep.*

'wid·ow (*'wid-ō*) *n* a woman whose husband is dead (แม่ม่าย): *My brother's widow has married again.* — *v* (เป็นม่าย): *She was widowed in 1982 — her husband was killed in an air-crash.*

'wid·ow·er *n* a man whose wife is dead (พ่อม่าย).

width *n* measurement from side to side; wideness (ความกว้าง): *What is the width of this material?; This fabric comes in three different widths.*

wield (*wēld*) *v* to use a tool, weapon *etc.* (ใช้เครื่องมือ อาวุธ): *to wield an axe.*

wife, *plural* **wives**, *n* the woman to whom a man is married (ภรรยา): *Come and meet my wife; He is looking for a wife.*

old wives' tale a bit of information or advice that is well-known but wrong (ข่าวสารหรือคำแนะนำซึ่งรู้จักกันเป็นอย่างดีแต่ผิด).

wig *n* an artificial covering of hair for the head (วิกผม): *Does she wear a wig?*

'wig·gle *v* to waggle or wriggle (ยักย้ายส่ายสะโพก): *She wiggled her hips.*

'wig·gly *adj* not straight; going up and down, from side to side *etc.* (แกว่งขึ้น ๆ ลง ๆ จากข้างหนึ่งไปยังอีกข้างหนึ่ง คดเคี้ยว): *a wiggly line.*

'wig·wam *n* a North American Indian tent made of skins *etc.* (เต็นท์ของชาวอินเดียนแดงในอเมริกาเหนือทำจากหนัง).

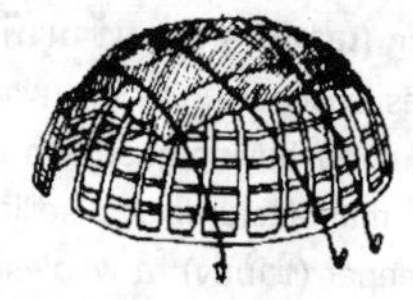

wigwam

wild (*wīld*) *adj* **1** not tame (ไม่เชื่อง): *wolves and other wild animals.* **2** not cultivated (ไม่ได้เอามาปลูกหรือเพาะเลี้ยง): *wild flowers.* **3** not civilized; savage (ไม่เจริญ ป่าเถื่อน): *wild tribes.* **4** very stormy; violent (ลมพายุรุนแรง ความรุนแรง): *a wild night at sea; a wild rage.* **5** mad; crazy (คลั่ง เป็นบ้า): *He was wild with hunger; She was wild with anxiety.* **6** foolish (โง่ เขลา): a wild hope. **7** not accurate; not reliable (ไม่แม่นยำ ไม่น่าเชื่อถือ): *a wild guess.* **8** very angry (โกรธมาก).

'wild·ly *adv* (อย่างไม่เชื่อง).

'wildness *n* (ความดุร้าย).

The opposite of **wild** is **tame**.

in the wild in its natural surroundings (ในสภาพแวดล้อมตามธรรมชาติ): *Young animals have to learn to look after themselves in the wild.*

'wil·der·ness (*'wil-dər-nes*) *n* a desert or wild area of a country *etc.* (ที่รกร้างหรือที่เป็นป่าของประเทศหนึ่ง).

wild-'goose chase a search that takes you a long time and is unsuccessful (การค้นหาซึ่งใช้เวลานานและไม่เป็นผลสำเร็จ).

'wild·life *n* wild birds and animals (สัตว์ป่า): *We must protect wildlife.*

will *n* **1** the control you have over your actions and decisions; your own wishes; determination (อำนาจที่ควบคุมเหนือการกระทำและการตัดสินใจ ความปรารถนา ความตั้งใจของเราเอง): *Do you believe in freedom of the will?; It was done against her will; He has no will of his own — he always does what the others want; Children often have strong wills; He has lost the will to live.* **2** a statement about what is to be done with your possessions *etc* after your death (พินัยกรรม): *Have you made a will yet?* — *v* **1** used to form future tenses of other verbs when the subject is **you, he, she, it** or **they** (ใช้เป็นอนาคตกาลในเมื่อประธานเป็น) **you, he, she, it** หรือ **they**: *He'll telephone you at six o'clock tonight; Will you be here again next week?; She will never make the same mistake again, will she?; They will have finished the work by tomorrow evening, won't they?* **2** used in requests or commands (ใช้ในคำขอร้องหรือคำสั่ง): *Will you come into my office for a moment, please?; Will you please stop talking!* **3** used to show willingness (ใช้แสดงความเต็มใจ): *I'll do that for you if you like; I won't do it!* **4** used to state that something happens regularly, is quite normal *etc.* (ใช้บอกว่าบางอย่างเกิดขึ้นเป็นประจำ): *Accidents will happen.*

> **I will** or **I'll** (*īl*); **you will** or **you'll** (*ūl*); **he will** or **he'll** (*hēl*); **she will** or **she'll** (*shēl*); **it will** or **'it'll** (*'it-əl*); **we will** or **we'll** (*wēl*); **they will** or *they'll* (*dhāl*);
> **will not** or **won't** (*wōnt*): *Will you or won't you do as I ask?; She'll ring you tomorrow; Boys will be boys, won't they?* See also **shall** and **would. -willed**: *weak-willed people.*

'will·ing *adj* ready to agree to do something: *a willing helper; She's willing to help in any way she can.*

'will·ing·ly *adv.*

'will·ing·ness *n.*

at will whenever you want to (ในเมื่อเราต้องการ): *He can waggle his ears at will.*

'wil·low (*'wil-ō*) *n* a tree with long, slender branches (ต้นหลิว).

'will·pow·er *n* the determination to do something (อำนาจจิต พลังใจ): *I don't have the willpower to stop smoking.*

wilt *v* to droop (เหี่ยวลง): *The plants are wilting because they haven't been watered.*

'wi·ly (*'wī-li*) *adj* cunning; sly (มีเล่ห์กระเท่ กลับกลอก): *a wily fox; He is too wily for the police to catch him.* **'wi·liness** *n* (ความมีเล่ห์กระเท่ ความกลับกลอก).

win *v* **1** to obtain a victory in a contest; to succeed in coming first in a contest (ชนะการแข่งขัน): *He won a fine victory in the election; Who is winning the war?; Who won the match?; He won the bet; She won the race; She won by five metres.* **2** to obtain a prize in a competition *etc.* (การได้รางวัลจากการแข่งขัน): *to win first prize; I won $5 in the crossword competition.* **3** to obtain by your own efforts (ได้มาด้วยความพยายามของตัวเอง): *He won the teacher's approval.* —*n* a victory or success (ชัยชนะหรือความสำเร็จ): *She's had two wins in four races.*

> **win; won; won**: *Who won the race?; Angela has won first prize.* to **beat** a person or a team: *I beat Robert in the spelling test; Team A beat Team B in the match.*
> to **win** a prize or a match *etc.* (ได้รางวัลหรือมีชัยชนะ): *He won the trophy; Team A won the competition.*

win over to succeed in gaining someone's support (เอาเข้ามาเป็นพวก): *At first he refused to help us but we finally won him over.*

win the day to gain a victory; to be successful (ได้ชัยชนะ มีความสำเร็จ).

wince *v* to jerk with pain (กระตุกด้วยความเจ็บปวด): *He winced as the dentist touched his broken tooth.*

wind[1] *n* **1** current of air (กระแสลม): *The wind is strong today; There wasn't much wind* *yesterday; Cold winds blow across the desert.* **2** breath (**การหายใจ**): *Climbing these stairs takes all the wind out of me.* — *v* to take someone's breath away (**กระอัก**): *The heavy blow winded him.* — *adj* played by being blown (**เล่นโดยการเป่า**): *The flute is a wind instrument.*

A **breeze** is a light wind: *cool breezes; a gentle breeze.*
A **gale** is a very strong wind: *The gale forced the ships to take shelter in the harbour.*
A **storm** is a period of bad weather with strong gales: *Many trees were blown down in the storm.*
See also **hurricane**.

get wind of to hear about something (**ได้ยิน**): *You'll be punished if the headmaster gets wind of what you've done.*

like the wind very quickly (**เร็วมาก**): *The horse galloped away like the wind.*

wind[2] (*wīnd*) *v* **1** to wrap round in coils (**พันรอบ ๆ**): *He wound the rope around his waist and began to climb.* **2** to make string, wool *etc.* into a ball or coil (**ม้วนเป็นก้อน**): *to wind wool.* **3** to twist and turn (**คดเคี้ยว**): *The road winds up the mountain.* **4** to tighten the spring of a clock, watch *etc.* by turning a knob, handle *etc.* (**ไขลานนาฬิกา**): *I forgot to wind my watch.*

wind; wound; wound: *She wound the wool; Have you wound the clock?*

wind up 1 to turn, twist or coil; to make into a ball or coil (**ม้วนเป็นก้อน**): *My ball of wool has unravelled — could you wind it up again?* **2** to wind a clock, watch *etc.* (**ไขลานนาฬิกา**): *She wound up the clock.* **3** to end (**สิ้นสุด จบ**): *I think it's time to wind the meeting up.*

'wind·fall *n* **1** a piece of fruit that has fallen from a tree (**ผลไม้ซึ่งตกจากต้นไม้**). **2** an unexpected gain, especially a sum of money (**ลาภลอย**): *He had a small windfall yesterday — he won fifty dollars in a raffle.*

'wind·ing *adj* full of bends *etc.* (**เต็มไปด้วยความคดเคี้ยว**): *a winding road.*

'win·dow (*'win-dō*) *n* an opening in the wall of a building that is fitted with a frame of wood, metal *etc.* containing glass, that can be seen through and usually opened (**หน้าต่าง**): *I saw her through the window; Open the window; Close the window; goods displayed in a shopwindow.*

'win·dow-shop·ping *n* looking at things in shop windows, but not actually buying anything (**การชมดูสินค้าที่ตั้งไว้ตรงหน้าต่างของร้าน แต่ไม่ได้ซื้อสิ่งใด**).

'wind·screen *n* the front window of a vehicle, above the dashboard (**กระจกหน้ารถยนต์**): *The windscreen was cracked by a flying stone.*

'wind·y *adj* having a lot of wind; exposed to wind (**มีลมแรง ซึ่งถูกลม**): *a windy day; a windy hill-top.*

wine *n* an alcoholic drink made from the juice of grapes or other fruit (**เหล้าไวน์**): *two bottles of wine; a wide range of fine wines.*

wing *n* **1** one of the arm-like parts of a bird or bat that it uses in flying; one of the similar parts of an insect (**ปีก**): *The eagle spread his wings and flew away; The bird cannot fly as it has an injured wing; These butterflies have red and brown wings.* **2** a similar part of an aeroplane (**ปีกเครื่องบิน**): the wings of a jet. **3** a section built out to the side of a large house *etc.* (**ปีกอาคาร**): *the west wing of the hospital.* **4** any of the corner parts of a motor vehicle (**ส่วนที่เป็นมุมของยานยนต์**): *The rear left wing of the car was damaged in the accident.*

winged *adj* having wings (**มีปีก**): *a winged creature.*

take under your wing to take someone under your protection (**เข้ามาอยู่ใต้ความคุ้มครองของเรา**): *The older girl took the younger one under her wing and looked after her at school.*

wink *v* **1** to shut and open an eye quickly in friendly greeting, or to show that something is a secret *etc.* (**ขยิบตา**): *Gus winked at Jane when she arrived; Sarah winked at me as she said that she hadn't bought his present* *yet.* **2** to flicker and twinkle (**กะพริบระยิบระยับ**): *The city lights winked in the distance.* — *n* (**การขยิบตา**): *"Don't tell anyone I'm here", he said with a wink.*

'win·ner *n* someone who wins; a victor (**ผู้ชนะ**).

'win·ning *adj* **1** victorious; successful (**ชัยชนะ ความสำเร็จ**): *the winning candidate.* **2** attractive; charming (**น่ารัก มีเสน่ห์**): *a winning smile.*

'win·ning-post *n* in horse-racing, a post marking the place where the race finishes (**หลักชัย**).

'win·ter *n* the coldest season of the year, December till February in cooler northern regions (**ฤดูหนาว**): *We often have snow in winter.* — *adj* (**แห่งฤดูหนาว**): *winter evenings.*

'win·ter·time *n* the season of winter (**ฤดูหนาว**).

wipe *v* **1** to clean or dry by rubbing with a cloth, paper *etc.* (**ทำความสะอาดหรือเช็ดให้แห้ง ด้วยผ้า กระดาษ**): *Would you wipe the table for me?; Stop crying — wipe your eyes.* **2** to remove by rubbing with a cloth, paper *etc.* (**การเช็ดออกด้วยผ้าหรือกระดาษ**): *The child wiped her tears away with her handkerchief; Wipe that writing off the blackboard; Please wipe up that spilt milk.* — *n* (**การเช็ด**): *Give the table a wipe.*

wipe out **1** to clean the inside of something with a cloth *etc.* (**ทำความสะอาดภายในด้วยผ้า**): *She wiped the bowl out.* **2** to remove; to get rid of something (**เอาออกหรือขจัด**): *He wiped out the memory of the dreadful journey.* **3** to destroy completely (**ทำลายลงอย่างสิ้นเชิง**): *The entire family was wiped out in a car crash.*

wire *n* **1** metal drawn out into a long strand, as thick as string or as thin as thread (**ลวด สายไฟ**): *We need some wire to connect the battery to the rest of the circuit.* **2** a single strand of this metal (**สายโลหะเส้นหนึ่ง**): *There must be a loose wire in my radio somewhere.* — *adj* (**รั้วกั้นลวดหนาม**): *a wire fence.* — *v* to fit a system of electric wires in a house *etc.* (**ติดระบบสายไฟในบ้าน**): *The house has been wired up but the electricity hasn't been connected yet.*

wire-'net·ting *n* a material used in fencing *etc.* (**วัสดุใช้ในการทำรั้ว**).

'wi·ry (*wī-ri*) *adj* slim but strong (**ผอมบางแต่แข็งแรง**): *a wiry young man.*

'wis·dom *n* knowledge and good sense (**การมีความรู้และมีเหตุมีผลดี**): *Wisdom comes with experience.*

wisdom tooth any one of the four back teeth that come up after childhood, usually about the age of twenty (**ฟันกราม**).

wise (*wīz*) *adj* **1** having gained a great deal of knowledge from books or experience and able to use it well (**ฉลาด**). **2** sensible (**มีเหตุมีผล**): *You would be wise to do as he suggests; a wise decision.*

'wise·ly *adv* (**อย่างฉลาด**).

wise gives the idea of knowledge and experience: *The experienced businessman made a wise suggestion.*

clever gives the idea of intelligence and smartness: *The quick-thinking boy made a clever suggestion.*

wish *v* **1** to have a desire; to express a desire (**ปรารถนา ให้พร**): *There's no point in wishing for a miracle; Touch the magic stone and wish; He wished that she would go away; I wish I had never met him.* **2** to require to do or have something (**อยากจะทำหรือได้อะไรบางอย่าง**): *Do you wish to sit down, sir?; We wish to book some seats for the theatre; I'll cancel the arrangement if you wish.* **3** to say that you hope for something for someone (**ให้พร ปรารถนาให้**): *I wish you the very best of luck.* — *n* **1** a desire or longing, or the thing desired (**ความปรารถนาหรือสิ่งที่ปรารถนา**): *It's always been my wish to go to South America some day.* **2** an expression of a desire (**แสดงความปรารถนา ให้พร ขอพร**): *The fairy granted him three wishes; Did you make a wish?* **3** (usually **'wish·es**) an expression of hope for success *etc.* for someone (**ปรารถนาให้มีความสำเร็จ**): *He sends you his best wishes.*

'wish·ing-well *n* a well that is supposed to have the power of granting any wish you make when you are beside it (แรงปรารถนา).

wisp *n* thin strand (กำเล็ก ๆ ปอยเล็ก ๆ ก้อน): *a wisp of hair; a wisp of smoke.*

'wisp·y *adj* (เป็นกำ): *wispy hair.*

'wist·ful *adj* thoughtful and rather sad; longing for something with little hope (ครุ่นคิดและค่อนข้างเศร้า ใฝ่หาบางอย่างด้วยความหวังอันน้อยนิด): *The dog looked into the butcher's window with a wistful expression on his face.*

'wist·ful·ly *adv* (อย่างละห้อย).

'wist·ful·ness *n* (ความละห้อย).

wit *n* **1** humour (ตลกขบขัน): *His plays are full of wit; I admire his wit.* **2** someone who can express ideas in a humorous way, tells jokes *etc.* (คนที่สามารถแสดงความนึกคิดออกมาในแนวตลก เล่าเรื่องตลก): *She's a great wit.* **3** common sense (สามัญสำนึก): *He did not have the wit to defend himself.*

at your wits' end completely confused; desperate (สับสนอย่างสิ้นเชิง จนปัญญา).

witch *n* a woman who is supposed to have powers of magic, especially of an evil kind (แม่มด).

A man with magic powers is a **wizard**.

'witch·craft *n* magic performed by a witch (เวทมนตร์).

with (*widh*) *prep* **1** in the company of; beside; among (ด้วย กับ ระหว่าง): *I was walking with my father; Do they enjoy playing with each other?; He used to play football with the Arsenal team; Put this book with the others.* **2** by means of; using (โดย ใช้): *Mend it with this glue; Cut it with a knife.* **3** used in expressing the idea of filling, covering *etc.* (ใช้กับคำที่เกี่ยวกับการเติม การปกคลุม): *Fill this jug with milk; He was covered with mud.* **4** used in describing disagreement and conflict (ใช้ในการอธิบายถึงความไม่เห็นด้วยและการขัดแย้ง): *They quarrelled with each other; He fought with my brother.* **5** used in descriptions of things (ใช้บรรยายถึงสิ่งต่าง ๆ): *a man with a limp; a girl with long hair; a stick with a handle; Treat this book with care.* **6** as the result of (เป็นผลมาจาก): *He was shaking with fear.* **7** in the care of (ให้อยู่ในความดูแลของ): *Leave your case with the porter.* **8** in relation to; in the case of; concerning (เกี่ยวข้องกับ ในกรณีที่ ความกังวล): *Be careful with that!; What's wrong with you?; What shall I do with these books?* **9** used in expressing a wish (ใช้แสดงความปรารถนา): *Down with school!*

with'draw (*widh'drö*) *v* **1** to move back or away (เคลื่อนถอยหรือออกมา): *The general withdrew his troops; They withdrew from the competition.* **2** to take back something you have said (ถอนคำพูด) *She withdrew her remarks, and apologized; He has withdrawn the charges he made against her.*

with'draw·al *n* (การถอย การถอน).

with'draw; with'drew (*widh'droo*); **with'drawn**.

with'drawn *adj* not friendly; very quiet (ไม่เป็นมิตร เงียบมาก ๆ).

'with·er (*'widh-ər*) *v* to fade, dry up, or decay (เหี่ยว แห้ง หรือเน่าเปื่อย): *The plants withered because they had no water; The heat has withered my plants.*

with'hold (*widh'hōld*) *v* to refuse to give (ปฏิเสธไม่ยอมให้): *to withhold permission.*

with'hold; with'held; with'held.

with'in (*wi'dhin*) *prep* **1** inside (ภายใน): *I could hear sounds from within the building.* **2** not breaking; not outside (ไม่ละเมิด ไม่อยู่นอก): *His actions were within the law.* **3** in no more than (ภายในไม่นานกว่า): *She'll be here within an hour.* — *adv* inside (ข้างใน): *Car for sale. Apply within.*

with'out (*wi'dhowt*) *prep* **1** in the absence of; not having (ปราศจาก ไม่มี): *They went without you; I could not live without him; We cannot survive without water.* **2** not (โดยไม่): *He drove away without saying goodbye; You can't walk along this street without meeting someone you know.*

with'stand (*widh'stand*) *v* to oppose or resist successfully (ต่อสู้หรือต้านทานจนสำเร็จ): *The city withstood the siege for eight months.*

with'stand; with'stood; with'stood.

'wit·ness *n* **1** someone who has seen or was

present at an event *etc.* and so has direct knowledge of it (พยาน): *Someone must have seen the accident but the police can find no witnesses so far.* **2** a person who gives evidence, especially in a law court (พยานในศาล). — *v* to see something happening; to be present at an event (เห็นอะไรกำลังเกิดขึ้น อยู่ในเหตุการณ์): *This lady witnessed the accident at three o'clock this afternoon.*

-wit·ted having a certain kind of intelligence (มีสติปัญญา): *quick-witted; a sharp-witted lad.*

'wit·ty *adj* clever and amusing (ฉลาดและตลก): *a witty person; witty remarks.*

'wit·ti·ly *adv* (อย่างฉลาดและตลก).

'wit·ti·ness *n* (ความฉลาดและตลก).

'wives plural of (พหูพจน์ของ) **wife**.

'wiz·ard *n* a man, especially in stories, who is said to have magic powers (พ่อมด).

See **witch**.

'wob·ble *v* to rock unsteadily from side to side (โยกเยก): *The bicycle wobbled and the child fell off.* —*n* a slight rocking, unsteady movement (การสั่นเล็กน้อย การเคลื่อนไหวที่ไม่มั่นคง): *This table has a bit of a wobble.*

'wob·bly *adj* (ไม่มั่นคง).

woe (*wō*) *n* grief or misery (ความเศร้าโศกหรือความทุกข์ยาก): *He has many woes; He told a tale of woe.*

'woe·ful *adj* miserable; unhappy (ทุกข์ยาก ไม่มีความสุข): *a woeful expression.*

'woe·ful·ly *adv* (อย่างคร่ำครวญ).

'woe·ful·ness *n* (การคร่ำครวญ).

woke, woken *see* **wake** (ดู **wake**).

wolf (*wŏŏlf*), *plural* **wolves**, *n* a wild animal of the dog family (หมาป่า). — *v* to eat greedily (กินอย่างตะกละ): *He wolfed his breakfast and hurried out.*

A wolf **howls**.
A baby wolf is a **cub**.
A wolf lives in a **lair**.
Wolves hunt in **packs**.

'wo·man (*'wŏŏm-ən*), *plural* **'wom·en** (*'wimin*), *n* **1** an adult human female (ผู้หญิงที่เติบโตแล้ว): *His sisters are both grown women now.* **2** a female domestic daily helper (หญิงผู้ช่วยงานบ้านประจำวัน): *We have a woman who comes in to do the cleaning.* — *adj* (เกี่ยวกับผู้หญิง): *a woman pilot.*

'wom·an·ly *adj* having qualities that are suitable to, or attractive in, women; feminine (มีคุณภาพที่เหมาะสมหรือสวยงามแบบผู้หญิง เพศหญิง): *She's a kind, womanly person; womanly charm.*

womb (*woom*) *n* the part of the body of a female mammal in which the babies grow until they are born (ครรภ์ มดลูก).

won *see* **win** (ดู **win**).

'won·der (*'wun-dər*) *n* **1** the feeling you have when you see something unexpected or extraordinary (รู้สึกประหลาดใจ รู้สึกงงงวย): *The glorious sunrise filled him with wonder.* **2** something strange, unexpected or extraordinary (บางอย่างที่แปลก คาดไม่ถึง หรือเหนือธรรมดา): *the Seven Wonders of the World; He goes swimming so often that it's a wonder he doesn't grow fins; The wonder of the discovery is that it was only made ten years ago.* — *v* **1** to be surprised (ประหลาดใจ): *Caroline is very fond of John — I shouldn't wonder if she married him.* **2** to feel curiosity (รู้สึกอยากรู้): *Have you ever wondered why some people are left-handed?* **3** to feel a desire to know (รู้สึกมีความปรารถนาที่จะรู้): *I wonder what the news is.*

We **wonder** (not **wander**) at the huge number of stars.

'won·der·ful *adj* extraordinary; excellent; marvellous (เหนือธรรมดา ยอดเยี่ยม วิเศษ): *a wonderful opportunity; a wonderful present; She's a wonderful person.*

'won·der·ful·ly *adv* (อย่างยอดเยี่ยม).

'won·der·ing·ly *adv* with great curiosity and amazement (ด้วยความอยากรู้อยากเห็นอย่างยิ่งและความประหลาดใจ): *The children gazed wonderingly at the puppets.*

'won·der·land *n* a land or place full of wonderful things (แดนเนรมิต).

'won·drous *adj* wonderful (ประหลาด น่าอัศจรรย์).

no wonder it isn't surprising (มิน่าล่ะ ไม่น่าแปลกใจเลย): *No wonder you like him — he spends all his money on you!*

won't short for (คำย่อของ) **will not**.

woo *v* to seek someone as a wife (จีบ สู่ขอ): *He wooed the daughter of the king.*

'woo·er *n* (ผู้หาภรรยา).

wood (*wŏŏd*) *n* **1** the material of which trees are composed (ไม้): *My desk is made of wood; She gathered some wood for the fire.* **2** (often **woods**) a group of growing trees (กลุ่มของต้นไม้ใหญ่): *They went for a walk in the woods.* — *adj* (เกี่ยวกับไม้): *The room is warmed by a wood fire.*

'wood·cut·ter *n* a person whose job is cutting down trees (คนตัดไม้).

'wood·ed *adj* covered with trees (ปกคลุมด้วยต้นไม้): *a wooded hillside.*

'wood·en *adj* made of wood (ทำด้วยไม้): *three wooden chairs.*

'wood·land *n* land covered with woods (ผืนดินปกคลุมด้วยป่าไม้): *a stretch of woodland.*

'wood·wind *n* musical instruments that you play by blowing into, such as the clarinet, recorder and flute (เครื่องดนตรีแบบเป่า เช่น คลาริเนต ขลุ่ย).

'wood·work *n* **1** carpentry (งานช่างไม้): *He did woodwork at school.* **2** the parts of a building *etc.* that are made of wood (ส่วนของตัวอาคารที่ทำด้วยไม้): *The woodwork in the house is rotting.*

'wood·y *adj* **1** covered with trees (ปกคลุมด้วยต้นไม้): *woody countryside.* **2** like wood (เหมือนกับไม้): *a woody smell; a woody stem.*

wool (*wŏŏl*) *n* the soft hair of sheep and some other animals, made into a long thread for knitting or into cloth for clothes *etc.* (ขนสัตว์): *I wear wool in winter; knitting-wool.* — *adj* (ขนสัตว์ที่ถักหรือทอแล้ว): *a wool shawl.*

'wool·len *adj* made of wool (ทำด้วยขนสัตว์): *a woollen hat.*

'wool·lens *n* clothes made of wool (ผ้าขนสัตว์): *Woollens should be washed by hand.*

'wool·ly *adv* made of, or like, wool (ทำด้วยหรือเหมือนกับขนสัตว์): *a woolly jumper.* — *n* a garment, especially a jumper, knitted in wool (เสื้อผ้าที่ถักจากขนสัตว์): *winter woollies.*

word (*wərd*) *n* **1** the smallest unit of language (คำ หน่วยเล็กที่สุดของภาษา). **2** a short conversation (การสนทนาสั้น ๆ): *I'd like a word with you in my office.* **3** news (ข่าว): *When you get there, send word that you've arrived safely.* **4** a solemn promise (สัญญาอย่างจริงใจ): *He gave her his word that it would never happen again.*

'word-pro·ces·sor *n* an electronic machine with a keyboard and a screen, that is used to type letters, documents *etc.* (เครื่องประมวลคำ).

by word of mouth by one person telling another in speech, not in writing (โดยการพูด): *She got the information by word of mouth.*

in a word to sum up briefly (สรุปอย่างสั้น ๆ): *In a word, I don't like him.*

break your word to fail to keep your promise (รักษาสัญญาไม่ได้).

keep your word to keep your promise (รักษาสัญญา).

take someone at their word to believe someone without question and act according to their words (เชื่อโดยไม่ถามและกระทำตามที่พวกเขาพูด).

take someone's word for it to trust that what someone says is true (เชื่อว่าที่ใครพูดนั้นเป็นจริง).

word for word in the exact words (คำต่อคำ): *That's what he said, word for word.*

wore *see* **wear** (ดู **wear**).

work (*wərk*) *n* **1** effort made in order to achieve or make something (ทำงาน): *John has put a lot of work into the essay.* **2** employment (การจ้างงาน): *I cannot find work.* **3** a task; the thing that you are working on (ภาระ สิ่งที่เรากำลังทำ): *Please clear your work off the table.* **4** a painting, book, play, piece of music *etc.* (รูปภาพ หนังสือ ละคร ดนตรี): *the works of Shakespeare; This work was composed in 1816.* **5** what you produce as a result of your efforts (ผลงาน): *His work has improved lately.* **6** your place of employment (ที่ทำงาน): *He left work at 5.30 p.m.; I don't think I'll go to work tomorrow.* — *v* **1** to do work (ทำงาน): *You don't work hard enough; She works at the factory three days a week; I've been working on a new project.* **2** to make people do work (ใช้งาน): *He works his employees very hard.* **3** to be employed (รับจ้าง): *Are you working just now?* **4** to operate (ปฏิบัติงาน): *How does that machine work?* **6** to make your way slowly and carefully with effort or difficulty (ทำของเราไปอย่างช้า ๆ และระมัดระวังด้วยความพยายามและยากลำบาก): *She worked her way up the rock face.*

'work·a·ble *adj* able to be carried out (สามารถทำให้สำเร็จได้): *Your plan seems workable.*

'work·er *n* **1** a person who is employed in an office, a factory *etc.* (ลูกจ้าง): *office-workers; car-workers.* **2** a worker in a factory rather than an office *etc.* (คนงานในโรงงาน). **3** someone who works (คนทำงาน): *He's a slow worker.*

'work·man *n* a man who does manual work (คนงานที่ต้องใช้แรงกาย): *the workmen on a building site.*

'work·man·ship *n* the skill of a workman; the skill with which something is made (ความชำนาญของคนงาน ความเชี่ยวชาญซึ่งก่อให้เกิดงานนั้นขึ้นมา): *He admired the carpenter's workmanship; His new desk fell apart within a year, because the workmanship was so poor.* works *n* **1** a factory *etc.* (โรงงาน): *The steelworks are* (or *is*) *closed for the holidays.* **2** the mechanism of a watch, clock *etc.* (กลไกของนาฬิกา): *The works are all rusted.* **3** deeds, actions *etc.* (การกระทำ การปฏิบัติ): *She has spent her life doing good works.*

'work·shop *n* **1** a room or building where things are made or repaired (ห้องหรืออาคารที่ใช้เป็นที่ทำของหรือซ่อมแซม): *He is a mechanic in a large metal workshop; a carpenter's workshop.* **2** a course of study or work for a group of people on a particular subject (หลักสูตรการเรียนหรืองานที่ทำกันเป็นกลุ่มในเรื่องนั้น ๆ): *She is attending a poetry workshop; a dance workshop.* **at work 1** working (ทำงาน): *Susan's at work on a new book.* **2** at the office *etc.* where you work (ที่ทำงาน): *Isn't Dorothy at work today?*

get or **set to work** to start work (เริ่มทำงาน): *Could you get to work painting that* ceiling?; *I'll have to set to work on this mending this evening.*

go to work on to begin work on something (เริ่มทำงานบางอย่าง): *We're thinking of going to work on an extension to the house.*

in working order operating correctly (ปฏิบัติการอย่างถูกต้อง): *Your washing machine is in working order now.*

out of work having no employment (ตกงาน): *He's been out of work for months.*

work of art a painting, sculpture *etc.* (วาดภาพ แกะสลัก).

work out 1 to solve; to calculate correctly (แก้ปัญหา คำนวณอย่างถูกต้อง): *I can't work out this puzzle; Work out how many hours there are in a year.* **2** to come to a satisfactory end (มาถึงจุดจบที่พอใจ): *Don't worry — it will all work out in the end.*

work up 1 to excite or rouse gradually (กำเริบ ตื่นเต้นหรือกระตุ้นขึ้นทีละน้อย): *She worked herself up into a fury ; Don't get so worked up!* **2** to raise; to build up (สร้างขึ้น): *I just can't work up any energy today .*

world (*wərld*) *n* **1** the planet Earth (ดาวโลก): *every country of the world.* **2** the people who live on the planet Earth (คนอยู่บนโลก): *The whole world is waiting for a cure for cancer.* **3** any planet *etc.* (ดาวเคราะห์ใด ๆ): *people from other worlds.* **4** a state of existence (โลก): *Do concentrate! You seem to be living in another world.* **5** an area of life or activity (ชีวิตความเป็นอยู่): *the insect world; the world of the businessman.* **6** a great deal (จำนวนมาก): *The holiday did him the world of good.* **7** the lives and ways of ordinary people (ชีวิตและวิถีทางของคนธรรมดา): *He's been a monk for so long that* *he knows nothing of the world.*

world'wide *adj, adv* everywhere in the world (ทั่วทั้งโลก): *a worldwide problem; Their products are sold worldwide*

out of this world almost too good to be real (แทบจะดีเกินไปที่จะเป็นจริง): *The concert was out of this world.*

worm (*wərm*) *n* a small creeping animal with a ringed body and no backbone; an earthworm (ไส้เดือน). — *v* **1** to make your way slowly or secretly (เข้าไปอย่างช้า ๆ และลับ ๆ): *He wormed his way to the front of the crowd.* **2** to get information *etc.* out of someone with difficulty (เอาข่าวสารมาจากบางคนได้อย่างยากลำบาก): *It took me hours to worm the true story out of him.*

worn *adj* damaged by long use (สึกหรอ): *a badly-worn carpet.* See also **wear**.

worn out 1 too worn to be able to be used any more (สึกจนเกินไปไม่สามารถใช้ได้อีกแล้ว): *This jacket's worn out.* **2** very tired (เหนื่อยมาก): *You look worn out.*

'wor·ry[1] (*'wur-i*) *n* **1** to feel anxious; to make someone feel anxious (รู้สึกเป็นห่วง ทำให้รู้สึกเป็นห่วง): *His poor health worries me; His mother is worried about his education; There's no need to worry just because he's late.* **2** to annoy; to distract (รบกวน ทำให้เขว): *Don't worry me just now — I'm busy!* **3** to shake or tear with the teeth *etc.* as a dog shakes and tears its prey *etc.* (ใช้ฟันฉีกหรือกระชาก). — *n* anxiety; a cause of anxiety (ความกังวล สาเหตุที่ทำให้กังวล): *Money is a constant worry to me; Try to forget your worries; Worry is bad for your health.*

'wor·ried *adj* (เป็นกังวล): *a worried look.*

worse (*wərs*) *adj* **1** inferior; less good (ด้อยเลวกว่า): *My exam results were bad but his were much worse than mine.* **2** not so well (ไม่ดีนัก): *I feel worse today.* **3** more unpleasant (ไม่ชอบใจมากกว่า): *Waiting for exam results is worse than sitting the exams.* — *adv* less well (ดีน้อยกว่า): *He behaves worse now than he did as a child.* — *pron* of two things or people, the one that is inferior (คนหรือสิ่งของที่ด้อยกว่าเมื่อเทียบกัน): *the worse of the two alternatives.*

See **bad** and **badly**.

'wors·en *v* to grow or make worse (เลวลงหรือทำให้เลวลง): *The situation has worsened.*

'wor·ship (*wər'ship*) *v* **1** to honour greatly; to praise (ให้เกียรติอย่างสูง บูชา): *to worship God.* **2** to love or admire very greatly (ชื่นชมเป็นอย่างมาก): *She worships her older brother.* — *n* (สถานที่บูชา): *A church is a place of worship; the worship of money.*

'wor·ship·per *n* (ผู้บูชา).

worst (*wərst*) *adj* worse than all the others (เลวที่สุด): *That is the worst book I have ever read.* — *adv* worse than all the others (เลวกว่าสิ่งอื่นทั้งหมด): *Alan performed worst of all in the test.* — *pron* the thing, person *etc.* that is worse than all the others (ของ คนที่เลวกว่าสิ่งอื่นทั้งหมด): *the worst of the three; His behaviour is at its worst when he's with strangers; At the worst they can only make you pay a fine.*

See **bad** and **badly**.

get the worst of it to be defeated in a fight *etc.* (พ่ายแพ้ในการต่อสู้).

if the worst comes to the worst if the worst possible thing happens (ถ้าสิ่งที่เลวที่สุดเกิดขึ้น): *If the worst comes to the worst, you can sell your house.*

the worst of it is that the most unfortunate *etc.* aspect of the situation is that (ที่เลวที่สุดก็คือ): *The worst of it is that I've spent all my money.*

worth (*wərth*) *n* value (มีค่า): *These books are of little worth; She sold 50 dollars' worth of tickets.* — *adj* **1** equal in value to (มีค่าเท่ากับ): *This pen is worth five dollars.* **2** good enough for (มีค่าพอที่จะ): *His suggestion is worth considering; The exhibition is worth a visit.*

'worth·less *adj* of no value (ไม่มีค่า): *worthless old coins.* **'worth·less·ly** *adv* (อย่างไม่มีค่า). **'worth·less·ness** *n* (ความไม่มีค่า).

'wor·thy (*'wər-dhi*) *adj* **1** good (ดี): *I willingly give money to a worthy cause.* **2** deserving something (สมควรกับบางสิ่ง): *She is certainly worthy of the prize she has won.* **3** suitable for (เหมาะสมสำหรับ): *a performance worthy of a champion.* **4** important enough (สำคัญพอ): *She was not thought worthy to be presented to the king.*

'wor·thi·ly *adv* (อย่างเหมาะสม).

'wor·thi·ness *n* (ความเหมาะสม).

worth'while *adj* deserving attention, time and effort *etc.* (ควรแก่การสนใจ เวลา และความพยายาม): *a worthwhile cause; It isn't worthwhile to ask him — he'll only refuse.*

would (*wŏŏd*) *v* **1** the past tense of **will** (อดีตกาลของ **will**): *He said he would be leaving at nine o'clock the next morning; I asked if he'd come and mend my television set; I asked him to do it, but he wouldn't; I thought you would have finished by now.* **2** used in speaking of things that are possible or probable; might (อาจจะ): *If I asked her to the party, would she come?; I would have come to the party if you'd asked me; He'd be a good teacher, wouldn't he?* **3** used to express a preference, opinion, wish *etc.* politely (ใช้แสดงถึงความชอบกว่า ความเห็น ความปรารถนา อย่างสุภาพ): *I would do it this way; It'd be a shame to lose the opportunity, wouldn't it?; She says she would like you to help her.* **4** used to express annoyance (ใช้แสดงถึงความรำคาญ): *I've lost my car-keys — that would happen!*

> **I would** or **I'd** (*īd*);
> **you would** or **you'd** (*ūd*);
> **he would** or **he'd** (*hēd*);
> **she would** or **she'd** (*shēd*);
> **it would** or **'it'd** (*'it-əd*);
> **we would** or **we'd** (*wēd*);
> **they would** or **they'd** (*dhād*);
> **would not** or **would·n't** (*'wŏŏd-ənt*): *Who would have thought she'd win?; You'd like to go to the zoo, wouldn't you?; You wouldn't like to break your leg, would you?*
> Note: *They said they would* (not *will*) *arrive tomorrow.*

would you used to introduce a polite request to someone to do something (ใช้ในการขอร้องอย่างสุภาพ): *Please would you close the door?*

'would-be *adj* trying or hoping to be or become (พยายามหรือหวังที่จะเป็นหรือกลายเป็น): *a would-be film star.*

wound[1] see **wind**[2] (ดู **wind**[2]).

wound[2] (*woond*) *n* an injury (แผล): *The wound that he had received in the war still gave him pain occasionally; He died from a bullet-wound.* — *v* **1** to hurt; to injure (เจ็บ บาดเจ็บ): *He didn't kill the animal — he just wounded it; He was wounded in the battle.* **2** to hurt someone's feelings (ทำให้ใครรู้สึกเจ็บปวด): *to wound someone's pride.*

> You are **wounded** in a battle *etc.*, but **injured** in an accident.

'wound·ed *adj*: *wounded soldiers.*

wove, woven see **weave** (ดู **weave**).

wrap (*rap*) *v* to roll or fold something round something or someone (ห่อ พัน): *She wrapped the towel round herself; She wrapped the baby up in a warm shawl.* — *n* a warm covering to put over your shoulders (ผ้าคลุมไหล่).

'wrap·per *n* a paper cover for a sweet, packet of cigarettes *etc.* (กระดาษห่อขนมหวาน ซองบุหรี่): *a sweet-wrapper.*

'wrap·ping *n* something used to pack something in (วัตถุที่ใช้ห่อของบางอย่าง): *She took the wrapping off the present.*

wrap up to dress warmly (แต่งตัวให้อบอุ่น): *You have to wrap up well if you visit England in winter; Wrap the child up well.*

wrath (*roth*) *n* violent anger (การโกรธอย่างรุนแรง).

wreath (*rēth*), *plural* **wreaths** (*rēths* or *rēdhz*), *n* **1** a circular garland of flowers or leaves, placed at a grave, or put on someone's shoulders or head after their victory *etc.* (พวงหรีด): *We put a wreath of flowers on her mother's grave.* **2** a curl of smoke, mist *etc.* (ควันไฟม้วนตัว หมอก): *wreaths of smoke.*

wreck (*rek*) *n* **1** a very badly damaged ship (เรือที่อับปาง): *The divers found a wreck on the sea-bed.* **2** something in a very bad condition (ของที่อยู่ในสภาพเลวอย่างยิ่ง): *She shouldn't drive that car — it's a wreck!* **3** the destruction of a ship at sea (เรืออับปาง): *The wreck of the Royal George.* — *v* to destroy or damage very badly (ทำลายหรือเสียหายอย่างมาก): *The ship was wrecked on rocks in a storm; My son has wrecked my car; You have wrecked my plans.*

'wreck·age *n* the remains of something wrecked (ซากที่เหลือของอะไรบางอย่างที่ถูกทำลาย): *After the accident, the wreckage was removed from the motorway.*

wrench (*rench*) *v* **1** to pull with a violent movement (ดึงอย่างรุนแรง): *He wrenched the book out of my hand.* **2** to sprain (เคล็ด): *to wrench your shoulder.* — *n* **1** a violent pull or twist (ดึงหรือบิดอย่างรุนแรง). **2** a strong tool for turning nuts, bolts *etc.* (กุญแจเลื่อน).

'wres·tle (*'res-əl*) *v* **1** to struggle with someone, especially as a sport (ปล้ำ). **2** to struggle with a problem *etc.* (แก้ปัญหา): *I've been wrestling with the office accounts.*

'wres·tler *n* a person who takes part in the sport of wrestling (นักมวยปล้ำ).

wretch (*rech*) *n* **1** a miserable, unhappy creature (น่าเวทนา คนที่ไม่มีความสุข): *The poor wretch!* **2** a name used in annoyance or anger (คำที่ใช้ในเวลารำคาญหรือโกรธ): *You wretch!* **'wretch·ed** (*'rech-əd*) *adj* **1** very poor or miserable (จนมากหรือน่าสงสาร): *She leads a wretched life.* **2** used in annoyance (ใช้เมื่อตอนรำคาญหรือถูกรบกวน): *You wretched child!*

'wretched·ly *adv* (อย่างน่าสงสาร).

'wretch·ed·ness *n* (ความน่าสงสาร).

'wrig·gle (*'rig-əl*) *v* to twist to and fro (กระดุกกระดิก ขยุกขยิก ดิ้น): *The child kept wriggling in his seat; How are you going to wriggle out of this awkward situation?* — *n* a wriggling movement (การเคลื่อนไหวแบบนี้).

wring (*ri*) *v* **1** to force water from material by twisting or by pressure (บิด): *He wrung the water from his wet shirt.* **2** to clasp and unclasp your hands in desperation, fear *etc.* (บีบ).

wring; wrung; wrung: *John wrung out his window-cleaning cloth; I've wrung out most of the water.*

'wrin·kle (*'riŋ-kəl*) *n* a small crease on your skin (รอยย่น): *Her face is full of wrinkles.* — *v* to make or become full of wrinkles or creases (ทำให้ย่นหรือกลายเป็นเต็มไปด้วยรอยย่น): *The damp had wrinkled the pages.*

'wrink·led *adj* full of wrinkles (เต็มไปด้วยรอยย่น): *a wrinkled face.*

wrist (*rist*) *n* the part of your arm at the joint between hand and forearm (ข้อมือ): *I can't play tennis — I've hurt my wrist.*

'wrist·watch *n* a watch worn on your wrist (นาฬิกาข้อมือ).

writ (*rit*) *n* a legal document that orders you to do something (เอกสารที่ถูกกฎหมายซึ่งสั่งให้เราทำอะไรบางอย่าง หมายสั่ง): *He received a writ ordering him to appear in court as a witness.*

write *v* **1** to make letters or words, especially with a pen or pencil on paper (เขียน): *They wrote their names on a sheet of paper; Jack has learnt to read and write; Please write in ink.* **2** to compose the text of a book, poem *etc.* (แต่งหนังสือ กลอน): *She wrote a book on prehistoric monsters.* **3** to compose a letter and send it (เขียนจดหมาย): *I'll write you a long letter about my holiday.*

write; wrote; 'writ·ten: *He wrote to me last week; This book was written long ago.*

'wri·ter *n* someone who writes, especially for a living (นักเขียน นักประพันธ์): *Dickens was a famous English writer; the writer of this letter.*

'wri·ting *n* letters or other forms of script (ตัวอักษรหรือแบบอื่นของตัวเขียน): *The Chinese form of writing; I can't read your writing.*

'wri·tings *n* the books, poems, *etc.* of a particular writer (หนังสือ บทกลอน ของนักประพันธ์): *the writings of Plato.*

'writ·ten *adj* in writing (โดยการเขียน): *a written message.*

write down (จดลงไป): *She wrote down every word he said.*

write in to write a letter to a newspaper, television programme *etc.* (**เขียนจดหมายถึงหนังสือพิมพ์ รายการโทรทัศน์**): *Several viewers have written in to say they enjoy our programme very much.*

write out (**เขียนออกมา**): *Write this exercise out in your neatest handwriting.*

writhe (*rīdh*) *v* to twist violently to and fro (**บิดเบี้ยวไปมา**): *to writhe in agony; She writhed about when I tickled her.*

wrong (*roŋ*) *adj* **1** incorrect (**ผิด**): *The child gave the wrong answer; We went in the wrong direction.* **2** mistaken (**เข้าใจผิด**): *I thought Singapore was south of the Equator, but I was quite wrong.* **3** not good; not right (**ไม่ดี ไม่ถูก**): *It was wrong to steal.* **4** not suitable (**ไม่เหมาะสม**): *He's the wrong man for the job.* **5** not right; not normal (**ไม่ถูกต้อง ไม่ปกติ**): *What's wrong with that child — why is she crying?* — *adv* incorrectly (**อย่างไม่ถูกต้อง**): *I think I may have spelt her name wrong.* — *n* that which is bad or evil (**สิ่งที่เลวหรือชั่วร้าย**): *He does not know right from wrong.* — *v* to insult; to hurt unjustly (**ดูหมิ่น ทำร้ายอย่างไม่ยุติธรรม**): *You wrong me by suggesting that I'm lying.*

The opposite of **wrong** is **right**.

'wrong·do·er *n* a person who does wrong or illegal things (**ผู้ทำผิด**): *The wrongdoers must be punished.*

'wrong·do·ing *n* (**การกระทำผิด**).

'wrong·ful *adj* not lawful; not fair (**ไม่ถูกกฎหมาย ไม่ยุติธรรม**): *wrongful dismissal from a job.*

'wrong·ful·ly *adv* (**อย่างไม่ยุติธรรม**).

'wrong·ly *adv* **1** incorrectly (**อย่างผิด ๆ**): *The letter was wrongly addressed.* **2** unjustly (**อย่างไม่ยุติธรรม**): *I have been wrongly treated.*

do wrong (**ทำผิด**): *You did wrong to punish him; You have done him wrong by punishing him unjustly.*

get wrong (**ทำผิด**): *I got that sum wrong.*

go wrong 1 to go badly (**ผิดพลาด**): *Everything has gone wrong for her recently.* **2** to stop working properly (**เลิกทำงานอย่างถูกต้อง**): *The machine has gone wrong.* **3** to make a mistake (**ทำผิด**): *Where did I go wrong in that sum?* **in the wrong** guilty of a mistake or injustice (**ผู้ผิด**): *Don't try to blame her — You're the one who's in the wrong!*

wrote *see* **write** (**ดู write**).

wrung *see* **wring** (**ดู wring**).

wry (*rī*) *adj* slightly mocking (**บิด เบี้ยว ล้อเลียน**): *a wry smile.*

'wry·ly *adv* (**อย่างล้อเลียน**)

Xx

xen·o'pho·bi·a (*zen-ə'fō-bi-ə*) *n* a fear or hatred of foreign or strange people or things (**กลัวหรือเกลียดคนต่างชาติ**): *The government asked for a report on racism and xenophobia in education.*

'Xer·ox® (*'zēr-oks*) *n* the tradename of a kind of photocopying machine; a copy made by it. — *v* (**ชื่อทางการค้าของเครื่องถ่ายสำเนาชนิดหนึ่ง**): *to Xerox a document.*

See **photocopy**.

Xmas (*'kris-məs*) a short way of writing Christmas (**คำย่อของคริสต์มาส**).

X-'ray (*eks'rā*) *n* a photograph taken using special rays (**X-'rays**) that can pass through materials that light cannot pass through (**ภาพเอกซเรย์**): *I'm going to hospital for an X-ray; We'll take an X-ray of your chest.* — *v* (**เอกซเรย์**): *They X- rayed my arm to see if it was broken.*

'xy·lo·phone (*'zī-lə-fōn*) *n* a musical instrument consisting of wooden or metal bars of various lengths attached to a frame, that produce different notes when struck by wooden hammers (**ระนาดฝรั่ง**).

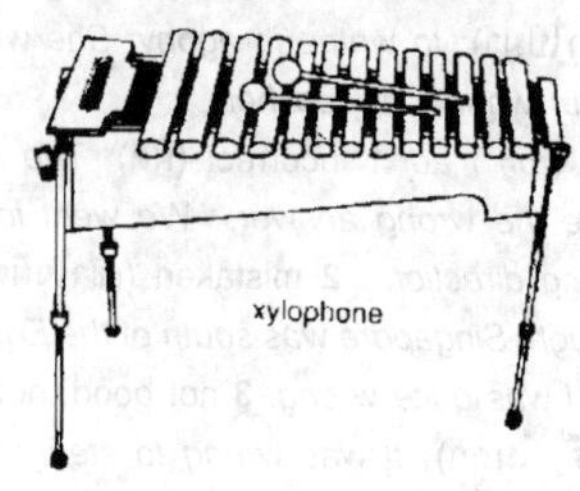
xylophone

yacht (*yot*) *n* a boat or small ship built and used for racing or cruising (**เรือยอทช์**): *We spent our holidays on a friend's yacht.*

'yacht·ing *n* the pastime of sailing in a yacht (**เครื่องหย่อนใจโดยการแล่นเรือยอทช์**).

yak, *plural* **yaks** or **yak**, *n* a long-haired ox, found in Tibet (**จามรี วัวขนยาวพบในธิเบต**).

yam *n* any of several kinds of potato-like tropical plants used as food (**กลอย มันเทศ มันฝรั่ง ฯลฯ ใช้เป็นอาหาร**).

yank *v* to pull something suddenly and violently (**กระตุกอย่างแรงและทันทีทันใด**): *She yanked the child out of the mud.* — *n* (**การกระตุก**): *He gave the rope a yank.*

yap *v* to give a high-pitched bark (**เห่าเสียงแหลม**). — *n The puppy gave a yap.*

yard[1] *n* an old unit of length equal to 0.9144 metres (often written **yd**) (**หลา**).

yard[2] *n* an enclosed area of ground beside a building (**ลานดินที่มีรั้วล้อม**): *Leave your bicycle in the yard; a school-yard; a courtyard.*

yarn *n* wool, cotton *etc.* spun into thread (**ขนสัตว์ ฝ้าย ปั่นให้เป็นเส้นด้าย**): *knitting-yarn; a length of yarn.*

'yash·mak *n* a veil worn over the face below the eyes by some Muslim women (**ผ้าคลุมหน้าสตรีอิสลาม**): *Muslim women living in Europe don't always wear yashmaks.*

yawn *v* to stretch your mouth wide and take a deep breath when you are tired or bored (**หาว**): *He yawned and fell asleep.* — *n* (**การหาว**): *She could not suppress a yawn of boredom.*

'yawn·ing *adj* wide open (**รอยเปิดกว้าง**): *a yawning gap.*

year *n* the period of time the earth takes to go once round the sun, 365 days, especially the 365 days from January 1 to December 31 (**ปี ช่วงระยะเวลาที่โลกโคจรรอบดวงอาทิตย์ครบหนึ่งรอบ 365 วัน**).

> A **decade** is a period of 10 years.
> A **century** is a period of 100 years.
> A **millennium** is a period of 1000 years.

'year·ly *adj* happening *etc.* every year (**เกิดขึ้นทุกปี**): *We pay a yearly visit to my uncle.* — *adv* every year (**ทุก ๆ ปี**): *The festival is held yearly.*

-year-old *adj* (**เกี่ยวกับอายุ**): *a two-year-old girl.* — *n* (**อายุ**): *She teaches a class of six-year-olds.*

all year round , all year long *etc.* throughout the whole year (**ตลอดทั้งปี**): *The weather is so good here that you can swim all year round.*

yearn (*yërn*) *v* to want something very much; to long (**ปรารถนา ใฝ่ฝัน อย่างมากที่จะให้**): *to yearn for an end to the war.*

'yearn·ing *n* a strong desire (**ความปรารถนา ความใฝ่ฝัน**).

yeast *n* a substance used to make bread swell before baking; used also to make beer (**เชื้อหมัก ส่าเหล้า**).

yell *n* a loud, shrill cry; a scream (**ร้องเสียงแหลม หวีดร้อง**): *a yell of pain.* — *v*: *He yelled at her to be careful.*

'yel·low (*'yel-ō*) *n* the colour of gold; the colour of the yolk of an egg (**สีเหลือง**): *Yellow is my favourite colour.* — *adj* (**เกี่ยวกับสีเหลือง**): *a yellow dress.* — *v* to make or become yellow (**กลายเป็นสีเหลือง**): *It was autumn and the leaves were beginning to yellow.*

yelp *v* to give a sharp, sudden cry (**ร้องเอ๋ง ๆ**): *The dog yelped with pain.* — *n* (**การร้องเอ๋ง ๆ**): *The dog gave a yelp of pain.*

yes a word used to express agreement or consent (**ใช่ ครับ จ้ะ**): *Yes, that is true; Yes, you may go.*

'yes·ter·day *n* the day before today (**เมื่อวานนี้**): *Yesterday was a tiring day.* — *adv* (**เมื่อวานนี้**): He went home yesterday.

> We went to see a movie **last night** (not **yesterday night**); **yesterday morning** and **yesterday evening** are correct.

yet *adv* **1** up till now (**จนกระทั่งเดี๋ยวนี้**): *He hasn't telephoned yet; We're not yet ready.* **2** used for emphasis (**ใช้ในการเน้น**): *He's made yet another mistake.* **3** even (**ยังคง**): *a yet more terrible experience.* — *conjunction* but; however (แต่ อย่างไรก็ตาม): *He's pleasant enough, yet I don't like him.*

See **still**.

as yet up to the present (จนเดี๋ยวนี้): *I haven't had a book published as yet.*

'ye·ti *n* an ape-like creature supposed to live in the Himalayas (มนุษย์หิมะ): *Some climbers believe they have seen the yeti's footprints in the snow.*

yield (*yēld*) *v* **1** to give up; to surrender (ยอมให้ ยอมแพ้): *He was forced to yield all his possessions to the state.* **2** to give way (เปิด ยอมตาม): *At last the door yielded; He yielded to his son's request; to yield to temptation.* **3** to produce *etc.* (ผลิต): *How much milk does that herd of cattle yield?*

yob *n* a rough, aggressive and badly behaved boy or young man (เด็กชายหรือคนหนุ่มที่หยาบคาย ก้าวร้าว และประพฤติตนไม่ดี): *gangs of yobs.*

'yo·ga (*'jō-gə*) *n* a system of exercise and meditation in which you stretch your body while doing breathing exercises (โยคะ): *She believes practising yoga helps keep her calm.*

'yog·hourt, 'yog·hurt, 'yog·urt (*'yog-ərt*) n a slightly sour-tasting, half-liquid food made from milk (นมเปรี้ยว).

'yo·gi (*'jō-gē*) *n* a person who has spent many years practising yoga (โยคี): *She went to India to visit a yogi.*

yoke *n* **1** a wooden frame placed over the necks of oxen to hold them together when they are pulling a cart *etc.* (แอกที่ใช้สวมใส่ที่คอวัวเพื่อให้มันอยู่ด้วยกันเมื่อตอนลากเกวียน). **2** a frame placed across someone's shoulders, for carrying buckets *etc.* (ไม้คานสำหรับหิ้วถังน้ำ). **3** something that weighs people down, or prevents them being free (สิ่งที่เป็นภาระหนักต่อผู้คน หรือการป้องกันไม่ให้พวกเขาเป็นอิสระ): *the yoke of slavery.* **4** the part of a garment that fits over your shoulders and round your neck (คอเสื้อ): *a black dress with a white yoke.* — *v* to join with a yoke (เชื่อมต่อด้วยแอก): *He yoked the oxen to the plough.*

yolk (*yōk*) *n* the yellow part of an egg (also called the **'egg-yolk**) (ไข่แดง).

you (*yoo*) *pron* **1** (used as the subject or object of a verb, or as the object of a preposition) the person or people you are speaking to (บุคคลหรือผู้คนที่เราพูดด้วย): *You look well!; I asked you a question; Do you all understand?; Who came with you?* **2** used with a noun when calling someone something, especially something unpleasant (ใช้กับคำนามเมื่อเรียกใครหรืออะไร): *You idiot!; You fools!*

you'd short for (คำสั้น ๆ ของ) **you had, you would**.

you'll short for (คำสั้น ๆ ของ) **you will**.

young (*yuŋ*) *adj* not old (เด็ก หนุ่ม สาว): *a young person; Young babies sleep a great deal; A young cow is called a calf.* — *n* baby animals or birds (ลูกสัตว์หรือลูกนก): *Most animals defend their young.*

He's **still too young** (not **small**) to take care of himself. **younger** *see* **junior**.

'young·ster *n* a young person (คนหนุ่มสาว): *A group of youngsters were playing football.*

the young young people in general (คนหนุ่มสาวโดยทั่วไป).

your (*yör*) *adj* belonging to you (ของท่าน): *your car.*

you're short for (คำย่อของ) **you are**.

yours (*yörz*) *pron* something belonging to you (เป็นของท่าน): *This book is not yours; Yours is on that shelf; Is he a friend of yours?*

yours faithfully, yours sincerely, yours truly expressions written before your signature at the end of a letter (คำที่ใช้ในตอนจบจดหมายก่อนที่เราจะเซ็นชื่อ).

your'self, *plural* **your'selves**, *pron* **1** used as the object of a verb or preposition when the person or people you are speaking to is or are both the subject and object (ใช้เป็นกรรมของกริยาหรือบุพบทเมื่อคนที่เราพูดด้วยเป็นหรือเป็นทั้งประธานและกรรม): *Why are you looking at yourselves in the mirror?; You can dry yourself with this towel.* **2** used to emphasize **you** **(ใช้ในการเน้น)**: *You yourself can't do it, but you could ask someone else to do it.* **3** without help *etc.* **(ด้วยตัวเอง)**: *You can do it yourself!*

youth (*yooth*), *plural* **youths** (*yoodhz*), *n* **1** the early part of life **(วัยหนุ่มสาว)**: *Enjoy your youth!; He spent his youth in America.* **2** a boy between 15 and 20 years old **(เด็กชายอายุระหว่าง 15 ถึง 20 ปี)** : *He and two other youths were kicking a football about.* **3** young people **(คนหนุ่มสาว)**: *the youth of today.*

youth club a place providing leisure activities for young people **(สโมสรของคนหนุ่มสาว)**: *They went to a dance at the local youth club.*

'youth·ful *adj* **1** young **(หนุ่มสาว)**: *The boy looked very youthful.* **2** active, young-looking *etc.* **(กระฉับกระเฉง ดูเป็นหนุ่มเป็นสาว)**: *Exercise will keep you youthful.* **3** having to do with youth **(เกี่ยวกับความเป็นหนุ่มสาว)**: *youthful pleasures.*

'youthful·ly *adv* **(อย่างหนุ่มสาว)**.

'youth·ful·ness *n* **(ความเป็นหนุ่มสาว)**.

youth hostel a place where people on walking and bicycling holidays *etc.* can stay cheaply **(ที่พักคนเดินทางด้วยเท้าและจักรยานในวันหยุด)**: *The whole family stayed in a youth hostel as they couldn't afford a hotel.*

you've short for **(คำย่อของ) you have**.

'yo-yo, 'Yo-yo® *n* a toy consisting of two joined discs that you can make run up and down a string **(ลูกข่างโยโย่)**: *going up and down like a yo-yo.*

Zz

'za·ny (*'zā-ni*) *adj* crazy but fun (แปลก ๆ แต่ว่าตลก): *a person with a zany sense of humour.*

zap *v* **1** to kill, usually by shooting (ฆ่า โดยปกติแล้วมักจะเป็นการยิง): *The video game lets you zap aliens.* **2** to erase from a computer screen (ลบออกจากจอภาพคอมพิวเตอร์): *She zapped the file.* **3** to change television channels using a remote control device (เปลี่ยนช่องโทรทัศน์โดยใช้เครื่องควบคุมระยะไกล).

zeal *n* keenness; eagerness (ความกระตือรือร้น ความทะเยอทะยาน).

'zeal·ous (*'zel-əs*) *adj* (กระตือรือร้น): *He is a zealous supporter of our cause.*

'zeal·ous·ly *adv* (อย่างกระตือรือร้น).

'ze·bra (*'zē-brə* or *'zeb-rə*), *plural* **zebras, zebra**, *n* a striped animal of the horse family (ม้าลาย): *two zebras; a herd of zebra.*

zebra crossing a crossing-place for pedestrians in a street, marked in black and white stripes (ทางม้าลาย).

'zen·ith *n* **1** the point in the sky immediately above you (จุดในท้องฟ้าที่อยู่เหนือเราพอดี): *The sun is at the zenith.* **2** the highest point (จุดสูงที่สุด): *His popularity has reached its zenith.*

'ze·ro, *plural* **'zeros**, *n* **1** the number 0 (เลข 0): *The figure 100 has two zeros in it.* **2** the point on a scale *etc.* on which measurements are based (จุดบนเครื่องวัดซึ่งใช้ศูนย์เป็นฐาน): *The temperature was 5 degrees below zero.* **3** the exact time fixed for something to happen, for example an explosion, the launching of a spacecraft *etc.* (เวลาที่กำหนดเอาไว้ว่าบางอย่างจะเกิดขึ้น): *It is now 3 minutes to zero.*

zest *n* keen enjoyment (ความเพลิดเพลินอย่างใจจดจ่อ): *She joined in the games with zest.*

'zig·zag *adj* having sharp bends (หยักไปหยักมา): *a zig-zag path through the woods.* — *v* (หยักไปหยักมา): *The road zig-zagged through the mountains.*

zinc *n* a metal that is blue-white in colour (สังกะสี).

zip[1] *v* to move with a whizzing sound (เคลื่อนที่เร็ว): *A bullet zipped past his head.*

zip[2] *n* a device for fastening clothes *etc.* consisting of two rows of metal or nylon teeth that fit into one another when a sliding tab is pulled along between them (also called a **'zip·per** or **a zip fastener**) (ซิป). — *v* to fasten with a zip (ปิดด้วยซิป): *She zipped up her dress.*

'zo·di·ac (*'zō-di-ak*) *n* in astrology, an imaginary strip across the sky that is divided into twelve equal parts called the **signs of the zodiac**, each sign being named after a group of stars (จักรราศี การแบ่งท้องฟ้าออกเป็นสิบสองส่วน แต่ละส่วนมีชื่อตามกลุ่มดาว): *The twelfth sign of the zodiac is called Pisces, or the Fishes, and the sun is in this sign between February 19 and March 20.*

zone *n* an area; a region; a part of a town *etc.* marked off for a special purpose (พื้นที่ เขต ส่วนหนึ่งของเมืองซึ่งแบ่งไว้เพื่อจุดประสงค์พิเศษ): *a no-parking zone; a traffic-free zone.*

zoo *n* a place where wild animals are kept for the public to see, and for study, breeding *etc.* (สวนสัตว์).

zo'ol·o·gy (*zoo'ol-ə-ji*) *n* the scientific study of animals (สัตววิทยา): *She studied zoology at university.*

zoom *v* to move fast with a loud humming or buzzing sound (เคลื่อนที่เร็วพร้อมกับมีเสียงกระหึ่ม): *The motorbike zoomed past us; The plane zoomed across the sky.*

zoom lens a camera lens which can make an object appear larger or smaller (เลนส์ในกล้องซึ่งสามารถทำให้ดูวัตถุได้ใหญ่ขึ้นหรือเล็กลง เลนส์ซูม): *He took several pictures of the ship with his zoom lens, some pictures showing the ship in the harbour, others showing the crew on deck.*